악안면 성형재건외과학

Textbook of Maxillofacial Plastic & Reconstructive Surgery

Fourth Edition

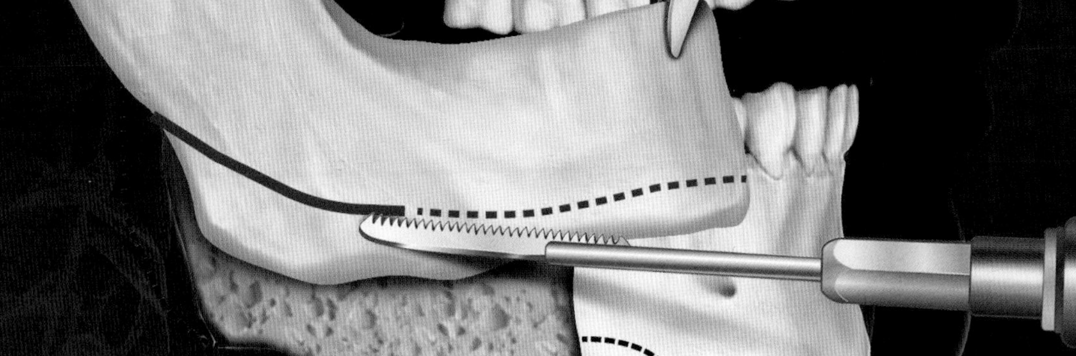

악안면성형재건외과학 4th Edition

첫째판 1쇄 발행 | 2004년 2월 15일
둘째판 1쇄 발행 | 2009년 10월 29일
셋째판 1쇄 발행 | 2016년 1월 20일
넷째판 1쇄 발행 | 2021년 11월 4일
넷째판 2쇄 발행 | 2023년 8월 30일

지 은 이 대한악안면성형재건외과학회
발 행 인 장주연
출 판 기 획 한수인
책 임 편 집 이경은
편집디자인 양란희
표지디자인 김재욱
일 러 스 트 이호현
발 행 처 군자출판사
등록 제 4-139호(1991. 6. 24)
경기도 파주시 회동길 338(서패동 474-1)
전화 (031) 943-1888 팩스 (031) 943-0209
www.koonja.co.kr

ISBN 979-11-5955-770-5

정가 130,000원

편찬위원장

박홍주 전남대학교

편 찬 위 원

권대근 경북대학교
권용대 경희대학교
김용덕 부산대학교
김성민 서울대학교
김철환 단국대학교
김형준 연세대학교
문성용 조선대학교
박영욱 강릉원주대학교
백진아 전북대학교
안강민 울산대학교
이부규 울산대학교
정승곤 전남대학교
정영수 연세대학교
최진영 서울대학교

집필위원 (가나다순)

고승오 전북대학교
국민석 전남대학교
권경환 원광대학교(전)
권대근 경북대학교
권용대 경희대학교
김경원 충북대학교(전)
김동욱 연세대학교
김명진 서울대학교(전)
김문기 국민건강일산병원
김문영 단국대학교
김선종 이화여자대학교
김성곤 강릉원주대학교
김성민 서울대학교
김수관 조선대학교(전)
김영균 서울대학교
김용덕 부산대학교
김욱규 부산대학교
김재영 연세대학교
김종렬 부산대학교(전)
김진우 이화여자대학교
김진욱 경북대학교
김철환 단국대학교
김형준 연세대학교
남 웅 연세대학교
남정우 원광대학교
류동목 경희대학교(전)
문성용 조선대학교
민승기 원광대학교(전)
박관수 인제대학교
박봉욱 경상대학교(전)
박상준 인제대학교
박영범 연세대학교(보철학교실)
박영욱 강릉원주대학교
박정현 이화여자대학교
박홍주 전남대학교
백진아 전북대학교
변준호 경상대학교
서병무 서울대학교
석 현 전북대학교
송승일 아주대학교
송재민 부산대학교
신상훈 부산대학교
신효근 전북대학교(전)
안강민 울산대학교
양병은 한림대학교
오승환 원광대학교(전)
오희균 전남대학교
유선열 전남대학교(전)
유재하 연세대학교(전)
윤필영 서울대학교
윤현중 가톨릭대학교
이덕원 경희대학교(전)
이백수 경희대학교
이부규 울산대학교
이상휘 연세대학교
이 원 가톨릭대학교
이의룡 중앙대학교
이의석 고려대학교
이재열 부산대학교
이정근 아주대학교
이정우 경희대학교
이종호 서울대학교
이 준 원광대학교
전주홍 울산대학교
정승곤 전남대학교
정영수 연세대학교
정태영 인제대학교
지유진 경희대학교
차인호 연세대학교
최문기 원광대학교
최병준 경희대학교
최성원 국립암센터
최소영 경북대학교
최은주 원광대학교
최진영 서울대학교
팽준영 성균관대학교
한세진 단국대학교
허종기 연세대학교
홍종락 성균관대학교(전)
황경균 한양대학교
황순정 서울대학교(전)

*집필 당시 소속임

Textbook of Maxillofacial Plastic & Reconstructive Surgery

발간사 *4th Edition*

2021년은 대한악안면성형재건외과 60주년이 되는 해입니다. 그 60년 역사 속에서 수없이 많은 사건과 일들이 있었지만 이들 중 우리 학회에 보편적인 영향을 미치는 가장 중요한 것 중의 하나가 교과서가 아닐까 생각됩니다. 이는 책으로 남겨지고 영원히 후학들에게도 객관적 자료로 전달되는 대단히 중요한, 우리 학회 역사에 한 획을 긋는 사건으로 보아야 할 것입니다.

그만큼 중요한 작업으로 특히 악안면성형재건외과와 같은 임상교과서는 끊임없이 변화하고 발전하는 그 시대와 사회가 지향하는 교육적이고 임상적인 가치를 반영한 내용을 선정해야 하며 그렇게 선정된 각 교과를 체계적이고 효과적으로 학습할 수 있도록 편찬 발행하는데 더욱 노력해야 한다고 생각합니다.

우리 학회는 1962년 선학들에 의해 창립되었습니다. 민병일 교수님께서 악안면성형외과학을 펴내신 후, 학회의 많은 집필진의 헌신으로 2003년 악안면성형재건외과학 교과서 1판이 선을 보였고, 2009년, 2015년에 이어서 벌써 네 번째 판본을 펴내게 되었습니다. 60여 년 동안의 선학들의 열성적인 진료, 끊임없는 연구 저술 활동, 부단한 봉사가 현재의 확고부동한 학회를 만들어왔습니다.

이미 1, 2, 3판을 통하여 헌신적으로 훌륭한 교과서를 집필해 주신 여러 선배님들의 노고가 있었기에 이번 4판은 이미 발간된 3판의 내용을 기반으로 이 책을 읽는 모든 학생, 전공의 그리고 악안면성형에 관심 있는 치과의사들이 학습해야 할 가장 최신의 지식과 임상술기 등을 학문 영역에 따라 가장 체계적으로 정리하여 보강할 수 있었습니다. 집필진과 편집진의 많은 노력에도 불구하고 부족한 부분은 향후 또 다른 개정판을 통하여 보완될 것이라고 믿습니다.

코로나19라는 충격적인 사건으로 인한 어려운 상황에도 불구하고 이 교과서가 발간되기까지 성원을 아끼지 않으신 악안면성형재건외과학회 회원 여러분, 박홍주 편찬위원장, 편찬위원 여러분, 집필을 맡아주신 교수님들께 깊은 감사의 말씀을 올리고, 출판을 위한 도움을 아끼지 않으신 군자출판사 장주연 사장님과 관계자 여러분께도 감사의 말씀을 전합니다.

마지막으로 이 책을 보시는 모든 분들께 항상 행복과 건강이 가득하시길 바라고 대한악안면성형재건외과의 무궁한 발전을 진심으로 소망합니다.

2021년 11월
대한악안면성형재건외과학회 회장
고 승 오

3rd Edition 발간사

사람이 걸어간 발자취는 길이 되고, 많은 이들이 함께 그 길을 가게 되면, 역사가 된다고 하였습니다. 이처럼 학회의 많은 회원들이 함께 걸어 온 길의 흔적이 학문적으로 남겨져 있는 학회에서 발행한 학회지와 교과서는 학회 역사의 근간입니다.

1962년 악안면성형외과 분야의 중요성을 일찍이 간파하신 우리 선생님들께서 진료와 학문적 발전을 체계적으로 도모하고자 당시로서는 이름도 생소한 우리 학회를 창립하였습니다. 학회지는 1978년 창간되어 본격적인 학술 정보 교류의 장을 마련하였고, 우리글로 된 교과서 필요성이 대두되어 2003년 역사적인 악안면성형재건외과학 교과서를 전 회원들의 기대 속에 많은 집필진들의 헌신으로 발간하였습니다. 이후 2009년 제 2판을 발행하였고, 학문적인 발전에 따라 추가 집필해야 될 부분을 보완하고, 더 좋은 사진과 그림으로 보완하고자 제 3판을 기획하여 새로운 출판사에서 책을 선보이게 되었습니다.

새로운 3판은 초판과 2판에서 많은 어려움 속에서도 헌신적으로 집필해 주신 우리 학회의 여러 선배 집필진의 땀과 노력에 3판의 집필진이 가감하면서 보다 최신의 경향과 향후에 갈 방향을 제시하는 작업을 하였습니다. 여기서 저는 초판부터 3판까지 집필에 참여해 주신 모든 분들의 결정체임을 밝히며 경의와 감사를 올립니다.

또한 2판에 이어서 편집위원장을 기꺼이 맡아 수고해 주신 류동목 위원장님, 실무를 맡아 빈틈없이 일을 진행해 주신 허종기 간사님, 편찬위원님들 그리고 집필진 여러분에게 감사를 드립니다. 관계된 여러분들이 많은 노력을 하였음에도 불구하고, 미처 생각하지 못한 부족한 부분은 앞으로 지속적으로 완성도를 높일 수 있는 작업을 계속하겠습니다.

출판을 위해 많은 도움을 주신 군자출판사 장주연 사장님과 관계자 여러분께도 감사드리며 많은 발전을 기원합니다.

2015년 11월

대한악안면성형재건외과학회 회장
차 인 호

발간사 *2nd Edition*

우리 악안면성형재건외과학 교과서가 새로이 개정판을 내게 됨을 1800여 회원 여러분들과 함께 매우 뜻 깊고 기쁘게 생각합니다.

일찍이 1962년, 아시아 지역에서는 최초로 악안면성형외과학 분야의 학문과 임상진료 발전의 기치를 높이 들고 영명하신 우리의 대선배님들이 대한악안면성형(재건)외과학회를 결성하셨습니다.

50년 가까운 역사동안 선배·동료 여러분들께서 각고의 노력과 부단한 봉사, 그리고 협력으로 이렇게 튼튼하고 활발한 학회를 만들 수 있게 되었고, 이러한 역사와 실적은 국내 의료계는 물론 세계적으로도 인정받고 있다고 감히 말씀드릴 수 있습니다.

이러한 빛나는 업적 중에, 2003년 당시 김경욱 회장님과 이동근 편찬위원장님의 주도로 좀 늦은 감이 없진 않았지만 우리 교과서가 첫 출간되었습니다. 당시 총무이사였던 저도 여러 차례의 모임과 막바지의 밤샘 수정·교열 작업 등을 눈에 선하게 떠올릴 수 있습니다.

2007년 11월 회장의 중책을 맡게 된 저는 세월의 흐름과 최신 학문적 내용의 수용 필요성을 여러 회원들과 같이 하면서 교과서 개정작업에 착수하게 되었고 이제 마침내 그 결실을 보게 되었습니다.

초판 작업을 맡아주신 선생님들과 함께, 젊고 새로운 우리 회원 집필진을 더욱 보강하여, 특히 류동목 개정위원장님의 헌신적인 봉사와 리더십으로 오늘 이 알찬 개정판이 나오게 된 것입니다.

하지만 여러 가지 노력에도 불구하고 아직 미흡한 점이 상당하리라 여겨집니다. 앞으로 개정판을 계속하면서 더욱 완성도 있는 교과서가 되기를 바라마지 않습니다.

개정판 출간을 위해 정말 애쓰신 집필위원님들, 편찬위원님들 수고많으셨습니다.

도서출판 의치학사와 도와주신 모든분들께 학회를 대표하여 감사드리고 더 큰 발전이 있기를 기원합니다.

감사합니다.

2009년 10월

대한악안면성형재건외과학회 회장

김 종 렬

1st Edition 발간사

잠시 책상 위의 책을 덮고 본인의 짧지 않았던 25여년간의 공직 생활을 뒤돌아봅니다.

1962년 대한악안면성형재건외과학회의 창립 이래 학회의 발전은 영광 그 자체였습니다.

가슴 뿌듯한 학회의 발전을 바라 볼 때마다 마음속 한켠에서 회원 및 학생들의 학문에 대한 열의를 따라가지 못하는 교육여건에 대한 아쉬움과 후학 양성의 일선에 서 있는 교육인의 일원으로서 느끼는 죄스러움은 언제나 마음속 한 구석에 자리 잡고 있었습니다.

약 30년 전 악안면성형외과학 교과서가 민병일 교수님의 노력으로 세상의 빛을 본 이후 보완·증보되었지만 하루가 다르게 증가하는 악안면 부위에 대한 최신기술과 지식을 충당하기에는 그 목마름과 허전함은 너무나도 커다란 것이었습니다.

이러한 학문의 새로운 흐름을 수용하고 독자의 수요에 부응하기 위해 2002년 1월 임원회의에서 학회편찬의 교과서 발간사업을 결의하였고, 2002년 2월 대전 유성에서 교과서 편집위원회 첫 모임을 가진 이래 약 2년의 노력 끝에 이제 그 결실을 보게 되었습니다.

본 교과서를 편찬함에 있어 집필진은 치과대학과 의과대학에서 악안면성형재건외과를 담당하며 후학교육에 전념했던 전·현직 교수님들로 구성하였으며, 치과대학학생, 전공의 및 악안면성형에 관심이 많은 분들의 지침서가 되도록 그 내용에 충실하고 최신지견을 보충하려고 노력했습니다. 또한 교정학, 치주학, 보철학 등 치의학 인접학문은 물론 악안면성형외과학을 공부하는 분들에게도 도움이 되도록 집필하였습니다.

교과서 편찬위원 모두 알찬 내용의 교과서가 되도록 심혈을 기울였으나 여러 가지 미흡한 부분이 많은 줄로 사료됩니다. 그러나 향후 개정판을 거듭하면서 부족한 내용이 보완되고 미숙한 점들이 여러분들의 정성으로 채워질 것이라 믿어마지 않습니다.

끝으로 이 책이 나오기까지 성원을 아끼지 않아주신 대한악안면성형재건외과학회 회원 여러분, 집필과 자료수집에 노력을 다하신 이동근교과서편찬위원회 위원장, 이종호편집장 및 집필진 여러분들과 여러모로 수고해 주신 도서출판의치학사의 권조웅사장님께 감사의 말씀을 전합니다.

2003년 11월

대한악안면성형재건외과학회 회장

김 경 욱

편찬사 *4th Edition*

학회 교수님들의 노고로 내용과 순서 그리고, 일러스트에 있어서 큰 변화를 담아 충실하게 만들어진 3판 교과서가 편찬되고 6년이 지나 2021년 4판을 펴내게 되었습니다. 시대에 따른 악안면성형재건외과학의 발전을 담고 학생들과 전공의들이 더 이해하기 쉬운 책으로 만들기 위하여 이번 4판 편찬 작업을 진행했습니다. 3판 교과서를 집필해 주신 교수님들의 노고가 아니었다면, 4판의 출간은 훨씬 더 어려운 일이 되었을 것입니다.

Part I 총론에서는 악안면성형재건외과학의 역사와 개념 그리고 기본 술식을, Part 2 안면골성형술에서는 안면골성형굴의 진단 및 치료 계획, 술식, 그리고 실제 증례와 함께 수술 후 관리 등을 담았습니다. Part 3 미용성형술에서는 눈, 코, 얼굴의 피부의 수술에 대한 내용을 해부와 술기를 중심으로 설명했으며, Part 4 구순 및 구개열성형술은 구순구개열의 해부와 그 치료를 위한 술식을 일차 수술, 치조열의 골이식술, 이차적 변형에 대한 교정술과 악교정 수술, 구개인두기능부전로 구성했습니다. 마지막 Part 5는 피부이식술부터 유리피판술 그리고 조직공학까지 악안면재건술의 모든 분야를 다루고자 했습니다. 책의 구성은 3판에서 만들어진 뼈대를 이어받아 만들어졌으며, 개념의 변화가 크지 않은 파트에 있어서는 책의 내용 또한 큰 변화가 없으나, 좀 더 쉽게 이해할 수 있도록 서술하고자 노력했으며, 교과서 전체의 맥락에서 일관성을 제고하며, 표준 치의학 용어를 차용하여 학술 용어를 통일하고자 노력했습니다. 큰 틀에서 3판의 뼈대를 이어 교과서를 개정하고자 했기 때문에 더 어려울 수 있는 4판 편찬 작업에 참여해 주신 81분의 집필위원님께 깊은 감사를 드립니다. 또한 고승오 회장님의 열정적인 지원과 14분의 편찬위원님의 노력이 아니었다면 이번 4판 편찬 작업은 결코 이루어지지 못했을 것입니다.

이번 편찬 작업은 코로나19로 인해 대면 접촉이 제한된 상황에서 진행되었습니다. 10차례의 비대면 회의를 통해 이루어졌는데, 더 많은 의견 교환이 이루어질 수 있었던 계기였습니다. 회의 중에도 언급되었던 바 교과서 편찬 작업은 단기적으로 이루어질 것이 아니라 발간 이후에도 계속적으로 이루어져야 할 것입니다. 직관적인 도해 삽입, 최신 지견에 대한 내용 추가뿐만 아니라 이번 4판 편찬에서도 일부 아쉬움이 있었던 선명하고 알아보기 쉬운 임상사진의 확보는 학회의 많은 교수님과 회원들의 지속적인 관심과 노력을 통해 이루어질 수 있을 것입니다.

마지막으로 편찬 작업의 모든 회의와 작업을 준비해 주신 정승곤 교수께 감사를 드립니다. 그리고 3판에 이어 4판의 출판을 위해 노력을 아끼지 않으신 군자출판사 장주연 사장님과 임직원 여러분께도 깊은 감사의 말씀을 올립니다.

2021년 11월

대한악안면성형재건외과학회 교과서편찬위원회 위원장

박 홍 주

3rd Edition

편찬사

2003년 악안면성형재건외과학 교과서가 처음 편찬 된 후 6년이 지난 2009년 제2판이 발간되었고 다시 6년이 지난 올해 3판을 내놓게 되었습니다. 이렇게 해가 거듭되면서 새롭게 개선된 책자가 필요하게 되는 것 자체가 악안면성형재건외과학의 발전을 반영하는 것이라 할 수 있을 것입니다.

3판을 집필하면서 시대의 흐름에 맞게 1판과 2판의 내용을 갱신하고 수정하였고, 삽화나 사진도 보다 이해가 쉽고 명확하게 하기 위해 새롭게 작업을 하여, 완전히 새로운 책을 만들어 보고자 하였습니다. 물론 기존의 개념들이 크게 바뀌지 않은 내용들에 대해서는 1, 2판의 내용을 바탕으로 하여 보충하고 다듬는 정도에 그친 부분도 있습니다. 1, 2판을 집필해 주신 집필진들의 노고가 없었다면 3판이 출간될 수 없었음을 말씀드리며, 종전에 집필하여 주신 저자분들께 다시 한번 깊은 감사를 드립니다.

3판에서는 목차를 다소 수정하였습니다. 2판에서 총론, 안면연조직성형술, 구순 및 구개열성형술, 안면골성형술, 안면재건 등 총 5부 29장으로 구성되었던 내용을 총론, 안면골성형술, 미용성형술, 구순 및 구개열성형술, 악안면재건술의 5부 32장으로 다시 배열하였고, 500여개의 일러스트레이션을 의학전문 일러스트레이터가 새로이 제작하여, 보다 선명하고 통일성이 있으면서 이해도가 좋도록 개선하였습니다. 또한 2권으로 나누어져 있던 책을 한권으로 제본하여 보다 편리하게 사용할 수 있도록 하였습니다.

3판 개정 작업을 하면서 차인호 학회장님의 개정에 대한 강한 의지와 지원, 편찬위원회 모든 업무를 총괄하여 주신 허종기 간사교수님의 노력과 헌신이 없었다면 출간이 어려웠을 것으로 생각합니다. 또한 각 부의 집필진 구성과 편집 책임을 맡아주신 이재훈, 황순정, 최진영, 박영욱, 김형준교수님을 포함한 10분의 편찬위원님과 70분의 집필위원님께도 깊은 감사의 말씀을 올립니다.

1, 2판의 출판을 맡아준 의치학사의 그간의 노고에 대해 감사드리며, 새롭게 3판의 출판을 맡아준 군자출판사 장주연 사장님과 편집과 일러스트레이션 제작 등에 특히 수고가 많았던 임덕영 과장 및 임직원 여러분에게 깊은 감사의 말씀을 드립니다.

2015년 11월

대한악안면성형재건외과학회 3판 편찬위원장
류 동 목

편찬사 *2nd Edition*

2003년 11월 대한악안면성형재건외과학회에서 악안면성형재건 분야를 집대성한 "악안면성형재건외과학"을 발간한지 벌써 6년이 지났습니다. 당시에는 악안면성형재건의 기초적인 부분부터 임상술식까지 망라한 방대한 내용이었으나 최근 악안면성형외과 분야의 급속한 발전에 발맞추어 책자의 보완과 개정이 필요하다는 김종렬 학회장님의 제안으로 개정판 편집위원회가 구성되었고 개정판을 만들기 위한 설문조사가 진행되었습니다. 책자가 학부생들에게는 너무 방대하고 난해하다는 지적이 많았고 학부생을 위한 별도의 교과서를 만드는 것에 대한 의견도 많았지만 악안면성형재건의 광범위한 분야를 빠짐없이 다루어야 한다는 점과 전공자를 위한 책도 필요하다는 의견이 많아 제 1판을 보완하고 정비하여 개정판을 내기로 하였습니다.

책의 구성에 있어서 제 1판은 6부 34장으로 구성되었으나 개정판에서는 일부 장을 통합하여 5부 29장으로 배열하고 좀 더 체계적인 구성이 되도록 하였고 책자의 제본을 2권으로 나누어 제 1권에서는 주로 악안면성형재건의 총론과 기본원칙 뿐 아니라 근래에 치의학 분야에서도 활발하게 시행되는 필러를 이용하거나 보툴리눔톡신을 이용하는 소위 쁘띠성형 부분을 보완하였으며 2권에서는 안면골격 성형과 연조직의 재건성형을 다루었습니다. 표지 또한 얇게 만들어 쉽게 휴대하면서 편리하게 볼 수 있기를 기대합니다.

개정판에서는 각 장에 제 1판의 저자와 개정판의 저자 또는 편집자를 병기해 각장의 완성도를 높이고자 노력하였지만 앞으로도 학술용어의 완전한 통일, 독창성 있고 보기 좋은 도해, 보다 선명하고 알아보기 쉬운 임상사진의 확보 등 좀 더 좋은 책의 완성을 위한 노력은 계속되어야 할 것입니다. 또한 향후에는 학부학생의 교육목적을 효율적으로 달성하기 위한 기초적인 내용을 다룬 책자나 악안면성형재건외과학의 전공자를 위한 더욱 더 심도 깊은 내용과 다양한 술식을 다룬 각 분야별의 다양한 단행본이 계속 출간될 수 있기를 기대해 봅니다.

끝으로 초판 집필 못지않게 어려운 개정판을 집필하고 편집하여 주신 집필진과 개정판 편집위원 모두에게 감사드리며 출간을 위해 노심초사하며 정성을 다 해 주신 의치학사 권조웅 사장님과 이하 임직원 여러분께 감사의 말씀을 드립니다.

2009년 10월
대한악안면성형재건외과학회 개정판 편찬위원장
류 동 목

1st Edition 편찬사

악안면성형재건외과학이란 악안면 영역의 선천적, 후천적 기형이나 결손을 기능적으로 수복하고 형태적으로 재건하여 주는 외과학의 한 분야로 이미 오래 전부터 치과대학의 교육과정에서 가르치고 있는 학문입니다. 악안면 영역에서 성형재건이란 치과의사에게 필수적인 진료의 한 범위임에도 불구하고 일반인은 물론 일부 치과의사들에게 있어서도 성형재건은 일반의사들의 진료로 제한하여 생각하고 있는 것이 악안면성형재건을 진료하는 구강악안면외과 의사들에게는 매우 안타까운 현실입니다.

따라서 치과대학 학생과 구강악안면외과를 전공하는 전공의에게 좀 더 체계적이고 발전된 악안면성형재건외과학을 배울 수 있는 기회를 제공하고자 대한악안면성형재건외과학회에서는 한글로 된 교과서의 필요성을 절실하게 느껴 11개 치과대학의 구강악안면외과학 교수님과 대한악안면성형재건외과학회 학회지 편집위원을 중심으로 악안면성형재건외과학 교과서 제작을 결정하였습니다. 2년여의 각고의 노력으로 이제 교과서를 출간하게 되었습니다. 참여하신 집필위원과 편집위원 모두에게 감사를 드립니다.

본 교과서는 치과대학 학생의 교육을 위하여 악안면성형재건의 기초적인 부분부터 전공의를 위하여 최근에 시술되고 있는 최신의 임상 술식까지를 총 망라한 내용으로 이 책을 접하는 모든 이들에게 커다란 도움이 되었으면 하는 미음이 간절합니다. 책의 내용은 6부 34장으로 악안면성형재건의 기본 술식, 조직이식술, 안면 연조직과 경조직(골) 성형술, 구순 구개열의 치료 및 안면재건술 등 악안면성형재건을 위한 모든 기초적인 내용과 임상적인 내용이 들어있으며, 최근 급진적으로 발전하고 있는 조직공학과 연관된 임상술식이 포함되어 있어 치과대학 학생과 구강악안면외과 전공의의 교육에 지침서로 충분하다고 생각이 됩니다.

이 책에 게재된 모든 그림은 가능한 새롭게 도안하였으며, 환자사진은 집필진이 치료한 것으로 사진이 제공된 환자분들에게 감사드립니다.

이 책만으로 악안면성형재건외과학의 전부를 이야기하고 소개할 수 있다고는 생각지 않습니다. 그러나 현재까지의 그 어느 책보다도 악안면성형재건외과를 이해하고 공부하는데 도움을 줄 수 있을 것으로 여기며 미래의 발전 방향에 이정표가 될 것이라 생각됩니다.

끝으로 이 책에서 부족한 점이 있을 것으로 여겨지는 부분은 초판의 한계로 여겨 넓은 아량을 기대합니다. 향후 재판, 3판에서 미비한 점을 보안하여 더욱 훌륭한 책이 되도록 많은 격려를 부탁드립니다. 처음 만들어지는 악안면성형재건외과학 교과서를 위하여 많은 시간과 정열을 보내주신 집필위원과 편찬위원 모두에게, 또한 책의 출간을 위하여 헌신하신 의치학사 임직원여러분에게 깊은 감사의 말씀을 드리며, 이 책을 보시는 모든 분에게 행복이 가득하시고 대한악안면성형재건외과학회의 무궁한 발전을 기원합니다.

2003년 11월

대한악안면성형재건외과학회 교과서편찬위원회 위원장

이 동 근

목차

Textbook of Maxillofacial Plastic & Reconstructive Surgery

contents

목차

목차

Textbook of Maxillofacial Plastic & Reconstructive Surgery

contents

목차

contents

목차

Textbook of Maxillofacial Plastic & Reconstructive Surgery

contents

Textbook of Maxillofacial Plastic & Reconstructive Surgery

PART 1 총론

책임편집
김철환 ● 문성용

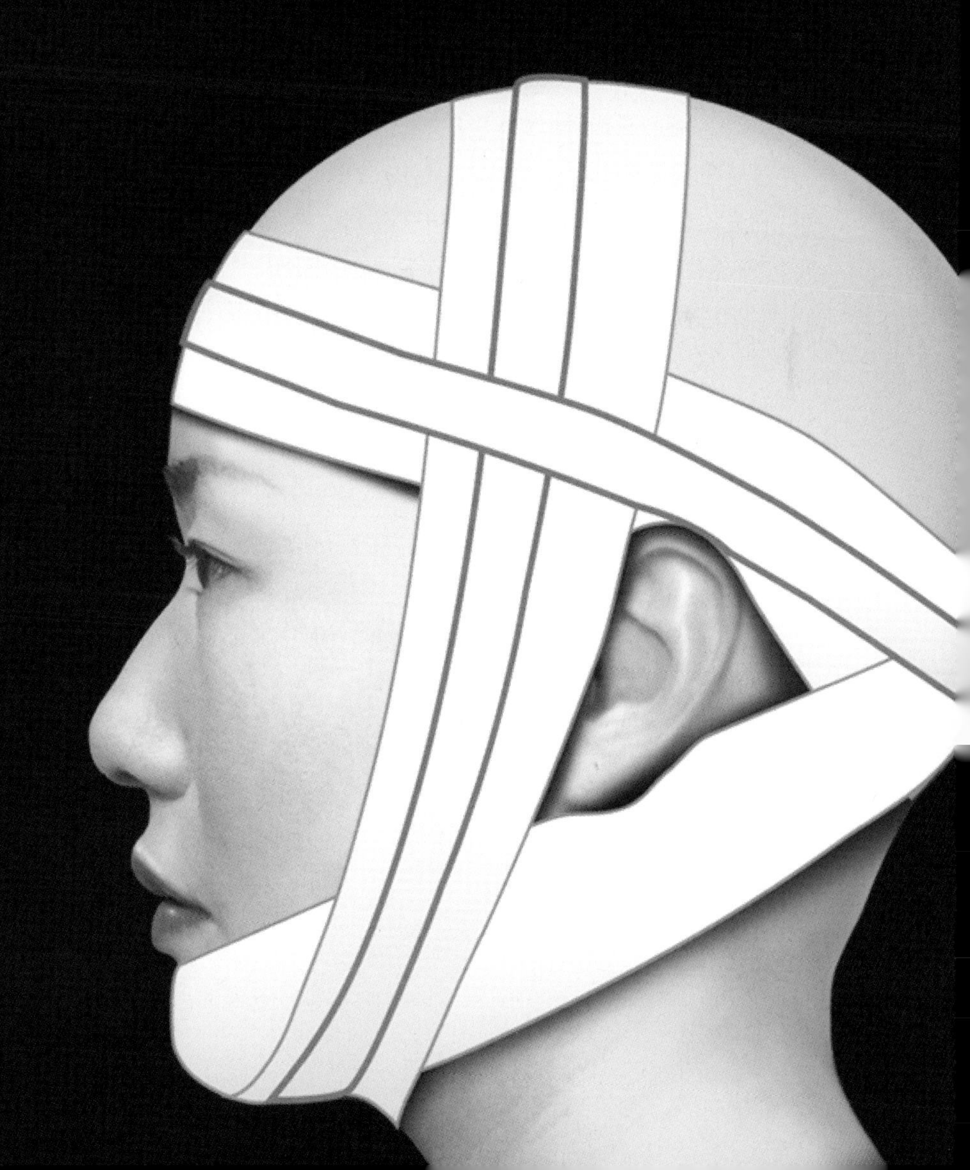

Chapter 01

서론

Introduction

기본 학습 목표
- 악안면성형재건외과학에 대해 설명할 수 있다.
- 악안면성형재건외과학의 역사를 이해한다.
- 악안면성형재건외과의 치료범위에 대해 설명할 수 있다.

심화 학습 목표
- 한국 악안면성형재건외과학의 역사를 이해하고 설명할 수 있다.
- 미의 개념을 이해하고 미의 기준을 설명할 수 있다.
- 악안면성형재건외과학의 치료범위를 이해하고 적용할 수 있다.

1. 악안면성형재건외과학이란?

구강악안면 부위는 호흡, 저작 및 연하 기능을 담당하여 생명유지에 필수적이며, 항상 외부에 노출되어 있는 부위로 심미적으로 매우 중요하다. 또한 발음뿐만 아니라 얼굴 표정을 통하여 의사 전달의 수단과 심리 표출의 발현 부위로서의 기능도 중요하다. 그렇지만 신체 어느 부위보다도 외부 충격에 직접 노출되어 있어 훼손 가능성도 높은 부위이다.[1,2]

악안면성형재건외과학이란 이러한 악안면 영역에 대한 선천적 기형 또는 종양이나 외상에 의한 후천적 결손 및 추형을 기능적으로 수복(restoration)하고 형태적으로 재건(reconstruction)하여, 정상적(normal) 혹은 심미적인(esthetic) 상태로 사회로의 복귀를 가능하게 하는 외과학의 한 분야이다(표 1-1). 악안면 영역이란 Malgaigne(1806~1865, France)이 두정부에서 턱 끝에 이르기까지 안면부(facial area)를 중심으로 인접조직인 경부를 포함한 두경부 조직에서 악골 부위를 강조하여 표현한 것이다.[1]

2. 역사적 배경

인간의 아름다움에 대한 욕구는 인류 역사의 시작과 함께하였으며, 특히 악안면 부위의 손상, 질병, 기형 등의 회복에 대한 관심은 미의 추구에 있어서 핵심적인 부분이라고 할 수 있다.

성형재건외과학이란 명칭은 근래에 와서 붙여진 이름이지만 역사적으로는 악안면 부위를 중심으로 많은 기록이 있다.[1,3,4]

1) 고대 역사

악안면성형재건외과학에 대한 고대 기록은 B.C. 2500~1800년경 그리스와 힌두 문명에서 간음한 여인, 도둑, 죄수들에게 코를 자르는 형벌을 가한 것에서 시작되었다. B.C. 1700~1600년경 이집트에서부터 구강악안면 부위의 외과적 처치가 시행되었으며, 인도의 Sushruta(B.C. 272~231), Charak(B.C. 50) 등에 의해 '힌두피판(Hindu

표 1-1 악안면성형재건외과학의 목적

flap)'을 이용한 코의 성형에 대해 상세히 기술되었다.[5]

또한 고대 이집트 문서(Edwin Smith Papyrus, B.C. 1500)에는 고대의 악안면 손상의 외과적 처치에 대해 최초로 기술되어 있다. 여기에는 약 27증례의 두부 손상에 대한 기록이 있는데, 악골 골절, 탈구, 구순 및 턱의 손상에 대한 진단, 처치, 예후가 포함되어 있다.[6]

B.C. 460년경에 생존하였던 Hippocrates는 악골 골절의 처치에 대하여 기술하고, 우식된 치아의 발거를 권고하였다. 또한 그리스인은 일종의 발치 겸자를 사용하였음을 알 수 있다.[7]

그 후, 로마제국의 고도로 발달한 문명은 악골 골절은 물론, 구강내 질병의 병리학적인 진행에 대한 처치에 지대한 공헌을 하였으나, 로마제국의 붕괴 이후 중세 암흑기 동안에는 다른 과학 분야처럼 의학 분야에 있어서도 그 발전이 정체되었다.[8]

A.D. 14~16세기에는 해부학 및 외과학에서 눈부신 발전을 이루었다. 16세기의 유명한 해부학자로는 Andreas Vesalius(1514~1564)를 들 수 있다.

1442년 Sicily의 Catania 출신인 Branca가 비성형술(rhinoplasty)을 하여 그 후 아랍으로 전해졌고, 이때 유명한 이탈리아의 성형외과의인 Tagliacozzi(1546~1599)는 팔의 피판을 이용하여 코를 재건하였는데 이를 "이탈리아 방법(Italian method)"이라 부른다.[5] 그 후 16세기경 프랑스의 외과의사인 Ambroise Pare(1510~1590)는 구순열의 수술, 외상이나 매독에 의한 구개천공에 대한 폐쇄장치(obturator)의 제작, 지혈법, 붕대법 등을 시행하였다.[1]

2) 근세 역사

Simon P. Hullihen(1810~1857)은 미국 최초의 구강외과의사라고 불린 사람으로서, 구순열 및 구개열의 처치, 상악동 감염의 처치, 하악골절제를 비롯한 악골수술을 행하였다.

James E. Garretson(1829~1895)은 구강악안면외과의 아버지라 불리며, 이 무렵 독일의 Dieffenbach(1794~1847)는 코를 축소하는 수술을 하였으나 그 수술법은 매우 거칠고 야만적이었다. 그밖에 Truman W. Brophy(1848~1928)는 구개열의 '브로피 수술법(Brophy operation)'으로 유명하며, Thomas L. Gilmen(1848~1931), George V.I. Brown (1863~1948) 등에 의해 발전되어 갔다.[9]

당시의 개척자로서는 영국의 Gillies, 미국의 Archer, Blair, Kazanjian, Silverman, Ivy 등을 들 수 있는데, 악골 골절 처치 및 광범위한 안면조직 결손의 수복에 훌륭한 업적을 남겼다. 특히 Kurt H. Thoma(1883~1972)는 그의 외과적 기술과 저술로 인해 전 세계적으로 알려져 있으며 악안면성형재건외과 역사의 한 부분을 차지하고 있다.[10]

19세기 말경부터 21세기의 오늘날에 이르기까지 악안면성형재건외과의 각 분야에 있어서 눈부신 발전을 이루게 한 많은 외과의들이 있었다(표 1-2).[1]

3) 한국에서의 역사

개화기인 조선조 말에 미국의사이며 선교사인 Horace N. Allen(1858~1932)이 제중원(1885)에서 처음으로 발치기구를 사용하여 발치를 시행하였고, 이후 구내염, 발치, 농양, 구순파열, 하악골 괴사 치료 등을 시행하였다는 기록이 있다.[3] 1914년 우리나라 최초의 치과의사인 함석태가 개업하여 보철 치료와 함께 구강외과 진료에 주력하면서 환자를 진료한 것으로 보인다. 1915년 11월 쉐플리(William J. Scheifley)가 세브란스 연합의학교에 부임하여 치과학 교실을 신설하고, 정규 교과목으로 치과병리, 치과 질환 및 발치법 등에 관한 것을 강의하였다. 1921년 세브란스 병원에서 미국 치과의사인 J.L. Boots와 J.A. McAnlis가 구강외과 환자를 진료하였으며, 1922년 경성치과의학교가 설립되어 부속병원 구강외과에서 많은 일본인과 한국인이 구강외과 진료에 종사하였다.[3]

대한악안면성형외과학회는 6.25 전쟁으로 악안면손상 환자가 매우 많았지만 이를 진료할 만한 의료 기술은 물론 기재조차 제대로 갖추어져 있는 것이 없어, 이들을 치료할 수 없었던 암울한 시대상이 창립의 배경이다. 이때 몇몇 치과 군의관들이 뜻을 모아 대구 제1육군병원 내에 구강외과 및 악안면성형외과 센터를 설치하여 악안면손상 환자들에게 피부이식술, 골이식술 및 악교정수술을 하였다. 그때는 한국에 파견 나온 미군 군의관들이 시술하고 한국 의료진은 의료 기술을 습득하는 실정이었다. 그러나 여기서 기술을 습득한 치과 군의관들의 피나는 노력으로 우리 의료진의 손으로 직접 수술이 시작되기까지는 긴 시간이 필요하지 않았다. 그 후 우리 의료진은 월남전에 참전하여 전쟁으로 인한 악안면손상 환자를 진료하는데 많은 공헌을 했다(후생일보, 제2560호, 1978). 1962년 11월 오재인, 정순경, 이열희, 옥달승, 최형곤, 김동우, 이기선, 민병일, 강호경, 정창진 등이 대한악안면성형외과학회를 창설하여 활동하였으며, 1989년 3월 대한악안면성형재건외과학회로 개칭하였다. 동학회에서 1990년 3월 우리나라 최초로 인정의 제도 시행을 의결하고 1991년 6월 48명에게 인정의 지도의 자격을 부여하였고, 동년 12월 74명의 인정의를 배출하였다. 이는 관련 치의학 학회들에게 인정의 제도를 도입하게 하는 기폭제가 되었으며, 2008년에 시작된 치과의사 전문의 제도의 초석이 되었다고 평가할만하다.[4]

3. 미의 개념

그동안 여러 학자와 예술가들에 의해 미(아름다움)를 정의하려는 시도가 있었다. 그러나 모든 시대, 모든 사람에게 동일하게 적용될 수 있는 아름다움이란 여전히 어려운 문제이다.

미의 개념은 시대, 나라, 민족, 환경 그리고 개인에 따라 각양각색이어서 미에 대한 절대적 이상적인 기준은 정의될 수 없다.[1,11]

1) 외적 요인에 의한 안면 형태의 차이

인종 간의 형질 차이는 피부, 모발, 신장, 체격 등이 중요한 요소이다. 안면, 특히 코의 폭과 높이와의 비율은 비교적 환경의 영향을 적게 받아 인종의 구분 자료로 사용되었으나, 추운 지방의 사람에 있어서는 환경의 적응으로 설명되는 경우도 많다. 또한 연령과 성별에 따른 얼굴 각 부분에 대한 변화도 안모의 특성과 성격을 연관시켜서 생각할 수 있다.[1,11]

2) 비례적 조화에 의한 미

예로부터 예술가들은 인체 각 부분의 계량화와 아름다

표 1-2 근세 악안면성형재건외과학의 역사

분야	이름	활동시기	업적
반흔교정술	William E. Horner	1837년	수직반흔교정술과 Z-성형술
	Alberto Borges	1959년	W-성형술
피부이식	Pick	1949년	부분층피부이식
	Feldman	1938년	전층피부이식
	Gillies	1920년	유경피판을 이용한 이식
안면골성형술	Hullihen	1849년	처음으로 기형 환자에서 하악골 후방이동을 시행
	Obwegesser	1957년	하악지 시상분할 골절술 시행
	Caldwell	1954년	상행지 수직골절단술
	Cohn	1921년	전방부 부분골절단술
연조직재건	Neumann	1956년	연조직 팽창(tissue expansion)
	Iginio Tansini	1886년	광배근피판(latissimus dorsi flap)
	Owens	1955년	대흉근피판 및 흉삼각피판
	Monroe	1966년	하순, 설, 하악의 정중열의 치료
경조직재건	Gillies	1920년	원거리피판을 이용
	Conley	1970년	쇄골을 포함한 흉삼각피판
	Serafin, Bell	1976년	유리복합피판
구순구개열	Colles	1867년	구순구개열 수술
	Millard	1959년	구순구개열 수술
미세현미경수술	Jacobson and Suarez	1960년	미세혈관 문합에 현미경 사용
	Daniel	1973년	Free groin flap을 임상적으로 성공

운 미학적 비율을 예술로써 표현했다. 다양한 방법의 비례가 고안되어 사용되었지만 고대 그리스의 유클리드(Euclid, B.C. 300)에 의해 주장된 황금분할 또는 비례(golden section or proportion)가 미학적으로 가장 중요시되었다. 이 황금비율은 얼굴에서 동서양을 막론하고 가장 아름답다고 생각되어온 비례가 되었다. 이러한 관계는 치아에도 적용되어 상악중절치, 측절치, 견치의 폭과 높이의 비가 황금비례를 이루고 있다.[12] 미의 개념에 대해서는 인종, 환경, 문화와 민족, 개인의 차이가 있는 것이다. 일례로 우리나라에서는 옛날부터 1:√2의 비례가 건축회화에 사용되어 왔다.[1,11]

3) 미의 기준

얼굴 전체와 각 부위와의 상대적 관계가 황금비례로 성립된다는 것을 미학적으로 보는 요소로서, 그 외 얼굴 전체의 정면 및 측면의 좌우 대칭 및 균형, 상대적 조화, 각도가 갖는 모양의 기하학적 원리도 중요한 역할을 한다. 정상 혹은 균형잡힌 안모는 정상적 비례의 코와 약간 튀어나온 턱이다.

앞서 서술한 바와 같이 인종, 성별, 연령 및 얼굴의 상대적 관계는 개인차가 많기 때문에, 얼굴은 그 외관이 개성적이면서 동시에 보편적인 것이 사회적으로 바람직하다. 아름답게 되고 싶다는 인간의 희망은 개인감정의 만족뿐만 아니라 외적인 환경에 따라 잘 적응하고 싶다는 적응성의 회복 또는 향상을 위한 것이다.[1,11]

4. 사회적 · 심리적 고찰

심리적 안정상태를 유지하는 것은 신체적 회복과 함께 매우 중요하다. 일반적으로 환자는 질병의 치료와 관련해서 심리적 반응을 보이며, 이러한 심리현상은 질병에 영향을 주고 질병 자체가 정신적인 영향을 주기도 한다. 두개안면부 기형 환자는 대체적으로 사회심리적으로 정상인보다 자아인식(self-concept)이 약하며, 불안도가 높고 내성적이다.[1,13-17]

어릴 때에는 자신의 안면부 기형에 대한 외부의 충격에 따른 방어적 기전으로써 부정(denial)을 하게 되고, 청소년기가 되면 방어적 노력이 별 효과를 나타내지 못해 심한 정신적, 사회적 적응의 제한을 받는다. 부모들은 자녀들에 대해 반사회적 행동을 자주 보이고 가정에서는 과잉행동 양식(hyperactive behavior)을 취하게 된다(표 1-3).[1,15,16,18] 따라서 두개안면부의 기형은 가급적 조기에 치료를 하는 것이 바람직하다.[16]

수술 결과에 대한 만족도는 주관적이므로 의사, 환자 및 환자 주변인들의 의견이 각각 다를 수 있다. 수술 결과에 불만으로 소송을 제기하는 경우에 대부분 수술에 관한 기

표 1-3 미에 대한 사회적 · 심리적 고찰

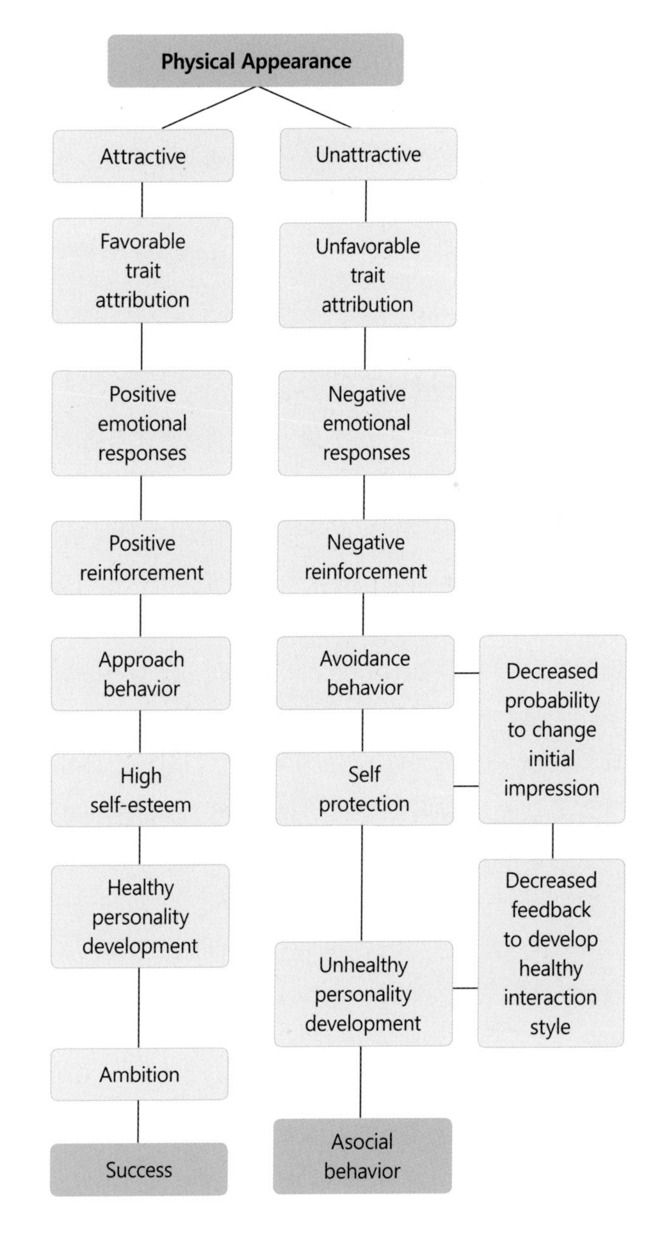

술적인 문제보다는 의사와 환자 사이의 신뢰감 부족이 원인인 경우가 많으므로, 환자 선택을 신중히 하고 환자 및 보호자와 지속적인 대화가 필요하다.[1,15,17,18]

5. 악안면성형재건외과의 치료 범위

악안면성형재건외과학이란 구강악안면외과의 한 분야로 악골 부위의 안면을 강조하여 표현한 것이다. 영어로 maxillo-facial plastic and reconstructive surgery인데 plastic이란 뜻은 본래 그리스어의 plastikos에서 유래된 말로서 형태를 만든다는 뜻이다. 최근의 개념은 좀 더 적극적인 의미로 형태를 재건할 뿐만 아니라 기능적으로도 수복하고 심미적으로도 회복해 주는 것을 말한다. 따라서 악안면성형재건외과의 적극적인 치료를 위해서는 인접과와의 협력 및 일반적인 외과적 지식과 기술에 대해서도 잘 알고, 이를 응용할 줄 알아야 한다. 악안면성형재건외과학은 다음 분야로 나뉠 수 있다.[1,2,9]

1) 반흔제거성형술(Scar revision)

반흔이란 상처의 치유 시에 형성되는 새로운 조직을 일컫는 말로서, 그리스어인 eschara에서 유래되었다. 반흔의 형성은 개인에 따라 차이를 보이며, 특히 hypertrophic scar나 keloid의 체질을 가진 사람에서 많은 양의 반흔이 형성될 수 있다. 반흔의 예후를 결정하는 인자로는 상처가 발생한 위치, 피부이완선(relaxed skin tension lines)과 상처의 방향과의 관계, 상처의 길이가 중요한 요소이다. 부가적으로 피부표면에 대한 상처의 각도, 상처의 깊이, 환자의 나이, 성별 및 인종, 피부의 긴장도, 그리고 술자의 적절한 수기가 반흔의 예후에 영향을 준다.

형성된 반흔을 제거하기 위해서는 방추상 절개(fusiform incision)를 통한 선택절개법(elective incision)과 Z-, W-, M-성형술, 그리고 상피마모술 및 화학박리술 등을 이용할 수 있다.[1,9,19]

2) 악안면외상(Maxillofacial trauma)

안면부의 외상은 물질문명의 발달, 교통수단의 증가와 산업형태 및 사회구조의 다양성 등으로 인하여 점차 증가하고 있는 추세이며, 외상의 양상도 복잡성을 띠게 되었다. 안면부외상은 그 자체가 사망을 초래하는 경우는 드물지만 심미적으로나 기능적으로 큰 영향을 미치므로, 조기진단 및 정확한 치료가 필요하다. 안면부 외상은 크게 연조직 외상, 경조직 외상 및 두부외상 등으로 나눌 수 있다.[1,2,9]

3) 안면골성형술(Facial Plastic Surgery)

안면골성형술에서 악교정수술(Orthoganthic Surgery)은 수술에 의해 악골을 재위치 시킴으로써 악안면 부위의 이상 관계를 개선하는 술식이다. 안모이상을 가진 환자에서 최선의 심미적, 기능적 결과를 얻기 위해서는 교정치료와 구강악안면외과의 특수성들이 잘 조화되어야 한다. 만족할 만한 치료 결과를 얻기 위하여 정확한 진단과 치료계획의 수립 그리고 적절한 수술 술식 등이 유기적으로 이루어져야 한다. 선천적이든 발육성이든 간에 환자마다 그 기형의 양상이 매우 다양할 뿐만 아니라 기형의 원인 요소와 그에 대한 보상적 적응 과정이 환자 안면 성장의 전 과정에서 복잡하게 얽혀 일어난다. 따라서 악안면 기형을 정확하게 분석하여 올바른 치료계획을 세우는 일은 초진에서부터 수술 후 교정치료에 이르기까지 과학적 통찰력이 필요하다. 또 수술 후 회귀(relapse)같은 합병증을 줄이고 치료의 결과를 정확히 예측하기 위하여 많은 학자들에 의해 여러 가지 수술방법이나 치료원칙들이 제안되고 수정되는 과정을 거치면서 눈부신 발전을 거듭해 왔다.[1,2,9]

4) 구순구개열성형술(Cleft lip & Palate surgery)

구순구개열은 선천성 발육부전으로 인해 발생되는 안면기형으로, 태생 초기에 출현하여 안면을 이루는 내측 비돌기, 외측 비돌기, 상악돌기 등의 융합 실패에 기인하며 주로 태생 8주 이전에 발생한다.

구순구개열의 치료는 기형의 복잡성 때문에 다양한 수술방법이 이용된다. 또 인접한 여러 분야의 전문가들이 모여서 함께 치료하는 team approach가 필요할 뿐만 아니라, 성장 시기에 따라 일관되고 체계적인 치료가 필요하다.[1,2,9]

5) 구강악안면재건술 (Oral & Maxillofacial reconstruction)

교통사고와 구강암 환자의 증가로 인하여 악안면 부위의 결손이 늘어나서 재건을 필요로하는 경우가 많아졌다. 악안면 부위의 재건은 크게 연조직재건과 경조직재건으로 나눌 수 있는데, 이들 재건의 궁극적인 목적은 환자를 기능적, 심미적으로 회복시켜 사회로 복귀시키는 데 있다.

악안면 기능을 회복해주는 재건술은 호흡, 저작, 연하 및 발음 기능이 가능하도록 하는 것이다. 다양하게 개발된 여러 가지 재건술식의 장단점을 고려하여 최종적으로는 보철물이나 임플란트 장착이 가능한 기능적인 재건술을 선택해야 한다. 또 동시에 심미적 재건이 되도록 노력해야 하며, 가능하면 환자 신체의 공여부 결손이 최소화될 수 있도록 해야 한다. 이를 위해서는 최근에 개발되는 다양한 이식재에 대해서도 관심을 가져야 할 것이다.[1,2,9,19]

참고문헌

1. 민병일. 악안면성형외과학. 1판 ed. 서울: 군자출판사; 1990.
2. 대한구강악안면외과학회. 구강악안면외과학교과서. 3판 ed. 서울: 의치학사; 2013.
3. 신재의. 한국근대치의학사. 서울: 참윤퍼블리싱; 2004.
4. 대한악안면성형재건외과학회. 대한악안면성형재건외과학회 40년사. 서울: 의치학사; 2001.
5. Lock S, Last JM, Dunea G. The Oxford illustrated companion to medicine. 2001.
6. Shiffman MA, Di Giuseppe A. Cosmetic surgery: art and techniques: Springer Science & Business Media; 2012.
7. Hoffmann-Axthelm W. History of Dentistry: Quintessence Publishing Company; 1981.
8. Santoni-Rugiu P, Sykes PJ. A history of plastic surgery: Springer Science & Business Media; 2007.
9. Kruger GO. Textbook of oral and maxillofacial surgery: CV Mosby; 1984.
10. Thoma KH. The history of oral surgery; the oldest specialty of dentistry. Oral Surg Oral Med Oral Pathol 1957;10:1-10.
11. Naini FB. Facial aesthetics: concepts and clinical diagnosis: John Wiley & Sons; 2011.
12. Livio M. The golden ratio: The story of phi, the world's most astonishing number: Crown; 2008.
13. Dion K, Berscheid E, Walster E. What is beautiful is good. J Pers Soc Psychol 1972;24:285-90.
14. Walster E, Berscheid E, Bohrnstedt H. The Happy American Body: a Survey Report. Psychol Today 1973;3:118-30.
15. Arndt EM, Travis F, Lefebvre A, Niec A, Munro IR. Beauty and the eye of the beholder: social consequences and personal adjustments for facial patients. Br J Plast Surg 1986;39:81-4.
16. Pertschuk MJ, Whitaker LA. Psychosocial considerations in craniofacial deformity. Clin Plast Surg 1987;14:163-8.
17. Meyer E, Jacobson WE, Edgerton MT, Canter A. Motivational patterns in patients seeking elective plastic surgery: I. Women Who Seek Rhinoplasty. Psychosom Med 1960;22:193-201.
18. Jensen SH. The psychosocial dimensions of oral and maxillofacial surgery: a critical review of the literature. J Oral Surg 1978;36:447-53.
19. Converse JM. Reconstructive plastic surgery. 2nd ed. Philadelphia: WB Saunders; 1977.

Chapter

02 악안면성형재건외과학의 기본 술식

Basic Principles of Maxillofacial Plastic Reconstructive Surgery

기본 학습 목표

- 절개와 봉합에 필요한 기구를 준비하고 선택할 수 있다.
- 봉합침과 봉합재의 종류를 이해하고 상황에 맞게 선택할 수 있다.
- 절개와 지혈, 봉합의 원칙을 이해하고 실행할 수 있다.
- RSTL에 맞게 절개 봉합을 할 수 있다.
- 창상치유의 기본 원리를 이해한다.

심화 학습 목표

- 다양한 봉합법을 상황에 맞게 응용할 수 있다.
- 창상의 관리를 위한 드레싱 방법을 이해하고 적용할 수 있다.
- 흉터 교정을 위한 방법을 이해하고 적용할 수 있다.

모든 외과적 술식에 공통적으로 적용되는 기본 원칙은 외과계 영역에서 각각의 목적을 달성하기 위해 지켜야 할 사항이다. 특히, 심미적, 기능적인 면이 강조되는 악안면성형재건외과 수술 시에는 이러한 원칙의 준수가 필수적이다. 따라서 임상의들은 부단한 노력을 통해 이러한 원칙들을 자신의 목적에 맞게 적용할 수 있는 능력을 배양해야 한다. 이 장에서는 악안면성형재건외과 수술의 필수 원칙 중 기본 수술기구, 절개, 조직 박리, 지혈 등의 기본 술식, 그리고 술후 관리 및 창상치유 등에 대해 살펴보고자 한다.

1. 기본 수술기구

1) 외과용 칼대(Scalpel handle)와 칼날(blade, mess)

일반적으로 악안면성형 수술 시에는 15번 칼날을 가장 널리 사용하며, 구순열의 수술 시에는 11번 칼날을 이용하기도 한다. 20번보다 큰 번호의 칼날은 거의 사용하지 않는다(그림 2-1).[1]

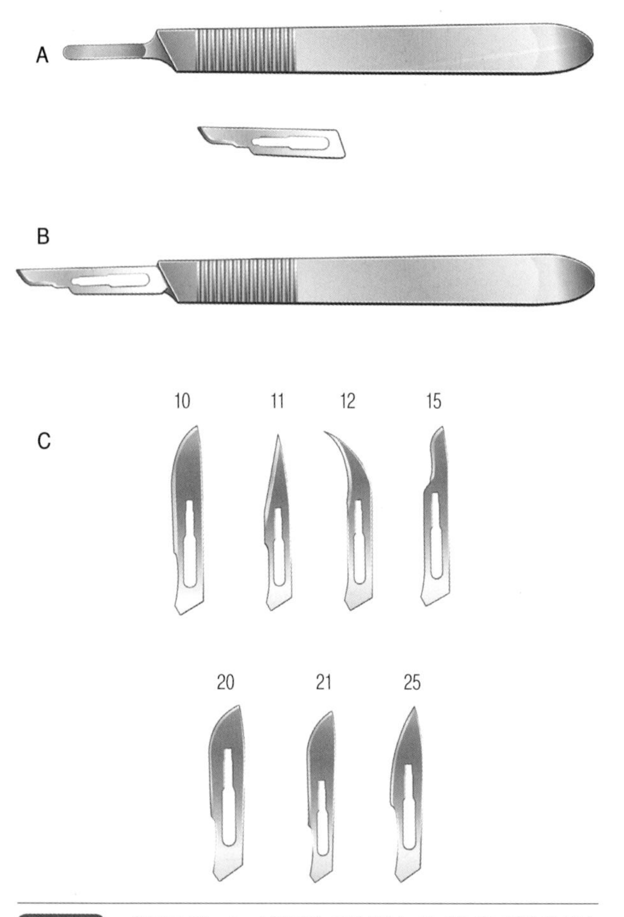

그림 2-1 **외과용 칼.** **A:** 손잡이와 15번 칼날 **B:** 칼날을 장착한 모습 **C:** 번호별 칼날 형태

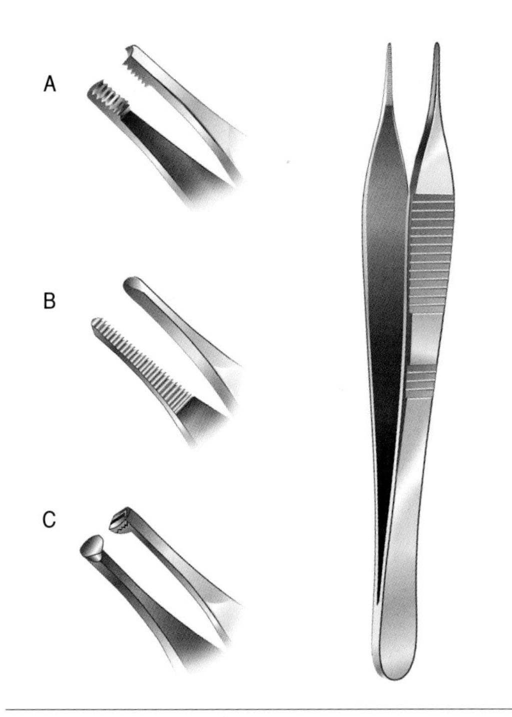

그림 2-2 애드슨씨 조직겸자(Adson's forceps). A: 브라운 애드슨 조직겸자(Brown-Adson forceps) B: 톱니형 조직겸자(serrated forceps) C: 유구 조직겸자(toothed forceps)

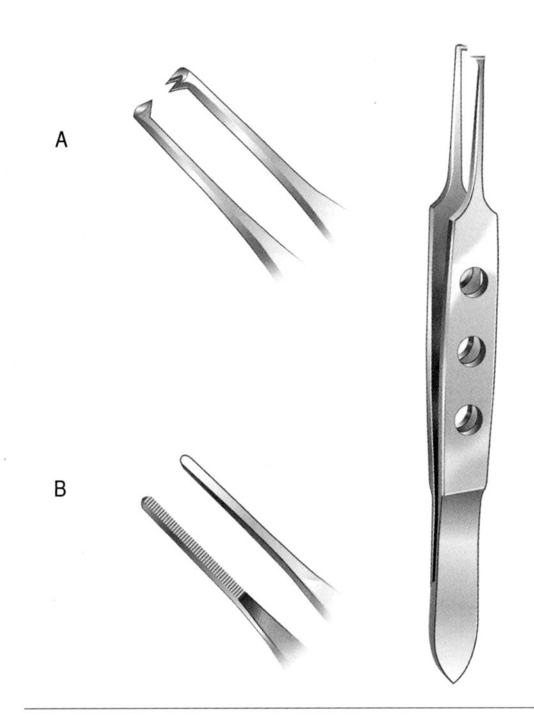

그림 2-3 비숍-하만 조직겸자(Bishop-Harman forceps). A: 유구형 B: 톱니형

2) 조직겸자(Tissue forceps)

(1) 애드슨 조직겸자(Adson's forceps)(그림 2-2)

① 브라운-애드슨 조직겸자(Brown-Adson forceps)

조직을 파지할 때 사용하며 힘을 균형 있게 분산시키나 조직이 찢어질 수 있다.[1]

② 톱니형 조직겸자(Serrated forceps)

연조직 수술에 가장 많이 사용되는 겸자로서 조직의 견인 시 외상을 최소화할 수 있다.[1]

③ 유구 조직겸자(Toothed forceps)

큰 파지력이 요구되는 조직에서 이용되나, 피부 봉합 시에 사용하면 피부 절개연 부위에 외상을 주어 미적으로 좋은 결과를 얻을 수 없다.[1]

(2) 비숍-하만 조직겸자(Bishop-Harman forceps)

미세한 수술 시 많이 사용하며 유구형과 톱니형이 있다(그림 2-3).[1]

(3) 제웰러 조직겸자(Jeweler's forceps)

전기소작법에 의한 지혈 시 주위조직의 파괴를 줄이기 위해 많이 사용된다. 또한 미세한 봉합을 제거할 때에도 사용된다(그림 2-4).[1]

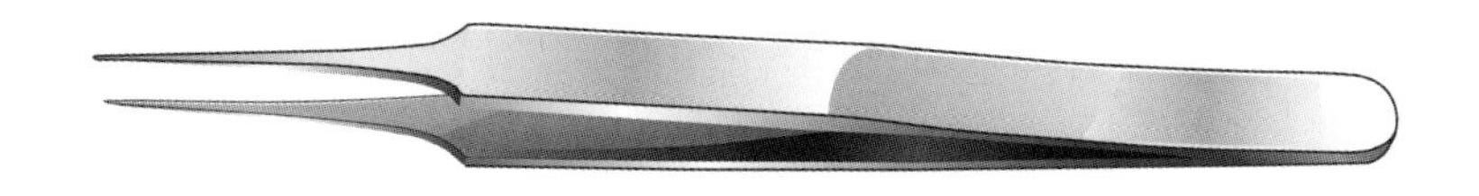

그림 2-4 Jeweler's forceps

3) 지혈겸자(Hemostatic forceps)

지혈겸자는 할스테드(Halsted), 하트만(Hartman)과 켈리(Kelly) 등이 있다. 미세한 혈관 출혈 시에는 할스테드와 하트만 지혈겸자를 사용하며, 큰 혈관의 출혈 시에는 켈리를 이용한다. 5인치의 할스테드 지혈겸자를 보통 모스키토(mosquito)라고 한다. 각각의 지혈겸자는 직선형과 곡선형이 있다(그림 2-5).[2]

4) 가위(Scissors)(그림 2-6)

(1) 조직절단용 가위(Tissue-cutting scissors)

스티븐 건절단용 가위(Steven's tenotomy scissors)는 끝이 뭉툭하며 직선형과 곡선형이 있다. 이 가위는 대부분의 성형외과적 절개 시에 적당하며 박리 시에도 사용할 수 있다.

그래들 봉합 제거용 가위(gradle stitch scissors)는 스티븐 가위에 비하여 작고 끝이 날카로우며 약간 굴곡이 되어 있다. 보통 작은 부위의 절개나 봉합제거 시에 사용된다.

아이리스 가위(iris scissors)는 위의 두 가위에 비해 지레력(fulcrum power)은 작으나 날이 톱날형으로 되어 있어 조직의 미끄러짐이 적어 절단력이 크다.[2]

(2) 박리용 가위(Undermining scissors)

앞에서 언급한 스티븐 건절단용 가위는 박리 시에도 유용하며 특히 곡선형이 직선형에 비하여 유리하다. 광범위한 부위를 박리하는 경우에는 멧젠바움 가위(Metzenbaum scissors)가 이용된다. 이 가위는 스티븐 가위에 비해 끝이 더 넓고 목도 길어 광범위한 부위의 박리에 유리하다.[2]

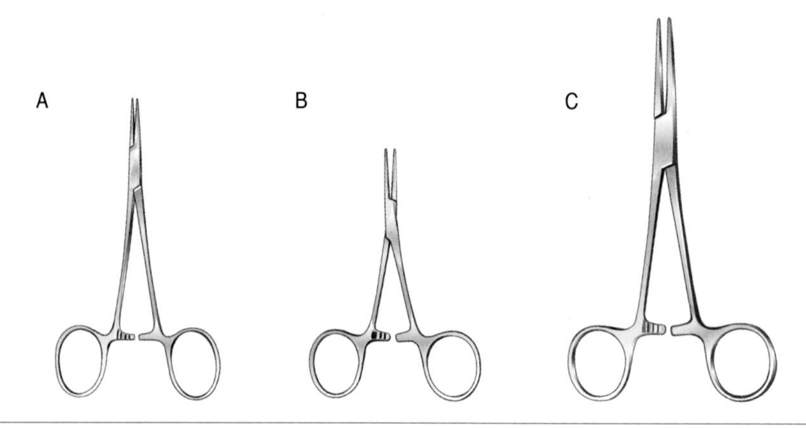

그림 2-5 **지혈겸자. A:** Halsted **B:** Hartman-Mosquito **C:** Kelly

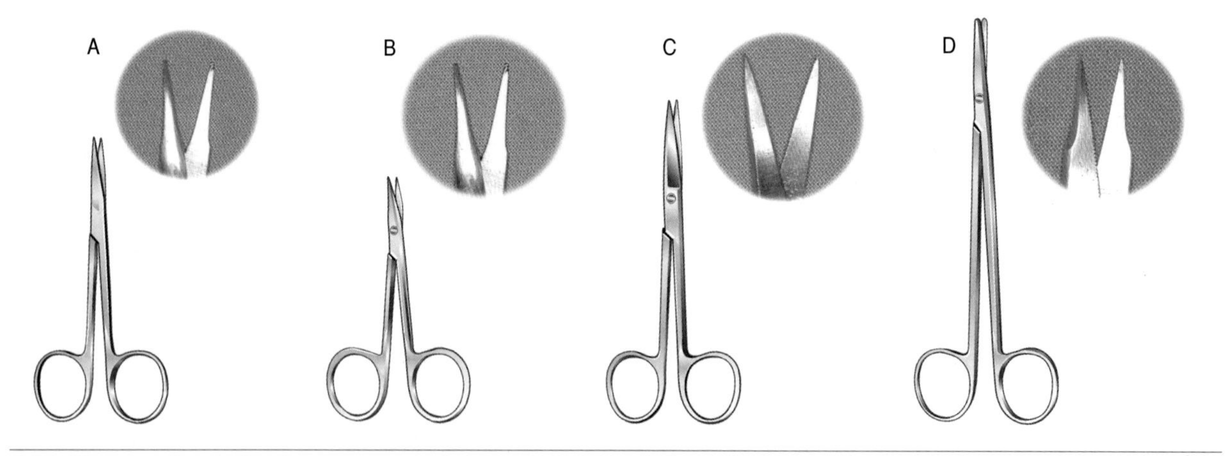

그림 2-6 **각종 외과용 가위. A:** Steven's tenotomy scissors **B:** Gradle stitch scissors **C:** Iris scissors **D:** Metzenbaum scissors

5) 스킨 훅(Skin hook)

조직 절개 시 또는 봉합 시에 외상을 주지 않고 견인할 경우에 스킨 훅을 이용한다. 여러 가지 모양의 스킨 훅이 있으며 보통 단설구(single-pronged head)가 많이 쓰인다. 이설구(double-pronged head)는 심부조직의 견인에 많이 쓰인다(그림 2-7).[2]

6) 지침기(Needle holder)

악안면성형수술 시에는 웹스터 지침기(Webster needle holder)가 가장 많이 사용된다. 평탄형과 다이아몬드 형이 있으며, 다이아몬드 형은 파지력은 우수하나 미세한 봉합침을 뭉그러뜨릴 수 있으므로 유의해야 한다. 아주 미세한 봉합침을 파지할 때는 카스트로비조 지침기(Castroviejo needle holder)를 사용한다(그림 2-8).[2]

지침기를 잡는 방법은 thumb-ring finger grip과 thenar grip으로 나뉜다(그림 2-9). Thumb-ring finer grip은 엄지와 약지를 지침기의 고리에 넣어서 사용하는 방법이고, thenar grip은 고리에 손가락을 넣지 않고 손바닥으로 잡는

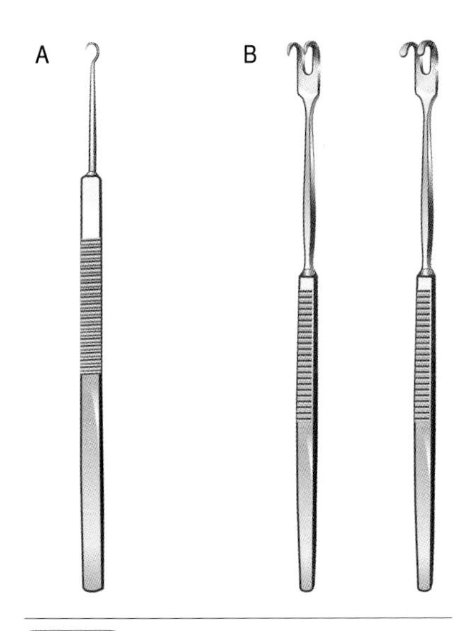

그림 2-7 스킨 훅. A: Single-pronged head B: Two-pronged head

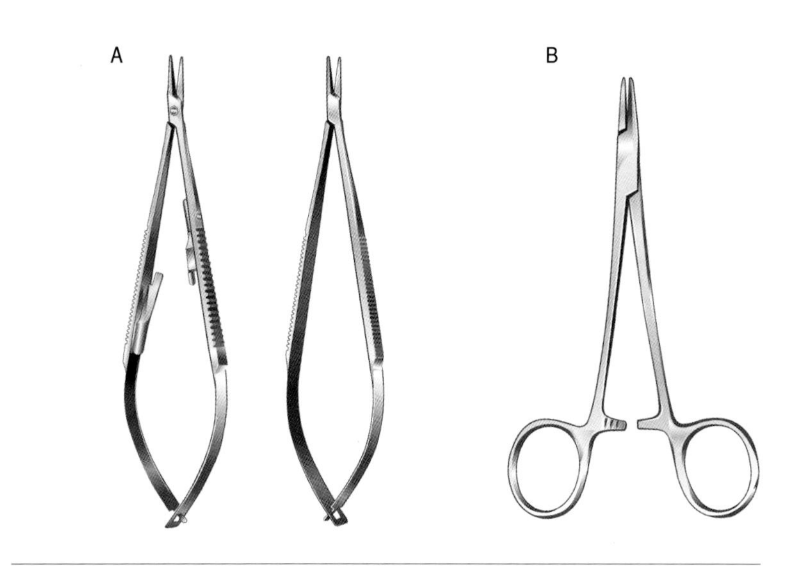

그림 2-8 지침기. A: Castroviejo needle holder B: Webster needle holder

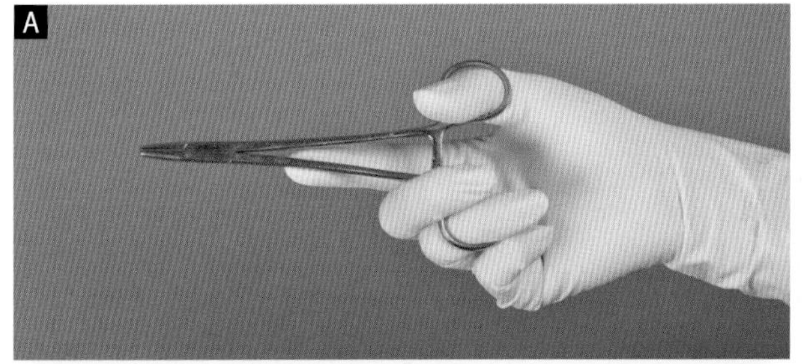

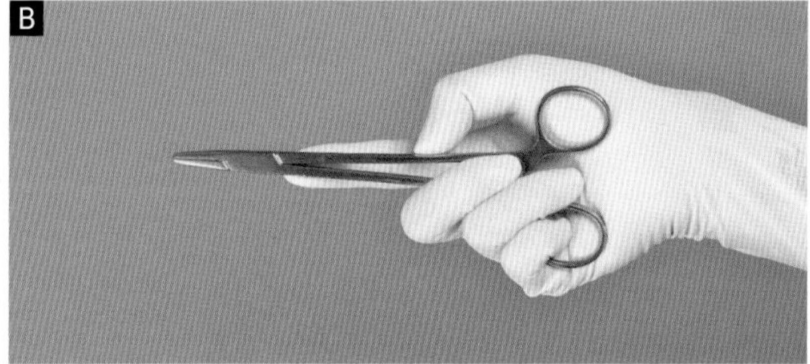

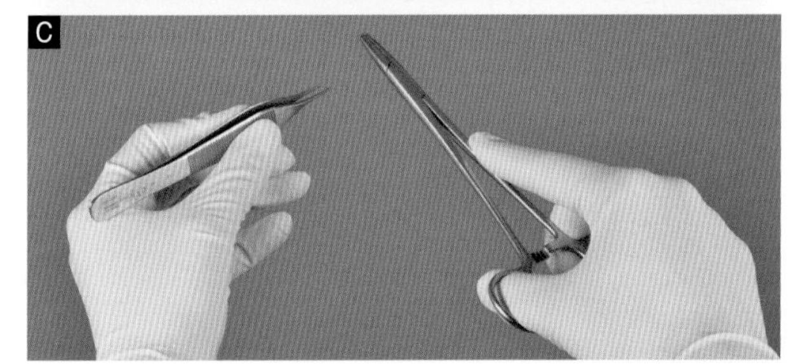

그림 2-9 지침기와 조직겸자의 파지법. A: Thumb-ring finger grip B: Thenar grip C: 지침기와 조직겸자의 파지법

방법이다. 성형술에서는 봉합을 하거나 지침기를 회전해야 하는 경우가 많으므로 조작이 쉬운 thenar grip이 선호된다.

7) 수술용 기구들의 관리

수술기구들을 오래 사용하고 기능을 유지하려면 세심한 주의와 취급이 필요하다. 특히 미세한 성형수술을 위해서는 세밀한 기구의 취급에 특히 유의해야 한다. 수술이 끝난 후 기구에 묻은 피나 불순물을 씻어낸 다음 세정제에 담가둔다. 이후 솔 등을 이용하여 깨끗이 닦은 후 뜨거운 물로 씻어내고 건조시킨다. 건조시킨 기구의 관절부에 유동 파라핀유를 바르고 날카로운 끝은 튜브를 씌워 보호하고 잘 포장한 후 소독하여 보관한다. 초음파세정기를 사용하면 세정이 빠르고 용이하며 감염 예방에 유리하지만, 자주 사용하면 기구의 관절부가 느슨해지고 날이 무뎌질 수 있다.[2]

2. 절개, 조직박리, 지혈

1) 절개

피부절개뿐 아니라 구강점막의 절개 시에도 절개 부위를 팽팽하게 당긴 상태에서 절개를 해야 정확한 절개가 이루어진다.

일반적으로 외과용 칼을 사용할 때는 펜을 잡듯이 잡고(pen-holding method) 절개하고자 하는 표면에 수직으로 절개를 시작한다(그림 2-10).[1] 하지만 머리카락이 있는 부위에서는 모근에 손상이 가지 않도록 머리카락의 방향에 따라서 경사지게 절개한다. 절개선의 크기와 방향은 항상 피부이완선(relaxed skin tension line, RSTL)과 일치하게 설정하며, 일격에 피부 전층까지 이르도록 일정한 깊이로 절개를 한다. 일반적으로 절개를 시작할 때는 표면에 수직으로 시작하여 중간은 사선, 마지막은 수직으로 끝나게 절개한다(그림 2-11).[3]

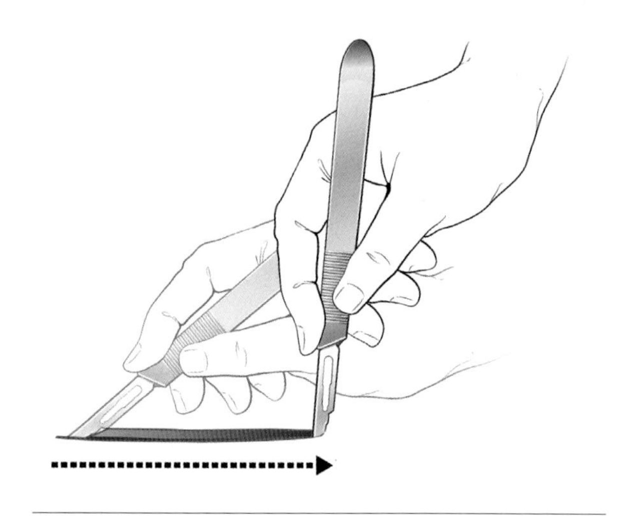

그림 2-11 **올바른 절개법**(Modified from Peterson LJ: Contemporary oral and maxillofacial surgery. St. Louis, Mosby. 1998)

봉합 후 장력(tension)이 작용하리라고 예상되는 경우에는, 피부절개 후 피하층을 박리하고 절개변연이 경사지도록 내측을 가위로 약간 제거한다. 수술 후에는 피부봉합 전에 진피봉합을 먼저 시행한다. 그러면 창상변연의 장력이 감소해 반흔이 적게 생긴다.

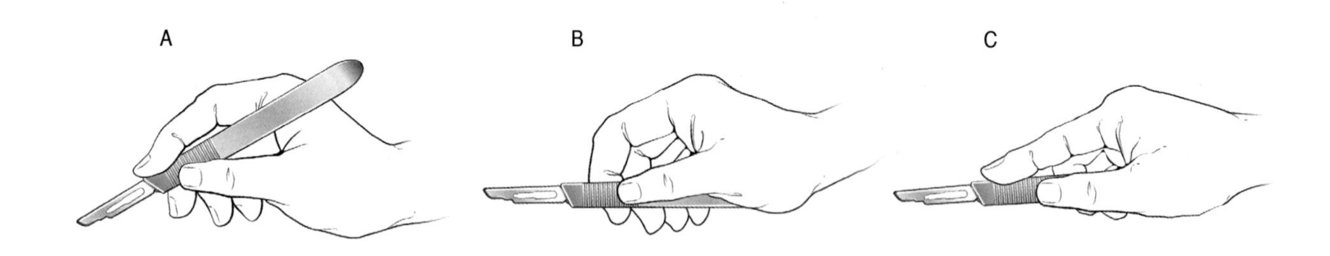

그림 2-10 **외과용 칼의 파지법. A:** 펜홀더식(Pen holding) **B:** 바이올린 활식(Violin-bow holding) **C:** 나이프식(Table-knife holding).

2) 조직박리

(1) 조직박리(Tissue dissection)

조직박리는 날카로운 가위나 칼 등으로 조직층을 하나씩 자르면서 원하는 부위까지 도달하는 술식이다. 피부 및 피하조직을 절개한 후 신경과 혈관을 확인하면서 한 층 한 층 박리해 간다. 이때 수술 목적상 필요하지 않은 혈관은 결찰하거나 전기소작하며, 신경은 절단하거나 박리한다. 각각의 층을 해부해 가면서 층마다 박리를 시행하면 봉합 시에 발생하는 장력을 줄일 수 있다.[1,2]

(2) 피하박리(Undermining)

창상변연의 긴장을 없애주는 방법이다. 피부를 들어 올린 후, 조직의 외상을 줄이기 위해 끝이 뭉툭한 가위 등을 이용해 조직층 사이의 부착을 이단시킨다. 이 과정은 절단하는 것이 아니고 창상변연 하부에 가위를 접은 상태로 넣은 후 벌려서 이단시키는 것이다. 피부결손이 생긴 창상변연을 무리 없이 당기려면 피하박리를 충분히 시행해야 하며, 결손부의 양측으로 결손 부위 폭만큼 박리하는 것이 원칙이다. 피부에 여유가 있는 부위는 충분히 박리해야 하지만, 눈썹, 눈꺼풀, 입술 등 당겨지면 모양이 변하기 쉬운 부위는 너무 많이 박리하지 않아야 한다.

피하박리의 층은 부위에 따라 상당히 다르며, 신체 부위에 따라 바른 박리층을 선택해야 한다. 특히 혈행이 풍부하고 안면신경이 있는 안면부를 박리할 때는 혈관과 안면신경이 손상될 위험이 있으므로 피하의 얕은 층에서 박리해야 한다. 사지나 몸통부의 박리 시에는 원칙적으로 근막 위에서 박리해서 피부의 혈행을 손상시키지 않도록 한다.[1,2]

3) 지혈

수술 중 혈관이 잘리거나 찢어지면 혈종이 형성되어, 창상변연에 장력이 가해지며 불필요한 조직 파괴가 발생하므로 반드시 지혈해야 한다.[1,2]

(1) 전기소작기(Electrocautery)를 이용한 지혈

제웰러 조직겸자(Jeweler's forcep) 등으로 손상된 혈관을 잡은 후 고주파 전극을 조직겸자의 하부 1/3 부위에 대어 지혈한다. 이때 지혈하고자 하는 혈관 주위를 먼저 건조시켜야 한다. 또한, 고주파 전극을 출혈 부위에 직접 적용하는 방법이 있으나, 이는 혈관 주위의 많은 조직이 함께 파괴되므로 자주 사용되지 않는다. 단극바늘전극(monopolar needle electrode)과 두극전극(bipolar)이 있으며, 단극바늘전극은 접지전극이 필요하며 더 많은 조직을 괴사시키는 데 반해 두극전극은 전류가 forceps의 두 끝 사이에 있는 국한된 조직에만 흐르므로, 두극전극을 사용하는 것이 추천된다.

(2) 결찰법(Ligation)

주로 큰 혈관에서 출혈될 경우 사용되는 방법으로, 날카로운 조직겸자를 이용하거나 유구 지혈겸자를 이용하여 혈관을 잡은 후 봉합사 등으로 결찰하는 방법이다(그림 2-12). 혈관 이외의 조직이 함께 결찰되면 괴사조직이 많이 생기며, 결찰을 많이 할수록 이물질(봉합사)이 많이 잔존하게 되어 감염의 위험성이 증가하므로 유의해야 한다. 결찰은 주로 견사나 혈관 결찰용 클립을 사용한다.

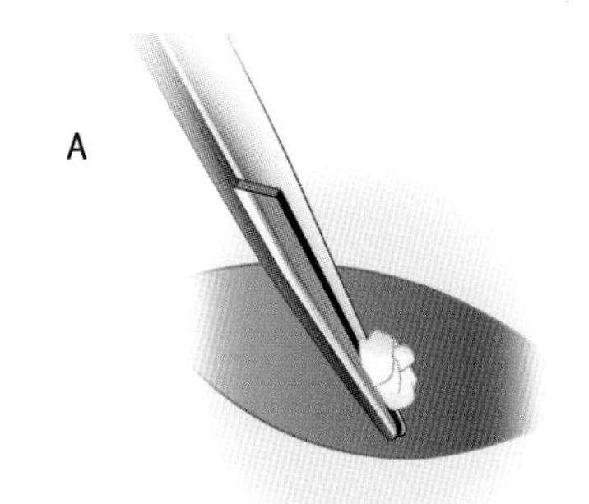

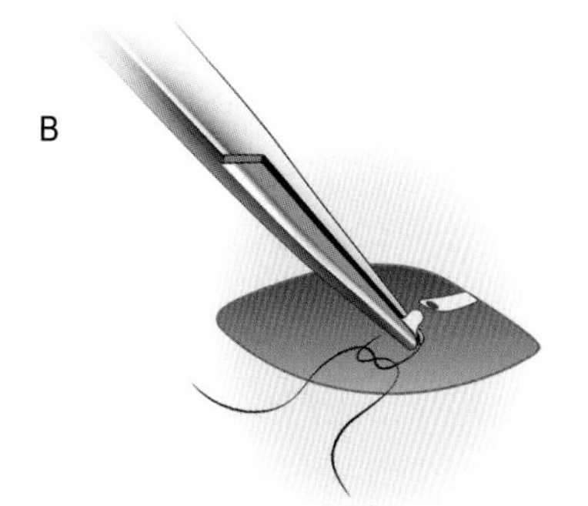

그림 2-12 **결찰법.** 지혈겸자로 혈관을 잡은 후 봉합사로 지혈겸자 하방을 결찰한다. **A.** 혈관 이외의 조직을 포함하여 한번에 잡는다. **B.** 출혈점의 양쪽을 각각 지혈겸자로 잡고 하방에 매듭을 형성한다.

(3) 지혈제에 의한 지혈

Epinephrine, oxidased cellulose (Oxycel®, Surgicel®), microcrystalline collagen (Avitene®), absorbable gelatin sponge (Gelfoam®), tissue thromboplastin 등을 이용한다.

(4) 압박에 의한 지혈

미세한 정맥혈의 출혈은 주위조직의 압박에 의해 지혈될 수 있다.

3. 봉합술: 봉합재, 봉합침, 봉합방법, 결찰법

1) 봉합재

(1) 정의

절개된 조직이 부가적인 도움 없이도 외력을 견딜 수 있을 때까지 조직을 밀접시키는 재료를 말한다. 일반적으로 봉합재는 아래의 요건을 갖추어야 한다.[1]

① 적당한 강도를 가져야 한다.
② 다루기가 쉬워야 한다.
③ 조직반응이 적어야 한다.
④ 매듭이 잘 유지되어야 한다.
⑤ 변형 없이 소독이 가능해야 한다.
⑥ 경제적이어야 한다.

(2) 봉합재의 분류

봉합재의 직경은 USP (United States Pharmacopeia) 정의를 사용하여 분류하는데, 2-0가 직경 0.3 mm로 굵은 편이고, 11-0이 직경 0.01 mm로 가늘다. 일반적으로 3-0, 4-0는 구강내 봉합에, 5-0, 6-0는 안면부의 피부 봉합에 사용된다(표 2-1).[1]

봉합재는 제조 형태에 따라 단사(monofilament/non-braided), 혹은 합사(multifilament/braided)로 구분된다. 단사는 표면이 매끈하여 세균이 부착되기 어려우나, 같은 직경의 합사에 비하면 빳빳한 편으로 조작이 어렵고 물리적

표 2-1 봉합사의 굵기에 따른 분류

USP designation	Collagen diameter (mm)	Synthetic absorbable diameter (mm)	Non-absorbable diameter (mm)	America wire gauge
11-0			0.01	
10-0	0.02	0.02	0.02	
9-0	0.03	0.03	0.03	
8-0	0.05	0.04	0.04	
7-0	0.07	0.05	0.05	
6-0	0.1	0.07	0.07	38-40
5-0	0.15	0.1	0.1	35-38
4-0	0.2	0.15	0.15	32-34
3-0	0.3	0.2	0.2	29-32
2-0	0.35	0.3	0.3	28
0	0.4	0.35	0.35	26-27
1	0.5	0.4	0.4	25-26
2	0.6	0.5	0.5	23-24
3	0.7	0.6	0.6	22
4	0.8	0.6	0.6	21-22
5		0.7	0.7	20-21
6			0.8	19-20
7				18

자극으로 점막 등에 통증을 유발할 수 있다. 합사는 표면이 울퉁불퉁하여 세균이 부착되기 쉬운 편이지만, 같은 직경의 단사에 비하면 비교적 부드러워 조작이 편하고 통증을 유발할 가능성이 적다.

(3) 봉합재의 종류

① 흡수성 봉합사(그림 2-13)

흡수성 봉합사는 생체 내에서 2~6개월 내에 대부분 분해되는 재료를 말한다.

a. **Plain gut**: 가장 오래된 봉합사로, 양의 창자로 만든다. 이소프로필 알코올에 저장해두었다가 식염수에 담근 후 사용하되, 식염수에 너무 오래 담가두지는 않아야 한다. 단백질 분해, 탐식 작용에 의해 분해되며 조직반응을 일으킬 수 있다. 3~4일 후 인장강도가 소실되므로 치유가 지연될 수 있는 창상에 사용하지 않는 것이 좋다.[4,5]

b. **Chromic gut**: plain gut의 빠른 흡수를 보완하기 위해 chromic salt를 태닝한 것으로, 강도는 2주간 유지되며 골막, 근육 등에 사용했을 때 흡수되는 데 40~60일이 소요된다.[4,5]

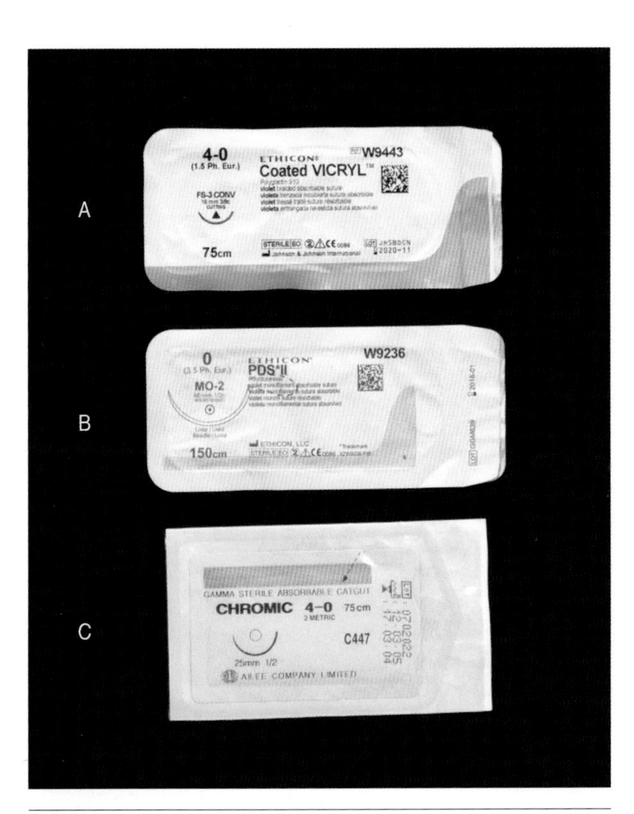

그림 2-13 **흡수성 봉합사. A:** Polyglactin 910 **B:** PoXlydixanone **C:** Chromic gut

c. **Polyglycolic acid (Dexon®)**: Braided synthetic homopolymer로서 조직 내의 가수분해에 의해 흡수되며 염증반응을 일으킬 확률은 낮다. 2주 후 인장강도가 65% 잔존하며 일반적으로 진피 봉합에 많이 이용된다.[5]

d. **Polyglactin 910 (Vicryl®, Polysorb™)**: Glycolide (90%)와 lactide (10%)로 이루어진 synthetic heteropolymer이다. Braided multifilament로, polyglycolic acid보다 인장강도는 오래 유지되며, 흡수는 70~90일에 완료된다.[5]

e. **Polydixanone (PDS®II)**: polyester polymer로 이루어진 monofilament로 조직 반응이 다소 있으나 4주까지 50%의 인장강도를 유지하고 90일 이후에 흡수된다. 소아의 안과 수술 시에 유용하며, 합성재 이식이나 성인의 미세수술에는 적합하지 않다.[5]

f. **Polyglyconate (Maxon™)**: Glycolic acid와 trimethylene carbonate로 이루어진 synthetic monofilament이다. 다른 봉합재에 비해 조작이 쉽고 조직의 통과가 용이하며 강도가 우월하다고 알려져 있다. 봉합 2주 후에도 75%의 강도를 유지하고 있으며 6개월에 흡수가 완료된다.[6,7]

g. **Glycomer 631(Biosyn™)**: Polyester of glycolide (60%), dioxanone (14%), trimethylene carbonate (26%)로 이루어진 synthetic monofilament이다. 유연하고 조직을 쉽게 통과하지만, 매듭 안정성이 낮은 것이 단점이다. 조직반응이 적고, 가수분해에 의해 흡수되며 90~110일 동안 흡수가 완료된다.[7]

h. **poliglecaprone 25(Monocryl™)**: Glycolide와 ε-caprolactone으로 이루어진 monofilament이다. 급성 조직반응은 적으나, 인장강도가 1주 후 50~60%로 감소하며, 4달 이내에 완전히 흡수되기 때문에 긴장이 강한 광범위한 조직의 접합에는 사용되지 않는다.[5,6]

i. **Polyglytone 6211(Caprosyn™)**: Polyester of glycolide, caprolactone, trimethylene carbonate lactide로 이루어진 synthetic monofilament이다. 인장강도는 빠르게 소실되

며, 흡수는 가수분해에 의해 이루어지는데, 매듭안정성은 5일 후에 50~60%로 감소한다.[7]

② 비흡수성 봉합사(그림 2-14)

a. **실크(Silk; Mersilk®)**: 누에에서 얻어진 유기물로 만들어진 것으로, 조작이 편리하고 점막에 자극이 없으며 저렴하지만, 인장강도가 낮고 감염의 위험성이 있다. 조직 내에서 1년 후 인장강도가 상실되며, 실제로는 2년 이후에 단백질 분해에 의해 흡수된다. 구강내의 봉합에 가장 많이 쓰이며 피부에는 잘 사용되지 않는다.[5]

b. **나일론(Nylon; Ethilon®, Dermalon™, Monosof™)**: 인장강도가 높은 편이나 polyester나 polyglycolic acid보다는 낮다. 조직반응은 적으나 섬유가 대체로 딱딱해서 매듭이 크고 잘 풀리기 때문에 구강내에서는 잘 쓰이지 않고 피부 봉합에 가장 많이 쓰인다.[5]

c. **Polyester (Dacron, Mersilene™)**: Polyethylene terephthalate로 이루어진 synthetic multifilament이다. 조직반응이 적고 인장강도가 크며, 조작이 쉽고 오래 지속되기 때문에 주름제거술(facelift)에 사용된다.

d. **Polypropylene (Prolene®, Surgilene®)**: Isotactic crystalline stereoisomer of polypropylene으로 이루어진 synthetic monofilament이다. 인장강도가 나일론보다 크고 조직통과가 용이하며 조직반응이 적다. 매듭이 잘 형성되지만 매듭 안정성과 탄성이 낮은 것이 단점이다. 조직 내에서 강도가 감소하지 않으며 흡수되지도 않는다.[7]

e. **Hexafluoropropylene (PRONOVA® Poly)**: Polyvinyl fluoride와 polyvinylidene fluoride-co-hexafluoropropylene으로 이루어진 monofilament이다. 감염에 저항성이 있고 조직에 부착되지 않아 조직반응이 적다. 흡수되지 않으며, 강도도 감소하지 않는다.[7]

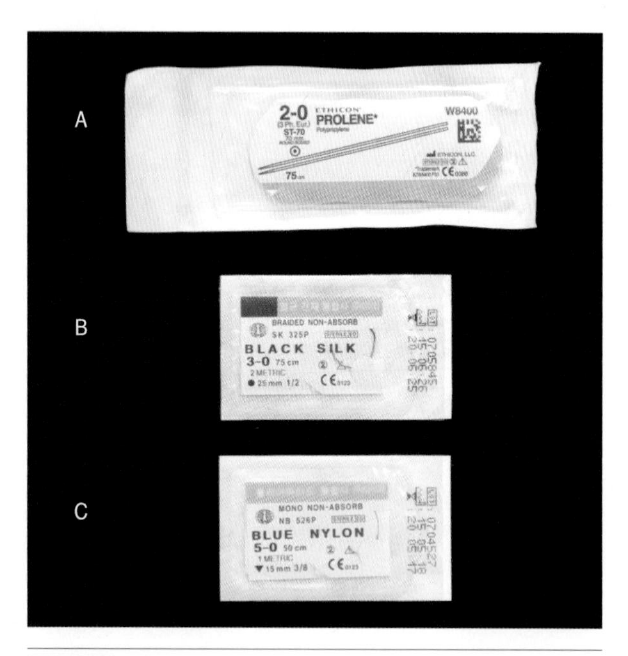

그림 2-14 **비흡수성 봉합사.** **A**: Polypropylene **B**: Silk **C**: Nylon

③ 기타 봉합재료[8]

a. **Staple**: 심미적 요구가 적은 부위에 신속하고 효과적으로 봉합을 하기 위해 사용될 수 있다. 조직겸자로 창상변연의 조직을 들어올리면서(eversion) staple 봉합을 하면 봉합 후 창상변연이 내번(inversion)되는 것을 방지할 수 있다.[5]

b. **외과테이프**: 일차 피부봉합 시에 혹은 봉합사 제거 시에 보조적으로 사용한다. 일차 피부봉합 시에는 어린이들의 작은 상처에서 혹은 피하봉합 후 사용하기도 한다. 봉합사 제거 후 상처의 벌어지는 것을 방지하기 위해 사용하기도 한다.

c. **조직접착제(histoacrylate)**: Cyanoacrylate를 포함하는 접착제로 통증을 적게 유발하고 시간을 절약시키지만 감염률이 높은 편이다. 피부 가장자리를 잘 맞춘 후 접착제를 고르게 도포해야 한다. 긴장도가 높은 상처에는 사용하지 않는다.

(4) 봉합재에 대한 조직 반응

① 봉합 후 4~7일에 해당하는 초기에는 조직의 반응이 재료에 상관없이 유사하며 주로 바늘에 의한 감염이 많이 발생한다. 5~7일 후에는 피부의 상피가 봉합선을 따라 수축하며, 시간이 경과함에 따라 상피세포가 봉합재를 따라 조직 내로 자라게 된다. 이러한 현상이 심해지면 상피내포낭종(epithelial inclusion cyst)이 발생한다. 실험 연구에 의하면 상피내포낭종이 발생하

표 2-2

		단사(monofilament)		합사(multifilament)	
		일반명	상품	일반명	상품
흡수성	합성	Polydixanone	PDS®II	Polyglycolic acid	Dexon®
		Polyglyconate	MaxonTM		
		Glycomer 631	BiosynTM	Polyglactin 910	Vicryl®, PolysorbTM
		Poliglecaprone 25	MonocryTM		
		Polyglytone 6211	CaprosynTM		
	천연			Catgut	
비흡수성	합성	Nylon	Ethilon®, DermalonTM, MonosoftTM	Polyester	Dacron, MersileneTM
		Polypropylene	Prolene®, Surgilene®		
		Hexafluoropropylene (HFP)	PRONOVA® Poly		
	천연			Silk	Mersilk®

면 봉합한 창상에서 감염률이 10,000배 이상 증가한다고 보고되고 있다.[9]

② 봉합선이 감염의 통로가 될 수도 있으므로 감염이 있는 창상은 봉합하지 않는 것이 좋다. 발사(stitch out)는 창상이 치유되는 대로 해야 하며 구강내에서는 5~10일, 구강외에서는 3~5일 경과 후 하는 것이 추천된다. 봉합된 조직은 원래의 조직에 비해 약 25%의 인장강도를 보인다. 봉합 10일 후의 인장강도는 10%이며, 3주 후의 인장강도가 비로소 29%가 되므로 피부의 창상은 적당한 방법으로 잘 보호되어야 한다(표 2-2).[9]

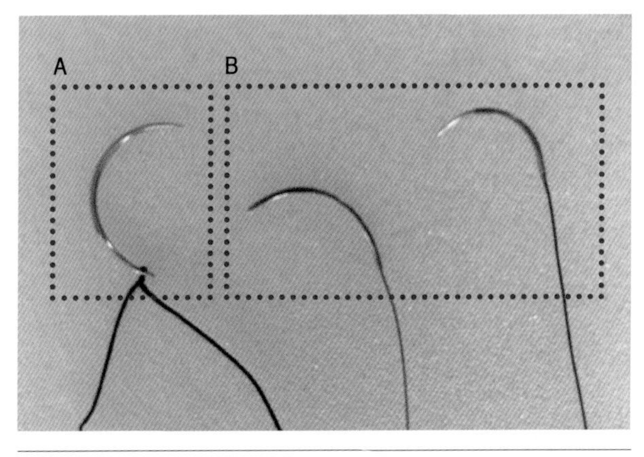

그림 2-15 **봉합침. A:** 눈이 있는 봉합침 **B:** 눈이 없는 봉합사 일체형 봉합침

2) 봉합침

(1) 구조

머리(shank)에 눈이 있는 봉합침은 봉합사를 끼워서 사용하고, 눈이 없는 봉합침은 봉합사와 일체형으로 사용한다(그림 2-15). 몸체(body)의 단면형태가 둥근(round) 봉합침은 구강내 봉합 및 근막 봉합에 사용된다. 단면이 삼각형(cutting)인 봉합침은 삼각형의 절단부가 창연을 향하므로 쉽게 조직이 찢어질 수 있기 때문에 세밀한 성형수술에 사용된다. 역삼각형(reverse cutting)의 몸체를 가진 봉합침은 삼각형의 기저부가 창연을 향하므로 조직이 쉽게 찢어지지 않으며, 대부분의 피부 봉합에 사용된다(그림 2-16).[2]

(2) 모양

봉합침은 만곡도에 따라 여러 가지로 분류되며 보통 3/8원(circle) 봉합침이 많이 사용된다. 창상변연이 인접되어 있을수록 만곡도가 큰 것을 쓴다(그림 2-17).[2]

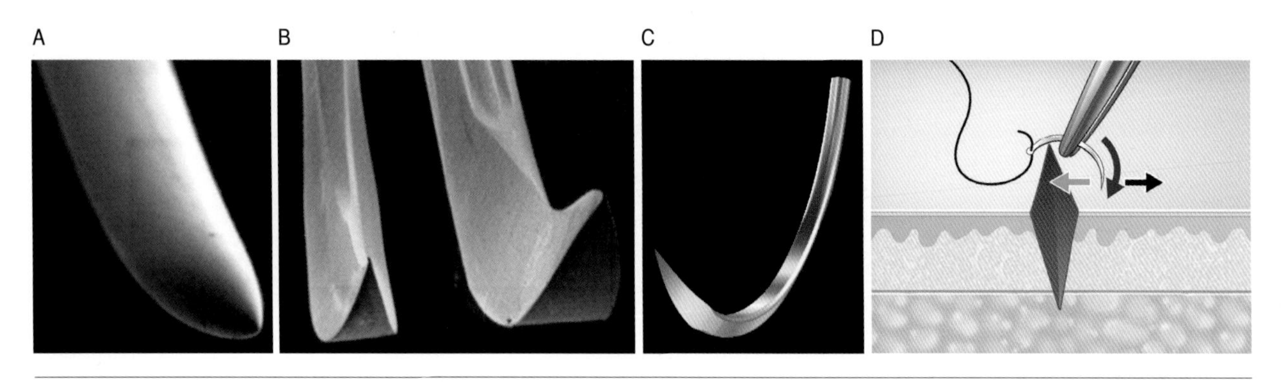

그림 2-16 **봉합침의 단면도 비교.** A: 원형 B: 삼각형 C: 역삼각형 D: 봉합침의 날이 향하는 방향

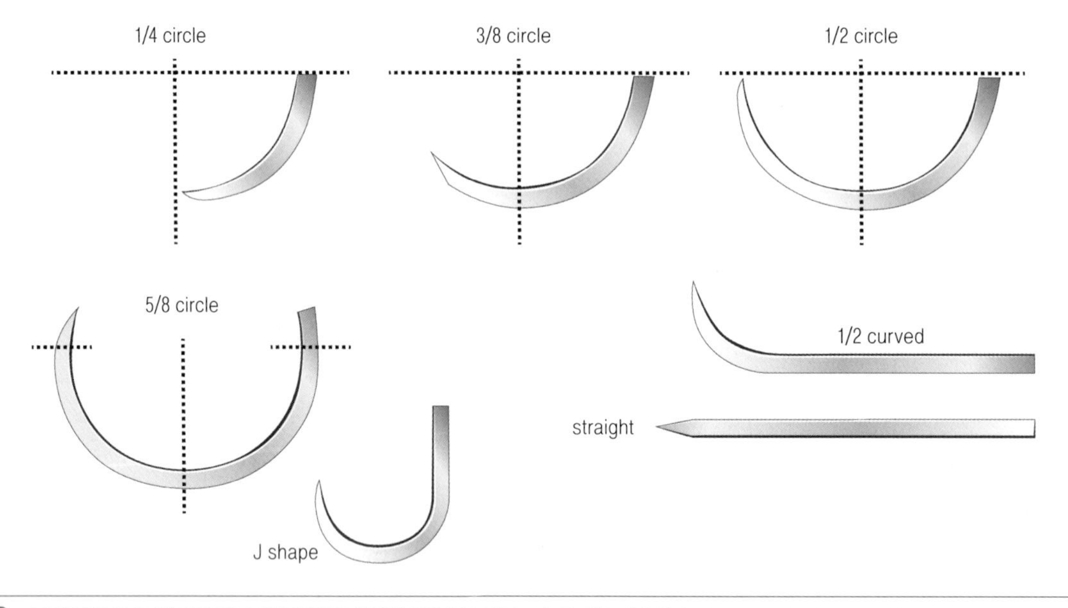

그림 2-17 **봉합침의 만곡도에 따른 비교.** 창상변연이 인접해 있을수록 만곡도가 큰 것을 사용한다.

3) 봉합 방법

(1) 봉합의 원칙(그림 2-18~20)[1,2]

① 지침기로 봉합침의 첨부(point)에서 3/4 위치를 잡는다.

② 조직 표면에 봉합침이 수직으로 들어가게 한다.

③ 봉합침은 만곡도에 따라 조직을 통과해야 한다.

④ 절개선에서 같은 거리(약 2~3 mm)에 suture가 위치하게 하며, 같은 깊이를 유지한다.

⑤ 피판(flap) 봉합의 경우 거상된 쪽(free side)에서 고정된 쪽(fixed side)으로 봉합을 한다.

⑥ 양쪽 조직의 두께가 다른 경우 봉합침을 얕은 쪽 조직에서 더 얕게 통과시켜 봉합한다.

⑦ 봉합 깊이를 창상변연에서의 거리보다 크게 하면 창상변연을 약간 외번(eversion)시킬 수 있다.

⑧ 조직은 긴장(tension)이 없어야 하며, 조직에 긴장이 있으면 피하박리(undermining)하여 없애 준다.

⑨ 창상변연은 봉합에 의해 접합(approximation)만 되게 한다. 조직을 너무 당겨서 긴장이 발생하면 봉합부가 창백하게(blanching) 되므로 주의한다.

⑩ 매듭(knot)은 절개선 상에 두지 않는다.

⑪ 봉합과 봉합 사이는 3~4 mm로 간격을 둔다.

⑫ Dog-ear가 생기지 않게 한다.

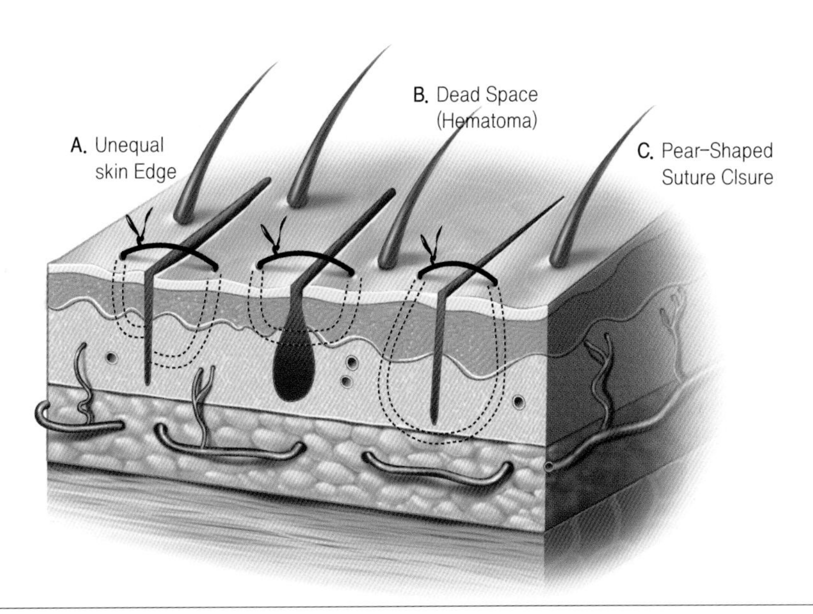

그림 2-18 **봉합의 원칙 I. A:** 창상 가장자리를 맞추지 않을 경우 계단식으로 아물며 불필요한 반흔이 생긴다. **B:** 얇거나 느슨한 봉합 시 사강(Dead space)나 혈종(Hematoma)이 생긴다. **C:** 창상 가장자리가 잘 맞는 이상적인 봉합이다.

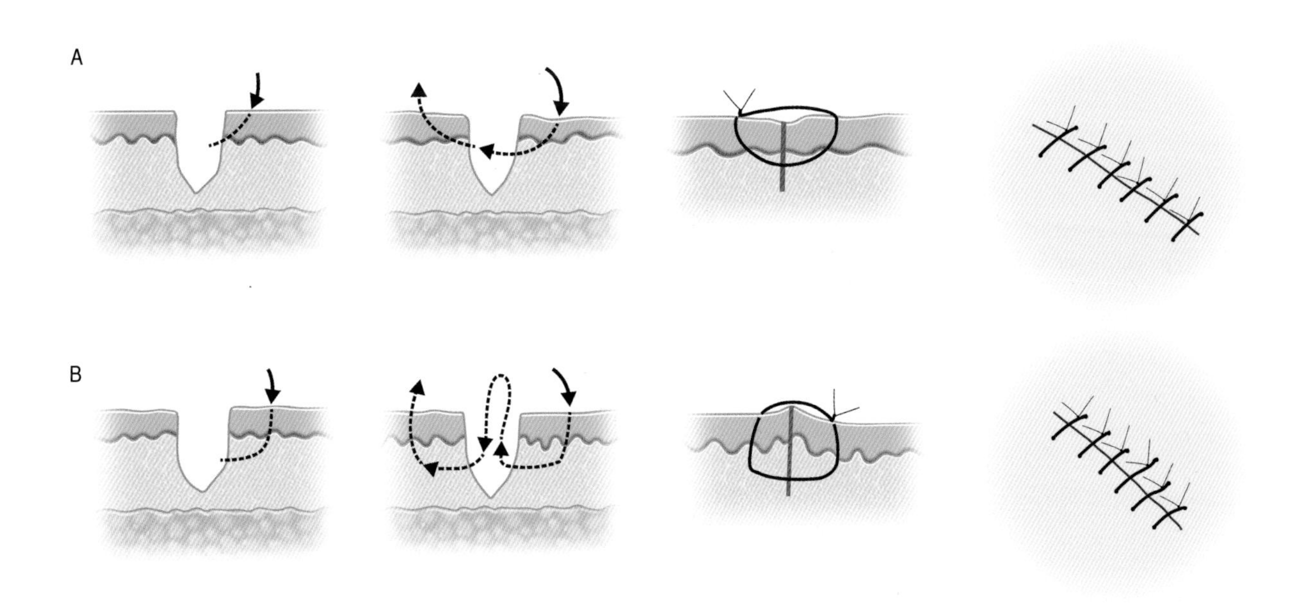

그림 2-19 **봉합의 원칙 II. A:** 부적절한 봉합법 **B:** 적절한 봉합법

(2) 피부 봉합[1]

① 충분히 세척한다.

② 변연절제술(debridement): 손상 및 괴사된 조직은 세균의 배지가 되고 혐기성 환경을 만들어 백혈구의 포식작용을 방해함으로써 창상 치유에 방해가 되므로, 이를 제거하기 위해 변연절제술을 시행한다. 창상에서 생활력을 잃은 조직과 이물질을 조심스럽게 제거하되 주요 해부학적 구조는 가능하면 보존한다. 안면부는 비교적 혈액공급이 좋으므로, 괴사 조직을 최소한으로 절제할 수 있다. 또한 괴사가 의심될 경우에도 24~48시간 정도 기다렸다가 변연절제술을 시행할 수 있다.

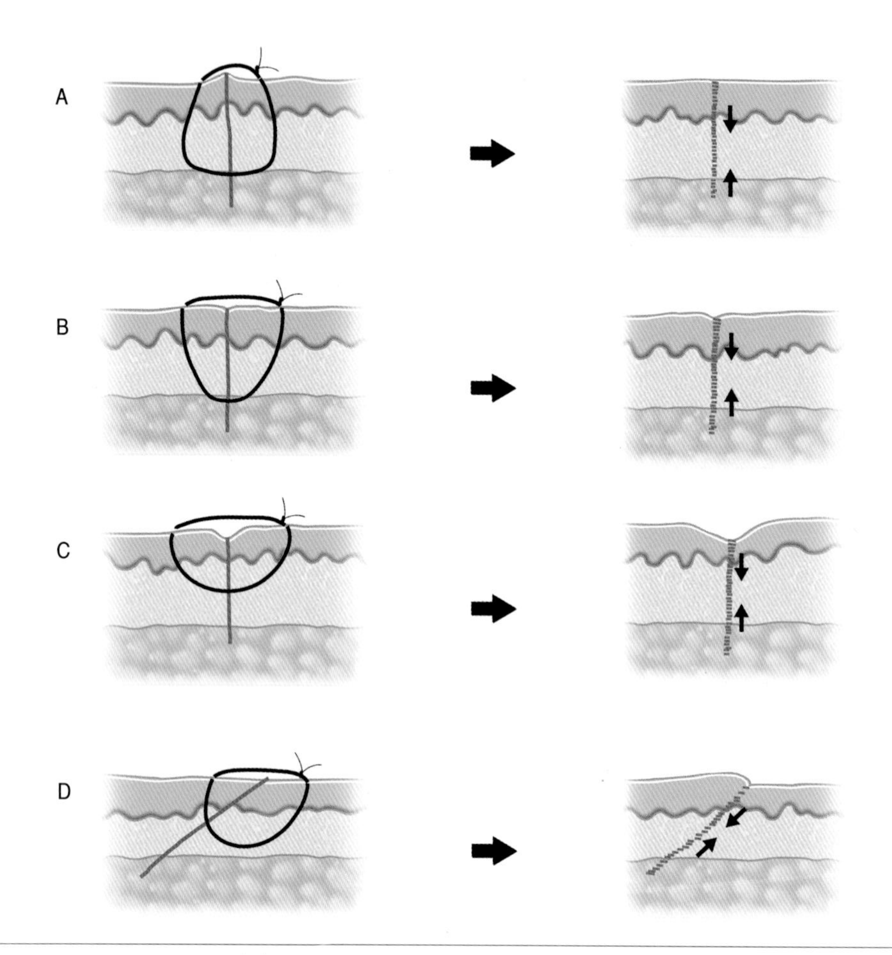

그림 2-20 Suture path와 창상변연의 관계(좌) 및 반흔 형성 결과(우). A: Eversion B: Flat C: Inversion D: Beveled edge.
우측 그림의 화살표는 수축(contraction)의 방향을 나타낸다.

③ 심부 조직은 흡수성 봉합재를 이용하여 층별 봉합한다. 이는 창상연의 긴밀도를 향상시켜 사강(dead space)을 줄인다.

④ 피부 봉합은 정확히 창상변연을 맞추어 접합한다(그림 2-21). 이때 직경이 작은 겸자를 이용하여 최소한의 조직을 잡고 장력이 없게 봉합한다.

⑤ 영구적인 봉합 반흔이 생기기 전에 발사(stitch-out)한다.

⑥ 작은 창상의 경사진 창상변연(beveled edge)은 완전 절제 후 봉합하며, 큰 창상의 경사진 창상변연은 전층(full thickness)까지의 피부를 절제한 후 봉합한다(그림 2-22).

(3) 봉합 방법

① 단일 단속봉합(Single interrupted suture)

가장 기본적인 봉합으로, 봉합 시 창상연을 약간 외번(eversion) 시켜야 하며, 층(step)이 생기지 않아야 한다. 보통 진피봉합(subcuticular suture)을 병행한다(그림 2-23, 24).[1,2]

② 매트리스 봉합(Mattress suture)

수평 매트리스 봉합과 수직 매트리스 봉합이 있다. 주로 조직 긴장이 심한 부위에서 심부를 밀착시키고 사강(dead space)을 만들지 않기 위해 사용한다. 봉합 반흔(suture mark)을 남기지 않기 위해 gauze roll을 사이에 넣고 봉합하면 좋다(그림 2-25~27).[1,2]

- 수직 매트리스 봉합(Vertical mattress suture)을 사용하면 창상변연을 외번시키고 깊은 조직을 접합시키는 반

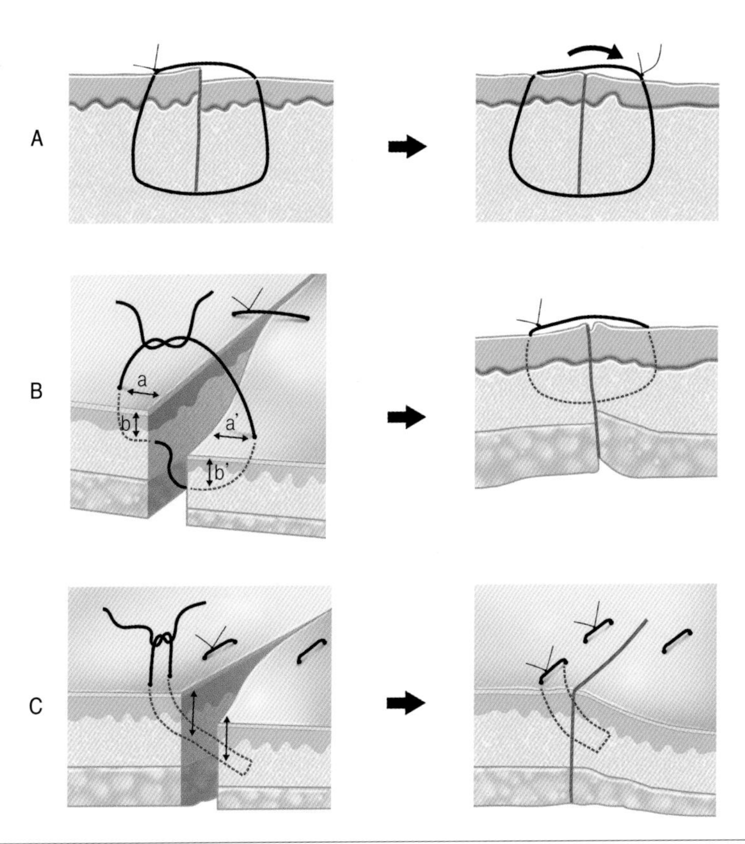

그림 2-21 **창상변연(wound edge)의 상피 높이를 맞추는 법. A:** 매듭(knot)을 옮긴다. **B:** 양측의 너비와 깊이를 동일하게 한다(a=a', b=b'). **C:** 편측 매몰봉합 시 양측의 봉합 깊이를 동일하게 한다.

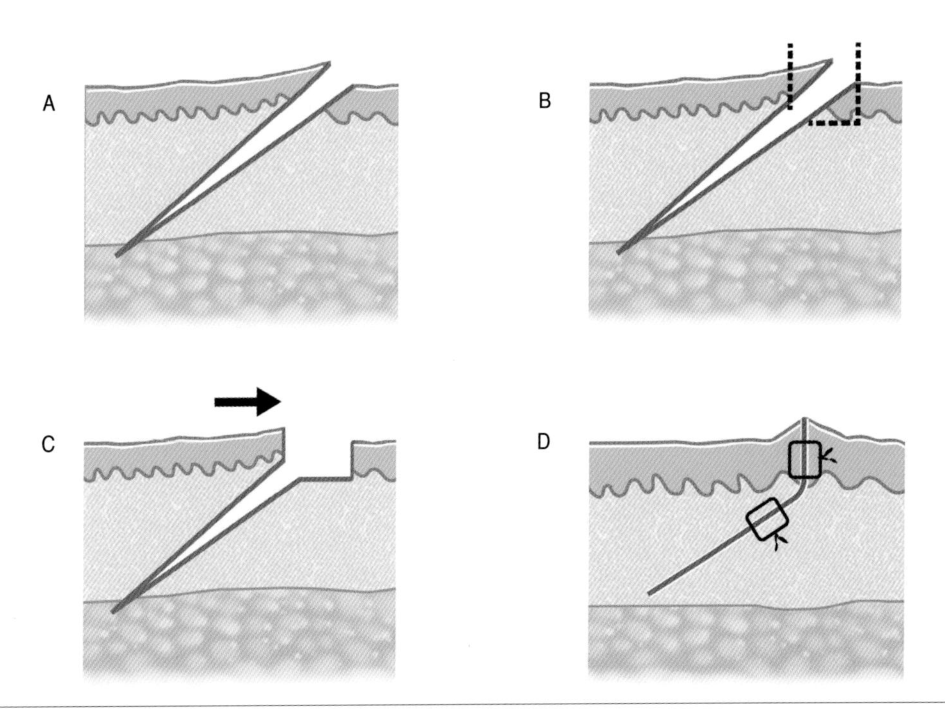

그림 2-22 **경사진 변연의 창상 봉합법. A:** 경사진 창상변연 **B:** 변연을 맞추기 위해 완전 절제. 모근 손상을 예방하기 위해 수직절제한다. **C:** 절제 후 모습 **D:** 조직을 외번시켜 봉합한 모습

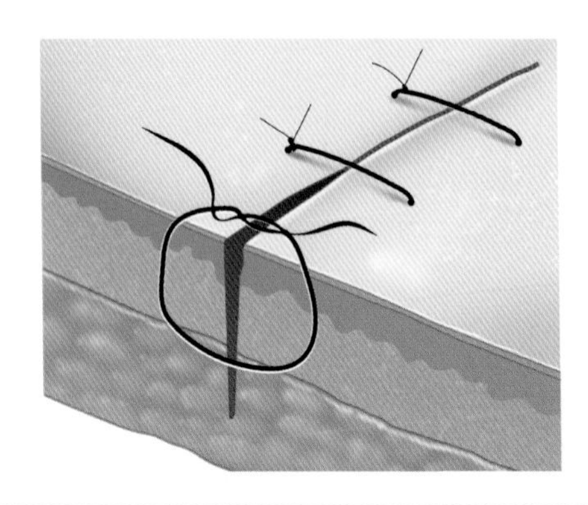

그림 2-23 **단일 단속봉합.** 매듭은 결찰 후 부드럽게 편측으로 두며 창상연은 외번시킨다.

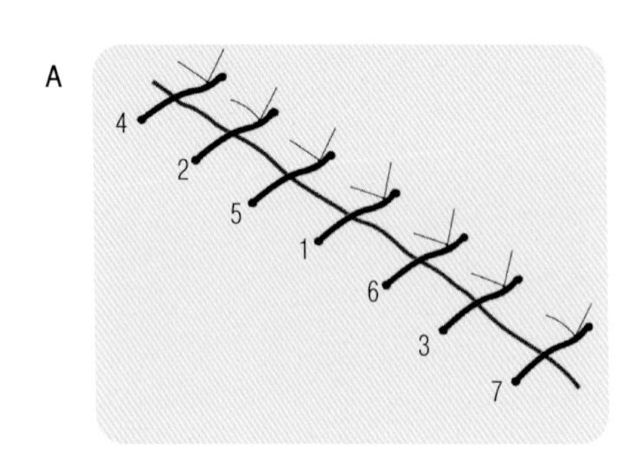

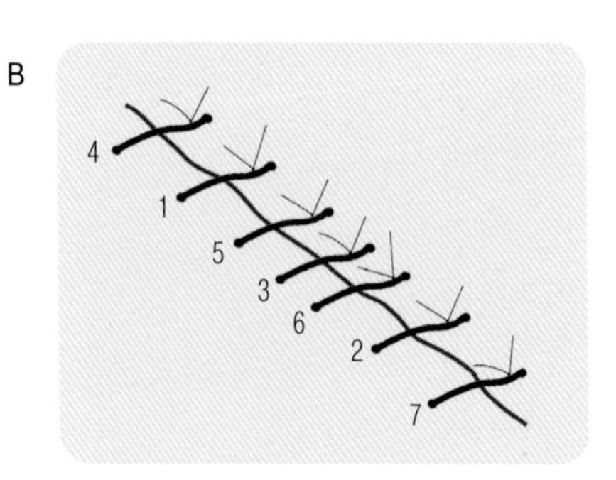

그림 2-24 **단일 단속봉합 순서. A:** 긴장(tension)이 적은 경우 중앙부터 봉합한다. **B:** 긴장이 큰 경우 첫 번째 봉합을 중앙의 외측(1과 2)에서 시작하여 중앙 부위에서는 A보다 촘촘하게 하여 긴장을 해소한다.

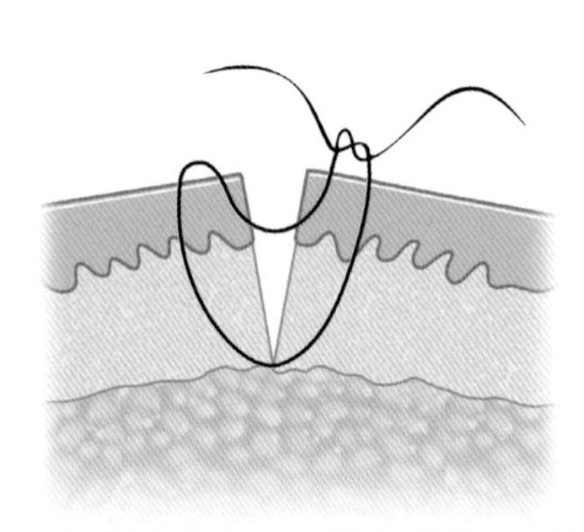

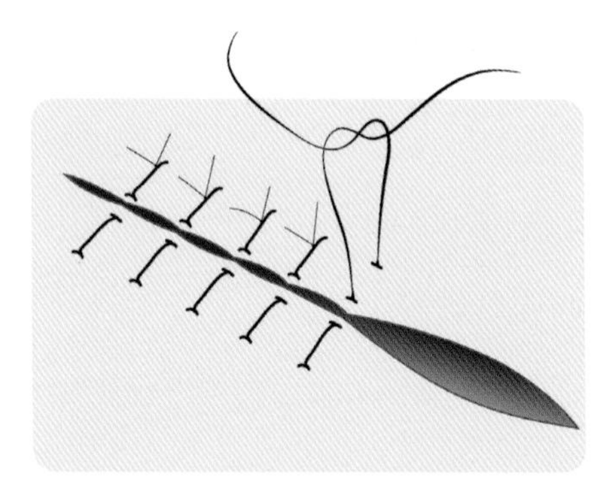

그림 2-25 **수직 매트리스 봉합**(Modified from Laskin DM: Oral and maxillofacial surgery. St Louis, Mosby. 1980)

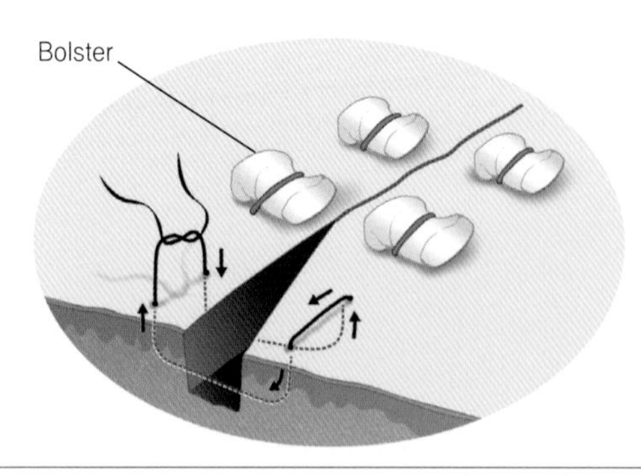

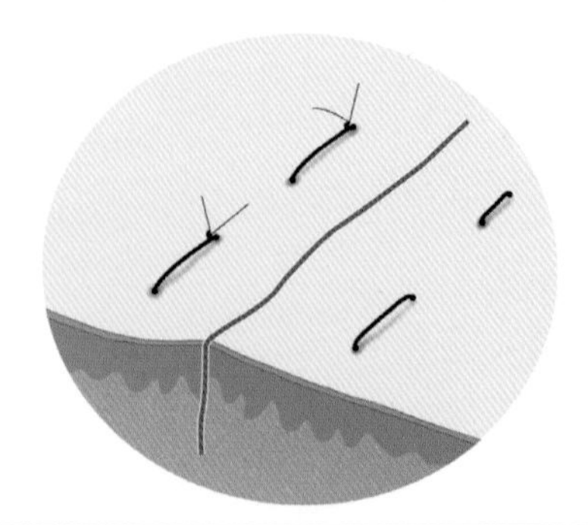

그림 2-26 **수평 매트리스 봉합**

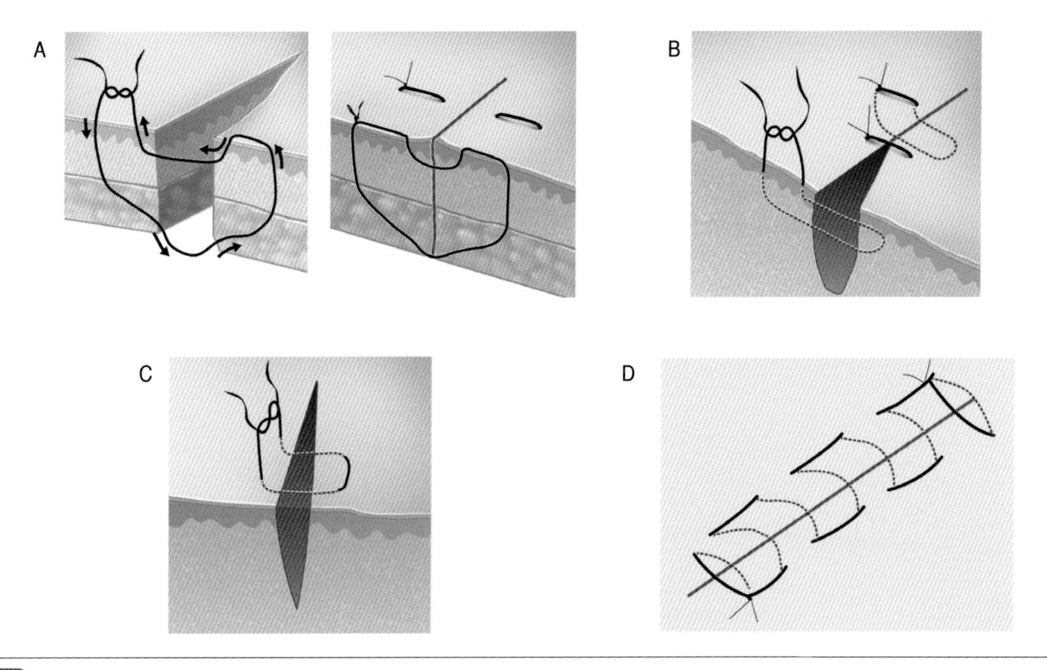

그림 2-27 **매트리스 봉합의 변형.** **A:** 변형 수직매트리스 봉합: Loop를 깊게 형성하여 피하조직과 근막을 같이 봉합함으로써 사강형성을 예방할 수 있다. **B:** 편측매몰(Half-buried) 수직 매트리스 봉합 **C:** 편측 매몰 수평 매트리스 봉합 **D:** 연속 수평매트리스 봉합(Running horizontal mattress suture)

면, 봉합에 시간이 오래 걸린다.[7]

- 수평 매트리스 봉합(Horizontal mattress suture) 사용 시 역시 깊은 조직을 접합시켜 사강(dead space)을 감소시키고 창상변연을 외번시키며 창상 변연의 긴장이 완화된다. 두피 등 혈행이 풍부한 부위에서 사용 시 출혈 조절에도 사용될 수 있다. 그러나 조직의 혈행을 차단하여 저산소증과 그로 인한 괴사 및 불량한 치유를 야기할 수 있다.[7]

③ 3점 봉합(Three point suture)

삼각형의 피판 형성 시 말단의 혈행 공급(blood supply)이 나빠지므로 수평 매트리스 봉합의 변형인 3점 봉합을 사용한다(그림 2-28, 29).[1,2]

④ 연속 봉합(Continuous suture)

신중한 피부 봉합이 필요한 부위에 하기에는 부적당하지만, 진피봉합이 잘 되었거나 심미적인 문제점이 적은 부위에 혹은 창상이 피부 이완선(RSTL)상에 존재하는 경우에 사용할 수 있다. 편리하고 시간을 절약할 수 있는 방법이다(그림 2-30).[1,2]

⑤ 잠금 연속 봉합(Locking continuous suture)

연속 봉합에 비해 봉합사가 절개선에 대해 수직으로 배열된다. 주로 중등도의 조직 긴장이 있는 경우 사용하며 심미적 결과가 요구되지 않는 경우에 사용할 수 있다. 조직으로의 혈액공급을 감소시킨다(그림 2-31).[1,2]

⑥ 진피봉합(Subcuticular suture)

봉합사를 피부 표면에 내놓지 않고 진피(dermis)에서만 봉합하는 방법이다. 단독 진피봉합 시에는 3-0 혹은 4-0 Polyglactin 910을 주로 사용한다. 연속진피봉합 시에는 백색 nylon이나 polyester (다크론, 테드론)를 쓰며, 조기에 장력을 잃는 catgut이나 dexon은 특별한 경우 외에는 사용하지 않는다(그림 2-32).[1,2]

⑦ 8자 봉합(Figure-of-8 suture)

2-loop를 형성하는 봉합법으로, 피부에서는 그림 2-33A의 방법으로, 발치와에서는 그림 2-33B의 방법으로 사용되며, 사강을 줄일 수 있다는 장점이 있다(그림 2-33).[1,2]

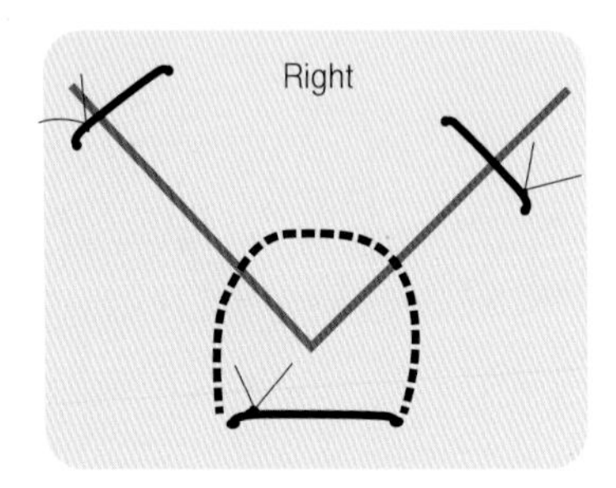

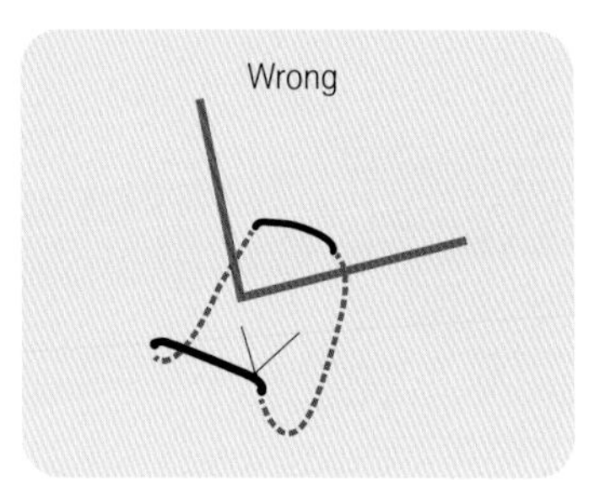

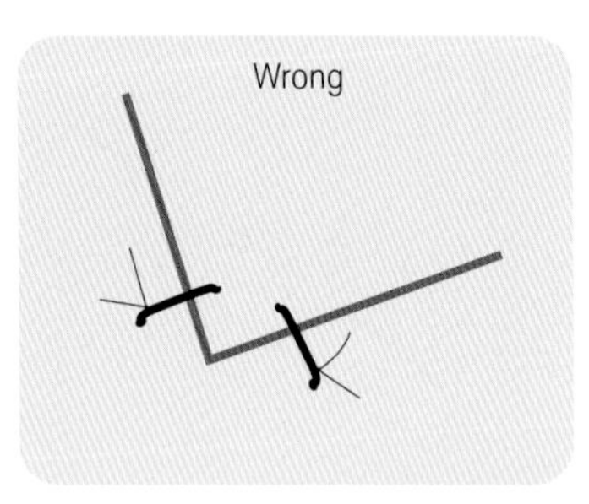

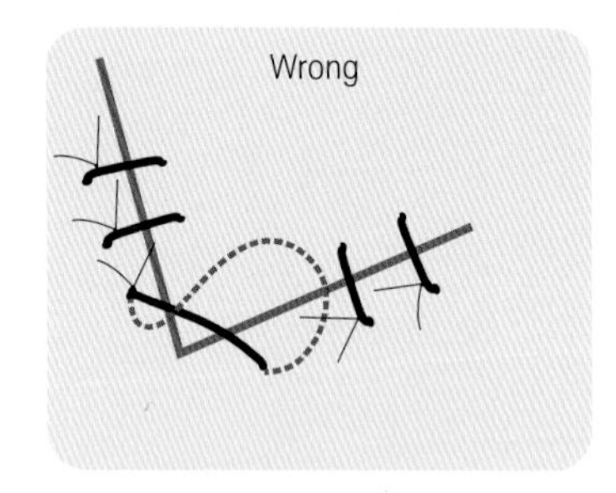

그림 2-28 **3점 봉합법. Right**: 적절한 봉합 **Wrong**: 부적절한 봉합

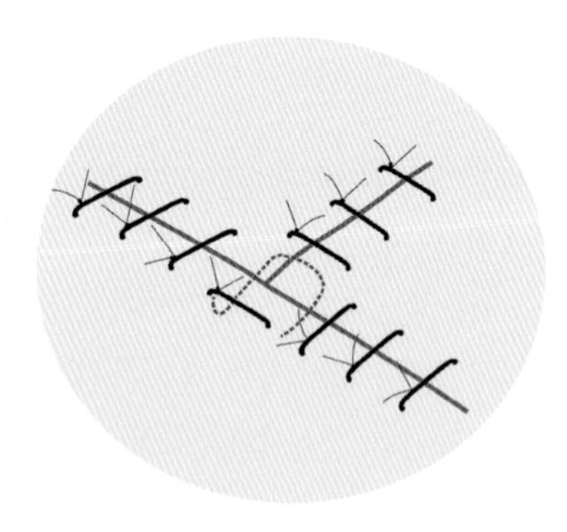

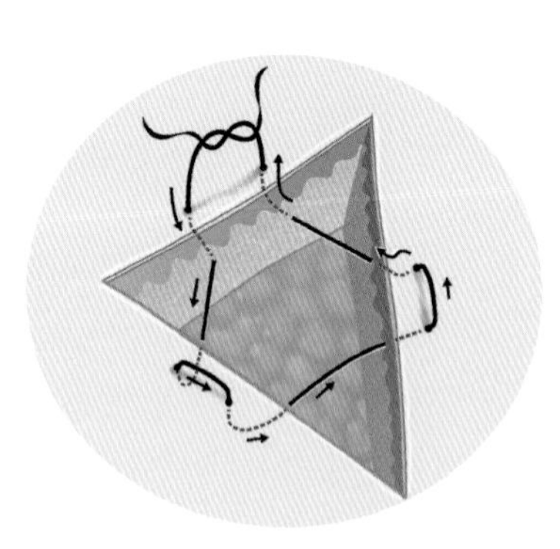

그림 2-29 **3점 봉합의 응용**

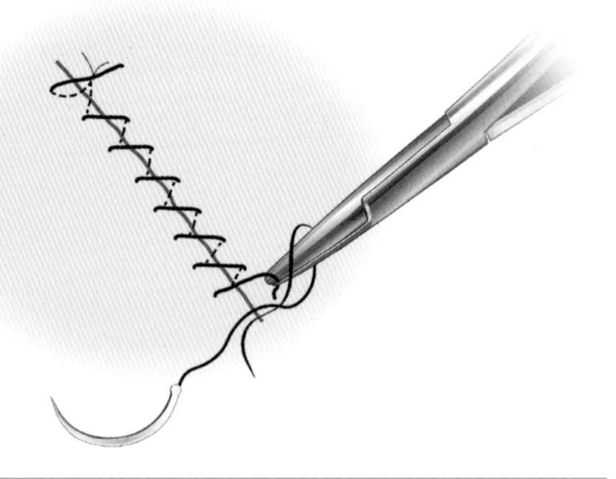

그림 2-30 **연속봉합**

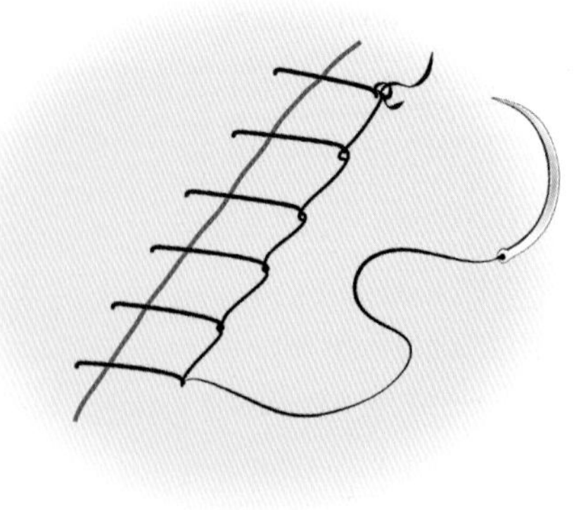

그림 2-31 **잠금연속봉합**

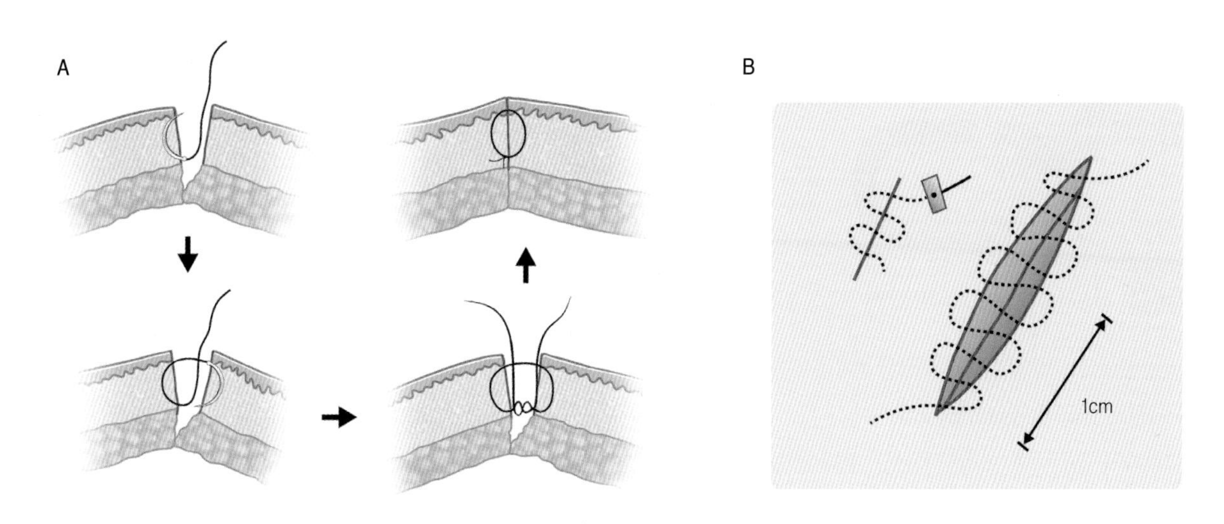

그림 2-32 **진피봉합. A:** 진피봉합법(Modified from Laskin DM: Oral and maxillofacial surgery. St Louis, Mosby. 1980) **B:** 연속진피봉합(Running subcuticular suture)

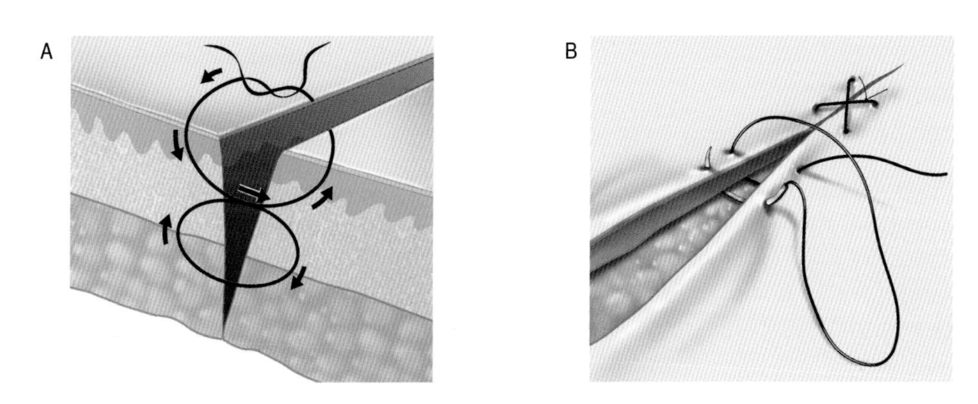

그림 2-33 **8자 봉합**

4) 결찰법

봉합을 시행한 후에 창상연이 접합된 상태로 유지될 수 있게 하기 위하여 결찰법을 통해 봉합사에 매듭을 지어준다. 일반적으로 구강악안면 영역의 창상 봉합에는 지침기를 이용하여 기구 결찰법을 시행한다. 기구결찰법은 깊은 부위의 봉합이나 얕은 부위의 봉합에 모두 사용할 수 있지만, 지혈을 위해 혈관을 결찰하는 경우에는(그림 2-12) 한손결찰법이나 두손결찰법의 사용이 선호되기도 한다.

(1) 매듭의 위치

매듭은 반드시 절개선의 옆에 둔다. 매듭의 꼬리가 창상에 끼이면 치유를 방해하며 매듭이 창상변연상방에 놓이면 창상변연이 함몰된다. 매듭을 피해야 할 부분은 중요기관(vital structure: 눈), 자극을 받는 곳(코) 등이며, 매듭이 위치해야 할 부분은 혈관이 풍부한 곳, 결찰하기가 쉬운 곳, 흔적이 눈에 띄지 않는 곳이다.[2]

(2) 매듭의 종류(그림 2-34)

① 스퀘어 매듭(Square knot)

가장 기본적이며 조직에 긴장이 없을 때 사용하는 결찰법이다. 지침기(needle holder) 주위에 봉합사를 시계방향으로 한 번 감고 반대쪽 실을 잡아당겨서 매듭을 지은 후, 다시 한번 반시계 방향으로 감아 매듭을 짓는다.

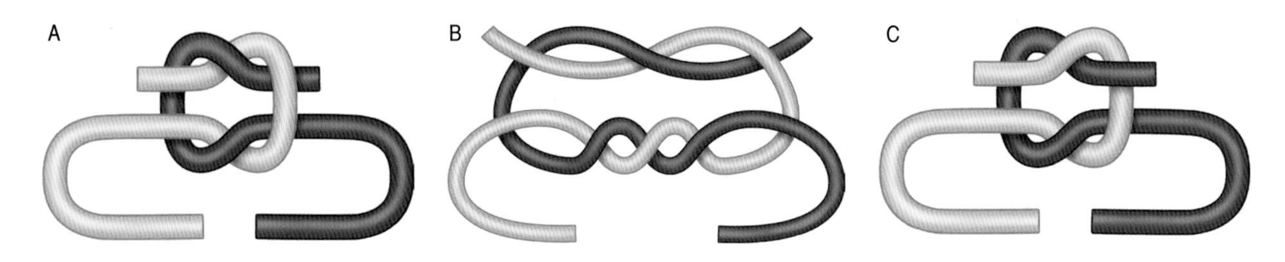

그림 2-34 매듭의 종류. A: 스퀘어 매듭 B: 서전스 매듭 C: 그라니 매듭

② 서전스 매듭(Surgeon's knot)

첫째 매듭을 두 번 이상 감는다. 첫째 매듭이 미끄러져 풀리는 것을 방지한다는 장점이 있어 monofilament를 이용해 봉합하는 경우나 긴장이 있는 조직에 매듭을 만드는 경우에 선호된다.

③ 그라니 매듭(Granny knot)

동일한 방향으로 첫째, 둘째 매듭을 한다. 셋째 매듭을 반대 방향으로 감아 풀리지 않도록 한다.[1,2]

4. 수술 후 처치

1) 배농(Drain)

배농이란 화농이나 삼출액을 외부로 배출하는 술식 혹은 이러한 목적으로 사용하는 재료를 말하는 것으로, 감염의 가능성이 있는 연조직 혹은 경조직의 사강(dead space) 내에 혈종이나 장액종의 형성을 방지하기 위해 사용한다. 배농은 빠지지 않도록 주위 피부와 봉합해 두어야 한다. 주로 iodoform gauze strip (Nu-gauze®), rubber strip, penrose drain, rubber tube, Hemovac® 등이 사용된다.[1]

2) 발사(Stitch-out)

피부의 봉합사로 인한 조직반응을 예방하고 봉합흔적을 최소화하기 위해 가능한 한 조기에 발사하는 것이 바람직하다. 발사 시기는 해부학적인 위치, 창상 긴장도, 매몰봉합 유무에 따라 다르며, 안면부와 이부에서는 5~6일에, 안검에서는 3~5일에 제거한다. 경부에서는 7일 이내에 제거하며 두피에서는 7~10일에 제거한다.[1,2]

발사를 할 때는 봉합사의 매듭을 포셉이나 핀셋으로 잡아서 위로 당겨 상피에서 들어 올린 다음, 가능한 상피에서 가까이 고리의 한쪽을 자른 다음 뽑아낸다(그림 2-35). 연속봉합은 각각의 루프에서 모두 봉합사를 자른 후 제거한다. 연속진피하 봉합한 경우 한쪽 끝에서 매듭을 자른 후 반대편 끝에서 봉합사를 끊어지지 않도록 천천히 당겨 제거한다.[1,2]

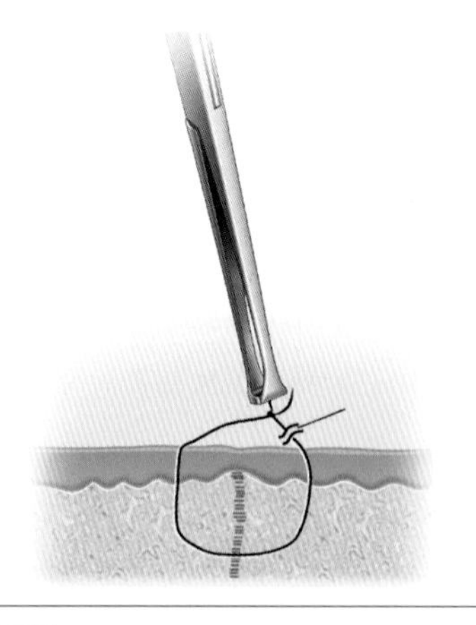
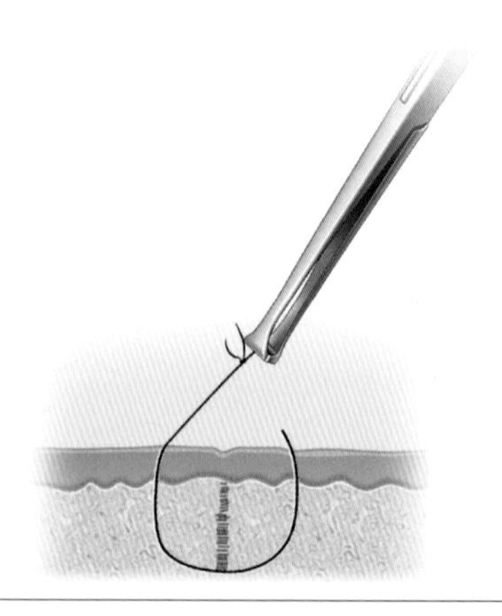

그림 2-35 올바른 봉합사 제거

3) 드레싱(Dressing)

(1) 드레싱

창상은 보호되어야 하며 습기를 유지해 주어야 한다. 이는 반흔 형성을 최소화한다. 창상은 공기 중에 노출되어서는 안되고 딱지(scab)가 형성되도록 둔다. 창상은 늘 깨끗해야 하며 혈액 삼출액, 조직액 등이 있을 때에는 박테리아가 창상에 침범할 우려가 있으므로 교체한다. 드레싱은 이러한 창상을 덮어지지하는데, 압박드레싱을 함으로써 혈종(hematoma) 형성을 방지하거나, 안면골 골절 시 일시적인 지지 역할을 할 수 있다. 깨끗이 봉합된 창상은 드레싱을 24~48시간 유지하며, 압박드레싱은 종창을 억제하고 혈종 형성을 방지하기 위해 48~72시간 시행한다.[1,2]

❖ 드레싱의 목적

창상의 치유를 돕는다.

① 창상의 배농액을 흡수한다.

② 창상을 보호한다.

③ 창상에 압박을 준다.

④ 창상의 상피화를 촉진시킨다.

⑤ 환자의 감정을 창상으로부터 격리시켜 정신적인 안정감을 준다.

(2) 드레싱의 구조

① 접촉층(Lubricant layer)

창상에 가장 근접한 층으로서, 제거 시에도 창상이 찢어지지 않도록 접착성이 없어야 한다. Telfa, Vaseline, petrolatum gauze 등이 주로 이용된다.

② 흡수층(Absorbent layer)

중간층에 해당하는 층으로 창상 분비물을 저장하고 창상면의 요철을 따라 접촉층이 잘 접촉되도록 하므로 탄력성이 있어야 한다. Cotton gauze, Telfa, Cover-pad, Surgipad 등이 있다.

③ 외각층(Cushioning layer)

하부 구성요소를 적당한 위치에 유지시켜 주고, 하부 창상에 튼튼하고 편안한 압박을 주며 수술 부위를 지지하는 역할을 한다(그림 2-36).

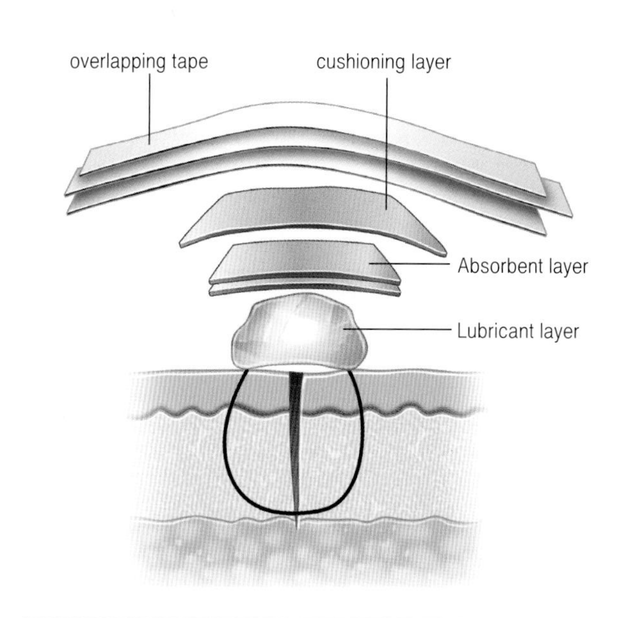

그림 2-36 드레싱의 구조

(3) 드레싱법(Dressing technique)

① 폐쇄 창상의 드레싱

드레싱은 여러 층으로 구성되어 있는데, 각 층은 밀접하게 접촉되어야 하며 틈이나 사강이 없어야 한다. 이는 창상 배농이 잘 되게 돕는다.[1]

a. **비압박 드레싱(합성 드레싱)**: 접촉층의 하부에는 연고를 사용할 수 있다. 흡수층은 창상 배농액을 흡수하고, 드레싱이 창상 공동(cavity)에 잘 적합되도록 충분히 탄력적인 것을 사용한다. 이러한 단순 구성 드레싱은 24시간 후 교체해야 한다. 창상은 생리 식염수나 과산화수소수로 세척한 후 드레싱하며 하루에 한 차례 교체한다.

b. **압박 드레싱**: 비압박 드레싱과 유사하나 창상에 압력을 가하는 것이다. 창상 부위에서 출혈이나 부종이 지속될 것으로 예상될 때, 피부 이식 시 이식피부와 창상 사이의 미끄러짐을 방지하거나, 창상을 지지하기 위해 사용한다. 압박 드레싱은 수술 직후에 하며 24시간 내에 가벼운 덮개로 바꿔줄 수 있다. 처음 24시간 동안 종창이 가장 심하므로 이때 압박을 하는 것이 가장 중요하며, 압력이 30 mmHg/cm[3]로 유지되도록 탄력 붕대(elastic plaster)를 사용한다. 압박이 혈관 내

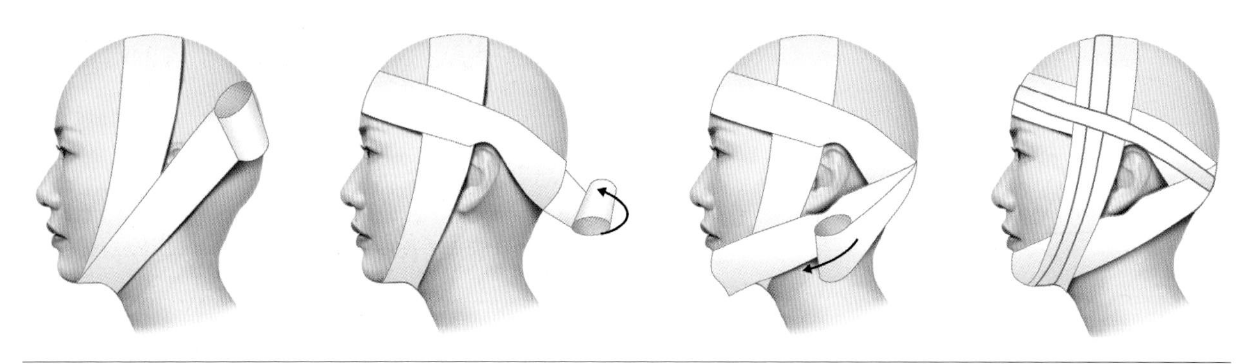

그림 2-37 Barton 붕대법

의 정수압(hydrostatic pressure)을 넘으면 혈행 장애를 초래할 수 있다. 상지나 하지, 머리에 붕대를 감을 때는 붕대가 흘러내리지 않게 주의한다(그림 2-37).

② 개방 창상의 드레싱

작은 표면 창상이나 심부 창상에는 연고나 비접착성 건조드레싱과 테이프를 사용한다. 넓은 심부의 개방 창상에는 배농과 흡수를 겸할 수 있고, 접촉층이 습한 창상에 달라 붙지 않는 드레싱을 선택한다. 넓은 부위의 개방 창상은 반투막 드레싱으로 덮어주면 회복이 더 빠르다. 열상에는 광범위한 항생제 연고를 사용하고 그 위에 세망거즈, 흡수층, 투과성 미세공 테이프를 사용한다.[1] 최근에는 Hydrocolloid (Granuflex®, Tegasorb™), Alginates, Foams (Mepilex®), Hydrogel, Hydrofibres (Aquacel®), Negative pressure topical dressings(Vacuum-Assisted Closure (VAC) system), 저접착성 드레싱(low-adherence dressings, Mepitel®), Vapour-permeable films과 membrane (Opsite, Tegaderm™), 흡향성 드레싱(Odour-absorbent dressings, Carboflex™, LyofoamC®) 등이 다양하게 이용되고 있다. 이 재료들이 saline gauze와 보다 창상의 치유 속도를 촉진시키는지는 입증되지 않았으나, 삼출물이 존재하는 창상에서는 Hydrocolloid, Foams, Hydrogel, Hydrofibres, 저접착성 드레싱이 드레싱 교환 주기, 드레싱 교환 시간, 드레싱 시 환자의 불편감 등에서 유용하다고 보고되었다.[10]

③ 특별한 해부학적 구조의 드레싱

a. 두피: 머리카락 때문에 반창고를 붙이기 곤란하므로 padding roll gauze (Kerlix™ 혹은 Kling®)로 머리를 감는다. 부차적으로 탄력붕대를 사용한다. 이때 하부 드레싱이 제 위치를 유지하게 주의한다. Wrap around dressing은 테이프로 고정시킨다.

b. 귀: 곡면이 많아 거즈로 부피를 유지하여 드레싱한다. 부차적으로 Kerlix™ 또는 Kling® 드레싱을 한다.

c. 코: 코의 양측은 오목하므로 거즈 뭉치를 두툼하게 댄 후 드레싱한다.

5. 피부이완선 및 선택절개법

1) 피부이완선(Relaxed skin tension line, RSTL)

몸의 대부분에는 여러 방향에서 피부 긴장이 있는데, 피부이완선은 가장 큰 긴장의 정도를 나타내는 방향의 가상적인 선을 말한다. 피부이완선에 수직인 창상은 넓게 벌어지려고 하며, 피부이완선에 평행한 창상은 근접된 접합부를 가지며 좁아진다. 피부이완선은 주름선과 대부분 유사하지만 일치하지 않는 경우도 있다. 그 예로 찡그릴 때 눈썹 주름근(corrugator supercilii muscle)의 작용으로 인한 수직선이 형성되고, 윙크할 때는 외측 안검 연합부에서 시작되는 부채꼴 모양의 주름이, 울 때는 하순의 횡적 주름 등이 형성된다. 안면부에서는 각각의 부위에 따라 피부이완선이 다르다(그림 2-38).[11]

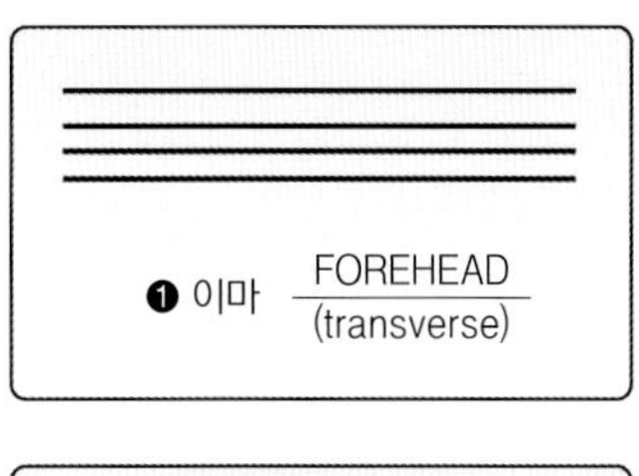

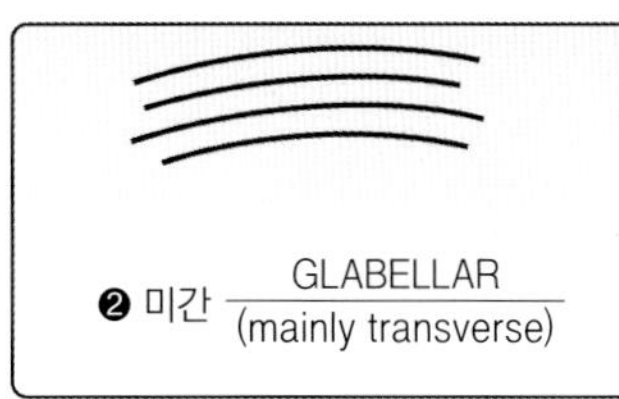

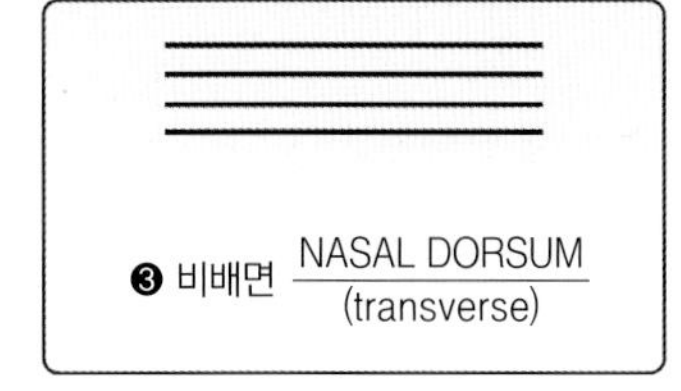

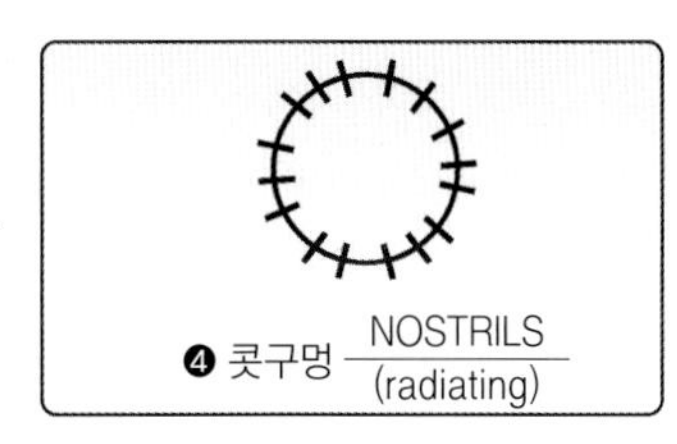

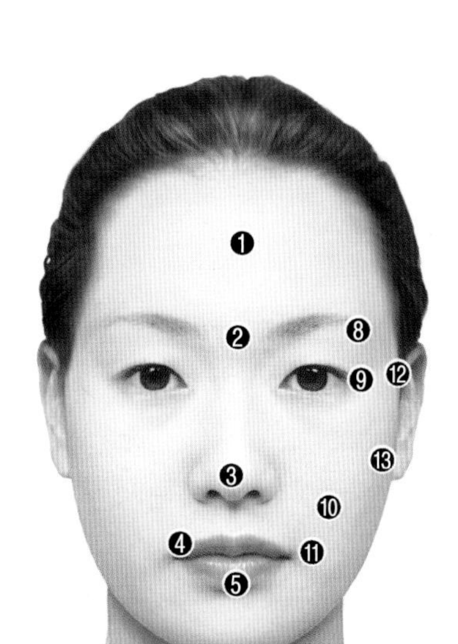

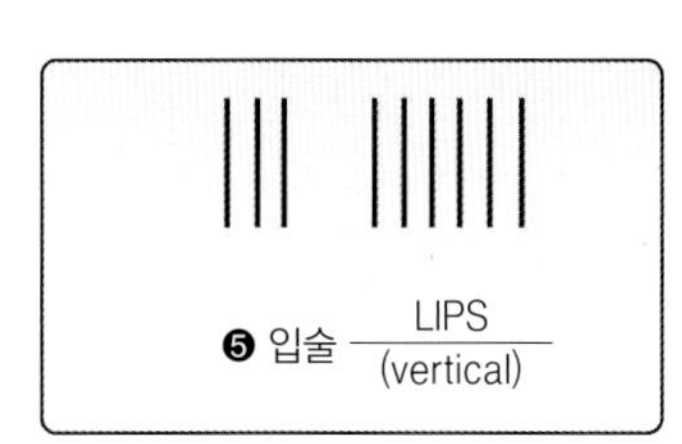

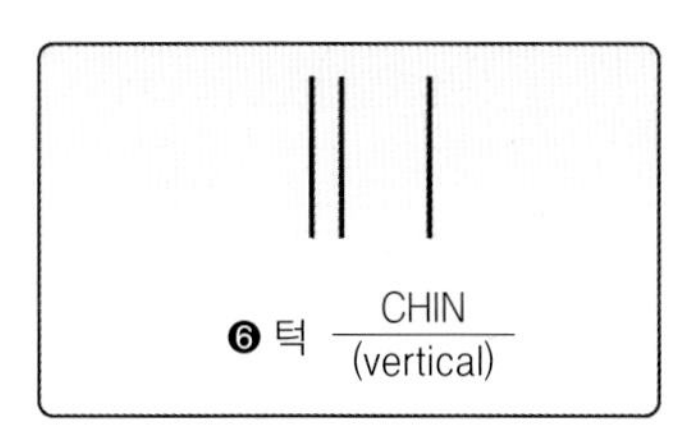

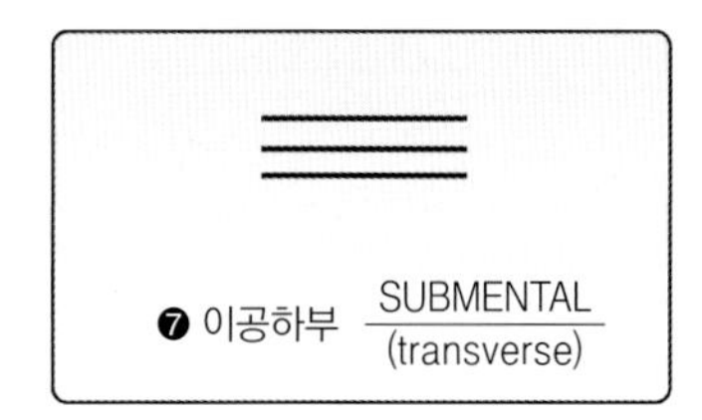

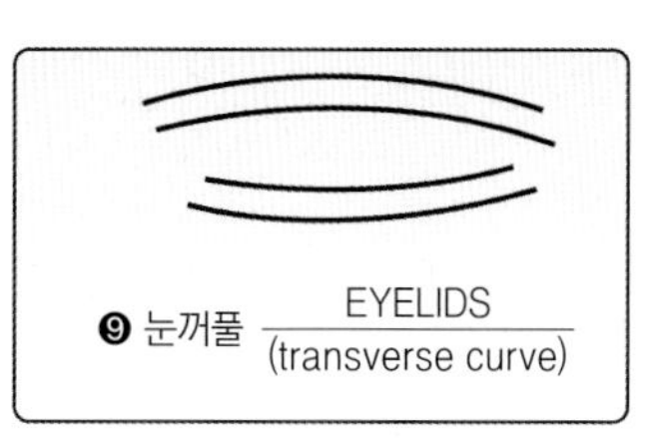

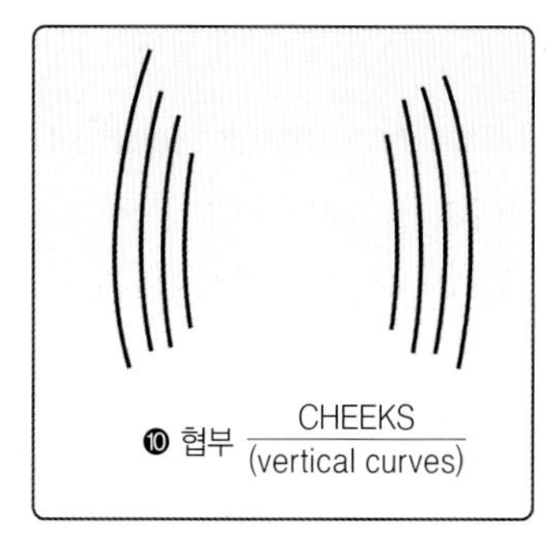

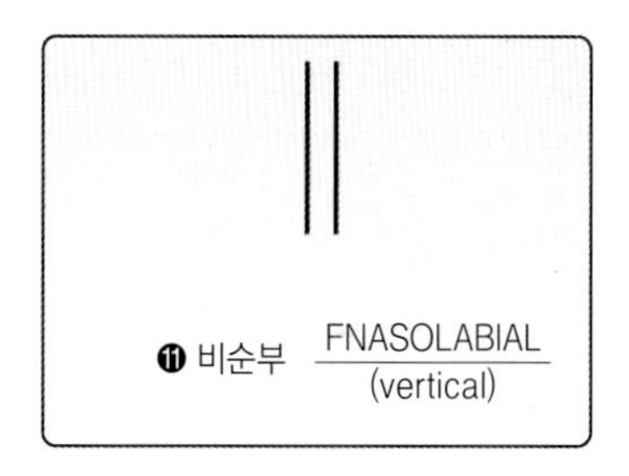

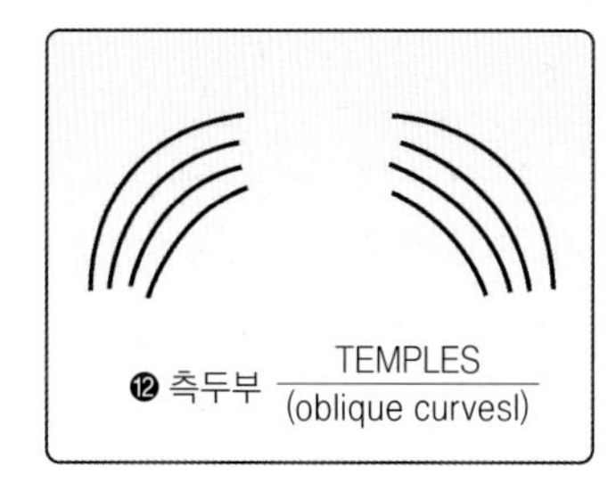

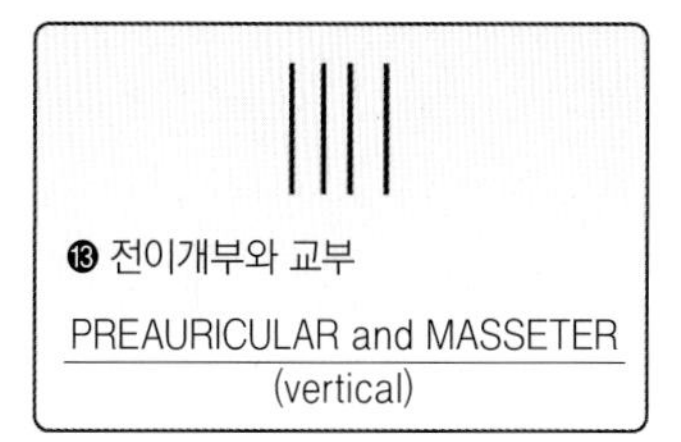

그림 2-38 얼굴 각 부위에서의 피부이완선(RSTL)

2) 선택절개법(Elective incision)

(1) 선택절개

안면부와 경부에서의 선택절개는 피부이완선에 평행하게 하는 것이 원칙이다. 두피에 선택절개 시 직선의 무모(hairless) 반흔을 남기지 않는 부위를 선택하고, 두모가 반흔을 덮을 수 있게 한다. 농양의 절개 및 배농을 위한 선택절개 역시 피부이완선에 평행하게 시행한다.[11]

(2) 반흔구축(Scar contracture) 및 피부병소의 절제 시 선택절개

작은 피부병소나 반흔구축을 제거하는 경우, 피부이완선의 장축을 따라 방추상 절제(fusiform excision) 후 피부 결손부를 직접 접합함으로써 가장 좋은 결과를 얻을 수 있다(그림 2-39). 방추상 절제의 장축은 반흔의 방향이 아닌 피부이완선의 방향에 따라야 한다. 방추상 절제가 길이에 비해 너비가 크면 직접 접합할 때 양쪽 끝부위에 dog-ear가 생기므로, 방추상 절제의 끝은 부드럽게 경사져야 한다(그림 2-40). 피부이완선이 곡선형인 부위에서는 방추상 절제의 장축이 피부이완선의 접선이 되게 한다. 피부이완선에 예각으로 주행하는 반흔의 경우에는 반흔이 작으

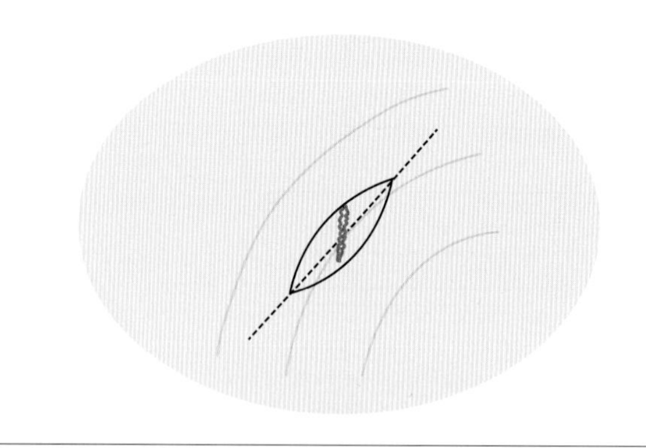

그림 2-41 협부 등 곡선형 피부이완선 부위에서 방추상 반흔구축의 제거를 위한 설계. 방추상의 장축이 피부이완선에 접한다.

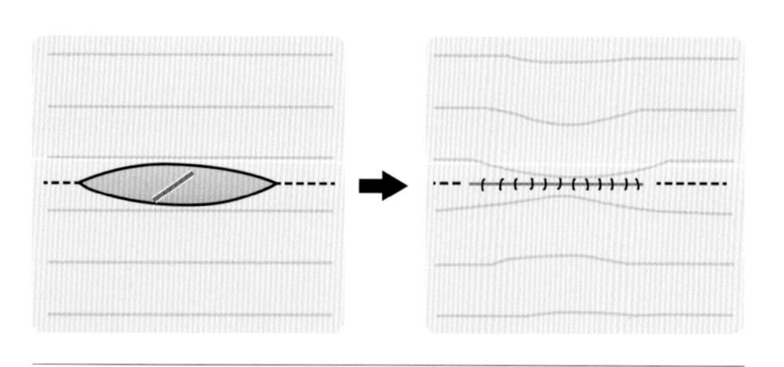

그림 2-39 횡적 직선 방향으로 주행하는 피부이완선상에서 방추상 반흔 절제의 설계. 방추상의 장축이 피부이완선과 평행하다.

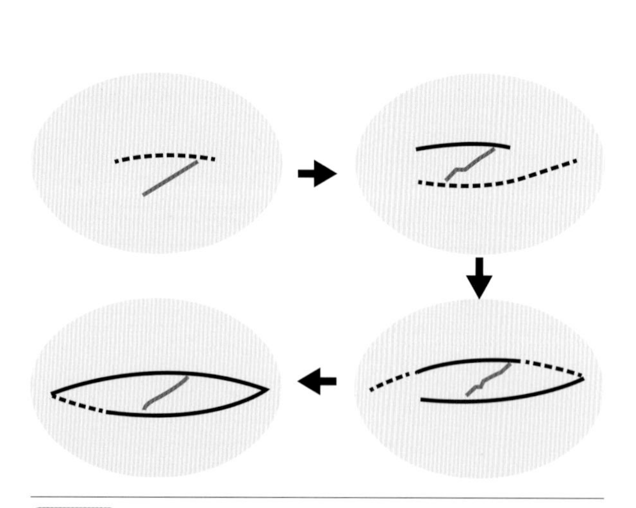

그림 2-40 방추상 절제의 절개 순서. **상**중부 절개 → 하부절개 → 상부 절개 완료 → 하부절개 완료

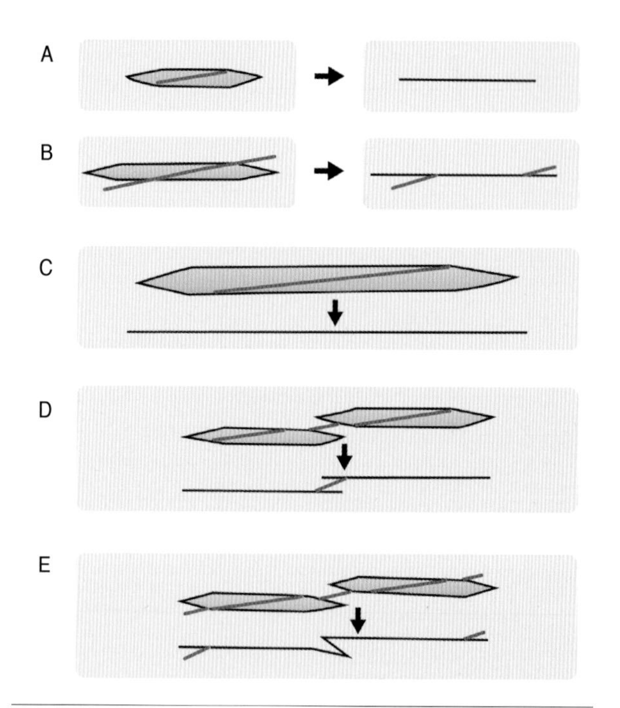

그림 2-42 피부이완선에 예각을 이루도록 형성된 단순반흔의 방추상 절제. **A:** 반흔이 작으면 방추상 절제의 장축이 피부이완선과 평행하게 할 수 있다. **B:** 반흔이 크더라도 심미적 문제가 없다면 부분적인 방추상 절제를 할 수 있다. **C:** 반흔 부위가 길더라도 충분히 조직이 유연하다면 완전 방추상 절제를 할 수 있다. **D:** 반흔 부위가 긴 경우 나누어 방추상 절제하고 일부의 반흔을 남길 수 있다. **E:** 일부 남는 반흔을 이완시키기 위해 Z-성형술을 할 수 있다.

면 피부이완선에 따른 방추상 절제를 한다(그림 2-41). 그러나 반흔이 긴 경우에는 나누어 방추상 절개를 하고, 중간의 직선반흔의 수축을 이완시키기 위해 Z-성형술을 추가하기도 한다(그림 2-42).[12]

6. Dog-ear 수정법

Dog-ear란 창상 봉합 시 봉합부 끝단에 피부 위쪽으로 생긴 주름조직을 말한다.

절개선의 길이 차이와 피판 전위 시 각도 차이, 피부의 탄력성 차이에 의해, 그리고 곡선으로 절제한 부위의 봉합 부위에서 dog-ear가 발생할 수 있다. Dog-ear의 교정을 위해 직선 교정법, 곡선 교정법, 하키스틱 교정법, L-자 교정법, T-자 교정법, V-자 교정법 등이 사용된다(그림 2-43~48).[13]

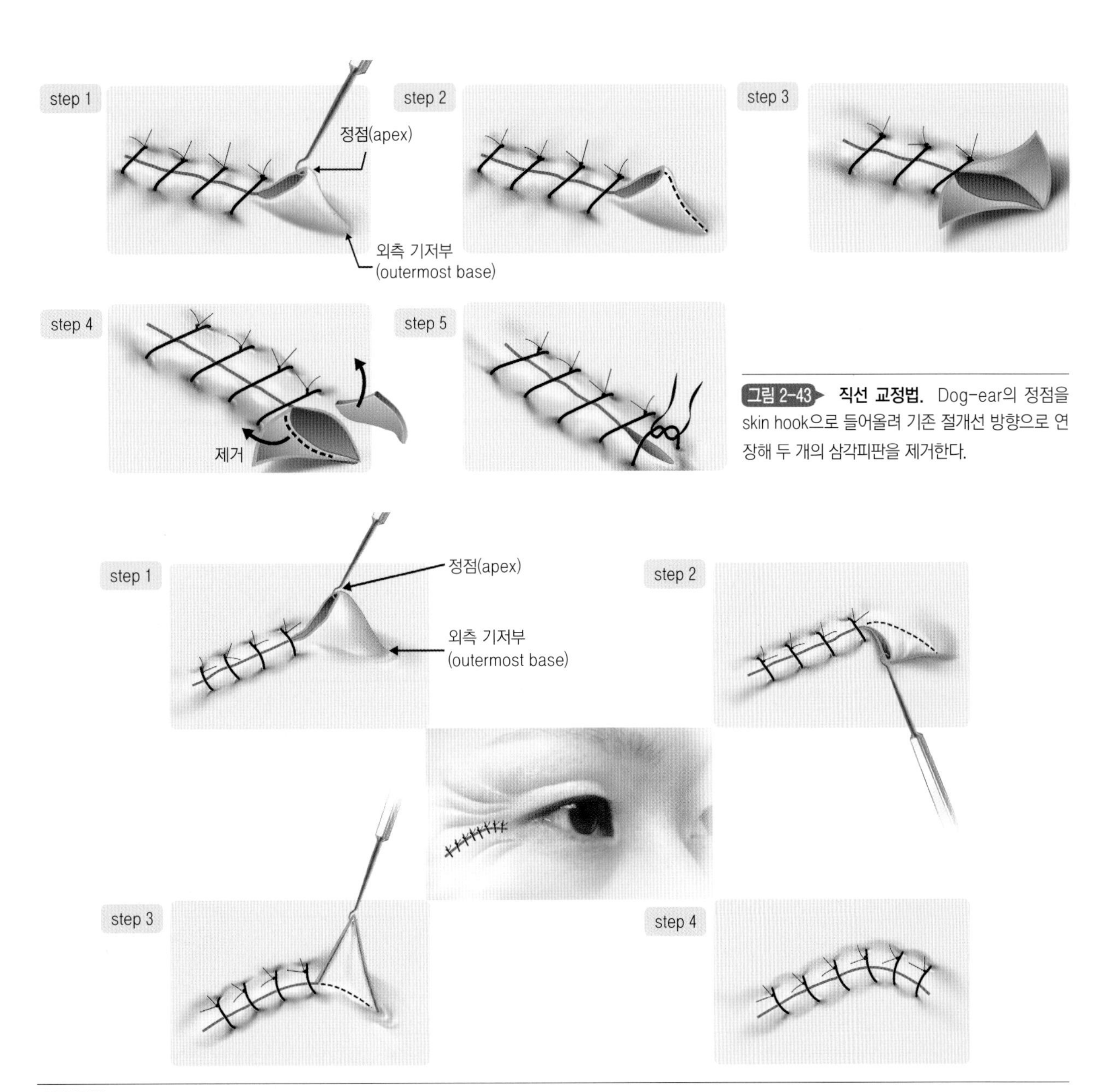

그림 2-43 **직선 교정법.** Dog-ear의 정점을 skin hook으로 들어올려 기존 절개선 방향으로 연장해 두 개의 삼각피판을 제거한다.

그림 2-44 **곡선교정법.** Dog-ear에 skin hook을 걸어 한 쪽으로 쓰러뜨려 외측 기저부까지 곡선 절개한 후 생긴 삼각피판을 곡선으로 제거한다.

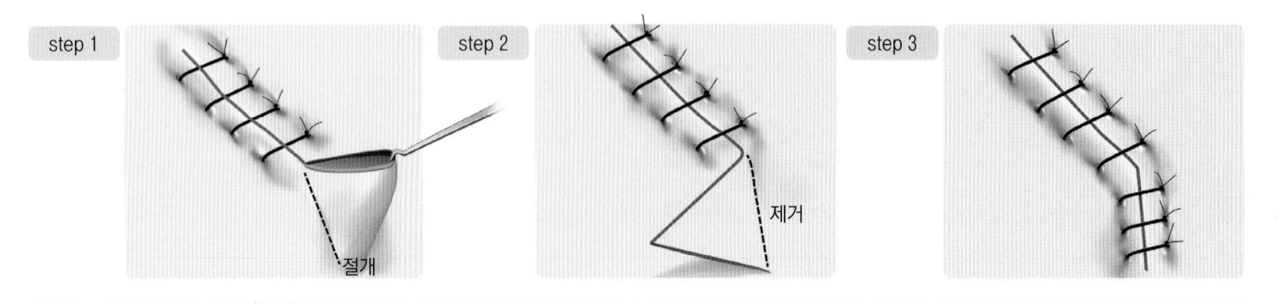

그림 2-45 하키스틱 교정법

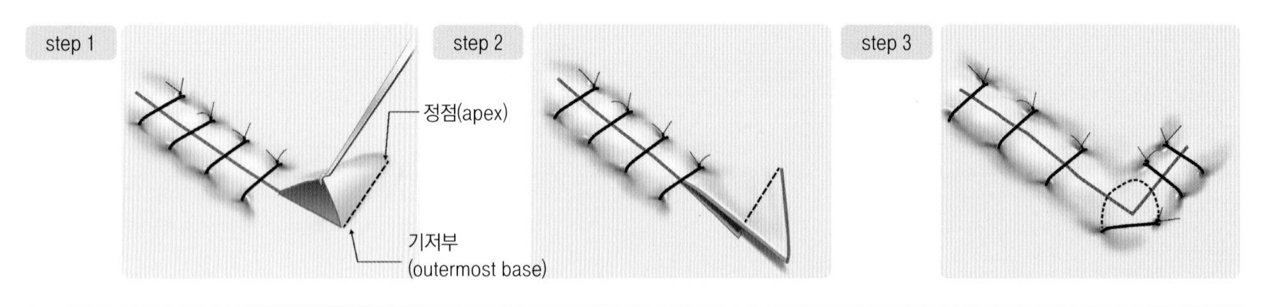

그림 2-46 L-자 교정법

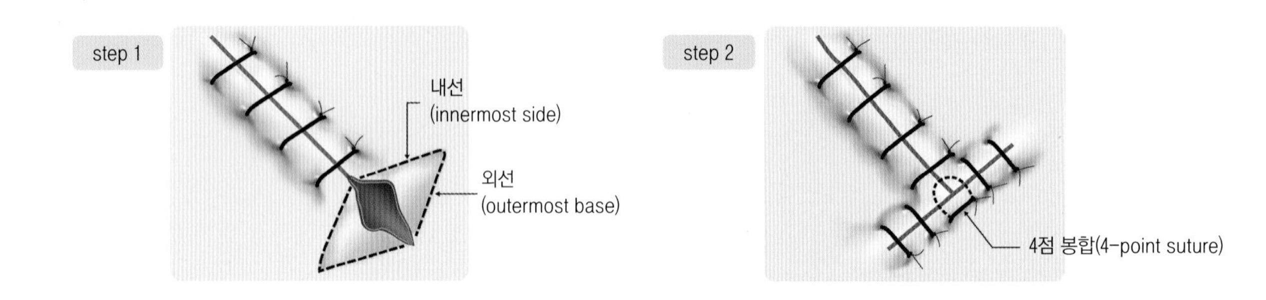

그림 2-47 T-자 교정법

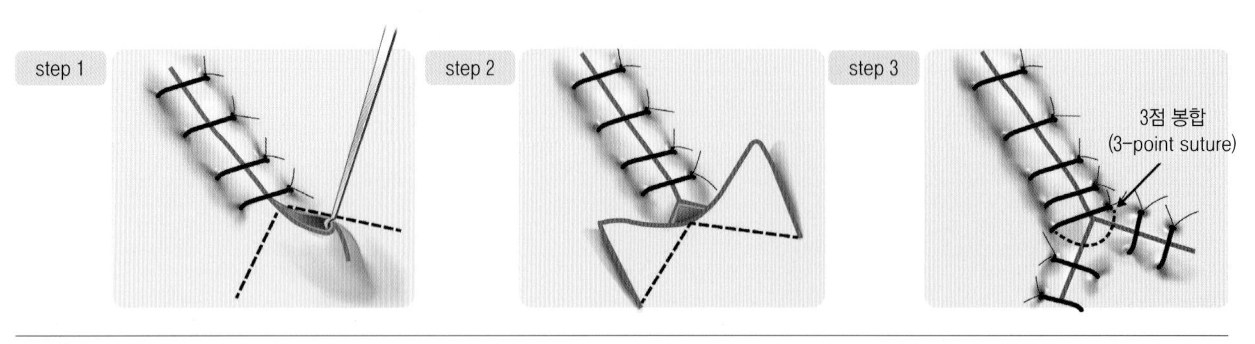

그림 2-48 V-자 교정법

7. Z-성형술, W-성형술, V-Y 성형술

1) Z-성형술

(1) 정의

선상반흔 수축을 길게 하거나 반흔의 긴장을 완화시키거나 반흔의 방향을 피부이완선(RSTL) 안에 재배치할 목적으로 사용된다. 선상반흔으로 분리되는 2개의 삼각피판을 만들어 그 하부조직을 박리하고, 삼각피판을 서로 교차시켜 전위(transposition)된 위치에서 봉합하는 술식이다. 반흔의 수축과 그로 인한 외상성 기형을 방지한다(그림 2-49, 50).[5]

(2) 'Z'의 설정

① 축의 길이

'Z'의 축의 길이에 비례해서 수축반흔의 길이가 실질적으로 증가하며, 조직의 수축 반흔이 길수록 Z의 축의 길이도 길어져야 한다(그림 2-51).[5]

② 각의 크기

보통 30°~75°의 각을 사용하며, 30°, 45°, 60°의 각으로 설계하면 각각 25%, 50%, 75%만큼 수축반흔의 길이가 증가한다. 60°의 각을 가진 Z 설계를 가장 많이 사용하는데, 그

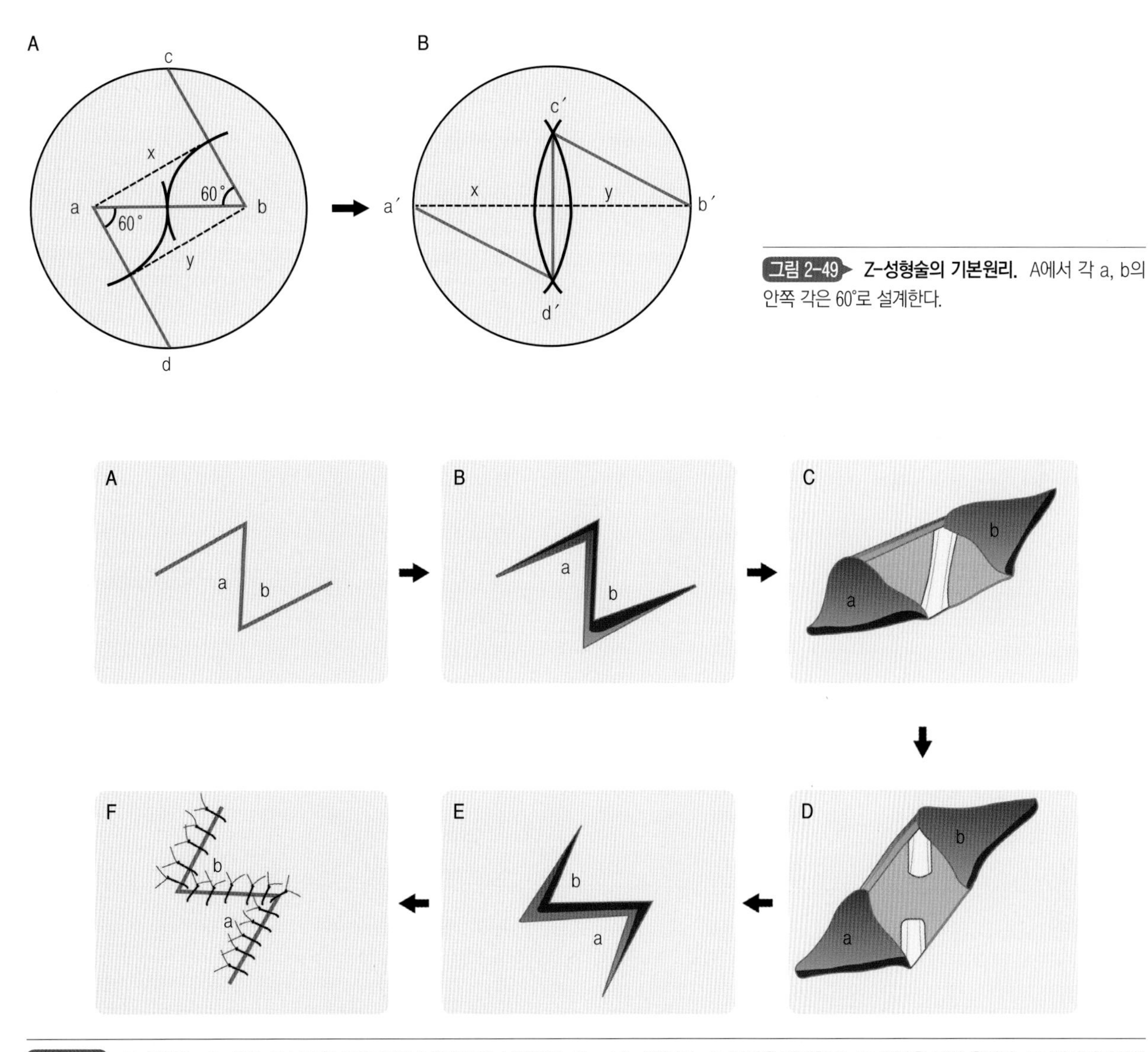

그림 2-49 **Z-성형술의 기본원리.** A에서 각 a, b의 안쪽 각은 60°로 설계한다.

그림 2-50 **Z-성형술.** **A:** 설계. 중심축을 반흔 방향과 일치하게 설계한다. 각 a, b는 60°이다. **B:** 피판을 절개한다. **C:** 피판을 들어 올린다. **D:** 피하박리하여 반흔의 심부를 느슨하게 한다. **E:** 삼각피판을 위치 전환한다. **F.** 창상이 가까워지고 반흔이 길어지며, 반흔은 새로운 방향으로 분산된다.

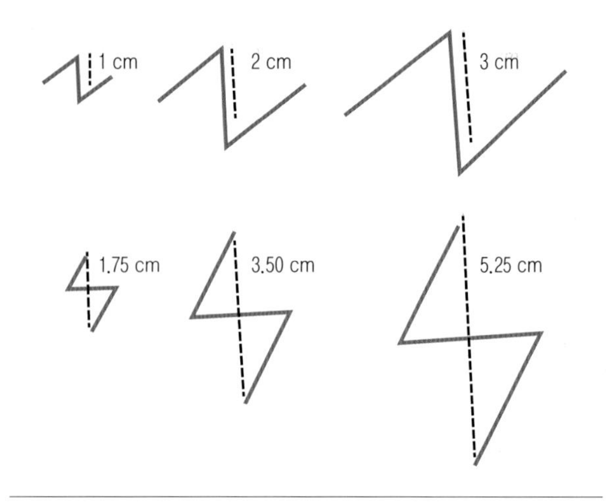

그림 2-51 축의 길이에 따른 수축반흔의 길이 증가

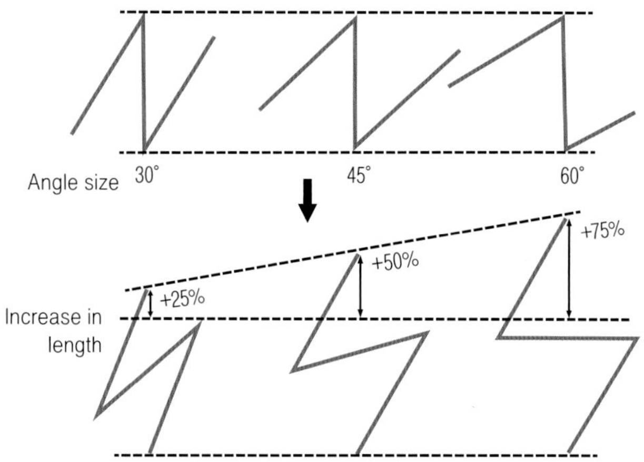

그림 2-52 각의 크기에 따른 수축반흔의 증가율

이유는 60°보다 큰 각을 사용하면 주위조직의 횡적 수축이 생겨 불리하고, 60°보다 작은 각을 사용하면 피판이 협소해져 혈행에 불리해지기 때문이다(그림 2-52).[5]

③ 피부이완선

Z-성형술은 반흔을 피부이완선과 평행하게 재배치하기 위해 사용하며, 피부이완선에 평행한 반흔에는 Z-성형술을 시행할 필요가 없다. 반흔의 피부이완선에 대한 각도에 따라 Z의 각을 변화시켜 설계한다.[5]

④ 피판의 혈행 유지와 긴장의 제거를 위한 설계의 요건[1]

a. 피판의 첨부보다 기저부가 넓어야 한다.
b. 첨부가 너무 날카롭지 않고 비교적 넓어야 한다.
c. 기저부를 가로지르는 반흔이 생기지 않게 해야 한다.
d. 복합 Z-성형술로 긴장을 완화한다.
e. 철저한 지혈을 통해 혈종을 방지하여, 피판이 괴사되는 주 원인인 감염을 예방한다.

(2) 장점[1]

① 반흔구축된 피부를 연장하고 예방할 수 있다.
② 선상 반흔의 방향을 정리하여 주름살의 방향과 일치시킨다.
③ 조직의 이동이 가능하므로 눈, 구각, 코, 눈썹 등의 위치 교정을 할 수 있다.
④ 술후 zig-zag 모양은 아코디온 효과를 유발하여 피부의 신전이 가능하다.
⑤ 긴 선상 반흔이 짧아짐으로써 반흔이 눈에 띄지 않는다.

(3) 단점[1]

① 반흔의 직각 방향으로 조직의 여유가 필요하므로, 주위조직이 부족한 넓은 반흔이나 손가락이나 발 등에는 할 수 없다.
② Z의 각도가 작은 경우나 혈행이 나쁜 조직의 경우, 피판의 말단에 긴장이 생기면 조직이 괴사될 수 있다.
③ 삼각피판을 전위할 때 기저부에 dog-ear가 생기거나 요철이 생기면 눈에 띄게 될 수 있다.
④ Zig-zag로 봉합하기 때문에 수술조작이 어렵다.

(4) Z-성형술의 응용[5]

① 입술 외반증(extropion)
② 입술의 왜곡(distortion)
③ 구순열 및 구개열
④ V-자 형의 입술 결손
⑤ 소대 절제술
⑥ 피부 표면의 기형

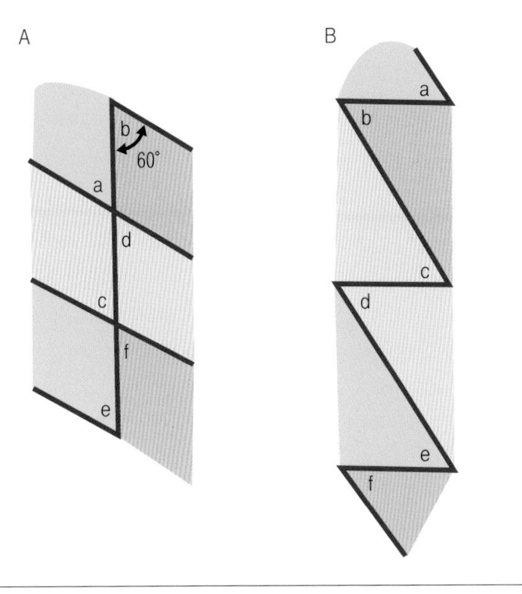

그림 2-53 **복합 Z-성형술(Multiple Z-plasty).** 작도(A)와 피판 전환 후(B). 길고 협소한 반흔을 따라 제한없이 Z-성형술을 작도할 수 있다.

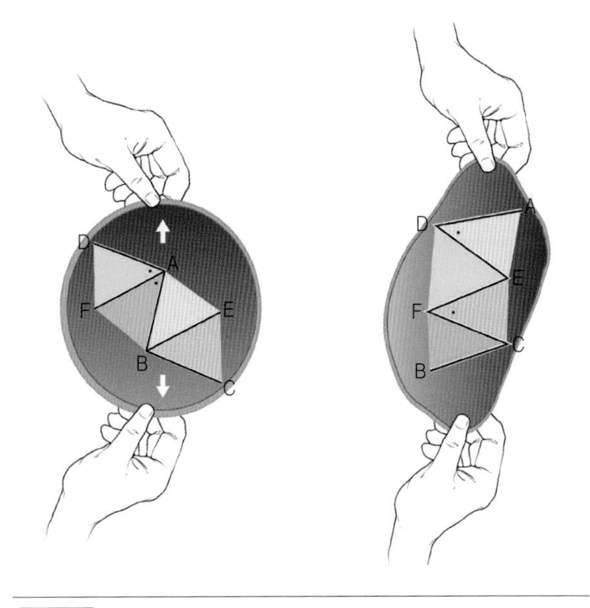

그림 2-54 **4개 피판(중복, Double) Z-성형술. 작도와 피판 전환 후 모습.** Z-성형술과 이엽피판을 결합한 디자인으로, 작도 시 가운데에 있던 두 피판이 전환 후 가장자리에 각각 위치하게 된다.

(5) Z-성형술의 변형(그림 2-53~56)

① 복합 Z-성형술: 긴 직선형 반흔의 경우

② 4개 피판 Z-성형술(중복 Z-성형술): 이 방법은 넓은 각피판으로 구성되며, 보통의 Z-성형술을 4개의 피판으로 전환할 수 있는 분리된 피판으로 나누어진다.

③ 절반(half) Z-성형술(비정각 Z-성형술)

④ 중복 대립 Z-성형술: 반대 방향으로 2개의 Z-성형피판 형성

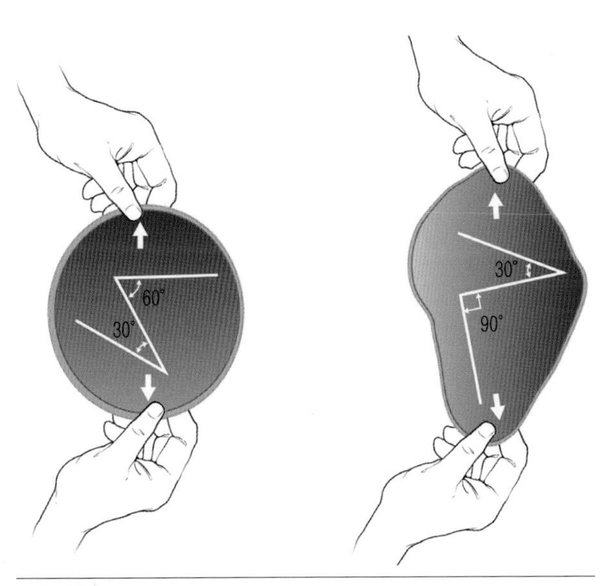

그림 2-55 **절반(비정각, Half) Z-성형술.** 작도와 피판 전환 후 모습. 엄밀하게는 전위피판으로 분류된다. 좁은 피판은 회전하고, 넓은 피판은 좁은 피판의 공여부를 덮기 위해 전진한다.

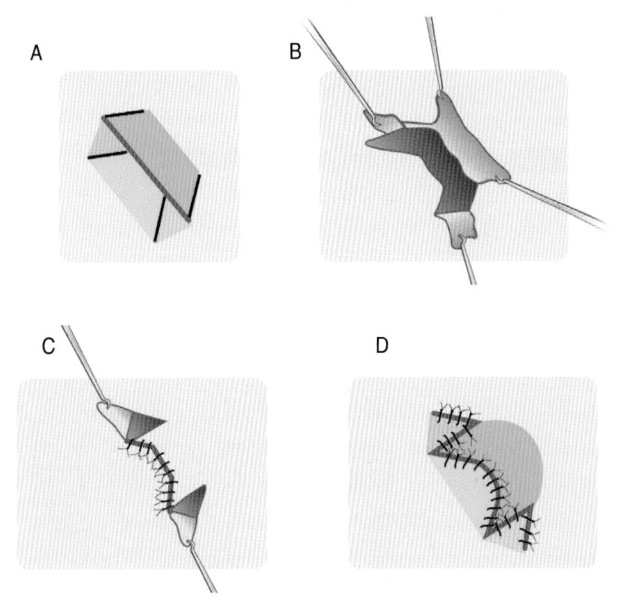

그림 2-56 **중복 대립 Z-성형술. A:** 반대 방향으로 2개의 Z-성형피판 작도 **B:** 절개 및 피판 거상 **C, D:** 피판 전위 및 봉합

2) W-성형술

(1) 정의

W-성형술은 반흔선의 양쪽 피부에 삼각형 절개를 하고 피하 박리(undermining)하여 서로 근접시켜 봉합하는 술식으로, 직선의 반흔을 차단하고 긴장을 분산시키기 위해 사용된다. 함몰된 반흔에 많이 사용하며 직선 반흔을 미관상 좋게 변형하는 술식이다(그림 2-57).[5]

(2) 방법[1]

① 반흔 주위로 삼각형 절개를 한다.

② 창상 끝 부위는 피하박리하고 서로 전진시킨다.

③ 작은 삼각피판과 결손 부위를 서로 맞물려 봉합한다.

④ 길이 증가3가 필요한 경우 삼각피판에 추가적인 절개를 가할 수 있다(그림 2-58).

(3) 'W'의 설정[1,5]

① 각각의 직선은 5 mm 이하인 것이 좋다.

② 직선을 연결하는 각은 90° 이하가 좋다(그림 2-59).

③ 곡선형 반흔구축 시 곡선의 안쪽 각은 바깥쪽보다 작아야 한다(그림 2-60).

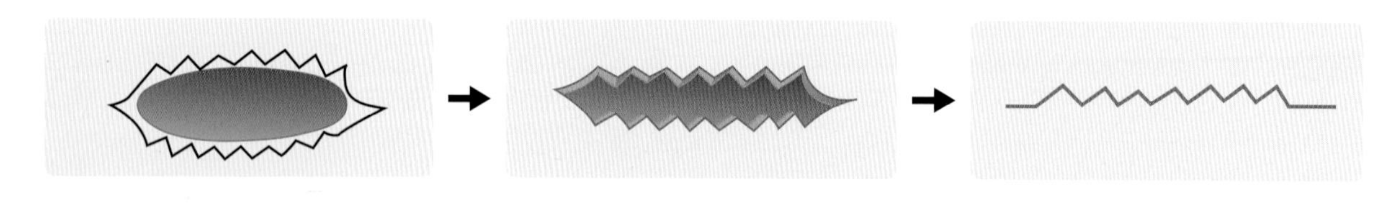

그림 2-57 표준 W-성형술

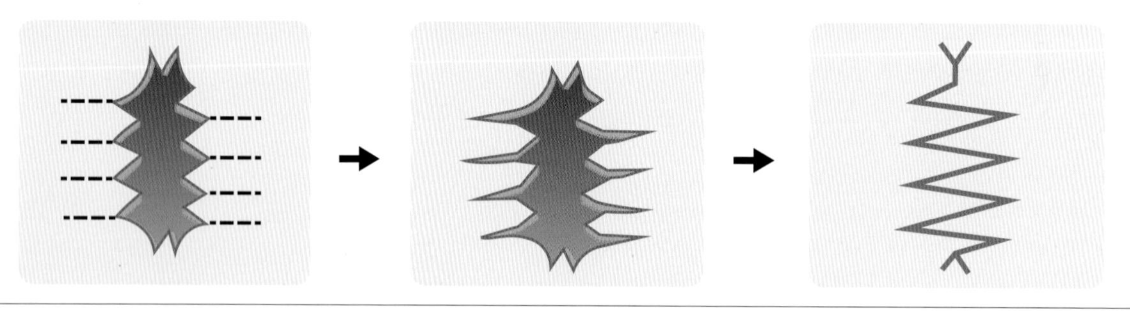

그림 2-58 길이의 증가를 위해 변형된 W-성형술

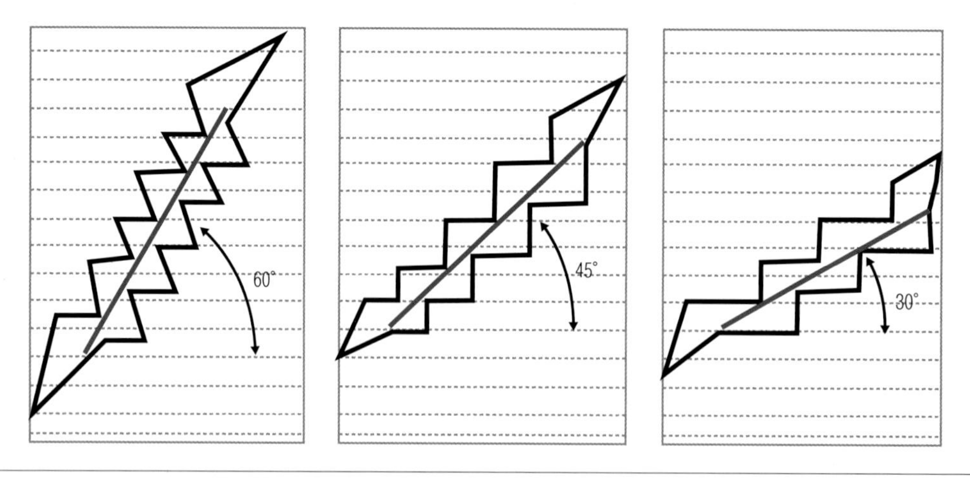

그림 2-59 **선상 반흔과 피부이완선 관계에 따른 W-성형술.** 한 변을 피부이완선에 일치시킨 부등변 삼각피판을 형성한다.

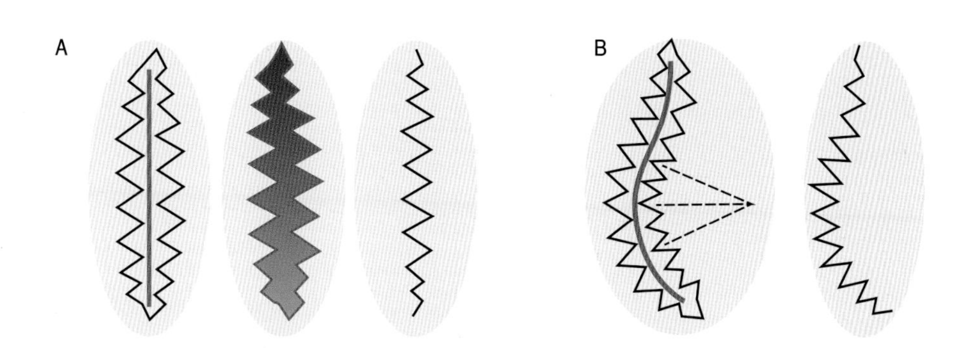

그림 2-60 **반흔 양상에 따른 W-성형술. A:** 직선형 반흔교정을 위한 W-성형술. 삼각피판은 반흔의 끝 부분에서는 더 작아지며 피판 축의 길이는 주름지는 것을 방지하기 위해서 점점 가늘게 해야 한다. **B:** 곡선형 반흔교정을 위한 W-성형술. 곡선의 안쪽 각은 바깥쪽보다 더 작게 해야 한다.

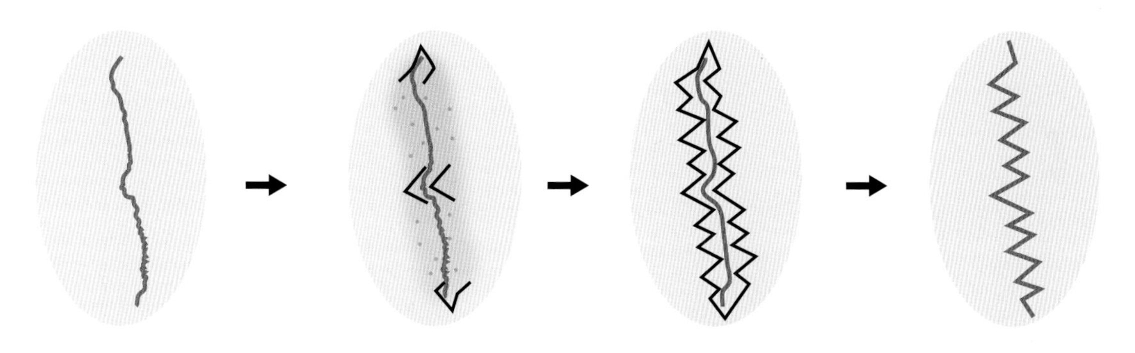

그림 2-61 **불규칙한 반흔구축 시 W-성형술의 작도법.** 반흔구축을 계획할 때 먼저 특별한 주의를 요하는 부위를 작도하고 표준 크기와 모양의 W 피판을 설계한다.

④ 불규칙한 반흔구축 시 특별히 주의를 요하는 부위를 먼저 작도하고 나머지 부위에 표준 크기와 모양의 W-모양의 작도를 완성한다(그림 2-61).

(4) 장점[1]

① 삼각피판의 변위가 적어 Z-성형술보다 피부의 요철이 적다.
② 삼각피판의 길이를 자유롭게 변화시킬 수 있어 봉합반흔(suture mark)이나 점상 반흔을 포함해 절제할 수 있다.
③ 반흔이 넓어지는 경우가 직선봉합에 비해 적다.
④ 수술 후 아코디온 효과가 있으며 반흔구축이 적다.

(5) 단점[1]

① 삼각피판의 선단부의 봉합 부전이나 괴사가 생길 수 있다.
② 반흔구축 정도에 대한 수술 전의 예측이 틀린 경우, 술전 계획대로 피판이 일치되지 않는다.
③ Dog-ear가 생길 수 있다.

3) V-Y 성형술

전진피판술(advancement flap)의 한 변형으로 Blasius (1848년)에 의해 처음으로 묘사되었다.[14]

(1) V-Y 피판의 설정[14]

결손부 크기에 맞도록 V형 절개를 가한 후 첨부조직을 견인하며, 피판을 피하박리한 후 전진시켜 Y형으로 변형시켜 필요한 만큼의 길이를 확보한 후 봉합한다(그림 2-62).

(2) 적응증[13]

해부학적 위치상 전위피판(transposition flap) 적용이 불가능한 선상 반흔의 길이 연장이 필요한 부위나 작은 결손 부위의 처치 시에 가장 적합하다(그림 2-63).

① Columella lengthening(그림 2-64, 66)

② Lip notching의 교정(그림 2-65)

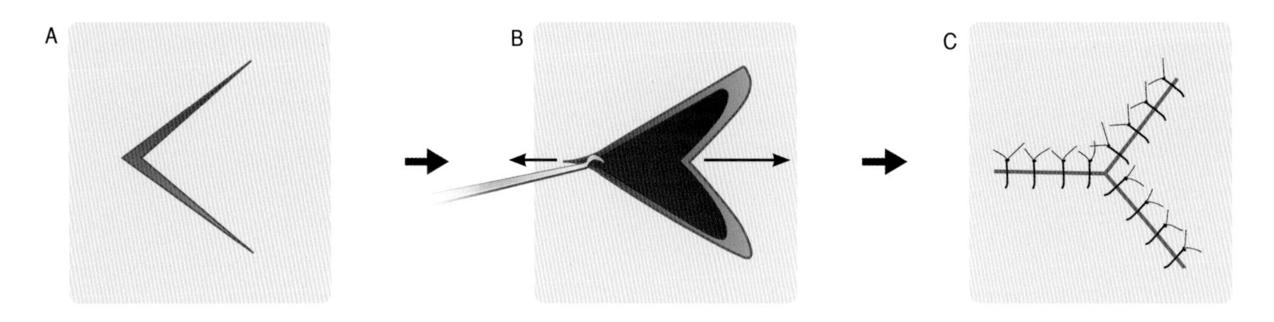

그림 2-62 V-Y 성형술. A: V자 절개 B: 피판 전진 C: Y자 봉합

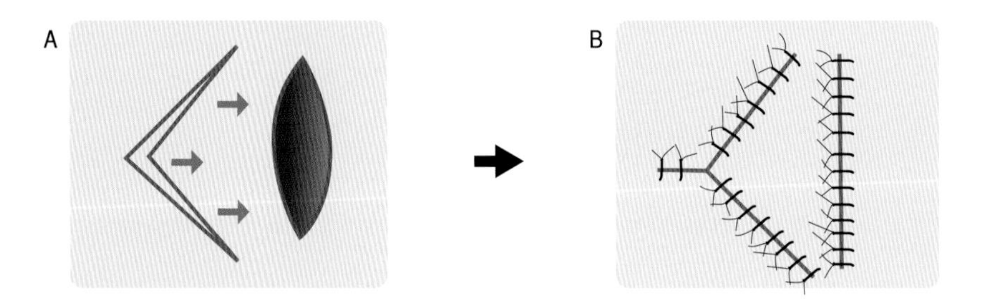

그림 2-63 작은 결손부 처치를 위한 V-Y 성형술

그림 2-64 Columella lengthening을 위한 V-Y 성형술(Modified from Baker SR, Swanson NA: Local flaps in facial reconstruction. St. Louis, Mosby. 1995)

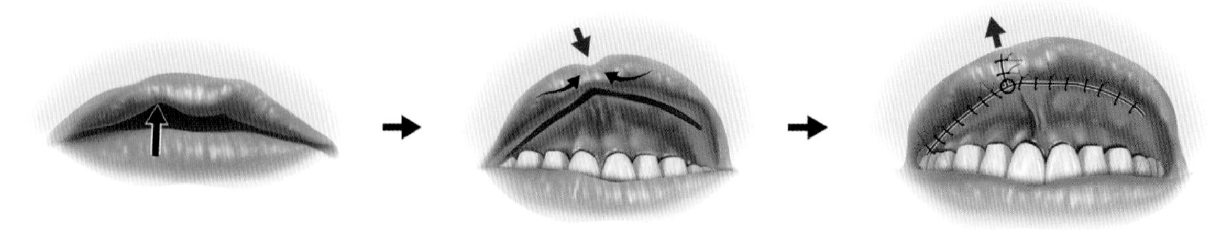

그림 2-65 Lip notching 교정을 위한 V-Y 성형술(Modified from McCarthy JG: Plastic surgery Vol 1. Philadelphia WB Saunders. 1990)

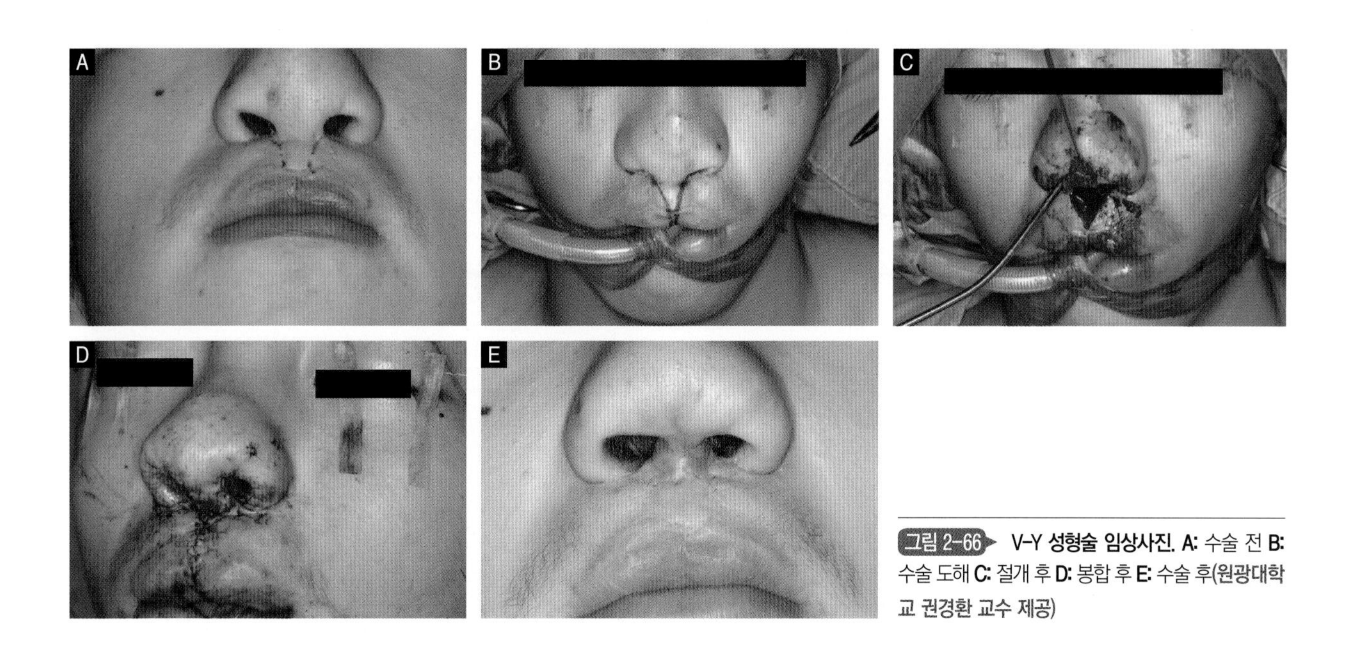

그림 2-66 V-Y 성형술 임상사진. A: 수술 전 B: 수술 도해 C: 절개 후 D: 봉합 후 E: 수술 후(원광대학교 권경환 교수 제공)

8. 창상치유 기전 및 반흔구축(Scar contracture) 제거(Revision)

1) 창상치유(Wound healing)[15,16]

창상치유는, 조직손상에 대해 cytokine과 growth factor의 분비, 세포의 활성화, 조직의 재생으로 이어지는 일련의 복잡한 과정을 말한다. 치유의 속도와 정도는 국소적으로는 이물질 혹은 괴사조직의 존재, 미생물 환경, 혈행 장애에 의한 허혈, 방사선치료와 관련된 조직의 저산소증 등의 영향을 받으며, 전신적으로는 연령, 영양상태, 비타민 결핍, 당뇨, 면역저하상태, 동맥경화, 말초혈관질환, 그리고 항암치료 등의 영향을 받는다. 창상치유는 지혈-염증기, 섬유화 단계(증식기), 재형성기 등 일부 중복되는 과정을 거친다(그림 2-67).

(1) 지혈-염증 단계(Hemostasis-Inflammatory phase)[15,16]

조직 손상이 발생된 직후부터 일어나고 약 3~5일간 지속된다. 지혈을 위해 혈관이 수축하고, 곧이어 혈액의 응고반응에 의해 혈병이 형성된다. 혈액응고과정은 α granule을 함유한 혈소판에 의해 시작되는데, 혈소판은 손상된 혈관벽의 노출된 내피피하 교원질에 von Willebrand factor의 도움을 받아 부착된 후, 탈과립화되어 adenosine triphosphate와 serotonin, prostaglandin (PG), thromboxane A2를 방출한다. 또한 혈소판은 interleukin (IL)과 transforming growth factor (TGF)-β, platelet-derived growth factor (PDGF), vascular endothelial growth factor (VEGF)와 같은 성장인자를 분비하여 혈소판을 더욱 활성화하고 응집하게 한다. Serotonin과 prostaglandin, kinin은 혈관벽의 투과성을 증가시킨다. Insulin-like growth factor (IGF)-1, TGF-α, TGF-β, PDGF는 백혈구와 섬유모세포를 창상으로 끌어당기며, 혈 중 호중구와 단핵구를 손상된 부위로 유도한다. 보체와 kinin, plasminogen과 이에 뒤따르는 응고과정이 활성화되어 fibrin을 축적시키고, 혈소판 응집을 단단하게 하여 차후 창상치유의 골격으로 작용하게 한다.

이후에 혈관 확장 및 염증반응이 나타나는데, 이것은 histamine, PGI2와 PGE2, prostacyclin, platelet-activating factor (PAF), bradykinin, leukotrienes과 nitric oxide를 포함한 cytokine과 factor들에 의해 중개된다. 이들은 백혈구와 혈장 단백질들을 창상으로 유도한다. 혈관벽의 내피세포간 간격이 넓어지면서 plasma와 fibrinogen이 유출된다. 이러한 과정은 창상의 발적과 열감과 같은 임상증상과 관련이 있다. Vasoactive amine에 의한 신경 반응인 통증과 부종에 의한 압박감은 더 큰 조직 손상을 예방한다.

호중구는 손상 부위에 도달하는 초기 세포들 중 하나

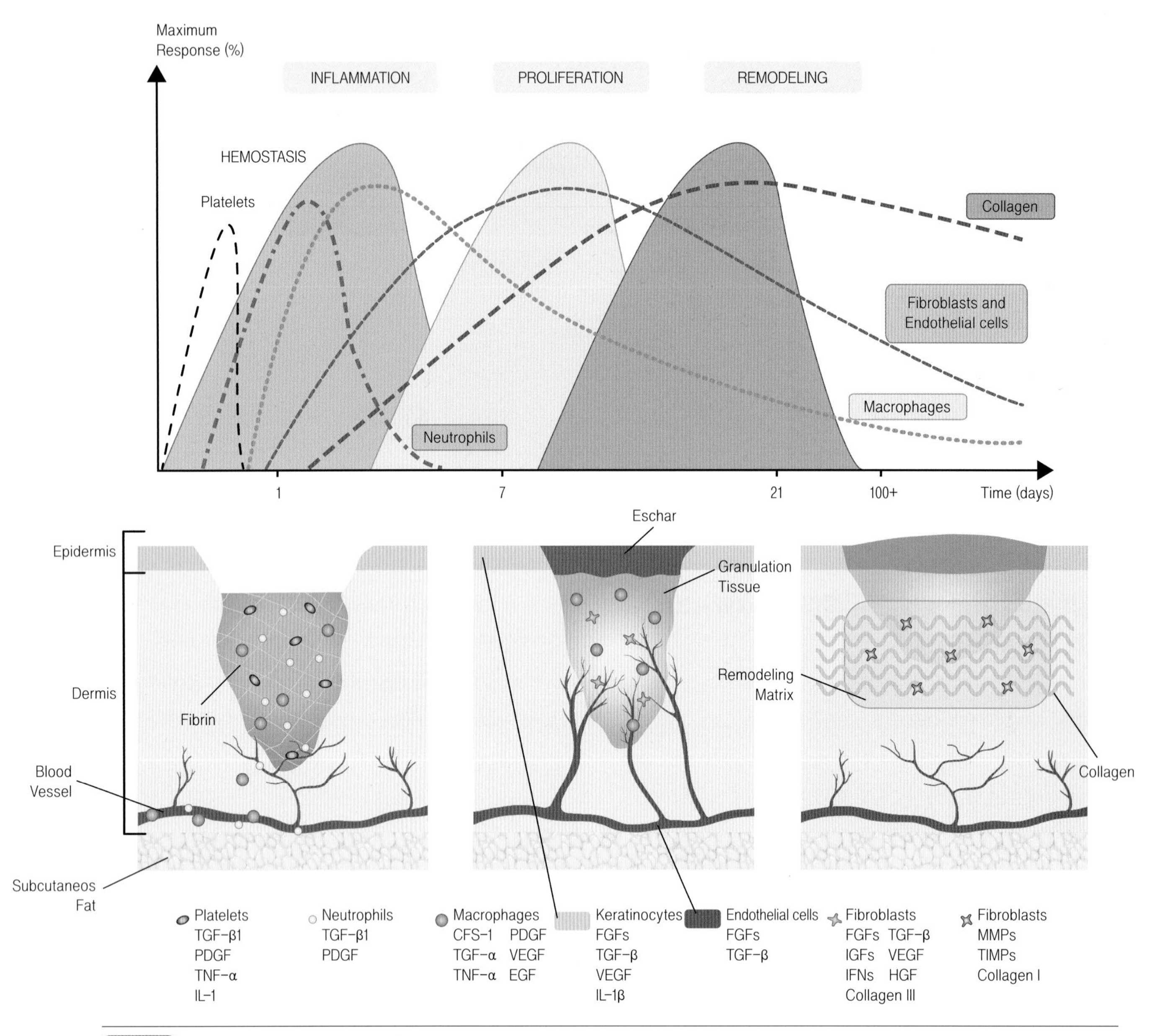

그림 2-67 창상치유의 과정

로, 손상 후 수분 내에 도달하여 24시간에 최고농도에 이른다. 호중구는 lysosomic protease와 collagenase, elastases, cathepsin, bactericidal cationic protein들을 분비하여 괴사조직과 세균을 분해한다. Collagenase와 cathepsin G는 보체를 활성화하고, kininogen을 kinin으로 변환시킨다. 단핵구는 2~3일 내에 창상에 밀집되며, 대식세포로 바뀌어 창상의 괴사조직을 제거함으로써 창상치유를 전담한다. Collagenase, elastases, 그리고 cathepsin은 plasminogen을 plasmin으로 변환하여 혈병을 분해한다. 대식세포는 opsonin의 도움을 받아 식세포 작용을 하며, 추가적으로 TGF-α, TGF-β1, PDGF, epidermal growth factor (EGF), fibroblast growth factor (FGF), IGFs, tissue necrosis factor (TNF)-α, IL-1과 같은 chemoattractant와 성장인자를 분비함으로써 섬유모세포와 교원질(collagen) 생성을 자극한다.

시간이 지남에 따라 림프구가 조직의 손상 부위로 축적되어 lymphokine을 분비하게 된다.

(2) 섬유화 단계/증식기(Fibroblastic stage/Proliferative phase)[15,16]

손상 후 4~5일부터 2~3주까지 지속되는데, 이 시기는 창상 내에서 육아조직이 성장 증식하는 것이 특징이다. 육아조직은 교원질을 분비하는 섬유모세포에 의해 형성된 성긴 결체조직이다. 섬유증식(fibroplasia), 혈관형성(angiogenesis), 그리고 이에 따르는 상피화(epithelialization)는 섬유화 단계의 특징이다.

섬유모세포는 PDGF와 TGF-β의 분비에 반응하여 3일째 창상에 도달하여 1주 내 최대 농도에 이른다. 섬유모세포는 proteoglycan과 교원질을 생산하는데, 초기 교원질은 과도하게 형성되어 방향성 없이 배열된다. 방향성이 없는 교원질은 창상의 적절한 강도를 위한 효율성이 낮다. 섬유모세포는 교원질의 생산과 분해가 평형에 이를 때까지 약 3주간 주로 III형 교원질을 생산한다.

저산소증, 조직의 증가된 lactate level, FGF, VEGF, PDGF 와 같은 cytokine 등의 국소적 인자에 반응하여 혈관형성이 증가하는데, 이것도 섬유모세포의 활성과 관련이 있다. 혈관형성은 대사산물들의 제거, 산소와 영양 공급을 위해 필수적이므로 중요한 단계이다. 염증세포와 섬유모세포, 새로운 혈관들을 포함하는 육아조직(granulation tissue)은 교원질을 분비하는 섬유모세포에 의해 형성된 성긴 결체조직으로 정의된다.

EGF, TGF-α, keratinocyte growth factor에 의해 상피화가 촉진되며, 상피화는 상피세포의 이주, 증식, 분화의 세 단계로 구분된다. 진피층은 재상피화되고, 섬유모세포와 근섬유모세포에 의한 수축은 창상연이 재접합되도록 하여 상피화에 기여한다. 개방창상에 피부이식을 하면, 육아조직의 생산량을 제한할 수 있어 결과적으로 반흔구축을 감소시킬 수 있다. 두경부에서 재상피화의 속도는 피부보다 점막에서 더 빠르다.

섬유화 단계를 거치면서 창상의 기계적 강도가 증가한다.

(3) 재형성 단계(Remodeling phase)[15,16]

재형성 단계는 수상 후 3주에 시작되어 6~12개월까지 지속되며, 교원질의 생산과 분해가 증가함으로써 창상의 인장강도가 증가하는 특징이 있다. III형 교원질이 I형 교원질로 대체됨에 따라 반흔의 인장강도는 손상 전 인장강도의 75~80%까지 증가한다. 시간이 지남에 따라 조직의 증식이 더디어지고, 이와 함께 섬유모세포와 대식세포의 수가 감소하며, 반흔 내 혈관밀도 역시 감소한다. 이러한 변화는 임상적으로 반흔의 홍반성이 감소하고, 편평해지고, 부드러워지는 것으로 관찰된다.

2) 반흔구축의 제거

(1) 반흔제거 시 고려사항[1]

① 1 cm 미만의 매우 작은 반흔: 피부이완선 방향을 따르지 않아도 처치할 필요가 없다.
② 만일 반흔이 피부이완선과 평행하지 않고 심미적이지 못하다면 반흔의 방추상 절제가 시행되어야 한다.
③ 반흔과 피부이완선이 30°~60°로 교차하면 반흔보다 작게 축을 설정하여 Z-성형술을 시행한다.
④ 60° 이상의 각이면 가능한 피부이완선에 가깝게 축을 형성하여 Z-성형술을 시행한다.
⑤ 눈썹 등과 같이 심미적으로 중요한 부분에서 피부이완선과 교차되어 형성된 반흔: W-성형술이나 Z-성형술 혹은 W-성형술과 Z-성형술을 복합하여 사용한다(그림 2-68, 69).

(2) 단순 곡선형 반흔[1]

① 반흔이 작으면 방추상 절제를 시행한다(그림 2-70A).
② 반흔이 중간 크기이면 60°의 Z-성형술이나, 축이 피부이완선을 따르는 Z-성형술을 시행한다(그림 2-70B, C).
③ 반흔이 크면 볼록한 부위를 수복하고 수축을 약하게 하기 위해 하나 이상의 Z-성형술에 W-성형술을 보충한다(그림 2-70D~F).

(3) 복잡 직선형 반흔[1]

① 점선 반흔 각각의 직선 부위는 피부이완선에 따른 방향, 길이, 위치에 따라 처치된다.

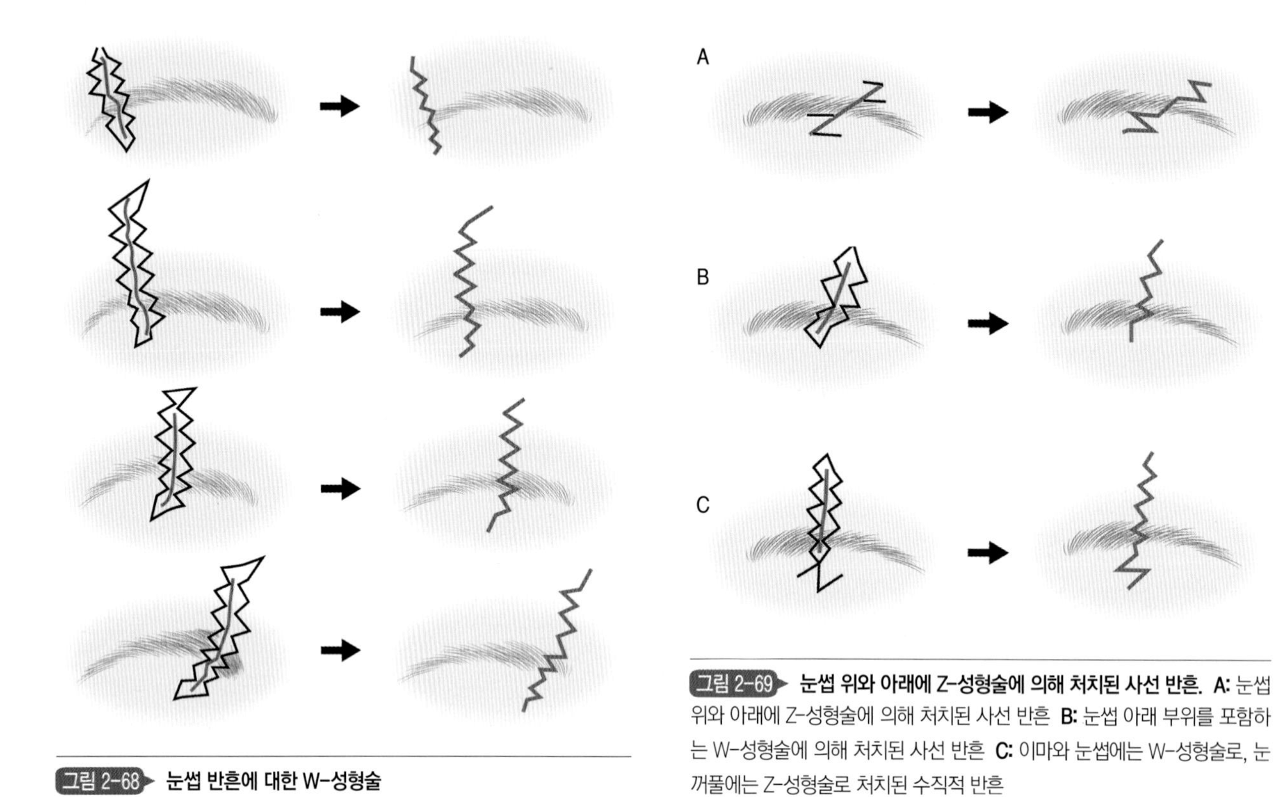

그림 2-68 **눈썹 반흔에 대한 W-성형술**

그림 2-69 **눈썹 위와 아래에 Z-성형술에 의해 처치된 사선 반흔. A:** 눈썹 위와 아래에 Z-성형술에 의해 처치된 사선 반흔 **B:** 눈썹 아래 부위를 포함하는 W-성형술에 의해 처치된 사선 반흔 **C:** 이마와 눈썹에는 W-성형술로, 눈꺼풀에는 Z-성형술로 처치된 수직적 반흔

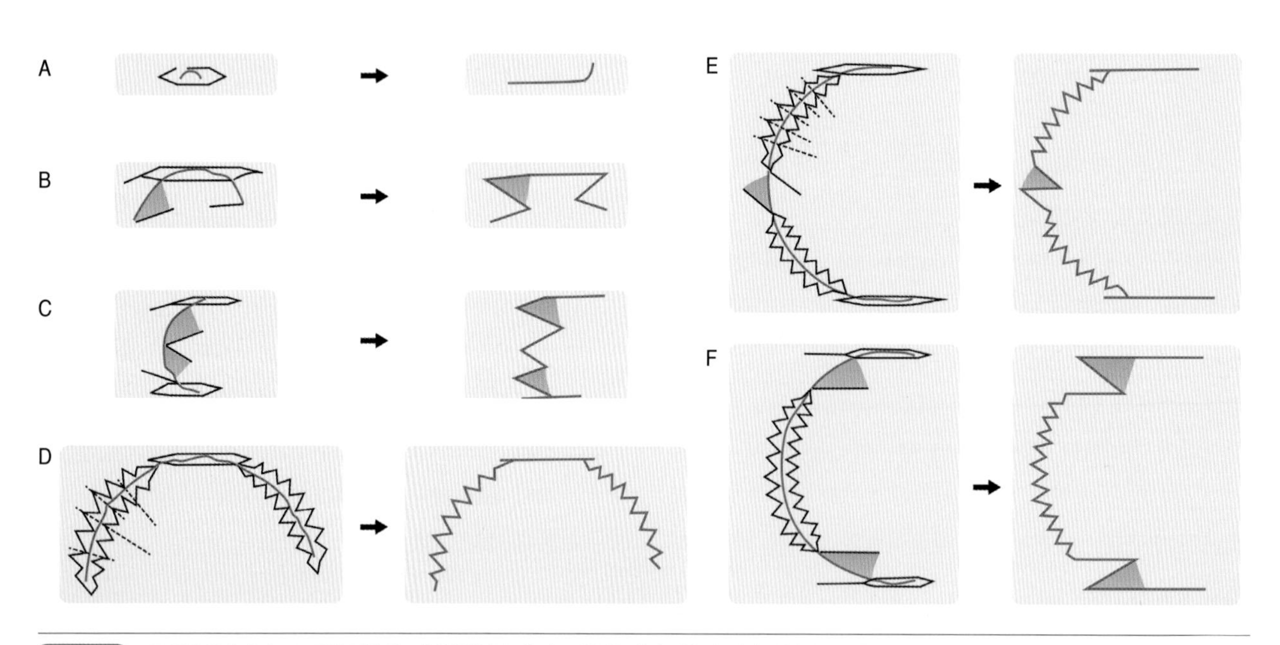

그림 2-70 **곡선형 반흔제거. A:** 작은 반흔은 피부이완선에 따르는 장축을 가진 방추상 절제에 완전히 포함시켜 제거한다. **B, C:** 더 큰 반흔은 피부이완선과의 관계에 따라 몇 부분으로 나눈다. 각 부위는 방추상 절제와 Z-성형술로 처치된다. **D:** 이마, 측두부, 협부, 턱에 위치한 중간 크기의 반흔은 방추상 절제와 혼합한 W-성형술로 교정된다. **E, F:** 매우 커다란 반흔의 경우, 반흔의 이완과 볼록함 회복을 위해 중간부나 끝에 Z-성형술을 추가한다.

② 평행 반흔은 반흔 사이의 분리된 양에 따라 W-성형술을 시행한다.

(4) 교차성 반흔[1]

더 큰 반흔은 W-성형술로, 다른 반흔은 Z-성형술로 처치되며 교차되는 부위는 반흔의 방추상 절제술을 사용한다.

(5) 복잡 곡선형 반흔(그림 2-70D~F)[1]

① 피부이완선을 따르는 부위는 방추상절제술을 한다.

② 피부이완선 방향과 차이가 많지 않은 부분은 Z-성형술을 한다.

③ 피부이완선 방향과 차이가 많은 부분은 W-성형술을 시행한다.

참고문헌

1. 민병일. 악안면성형외과학. 1판 ed. 서울: 군자출판사; 1990.
2. Evaskrus D. General principles and techniques of surgery. In: Laskin D, editor. Oral and maxillofacial surgery. St Louis: Mosby; 1980. p.255.
3. Hupp JR. Principles of Surgery. In: Hupp JR, Ellis EI, Tucker MR, editors. Contemporary Oral and Maxillofacial Surgery. 7th ed. New Orleans: Elsevier Inc.; 2019. p.38.
4. Jenkins HP, Hrdina LS, Owens FM, Swisher FM. Absorption of surgical gut (catgut): III. Duration in the tissues after loss of tensile strength. Arch of Surg 1942;45:74-102.
5. Leake DS, Baker SR. Scar Revision and Local Flap Refinement. In: Baker SR, editor. Local Flaps in Facial Reconstruction. 4th ed. St Louis: Elsevier Inc.; 2021. p.723.
6. Jenkins WS, Brandt MT, Dembo JB. Suturing principles in dentoalveolar surgery. Oral Maxillofac Surg Clin North Am 2002;14:213-29.
7. Kudur MH, Pai SB, Sripathi H, Prabhu S. Sutures and suturing techniques in skin closure. Indian J Dermatol Venereol Leprol 2009;75:425-34.
8. 대한외과학회. 외과수술 아틀라스. 2판 ed. 파주: 군자출판사; 2020.
9. Madsen ET. An experimental and clinical evaluation of surgical suture materials. Surg Gynecol Obstet 1953;97:73-80.
10. Dinah F, Adhikari A. Gauze packing of open surgical wounds: empirical or evidence-based practice? Ann R Coll Surg Engl 2006;88:33-6.
11. Borges AF. Elective incisions and scar revision. Boston: Little, Brown & Co.; 1973.
12. Borges AF, Alexander JE. Relaxed skin tension lines, Z-plasties on scars, and fusiform excision of lesions. Br J Plast Surg 1962;15:242-54.
13. Borges AF. Dog-ear repair. Plast Reconstr Surg 1982;69:707-13.
14. McCarthy JG. Introduction to plastic surgery. In: McCarthy JG, editor. Plastic Srugery. 3rd ed. Philadelphia: WB Saunders; 1990. p.1-54.
15. Giglio JA, Abubaker AO, Diegelmann RF. Physiology of wound healing of skin and mucosa. Oral Maxillofac Surg Clin N Am 1996;8:457-65.
16. Fonseca RJ, Barber HD, Powers MP, Frost DE. Oral and maxillofacial trauma: Elsevier Health Sciences; 2013.

PART 2

안면골성형술

책임편집
권대근 ● 권용대 ● 김용덕

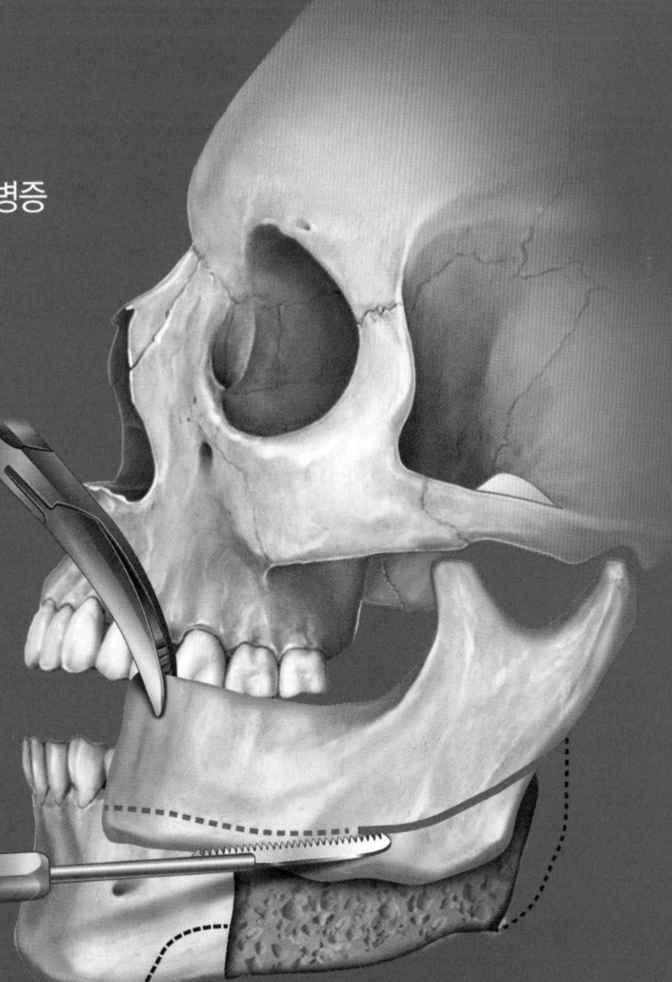

Chapter

03 안면골성형술의 진단 및 치료계획

Diagnosis and Treatment Planning of Facial Plastic Surgery

기본 학습 목표

- 악교정수술의 전체적인 진단 과정을 설명할 수 있다.
- 악안면기형의 원인과 수술 전 고려사항에 대하여 설명할 수 있다.
- 치료계획에 따른 술전 및 술후 교정 치료과정에 대하여 설명할 수 있다.

심화 학습 목표

- 환자 안모 및 골격 분석을 위한 정모 및 측모분석 과정을 설명할 수 있다.
- 수술 전 치료계획 수립을 위한 모의 수술과정을 설명할 수 있다.

1. 안면골성형술의 역사적 배경

1) 하악골수술

악골의 골격적 기형을 교정하기 위한 최초의 외과적 술식은 1849년 미국의 Hullihen이 최초로 시행하였다고 알려져 있으며 개교합이 동반된 전방 돌출된 하악치조골을 구내접근법으로 수술한 증례를 발표하였다.[1] Blair는(1906) 전방 돌출된 하악골을 골체절단술(body osteotomy)을 시행하여 후방이동시킨 증례 및 상행지 수평골절단술(horizontal osteotomy of vertical ramus)로 하악골의 전후방이동이 가능하다고 보고한 바 있다.[2,3] 또한 Limberg가 구내접근법으로 과두하 골절단술(subcondylar osteotomy)을 보고한 이후 하악골수술방법은 많은 개선을 거치게 되었다.[4]

하악골 상행지 부위의 골절단술은 subcondylar osteotomy, condylar neck osteotomy, oblique osteotomy, oblique sliding osteotomy 등이 있다. Caldwell과 Letterman은 하악골 상행지의 S형 절흔(sigmoid notch)에서 하악우각부하연의 전방부에 이르는 골절단술을 소개하였다.[5] 또한 Moose는(1964) 구강내 접근법으로 시행한 과두하 골절단술(subcondylar osteotomy)을 보고하였으며,[6] Hebert 등은 악교정술에 수술용 전기톱의 이용을 보고하였고[7] 이 수술용 전기(골절단용)톱은 이후 그 편리함이 인정되어 급속히 보편화 되었다.

하악골 상행지(mandibular ascending ramus)에서의 골절단술은 시상분할 골절단술(sagittal split osteotomy)의 발전에 힘 입은 바 크다고 할 수 있다. 시상분할 골절단술은 Lane이 소개하였고, Schuchardt가 이 개념을 발전시켰으나 Obwegeser가 정리 발전시켜 대중화에 커다란 공헌을 하였다. Obwegeser는 구강내 접근법에 의한 시상분할 골절단술을 국소마취 하에 1953년에 처음으로 시도한 후 그 결과를 1955년에 발표하였다.[8] 또한 1956년에는 비기관삽관을 통한 전신마취하에 시도하였다. 그 후 하악골 상행지 골절단술식에 있어서 측방 피질골절단술식의 변법들이 개발되었는데 그 목적은 골편들의 접촉면을 늘려 골결합을 촉진하고 원심골편의 전방변위의 양을 늘리는데 주안점을 두었다. 1959년 Dal Pont은 하악지외측방에 행하던 측방 피질골절단을 골체부로 전방이동시키는 방법에 대해 보고하였다(그림 3-1).[9]

Dal Pont(1959), Hunsuck(1968), Epker(1977) 등은 설측수평절단(horizontal cut)을 하악공(mandibular foramen)을 바로 지난 부위까지로 줄이는 방법(short lingual cutting technique)을 발표하였다.[9-11] 이 방법은 원심골편을 전방이동시킬 때는 문제가 없었으나 후방이동시킬 경우 근심골편을 변위시키는 문제가 있어 향후 연구의 대상이 되었다. Bell, Schendell, Epker 등은 하악하연을 완전 절단하는 방법으로 이 술식을 변형하였고 하악골 교정수술의 중요한 방법의 하나로 자리하게 되었다.[10,11]

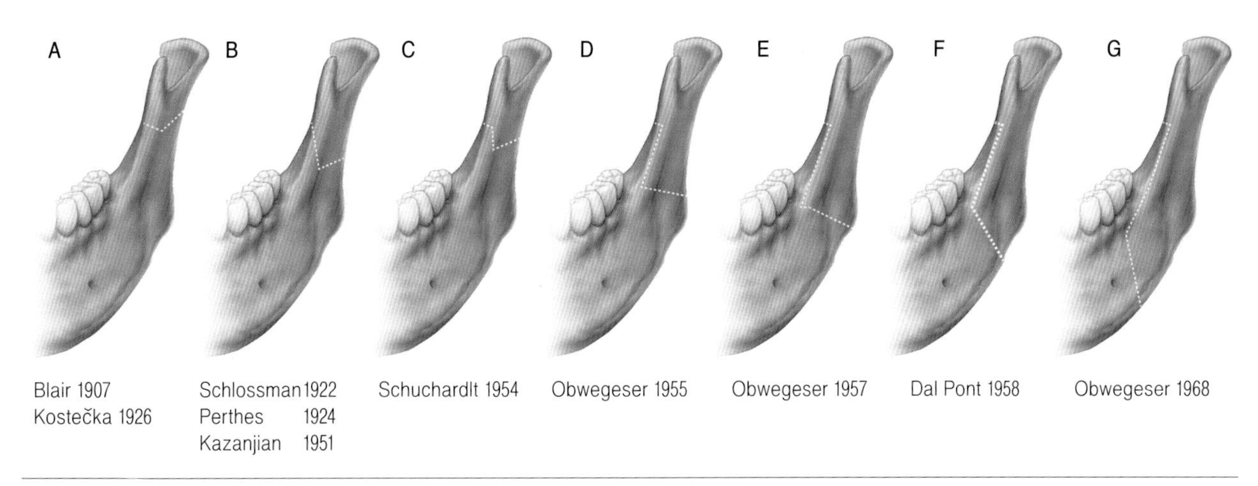

그림 3-1 **하악 골절단술의 발전과정.** **A:** Blair 1907 **B:** Schlössmann-Perthes-Kazanjian 1922-1951 **C:** Schuchardt 1954 **D:** Obwegeser 1955 **E:** Obwegeser 1957 **F:** Dal Pont 1958 **G:** Obwegeser 1968. 표시된 연도는 술자에 의해 처음 발표된 때를 나타낸다. (Clin Plastic Surg 34;339,2007)

2) 상악골수술

1921년 Cohn-Stock이 상악전방분절 골전단술(maxillary anterior segmental osteotomy)을 소개한 이후 기능적 교합의 개선이 관심이 되었으며 Wassmund, Spanie 등이 또 다른 방식의 상악전방부 부분 골전단술을 보고하였으나 불완전한 안정성 때문에 그 이용이 많이 제한되었다. 그 후 Cupar, Kole, Wunderer 등은 골편의 분리와 혈류의 유지 개선을 위한 변형된 수술법들을 보고하였다.[12]

상악후방분절 골전단술(maxillary posterior segmental osteotomy)은 Schuchardt가 1959년 보고하였으나 분리가 불완전하여 안정성에 문제가 있었고, Kufner는 분리를 완전히 하여 안정성을 확보하려는 술식으로 개선하였다.

Von Langenbeck(1859), Cheever(1867)가 비인두(nasopharynx)와 두개저의 접근성을 확보하기 위해 상악골 골절단술을 처음 사용하였다고 보고한 바 있다. Wassmund가 1935년 개교합 개선을 위해 익돌판(pterygoid plate)을 분리하지 않고 상악골 골절단술을 시행하였으나 상악골의 충분한 움직임을 얻지는 못하였다. Axhausen(1934, 1936, 1939)은 부정 유합된 상악골 골절의 개선 및 구개열 환자의 치료를 위해 익돌판 분리를 포함한 상악골 완전분리 및 재고정을 보고하였다. 하악골 전돌증 환자의 치료에 있어 1960년대 초반까지는 하악골 후퇴에 의해 해결하려는 노력이 계속되었으나 동반된 상악골 중안면부 후퇴증의 해결에 어려움이 있어 그 이후 상악골에 대한 수술방법에 대한 연구가 계속되었다.[13] 하지만 전체 상악골절단술(total maxillary osteotomy)은 혈류 부족에 의한 골괴사(bone necrosis), 치아의 실활(devitalization)에 대한 우려로 널리 사용되지는 못하였다.[12]

Obwegeser는 1964년에 외상 후 상악골 후퇴증 환자에 대해 현재의 LeFort I-type 골절단술을 시도하였다. 그동안 혈류 공급 차단을 염려하여 사용하였던 수직적 점막 절개 대신 환상 점막 절개를 시도하였으며 하행구개동맥(descending palatine artery) 없이도 혈류 공급이 유지되는 것을 확인하였으며 상악골의 전방이동이 가능함을 확인하였다. 또한 1969년에 처음으로 상하악골 동시 수술, 즉, 양악수술을 처음으로 시도하였다.[13] Bell은 상악이 구개점막 및 순측 치은과 점막에 부착되어 있는 상태이면, 상악의 완전 분리 및 하방 골절(down fracture)이 상악의 혈류 공급에 크게 문제되지 않음을 보고하였으며, 악교정수술 특히 상악골 교정수술의 활성화에 크게 기여하였다. 또한 전체 상악골절단술 및 하방 골절이 분절 골전단술보다 양호한 결과를 가져온다고 보고하였다.[14,15]

1968년에 Hans Luhr가 발표한 plate-screw 고정법, 얇은 saw blade의 발전 등이 좀 더 효과적으로 악교정수술을 시행할 수 있도록 도움을 주었다.[13]

3) 두개안면수술(Craniofacial surgery)

두개안면수술은 1950년 Gilles와 Harrison이 처음 Le Fort II 골절단술 증례를 보고한 이후, 1967년 Tessier가 안와두개안면기형(orbito-craniofacial deformities)의 개선을 위한 transcranial과 subcranial LeFort III 수술법을 소개하면서 악교정수술과 동반되어 두개안면기형 환자의 기능적, 심미적 개선을 위해 발전되게 되었다.[13,16]

최근에는 심미적 개선에 대한 요구가 증가함에 따라 경조직 및 연조직 부위에 대한 미용수술(cosmetic surgery)과 병행하여 보다 좋은 결과를 얻고 있다. 또한 Illizarov가 골신장술(distraction osteogenesis)을 소개한 이후, 하악뿐 아니라 상악 및 두개안면골에 사용 증례가 증가하면서 수술로는 해결이 어려운 연조직 결손이 동반된 경우 혹은 본격적인 수술이 제한되는 소아 환자에서 치료효과를 높일 수 있게 되었으며 앞으로도 많은 발전이 기대되고 있다.

2. 안면기형의 분류

우리나라 인구의 2~5% 정도가 출생 시 결함(birth defect)을 갖고 있으며 이 중 절반 이상이 두개안면부 형태이상(craniofacial dysmorphogenesis), 즉 두부나 안면기형과 연관이 있는 것으로 밝혀졌다. 이러한 두개안면부의 형태이상은 선천적 및 후천적 요인으로 나타날 수 있는데 선천성 요인으로는 Apert씨 증후군, Crouzon씨 증후군, Treacher-Collins씨 증후군, Pfeiffer씨 증후군, von Recklinghausen 질환, 골형성 부전증, Golin씨 증후군, 쇄골 안면골 이골증 등이 있으며, 후천성 요인으로는 외상, 감염, 유전(과성장, 열성장, 비대칭 성장), 술후성 기형(악성종양, 양성종양, 골수염), 구호흡 등이 있다.

최근 분자생물학의 발달로 두개안면부 형태 이상에 대한 분자 수준에서의 진단과 분류가 가능해졌다. 즉 인간 유전체 지도의 완성, 분자유전학의 발달, 고효율의 분자진단 기구의 개발, 그리고 세포생물학에 있어서의 생정보(bioinformation)의 폭발적 성장으로 타 질환과 마찬가지로 두개안면부 형태이상에 대해서도 유전적 원인을 진단하고 이를 특성화하는 작업이 유용해진 것이다.[17,18]

많은 유전적인 질환들이 두개안면부, 구강 그리고 치아 구조물의 발육에 포함된 유전자 기능에 영향을 미치는 염색체이상(chromosomal abnormality)과 특정 유전적 돌연변이(mutation) 때문이라는 사실들이 점차 규명됨에 따라 재분류되고 있다(표 3-1). 즉 두개안면부 형태이상에 있어서도

표 3-1 두개안면부-구강-치아의 유전 질환

Type*	Gene Name	Chromosomal Location	Syndrome	Inheritance	Description of Craniofacial Features
세포외 기질 단백질	콜라겐, 제1형, 알파-I 사슬	17q21.31-q22.05	제1형 골형성부전증	상염색체 우성	상아질 및 치수 저형성증, 황색이나 청회색을 띠는 반투명 치아, 치아맹출지연, 불규칙한 치아배열, 우식민감성, 봉합뼈, 간헐적 청각장애, 이경화증, 푸른공막
세포외 기질 단백질	콜라겐, 제2형, 알파-I 사슬	2q31	N형 엘러스-단로스 증후군	상염색체 우성	좁은 상악, 작은 하악, 간헐적 치아발육부전과 왜소치, 넓은 콧등, 내측눈구석주름, 큰 눈, 작은 하악, 조여진 코, 얇은 입술
세포외 기질 단백질	케라틴-16	17q12-q21	제1형선천성경조증	상염색체 우성	구강백반증, 선천치, 영구치 조기상실
세포외 기질 단백질	아멜로제닌	Xp22.3-p22.1	제1형 법랑질형성 부전증	X염색체 우성	형성부전형 법랑질형성부전증, 초경화법랑질, 얇은 법랑질, 작은 치아, 거친 치아표면
세포외 기질 단백질	상아질형성부전-I 유전자	4q13-q21	제1형 상아질형성 부전증	상염색체 우성	상아질형성부전증, 청회색 또는 갈색 치아, 법랑질 갈라짐, I치아는 둥글넓적한 치관과 좁은 치근을 가지며, 작거나 흔적만 남은 치수강과 근관을 가짐.

세포외기질 단백질	글리피칸-3	Xq26	심슨-골라비-버멜 증후군	X염색체 우성	불균형적으로 큰 머리, 거친 얼굴, 크고 튀어나온 턱, 넓은 콧등, 들린 코끝, 큰 입, 두꺼운 입술, 아랫입술 중앙부의 구순열, 혀와 하치조골의 중앙열, 거대설, 짧은 목
효소	인산가수분해효소 간/골/신장형 만노시다제, 알파 B,	1 p36.1-p34	저인산증, 유아기	상염색체 열성	전반적인 골형성부전, 두개협소증, 소두증, 연수막출혈, 골성두개관의 부재, 치아형성부전
효소	리소좀	19cen-q12	만노사이드축적증, 알파 B	상염색체 열성	큰 머리, 두꺼운 두개관, 낮은 앞머리선, 거친 외모, 거대설, 넓게 펼쳐진 치아, 악전돌증, 청각장애
효소	이듀로네이트 2-설파타아제	Xq28	제2형 점액다당류증 (헌터증후군)	X염색체 우성	주상두증, 대두증, 전두골 돌기, 조잡한 안면, 커진 혀, 청각장애
효소	아릴설파타아제 E	Xp22.3	점상연골형성부전증, X-염색체연관 열성	X염색체 열성/ X염색체 우성	코 저형성증, 짧은 비주, 반원형 콧구멍, 짧은 상악, 상대적 하악전돌증
세포내 신호전달단백질	구아닌 뉴클레오티드 결합 단백질, 알파-자극 행동 폴리펩타이드-1	20q13.2	제1형 가성상피소체 기능저하증	상염색체 우성	둥근 얼굴, 낮은 콧등, 짧은 목, 백내장, 치아맹출지연, 법랑질형성부전
세포내 신호전달단백질	레티노블라스토마-1	13q14.2-q14.2	망막아세포종	상염색체 우성	구개열, 높은 이마, 뚜렷한 눈썹, 넓은 콧등, 둥글넙적한 코끝, 얇은 윗입술을 가진 큰 입, 긴 인중, 뚜렷한 귓불
세포내 신호전달단백질	사이클린 의존성 키나아제 저해제 1C	11 p15.5	베크위트-비데만 증후군	상염색체 우성	조잡한 안모, 선형 귓불주름, 후방 나선형 함입, 거대설, 중안면부 형성저하증
핵단백질	블룸증후군 유전자	15q26.1	블룸증후군	상염색체 열성	소두증, 광대형성저하, 큰 코, 대악증, 간헐적 측절치 부재
분비단백질	코티코트로핀 방출호르몬	8q13	코르티코트로프성세포, n-방출 호르몬 결핍	상염색체 우성	안면부이형증
막관통단백질	섬유아세포 성장인자 수용체-2	10q26	크루존씨 이골증	상염색체 우성	두개골유합증, 앵무새부리모양코, 짧은상순, 형성저하성 상악, 상대적 하악전돌증, 얕은 안와
막관통단백질	인슐린 수용체	19p13.2	요정증, 흑색극세포증을 동반한 인슐린저항성 당뇨	상염색체 우성	양측성 두개골 협착, 과잉치, 심한 치수염 없는 우식, 두드러진 하악견치와 상악절치, 두꺼운 입술, 두드러진 귀
막관통단백질	퍼옥시좀 막단백질-3	8q21.1	젤웨거 증후군-3	상염색체 우성	높은 이마, 긴 탑상두개, 큰 정문, 납작항 안모, 둥근 얼굴, 형성저하성 상안와융기, 내측눈구석주름, 구개열
전사인자	GLI-Kruppel family member 3 발암유전자	7p13	그리그 첨두합지증	상염색체 우성	기형 두개골, 확장성 두개골, 높은 이마와 정수리점, 전두골돌기, 대두증, 양안격리증
전사인자	솔루신	4q25-q26	제1형 리거증후군	상염색체 우성	상악형성부전증, 경미한 하악전돌, 돌출된 하순, 짧은 인중, 왜소치, 치아발육부전증, 원추형치아
미상	유약 X 정신지체-1 유전자	Xq27.3	유약 X 증후군-1	X염색체 우성	조잡한 선단거대증성 안모, 넓은 이마, 비대칭적으로 긴 안모, 두꺼운 입술, 두드러진 턱, 큰 귀, 대두증, 장두

표 3-2 환경적 요인과 연관된 두개안면부 형태이상

Name	Source	Craniofacial Features	Remarks
감염			
풍진(rubella)	자궁내 감염	소안구증, 백내장, 녹내장, 각막혼탁, 감각신경성 난청, 소두증, 폐색성 확장대천문 및 지연성 치아맹출	태아기 풍진, 동맥관개존증, 중격결손, 심혈관결함이 흔하게 나타남. 정신박약도 나타날 수 있음.
단순포진	자궁내 감염	소두증, 무뇌수두증, 소안구증, 뇌위축, 두개내석회화상, 안면부기형	신경결손, 발작, 호흡장애, 선천성 심장질환, 비정상수족지증, 맥락망막염이 진단적 특징임.
매독	자궁내 감염	치아결함, 수두증	선천성 매독, 허친손절치, 상실구치
물리적 요인			
엑스레이	진단 조사	소두증, 정신지체	방사선 조사 시 임산부의 태아에 미치는 직접 혹은 누적된 영향
화학적 요인			
탈리도마이드	항구토제	외이, 중이, 내이 기형, 안구기형(이상유루증, 무안구증, 소안구증), 안면신경마비	탈리도마이드태아증, 사지결함, 선천성 심장질환, 후비공폐쇄, 신장기형이 진단적 특징임.
아미놉테린, 메토트랙세이트	엽산길항체	무뇌증, 소뇌증, 수두증, 넓은 콧등, 상악골 형성저하증, 소악증, 내측눈구석주름, 저위이, 구순열, 구개열	태아아미놉테린증/태아 메토트랙세이트증, 성장장애, 골격 및 사지결함이 일반적임.
페니토인(딜란틴), 히단토인	항경련약물	확장대천문, 구순열, 구개열, 소두증, 양안격리증, 넓고 낮은 콧등, 넓은 치조융선, 굽은 상순	태아 히단토인/딜란틴증, 심장질환, 손발톱 및 말단지형성이상, 정신지체 및 성장장애가 진단적 특징임.
카바마제핀	항경련약물	얼굴의 기형적 특징	태아 카바마제핀증, 성장 및 발달지연
테트라사이클린	항생제	법랑질변색, 법랑질저형성증	중대한 기형발생이 없는 최소최기성, 와파린에 의한 선천성 기형, 태아 와파린/쿠마린증
와파린	혈액응고방지제	코 저형성증, 낮은 콧등, 중앙안면저형성증	연골형성이상증(골단의 스티플링, 장골과 척추뼈의 석회화), 선천성 심장질환, 손발톱 형성부전, 심한 정신지체가 일반적임.
사회적 마약			
술	산모의 섭취	소두증, 짧은 검렬, 상악골형성저하증, 소악증, 짧은코, 부드럽고 발달이 미숙한 인중, 얇은 상순, 구개열을 동반한, 혹은 동반하지 않는 구순열	태아알코올증, 사지기형, 심혈관 질환 경도정신지체, 성장 결핍이 보임.
코카인	자궁내 노출	눈주위 및 눈꺼풀 부종, 짧은코, 가로주름이 있는 낮은 콧등, 구순열 그리고/또는 구개열, 비전형적 안열, 소두증 발생 위험 증가	

지금까지의 해부학적 형태와 표현형에 기초한 분류에서 유전자적 분류가 소개되고 빠르게 확장되고 있는 것이다.[19-22]

두개안면부 형태이상이란 환경적(표 3-2), 혹은 유전적 요인에 의해 정상적인 발육 프로그램이 방해(disruption)받은 결과이다. 따라서 두개안면부 형태이상의 분자 유전자적 특성을 밝히는 것이 그 원인을 파악하는 열쇠이다. 실제 환경적 요인의 역할이란 유전체(genome)에 영향을 주는 것이며 때로는 개체의 유전자적 배경이 환경적 요인에 의한 손상에 대한 감수성을 결정한다. 즉 환경적 요인과 유전적 요인의 상호작용이 두개안면부 증후군에 이르는 일련의 연쇄기전을 야기시킨다.[23-26] 이러한 환경적 요인 및 유전적 요인을 아는 것은 이러한 형태이상을 어떤 방식으로, 또한 언제 치료해야 하는지 근본적으로 이해하는데 매우 중요하다.

기술한 바와 같이 최근 분자유전학의 발전은 두개안면부 형태이상 증후군의 진단과 분류에 큰 영향을 미치고 있다. 인간 유전체 연구가 좀 더 완성되면 생물정보학(bioinformation)을 이용하여 유전형과 표현형의 통합을 위한 기초가 마련될 것이다. 그 이전까지는 임상가들은 실질적인 환자의 진단과 분류에 있어 표현형에 의존하게 된다. 즉 현 단계에서 외과적 치료라는 임상적 관점에서 안면 기형을 다음과 같이 분류할 수 있다.

① 선천적 안면기형
② 반안면왜소증
③ Craniosynostosis syndrome
④ Orbital hypertelorism
⑤ 외상에 의한 안면기형
⑥ 내분비 장애로 인한 안면기형
⑦ Neural crest의 생성과 이동과 관련된 안면기형
⑧ 알코올증후군과 연관된 안면기형
⑨ Craniofacial dysostosis
⑩ Dentofacial deformity
⑪ 감염증으로 인한 안면기형
⑫ Cleft
⑬ Achondroplasia
⑭ Microgenia
⑮ 후천적 안면기형
⑯ 근육장애로 인한 안면기형

상기 안면기형의 분류 중 치열안모 변형증(dentofacial deformity)은 일반 인구의 약 5% 정도에서 발생하는데,[27] 두개저에 대한 상악골 및 하악골의 위치관계 및 크기에 따라 다음과 같이 세분할 수 있다.

① 하악전돌증(mandibular prognathism)
② 하악후퇴증(mandibular retrognathism)
③ 상악전돌증(maxillary prognathism)
④ 상악후퇴증(maxillary retrognathism)
⑤ 양악전돌증(bimaxillary protrusion)
⑥ 개교증(open bite)
⑦ 안면비대칭(facial asymmetry)
⑧ 장안모증(long face syndrome)
⑨ 이부비대증

3. 진단 및 치료계획-세부 항목작업

치아안면 변형증(dentofacial deformity)에서 나타나는 문제는 다양할 수 있다. 안면골성형술의 기본이 되는 악교정수술이란 악골과 그 연관 조직의 근골격성, 치아악골의 그리고 연조직 변형을 교정하기 위하여 치열교정 치료와 안면골성형술을 통해 진단하고 치료하는 분야를 말한다. 즉 악교정수술에 있어 교정치과의사의 역할이란 상악골과 하악골에 대한 상대적인 치아의 위치를 잡는 것이며 구강악안면외과의사는 안면부 골격을 이상적인 위치에 맞게 이동시키게 된다. 성공적인 접근을 위해서는 이외 보철과, 신경외과, 안과, 이비인후과의사 등과 팀을 이루어 접근하여야 하는 경우도 많다.

악교정수술의 일반적인 치료 목적은 정상적인 기능(저작, 발음, 호흡)을 갖추게 하고 심미적인 안모의 조화와 균형을 확립함으로써 사회적으로 보다 자신감을 갖게 하는 데 있다.

철저한 평가와 진단은 악교정수술 환자에 대한 전체적인 관리에 있어 가장 중요하다. 이 단계에서 기능적이나 심미적으로 중요한 문제점들을 놓치게 되면 치료 후 합병증이

나 바람직하지 못한 결과들이 초래될 수 있기 때문이다. 일반적으로 악교정수술 환자에 대한 평가는 다음으로 구성된다.

① 환자의 주소 및 병력 청취
② 임상검사
③ 방사선학적 분석 및 모형진단
④ 치료계획의 수립(VTO)

1) 환자와의 인터뷰

대개의 악교정수술이 건강한 연령대의 환자를 대상으로 이루어 지지만 술전에 내과적, 치과적 병력, 임상적 신체검사 그리고 해당되는 검사실 검사를 게을리 하여서는 안된다. 환자의 내과적 문제는 치료계획에도 영향을 미치고 경우에 따라서는 환자의 생명을 위협하는 심각한 병발증을 초래할 수도 있기 때문이다. 임상적 신체검사시에는 환자의 기도 문제, 결합조직 혹은 자가면역 질환, 출혈성 소인 혹은 수술에 영향을 미칠 수 있는 타 질환의 존재 유무에 대하여 반드시 확인하여야 한다.

(1) 환자와 보호자와의 인터뷰 및 병력 청취

환자 진료를 위해서 환자의 주소를 파악하는 것은 매우 중요하다. 치료 후 발생하는 법률적 분쟁들의 상당수가 환자의 주소가 해결되지 못했을 때 나타날 수 있다. 치아안면 변형증 환자들은 치아관계의 변화, 안면의 변화 그리고 증상의 해결을 기대하고 교정의나 구강외과의를 찾게 된다. 환자의 주소를 파악하고 심층적인 대화를 통해서 무엇이 가능하고 무엇이 불가능한지를 환자에게 인식시키야 하며 이러한 과정을 통해 비현실적인 기대를 품고 있는 환자 및 그 보호자들을 가려낼 수 있어야 한다. 심층적 상담과정을 통해 치료에 대한 동기 또한 부여할 수도 있다. 결국, 환자와 의료진 간의 좋은 신뢰를 쌓고 소통을 통해 공통된 기대와 목표를 갖고 치료를 시작하는 것은 매우 중요하다. 이러한 환자의 심리적인 부분을 파악하기 위해서는 다음과 같은 것에 관심을 가져야 한다.

① 환자의 관심사나 혹은 문제점이 무엇인지
② 그 상황을 개선시키기 위해 이전에 치료를 받은 적이 있는지, 그리고 받았다면 그 결과는 어떠한지
③ 환자가 왜 수술을 원하는지
④ 환자가 수술을 통해서 기대하는 바가 무엇인지 환자들의 심리적인 면에 대한 눈을 갖기

환자와 보호자의 상담을 통해 치료에 필요한 사전 동의(informed consent)를 얻어야 한다.

Informed consent는 치료의 위험성뿐만 아니라 합병증에 대한 환자의 이해, 대안이 될 수 있는 치료에 대한 결과가 기본이 되어야 한다.

의사의 역할은 환자의 문제목록, 치료방법과 그 대안, 술식의 장단점 등에 대한 충분한 설명으로 환자의 결정이 분

Outline of Patient/Parent Consultation

1. Your problems are...
2. The benefits of treatment would be...
3. The most important problems is... Do you agree?
4. The possible solutions to that most important problem would be...
5. The advantages and disadvantages of the alternative approaches would be...
6. To solve the other problems, we would need to...(Show the computer simulations of outcomes here; solicit input.)
7. The risks of this treatment approach are...(Ask the patient/parent, "Do you agree with this approach to treatment?")
8. The treatment schedule, costs, and so forth woule be...

명해질 수 있도록 하는데 있다. 최근에는 컴퓨터 이미지를 통해 환자의 이해를 돕기도 하며 그 효용성이 점점 높아지고 있다.

이 단계에서는 환자의 병력 청취도 이루어져야 하며 치아안면이상 치료 시작 전에 조절되어야 한다.

(2) 만성 전신질환: 관절염, 당뇨 등

① 만성 퇴행성 질환(Chronic degenerative problems): 관절염

유년기에 발생한 경우 성장과정에서 안면 기형이 대부분 나타난다.

자가면역질환으로 염증반응을 일으켜 관절강에 육아조직을 형성하고 관절의 연골, 골부분을 파괴시킨다. 빠르고 심한 골파괴를 보이는 경우도 있으나 초기 발생 후 느리게 진행되는 경우도 있다. 치료계획 중에 주의해야 할 것 중 하나는 관절 위치의 변화를 최소화해야 한다는 것이다. 관절강의 변화는 관절염을 심하게 악화시킬 수 있다.

청소년기 류마티스 관절염(juvenile rheumatoid arthritis)에서 기능적 장치들(functional appliance)의 사용은 골개조를 빠르게 하여 골조직의 손실을 발생시킬 수 있다.

같은 이유로 후퇴된 하악골을 전방으로 변위시키는 외과적 수술을 시행하여서는 안 된다.

② 만성 퇴행성 질환(Chronic degenerative problems): 당뇨와 기타 대사성 질환

악안면 기형 환자에서 조절되지 않는 당뇨는 다음과 같은 영향을 미친다.

- 치유지연: 외과적 술식의 금기증이다.
- 빠르고 심한 치조골 손실: 교정장치 사용에 따른 구강위생 불량과 치아 이동에 따른 부작용이 심각한 치주질환을 발생시킬 수 있다.
- 갑상선기증항진증: 대사율의 증가로 골다공증의 발생 경향을 보이며 감염될경우 생리적인 안정성의 결여가 발생될 수 있다.
- 부신기능 저하(adrenal insufficiency): 스트레스에 대한 저항성이 감소되고 치유지연이 발생된다. 따라서 해당 전문의에게 의뢰하여 스테로이드 사용량에 대한 조절이 필요하다.
- 류마티스성 심장질환: 심내막염의 발생 가능성이 있으므로 적절한 항생요법이 요구되고, 교정치료 시 밴드의 사용을 제한하게 된다.
- 혈액응고장애(coagulation disorder): 다양한 혈액응고장애는 과도한 출혈을 일으킬 가능성이 있으므로 해당 결핍 응고인자를 술전에 주입하여 보충한다. 아스피린과 같은 진통제 사용 시 출혈 경향을 증가시키므로 주의하여야 한다. 교정치료 시 밴드의 사용을 제한할 필요가 있다.
- 겸형적혈구성 빈혈(sickle cell anemia): 전신마취의 금기증이므로 악교정수술에 대한 재고가 필요하다.
- 면역체계의 이상, 류마티스성 관절염, 골관절염, 행동장애도 악교정수술 시 주의가 필요한 만성 전신질환이다.

(3) 국소적 요인

① 외상

치수 손상과 치근 흡수를 일으킬 가능성의 증가를 의미하며 외상 병력은 성장 잠재력의 평가에 매우 중요하다. 성장기에 발생한 외상은 성장의 왜곡을 일으켜서 악안면 기형을 일으키는 요인이 된다,

② 치주질환과 치아우식증

악안면 기형 환자의 교정치료 전에 근관치료, 치주치료, 보존치료가 완료되어 안정적인 교합을 형성할 수 있어야 한다.

(4) 정신의학적·심리적 문제

현실에 대한 왜곡된 인식이 문제를 일으킬 수 있다.

2) 임상검사

(1) 정면 안모분석

매력적인 안모는 절대적인 평균치에 기준하는 것이 아니라, 각 값들의 비율이며, 또한 사람에 따라서 기준이 다를 수 있다는 것을 명심해야 한다. 안모의 연조직 비율 평가에 있어서 가장 먼저 생각해야 할 것은 얼굴의 폭과 길이의 비

율이다. 폭과 길이는 따로 생각할 수 없으며, 대게 동그란 얼굴은 폭은 정상이나 길이가 짧은 경우에 해당한다. 일반적으로 안면은 넓은 안면, 보통의 안면, 좁은 안면으로 묘사될 수 있으며 관골궁, 하악각, 하악체 및 이부를 보고 평가할 수 있다.

① 정중선의 평가

정중선은 하악과두가 하악와 중심에 잘 위치되었을 때 평가될 수 있다. 하악과두의 위치가 중심에 잘 잡혀있지 않다면 올바른 정중선을 평가하기 어렵다.

Arnett 등은 인중과 nasal bridge를 잇는 선을 이용하여 안면의 정중선을 확립하였다. Nasal bridge의 중심은 내안각간의 거리를 통해 평가될 수 있다(그림 3-2).

치아의 정중선의 평가는 교정, 구강외과의 모두에게 매우 중요하다. 특히 환자들은 치료 후 결과를 스스로 평가할 때 이것을 중요한 부분으로 생각한다. 종종 환자들은 치아 정중선에 대해 상당한 수준의 인식을 가지고 있고 약간의 차이도 지적할 수 있다. 따라서 치아 정중선은 석고모형으로만 평가되어서는 절대 안되며 실제 환자에 대한 임상검사에서 이루어져야 한다(그림 3-3).

② 안면의 수직적 비율(그림 3-4)

a. Facial third

안면은 크게 세 부분으로 수직적으로 나누어질 수 있다. 중안면 1/3은 눈썹 중앙에서 Subnasale 그리고 하안면 1/3은 Subnasale에서 연조직 menton까지이다(그림 3-5). 일반적인 개념과는 달리, 중안면 1/3와 하안면 1/3가 같은 경우는 드물다. 하안면 1/3과 중안면 1/3의 비율보다는 하안면 1/3 안에 있는 구조들 간의 관계가 보다 중요하다.

하안면 1/3은 상순, 입술 간 간극(interlabial gap)과 나머지 하순과 이부를 합친 것이다. 이 부분은 치아안면변형의 진단과 치료에 매우 중요한 부분이며 이 부위의 평가 시에 긴장을 푼 상태에서의 평가는 필수적이다(그림 3-6).

또한, 중안면부에서는 인중(philtrum)의 길이가 중요한데, 특히 구각부와 상악중절치와의 관계를 잘 살펴야 한다. 구각의 높이는 성인에서는 일반적으로 인중 길이보다 2~3 mm 이상 길지 않으나, 청소년에서는 수 mm 이상 짧다. 성인에서의 짧은 인중 길이는 비심미적 상순 모양을 형성하여, 찌푸리는 듯한 인상을 주게 된다.

코의 기저부는 날아가는 갈매기 모양의 형태를 가지게 된다. 콧구멍은 자연스런 머리 위치에서 거의 약간만 보이게 되고, 어느 방향에서 보더라도 비소주(columella)는 비익부(alare)와 평행선상에서 약간 낮다. 비기저부로부터 비익에 이르는 형태는 "scroll (소용돌이 or 두루마리)" 형태이다.

하안면부에서의 이상적인 비율은 상순부가 1/3, 하순부로부터 이부까지가 2/3를 차지하는 것이다. 하악의 과도한 길이는 많은 원인이 있으나 주요 원인은 다음 두 가지이다.

- 상악의 과도한 성장으로 인한 하악의 후하방으로의 회전
- Chin의 수직적 과성장

b. 치아-구순 관계(Tooth-lip relationship)

일반적으로, rest 시에 상악중절치가 약 1~5 mm 정도 보일 수 있으며, 웃을 때에는 임상적 치관 전체와 치은까지 보인다. 전치노출이 약 3~5 mm 정도일 때 젊고 심미적인 느낌을 준다. 남성에서는 rest 시에 상악중절치보다 하악중절치가 많이 보이며, 여성은 그 반대이다. 백인은 흑인과 아시아 인종에 비해 상악중절치가 하악중절치보다 많이 보인다.

가. 과도한 전치노출(Excessive incisor display)

과도한 전치 노출도의 평가는 웃을 때보다 rest 시에 평가되어야 한다. 만약, 전치 노출도가 정상이라면, 웃을 때 잇몸이 드러나는 정도를 추가로 평가해야 한다. Rest시에 전치가 거의 혹은 모두 보이는 상태라면 이는 전치 노출도가 과도한 것이며, 이는 gummy smile과 항상 연관되어 나타난다. 과도한 전치 노출도는 경조직 및 연조직상에서 다음과 같은 원인에서 비롯된다.

- 짧은 인중 길이: 어린이에서는 입술 성장 부족으로 인해 항상 인중이 짧아 보인다. 어른에서는 짧은 인중 길이는 해부학적으로 다양하게 설명 가능하지만, 항상 치료계획을 세울 때 이 점을 고려하여야 한다.
- 상악의 수직적 과성장

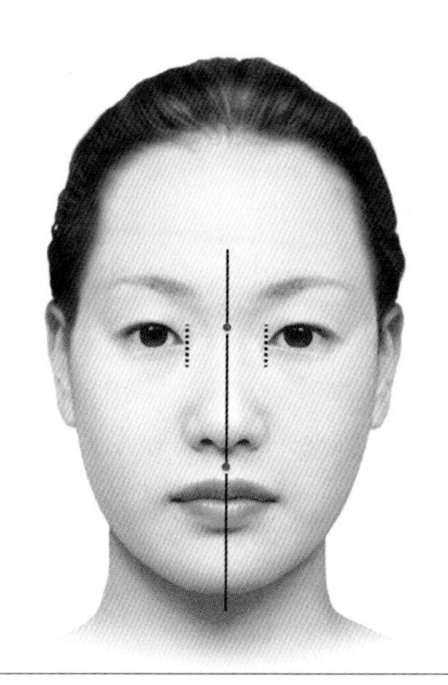

그림 3-2 얼굴의 정중선은 인중과 Nasal bridge를 잇는 선에 의해 결정될 수 있다.

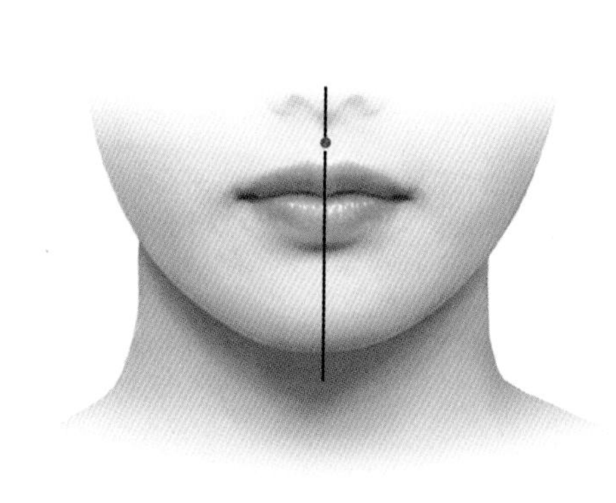

그림 3-3 상·하악 전치부의 정중선은 얼굴의 정중선과 연관되어 생각되어야 한다.

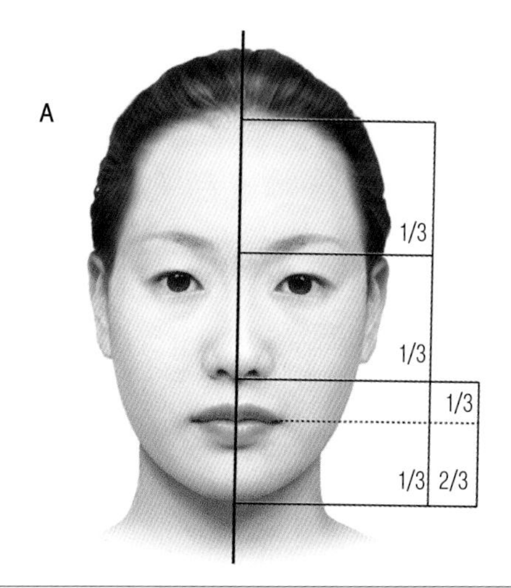

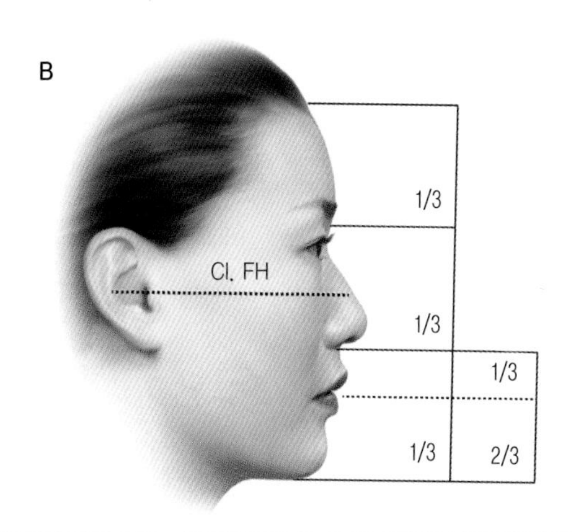

그림 3-4 **안모의 수직 평가.** **A:** 정면. 안모는 수직적으로 3등분될 수 있다. 아래 1/3은 Subnasale에서 Stomion까지 그리고, Stomion에서 연조직 Menton까지로 다시 나눌 수 있다. **B:** 측면. 임상적 Frankfort선(Cl. FH)이 기준이 된다. 임상적 Frankfort선은 귀의 Tragus에서 Bony infraorbitale를 이은 선을 말한다.

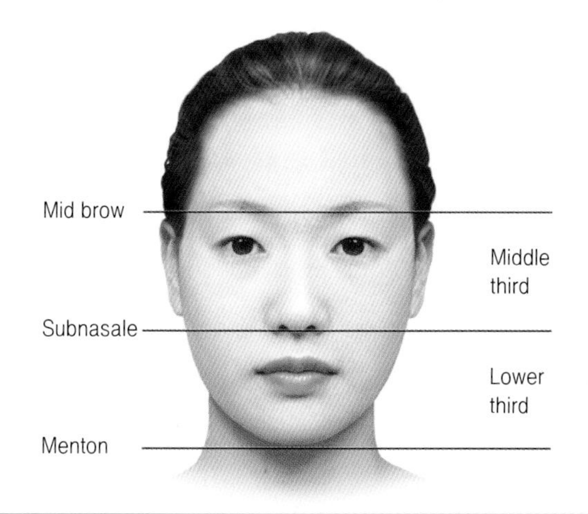

그림 3-5 얼굴은 Mid brow, Subnasale와 Soft tissue menton을 지나는 수평선에 의해 3등분된다. 중안면 1/3과 하안면 1/3이 같은 경우는 드물다.

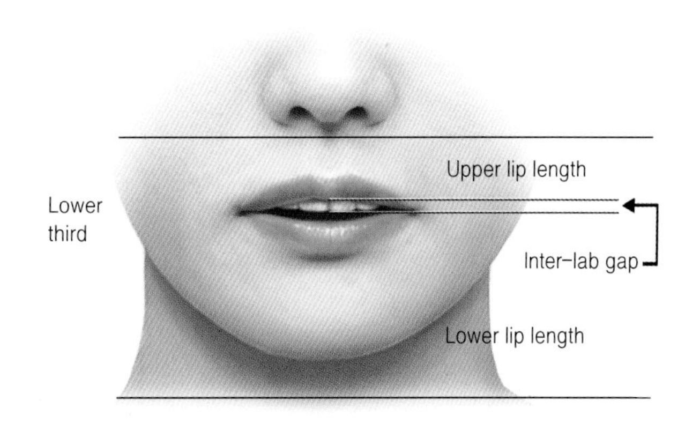

그림 3-6 하안면 1/3은 상순, 입술간 간극(Interlabial gap)과 나머지 하순과 이부를 합친 것이다.

- 과도한 치관 길이: 치아가 너무 길 때에는 rest 시에 치관이 보인다.
- 상악전치의 설측 경사: 자연적인 Class II에서든 torque control 없는 교정적 견인이든, 이는 상악전치의 절단면을 후하방으로 견인시킴으로써 길이를 더 길어보이게 한다.

나. 부적절한 전치 노출

Rest 시에 치관이 하나도 안 보인다거나, 웃을 때 치관 노출의 실패는 너무 작은 치관 노출도를 의미한다. 부족한 전치 노출도는 경조직 및 연조직상에서 다음과 같은 원인에서 비롯된다.

- 과도한 인중 길이
- 상악의 수직적 열성장
- 부족한 치관 길이(치아 구조의 소실): rest 시 치관이 1 mm 혹은 거의 보이지 않을 때
- 상악전치의 flaring

③ 안면의 수평적 비율

"Rule of fifth"는 안면부의 이상적인 횡단축의 비율을 설명해준다. 안면은 시상면상으로 5개의 균등한 면으로 분할되며, 각각은 한쪽 눈길이로 연결되는 넓이와 같다. 하지만 이는 상대적인 비율일 뿐, 절대적인 측정치는 아니다.

환자의 정면에서 수평적인 비율을 평가할 때 다음과 같은 항목을 볼 수 있다.

① 이마, 눈, 안구, 그리고 코에 대한 크기, 대칭성, 변형증 여부
② 내안각 거리(intercanthal distance)
③ 동공간 거리(interpupillary distance)
④ 내안각 거리(intercanthal distance), 비익저부의 폭, palpebral fissure width의 일치 여부(그림 3-7)
⑤ 이상적으로 nasal dorsum의 폭은 내안각 거리의 1/2, nasal lobule의 폭은 내안각 거리의 2/3이다.

(2) 측모 안모분석

측모분석은 악교정수술 환자에 있어서 악골의 수직적, 전후방적 위치를 잡는데 있어 가장 중요하다.

임상적 또는 방사선학적 측모 분석 시, 환자는 natural head position (NHP)을 취해야 한다. 머리 위치는 해부학적이라기 보단 생리학적인 측면에서 정의된다. 이는 재연 가능하며, 일반적 상황에서 환자가 보여줄 수 있는 자세여야 한다. 만약, 환자가 편안하고, 적당한 거리를 보인다면, 이를 NHP로 보아야 한다. 임상사진 및 측면두부 방사선사진을 찍을 때에도 위와 같은 자세(NHP)를 취해야 한다.

측모는 크게 중안면부(high midface), 상악부(maxillary area) 및 하안면부(mandibular area)의 세 부분으로 나누어 진다(그림 3-8).

① Projection of the forehead

NHP 시의 측모에서는 전두부의 최전방점인 연조직 glabella가 비기저부와 거의 일치한다. 전두부에서 아래에서 위로 후방으로 5° 정도로 기울어져 올라간다. 이 각도가 좀 더 가파르다면, 안면부의 굴곡도가 증가하는 모양을 띠고 각도가 작다면 측모는 평편해 보인다.

② Nasal and paranasal relationship

코는 중안면부의 측모에서 가장 중요한 구조물이다. 코의 크기와 돌출도는 입술과 chin과의 연관 관계를 고려하여 생각해야 한다. 모든 다른 것들이 동일하다면, 코가 크다면 안면부의 균형 및 조화를 고려하였을 때, 입술과 chin도 조금 더 돌출되어야 한다.

코 등에서 가장 돌출된 부위(hump)는 정모에서도 뚜렷하게 보이나, 측모에서 더 확연하며 자신의 측모를 거의 본 적 없는 환자들에게서는 측모를 유심히 살펴볼 기회가 있을 때 놀라게 된다.

이상적인 코의 형태에서, 측모에서의 radix (전두부의 하단으로부터 오목함의 깊이)는 반대편의 속눈썹을 흐릿하게 만든다. Bridge (콧등) radix의 기저부로부터 코끝 연골까지 일직선으로 뻗어야 하며, bridge보다 tip이 약간 돌출되어 있어야 한다. 코끝은 약간 삼각형인 것이 동그랗거나 뭉툭한 것보다 보기 좋은데, supratip에서 tip까지는 뚜렷한 분기점이 있으며, infratip과 columella 사이에 또 있어야 한다(이를 "double break"이라고 하는데 이는 비성형술 시 구현하기 위해 노력되는 부분이다).

상악에서 paranasal 부위의 코의 돌출 및 꺼짐을 주의깊

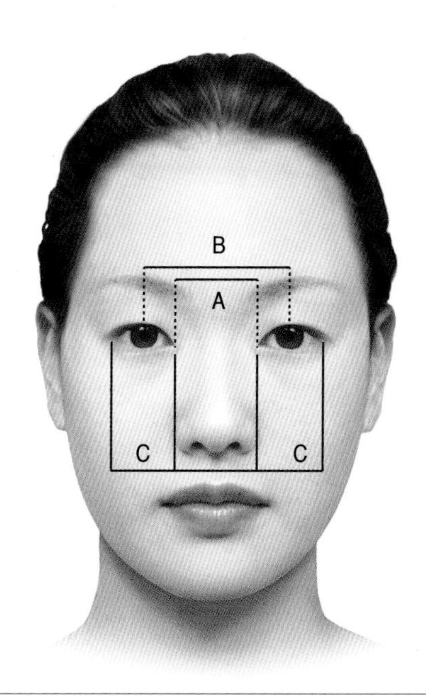

그림 3-7 A: 정상 Intercanthal distance는 백인에서 32±3 mmm, 흑인에서 35±3 mm이다. B: 정상 Interpupillary distance는 65±3 mm이다. C: Palpebral fissure는 Intercanthal width와 같아야 한다.

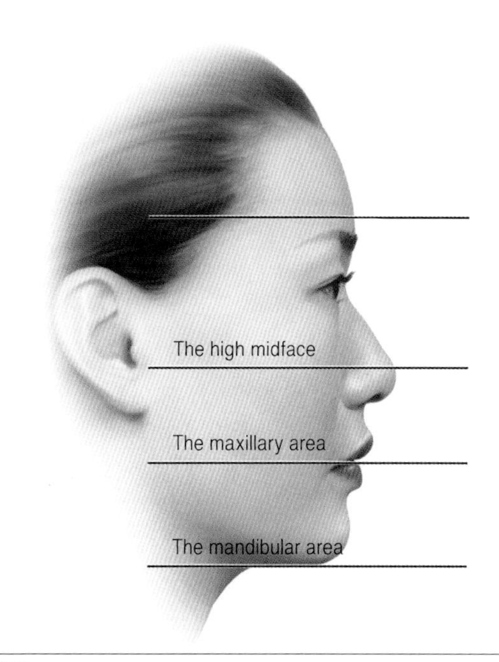

그림 3-8 측모는 크게 중안면부(high midface), 상악부(maxillary area) 및 하안면부(mandibular area)의 세 부분으로 나누어 진다.

게 살피는 것은 중요하다. 정상적으로 cheek의 convexity는 코의 측면에서 비익기저부를 부분적으로 가린다. Paranasal 결핍과 이 부위에서 cheek의 편평함은 환자의 상악성장 결핍을 나타낸다. 움푹한 중안면부는 전체적인 안모에 영향을 주며, 이는 전체적인 코의 돌출을 전혀 혹은 조금도 가려줄 수 없으므로 코가 커보이는 결과를 초래한다.

교정적 혹은 악교정수술을 통해 악골의 부조화를 개선하고자 할 때, 간단한 계획의 한 부분으로 nasal or paranasal 부위 기형의 교정은 매우 개선된 결과를 가져올 수 있다.

③ 입술의 돌출도

정상적 입술 모양은 수 mm의 vermilion border가 보여지면서 입술의 기저부보다 상방이 약간 뒤집힌 상태이다. 비록, 입술 모양의 평가가 상대적으로 간단해 보이지만, 이는 아마도 코의 크기와 돌출도보다도 인종적, 민족적으로 더 다양하기 때문에 입술의 형태를 평가하는 것은 매우 복잡하다. 풍부하고, 뒤집힌 입술이 비정상적으로 돌출된 것인가? 이에 대한 대답은 여러 인자에 따라 달라진다.

a. 입술의 두께

이는 환자 나이, 성, 인종에 따라 크게 영향받는데, 개개인에게서 받아들일만한 수준인지 아닌지는 이와 같은 인자에 따라 달라진다.

b. 홍순부의 노출도(Display of the vermilion borders)

입술이 돌출되어 있다 해도, vermilion display가 부족하면 lip protrusion이라는 진단과는 맞지 않게 된다.

c. 치아돌출도

경조직 지지는 입술의 위치를 결정한다. 사실상 최근 경향을 보면 입술이 뒤집어짐과 동시에 rest 시 벌어져 있지 않다면 dental protrusion이 과하지 않은 것이다.

d. 상하악의 돌출

입술 기저부의 위치는 직접적으로 입술에 영향을 미치는데, 이는 간접적으로 악골의 부조화를 치아가 보정하는 역할을 하기 때문이다.

e. 입술과 코, 턱끝의 관계

예를 들면, 턱끝이 부족한 환자들은 하순이 두껍게 보일 수도 혹은 납작해 보일 수도 있다. 턱끝을 전진시켰을 때, 하안면부가 개선되고 입술이 도드라져 보이는 것을 감소시킬 수 있다.

두드러져 보이는 입술을 주소로 내원 한 환자의 경우에서 어떤 치료법을 추천하겠는가? 이에 대한 대답은 환자가 자신의 문제를 어떻게 받아들이는가와, 누구에게 먼저 자문을 구하는 가에 달려있다. 만약 환자가 자신의 치아가 전돌되었다고 생각한다면, 환자는 교정의에게 자문을 구할 것이다. 일반적인 교정의는 네 개의 소구치를 발치하여 전치부의 retraction을 위한 공간을 확보하고 치아 전돌증을 해소하여 입술의 돌출도를 줄이려고 할 것이다.

반면에 구강악안면외과 의사들은 환자의 측모에서 턱끝의 결핍증으로 진단하게 됨으로써, 이부성형술을 추천할 것이다. 이때, 환자는 두 가지의 치료 접근법을 생각해 볼 수 있다.

- 교정적 치료로 전치부를 견인함
- 이부성형술을 시도함

전진 이부성형술이나 교정치료 두 가지 다 다른 방법으로 입술의 부조화를 개선시킬 수 있다. 전치부의 견인은 입술의 돌출도를 감소시키는 대신에 상하순 모두 길이가 약간 길어지는 효과를 가져온다. 전진 이부성형술은 하순을 약간 들어올리는 효과를 가져온다.

Labiomental sulcus는 하순과 chin 사이의 연조직 주름으로 형태와 깊이에서 매우 다양하며 이의 모양은 "S자형 곡선"으로 가장 잘 표현할 수 있다. 이는 전치부의 하순지지 정도에 의해 영향을 받으며 upright (똑바로 선)된 하악절치는 얕은 labiomental sulcus를 형성하게 하며, 이는 3급 부정교합 환자의 전치 보정에 따라 나타나는 일반적인 편평한 sulcus를 설명해주는 것이다. 반대로 말하면 수평피개가 과도할 때, 과도한 하악절치의 돌출 혹은 상악절치에 의한 하순의 변위는 sulcus를 깊게 하는 것이다.

짧은 안모일 때 환자의 sulcus는 더 깊게 된다. 이에 대한 과장되지만 그럴듯한 추론으로 총의치를 뺀 무치악 환자가 입을 다물 때 수직 고경이 줄어들면서 나타나는 sulcus 깊이의 변화를 제시할 수 있다. 수직적 과교합은 입술의 연조직적 과잉을 초래하고, 하순이 돌출되면서 동시에 sulcus를 깊어지게 한다.

④ 턱끝돌출도

턱끝의 돌출도는 악골의 돌출과 이를 덮는 연조직의 양을 조합하여 판단하게 된다.

⑤ Throat form

a. Lip-chin-throat angle

이는 하순과 턱끝, R point (턱끝에서 목에 이르는 외형에서 가장 깊은 점) 사이의 각도로서 거의 90°이다. 이 각도가 둔각으로 증가할수록 비심미적이 되며, 이는 다음과 같은 문제들과 연관되어 있다.

- 턱끝의 발육저하: submental, 광경근(platysma m.)이 완만해지며, 이로써 둔각이 된다.
- 후퇴된 하악
- 납작한 하순
- 과도한 이하부의 지방
- 설골의 낮은 위치

⑥ Chin-throat length

이 수치는 어떠한 일반적인 수치가 없다. 그럼에도 불구하고, 연조직 pogonion으로부터 R point까지의 길이는 이상적인 측모평가에 있어서 중요하다. 또한, 술전후를 컴퓨터 이미지로 비교할 때 변화를 가장 잘 관찰할 수 있는 부분이다.

⑦ Chin-neck angle

이 각도는 cervicomental angle이라고도 하며, 많은 연구가 있어온 부분이다. 이상적인 각도는 약 90° 정도이나, 정상 범위가 매우 넓어서 정상 안모에서도 105°부터 120°까지 다양하며, 성별과 나이가 가장 큰 고려사항이다. 여성이 남성보다 둔각이 많다. 나이 든 환자에게서 연조직 처짐 현상이 생기므로 이상적 형태보다 나빠진다. 다른 명백한 요인으로는 살이 쪄서 이하부에 지방이 축적되는 것이다. 나이든 환자에서는 살이 많이 빠진다 해도 이상적인 각도로는 돌아오지 않는다.

(3) 구강내 검사 및 교합평가

구강내 검사 시는 연조직과 치아 치조골을 검사한다. 기존 수복물, 교정치료, 치주치료, 안면통증치료 등을 받은 적이 있는지 검사되어야 한다. 우식, 치주문제, 치근단병소, 미맹출치아나 매복치 등이 기록되어야 하고, 최종적인 치료계획의 완성을 위해서 임플란트의 필요성도 고려한다. 그러나 외과적 교정치료가 끝나기 전까지는 최종 보철에 대한 결정은 연기되어야 한다. 치아에 영향을 주는 치주적인 예후가 평가되어야 하고, 치주질환이나 부착치은 문제는 교정치료를 시작하기 전에 다루어져야 한다.

① 구강내 연조직의 평가

의뢰를 하는 치과의사는 보통 구강내의 연조직에 대한 검사를 하며 문제가 있는 경우 이에 대한 필요한 치료를 한다. 그러나 연조직의 이상, 치은 염증, 비정상적인 연조직에 대한 더욱 심도있는 검사를 시행하는 것이 좋다. 교정의사나 구강외과의사가 처치할 수 없는 경우, 필요하다면 다른 전문의에게 의뢰할 수도 있다.

② 손가락 또는 엄지손가락 빨기

교정의사에게는 손가락이나 엄지손가락 빨기 습관에 의한 이상은 중요하다. 얼굴의 치료계획 수립에 중요하며, 이러한 습관에 의한 효과를 잘 기록하도록 한다. 손가락 또는 엄지손가락 빨기 습관에 의해서, 종종 상악전치부가 전방으로 돌출되며 하악전치는 설측으로 경사진다. 어린 아이의 경우 이러한 습관을 없애고 교정치료만으로도 조화로운 얼굴로 변화된다.

③ 혀의 크기, 위치, 그리고 활동성

크기와 습관적인 위치를 잘 파악하는 것이 중요하다. 예를 들면, 일부 III급 부정교합의 경우 혀가 크고 하방에 위치하는 경우가 있다. 혀의 측면이 치아의 형태에 따라 눌려 있다면(scalloping) 이는 이악물기(clenching) 습관이나 혀가 크다는 것을 의미하고, 이러한 형태의 혀는 교합의 안정성이 나쁠 수 있다.

연하 시 혀의 활동성도 검사해야 한다. 비정상적인 연하 습관-소위 '유아기 연하' 습관-이 있는지 주의 깊게 관찰한다. 이 경우 습관적으로 연하 시 혀가 전방으로 이동되어 혀와 입술이 접촉한다. 이러한 환자는 특징적으로 II급 1류 부정교합을 보인다.

④ Mentalis근의 활동성

적은 수의 경우이기는 하나 mentalis근의 과도한 활동성을 보이는 경우가 있다. 이는 하순이 '감싸는 것과 같은 효과(strap-like effect)'에 의한 것으로 이러한 환자는 특징적으로 하악전치가 설측으로 경사져 있다.

⑤ 치아 분석

구강내 검사 시 얻어진 자료들은 치아 모형 검사에서 확인한다. 선천적인 결손을 포함한 전체 치열에 대한 일반적인 검사하는 것이 중요하다. 또한 큰 수복물, 치아우식, 인공 치관, 의치, 임플란트, 근관치료, 유착치아, 그리고 다른 치아의 형태이상 등을 기록한다.

⑥ 구치 관계

하악이 중심위에 있는 상태에서 좌우측 구치의 관계를 기록한다. 제2소구치가 있는 경우에는 이들의 관계를 관찰하는 것이 도움이 된다. 왜냐하면 구치가 회전되어 있는 경우 구치 관계를 정확하게 알기 어렵기 때문이다.

⑦ 견치 관계

중심위 상태에서 견치 관계가 구치 관계와 많이 다르다면 이들의 위치를 자세히 관찰한다.

⑧ 중심선

안모 검사 시 일반적으로 중심선 검사가 이루어지며, 이를 다시 구강내 검사 양식에 기록한다. 일반적으로 상악중심선의 변이는 치성인 경우가 많다. 하악중심선의 변이는 3가지 원인에 의하는데, 치성, 골격성, 또는 측방 변위에 의한다. 치아 검사 시 하악중심선 변이의 원인을 진단하는 것이 중요하다.

⑨ 교차교합

전방, 후방 교차 교합이 있는지 검사한다. 원인은 하악 중심선 변이의 3가지 원인과 같다. 치성, 골격성 비대칭 또는 측방변위, 교차교합의 원인 때문에 조기 발견하는 것이 중요하다.

⑩ 총생 또는 공극

하악치열의 총생 또는 공극은 치아 검사 시 기록한다. 전치부, 소구치부 그리고 구치부로 나누어 각각 기록하는 것이 좋다.

⑪ 하악의 Spee 만곡

하악의 Spee 만곡의 깊이는 좌우측을 각각 기록한다. 더 자세한 측정은 치아 모형을 교합기에 장착 후 시행한다.

(4) 턱관절에 대한 고려사항

하악기능 및 턱관절과 연관된 동통이나 기능장애가 점차 강조되고 있는 가운데, 광범위한 대중매체의 홍보로 대중의 관심도 늘어나 악관절이나 저작근과 관련된 동통 혹은 기능장애의 진단 및 치료를 위해 내원하는 환자 수도 증가하고 있다. 많은 치과의사들은 부정교합이 동통 및 기능장애의 주요 원인이라고 믿고 있으므로 악관절 증상이나 증후를 지닌 환자의 수술이나 교정치료의 악관절장애에 대한 효과에 대하여 많은 연구들이 있어 왔다.

① 턱관절 검사

a. 병력 문진표와 환자 검진

턱관절에 대한 검사는 문진과 불안정한 관절을 찾아내기 위한 검사들에 기초를 두고 있다. 질문들은 교합이 변화를 겪고 있는지, 압박 요인이 존재하는지, 환자의 적응능력 문제가 있는지를 밝혀내기 위해 만들어져 있다. 문진을 통해 하악과두 흡수와 관련된 정보를 살핀다. 중요한 것은, 그것이 교합이 변하고 있는지, 치아가 고르지 않게 맞물리고 있는지, 혹은 턱이 뒤로 움직이고 있는지를 나타낸다는 것이며 이들은 진행 중인 하악과두 개조를 의미한다고 볼 수 있다.

턱관절 환자 진단표를 통해 전체 개조와 관련하여 가장 흔한 임상 증상인 여러 번 나타나는 악관절 잡음(multiple click)을 찾아내는데 사용된다. 안면 평가로 볼록한 안모와 때로는 긴 안모, 개교가 함께 있는지 여부를 알아낸다.

일반적인 턱관절 평가는 다음을 포함한다.

① 하악골의 움직임, ② 턱관절의 증상과 증후 및 ③ 개구 상태와 개구 시 편위

또한, 환자와의 상담을 통해 치아안면변형증의 치료가 반드시 턱관절의 문제를 해결하는 것은 아니라는 것을 이해시켜야 한다.

b. 방사선사진

파노라마 방사선사진은 전체 개조를 알아 볼 수 있는 훌륭한 선별 도구이며, 더욱 자세한 검사의 필요성을 알려준다. 하악과두의 가장 정확한 크기와 모양의 상은 CBCT로 볼 수 있다(그림 3-9). CBCT는 전체 개조를 보여주는 좋은 진단도구이다. 명확하지 않은 작은 손가락 모양의 하악과두는 개조가 일어나고 있음을 나타낸다(그림 3-10).

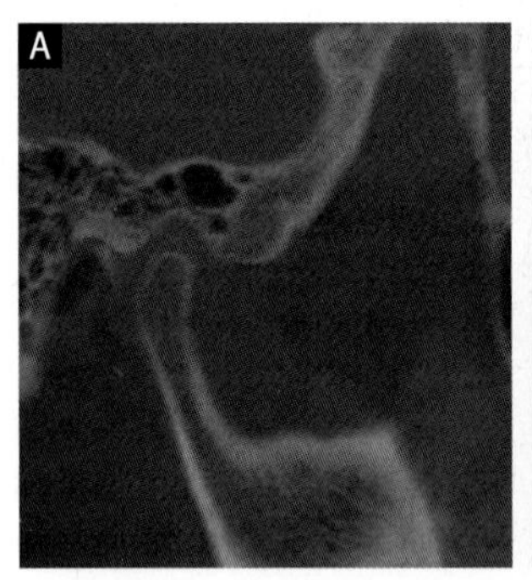

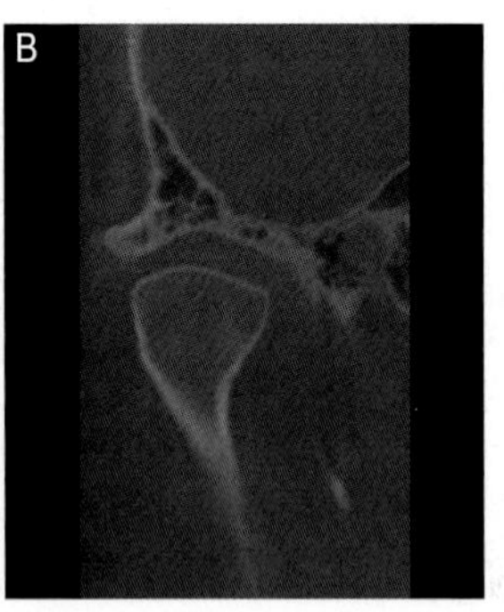

그림 3-9 **정상적인 턱관절의 CBCT. A:** 시상면 **B:** 전두면

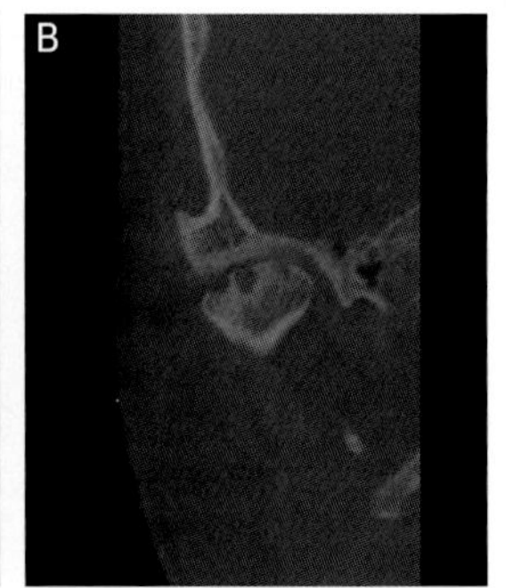

그림 3-10 **비정상적인 턱관절의 CBCT. A:** 시상면 **B:** 전두면

경두개 방사선사진은 전통적인 가장 기본 방사선사진이며 CBCT가 가용하지 못할 때 과두의 위치나 피질골 상태를 알 수 있게 한다. 자기공명영상(MRI)는 관절 내부 및 주변 연조직에 대한 정보를 보다 자세히 알려줄 수 있으나 경조직 상태의 판단은 CBCT나 MDCT가 보다 우수하다. 측면두부 방사선 계측사진은 흔히(항상은 아니고) 턱관절의 모양을 판단할 수 있으나 중첩 등으로 제한이 있다.

Submentovertex veiw에서 하악과두의 수평적 상태를 관찰할 수 있으나 이 역시 CBCT의 대중화로 현재 많이 쓰이지는 않는다.

② 턱관절 동통/기능장애와 부정교합과의 관계

어떤 부정교합의 유형은 턱관절 문제를 촉진시킬 수는 있지만 그 관련성에 대하여는 아직 완전히 밝혀지지 못했다. 관련이 있는 것으로 지적된 부정교합의 유형은 Class Ⅱ division 2가 있으며, 만일 부정교합과 악관절 문제 사이에 관계가 있다면, 부정교합이 악물기나 이갈이를 하는 동안에 더욱 쉽게 환자에게 문제를 가할 수 있다는 점이다.

턱관절 검사, 안모 검사, 그리고 구강내 검사를 마치고 나면 환자와 일반적인 사항에 대해 상담한다. 만일 치료계획이 비교적 확고하다면 잠정적인 치료계획에 대하여 환자에게 설명할 수 있다. 그러나 치료계획에 대해서 확실하지 않은 경우에는 모든 자료를 수집하고 측모두부방사선 계측 분석에 의한 치료계획(cephalometric treatment plan, CTP)을 포함한 모든 자료 검토가 끝날 때까지 환자와의 상담은 미루는 것이 좋다.

3) 두부방사선계측 분석

(1) 측모두부방사선계측

① 계측점(그림 3-11)

- S (sella): sella turcica의 중점
- N (nasion): frontonasal suture의 최전방점
- Or (oritale): bony orbit의 최하방점
- Po (porion): 외이도(external auditory meatus)의 최상방점
- Ar (articulare): 후두개저(posterior cranial base surface)와 하악과두 후방면(condylar head or neck)의 교차점
- ANS (anterior nasal spine): 경구개의 전비극
- PNS (posterior nasal spine): 경구개의 후비극
- Point A (subspinale): ANS와 상악전치 치조골 사이에서 가장 깊은 점
- Sd (supradentale): 상악전치 치조골의 최전하방점
- UIP (upper incisor point): 상악전치 치관 순면의 최전방점
- Is (incision superius): 상악전치 치관첨
- UIA (upper incisor apex): 상악전치 치근첨
- Id (infradentale): 하악전치 치조골의 최전상방점
- LIP (lower incisor point): 하악전치 치관 순면의 최전방점
- Ii (incision inferius): 하악전치 치관첨
- LIA (lower incisor apex): 하악전치 치근첨
- Point B (supramentale): Pogonion과 하악전치 치조골 사이에서 가장 깊은 점
- Pog (pogonion): 턱의 최전방점
- Gn (gnathion): mandibular plane과 facial plane의 이등분점, 턱의 최전하방점
- Me (menton): 턱의 최하방점
- Go (gonion): mandibular plane과 ramus의 이등분점

② 기준평면(그림 3-12)

- SN plane: sella와 nasion을 연결한 선으로 전두개저를 나타낸다.
- FH plane: orbitale와 porion을 연결한 선
- Palatal plane: PNS와 ANS를 연결한 선
- Occlusal plane: 상하악전치의 치관첨의 중간점과 상하악 제1대구치의 교차점을 연결한 선
- Mandibular plane: menton과 하악각의 최후하방점을 연결한 선
- Facial plane: nasion과 pogonion을 연결한 선
- AB plane: A점과 B점을 연결한 선으로 상·하악 치조골의 전방한계를 표시한다.
- Upper incisor axis: 상악전치 치근첨과 치관첨을 연결한 선
- Lower incisor axis: 하악전치 치근첨과 치관첨을 연결한 선

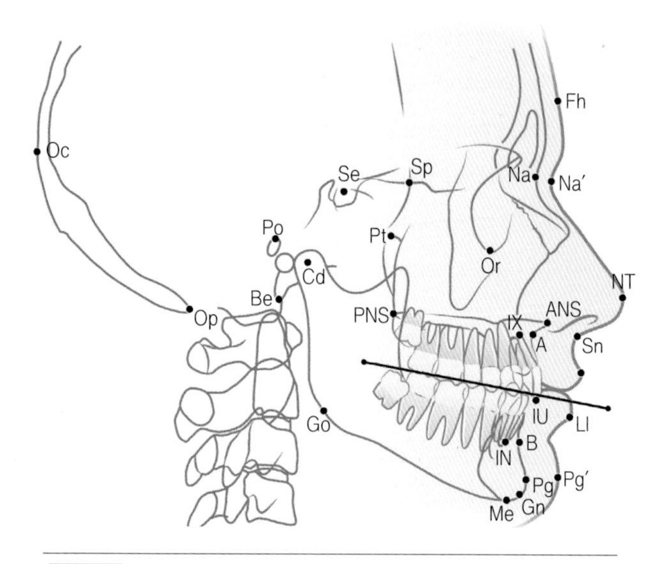

그림 3-11 주로 사용되는 측면두부방사선 규격사진의 기준점

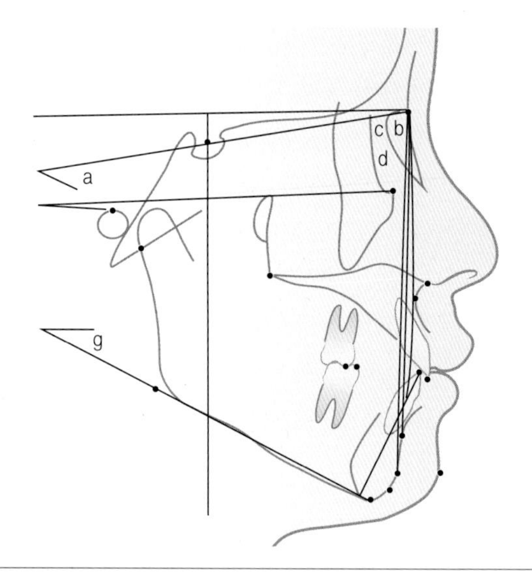

그림 3-12 주로 사용되는 측면두부방사선 규격사진의 기준평면

- Esthetic line: 코끝점(pronasale)과 턱끝점(pogonion')을 연결한 선
- TVL (Sn): Subnasale (Sn)를 지나는 수직기준선(true vertical line, TVL)

(2) 정모두부방사선계측

① 계측점(그림 3-13)

- Ag (antegonial notch): 하악각 전방에서 하악지와 만나는 하악체의 하방에 있는 함몰이나 함요
- ANS (anterior nasal spine): nose 기저부의 중심점
- Cg (crista galli)
- Co (condylion): most superior aspect
- Fr (foramen rotundum)
- J (jugal process): zygomatic buttress의 근심 최상방점
- Go (gonion): 하악각의 최후하방점
- Me (menton): 하악전방부의 최하방점
- CH: 하악의 전하방기저부의 최하측방점(R, L)
- MSR: mid-sagittal reference line at crista galli
- NC: nasal cavity at widest point
- Z: zygomatico frontal suture, medial Aspect
- ZA: zygomatic Arch
- U1: upper central incisor edge
- L1: lower central incisor edge

② 기준평면(그림 3-14)

- Zygomatic frontal suture의 내측을 연결한 평면(Z-Z)
- Zygomatic arch의 중심을 연결한 평면(ZA)
- Mastoid 평면: 좌우측 Mastoid point를 연결한 평면
- Jugal process의 내측을 연결한 평면(J)
- 교합평면: 상악과 하악의 협측 교두와 교합점을 좌우로 연결한 평면
- S-평면: 하악의 좌우 Go 사이를 연결하는 선

(3) Cephalometric analysis

① 골격의 전후방적 관계

a. Mandibular plane angle

- Mandibular plane과 SN plane 사이의 각으로 평균 수치는 32°, 전방과 후방의 얼굴 길이의 차이를 보여준다.
- >32°: Class II 부정교합, 상악수직적 과도성장, open bite를 가지는 경향
- <32°: 수직적 성장결핍, deep bite를 가지는 경향

b. SNA angle

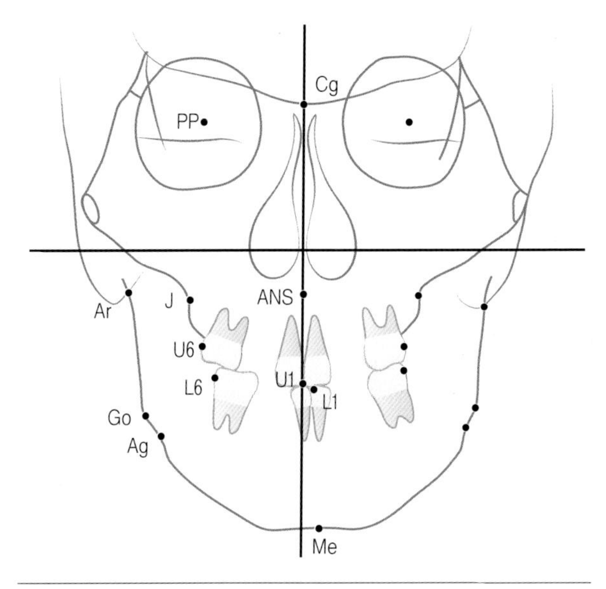

그림 3-13 **주로 사용되는 정면두부방사선 규격사진의 기준점**

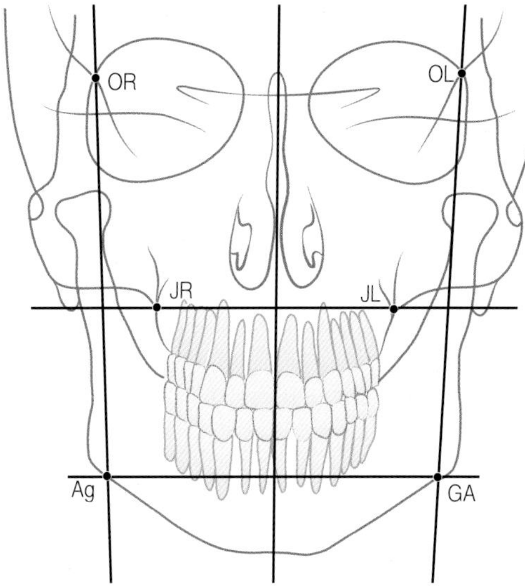

그림 3-14 **주로 사용되는 정면두부방사선 규격사진의 기준평면**(Betts NJ등. Int J Adult Orthodon Orthognath Surg 1995;10:75-96.)

- SN plane과 N, A-point를 연결한 선 사이의 각으로 평균 수치는 82°, 전방두개저와 비교해서 상악의 전후방적인 위치를 보여준다.
- >82°: 상악의 돌출
- <82°: 상악의 전후방적인 성장결핍

c. SNB angle

- SN plane과 N, A-point를 연결한 선 사이의 각으로 평균 수치는 80°, 전방두개저에 대해 하악의 전후방적인 위치를 보여준다.
- >80°: 하악이 전후방적으로 과다 성장
- <80°: 하악성장 결핍

d. ANB angle

- A-N과 N-B 사이의 각. 평균수치는 약 2°, 상악과 하악 사이에서 전후방적인 부조화를 나타낸다.
- >2°: Class II
- <2°: Class III

e. Wits appraisal

- 두개골에 의해 영향을 받지 않는다.
- BO와 AO점은 A-point와 B-point에서 교합면에 내린 수선과 교합면의 교차점 . BO와 AO 사이의 측정값은 상악과 하악의 전후방적인 부조화를 보여준다. 부조화 양에 따라 교정적 치료 또는 외과적 시술 필요성 결정할 수 있다.
- 남성에서 BO는 AO의 1 mm 전방, 여성에서 BO와 AO는 동일

f. Facial angle

- Facial line과 FH 사이의 각으로 평균 82~95°. 두개골에 대해 하악의 전후방적인 위치를 보여준다.

g. Maxillary depth

- N을 통과하는 FH에 수직인 선과 A-point 간의 거리.
- 평균값은 0이며 두개골에서 상악의 전후방적인 위치를 나타낸다.

② 좌우 대칭성 비교

a. Mandibular morphology

- Condylion (Co), antegonial notch (Ag) 및 menton을 연결하여 좌우측의 삼각형을 그리고 ANS-Me line을 그어 비교한다.
- 선분 및 각도를 계측한다.

b. Volumetric comparison

- Co-Ag-Me과 Co에서 MSR에의 수선에 의해 이루어지는 2개의 polygon 면적을 계측한다.

- 한쪽 polygon을 반대쪽과 중첩시켜 대칭성을 평가할 수 있다.

c. Maxillo-mandibular comparison of asymmetry

- J와 Ag에서 MSR에 수선을 긋고, Cg에서 J, Ag에 선을 그어 4개의 삼각형을 만든다. 대칭이 되면 위 삼각형은 2개의 삼각형(J-Cg-J, Ag-Cg-Ag)이 된다.
- 이 방법은 상하악골의 대칭을 평가하는 쉽고 빠른 방법이다.

d. Linear asymmetry

- MSR에서 Co, NC, J, Ag, Me까지의 거리, vertical offset을 계측한다.

e. Maxillo-mandibular relation

- 상악 제1대구치의 협측 교두에서 J perpendicular까지의 거리를 계측한다. Ag plane, MSR 및 ANS-Me plane을 그어 골격 비대칭에 대한 수평 및 수직 평면상에서의 dental compensation을 알아본다.
- 상하악전치의 정중선 비대칭과 Me-MSR을 평가한다.

4) VTO의 수립

기본적으로 수술 계획의 수립은 연조직 측모를 기준으로 작성하게 된다. 그렇지만 실제 악골수술에서 개개인의 연조직 측모를 정확히 예측하는 것은 불가능하다.

인종별, 성별 안면형태에 대한 다양하고 세분화된 연구 결과가 얻어진 이후에 이를 바탕으로 한 정확한 수술 계획의 수립이 가능할 것으로 여겨진다. 따라서 현재는 이상적인 악골관계를 기준으로 수술 계획을 세우는 것이 현실적이며 연조직에 대한 예측을 반영할 수 있을 것이다.

(1) 두부방사선계측 분석에 따른 paper surgery

❖ 목적

① 치아, 골격을 재위치하고 연조직을 정확하게 예측
② 치료 방법에 대해 교정의와 외과의가 토의
③ 치아 발거의 필요성, 발거 치아 결정을 도움
④ 부가적인 외과적 시술(예: genioplasty) 필요 여부 결정
⑤ 교정치료에 대한 예측 결과를 바탕으로, 교정 치료 과정을 관찰
⑥ 술후 골격 이동을 평가
⑦ 임상가와 환자, 교정의와 외과의 사이에 대화의 수단

❖ VTO의 7가지 단계

1. 상악절치의 각도 수정
2. 하악절치의 각도 수정
3. 상악절치의 위치 수정
4. 3 mm의 수직 피개를 위한 하악의 Auto-rotate
5. 3 mm의 수평 피개를 위한 하악의 이동
6. 상악교합평면의 설정
7. 이부의 수직 고경과, 수평적 길이의 평가

① 상악절치의 각도 수정

- 아래와 같은 평균값에 근접하게 수정하지만 상악교합평면의 각도를 고려한다.
  여성: 56.8±2.5°, 남성: 57.8±3.0°

② 하악절치의 각도 수정

- 아래와 같은 평균값이 근접하게 수정하지만 하악교합평면의 각도를 고려한다.
  여성: 64.3±3.2°, 남성: 64.0±4.0°

③ 상악절치의 위치 수정

- 수직적 고려사항: 상악전치부의 노출도를 3~5 mm 정도 되게 하며 상순의 긴장이 없도록 한다.
- 수평적 고려사항: 상순의 두께, 상순의 각도를 고려한다.

④ 3 mm의 수직 피개를 위한 하악의 Auto-rotate

- 대략 2.5~3.9 mm 정도의 수직 피개가 이루어지는 것을 목표로 한다.

⑤ 3 mm의 수평 피개를 위한 하악의 이동

- Incisor overjet to 3 mm, Molars overbite to 1.5 mm이 형성되는 것이 이상적이다.

⑥ 상악교합평면의 설정

- 전방에서 상악절치 tip, 후방에서 제1대구치의 근심 협

측 교두정을 연결한 선을 교합평면으로 설정하고 최적의 교합 평면 각도를 true vertical line에서 93~97°가 되도록 설정한다.

⑦ 이부의 수직 고경과, 수평적 길이의 평가

- Sliding chin osteotomy를 통하여 이부의 수평적, 수직적인 모양과 위치를 수정할 수 있다.
- 하악전방부 수직 고경의 평균값
  – 여성: 48.6 mm 남성: 56.0 mm
- 상악의 수직 고경(Sn to Mx.1)과 하악의 수직 고경(Mn.1 to Me)의 평균 비율 – 1 : 2

(2) 연조직 변화의 예측

연조직의 변화는 최종 결과에 매우 중요한 부분이며 가능한 정확하게 투사되어야 한다. 그렇지만 현재 연조직 변화의 예측은 경조직의 변화를 예측하는 것에 비해 정확하지 못하다. 외과의 간의 연조직 처치 방식의 차이 또한 결과의 다양성을 가져온다(그림 3-15).

악골의 이동 방향에 따라 연조직에서의 반영 비율은 다양하게 나타나고 하악골의 전후방이동은 전반적으로 90% 이상 이부 연조직에 반영되나 상악골의 이동에서는 보다 다양한 비율의 연조직 반응을 보인다(그림 3-16).

(3) 모형수술(Model surgery)

모형수술이란 치아의 기형이나 부정교합을 여러 분석과 계획을 참조하여 최종적으로 바로잡기 위해 치아모형상에 계획을 세우는 것을 말한다. 수술의 정확한 양과 방향은 cephalo tracing 상의 2차원적 계측과 연조직의 심미적인 분석, 최종 교합 상태에 대한 분석과 같은 심미적, 기능적 분석을 토대로 가상적인 수술의 양과 방향을 결정하게 된다. 이것은 모형상에서 그대로 재현이 되고 이 재현된 위치에서 제작한 surgical wafer는 수술방에서 수술 시의 기준으로서 수술 시 사용되게 되고 수술 후 환자의 구강에 들어가게 되어 안정화를 시키는 역할을 하게 된다.

❖ 목적

① 3차원 공간에서 환자 deformity 평가 교두감합위상에서 안궁(facebow transfer)를 이용하여 교합기에 치아 모형 위치

② 두부방사선 계측 트레이싱과 임상적인 데이터를 이용해서 원하는 최종 위치를 결정

③ 이동 전과 이동 후 측정치를 비교

❖ 방법

모형수술은 두부방사선사진 트레이싱과 그 후의 paper surgery 그리고 모형수술의 단계를 거쳐 이루어지게 되는데 이런 일련의 모든 과정은 정확한 모형수술을 위해 다음과 같은 조건이 만족되어야 한다. 우선 FH plane과 같은 변하지 않는 기준평면이 있어야 한다. 항상 재현 가능하여야 하며 그렇게 해야 수직적, 수평적 관계에서의 오차를 최소화할 수 있다.

① 1단계

안궁(facebow)을 이용하여 중심교합으로 해부학적 교합기에 상악 및 하악모형을 고정하였다.

② 2단계

- 참고선을 그린다.

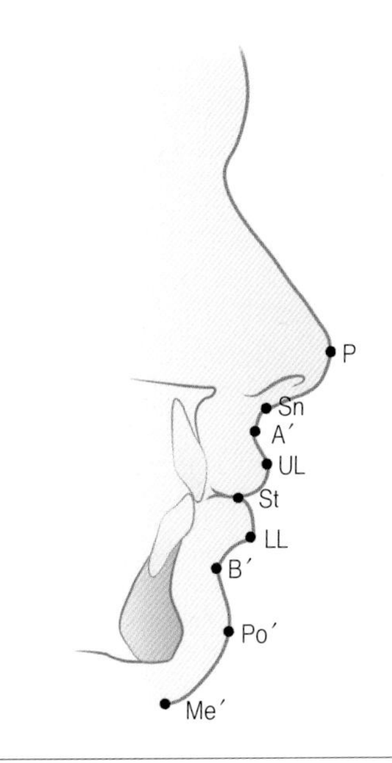

그림 3-15 연조직 계측점

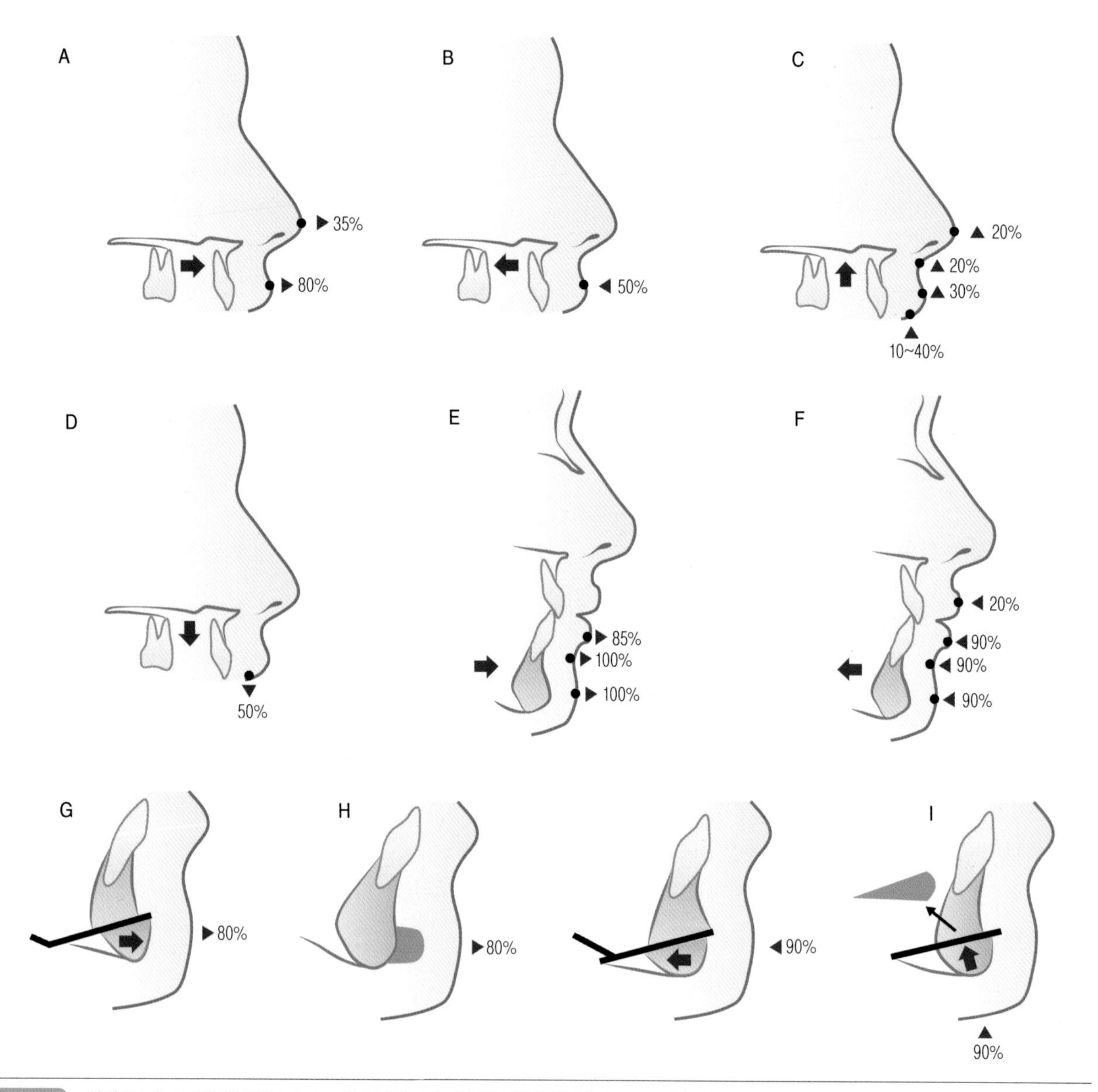

그림 3-16 **안면골수술 시 연조직 변화.** **A:** 상순의 전방이동량: 상악골 전방이동량의 80% **B:** 상순의 후방이동량: 상악후방이동량의 50% **C:** 상순의 상방이동량: 연조직 조작에 따라, 상악골 상방이동량의 10~40% **D:** 상순의 하방이동량: 상악골 하방이동량의 50% **E:** 연조직 Menton의 전방이동량: 하악골 전방이동량의 100%, 하순의 전방이동량: 하악골 전방이동량의 80% **F:** 연조직 Pogonion의 후방이동량: 하악골 후방이동량의 90% **G.** 연조직이 증강되는 양은 골성 증강 또는 인공물 증강량의 80~85% **H:** 연조직의 후방이동량: 턱 후방이동량의 90% **I:** 연조직의 상방이동량: 턱 상방이동량의 90%

- 상악과 하악모형에 각각의 교합면에 평행하게 선을 긋는다.
- 치아의 협측 교두에서 기준평면에 수직이 되게 수직선을 긋는다.
- 수술할 곳을 따라 실제적인 골절단선을 그린다. 특히 상악모형의 Le Fort I 골절단이 행하여질 평면과 각도가 똑같게 골절단선을 그리는 것이 중요하다. 하악골 절단선은 하악교합평면과 평행하게 그려야 한다.
- 이 골절단선 상하 똑같은 거리(5 mm)로 2개의 수평선을 그린다. 그 후 그 골절단선의 거리를 측정한다(10 mm)
- 상악모형에 계측점을 표시하고(좌우 양측의 중절치, 견치, 제1대구치 근심협측교두, 상악결절 및 구개부)

analyzer를 이용하여 각각의 좌표값을 측정한다.

- 모형의 모든 측정치를 기록한다. 기록한 자료는 교합기에 부착된 모형을 다루는 과정에서 손실될 수 있기 때문에 이러한 측정치들은 따로 기록해 두어야 한다.

③ 3단계

가는 톱을 이용하여 모형을 골절단선에 따라 자른다. 교합기의 핀은 아직까지는 풀려 있지 않아야 한다.

④ 4단계

상악모형을 두부규격방사선사진상의 시각적 치료목표(VTO)(계획된 상악의 전후방적, 또는 수직적 위치)에 따라 위치시킨다. 이것은 상악모형의 계측점을 중심으로 계산된 값에 상악모형을 위치시킴으로써 이루어진다. 교합기의 마운팅 플레이트에 부착된 상악모형에 왁스로 고정한다(그림 3-19).

⑤ 5단계

이동된 상악모형에 맞추어 또 다른 하악모형을 최종 교합으로 위치시킨 뒤, 마운팅한다.

⑥ 6단계

각 계측점의 좌표값을 측정하고, 수술적 이동량을 기록한다.

⑦ 7단계

계획하였던 위치에 모든 골절편이 이동되었다고 생각되면 acrylic splint (final splint)를 제작한다. 중합되는 동안 석고모형에 acrylic resin이 달라붙지 않게 하기 위하여 모형의 교합면에 분리제를 바른다. 적절한 양의 자가 중합형 레진을 섞어 일단 레진이 dough stage에 다다르면, 얇은 롤 모양으로 만든 다음 치열궁을 충분히 감싼다. 롤의 두께가 중요하다. 만약 너무 두꺼우면 모형으로부터 제거하기가 어렵고 모형이 부서지는 등의 문제점이 발생할 수 있다. 만약 스플린트가 너무 얇다면 쉽게 수술하는 동안 중요한 순간에 부러질 수 있다.

하악의 교합 평면에 acrylic 레진을 믹스한 것을 롤모양으로 말아 올려놓는다. 천천히 교합기를 닫고 계획한 교합으로 치아에 힘을 가한다. 과도하게 나온 레진은 날카로운 칼로 다듬는다. 교합기를 압력 장치 내에 넣은 다음 압력하에 레진을 중합시킨다. 일단 중합이 완료되면 스플린트를 조심스럽게 제거하여 다듬는다. 상하악 악간고정을 위하여 협측 치아 사이에 작은 구멍을 만든다. 어떤 술자는 수술 후에 상악의 스플린트를 유지시키는 것을 선호한다. 치아 사이의 구멍은 상악의 스플린트를 고정을 하는 데 도움을 준다.

⑧ 8단계

교합기로부터 최종 하악모형을 제거한다. 처음에 안궁이전(facebow transfer)을 이용하여 마운팅하였던 하악모형(intermediate model)을 다시 올려놓는다(단계 1을 참조). 이를 이용하여 중간용 교합장치(intermediate splint)를 제작할 수 있다. 중간용 교합장치는 수술 시, 수술하지 않은 하악에 대해 수술하는 상악보다 정확한 위치를 잡는데 보조적인 역할을 한다.

5) 3차원 영상 분석을 통한 치료계획 및 모의수술

(1) 2차원 두부방사선계측의 한계

2차원 두부계측분석(2-dimensional cephalometric analysis)은 1931년에 소개된 이후 교정학과 두개안면부 수술에서의 임상적 분석에서 중요한 역할을 하고 있다. 그러나, 2차원 두부계측분석은 (1) 해부학적 구조물의 중첩으로 인한 계측점(landmark) 식별의 어려움, (2) 촬영 시 두부 자세 재현의 어려움으로 인한 두부의 위치 설정으로 발생할 수 있는 오류, (3) 상의 왜곡이나 확대율 오류로 인한 분석의 부정확성, (4) 심한 안면 비대칭이 있는 환자에서 측정의 왜곡 등이 문제점으로 지적되어 왔다.

특히, 비대칭 환자의 구조물의 경우 좌, 우측 구조물의 위치가 대칭이 아니기 때문에 평면 방사선사진상에서 왜곡이 더욱 심해진다. 비대칭이 횡단면의 차이에 의해 기인하는 만큼 횡단면의 정보를 담을 수 없는 평면 방사선사진에서는 길이, 각도 등의 계측치가 실제와 다르게 나타난다. 또한 실제의 각도 변화가 없어도 물체의 yawing, rolling 등에 의해서도 각도가 달라질 수 있으며 정사영 투영평면에

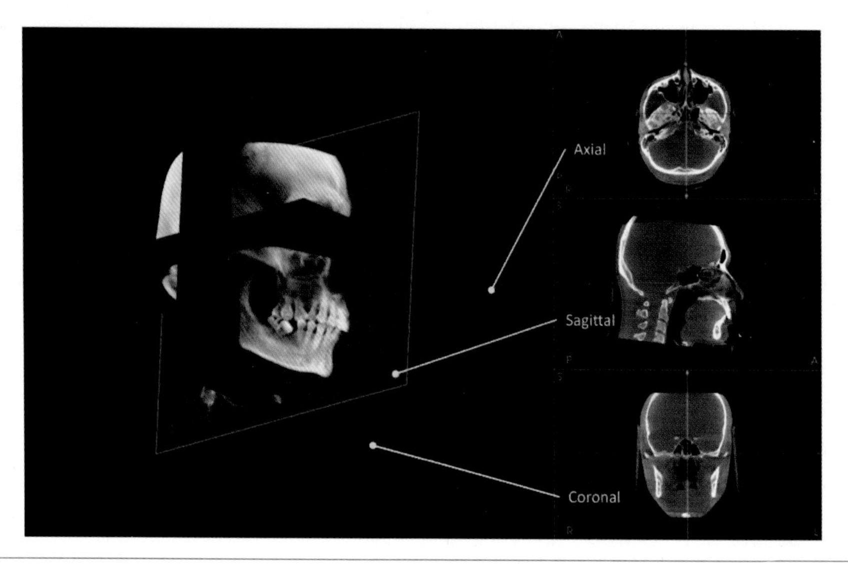

그림 3-17 3차원 영상에서 기준 평면의 설정

있지 않은 모든 길이는 왜곡된 길이로 나타난다.

(2) 3차원 두부방사선계측

기존의 2차원 두부계측 분석의 한계점을 극복하고자, 전산화 단층촬영(Computed tomography, CT) 영상을 이용한 3차원 두부계측 분석(3-dimensional cephalometric analysis) 방법이 개발되었다. 3차원 영상은 부위에 따른 확대율 오차가 없고, 상의 중첩이 없어 관심 부위를 자세히 관찰할 수 있으며, 3차원적 계측점 분석은 일정하고 재현성이 있다는 장점이 있다. 그리고 기존의 2차원 두부계측 분석보다 복잡한 악안면 구조물에 대해 더 많고 정확한 해부학적 정보를 제공하여 더 정밀한 정량적 분석을 가능하게 하기 때문에 심한 안면 기형이나 비대칭 환자의 분석에서 더 효율적으로 이용될 수 있다. 3차원 두부계측 분석은 이러한 2차원 두부계측 분석의 한계점을 극복하게 되어, 비대칭적인 해부학적 구조물들의 정확한 분석과 3차원 디지털 수술을 이용한 가상의 골편 이동 및 안모의 술전/술후 평가를 가능하게 하였다.

다음과 같은 과정을 통해 3차원 두부계측 분석을 할 수 있다.

① 전산화 단층촬영을 통한 CT 이미지의 획득

환자를 3D CT 촬영장치에 위치시킨 후 두개악안면 부위의 CT 촬영하여 3차원 전산화단층영상을 획득한다.

② 3차원 영상 재구성 및 계측

획득한 3D CT 영상을 DICOM 파일로 전환한 후, 소프트웨어 프로그램을 이용하여 다면영상(multiplanar reformatting, MPR)과 volume rendering을 통하여 3차원 전산화단층영상을 재구성한다.

③ 기준 평면(plane) 및 계측점(landmark)의 설정

소프트웨어 프로그램을 이용하여, 해부학적 구조물을 참고하여 3D 모델의 축의 재설정(reorientation) 과정이 필요하다. 기본적인 계측점(landmark)을 참고하거나 계측자가 설정한 기준에 따라 두부의 위치를 설정하여 횡단면, 시상면, 관상면을 결정할 수 있다. 예를 들어, 횡단면(axial plane, transverse plane)은 orbitale, porion 계측점을 이용하여 설정할 수 있으며, 시상면(sagittal plane)은 이전에 설정했던 횡단면에 수직이면서 nasion을 통과하는 평면으로 설정할 수 있다. 마지막으로 관상면(coronal plane, frontal plane)은 시상면, 횡단면에 각각 수직이며 nasion을 지나는 평면으로 설정할 수 있다(그림 3-17).

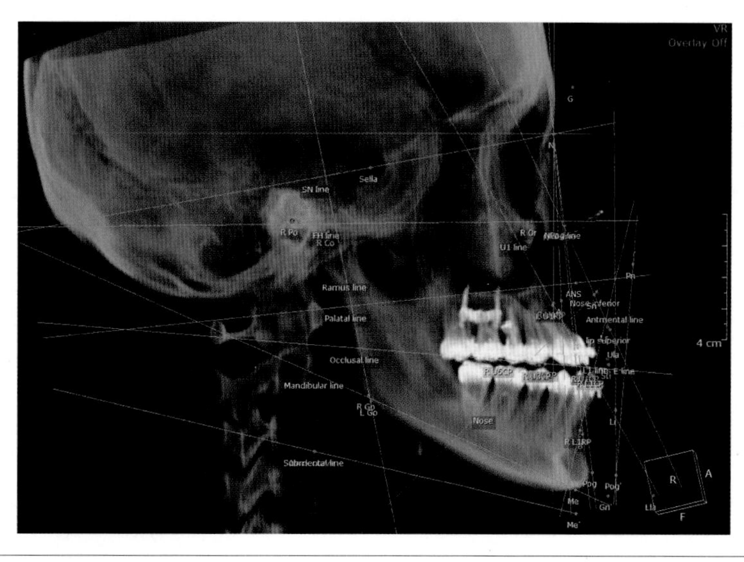

그림 3-18 3차원 영상에서 전통적인 계측점과 평면의 표시

계측점의 설정은 2차원 분석과 마찬가지로, 일반적으로 두부방사선 규격사진에서 사용되어지는 교정적 계측점을 3차원 모델상에서 설정할 수 있다(그림 3-18). 경조직 계측점뿐만 아니라, 연조직 계측점까지 측정할 수 있다. 이 밖에도 소프트웨어 프로그램의 종류에 따라서 기도(airway)와 같은 부피의 정량적 분석이나 하악관의 주행을 파악할 수 있으며 수술 시 예측되는 골절단선을 설정한 뒤 골절편을 가상으로 이동시켜 수술 시 골절편의 이동량 및 술후 결과를 미리 예측할 수도 있다.

Jatime 등은 2011년 그의 논문에서 두개골의 X, Y, Z 축을 설정한뒤 상악의 전방부 중앙, 제1대구치의 근심협측 교두을 지나는 평면을 설정하고 그 평면에 X′, Y′, Z′ 축을 설정하여 yaw, roll, pitch를 측정할 수 있는 방법을 제시하였다. 이는 비대칭 정도를 정량화하는데 효과적인 방법으로 생각될 수 있다. 또한 상악의 평면의 각도를 통해 대칭성을 평가하는 것이 가능하며 계측점의 비대칭 정도를 시상축에 대한 반전을 통해서 수학적으로 설명 가능한 방법도 제시하고 있다(그림 3-19).

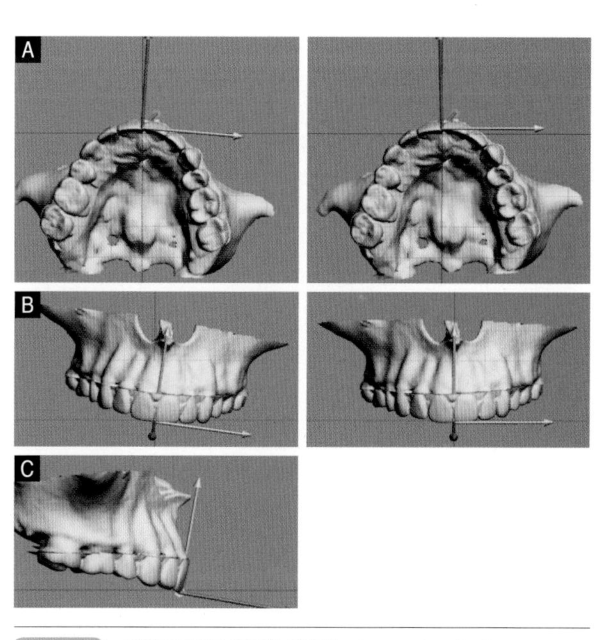

그림 3-19 개별좌표계를 이용한 계측법. A: yaw B: roll C: pitch

(3) 컴퓨터를 이용한 모의수술

과거 악안면 기형 환자의 진단 및 분석 방법은 기본적인 치아 모델과 더불어 두부방사선계측 분석과 같이 2차원적 평면에서의 계측 및 분석 방법이 주를 이루고, 필요에 따라 급속 조형 모형(rapid prototype model)을 제작하여 모형 계측 및 모형 수술을 하여 보충하였다. 악교정 수술에 2D 방사선 영상과 치과 모델을 기반으로 하는 기존 수술 치료 계획은 실제 뼈 움직임의 정확한 시뮬레이션에 한계가 있게 된다. 이를 극복하기 위해 컴퓨터를 이용한 모의 수술

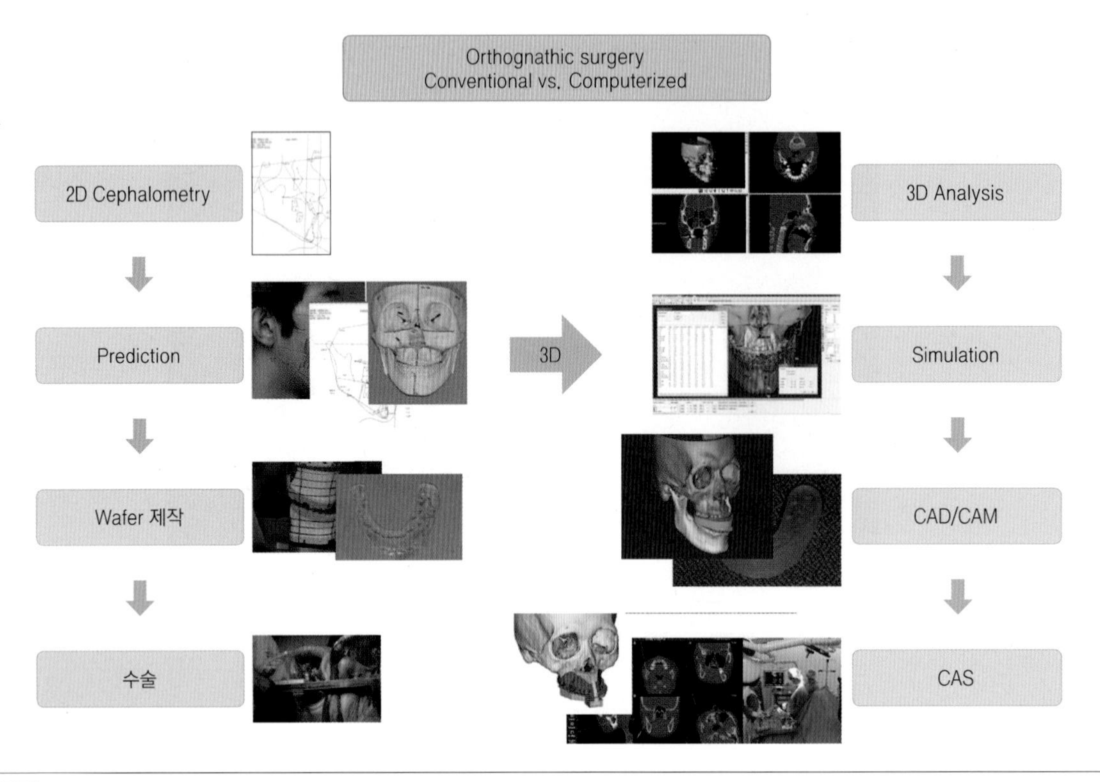

그림 3-20 기존의 전통적 2차원 두부계측 분석과 최신 컴퓨터화 3차원 영상 분석의 개략적인 흐름도

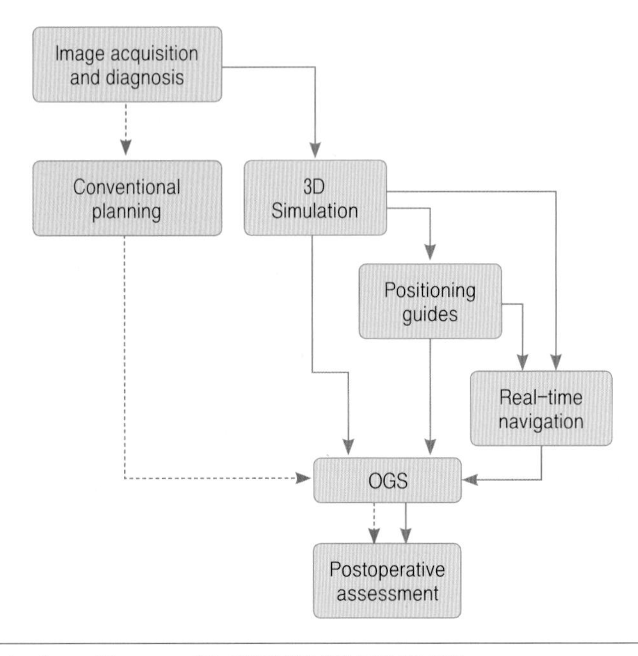

그림 3-21 3D Computer-assisted orthognathic surgery (3D CAOS)시스템의 흐름도의 단계

기법(computer-aided surgical simulation)들이 치열안면 기형 환자의 진단, 분석 및 수술 등에도 이용되기 시작했으며, 이에 대한 연구도 최근 급속히 증가되는 추세이다. 기본적으로 이들은 술전 과정을 보다 효과적으로 준비할 수 있게 하고, 수술 시에도 술전 계획을 보다 정확하게 적용할 수 있게 도와준다. 치열안면 기형은 3차원적 복합체인 치열과 악골의 부조화로 야기되기에 술전 악안면 영역의 해부학적 구조물들을 3차원적으로 측정 및 분석하는 것이 더 정확하고 좋은 결과를 가져올 수 있다. 이뿐만 아니라 골절단술 후 이동되는 골편의 위치 또한 3차원적으로 예측하는 것이 가능하다(그림 3-20).

이에 따라 점차 악교정수술에서의 컴퓨터 이용 진단 기법과 CAD/CAM (computer-aided design/computer-aided manufacturing) 기법의 발전으로 3D CAOS (Computer assisted orthognathic surgery) 시스템이 가능해져, 치료계획과 수술 실행의 정확성을 향상시킬 수 있다.

일반적으로 3D CAOS 시스템은 그림 3-21에 표시된 단계를 포함한다.

첫 번째 단계는 이미지 획득 및 진단이다. 이 단계에서 dentofacial deformity의 진단은 해부학의 3D 프리젠테이션에서 임상 정보의 물리적 검사 및 데이터 추출을 기반으로 설정되고, 이에 따른 평가를 기반으로 수술 계획을 세울 수 있다.

두 번째 단계는 3D CT 이미지 모델에서 가상 수술을 수행하고 소프트웨어 프로그램을 사용하여 수술 결과를 예측한 후 수술용 가이드를 디지털 방식으로 설계하고 제작한다.

세 번째 단계는 수술 중 가이드(intra-operative guidance)를 사용하여 수술 중 환자에게 가상 수술 계획을 적용하는 것이다.

마지막 단계는 치료계획 이전과 수술 결과와의 정확성 평가를 위한 단계이다.

진단 및 치료계획에 두부계측 분석과 함께 3D 가상 모델을 사용함으로써, 악안면 구조에 대한 포괄적인 평가와 수술 계획 수립이 더 용이해진다. 3차원 가상 수술을 통해 임상의는 컴퓨터에서 치료계획을 정확하게 재현하고, 실시간 3D 가상 환경에서 다양한 수술 절차를 시뮬레이션 할 수 있다. 또한 술후 결과에 대한 시뮬레이션이 가능해져, 악안면기형의 교정을 위한 정확하고 객관적인 치료계획을 수립할 수 있다. 수술용 가이드는 외과의가 안정적이고 정확한 방식으로 수술 부위를 계획된 위치로 이동시킬 수 있도록 도와준다. 결론적으로 3D CAOS는 수술 시 위치 결정 절차를 단순화시켜 수술 중 생길 수 있는 오류를 제거하고, 수술의 어려움과 수술 시간을 줄이며 가상 수술 계획을 실제 수술로 정확하게 이행하게 하여 만족스러운 수술 결과를 달성하는 데 도움이 된다.

그러나 CT를 통한 3D 이미지 획득 과정에서도 한계점이 존재하게 되는데, CT 영상 단면 두께의 한계와 주위 해부학적 구조물에 의한 artifact 등의 영향으로 실제 CT 영상만으로는 악안면 기형 분석 및 수술 계획 수립에서 중요한 부분을 차지하는 상하악 치열 부위는 정확하게 추출할 수는 없다는 점이다. 이에 따라 대부분 상하악 치열 부위는 별도의 정밀한 광학 스캔을 이용하거나 CBCT 등을 이용 3차원 가상 치아 모델로 구축해서 기존의 상하악골 3차원 모델에 중첩, 융합시키는 방법들이 개발되어 이용되고 있다(그림 3-22).

이와 같은 방법으로 최종 생성된 3차원 모델을 이용한 3차원 두부계측은 보다 정확한 3차원 위치를 인기할 수 있다는 장점이 있다. 많은 연구에서 3차원 두부계측 분석에서도 2차원에서와 같은 높은 신뢰도를 보여주는 것으로 알려져 있다.[28]

분석 방법은 기본적으로 기존의 측모 및 정모두부방사선 규격사진을 이용한 분석에서 이용되던 방법을 3차원적으로 응용하여 시행할 수 있고 3차원 영상 분석의 장점을 살려 여러 방향에서 각 구성 요소의 대칭적 위치 관계를 확인할 수 있다(그림 3-23).

2차원 두부방사선 규격사진에서 연조직을 투사하여 수술에 따른 연조직 변화를 예측하듯이 3차원 영상 분석에서도 수술에 의한 연조직의 3차원적 변화를 예측하는 분석이 시도되고 있다(그림 3-24). 컴퓨터 이미지 소프트웨어를 이용하여 경조직과 연조직의 술후 형태를 미리 예측하여, 이를 바탕으로 악교정 수술 계획을 세울 수 있다.

3차원 모의수술 프로그램을 이용하여 CAD/CAM 기법을 이용한 수술용 가이드 장치 또는 환자 맞춤형 임플란트

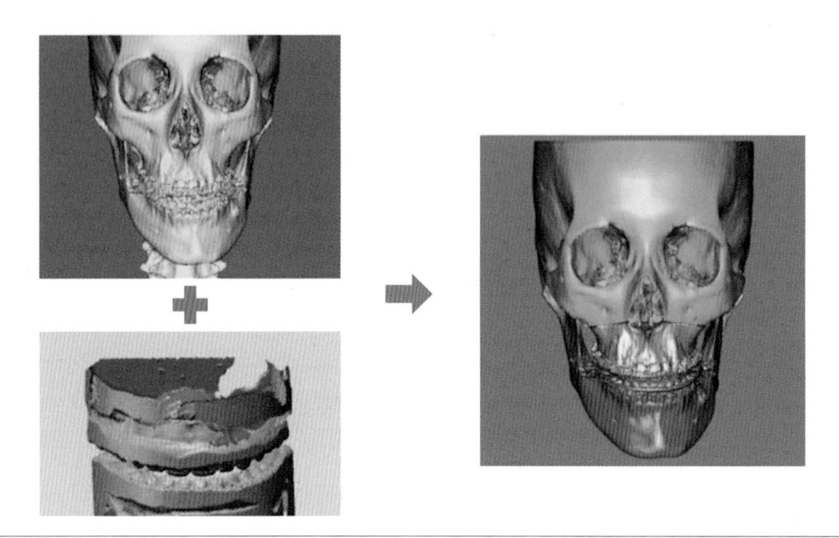

그림 3-22 3차원 CT 골격 모델과 상하악 치아 모델의 융합

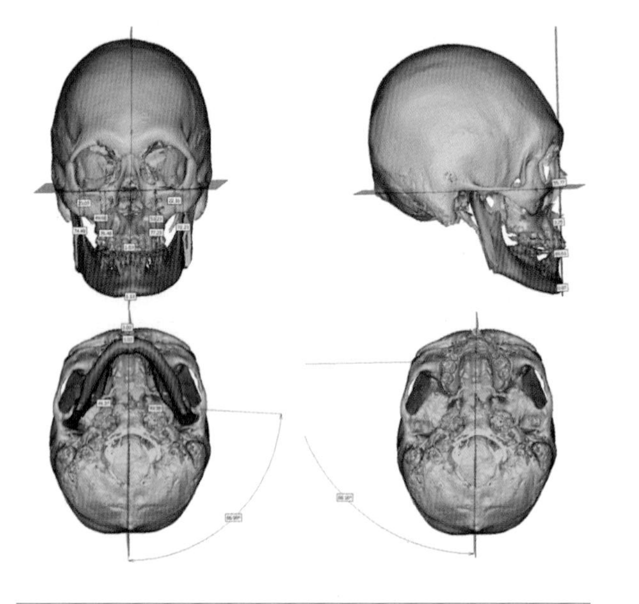

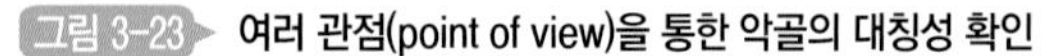

그림 3-23 여러 관점(point of view)을 통한 악골의 대칭성 확인

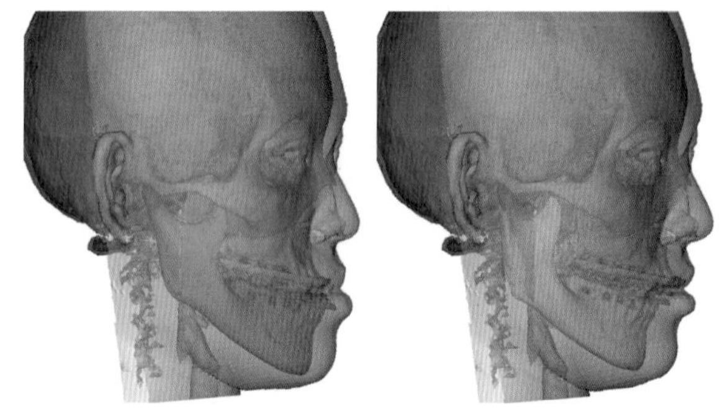

그림 3-24 연조직 융합 및 수술에 의한 연조직 변화 예측

(patient specific implants, PSI) 등의 개발이 활발히 이루어지고 있다(그림 3-25, 26). 이들을 이용하면 골절단술을 보다 정확한 위치에서 하고 절단 골절편을 수술 계획에 따라 정확히 위치시키며, 이동된 골절편의 술후 안정성을 유지하는데 많은 도움을 줄 수 있다.

일부의 경우 하악과두의 불안정성 때문에 과두 위치에 의존하는 중간용 교합장치(intermediate wafer)가 상악골의 술후 위치의 부정확성을 일으킬 수 있다. 하악의 위치는 교합기 상의 모델과 일치하지 않기 때문에 상악은 모델에서 계획된 위치로부터 벗어날 수 있다. 추가적인 도구없이 스플린트만를 통한 상악의 정확한 수직이동은 여전히 어렵다.

Template technique같은 수술용 가이드 등이 개발되어 하악골의 위치 가이드 없이 상악의 위치 고정이 가능해졌다. Bai 등은 CAD/CAM 위치 가이드와 pre-bent titanium plate

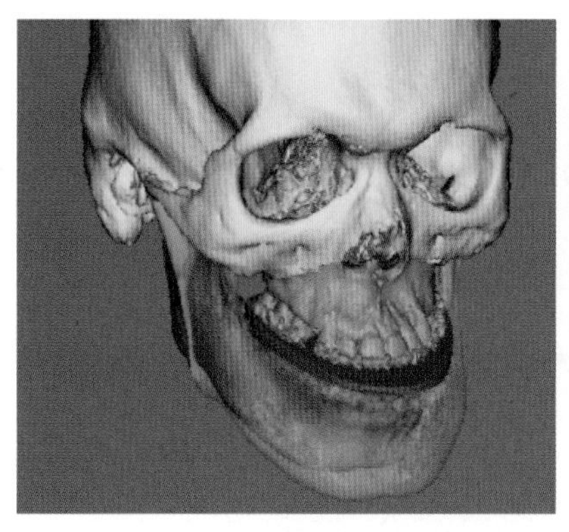
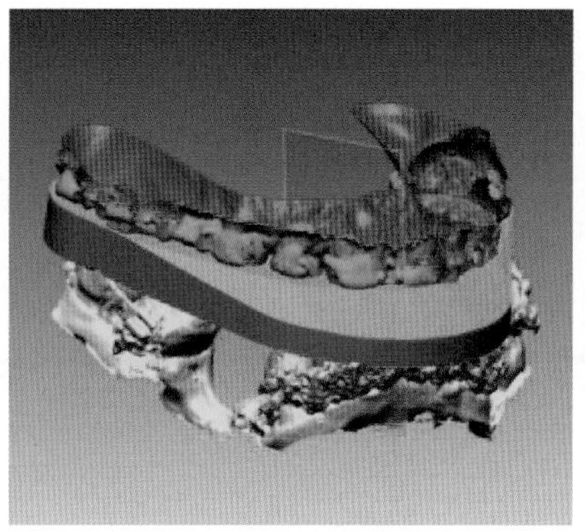
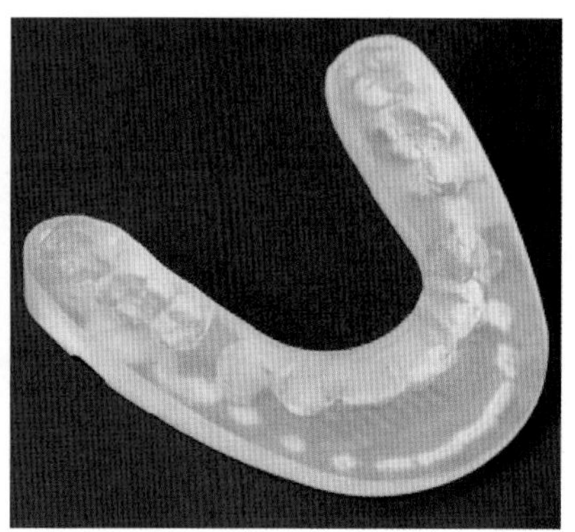

그림 3-25 3차원 영상 프로그램을 이용한 수술용 장치 디자인 및 CAD/CAM 기법을 이용한 장치 제작

A

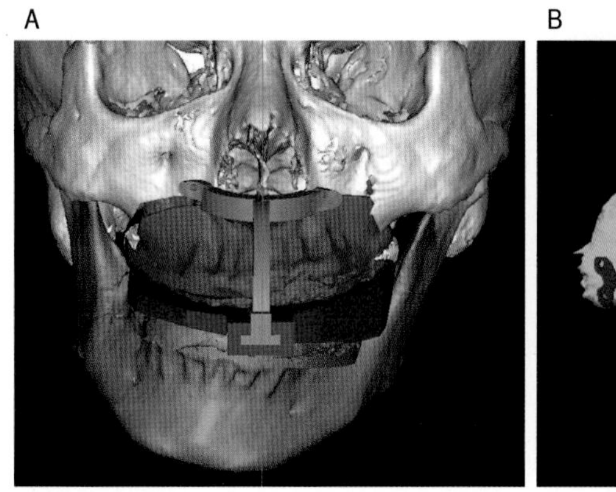

B

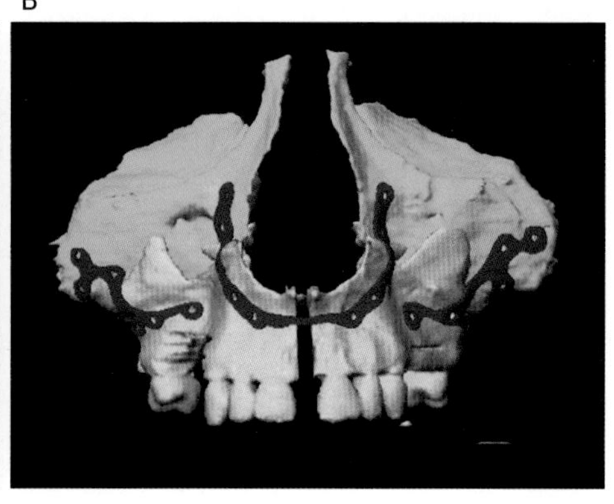

그림 3-26 **A:** 골절단 및 상악골 위치 가이드 **B:** 환자 맞춤형 Plate 디자인[29,30]

를 사용하여 상악골절편을 빠르고 정확하게 위치시키는 악교정수술법에 대해 발표하였으며, 역시 CAD/CAM 기술을 이용하여 가상수술을 실제 수술에 적용시키는 맞춤형 티타늄 고정판을 사용하는 수술법이 연구되기도 하였다(그림 3-27).[31]

A

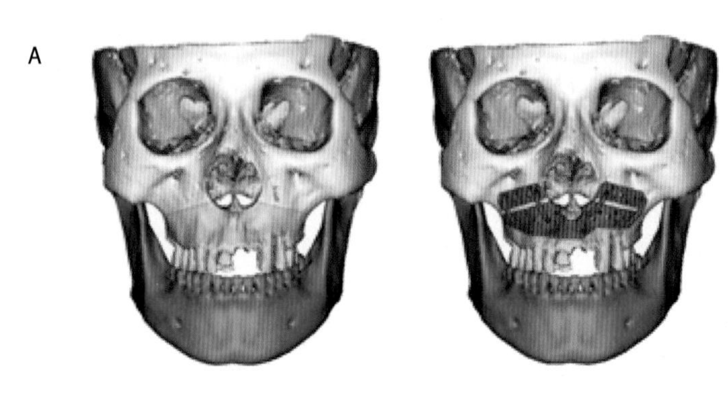

C

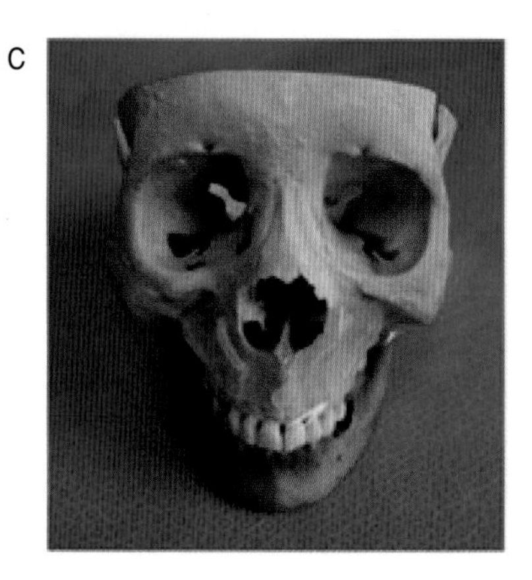

B

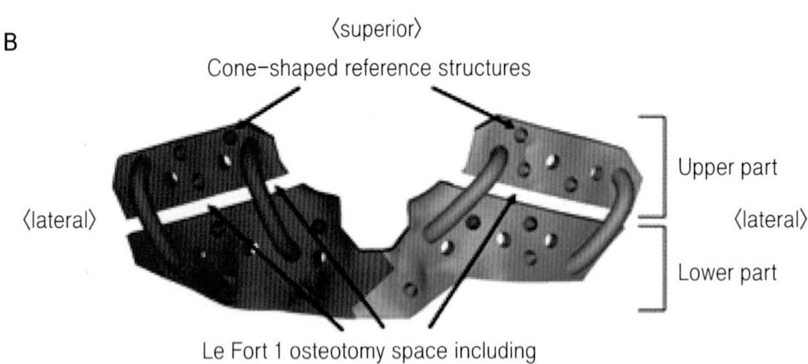

그림 3-27 3D 프린팅 기법으로 제작된 하악위치에 영향받지 않는 중간 스플린트의 수술 중 적합[31]

참고문헌

1. Hullihen SP. Case of Elongation of the under Jaw and Distortion of the Face and Neck, Caused by a Burn, Successfully Treated. Am J Dent Sci 1849;9:157-65.
2. Blair VP. Report of a case of double resection for the correction of protrusion of the mandible. Dent Cosmos 1906;48:817.
3. Blair VP. Operations on the jaw bone and face. Surg Gynecol Obstet 1907;4:67-78.
4. Limberg A. Treatment of open-bite by means of plastic oblique osteotomy of the ascending rami of the mandible. Dent. Cosmos. 1925;67:1191-200.
5. Caldwell JB. Vertical osteotomy in the mandibular rami for correction of prognathism. J oral surg 1954;12:185.
6. Moose SM. Surgical correction of mandibular prognathism by intraoral subcondylar osteotomy. J Oral Surg Anesth Hosp Dent Serv 1964;22:197-202.
7. Herbert J. Correction of prognathism by an intraoral vertical subcondylar osteotomy. J. Oral Surg. 1970;28:651-3.
8. Trauner R. Zur Operationstechnik bei der Progenie und anderen Unterkieferanormalien. Dtsch. Zahn-, Mund-, Kieferheilk 1955;23:1-26.
9. Dal Pont G. L'osteotomia retromolare per la correzione della progenia. Minerva chir 1959;18:1138.
10. Hunsuck EE. A modified intraoral sagittal splitting technic for correction of mandibular prognathism. J Oral Surg 1968;26:250-3.
11. Epker BN. Modifications in the sagittal osteotomy of the mandible. J Oral Surg 1977;35:157-9.
12. Steinhäuser EW. Historical development of orthognathic surgery. J Craniomaxillofac Surg 1996;24:195-204.
13. Obwegeser HL. Orthognathic surgery and a tale of how three procedures came to be: a letter to the next generations of surgeons. Clin Plast Surg 2007;34:331-55.
14. Bell WH, Levy BM. Revascularization and bone healing after posterior maxillary osteotomy. J Oral Surg 1971;29:313-20.
15. Bell WH, Scheideman GB. Correction of vertical maxillary defi-

ciency: stability and soft tissue changes. J Oral Surg 1981;39:666-70.

16. Gillies H, Harrison SH. Operative correction by osteotomy of recessed malar maxillary compound in a case of oxycephaly. Br J Plast Surg 1950;3:123-7.
17. De Moerlooze L, Dickson C. Skeletal disorders associated with fibroblast growth factor receptor mutations. Curr Opin Genet Dev 1997;7:378-85.
18. Slavkin HC. Recombinant DNA technology and oral medicine. Ann N Y Acad Sci 1995;758:314-28.
19. Johnston MC, Bronsky PT. Prenatal craniofacial development: new insights on normal and abnormal mechanisms. Crit Rev Oral Biol Med 1995;6:25-79.
20. Moore GE. Molecular genetic approaches to the study of human craniofacial dysmorphologies. Int Rev Cytol 1995;158:215-77.
21. Wilkie AO. Craniosynostosis: genes and mechanisms. Hum Mol Genet 1997;6:1647-56.
22. Oldridge M, Lunt PW, Zackai EH, et al. Genotype-phenotype correlation for nucleotide substitutions in the IgII-IgIII linker of FGFR2. Hum Mol Genet 1997;6:137-43.
23. Le Douarin NM, Dupin E, Ziller C. Genetic and epigenetic control in neural crest development. Curr Opin Genet Dev 1994;4:685-95.
24. Winter RM. What's in a face? Nat Genet 1996;12:124-9.
25. Nakata M. Genetics in oral-facial growth and diseases. Int Dent J 1995;45:227-44.
26. Vortkamp A, Gessler M, Grzeschik KH. GLI3 zinc-finger gene interrupted by translocations in Greig syndrome families. Nature 1991;352:539-40.
27. Posnick JC. Orthognathic Surgery: Principles & Practice: Elsevier; 2014.
28. Pittayapat P, Limchaichana-Bolstad N, Willems G, Jacobs R. Three-dimensional cephalometric analysis in orthodontics: a systematic review. Orthod Craniofac Res 2014;17:69-91.
29. Kang SH, Kim MK, Kim BC, Lee SH. Orthognathic Y-splint: a CAD/CAM-engineered maxillary repositioning wafer assembly. Br J Oral Maxillofac Surg 2014;52:667-9.
30. Gander T, Bredell M, Eliades T, Rücker M, Essig H. Splintless orthognathic surgery: a novel technique using patient-specific implants (PSI). J Craniomaxillofac Surg 2015;43:319-22.
31. Han JJ, Hwang SJ. Surface Topography-Based Positioning Accuracy of Maxillary Templates Fabricated by the CAD/CAM Technique for Orthognathic Surgery without an Intermediate Splint. Appl Sci 2019;9:4928.

Chapter

04

상악골의 악교정수술

Orthognathic Surgery for Maxilla

기본 학습 목표
- 상악골 악교정수술의 다양한 수술방법을 이해한다.

심화 학습 목표
- 르포트 1급(Le Fort I) 골절단술의 수술방법을 설명할 수 있다.
- 상악 분절골절단술의 수술방법을 설명할 수 있다.
- 각 수술방법에 따른 고려사항 및 합병증에 대하여 대처할 수 있다.

1. 르포트 1급(Le Fort I) 골절단술의 역사

1859년 기록에 의하면 Von Langenbeck이 비인두용종의 제거를 위해 르포트 1급 골절단술을 시행한 것으로 보고되어 있고, 이후 Wassmund는 1927년 외상 후 부정교합을 르포트 1급 골절단술을 사용하여 치료하였으며, 1934년 Axhausen은 르포트 1급 골절단술을 이용하여 처음으로 상악절편을 완전히 분리하여 전방으로 이동시켰다. 르포트 1급 골절단술은 Obwegeser(1969)에 의해서 섬세하게 변형되고 정비되면서 악골변형증 치료를 위한 상악골의 표준수술방법(standard procedure)으로 정형화되었다. 이후 Bell(1980) 등 여러 학자들에 의해 르포트 1급 골절단술의 수술원리, 유용성 및 합병증 등이 좀 더 세밀하게 발전되어 왔다.[1]

2. 르포트 1급(Le Fort I) 골절단술 수술방법

1) 절개 및 박리

절개 부위의 출혈을 줄이기 위해 1:100,000 에피네프린을 함유한 리도카인을 절개 부위인 상악전정 부위에 주사한다. 절개는 제1대구치상방의 상악-관골 지지대로부터 중절치를 지나 반대편으로 진행한다. 절개부의 위치는 차후 용이한 봉합을 위하여 치은-구강점막 경계로부터 약 5 mm(최소 2~3 mm) 정도 상방에 이루어진다. 출혈을 줄이기 위해 전기 소작기를 이용하여 절개할 수 있으며, 절개 시 안면근육을 적게 절개하기 위하여 상악골 표면에 수직으로 절개하고, 단번에 골막까지 실시하여 창상을 깨끗하게 만든다.

일단 구강점막, 근육 및 골막이 절개되면 골막기자를 이용하여 상악-관골 지지대로부터 전비극까지 상악골 외측벽으로부터 연조직을 박리한다. 하안와신경을 확인하고 상악-관골 지지대의 골막박리 시 조심스럽게 보호한다. 후방으로 상악결절과 상악-관골 지지대를 넘어 비스듬하게 아래로 익상돌기까지 후방으로 박리한다. 상악골과 익상돌기 사이에서 상방으로의 박리는 과도한 출혈과 신경손상의 위험이 있으므로 시행하지 않는다. 다음으로 비강입구(nasal aperture)를 노출시켜 이상구연(piriform rim)과 하비갑개 아래의 비강벽을 따라 비강 골막을 박리하고 비강저의 점막과 골막도 거상시킨다. 만약 비점막이 심하게 천공된 경우 상악골 하방골절(down fracture) 후 흡수성 봉합사로 손상된 비점막을 봉합할 수 있다.

2) 골절단 부위 표시

골절단 부위를 양측 이상구(piriform aperture) 주변에서 상악-관골 지지대까지 수술용 연필(pencil)이나 작은 round bur로 표시한다. 만약 상악골의 수직적 길이 축소(상악절편의 상방이동)가 계획이라면, 제거될 골량을 캘리퍼로 측정하면서 정확히 상악골 전벽에 골절단 상방 및 하방 수직기준점으로 표시한다. 수직기준점은 골절단이 완료되어 움직이게 되면 수직적인 위치 설정을 위해 매우 중요하다. 수평기준점은 교합스플린트가 결정하므로 필요하지 않다. 수직기준점은 수술용 버를 사용하여 10~15 mm 간격을 두고 형성하는데 계획된 수직적 이동량에 따라 달라질 수 있다.

3) 골절단

상악골 외측벽의 수평골절단(horizontal bone cut)은 후방으로는 상악-관골 지지대 부위에서 아래 수직기준점의 바로 위(대개 상악교합면의 35 mm 상방)에서 reciprocating saw나 외과용 버를 이용하여 시작한다. 이때 골절단의 형태나 위치는 증례에 따라 필요하면 변화시킬 수 있다.[2] 제2 대구치 근첨 약 5 mm 상방에 골절단을 시행하면 상악지치가 있다 하더라도 절단선의 디자인을 변경할 필요는 없으며, 지치가 상악골의 재위치를 방해한다면 상악골 하방골절(downfracture) 이후에 상악지치를 제거하면 된다. 골막기자로 비점막을 보호하면서 얇은 골절도를 이용하여 구개골의 수직돌기쪽으로 비강의 측벽을 따라 후하방으로 골절단을 시행한다. 골절도를 진행하는데 저항이 느껴지거나 malleting 시 소리가 다르면 구개골에 도달한 것이다. 골절도를 과도하게 후방으로 진행시키면 하행구개동맥의 손상으로 많은 출혈이 발생할 수 있으며 이는 상악골이 완전히 움직일 때까지 잘 지혈이 되지 않는다. 동일한 방법으로 반대측의 비강측벽도 분리하고 비중격의 절단을 시행한다. 비점막을 손상없이 거상시킨 후 septal osteotome으로 골중격만을 절단한다. Septal oseotome을 사용할 때 골절단이 후방으로 가면서 점점 높아지는 경우가 많으므로 골절도가 상방으로 가지 않도록 주의한다.

비중격과 비강측벽의 절단이 끝나면 상악골을 익돌판으로 부터 분리한다. 끝이 굽은 골절도를 교합면과 평행하게 위치시켜, 상악결절과 익돌판의 연접부의 가장 아래쪽으로 위치시켜 내하방으로 방향을 잡는다. 조수가 인지를 구개측으로 넣어 구상돌기 부위에 대고 골절도의 끝부분을 감지하도록 한 후 분리를 시도한다. 이때 가능한 짧고 충분한 malleting이 요구되며 상악동맥이나 익돌 정맥총의 혈관 손상에 유의하여야 한다.[2] 남아있는 서골과 상악골의 nasal crest를 론저(rongeur)로 제거한다. 이는 상악골의 상방이동이 계획된 경우라면 특히 중요하다. 상악골이 전방 또는 상방으로 이동될 경우에는 전비극의 삭제가 필요하다. 상악골의 내후방벽에 불완전하게 골절된 부분이 있다면 가는 골절도와 론저 등을 시용하여 골절단을 완전하게 하며 필요하다면 상악골 겸자를 사용하여 상악골을 비틀어 완전한 하방골절이 일어나도록 한다.

4) 하방골절 후의 골삭제

하방골절된 상악골을 이동시키기 위해서는 상악골 절편의 골삭제가 필요하다. 특히, 상방이동 시 사전에 계획된 양만큼 비중격 부분과 상악골의 벽들을 돌아가며 제거해야 계획된 만큼의 이동이 가능하고 고정 시 골편의 안정을 가져올 수 있다.

5) 골절 부위의 고정

상악골편을 계획한 대로 이동시키면 중간용 교합장치(intermediate splint)를 사용하여 악간고정을 하고 상악골을 고정한다. 고정은 금속고정판을 이용한 견고고정을 시행하는 것이 일반적이다. 금속고정판은 한쪽에 두 개씩 하나는 이상구 부위에 하나는 상악-관골 지지대 쪽에 고정시킨다(그림 4-1). 전방 또는 하방이동량이 많아 골편 사이가 수 mm 이상 떨어지는 경우에는 골이식을 시행하는 것이 빠른 치유에 도움이 된다. 이상구나 관골돌기 부분에서 골결손이 발생할 경우에 안정을 위해 골이식이 필요한데 이식편은 강선이나 금속고정판으로 고정할 수 있다. 이식편을 사전에

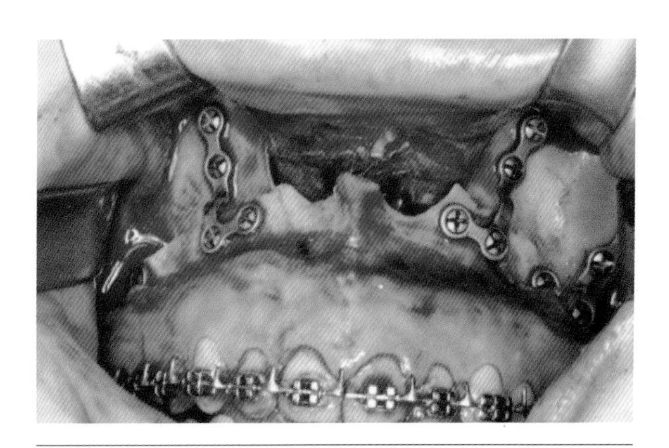

그림 4-1 르포트 1급 골절단술로 상악골을 전방이동한 후 L-자형 금속판과 나사로 강성고정한 모습

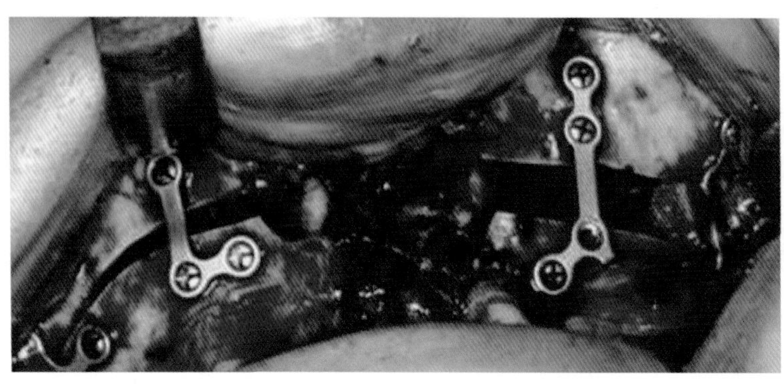
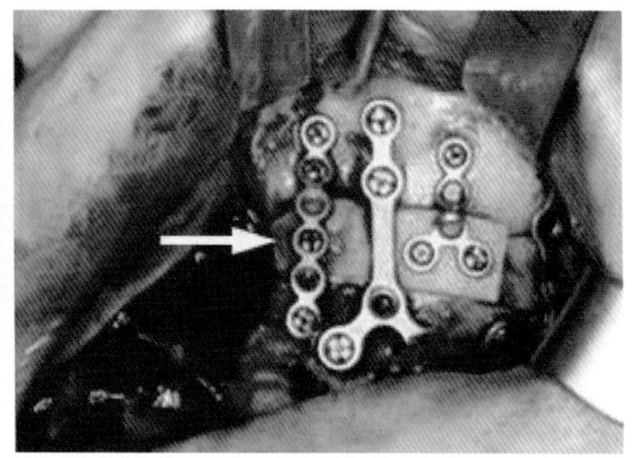

그림 4-2 상악골의 하방이동술 후 보이는 Bone gap에 자가장골이식술(화살표) 후 금속판으로 고정한 모습

잘 다듬어서 결손부의 형태에 맞게 조정하여 고정시킨다. 골이식의 공여부로는 장골이 일반적이며 하악골도 공여부가 될 수 있다(그림 4-2).

6) 봉합

근육층에 대해서는 4-0 흡수성 봉합사를 사용하여 봉합하고 점막 부위는 3-0 silk 등의 봉합사를 사용하여 단속 봉합법 또는 연속 봉합법을 시용한다. 비저부의 넓어짐을 막기 위한 비익 cinch suture를 시행할 경우에는 2-0 nylon 또는 silk를 사용할 수 있다.

3. 르포트 1급(Le Fort I) 골절단술에 의한 상악골의 전방 및 상방이동

르포트 1급 골절단술은 상악골의 전진을 위해 현재까지도 가장 많이 적용되고 있는 술식이다. 상악골의 전방이동을 위해서는 술전 환자 분석자료를 바탕으로 정확한 이동량과 3차원적인 이동 방향을 결정하고 이를 교합기에 mount된 악궁 모델에서 가상수술(model surgery) 후 이를 바탕으로 중간교합용 장치를 제작한다. 실제 수술 시 르포트 1급 골절단술을 시행하여 하방골절된 상악골편을 미리 제작한 중간교합용 장치를 사용하여 하악과 악간고정한 후 상악골편의 재위치 시킨다. 상악절편의 전진에 의해 3 mm 이상의 골결손이 있는 경우에는 충분한 골치유와 상악골의 회귀현상을 방지하기 위해 골이식술이 필요하다는 견해도 있으나 현재 개발되어 있는 티타늄 금속판 및 나사못으로 강성고정(rigid fixation)하는 경우에는 르포트 1급 전방이동 후 회귀현상이 거의 없는 것으로 알려져 있다. 이때는 이상구 양측과 양측 상악버팀벽(maxillary buttress) 부위에 총 4개의 금속판으로 고정하는 것이 추천된다.[3] Keller와 Sather(1990) 등은 상악골의 수평골절단선을 안와하공 부위까지 올려 안와하연 바로 아래의 이상구에서부터 관골-상악골 봉합부까지 수평골절단한 사각형 르포트 1급 골절단술(quadrangular Le Fort I osteotomy)을 소개하였으며, 이는 기존의 르포트 1급 골절단술에 비하여 안와하연과 관골 부위가 퇴축되어 있는 환자에서 심미적으로 좋은 결과를 가질 수 있는 술식이다(그림 4-3).

르포트 1급 골절단술에 의한 상악골의 상방이동은 1952년 Converse에 의해 개교합 치료를 위해 상악골 후방부 함입술을 실시한 것이 첫 번째 보고이다.[4] 상악골의 상방이동은 예전에는 주로 장안모(long face syndrome)의 개선이나 전치부 개교합을 해소하기 위해 시행되었으나, 최근에는 작은 얼굴을 원하는 환자의 요구에 맞추어 시행되는 경우도 있다. 상악골의 상방이동은 골절단 시 상방이동되는 양만큼 상악골의 전벽 및 외측벽에 삭제될 골의 양을 버(bur)나 연필로 표시한 후 reciprocating saw로 절단하여 제거한다. 상악골의 하방골절 후에는 상악절편의 상방이동에 따른 조기접촉 부위를 삭제하여야 한다. 일반적으로 비중격, 상악동 내벽, 상악골 후방부 등은 상악골의 상방이동되는 양만큼 버나 론저 등으로 삭제하는 것이 필요하며, 만약 상악지치가 매복되어 있다면 제거 후 골삭제하는 것

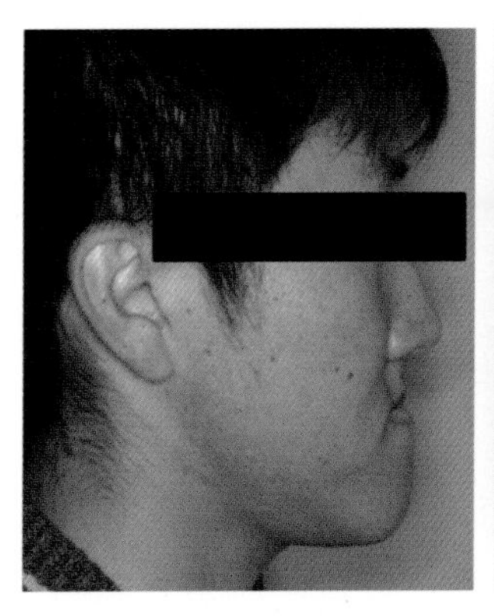
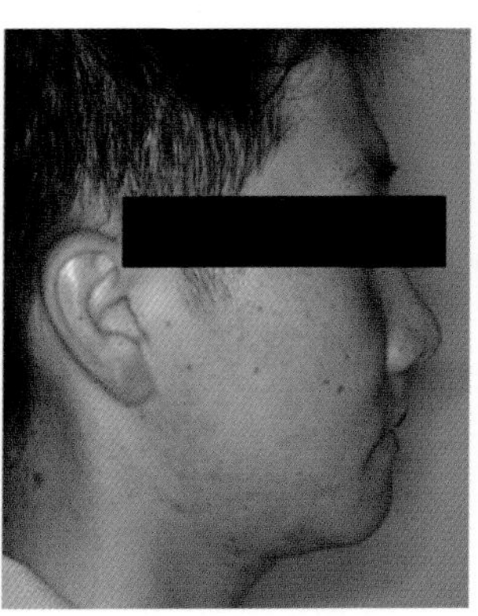
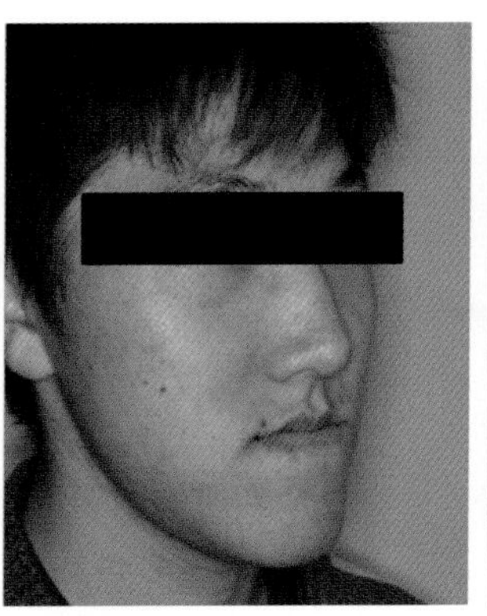
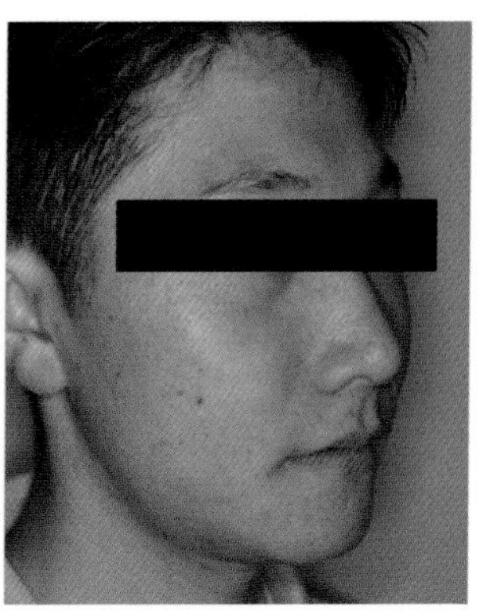

그림 4-3 장안모와 상악후퇴증을 보이는 환자에서 상악골의 전방 및 상방이동술을 이용한 악교정수술 전후의 측모와 반측모 모습. 르포트 1급 골절단술을 통한 상악골의 전상방이동으로 얼굴 길이의 감소와 중안모 부위의 증강을 확인할 수 있다.

이 상악골의 후방부의 상방이동에 유리하다. 최근에는 상악골의 시계방향 회전(clockwise rotation)을 위해 상악골 후방부의 상방이동(posterior impaction)을 선호하는 추세이며, 이때는 상악골 상방이동의 저항을 줄이기 위해 상악골 후방부의 익상판을 일부 삭제하는 경우도 있으며, 이 경우 익돌근정맥의 손상으로 출혈의 가능성을 염두해 두어야 한다. 또한, 상악절편이 상방 및 전방이동 시에는 전비극을 삭제하는 것이 외비의 대칭성 확보에 유리할 수 있다. 상방이동된 상악골의 고정은 중간교합용 장치를 적용하여 하악치열과 악간고정 후 재위치된 상악골을 금속판과 나사로 고정하게 된다. 최근에는 재위치되는 상악절편의 위치를 두개골을 기준으로 3차원적인 정확성을 얻기 위해 네비게이션 시스템이나 컴퓨터를 이용하여 가상 수술에 의해 제작된 중간교합용 장치를 이용하기도 한다.[5,6]

❖ 고려사항

르포트 1급 골절단술로 상악골을 전방이동시킬 경우 전방이동되는 상악골의 약 80% 정도 상순이 돌출되며, 상악골을 상방이동할 경우는 상악골 이동량의 약 10~40% 정도 상순이 상방이동한다. 따라서 술전에 연조직 변화량을 고려하여 상악골의 이동량을 설정하는 것이 필요하다. 또한, 상악골 전방이나 상방이동술 후 상순이 얇아지고 짧아지는 경향이 생긴다. 이는 수술 시 상순 점막을 V-Y 봉합으로 길이를 늘려주는 술식이 필요할 수 있다. 이외에도, 르포트 1급 골절단술과 상악골의 이동에 의해 비익기저부를 지지하는 골격구조의 변화에 의해 비익이 넓어지는 경향이 있다.[7] 이를 회복하기 위해서는 상악점막 봉합 시 비익기저부에 대한 cinch suture를 시행해 주는 것이 필요하다. Cinch suture는 양측 비익기저부 근처의 횡비근을 찾아 비흡수성 봉합사로 결찰하여 술후 비익기저부가 넓어지는 현상을 방지하며, 때때로는 전비극에 드릴로 구멍을 뚫어 양측 횡비근과 결찰하기도 한다. 하지만 상악골이 전방 및 상방으로 이동하는 경우 전비극을 삭제하고 양측 횡비극만을 결찰하여 외비의 대칭성을 확보할 수도 있다.

4. 상악골의 후방이동

상악골의 후방이동을 통한 중안모의 후방이동은 과거 복잡한 수술방법과 불확실한 수술안정성, 나이가 들어보이는 얼굴을 유발할 수 있다는 이유로 수술 빈도가 높지 않았다.[8,9] 상악골의 후방이동은 일반적으로 높은 빈도로 시행되는 상악골의 전방/상방이동과는 달리 익돌판 등 후방 구조물들로 인해 이동량이 제한적이다. 또한 상악동맥과 익돌정맥총 등 많은 혈관들이 주변에 분포하여 상악골을 분리하고 후방이동할 때 과출혈을 야기하거나 수술 시야가 좋지 않을 수 있어 주의를 요한다.

상악골의 후방이동은 동양인에게서 주로 나타나는 상악돌출 즉 상악의 전방돌출이나 하악후퇴증 환자에서 작은 비순각을 동반한 상악전치의 전방돌출을 해소하기 위

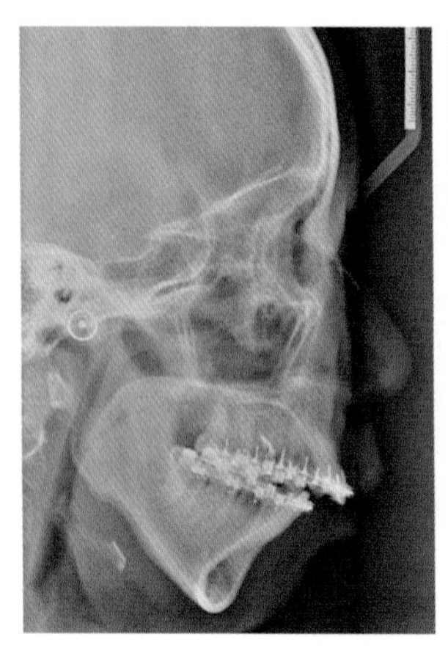
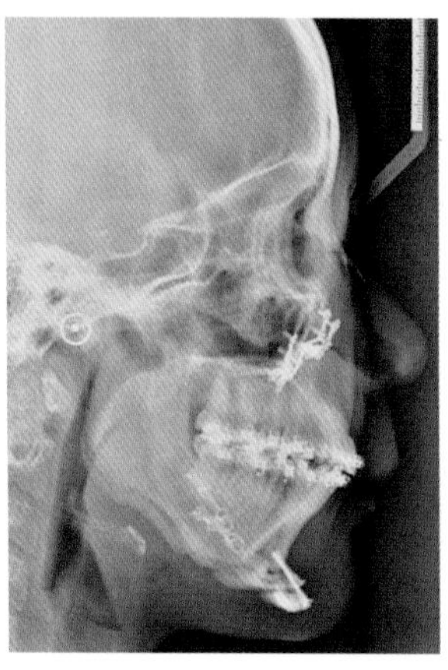

그림 4-4 하악후퇴증과 상악돌출 및 상악치아의 전하방 위치는 상악후방이동술을 통해 심미적, 골격적 개선을 도모할 수 있다.

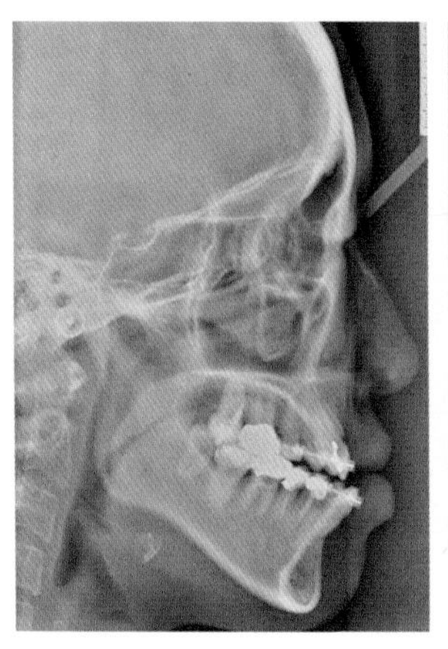
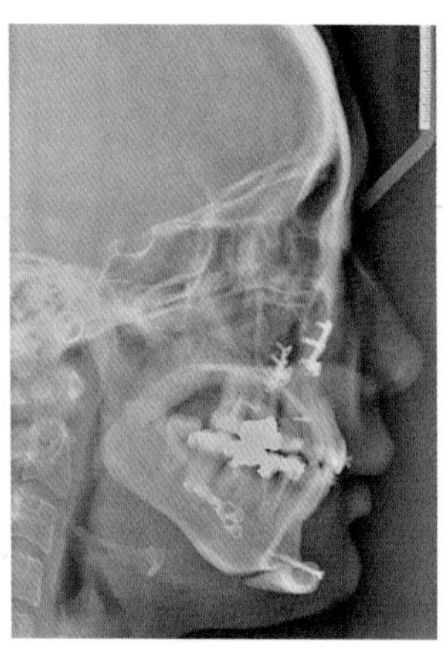

그림 4-5 하악전돌증의 경우 상악체의 회전이동과 후방이동을 통해 안모개선과 골격적 조화를 얻을 수 있다.

해 계획될 수 있다(그림 4-4).[10] 또한 비발치교정을 통한 악교정수술(선수술 포함)에서 상하악복합체의 후방이동이나 시계방향으로의 회전이동 시에도 동반되어 시행될 수 있다. 하악전돌증 환자의 경우 비발치교정의 경우 탈보상치료의 결과로 상악전치의 순측 경사와 작은 비순각 등을 보일 수 있어 상악의 전방이동은 부족한 전후방부조화를 보상하고 중안모의 심미적인 개선을 기대할 수 있다(그림 4-5). 하악후퇴증 환자의 경우 하악지 시상골 절단술 등을 이용한 하악의 전방이동으로 골격적/교합적 개선을 계획하는 것이 일반적이지만 상악전치의 전하방 위치나 상순의 돌출, 작은 비순각 등은 상악의 후방이동의 적응증이 된다.

수술방법은 통상적인 르포트 1급 골절단술의 방법에 따른다. 상악의 '하방골절'을 시행하고 disimpaction forcep 등을 이용하여 골절단선에서 상악의 가동성을 부여하여 상악후방부위의 접근성을 확보한다. 상악후벽의 제거와 하행구개동맥(descending palatine neurovascular bundles)을 박리하고 출혈을 야기할 경우 상악고정 전에 전기소작이나 결찰할 것을 고려한다. 만약 상악의 회전이동이나 상방이동이 동반될 경우 이들 혈관의 분리가 이동량에 따라 충분한 길이로 박리되어야 상악이동 후 발생할 후 있는 출혈을 미리 방지할 수 있다. 과거 Bell[11] 등에 의하면 상악의 후방이동이 상악결절의 후방 부위를 절제하거나 상악 제3대구치의 제거 등을 통해 4~5 mm 정도 가능하다고 하였으나 안정된 상악의 후방이동량과 위치를 확보하기 위해서는 다소 부족한 것이 사실이며 상악의 후방이동에 가장 큰 벽이 되는 익돌판에 대한 조작이 필요할 수 있다(그림 4-6). 익돌판은 치즐 등을 이용해 쉽게 절단할 수 있으며 익돌정맥총 등 후방부위의 출혈을 방지하기 위해 절단 방향과 깊이에 주의를 기울인다(그림 4-7, 8). 익돌판의 절제나 삭제는 익돌근들의 손상으로 인한 출혈이나 술후 개구에 불편감을 초래할 수 있음을 고려해야 한다. 술중 출혈부위는 전기소작이나 골절단면 사이에 지혈제(Surgicel 등)를 삽입하여 조절할 수 있다. 익돌판의 하방 부위가 분리되었으면 분리된 상악

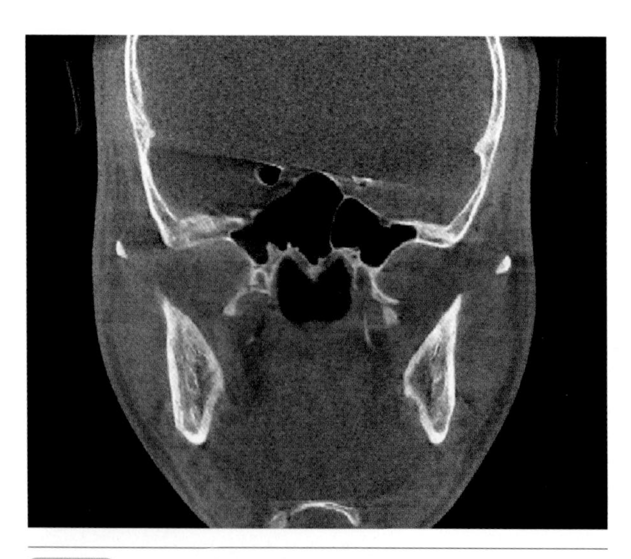

그림 4-6 상악후방이동 후 절단된 익돌판의 CT 영상

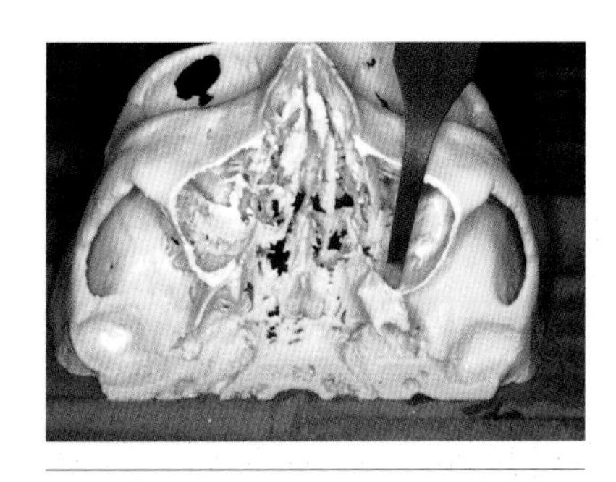

그림 4-7 르포트 1급 골절단 후 익돌판의 절단을 위한 접근

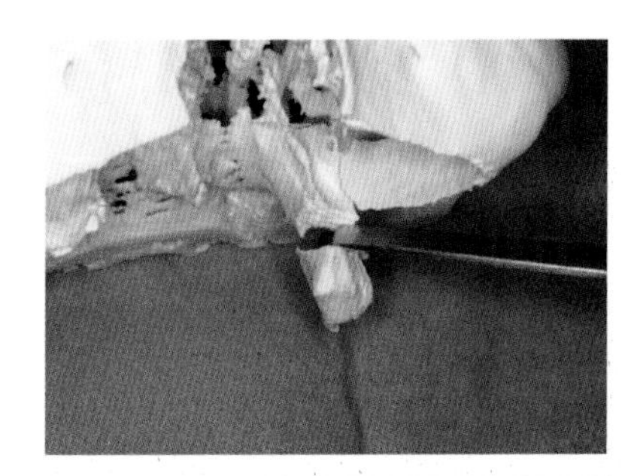

그림 4-8 익돌판의 절단

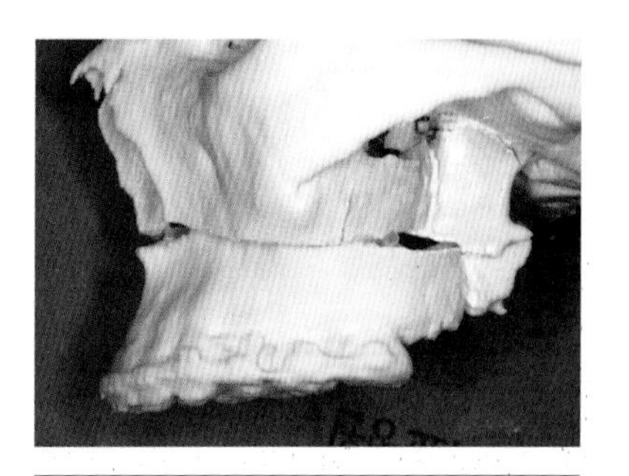

그림 4-9 익돌판 절단을 이용한 상악의 후방이동

체를 후방이동시켜 원하는 위치에 고정한다(그림 4-9).

상악후방이동술 후 나타날 수 있는 합병증으로는 통상적인 르포트 1급 골절단술의 합병증과 함께 후방 부위의 출혈을 고려한다.

5. 상악폭 확장/축소술

악교정수술 시행 후 상하악 치궁 간의 횡적 부조화가 예상될 경우 수술 전에 교정 치료 혹은 정형치료로 조절을 한 후 수술을 시행할 수 있다. 그러나 상악골의 횡적 과성장이나 열성장이 심하여 수술 전 교정치료나 정형치료로 폭경을 맞추기 힘들 때는 수술에 의해 폭경을 조절할 수 있으며 상악의 확장이나 축소를 위해서 상악골의 분할을 계획할 수 있다. 상악골에서 교합면의 변화를 최소화하면서 수평적 확장 또는 축소가 필요할 때는 para-median sagittal osteotomy를 계획할 수 있다. 일반적으로 상악골 분절골절단술은 single para-median splilt(그림 4-10)의 경우 약 2~4 mm의 확장이 가능하고, contralateral side에 para-median split을 하나 더 시행을 하면 약 4~6mm의 확장이 가능해진다(그림 4-11). 만약 6 mm 이상의 수평적 확장이 필요하다면 급속구개확장술(surgically assisted rapid palatal expansion, SARPE)이 고려될 수 있다.[12]

상악골이 down fracture된 후 비강저의 연조직을 박리하

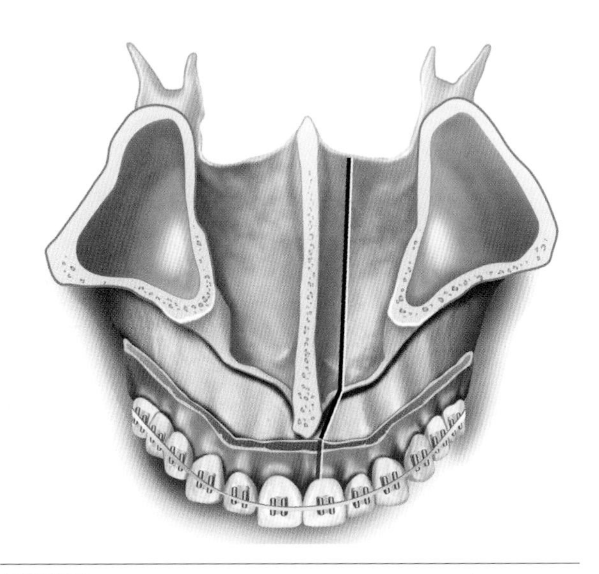

그림 4-10 상악골의 Two-piece segmental osteotomy (Single para-median split)

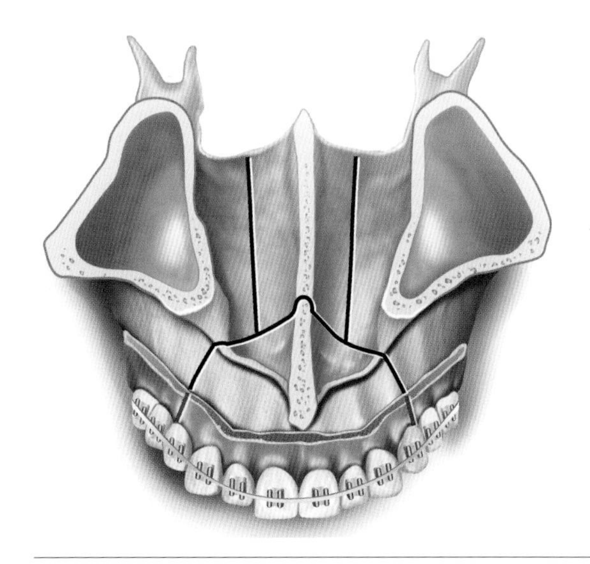

그림 4-11 상악골의 Three-piece segmental osteotomy (Paramedian split을 하나 더 시행)

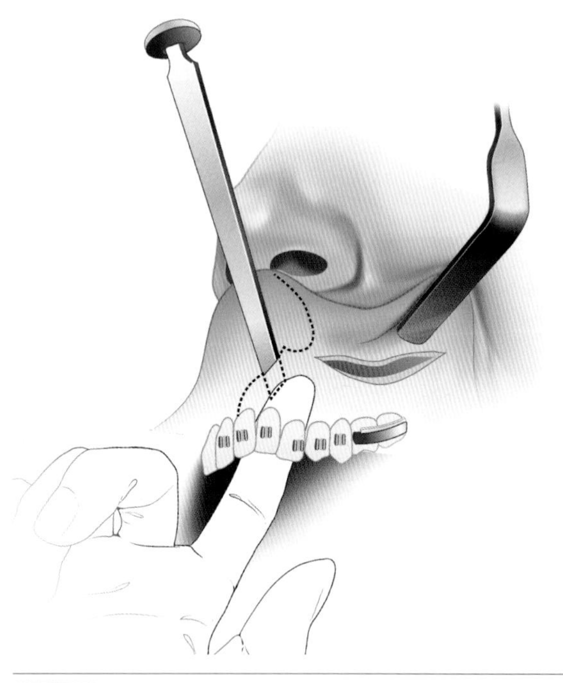

그림 4-12 Interdental osteotomy

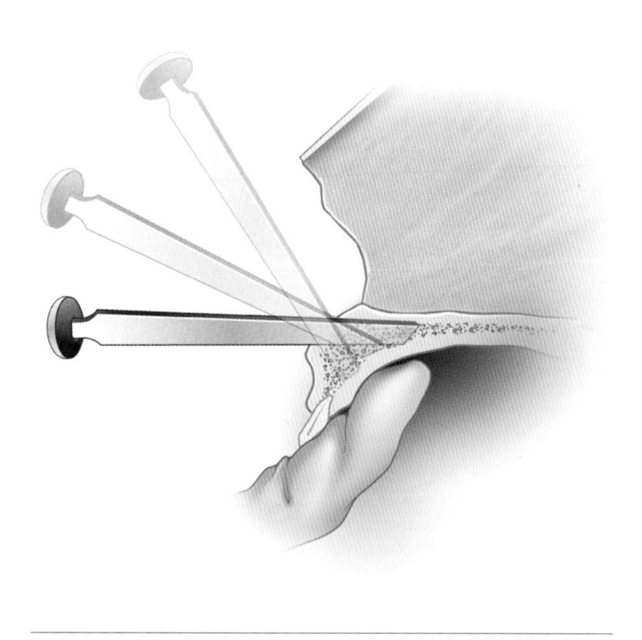

그림 4-13 구개측에 손가락을 위치시켜 Osteotome의 Tip을 Palpation하여 Palatal mucosa를 보호한다.

고 분절을 시행하는데 가는 버나, 얇은 saw, 또는 piezo-electric osteotome 등을 이용할 수 있다.[13] 상악골의 분절골절단술 시 구개의 중앙시상면 부위(median sagittal)는 구개측 점막의 두께가 매우 얇고 또한 혈류 공급도 취약하여, 분절술을 시행할 때 구개측 점막이 손상을 받는다면 누공이 발생하거나 허혈성 괴사가 일어날 수 있으므로 골절단은 부중앙시상면(para-median sagittal)을 따라 시행을 하는 것이 유리하다. 이는 lateral nasal floor 하방의 구개측 점막이 정중부의 구개 점막보다 두꺼워 합병증이 일어날 확률이 적기 때문이다.[14] Interdental osteotomy를 시행할 경우 얇은 절골도를 사용하여 malleting 함으로써(그림 4-12) 드릴에 의한 열로 인해 치근이 손상받을 가능성을 감소시켜 주며 malleting 시 구개측에 손가락을 위치시켜 절골도의 첨부가 구개측 피질골을 뚫는 것을 촉지하여 점막의 손상을 예방하도록 한다(그림 4-13).

상악골의 폭경이 부족하여 구개골의 폭을 확장해야 할 경우 상악골 분절골절단술은 형성된 골편간에 공간이 형성되므로 이 부위에 골이식이 필요하다. 또한, 상악골의 확장술은 축소술에 비해 재발의 위험이 크기 때문에 구개측 점막의 견인성 탄성으로 인한 재발이 최소화되도록 구개측 점막을 가능한 충분히 박리하고, 누공이나 허혈성 괴사 등의 합병증을 줄이기 위해서 골편간 이개는 5 mm를 넘지 않도록 하는 것이 중요하다.

6. 상악골 분절골절단술

악골의 분절골절단술을 이용한 악골의 위치를 교정하기 위한 수술들이 진행되어 왔다. 상악의 분절골절단술은 1960년대에 Kole의 저서와 Murphey, Walker, Mohnac가 연구를 연구를 발표하면서 시작되어 빈번하게 사용하게 되었다.[15-19] 상악의 경우에는 양악돌출(bi-maxillary protrusion) 증례에서 교합과 심미적 개선을 위해서 상용할 수 있는데, 지금까지 시행되어 온 방법의 Wassmund와 Wunderer에 의해서 보고된 술식의 변성으로 볼 수 있다.

상악골 분절술은 치근단 하방과 치근 사이의 골에 절단술을 시행하여 상악의 일부를 골절시켜서 치아의 교합 변화와 부분적인 상악골의 이동을 시행하는 외과적 술식으로 여러 술자들에 의해 소개되고 변형되어 왔다.[20-22] 상악 구치부 분절골절단술은 Schuchardt에 의해 구치부 개교의 치료를 위한 술식으로 발표된 이후 구치부 또는 전치부 개교 심하게 정출된 상악구치, 상악의 수평부조화 등의 치료에 주로 이용된다. 이외에도 상악구치의 발치공간을 일반적인 보철치료가 아니라 발치공간 후방에 있는 치아를 전방으로 이동시켜 해결하는 경우에도 이용된다. 그러나 구개점막의 tunneling이나 구개점막절개를 이용하는 고전적인 상악전방 분절술은 치아에 대한 혈류장애나 분절골편의 안정된 혈액 공급을 위한 2단계 수술, 분절골편의 제한적 후방 혹은 상방이동, 예상치 못한 술후 안모변화, 수술 술식의 복잡성으로 인해 보편적으로 사용하지 못하였으나 여러 술자들의 개선으로 인해 제한된 증례에서 사용되고 있다.

1) 상악전치부 분절골절단술 (Anterior segmental osteotomy, ASO)

상악전치부 분절골절단술은 상악이 수평적으로 과성장 했을때 주로 사용하며 대개 구치부의 교합이 안정적이거나 하악수술과 동반하였을 때 상악의 전체적인 교합면을 변화시키지 않을 때 사용할 수 있다. 대개 소구치의 발치공간을 골절단부로 삼아 양악전돌증을 해소하거나 전치부개교를 수정하기 위하여 사용한다.

(1) 피판의 형성 및 골절 디자인 형성

상악의 분절골절단술 수술에 있어서 성공 실패의 중요한 요인인 분절골편의 혈행의 유지를 위해서 협측 또는 구개측 피판을 사용하는지에 따라 술자들의 방법의 차이가

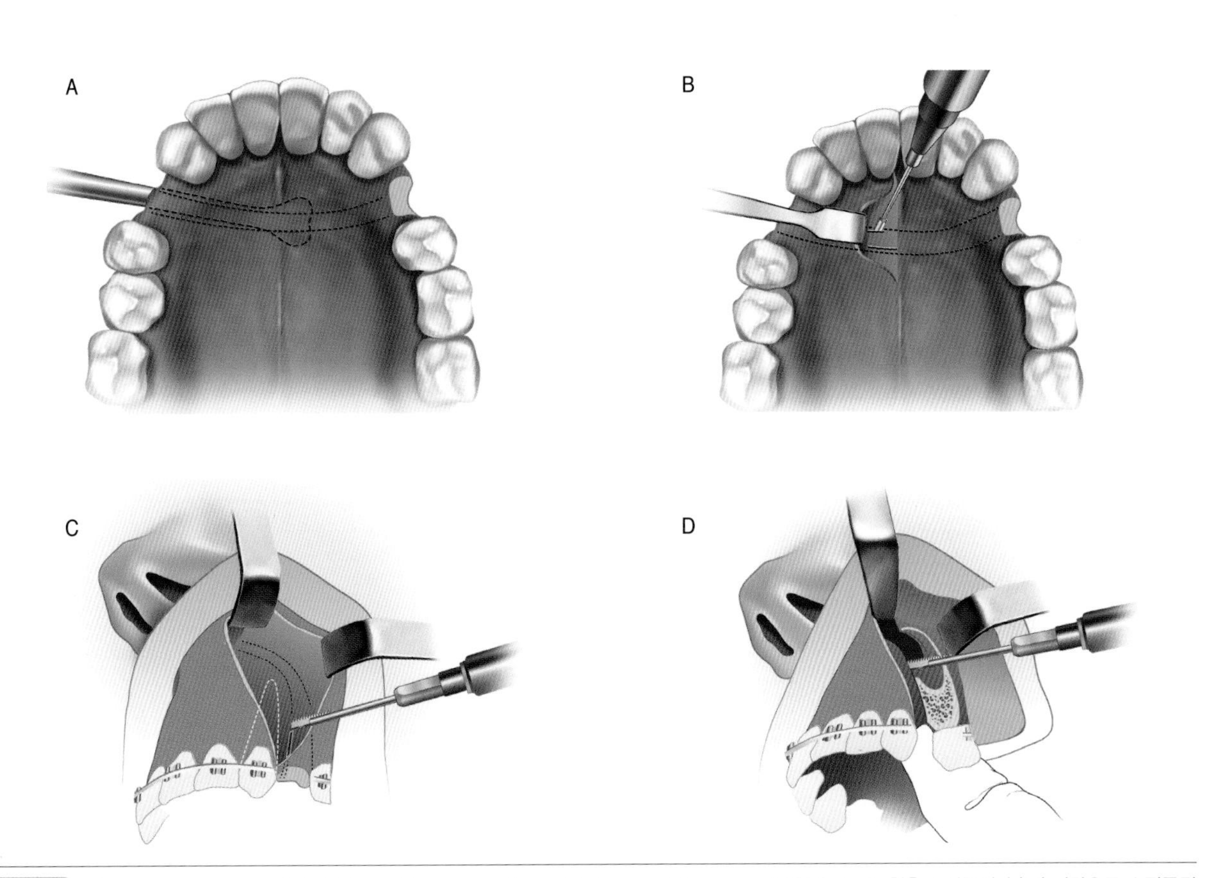

그림 4-14 **Wassmund 술식. A:** 상악의 치조골 부위의 골절단술을 시행하기 전 구개점막 박리를 시행한다. **B, C:** 협측 수직골절단술과 비강으로 수평골절단술을 시행한다. **D:** 구개점막을 수직으로 절개하여 양측에서 진행된 구개절단을 연결한다.

존재한다. 상악전치부 분절골절단술의 절개는 여러 술자들의 방식에 따라 차이가 있으나 Wunderer 방법의 경우 구개측 점막을 절개하게 되고 Wassmund 법의 경우 순측 점막을 절개하게 된다. 현재는 Cuper의 술식이나 이의 변형된 수술법을 많이 사용한다.

① Wassmund 술식

상악의 분절골편의 혈류공급을 위해서 협측과 구개측 피판을 모두 유지하는 방법으로 혈액이 좋은 장점이 존재한다. 일반적인 방법으로 상악 제1소구치 발치와 동시에 시행하는 경우에는 양측 견치와 발치할 제1소구치 부위에 국소마취를 시행하고, 견치와 제1소구치 사이에 수직절개를 시행한다. 이때에 발치 후 골절단술 및 전방이동 공간을 확보할 제1소구치의 협측 부위의 피판의 박리는 이루어져야 하지만, 견치 후방의 치조골을 덮고 있는 치간 유두 부위는 보존하는 것이 술후 견치와 제2소구치 부분의 치간유두의 형성과 골형성에 유리하다고 판단된다. 만일 제1소구치 또는 제2소구치의 발치가 계획되어 있지 않다면, 골절단술이 시행될 부위 치근 사이의 공간이 유지되어 있어야 치근의 손상 없이 골절단술을 시행할 수 있다. 치근단 상방 부위에서 피판의 연장은 전연으로 비공의 측면 부위로 골막하부를 통해서 터널 형태로 연장하여 골절단술을 시행할 협측골을 노출시킨다. 비강 점막의 내측 및 하방 부위는 골절단을 위해서 박리되어야 한다. 상악의 치조골 부위의 골절단술을 시행하기 전에 구개점막의 박리를 시행하여 골절단술 시행 시에 구개점막과 혈관주행의 손상을 막고, 상악골의 분절골편이 후방으로 이동할 수 있는 공간을 형성할 수 있다. 골절단술의 순서는 술자에 따라 약간이 차이가 존재하지만, 일반적으로 직접 보면서 협측 수직골절단술과 비강으로의 수평골절단술을 시행한다. 이때에 절단술의 디자인은 상악견치를 중심으로 상방으로 3~4 mm 상방으로 시행하고, 수직골절단과 수평골절단을 연결하는 부위에서 상악견치의 치근단이 손상되지 않도록 시행한다. 상악골과 비중격의 분리가 선행된다면 골절단술은 더욱 용이하게 된다. 수평골절단술을 시행한 후 수직골절단술을 양측성으로 치아 사이에 시행한다. 이 치조골 사이의 수직골절단술은 경구개로 연장되어 진행되는데 구개의 가운데 부위로 연장은 구개를 수평으로 가로지르는 방향보다는 후방으로 진행하는 것이 효율적이다. 양측 수직골절단술이 만나는 부위에서는 구개 점막을 수직으로 절개하여 양측에서 진행된 구개절단을 연결하고, 후방이동을 위해서 충분한 양의 경구개를 절단하는 것이 필요하다 (그림 4-14). 상악골 전방부의 후방이동량을 정확하게 예측할 수 없는 경우에는 수직골절단 시 삭제량을 최소화하여 상악골 전방 부위가 상악골로 분리된 이후에 수술용 스플린트를 장착한 이후 이동량을 확인하여 필요한 양을 삭제하는 것이 골편 사이의 공간을 예방하는 방법이다.

② Wunderer 술식

상악의 협측골노출과 비강의 점막의 박리를 위한 연조직

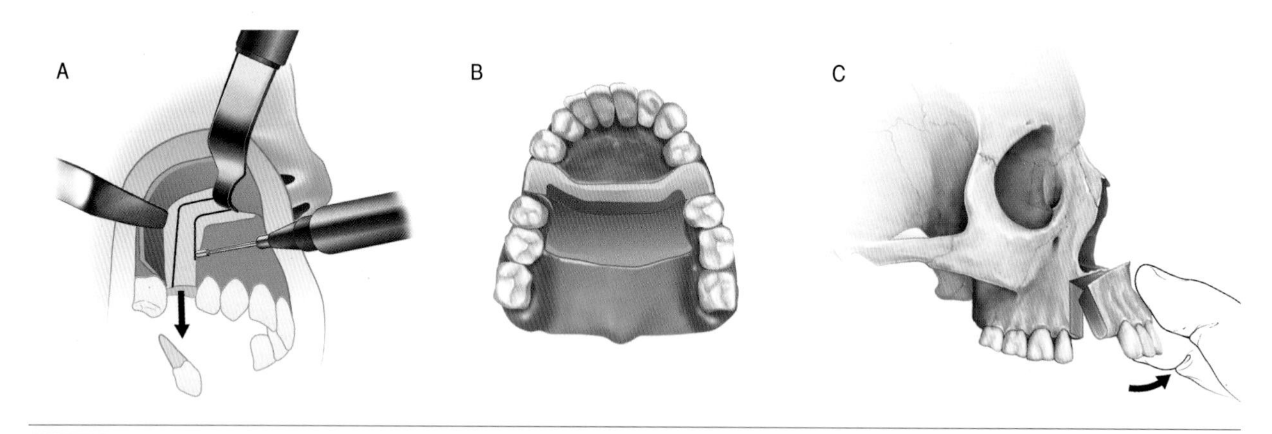

그림 4-15 **Wunderer 술식. A:** 협측 수직골절단술을 시행한다. **B:** 구개점막을 가로지르는 절개로 구개골을 노출시킨다. **C:** 상악전방골편을 분리한다.

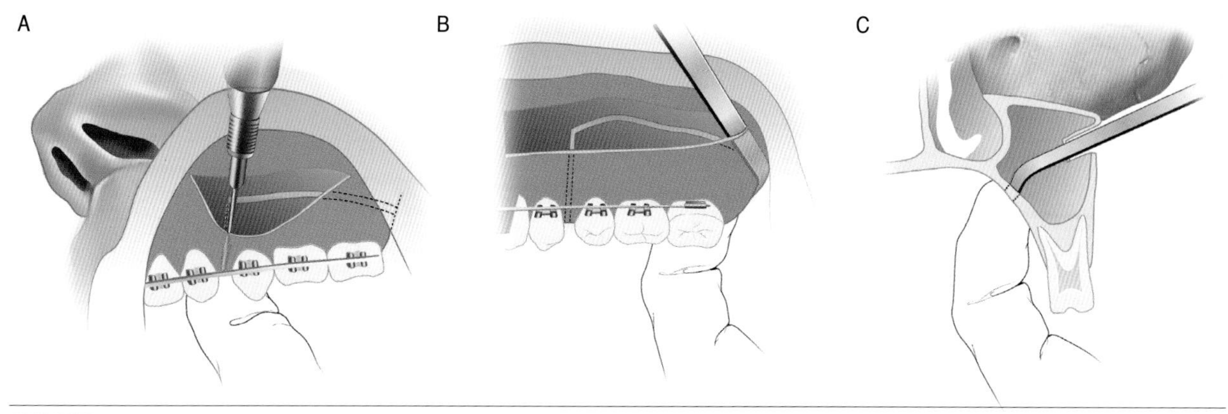

그림 4-16 **상악구치부 분절골절단술.** A: 상악구치부의 수평 및 수직골 절단을 시행한다. B: 상악결절과 익돌판의 분리 C: 구개골의 절단

접근법은 Wassmund 술식과 유사하게 진행된다. 이후 구개골절단을 시행하기 조심해서 구개점막을 경구개에서 박리하고, 구개측 골절단을 위해서 구개점막을 가로지르는 절개를 시행하여 구개골을 노출시키고, 골절단을 시행한다. 상악골 전방 골편의 혈행 공급을 위해서 비강의 박리 시 피판을 손상을 최소화해서 진행한다(그림 4-15). 구개측을 노출시킨 상태에서 골절단술을 시행함으로 소구치 공간뿐만 아니라 대구치 공간을 이용한 상악전방골편을 후방이동시키는 수술을 진행할 수 있다. 구개측 박리 시에 상악전방부의 구개피판이 분리되지 않도록 주의하는 것이 중요하다.

③ Cuper (Down fracture) 술식

상악의 순측 부위의 점막절개를 횡으로 시행한 후 상악의 전방의 협측골과 비강을 포함한 이상구(piriform appartus)를 노출시키고, 비강으로부터 비점막을 박리한다. 약간의 변형이 있을 수 있지만, 일반적으로는 상악전치부의 수평골절단술과 수직골절단술을 시행한다. 비점막을 상방으로 박리하고, 비중격을 상악과 분리하고, 수평골절단술을 시행한다. 치조골과 구개골절단을 위한 수직골절단술을 시행하는데, 이때 손가락을 구개점막에 위치시켜 버나 수술톱으로 시행된 골절단 시에 구개점막의 손상을 예방하는 것이 중요하다. 구개골절단술이 완전히 시행되고 나면, 상악분절골편의 절단을 직접 확인하면서 골편의 이동과 재위치술에 필요한 골삭제 등을 시행할 수 있다. 상기의 술식과 같이 골절단술이 시행되고, 상악의 전방골편이 분리되면, 술전에 준비된 수술 스플린트를 교합면에 위치시키고, 이동된 골절단편을 수술용 스플린트에 고정하고, 필요에 따라서 플레이트를 이용한 견고고정을 시행할 수 있다.

(2) 고려사항

전치부 분절골절단술의 경우 절단편에 포함된 치근의 손상에 의한 치아의 실활을 예방하는 것이 필요하다. 주로 견치에 발생할 가능성이 높아서, 수평골절단과 수직골절단으로 이행되는 과정에서 주의를 많이 기울여야 한다. 치근의 손상을 최소화하기 위해서는 치근의 상방과 인접면에 충분한 양의 골을 유지하는 것이 필요하다.

2) 상악구치부 분절골절단술
(Posterior segmental osteotomy, PSO)

상악구치부 분절골절단술은 악교정수술에서는 통상적으로 사용하는 술식은 아니지만, 상악의 교합 변화가 필요할 때나 상악의 임플란트 식립 시에 구치부 교합의 고경을 변경시켜야 할 경우 시행할 수 있다.

(1) 수술 과정

골절단을 시행하고자 하는 구치부에 수평절개를 시행하여 해당 상악골의 협측 부위를 노출시킨다. 골막박리는 익돌상악판 부위까지 시행한다. 전방부의 치간 골절제 부위는 골절선이 들어갈 부분에 한하여 치조 부위까지 보존적으로 박리한다. 계획된 치간 부위의 수직골절단술을 시행하고 치근과 4 mm 정도의 거리를 유지한 상태로 수평절개를 시행하여 수직 및 수평골절단술을 연결한다. 상악결절과 익돌판을 분리시키고, 구개면이 손가락을 대고 구개골의 절단을 시행한다(그림 4-16). 후방골절편의 상방이 이동이 필요한 경우에만 주의를 해서 골절제를 시행한다. 수술용 스플린트를 이용하여 후방골편을 고정시키고 추가적으로 플레이트를 이용한 견고고정을 시행할 수 있다. 후방분절편의 구개측 이동이 계획되어 있다면, 구개측에 절개를 시행하여 구개측 박리를 진행하는 경우도 있지만, 이때에 대구개동맥의 손상이 없도록 주의를 기울여야 한다.

(2) 합병증

전치부 분절골절단술과 마찬가지로 치아의 실활에 주의를 기울여야 하고, 상악동 또는 비강으로의 개통으로 비구강 누공이나 구강상악동 누공이 생길 수 있다.

참고문헌

1. Reuther J. Orthognathe Chirurgie: skelettverlagernde Operationen. Mund Kiefer Gesichtschir 2000;4:S237-S48.
2. 박재억. 악교정수술학. 서울: 군자출판사; 2003.
3. Hoffman GR, Brennan PA. The skeletal stability of one-piece Le Fort 1 osteotomy to advance the maxilla; Part 1. Stability resulting from non-bone grafted rigid fixation. Br J Oral Maxillofac Surg 2004;42:221-5.
4. San Miguel Moragas J, Van Cauteren W, Mommaerts MY. A systematic review on soft-to-hard tissue ratios in orthognathic surgery part I: maxillary repositioning osteotomy. J Craniomaxillofac Surg 2014;42:1341-51.
5. Füglein A, Riediger D. Exact three-dimensional skull-related repositioning of the maxilla during orthognathic surgery. Br J Oral Maxillofac Surg 2012;50:614-6.
6. Li B, Zhang L, Sun H, Yuan J, Shen SG, Wang X. A novel method of computer aided orthognathic surgery using individual CAD/CAM templates: a combination of osteotomy and repositioning guides. Br J Oral Maxillofac Surg 2013;51:e239-44.
7. Guymon M, Crosby DR, Wolford LM. The alar base cinch suture to control nasal width in maxillary osteotomies. Int J Adult Orthodon Orthognath Surg 1988;3:89-95.
8. van der Dussen FN, Egyedi P. Premature aging of the face after orthognathic surgery. J Craniomaxillofac Surg 1990;18:335-8.
9. Freihofer HP. Reversing segmental osteotomies of the upper jaw. Plast Reconstr Surg 1995;96:86-92.
10. Schouman T, Baralle MM, Ferri J. Facial morphology changes after total maxillary setback osteotomy. J Oral Maxillofac Surg 2010;68:1504-11.
11. Bell WH, Proffitt WB, White RP. Surgical Correction of Dentofacial Deformities. Philadelphia: W.B. Saunders; 1980.
12. Kademani D, Tiwana P. Atlas of oral and maxillofacial surgery: Elsevier Health Sciences; 2015.
13. Robiony M, Polini F, Costa F, Vercellotti T, Politi M. Piezoelectric bone cutting in multipiece maxillary osteotomies. J Oral Maxillofac Surg 2004;62:759-61.
14. Turvey TA. Maxillary expansion: a surgical technique based on surgical-orthodontic treatment objectives and anatomical considerations. J Maxillofac Surg 1985;13:51-8.
15. Kole H. Surgical operations on the alveolar ridge to correct occlusal abnormalities. Oral Surg Oral Med Oral Pathol 1959;12:515-29 concl.
16. Bell WH. Correction of maxillary excess by anterior maxillary osteotomy. A review of three basic procedures. Oral Surg Oral Med Oral Pathol 1977;43:323-32.
17. Murphey PJ, Walker RV. Correction of maxillary protrusion by ostectomy and orthodontic therapy. J Oral Surg Anesth Hosp Dent Serv 1963;21:275-90.
18. Perciaccante VJ, Bays RA. Principles of Maxillary Orthognathic Surgery. In: Miloro M, Ghali GE, Larsen P, Waite P, editors. Peterson's Principles of Oral and Maxillofacial Surgery. 3rd ed. Shelton: PMPH-USA, Ltd.; 2012. p.1365.
19. Greenberg AM. Craniomaxillofacial Reconstructive and Corrective Bone Surgery: Principles of Internal Fixation Using AO/ASIF Technique: Springer New York; 2016.
20. Wu ZX, Zheng LW, Li ZB, et al. Subapical anterior maxillary segmental osteotomy: a modified surgical approach to treat maxillary protrusion. J Craniofac Surg 2010;21:97-100.
21. Rosenquist B. Anterior segmental maxillary osteotomy. A 24-month follow-up. Int J Oral Maxillofac Surg 1993;22:210-3.
22. Lockwood H. A planning technique for segmental osteotomies. Br J Oral Surg 1974;12:102-5.

Chapter 05

하악골의 악교정수술

Orthognathic Surgery for Mandible

기본 학습 목표

- 하악골 악교정수술의 다양한 수술방법을 이해한다.

심화 학습 목표

- 하악골 상행지 시상분할 골절단술의 수술방법을 설명할 수 있다.
- 하악골 상행지 수직 골절단술 수술방법을 설명할 수 있다.
- 각 수술방법에 따른 고려사항 및 합병증에 대하여 대처할 수 있다.

1. 하악지 시상분할 골절단술 (Sagittal split ramus osteotomy, SSRO)

하악지 시상분할 골절단술은 1957년 Trauner와 Obwegeser에 의해 처음 발표되었다.[1] 이후 Dal Pont[2]에 의해 골편의 고정이 용이하고 치유촉진을 위해 골접촉면이 넓어지도록 술식의 수정이 있었고, Hunsuck과 Epker가 설측면 골절단을 변형하여 하악골의 이동을 용이하게 하였다(그림 5-1).[3,4] Spiessl은 이전의 강선 및 악간고정법에서 금속판과 골나사를 이용한 고정법으로 골편고정 방법을 대체하여 악간고정의 필요성을 획기적으로 감소시켰으며,[5] 하악지 시상분할 골절단술은 현재 하악골전돌증 및 후퇴증을 치료하는 대표적인 술식으로 자리 잡게 되었다. 이 술식의 기본적인 장점은 ① 원심 치아지지 골편의 재위치 용이성, ② 악골의 재위치 후 넓은 골편의 중첩으로 인한 골치유 촉진, ③ 측두하악관절부와 저작근 위치의 최소 변형 등을 들 수 있다. 또한 그 술식이 개선되면서 구강악안면외과의들은 더 일관된 골편의 분리와 신경혈관분지의 보호, 근심골편의 과두 위치 변형의 최소화와 견고고정을 이용하여 수술 후 개선된 악골의 치유 및 조기 개구가 가능하게 되었다.[6-8]

1) 수술 과정

(1) 절개 및 연조직 박리

절개할 부위와 박리가 이루어질 위치에 국소마취를 시행한 후에, 구강내에 개구기를 위치시켜 최대한 개구시킨다. 견인기로 연조직을 외측으로 견인하고, 하악지를 촉지한 다음 교합면 상방 1~2 cm 사이에서 시작하여 하악골의 외사선을 따라 제1대구치 구강 전정부까지 연장하고 구강점막의 절개를 시행한다. 교합면에서 너무 높이 올라가면 협부 지방층이 노출될 수 있으므로 교합면 상방으로 2 cm 이상 연장하지 않는다. 근육 및 골막 절개는 점막 박리 후 연조직의 견인 상태에서 골막을 통해 하악골체부와 상행지의 두꺼운 조직이 협근을 포함할 수 있도록, 골막 아래로 절개한다. 하악지의 하연은 stripper로 박리하고 추후 channel 견인기가 들어갈 공간을 형성한다. 하악골체부와 상행지의 골막을 박리한 후 외측으로 견인한다. 상행지의 전방부는 V notched elevator를 이용하여 오훼돌기(coronoid process)까지 박리한다. 오훼돌기에 붙은 측두근을 절제하고 Kocher 견인기나 notched elevator로 오훼돌기를 노출시킨다. 골막의 견인과 상행지 외측의 교근의 박리는 최소화하여도 접근성과 수술 시야를 충분히 제공할 수 있다. 상행지의 각 골면의 과도한 조직 박리는 골의 혈류 공급의 감소를 가져오므로 가급적 피한다(그림 5-2).

내측 박리 시에는 S형 절흔(sigmoid notch)을 인지하는 것이 해부학적인 방향을 설정하는 데 도움을 줄 수 있다. 직각으로 된 골막기자를 이용하여 S형 절흔의 위치를 파악하고 교합면과 평행하게 유지시켜 내측 박리 시 골막기자의 방향을 유도하여 시행한다. 상행지의 내측면 박리는 하악

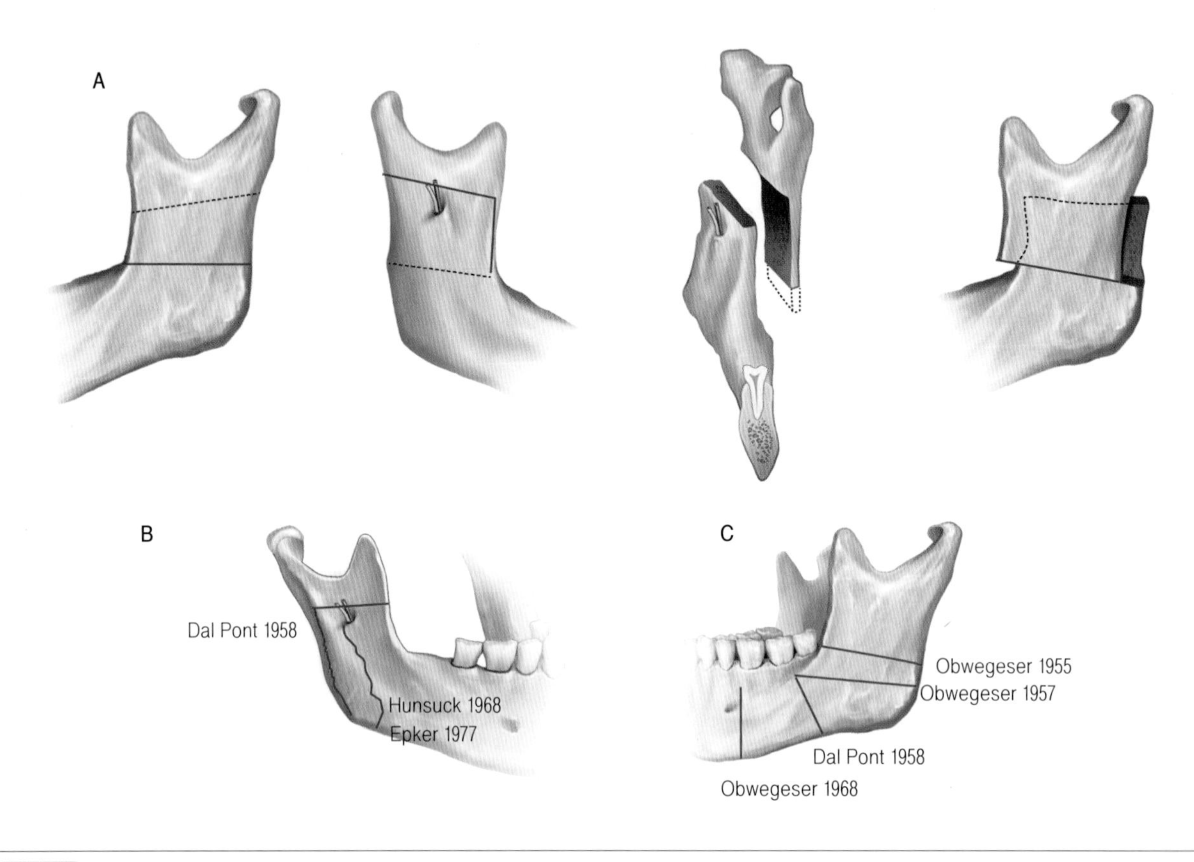

그림 5-1 **A:** Obwegeser의 시상분할 골절단술 원형 **B:** Dal Pont의 변형방법과 Hunsuck-Epker의 변형방법의 하악 내측면에서의 비교. Hunsuck-Epker의 방법은 신경혈관분지의 직후방에서 골절선이 형성되어 원심골편의 이동이 좀 더 용이하다. **C:** Dal Pont의 변형방법은 Obwegeser의 하악외측면의 수평골절단을 수직골절단으로 변경하여, 전후방적인 이동량과 골편 고정의 편의성을 향상시킨다.[9]

소설(lingual)과 하악공(mandibular foramen)의 상방의 골막 아래로 진행하고 하악골의 후방연으로 진행하여 하악골의 상행지의 내측 골절단이 가능한 터널을 형성한다. 하악소설 부위의 내측면의 박리는 긴장이 없는 상태로 신경혈관분지를 견인하기 위해 하악공의 상방에서 시행되이야 한다. 골막의 박리가 이루어진 후 견인기를 상행지의 내측면에 위치시킨다. 상행지의 내측면의 골막 박리 시에는 근육으로부터의 출혈의 가능성과 신경혈관분지의 손상 가능성이 크므로 골막 박리에 깊은 주의가 요구된다. 만약 출혈이 발생한다면 거즈를 이용하여 압박 지혈을 시도한다.

(2) 골절단 및 골절

기본적인 골절단의 형태는 하악골상행지의 피질골을 따라 골절단을 시행하는 것이다. 골절단선은 하악골상행지의 내측의 하악소설 상방부에서 수평으로 피질골절단 후 하악골체부의 상방으로 하악상행지의 전연으로 내려오고 하방으로 측방 피질골판으로 연장하여 하악하연을 포함한다. 이러한 골절단선은 수술용 드릴 또는 외과용 톱을 이용하여 내측면 골절단부를 형성하는데, 전방 하악상행지 부위의 전내측면은 수술 접근성을 증가시키기 위해 부분적으로 골삭제가 필요하다. Obwegeser-Dal Pont의 방법은 하악상행지 부위의 수평골절단은 하악지전연에서 후방으로 전부 포함하게 시행하나 Hunsuck-Epker의 방법은 소설 직후방 혹은 하악지 쪽의 약 2/3 정도 포함되게 연장하고, 두 방법 모두 내측부 골절단의 깊이는 하악상행지 내외측 폭의 1/2을 넘지 않도록 하여야 한다.

하악골 골체부의 골절단술의 수직골절단은 하악의 하연을 포함하여야 한다. 하악골체부의 외측피질골의 내부에 하치조 신경혈관분지가 위치하므로 골절단은 반드시 피질골에서 이루어져야 한다. 신경혈관분지의 주행상, 제2대구

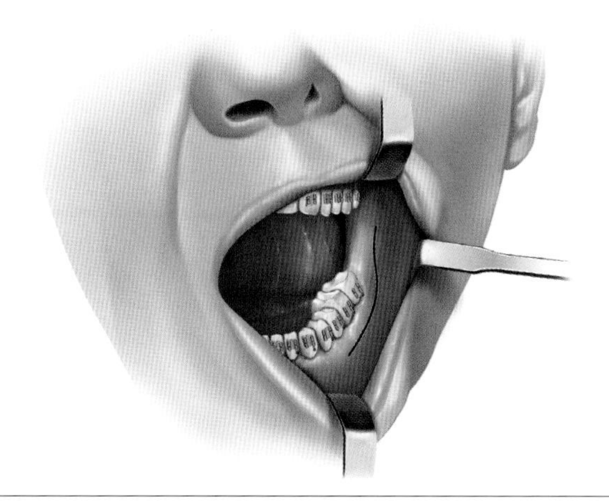

그림 5-2 **하악시상분할 골절단술을 위한 구강내 절개.** 외사선 상방의 연조직을 외측으로 견인 후 외사선부터 하악구치부 구강전정부까지 절개 후 골막하 박리를 시행한다.

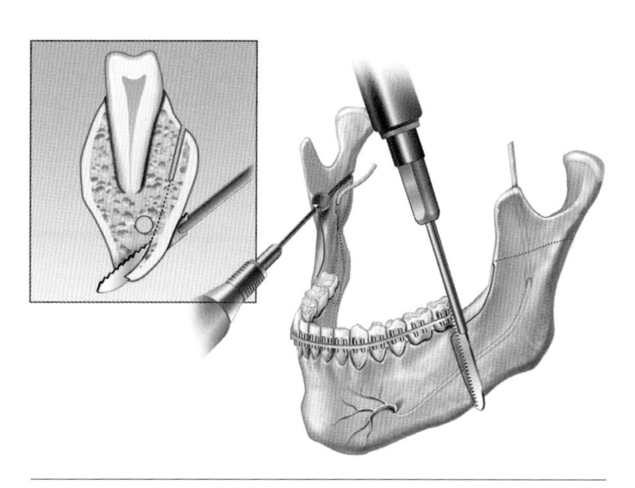

그림 5-3 **수평골절단 및 수직골절단 모습.** 수평골절단 및 하악지 골절단 시에는 불필요한 골을 삭제하는 것이 시야 확보에 도움이 된다. 수직골절단 시에는 내사선피질골 내측에 신경혈관분지가 위치하고 있어, 가급적 피질골만 절단하거나 직각보다는 예각을 이루는 것이 좋다.

치 부위에서 피질골이 가장 두꺼워 이 부위에서 수직골절단술을 시행한다. 하악골하연부에 견인기를 이용하여 시야를 확보하며 골체부 골절단 시 안면신경과 혈관을 보호한다. 골절단 형태의 완성은 얇은 골절도(osteotome)를 내측 골절단부 부위부터 하악상행지의 하연, 골체부로 이행하면서 위치시킴으로써 이루어진다. 이때 골절도의 끝이 신경혈관분지를 손상시키지 않도록, 피질골의 직하방으로 진행하게 유지하도록 주의한다(그림 5-3). 그 후, 큰 골절도를 이용하거나 3점 spreader (Obwegeser spreader 또는 Smith spreader)를 이용하여 골편을 주의 깊게 분리한다. 하악골을 분리할 때 신경혈관분지의 방향을 인지하고 근심측 골편(proximal segment)에서 포함되지 않도록 주의한다. 만약 근심골편에 부분적으로 신경혈관분지가 포함되면 조심스럽게 신경혈관분지를 박리하여 분리해준다(그림 5-4).

하악골의 전진술이 계획된다면 골막기자나 특별히 고안된 골막박리기 등을 이용하여 내측 익돌근의 부착부를 박

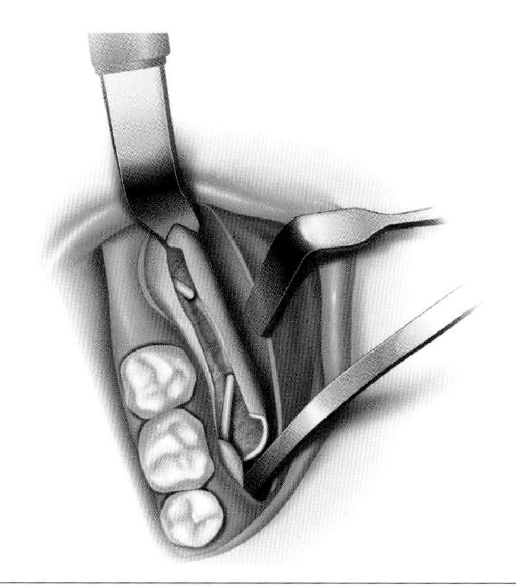

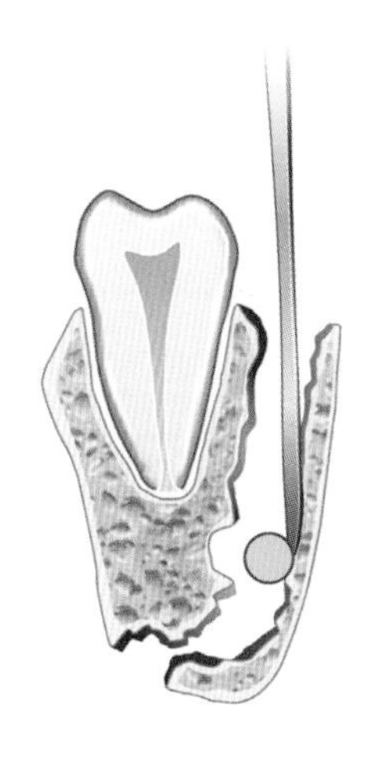

그림 5-4 하치조신경을 포함한 신경관은 원심골편에 위치하여야 하고, 근심골편에 일부분이 위치하고 있다면 조심스럽게 분리되어야 한다.

리하여야 한다. 반대로 하악골의 후퇴술이 계획된다면 하악골에 부착된 내측 익돌근과 교근의 박리가 과두골편의 변위를 예방하는데 필요하다. 반대측의 하악지 시상분할 골절단술을 동일한 술식으로 시행한 후 골편이 양측에서 모두 분리되면, 원심측 하악골분절은 계획된 위치로 이동할 수 있도록 쉽게 움직일 수 있게 된다. 원심측 골편(distal segment)의 하악치아는 레진을 이용한 교합상(occlusal wafer splint)을 적용한 다음, 상악치아와 강선을 이용하여 악간고정(intermaxillary fixation)을 시행한다.

(3) 고정

분절된 하악골을 원하는 위치로 이동하여 안정된 위치에서 고정하여야 한다. 적절한 과두의 위치를 확립하기 위해 근심측의 과두골편은 조심스럽게 위치시키고, 원심골편과의 골간섭이나 조기접촉, 과도한 간격이 없이 안정시켜야 한다. 분절된 골편의 고정법은 강선고정법(wiring fixation)과 같은 비견고고정법(non-rigid fixation), 소형 금속고정판(miniplate)이나 골편고정용 골나사(positioning screw)를 이용한 견고고정법(rigid fixation)으로 분류할 수 있다. 과거에는 하악을 상연부 강선고정법, 하연부 강선고정법을 이용하여 근심골편의 피질골과 원심골편의 피질골의 골편사이에 외과용 강선을 이용하여 고정하거나, 환하악 강선고정법으로 전체 골체부를 감는 고정을 시행하였으나, 현재에는 거의 사용되지 않고 있다.

소형 금속고정판(miniplate)을 이용하는 경우에는 금속고정판을 근심골편과 원심골편의 피질골에 위치시켜 골편을 고정할 수 있다. 4개 홀의 소형 금속판을 이용, 각각의 골편에 2개씩의 골나사로 안정된 고정을 얻을 수 있지만, 한 개의 금속고정판으로는 하악골의 기능을 견디기 힘든 경우에 두 번째의 소형 고정판을 부가적으로 이용할 수도 있다. 금속고정판은 각각 나사가 조여질 때 과두의 변위를 방지하기 위하여 골의 형태에 정확히 맞추어야 한다. 구강내에서 근심골편에 2개의 골나사를 이용하여 먼저 금속판을 고정한 이후, 근심골편의 위치를 확인한 다음 원심골편을 나머지 골나사로 고정한다(그림 5-5).

골편 고정용 골나사(positioning screw)를 이용한 견고고정법은 구강내부 혹은 구강외부를 통하여 시행된다. 구강내로의 접근이 제한되거나 혹은 비정상적인 골편의 분리가 일어났을 때 구강외부을 통하여 견고고정을 할 수 있다. 만약 구강외부접근법을 이용하는 경우에는 2~3 mm의 피부천공 형태의 절개 후 피부 절개를 통한한 둔한 박리를 시행하여 구강내로 연결되게 한다. 그 후 투관침(trocar)을 삽입하여 드릴가이드(drill guide)를 구강내로 개통시키고, 이곳을 통해 수술용 드릴로 근심골편과 원심골편에 hole을

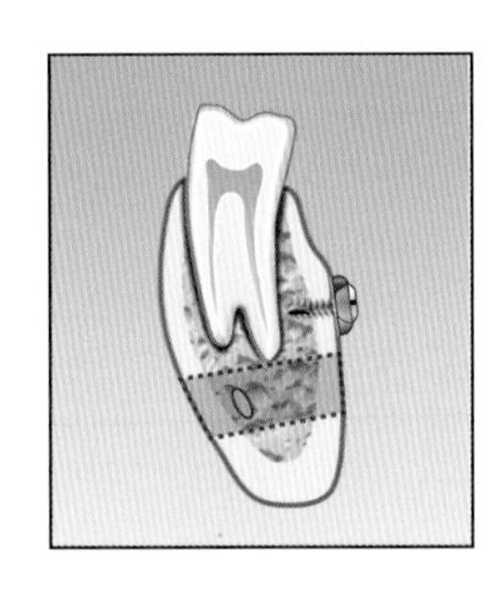

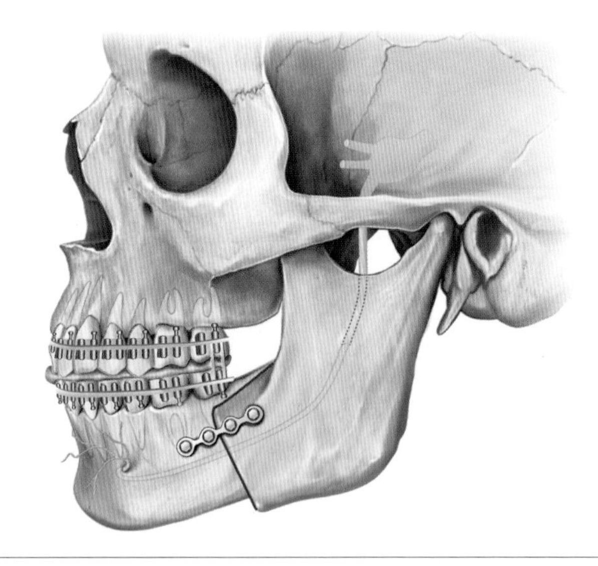

그림 5-5 소형 금속판과 골나사를 이용한 견고고정법

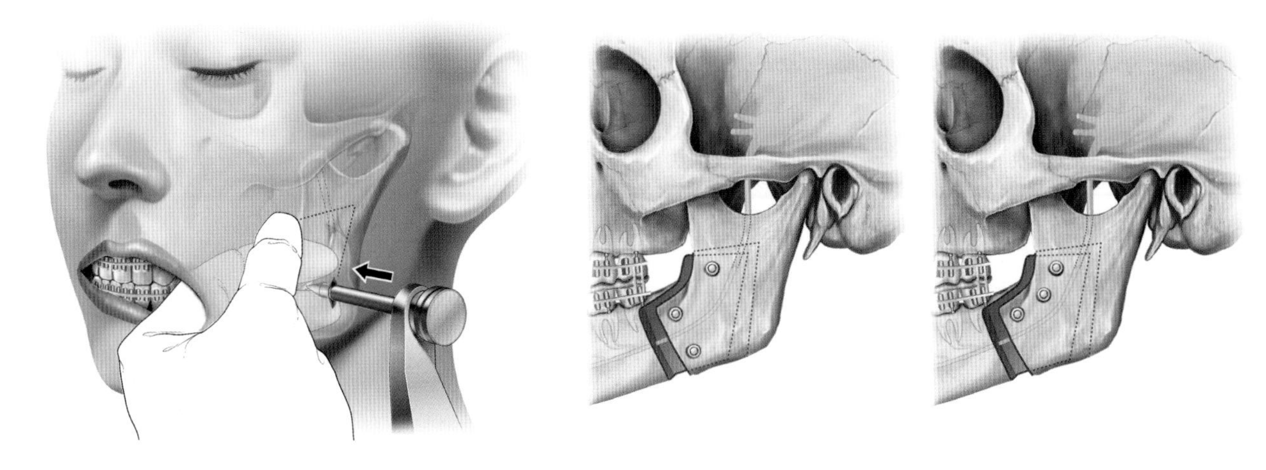

그림 5-6 투관침(transbuccal retractor)을 이용하여 협측으로 골편위치 고정용 골나사(positiong screw)를 이용한 견고고정

형성한 후, 골나사를 위치시킨다(그림 5-6).

최근에는 이전의 티타늄 골나사를 흡수성 폴리머 골나사(self-reinforced polylactate screw)로 사용하여도 안정된 결과를 보인다고 하였다.[10,11]

(4) 봉합

골편이 안정되고 고정이 적절히 이루어진 후에는 출혈의 유무를 검사한다. 만약 술후 출혈이나 혈종이 예상된다면 흡입배액관을 위치시킨다. 흡입배액관은 하악골의 외측, 그리고 구강내 절개선 하방에 위치시킨다. 흡입관의 유지는 배액량에 따라 결정하며 일반적으로 24~48시간 정도 유지해둔다. 창상은 3-0이나 4-0 봉합사를 이용하여 봉합한다. 수술 후 탄력 붕대를 이용하여 안면부에 적용한 후, 약 3일간 유지한다.

2) 고려사항

악간고정의 기간은 환자의 요구도, 골절단부의 고정법 그리고 임상적인 판단에 따라 달라진다. 만약 강선고정법(wire fixation)과 악간고정을 시행한 경우에는 골편의 안정과 고정을 얻기 위하여 일반적으로 수술 직후에는 일정 기간 동안의 악간고정을 유지한다. 임상적으로 골치유가 적절하면 환자는 교합상의 도움 없이 기능을 할 때까지 양측으로 유도고무(elastic)를 사용한다.

견고고정을 이용하여 골편을 고정한 후에는 수술 후 환자는 즉시 기능을 허용하거나 또는 짧은 기간의 악간고정이 일반적으로 추천된다. 그리고 유도고무를 이용하여 하악골을 새로운 악골기능 관계로 환자가 쉽게 적응할 때까지 수술 후 교합관계의 처치를 시행해 준다. 대부분의 환자는 하악지 시상분할 골절단술뿐만 아니라 다른 종류의 하악골 골절단술에서도 상당한 안면부의 부종을 경험하게 된다. 대부분의 부종은 수술 후 1~2주 내에 거의 소실되고 우각부의 부위에서 가장 오랜 시간 동안 지속된다. 구순을 포함한 안면부의 연조직은 새로운 위치에서의 적응 기간은 수개월에 걸쳐 일어나게 되어, 일반적으로 환자와 그 가족들의 기대보다 더 많은 시간이 소요된다. 수술 직후의 개구제한은 일시적이며, 술후 1개월에 술전의 80% 정도 회복되고, 정상 범위의 회복은 저작근의 회복과 하악과두의 적응이 일어나는 6개월 이내에 일어난다.[12] 대부분의 환자는 수술 후 하치조신경이 분포하는 하순부의 감각이 감소된다.[12] 일반적으로 하순부의 감각의 회복은 조기에 회복될 수도 있으나, 술후 1년 경과 후 10~20% 정도의 환자는 감각저하를 보이는 것으로 보고되고 있다.[13]

3) 합병증

하악지 시상분할 골절단술의 비교적 흔한 합병증으로는 골절단 부위의 비정상적인 골편 분리, 신경혈관분지의 손상, 과두를 포함한 근심골편의 잘못된 위치 등을 들 수 있다.[14] 심각한 출혈은 매우 드물지만,[15] 하치조동맥(inferior alveolar artery), 하악후정맥(retromandibular vein)이나 안면동맥(facial artery)이 손상받을 수 있다.[16]

비정상적인 골편 분리는 2~20%의 빈도로 발생할 수 있다.[13] 절골기를 이용하여 하악골의 분리를 시행하는 과정에서의 비정상적인 분리는 원심골편이나 근심골편 모두에서도 일어날 수 있지만 동시에 발생할 가능성은 거의 없다. 원심골편에서는 설측 피질골이 비정상적으로 분리될 가능성이 많다. 이는 대부분 골절단술 시행과 동시에 매복된 제3대구치의 발치를 시행한 경우에 빈발한다. 이를 예방하기 위하여 매복치는 악교정수술이 계획되기 전, 최소 6개월 전에 발치할 것을 추천하는 보고도 있다.[17] 만약 설측 피질골의 골절이 일어나면 이 부위의 설측 연조직을 최소한으로 주의 깊게 박리하여 골절된 설측 피질골에 양호한 혈류 공급을 유지시키도록 노력하고 견고고정법을 변형, 수정하여 골절된 설측 피질골과 함께 고정하여야 한다.[18] 근심골편의 비정상적인 골절은 하악골이 분리되기 전 또는 분리된 후에도 나타날 수 있다. 일반적으로 골절단부의 절단 부족이나 부적절한 절골기의 사용으로 빈발하게 나타날 수 있다. 근심골편의 골절은 시야의 노출과 접근의 용이성 등으로 비교적 쉽게 견고고정법을 시행할 수 있다.

하악관의 신경혈관분지가 손상된 경우, 신경의 연속성을 유지하기 위해 세심한 주위가 필요하다. 부분적으로 손상된 신경혈관분지는 하악골의 이동이 완료된 후, 조심스럽게 재위치시키며 신경혈관분지가 완전히 절단된 경우에는 신경봉합술을 시행해야 한다. 현미경이나 확대경 하에서의 미세신경봉합술을 시행해야 한다. 현미경이나 확대경하에서의 미세신경 봉합술은 이상적인 회복을 제공할 수 있지만 모든 경우에서 회복되는 것은 아니다.[19]

근심과두골편의 비정상적인 위치는 일반적으로 대부분 원심골편의 이동이 시행된 후에 많이 일어난다. 대부분의 경우 근심골편은 수술 시 쉽게 재위치시킬 수 있다. 그러나 양호한 임상적 상황에서도 근심골편은 골절단부의 고정술 시에 빈번하게 변위될 수 있다. 부적절한 강선고정법(wire fixation)은 과두를 견인하지만 골편을 견고하게 고정시키진 못한다. 만약 수 mm의 변위가 일어난 경우는 저작근의 작용으로 수 주 동안의 악간고정 기간 동안에 과두의 재위치가 일어날 수 있다. 그러나 부적절하게 견고고정술이 시행된 경우에는 주위 저작근으로 조절될 수가 없다. 견고고정법이 적용된 수술의 경우는 봉합하기 전에 과두의 위치와 교합관계를 주의 깊게 확인하는 것이 중요하다. 또한 견고고정 과정에서 무리한 힘을 가하는 것은 골절단부의 변이와 과두위치의 변위를 유발할 수 있다. 때로는 수술 시에 적절한 과두의 위치를 설정하기가 어려운 경우도 발생할 수 있다. 경우에 따라서는 특별히 고안된 과두 재위치 장치를 사용함으로써 이를 방지할 수 있다.

수술 중 과도한 출혈과 수혈의 필요성은 하악지 시상분할 골절단술의 경우에는 드물다. 대부분의 출혈은 내측 익돌근, 하치조신경혈관분지 부위나 골절단부, 주위 근육 등에서 일어나지만 일반적으로 국소적인 방법으로 지혈시킬 수 있다. 안면 동맥(facial artery)은 하악골하연에서 연조직 손상받는 경우에 발생하며, 피부압박법으로 멈출 수 없다면 혈관결찰술이 요구된다. 하악지 후연에 인접한 하악후정맥으로부터의 출혈도 드물게 발생될 수 있다. 주로 압박법이나 국소지혈제를 사용하여 출혈을 충분히 조절할 수 있다.

2. 하악골 상행지 수직골절단술 (Vertical ramus osteotomy, VRO)

VRO는 전돌된 하악(prognathic mandible)을 후퇴시키는 대표적인 수술법이다.[20,21] 이 술식이 소개된 이후 여러 술자들은 분리된 근심골편(proximal segment)과 원심골편(distal segment)의 골유합(bone union)을 도모하기 위해 철사(wire)와 나사못(screw)을 이용한 고정을 시도하였다. 하지만 VRO 후 고정을 시행하지 않아도 근, 원심골편 간의 피질골 대 피질골 접촉에 의해 골유합이 일어나는 것으로 보고되었다.[22,23] VRO 후 근심골편의 하악과두는 전방, 하방으로의 위치하지만(sagging), 장기적으로 원래 위치로 돌아오게 된다(그림 5-7).[24] 최근에는 VRO 후 골편 간의 고정은 추천되지 않고 있으며, 악간고정(maxillomandibular fixation, MMF)을 일찍 제거하고, 능동적 물리치료(active physiother-

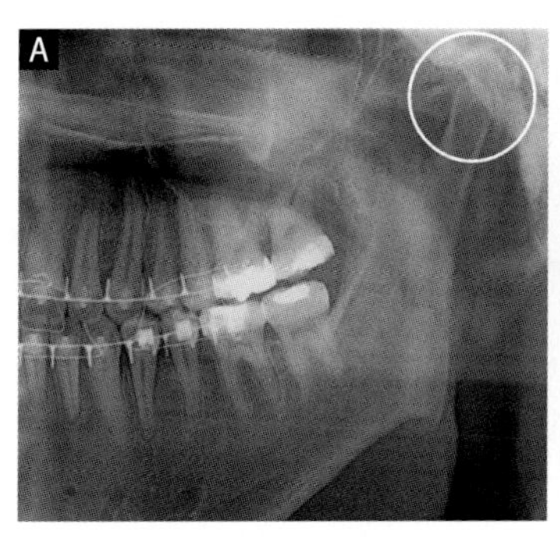

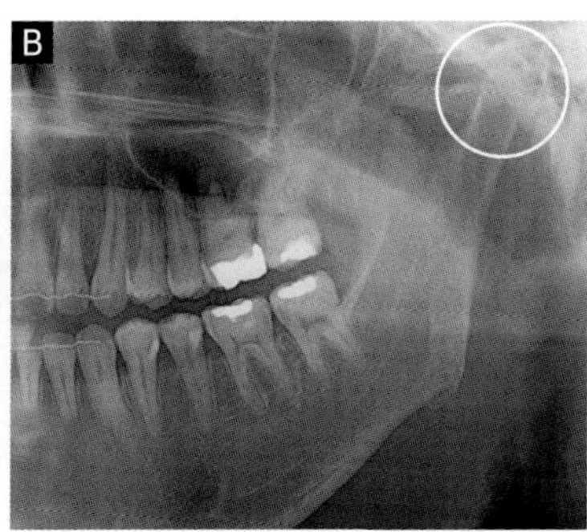

그림 5-7 A: VRO 1주 후 파노라마 방사선사진
B: VRO 6개월 후 파노라마 방사선사진

apy)를 시행하는 것이 추천되고 있다. 하지만 술자에 따라 악간고정의 기간은 1~4주로 다양하게 적용될 수 있다.

1) VRO의 기본 술식

하악대구치 측방의 구강 전정부에서 하악교합평면 높이에서부터 외사선(external oblique ridge)을 따라 약 3~4 cm 정도의 골점막 절개를 시행한다. 하악교합평면 높이보다 상방에서 절개가 가해질 경우 볼 지방(buccal fat pad)이 노출될 수가 있으므로 주의해야 한다. 골점막 절개 후 하악지의 외측면을 따라 상방으로는 S형 절흔, 하방으로는 antegonial notch까지, 후방으로는 하악지 후연(posterior border of ramus)까지 골점막을 벗겨 하악지 측면을 노출시킨다. S형 절흔과 antegonial notch에 각각 두 개의 견인자(bauer retractor)를 걸고(그림 5-8), 거즈 스펀지(gauge sponge)를 이용하여 하악지의 외측면을 닦은 후 반소설돌기(antilingula eminence)를 확인하고 이를 연필로 이를 표시한다(그림 5-9). 반소설돌기는 내측의 하악공(mandibular foramen) 위치에 대응하는 작은 융기로 수평적으로는 하악지 후연으로부터 전연까지의 중간 부위에 위치하며, 수직적으로는 하악교합평면으로부터 약 10 mm 상방에 위치한다.[25] 반소설돌기부터 antegonial notch의 부위까지 하악지 후연과 평행한 기준선을 표시한다. Oscillating saw(그림 5-10)를 이용하여 기준선보다 약 2 mm 후방에 기준선과 평행하게 아래쪽으로 수직의 골절단을 시행한다. 반소설돌기 상방으로는 약간의 전방경사를 주어 S형 절흔까지 골절단을 시행한다. 이러한 전방 경사된 상방의 골절단은 원심골편(distal segment)의 골 두께를 얇게 하여 근심골편(proximal segment)이 원심골편의 측면에서 중첩되기 용이하게 하기 위함이다. 이렇게 골절단이 완성된 후에는 골막기자(periosteal elevator)를 이용하여 근심골편의 내측에 부착되어 있는 골막 및 근육을 벗겨주어 골편이 중첩될 때 근심골편에 부착되어 있는 근육이 끼지 않도록 한다. 편측 골절단이 완성되면 반대측의 골절단을 동일한 방법으로 완성한다. 상악치열궁에 교합상(wafer splint)을 장착시키고,

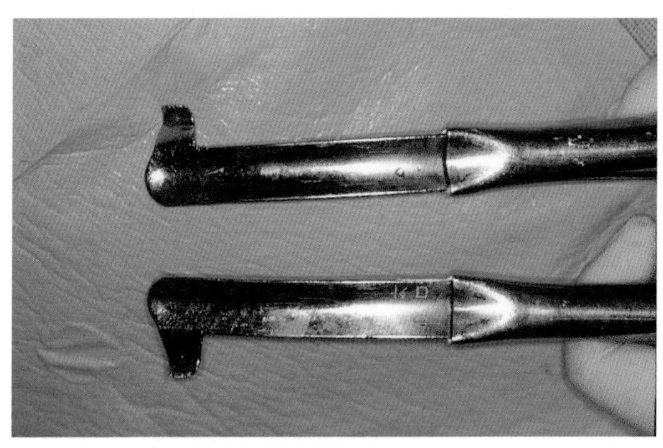

그림 5-8 Bauer retractors

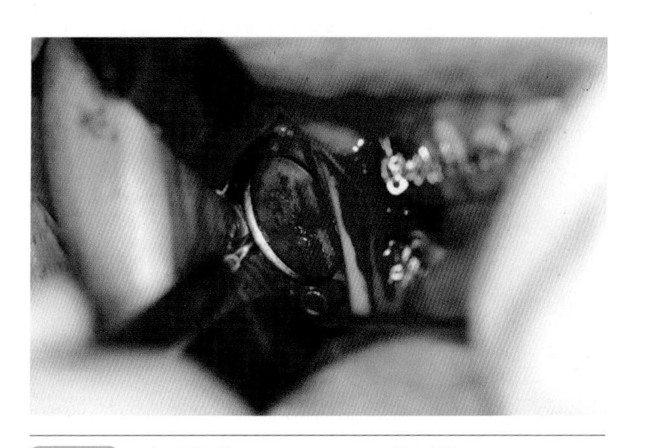

그림 5-9 반소설돌기(antilingula eminence)를 확인

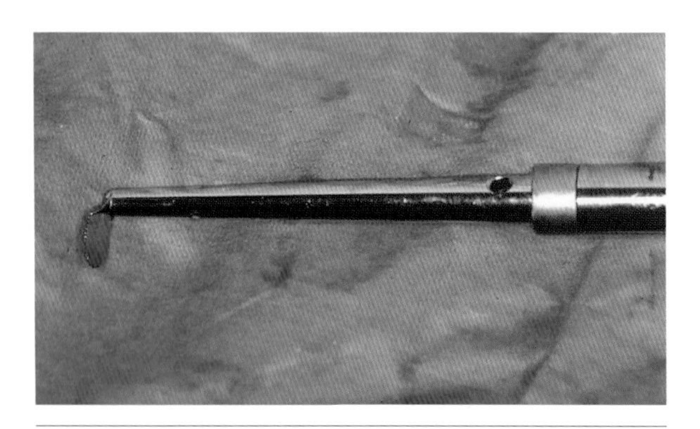

그림 5-10 Oscillating saw

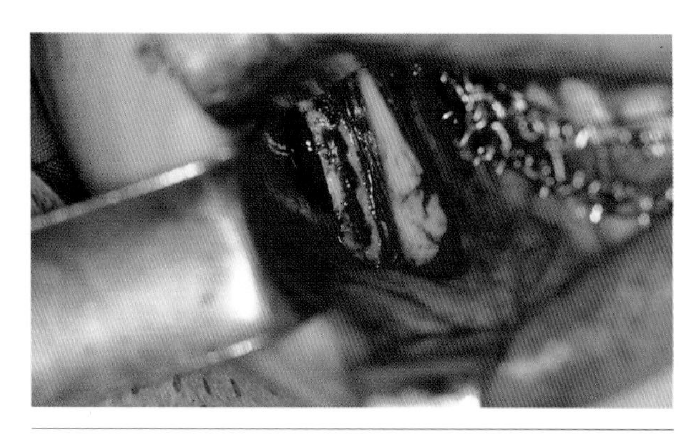

그림 5-11 근원심골편 간의 피질골 대 피질골 접촉

근심골편이 원심골편의 측면에서 중첩되도록 하면서 원심골편을 후방으로 이동시킨 후(그림 5-11) 교합상에 맞추어 악간고정을 시행한다. 근심골편과 원심골편의 중첩된 상태를 다시 확인한다. 근심골편이 측방으로 많이 벌어지면 근심골편의 내측과 원심골편의 외측의 골 간섭 부위를 삭제하여 벌어지지 않도록 조정한다.[26] 그리고 근심골편의 최하단부를 원심골편의 하연과 일치되는 위치까지 삭제하여 우각부 하연이 아래쪽으로 튀어나오는 것을 방지한다. 창상은 통상적인 방법으로 hemovac을 삽입 후 층별로 봉합한다. 약 7~10일 후 악간고정을 제거하고 능동적 물리치료(active physiotherapy)를 시행한다.

2) 술후 물리치료

악간고정 제거 후 기능적 물리치료는 술후 교합의 안정성 및 턱관절장애(temporomandibular disorder, TMD)의 치료 효과에 있어 매우 중요하다. 환자가 스스로 개구운동, 측방운동 및 전방운동을 시행하도록 한다(그림 5-12). 첫 1주일 동안은 한 시간 동안 물리치료 후 고무줄을 이용

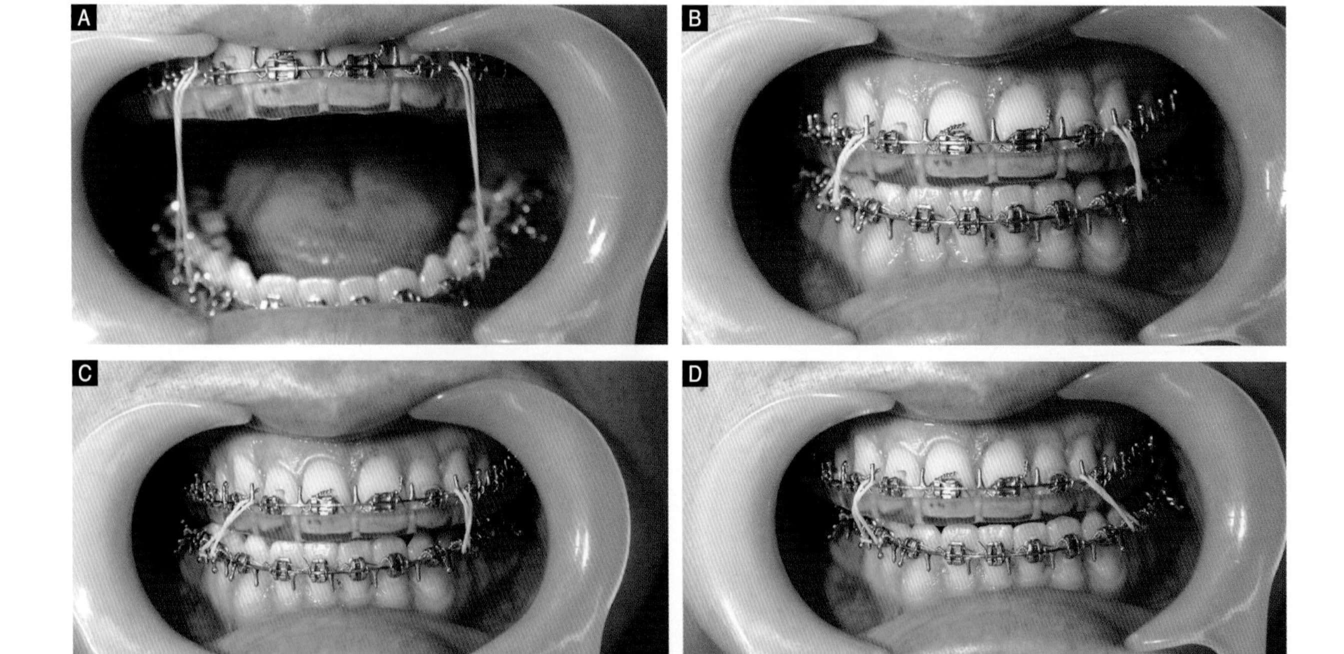

그림 5-12 개구운동, 측방운동 및 전방운동

하여 두 시간 동안 악간고정을 반복한다. 기능적 물리치료 중 개교합(openbite) 성향이 관찰될 경우 다시 2~3일 동안 악간고정을 시행한 후 기능적 물리치료를 시행한다. 개교합 성향 없이 물리치료가 3~4일 이상 지속되면 상악치열궁에 장착되어 있는 교합상을 제거한 후 다시 물리치료를 시행한다. 교합상 제거 후에도 2~3일 동안 개교합 없이 교합이 안정적으로 유지되면 술후 교정을 시작한다.

3) 장점과 단점

VRO는 SSRO에 비해 술식이 간편하고, 하치조신경과 혈관의 손상 위험이 적으며,[27-31] 중첩된 골편 간에 어떠한 고정도 필요로 하지 않기 때문에 골절단 후 하악과두의 위치 설정을 위한 번거로움이 없다. 또한 술후 물리치료 기간 동안에 하악과두가 생리적 평형위(physiologically equilibrated position)에 재위치시킴으로써 TMD가 있는 대부분의 환자에서 치료 효과를 나타낸다.[32] VRO는 SSRO에 비해 하악운동의 정상 회복이 빠르며,[12,33] 활성적 물리치료를 통한 올바른 환자 관리 시 재발(relapse) 현상이 낮다.[34] 반면에 VRO는 수술 후 일정 기간(약 7~10일) 동안 악간고정을 해야 하며, 악간고정 제거 후에도 약 2~3주 동안 환자가 스스로 적극적인 물리치료를 해야 한다는 단점이 있다.

3. 역 L자형 골절단술(Inverted-L osteotomy)

역 L자형 골절단술은 하악지상행 골절단술과 동시에 시행된 증례로 1957년 문헌상 보고된 이래,[35] 하악전돌증 또는 후퇴증의 치료에 사용된 증례가 보고되다가 최근 들어서 광범위한 하악의 전방이동이 필요한 경우, 하악의 반시계방향 회전이 필요한 개교합 환자의 경우, 그리고 재수술 증례에 유용하게 이용될 수 있음이 보고되고 있다.[36-39]

수술 시 수평골절단술을 위한 내측 접근방법은 상행지 시상분할 골절단술과 거의 같으며 수직골절단술의 경우 상행지 수직골절단술의 접근 시와 같은 원리로 시행할 수 있다. 내측의 골점막을 lingula 후방까지 박리한 후 reciprocationg saw를 이용하여 하악지 후연의 전방 8~10 mm까지 full thickness로 골절단을 시행한다. 이때 하치조 신경경로의 후방에 골절단이 이루어져야 한다. 역 L자형 골절단술의 수직골절단을 위하여 구강내로 접근하는 경우는 oscillationg saw 등을 이용하게 되지만, 하악의 광범위한 후방이나 전방이동이 필요한 경우나 골이식이 필요한 경우 시야 확보를 위하여 구강 외로 접근하는 경우도 있으며, 이 경우 reciprocating saw로 수직골절단을 시행하여 수평골절단선과 연결하게 된다. 하악치아가 포함된 원심골편을 계획한 위치에 이동시킨 후 견고고정을 시행한다(그림 5-13). 이 수술방법은 수술로 인

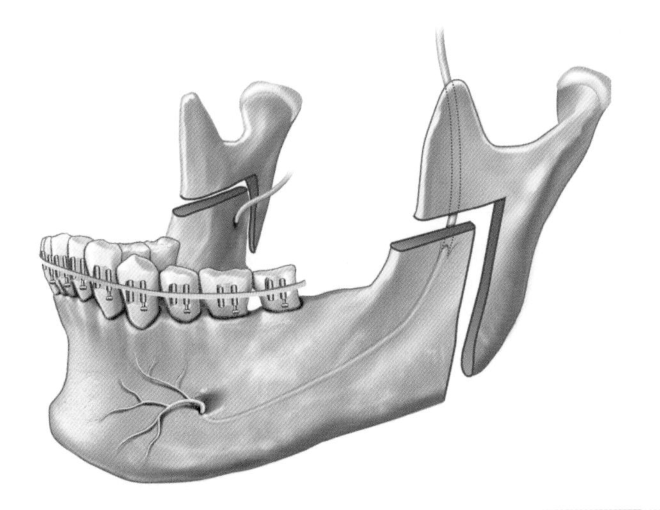

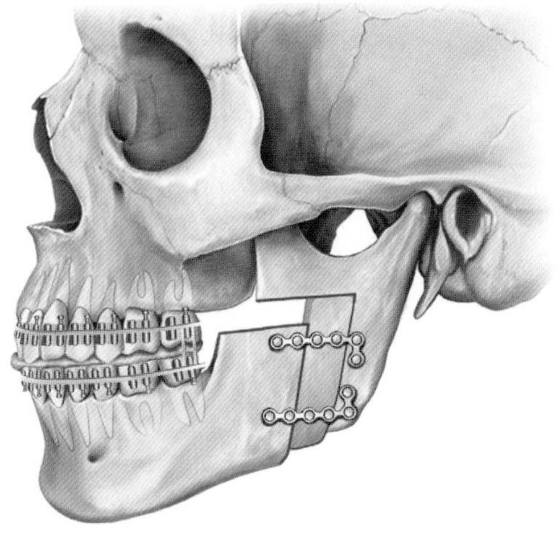

그림 5-13 역 L자형 골절단술

한 측두근 근막을 포함한 저작근 일부가 신전(stretching)되어 수술 후 재발에 영향을 미치는 현상을 방지할 수 있다는 장점이 있으며,[40] 수평골절단선의 위치를 하악소설 (lingula)보다 하방에 위치시키면서 하악지에 부착된 근육과 인대의 신전을 최소화하는 변형방법이 제시되기도 하였다.[41]

4. 하악체부골절단술(Body osteotomy)

하악체부골절단술은 하악지 시상골 절단술보다는 널리 이용되는 술식은 아니지만 구치 발치가 동시에 필요하거나 하악교합평면의 변화를 동시에 필요로할 때 고려될 수 있다. 하치조신경이 주행하는 협측 피질골 부위를 제거하여 이공 주위와 골절단 부위의 하치조 신경 경로를 확인하고 난 후 설측 점막을 박리한다. 설측으로는 점막을 보호된 상태로, 그리고 협측으로는 하치조신경을 골막기자 등으로 충분히 보호하면서 체부를 절단한다. 광범위한 이동이 있을경우 수술 후 근-원심골편단 간의 골접촉 면적이 적고, 절단 부위에 계단과 같은 형태가 얻어지므로 추가적인 체부 윤곽술이나 절골술이 필요할 수도 있다(그림 5-14). 이러한 하악체부골절단술을 기본적인 골절선을 변형하여 계단형, L자형, 역 L자형, 체부 시상골절단술 등과 같은 술식도 보고되어 있다.[42,43]

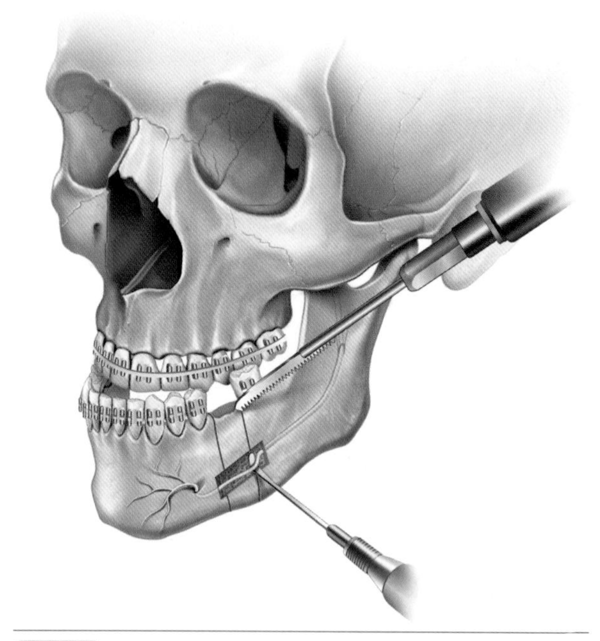

그림 5-14 하악체부골 절단술

5. 하악전방분절술

하악전방분절술은 상악전방분절골절단술과 동시에 시행하여 양악전돌증(bimaxillary protrusion)의 개선을 위해서 시행되고, 전치부의 개교합 치료, 하악전방의 치조골의 전방 또는 후방 하방이동을 목적으로 사용하기도 하고, 전치부의 개교합의 치료를 위해서 상방이동을 시행할 목적으로도 사용된다.[44,45] 골절단 시술은 하악 좌우 소구치 사이의 발치공간을 이용하거나, 비발치 시에는 기존의 치아의 치근 사이의 공간을 교정적으로 이개를 시켜 시행하기도 한다.[46,47]

수술을 시행할 경우 하악의 순측 및 협측 점막 부위에 침윤 국소마취를 시행한다. 하악골을 노출시키기 위한 점막절개는 제1대구치에서 반대측 대구치까지의 전정 부위에 시행한다. 수평절개를 시행한 이후에는 골절단을 시행한 부위의 치은을 조심스럽게 박리하여 치아 사이의 치조골 부위에 골절단술을 시행할 수 있도록 시야를 확보하여야 한다. 소구치의 발치를 계획하는 경우에는, 발치 시행 후 협측 및 설측 치조골에 수직골절단을 시행할 부위에 수직 점막 박리를 시행하여 점막의 손상을 예방하여야 한다. 이 경우에는 발치를 시행한 후 절개 부위에 국소마취를 시행 후 좌, 우측 견치 사이의 점막절개를 한다. 협측 점막 박리 시에 이신경의 주행을 주지하여 술후 감각이상의 발생을 예방하여야 한다. 외과용 버(bur)나 톱(saw)을 이용하여 수직골절단을 하연까지 연장하고, 양측 수직골절단이 시행된 이후에 수평골절단술을 시행한다. 소구치의 발치가 계획되어 있지 않는 경우에는 치조골의 상부는 소형 치즐(chisel)을 이용하면 비침습적인 방법으로 골절단술을 마무리할 수 있다. 분절골편을 계획된 양만큼 이동시킨 후 수술 전에 제작한 스플린트에 위치시킨 후 골편과 하악골 사이에 과잉된 골편들을 삭제하여 이동 시 방해가 되지 않도록 한다. 하악전치를 포함한 골절편의 설측의 근육부착이 잘 유지되도록 한 상태에서 골절편 마무리를 하는 것이 필요하다. 하악전방 고정은 대부분 견고성 고정을 이용하나 철사를 이용한 비고정성 고정의 경우 약 6주간의 악간고정을 실시한다(그림 5-15).

하악견치는 중절치 및 측절치에 비해서 치근이 길어 골절단술 시행시에 치근 손상을 야기할 수 있어 주의하여야 하며, 골절단면의 디자인 설계, 분리된 골편의 이동 시 및 잉여골의 삭제 시에 골절편의 설측에 부착된 이설골근이 분리되지 않아야 골편에 원활한 혈행을 공급을 유지할 수 있으므로 주의하여야 한다. 주된 합병증으로는 골편의 비유합이나 이부신경의 손상 등이 있을 수 있다.

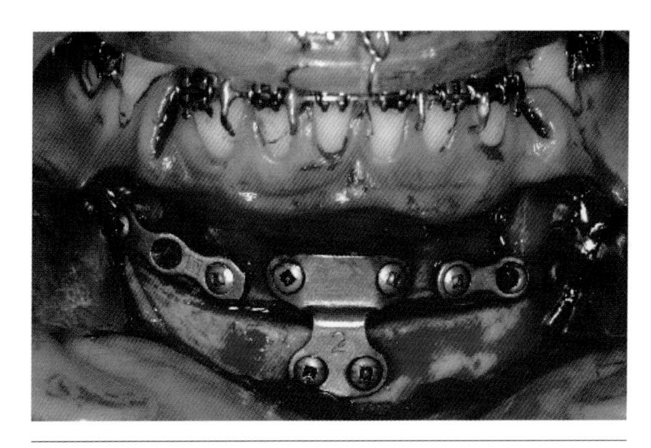

그림 5-15 하악전방분절술

참고문헌

1. Trauner R, Obwegeser H. The surgical correction of mandibular prognathism and retrognathia with consideration of genioplasty. II. Operating methods for microgenia and distoclusion. Oral Surg Oral Med Oral Pathol 1957;10:899-909.
2. Dal Pont G. Retromolar osteotomy for the correction of prognathism. J Oral Surg Anesth Hosp Dent Serv 1961;19:42-7.
3. Hunsuck EE. A modified intraoral sagittal splitting technic for correction of mandibular prognathism. J Oral Surg 1968;26:250-3.
4. Epker BN. Modifications in the sagittal osteotomy of the mandible. J Oral Surg 1977;35:157-9.
5. Spiessl B. [Osteosynthesis in sagittal osteotomy using the Obwegeser-Dal Pont method]. Fortschr Kiefer Gesichtschir 1974;18:145-8.
6. Watzke IM, Heinrich A. The impact of bilateral sagittal split osteotomy on mandibular width and morphology. J Oral Maxillofac Surg 2002;60:502-4; discussion 5.
7. Kelly JP. Mandibular Ostetomies. In: Keith DA, editor. Atlas of Oral and Maxillofacial Surgery. Philadelphia: Saunders; 1992. p.153.
8. Proffit W, White Jr R. Surgical-orthodontic treatment. St. Louis: Mosby; 1990.
9. Obwegeser HL. Mandibular growth anomalies. Heidelberg: Springer; 2001.
10. Turvey TA, Bell RB, Phillips C, Proffit WR. Self-reinforced biodegradable screw fixation compared with titanium screw fixation in mandibular advancement. J Oral Maxillofac Surg 2006;64:40-6.
11. Turvey TA, Bell RB, Tejera TJ, Proffit WR. The use of self-reinforced biodegradable bone plates and screws in orthognathic surgery. J Oral Maxillofac Surg 2002;60:59-65.
12. Boyd SB, Karas ND, Sinn DP. Recovery of mandibular mobility following orthognathic surgery. J Oral Maxillofac Surg 1991;49:924-31.
13. Colella G, Cannavale R, Vicidomini A, Lanza A. Neurosensory disturbance of the inferior alveolar nerve after bilateral sagittal split osteotomy: a systematic review. J Oral Maxillofac Surg 2007;65:1707-15.
14. Panula K, Finne K, Oikarinen K. Incidence of complications and problems related to orthognathic surgery: a review of 655 patients. J Oral Maxillofac Surg 2001;59:1128-36; discussion 37.
15. Van de Perre JP, Stoelinga PJ, Blijdorp PA, Brouns JJ, Hoppenreijs TJ. Perioperative morbidity in maxillofacial orthopaedic surgery: a retrospective study. J Craniomaxillofac Surg 1996;24:263-70.
16. Lanigan DT, Hey J, West RA. Hemorrhage following mandibular osteotomies: a report of 21 cases. J Oral Maxillofac Surg 1991;49:713-24.
17. Schwartz HC. The timing of third molar removal in patients undergoing a bilateral sagittal split osteotomy. J Oral Maxillofac Surg 2002;60:132-3.
18. Epker BN, LaBanc JP. Orthognathic surgery: management of postoperative complications. 1990;2:901-31.
19. Yoshida T, Nagamine T, Kobayashi T, et al. Impairment of the inferior alveolar nerve after sagittal split osteotomy. J Craniomaxillofac Surg 1989;17:271-7.
20. Moose SM. Surgical correction of mandibular prognathism by intraoral subcondylar osteotomy. J Oral Surg Anesth Hosp Dent

Serv 1964;22:197-202.

21. Hebert JM, Kent JN, Hinds EC. Correction of prognathism by an intraoral vertical subcondylar osteotomy. J Oral Surg 1970;28:651-3.
22. Reitzik M. Cortex-to-cortex healing after mandibular osteotomy. J Oral Maxillofac Surg 1983;41:658-63.
23. Choi YS, Jung HD, Kim SY, Park HS, Jung YS. Remodelling pattern of the ramus on submentovertex cephalographs after intraoral vertical ramus osteotomy. Br J Oral Maxillofac Surg 2013;51:e259-62.
24. Bell WH, Yamaguchi Y. Condyle position and mobility before and after intraoral vertical ramus osteotomies and neuromuscular rehabilitation. Int J Adult Orthodon Orthognath Surg 1991;6:97-104.
25. Park KR, Kim SY, Kim GJ, Park HS, Jung YS. Anatomic study to determine a safe surgical reference point for mandibular ramus osteotomy. J Craniomaxillofac Surg 2014;42:22-7.
26. Jung HD, Kim SY, Park HS, Jung YS. Modification of intraoral vertical ramus osteotomy. Br J Oral Maxillofac Surg 2014;52:866-7.
27. Al-Bishri A, Barghash Z, Rosenquist J, Sunzel B. Neurosensory disturbance after sagittal split and intraoral vertical ramus osteotomy: as reported in questionnaires and patients' records. Int J Oral Maxillofac Surg 2005;34:247-51.
28. da Fontoura RA, Vasconcellos HA, Campos AE. Morphologic basis for the intraoral vertical ramus osteotomy: anatomic and radiographic localization of the mandibular foramen. J Oral Maxillofac Surg 2002;60:660-5; discussion 5-6.
29. Ghali GE, Sikes JW, Jr. Intraoral vertical ramus osteotomy as the preferred treatment for mandibular prognathism. J Oral Maxillofac Surg 2000;58:313-5.
30. Karas ND, Boyd SB, Sinn DP. Recovery of neurosensory function following orthognathic surgery. J Oral Maxillofac Surg 1990;48:124-34.
31. Manor Y, Blinder D, Taicher S. Sequence of treatment in mandibular prognathism patients. Cranio 2006;24:95-7.
32. Jung HD, Jung YS, Park HS. The chronologic prevalence of temporomandibular joint disorders associated with bilateral intraoral vertical ramus osteotomy. J Oral Maxillofac Surg 2009;67:797-803.
33. Jung HD, Jung YS, Park JH, Park HS. Recovery pattern of mandibular movement by active physical therapy after bilateral transoral vertical ramus osteotomy. J Oral Maxillofac Surg 2012;70:e431-7.
34. Jung HD, Jung YS, Kim SY, Kim DW, Park HS. Postoperative stability following bilateral intraoral vertical ramus osteotomy based on amount of setback. Br J Oral Maxillofac Surg 2013;51:822-6.
35. Trauner R, Obwegeser H. The surgical correction of mandibular prognathism and retrognathia with consideration of genioplasty. I. Surgical procedures to correct mandibular prognathism and reshaping of the chin. Oral Surg Oral Med Oral Pathol 1957;10:677-89; contd.
36. Levine B, Topazian DS. The intraoral inverted-L double-oblique osteotomy of the mandibular ramus: a new technique for correction of mandibular prognathism. J Oral Surg 1976;34:522-5.
37. Medeiros PJ, Ritto F. Indications for the inverted-L osteotomy: report of 3 cases. J Oral Maxillofac Surg 2009;67:435-44.
38. Muto T, Akizuki K, Tsuchida N, Sato Y. Modified intraoral inverted "L" osteotomy: a technique for good visibility, greater bony overlap, and rigid fixation. J Oral Maxillofac Surg 2008;66:1309-15.
39. Kobayashi A, Yoshimasu H, Kobayashi J, Amagasa T. Neurosensory alteration in the lower lip and chin area after orthognathic surgery: bilateral sagittal split osteotomy versus inverted L ramus osteotomy. J Oral Maxillofac Surg 2006;64:778-84.
40. Van Sickels JE, Tiner BD, Jeter TS. Rigid fixation of the intraoral inverted 'L' osteotomy. J Oral Maxillofac Surg 1990;48:894-8.
41. Aymach Z, Nei H, Kawamura H, Van Sickels J. Evaluation of skeletal stability after surgical-orthodontic correction of skeletal open bite with mandibular counterclockwise rotation using modified inverted L osteotomy. J Oral Maxillofac Surg 2011;69:853-60.
42. Sandor GK, Stoelinga PJ, Tideman H. Reappraisal of the mandibular step osteotomy. J Oral Maxillofac Surg 1982;40:78-91.
43. Joos U, Göz G, Schilli W. Experience with sagittal splitting of the horizontal ramus in mandibular prognathism. J Maxillofac Surg 1984;12:71-2.
44. Astrand P, Nord PG, Hellem S, Persson G. Anterior segmental osteotomy of the mandible. Swed Dent J 1977;1:129-42.
45. Sun H, Ah Lee K, Kim JW, Kim YH, Yun SH. Mandibular advancement of anterior segmental osteotomy for aesthetic correction of mandibular retrusion. J Craniofac Surg 2012;23:742-5.
46. Park JU, Hwang YS. Evaluation of the soft and hard tissue changes after anterior segmental osteotomy on the maxilla and mandible. J Oral Maxillofac Surg 2008;66:98-103.
47. Baek SH, Kim BH. Determinants of successful treatment of bimaxillary protrusion: orthodontic treatment versus anterior segmental osteotomy. J Craniofac Surg 2005;16:234-46.

Chapter 06

이부성형술

Genioplasty

기본 학습 목표

- 이부성형술의 다양한 수술 종류를 이해한다.

심화 학습 목표

- 진단에 따른 치료계획을 설명할 수 있다.
- 수술 방법에 따른 합병증을 이해하여 설명할 수 있다.

안면부의 심미성은 안면의 세 부위(facial third) 사이의 형태, 비례, 조화에 큰 영향을 받는다. 이중 하악은 하부 1/3 중 가장 중요한 요소이고 정면과 측면상 모두에서 안면의 심미와 조화에 중요한 역할을 한다. 이에 이부성형술은 외과적으로 수직적, 수평적, 전후방적으로 변화를 주어 이부의 비정상적인 형태를 수정하기 위해 사용되어 왔다.[1] 이부 형성술은 단독적으로 행해지기도 하지만 대부분의 경우에서 다른 하악 혹은 상악의 턱교정 술식과 병행되어 사용해 왔으며 교합의 변화와 관계없이 하안면부의 조화로운 심미를 도모하기 위하여 많이 행해지는 술식이다.[2] 역사적으로 1942년 Hofer에 의해 처음으로 "하악골 전방 수평골 절제술"로 기술되었으며,[3] 1957년 Trauner와 Obwegeser가 유경피판 이부 전진술을 수정 보고하였고,[4] 향후 이부의 형태를 원하는 형태로 만들기 위한 여러 가지 변형된 술식들이 사용되어 왔으며 보통 이 술식을 위하여 하악의 신경혈관다발의 감압술 혹은 재위치술은 필요하지 않다.

1. 원리 및 적응증

이부가 길고 크거나 작은 경우, 비대칭을 보이는 경우를 포함한 거의 모든 방향의 이상을 수정할 수 있는 술식[5]으로 장안모를 보이는 경우 길이를 줄여주는 방법을 사용하고 2급 부정교합과 같이 왜소한 이부의 경우 전진시키는 방법을 많이 사용한다. 전진시키는 경우 보형물을 대신할 수 있는 장점이 있으며 대부분의 경우에서 그 만족도는 대단히 높다. 드물기는 하지만 많은 양의 전진이 필요한 경우나 길이를 늘리는 경우에는 이식을 필요로 하는 경우가 있으며 대개 자가골[6]이나 보형물[7,8]을 사용한다. 이부 전진술은 술자의 기호에 따라 차이가 있기는 하지만 다른 하악의 술식보다 먼저 행하는 것을 선호하는 술자들은 이부의 골절단술과 고정하는 과정이 하악골절단 부위에 과도한 힘을 전달하여 안정성을 해칠 수 있으며 종창으로 인한 정확한 이부의 형태 파악이 어렵기 때문이라고 설명한다. 하악수술에 견고한 고정법을 사용하지 않는 경우 의미있는 주장이라 할 수 있겠다.

이부의 기형은 그 부분의 체적과 공간적 위치를 기준으로 설명할 수 있다. 크기가 작은 이부(이부 왜소증)는 수평적, 수직적 또는 이들이 혼합된 왜소 기형을 의미하며, 이부의 크기는 정상이나 후방에 위치하는 경우가 있다(이부 후퇴증). 이부후퇴증은 하악후퇴증(2급 부정교합) 및 상악의 수직 과잉과 하악의 시계 방향 회전으로 인해 이차적으로(가성 이부후퇴증) 나타날 수 있다. 이부비대증은 자체 크기의 비대 외에도 이부 연조직 부피의 과잉(가성 이부비대증)으로 나타날 수 있다.

2. 술전 평가

이부성형술 시행을 위한 술전 평가에서 고려해야 할 몇 가지의 중요한 요소 중, 가장 중요한 것은 환자의 나이와 성별이다. 남성의 턱은 일반적으로 2개의 돌출점을 지니며 여성에 비해 더 각진 형태를 보이는데 반해 여성의 턱은 하나의 돌출점을 지닌다. 또한, 남성은 여성보다 더 넓은 하안면을 가지고, 턱은 더 돌출된 경향이 있다. 흡연자의 경우, 술후 무기폐, 다른 폐 합병증, 치유지연의 가능성이 더 크다. 흡연은 이부성형술 시 골이식을 했을 때 이식 실패의 가능성을 높일 수 있다. 고혈압 환자에서는 반상출혈과 과도한 안면 부종과 혈종의 경향이 높으며, 당뇨의 가족력이 있는 경우 술후 창상 치유의 지연과 감염의 위험성이 높다.

다음으로 안면의 측모는 주의 깊게 관찰되어야 한다. 상순과 하순의 관계가 턱의 돌출을 평가하는데 기본적인 역할을 하며, 이순구의 깊이 또한 중요한 결정 요인이다. 이순구의 깊이는 여성에서는 약 4 mm이고, 남성에서는 약 6 mm이다. 이순구가 너무 깊다는 것은 턱 돌출이 과도하거나, 하순이 편평하거나 혹은 둘 다일 경우를 의미한다. 이러한 결점은 이부비대증보다는 후퇴된 하악과 관계있고, 턱교정수술을 통해 더 성공적인 교정이 시행될 수 있다. 반면, 얕은 이순구는 수평적 작은턱증이나, 절치의 설측경사 또는 이 둘의 조합을 나타낸다. 연조직 하수증은 반드시 술전에 평가되어야 할 것이며, 악하 부위의 타원 절개를 통한 과도한 연조직의 제거가 필요하다.

그 다음 턱의 돌출을 평가한다. Riedel's line이 턱의 위치 평가에 있어서 간단하면서 신뢰할만한 방법이라 할 수 있으며, 상순과 하순에서 가장 돌출된 부위를 연결하였을 때 연조직 menton이 연결되어야 가장 이상적이라 할 수 있다. 하악돌출부가 이 선의 뒤에 위치했을 때는 보통 이부 증강술을 통해 교정될 수 있는 수평적 차원에서의 이부 왜소증을 의미한다. 이 선보다 턱이 전방에 위치하면 수평적 이부비대증이나 축소가 필요한 비대 이부를 의미한다. 하순의 길이 또한 측모에서 더 정확하게 평가할 수 있는데, 보통 subnasale에서 상순과 하순의 연결인 stomion의 거리는 stomion에서 submentale 사이의 거리의 절반이다. 적절한 상순 길이를 보이면서 만일 subnasale에서 stomion까지의 거리가 짧다면 하안면 길이의 수직적 결핍이 있음을 의미한다.

3. 수술과정

1) 연조직 박리(그림 6-1)

이부의 골절단술과 이동은 통상적인 구강내 절개와 피판 형성을 통해 이루어진다. 점막에 혈관수축제가 포함된 (1:100,000 에피네프린이 포함된 2% 리도카인) 침윤 마취를 시행한 후 절개는 이부의 순면 점막에 시행하며 한 쪽의 이공에서 반대편 이공까지 절개한다. 절개를 하기 전에 이부의 중앙 부위에 6-0 나일론으로 표시를 해 두면 나중에 봉합할 때 도움이 되는데 이부성형술을 하다 보면 절개선이 하악골수술을 위한 절개선과 의도치 않게 연결되는 경우도 있어서 중심부위를 표시하는 것이 유용하다. 또한 하순을 tie-silk로 tagging suture하거나 plastic mouth retractor를 사용하면 수술 부위의 시야를 확보하는데 도움이 된다. 하순 부위에 최초의 점막 절개 후 점막하 조직과 근육을 골막까지 절개한다. 골막은 날카롭게 절개하고 골막은 하악전방부에서 하연까지 박리한다. 절개 시 이공과 이신경의 분지의 보호를 위해 주의해야 하며 골절단술은 대개 이공의 후방까지 연장되기 때문에 하연의 점막골막은 하악의 전방부 1/3에서 완전히 박리하여야 한다.

2) 골절단술/골절제술

하악전방부의 수직적 길이를 감소시키기 위해서 하악하연의 직상방에서 외과용 톱(saw)과 버(bur)로 수평골절단술을 시행한다. 이때 정중선을 bur나 saw로 수직적으로 표시함으로써 골절편의 이동이 이루어진 후 정확하게 위치시키는데 도움이 된다(그림 6-1). 이공 하부에서는 약 5 mm 이상의 간격을 확보하여야 하며 saw를 사용하기 전에 얇은 fissure bur를 사용하여 수평적 골절단술의 외형을 이부에 표시해 놓으면 saw를 사용하는데 편리하다. 후방 경계에서 Vertical stop이 생기지 않도록 골절단선은 하악골의 후방부위로 갈수록 굴곡진 형태로 이루어져야 하는데 이렇게 하면 치유 후에 연조직상에서 느껴질 수 있는 결손부가 생기

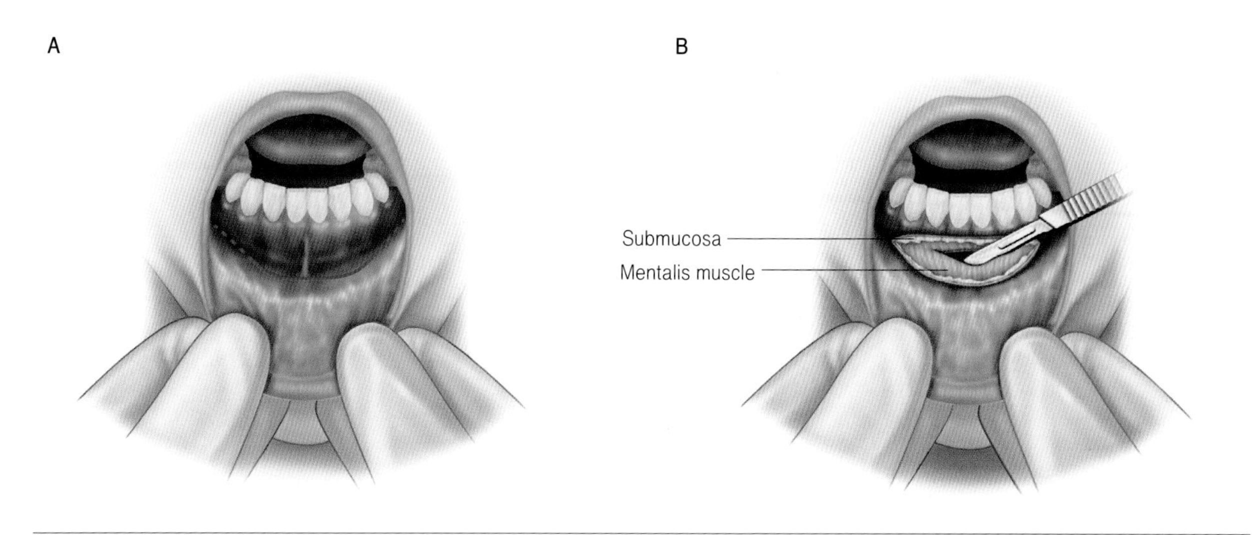

그림 6-1 **이부성형술 시 절개선 설정.** **A:** 점막절개는 전정부의 가동성 부위에 시행하고 **B:** 이근의 충분한 노출 후 근육절개는 보다 치조골 측에 시행한다.

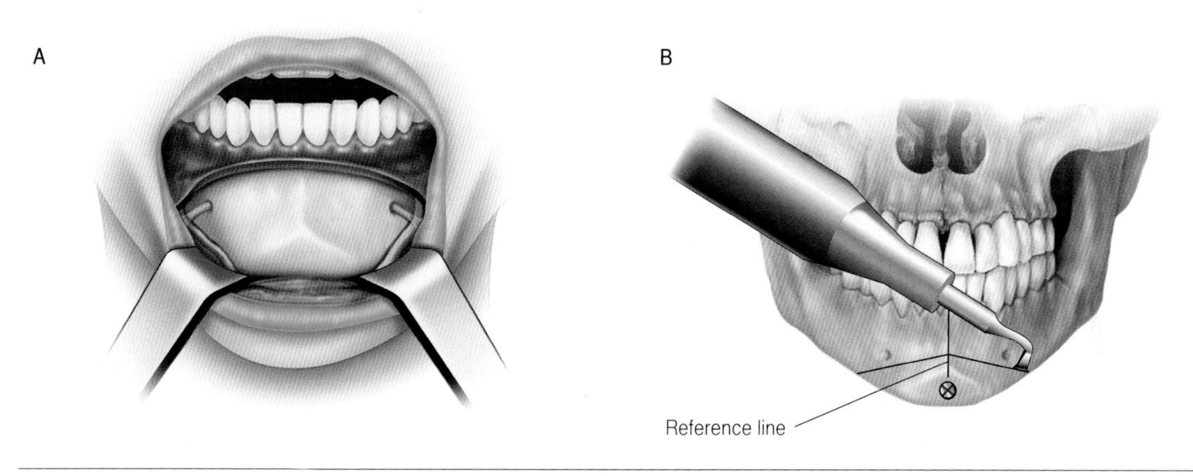

그림 6-2 **A:** 골점막 피판을 젖히고 하방으로 하악골 경계까지 박리한다. 이신경 주변을 조심스럽게 박리하여 신경이 확인되고 보호되어야 한다. **B:** 골절단선을 설정하여 골절단을 시행한다.

는 것을 막을 수 있다. 골절단술은 외과용 saw를 이용하여 완전히 이루어져야 하며 불완전한 절단 후 chisel을 사용하여 골절단을 완성하는 것은 좋지 않다(그림 6-2~5). 이부는 피질골로 주로 이루어져 있어서 완전한 골절단이 이루어지지 않을 경우 잘 분리되지 않으며 chisel을 사용한 분리를 시도할 경우 하악하연 부위의 불규칙한 unfavorable fracture가 이루어질 수 있기 때문이다. 골절단부가 자유롭게 움직일 수 있게 되면, 악이복근이 하연에 붙어 있고 때로는 이설골근이 붙어 있는 경우도 있다. 이부 내측의 근육 부위의 출혈은 전기소작기나 근육봉합을 통하여 조절할 수 있고 골절단부의 출혈은 bone wax를 사용할 수 있으나 감염의 원인이 되기도 하므로 소량만 사용하는 것이 좋다. 수직적 길이를 줄이기 위해, 계측된 양의 골이 두 번째 수평골절단으로 제거되고, 하악이부가 상방으로 재위치된다. 이 방법이 수직적 길이를 줄이기 위해 단순히 하악하연을 갈아서 삭제하는 것보다 더 선호되는데, 이는 하악하연 그대로를 보존하는 것이 최상의 연조직 적응과 형태를 만들어내기 때문이다.

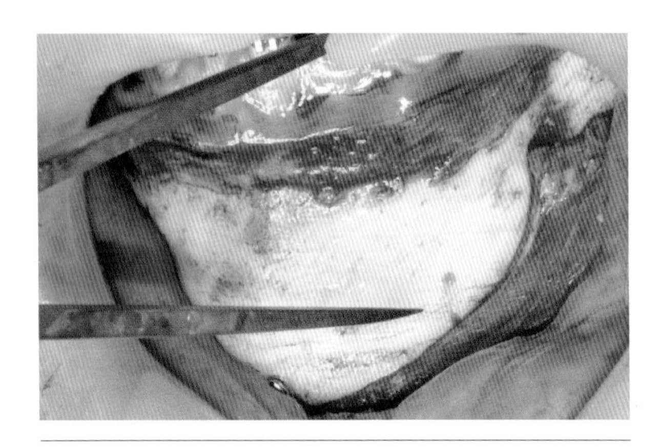

그림 6-3 **캘리퍼를 통한 이부성형술 계측 및 디자인.** 수술 전 분석을 통한 골절선 디자인이 안모 변화에 중요하다.

수직적 길이를 감소시키는 것 외에도 하악이부는 전방이나 후방으로 재위치될 수 있다. 재위치되는 양은 개개의 환자의 요구에 따라 수술 전에 미리 계획되어야 한다. 때때로 하악이부가 후상방으로 재위치될 때, 하악골의 순측 외형이 둔화될 수 있다. 다른 방향으로의 이동에 비해 후방이동은 골편의 이동량만큼 충분한 연조직의 변화가 나타나지 않고 이부가 밋밋해지는 경우가 많아서 주의를 요한다. 특히 하악을 교합때문에 충분히 후방으로 이동시키지 못하고 이를 보상하기 위하여 이부를 후방으로 많이 이동시키는 경우 나타나는데 이를 예방하고 최상의 구순 기능과 심미성을 위해 하악골 전방부 함몰 부위(facial-lingual concavity)를 하악이부 상방에 bur로 조심스럽게 형성해주어야 한다.

하악이부의 전진술은 수평골절단술을 시행하고 골편을 계획된 새로운 위치로 전방이동시킴으로써 이루어진다.[9] 골절편은 반드시 서로 접촉되어야 하며, 만약 골편을 전진시킨 후에도 부가적인 전진이 필요하다면 전진된 분절편의 설측면과 하악골 본체의 순측면 사이에 간극이 존재할 정

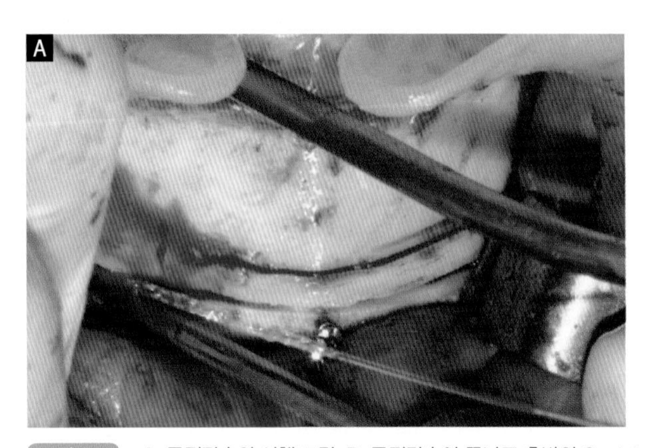

그림 6-4 **A:** 골절단술의 시행 그림 **B:** 골절단술이 끝나고 후방의 Genial musculature의 박리

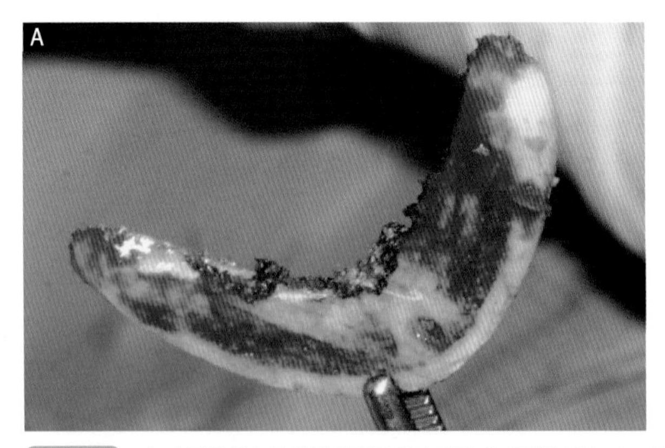

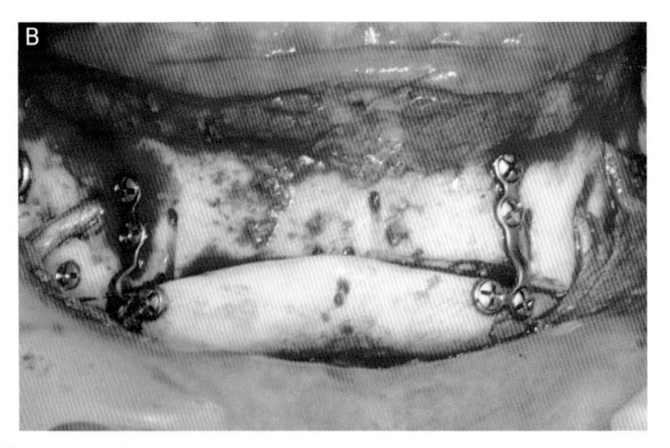

그림 6-5 **A:** 수직적 감소를 위해 제거된 이부 골편 **B:** 2개의 Mini-plate를 이용한 이부 골편의 고정

도로, 하악이부를 더 전진시킬 수 있다. 이러한 상당한 양의 전방이동이 이루어진 경우, 자가골이나 동종골을 이용한 골이식이 필요하다.[6] 이부성형술의 대부분 경우 수평골절단술을 시행하게 되나 많은 양의 전진이 필요한 경우에는 술후 이순구(mentolabial fold)가 깊어지고 부자연스러워지는 경우가 존재한다. 이에 chin shield 이부성형술을 통해 이순구 측의 골을 포함한 골절단을 시행함으로써 이순구의 자연스러움을 유지시키는데 도움이 될 수 있다(그림 6-6).

하악전방부의 횡적인 폭을 줄이면서 하악이부 골절단술이 동반되는 경우, 하악이부 분절편의 정중부에 있는 골 일부를 제거하여 폭경 감소를 이루게 된다.[10] 하악전하방부의 횡적 확장은 드물게 요구되며, 보통 하악골의 전방이동과 동반된다. 이러한 경우, 횡적 폭경을 증가시키기 위해 하악이부 분절편이 자유롭게 움직이게 되면 정중부에서 둘로 나눠지며 하악골 본체에 고정된다. 정중부의 상당한 간극이 분절편 사이에 생기게 되는데 이러한 결손부는 자가골이나 동종골이식으로 채워지게 되며, 필요하다면 외측으로 Onlay graft가 부가적으로 시행된다.

하악골 전방부의 비대칭 교정은 더 복잡한 문제들과 연관된다. 골절단술 후 하악이부가 하악골 본체로부터 분리되면, 분절편은 좌우측으로 이동될 수 있고 비대칭적으로 길이가 줄어들거나 늘어날 수 있다. 정중부에 수직선으로 표시하는 것은 시각화에도 도움이 되며 원하는 위치로 하악이부를 위치시킬 때 매우 유용하다. 자유롭게 분리된 분절편은 이처럼 어느 방향으로나 이동이 가능하며 새로운 위치에 정확히 견고하게 고정하여야 하며 결손부에는 필요하다면 골이식이 이루어질 수 있다.

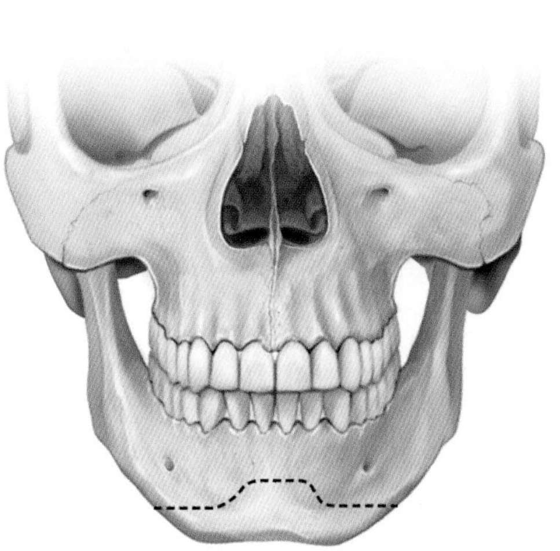

그림 6-6 Chin shield genioplasty

이부성형술을 시행할 때 이부와 하악본체와의 자연스러운 형태를 유지하기 위하여 골접촉 부위의 step은 매끈하게 다듬어야 하며 필요할 경우 하악골 본체의 하연을 우각부를 포함하여 절제할 수 있다. 특히 이부의 길이를 감소시키거나 횡적으로 줄이는 경우에는 이러한 하악하연수술이 필요한 경우가 많으며 이 경우 이신경의 손상을 피하기가 매우 어렵다는 점도 고려해야 한다. 이부성형술은 다른 턱교정 술식에 비해서 술자의 기호와 직관이 많이 개입되는 술식이다.[11,12] 또한 환자의 요구도 적극 반영하여야 하며 주관적인 요소가 많이 포함된다는 점을 명심하여 조화로운 형태를 만들수 있도록 노력하여야 한다. 요즘은 3D CT, RP model과 같이 미리 결과를 예측해 보는 방법도 있으므로 이를 적극적으로 이용하는 것도 좋을 것으로 보인다.

일반적인 이부성형술의 술식은 아니나, 심미적인 목적을 위하여 변형된 이부성형술의 술식이 소개되고 있다.

① Oblique chin-body 골절제술

비대한 하악체와 넓고 각진 이부를 가진 환자에게 적응증이 되며, 하악체부터 경사지게 이부를 함께 절제해내는 것이다. 넓은 양의 경조직의 절제가 가능하며 하안면부의 폭경과 높이를 동시에 감소시킬 수 있고, 이차각을 최소한으로 만들 수 있으나, 치유 과정 후의 경조직 및 연조직 변화를 예측하기 어렵고 하치조 신경의 손상 가능성이 높다(그림 6-7).

② 수평적 T-이부성형술

이부돌출부를 횡적으로 축소시키려는 경우 적응증이 되며, 수평 절단선은 수평선 혹은 역-V자로 시행할 수 있다. 그러나 genial musculature를 심하게 분리시킬 수 있고, mandibular tubercle의 절제가 기도 관련 합병증 및 심한 출혈을 유발할 수 있으므로 신중한 적응증의 선택을 요한다(그림 6-8).[13]

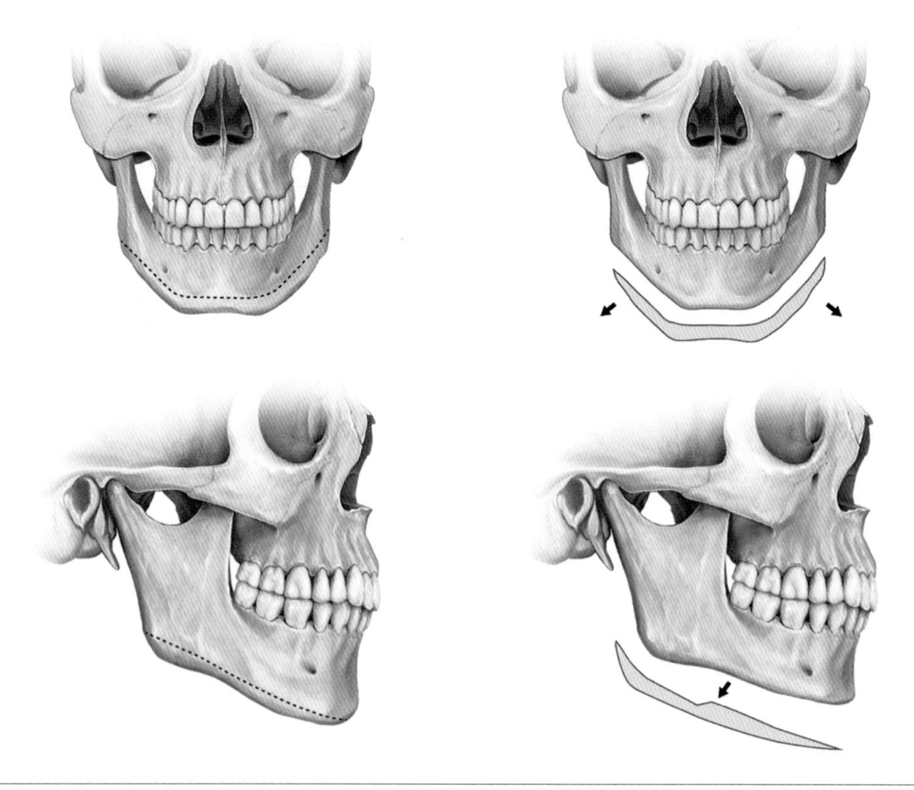

그림 6-7 Oblique chin-body 골절제술

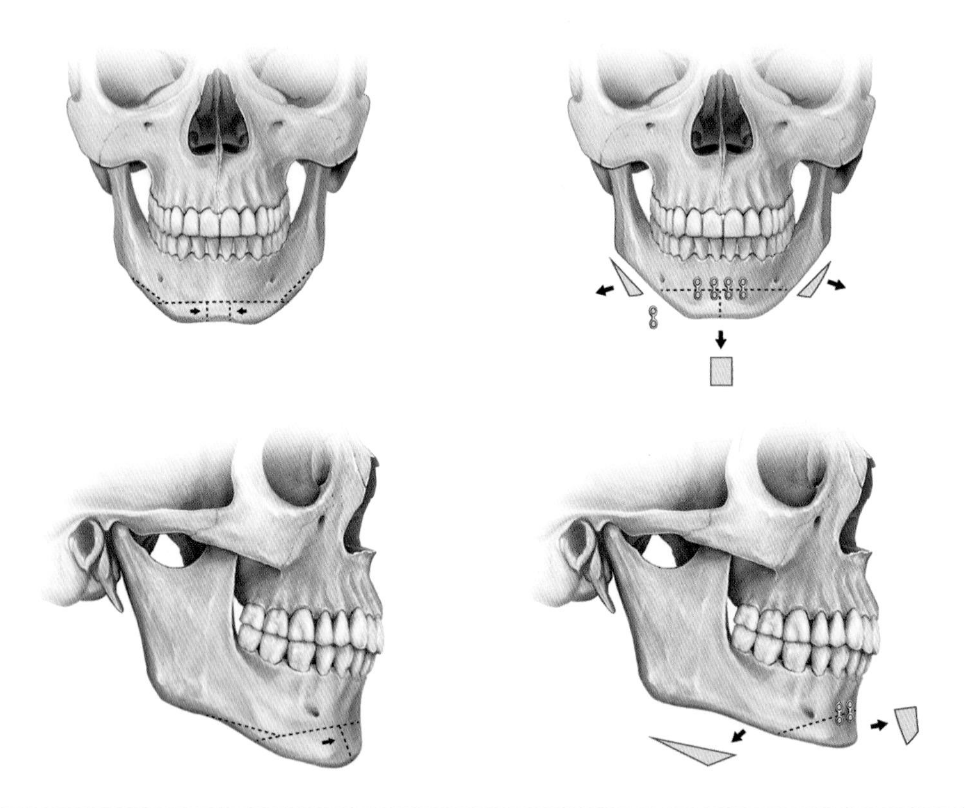

그림 6-8 수평적 T-이부성형술

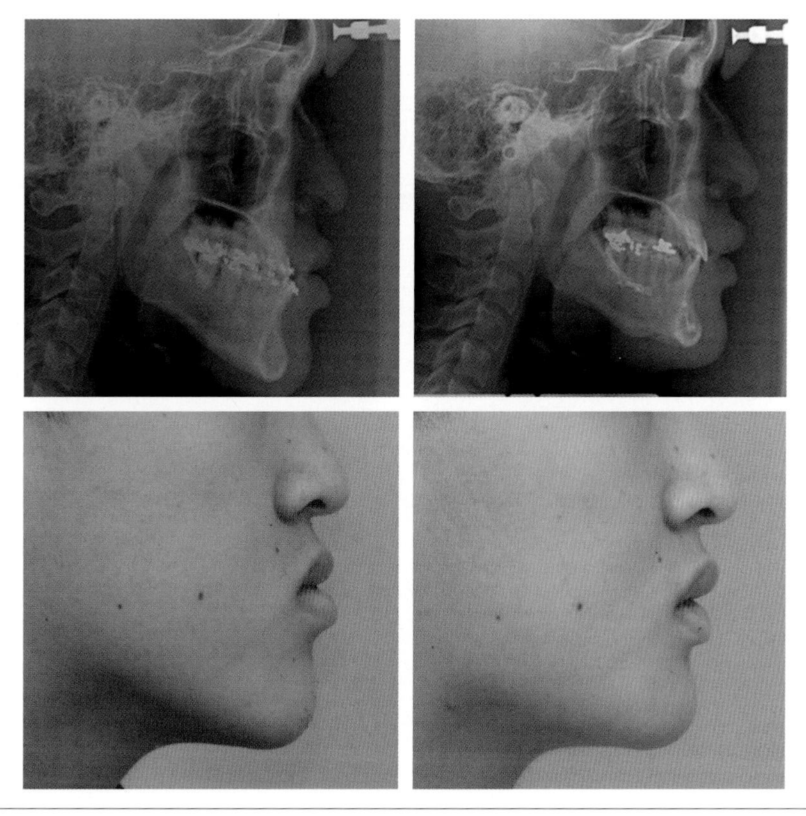

그림 6-9 양측성 하악시상분할 골절단술과 동반된 축소 이부성형술 환자의 술전 및 술후 임상사진과 방사선사진

3) 고정 및 봉합

분절편이 재위치된 후 골접촉을 확인하게 되면 이를 고정하는 방법으로 외과용 강선을 이용한 8자 결찰이 전통적으로 사용되었다. 현재는 외과용 나사못을 이용하여 골편을 고정하는 방법과 소형 금속판을 사용하는 방법을 주로 사용하는데 x자 형태의 금속판을 이용하여 고정하는 방법이 가장 많이 사용되고 있으며 긴 나사못을 골절편의 하연에서 본체까지 관통하여 고정하는 방법도 많이 사용된다.[14] 고정하는 방법은 술자의 기호에 따라 차이가 있으나 견고하게 고정해야 한다는 점에서는 차이가 없다.[15,16] 고정한 후에는 골편 사이의 불규칙한 부위를 다듬어주고 대칭적인 형태가 되도록 부가적인 골 삭제나 다듬는 과정이 필요하다.

골절단술과 고정에 이어 절개선은 근육층을 접합시켜서 층별 봉합을 시행하고 점막은 연속 수평 매트리스 봉합과 단속봉합을 적절히 이용한다. 봉합 전 완전하게 지혈을 하는 것이 매우 중요하며 과도한 출혈과 종창은 기도를 압박할 수 있다는 점도 기억해야 한다. 창상의 보호를 위해 압박 드레싱을 시행해야 하며 최소 5일간 유지한다.

4) 술후 경과

수술 후 연조직 부종이 해소되는 데 몇 주의 기간이 필요할 수 있다. 종종 하순은 수술 과정에서 재위치되는데 새 위치에서 적응하는 데 3~6개월이 걸리기도 한다. 드물게, Lip tone을 향상시키기 위해 입술 운동이 필요할 수 있다. 수술 후 환자는 이신경 노출에 따른 하순 감각 결손을 경험하지만 대개 3~6개월 내에 회복되며, 이것은 하악골 상행지 시상분할 골절단술과 비교하여 더 빠른 회복을 보이는 경우가 많다.[17] 그러나 하악수술을 단독으로 시행하는 경우와 비교하여 부가적으로 이부성형술을 같이 시행하는 경우 감각의 회복은 더디게 나타날 수밖에 없으며 이 경우 감각이 회복되는데 6개월 이상이 소요되기도 한다.

5) 이부성형술에 따른 술후 경조직과 연조직의 변화

전방이동 이부성형술 후에는 수직적 축소 여부와 관계없이 하악골 절골선 상방 순측에는 골침착이, 하부 골편의 전상방에서 골흡수가 대부분 관찰된다. 후방이동 이부성형술의 경우에는 반대로 하악골 절골선 상방 순측에서 골소실이, 하부 골편의 전상방에 골침착이 관찰된다. 이러한 술후 골흡수 양상은 시간에 따라 절골선의 경계가 좀 더 부드럽게 재형성된다는 것을 의미하며, 이를 고려한 안모 예측과 골편 고정 시 고정판의 위치가 중요하다고 할 수 있겠다(그림 6-9).

연조직 변화의 상관관계는 보통 부정교합이나 안면 기형 환자의 치료 시 간과되는 측면이 있다.[18] 그러나 이러한 변화는 골격적 변화와 직접적인 관계를 가지며 안모의 심미성에 상당한 영향을 미치게 된다. 더욱이, 환자에 의해 실질적으로 인지되는 것은 연조직의 프로파일 변화이다. 이부 골편의 전방이동에 의한 연조직 프로파일 변화는 많은 연구가 진행되어 왔으며, 수평적 경조직 변화에 대한 연조직 변화의 비율은 문헌상 약 1:0.9로 보고되고 있다.[7,19] 수평적 감소율은 0.6:1인 반면, 수직적으로 증강시키는 이부성형술은 1:1의 비율이며, 수직적 감소 이부성형술 시에는 상대적으로 예측하기가 쉽지 않으나, 경조직 변화에 대한 연조직 변화의 비율이 약 1:0.75로 알려져 있다.[20,21]

6) 합병증

이부성형술로 발생할 수 있는 술중 및 술후 합병증에는 이신경 손상, 과도한 출혈, 치근 손상, 가동성 분절의 골흡수, 골절, 하순의 하수, 절제된 골편의 고정 실패 등이 있다. 합병증을 최소화하기 위해 초기 연조직 절개와 골절단술에 주의를 요하는데, 골편을 재위치 시킨 후 대부분 사강이 형성되므로 다른 턱교정수술 술식보다 창상의 열개가 자주 발생한다. 열개가 생기면 이차 치유를 시키기 위해 음식물 잔사의 축적을 막고 꼼꼼한 창상 관리가 필요하다. 가끔 이부성형술을 위한 절개와 교정적 치아 이동이 하악전치부의 치주조직 결손과 각화조직의 손실을 유발하는 경우가 있는데 이때는 외과적 치주수술의 방법을 사용하여 해결할 수 있다. 견고한 고정은 재위치된 골편의 변위를 줄여주어 이전보다 합병증은 줄이는 데 도움이 되고 있다. 드물게 출혈로 인한 구강저의 종창을 보이는 경우도 있는데 기도 압박으로 호흡 곤란을 유발할 수 있으니 각별히 주의하여야 한다.[22,23]

이근의 적절한 고려 및 재위치 없이 봉합하는 것은 하순을 지지하는 조직소실을 동반한 연조직 하수를 일으킬 수 있고 이것은 나아가 이순구의 평탄화, 하악절치의 과다한 노출, 입술의 불완전성 등을 야기할 수 있다(그림 6-10). 이부성형 전진술 후의 비유합은 드문 합병증으로 알려져 있다. 이부성형술이 하악지시상분할골절단술과 함께 시행될

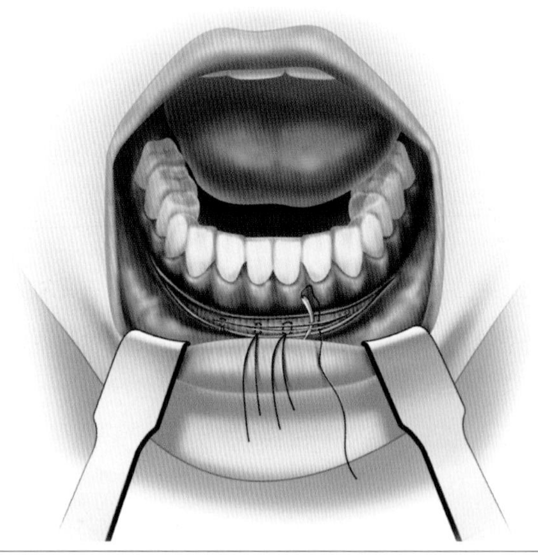

그림 6-10 근육과 점막의 층별 봉합을 통한 이근의 적절한 재배열을 통해 턱끝의 쳐짐을 방지할 수 있다.

때, 하치조신경 손상이 심화되는 경향이 있다.[4] Lindquist와 Obeid는 31명의 환자 중 이부성형술 단독으로 시행한 경우는 단지 환자의 10%만 신경 변화를 겪은 반면 하악지의 시상골절단술과 함께 이부성형술을 시행한 경우는 환자의 28.5%가 신경 변화를 경험하였다고 보고한 바 있다.[24] 이전 연구들은 이부성형술이 단독으로 시행된 환자에 비해, 이부성형술과 하악골절제술이 함께 시행된 환자에서 하치조신경의 회복이 더 느리다고 보고하였다.

참고문헌

1. Assis A, Olate S, Asprino L, de Moraes M. Osteotomy and osteosynthesis in complex segmental genioplasty with double surgical guide. Int J Clin Exp Med 2014;7:1197-203.
2. Ward JL, Garri JI, Wolfe SA. The osseous genioplasty. Clin Plast Surg 2007;34:485-500.
3. Hofer O. Operation der prognathie und mikrogenie. Dtsch Zahn Mund Kieferheilkd 1942;9:121-32.
4. Trauner R, Obwegeser H. The surgical correction of mandibular prognathism and retrognathia with consideration of genioplasty. I. Surgical procedures to correct mandibular prognathism and reshaping of the chin. Oral Surg Oral Med Oral Pathol 1957;10:677-89; contd.
5. Guyuron B. MOC-PS(SM) CME article: genioplasty. Plast Reconstr Surg 2008;121:1-7.
6. Kim GJ, Jung YS, Park HS, Lee EW. Long-term results of vertical height augmentation genioplasty using autogenous iliac bone graft. Oral Surg Oral Med Oral Pathol Oral Radiol Endod 2005;100:e51-7.
7. Gui L, Huang L, Zhang Z. Genioplasty and chin augmentation with Medpore implants: a report of 650 cases. Aesthetic Plast Surg 2008;32:220-6.
8. Mohammad S, Dwivedi CD, Singh RK, Singh V, Pal US. Medpore versus osseous augmentation in genioplasty procedure: A comparison. Natl J Maxillofac Surg 2010;1:1-5.
9. Kim YH, Lee KM, Kim JT. Successful treatment of nonunion after sliding genioplasty. J Craniofac Surg 2011;22:2235-7.
10. Kim TG, Lee JH, Cho YK. Inverted V-shape Osteotomy with Central Strip Resection: A Simultaneous Narrowing and Vertical Reduction Genioplasty. Plast Reconstr Surg Glob Open 2014;2:e227.
11. Lee TS, Kim HY, Kim T, Lee JH, Park S. Importance of the chin in achieving a feminine lower face: narrowing the chin by the “mini V-line” surgery. J Craniofac Surg 2014;25:2180-3.
12. Lee YS, Suh HY, Lee SJ, Donatelli RE. A more accurate soft-tissue prediction model for Class III 2-jaw surgeries. Am J Orthod Dentofacial Orthop 2014;146:724-33.
13. Zhang Z, Tang R, Tang X, Yu B, Niu F, Gui L. The oblique mandibular chin-body osteotomy for the correction of broad chin. Ann Plast Surg 2010;65:541-5.
14. Westermark A. LactoSorb resorbable osteosynthesis after sagittal split osteotomy of the mandible: a 2-year follow-up. J Craniofac Surg 1999;10:519-22.
15. Edwards RC, Kiely KD, Eppley BL. Resorbable fixation techniques for genioplasty. J Oral Maxillofac Surg 2000;58:269-72.
16. Precious DS, Cardoso AB, Cardoso MC, Doucet JC. Cost comparison of genioplasty: when indicated, wire osteosynthesis is more cost effective than plate and screw fixation. Oral Maxillofac Surg 2014;18:439-44.
17. Patel PK, Novia MV. The surgical tools: the LeFort I, bilateral sagittal split osteotomy of the mandible, and the osseous genioplasty. Clin Plast Surg 2007;34:447-75.
18. Xie F, Teng L, Jin X, et al. Systematic analysis of clinical outcomes of anterior maxillary and mandibular subapical osteotomy with preoperative modeling in the treatment of bimaxillary protrusion. J Craniofac Surg 2013;24:1980-6.
19. Möhlhenrich SC, Heussen N, Kamal M, Fritz U, Hölzle F, Modabber A. Limitations of osseous genioplasty in relation to the displacement distance: a computer-based comparative study. Oral Surg Oral Med Oral Pathol Oral Radiol 2015;120:670-8.
20. San Miguel Moragas J, Oth O, Büttner M, Mommaerts MY. A systematic review on soft-to-hard tissue ratios in orthognathic surgery part II: Chin procedures. J Craniomaxillofac Surg 2015;43:1530-40.
21. Seifeldin SA, Shawky M, Hicham Nouman SM. Soft tissue response after chin advancement using two different genioplasty techniques: a preliminary technical comparative study. J Craniofac Surg 2014;25:1383-8.
22. Avelar RL, Sá CD, Esses DF, Becker OE, Soares EC, de Oliveira RB. Unusual complication after genioplasty. J Craniofac Surg 2014;25:e180-2.
23. Posnick JC, Choi E, Chavda A. Operative Time, Airway Management, Need for Blood Transfusions, and In-Hospital Stay for Bimaxillary, Intranasal, and Osseous Genioplasty Surgery: Current Clinical Practices. J Oral Maxillofac Surg 2016;74:590-600.
24. Lindquist CC, Obeid G. Complications of genioplasty done alone or in combination with sagittal split-ramus osteotomy. Oral Surg Oral Med Oral Pathol 1988;66:13-6.

Chapter 07

관골성형술

Malarplasty

기본 학습 목표
- 관골성형술의 수술 종류를 이해한다.

심화 학습 목표
- 관골성형수술의 진단에 따른 치료계획을 설명할 수 있다.
- 수술 방법에 따른 합병증을 이해하여 설명할 수 있다.

얼굴의 형태를 마름모꼴(diamond shaped face), 길고 갸름한 형(long and narrow face), 둥글고 짧은 형(round and short face), 타원형(oval face), 네모형(square face) 등으로 분류하여 볼 때 타원형 얼굴을 동서양 모두에서 가장 미인형으로 간주되어왔다. 관골은 안면부의 양측에 대칭적으로 돌출되어 있는 조직으로 정면 및 측면 모두에서 타원형 안모 형태를 이루는 데 중요한 역할을 하는 부위이다. 인종에 따라 얼굴 형태가 다르기 때문에 미용을 위한 성형술의 종류도 다르다. 즉, 백인들은 주로 장두개형(dolicocephaly)의 두개골을 가지고 있기 때문에 좁고 긴 안모 모양을 가지고 있으며 관골 및 관골궁 부위가 함몰된 경우가 많다. 따라서 서양인에서는 관골 및 관골궁 부위가 돌출되어야 계란형의 얼굴 모양이 되어 젊고 미적인 얼굴로 선호되므로 관골부를 증대하기 위한 관골증대술(malar augmentation)이 많이 시행되고 있다. 반면에 동양인들은 주로 중두개형(mesochphaly)의 두개골을 많이 가지고 있어 얼굴이 편평하고 폭이 넓고 길이가 짧으며 관골 부위가 돌출되고 하악각이 후하방으로 돌출되어 사각형의 안모를 가지고 있는 경우가 많다. 관골부가 돌출된 사람들은 얼굴이 더 넓게 보일 뿐만 아니라 고집이 세게 보이고 나이 들어 보이는 인상을 주게 된다. 특히 관골부가 돌출된 여자들은 남성적 이미지와 "팔자가 세 보인다"라는 이유로 백인들과는 반대로 돌출된 관골을 축소시키는 관골축소술(reduction malarplasty)을 원하는 경우가 많다. 또 외상이나 선천적인 기형 등으로 관골부가 함몰되어 있는 얼굴에서는 함몰된 관골부를 증대시켜주는 관골증대술이 시행되고 있다.

인종에 따른 특징적인 얼굴 형태 외에도 관골 부위는 여러 원인에 의해 변형이 나타날 수 있다. 관골부 변형의 원인은 선천적인 것과 후천적인 것으로 나눌 수 있다. 선천적인 원인으로는 사두증(plagiocephaly), Crouzon's syndrome, Treacher Collins syndrome, hemifacial microsomia 및 류마티스성 관절염과 같은 결체조직성 질환이 있고, 후천적 원인으로는 골절 후 제대로 정복해 주지 못한 관골부의 부정유합과 암종의 외과적 절제술 등이 있다.

관골성형술을 요하는 환자를 치료 시에는 술전에 환자 및 보호자와의 충분한 인터뷰와 임상적 방사선적 검사 등을 종합적으로 분석하여 치료계획을 결정하고 예견되는 합병증 등에 대해 설명하고 동의를 구하는 것이 필요하다.

1. 관골성형술을 위한 얼굴 형태와 분류

안모 형태는 크게 원형, 타원형, 사각형 등으로 구별할 수 있다(그림 7-1). 일반적으로 타원형 안모가 가장 심미적인 것으로 평가되고 있다. 따라서 사각형 얼굴을 가진 경우에 관골성형술과 하악우각부성형술 등을 시행하여 계란형 얼굴을 만들어 주면 심미적이고 균형있는 얼굴 형태를 얻을 수 있다.

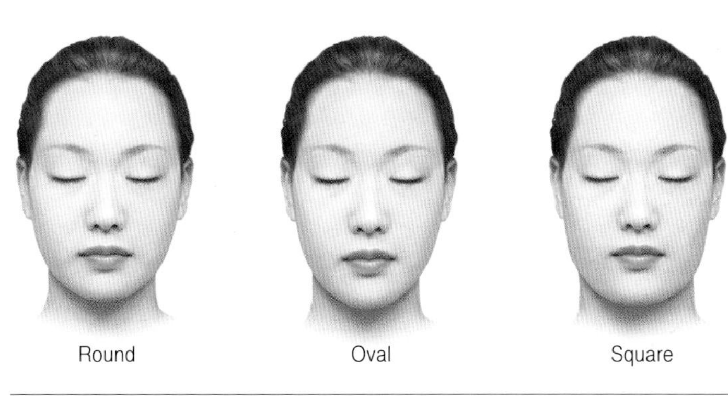

그림 7-1 얼굴 형태의 분류

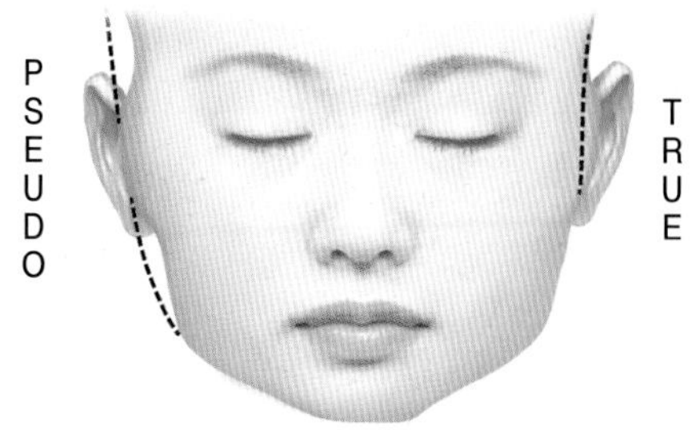

그림 7-2 가성 관골돌출과 진성 관골돌출[1]

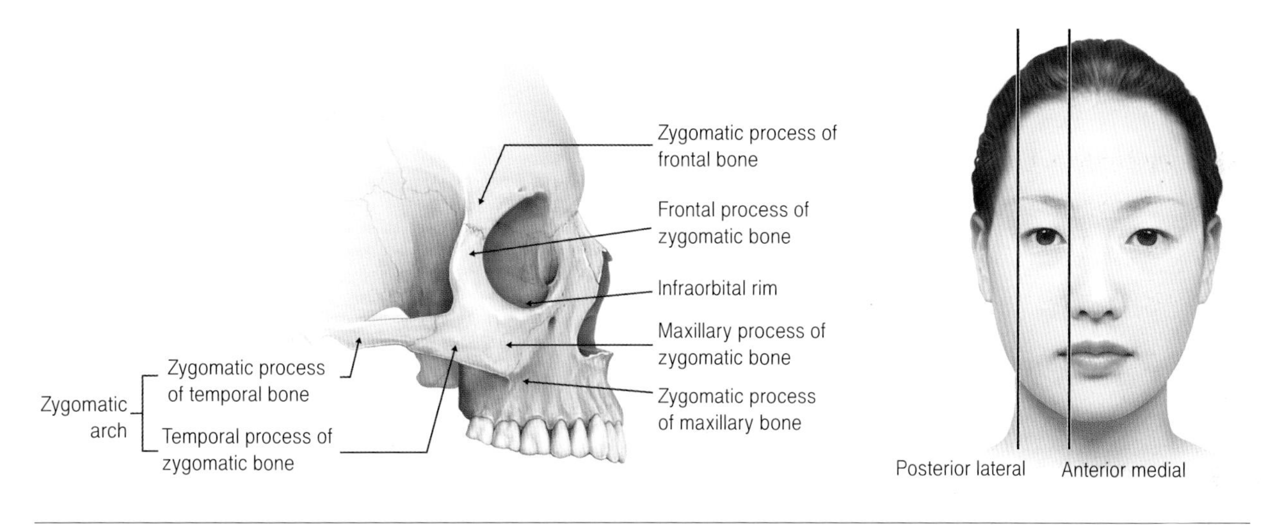

그림 7-3 관골의 해부학 및 분절[2,3]

1991년 Uhm과 Lew[1]는 관골돌출을 양상에 따라 진성 관골돌출(true zygoma prominence), 가성 관골돌출(pseudo zygoma prominence) 및 혼합(combination) 형태의 관골돌출로 분류하였다(그림 7-2). 진성 관골돌출은 풍융한 관골부를 제외하면 전체적인 안모가 타원 형태를 띠는 얼굴로서 이런 얼굴에서는 관골축소술을 시행할 경우에 심미적인 안모 형태를 얻을 수 있다고 하였다. 가성 관골돌출은 두개부, 하악, 관골부는 정상인데 비해 측두부 및 뺨 쪽이 함몰된 형태를 가진 얼굴로서 이런 얼굴에서는 관골축소술보다는 함몰된 측두부에 자가지방조직이식이나 인공물질 이식 등을 이용한 증대술을 시행해야 한다고 하였다. 또 혼합 형태의 관골돌출은 관골부가 돌출되어 있고 측두부 및 뺨 쪽이 함몰된 형태를 가진 얼굴로서 관골축소술과 함몰된 부위의 증대술이 효과적이다.

2. 관골의 국소해부학

관골부는 3차원적인 형태를 하고 있어 이 부위의 변형을 개선할 경우에 해부학적인 분석이 대단히 어렵다. 관골성형술을 시행하기 위해 술전에 관골 부위를 해부학적으로 분류하는 경우에 많이 사용하는 방법들 중에 한 방법으로서 임의로 수직선을 이용하여 전내방분절(anterior-medial segment)과 후측방분절(posterior-lateral segment)의 두 분절로 나눌 수 있다(그림 7-3).[2,3] 전내방분절은 안와하연 그리고 관골의 가장 전방 돌출 부위로 이루어져 있고, 후측방분절은 나머지 관골 돌기 부위와 안와연의 측방 부위, 그리고 관골궁으로 구성되어 있다. 전재방분절과 후측방분절 두 군데 모두 동시에 치료가 필요한 경우에는 특별히 분류할 필요는 없다. 그러나 각 부위에서 윤곽 형태에 따라 현저하게 다른 형의 얼굴을 나타내기 때문에 두 부위를 독립적으로 평가하는 것이 좋다. 전내방분절 부위에는 Treacher-Collins 증후군 같은 선천성 기형 혹은 외상이나 종양 절제 후 후천적인 결손이 있을 때 정상적인 윤곽을 회복해주기 위하여 관골증대술이 필요하며, 후측방분절 부위의 윤곽 형성은 정상적인 구조물에 약간의 함몰이나 결손이 있을 경우 흔히 시술되어진다.

3. 술전 분석 방법

1) 임상검사

실제 얼굴에서 특정 해부학적 지표점들(anatomical land-marks)을 설정하여 위치 관계를 계측하고 이를 바탕으로 좌우측 관골 부위의 돌출 정도와 대칭성에 대한 분석이 진행된다(그림 7-4). 이때 임상의들에 따라 지표점들의 종류와 계측 방법이 다양할 수 있다. 또한 인종, 나이, 성별 등에 따른 차이를 고려하면서 평가가 진행되어야 한다. 한편, 얼굴 정면상에서 나타나는 관골부 만곡(malar curve) 정도는 외안각에 접한 관골부의 돌출 정도에 따라 크게 좌우되며 이는 45° 측면상(three-quarter profile)에서 더욱 두드러지게 특징지어진다.[4] 실제 각 얼굴 부위를 측정하는 것 외에도 여러 각도에서의 사진 촬영을 추가하여 분석에 사용하며, 이러한 45° 측면상 등에서의 수술 전후 비교를 통해 변화 정도를 쉽게 확인할 수 있다.

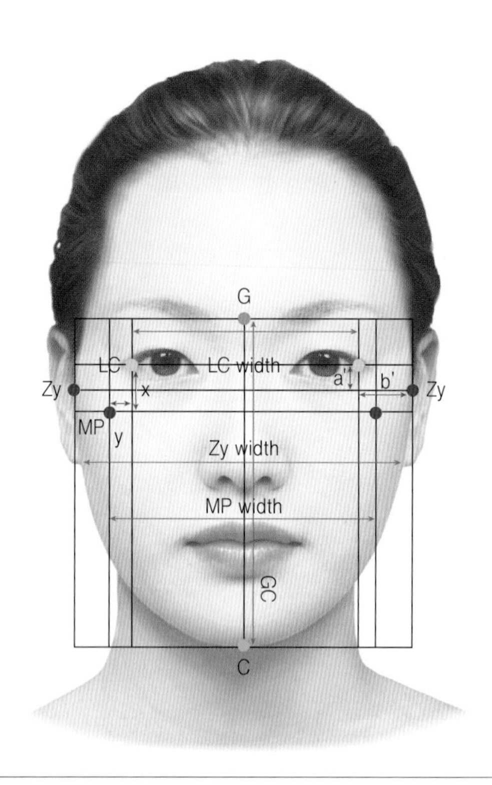

그림 7-4 정면에서의 얼굴 분석 방법의 예

❖ **정면 얼굴 분석**(Frontal analysis)(그림 7-4)

- MP width
- Zy width
- MP width/LC width
- Zy width/LC width
- MP width/GC width
- Zy width/GC width
- MP from LC (x: right vertical, y: right horizontal, x': left vertical, y: left horizontal)
- Zy from LC (a: right vertical, b: right horizontal, a': left vertical, b': left horizontal)

※ Reference points

1) LC - lateral canthal point
2) MP - most prominent malar point in frontal view
3) Zy - most lateral point of malar area in frontal view
4) G - Glabella
5) C - most inferior point to the chin (=Gnathion)

2) 방사선사진

Cephalogram, submentovertex view 등을 촬영하여 분석에 활용한다.

3) 얼굴 납형(face mask), 3차원 얼굴 스캔(facial scan), 3차원 컴퓨터단층촬영(CT)

얼굴 납형, 3차원 얼굴스캔, 3차원 컴퓨터단층촬영 등은 관골에 대해 보다 입체적인 평가와 분석을 진행하는 데 도움이 된다(그림 7-5). 이를 통해 관골부의 돌출 또는 함몰 범위와 정도를 분석한 후 교정이 필요한 부위 및 양을 평가한다.

4) 기타 고려사항

관골성형술을 계획할 때는 이상의 객관적인 자료들도 중요하지만 무엇보다 환자의 주관적인 판단이 더 중요하다. 관골성형술을 계획할 때는 계란형의 얼굴과 양측 대칭적인 안모를 얻도록 계획해야 한다. 관골부 돌출에 대한 교정만으로는 얼굴 윤곽의 전반적인 개선이 어렵다고 생각되거나 불균형이 나타난 경우 환자와의 충분한 상담 후 윤곽 개선이 필요한 다른 안면 부위에 대한 교정을 계획한다. 관골복합체와 하악골과의 관계도 대단히 중요하다. 예를 들면, 하악각이 하후방으로 돌출해 있지 않은 환자는 돌출해 있는 관골 복합체를 낮추어 주면 얼굴모양이 계란 모양으로 갸름해져 더욱 매력적이고 아름다운 얼굴로 보이게 할 수 있으나, 하악각이 하후방으로 돌출해 있는 환자에서 하악각을 축소해 주지 않고 돌출해 있는 관골복합체만 낮추어 주고 나면 하안면부의 사각형이 더욱 뚜렷하게 되어 매력 없는 얼굴이 될 수 있다. 이런 환자가 하악각축소술도 동시에 시행 받겠다고 하지 않으면 관골축소술을 해주지 않는 편이 더 양호한 것임을 상기시켜 주어야 한다.

4. 관골축소술(Malar reduction)

1) 역사적 고찰

1983년 Onizuka[5]는 협점막절개술을 통한 구강내 접근법으로 관골 골체부를 shaving하는 방법에 대해 처음으로 발표한 이래로 많은 술자들에 의해 다양한 관골축소술을 소개하고 있다. 1991년 Whitaker[6]는 coronal approach를 통해 돌출된 협골 골체부와 협골궁을 bur를 사용하여 축소시키는 방법을 발표하였다. Uhm과 Lew(1991)는 협골궁의 돌출 정도를 경도 및 심도로 구분하여 각각의 수술방법을 소개하였는데, 경도로 돌출된 경우에는 구강내 접근을 통해

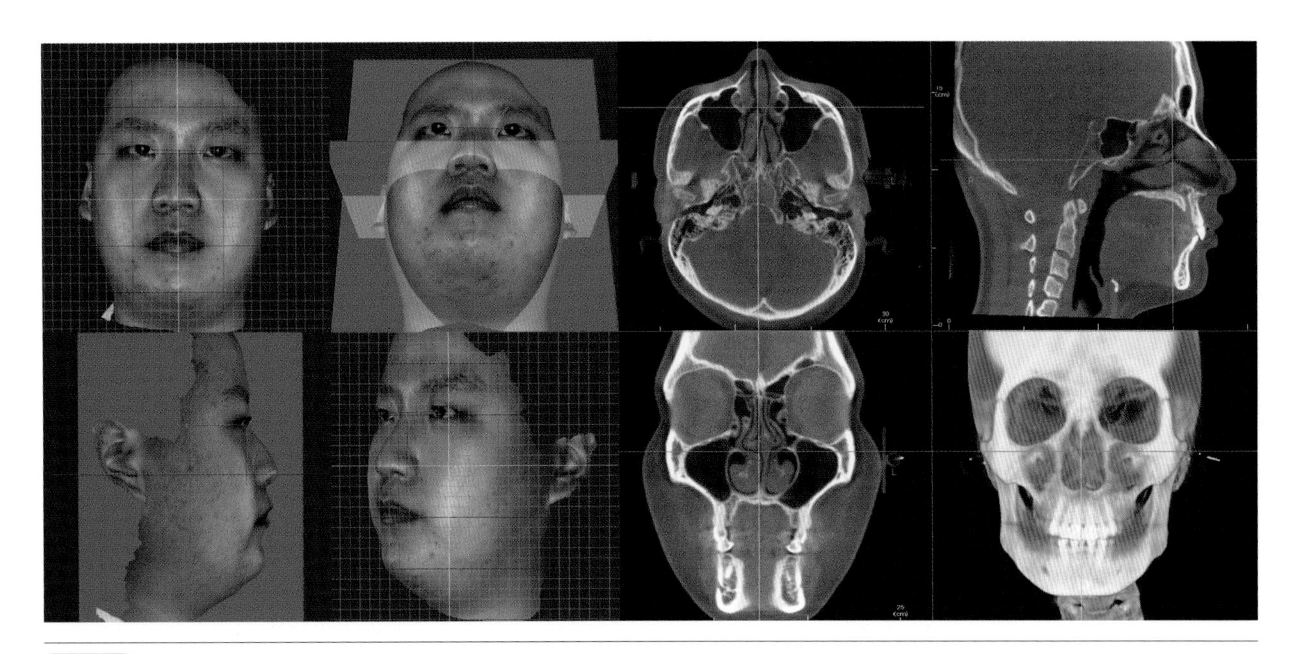

그림 7-5 3차원 얼굴 스캔 및 컴퓨터단층촬영을 이용한 3차원 렌더링 영상

관골 골체부 및 관골궁의 전방부를 삭제하고 후방의 관골궁은 전이개 접근법(preauricular approach)을 통해서 재형성해주며, 중등도 이상으로 관골궁의 돌출이 심한 경우에는 관골궁의 두께가 약 4 mm 이하로 한정되어 있기 때문에 골삭제만으로는 효과가 없으므로 협골궁을 greenstick fracture시켜 편평하게 하는 것이 필요하며 이런 골절단술을 통해 협골부를 재위치시키기 위해서는 일반적으로 관상두피절개(coronal incision) 또는 구강내 접근법과 전이개 접근법을 동시에 시행하는 것이 필요하다고 하였다.[1]

1993년 Satoh와 Watanabe[7]는 관상두피절개술 이후에 상악관골봉합부, 전두관골봉합부 및 측두관골봉합부에 동시에 골절단을 시행한 다음 관골 골체부 및 관골궁을 내후방으로 재위치시키는 방법을 소개하였다. 1997년 Sumiya 등[8]은 구강내 접근법을 통하여 안구 외측연의 5 mm 측방으로 관골 골체부의 골절단술을 시행하고, 전이개 접근법을 통하여 관골궁 후방부의 골전단술을 시행하고 유리된 골편부를 내상방으로 재위치시킨 후 양측 골편부를 고정하는 술식을 보고하였다. 1997년 황 등[9]은 전방 골체부에서 greenstick fracture시키고 전이개절개를 통해 후방 관골궁에서 골절단을 시행하고 절단된 관골궁 골편을 내방으로 전위시킴으로써 돌출된 관골궁을 함몰시키는 방법을 소개하였다.

2000년 김과 설[10]은 구내접근법으로 L-osteotomy를 시행하여 절제된 골편을 제거한 후 osteotome을 관골궁 내측으로 접근하여 관골궁 후방부를 골절시킴으로써 구내접근법만으로 돌출된 전방 골체부를 효과적으로 축소시키는 방법을 보고하였다.

2) 접근방법

관골축소술에 주로 사용하는 접근방법은 구내 접근법이 주로 사용되고 있으나 협골궁에 대한 접근을 위해 관상절개, 측두절개, 전이개 또는 구레나룻절개(sideburn incision)가 사용된다.

(1) 구내 접근법(Intraoral approach)[11]

관골궁에의 접근이 제한적이고 구내에서 모든 삭제를 시행해야 하므로 정확한 양의 삭제가 어렵고, 양측의 대칭성을 유지하기 힘들며, 상악동을 침범할 가능성을 우려하여 불완전하게 교정될 수 있고, 골편의 이동이 제한되는 단점이 있으나, 관골체가 연조직과 완전히 분리되지 않기 때문에 흡수와 감염에 대한 저항성이 높고, 구내로 절개하므로 외부에 반흔을 남기지 않으며, 수술 시 외상을 최소로 할 수 있고, 관골궁에서 교근과 측두근막을 분리하지 않기 때문에 저작력의 감소 및 협부의 쳐짐이 발생하지 않는 장점이 있다.

(2) 관상 접근법(Coronal approach)

관골복합체를 광범위하게 노출시켜 시야가 좋아 조작이 편하고 대칭적인 수술이 용이하다는 장점이 있지만, 수술 후 광범위한 반흔이 남을 가능성이 많고, 혈종 및 감염, 안면신경 마비 등 외상이 크다는 단점이 있다. 따라서 젊은 환자에서 제한적으로 사용하지만 전두부거상술(forehead lift)을 동시에 시행할 필요가 있는 40세 이상의 환자에서는 유용하게 사용할 수 있다.

(3) 전이개 또는 측두 접근법(Preauricular or temporal approach)

반흔 형성 정도가 낮지만 안면신경의 손상 가능성이 많고 관골궁 후방에의 제한적인 접근만 가능하기 때문에 관골궁이 돌출만 있는 경우에 사용하며 대부분 구내 접근법과 함께 사용한다.

(4) 구레나룻 접근법(Sideburn approach)[12]

측두 절개나 관상 절개를 통해 수술하면 편리하긴 하지만 머리카락이 검은 동양인에서는 측두 절개로 인한 반흔성 탈모증이 문제가 될 수 있으므로 대신에 구레나룻 부위의 절개를 통해서 관골궁에 접근하는 방법이 사용된다.

(5) 내시경을 이용한 접근(Endoscopic application)[13]

최근에는 관골축소술 등 악안면성형수술에 내시경을 이용하는 방법이 사용되고 있다. 내시경을 사용하면 시야의 확대, 반흔 감소, 출혈량의 감소, 합병증의 감소, 짧은 입원 기간 등 많은 장점이 있으나 반면에 고가의 장비를 구입해야 하며, 상대적으로 긴 수술 시간과 술자의 숙련 등이 필요하다.

3) 수술방법

돌출된 관골부를 축소시키기 위한 수술방법은 돌출된 부위에 대해 삭제(shaving)하는 방법과 골절단술을 통해 돌출된 관골부를 후내상방으로 재위치시키는 방법으로 대별된다. 수술은 전신마취하에서 시행하며 구강내접근법을 이용할 때는 상악견치부터 제2대구치 부위까지 협측 전정부를 절개하여 골막을 거상하여 안와하신경을 포함하여 안와하연 및 관골궁까지 노출한다. 이때 술후 협부 처짐(cheek drooping)을 예방하기 위하여 교근(masseter muscle)을 포함한 광범위한 안면 근육의 이단을 최소로 한다. 돌출된 골을 교정하는 방법으로는 다음과 같은 골삭제,[5] greenstick fracture,[9] infracture,[14] osteotomy [10,15] 등을 이용하고 있다.

(1) 골삭제(Bony shaving)

골삭제술은 전방 관골부의 돌출 정도가 경미한 경우에만 한하여 사용되는 관골축소술의 가장 기본적인 방법이다. Round bur를 이용하여 돌출된 부위를 삭제하므로 비교적 간단한 방법이나 너무 많이 삭제할 경우에 상악동 천공을 유발할 수 있고 광범위한 근육을 이단시킬 경우에 술후에 협부의 쳐짐(cheek drooping) 현상이 나타날 수 있으므로 주의해야 한다. 관골궁에서는 두께가 3~4 mm 정도밖에 되지 않기 때문에 충분히 삭제할 수가 없고, 골삭제

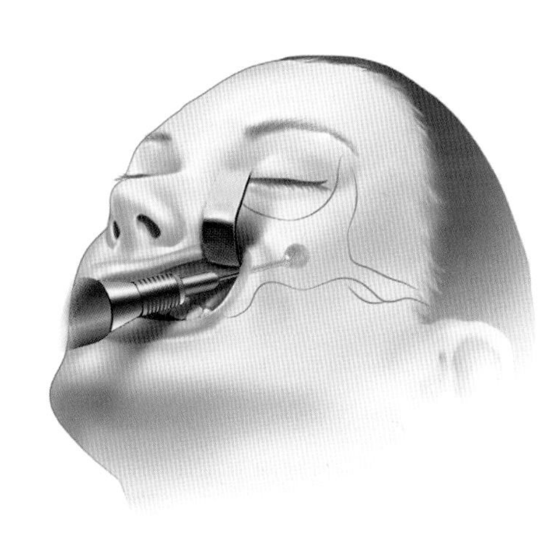
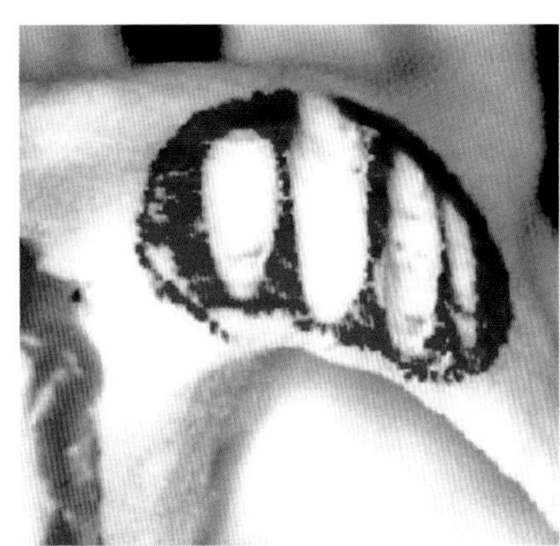

그림 7-6 골삭제술의 모식도와 RP model에서의 모형 수술사진

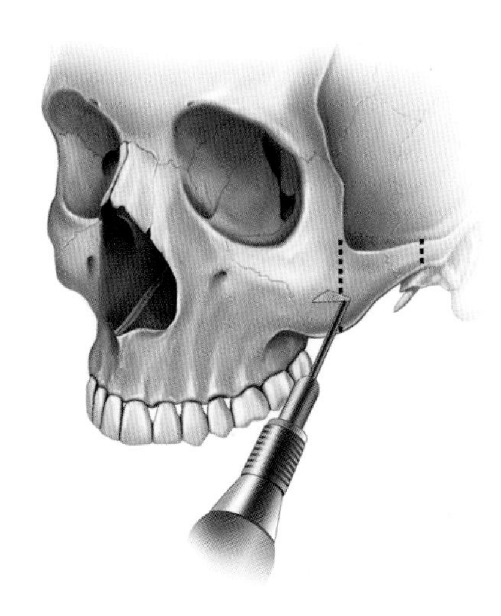
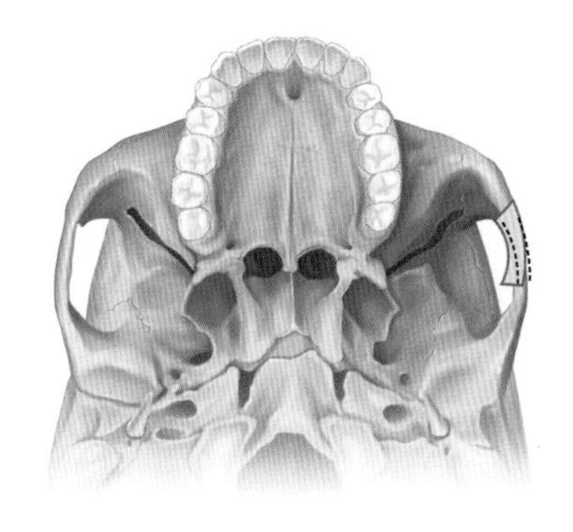
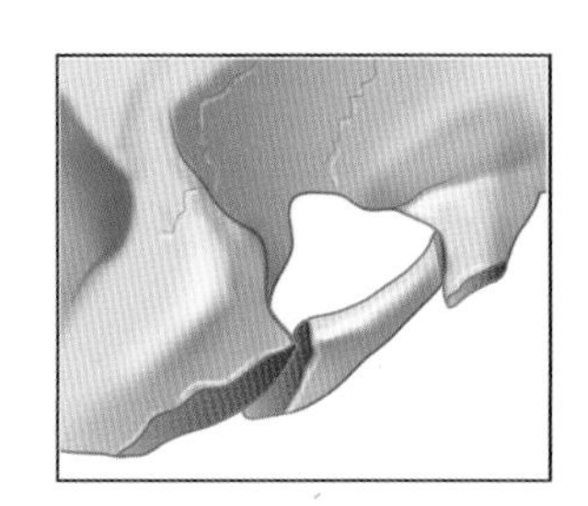

그림 7-7 전방의 Greenstick fracture와 후방의 내골절술(Infracture)의 모식도 및 RP model에서의 모형수술 사진

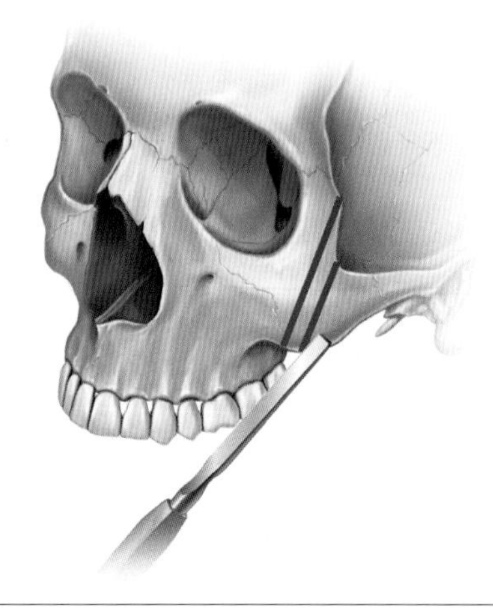

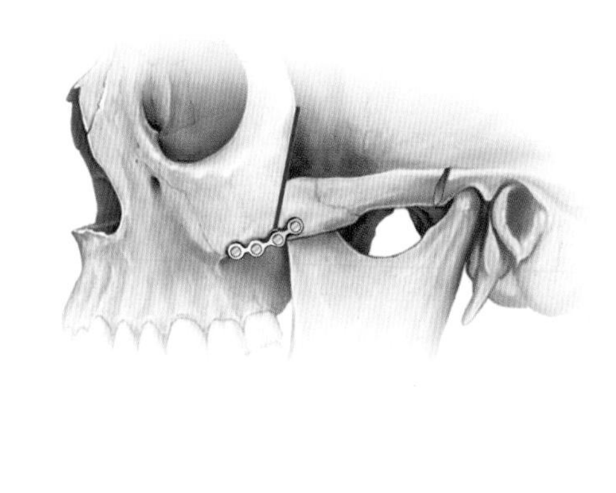

그림 7-8 I-형 절단술의 수술사진 모식도

후 수질골이 노출되므로 술후 골흡수량을 예측하기가 힘들어 이 방법은 제한적으로 사용되고 있다(그림 7-6).

(2) Greenstick fracture

이 방법은 전방 관골 골체부의 돌출이 거의 없거나 경미하고 관골궁 후방부가 돌출된 경우에 많이 사용하는 방법이다. 구강내 접근법으로 관골 앞부분을 노출시키고 전방 관골 골체부의 돌출이 경미한 경우에는 돌출된 부위의 골삭제를 시행한다. Greenstick fracture를 위한 골절선은 상방에서는 관골-전두돌기 외연과 관골 측두돌기 상연이 만나는 지점에서 시작하여 하방에서는 상악골-관골돌기 하연의 기시부 사이를 연결하는 골절선을 연필로 표시한 다음 reciprocating saw를 이용하여 부분적인 골절단을 시행하여 greenstick fracture를 유도한다. 돌출된 관골궁 후방부를 함몰시키기 위해 전이개부에 작은 절개를 시행하여 관골궁 후방에 완전 골절단술을 시행하여 절단된 관골궁을 내측으로 내골절(infracture)시켜 준다. 필요한 경우 골절단 부위를 mini- 또는 microplate나 wire를 이용하여 고정한다(그림 7-7). 하악운동의 제한을 막기 위해 내골절은 하방이 아닌 내방으로 이루어져야 한다. 내골절의 정도를 정확하게 하기 위해 술전과 술후 임상검사 및 방사선검사가 충분히 이루어져야 한다. 가끔 내골절 후 관골궁 상방의 피부가 함몰될 수 있으며, 개구제한 등의 합병증이 일어날 수 있으므로 주의해야 한다.

(3) 골절단술(Osteotomy)

① I-shaped osteotomy

전두관골 봉합부 외하방 1 cm 부위에서 내하방으로 관골 상악골 시상면에 평행하게 톱으로 골절단을 시행하고 절제를 원하는 양만큼 이 선의 외측부에 평행하게 골절단을 시행한 후 두 절단선 사이의 골편을 제거한다. 골절선의 디자인은 관골의 돌출 부위와 정도에 따라 다양하게 결정한다. 관골궁 후방 부위는 관골체를 내방으로 압박, 밀착시킴으로써 휘게 하거나 curved osteotome이나 oscillating saw를 이용하여 관골궁을 out-fracture하여 greenstick fracture를 유발시킨다(그림 7-8). 관골궁 부위에 더 많은 축소가 요구될 때에는 관골궁 후방의 관절결절(articular tubercle) 전방 부위에서 피부에 작은 절개를 가하고 관절궁을 골절시킨 다음 관골궁을 내측으로 infracture시켜 재위치시킨다. 협부의 처짐을 예방해주고 보다 더 젊게 보이게 하기 위하여 절단된 전방 관골궁을 약간 상방으로 위치시켜 wire나 plate를 이용하여 고정한다. 필요한 경우에 후방 골절단 부위도 고정해 준다. 돌출된 잔존 관골 부위를 bur를 이용하여 부드럽게 삭제한다.

② L-shaped osteotomy

L자형의 골절단술을 위한 골절선 디자인은 상방에서는 관골-전두돌기 외연과 관골 측두돌기 상연이 만나는 지점에서 시작하여 하내방으로 상악골 전방에 수직골절선을

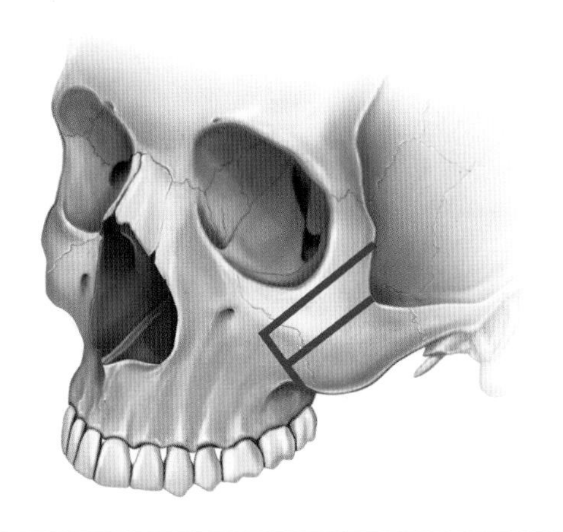

그림 7-9 L-shaped osteotomy의 골절선

표시하고 절제를 원하는 양만큼 이 선의 외측부에 수직골 절선을 표시한 다음 zygomatic buttress에서 수직골절선 하연까지 1개의 횡적인 골절선을 표시한다. Reciprocating saw를 이용하여 표시된 L자형의 골절단술을 시행하고 가운데 분절은 제거한다. 관골궁의 후방 부위는 중앙 부위를 통하여 접근되어지고, curved osteotome이나 oscillating saw를 이용하여 out-fracture하여 triple 골절단술 후 유동성의 관골 복합체를 관골 상악복합체 butress 상방에 miniplates와 screw를 사용하여 고정한다(그림 7-9).

I-형 골절술에 비해 L-형 절골술은 관골 돌출부를 유지하며 그 내측과 아래부위로 골절단선이 유지되면서 평행하는 수직골절단의 두 선의 폭을 조절하여 원하는 만큼 충분히 골제거를 할 수 있다. 이때 상악동의 손상이 있을 수 있으므로 가능한 골절선이 상악동 내부로 침범하는 것을 피하도록 하나 상악동이 침범되더라도 대부분 큰 문제는 없다. 부비동염이 있을 경우에는 술전에 반드시 x-ray로 검사하면서 선행치료를 한 후에 수술에 임하여야 한다. 또 L-형 절골술은 금속판으로 관골 복합체를 고정시 충분한 공간을 확보할 수 있어 쉽게 수술할 수 있다는 점과 수평과 수직의 골절단선을 obtuse angle로 시행하면서 관골체를 내측 상방향으로 이동시킬 수 있다는 점이 장점이다. L-형 골절단술의 단점으로는 L-형 골절단이 I-형 방법보다 내측으로 조금 더 많은 박리가 있어 술후에 일시적이나마 안와하신경의 감각이상을 호소할 수 있다.

(4) 고정 방법

골절단 후 이동된 관골의 고정 방법은 구내 접근법으로 zygomaticomaxillary buttress에 titanium plate를 이용하여 고정하는 방법이 많이 사용되고 있다(그림 7-10). 관골궁의 고정을 위하여 구래나룻 접근법을 사용하여 절단된 관골궁에 titanium plate나 wire 고정을 추가하여 두 곳을 고정하는 방법도 가끔 사용된다(그림 7-11). Greenstick fracture 후 관골 골편을 내측으로 변위시키고 고정을 하지 않는 방법이 있으나 술후 관골 골편의 전위나 비유합(nonunion) 위험이 있다(그림 7-12).

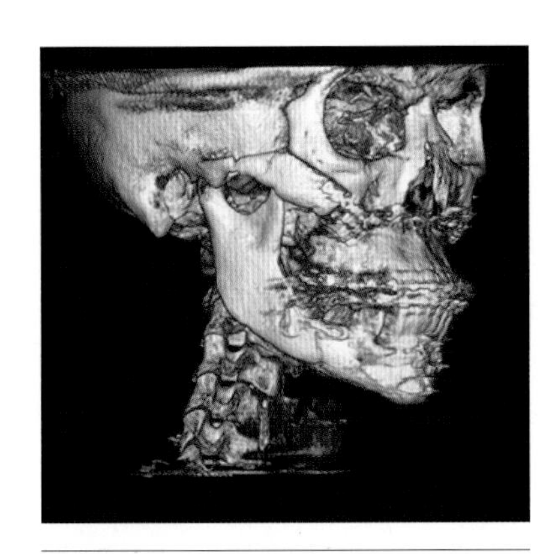

그림 7-10 관골절골 후 titanium plate를 사용하여 zygomaticomaxillary buttress에 고정한 경우

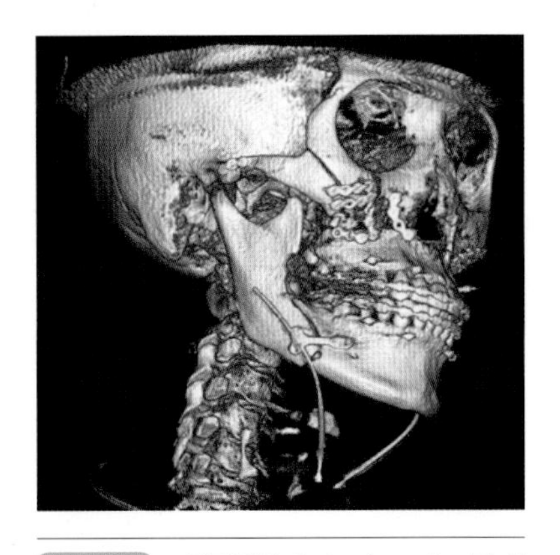

그림 7-11 관골절골 후 titanium plate를 사용하여 zygomaticomaxillary buttress와 관골궁에 고정한 경우

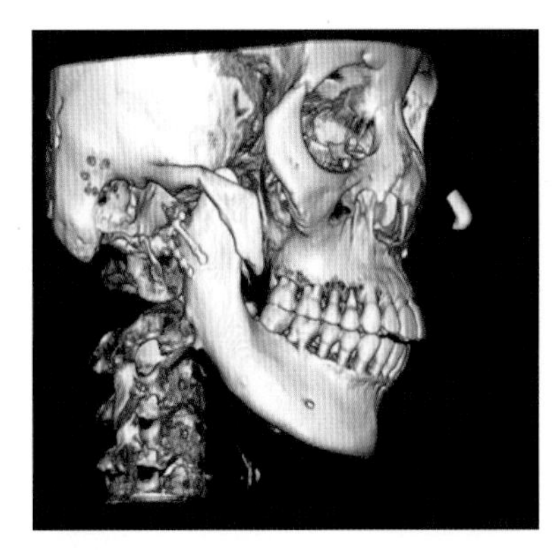

그림 7-12 관골절골 후 고정하지 않아 관골이 하방으로 변위된 경우

관골수술 후 고정이 불충분하면 관골 골편의 부정유합(malunion)과 교근에 의한 관골의 하방변위가 발생할 수 있다. 관골 골편이 하방으로 변위되면 안와 기형, 볼쳐짐(cheek drop), 개구제한 등의 증상을 일으킬 수 있다.

4) 합병증

술후 발생될 수 있는 합병증으로는 관골부의 동통, 부종, ecchymosis, 감각저하 나 감각마비, 감염, 잘못된 골절단 방향으로 인한 개구제한 및 상부 피부의 함몰, 부적절한 관골 축소, 과도한 관골 축소로 인한 안모의 변형 등이 초래할 수 있으나 대부분 경미하여 큰 문제를 초래하지는 않는다.

5. 관골증대술(Malar augmentation)

관골증대술은 성공률이 높고 예측이 가능한 술식으로 알려져 있다. 서양에선 돌출된 협골은 매력적이면서 개성적인 미로 인식되어 코와 턱의 최대한 돌출지점과 같이 얼굴의 조화를 평가할 때 보는 사람의 눈에 먼저 들어 올 수 있는 일차적인 얼굴융기 부위 중의 하나이다. 이들 얼굴융기 부위 중 한 부위의 변화는 융기 부위뿐만 아니라 그 주변까지 영향을 미친다.

관골증대술은 대부분 선천적인 기형이나 외상으로 인해 관골부가 함몰되어 있는 경우에 시행하며 또한 관골융기(zygomatic eminence)가 편평하거나 함몰된 경우에 심미적인 개선을 위해 시행한다.

1) 매식재의 위치 결정

관골증대술을 시행 시 증대시켜주는 위치, 범위와 양을 결정하기가 쉽지 않다. 술전에 임상적, 방사선 소견을 종합하여 평가해야 한다. 여러 술자들이 관골융기의 최고 돌출지점과 매식재를 위치시킬 부위를 결정하는 다양한 방법들이 소개되고 있다(그림 7-13).

(1) Hinderer 법(교차선 방법)[16,17](그림 7-13A)

외측 안각으로부터 구각까지 이르는 한 선과 비익과 귀주에 이르는 다른 한선과의 교차 선의 바깥 1/4 지점에 인공성형물질을 위치시킨다.

(2) Wilkinson 법[18](그림 7-13B)

외측 안각에서부터 하악골하연까지 이르는 선의 상방 1/3 지점에서 외측 안각의 바로 바깥 가장 높은 곳에 인공성형 물질을 위치시킨다.

(3) Silver 법[19](그림 7-13C)

관골융기를 삼각형화하여 인공성형물질을 매식하였을 때 삼각형의 중심은 가장 돌출된 부위이고 외측 각막윤부에서 그은 수직선은 삼각형의 중심을 이룬다고 하였다.

(4) Powell 법[20](그림 7-13D)

수직적으로 윤곽의 높이는 골격에서 Frankfort horizontal(FH) 평면을 혹은 바로 하방을 지나고 FH 평면을 앞쪽으로 연장을 했을 때 코의 중앙부를 지나고 비근점(nasion)과 코끝에 이르는 거리를 2등분한다는 것을 발견하고, 관골융기는 FH plane에서 외측 안각의 바깥으로 1.5~2 cm 지점에 있다고 하였다.

(5) Prendergast 법[21](그림 7-13E)

얼굴을 비스듬하게 보았을 때 외안각으로부터 구각에 이르는 선을 긋고 외안각의 1/3 지점에서 이 선에 90°로 그은 선이 관골 복합체의 가장 외측 지점 즉 가장 돌출된 부위를 지난다고 하였다.

2) 관골증대술을 위한 매식재의 선택

관골부를 증대시키는 방법에는 두개골피판술(calvarial bone flap), 관골부 전진 골절단술(zygomatic advancement osteotomy), onlay bone graft 등 다양한 방법들이 사용되고 있다. 또 증대를 위해 사용되는 이식재료에는 자가조직 및 인공성형물질들로 대별되며, 자가조직이식편으로는 측두근막과 측두근, 늑연골, 장골, 두개골을 사용할 수 있다. 두개골은 관골부의 정상적인 굴곡을 따라 모양을 형성하기가 어려운 문제가 있으며, 늑골은 관골증대술 후 흡수량을 예측할 수 없고 술후 부적절한 안모를 나타내는 경우가 많다. 일반적으로 관골증대술에 자가조직을 사용하면 얼

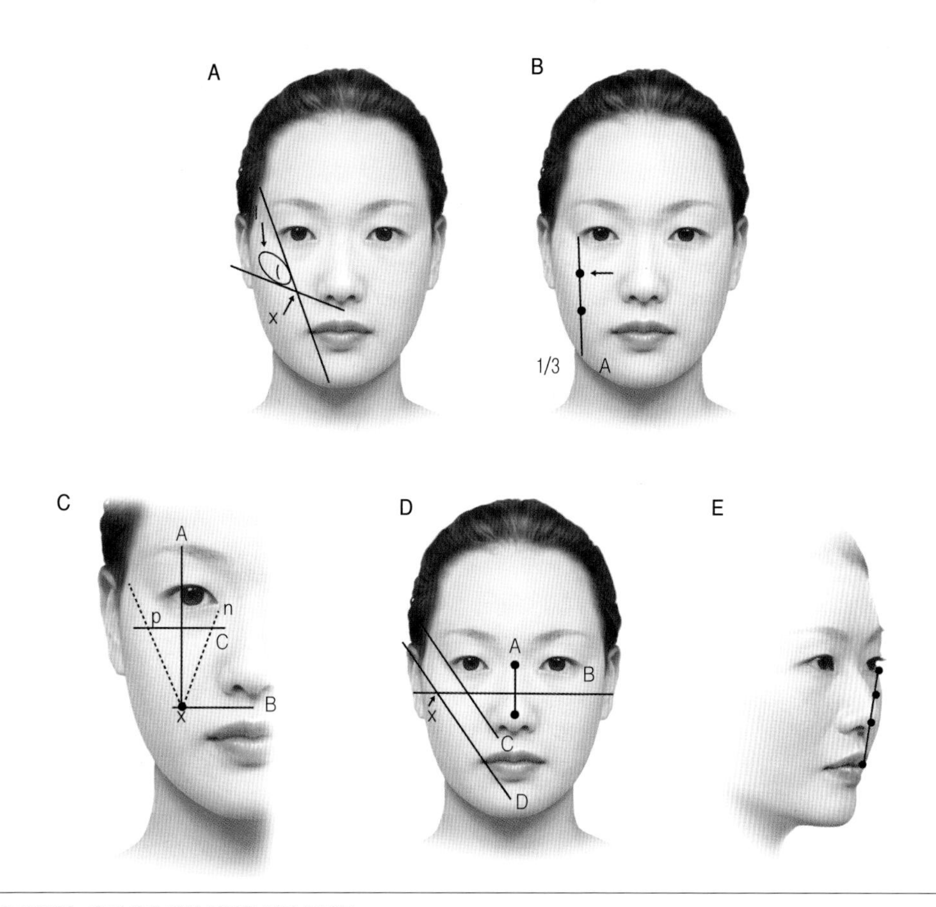

그림 7-13 관골증대술 시 매식재 위치 선정을 위한 방법들

마나 흡수될지 예측할 수 없으며, 공여부에 통증과 반흔 등의 문제가 있어 미용목적으로 관골부를 증대시켜주고자 할 때는 자가조직보다는 인공성형물질을 이용하여 함몰된 관골 부위를 증대시켜 주는 방법들이 선호되고 있다.

인공성형물질에는 아이보리, 세라믹, 다양한 금속들, 아크릴, 실리콘 고무, 폴리아마이드, 프로플라스트, 고밀도 폴리에틸렌(Medpor) 등 많은 종류가 있으며 각 재료들은 각자의 특성을 가지고 있으므로 이런 점을 고려하여 적절한 재료를 선택하여 사용해야 한다. 이상적인 인공성형물질은 생물학적으로 불활성이고, 쉽게 변형시킬 수 있으며 하부골격에 잘 맞아야 되고 매식하기 쉬워야 한다. 또 무독성이며 감염의 가능성이 없어야 한다. 인공성형물질 중에서 어느 것을 사용할 것이냐 하는 것은 대부분 술자의 취향에 따라 결정된다. 최근 악안면 영역의 증강술에 많이 이용되고 있는 Medpor (porous polyetylene channel implant)는 다공성 고밀도 폴리에틸렌으로 125~250 μm의 수많은 미세구멍이 있어 섬유혈관조직이 잘 자라 들어가서 삽입물의 이탈과 노출, 감염 등의 합병증이 거의 없고, 유연성이 있어서 모양을 만들어 쓰기가 쉬우며 견고하여 구조적인 안전성이 있고 screw를 이용하여 하방 관골부에 쉽고 단단하게 고정시킬 수 있어 선호하고 있다(그림 7-14). 또한 Medpor는 비흡수성이며 거의 이물반응을 일으키지 않으나, 힘을 받는 부위에 사용 시에는 만성염증 반응을 일으킬 수 있다. 다공 구조는 세균감염 위험이 있으므로 사용하기 전에 진공상태에서 항생제가 미공으로 스며들게 하여 사용하는 것이 좋다. 악안면외과의는 얼굴의 임상적 관찰과 해부학적 구역 분석 후에 적절한 매식재 모양을 선택한다. Whitaker[22]는 경도 혹은 중간 정도인 경우에는 6 mm 두께의 매식재를, 더 개선을 요하면 8 mm 두께 매식재를 그리고 연조직이 매우 얇은 경우에는 4 mm 매식재를 추천하였다. 매식재 크기의 또 다른 선택기준은 환자의 신장이다. 환자의 키가 150~160 cm인 경우에는 4 mm 매식재가 적절하고, 160~170 cm인 경우에는 6 mm 매식재, 170~180 cm 환자인 경우에는 8 mm 매식재가 적절하다고 하였다. 180 cm 이상의 키를 가진 환자에서는 심지어 더 큰 매식재를 고려할 수 있다. 상품화된 매식재 사용으로 술중에도 다양한 크기의 매식재 선택이 가능하다. 부가적으로 외과의는 술전 비대칭을 항상 평가해야 하고 다른 크기의 매식재로의 보상도 고려해야 한다.

3) 합병증

관골증대술 후 발생할 수 있는 합병증으로는 관골부의 동통, 부종, 감각저하 및 감각마비, 안와하신경의 감각이상, 누공 또는 낭종 형성, 안와주위의 ecchymosis, 감염, 이식재의 흡수나 거부 반응, 이식물의 흘러내림, 이식재의 부적절한 위치 선정, 과도한 관골증대술로 인한 안모 변형 등이 있다.

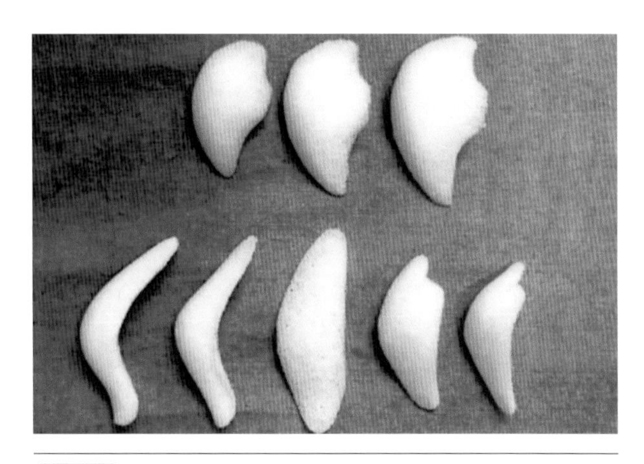

그림 7-14 여러 형태의 관골증대술을 위한 Medpor

6. 결론

악안면 영역에서 하악골과 함께 관골은 얼굴의 윤곽을 결정짓는 중요한 안면골이며, 서양인과 달리 동양인에서는 특히 툭 튀어나온 관골부는 팔자가 세다든지 과부가 된다든지 하는 미신과 더불어 고집이 세며 거센 느낌을 주기 때문에 심리적 부담감을 많이 준다. 그러므로 이러한 심리적 혹은 심미적인 불만을 해소하기 위해 관골성형술이 많이 이용된다. 하악윤곽성형술, 비성형술과 더불어 관골성형술을 통해 형성된 좋은 인상이 전체적인 얼굴 윤곽 평가에 많은 도움이 될 것으로 생각된다.

참고문헌

1. Uhm KI, Lew JM. Prominent zygoma in Orientals: classification and treatment. Ann Plast Surg 1991;26:164-70.
2. 대한악안면성형재건외과학회. 관골성형. 악안면성형재건외과학. 1판 ed. 서울: 의치학사; 2004. p.259.
3. Standring S. Face and scalp. In: Standring S, editor. Gray's Anatomy: Elsevier; 2020.
4. Kook M-S, An J-S, Kim Y-J, Park H-J, Oh H-K. Clinical study of augmentation malarplasty with porous polyethylene. Maxillofac Plast Reconstr Surg 2008;30:283-91.
5. Onizuka T, Watanabe K, Takasu K, Keyama A. Reduction malar plasty. Aesthetic Plast Surg 1983;7:121-5.
6. Whitaker LA, Bartlett SP. Skeletal alterations as a basis for facial rejuvenation. Clin Plast Surg 1991;18:197-203.
7. Satoh K, Watanabe K. Correction of prominent zygomata by tripod osteotomy of the malar bone. Ann Plast Surg 1993;31:462-6.
8. Sumiya N, Kondo S, Ito Y, Ozumi K, Otani K, Wako M. Reduction malarplasty. Plast Reconstr Surg 1997;100:461-7.
9. Hwang YJ, Jeon JY, Lee MS. A simple method of reduction malarplasty. Plast Reconstr Surg 1997;99:348-55.
10. Kim YH, Seul JH. Reduction malarplasty through an intraoral incision: a new method. Plast Reconstr Surg 2000;106:1514-9.
11. Lee JG, Park YW. Intraoral approach for reduction malarplasty: a simple method. Plast Reconstr Surg 2003;111:453-60.
12. Lee KC, Ha SU, Park JM, Kim SK, Park SH, Kim JH. Reduction malarplasty by 3-mm percutaneous osteotomy. Aesthetic Plast Surg 2006;30:333-41.
13. Lee JS, Kang S, Kim YW. Endoscopically assisted malarplasty: one incision and two dissection planes. Plast Reconstr Surg 2003;111:461-7; discussion 8.
14. Yang DB, Park CG. Infracture technique for the zygomatic body and arch reduction. Aesthetic Plast Surg 1992;16:355-63.
15. Cho BC. Reduction malarplasty using osteotomy and repositioning of the malar complex: clinical review and comparison of two

techniques. J Craniofac Surg 2003;14:383-92.
16. Hinderer UT. Malar implants for improvement of the facial appearance. Plast Reconstr Surg 1975;56:157-65.
17. Hinderer UT. Nasal base, maxillary, and infraorbital implants--alloplastic. Clin Plast Surg 1991;18:87-105.
18. Wilkinson TS. Complications in aesthetic malar augmentation. Plast Reconstr Surg 1983;71:643-9.
19. Silver WE. Malar augmentation. Facial Plast Surg 1992;8:133-9.
20. Powell NB, Riley RW, Laub DR. A new approach to evaluation and surgery of the malar complex. Ann Plast Surg 1988;20:206-14.
21. Prendergast M, Schoenrock LD. Malar augmentation. Patient classification and placement. Arch Otolaryngol Head Neck Surg 1989;115:964-9.
22. Whitaker LA. Aesthetic augmentation of the malar-midface structures. Plast Reconstr Surg 1987;80:337-46.

Chapter

08

하악골윤곽성형술

Mandibular Contouring Surgery

기본 학습 목표
- 하악골윤곽성형술의 수술 종류를 이해한다.

심화 학습 목표
- 하악골윤곽성형수술의 다양한 수술방법을 설명할 수 있다.
- 각 수술방법에 따른 합병증을 이해하여 설명할 수 있다.

1. 동서양의 미인관

서양인은 대개 장두체(dolicocephalic)여서 하악폭이 적당히 넓어야 균형 있어 보이는 외모이지만, 한국인과 같은 동양인은 중두체(mesocephalic)여서 사각턱인 경우 얼굴이 커 보이며 고집이 센 느낌과 딱딱한 인상을 주게 된다.

사각턱의 원인은 하악골의 각 부분이 두드러진 경우와 교근이 발달한 경우로 나누어 볼 수 있으나 하악각과 교근이 모두 발달한 경우가 대부분이다. 특히 딱딱한 음식이나 씹는 껌을 좋아한다거나 이를 악무는 습관, 이갈이 등의 습관이 있는 경우 교근이 유난히 커져서 고집이 세보이고 강한 인상을 줄 수 있다.

전통적으로 동양인들은 부드러운 선을 갖는 갸름한 계란형의 얼굴을 선호하는 경향이 있어서 사각모양의 하안면부의 폭이 좁아지고 둥그렇게 보이는 하악우각부의 외형, 즉 'V-line shape'의 턱 모양을 갖기를 원한다.

2. 역사적 변천

1880년 Legg에 의해 교근의 비후(masseter muscle hypertrophy, MMH)라는 표현으로 하악각의 돌출을 처음으로 묘사한 이후 서양에서는 사각형 얼굴의 원인인 하악각의 돌출이 주로 근육의 문제에서 기인한 것으로 초점을 두고 있었다.[1] 1949년 Adams에 의해 구강외 절개를 통해 동시에 교근과 하악각절제를 모두 시행하였으며,[2] Converse는 Adams와 동일한 방법이나 구내로 교근과 하악각을 절제하였다.[3] Baek 등은 구강내접근법을 통하여 하악각을 절제하였고 교근절제술을 동시에 한 경우와 안 한 경우로 나누어 보고 하였으며,[4] 이후에 많은 임상가들은 우각부성형에 있어서 가장 주요한 방법은 교근의 절제보다는 하악각절제(angle ostectomy)라는 인식을 하게 되었고 주요한 치료방법이 되었다.[5]

동양인들에게 주로 하는 하악골윤곽술은 사각턱 수술이었고 과거에는 사각턱의 문제를 주로 하악각 부위와 하악후방부에 초점을 맞추어서 다룬 것으로 보인다. 따라서 사각턱의 전통적인 수술법은 하악각절제술이었고 그 이후 부가적으로 하악후방부 피질골절제술이 보고되었다. 최근에는 갈수록 갸름한 얼굴이 미의 기준이 되고 있고 이에 따라 하악후방부뿐만 아니라 전방부까지 포함하는 하악골 전체를 고려하여 수술계획을 세워 환자의 측모 뿐 아니라 정모에서도 효과적인 안모의 개선이 있는 술식들이 보고되고 있다.

3. 하악골윤곽성형술의 종류

하악골윤곽성형술은 크게는 축소술과 증강술로 분류할 수 있다.

1) 하악골윤곽축소술

(1) 하악우각부성형술(Mandibular angle contouring surgery)

하악각절제술, 하악우각부절제술, 하악골절단술과 같은 의미로 쓰였고 영문으로는 mandibular angle ostectomy, angle reduction, angle trimming 등으로 불리었다. 전통적으로 시술되었던 하악각절제술 이후에 하악각피질골절단술을 시행하기 시작하였고 근래에는 이 두 가지 술식을 동시에 하는 경우가 많아지게 되었다. 의미상으로 하악우각부를 개선시키기 위한 술식, 즉 하악각절제술, 교근절제술, 하악우각부피질골절단술 등을 종합하여 하악우각부성형술이라고 하는 것이 적절해 보인다.

(2) 하악외측피질골절단술(Sagittal cortical ostectomy of Mandibular ramus and body, mandibular outer cortex split ostectomy, mandibular splitting corticectomy)

과거에는 하악각절제술과 병행하여 하악각피질골절단술을 많이 하였으나 최근에는 피질골절단술을 하악각절제술과 병행하든지 단독으로 하든지 간에 하악각에만 국한하지 않고 몸체부나 그 전방부까지 연장하는 경우도 많이 있어서 하악외측피질골절단술이라고 하는 것이 타당해 보인다.

(3) 하악하연골절단술(Mandibular inferior border ostectomy)

동양인들은 사각턱뿐 아니라 하악몸체부에서도 넓고 긴 턱선을 가지고 있는 경우도 많이 있어서 좀 더 부드럽고 갸름한 형태의 V-line의 얼굴을 갖기 위해서는 하악하연골절단술이 필요한 경우가 많아지게 되었는데 하악각절제술을 하면서 전방으로 연장하여 하는 경우도 있고 환자의 상태에 따라서는 하연골절단술을 단독으로 하악각에서 몸체부, 전치부까지도 연장하여 하는 경우도 있다.

2) 하악골윤곽증강술

하악골윤곽증강술은 동양인에서 흔히 볼 수 있는 수술은 아니지만 선천성 기형 혹은 안면골 외상에 의한 후유증으로 하악골의 어느 부위에도 시행될 수 있으나 대부분은 안면비대칭과 관련하여 하악골우각부 혹은 하악골하연부위에 주로 이루어지는 술식이다.

4. 하악골윤곽축소술

❖ 술전 고려사항

장방형의 안모(square face)는 하악각에만 국한된 문제가 아니다. 관골을 포함하는 중안모, 교근, 하악골후방뿐만 아니라 전방부까지 포함하는 하악골 전체를 고려해야 되는 복합적인 문제로 접근하는 것이 좋다. 안모를 하악각이나 하악후방부만 고려하기보다는 하안모 전체와 관골을 포함하는 중안모까지를 전체의 대상으로 보고 치료계획을 세우는 것이 매우 중요하다.

하악골을 single unit로 파악하고 모든 면(plane)에서 불균형적인 형태가 있는지 관찰, 평가하는 것이 중요하고 환자의 정면에서는 하악각 부위의 폭, 전방부 턱의 폭, 수직적인 안모의 조화(vertical facial proportion) 등을 종합적으로 평가하고 측면에서는 하악각(gonial angle) 하악하연경사도(mandibular steepness), 턱끝의 결손, 하악상행지의 길이(ramus length) 등을 평가한다.[6]

❖ 술전 분석 및 수술 디자인

먼저 환자가 원하는 얼굴의 모양이나 기대치 등을 충분히 경청한 다음 안모의 시각적인 분석과 방사선촬영을 통한 객관적인 분석을 하여 가장 적합한 수술 디자인을 찾는다.

① 안모분석환자의 정면 측면안모 및 포토를 통하여 하악골의 형태, 교근의 형태나 피하지방량 등을 평가-정면얼굴은 하악골의 외형과 턱의 너비 등을 평가하여 턱 부위 골절단 시작점을 예측, 측면얼굴을 통하여 하악평면(Mn. plane)의 경사를 관찰하고 하악각과 귓불(ear lobe)과의 거리관계를 평가하여 하악각 후방부의 절단선을 예측한다.

② 계측을 통한 평가: Cephalometric view (P-A, Lateral), 파노라마, 3차원 CT 등을 통하여 하악각, Mn. plane angle, bigonial distance, 하악골 두께, 하악각의 flaring 등을 평가한다.

a. 일반적으로 정면에서는 bigonial distance를, 측면에서는 하악각, mandibualr plane-sella-nasion angle (Mn-SN angle), 또는 mandibular plane-FH angle (Mn-FH angle), 수평면에서는 하악골체부 간의 divergence angle을 평가한다(그림 8-1).

b. 보통 하악각이 110° 이하, Mn-FH angle이 20° 이하의 경우 사각턱의 기준이 된다.[6] 또한 하악관의 위치나 이공(mental foramen) 등을 평가하여 하악각이나 하악하연골의 최대절단량을 측정할 수 있다.

③ 하악각절제술이 추천되는 경우는 하악각이 작고 Mn. plane angle이 작은 경우에 유리한 반면, 하악외측피질골절단술이 추천되는 경우는 bigonial width가 크고 Mn. ramus flaring을 보이는 경우이다.[7] 따라서 하악각절제술은 측면에서 보았을 때 효과적이고, 정면에서 보았을 때 그 효과가 충분하지 못하다. 반면에 하악외측피질골절단술은 측면에서 하악각을 줄일 수는 없지만 정면에서의 효과가 좋고 부드러운 우각부를 만들어 내는 장점이 있다(그림 8-2, 3).[8]

④ 현대에는 환자의 요구도 등이 다양화되어서 하악골 윤곽술을 할 때 전통적인 하악각절제술이나 피질골 절제술 외에도 하악골의 상행지나 골체부 턱끝의 정면, 측면 형태를 고려하여 하악하연골절제술을 포함하는 "V-line" ostectomy, total inferior border ostectomy, 또는 narrowing genioplasty (T-type genioplasty), sliding genioplasty 등도 포함하여 시행하고 있다.

⑤ Shao 등은[9] Zhen Shao 등[9]은 사각형의 안모를 가진 환자를 정면과 측면에서 볼 때 4그룹으로 분류하여 치료계획을 세웠다(표 8-1).

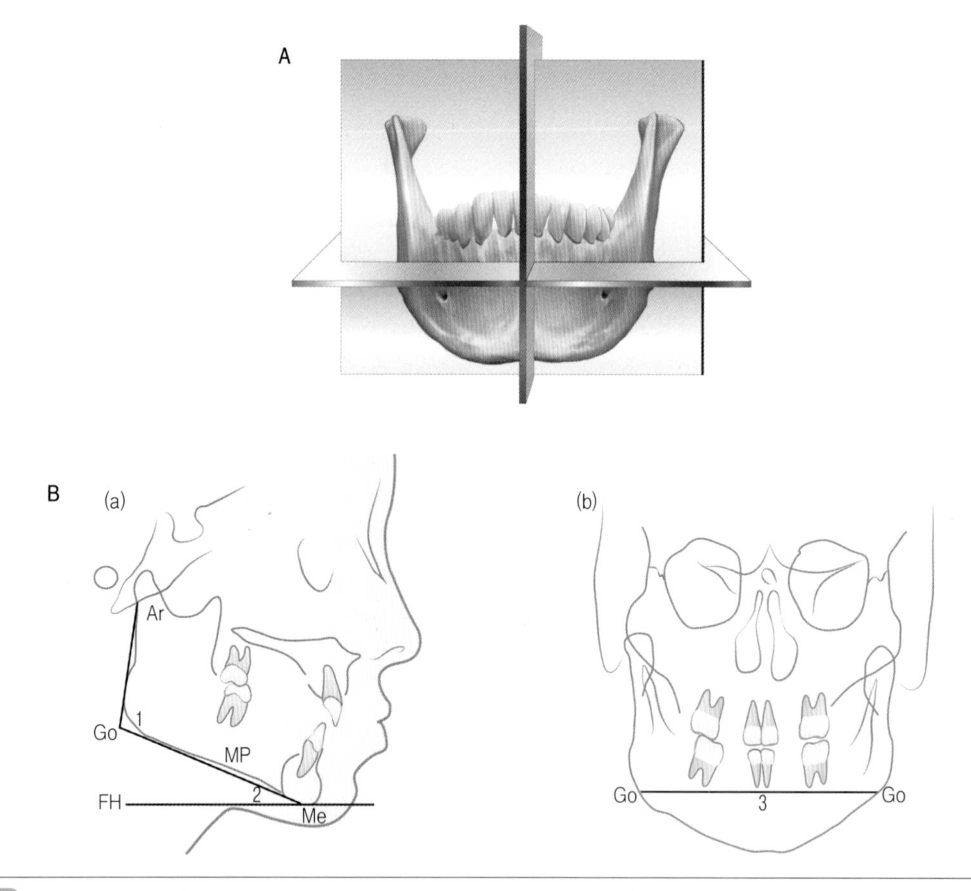

그림 8-1 **A:** 하악우각부 비대 환자는 Frontal, Sagittal, Transverse plane (전두면, 시상면, 횡단면)에서 3차원적으로 평가되어야 한다. **B:** (a) Lateral cephalometric landmarks and reference lines. (b) Frontal cephalometric landmarks and reference lines. 1, The gonial angle (Ar-Go-Me); 2, The mandibular plane angle (MP-FH); 3, The mandibular width (Go-Go)

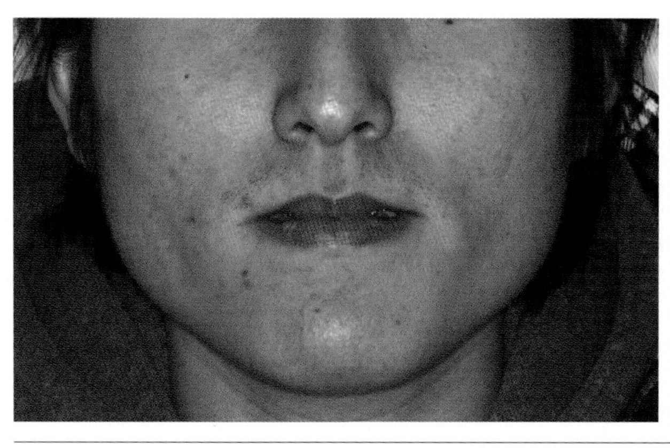
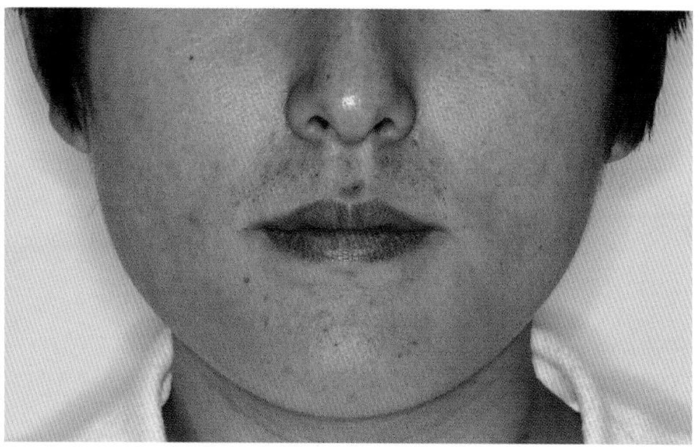

그림 8-2 26세 남성 환자로 정면에서 피질골절단술 후 하악 우각부가 축소된 효과를 보여준다.

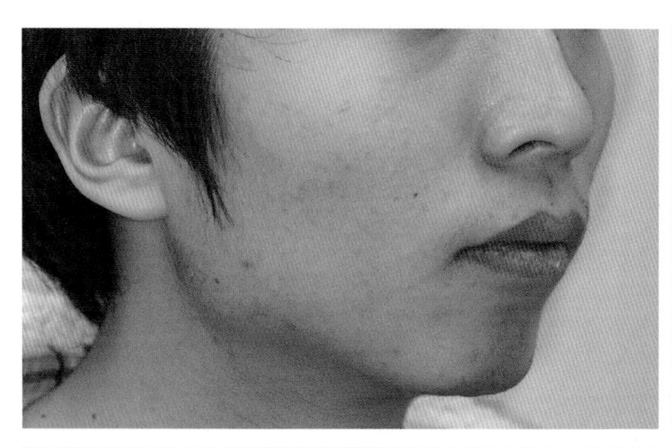
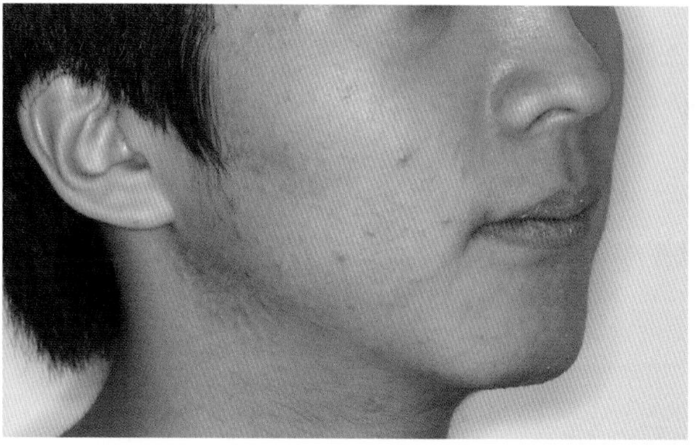

그림 8-3 18세 남성 환자로 피질골절단술 후 정면에서의 효과뿐만 아니라 측면우각부가 좀 더 부드럽게 변한 모습을 보여준다.

표 8-1 Classification prominent mandibular plane angle and treatment

	Appearances	Treatment Plan
Class 1	Lateral view-low Mn. plane angle, reduced gonial angle Frontal view-no square shape	One stage long curved ostectomy in the inferior Mn. border and Mn. angle
Class 2	Lateral view-low Mn. plane angle, reduced gonial angle Frontal view-lateral protrusion, square shape	Combined long-curved ostectomy with splitting corticectomy
Class 3	Lateral view-normal Mn. plane angle, gonial angle Frontal view-lateral protrusion and squrare shape	Splitting corticectomy or grinding
Class 4	Combined square-shaped face and chin deformity	Combined long-curved ostectomy + splitting corticectomy + additional genioplasty (chin augment or narrowing)

1) 하악골윤곽축소술의 종류

(1) 하악우각부성형술(Mandibular angle contouring surgery)

① 하악우각부 비대

일반적으로 환자들이 말하는 '사각턱'은 해부학적인 관점에서 하악우각부의 돌출 또는 비대로 표현될 수 있으며, 측면두부계측 방사선사진상에서 하악골의 하악각이 90°에 가까울수록 그 특징이 두드러진다(그림 8-4).[10]

하악우각부 비대는 대부분 골성 원인에 의하지만, 근육 특히 교근의 비대에 의해 발생되기도 하며, 종종 두 가지 모두에 의해 영향을 받기도 한다.[2] 하악우각부 비대는 방사선 계측 정모 사진에서 그 돌출 정도와 형태에 따라 경도, 중등도, 중증도로 분류하기도 한다(그림 8-5).[11] 따라서, 술자는 술전 방사선 계측 사진 및 3차원 CT 같은 검사를 통해 환자의 하악우각부 비대 원인과 종류를 정확히 파악하고 그에 알맞은 수술방법을 선택하여야 심미적이고 정확한 수술을 할 수 있다.

② 하악우각부성형술의 목적과 계획

하악우각부성형술은 안면부를 정면에서 수평선상으로 3등분하였을 때, 제일 아래 1/3 하안모의 가로폭을 조절하거나 측면에서 볼 때 하악각을 크게 해주는 것이 주 목적이다. 이를 위하여 하악우각부절제술 또는 하악각피질골절제술을 주로 시행하게 된다(그림 8-6).[12]

흔하지는 않지만 골격적으로는 문제가 없고 교근만 비대한 경우에는 교근의 부분 절제술을 시행할 수 있다. 하지만, 술후 출혈 가능성이 높고 심한 부종과 안면신경의 손상 가능성 같은 합병증이 발생할 수 있기 때문에 최근에

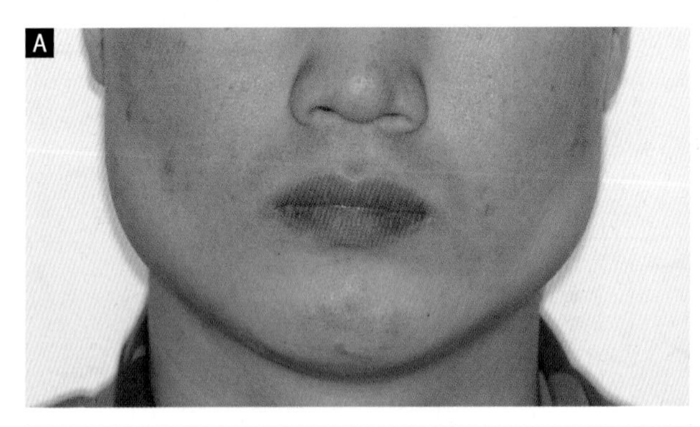
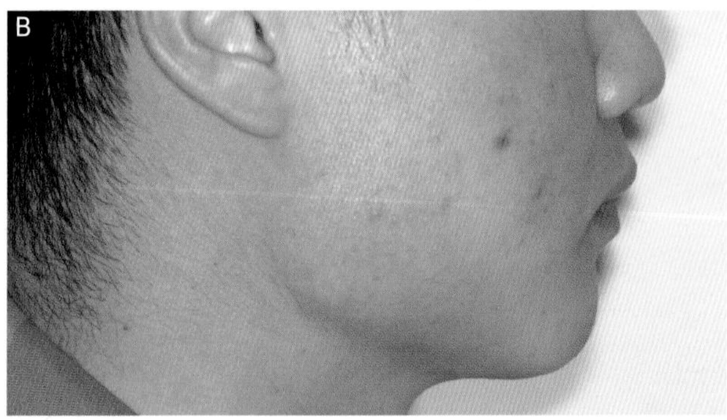

그림 8-4 **하악우각부 비대를 가진 환자. A:** 수술 전 정면 사진 **B:** 수술 전 측면 사진

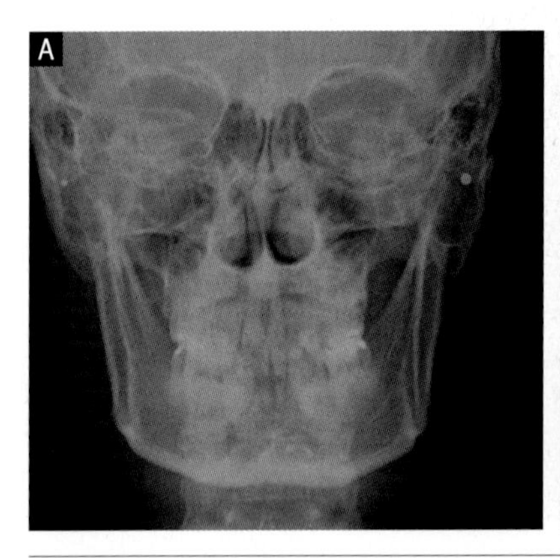
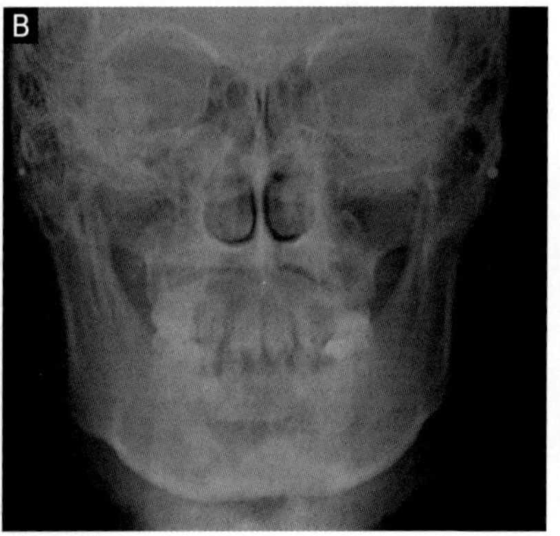
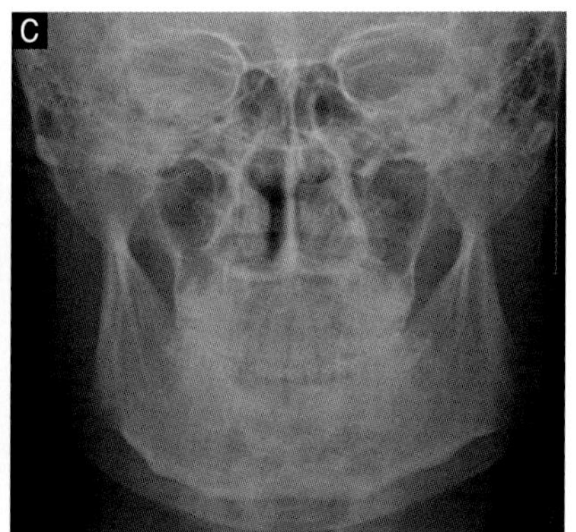

그림 8-5 **하악우각부 비대의 종류. A: 경도.** 하악우각부의 각도가 90°에 가까우나 측방 돌출은 없는 경우 **B: 중등도.** 하악우각부의 비대와 측방 돌출이 함께 나타나는 경우 **C: 중증도.** 하악우각부의 심한 비대와 측방 돌출 및 교근의 비대가 함께 나타나는 경우

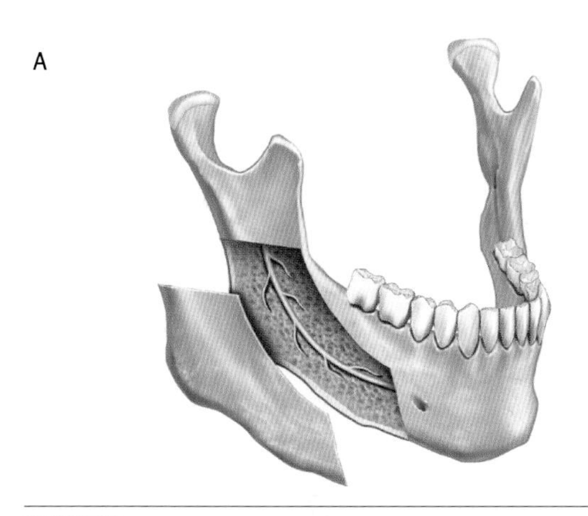

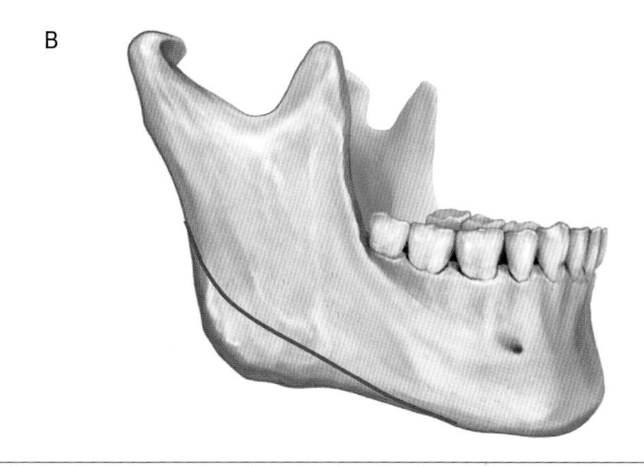

그림 8-6 **A:** 하악골우각부피질골절제술 **B:** 하악각절제술

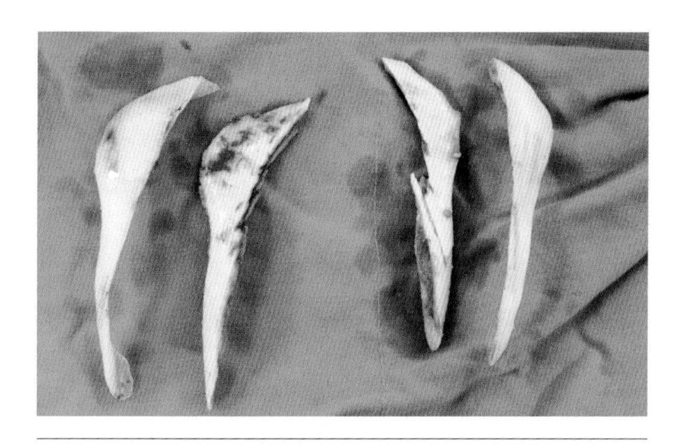

그림 8-7 **하악우각부절제술에 사용된 Acrylic surgical stent**

는 저주파기를 이용한 교근축소술 또는 보톨리움 톡신 A를 이용한 약물치료 같은 비침습적인 방법이 주로 이용되고 있다.[13] 이외 대부분의 경우에는 골격적인 문제를 동반하게 되며, 하악우각부의 돌출 정도와 형태에 따라 하악우각부절제술을 시행하게 되는데 주로 하악골의 bigonial width를 줄이고 하악각을 증가시키는 것을 목적으로 하게 된다.[7]

수술은 술전 방사선사진과 3차원 CT 및 3차원 skull model 등을 통해 좌우가 대칭이 될 수 있도록 하고 하치조신경관 같은 해부학적 구조물을 손상시키지 않는 범위 안에서 계획하여야 한다. 너무 심미적으로 과도한 효과를 얻기 위해 절제되는 골의 양이 커지지 않도록 주의해야 하며, 미리 3차원 하악골 모형을 이용해 제작된 acrylic surgical stent를 사용하면 더 정확한 수술이 가능하다(그림 8-7). 특히 측모에서 볼 때 귓불(earlobe)의 하연에서 하악각까지의 거리는 2 cm 정도가 적당하다. 즉 2 cm 이하이면서 하악각이 작다면 하악각절제술보다는 이부성형술을 통해 이부의 길이를 증가시켜주는 것을 고려해야 한다.[6]

(2) 하악외측피질골절제술(Sagittal cortical ostectomy of Mn. ramus and body)

전통적인 방법으로 가장 많이 사용하였던 하악각절제술은 bigonial width가 정상적이고 주 증상이 정모에 있는 경우에는 만족할 만한 안모의 개선을 얻기 어렵다. 경우에 따라서는 과도하게 하악각이 커짐으로 인해 자연스럽지 못하고 야윈듯한 외형과 surgical look (수술을 받은 인상)을 낳는 단점이 있다(그림 8-8). 이러한 단점을 보완하기 위해 하악몸체부나 우각부의 피질골을 제거하는 하악외측피질골절단술이라는 술식이 사용되기 시작하였다. 하악각절제술이 환자의 측모의 하악각 부위 개선에 효과적이었다면 하악외측피질골절단술은 환자의 정모에서 bigonial width를 줄여주는 수술이다. 따라서 사각턱 환자에서는 하악각절제술과 동시에 피질골절단술을 시행하는 경우가 많이 있었다. 또한 전방부에도 넓은턱을 가지고 있는 경우에는 전치부쪽으로 피질골절단술 또는 절제술을 연장하여 시행함으로써 턱의 넓이를 줄이는 수술도 많이 하게 되었다. 경우에 따라서는 전방부 narrowing genioplasty(그림 8-9)를 하면서 피질골절단술을 동시에 할 수도 있다.

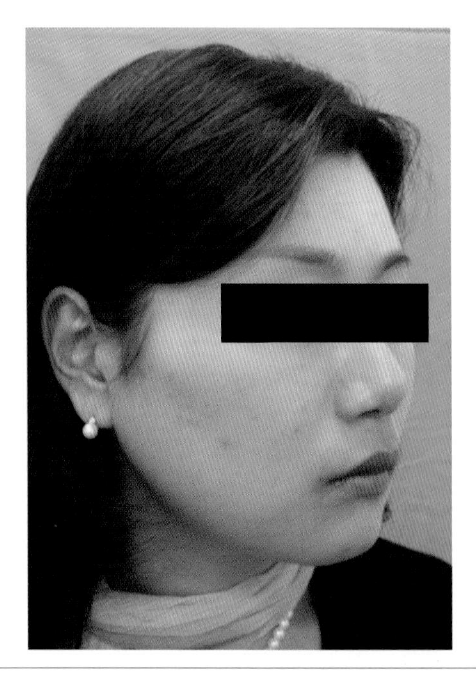

그림 8-8 하악각절제술 후 측면에서는 야위어 보이고 Mn. angle이 커져 비심미적이며 수술을 받은 느낌을 그대로 전해준다.

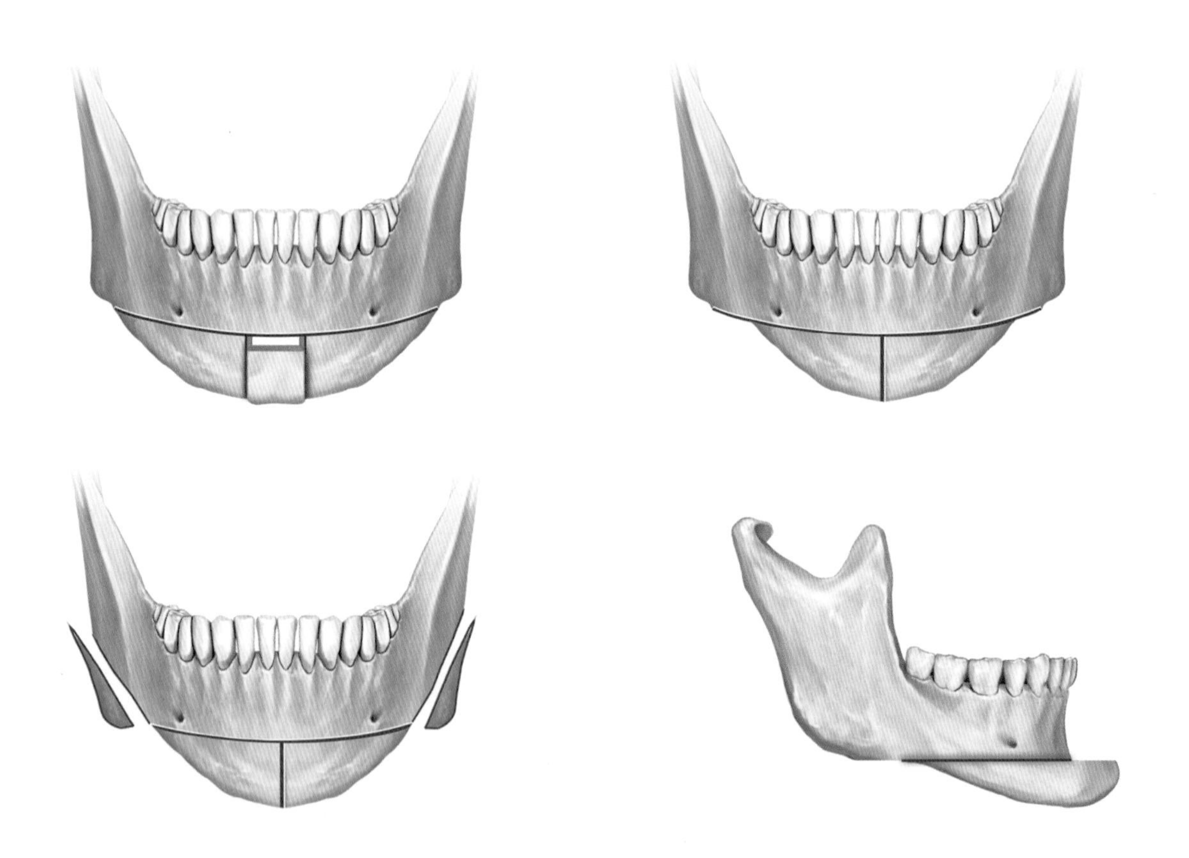

그림 8-9 Narrowing and sliding genioplasty

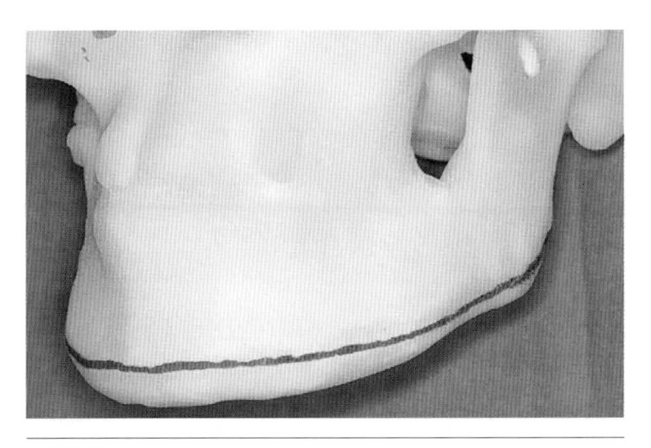

그림 8-10 3D-CT모델을 이용한 total inferior border ostectomy line

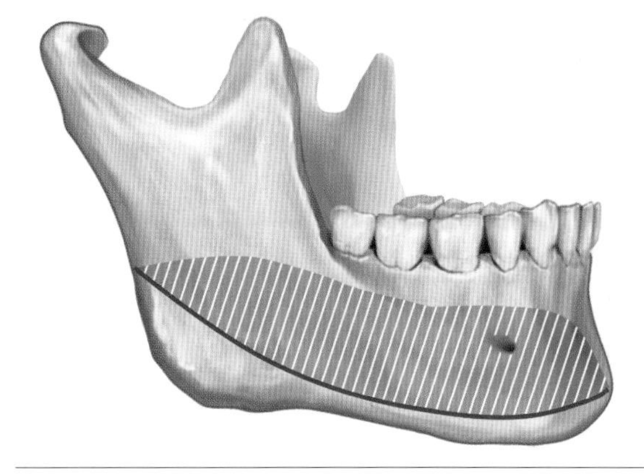

그림 8-11 돌출된 하악각과 전방부의 넓은 턱선을 가지고 있는 경우는 하악하연절제를 더욱 전방부로 연장하고 피질골절제술도 전방부로 연장할 수 있다.

(3) 하악하연골절단술(Mandibular inferior border ostectomy)

일반적으로 하악하연골절단술은 하악각절제술이나 하악외측피질골절단술 또는 턱끝 수술 등을 보완하고 좀 더 좋은 안모의 개선을 위하여 이들 수술과 병행하여 하는 경우가 많다. 최근에는 환자의 요구에 맞추어서 아래와 같이 다양한 형태의 하악하연골절단술이 개발되어 보고되고 있다.

① 하악각절제술 후 2차각을 방지하기 위하여 하악각절제술과 동시에 하악하연골절제술을 전방부로 연장하여 할 수 있다.

② "V-line" ostectomy: 작은 하악각을 동반한 사각턱을 가지고 있는 경우 전통적인 하악각절제술과 하악우각부 피질골절제술을 사용하였으나 최근에는 하악각절제술을 전방으로 길게 연장해서 이공(mental foramen) 직하방이나 견치하방까지 하악하연골절단술을 연장 시행하고(V-line ostectomy) 피질골절단술을 병행하여 좀 더 갸름한 형태의 얼굴로 바꿔주는 경우도 많아지고 있다.[14]

③ 하악전방부 장안모 및 사각턱을 동시에 가지고 있는 경우에는 하악우각부에서 턱끝까지 좌우로 이어지는 total inferior border ostectomy로 시행할 수 있다. 하악골의 길이와 폭을 동시에 줄여주어 하악골의 외형을 변화시켜주고 하악골의 수직적, 수평적인 형태를 동시에 개선시킨다(그림 8-10).[15]

④ 돌출된 하악각과 넓은 턱선을(Prominant Mandibular angle with a broad chin deformity) 갖고 있는 경우는 하악하연골절제술을 하악각에서 하악몸체부 턱끝 부위(하악측절치)까지 연장하여 길고 커브되게 절제하고 피질골절제술을 동시에 시행할 수도 있다(그림 8-11).[16,17]

⑤ 작은 하악각을 가지고 있으면서 short ramus와 chin deficiency를 보이는 경우에는 sliding genioplasty하면서 inlay bone graft로 하악하연 길이를 증가시켜서 하악하연경사도를 증가시키는 것이 필요할 수 있다(귓불하연에서 하악각까지의 거리가 2 cm는 되는게 심미적이다).[6]

2) 하악골윤곽축소술 수술방법

(1) 하악우각부성형술-하악각절제술(Mandibuilar angle reduction)

이 방법은 가장 널리 시행되고 있는 수술방법으로, 얼굴 측면으로 각이 두드러져 있을 때 효과가 좋다(그림 8-12). 절개 접근 방법에 따라 구외접근법과 구내접근법으로 구별할 수 있는데 최근에는 대부분 구내접근법에 의한 방법이 많이 사용되고 있다.

구강내 접근 방법은 깊은 곳에 위치하고 있는 하악각의 외측연조직 견인이 매우 어려워 술자의 시야 확보가 나쁘며 골절제에 필요한 공간을 얻기가 어렵기 때문에 수술의 정확성을 얻기가 힘들고 좌우 골절제량을 수술 계획대로

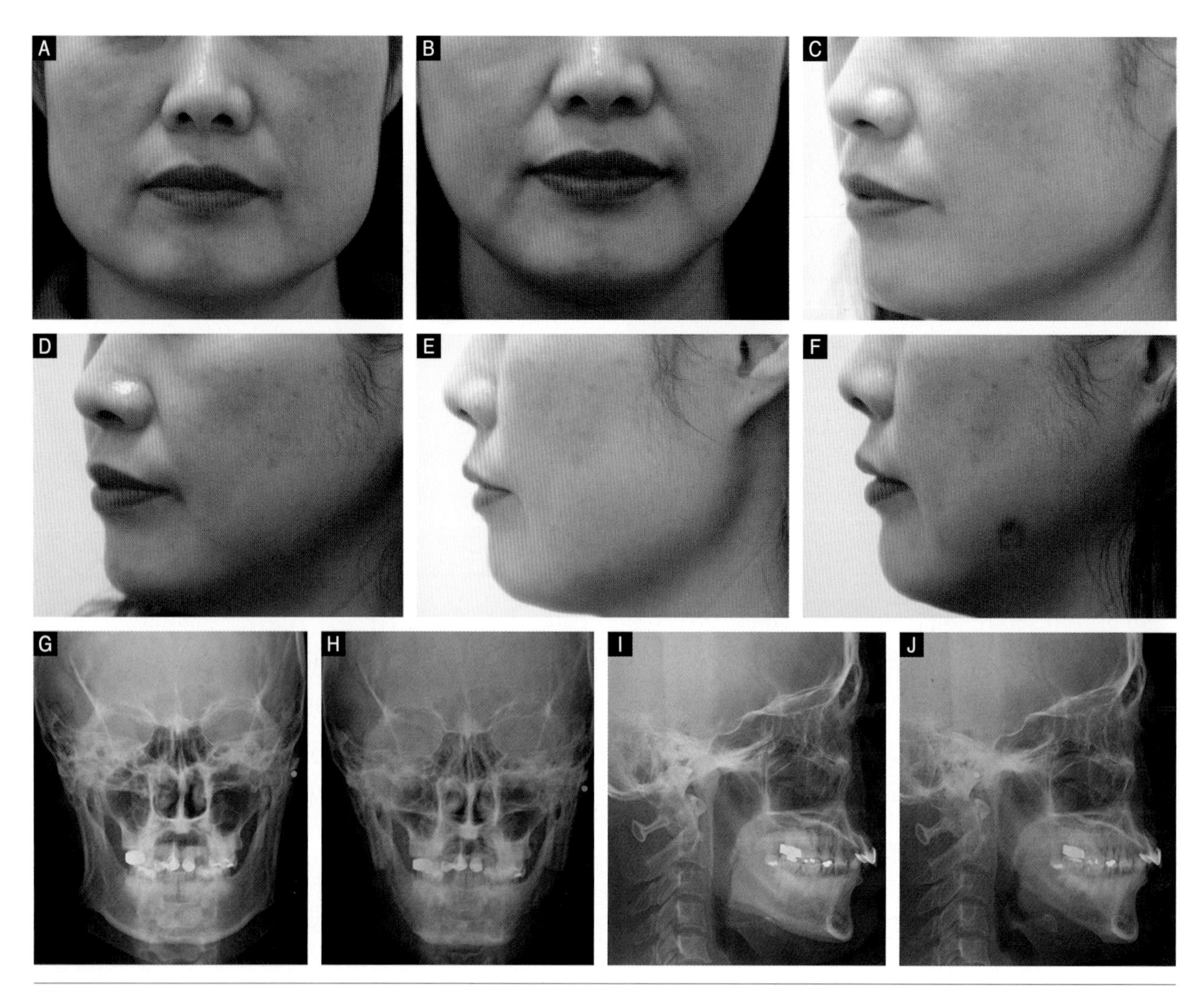

그림 8-12 **하악우각부 비대를 가진 환자에서 하악우각부절제술 증례.** **A:** 수술 전 정면 사진 **B:** 수술 후 정면 사진 **C:** 수술 전 45° 정면 사진 **D:** 수술 후 45° 정면 사진 **E:** 수술 전 측면 사진 **F:** 수술 후 측면 사진 **G:** 수술 전 정면 두개규격방사선사진 **H:** 수술 후 정면 두개규격방사선사진 **I:** 수술 전 측면 두개규격방사선사진 **J:** 수술 후 측면 두개규격방사선사진

절제해내지 못하는 경우 안모 비대칭을 초래할 수도 있다.

해부학적으로 이하선관, 안면동정맥, 후하악정맥(retromandibularvein) 등과 근접해 있고 하악과두 및 하치조신경관이 인접하여 위치되어 있으므로 수술 중에 이러한 구조물에 손상을 주지 않도록 주의해야 한다.

① 수술방법

a. 비강내 삽입(nasotracheal intubation)을 통해 전신마취를 시행한다. 구내 접근법을 적용하고, 절개 전 혈관수축에 의한 수술 시야 확보를 위해 에피네프린이 포함된 리도카인을 협점막에 주사한다.

b. 구강내 절개는 하악지 시상골절단술 시 설정하는 절개선에 준하여 시행하며 보다 좋은 시야를 위해서는 제1 소구치 수준까지 충분히 전방으로 확장한다. 외측피질골절제술이나 하악하연골절단술을 동반할 경우는 전치부까지 절개를 연장하기도 한다. 이때에는 이신경이 손상되지 않게 주의해야 되고 하악하연골절단술이 전치부까지 연장되는 경우에는 이신경을 충분히 노출시켜야 견인 시에 신경손상을 최소로 줄일 수 있다.

c. 골막기자를 사용하여 하악지의 측면을 상방으로 S-상 절흔까지, 후방으로는 상행지 후연까지, 하방으로는 하악지 하연까지 충분히 노출시킨 다음, J-골막기자

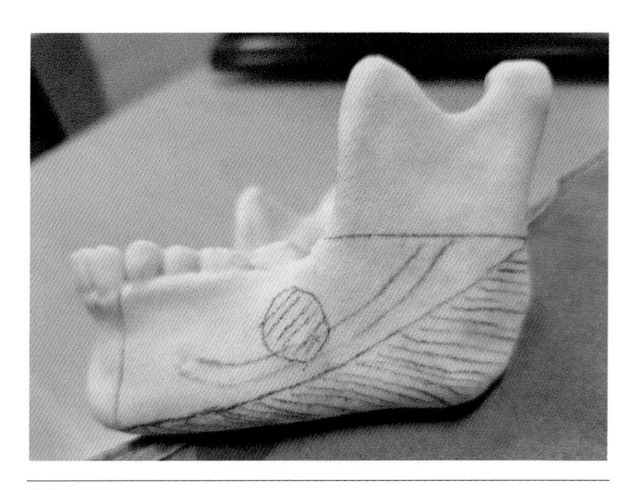

그림 8-13 특히 하악지 중앙부의 피질골을 삭제할 경우, 하악각 및 하연에 대한 시야가 개선될 수 있다.

(pterygomasseteric stripper)를 이용하여 익돌교근건을 하악지 하연으로부터 분리시킨다.

d. 견인기를 하악각 하방에 위치시키고 상행지 후연에는 교합면의 연장선과 닿는 점부터 하연에는 제2대구치의 원심면의 연장선과 교차하는 점까지 골절제선을 부드러운 곡선으로 연필로 그린 다음 mouth mirror로 바르게 설정되었나 확인한다. 정확한 골절단선을 작도하거나 골절단하기 위하여 미리 3D CT를 이용한 하악골 모형에서 surgical stent를 제작 후, 수술 시 이용할 수 있다.

e. 골절제선을 따라서 round bur나 contra-angle drill 등을 이용하여 marking을 한다. 돌출되어 있는 하악외사선, 하악지 중앙부의 피질골을 먼저 충분히 삭제하면 하악각축소술 효과도 증진될 뿐 아니라 하악우각부에 대한 시야도 개선된다(그림 8-13).

f. Oscillating saw를 사용하여 설정된 골절개선을 따라 하악우각부골절단술을 시행한다. 시술 과정 동안 하치조신경의 주행을 항상 고려해야 한다. 절제된 골을 제거한 후, 날카로운 골연(bony margin)을 추가 절제한다(그림 8-14A). 만약 불균형이거나 불규칙한 변연이 있으면 reciprocating saw handpiece에 장착된 rasp 또는 vulcanite bur를 이용하여 부드럽게 다듬는다.

g. 하악몸체부가 심하게 돌출되거나 하악각 부위가 내측으로 휘어 있어서 시야 확보가 불가능한 경우에는 endoscope를 이용하면 좀 더 정교한 수술이 가능하다(그림 8-14B).

h. Suction drain을 삽입한 후 흡수성 봉합사를 이용하여 water-tight closure (double layer absorbable suture)를 시행한다.

i. 술후 약 2~3일 drain과 압박드레싱을 유지하고 7~10일 후 발사한다.

j. 수술 시작부터 술후 약 5일 동안 항생제를 투여한다.

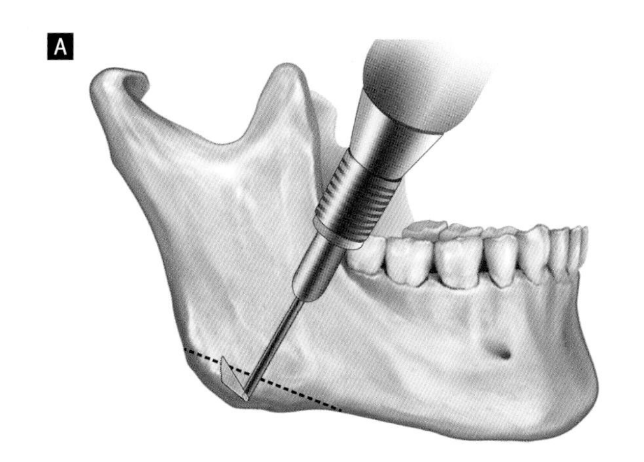

그림 8-14 **하악각절제술. A:** Oscillating saw를 이용하여 골절단 시행 **B:** 시야 확보를 위한 Endoscope 사용

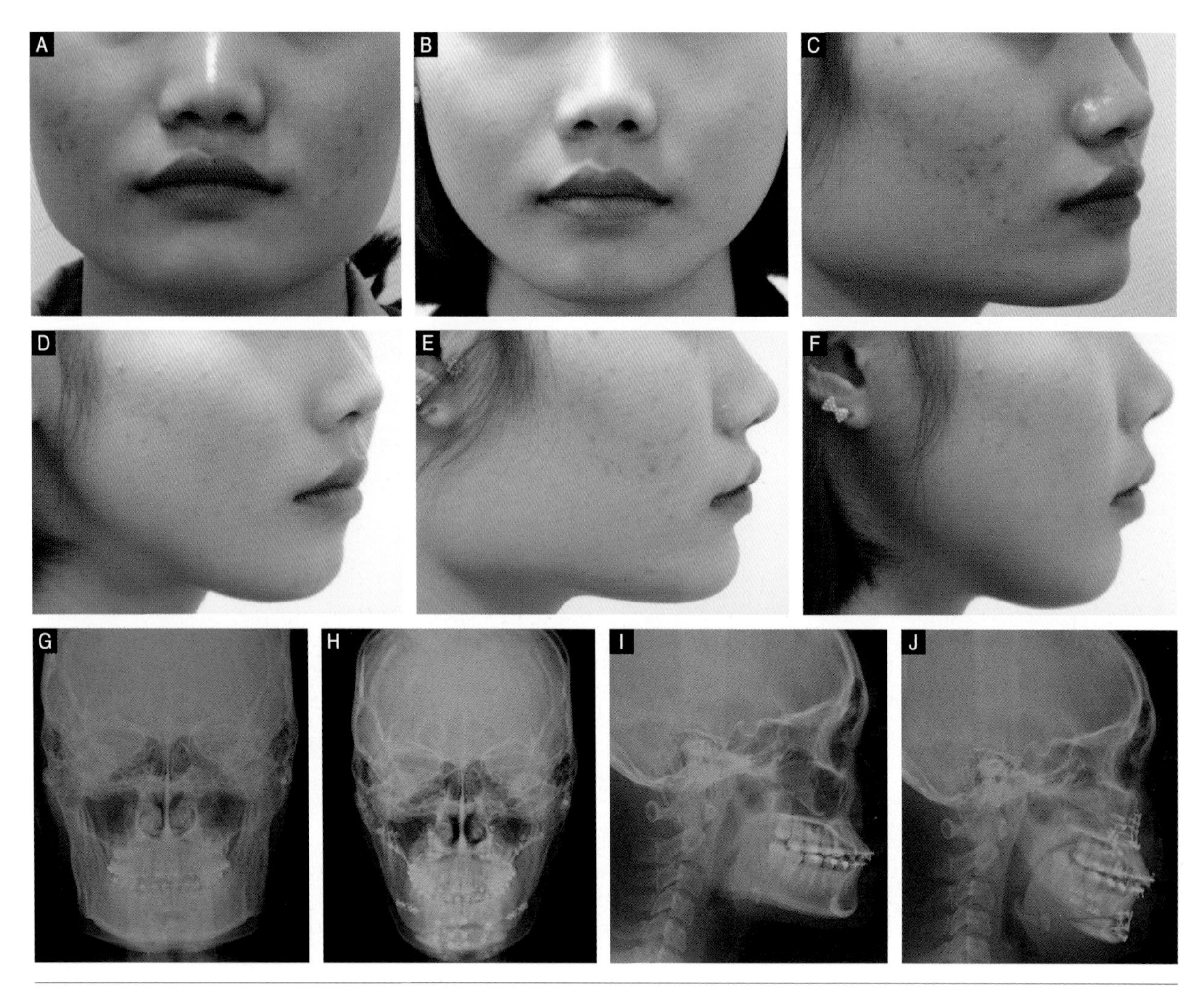

그림 8-15 **하악우각부 비대를 가진 환자에서 악교정수술과 동반된 하악각절제술 증례.** **A:** 수술 전 정면 사진 **B:** 수술 후 정면 사진 **C:** 수술 전 45° 정면 사진 **D:** 수술 후 45° 정면 사진 **E:** 수술 전 측면 사진 **F:** 수술 후 측면 사진 **G:** 수술 전 정면 두개규격방사선사진 **H:** 수술 후 정면 두개규격방사선사진 **I:** 수술 전 측면 두개규격방사선사진 **J:** 수술 후 측면 두개규격방사선사진

② 악교정수술과 동반된 하악각절제술(Mandibular angle reduction with orthognathic surgery)(그림 8-15)

악교정수술을 하는 경우 흔히 하악각절제술을 동시에 시행하며, 이는 교합관계의 회복을 위해서라기보다는 술후 환자의 심미적 만족도를 높여준다는 측면이 강하다. 이때 동시에 시행되는 하악골의 악교정수술은 하악지 수직골절단술보다는 주로 하악지 시상분할 골절단술이다.

환자의 증례별, 술자의 선호도에 따라 하악각절제술을 시행하는 시점이 다를 수 있다. 보통은 하악지 시상분할 골절단술 직후 골절단편 고정 전에 하악각절제술을 시행하는 방법이 주로 사용되는데 시야의 확보가 좋고 용이하

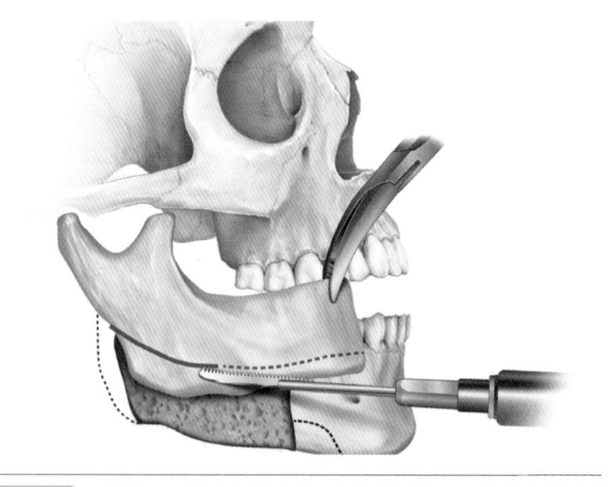

그림 8-16 하악지 시상분할 골절단술 직후, 골절단편 고정 전 하악각절제술 시행한다.

게 수술할 수 있다는 장점이 있고(그림 8-16), 특히 하악지 시상분할 골절단 시 short lingual approach를 하는 경우에는 근심골편에 하악각 부위가 포함되어 있어서 더욱 쉽게 수술이 가능하다. 또한 수술 후 익돌교근건으로부터의 긴장을 완화하여 술후 안정성이 증가되는 부수적인 효과도 얻을 수 있다. 때때로 근심골편의 하악각절제 후, 원심골편의 하악각 부분이 남아있는 경우가 있기 때문에 추가적으로 원심골편부의 절제 및 삭제가 필요할 수도 있다(그림 8-17).

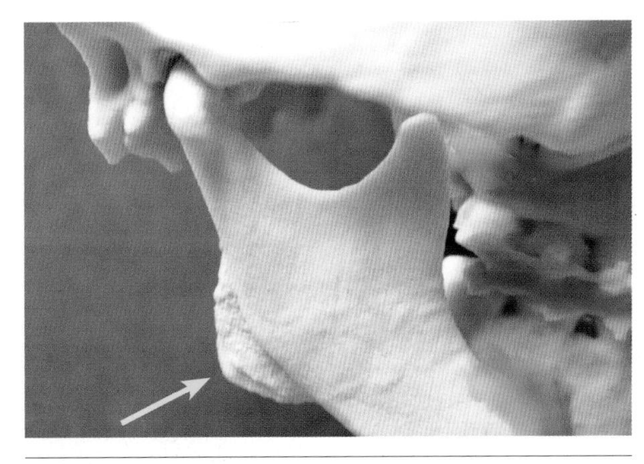

그림 8-17 원심골편에 남아있는 하악우각부 3차원 모형

악교정수술과 동반하여 하악각절제술을 시행할 때, 특히 안모 비대칭을 가진 환자에서는 상하악골의 편측 이동으로 하악각절제량이 좌우가 달라지는 경우가 흔하므로 수술 전 3D 모형이나 3차원 CT를 이용한 모의 수술을 시행해 보고 계획하는 것이 매우 중요하다.

(2) 하악지외측피질골절제술 수술방법

비강내 삽관을 이용한 전신마취하에 수술을 시행한다. 에피네프린이 함유된 리도케인을 협점막, 상행지, 하악각, 하악몸체부를 따라 교근하방으로 깊게 마취를 시행한 후 하악골의 상행지 전연에서 제2소구치부까지 하악외사선을 따라 절개를 가한 후, 골막하방으로 박리하여 하상행지, 몸체부 및 하악하연을 노출시킨다.

하악골의 피질골을 최대한 절제해낼 수 있는 부위는 S형 절흔 하방 10 mm에서부터 이공 후방 10 mm 부위로 환자의 개선해야 될 목표에 맞춰서 절제해 낼 수 있다. 상행지에는 수평골절단선, 골체부에 수직골절단선을 결정하는데 좌우 대칭을 고려하여야 하는데 이때 교합면이 하나의 기준이 되어 줄 수 있다. 먼저 round bur와 reciprocatin saw를 이용하여 수평골절단과 수직골절단을 피질골깊이까지만 시행한 다음 두 절단선을 하악외사선을 따라서 연결해

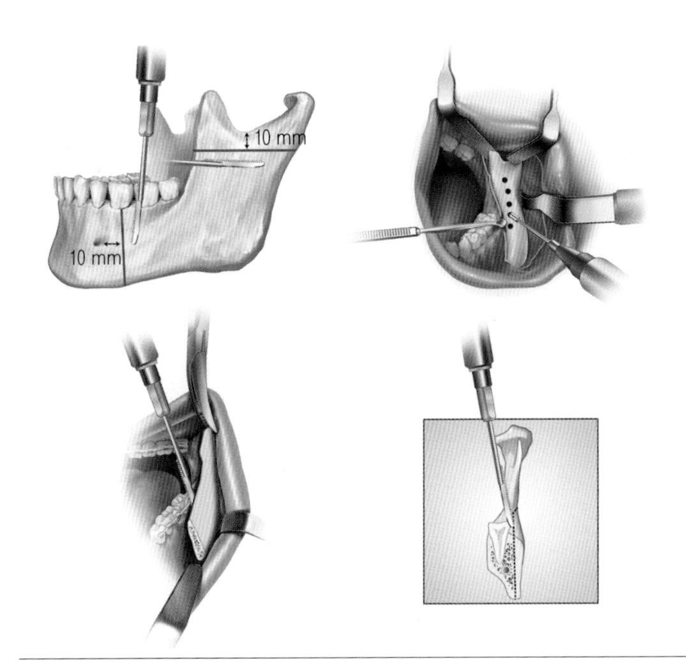

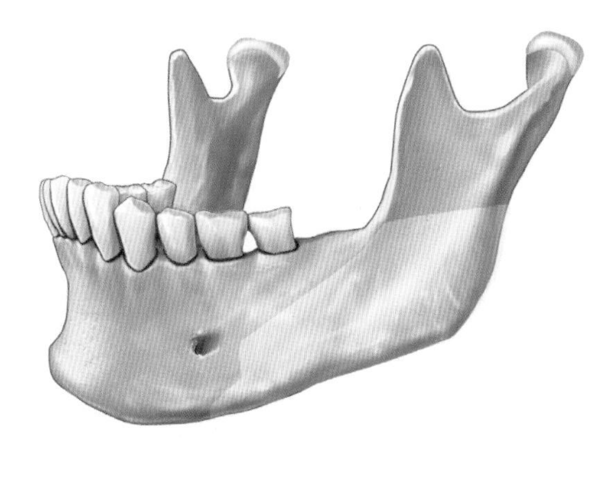

그림 8-18 노란색은 피질골절단술의 범위를 보여준다.

준다. 그 다음 골절도를 삽입하여 BSSRO를 시행하는 동작으로 해면골과 피질골 사이를 가르는 방향으로 피질골절단술을 시행하여 골절도가 부주의하게 하치조신경을 침범하지 않도록 하면서 피질골만을 떼어낸다. 또한 환자의 하악골이 얇거나 해면골이 충분한 양이 없는 경우나 이공주변의 피질골을 절단해야 되는 경우에는 cortical grinding을 선택해야 되는 경우도 있는데 주로 vulcanite bur나 round bur를 이용한다(그림 8-18~20).

좌우 비대칭 환자의 경우에도 하악의 landmark를 이용하여 피질골절제술 등을 적절하게 응용할 수 있다(그림 8-21). 하악각이 발달한 증례뿐만 아니라 fibrous dysplasia와 같이 병적으로 하악골이 편측으로 증대된 경우에도 하악골윤곽성형을 위해 피질골절단술을 사용할 수 있다(그림 8-22).

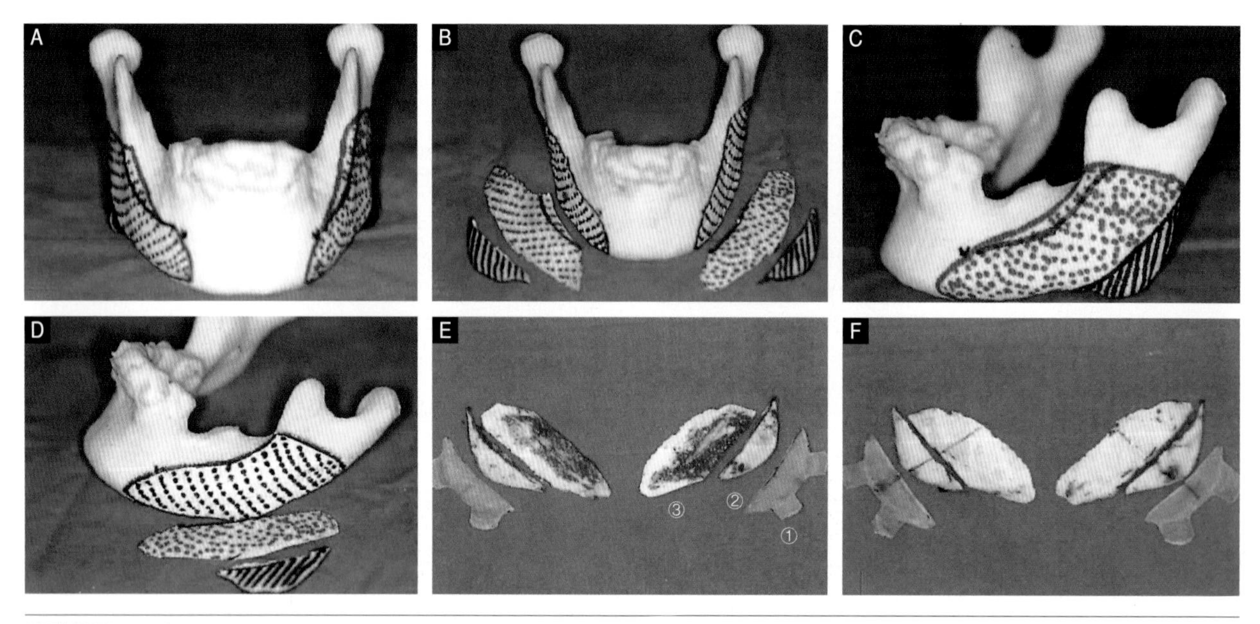

그림 8-19 **3D CT를 촬영한 후 제작한 Rapid prototyping model을 이용해 모의 수술을 미리 시연하여 진단 및 치료계획을 정확히 세우는 모습.** **A:** RP model 정면 모습. 하악우각부 골절제와 하악지 및 하악골체부의 외측 피질골 골절개선 디자인 **B:** RP model에서 골절개선을 따라 골절제해 낸 모습 **C, D:** 측면에서의 모습 **E:** 환자 수술 후 절제해 낸 골편. ① surgical template ② 하악우각부 골절제편 ③ 하악지 및 골체부에서 절제해 낸 골편 내측면 **F:** 절제 골편들의 외측면

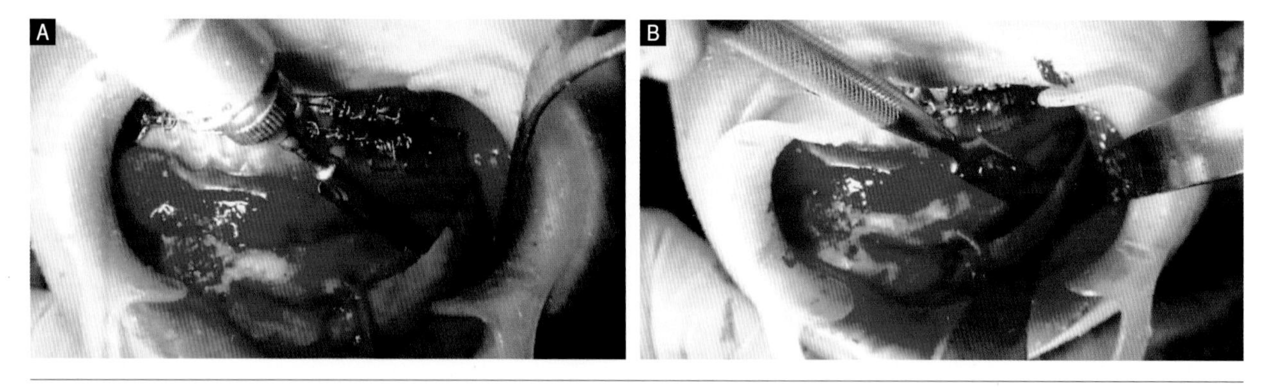

그림 8-20 **A:** 하악골체부의 외측 피질골을 reciprocating saw를 이용하여 골절단해내는 수술 모습 **B:** 하악골체부의 외측 피질골을 골절도를 이용하여 골절단해 내는 수술 모습

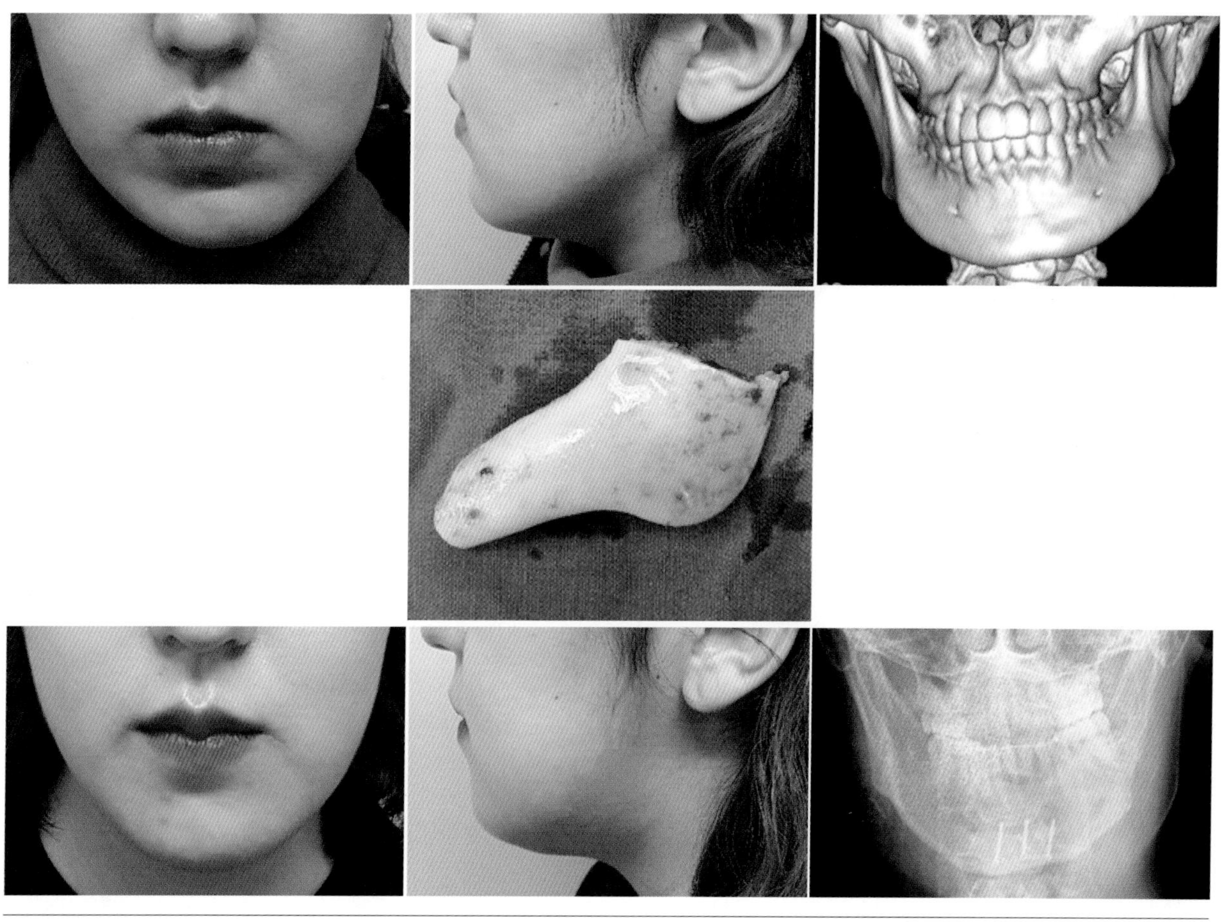

그림 8-21 22세 여성 환자로 안면비대칭을 동반한 편측성 우각부 비대증을 보여 이부 성형술과 함께 이환 부위만 피질골절단술을 시행하여 안모 개선을 이룰 수 있다.

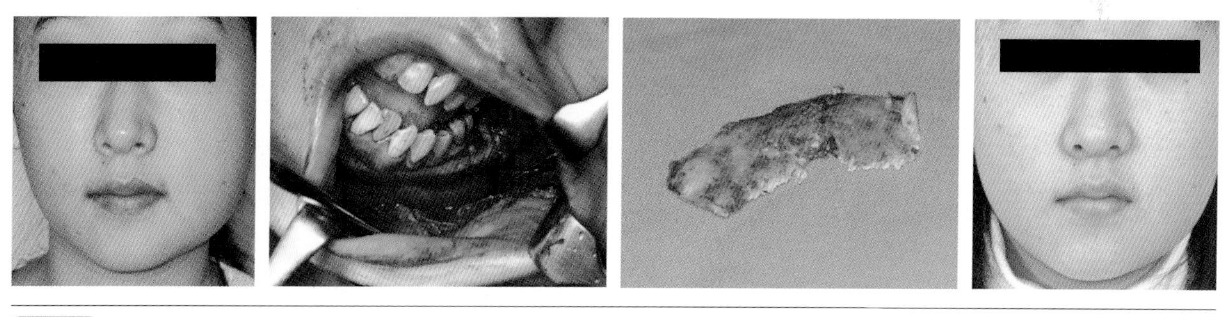

그림 8-22 10대 후반의 여성 환자로 좌측 섬유이형성증으로 하악골의 골체부와 우각부에 비대를 보인 경우로 하악골 피질골절단술로 개선된 안모를 갖게 되었다.

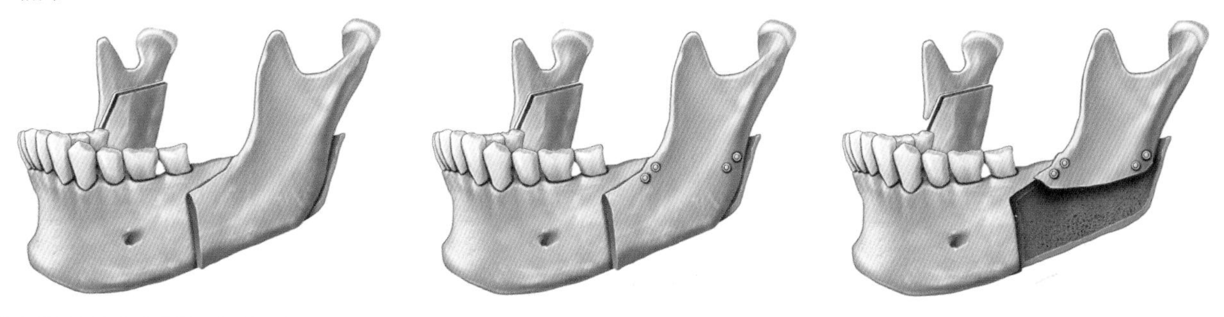

그림 8-23 BRRSO에 의한 하악후퇴 시 Bicortical screw fixation 부위만을 남겨 놓고 모두 피질골을 제거할 수 있다.

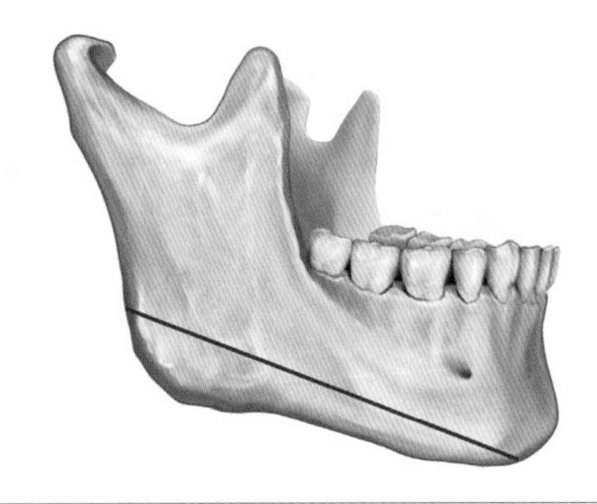

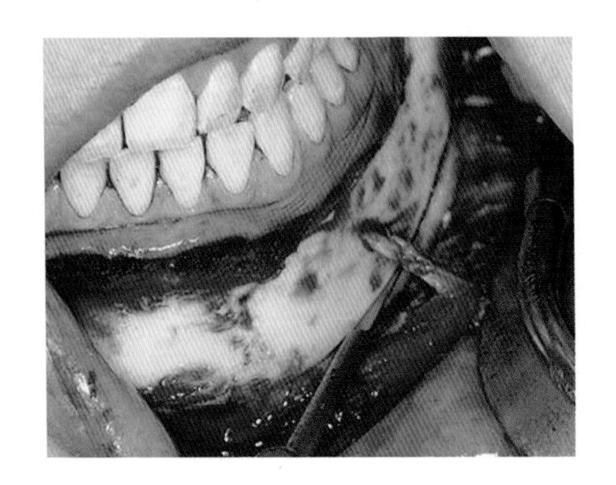

그림 8-24 하악하연골절단술

피질골절단술은 BSSRO와 동시에 시행할 수 있다. 기존의 방식과는 다르게 근심골편을 원심골편에 고정할 수 있는 부위만을 남겨 놓고 모두 피질골절단술을 시행할 수 있어 악교정수술과 함께 하악골윤곽 축소 효과를 가져올 수 있다(그림 8-23).[18]

(3) 하악하연골절단술 수술방법

하악하연골절단술은 하악각절단술과 유사한 방법으로 시행하게 된다. 보통은 하악각절단술을 좀 더 전방쪽으로 연장하여 하연골을 절제해내는 V-line 골절제술이 여기에 포함되고, 외측피질골수술을 동시에 할 수도 있다. 또한 장방형안모에 하악장안모를 동반하는 경우에는 하악전치부까지 절단골을 포함시켜 하악의 수직적 길이도 줄여줄 수 있다. 증례에 따라서는 V-line 골절제술에 외측피질골절단술, 하악이부성형술을 추가하여 동시에 할 수도 있다.

수술방법은 하악각절단술과 비슷한데 골절단이 전치부로 연장되는 경우는 절개선을 전치부로 연장하면 되고 이공하방 골절단을 용이하게 하기 위하여 mental nerve를 충분히 박리하여 견인 시 손상을 최대로 방지한다. 골절단은 계획된 절단선을 round bur로 marking한 다음에 이공 후방부는 주로 후방부에서 접근하여 oscillating saw, 이공직후방부 및 이공하방부와 전치부는 전방부에서 접근하여 reciprocating saw를 이용하여 후방부골절단선과 연결하여 자른 다음 골절도를 이용하여 적절히 마무리한 후 골편을 제거한다. 술자에 따라서는 이공후방부 하악각까지 reciprocating saw를 사용하여 절단하는 경우도 있다(그림 8-24).

골절단선을 결정하기 앞서서 하악관의 주행이나 이공의 위치, 특히 이공 주변에 하악관의 위치를 정확하게 평가해야 한다. 드물지만 하악관의 위치때문에 원하는 양의 골절제가 불가능할 수도 있다.

3) 하악골윤곽축소술의 합병증

(1) 좌우 비대칭

좌우 골절제량이 다를 경우 발생될 수 있다(그림 8-25B).

(2) 부족한 교정 또는 과다한 절제로 인한 안모 변형

골절제량의 과다 또는 부족, 절제 부위의 부적절한 각도 설정으로 인한 안모 변형이 초래될 수 있다(그림 8-25C).

(3) 이차각 형성(Secondary angle formation)

하악우각부골절제 시 골절제선이 하악지 하연과 만나는 부위에서 부드러운 곡선을 이루지 못할 때 형성된다(그림 8-25D).

(4) 과두하골절(Subcondylar fracture)

하악지에 골절단선을 설정 시 하악지 상연 후방의 골절개선이 너무 하악과두쪽으로 올라가는 경우 과두하골절이 되는 위험이 높으며, 골절단 시 chisel osteotome과 mallet의 사용을 무리하게 할 경우 더욱 위험을 초래하게 된다. 따라

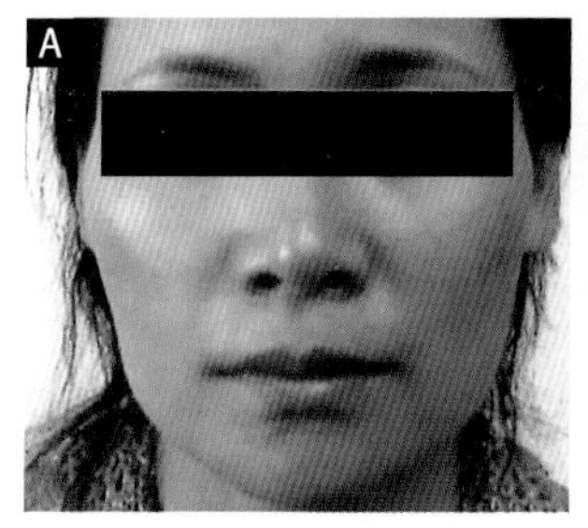

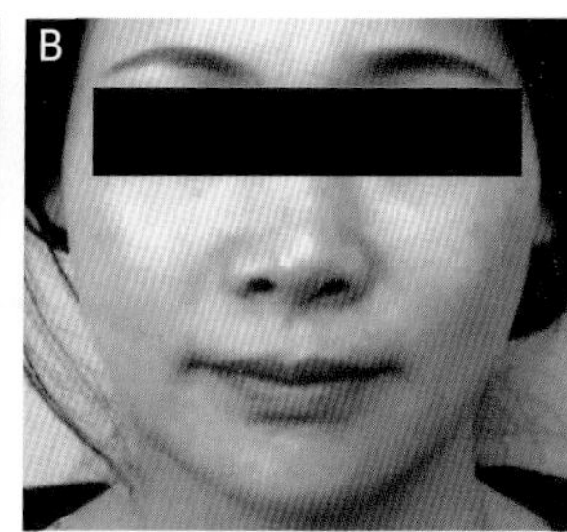

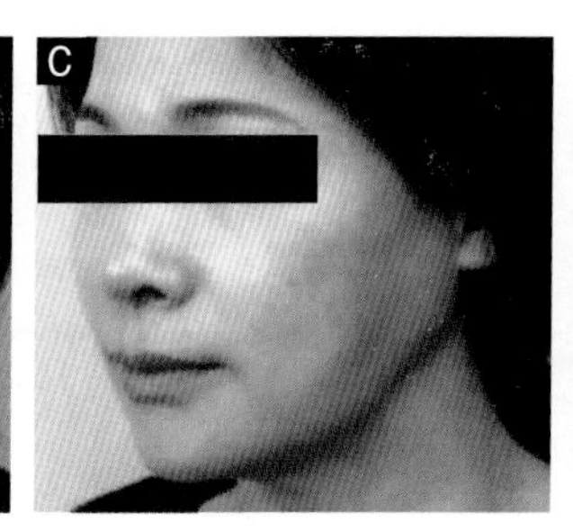

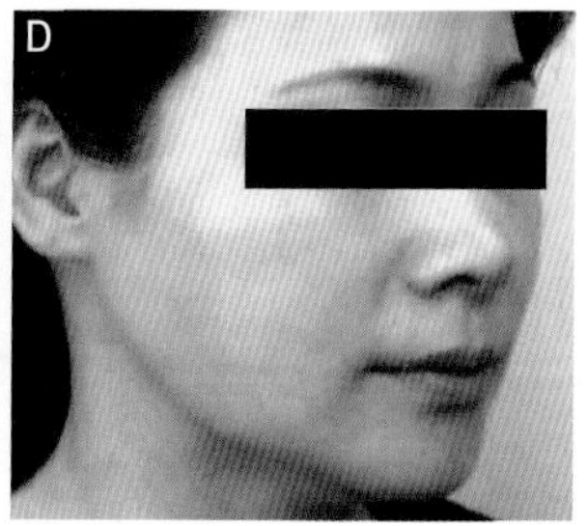

그림 8-25 **하악우각부 피질골절단술의 수술 전후 모습. A:** 술전 사진 **B:** 술후 사진. 정면으로는 술후 양호한 심미적 수술결과를 보인다. **C:** 술후 좌측면 사진. 과도한 삭제로 하악각 부위의 함몰을 보인다. **D:** 술후 사진. 이차각의 형성이 관찰된다.

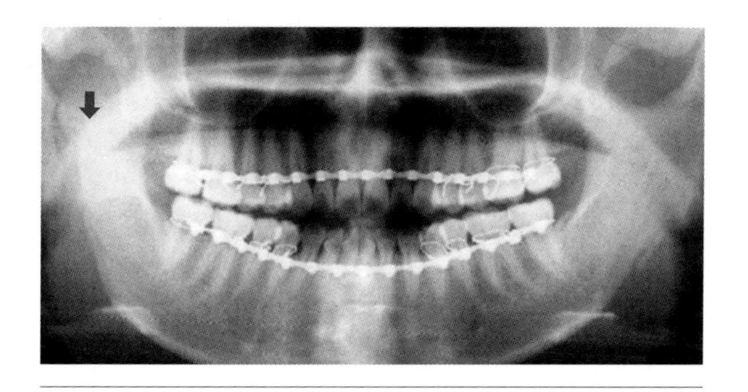

그림 8-26 **하악각 골절제술 시 골절개선 방향을 잘못 설정하여 우측 과두골절을 초래한 경우**(➡ 골절 부위)

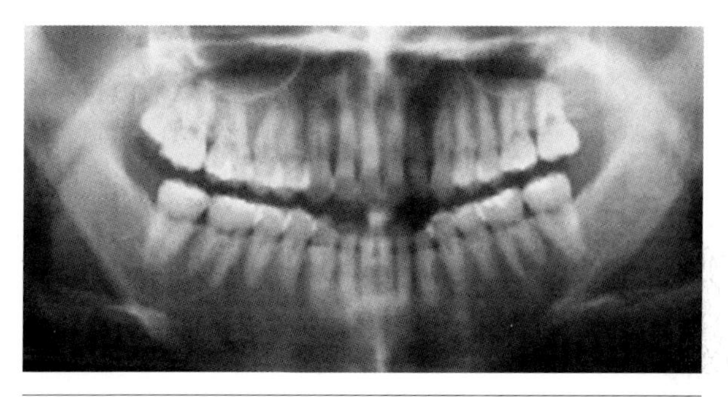

그림 8-27 **하악각 골절제술 시 너무 많은 양을 절제하여 하치조신경을 절단한 경우**

서 골절단은 가능한 oscillating saw를 이용하여 시행하는 것이 바람직하다(그림 8-26).

(5) 하치조신경의 손상

하악각 골절제술 시 너무 많은 양을 절제해야 할 경우 하치조신경을 절단하거나 손상을 줄 경우가 있다. 이때 환측의 하순 및 이부에 신경마비가 초래된다. 때로는 신경손상 부위에 신경종이 발생하여 환자가 작열감과 동통을 호소하는 경우에는 치료에 어려움이 있는데 신경종절제와 자가 신경 이식술이 필요할 수도 있다(그림 8-27).

(6) 이신경손상

하악하연골절단이나 하악외측피질골절단술 시 전방으로 연장하여 골절단을 하는 경우에 흔히 생길 수 있는 합병증으로 수술 시 주의 깊게 박리하여 골절단을 해야 하고 견인시에도 손상 가능성이 있으므로 각별한 주의를 요한다.

5. 하악골윤곽증강술

최근의 경향에서 안면골윤곽술 중, 하악골윤곽증강술은 실제로 드문 술식이라 할 수 있다.

안면골윤곽증강술은 선천성 기형 혹은 안면골 외상에 의한 후유증으로 하악골의 어느 부위에도 시행될 수 있으나 대부분은 안면비대칭과 관련하여 하악골우각부 혹은 하악골하연 부위에 주로 이루어지는 술식이다. 그러나 현재까지 정면에서 보았을 때와 측면에서 보았을 때 두부규격 방사선 사진을 통한 정확한 객관적 기준이 없는 실정이다.

정면에서 하악골 후외하방의 가장 돌출지점인 gonion의 양측 지점을 연결한 bigonion width에 대하여 일부의 보고에서 남녀 성별의 차이에 따른 측정값 등, 이의 측정값 자체에 대한 연구는 일부 있으나 정확한 심미적인 기준치는 없다.[10,19]

일반적으로 bigonion width는 이마의 최외측 지점을 연결한 bitemporal distance와 유사하고 정면에서 보았을 때 양

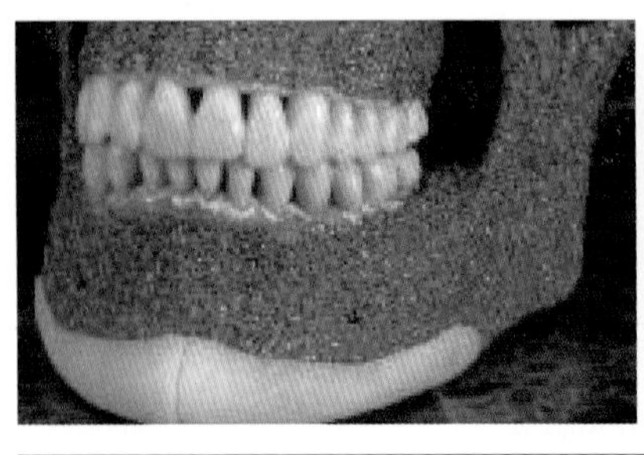
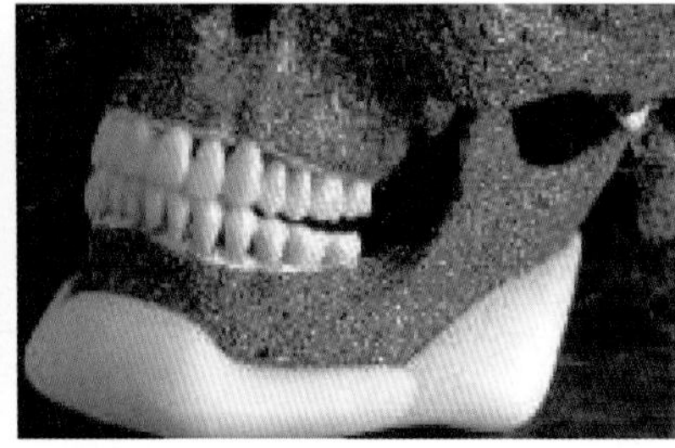
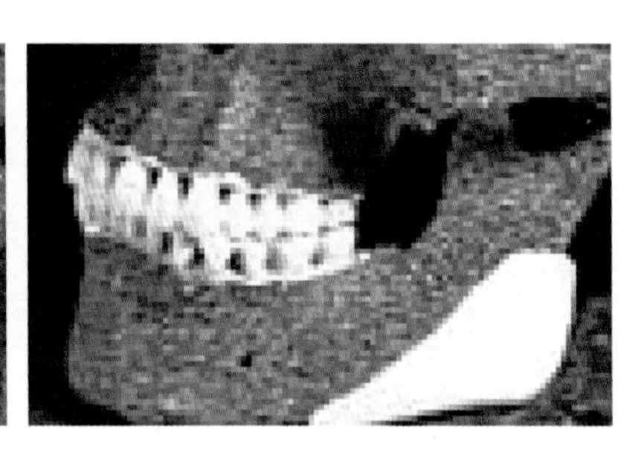

그림 8-28 다양한 형태로 하악골윤곽증강술에 이용될 수 있는 Medpor®

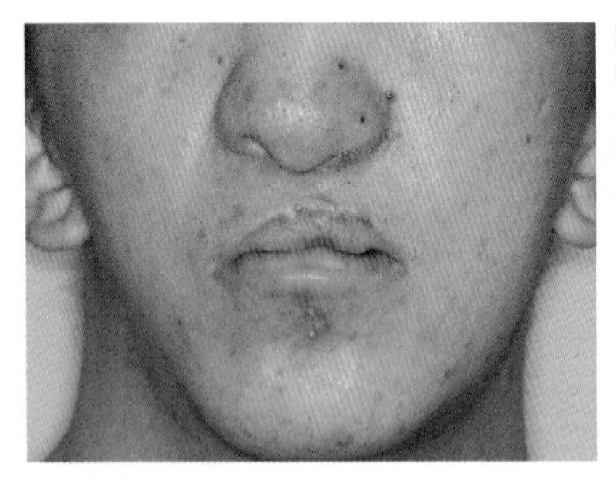
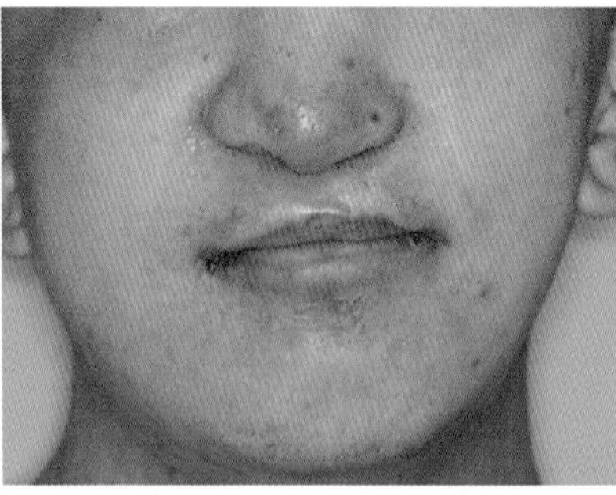
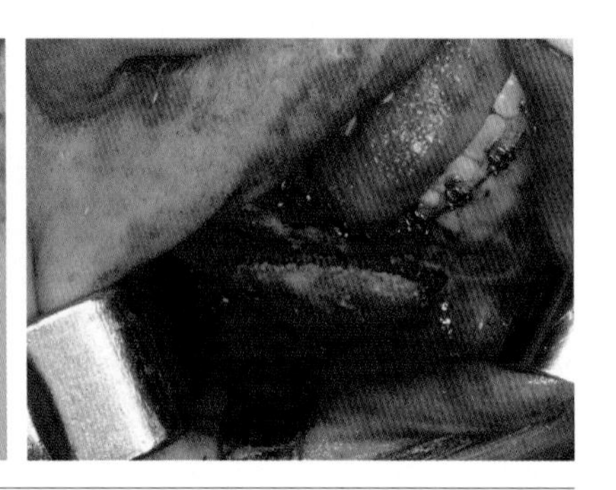

그림 8-29 구순구개열 환자로 심한 안면기형을 동반하고 있다. 양악수술 이후 금속판제거술 시 우측 하악 및 관골부에 Medpor를 이용하여 윤곽증강수술 전후 및 술중 사진

측 관골궁의 최외측 지점을 연결한 bizygomatic distance보다 약 10% 작다고 알려져 있으므로 이를 고려하여 하악골윤곽축소술 혹은 하악골윤곽증강술이 이루어질 수 있다.

측면에서 보았을 때, 이는 남녀에 따라 약간의 차이가 있을 수 있으나 일반적으로 하악각이 110° 정도를 기준으로 그보다 작을 경우는 하악각윤곽절제술을 추천하며 그보다 클 경우 이론적으로는 하악골 하악각윤곽증강술을 시행하여 적절한 하악각윤곽을 형성해준다.[6,10] 그러나 실제로 하악각이 클 경우는 개교합 등을 포함한 악교정수술을 시행해야 되는 경우가 대부분으로 단독적으로 이 술식을 시행하는 경우는 거의 없다.

실제 하악골윤곽증강술은 신체 내 다양한 부위에서의 자가골 채취를 통한 자가골이식술의 형태로 시행될 수 있고 다공성 고밀도 폴리에틸렌 제재인 Medpor® 등의 생체적합성 골이식재를 통하여서도 시행될 수 있다(그림 8-28~30). Medpor®는 125 내지 250μm의 다공성 미세구조로 되어 있어 혈관조직이 유입될 수 있고, 어느 정도 유연성이 있어 시술하고자 하는 부위의 형태에 잘 맞출 수 있

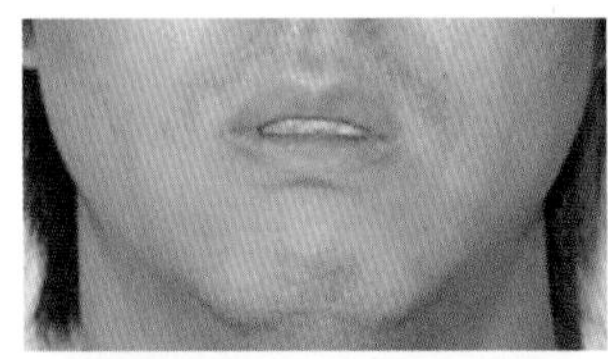
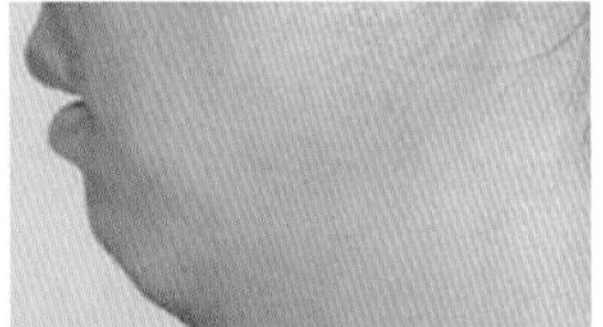
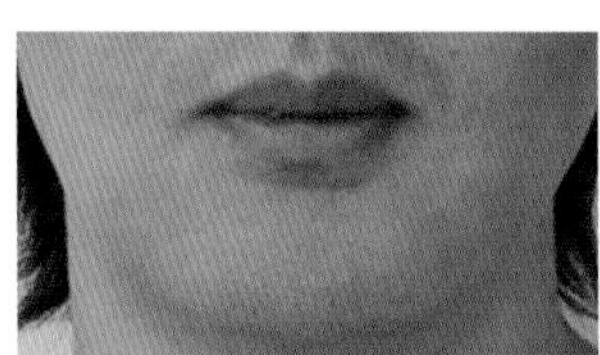
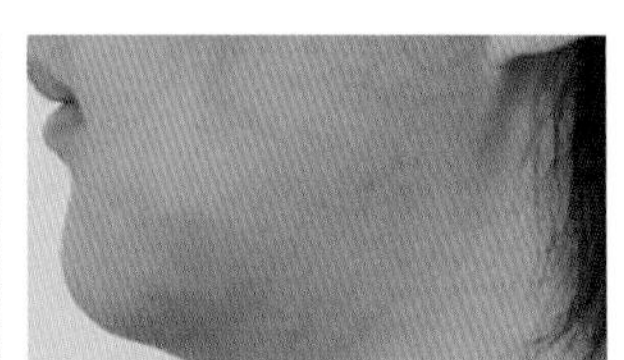
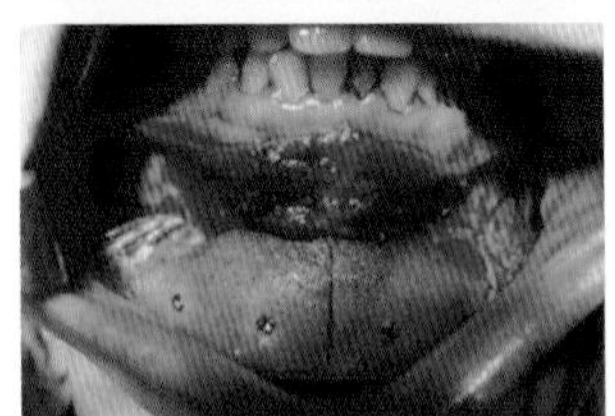

그림 8-30 Medpor®를 이용한 하악골하연윤곽증강술

음과 동시에 일정 부분 견고성이 있어 screw를 통하여 견고 고정이 가능하며, 특별히 힘을 받는 부위가 아니라면 Medpor의 이탈이나 노출, 감염 등의 합병증이 거의 없다고 알려져 있다.[20] 통상적으로 다공구조로 인한 세균감염 위험성이 존재하므로 사용하기 전 진공상태에서 음압을 통하여 항생제가 스며들 수 있게 한 후, 사용한다.

악교정수술 과정에서도 하악골윤곽증강술이 이루어질 수 있는데 이는 주로 이부성형술의 일환으로 이부증강술로 주로 이용된다. 주로 하악골 하악지 시상 분할술 과정에서 적절한 하악골윤곽을 위하여 하악지 근심절편의 하부 부분을 절제하는 경우가 많은데 이 부분을 이부증강술 부위로 활용할 수 있다.

참고문헌

1. Legg JW. Enlargement of the temporal and masseter muscles on both sides. Trans Pathol Soc(Lond) 1880;31:361-366.
2. Adams WM, Bilateral hypertrophy of the masseter muscle: an operation for correction. Case report. Br J Plast Surg 1949;2:78-81.
3. Converse JM, Wood-smith D, McCarthy JG. Report on a series of 50 craniofacial operations. Plast Reconstr Surg 1975;55:283-93.
4. Baek SM, Kim SS, Bindiger A. The prominent mandibular angle: preoperative management, operative technique, and results in 42 patinets. Plast Reconstr Surg 1989;83;272-278.
5. Hong JW, Choe J, Baek SM. Pathohistolocial and radiological changes of masseter muscle and osteotomized bony surface following mandibular angle osteotomy in rabbits. J Korean Soc Plast Reconstr Surg. 1994;21:857-864.
6. Jihua Li, yuchen Hsu, Ashish Khadka, Jing Hu, Quishi Wang, Dazhan Wang. Surgical designs and techniques for mandibular contouring based on categrisation of square face with low gonial angle in orientals. J of Plast Reconstr and Aesth Surg. 2012; 65. e1-e8.
7. Han K, Kim J. Reduction mandibuloplasty: ostectomy of the lateral cortex around the mandibular angle. J Craniofac Surg. 2001 Jul;12(4):314-25.
8. Jin H, Kim BG. Mandibular angle reduction versus mandible reduction. Plast Reconstr Surg. 2004 Oct;114(5):1263-9.
9. Zhen Shao, Qinjian Peng, Yongcheng Xu, Yongxue Xie, Bo Yu. Combined long-curved ostectomy in the inferior mandibular border and angle of the mandible with splitting corticectomy for reduction of the lower face. Aesth Plast Surg 2011;35:382-389.
10. J. Cui. The Effect of Different Reduction Mandibuloplasty Types on Lower Face Width and Morphology. Aesth Plast Surg 2008; 32:593-598.
11. Adams WA. Bilateral hypertrophy of masseter muscle: An operation for correction (case report). Br J Plast Surg 1949; 2:78.
12. Kim SK, Han JJ and Kim JT. Classification and treatment mandibular angle. Aesth Plast Surg 2001; 25:382-387.
13. 이진규. 하악각 축소술. 대한임상치과교정학저널. 2003; 7:90-96.
14. 대한구강악안면외과학회. 구강악안면외과학 교과서. 의치학사 1998; 724-725.
15. Han K and Kim J. Reduction mandibuloplasty: Ostectomy of the lateral cortex around the mandibular angle. J Craniofac Surg 2001; 12:314-325.
16. Hsu YC, Li J, Luo E, Hsu MS, Zhu S. Correction of square jaw with low angles using mandibular "V-line" ostectomy combined with outer cortex ostectomy. Oral Surg Oral Med Oral Pathol Oral Radiol Endod. 2010;109:197-202.
17. Jiang N, Hsu Y, Khadka A, Hu J, Wang Q, et al. Total or partial inferior border ostectomy for mandibular contouring: Indication and outcomes. J Craniomaxillofac Surg. 2012; 40:e277-e284.
18. Zhang C, Teng L, Chan FC, Xu JJ, Lu JJ, Xie F. Single stage surgery for contouring the prominent mandibular angle with a bra\oad chin deformit: En-bloc mandibular angle-body-chin curved ostectomy(MABCCO) and outer cortex grinding(OCG). . J Craniomaxillofac Surg. 2014;42:1225-1233.
19. Han-su Yoo, Sewoon Choi, Jeemyung Kim, Outcome Analysis of Extended, Long, Curved Ostectomy with Outer Cortex Grinding for Prominent Mandibular Angle and Broad Chin to Achieve V-line Contouring. Arch Aesthetic Plast Surg 2014;20(2):80-84.
20. Zhang C, Teng L, Chan FC, et al. Single stage surgery for contouring the prominent mandibular angle with a broad chin deformity: En-bloc mandibular angle-body-chin curved ostectomy (MABCCO) and outer cortex grinding (OCG). J Craniofac Surg 2014 ;42(7):1225-33.
21. Jin H, Park SH, Kim BH Sagittal split ramus osteotomy with mandible reduction. Plast Reconstr Surg. 2007 Feb; 119(2):662-9.
22. G V, Gowri S R M, J A. Sex determination of human mandible using metrical parameters. J Clin Diagn Res. 2013;7:2671-3.
23. Cui J, Zhu S, Hu J, Li J, Luo E. The effect of different reduction mandibuloplasty types on lower face width and morphology. Aesthetic Plast Surg. 2008;32:593-8.
24. Li J, Hsu Y, Khadka A, Hu J, Wang Q, Wang D. Surgical designs and techniques for mandibular contouring based on categorisation of square face with low gonial angle in orientals. J Plast Reconstr Aesthet Surg. 2012;65:e1-8.
25. Lin J, Chen X. Modified technique of chin augmentation with MEDPOR for Asian patients. Aesthet Surg J. 2012;32:799-803.

Chapter

09 피질골절단술, 골신장술

Corticotomy and Distraction Osteogenesis

기본 학습 목표

- 피질골절단술의 목적을 이해한다.
- Rapid acceleratory phenomenon (RAP)의 효과를 이해한다.
- 골신장술의 원리를 이해한다.
- 악안면영역에서 골신장술이 사용되는 술식을 나열할 수 있다.

심화 학습 목표

- 피질골절단술의 술식을 설명할 수 있다.
- 피질골절단술의 합병증을 설명할 수 있다.
- 골신장술의 술식을 설명할 수 있다.
- 골신장술의 신장기, 경착기 등의 프로토콜을 설명할 수 있다.
- 골신장술의 합병증과 처치법을 설명할 수 있다.

1. 피질골절단술(Corticotomy)

피질골절단술(corticotomy)이란 치아이동에서 가장 큰 저항을 나타내는 치조골의 피질골을 제거하여 치아의 이동을 촉진시키는 외과적 술식을 이야기 한다.

치아의 이동은 치조골 내에서 치주인대의 세포반응을 매개로 이루어지기 때문에 치아가 유착되어 있거나 치조골의 이상을 가지고 있는 경우에 일반적인 치아교정치료만으로는 해결하기 힘든 경우가 있다. 피질골절단술은 치아의 이동을 더 빠르게 하고, 치조골의 재형성(remodeling)을 도모하기 위해 시행하는 턱교정수술과 치열교정의 중간 형태라고 할 수 있다.

또한 성장이 완료된 환자에서 치열교정은 치아이동에 많은 시간이 소요되고, 치근흡수와 같은 합병증 등이 발생할 가능성이 높아, 난이도가 증가하는 어려움이 있다. 이러한 한계를 극복하고, 보다 신속하고 용이한 치아이동을 위해 피질골절단술과 같은 외과적 술식을 병행할 필요성이 있다.

1) 역사적 배경

피질골절단술은 1892년 Biyan이 불규칙한 치아의 외과적 교정에 대해 논한 이래, 1893년 George Cunningham이 실제로 둥근 saw를 이용하여 구개측으로 경사된 상악치아의 근원심 피질골을 절단하여 치아를 재위치시킨 증례를 술식과 함께 보고하였다. 그로부터 50년 후 Bichlmayr는 턱교정수술을 악골을 전체적으로 혹은 부분적으로 교정하는 것을 major로 정의하고 치간 절골 및 피질골절단술을 minor로 정의하면서 16세 환자의 정중이개를 피질골절단술을 이용하여 치료한 증례를 보고하였다. 이후 치조골절단술(alveolar osteotomy)과 피질골절단술(corticotomy)을 혼합한 술식들이 교정치료 기간을 단축하기 위해 몇몇 외과의에 의해 시도되었다. 1959년 Köle이 치아의 이동에서 피질골이 가장 큰 저항을 보인다는 것에 착안하며 치아의 재배열을 촉진하기 위해 치근사이의 피질골을 삭제하는 bony block technique을 소개[1]하였으나 당시 악교정수술이 소개되면서 상대적으로 보편화되지는 못하였다. 1972년 Bell과 Levy는 원숭이에서 치조골 피질골절단술을 시행하는 실험을 시행하고 그 결과를 발표하였다.[2] 최근 들어 외과적 수술과 치과교정학의 발달로 피질골절단술을 이용한 술식들이 다시 주목받고 있다. Wilcko 등은 accelerated osteogenic orthodontics (AOO)[3]와 periodontally accelerated osteogenic orthodontics (PAOO)[4]를 언급하며 피질골절단술과 더불어 골이식을 시행하여 치아교정 속도를 촉진시키는 방법으로 제안하였다.

현재 피질골절단술은 성인의 급속교정을 위해 임상에서

가장 많이 사용되고 있으며 그 외에도 치아의 이동속도를 높이고자 할 때, 유착치근으로 인해 치아의 이동이 용이하지 않을 때, 단단한 피질골에 의해 치근의 흡수가 우려될 때 이용되고 있다.

2) 피질골절단술의 생물학적 근거

치아교정의 단점 중 하나인 치료기간을 줄이기 위한 노력은 여러가지로 발전해 왔다. (1) 국소적으로 약물을 주입하거나 (2) 전기적인 자극 혹은 레이저나 자기장 등을 이용한 물리적인 자극, 그리고 (3) 피질골절단술, 혹은 압박술이나 신장술 등과 같은 외과적인 시술이다. 이중 피질골절단술은 피질골과 치아의 연결을 약화시키는 것으로 정형외과의사인 Frost에 의해 제안된 rapid acceleratory phenomenon (RAP)의 효과[5]를 얻기 위한 것이다. RAP는 골절이나 외과적인 시술 등의 위해자극에 대한 골의 국소적인 (regional) 반응으로 골의 반응성을 증대시킨다. 외과적인 자극에 대해 일과성 골감소증(transient osteopenia)이 치조골에 발생함으로써 일시적이고 가역적으로 골밀도의 감소가 일어나고 이로 인해 생역학적인 저항이 감소하여 치아의 이동을 촉진할 수 있는 것이다. 치아의 이동 시 골의 collagen matrix가 치아와 같이 이동한 후 다시 무기질화하게 된다.

3) 피질골절단술의 적응증

피질골절단술은 성장이 완료된 환자에서 보이는 과개교합, 상악전치부의 순측 경사, 하악전치부의 전방돌출(protrusion), 단일치아나 여러 치아의 원심측 전위, 회전된 치아의 배열, 치아공간의 교정, 상악골의 협소화, 개교합의 교정, 구치부의 intrusion, curve of Spee 조절을 위한 상악전치부의 intrusion 및 개개 치아의 이동이나 배열이 필요한 경우 치료시간을 단축시키고 재발을 줄일 목적으로 시행된다. 또한 유착치를 포함한 개개치아의 이동에도 적용할 수 있다.

① Resolve crowding and shorten treatment time
② Accelerate canine retraction after premolar extraction
③ Movement of ankylosed tooth
④ Prevention of relapse and enhance post-orthodontic stability
⑤ Facilitate eruption of impacted teeth
⑥ Facilitate slow orthodontic expansion
⑦ Molar intrusion and open bite correction
⑧ Manipulation of anchorage
⑨ Prevention of periodontal injury and pocket formation

4) 치아교정을 위한 피질골절단술 술식

피질골절단술은 협측과 설측 혹은 구개측으로 두 번에 나누어 시행하는 Two stage approach와 한 번의 수술로 끝내는 one stage approach가 있다. Two stage는 약 2-3주 간격으로 두 번에 나누어서 수술을 하게 되지만, 각각의 수술시간이 짧고, 협측이나 구개측 점막의 어느 한 쪽이 골편에 붙어있게 되므로 원심측 골편에 혈행을 더 많이 유지시킬 수 있다. 그러나 두 번에 나누어서 수술을 해야 하는 번거로움과 교정력을 가하는 시점이 늦어진다는 단점이 있다. 반면 one stage approach는 한 번의 수술로 끝낼 수는 있지만, 수술 시간이 오래 걸리고, 수술 범위가 커져서 국소마취만으로는 어려운 경우가 있다. 또한 골의 노출이 많아 혈행이 줄어드는 단점이 있을 수 있다. 그러나 최근에는 piezo surgical device의 개발로 연조직의 손상을 줄이면서 피질골절단술을 시행할 수도 있어 구개측 피판거상을 최소화하여 one stage approach 시 일어날 수 있는 단점을 감소하려는 노력들이 시도되고 있다.

❖ One stage 수술법

① 마취는 국소마취로 충분하나, 환자의 안정을 위해 정맥진정법을 함께 이용할 수도 있다.
② 절개는 치은연을 따라 시행하는 방법과 전정부에 절개선을 설정하는 방법이 있다. 치은연에 절개선을 위치시키는 scalloping incision보다 vestibular incision이 원심측 골편의 혈행에 더 유리하며, 수술 후에 발생될 수 있는 치주적 합병증을 줄일 수 있다.
③ 골막을 골막기자로 거상시키고, 골절단할 부위의 치근단을 넘어서까지 협측과 설측 피질골을 모두 노출시킨다. 이때 원심측 혈류공급을 최대한 확보하기 위해 설측(혹은 구개측)의 피판을 tunneling하여 피질골절단술 부위만 거상하고 piezo surgical device를 이용

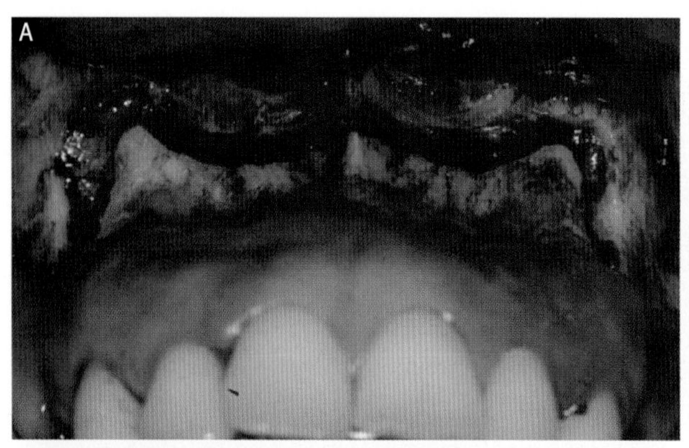

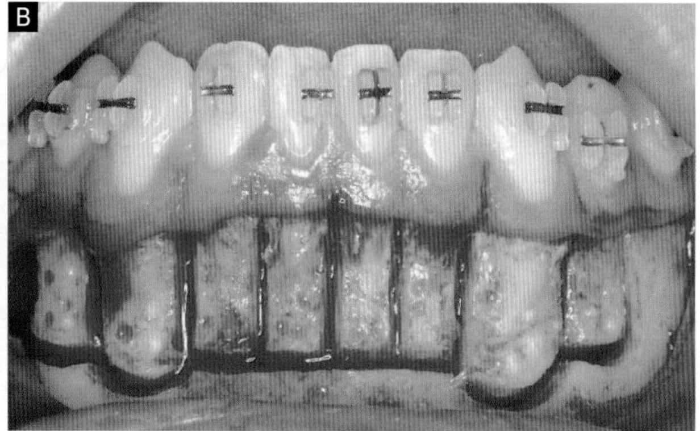

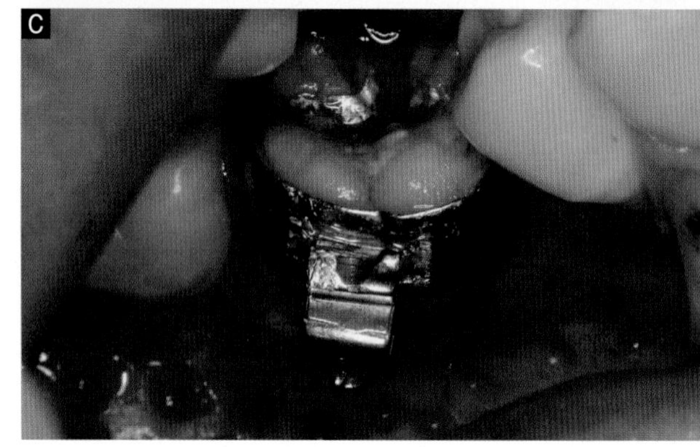

그림 9-1 여러 가지 치아이동을 위한 피질골절단술. A: 상악 Corticotomy B: 하악 Corticotomy C: 하악구치부 이동을 위한 Decortication

하여 blind technique로 연조직 손상을 최소화하며 피질골절단술을 시행할 수 있다.

④ 적절히 냉각수를 주수하면서, high speed handpiece나 low speed handpiece에 직경 2~4 mm 정도 되는 round bur를 이용하여 피질골절단술을 시행한다. 골을 삭제하는 깊이는 상대적으로 얕게 하며, 거의 수질골이 노출될 정도까지 시행한다. 피질골절단술의 수직부, 수평부로 나누어 시행한다.

⑤ 수직절단(vertical osteotomy)은 치조능 하방 2~3 mm에서부터 치근 단쪽의 수평부 절단 부위까지 시행한다. 이때 치근의 측면이 손상되지 않도록 조심하여야 한다.

⑥ 수평부의 절단은 치근 손상을 막기 위해 치근단 하방 3~5 mm 거리를 두고 수직부 절단 부위까지 시행한다.

⑦ 이들 골절단은 각각 협측과 설측 피질골 모두에서 시행하며, 골절단이 모두 끝나게 되면 수질골에 의해서만 유지되는 치아를 포함하는 원심부의 bone block이 형성된다.

⑧ 모든 골절단이 끝나면, 피판을 원래의 위치로 복원한 후 봉합한다.

⑨ 미리 부착된 bracket에 arch wire를 고정하여 원심골편을 고정한다.

⑩ 술후 감염 및 동통의 원인이 될 수 있는 사강 등을 제거하고, 거상된 피판의 재부착을 위해 치조골의 기저부에 치관부로 압박을 가하면서 periodontal pack을 적용시킨다. 발사는 술후 7~10일째 시행하고, 교정력은 치아의 움직임이나 교정방향등을 고려하여 가능한한 빠른 시일 내에 시작하는 것이 유리하다고 알려져 있다(그림 9-1).

5) 피질골절단술의 합병증

피질골절단술은 심각한 합병증은 잘 발생하지 않는 것으로 알려져 있으나, 골막거상과 골절단 시 발생하는 열손상에의한 변연치주조직의 혈류감소로 인해, 치은퇴축, 치간유두 소실, 변연치조골의 흡수가 발생할 수 있다. 특히 교정 치료를 받고 있는 성인 환자의 대부분은 치주염과 같은 치주질환을 가지고 있으므로 수술에 의해 증상이 심화될 수 있다. 또한 개개 치아이동을 위한 피질골절단술이 시행될 때에는 절단선이 치근과 매우 근접되게 되어 치아의 crowding이 있는 경우 피질골 절단 시 치아에 손상이 발생하기 쉽다. 또한 치아의 생활력이 상실될 수 있으며, 술후 부종, 골의 열개 및 분절골편의 동요 등이 일어날 수 있다. 치아의 생활력 상실은 수술 후 서서히 나타날 수 있어 치아의 변색 등이 발생할 경우 근관치료가 필요할 수 있다.

피질골절단술의 합병증

① Slight interdental bone loss
② Loss of attached gingiva
③ Periodontal defects
④ Subcutaneous hematomas of the face and the Neck
⑤ Post-operative swelling and pain
⑥ Pulp devitality
⑦ Root resorption

2. 골신장술(Distraction osteogenesis)

1) 악안면 영역에서의 골신장술의 응용

골신장술에 대한 임상적 연구는 정형외과 영역, 그중에서도 외상학분야에서 시작되었다. 골신장술은 Codivilla(1905)[6]에 의해 다리(femur)의 길이를 늘이는데 처음으로 사용되었으나, 거의 잊혀지고 있다가, 1960년대 말 러시아의사 Ilizarov에 의해 생물학적인 기초와 임상적인 평가가 이루어졌다.[7] 그는 소위 Ilizarov 효과라고 불리는 것을 확립하였는데, 조직의 점진적인 신장은 조직의 성장과 재생을 촉진시키고, 생성된 골은 기계적인 하중과 혈류공급에 의해 영향을 받는다는 것이다. Ilizarov는 120마리의 개에서 시행한 경골 신장(tibia distraction)을 통해 하루 0.5 mm의 속도로 신장하였을 경우에는 골의 조기 경착이 일어나며, 2 mm의 신장은 섬유조직으로 치유되며, 하루 1 mm의 신장에서 최적의 결과를 얻었다고 하였다. 또한 신장의 빈도는 하루 60번의 신장이 1~4회의 신장보다 좋은 결과를 보인다고 하여, 지속적인 신장이 유리하다고 하였다. 그는 또한 장골의 길이뿐 아니라, 폭경의 증가와 관련된 골 신장을 시행하였으며, 이것은 치조골 신장과도 연관을 가진다고 할 수 있다. 이렇게 해서 그는 골신장술에 대한 거의 대부분의 초기연구를 시행하였고, 골신장술의 기초를 확립하였다.

악안면 영역에서의 골신장술은 이미 사지의 골신장술 이전에 하악체(mandibular body)에 대한 골신장술에 대해 산발적인 보고가 있었다(Rosenthal, 1930; Wassmund, 1935; Kazanjian, 1941; Craw ford, 1948). 두개안면영역(craniofacial region)에서는 1973년 Snyder가 개의 하악골에서 시행한 실험적 연구가 처음으로 보고되었다.[8] 사람에 대한 임상적 연구로는 Mc Carthy(1992)에 의해 반안면왜소증 환자에서 처음으로 사용되었다.[9] 부족한 골을 늘여 새로운 골을 만든다는 획기적인 방법으로 관심을 끌었으나, 재발 가능성, 안면의 반흔 등 합병증으로 인해 항상 만족스러운 결과를 보이는 것이 아니어서, 두개악안면영역의 골신장술이 한계를 보이며, 기대되었던 것과는 달리 널리 임상에 적용되지는 못했다. 그 후 악골의 재건이나 구순구개열 환자에게 사용되면서, 오히려 구강악안면외과를 포함한 치과영역에서 보다 다양한 방면으로 적용되었다. 특히 치과 임플란트가 발전하면서 임플란트 식립을 위한 악골 및 치조골 재건의 필요성이 증가함에 따라 골신장술의 적용 범위가 더욱 넓어졌다고 할 수 있다.

악안면 영역에 사용되는 골신장술

- 악안면 골신장술
- 상악골 골신장술
  - 상악골 전진술
  - 상악골 확장술
- 하악골 골신장술
  - Hemifacial Microsomia
  - 하악골 전진술 - Retrognathism, Pierre Robin syndrom
  - 하악골 확장술
- 이동골편신장술
  - 상악골 재건술 - 치조열 재건
  - 하악골 재건술 - 하악골체부 재건, 턱관절 재건술
- 치조골신장술
  - 수직적 골신장술
  - 수평적 골신장술

2) 골신장술의 개요

골신장술의 기본적인 과정은 절골술(osteotomy), 잠복기(latency period), 골 신장기(distraction, activation period), 경화기(consolidation period), 재형성기(remodeling period)로 나눌 수 있다. 절골술 후 통상 약 5~7일 정도의 잠복기를 두어, 수술에 의한 연조직 상처가 치유되도록 기다린 다음, 하루 1~2 mm의 속도로 골을 신장하게 된다. 과교정(overcorrection)을 포함한 목표만큼 신장시킨 후, 약 8~12주가량의 경착기를 거치면서 골화가 진행되도록 고정을 유지시키게 되고, 이후에 골 신장기를 제거하게 된다.

(1) 절골술(Osteotomy)

절골술은 골을 두 개의 골편으로 나누는 것으로, 인위적으로 뼈를 잘라 골의 기계적인 연속성을 단절시키는 것이다. 이후 치유과정은 골절 후의 치유과정과 유사한 과정을 거치게 된다. 즉 초기에 골절부의 내부와 변두리에서 가골(callus)이 형성되고 이것이 점점 기계적인 저항성을 가지는 층판 골로 대치되게 된다. 전통적으로 골절의 치유 과정은 6개의 단계를 거치게 된다. (1) impact, (2) induction, (3) inflammation, (4) soft callus, (5) hard callus, (6) remodeling

(2) 잠복기(Latency period)

골절단 후에 골 신장이 시작되기까지의 기간으로, 이 시기에 부드러운 가골(soft callus)이 형성된다. 보통 0~7일 정도의 시간을 두게 되고, 이 기간 동안에는 통상적인 골재생 초기 단계와 같은 치유현상을 보인다. 조직학적으로는 초기 혈병이 3일 동안에 육아조직(inflammatory cell and fibroblast)으로 치환된다. 이 육아조직은 콜라젠이 증가하면서 섬유화되고, 새로운 혈관의 발생으로 혈관화가 진행된다. 이 시기에 내면골(bone medulla)과 주변 골막으로부터 중간엽줄기세포(mesenchymal stem cell) 등이 동원된다.

현재 구강악안면영역에서 적용되고 있는 잠복기는 장골에서의 경험적 데이터를 그대로 사용하고 있다. 그러나, 구강악안면영역은 장골에 비해 혈류가 더 양호한 곳으로 잠복기를 줄이거나, 거의 두지 않는 것을 생각해 볼 수 있다. minipig의 하악골신장술에서 4일의 잠복기를 가진 군과 즉시 신장시킨 군에서 유사한 결과가 보고된 바 있고,[12] 양의 하악골에서 0, 4, 7일의 잠복기 후에 20일 동안 신장시킨 군에서 골밀도, 생역학적 저항성 조직학적 검사에서의 차이가 없다고 보고되었다.[10]

이러한 결과로부터 골 신장기를 장착 후 골 신장 시작까지의 시간을 단축시키기 위한 노력이 있었으나, 임상적으로 골절단 직후에 바로 골 신장을 시작하는 것은 연조직의 열개나 골조직의 노출의 우려가 있다고 보고되었다. 또한 골신장술에 소요되는 대부분의 시간은 경착기에서 기다리는 시간이기 때문에 잠복기 기간 동안 며칠의 단축은 총 치료기간에 큰 영향을 끼치지 않는다고 볼 수 있으며, 또한 임플란트를 식립하기 위한 골신장술의 경우 골조직의 재생에서 그 양과 골질이 매우 중요하기 때문에 충분한 골재생이 이루어지는 것을 프로토콜의 최우선 목표로 삼아야 한다.

(3) 골 신장기(Distraction period)

골 신장기 동안 골편의 이동이 시작되고, 새로운 미성숙하고 평행한 해면골 형성이 시작된다. 보통 신장량에 따라 차이가 있지만 1~2주 정도 골 신장이 진행되고, 이러한 이동은 정상적인 치유과정에 변화를 주게 된다. 골 신장의 벡터와 평행한 조직이 형성되면서 역동적인 미세환경이 형성된다. 또한 이 기간 동안 혈관형성(angiogenesis)이 증가하고 지속된다.

① 골 신장의 속도

쥐의 tibia를 이용한 연구에 의하면 느린 속도(0.5 mm/day for 5 days)는 연골선 조직을 만들어 내고, 빠른 속도의 경우(1 mm/day for 5 days)에서 신생골의 빠른 형성과 함께 막내골화(intramembranous ossification)가 일어난다고 하였다.[11]

Minipig의 하악골 신장에서는 12일 동안 1 mm/day로 적용한 경우가 6일 동안 2 mm 혹은 3일 동안 4mm/day로 적용한 경우보다 더 나은 임상적인 안정성과 방사선적 골밀도를 보인다.[12] 양에서의 연구에 의하면 1 mm/day(골절에 대한 저항값 689 N) 속도군이 2, 3, 4 mm/day의 군(저항값: 505,472,384 N)보다 생화학적 저항과 골밀도가 더 우수하였다고 보고되고 있다.[13] 조직학적인 검사에서 3주의 경화기에서 모든 군에서 골형성을 보였으나, 골 신장의 속도가 증가할수록 골 기질이 덜 조직화(disorganization)되어 있음을 보였다.

② 골 신장의 빈도(Distraction rate)

골신장술의 역사에서도 언급했듯이 Ilizarov는 이미 초기의 실험에서 하루 60회의 신장이 하루 1~4회의 신장보다 더 양호하다고 보고하여, 지속적인 조직의 신장이 조직의 재생에 유리한 것으로 생각되어져 왔다. 하지만, 실제로 환자에서는 이렇게 지속적으로 골 신장을 할 수 없기 때문에, 하루 2~3회의 빈도로 장치를 작동시키는 것이 프로토콜로 자리잡게 된 것이다.

(4) 경화기(Consolidation period)

이 기간은 새로이 생성된 골조직이 성숙되고 피질골화되도록 부여되는 시간이다. 악안면골에서는 소아 환자의 경우 3~5주, 어른의 경우 6~12주의 경화기를 부여하는 것이 추천된다. 하지만, 생성골이 골 신장 전의 골질과 유사하게 되려면 1년 이상이 소요된다. 장골의 경우 골 신장 1 mm에 2일 정도의 경화기를 둔다고 제안되기도 하였지만, 이것을 치조골의 골 신장에 직접 적용하기는 어려우며 충분한 경화기를 부여하는 것이 유리하다.

(5) 재형성기(Remodeling period)

이 시기는 새로 형성된 골들이 완전히 재형성되어 기능적인 힘을 받을 수 있는 시기이다. 이 기간 동안에는 골 신장 중에 형성된 골 기질이 평행하게 배열된 층판골에 의해 강화된다. 피질골과 골수강이 재생되고, 피질골 재건의 마지막 단계에서 하버시안관이 개조된다. 새로 형성된 골 조직이 이전의 골과 비슷해지기 위해서는 1년 이상의 기간이 소요된다.

(6) 그 밖에 신생골 형성에 영향을 주는 요인

환자의 나이는 골 치유에 영향을 주는 중요한 요인으로 잘 알려져 있다. 어린 환자일수록 골형성이 더 빠를 것으로 예상할 수 있는데, 2.5~17세의 환자에서는 잠복기를 최대한 5일 이내로 할 것을 권장하는 보고도 있다.[14] 쥐의 경골(tibia)에서 신장된 골의 방사선 밀도의 차이를 비교한 실험에 따르면 4개월 연령의 쥐가 95%를 보인 반면에 24개월 쥐가 36%만을 보인다고 하였다.[15]

3) 악안면 영역에서의 골신장술의 이용

(1) 하악골 신장술(Mandibular lengthening distraction)

① 반안면왜소증의 골신장술

반안면왜소증(hemifacial microsomia)은 흔한 안면골의 선천성 기형중의 하나이다. 이환측의 하악골이 다양한 정도의 골결손을 가져오고, 귀, 근육, 상악골의 열성장으로 인한 안모비대칭을 동반하게 된다. 골신장술 이전에는 열성장부위의 골이식을 통한 재건술이 시행되었으나, 결과를 예측하기 힘들고, 흡수 및 감염에 의한 이식 실패율도 높았다. 점진적 인골의 신장을 통한 골의 형성과 그에 동반한 연조직의 증가는 골신장술 후 결과를 안정적이며, 예측 가능하게 만들어 지금은 반안면왜소증 치료 시 첫 번째로 고려되는 술식이 되었다.

하악골의 신장을 위해 사용되는 장치는 구강외 장치와 구강내 장치가 사용될 수 있다. 구강외 장치는 많은 양의 골 신장이 가능하나, 신장과 함께 발생하는 연조직의 흉터와 핀을 통한 피부 감염 등의 부작용이 있다. 장치의 크기를 작게 만드는 기술의 발달로 작은 구강내 장치들이 다양하게 만들어지게 되어 많은 양의 골 신장이 필요하지 않은 경우 구강내 장치가 선호된다.

하악골의 결손은 높이, 길이, 폭의 3차원적인 양상을 보이기 때문에 계획 시 3차원적인 방향(vector)의 결정이 필요하다. 2차원적인 두부계측방사선사진(cephalogram)으로는 치료계획을 세우는데 한계가 있기 때문에 3차원 CT와 RP (rapid prototype) 모형, 소프트웨어 프로그램을 이용한 다양한 방법의 모의수술을 통해 방향을 결정하는 것이 필요하다.

하악골의 결손은 하악골의 편측 편향과 함께 상악골의 편측 열성장으로 인한 교합평면의 기울어짐(occlusal canting)을 동반하게 된다. 수술 전 교정의사와의 협진은 필수적이라고 할 수 있으며, 필요에 따라 상악골의 골절단을 통한 상하악의 골 신장을 동시에 시행해야 하는 경우가 많다 (그림 9-2).

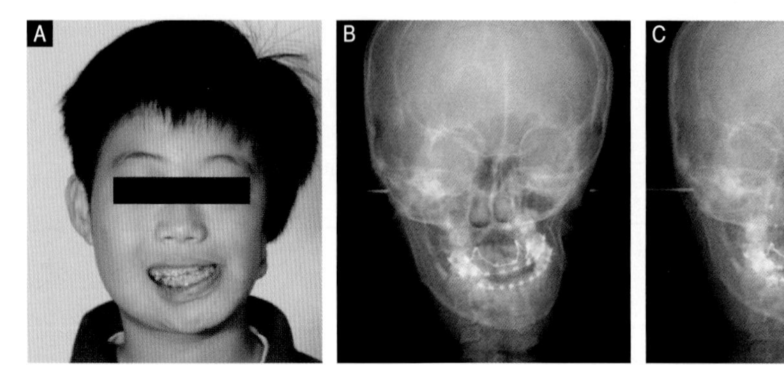
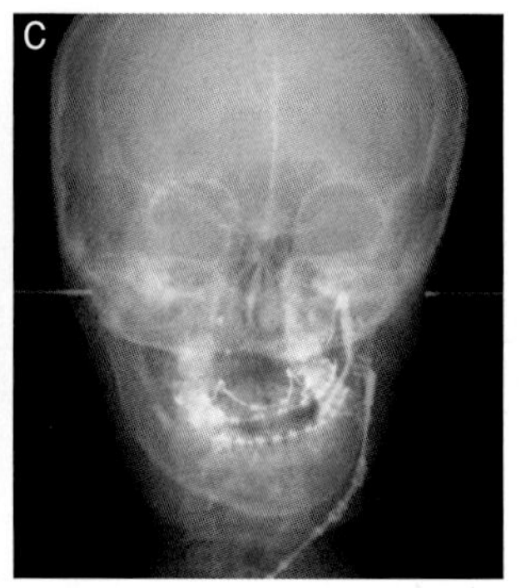
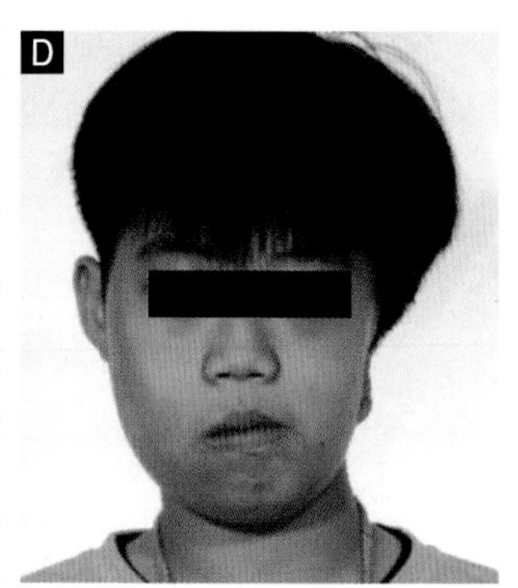

그림 9-2 **하악왜소증 환자의 하악골신장술.** **A:** 수술 전 안모사진 **B:** 수술 전 방사선사진 **C:** 골 신장기의 장착 **D:** 골 신장 후 안모사진

② 하악골 후퇴증을 위한 골신장술

하악골 후퇴증인 골격성 제 2급 부정교합의 치료를 위해서는 하악지시상분할골절단술을 이용한 하악의 전진수술이 사용된다. 하지만, 하악후퇴증 환자의 경우 수술 후 장기적인 재발의 경향이 많은 것으로 보고되고 있다. 이러한 재발의 원인은 하악의 연조직의 길이 증가에 의한 연조직 긴장이 주된 원인으로 여겨지고 있다. 하악골의 점진적인 골 신장은 연조직이 변화에 적응할 수 있게 하여 재발 경향을 최소화하는 것으로 보고되었으며, 실제로 하악의 연조직은 하루 2 mm 이상의 신장은 견디기 힘든 것으로 보고되었다. 많은 경우 하악골 후퇴증 환자는 턱관절의 증상이나, 관절의 흡수를 동반하고 있는데, 이러한 점진적인 연조직의 신장을 통해 하악골 전방이동으로 인해 발생되는 턱관절의 부하를 감소시킬 수 있다. 하지만, 골신장술의 특성상, 석회화(calcification)가 진행되는 경착기(consolidation) 기간을 충분히 두는 것이 추후의 재발을 예방할 수 있을 것으로 사료된다. 일반적으로 골신장술을 통해서는 하악골을 정밀하게 이동시키는 것이 불가능한 것으로 여겨진다. 턱교정수술의 대체방법으로 골신장술을 사용하기 위해서는 신장술 후 정확한 교합을 유도할 수 있어야 하기 때문에 교정과의사와의 협진이 긴밀하게 이루어져야 한다. 수술 전 치열교정도 충분하고 정교하게 되어 있어야 신장 후의 교합이 안정적으로 된다. 골 신장기는 일종의 견고 고정(rigid fixation)에 속하지만, 신장 후 교합을 위해 floating bone concept 등을 응용한 교합유도가 가능하도록 고려하는 것 또한 필요하다(그림 9-3).[16]

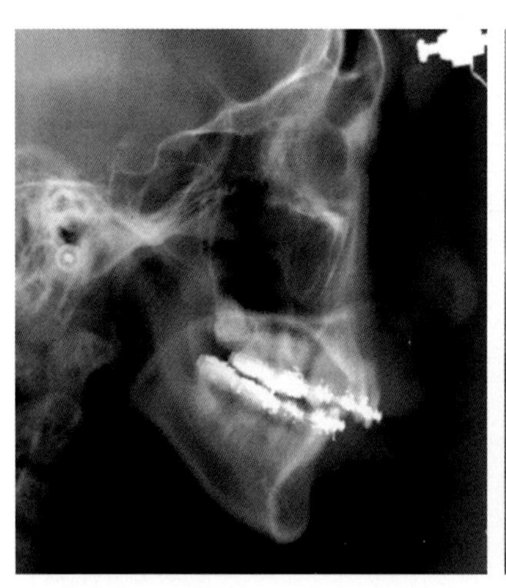
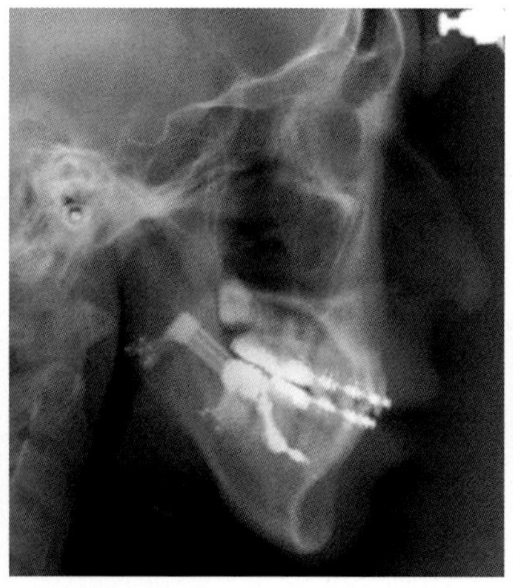
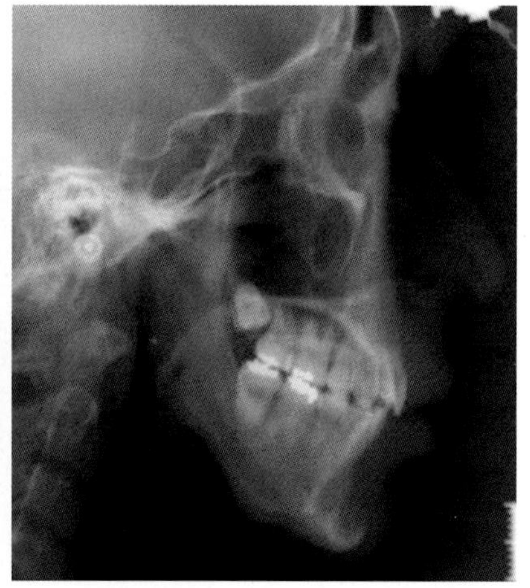

그림 9-3 **하악후퇴증 환자에서 골신장술을 이용한 하악골 전진술**

③ 하악골 폭경 증강술(Mandibular width widening)

환자가 상하악의 폭경 부조화(transverse discrepancy)를 가지고 있을 경우 폭경 조절이 필요할 수 있다. 상악의 수평적인 폭경 증가는 보조적인 수술을 통한 치열교정 등을 이용하여 해결되고 있다. 하지만 하악의 폭경 부족은 교정적인 방법으로는 한계가 많고 재발도 많은 것으로 여겨져 왔 다. 하악정중부의 골 신장을 통해 하악의 폭경을 증가시켜 교정적인 치아이동만으로는 얻을 수 없는 좋은 결과를 얻을 수 있다. 또한 하악정중부의 골신장술은 다른 부위보다 수술적 접근이 쉽고 그만큼 수술 후 합병증이 적기 때문에, 적절한 환자를 잘 선택한다면, 좋은 결과를 얻을 수 있을 것으로 기대된다.

(2) 상악골 신장술

① 상악골 전진술

골신장술을 이용한 상악골의 전진술은 하악골의 성장은 정상이지만, 상악골의 열성장으로 인하여, 상악골의 전방이동이 필요한 경우 적응증이 된다. 보통 구순구개열 환자의 경우 6 mm 이상, 일반 악안면 기형 환자의 경우 10 mm 이상 많은 양의 전방이동이 필요한 환자에서 골 신장을 이용한 상악골 전방이동술을 시행하게 된다. 특히 구순구개열 환자의 경우 경구개열의 조기 수술로 인한 반흔 조직 형성으로, 통상적인 Le Fort I 골절단술 방법에 의한 수술 시 상악골 전방이동이 어려운 경우에 효율적으로 적용될 수 있다.

구순구개열 환자의 22~27%에서 상악골의 열성장을 해결하기 위해서는 수술을 통한 상악골의 전방이동이 필요하다고 보고되어 왔다. 턱교정수술을 통한 상악골의 전진술이 주로 사용되지만, 상악의 반흔으로 인해 6~10 mm 이상의 상악골 전진은 한계를 가지며, 수술 후 회귀 현상이 매우 높은 것으로 보고되고 있다. 이러한 한계점으로 인해 상하악 간의 전후방 위치 이상과 전치부의 반대교합을 해소하기 위해 정상 성장을 보이는 하악골을 불가피하게 후퇴시키기 위한 추가 수술이 시행되기도 하며, 하악의 후퇴를 보상하기 위한 이부전진술이 필요한 경우도 간혹 발생하게 된다.

최근 골신장술은 구순구개열 환자의 상악골 열성장을 교정하기 위하여 우선적으로 고려되는 치료법으로 자리잡고 있다. 연조직을 포함한 상악골의 점진적인 전진술은 충분한 상악골의 전진을 가능하게 하여 턱교정수술의 한계를 극복할 수 있는 것으로 선호되었다.

상악골의 골신장술은 내부장치나 외부 견고고정을 이용한 장치가 사용되고 있다. 1997년 Polley[17] 등에 의해 소개된 이후로, 외부 고정원(rigid external device)을 이용한 방법이 더 많이 보고되고 있다. 하지만, 외부고정장치는 장착시 불편함과 외관상의 불리한 점으로 인해 환자에게 심리적인 부담과 불편함을 주는 단점을 가지고 있어, 최근 다양한 구강내 장치들이 개발되어 소개되었다(표 9-1).

a. **구강외 견고고정 골 신장 장치:** Rigid external distraction (RED) system

수술 전에 교정과의사에 의해 구강내 장치를 먼저 제작한다. 수술은 통상의 Le Fort I 골절단을 통하여 이루어진다. 수술 전 비구강누공이 없다면, 구개열 부위의 비강점막과

표 9-1 구강외 장치와 구강내 장치의 장단점 비교

Rigid External System		Internal Distraction Device	
Advantages	Disadvantages	Advantages	Disadvantages
1. Large and relatively unlimited amount of maxilla advancement 2. Ability to change vertical and horizontal vector during distraction and consolidation period	1. Psychological and social stress for the patient 2. Intraoral dental splint 3. Relatively low early stability 4. Difficult to do orthodontic treatment during distraction	1. No visible device 2. Longer consolidation period	1. Limited amount of distraction (less than 10 or 15mm) 2. Limited vector control 3. Possibility of device fracture 4. Need for device removal surgery 5. Need more precisely planned device placement

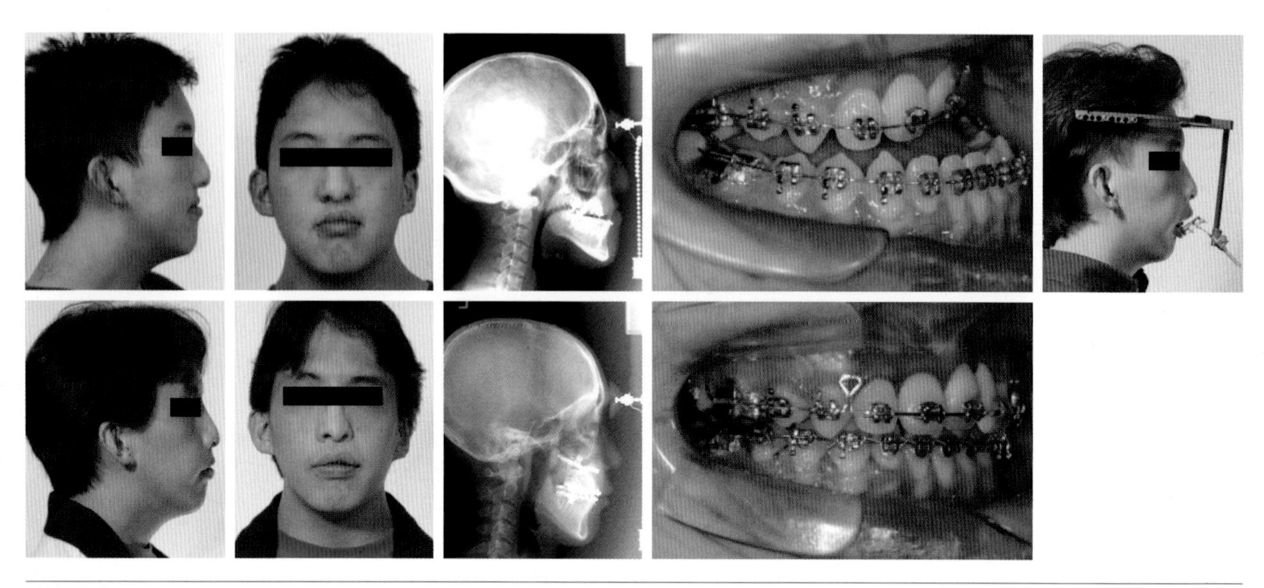

그림 9-4 구강외 견고고정장치를 이용하여 상악골 열성장의 구순구개열 환자의 상악골 전진술

연조직을 조심스럽게 박리하여, 비강에서 구개열 부위로 이어지는 연조직 연결을 유지한다. 수술 시 상악의 양측 골편이 분리되는 것을 주의하여야 하며, 이를 예방하기 위하여 치조열 부위의 약한 골연결 부위를 보강하기 위해 금속판을 사용하기도 한다. 금속판을 피해 high Le Fort I 골절개선을 설정한 후 통상의 골절단을 시행하고 pterygomaxillary disjunction을 시행하여 상악을 down fracture 시킨다. 상악이 충분히 움직이는 것을 확인하고, 외부고정장치를 두개골에 고정시킨다. 수직봉 및 신장장치 연결부는 시험 신장을 해본 후 제거하고, 골 신장 시작 시 다시 부착을 한다.

RED II system®(15 mm model, KLS Martin, Tuttlingen, Germany)의 경우 술후 초기(3일째)부터 골 신장을 시작하는 것이 추천된다. 구강내 스플린트의 구부러짐으로 인해 초기의 신장력이 상악에 충분히 전달되지 않기 때문이다.

신장속도는 하루 1 mm의 속도로 신장을 시행한다. RED II system의 경우 초기에는 상악의 이동이 더디나, 이동이 시작되고 나면, 상악이 빨리 이동되는 것을 관찰할 수 있다. 구내 스플린트의 구부러짐이 심하거나 전하방으로의 이동이 많으면, 훅의 아래 부분으로 와이어를 다시 걸어 신장을 계속할 수 있다. 와이어의 성질에 따라 좌우의 이동량이 다른 것 또한 관찰할 수 있는데, 이런 경우 좌우측 신장량을 다르게 하거나, 고무견인(elastic traction)을 이용하여 조절한다. 상악골의 전방이동이 끝나고 4~6주 후 RED II system의 Halo frame을 제거할 수 있다. 제거 시 특별한 국소마취를 하지 않아도, 환자가 큰 통증을 호소하지 않는다. 프레임 제거 후 바로 facial mask를 장착하나, 초기의 상악골편의 안정성에 대해 관찰이 필요하다. 하지만 face mask를 이용할 경우 전방이동된 골절편을 안정적으로 유지하기 어려워 골 신장기의 제거 시 수술을 통한 골절편의 견고고정을 시도할 수도 있다(그림 9-4).

b. 구강내 골 신장 장치: Internal distraction device

Zurich Pediatric Distractor®(15 mm model, KLS Martin, Tuttlingen, Germany)의 경우 수술 전 RP (rapid prototype) 모형을 통하여 미리 장치를 시적해 보고, zygomatic buttress 부위에 부착될 금속판을 미리 구부려 놓는다. 양측 rod로 Le Fort I 절개를 시행하며, 치조열 부위의 골 연속성이 약한 경우 이를 보강하기 위하여 금속판을 적합시켜 골편 절단 후 고정을 시행하기도 한다. Le Fort I 골절단 전에 미리 구부려 놓은 금속판을 시적해 보며, 몇 개의 금속나사를 이용하여 고정할 위치에 시적시켜 본 후 골절단 전에 다시 제거한다. Le Fort I 골절단을 시행하고, 다시 금속판을 원래의 위치에 고정한다.

구강내 장치의 경우 술 후 보통 5일째부터 골 신장을 시행하고, 좌우의 벡터에 의한 차이로 상악정중선을 원하는 위치로 유지시키고, 전치부 개교합이 생기지 않도록 유지하는 것에 주의하며, 골 신장을 시행한다. 정중선의 유지는 좌우 골 신장량을 조절하고, 악간 고무줄을 이용하여 이동량과 상하 수평관계를 유지하도록 유의하여야 한다. 같은 방법 교합을 유도한다. 장치의 제거는 보통 2~3개월에 시행하게 되며, 정맥 진정법과 국소마취하에 제거할 수 있다. 제거 시 연조직의 반흔으로 인해 조직의 박리가 쉽지 않다(그림 9-5).

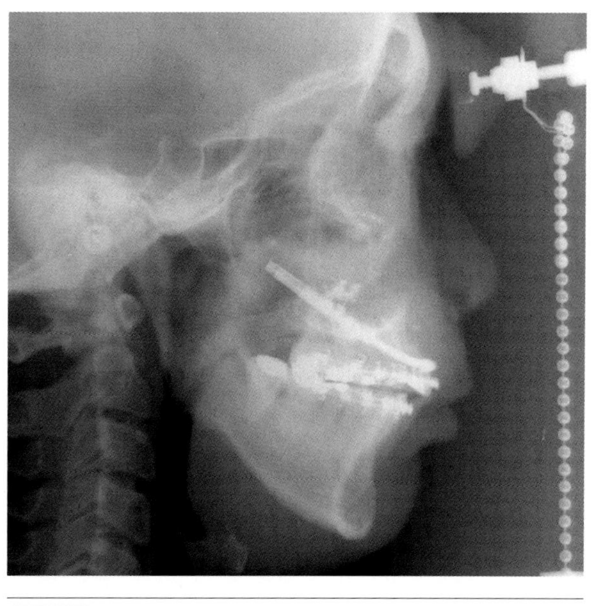

그림 9-5 구강내 장치를 이용한 상악골 전진술

② 상악골 확장술

상악골 확장술은 피질골절단술의 방법을 응용한 것으로 주로 골내 고정을 통한 상악골의 확장을 시행한다. 하지만, 피질골절단술 후 상악을 확대시키는 것은 기본적으로 골신장술의 개념을 사용하고 있다.

(3) 이동골 신장술(Transport distraction osteogenesis)

악골에 발생한 골결손부를 재건하기 위하여 골이식 대신에 한쪽 혹은 양쪽의 골편을 이동시켜 가운데 골이 재생되도록 하는 것을 골이동신장술이라고 한다. 악성종양, 혹은 외상에 의해 생긴 골결손부의 골 재생을 위하여 이용될 수 있다. 골편이 이동을 하면서 신생골을 만들게 되고 반대편 골편과 만나 압박골생성(compression osteogenesis)을 통해 연결된다. 악골은 연결성(continuity)이 골 재건에 있어서 중요한 요소인데, 비연속성 결손부(discontinuity defect)에서는 경조직뿐 아니라 연조직 또한 부족하여 재건이 어렵게 된다. 구순구개열의 치조골결손부나, 하악골의 적은 양의 비연속성 결손부의 경우 주로 적응증이 된다고 할 수 있다(그림 9-6, 7).

① 치조골 파열부 재건을 위한 이동골 신장술

자가 골이식을 이용한 치조골성형술은 구순구개열 환자의 치조골 파열과 비구강누공(oronasal fistula)의 치료법으로서 보편화된 술식으로 사용되고 있다. 치조골 파열부의 골이식은 누공의 폐쇄와 함께 치조열 주변의 치아에 대한 지지골을 제공하고, 비익(alar base)과 비순(nasolabial)의 형태를 지지하는 목적을 가지고 있다. 하지만, 치조골 파열부가 넓고 그에 따라 골이식 후 이식재를 덮기 위한 연조직이 부족한 경우 치조골이식이 실패하는 경우나, 이식자체가 불가능한 경우를 종종 임상에서 가끔 경험하게 된다. 연조

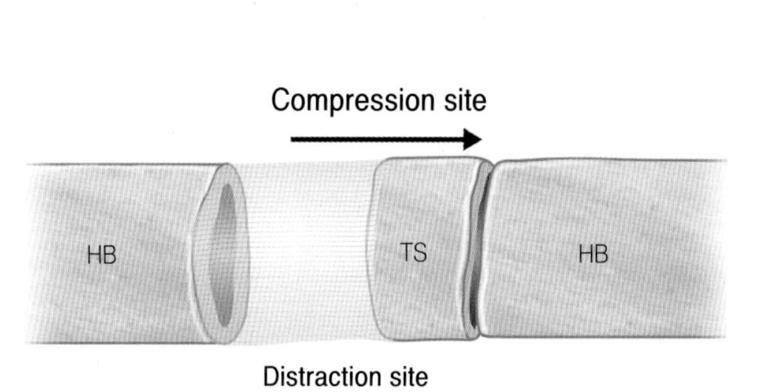

그림 9-6 Bifocal distraction osteogenesis

*HB: host bone, TS: transport segment

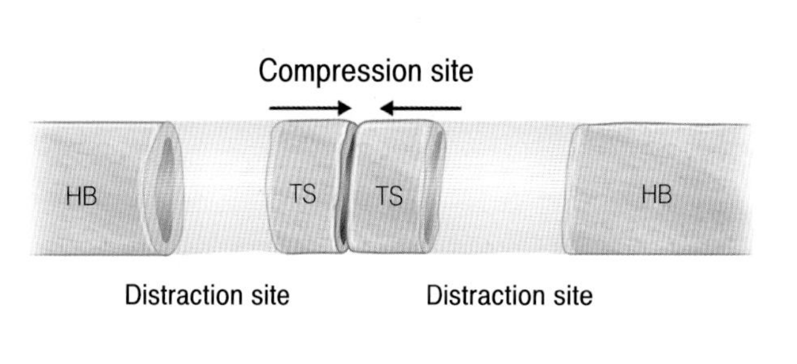

그림 9-7 Trifocal distraction osteogenesis

직 결손 부위 피개를 위해서 설피판을 이용한 재건술 후 골이식을 하는 방법이 개발되어 임상에 적용되고 있으나 여러 번 수술하여야 하는 부담이 있다.

Transport distraction은 연결되지 않은 골결손부를 골편을 이동시켜 신생골 형성과 골의 연결성을 획득하는 방법으로 장골(long bone)이나 하악골에서 사용이 되었다. transport DO를 치조열의 폐쇄에 사용할 수 있다.[18]

구순구개열 환자에서 골신장술을 이용한 치조열 폐쇄의 장점은 ① 치조열 후방의 증가된 악궁 폭경, ② 발치 없이 총생의 해소가 가능, ③ 신생골로의 치아 이동의 용이성, ④ 단기간에 교정치료 완료 가능, ⑤ 골이식 없이 신생골 확보, ⑥ Velopharyngeal incompetence의 위험성 감소, ⑦ 전신 마취 없이도 가능할 수 있음, ⑧ 술후 안정적인 골 확보 등을 들 수 있다.

이러한 장점으로 인하여 ① Excessive scar tissue, ② Large alveolar clefts, ③ Previous surgical failures 등의 경우에 적극적으로 골신장술을 사용하는 것을 고려해 볼 수 있다.

골이식 대신에 골편을 이동시켜 치조열을 폐쇄하기 때문에 골이식 실패 등의 위험이 없는 대신에 치아를 같이 이동시키게 되는데 이동 시 이상적인 벡터조절을 위하여 수술 전에 구강악안면외과의사와 교정의사와의 긴밀한 협조가 필수적이다(그림 9-8).

② 악골 재건을 위한 골신장술

하악골 재건을 위한 골신장술은 Costantino에 의해 처음으로 소개되었으며 1995년경부터 임상적으로 ㄷ적용되기 시작하였다(그림 9-9).[19, 20]

(4) 치조골신장술(Alveolar distraction osteogenesis)

① 수직적 치조골신장술

수직 치조골신장술은 1996년 Block[21] 등은 개의 하악골에 4개의 임플란트를 삽입한 다음 골유착이 일어날 수 있도록 일정기간의 치유기간이 지난 후 구개확장 시 사용되는 장치를 이용하여 치조골을 신장시키는 방법을 보고하였고, threaded pin을 이용하여 사람에서 치조골의 수직적인 신장을 유도한 증례가 보고된 이래[14] 최근에는 다양한 치조골 신장 장치들이 개발되고 이에 대한 많은 실험적, 임상적 연구들이 보고되고 있다. 하지만, 임플란트를 식립하거나 혹은 보철전 처치가 필요한 경우의 구강내 환경은 그 조건이 다양하여, 단순히 치조골을 만드는 것 이상으로 고려할 점이 많아, 치조골신장술의 사용이 제한을 받기도 한다(표 9-2).

② 수직골신장술의 수술방법

대부분 절개는 협측 구강전정부에 시행한다. 박리는 주

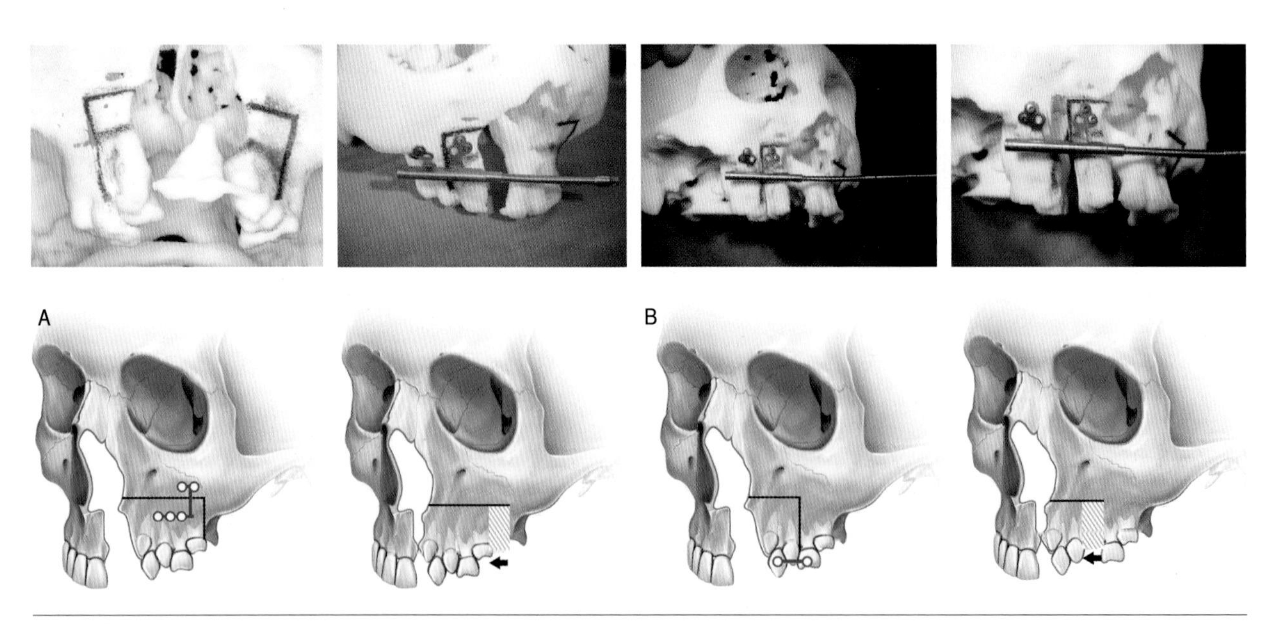

그림 9-8 치조열 폐쇄를 위한 골신장술의 응용

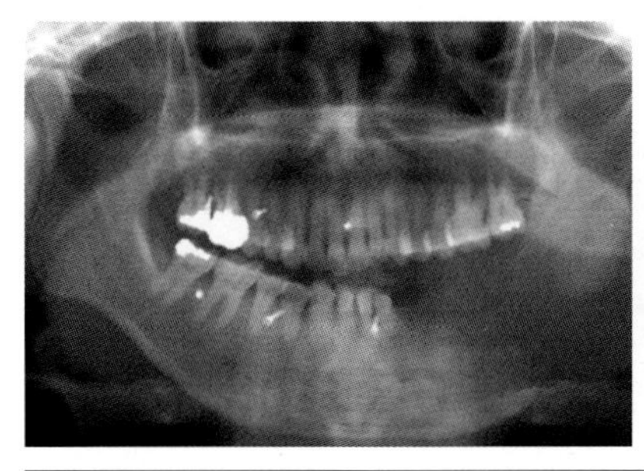

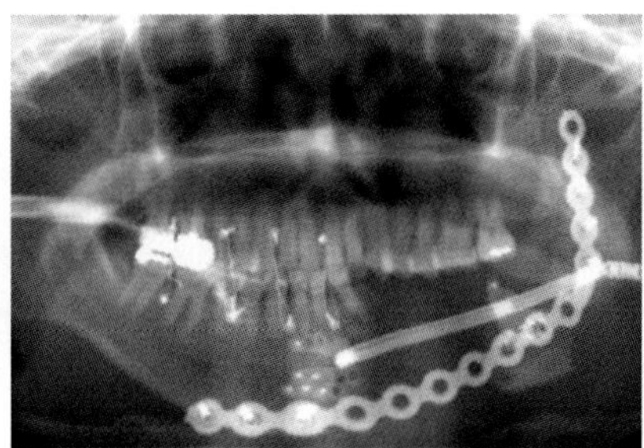

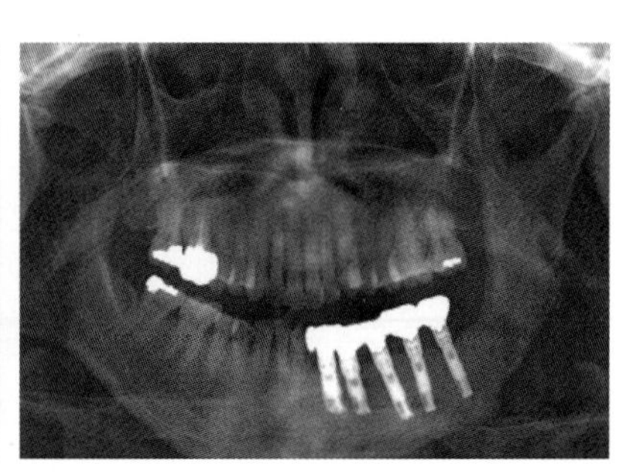

그림 9-9 하악골 재건을 위한 이동골 신장술

로 협, 순측 부위만 시행하고 설, 구개측 박리는 최소화하여, 이동될 골편으로의 혈류를 보존하도록 노력한다. 골 신장기를 미리 적용시켜, 골 신장의 방향 및 나사의 고정 위치 등을 점검하고, 금속판 부위가 잘 적합되도록 구부린다. 골절단선을 표시한 후 몇 개의 나사를 고정하여 신장기 장착 위치를 표시해 두어 나중에 그 위치에 다시 고정될 수 있도록 한다. 골 신장기를 제거하고, 설, 구개측 연조직 손상을 주의하며, fissure bur나 fine reciprocating saw를 이용하여 골절단을 시행하며, 수직골절단은 치조정 부위로 갈수록 약간 넓어지도록 디자인하여 골 신장기 동안 골편의 이동이 방해받지 않도록 한다. 특히 협측 구강전정을 통한 접근으로 치조정과 설, 구개측 피판의 접촉을 유지함으로써 이동골편의 혈행을 유지하는 것이 보다 안정적인 결과를 위해 중요하다고 할 수 있다. 구강점막을 통한 혈행뿐 아니라 골절단으로 중단되었던 해면골 내의 혈행의 재혈관화도 이동골편의 혈행에 중요하다고 할 수 있다(그림 9-10). 건강한 해면 골의 경우 24시간 이내에 재혈관화가 시작되고 5~7일 이내에 어느 정도 잘 형성이 되는 것

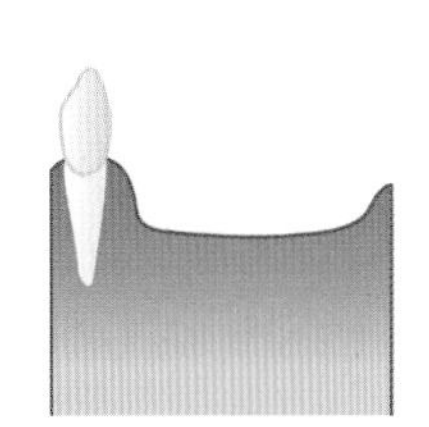

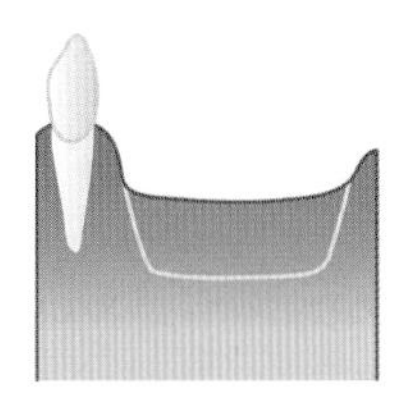

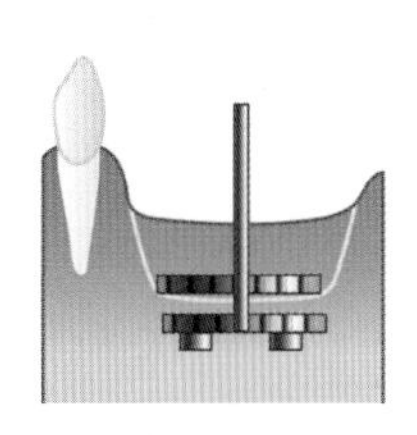

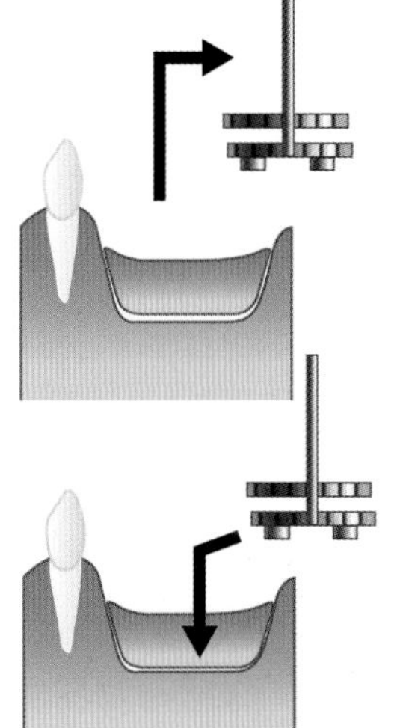

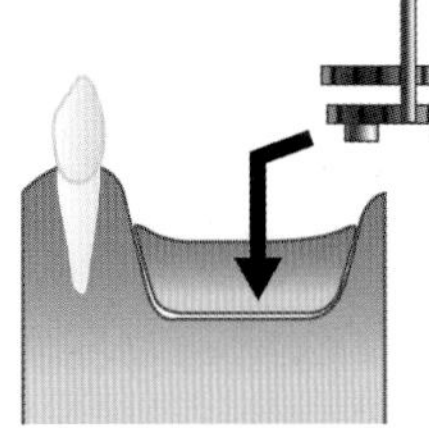

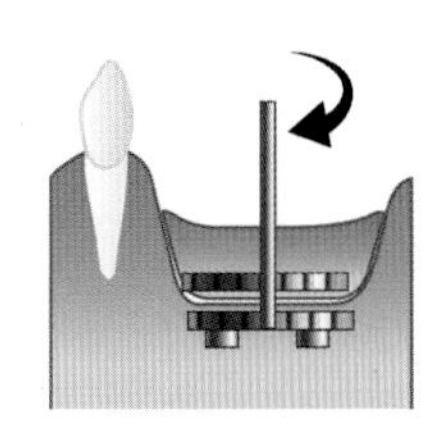

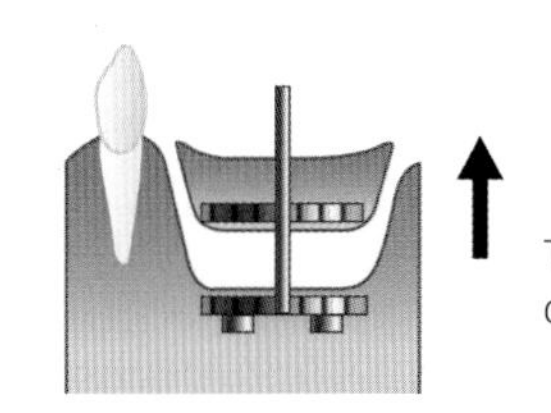

그림 9-10 치조골신장술의 모식도

으로 알려져 있다.[22] 따라서 약 7일 정도의 잠복기(latency period)는 이동 골편의 골내막의 재혈관화(endosteal revascularization)를 확보하는 데도 유리하다고 할 수 있다. 보관해 둔 금속나사들을 원래 위치에 고정하여 신장기를 고정시키고, 골편을 4~5 mm 이동시켜 봐서, 인접면에서의 걸림이나, 골 신장의 방향 등을 확인한다. 신장기의 rod를 구강내로 노출시키고 봉합을 시행한다.

③ 골 신장 프로토콜

5~7일 후에 골 신장기를 작동시키며(잠복기), 골외장치의 경우 하루에 0.75~1.0 mm의 속도로 신장되도록 2~3회에 나누어 회전시킨다(신장기). 신장 완료 3~4개월 경과 후(경화기)에 국소마취하에서, 분절골절술을 시행한 방법과 동일하게 절개하고 협측점막골막피판을 거상시킨다(그림 9-11).

④ 임플란트의 식립

이때는 이동 골편의 혈류가 크게 중요하지 않기 때문에 치조정 절개로 임플란트의 식립이 용이하도록 한다. 골 신장기를 제거하기 위해 골막을 거상을 할 때는 신생골 위에 어느 정도 연조직을 포함시킴으로써 유골조직을 보존한다. 그러나 신생골과 이동골편은 아직 임플란트 식립 시에 가해지는 힘을 견디기에 약할 수 있기 때문에 골 신장기를 제거하지 않은 상태에서 먼저 임플란트를 식립하도록 한다. 치조골에 통상적인 임플란트 식립 방법으로 임플란트를 매식 하고, 이때 골 신장기를 고정할 때 사용하였던 금속나사가 임플란트 식립에 방해될 경우에는 금속나사를 하나씩

Protocol for Alveolar Distraction Osteogenesis

- Latency period: 5~7days
- Distraction rate: 0.75~1mm/day
- Consolidation periods(implant installation): 8~12weeks

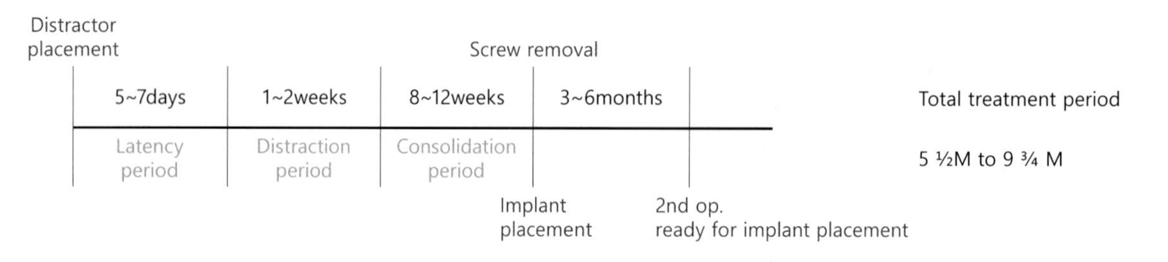

그림 9-11 치조골신장술을 위한 프로토콜

표 9-2 골신장술과 골 이식술과의 장단점

	Vertical Distraction	Bone Graft
Vitality	Vital bone	Harvested bone and bone substitute
Susceptibility to bone	Low rate of infection More resistant to infection	Reported infection problems in case of bone substitute
Amount of bone augmentation	Larger amount bone augmentation	Limited amount of augmentation (4~5 mm)
Treatment period	Short treatment period typically 5~9 months	4 to 12 months typically 9 months
Resorption	Low to no resorption	Risk of bone resorption
Success rate	Predictable results high success rate (95%)	Reported success rates 75~80%
Soft tissue offering	Generation of soft tissue	Limited soft tissue offering

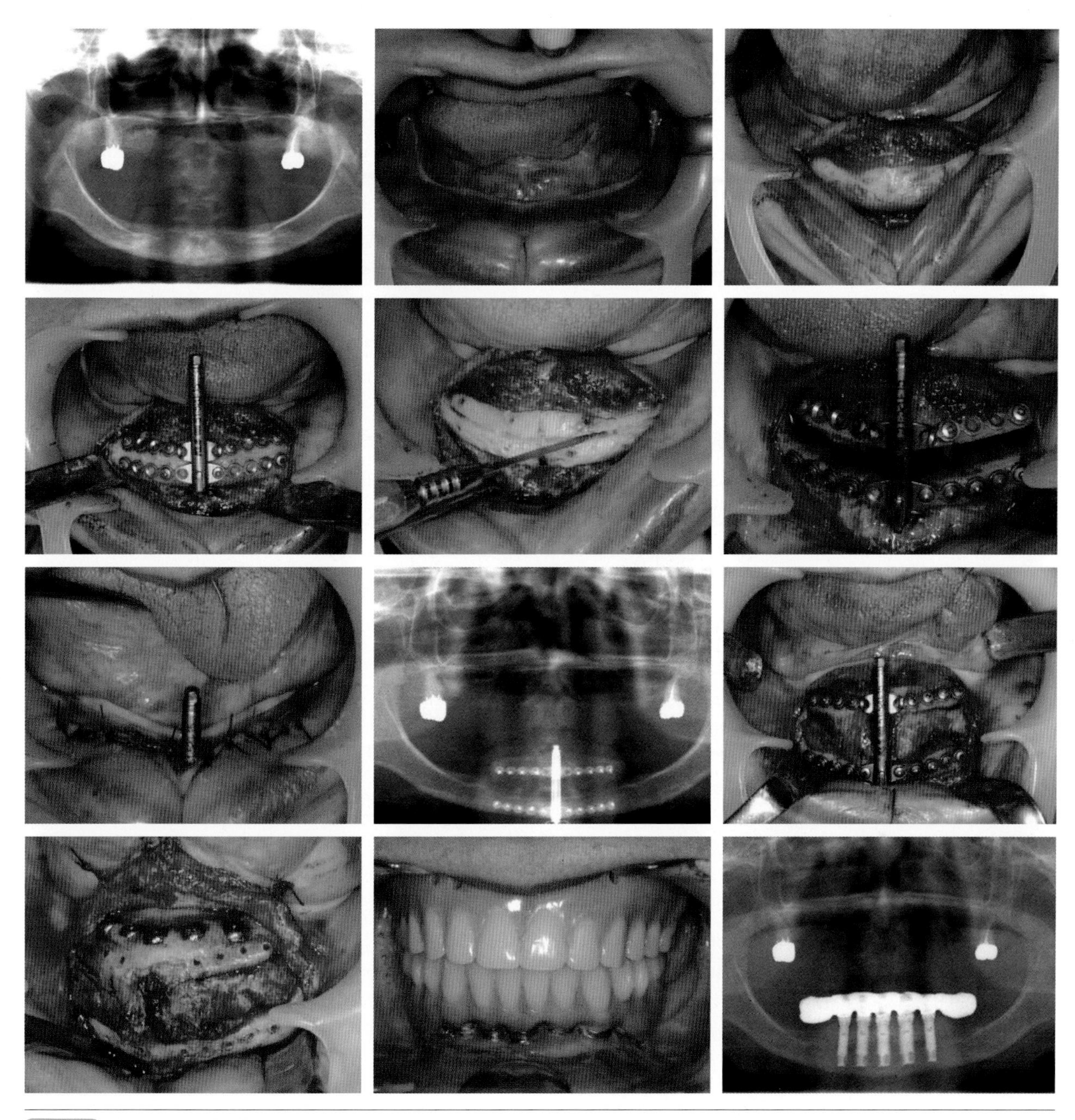

그림 9-12 임플란트 식립을 위한 치조골신장술식

제거하면서 임플란트를 순서대로 식립할 수 있다. 임플란트를 식립할 경우 초기고정을 얻는 것이 중요하기 때문에 신생골이 원래의 기저부 골과의 연결이 기계적인 압력에 견딜 수 있는 것이 중요할 것이다. 보통 이동골이 4 mm 두께가 있고, 10 mm 정도 골 신장이 일어났다면, 원래의 기저골에서 초기고정을 얻기 위해서는 더 긴 임플란트를 식립하여야 할 것이다. 기저골에서 초기고정을 얻기로 하였다면, 신생골과 기저골과의 결합 상태가 약한 것을 고려하여, 기저골에 tapping을 시행하여 임플란트 fixture를 식립하면서 이동골과 신생골이 기저부로부터 분리되는 것을 예방하도록 하였다. 임플란트를 노출시키는 2차적인 수술은 일반적인 임플란트 매식과 동일하게 하악에서는 매식 후 3~4개월째에 시행하고, 보철물 제작도 보통의 자연 지조골에서와 같은 방법으로 시행한다(그림 9-12).

⑤ 치조골신장술의 합병증

치조골신장술과 관련된 합병증은 표 9-3과 같다.

a. 잘못된 신장방향

치조골의 신장술은 치조골의 재건 후 임플란트 식립을 통한 보철물의 수복을 목적으로 하고 있기 때문에, 향후에 반대편 치열의 위치를 고려하여 임플란드를 식립할 수 있는 방향으로 골 신장이 일어나야 한다. 하지만 치조골의 경사로 인하여 골 신장기의 장착 시 설측으로 기울여져 장착되는 경우 골편이 너무 설측으로 치우쳐 이동하게 된다. 이러한 문제를 예방하기 위해 장치의 장착 시 rod의 방향이 반대 악골의 협(순)측 전정부를 향하도록 위치시켜야 한다. 너무 설측으로 이동된 경우에는 골 신장기 동안 혹은 골 신장이 완료된 후 국소마취하에 골 신장기의 파절을 주의하며 위치를 수정할 수도 있다.

b. 저신장(Underdistraction)

목표했던 치조골의 신장량에 도달하지 못하는 경우가 발생하는데 주로 절골(osteotomy) 시 충분히 골편이 분리되지 못하였거나, 혹은 절골선상의 골편 사이의 걸림이 발생한 경우가 많다. 절골 후 골편이 충분히 움직이는지 확인하는 것이 필수적이며, 신장기 동안 수시로 골편의 이동 상황을 체크하는 것이 중요하다.

표 9-3 치조골신장술의 합병증

Intraoperative
• Fracture of transport segment • Difficulties in completing the osteotomy on the lingual side • Excessive length of the threaded rod
During distraction
• Incorrect direction of distraction • Perforation of mucosa • Dehiscence • Breakage of distractor • Dysesthesia of IAN
Postdistraction
• Bone formation defect • Undercorrection
Resorption of distraction segment

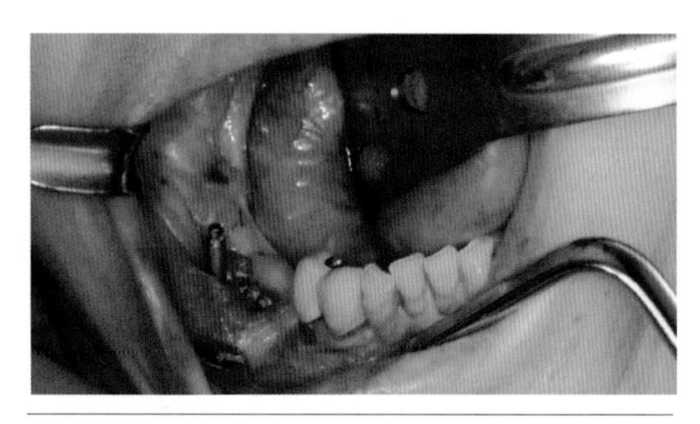

그림 9-13 골 신장기의 노출

c. 신장골편 혹은 신장기의 노출

골 신장기 도중에 인장력에 의해 골편이나 장치의 노출이 있을 수 있다. 이동 골편이 주변의 연조직에 의해 혈류공급을 받고 있기 때문에 노출된 골편이 쉽게 흡수되거나 하지는 않으며, 노출된 장치를 통해 감염이 일어나지 않도록 구강내 청결을 유지하는 것이 필요하다(그림 9-13).

d. 골편의 흡수

골신장술이 혈관화 이동골편이라는 이유로 인해 감염 등에 강한 것은 사실이지만, 간혹 이동골편의 흡수가 보고되고 있다.[23] 이동 골편의 두께가 4 mm보다 작으면 안 된다고 보고되고 있다.[24] 이러한 경우에 설측 연조직피판의 부착 부위를 넓게 유지하도록 주의할 필요가 있다.

e. 신장 장치의 파절

치조골 신장장치는 구강내에 적용해야 하기 때문에 크기가 작고, 타이타늄으로 만들어져 있어 기계적으로 취약성을 가지고 있다. 골 신장기 혹은 경화기 동안에 장치의 파절이 일어나면서 골편이 다시 원래의 위치로 돌아가는 것을 관찰할 수 있다. 장치가 파절되었을 경우 골절편의 위치를 유지할 수 없다고 판단되면, 재수술을 통하여 새로운 장치로 교환해야 한다. 장치의 파절을 막기 위해서는 골 신장기를 구부리는 작업 시 골 신장기 각 부위의 연결 부위

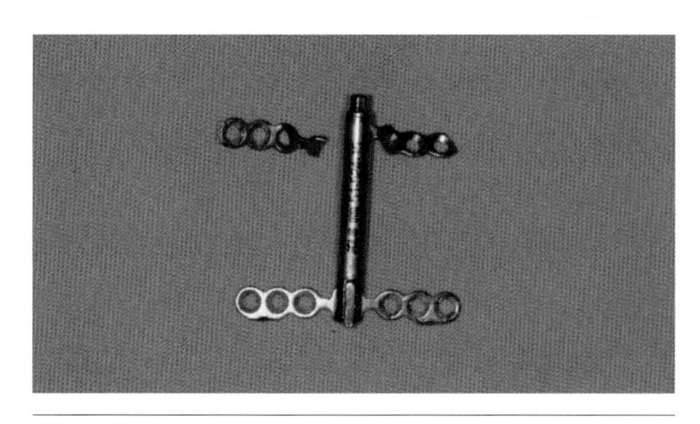

그림 9-14 골 신장기의 파절

에 힘이 가해지는 것을 최소화하며, 금속판 부위를 구부리는 횟수와 범위를 줄이도록 노력해야 한다. 이를 위해 각 회사 마다 특별히 고안된 기구를 이용하여, 정확하게 구부릴 수 있도록 해야 할 것이다(그림 9-14).

⑥ 수평적 골신장술

임플란트를 식립하기에 치조골의 양이 부족할 경우는 수직적인 골량의 부족뿐 아니라, 수평적으로도 폭경이 좁을 경우가 많다. 임플란트가 안정된 골내에 위치하기 위해서는 협설측으로 약 1~1.5 mm 이상의 골이 존재하여야 하며, 4.0 mm의 임플란트를 식립하고자 할 경우에는 적어도 6 mm 이상의 골이 존재해야 한다. 간혹 치조골의 폭경이 충분하다 하더라도, 너무 설측 혹은 구개측으로 골이 위치할 경우, 이상적인 임플란트의 위치를 위해서는 협측으로 골을 증강시킬 필요가 있다.

임플란트 임상에서는 필요한 골폭의 증가량이 많지 않을 경우 ridge splitting의 방법이 보편적으로 사용된다. 하지만, 이러한 ridge splitting의 방법이 술자마다 차이가 나며, marginal bone resorption이나 buccal bone의 흡수의 위험을 가지고 있다(그림 9-15).

이러한 경우 우선적으로 고려할 수 있는 것이 자가골을 이용한 veneer bone graft라고 할 수 있으며, 필요한 골량이 많지 않을 경우에는 guided bone regeneration (GBR), alveolar splitting 등의 방법으로도 골의 증가를 얻을 수 있다.

치조골결손부에 사용되는 골신장술은 주로 수직적인 골 결손을 해소하기 위해 사용되었으며 실험과 임상에서 양호한 결과들을 보였다. 그러나 치조골의 골폭을 증가시키기 위한 골신장술의 사용에 대한 연구는 아직 많지 않다. 수직적 골신장술은 많은 양의 골을 재생할 수 있다는 점에서 유용하게 이용될 수 있지만, 수평적으로 골 신장을 하고자 할 경우 얻고자 하는 골량이 많지는 않아 그 적응증이 많지는 않다. 또한 수평적인 골신장술을 위한 간단하면서도 효과적인 장치의 개발이 필요하다고 할 수 있다. 수직골 증강술이 비교적 안정적인 술식으로 자리 잡았지만, 수평적 골이식술은 아직 적절한 장치가 개발되지는 않은 상태이다. 이것은 골절단을 하기 위해서 골막을 모두 박리하여 이동골편이 혈류를 받지 못하는 유리골이 될 수 있다는 외과적 술식의 한계를 가지고 있다.

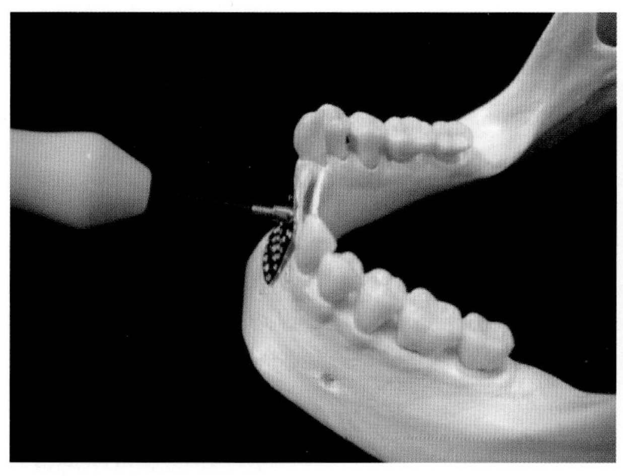

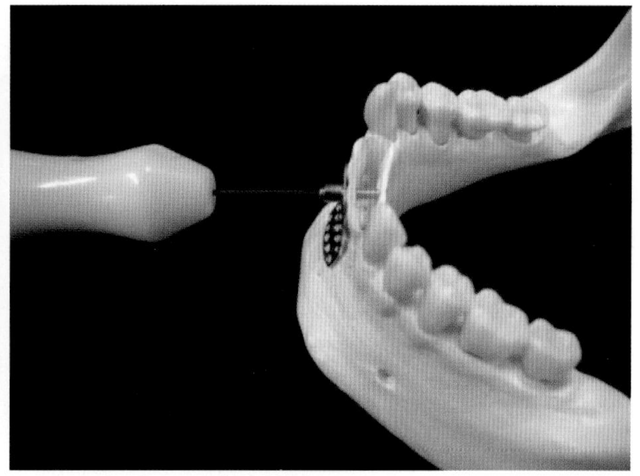

그림 9-15 수평적 치조골신장술

4) 결론

악안면 영역의 골신장술은 다양한 골결손부의 재건에 사용될 수 있으며, 결과 또한 예측 가능하고, 합병증이 적은 술식이라고 할 수 있어, 적응증을 잘 선택한다면, 기존의 골이식이나, 교정만으로 얻을 수 없는 결과를 얻을 수 있을 것으로 사료된다. 아직도 장치의 개발이 이루어지고 있어, 더 작고 다양한 방향과 편의성을 가진 장치를 이용한다면, 악안면성형과 재건술에서 더 많이 적용될 수 있을 것이다.

3. 보조적 골절단술을 이용한 급속 상악궁 확장술(Surgically assisted rapid maxillary expansion, SARME)

외과적인 급속 상악확대술은 골격성장이 끝나고, 상악의 횡적인 저성장이 심하고, 상악전치부의 crowding과 buccal corridor를 가지고 있는 경우에 교정력만으로 상악궁의 횡적인 확대가 힘들 경우 상악골절제술을 통하여 횡적인 교정을 할 수 있도록 하는 술식이다.

상악의 횡적인 결함은 14~15세 이전에만 성공적이라고 할 수 있으며 이후에는 약 5 mm 이내의 치아 이동을 통해서만 가능하다고 할 수 있다. 이 이상의 횡적인 확대를 시도하게 되는 경우 33~50% 정도의 relapse와 anchor 치아의 tipping, 협측 치근의 흡수 등과 같은 부작용 및 합병증을 동반할 수 있다.[25]

SARME technique은 Brown(1938)이 상악정중부 splitting에 의한 방법을 언급하였으며, 이후 교정력을 추가하는 확대방법이 제시되었다.[26] 1972년 Steinhauser[27]에 의해 Le Fort I type의 osteotomy가 보고되었다. 최근에는 치아에 의한 재발을 줄이기 위하여 distraction osteogenesis의 개념을 사용한 bone-borne device가 개발되기에 이르렀다.[28] 많은 연구들이 교정적으로 상악궁을 확장하는 것에 비해 외과적 수술을 동반한 상악궁 확장을 시행할 때 더 안정적이라고 보고하고 있다.

1) 외과적 술식

20세기 초에 SARME가 소개된 이후로 많은 술식들이 개발되었다. 하지만 확장술식에 대해 술자마다 일치된 견해가 없다. 이 술식은 교정적인 치료와 외과적인 치료를 포함하는 술식이므로 치료목표에 따라 술식이 달라지게 된다. 그러나 결론적으로 외과적으로 더 침습적인 술식일수록 상악의 가동성이 더 크고 적은 힘으로 횡직 확대를 더 많이 할 수 있지만 외과적 합병증이 더 커질 수 있다. 그리고 덜 침습적이면, 외과적 합병증은 적지만, 더 많은 재발과 치주적인 문제나 예기치 못한 골절, 부족한 횡적 확대 등의 부작용을 보일 수 있다.

SARME 술식의 주된 관점은 횡적인 교정을 가했을 때 저항을 보이는 부위를 어디로 보는가에 따라 달라질 수 있다. 일반적으로 zygomaticomaxillary junction 부위가 가장 큰 저항을 나타내는 것으로 생각되어 이 부위의 저항을 줄이기 위하여 piriform aperture에서 pterygomaxillary junction까지 Le Fort I osteotomy를 고려하게 된다. 그리고 전통적으로 정중부가 가장 큰 저항을 나타낸다고 생각하였다. 그러나 이것은 근거가 부족하다고 증명되었고[29] 아직도 많은 술식들이 상악의 가동성(mobilization)을 증가시키고, 비중격(nasal septum)의 deviation을 예방하기 위하여, 정중부 봉합을 분리시키는 술식을 행한다. Pterygoid plate 역시 저항을 나타내는 부위로 여겨지지만, 이 부위의 골절단은 pterygoid plexus의 손상의 위험을 높이게 되어 선택되지 않는 경우가 보통이다. 상황에 따라서는 pterygoid junction을 분리시키는 것으로 전후방의 폭경의 증가량을 조절하는데 사용될 수도 있다. 비중격은 확장술 후 한 쪽으로 치우치는 것을 방지하기 위하여 상악골로부터 분리시키는 술식이 사용된다(그림 9-16).

2) 확대 장치의 선택

치아 부착장치(tooth-borne appliance)와 골부착장치(bone-borne appliance)로 나눌 수 있다. 치아 부착 장치는 Hyrax type의 장치를 소구치와 구치에 band를 이용하여 부착하여 사용하는 것으로 부착 시 수술이 필요없다는 장점이 있으나 치아에서의 장치 탈락, 치아이동을 통한 골확장량의 소실, 치아에 무리한 힘이 가해질 수 있다는 등의 단

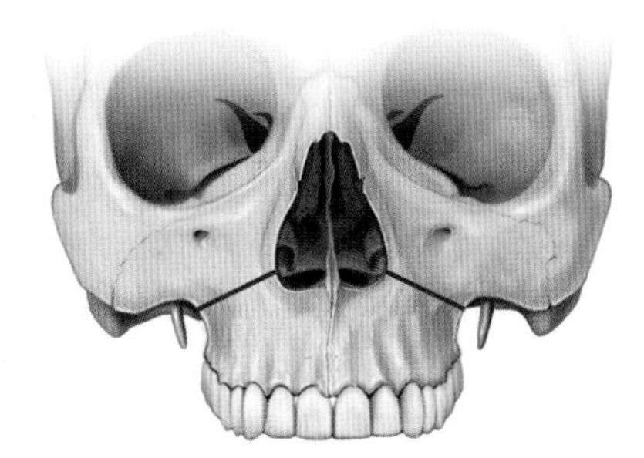

A. Piriform aperture rim에서부터 pterygomaxillary junction까지의 피질골절단술 디자인

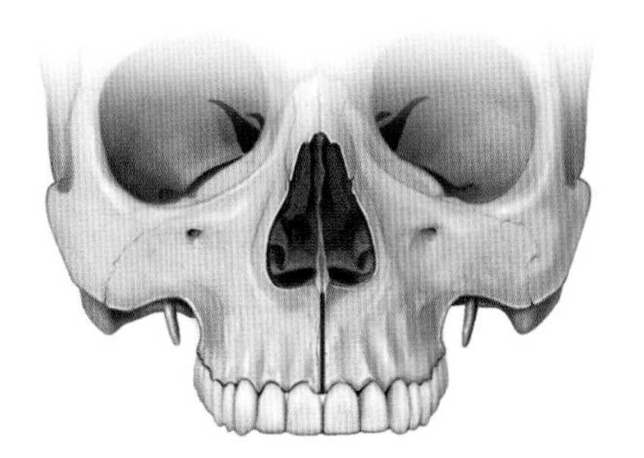

B. Midpalatal suture의 골절단술 디자인

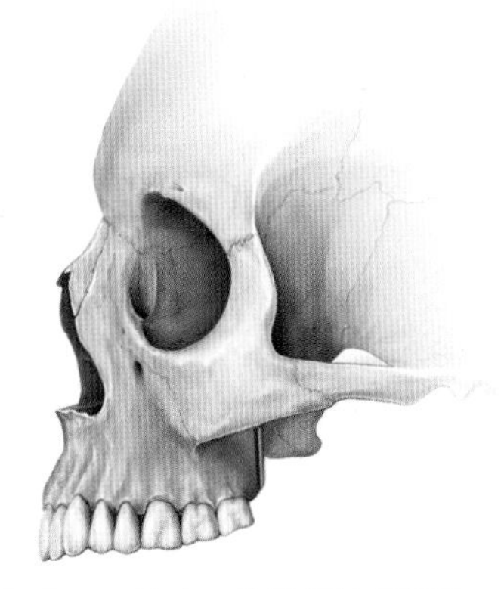

C. Pterygoid plate의 골절단술 디자인

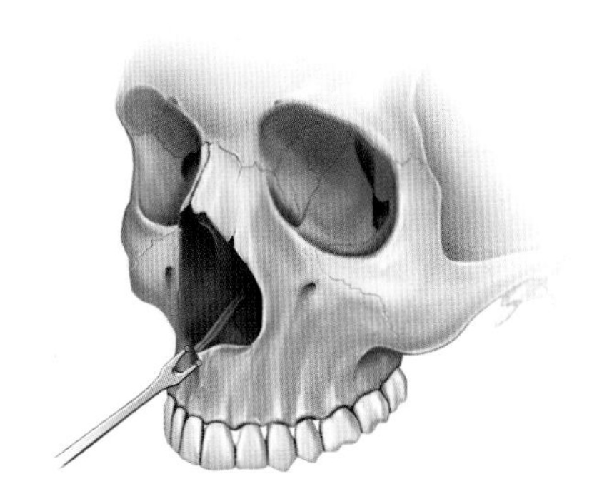

D. Septum osteotome을 사용하여 nasal septum 분리

그림 9-16 상악궁 확장을 위한 골절단 디자인

점이 있다.

골부착장치는 수술을 통해 장치를 직접 상악골에 나사를 이용해 고정하는 것으로, 치아에 대해 확장력이 작용하지 않고, 상악골에만 힘이 가해지게 되어 재발에 의한 상악골 확장의 감소를 줄일 수 있다. 또한 고정기간 동안 치아교정이 가능하다는 것도 장점이다. 하지만, 장치의 제거에 부가적인 수술이 필요하며, 특수 장치를 사용할 경우 장치의 비용이 증가한다.

참고문헌

1. Kole H. Surgical operations on the alveolar ridge to correct occlusal abnormalities. Oral Surg Oral Med Oral Pathol 1959;12:277-88 contd.
2. Bell WH, Levy BM. Revascularization and bone healing after maxillary corticotomies. J Oral Surg 1972;30:640-8.
3. Wilcko MT, Wilcko WM, Pulver JJ, Bissada NF, Bouquot JE. Accelerated osteogenic orthodontics technique: a 1-stage surgically facilitated rapid orthodontic technique with alveolar augmentation. J Oral Maxillofac Surg 2009;67:2149-59.
4. Murphy KG, Wilcko MT, Wilcko WM, Ferguson DJ. Periodontal accelerated osteogenic orthodontics: a description of the surgical technique. J Oral Maxillofac Surg 2009;67:2160-6.
5. Frost HM. The regional acceleratory phenomenon: a review. Henry Ford Hosp Med J 1983;31:3-9.
6. Codivilla A. On the means of lengthening, in the lower limbs, the muscles and tissues which are shortened through deformity. J Bone Joint Surg 1905;2:353-69.
7. Ilizarov GA. [Basic principles of transosseous compression and distraction osteosynthesis]. Ortop Travmatol Protez 1971;32:7-15.

8. Snyder CC, Levine GA, Swanson HM, Browne EZ, Jr. Mandibular lengthening by gradual distraction. Preliminary report. Plast Reconstr Surg 1973;51:506-8.
9. McCarthy JG, Schreiber J, Karp N, Thorne CH, Grayson BH. Lengthening the human mandible by gradual distraction. Plast Reconstr Surg 1992;89:1-8; discussion 9-10.
10. Tavakoli K, Walsh WR, Bonar F, Smart R, Wulf S, Poole MD. The role of latency in mandibular osteodistraction. J Craniomaxillofac Surg 1998;26:209-19.
11. Matsuno M, Hata K, Sumi Y, Mizuno H, Ueda M. In vitro analysis of distraction osteogenesis. J Craniofac Surg 2000;11:303-7; discussion 8-11.
12. Troulis MJ, Glowacki J, Perrott DH, Kaban LB. Effects of latency and rate on bone formation in a porcine mandibular distraction model. J Oral Maxillofac Surg 2000;58:507-13; discussion 14.
13. Farhadieh RD, Gianoutsos MP, Dickinson R, Walsh WR. Effect of distraction rate on biomechanical, mineralization, and histologic properties of an ovine mandible model. Plast Reconstr Surg 2000;105:889-95.
14. Chin M, Toth BA. Distraction osteogenesis in maxillofacial surgery using internal devices: review of five cases. J Oral Maxillofac Surg 1996;54:45-53; discussion 4.
15. Aronson J, Gao GG, Shen XC, et al. The effect of aging on distraction osteogenesis in the rat. J Orthop Res 2001;19:421-7.
16. Hoffmeister B. The floating bone concept in intraoral mandibular distraction. J Craniomaxillofac Surg 1998;26:76.
17. Polley JW, Figueroa AA. Management of severe maxillary deficiency in childhood and adolescence through distraction osteogenesis with an external, adjustable, rigid distraction device. J Craniofac Surg 1997;8:181-5; discussion 6.
18. Liou EJ, Chen PK, Huang CS, Chen YR. Interdental distraction osteogenesis and rapid orthodontic tooth movement: a novel approach to approximate a wide alveolar cleft or bony defect. Plast Reconstr Surg 2000;105:1262-72.
19. Costantino PD, Buchbinder D. Mandibular distraction osteogenesis: types, applications, and indications. J Craniofac Surg 1996;7:404-7.
20. Costantino PD, Shybut G, Friedman CD, et al. Segmental mandibular regeneration by distraction osteogenesis. An experimental study. Arch Otolaryngol Head Neck Surg 1990;116:535-45.
21. Block MS, Chang A, Crawford C. Mandibular alveolar ridge augmentation in the dog using distraction osteogenesis. J Oral Maxillofac Surg 1996;54:309-14.
22. Burchardt H. The biology of bone graft repair. Clin Orthop Relat Res 1983:28-42.
23. Jensen OT, Cockrell R, Kuhike L, Reed C. Anterior maxillary alveolar distraction osteogenesis: a prospective 5-year clinical study. Int J Oral Maxillofac Implants 2002;17:52-68.
24. Robiony M, Polini F, Costa F, Politi M. Osteogenesis distraction and platelet-rich plasma for bone restoration of the severely atrophic mandible: preliminary results. J Oral Maxillofac Surg 2002;60:630-5.
25. Timms DJ, Vero D. The relationship of rapid maxillary expansion to surgery with special reference to midpalatal synostosis. Br J Oral Surg 1981;19:180-96.
26. Wertz RA. Skeletal and dental changes accompanying rapid midpalatal suture opening. Am J Orthod 1970;58:41-66.
27. Steinhauser EW. Midline splitting of the maxilla for correction of malocclusion. J Oral Surg 1972;30:413-22.
28. Mommaerts MY. Transpalatal distraction as a method of maxillary expansion. Br J Oral Maxillofac Surg 1999;37:268-72.
29. Kennedy JW, 3rd, Bell WH, Kimbrough OL, James WB. Osteotomy as an adjunct to rapid maxillary expansion. Am J Orthod 1976;70:123-37.

Chapter 10

악교정수술의 임상

Clinical Cases of Orthognathic Surgery

기본 학습 목표
- 악안면 기형환자에 대한 다양한 악교정수술방법을 이해한다.

심화 학습 목표
- 환자의 진단에 따른 수술계획을 수립할 수 있다.

악교정수술은 상악골과 하악골 그리고 관골부위에 행하여지는 수술방법을 통칭하며, 선천성 혹은 발육성 안면골의 이상을 치료할 뿐 아니라 후천성으로 악골 골절 등으로 인한 외상의 후유증을 치료하는 경우에도 유용하게 이용될 수 있다. 본 장에서는 각각의 수술방법을 실제 증례에 적용하는 것을 환자의 사례를 중심으로 기술하고자 한다. 이 장에서는 상악과 하악의 잔존변형과 수면무호흡증의 증례도 치료원칙과 수술내용을 중심으로 살펴보기로 한다.

1. 하악전돌증

Case 1. 하악전돌증 환자의 술전 교정 후 양측 하악골상행지 시상분할 골절단술에 의한 치료증례

환자는 하악전돌과 치열총생을 주 증상으로 내원하였다(그림 10-1). 상악치아의 중앙선(maxillary dental midline)은 안면의 중앙선(facial midline)에 비해 우측으로 2 mm 변위되어 있었으며, 상악의 기울어짐(maxillary canting)은 상악 제1대구치에서 좌측이 약 1 mm 상방에 위치하고 있었다. 상악의 절치 노출량(upper incisor exposure)은 2 mm였다. 하악전치의 중앙선은 좌측으로 2 mm 변위되어 있었고, 하악골의 비대칭은 관찰되지 않았다. 본 증례처럼 하악전돌증에서 치성보상(dental compensation)으로 하악절치의 설측 경사와 상악절치의 순측 경사가 발생하게 되며, 이를 역전(decompensation)시키지 않고 수술을 통하여 하악골을 후퇴시킬 경우 절치 절단능력 저하 및 하악의 전방 운동 시에 전치유도가 얻어지지 않고, 하악골의 후퇴량이 부족하게 된다. 따라서, 치성보상을 역전시키고 상악의 심한 치열총생을 해결하기 위해 본 증례에서는 소구치 발치를 통한 배열을 시행하였다. 또한, 상악의 기울어짐은 우측 구치의 압하를 통해 개선하였다. 술전 교정으로 전치부 총생을 개선하고 치성보상을 역전시켰으며, 이는 반대 교합을 일시

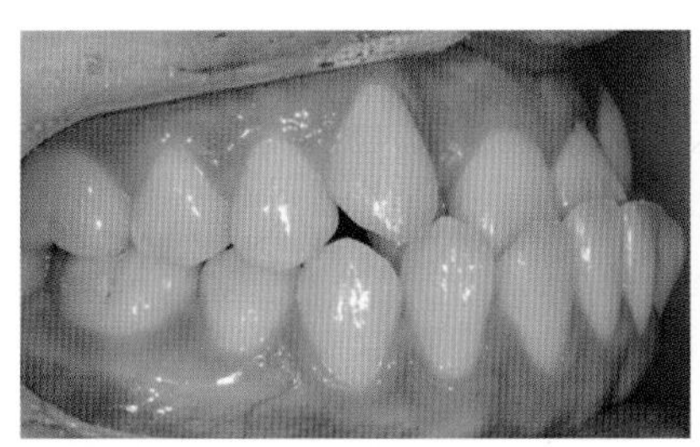
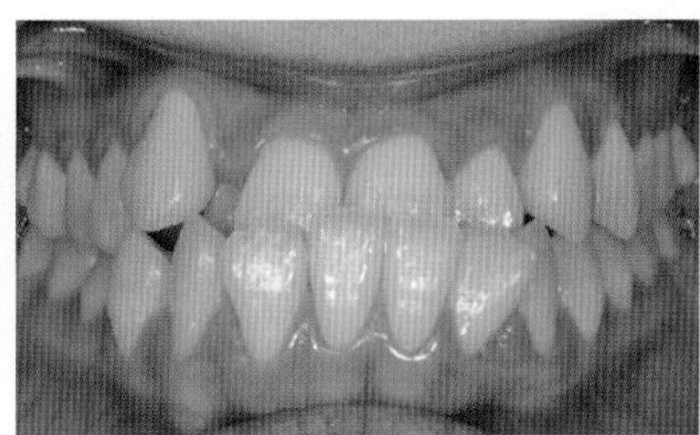
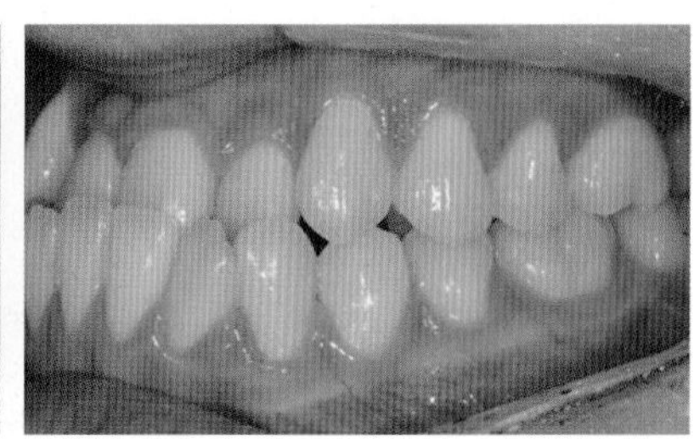

그림 10-1 하악전돌증 환자의 초진 사진

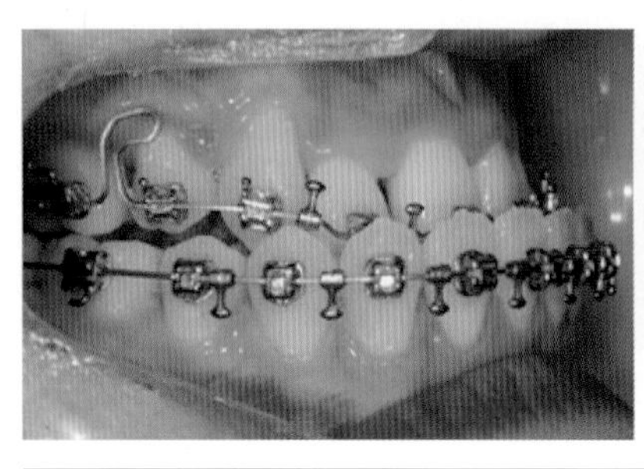
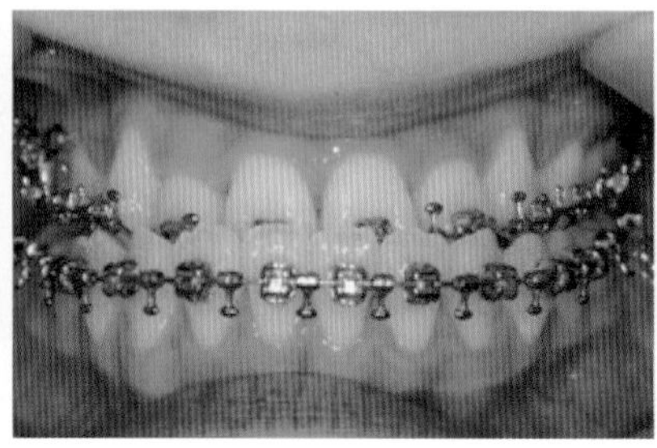
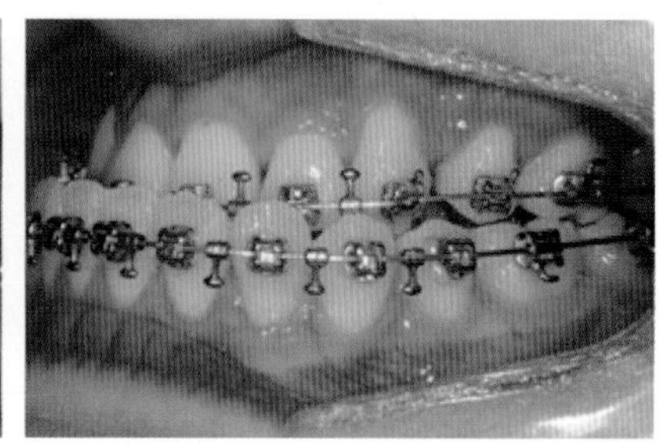

그림 10-2 **술전 교정이 완료된 상태의 교합사진.** 치성보상작용 및 치열총생의 해소로 인하여 반대교합 양상은 더 심해졌다.

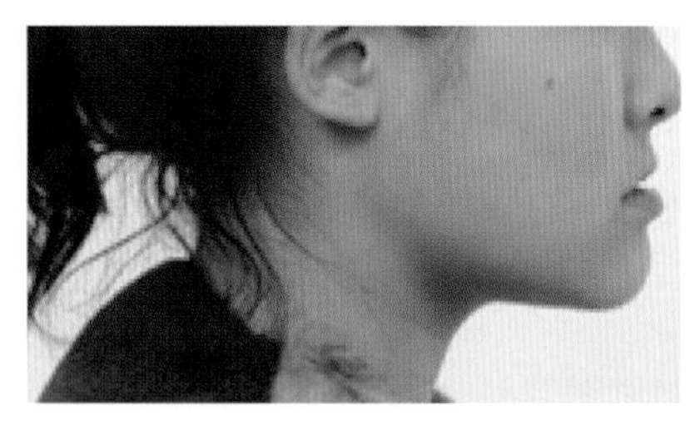
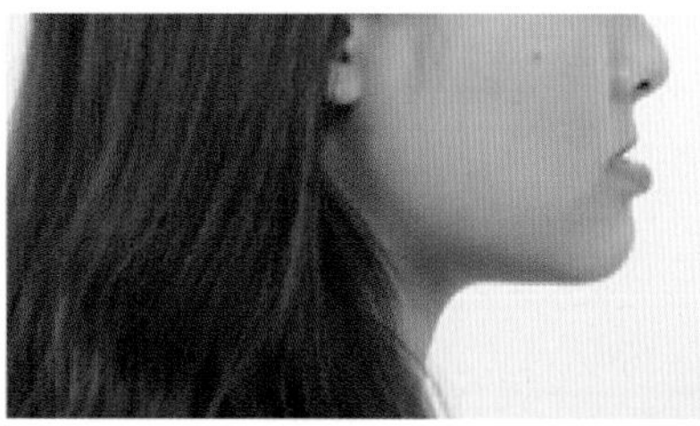

그림 10-3 **초진 및 술전 교정이 완료된 상태의 측면 안모 사진.** 치성보상작용의 제거로 인하여 하악의 돌출 정도는 심해졌음을 알 수 있다.

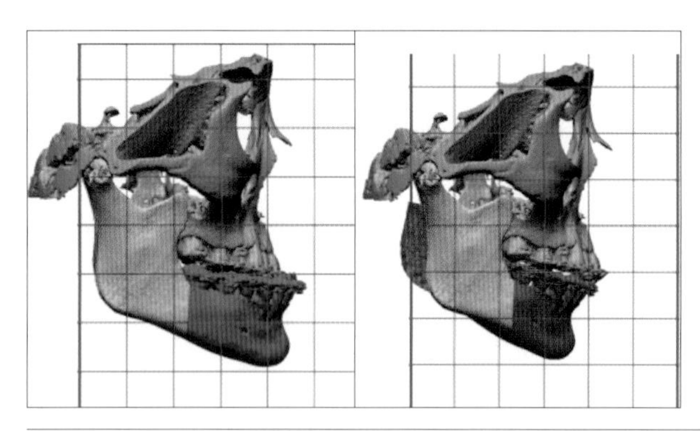
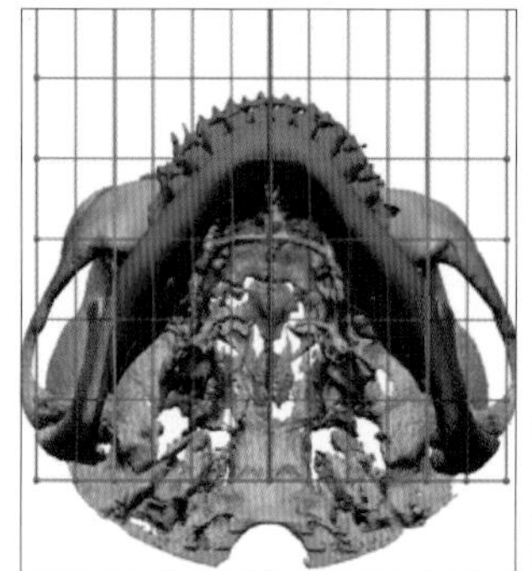
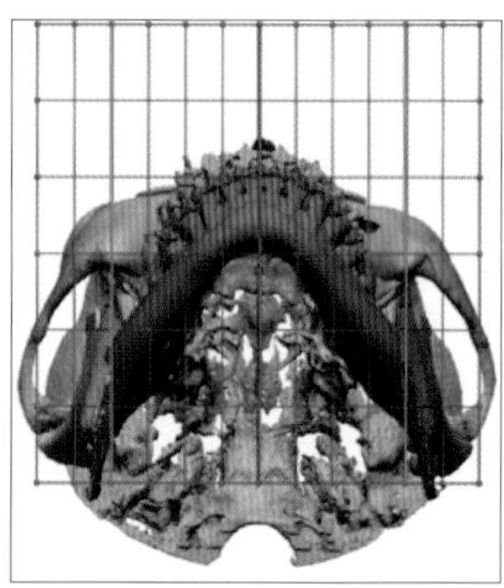

그림 10-4 **3차원 가상수술을 이용한 가상수술**

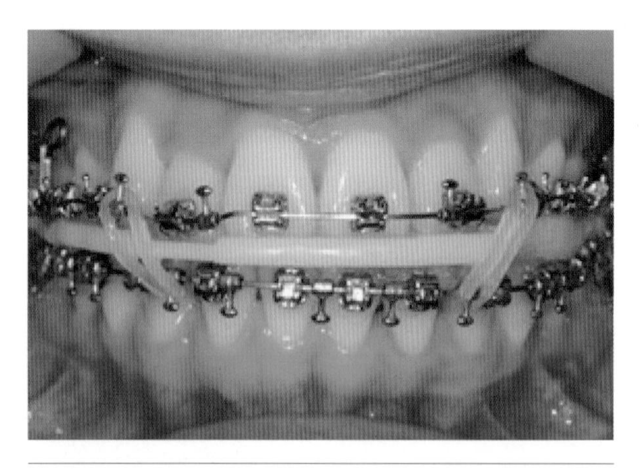

그림 10-5 수술 직후 1개월간 Class III elastic을 이용하여 개구 운동 및 교합 안정화 운동을 하였다.

적으로 악화시킨다(그림 10-2, 3). 수술은 하악골상행지 시상분할 골절단술(SSRO)를 이용하여 우측 11.5 mm, 좌측 11 mm를 후방이동하고, 금속판(miniplate)을 이용하여 반견고고정(semi-rigid fixation)을 시행하였고, 수술 전에 3차원 가상수술을 이용하여 수술내용을 미리 확인하였다(그림 10-4). 근심골편의 하방 혹은 후방 전위 없이 수술 전과 같은 위치에 있음을 확인할 수 있었고, 수술용 스플린트를 이용하여 1개월간 class III elastic을 이용하여 개구운동 및 교합 안정화 운동을 시행하였다(그림 10-5). 수술 1년 후 교정장치를 제거할 때 환자의 안면과 교합상태는 정상을 유지하고 있었다(그림 10-6, 7).

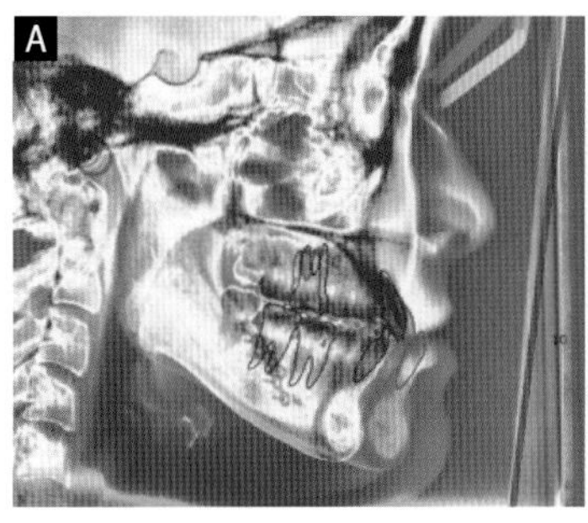

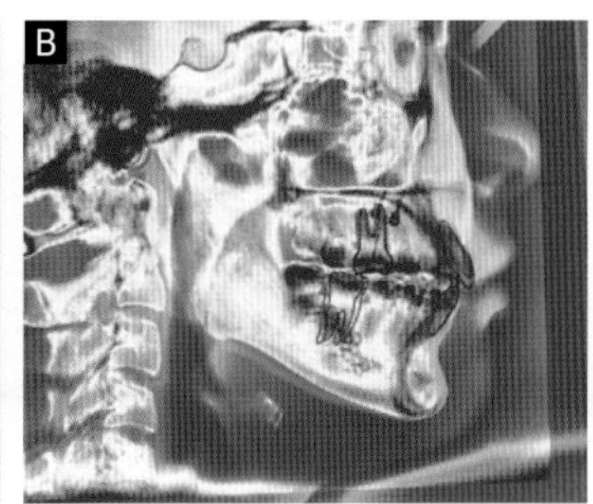

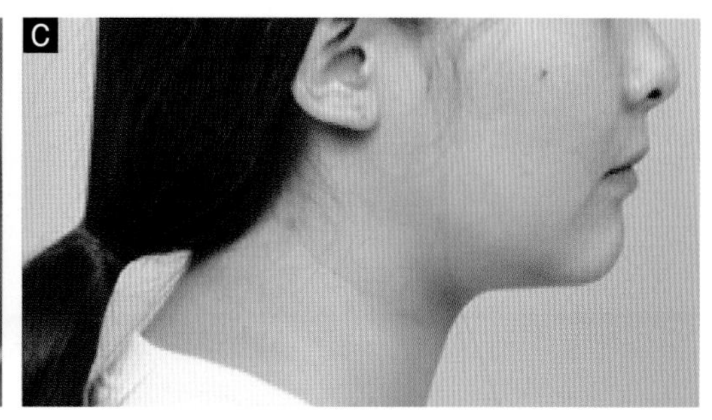

그림 10-6 A: 초진 시와 수술 1년 후의 중첩 사진. 후퇴된 하악(빨간선)과 상악절치각도의 개선을 확인할 수 있다. B: 수술 2주 후와 수술 1년 후의 중첩사진. 악골의 위치 변화가 거의 없이 잘 유지되고 있다. C: 교정장치를 제거할 때의 측면 안모 사진

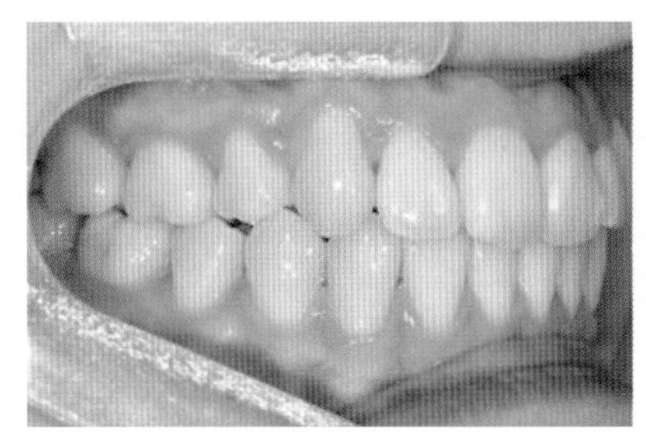
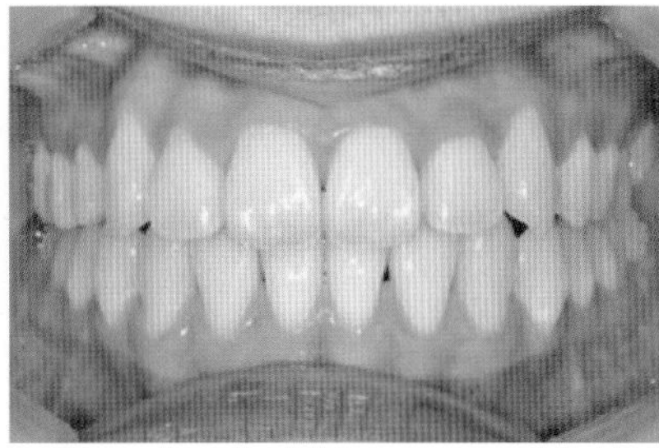
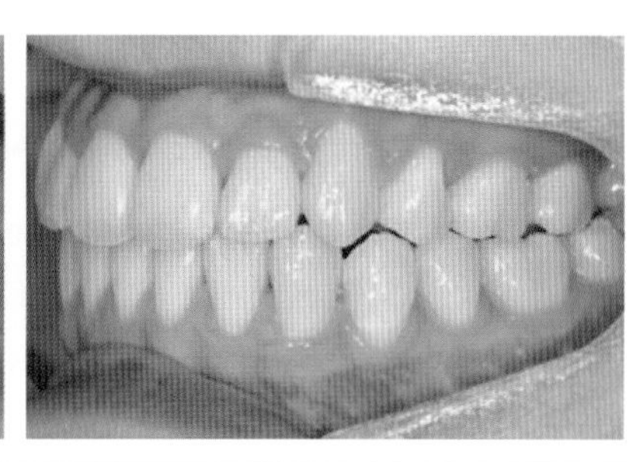

그림 10-7 Debonding 시 구강내 사진

Case 2. 하악전돌증 환자의 하악골상행지 시상분할 골절단술을 이용한 선수술 치료 증례

전통적으로 악교정수술을 동반한 교정치료에서는 술전 교정을 통해 치아를 배열(alignment)하고, 악궁의 부조화를 해결하며, 치성보상을 역전시키게 되며, 수술 후 술후 교정을 통해 교합을 안정화하게 된다. 최근 들어 전통적인 3단계의 교정치료에서 술전 교정을 하지 않거나 최소화하는 선수술 접근법이 시행되고 있다. 선수술은 술전 교정 시 치성보상의 역전으로 인한 술전 교정기간 동안의 안모와 치아 부조화의 악화를 방지하고, 국소촉진화현상(regional acceleratory phenomenon, RAP)에 의해 교정적 치아이동이 촉진되어 전체적인 교정기간을 단축시킬 수 있고, 안모의 변화에 의해 환자의 협조도 증가 등의 장점이 있다.[1] 그러나, 술후 교합 설정 시 술전 교합을 기준으로 하지 못하며, 술후 안정된 교합을 얻기 힘들고, 수술 후 교합을 예측하기 어렵다는 단점이 있는데,[2,3] 이는 수술 후 회귀율에도 큰 영향을 미칠 수 있다. 따라서, 선수술의 선택 시 고려해야 할 사항으로는 심한 총생이나 수직적/수평적 차이가 없거나, 수술 후 교합이 최소 3군데의 안정적인 교합점(occlusal stop)을 얻고 전치부의 정상적인 수직피개(overbite)가 가능하고, 수술 후 교정치료의 정확한 예측이 가능해야 선수술의 좋은 결과를 얻을 수 있다.[3]

본 증례는 경미한 총생을 동반한 하악전돌증을 주소로 내원하였으며(그림 10-8), 하악골의 전방 돌출, 비부(paranasal area)의 함몰을 동반한 중안모의 함몰, 장안모의 형태를 보이고 있었다. 본 증례의 경우 상악의 총생 해결을 위해 상악 1소구치를 발치하여, 발치로 인한 수술 후의 안정성은 다소 떨어질 것으로 예상되나, 상악과 하악의 폭경의 부조화가 심하지 않아 수술 후에도 구치부의 교차교합이 발생하지 않고, 총생으로 인한 교합 간섭이 심하지 않아 수술 후 교합고경의 증가 없이 안정적인 술후 교합을 확보할 수 있어 선수술을 적용하기로 하였다.

수술 후 상악전치의 치축 개선 및 총생 해소로 인한 치아이동과 하악의 회전이동 및 회귀율을 고려하여 필요한 수술계획보다 더 많이 수술이동의 과교정(overcorrection)을 시행 하였으며, 이에 따라 우측은 11 mm, 좌측은 13

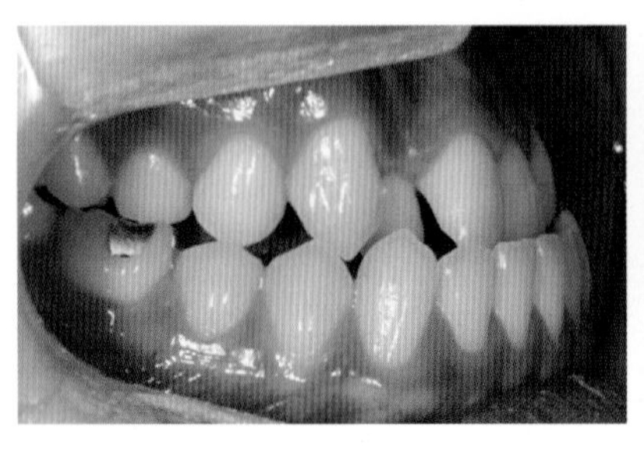 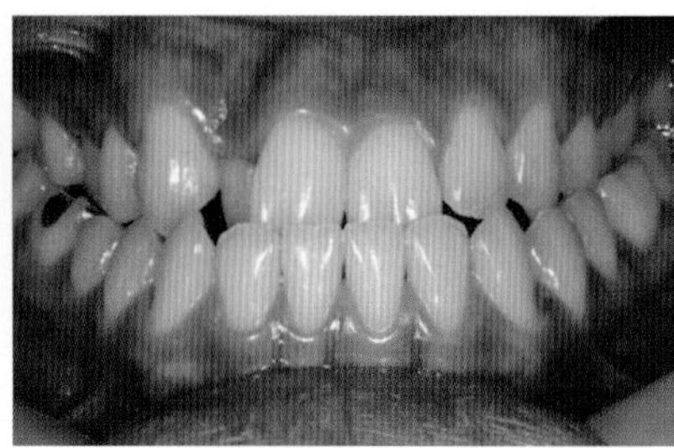 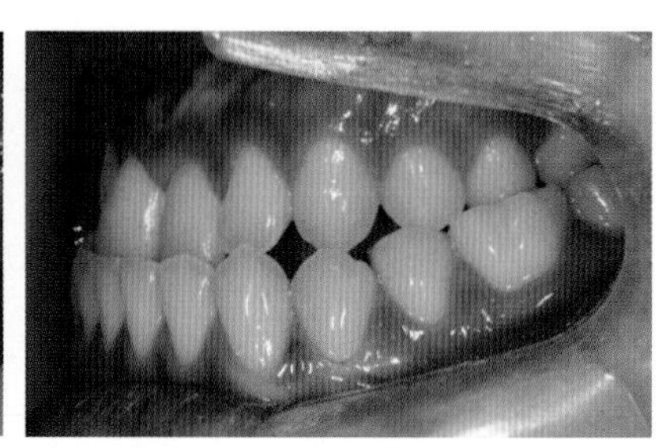

그림 10-8 **초진 시 구내 사진**

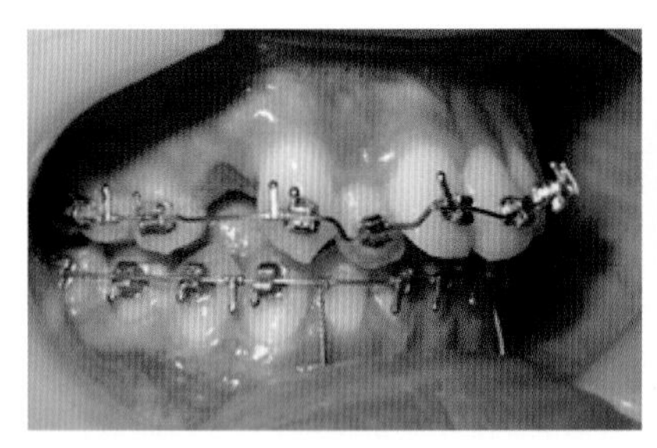 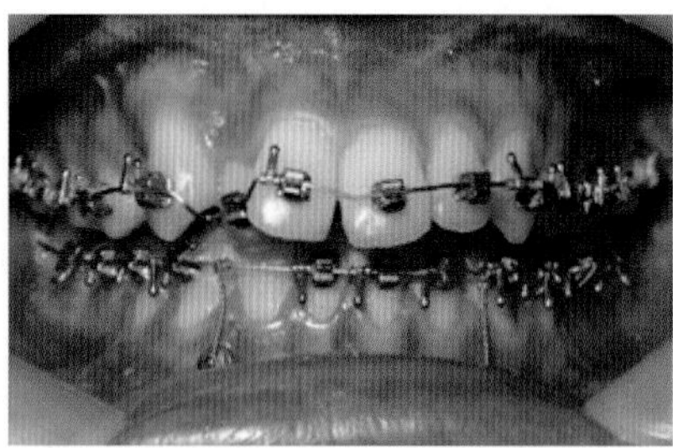 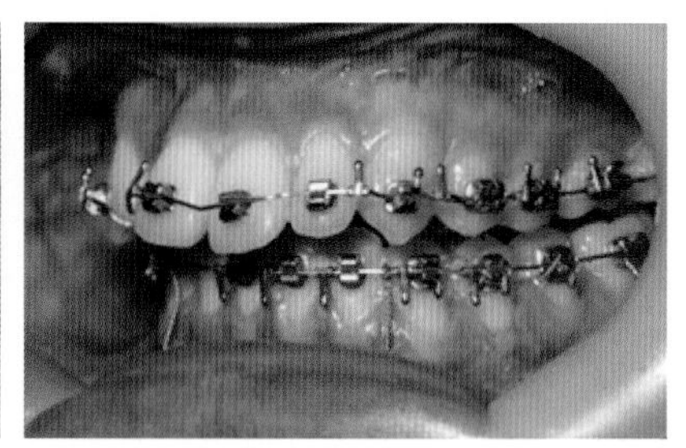

그림 10-9 **선수술 후 교합상태.** 필요한 수술량보다 더 많이 수술량을 잡은 과도수술이동(overcorrection)으로 인한 과도한 수평피개(overjet)가 관찰되며, 교합고경의 큰 변화나 구치부의 심한 교차교합 없이 양호한 구치부 교합관계를 보인다.

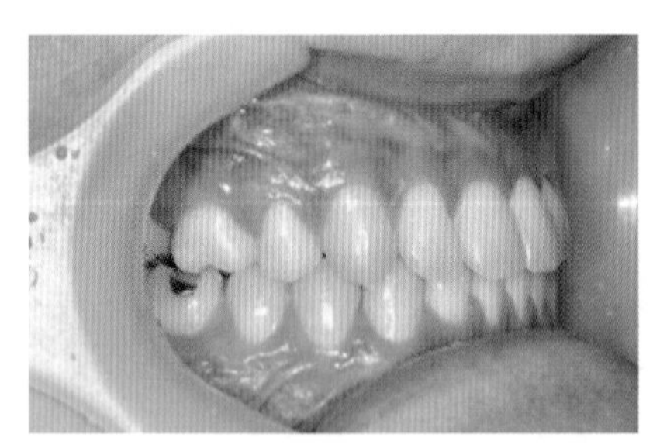 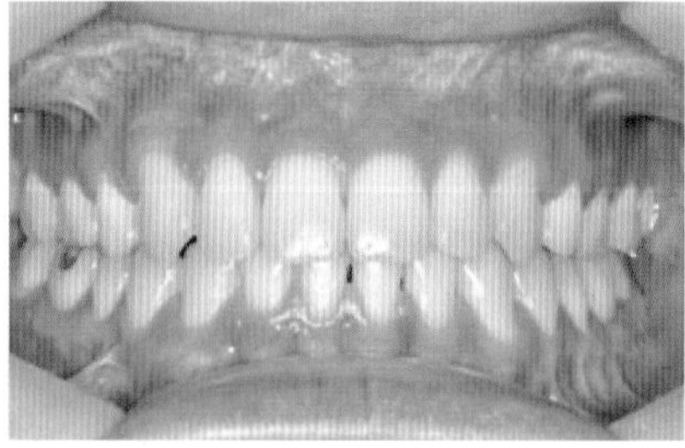 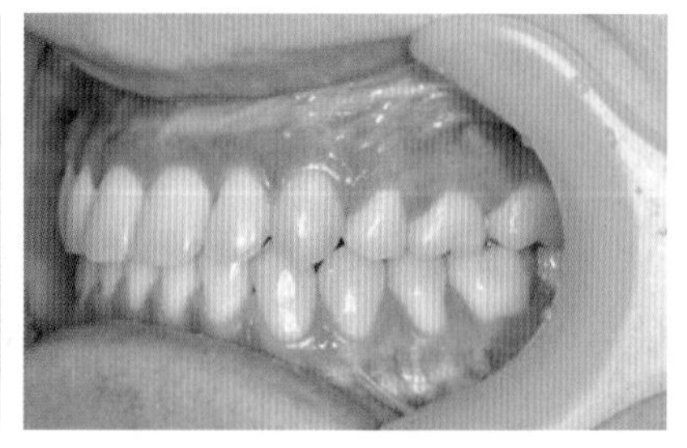

그림 10-10 **Debonding 시 교합관계**

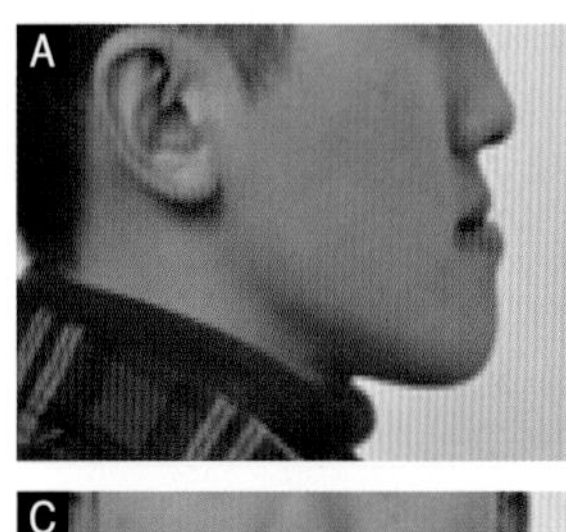

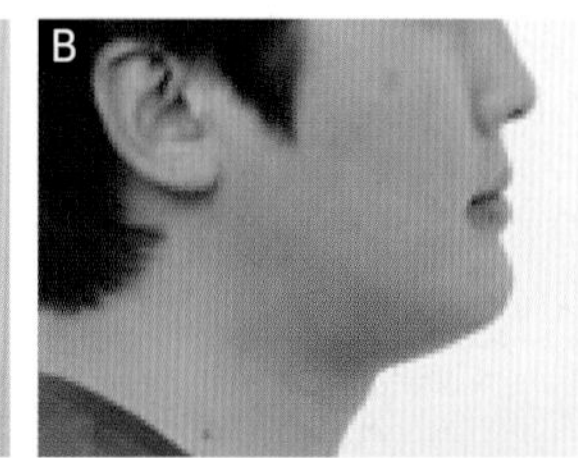

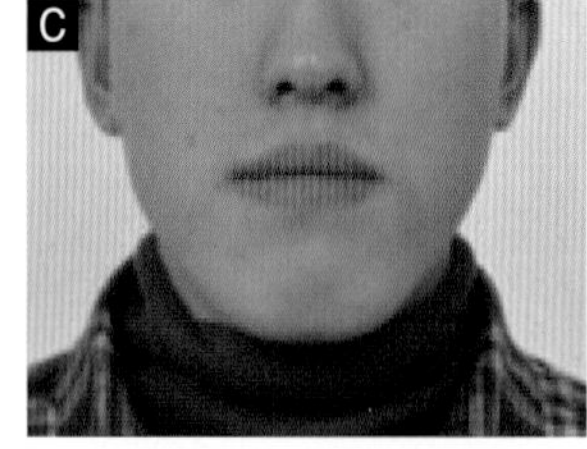

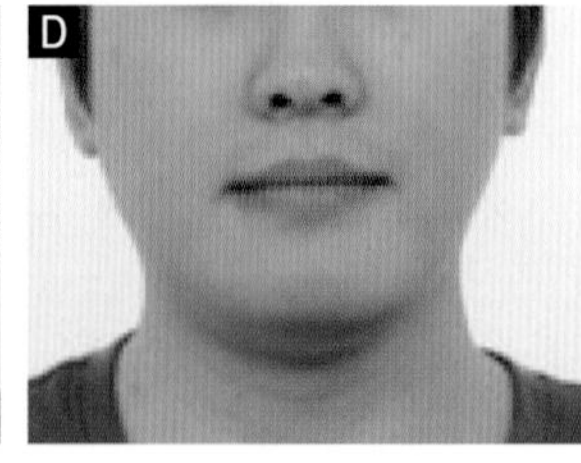

그림 10-11 **초진과 Debonding 시 안모 사진. A, C:** 수술 전 측모 및 정모 **B, D:** 수술 후 측모 및 정모

mm 후퇴하는 하악골상행지 시상분할 골절단술을 계획하였다. 수술 6주 전에 치아에 교정력이 가해지지 않는 악교정수술용 교정철사를 부착하였으며, 수술 시 인공보형물을 이용한 이부성형술 및 부비융기술(paranasal augmentation)도 추가로 시행하였다. 안정적인 술후 교합 확보를 위해 수술용 스플린트를 약 5주간 장착하고 교정용 고무줄(elastic band)을 이용하여 교합안정화를 유도하였다(그림 10-9). 본 증례는 수술 2년 후 교정장치를 제거하였으며(debonding), 양측 소구치를 발치하여 발치 공간의 폐쇄로 인해 선수술이지만 술후 교정기간이 다소 길었다(그림 10-10, 11).

Case 3. 하악전돌증과 개교증(Openbite)을 동반한 환자의 양악수술 치료 증례

원심골편(distal segment)이 반시계 방향으로 회전하면서 후퇴할 때, gonion 부위의 하방이동으로 인하여 후안면고경이 증가하고, 내측 익돌근, 익돌하악건, 접하악인대에 의해 강한 장력을 받게 되며, 근육의 기능적 방향을 변경시켜, 이는 술후 회귀(relapse)의 위험성을 높인다.[4] 양악수술로 상악골의 후방부를 상방으로 이동시켜 교합평면각(occlusal plane angle)을 증가시키게 되면, 교합평면각이 감소하는 경우에 비해서 술후 안정성이 유의하게 크고, 특히 하악골의 pogonion이 후상방으로 이동하는 부가적인 효과에 의해 하악전돌증 환자에서는 특히 유효한 방법이다.[5] 또한, 상하악 복합체의 시계방향 회전(clockwise rotation)으로 전치경사도(incisor inclination)의 변화, 상하악 복합체의 두개저에 대한 관계를 향상시킬 수 있다.[6] 반면 과거에는 전치부 개교합 환자에서 하악의 단독 반시계방향 회전은 pterygomasseteric sling의 신장으로 술후 회귀(relapse) 위험을 증가시키고 안정적이지 못하다는 의견이 많았으나, 고정법의 발달이나 익돌하악건의 박리 등으로 정상적인 상악교합 평면을 가진 전치부 개교합 환자에서 하악의 단독 반시계방향 회전은 안정성에서 유의한 차이가 없음이 보고되고 있다. 하지만, 상하악 복합체의 시계방향 회전을 통한

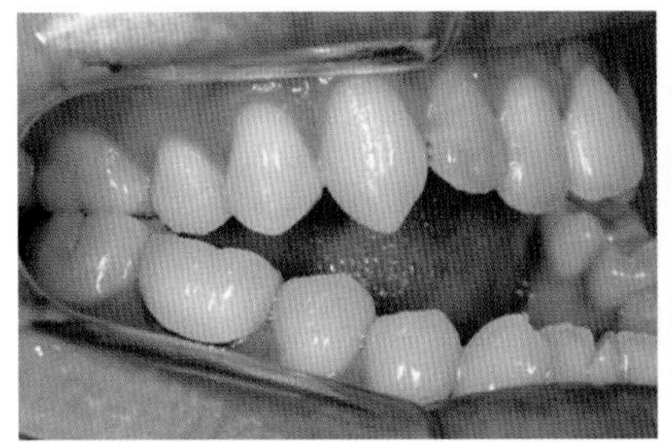
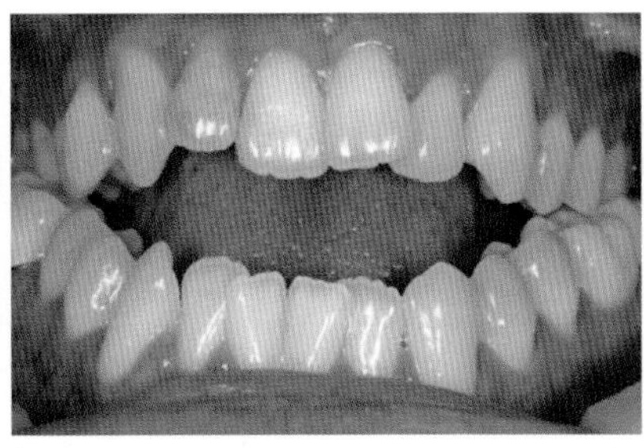
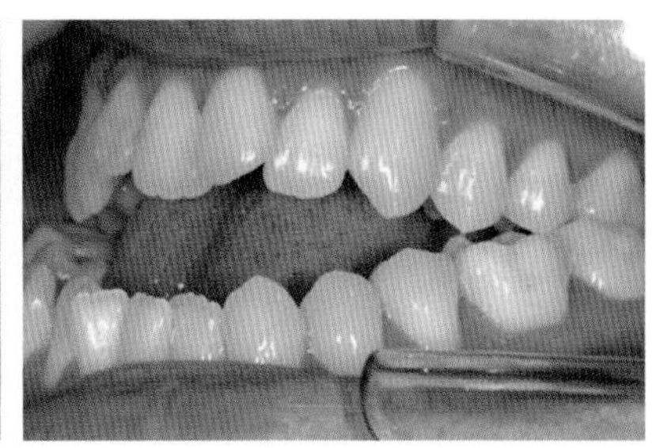

그림 10-12 **초진 시 교합상태.** 심한 개교증과 교합평면각의 이상을 관찰할 수 있다.

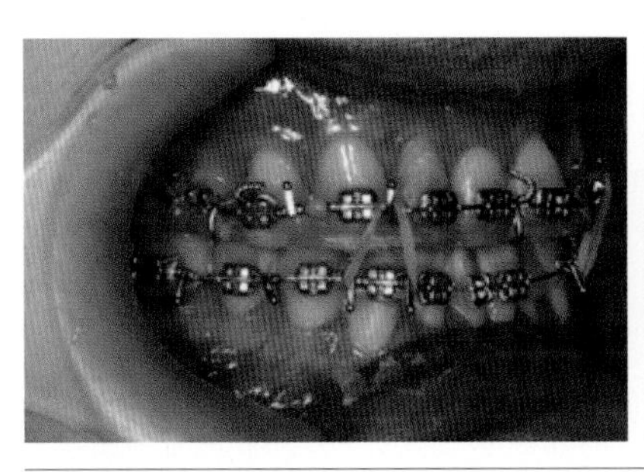
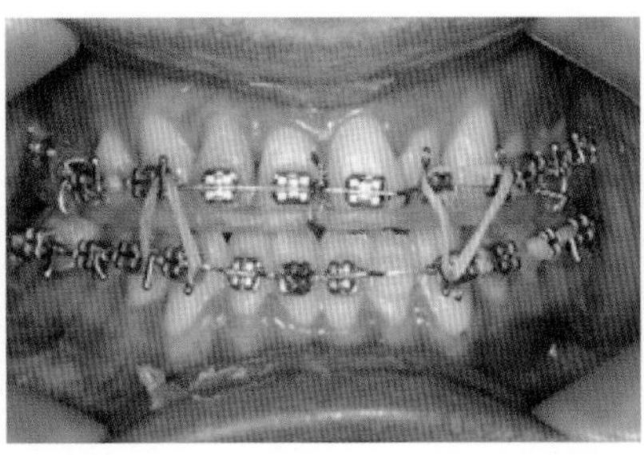
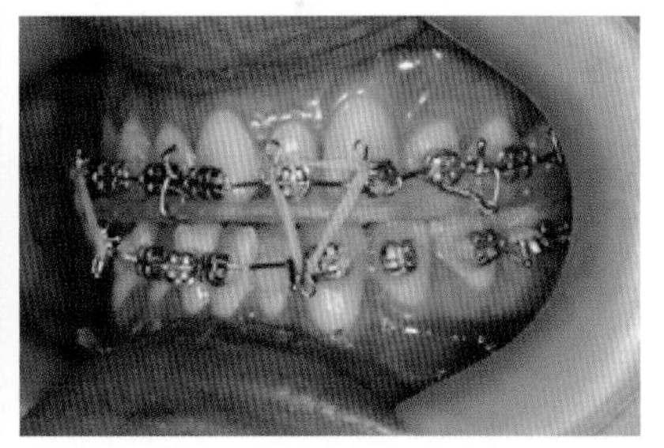

그림 10-13 **수술 직후.** 정상적인 교합평면각을 회복하고 개교증이 해소되었다.

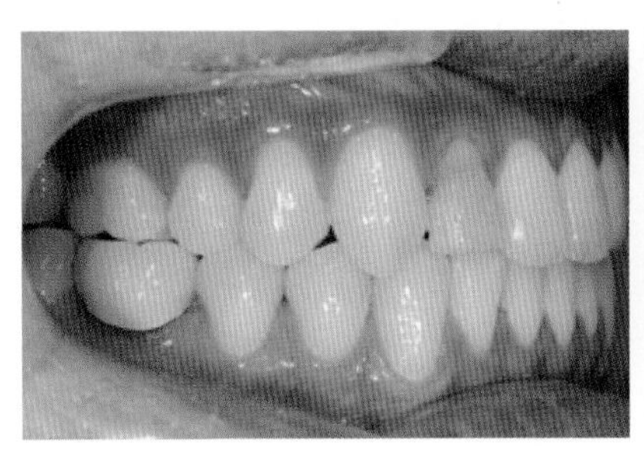
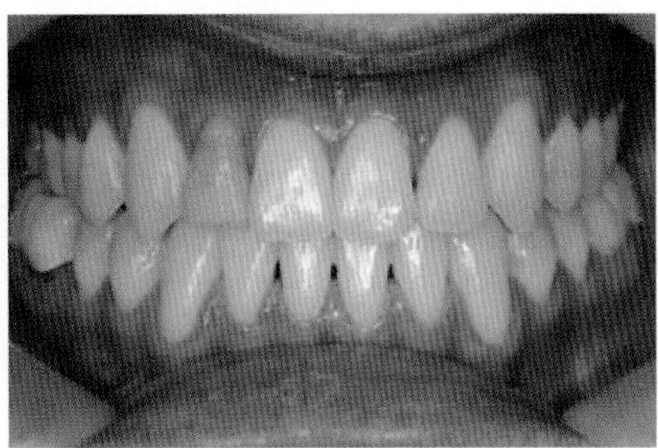
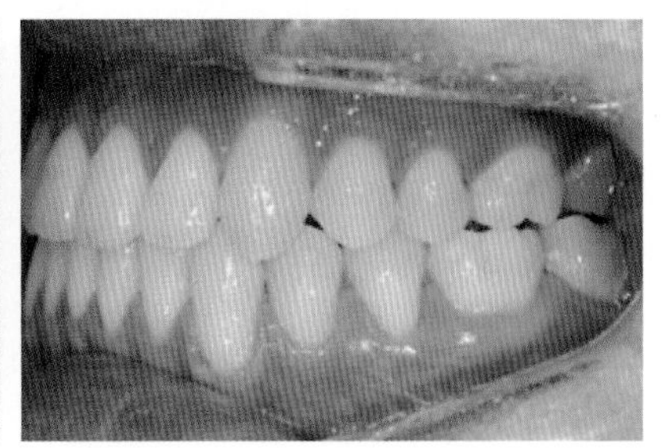

그림 10-14 **2년 4개월 후.** Relapse는 관찰되지 않고, 안정적인 교합의 상태를 보인다.

개교합 수정이 보다 보편적으로 받아들여지고 있다.[7]

환자는 하악전돌증과 함께 심한 전치부 개교증을 주소로 내원하였다. 3급 구치부 관계를 보이고 있었고, 하악정중선은 우측으로 2.5 mm 편위되어 있었다. 상악 1대구치와 하악 2대구치만 교합되는 고도의 개교증을 보였으며, 작은 교합평면각을 보이고 있다(그림 10-12). 상악의 posterior impaction을 계획할 때는 상악절치각과 교합평면각을 고려해야 하는데, 상악전치의 기울기는 다소 증가되어 있었으나 심하지 않았고, 작은 교합평면각으로 인해 전치의 절단연을 기준으로 회전을 시켜 PNS 상방이동 8 mm와 중안면부의 개선을 위해 ANS를 3 mm 전진시키고, 하악은 우측 14.5 mm, 좌측 16 mm의 후방이동과 반시계방향의 회전을 계획하였다(그림 10-13). 2년 4개월 후 추적관찰 시 개교증이 관찰되지 않고 교합과 안모 모두 안정적으로 유지되고 있었다(그림 10-14).

2. 안면비대칭

안면비대칭은 정도의 차이가 있으나 거의 모든 사람들에게 있어 다양한 양상으로 나타나고 있다. 안면비대칭은 3가지 평면(수직, 수평, 전후방 평면)에 대해 나타날 수 있고, 해부학적으로는 치아치조골 부위(dentoalveolar area), 골격계 부위(skeletal anatomy), 연조직 부위(soft tissue), 악관절 부위(TMJ area)에 각각 혹은 동시에 연관되어 나타날 수 있다. 안면비대칭의 원인으로 선천적인 원인으로는 반안면왜소증(hemifacial microsomia), 구순구개열(cleft lip and palate), 사두증(plagiocephaly) 등이 있고, 발육성 안면비대칭의 원인으로는 편측성 과두비대(unilateral condylar hyperplasia), 편측성 과두 발육저하(unilateral condylar hypoplasia) 또는 이들의 혼합형, 편측성 하악비대(hemimandibular hypertrophy), 편측성 하악신장(hemimandibular elongation), 목빗근의 사경(sternocleidomastoid torticollis) 등이 있으며, 후천적 원인은 과두의 외상(condylar trauma)로 인한 악관절 강직증(TMJ ankylosis), 턱관절의 퇴행성 관절염(degenerative joint disease) 등이 있다.

Case 1: 안면비대칭을 보이는 환자에서의 양악 수술을 이용한 치료 증례

환자는 20대 후반의 남자로 안면비대칭과 하악전돌을 주소로 내원하였다. 임상 소견으로 상악에서는 좌우 제1대구치에서 안와까지의 거리차가 3 mm 좌측이 길게 나타났으며, 하악과 턱끝의 위치는 우측으로 변위되어 있음을 관찰할 수 있었다(그림 10-15).

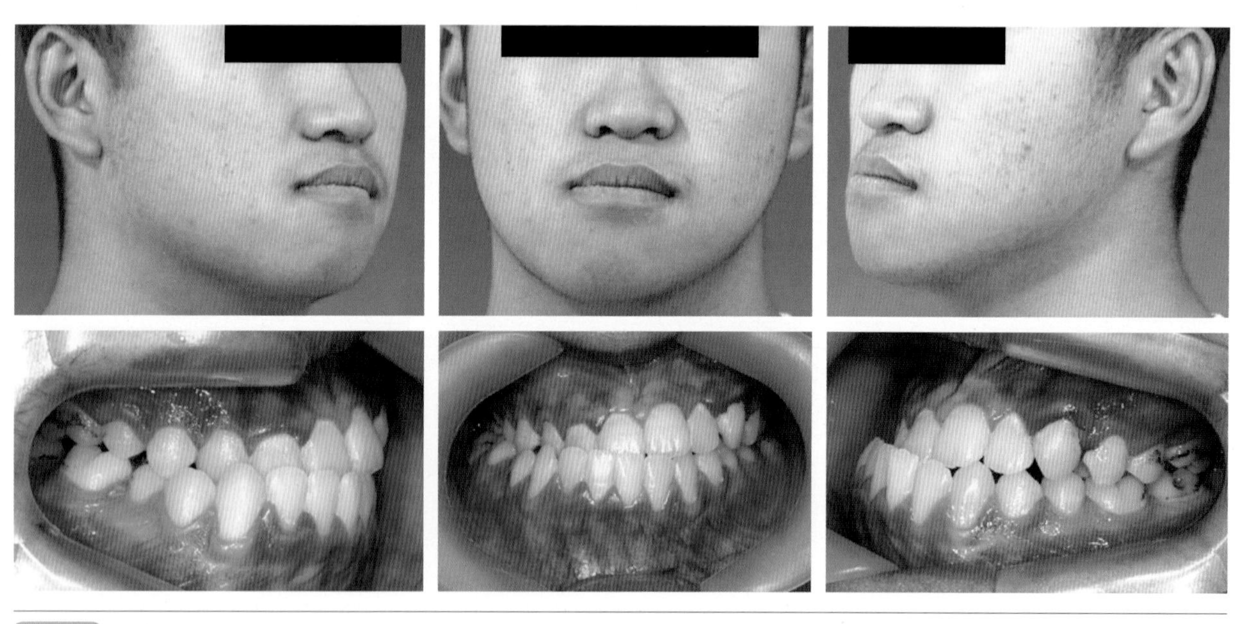

그림 10-15 안면비대칭 및 하악전돌증을 가진 환자의 초진 안면사진과 구강내 교합 사진

술전 교정으로 상악 소구치 발거를 통한 상악 전치 순측 경사를 개선하고 하악 치열궁의 확장 배열 통해 하악 전치의 설측 경사를 개선하였다. 비대칭으로 인한 상하악 좌우측 구치부의 경사를 개선하고 상악의 협설측의 골성 고정원을 이용하여 구치부 함입 및 상악 교합 평면의 전면 경사도(canting)를 해소하였다. 술전 교정 완료 후 상하악간 정중선의 변위와 안모의 비대칭, 하악 전돌은 더 심화된 것을 관찰할 수 있으며, 전치부의 치관 노출도는 3 mm였고, 상악 중절치 정중선은 우측으로 1 mm, 하악 중절치 정중선은 우측으로 6 mm 변위되어 있었다(그림 10-16).

수술은 상악을 르포트씨 I형(Le Fort I) 골절단술로 분리한 후 상악골을 후방(setback)으로 2 mm, 후상방 회전(posterior impaction) 2 mm 이동시켜 비순각 및 상악 절치각을 개선하고, 상악 좌측 제2대구치를 기준으로 3 mm 상방이동을 시키는 레벨링을 통해 비대칭을 개선하였다. 하악은 하악지 시상 분할 골절단술을 시행하였으며, 우측은 10 mm, 좌측은 18 mm 후퇴하여 하악의 비대칭 및 정중선을 개선한 후 금속 고정판을 이용하여 고정하였다. 또한,

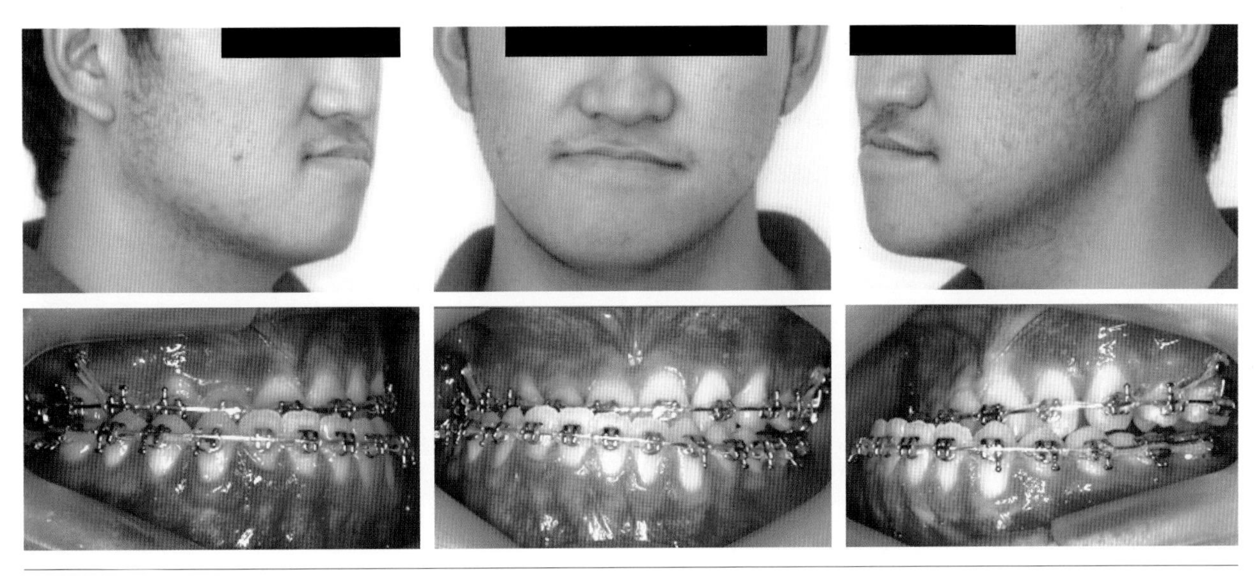

그림 10-16 **술전 교정이 완료된 상태의 안면사진과 구강내 사진**

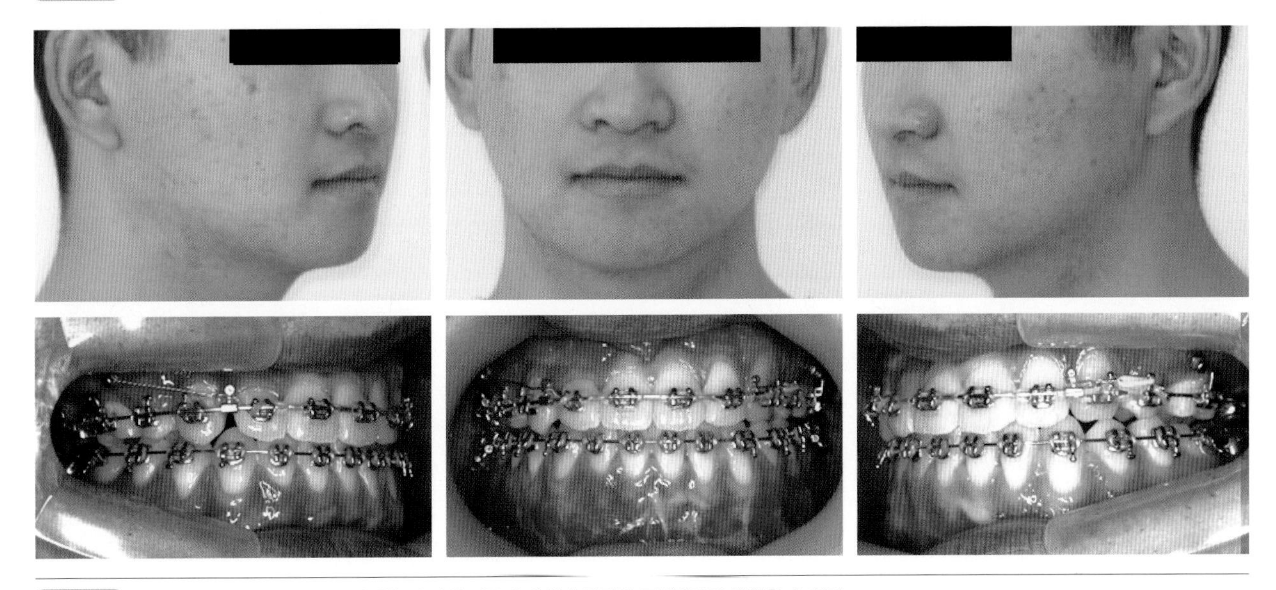

그림 10-17 **수술 6개월 후 사진.** 안모 비대칭 및 하악 전돌의 개선과 안정된 교합관계를 관찰할 수 있다.

하악우각부절제술 및 이부성형술을 추가적으로 시행하였다. 수술 후 6개월 후 환자의 구강내 교합, 그리고 전방 및 측방 두부규격방사선사진을 보면 안모의 비대칭이 해소되었고, 교합도 안정적으로 유지되고 있는 것을 관찰할 수 있다(그림 10-17~19).

3차원 CT 영상에서 이러한 골격의 비대칭 양상이 더욱 명확하게 관찰되며, 이를 토대로 제작된 3차원 모델은 수술시 골격형태를 확인할 수 있는 좋은 참고자료가 된다. 그림 10-20에 환자의 술전 및 술후 2년 경과된 시점에서의 3차원 CT 영상에서 안모 비대칭의 개선을 관찰할 수 있으며, 재발 경향은 거의 나타나지 않아 안정적으로 잘 유지되고 있음을 관찰할 수 있다.

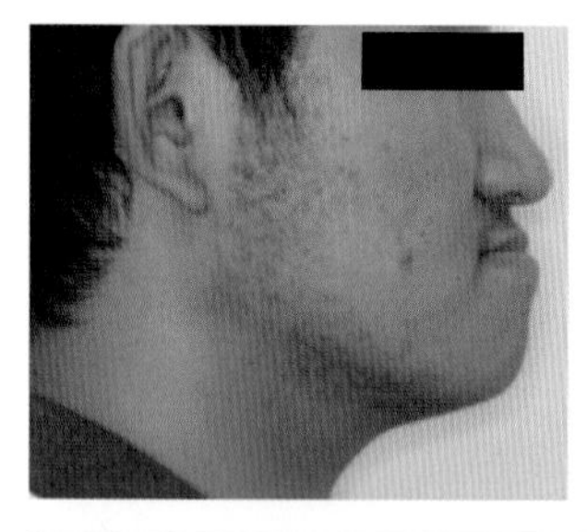
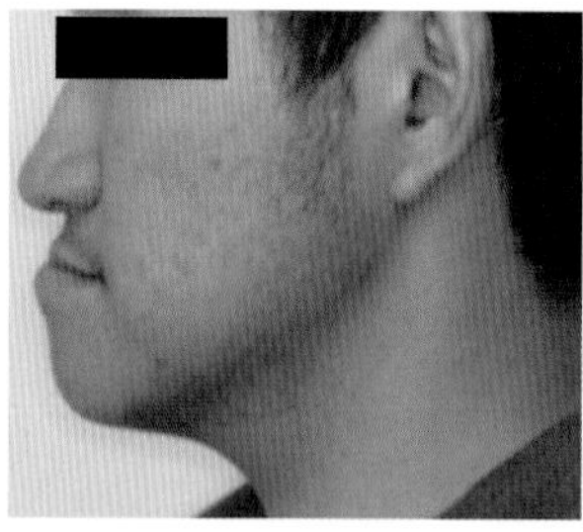
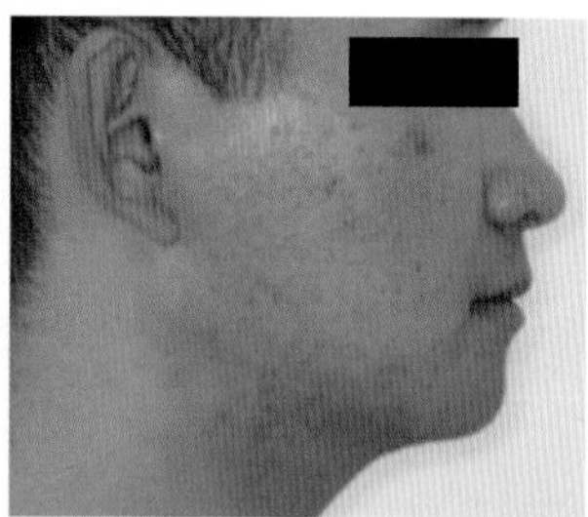
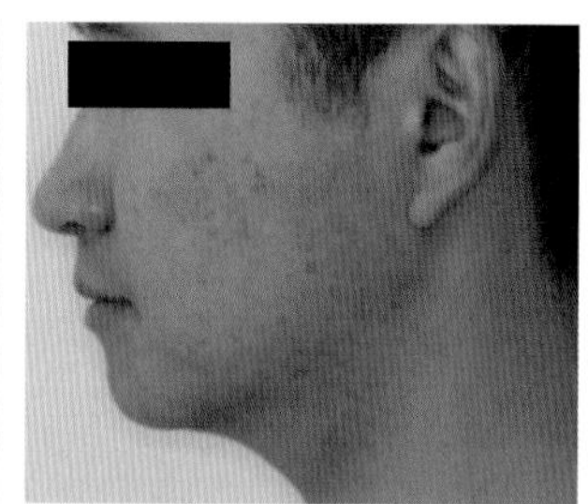

그림 10-18 술전 교정 완료 후와 술후 6개월의 좌우측 측모 비교

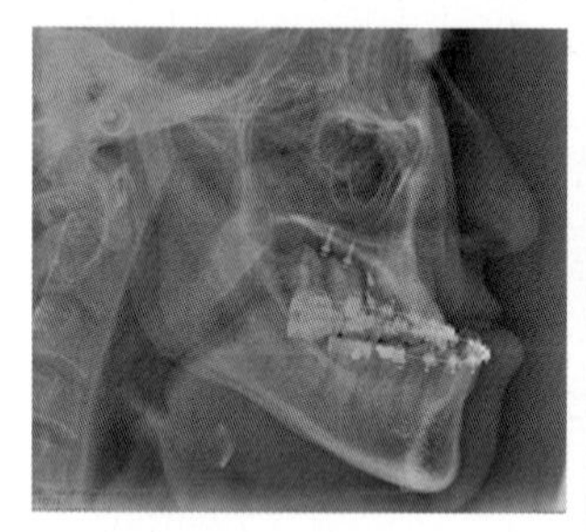
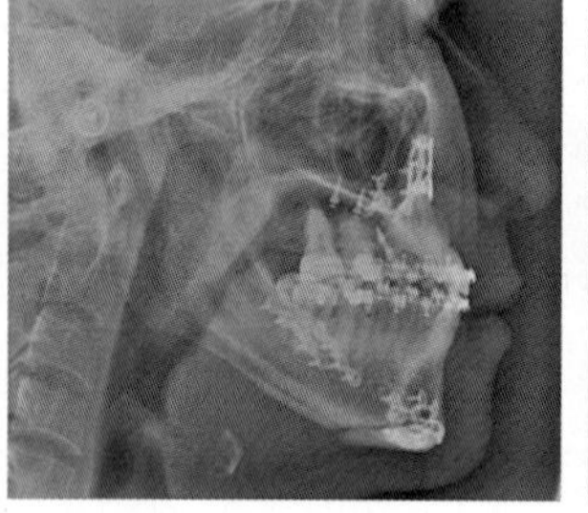
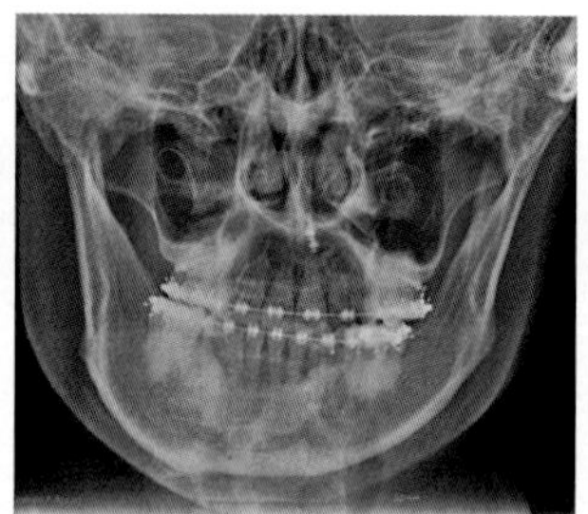
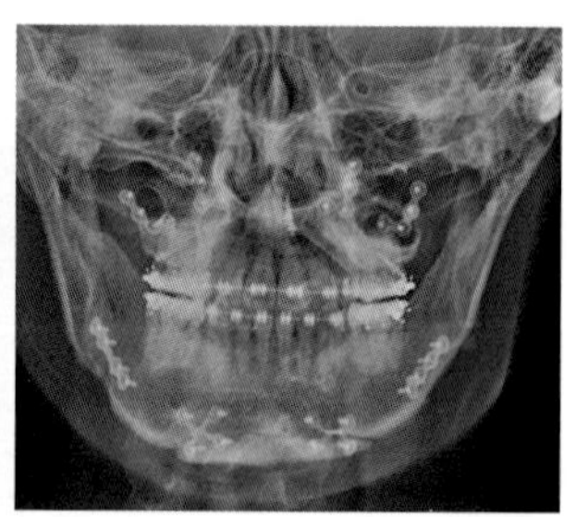

그림 10-19 술전과 술후 6개월의 측방 및 전방 두부규격방사선사진

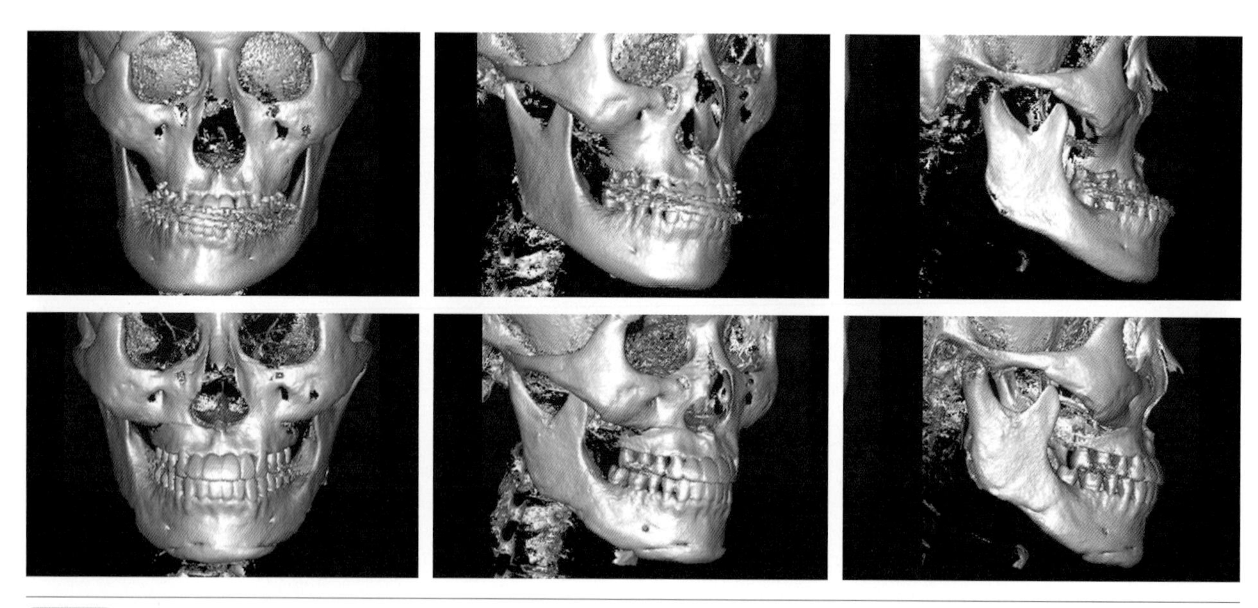

그림 10-20 술전 및 술후 2년의 3차원 CT 비교

Case 2: 하악의 비대칭으로 인한 안면비대칭을 보이는 환자에서의 하악 수술을 이용한 치료 증례

환자는 20대 중반의 남자로 안면비대칭을 주소로 내원하였다. 임상소견으로 상하악 치열궁의 총생이 관찰되고, 치축에서 보상성 변화가 관찰되며, 우측 구치부의 3급 부정교합 및 좌측 구치부의 반대교합이 관찰되며, 입술의 좌측이 올라가고, 턱끝이 좌측으로 변위된 안면비대칭이 관찰되었다(그림 10-21).

술전 교정으로 상악 전치부 경사도 개선을 도모하였으나 하악 전치부의 설측면에 접촉되어 수술 교합 형성시 교합 간섭만 제거하는 최소 술전 교정을 시행하였다. 술전 교정으로 치열의 총생을 해소하고, 비교적 총생이 심하지 않아

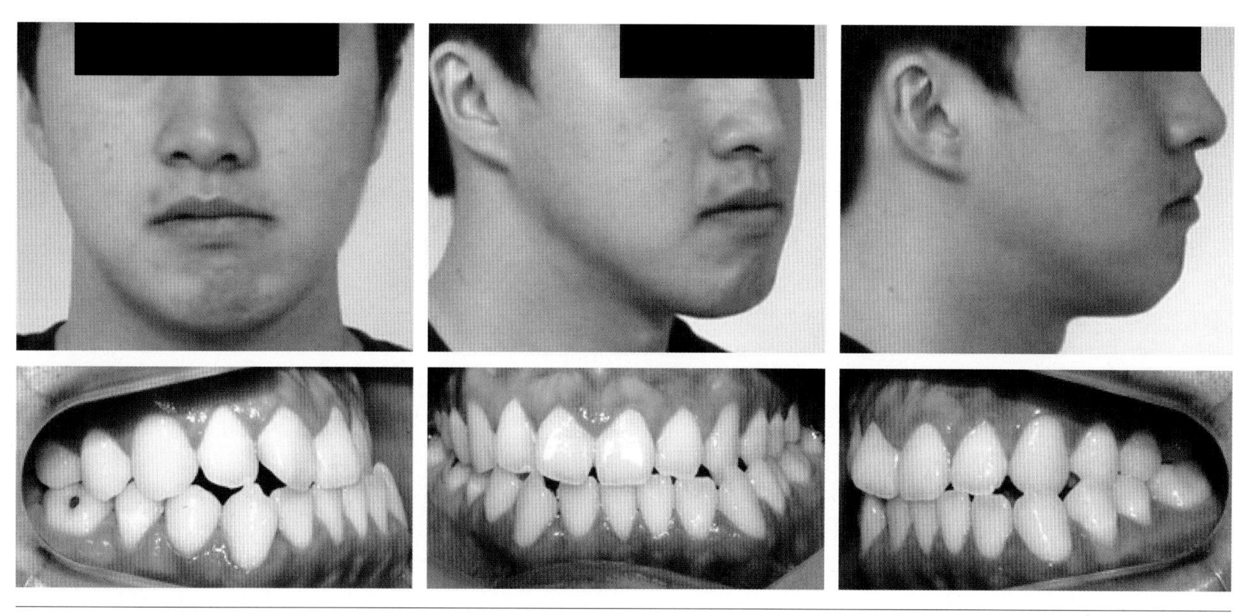

그림 10-21 안면비대칭을 가진 환자의 초진 안면사진과 구강내 교합 사진

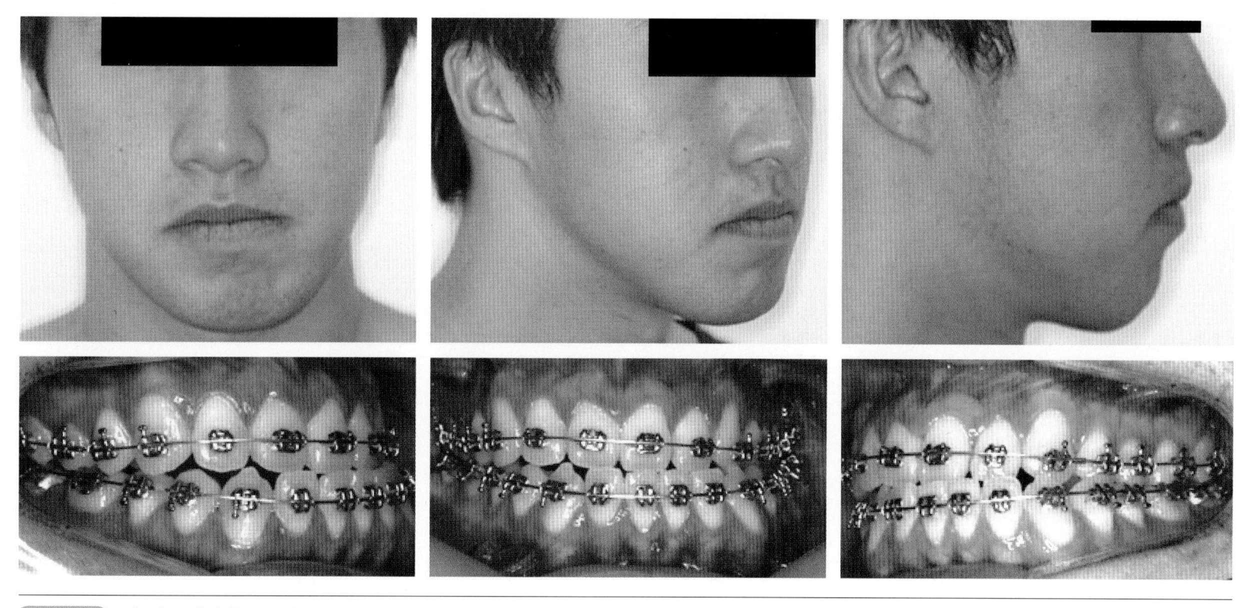

그림 10-22 술전 교정이 완료된 상태의 안면사진과 구강내 사진

레벨링에 긴 시간이 소요되지 않았다. 술전 교정 완료 후 비대칭은 심화되었으며 분석 결과 하악 전치부 정중선은 좌측으로 8 mm 변위되었고, 수평피개(overjet) −2 mm, 수직피개(overbite) 0 mm로 전치부 절단 교합을 보였으나, 상악 깊이(maxillary depth)는 92°, SNA 85°, 상악전치축과 SN 선의 각도 104°, 교합면(occlusal plane) 10°로 대부분이 정상 범위이며, 상악의 정면 경사도(canting) 및 중안모 함몰도 관찰되지 않아 하악만 수술을 하기로 결정하였다(그림 10-22).

수술은 하악지 시상 분할 골절단술을 시행하였으며, 우측은 10 mm 후방이동을 시행하고, 좌측은 이동을 하지 않아, 하악의 비대칭 및 정중선을 개선한 후 금속 고정판을 이용하여 고정하였다. 또한, 우측으로 3 mm 수평이동을 시행하는 이부성형술을 추가적으로 시행하여 안모의 개선을 도모하였다. 수술 후 6개월 경과된 시기에서의 환자의 안모와 구강내 교합, 그리고 전방 및 측방 두부규격방사선사진을 보면 하악 수술만 시행을 하더라도 안면비대칭이 해소되었고, 교합도 안정적으로 유지되고 있는 것을 관찰할 수 있다(그림 10-23, 24). 3차원 CT 영상에서 수술 후 1년 후에도 재발이 거의 없이 안정적임을 알 수 있다(그림 10-25).

따라서, 하악의 비대칭에 의한 안면비대칭 환자의 경우 적절한 분석과 치료계획을 통해 하악만 수술하여도 양호한 결과를 얻을 수 있으며 추가적인 이부성형술도 안모 개선에 도움을 줄 수 있다.

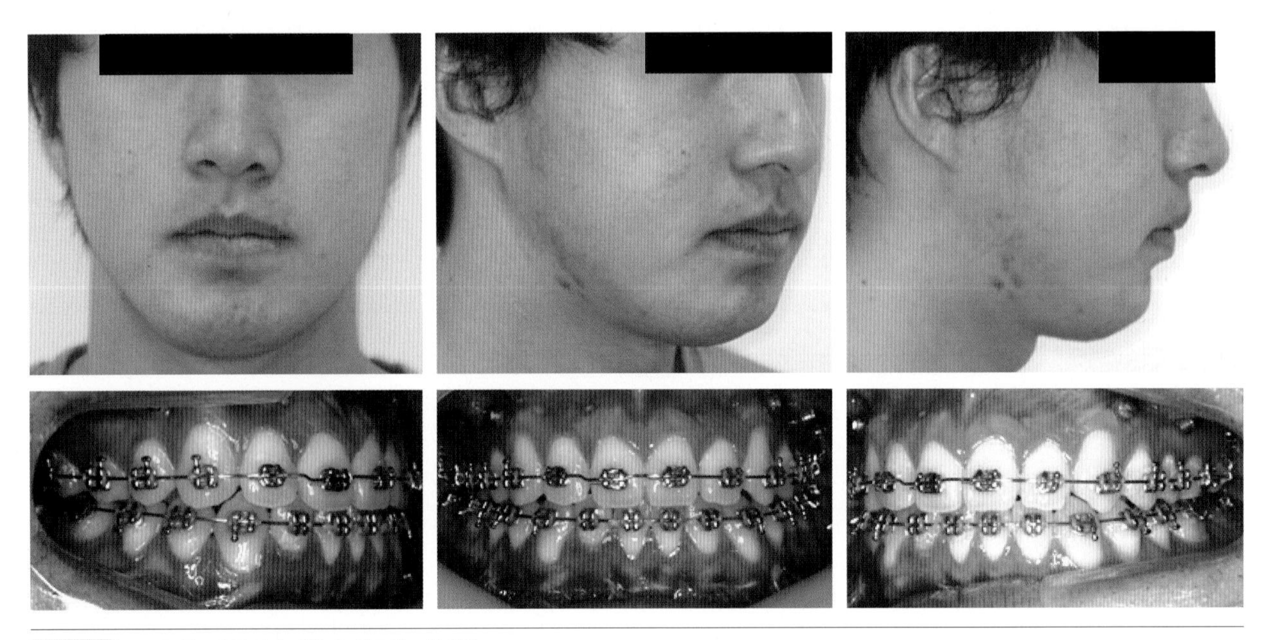

그림 10-23 수술 후 6개월 경과 관찰 후 안모와 교합사진

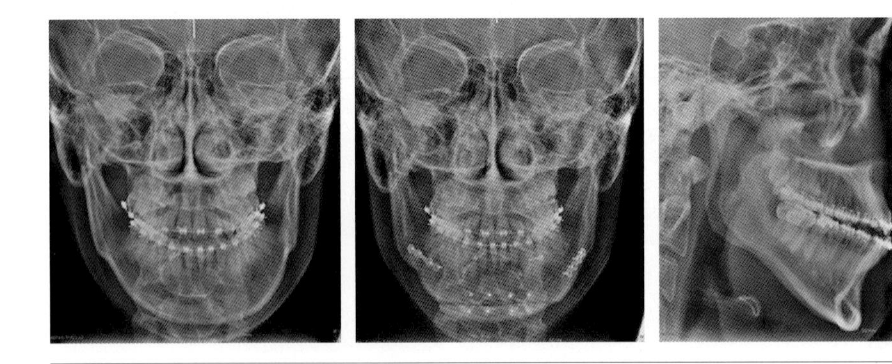

그림 10-24 술전과 술후 6개월의 전방 및 측방 두부규격방사선사진

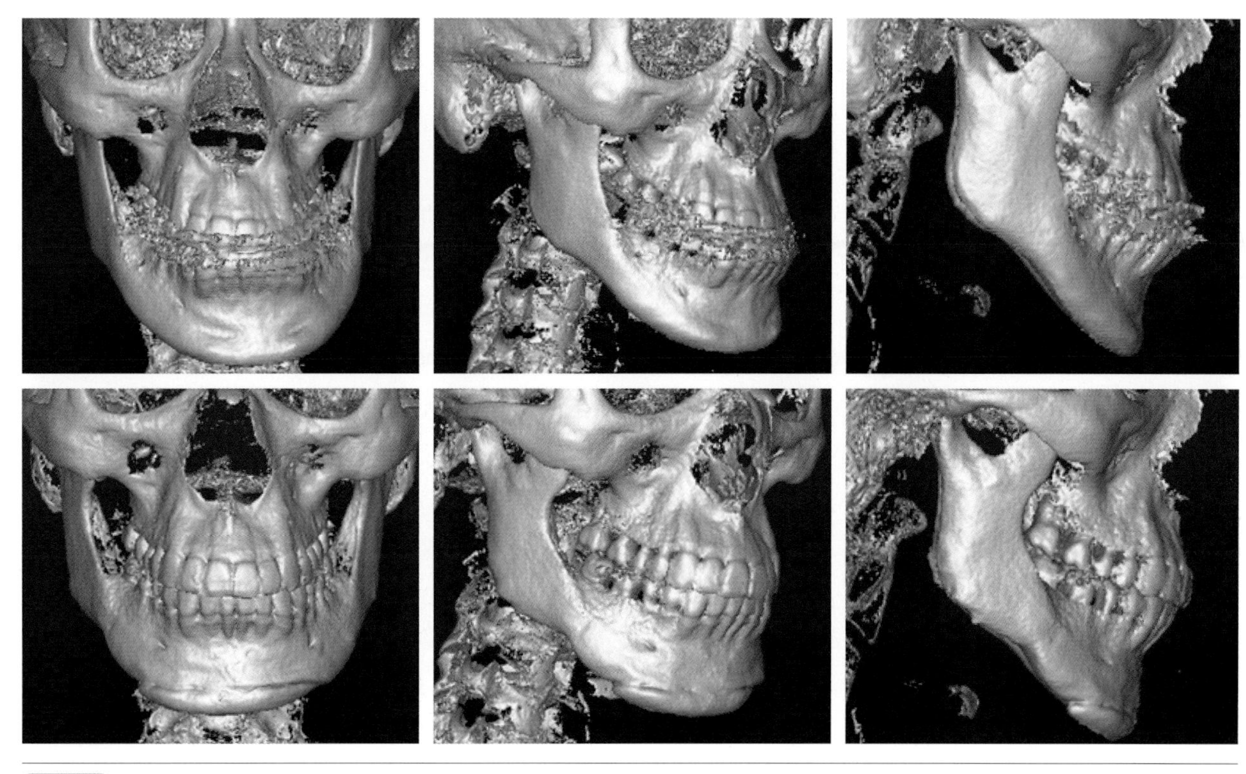

그림 10-25 술전 및 술후 1년에서의 3D CT 영상 비교

3. 개교합 및 하악후퇴증

1) 개교합의 원인에 따른 수술계획

(1) 개교합의 원인

개교합은 상악과 하악치아의 조화롭고 균일한 교합에서 벗어나 치열의 일부분이 교합되지 않는 상태로, 임상적으로는 부위에 따라 전치부 개교합, 편측 또는 양측 구치부 개교합, 편측 전체 개교합 등의 양상을 보인다. 원인으로는 유전적 요인, 악습관, 구호흡, 상악의 수직 과성장, 하악의 전하방 과성장, 하악지의 수직고경의 감소 등 다양한 원인에 의해 발생한다. 유아기 때 엄지손가락을 빠는 습관이 지속되어 발생하는 전치부 개교합의 경우 상악골 폭경의 감소, 깊은 구개천정 그리고 소구치와 구치부 치아는 닿는 상태에서 전치부에 국한된 개교합으로 2개의 교합평면을 가지는 특징적인 양상을 보인다. 상악의 수직 과성장의 경우 폐구근의 약화로 인하여 구치부의 과맹출이 유발되고, 이로 인해 전치부 개교합이 발생하게 되는데[8] 증상이 경한 경우 저작근 강화 치료를 통해 호전될 수 있으나, 심한 경우는 치아교정치료와 악교정수술을 필요로 하게 된다. 반면 하악지 수직 고경의 감소로 인한 전치부 개교합은 주로 턱관절 장애와 연관이 있으며, 하악과두와 하악지의 퇴행성 변화, 하악과두의 골흡수 등을 보이게 된다. 이러한 환자의 초기 개교합 양상은 최후방 구치만 교합이 되고 그 치아의 전방에 위치한 전체 치아가 쐐기 모양의 개교합을 보인다.

(2) 상악의 수직 과성장으로 인한 전치부 개교합의 수술 계획

수술계획은 크게 상악골만 수술하는 경우와 상하악골 동시에 수술하는 경우로 나누어 볼 수 있다. 상하악골의 수술계획 수립 후 턱끝이 더 나와야 심미적으로 유리하다고 판단될 경우 이부 전진술을 추가적으로 계획할 수 있다.

① 상악골 골절단술

하악을 하악과두를 중심으로 반시계방향으로 상악전치부가 닿을 때까지 회전(autorotation)시켰을 때 상하악의 전후방 관계가 조화로우면 그 위치에서 상악을 시계방향으로 회전시키는 상악골 골절단술을 시행한다. 이 경우 상악 구치부가 상방위치되면서 교합평면각이 커질 수 있으므로 교합평면이 완만하거나, 턱관절 증상이 없거나 미약하고, 하악지와 하악과두의 형태가 비대칭없이 정상범주일 때 고려해 볼 수 있다(그림 10-26).

② 상·하악골 골절단술

하악에 비대칭이 있거나, 하악을 빈시계방향으로 회전시켰을 때 상악과 하악의 전후 관계가 조화롭지 못한 경우, 하악지 골절단술을 시행하여, 하악을 상악골에 맞게 전방 또는 후방으로 위치시킨다. 이는 통상적인 양악 수술 계획을 따른다.

(3) 하악지의 수직고경의 감소로 인한 전치부 개교합의 수술 계획

① 하악과두의 흡수 양상이 관찰되지 않고 안정적인 상태일 경우

양쪽 하악지 시상골 절단술을 통해 하악을 전방이동 시킨다. 이때 하악지의 수직 고경이 증가하지 않는 방향으로 수술을 계획하도록 하며, 수술 시 하악지의 수직고경 증가가 예상되는 경우 상악골을 상방이동시키는 상악골 골절단술을 같이 시행하거나, 하악지 시상골 절단술 시 설측 피질골이 하악혀돌기(lingula) 바로 뒤에서 전하방으로 절단되도록 골절단술(short split; SSRO modified by Epker)을 시행하여 절단 부위가 하악각의 하연과 후연이 포함되지 않도록 한다(그림 10-27).

② 과두의 흡수가 심한 경우나, 악교정수술 후에 하악과두가 계속 흡수되어 전치부 개교합이 재발한 경우

수술 후 개교합이 재발되어 정상교합을 회복하기 어려운 점을 수술계획 단계에서 환자에게 충분히 설명해야 한다. 정상교합까지는 아니더라도 수술 전보다 개선된 교합과 기능을 위해서 수술 후 개교합 발생의 위험성이 많더라도 악교정수술을 시행할 수도 있으며, 심한 경우에는 인공 턱관절 전치환술을 동반한 악교정수술을 고려해 볼 필요가 있다.

2) 하악후퇴증 수술 시 고려할 점

하악후퇴증에 대한 치료계획을 세울 때에는 환자가 선천적으로 제2급 골격 관계를 갖는지 후천적으로 하악후퇴증이 발생한 것인지에 대하여 먼저 고려해야 한다. 유전적 영향을 받는 선천적 하악후퇴증 환자 중에서 상악골과 하악골 간의 전후 관계의 부조화가 심하여 유전 질환이 의심되는 환자나 반안면 왜소증(hemifacial microsomia)과 같이 심한 안면비대칭을 동반하는 경우 등이 아닌 일반적인 2급 골격 관계를 가진 환자의 경우는 하악지 시상골 절단술(SSRO)을 이용하여 하악을 전진시켜주는 수술을 하게 된

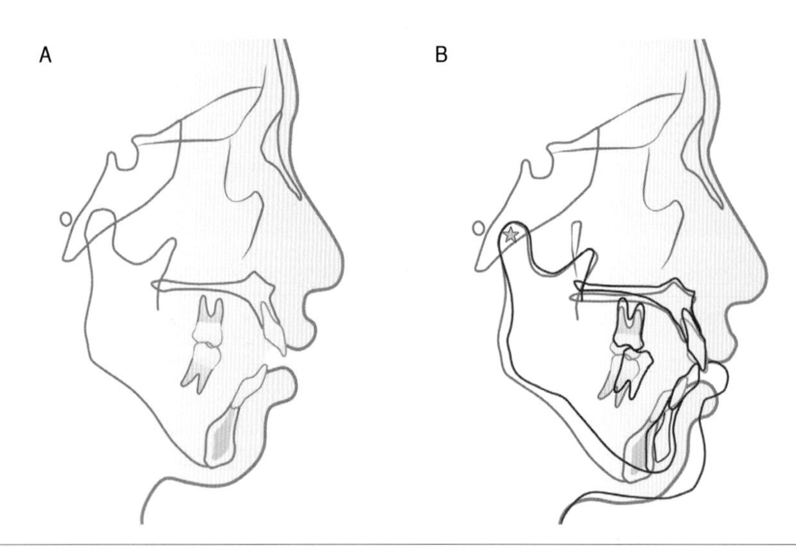

그림 10-26 **A:** 상악의 후방 수직 과성장 양상을 보여주는 측모방사선 사진 **B:** 수술 계획은 하악을 하악과두의 회전중심(☆표)에서 시계반대방향으로 회전시킨 후 하악에 맞추어 상악을 위치시킨다.

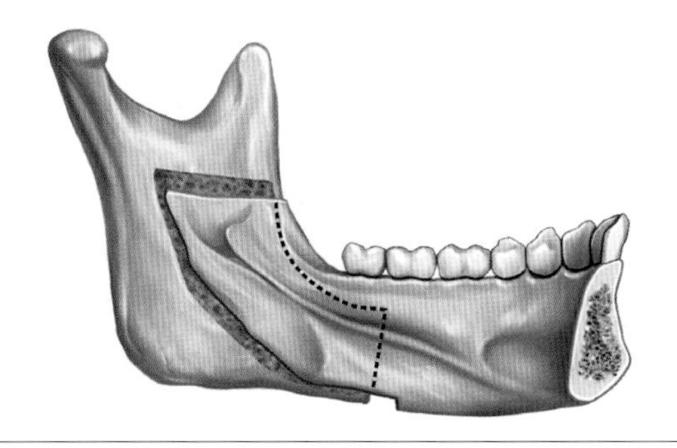

그림 10-27 **하치조신경관의 후하방에서 골절단이 되도록 하는 Short lingual split of SSRO**

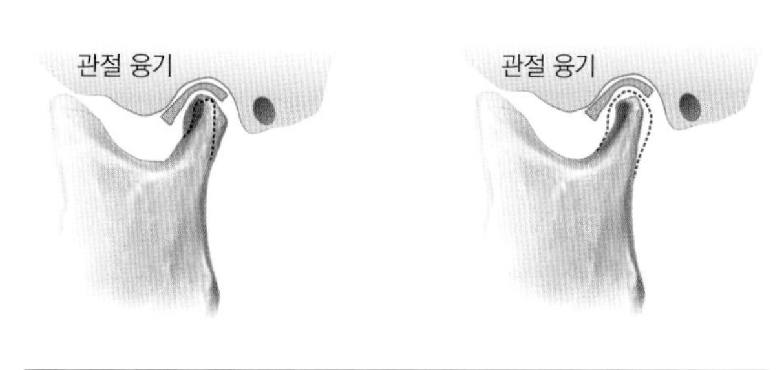

그림 10-28 과두 크기가 하악와에 비해 작은 경우(오른쪽) 하악과두를 위치시킬 수 있는 범위가 넓어지게 된다.

다. 하지만 턱관절 장애나 관절염 등으로 인하여 하악과두 흡수 또는 열성장을 보이는 환자의 경우 하악의 후퇴 양상뿐 아니라 환자에 따라 전치부 개교합 양상이 나타나게 되므로 술전 평가 및 치료계획수립, 수술 전후 부가적인 치료 및 치아교정 치료 시 보다 신중을 기해야 한다. 또한 하악과두의 퇴행성 변화나 흡수로 인해 개교합 양상을 보이는 환자는 악교정수술 후 재발 가능성이 높으므로 수술방법에 대해서도 신중히 고려해야 한다.

임상적으로 하악이 후방 위치하는 경우는 하악골의 열성장으로 하악이 상악에 비해 후방으로 위치하게 되는 경우와 상악의 전방 과성장으로 인하여 하악골은 정상이나 상대적으로 하악후퇴증 양상을 보이는 경우가 있다. 이러한 발육성 악골 부조화의 경우 대개 턱관절의 하악와와 하악과두의 크기가 큰 차이 없이 조화를 이루고 있으므로 하악골 골절단 후 재위치 시 하악과두가 일정한 위치에 자리 잡을 가능성이 높고 수술 후에도 안정적인 결과를 보인다. 하지만, 과두돌기의 퇴행성 변화나 과두 흡수로 인하여 발생한 하악후퇴증은 하악과두의 크기가 하악와의 크기에 비해 비정상적으로 작아져 수술 중에 하악과두를 하악와의 한 지점에 위치시키는 것이 용이하지 않으며(그림 10-28) 하악과두가 수술 후에 전·후방, 상·하방 그리고 내·외측으로 수술 전의 안정된 과두 위치에서 벗어난 곳에 위치되어 있을 가능성이 높다(그림 10-29). 이러한 환자의 하악의 악교정수술 후 골조직과 연조직의 치유과정에서 하악과두의 불안정한 위치로 인해 교합 부조화나 더 나아가 하악과두 흡수의 진행으로 인한 하악후퇴, 전치부 개교합, 비대칭 등의 재발 양상을 보이게 된다.[9] 따라서 수술 전에 턱관절에 대한 평가를 통해 환자가 편안하게 개폐구를 하게 되는 하악과두의 위치를 임상적, 방사선학적으로 파악해 두어 수술 시 하악지 골절단술과 골절편 고정술을 시행한 후 재위치된 하악골을 개폐구와 좌우 측방, 전방 운동을 시켜서 하악골이 원활하게 움직이는지, 수술 전의 하악운동이 재현이 되는지 확인할 필요가 있다. 또한 수술 후 치과교정의와 상의하여 최대한 안정적인 교합을 유지하도록 하고, 근육의 긴장이나 강직이 보이는 경우 근육장애에 대한 치료를 병행한다면 수술 후 골격 안정성을 보다 증진시킬 수 있을 것이다.

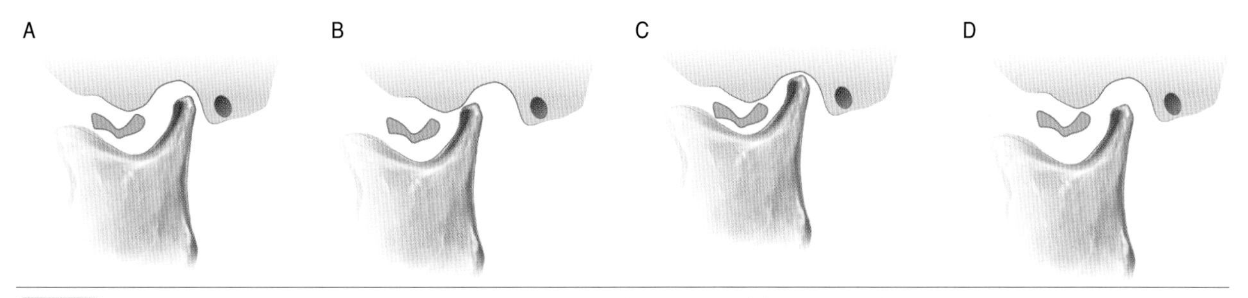

그림 10-29 하악와의 크기에 비해 하악과두가 작을 경우 하악과두는 안정적인 위치보다 후방(**A**), 전방(**B**), 상방(**C**), 하방(**D**)에 위치할 수 있다.

3) 비특이성 과두흡수 환자의 악교정수술

진행성 과두흡수(progressive condylar resorption)나 비특이성 과두흡수(idiopathic condylar resorption)는 하악지의 수직 고경감소로 인해 하악후퇴와 전치부 개교합을 유발하게 되며, 이 경우 수술 후 재발 가능성이 높다. 따라서 과두흡수가 진행되고 있다고 판단되는 환자는 원인에 따른 치료를 통해 과두흡수가 더 이상 진행되지 않고 안정된 상태를 유지할 때 수술을 계획하여야 한다. 이러한 환자에게 고려할 수 있는 수술방법으로는 (1) 통상적인 악교정수술인 하악지 시상골 절단술을 이용한 하악전진술,[10] (2) 하악지의 골신연술,[11] (3) 인공 턱관절 전치환술[12] 등이 있다. 하악과두 흡수의 원인이 턱관절 장애라면 수술 후 턱관절 장애의 치료에 준하여 물리치료, 약물치료,[13] 장치치료와 같은 다양한 턱관절 장애 치료를 수술 후 재활치료에 포함시킨다면 재발방지에 도움이 될 것이다.

인공턱관절 전치환술(total TMJ replacement)과 악교정수술을 동시에 시행할 경우의 치료계획 수립은 통상적인 악교정수술의 치료계획 시 고려해야 할 사항을 엄격하게 적용하지 않아도 된다. 즉 턱관절 부위의 인공 보철물로 인하여 악교정수술 후 재발을 발생시키는 요인 중 하악과두의 흡수와 하악지 하연의 흡수를 피할 수 있으므로 수술 계획 시 하악지의 수직고경의 증가와 하악의 반시계방향 회전을 고려할 수 있다(그림 10-30).[14]

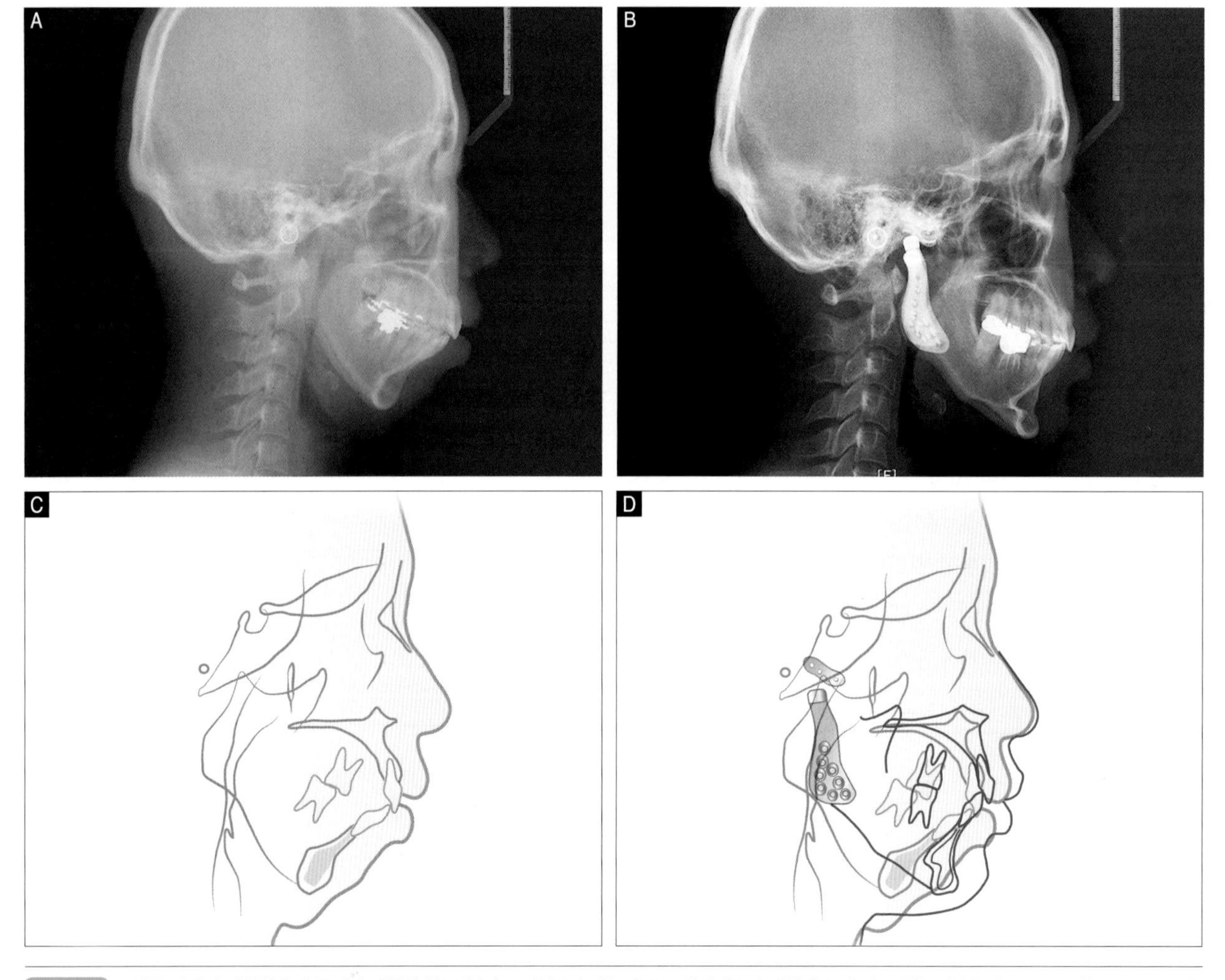

그림 10-30 **인공 턱관절 전치환술과 동시에 시행된 악교정수술.** 비특이성 과두 흡수로 하악과두의 심한 흡수와 이로 인한 하악후퇴, 기도공간 협소를 보이는 환자의 초진(**A, C**)과 수술 후 6년(**B**)의 측모방사선 사진과 중첩한 모습(**D**)

4. 상악골/하악골의 잔존변형 (Residual jaw deformity)

1) 상악골의 잔존변형(Residual maxillary deformity)

잔존변형(residual deformity)은 일반적으로 외상 직후 적절한 처치가 이루어지지 않았을 때 생기는 기형으로 기능적, 심미적 문제를 남기게 된다. 기본적으로 상악골에 외상을 받은 경우 구강악안면외과의사에 의한 즉각 처치를 통해 교합회복이 이루어지면 잔존변형을 개선하기 위한 노력이 줄어들 수 있을 것이다. 그러나 심각한 안면부골절의 경우 뇌 손상이나 기타 생명에 위해할만한 손상이 동반되어 나타나는 경우가 많아 초기에 턱얼굴의 손상은 무시되는 경우가 많다. 특히 구강을 통한 삽관으로 인해 교합이 무너지고 저작근의 경직이 나타날 수 있으며 응급외상 팀에 구강악안면외과의사가 참여하지 않는 등의 문제가 잔존변형을 더 심각하게 초래할 수 있다. 다수의 치아 및 치조골손상이 동반된 경우 기준점이 사라져 구강악안면외과의사의 참여도가 잔존변형의 심도에 많은 영향을 준다.

안면골손상 후 변형된 골 상방의 연조직의 적응과 점진적인 반응은 대략 1년여에 걸쳐 발생하여 안착이 되게 되면 변형된 골편을 재위치시키기가 어려워지고 설령 재위치가 된다 하더라도 반흔이 있는 연조직으로 덮인 골편은 흡수가 될 위험성이 높아진다.[15] 따라서 손상 후 1년 이상 경과되지 않은 시점의 적절한 처치시기를 결정하는 것이 중요하다.

안면부 외상 후 상악골의 부적절한 처치로 보여지는 일반적인 형태의 상악골잔존변형은 개교합이다(그림 10-31). 대개의 안면부 손상 시 상악골은 반시계방향으로 회전되고 하악골은 시계방향으로 회전되게 되고 pogonion의 후퇴를 동반한 상악골이 반시계방향으로 회전된 상태의 변형으로 나타난다.[16] 또한 간혹 상악골 및 구개골의 중앙 부위 분리(midpalatal split)가 후에 상악궁의 넓이 변화와 관련된 변형으로 나타날 수 있다.

정상교합으로 회복시킨다고 해서 수상 전의 골격 위치로 수복될 수 있는 것은 아니며 분쇄 골절의 경우 안면 중간 1/3의 수직고경의 회복이 목표가 될 수 있다.

2) 하악골의 잔존 변형(Residual mandibular deformity)

하악골의 손상은 저작기능의 손실로 나타나며 부정교합을 초래하는데 감소된 하악골의 운동은 구강기능을 불량하게 한다. 아관긴급(trismus)은 턱관절이상과 변위된 관골부위에 오훼돌기가 눌리면서 발생될 수 있다. 오훼돌기의 눌림은 변위된 안와관골 부위를 원위치시키거나, 여의치 않으면 구강을 통한 오훼돌기 절제를 통해 해소한다. 하악의 손상 시 턱관절 기능이상의 면밀한 검사가 필요하며 교합조정, 교합장치(occlusal splint), 물리치료 및 턱관절 문제 해소를 위한 여러 외과적 처치법 등이 필요하다. 외상으로 인한 감염은 하악골의 손실을 초래할 수 있으며 성장기의 하악과두 골절은 비정상적인 후천적 얼굴기형으로 나타날 수 있다. 소아에서 특별한 얼굴 인접 부위의 손상이 없을 경우 하악과두 손상이 있더라도 간과되거나 잘못 진단될 수 있다. 하악과두 손상이 한쪽만 있는 경우 비대칭적 하악성장이 일어난다. 골절된 과두쪽으로 전치부 중심선이 이동하고, 과두가 골절된 편측으로 II급 부정교합이 나타나게 된다. 상악골이 이차적으로 영향으로 받아 수직적 비대칭(canting)이 나타나고 상악중절치 중심 역시 골절되었던 하악과두쪽으로 이동되게 된다(그림 10-32).

얼굴성장이 완료되면 치열교정과 함께 턱교정수술(Le Fort I 골절단술, 하악골절단술, 이부성형술)을 통해 얼굴대칭을 향상시키고 부정교합을 해소한다. 과두골절이 있었던 환자의 악교정수술의 시기를 결정할 때 중요한 요소 중의 하나는 턱관절 부위가 안정화된 후에 시행해야 한다는 것이다. 한 연구에 따르면 대략 수상 9개월 후 악교정수술을 시행하는 것을 권장하고 있다.[17] 임상적으로 각 환자마다 손상의 정도에 따라 턱관절의 안정성평가가 이루어져야 하나 직접적인 치료를 시작할 경우 대략 수상 후 6개월 이후부터 시작하는 것이 추천된다. 하악과두골절로 전체 과두가 흡수되면서 동측의 후방안면고경이 줄어들며 안정적이지 못한 구치부 스탑이 없는 경우 새로운 과두의 재건이 필요하다.[18]

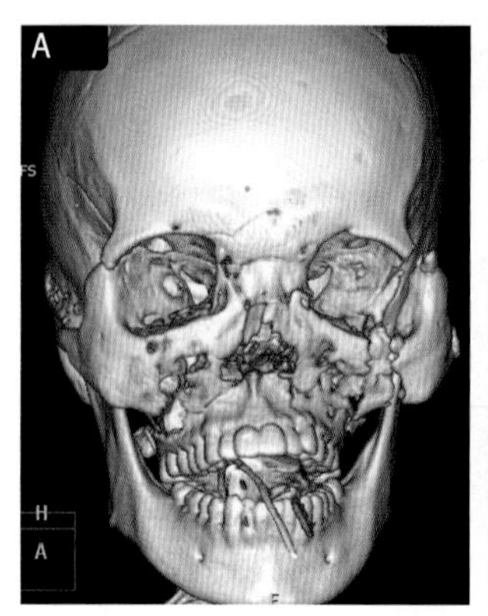

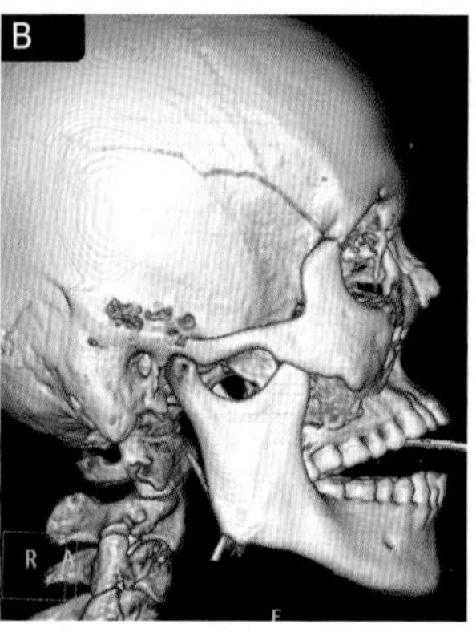

응급실 내원 당시 상악골을 포함한 좌측 관골 골절이 보이며 구강기도삽관으로 개교합(Open bite)양상을 보인다. **A:** 정면 3차원 CT상 **B:** 측면 3차원 CT상

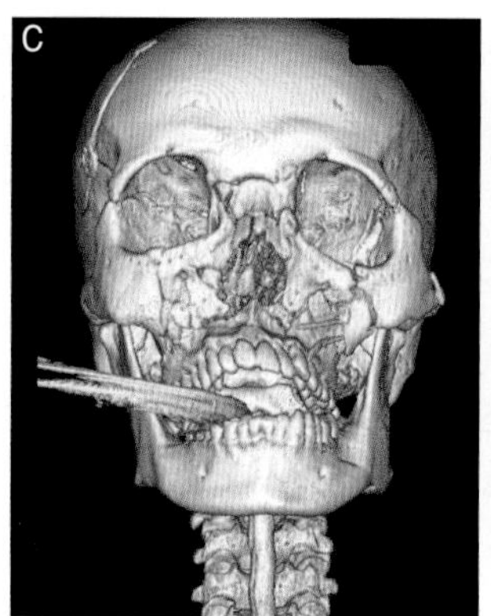

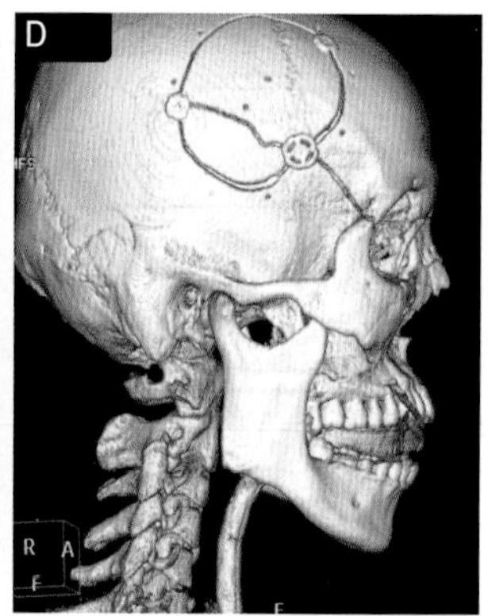

내원 후 신경외과적 문제로 처치가 이루어졌으며 성형외과에서 동시 시술이 이루어졌다. 하악과의 교합에 대한 고려없이 흡수성판을 이용하여 상악골 및 관골 골절을 정복하였다. 흡수성 고정판의 사용으로 드릴 홀만 CT 영상에서 관찰된다. **C:** 일차 술후 정면 3차원 CT상 **D:** 일차 술후 측면 3차원 CT상

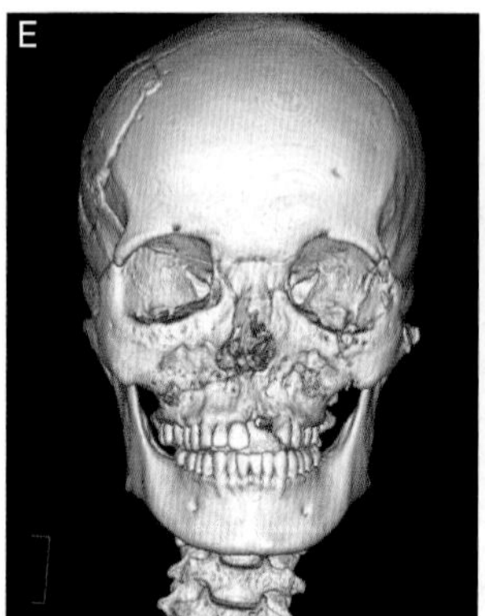

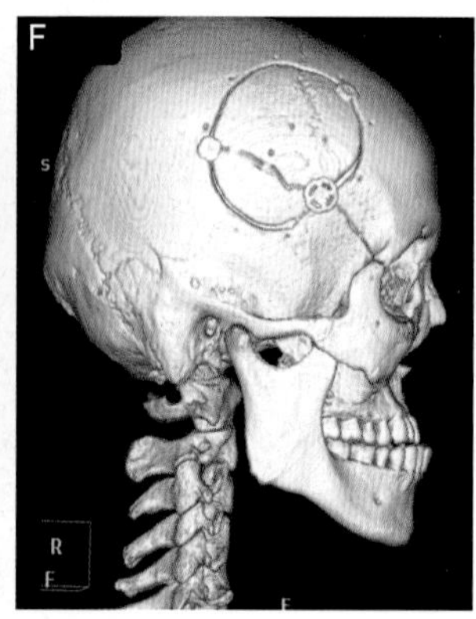

수술 3개월 후 상악후방이동상태 및 개교합 포함한 부정교합을 주소로 치과교정과로 의뢰되었다. **E:** 정면 CT 상 **F:** 측면 CT상

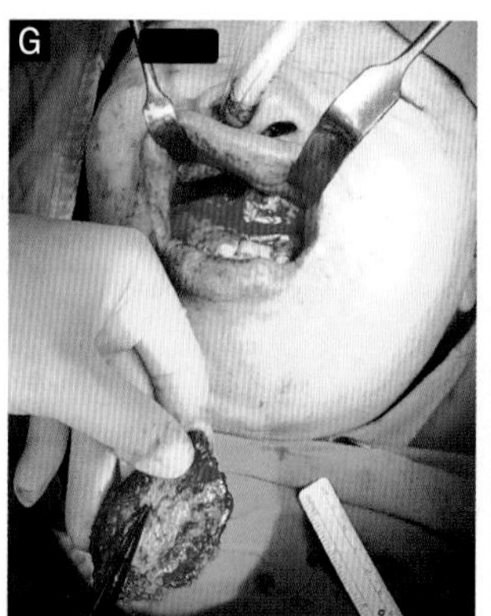

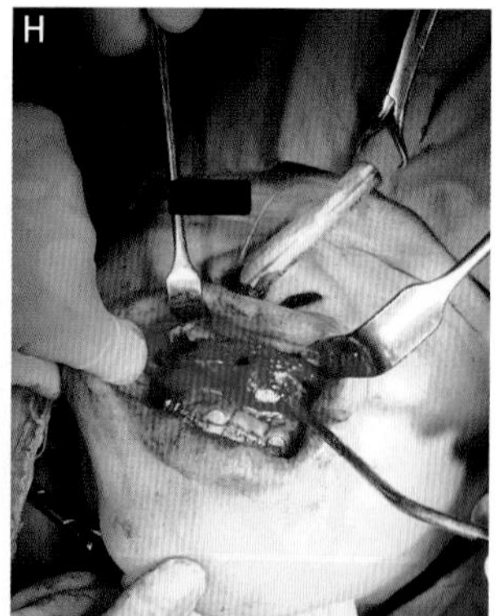

G: 채취된 장골 **H:** 절단된 상악상방에 개재시켰다.

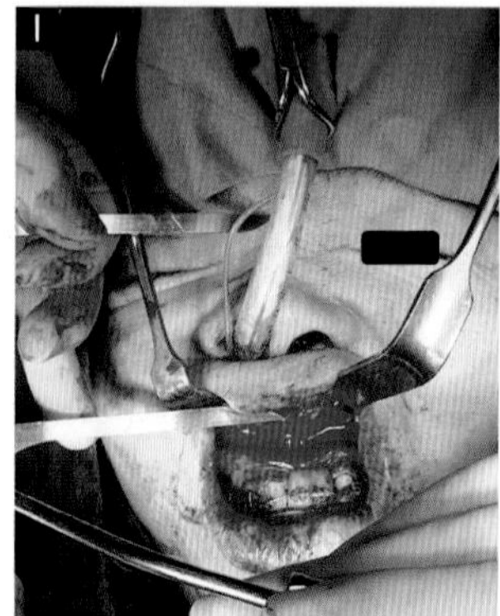

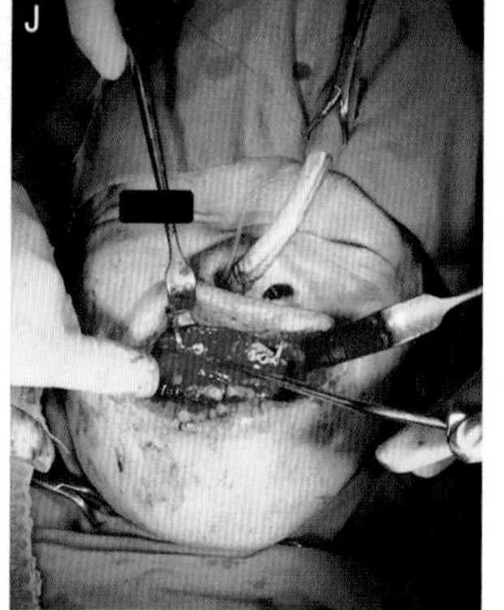

I: 계획된 양만큼 상악이 이동하였는지 측정하였다. **J:** 상악골의 고정

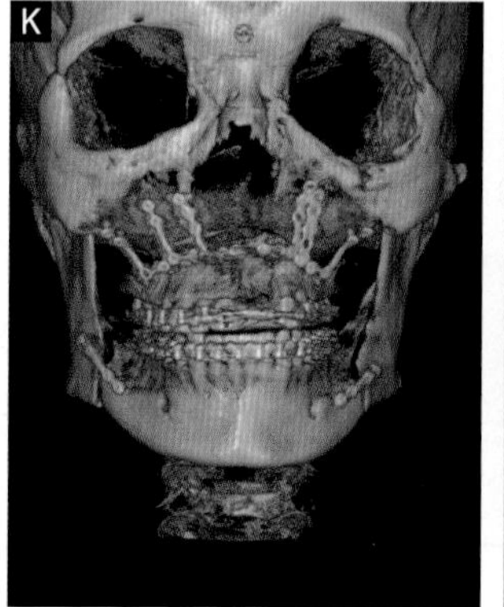

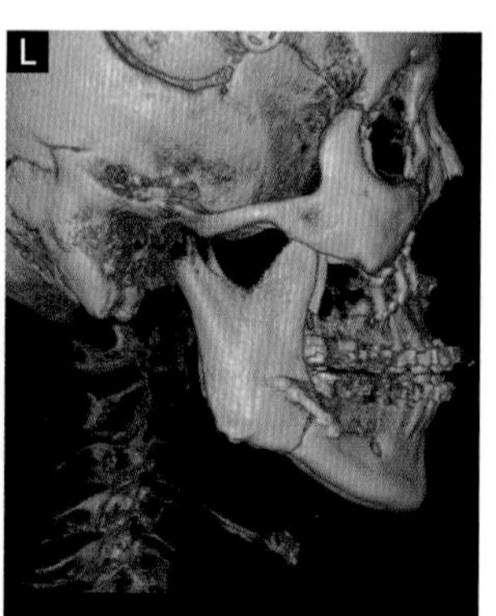

수술 후 CT상. K: 정면 **L:** 측면

그림 10-31 악안면외상 후 적절한 긴급처치의 부재로 상악골의 잔존변형 발생(외상팀 구강악안면외과의사의 참여가 요구됨), 추후 악교정수술 및 골이식을 통해 해결하였으나 원래 상태로 회복할 수는 없었다. 수상 후 즉각적인 적절한 처치를 시행하여야 잔존변형의 발생을 예방할 수 있다.

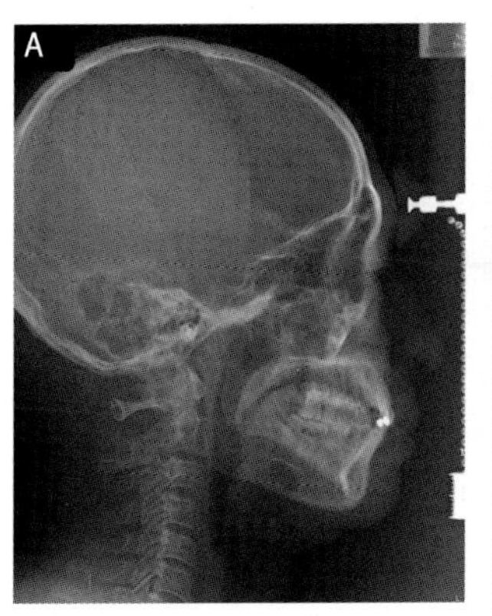

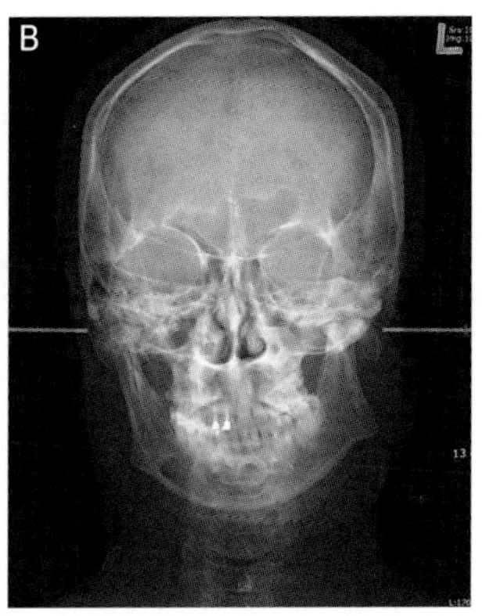

측모 두부방사선사진**(A)**과 정모 두부방사선사진**(B)**에서 과두 높이 차이로 심각한 하연의 차이가 관찰된다.

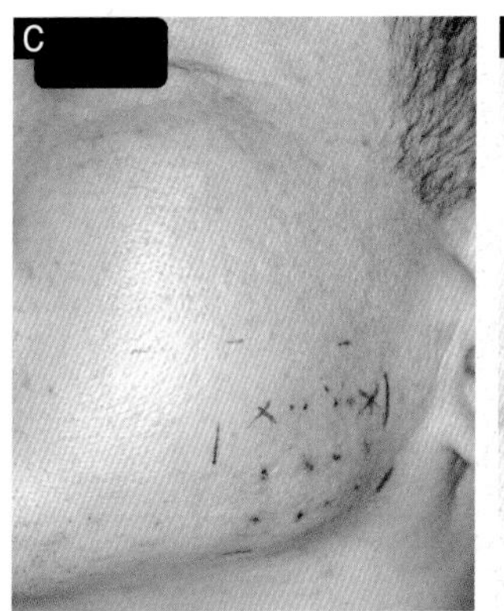

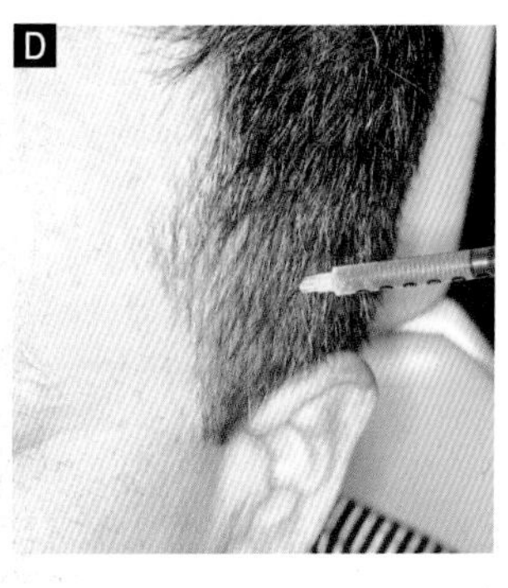

C: 좌측 근육경직을 떨어뜨리기 위해 교근부위에 보툴리눔 톡신을 투여하였다(25U). **D:** 좌측 측두근 부위에 보툴리눔 톡신을 투여하였다(25U).

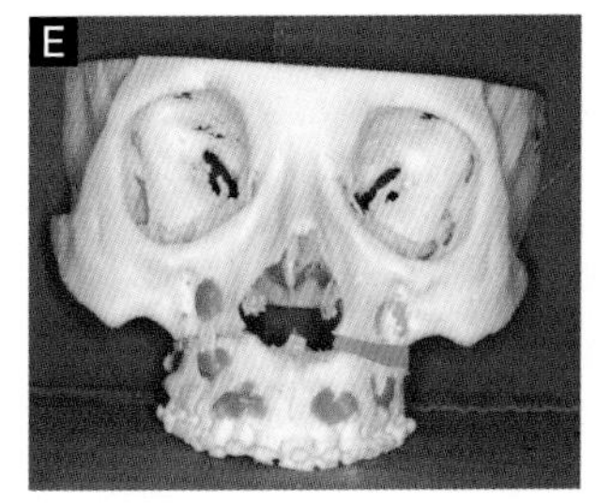

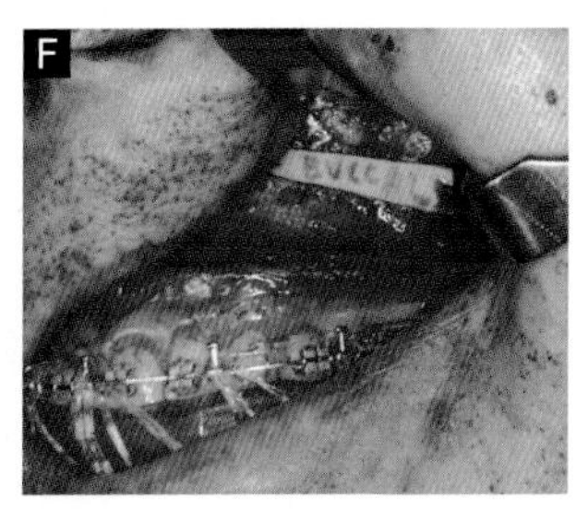

E: 상악골 수직 비대칭(Canting) 개선을 이용한 골편의 양을 RP 모형에서 측정하였다. **F:** 골이식 양 결정을 위해 소독된 Putty를 삽입 후 평가

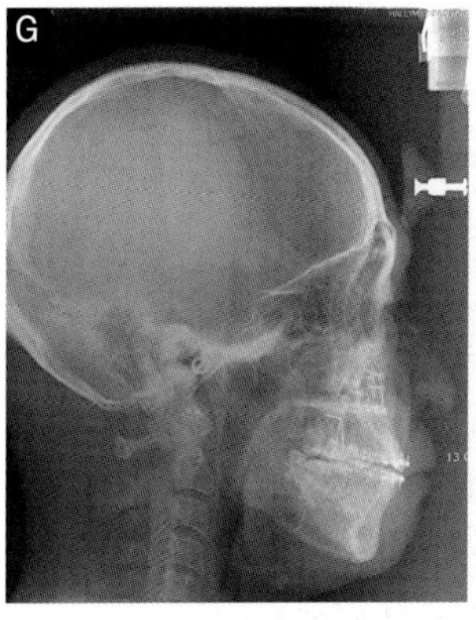

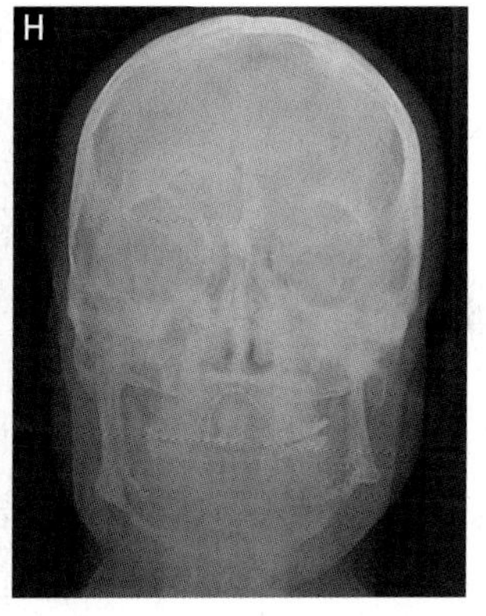

G: 여전히 하악 하연의 높이 차이가 측모 두부방사선에서 관찰되나 수술 전과 비교하여 개선되었다. **H:** 술후 정모 두부방사선사진

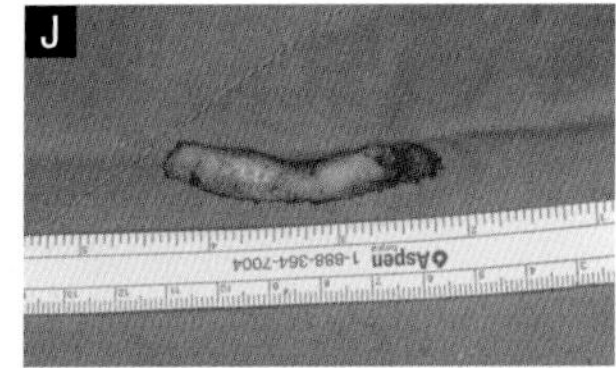

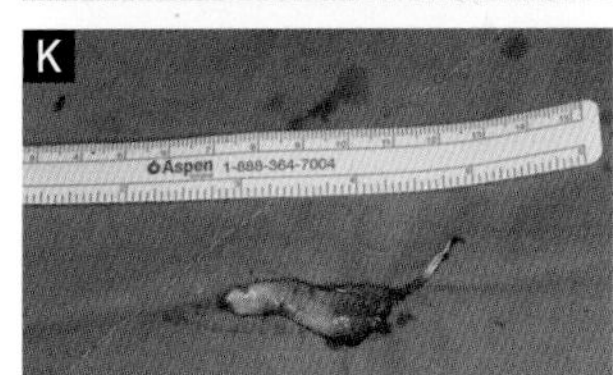

I: 술후 6개월 경과 시점에 좌우 비대칭으로 남은 하악각 및 하악골체부의 악골성형술 시행 **J:** 우측에서 삭제된 골 **K:** 좌측에서 삭제된 골

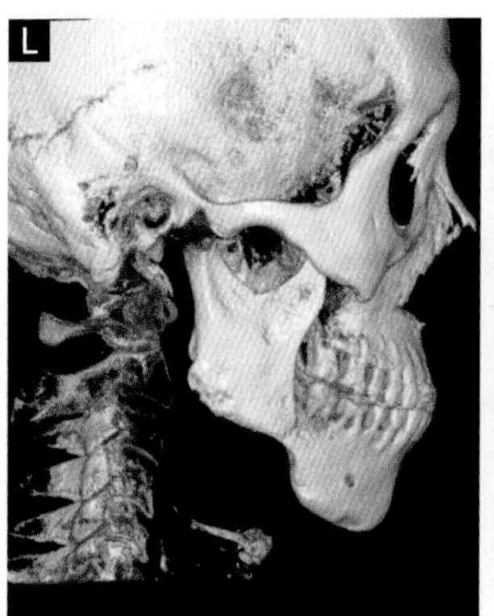

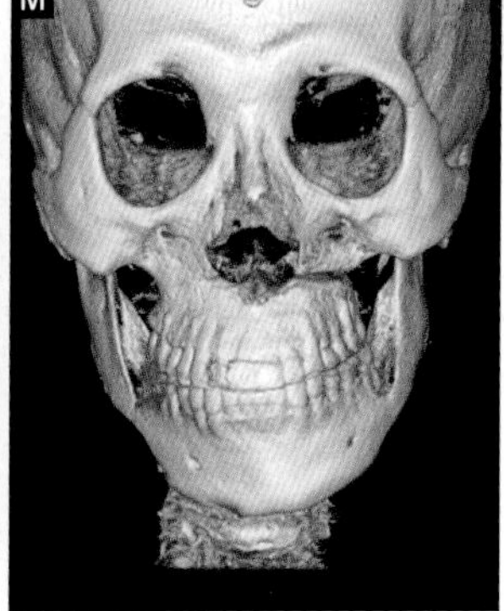

L: 금속판 제거 및 하악각성형술 후 측모 **M:** 상악에 이식된 골편의 흡수로 상악 수직 비대칭의 재발이 관찰된다.

그림 10-32 50세 남환으로 어릴 때 좌측 하악과두 손상병력이 있었다. 좌측과두의 소실로 과두재건을 권유했으나 과두수술을 거부하여 상악골 절단술(Le Fort I 골절단)과 하악지시상분할골절단술을 통한 비대칭개선을 시행하였다.

5. 폐쇄성 수면무호흡증 (Obstructive sleep apnea, OSA)

1) 정의

폐쇄성 수면무호흡증은 증상이 있는 경우 다른 수면질환이나 약물에 의한 연관이 없으면서 무호흡-저호흡지수(apnea-hypopnea index, AHI) 또는 호흡장애지수(respiratory disturbance index, RDI)가 시간당 5회 이상인 경우로 정의하고, 증상이 없는 경우에는 다른 수면관련 질환이 없으면서 위의 두 지수가 시간당 15회 이상인 경우를 말한다. 여기서 증상이라 함은 밤에 호흡곤란, 질식감, 숨이 끊어짐을 느끼면서 잠에서 깨거나 같이 수면을 취하는 사람에 의해 수면무호흡을 관찰하게 되는 경우와, 주간 졸림증(excessive daytime sleepiness, EDS) 및 의도하지 않은 졸음 등을 말한다.

미국수면의학회(AASM)에 의하면 무호흡(apnea)은 10초 이상 공기흐름(airflow)이 없는 것을 뜻하며, 저호흡(hypopnea)은 공기흐름이 30% 감소 및 4%의 산소포화도 감소가 있는 경우 또는 50% 공기흐름 감소와 3%의 산소포화도 감소로 정의되었다.[19]

무호흡-저호흡지수(AHI)는 한시간에 발행하는 무호흡과 무호흡-저호흡 회수를 나타내며, 질환의 심각성을 나타내는 지표로 사용된다. 이외 자주 사용되는 다른 지표로 호흡노력 관련 각성(respiratory effort related arousal, RERA)이 있다. 호흡 장애지수(RDI)는 AHI에 RERA를 포함한 지수이다.

2) 병리생리학적 기전

성인에서 수면무호흡의 원인은 상기도의 저항성 증가와 기도 폐쇄이다. 해부학적 요인과 기도확장 근육(airway-dilating muscles)의 기능장애 및 기도 협착(collapsibility)을 증가시키는 생리적 요인에 의해 야기된다(표 10-1). 해부학적 요인으로는 코, 혀, 측방인두벽, 연구개, 편도(그림 10-33) 및 인두주위 지방체(parapharyngeal fat pads) 등이 있다. 수면 동안 상기도의 저항성을 악화시키는 위치적 요소는 기도협착을 증가시키거나 기도확장 근육 기능을 감소시키는 개구상태와 혀와 연구개를 후방으로 변위시키는 중력을 발휘하게 하는 앙와위(supine position)를 들 수 있다. 증가된 상기도 저항은 비인두에서 하인두까지 상기도를 따라 여러 곳에서 발생할 수 있지만, 구인두의 높이에서 특히 많이 발생한다(그림 10-34). Mallampati 분류를 통한 구인두부의 해부학적인 평가로 수면무호흡에 대한 해부학적 위험요

표 10-1 상기도 호흡기류 저항에 영향을 미치는 요소

해부학적 요소
1. 상기도 근육 • 설외근(extrinsic tongue muscles): 이설근(genioglossal muscle), 설하근(hyoglossal muscle), 경돌설근(styloglossal muscle), 구개설근(palatoglossal muscle) • 비익근(alae nasi muscle) • 구개근(palatal muscles): 구개거근(Levator veli palatine muscle), 구개범장근(tensor veli palatine muscle), 구개설근(palatoglossal muscle), 구개인두근(palatopharyngeal muscle), 구개수근(uvular muscle) • 인두근(pharyngeal muscles): 경돌인두근(stylopharyngeal muscle), 인두수축근(pharyngeal constrictor muscles) 2. 코: 예: 비중격만곡, 병적 비갑개 (turbinate pathology) 3. 편도(tonsils) 4. 인두주위 지방체(parapharyngeal fat pads)
Physiologic factors
1. 감소한 인두 확장력(reduced pharyngeal dilating forces) 2. 증가한 인두 협착력(increased pharyngeal collapsing forces) 3. 증가한 인두 순응도(increased pharyngeal compliance)

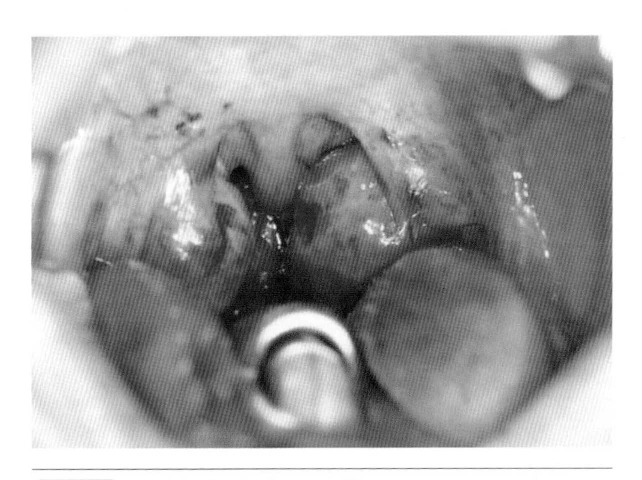

그림 10-33 호흡을 방해할 정도로 비대한 편도

표 10-2 수면무호흡증의 임상적 위험요소

비강 협착/폐쇄(nasal obstruction)
두개악안면 기형(craniofacial abnormalities)
하악 후퇴증(mandibular retrognathia)
악골왜소증(micrognathia)
좁고 짧은 상악궁(narrowed, tapered, and short maxillary arch)
상하악 전치의 과피개 정도(overbite)
긴 연구개(long soft palate)
인두 공간의 크기 (modified mallampati grade III 또는 IV)(그림 10-35)
대설증(macroglossia)
편도 비대(tonsillar hypertrophy)
목 둘레길이 (neck circumference: 17 inches for men, 16 inches for women)
비만(obesity)

소를 평가할 수 있다(그림 10-35). 이로 인한 즉시 효과로 저호흡, 수면 도중 각성, 상기도 음압이 있고, 고혈압, 수면 동안 심장연관 급사, 포도당 대사의 이상, 교통사고를 야기할 수 있는 낮 동안의 과도한 졸림, 삶의 질의 저하 및 인지장애 같은 장기적 문제점을 야기할 수 있다.

3) 구강악안면외과적 치료

수면무호흡의 치료는 크게 보존적 치료와 수술적 치료로 나누어 진다. 구강악안면외과에서 시행되는 수면무호흡의 치료를 위한 수술은 연조직 수술과 골격 수술이 있으며 기도공간 자체의 프레임을 넓혀주는 골격 수술이 중요한 부분이다. 표 10-2에서와 같이 구강악안면부위의 해부학적 조건이 수면무호흡을 일으킬 수 있는 주요한 요인 중 하나이므로 수면무호흡에 대한 기본적인 이해는 구강악안면외과의사에게 필수적이다.

수술의 목적은 기도 크기를 증가시키고 기도저항을 감소시키는 것이다. 수면무호흡 발생은 다양한 요인에 의해 발생되므로, 상기도 저항이 발생할 것 같은 가장 근접한 장소를 찾아내는 것이 강조된다.

수술적 치료에는 다양한 방법이 있으며, 수면무호흡의 상태와 기도 공간의 감소가 발생되는 위치에 따라서 단계

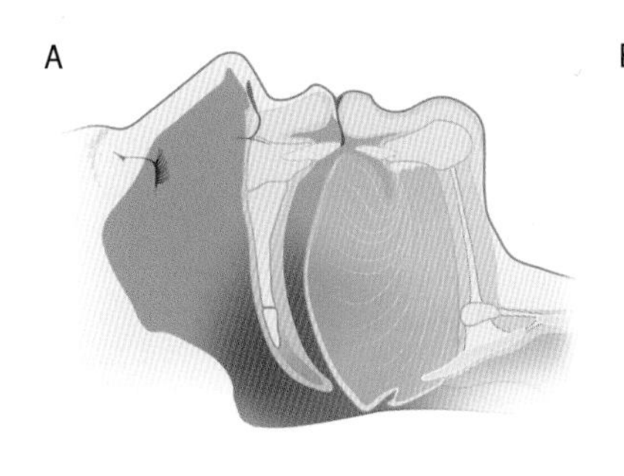

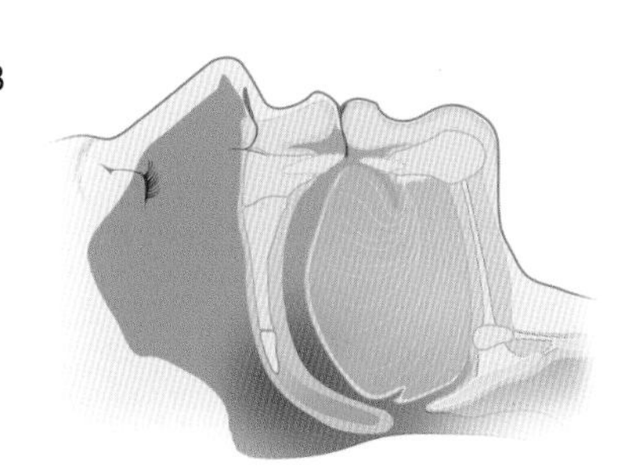

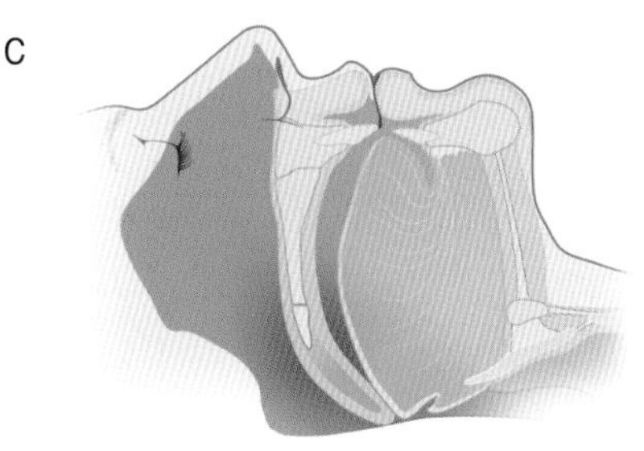

그림 10-34 **폐쇄를 일으키는 부위. A:** 혀의 후방부 **B:** 연구개 **C:** 혀의 후방부와 연구개

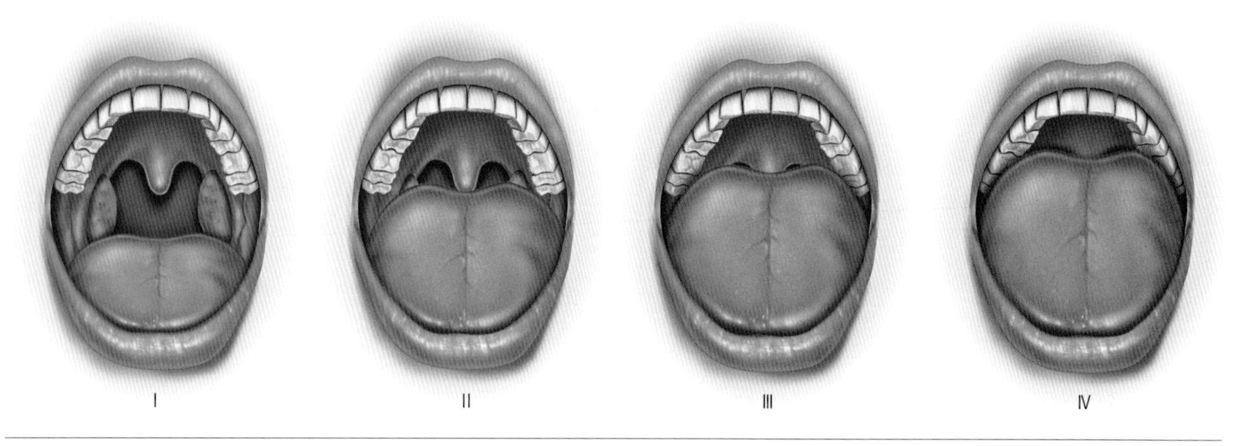

그림 10-35 Modified Mallampati's classification of pharyngeal appearance.
class 1 편도기둥, 연구개, 목젖 전체, class 2 편도기둥, 연구개, 목젖 일부, class 3 연구개, 목젖 기저부, class 4 경구개

별로 시행되어 왔으나(표 10-3), 현재는 상기도 공간의 해부학적인 구조나 심각도에 따라 2단계 수술이 바로 시행되기도 한다.

스탠포드의 Powell-Riely에 의해 제안되었으며 수술 접근의 적정성을 위해 고안되었으나 현재에는 필요에 따라 단계의 구분을 두지 않기도 한다.[20]

표 10-3 수면무호흡증의 단계별 수술적 치료

수술방법	위치
1단계 수술(site-specific technique)	
코수술: 예: 비중격성형술(septoplasty), 비갑개절제술(turbinectomy)	코
구개수구개인두성형술(uvulopalatopharyngoplasty, UPPP)	구인두(oropharynx); 구개후방 기도
혀기저부 수술(base of tongue surgery)	구인두(oropharynx); 구개후방 기도
• 이설근 전방이동(genioglossal advancement)	
• 변형 이부성형술(modified genioplasty)	+ 하인두(hypopharynx)
• 고주파 절제(radiofrequency abration)	
• 설골 근절개(hyoid myotomy)	+ 하인두(hypopharynx)
2단계 수술(upper airway reconstruction)	
상하악전방이동술(maxillomandibular advancement, MMA)	비인두(nasopharynx) / 구인두(oropharynx) / 하인두(Hypopharynx)
기타	
기관절제술(tracheostomy)	기관(trachea)
비기도 수술	
비만수술(bariatric surgery)	위(gastric)

(1) 이설근 전방이동술(Genioglossus advancement)

이설근 전방이동(genioglossus advancement)은 이극(genial tubercle)과 이설근(genioglossus muscle)을 전방으로 위치시켜 혀기저부에 긴장으로 가해서 수면 시 후방기도공간으로의 밀림을 줄여주는 술식으로 발음에 영향을 주지 않는다(그림 10-36).[21]

설골 근절개(hyoid myotomy)는 설골을 전진시키며, 동시에 후두개(epiglottis), 혀기저부, 상설골근(supra hyoid muscles)을 전진시키는 술식으로 다른 술식과 연계해서만 수행된다(그림 10-38A).

변형 이부성형술(modified genioplasty)은 이설근(genio-glossus muscle)과 이부(chin)를 전진시키는 술식으로 소악증(micrognathia)을 가진 환자에서 사용되어 심미적 개선뿐만 아니라 혀와 상설골근(suprahyoid muscles)을 전진시켜 하인두 기도(hypopharyngeal airway)를 더 크게 확장하는 이점이 있다(그림 10-37).

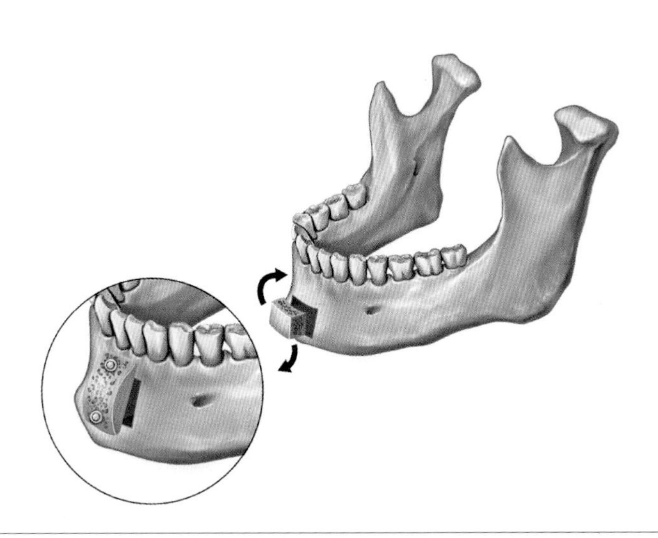

그림 10-36 이설근 전방이동(genioglossal advancement)

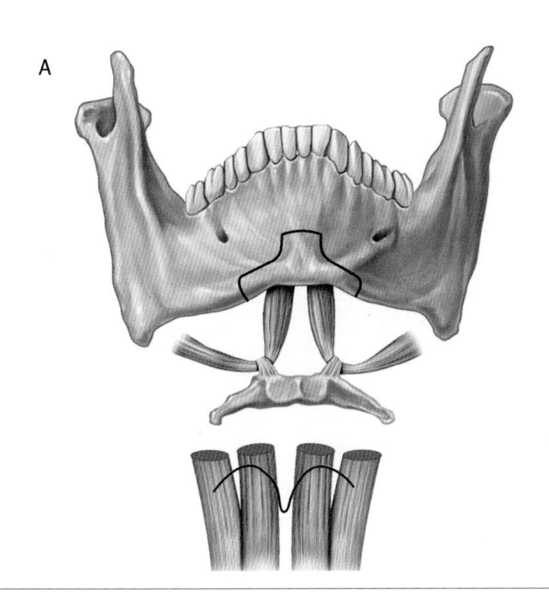

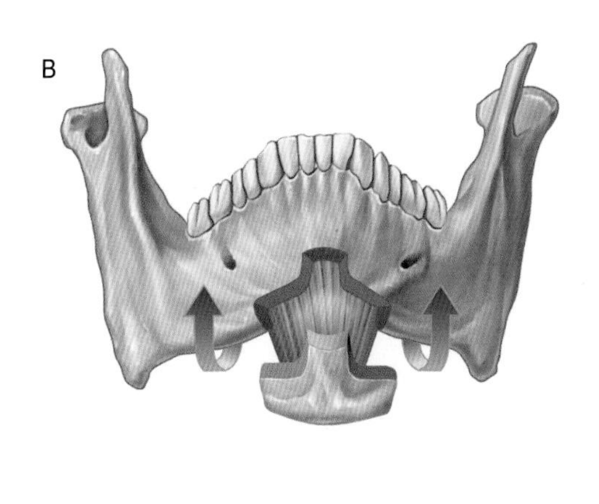

그림 10-37 A: 설골 근절개(hyoid myotomy) B: 변형 이부성형술(modified genioplasty)

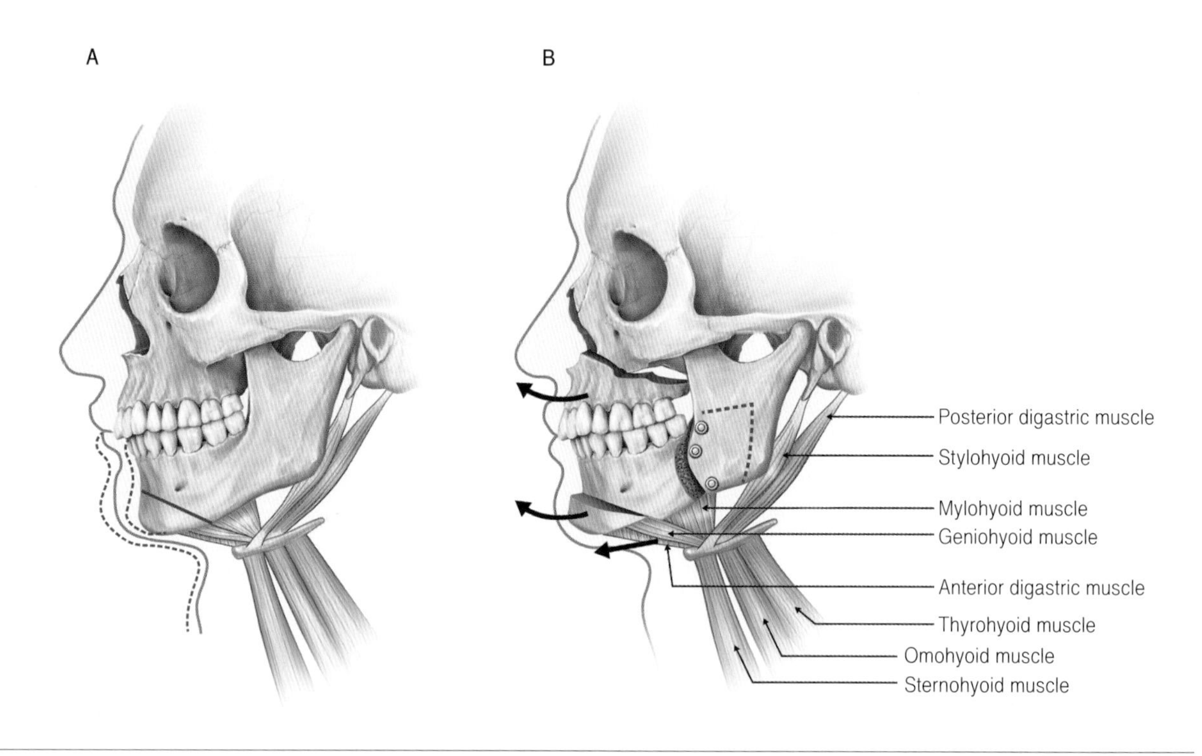

그림 10-38 **A:** 이부성형술(genioplasty) **B:** 상하악전방이동술(MMA)

이극이 하악골 후면에 있어 수술 시 보이지 않으므로 영상진단이 중요하며 최근에는 이러한 이유로 가상 수술 시스템을 이용한 수술 가이드가 이용되기도 한다.

(2) 상하악전진술(Maxillomandibular advancement, MMA)

상악과 하악을 동시에 전진시키는 상하악전진술(MMA)은 수면무호흡증 치료에 있어서 기관절개술을 대치하는 가

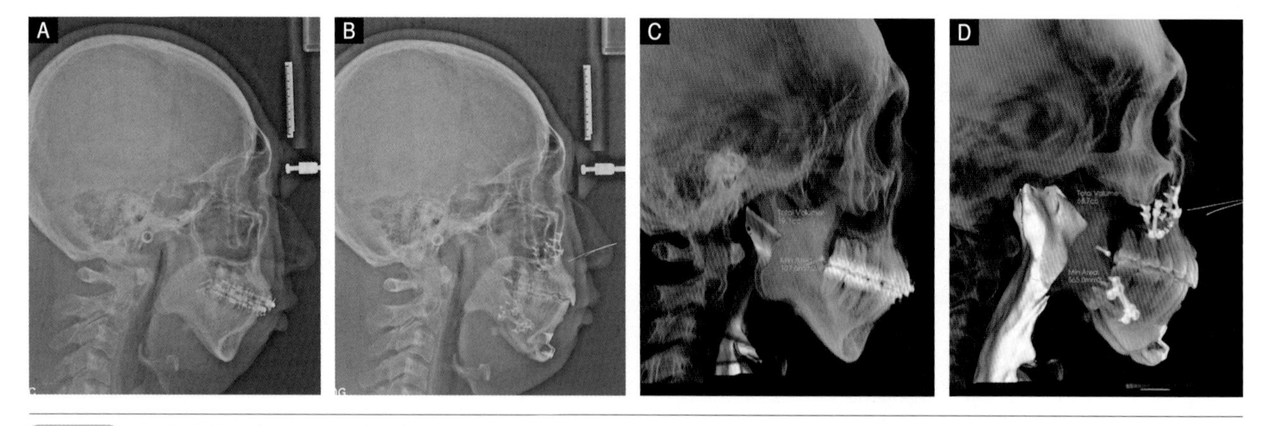

그림 10-39 **수면무호흡을 가진 2급 골격성부정교합 환자에서 상하악골 복합체의 반시계방향회전을 통한 기도 확대. A:** 수술 전 측모두부방사선사진에서 좁은 기도가 관찰된다. **B:** 수술 6개월 후 측모두부방사선사진에서 기도가 확장되어 있다. **C:** 수술 전 3D CT에서 좁은 기도가 관찰된다. **D:** 수술 1년 후 3D CT에서 기도 부피 및 최소 단면적이 증가하였다.

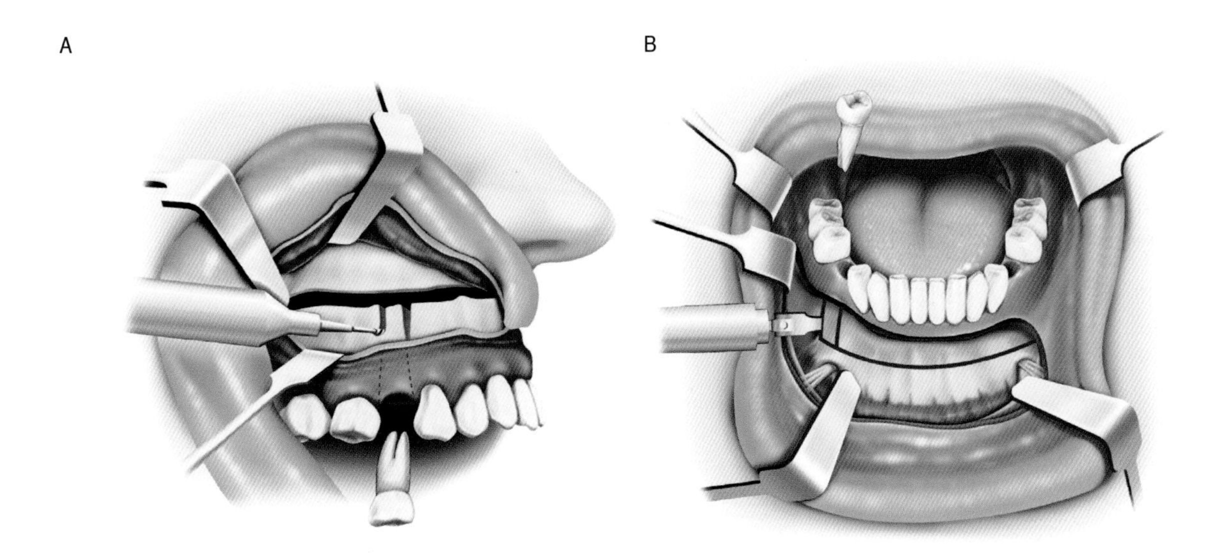

그림 10-40 변형된 상하악전방이동술(modified MMA)은 상하악복합체가 전방이동이 동양인에서 심미적 문제를 일으킬 수 있기 때문에 이를 보상하기 위해 분절골 절단술로 전치부위의 이동을 최소화하여 심미적 문제를 최소화 한다. **A:** 상악제1소구치 발치 후 전방부분골절단술을 위한 골삭제 **B:** 하악 제 1소구치를 발치하고 전방부분골절단술을 시행한 모습

장 효과적인 외과적 술식으로 인정되어진다.[22] 이론적 근거는 상기도의 모든 위치에서 전후방 및 측방 공간을 확장하며, 또한 설골을 상전방으로 이동시키므로 상설골근(suprahyoid muscles)과 구인두근(velopharyngeal musculature)의 긴장도와 협착을 개선하는 것이다. 이 술식은 전통적으로 상악 르포트 1형 골절단술(Le Fort I osteotomy)와 양측 하악 상행지시상분할골절단술(sagittal split osteotomy)을 통해 시행된다(그림 10-38B). 그림 10-39는 수면무호흡증이 있는 2급 골격성 부정교합환자에서 상하 상방이동과 하악 전방이동술 및 이부성형술을 시행하고 수술 6개월 후에 촬영한 측모두부방사선사진(그림 10-39B)와 CT 영상(그림 10-39D)에서 기도공간이 확장된 것을 보여주고 있다.

동양인들은 이마와 코의 돌출이 적어서 상하악전방이동술은 과도한 상하악 및 상하순의 돌출로 심미적 문제점을 야기하여, 변형된 상하악전방이동술을 사용하여 심미적 문제를 줄일 수 있다. 이 방법에서는 상하악 소구치를 발치하여 상하악골에서 전방부 분골절단술 (anterior segmental osteotomy)을 시행하고 상하악 전치부 골편을 소구치 폭만큼 전방으로 이동하여 줌으로써 상하악 전치부 전방이동을 하지 않거나 최소화하여 전방돌출을 감소시켜 심미적 문제를 최소화할 수 있다(그림 10-40).

참고문헌

1. Epker BN, Fish L. Surgical-orthodontic correction of open-bite deformity. Am J Orthod 1977;71:278-99.
2. Nagasaka H, Sugawara J, Kawamura H, Nanda R. "Surgery first" skeletal Class III correction using the Skeletal Anchorage System. J Clin Orthod 2009;43:97-105.
3. Baek SH, Ahn HW, Kwon YH, Choi JY. Surgery-first approach in skeletal class III malocclusion treated with 2-jaw surgery: evaluation of surgical movement and postoperative orthodontic treatment. J Craniofac Surg 2010;21:332-8.
4. Franco JE, Van Sickels JE, Thrash WJ. Factors contributing to relapse in rigidly fixed mandibular setbacks. J Oral Maxillofac Surg 1989;47:451-6.
5. Reyneke JP, Evans WG. Surgical manipulation of the occlusal plane. Int J Adult Orthodon Orthognath Surg 1990;5:99-110.
6. Kim BJ, Kim MG, Kim JH, Kim CH. Study about the relationship between the amount of posterior impaction and the change of occlusal plane angle and incisor inclination in Le Fort I osteotomy. J Korean Assoc Oral Maxillofac Surg 2010;36:375-9.
7. Ryu JM, Ryu KS, Lee BS, et al. Post-operative Stability of Counter Clockwise Rotation of the Mandibular Plane in Skeletal CIII with Anterior Openbite Patients. Maxillofac Plast Reconstr Surg 2012;34:252-9.
8. Reyneke JP, Ferretti C. Anterior open bite correction by Le Fort I or bilateral sagittal split osteotomy. Oral Maxillofac Surg Clin North Am 2007;19:321-38, v.
9. Arnett GW, Milam SB, Gottesman L. Progressive mandibular retrusion-idiopathic condylar resorption. Part II. Am J Orthod Dentofacial Orthop 1996;110:117-27.
10. Posnick JC, Fantuzzo JJ. Idiopathic condylar resorption: current clinical perspectives. J Oral Maxillofac Surg 2007;65:1617-23.
11. Schendel SA, Tulasne JF, Linck DW, 3rd. Idiopathic condylar resorption and micrognathia: the case for distraction osteogenesis. J Oral Maxillofac Surg 2007;65:1610-6.
12. Mercuri LG. A rationale for total alloplastic temporomandibular joint reconstruction in the management of idiopathic/progressive condylar resorption. J Oral Maxillofac Surg 2007;65:1600-9.
13. Gunson MJ, Arnett GW. Pathophysiology and pharmacologic control of osseous mandibular condylar resorption. Response to Dr Schwartz. J Oral Maxillofac Surg 2013;71:4.
14. Dela Coleta KE, Wolford LM, Gonçalves JR, Pinto Ados S, Pinto LP, Cassano DS. Maxillo-mandibular counter-clockwise rotation and mandibular advancement with TMJ Concepts total joint prostheses: part I--skeletal and dental stability. Int J Oral Maxillofac Surg 2009;38:126-38.
15. Gruss JS. Craniofacial osteotomies and rigid fixation in the correction of post-traumatic craniofacial deformities. Scand J Plast Reconstr Surg Hand Surg Suppl 1995;27:83-95.
16. Zachariades N, Mezitis M, Michelis A. Posttraumatic osteotomies of the jaws. Int J Oral Maxillofac Surg 1993;22:328-31.
17. Becking AG, Zijderveld SA, Tuinzing DB. Management of post-traumatic malocclusion caused by condylar process fractures. J Oral Maxillofac Surg 1998;56:1370-4; discussion 4-5.
18. Dodson TB, Bays RA, Pfeffle RC, Barrow DL. Cranial bone graft to reconstruct the mandibular condyle in Macaca mulatta. J Oral Maxillofac Surg 1997;55:260-7.
19. Berry RB, Quan SF, Abreu AR, et al. The AASM Manual for the Scoring of Sleep and Associated Events: Rules, Terminology and Technical Specifications: American Academy of Sleep Medicine; 2020.
20. Riley RW, Powell NB, Guilleminault C. Obstructive sleep apnea syndrome: a review of 306 consecutively treated surgical patients. Otolaryngol Head Neck Surg 1993;108:117-25.
21. Chang ET, Kwon YD, Jung J, et al. Genial tubercle position and genioglossus advancement in obstructive sleep apnea (OSA) treatment: a systematic review. Maxillofac Plast Reconstr Surg 2019;41:34.
22. Prinsell JR. Maxillomandibular advancement surgery in a site-specific treatment approach for obstructive sleep apnea in 50 consecutive patients. Chest 1999;116:1519-29.

Chapter 11 수술 후 유지관리, 재발 및 합병증

Postoperative Care, Relapse and Complications

기본 학습 목표

- 악교정수술의 합병증을 이해한다.

심화 학습 목표

- 악교정수술의 합병증에 대한 술후 처치를 이해한다.
- 수술방법에 따른 술후 유지관리 방법을 설명할 수 있다.
- 술후 재발의 원인을 설명할 수 있다.
- 수술 후 중요한 고려사항 및 합병증에 대하여 대처할 수 있다.

1. 악교정수술 후 유지관리

악교정수술 후 유지관리는 악교정수술 후 발생할 수 있는 합병증을 최소화하기 위하여 유의해서 진행해야 할 사항이다. 수술 전에 수술 시, 수술 후 발생할 수 있는 일들에 대해 환자 및 보호자들에게 자세히 설명하고 환자의 동의를 얻어야 한다. 만약 예상을 벗어난 합병증이 발생할 경우 그 원인을 조속히 파악하여 대응하는 유지관리가 필요하다.

1) 호흡관리

수술 후 유지관리의 첫 과정으로 악교정수술 직후 초기에 나타날 수 있는 호흡관리이다. 호흡 곤란은 악교정수술 직후에 발생하고 간과할 경우 환자가 저산소증에 빠지거나 호흡마비가 발생하기도 한다. 전신마취 후 기관내 위치된 튜브를 발관(extubation)하기 전, 환자의 의식을 충분히 회복시켜서 마취과 의사의 지시에 따를 수 있어야 한다. 발관을 하는 과정에서는 악간고정을 한 환자에서 악간고정을 제거해 주는 것이 좋지만, 만약 악간고정을 유지해야 하는 환자에서는 발관 후 산소포화도가 떨어질 경우를 대비하여 고정장치를 즉시 제거할 수 있는 기구를 갖추고 발관을 하여야 한다. 특히 상악골의 수술 중 인후 및 비강 점막의 열상, 상악동구의 폐쇄, 비점막의 부종 등이 발생하거나 하악의 심한 후퇴고정으로 기도가 좁아져 호흡 곤란이 생길 수 있다. 초기 24시간 동안 호흡 곤란 여부를 관찰하는 것이 중요하고 대개 2~3일이 지나면 부종이 감소하면서 점차 호전된다. 만약 지속적인 호흡곤란과 함께 천명음, 청색증, 고열, 흉통, 심한 기침 등을 호소할 경우 흡인성 폐렴을 의심할 수 있고 즉시 호흡기 전문의와 상의해야 한다.[1] 비점막의 부종을 감소시키기 위해 비강내 분무제를 사용하거나 비경과 흡인기를 사용하여 비강을 청소해 주어야 한다. 또 항히스타민제와 충혈제거제를 투여하며 환자에게 코를 풀지 말라고 교육해야 한다.

수술 직후 또는 초기에 발생하는 출혈은 호흡곤란을 야기할 수 있는 또 다른 중요한 위험인자이다. 수술 중에는 저혈압을 유지하여 심각한 출혈이 없거나 출혈 부위를 소작하여 적절히 지혈이 되었으나, 수술 후 회복실에서나 병실에서 혈압이 높아지거나 소작된 혈관이 다시 열리면서 출혈이 발생할 수 있다. 이런 경우를 대비해서 수술 후 1~2일 기간에는 하악골 주변의 혈종이나 생기거나 구강내 출혈 등을 촉진과 시진을 통해 자주 확인을 해주는 것이 필요하다. 외부로 출혈이 없더라도 조직 내에서 출혈이 생기면 혈종에 의해 기도가 좁아지고, 혀 밑에 생긴 혈종은 혀를 뒤로 밀어서 기도가 좁아질 수 있다. 수술 후 생기는 호흡곤란에 대비해서 산호포화도를 측정해서, 일정 기준 이하로 산소포화도가 내려갈 때 경고음이 발생되는 장비를 구비하면 수술 후 호흡곤란에 의한 심각한 합병증을 조기에 막을 수 있다.

2) 감염관리

악교정수술 후 감염이 발생하는 경우는 많지는 않지만, 봉합한 곳의 이개나 상처치유 부전으로 절단된 골 부위까지 감염이 되어 복잡한 치유과정을 거치게 되는 경우가 있다.[2] 술후 감염에 영향을 주는 요소로는 환자의 나이, 수술시간, 봉합의 질과 봉합 후 치유과정, 술전 항생제의 사용, 이물질의 잔존과 혈종형성 등이 있다.[3] 술전 항생제 사용이 술후 감염에 영향을 주지 않는다는 의견도 있으나[4] 일반적으로 술전 항생제를 투여하는 것을 추천하고 있다.[5] 술전 항생제를 사용하고 수술 후 입원 기간 동안에 정맥 주사용 항생제, 퇴원 후에는 경구용 항생제를 사용한다. 감염의 예방을 위해서는 수술 후 구강내 위생 관리에 주의를 하여야 한다.

수술 후 생기는 출혈과 조직액을 제거하기 위해서 수술부위에서 피부 또는 점막을 통해 고정한 배액관 주변의 위생 관리가 잘 되지 않으면, 이를 통해 감염이 생길 수 있다. 특히 이부 하방의 피부를 통해 고정된 배액관의 경우 음식물과 음료 및 타액이 배액관 주변으로 흐를 수 있으므로 거즈 등으로 잘 밀폐시켜 주아야 한다. 악교정수술에서는 구강내에 교정용 브라켓과 철사가 있는 구강환경이 봉합부위의 위생관리에 어려움을 준다. 교정용 브라켓과 교정용 철사에 음식물의 부착이 증가하는데 반해 칫솔질을 하기 어려운 점이 있으므로, 클로르헥시딘 등의 구강 청결제로 위생 관리를 잘 하도록 환자에게 주지시켜야 하겠다.

3) 개구연습

수술 술기 및 술자의 선호도에 따라 다르지만 골편의 움직임이 있을 수 있는 경우에는 악교정수술 후 악간고정을 시행하게 된다. 하악지수직골절단술을 시행한 경우 골편 안정성에 따라 수술 직후부터 견인 정도의 탄력 고무줄만 걸거나, 1~2주 가량 견고한 악간고정을 시행하고 그 후 약 2~3주 정도 견인 탄력 고무줄을 적용한다. 하악지 시상분할술 후, 골접촉이 좋지 않거나 근육의 힘에 저항하는 일시적인 안정성이 필요한 경우에는 견고한 악간고정을 하기도 하지만, 통상 수술 직후부터 탄력 고무를 적용하고 술후 2~4주경부터 개구 운동을 시작할 수 있다. 수술 후 개구연습 등의 물리치료를 적절하게 하지 않으면 오랜 기간 개구 운동 제한이 발생할 가능성이 있지만 장기간에 걸친 차이는 없다고 알려져 있다.[6,7] 하악지 시상분할술 수술을 받은 환자는 하악지수직골절단술 수술을 받은 환자보다 개구 제한 발생 가능성이 높으므로 술후 물리치료에 더 신경을 써야 하지만 두 수술 간의 최대 개구량의 차이는 없다.

개구연습은 수술 2~4주의 초기에는 손가락으로 저작근이 늘어나는 긴장도를 느낄 정도로 위아래 전치에 부드럽게 힘을 주면서 수직 개구운동을 주로 시키면서, 더불어 하악을 전방으로 이동하는 운동과 자발적 측방운동 또는 손으로 하악을 좌우 측방으로 이동시켜주는 운동을 같이 시켜주는 것이 턱관절 운동의 재활에 중요하다. 1~2주에 초기 운동을 시행하고 근육의 저항이 많으면 설압자를 소구치 부위에 넣고 개구운동을 보다 적극적으로 해 줄 필요가 있다. 과도한 개구운동은 턱관절 장애를 일으킬 수도 있으며, 근심골편과 원심골편의 유합이 아직 불안정한 시기에 골편의 변위가 발생할 수도 있는 점에 유의하여야 한다. 변위된 골편의 경우에도 교합의 변화가 발생하지만, 개구운동을 하면서 저작근의 작용에 의하여 회귀 현상이 나타나서 교합의 변화가 나타날 수 있다. 따라서 일정시간의 개구운동 후에는 환자 스스로 스플린트를 끼워서 잘 들어가는지, 교합 확인을 하게 해야 한다. 교합의 변화로 스플린트가 제자리에 들어가지 않으면 내원하여 구강악안면외과의의 확인을 받고 견고 악간고정을 하여 변위된 골편을 안정화시키고 심하게 변위된 경우에는 수술을 통한 교정이 필요할 때도 있다.

4) 교합 확인 및 부종관리

수술 후 다양한 원인에 의하여 교합 변화가 발생할 수 있다. 대부분 수술 중에 하악과두가 변위된 상태로 원심골편과 근심골편에 견고고정이 이루어졌거나, 하악과두의 변위가 없는데 나사가 풀어지거나 개구 과정에 근육 힘에 의해서 견고고정이 이완되어 원심골편이 변위되어 발생하게 된다. 술후 안정된 교합을 유지하기 위해서 술후 교정치료를 하기 전까지 스플린트를 사용하는 것이 도움이 될 수 있다. 술후 초기에는 환자가 스플린트를 장착하고, 적절한 교합 위치를 찾을 수 있도록 고무줄을 가볍게 걸어주는 것이 바람직하다. 초기에는 고무줄을 하루 종일 착용하는 것이 좋다. 대부분의 환자들은 스플린트에 맞게 새로운 교합관계로 기능하는데 지장이 없으나 어떤 환자들은 세심한 관찰과 유도 고무줄을 필요로 하는 경우도 있다. 스플린트에 맞게 환자가 쉽게 교합을 맞추면 유도 고무줄 사용 시간을 점점 줄인다.

수술 후 약 1개월까지는 부종이 있으며 부종을 줄이기 위해서는 수술 초기 48~72시간 동안 부종이 증가하는 시기에 냉찜질을 잘해주고, 그 이후에는 온찜질을 하여 주는 것이 좋다. 환자에 따라서는 상순 또는 하순만 오랫동안 부종이 지속되거나 안면 전체의 부종이 오랫동안 지속되기도 한다. 수술 후 초기에 피부 청결을 유지 못하는 점과 호르몬의 변화 그리고 수술 스트레스로 피부에 염증이나 피지선 변화가 발생할 수 있는데, 환자에 따라서 오랫동안 여드름 등의 피지선 변화가 생겨서 고생하는 경우들이 있으니 수술 초기부터 피부관리를 잘 해주는 것이 좋다.

2. 재발

턱교정수술 후 발생하는 회귀현상은 다양한 조건에서 그 정도가 다르게 나타난다. 턱교정수술 후 발생하는 회귀현상의 원인은 발생 시기에 따라 수술 직후, 초기, 중기 및 장기적 회귀로 구분할 수 있다. 수술 직후의 회귀는 대부분 하악과두 위치의 변화로 인한 간섭에 의해 발생하며, 초기 및 중기의 재발은 수술 후 근육의 기능적인 작용이 발생하면서 나타나고, 장기적 회귀는 추가적인 턱의 성장이나 하악과두의 흡수 등에 의해서 발생한다. 수술 후 안정성에 영향을 미치는 일반적인 요소로, 골편의 고정방법, 골편간의 접촉 정도, 저작근의 작용, 술전 및 술후 교합의 안정성, 턱관절 위치의 안정성 등이 있다.

Proffit[8] 등은 턱교정수술 후 발생하는 재발에 대하여 3가지 카테고리로 구분하고, 가장 안정적인 수술로 상악의 상방이동과 단안모 또는 정상안모를 가진 환자에서 10 mm 이하의 하악의 전방이동을 포함하고, 이러한 수술방향은 90%의 확률로 2 mm 이하의 재발을 보이지만 4 mm 이상의 재발은 전혀 없는 것으로 보고하였다. 두 번째 안정적인 카테고리로, 상악의 전방이동(<8 mm), 상악의 비대칭 수술(교합기울기 교정), 상악의 상방이동과 하악의 전방이동 그리고 상악의 전방이동과 동시 하악의 후방이동이 이에 속하고, 80%의 확률로 2 mm 이하의 재발률과 20% 확률로 2~4 mm 재발을 보이지만 4 mm 이상의 재발은 없다고 하였다. 세 번째 카테고리는 40~50%의 확률로 2~4 mm의 재발과 유의할 정도의 4 mm 이상의 재발이 있는 불안정한 군으로 하악후방이동, 상악하방이동, 상악확장술이 이에 속한다.

1) 전치부 개방교합

성장이 완료된 성인에서는 전치부 개방교합은 치아교정과 악교정수술 등을 고려하며 치료한다. 전치부 개방교합은 상악의 과성장, 하악지의 열성장과 같은 비정상적인 성장이나 구치부 치아 과맹출 등 여러 가지 요소에 의해 발생할 수 있다.[7,9] 하악후퇴증을 동반한 전치부 개방 교합이 있는 환자의 악골 형태는 하악지(ramus)가 짧고 상악의 후방부위가 아래쪽으로 과성장되어 있는 경우가 많다.[8] 전치부 개방 교합은 결과의 예측이 쉽지 않은 것으로 알려져 있다.[10]

이러한 이유로 전치부 개방 교합의 재발 및 치료에 대해 다양한 의견이 있다. Shingo 등은 개방 교합을 가진 환자에서 골성 고정원을 통한 구치부 함입을 이용한 교정으로 치료하는 것이 악교정수술에 비해 큰 차이가 없으므로 치아교정으로 치료하는 것이 보다 간단하고 효과적이라고 보고하였다.[11] 하지만 Geoffrey 등은 여러 편의 논문을 메타분석한 결과 악교정수술을 시행한 경우 개방교합 재발율은 평균 18%로 나타났고, 교정 치료를 시행한 경우에는 평균 25% 정도 재발되었다고 하였다.[12]

(1) 악교정수술 후 개방교합 재발의 원인

악교정수술 후 전치부 개방교합은 수술 중에 하악과두의 전하방 변위가 있는 상태로 근심골편과 원심골편이 견고 고정되고 수술 직후에 근육의 작용에 의하여 변위된 하악과두가 제자리로 위치하게 되면서 발행하는 경우가 많다. 설골상방근육의 긴장도에 의해서 생기는 수술 후 개방교합은 수술 전 개방교합이 동반되었던 환자에서 주로 발생한다. 2급 골격성 부정교합의 경우에 개방교합이 있으면서 상악의 과성장이 동반되는 경우가 많은데, 상악전치부의 노출을 감소시키기 위해서 상악을 상방으로 평행하게 또는 반시계방향으로 회전하면서 상방이동을 하게 되면 교합을 맞추기 위해서 하악의 원심골편을 반시계방향으로 회전하면서 전방이동하게 된다. 이런 변화로 설골상방근육이 전상방으로 늘어가게 되고, 수술 후에 후하방으로 설골상방근육이 당기는 힘에 의하여 원심골편이 시계방향으로 회전하며 하악의 수술이동량과 근육 긴장도에 따라서 수술 직후부터 개방교합의 변화가 나타나거나 개구 및 저작작용을 하면서 개방교합이 나타나기 시작한다. 장기적으로 이러한 근육이 작용하면 하악과두에 과도한 물리적 힘이 가해져서 하악평면각이 큰 2급 골격성 부정교합의 경우에는 진행성 하악과두 흡수가 발생하고 이는 하악평면각의 증가와 하악전치부 피개량이 감소하고 후방으로 이동하게 되는 회귀현상이 발생하게 된다. 수술 후 개방교합을 줄이기 위해서는 수술 중에 하악원심골편이 반시계 방향으로 회전하는 수술이동량을 피하거나 최대한 줄이는 것이 좋으므로, 하악전방이동량이 감소하여 심미적 개선이 감소하더라도 상악구치부를 상방이동시켜 하악원심골편이 상방이동하거나 시계방향으로 회전을 하면서 상방이동하게 해주는 것이 좋다. 2급 골격성 부정교합의 경우에 상악수술 없이 하악만의 악교정수술이 양악수술에 비해 개방교합에 대한 안정성에 차이가 없다는 보고도 있지만 하악원심골편의 반시계방향으로의 회전이 불가피하고, 수술 후 재발의 위험성을 증가시킬 수 있다고 일반적으로 알려져 있다.

개방교합을 동반한 3급 골격성 부정교합에서도 수술에 의한 하악원심골편의 반시계방향의 회전 정도가 수술 후 개방교합의 발생에 절대적인 요소이다. 그러므로 상악후방의 상방이동을 통하여 하악원심골편의 반시계방향 회전 대신 시계방향으로 회전하거나 또는 교합각의 변화가 없이 하악원심골편을 수직 이동하여 개방교합이 발생하지 않도록 하는 것이 필요하다.

하악을 수술하지 않고 상악만 수술하는 경우, 상악골절편과 두개골 사이에 있는 골간섭을 충분히 제거하지 못하고 악간고정을 하게 되면 하악과두가 전하방으로 빠지게 된 상태로 상악이 견고고정된다. 악간고정을 제거한 후에 하악과두가 제자리로 위치하게 되면서 전방개방교합이 발생하게 되는데, 수술 중 근이완제의 작용으로 이러한 개방교합을 잘 인지하지 못한 채로 수술이 끝나면 수술 후 저작근의 작용에 이해 개방교합이 명확하게 나타나게 된다. 그러므로 상악골절편과 두개골 사이의 골간섭을 충분히 제거해 주어야 하고 하악과두가 관절와에서 빠지지 않은 상태에서 상악골이 고정되어야 한다.

수술 후은 교정적 재발로 인하여 상악과 하악지아의 협설측 회전에 의해 폭경이 변화하게 되어도 개방교합이 발생할 수 있는데, 상하악 폭경 불일치가 심한 환자의 악교정 치료를 받은 경우 전치부 개방교합의 재발이 많다.[8]

(2) 개방교합 재발의 예방과 대처방안

개방교합의 재발을 줄이기 위해서는 하악원심골편의 반시계방향 회전을 피하는 것이 중요하다. 어쩔 수 없이 반시계방향 회전을 하게 되면 3급 골격성 부정교합에서는 하악상행지에 다수의 이중 피질골 나사고정(bicortical screw fixation)을 하거나 금속판 고정에 추가적인 하악상행지의 이중 피질골 나사고정을 하여 견고고정을 사용하여 준다. 2급 골격성 부정교합의 하악과두흡수 위험군 환자에서는 하악상행지의 이중 피질골 나사고정 등의 아주 견고한 견고고정은 수술 후 설골상방근육의 당기는 힘에 의해 하악과두에 과도한 힘을 전달하여 과두 흡수를 야기할 수 있으므로 가능한 피하는 것이 좋다. 악교정수술 후 발생한 개방교합이 심한 경우 추가적인 수술을 통한 교정이 필요할 수 있다.

전치부 개방교합은 처음 치료를 시작한 이후 몇 년이 지나서도 발생할 수 있는 것으로 알려져 있다.[13] 개방교합에서의 교정 치료의 안정성은 어떤 교정 술식을 사용하여 치료하느냐에 따라 차이가 날 수 있다.[14] 논란이 있기는 하지만 개방교합에 대하여 교정적으로 치아를 정출시켜서 치료한 경우, 예후를 예측하기 힘들다고 알려져 있다. 치아의 정출은 혀와 입 주변 근육계 등 개방교합 발생에 기여한 여러 요인들의 영향을 받아 재발될 가능성이 있다. 또한 개방교합의 재발은 혀 내밀기 습관 등 원래 개방교합을 발생시켰던 원인에 의하여 재발할 수 있으며, 치료 후 바뀐 상태에 대해서 생물학적 및 기능적으로 적응하지 못하여 발생할 수 있다. 근래에는 교정 술식의 발달에 따라 구치부 치아를 압하시켜 치료하는 방법이 널리 소개되고 있고 경도에서 중등도의 개방교합은 치료 후 안정성도 비교적 양호한 것으로 보고되고 있다.[7]

2) 하악전돌증에서 하악후방이동 후 재발

악교정수술 환자 중에서 3급 골격성 부정교합 환자가 가장 높은 빈도를 차지한다.[15] 여러가지 수술 방법 중 하악후퇴 이동 술식만으로 3급 골격성 부정교합을 치료하는 방법은 악교정수술 중에서 재발의 위험성이 높은 술식으로 알려져 왔다.[9] 20세기 중반 이후 개발된 견고 고정이 안정성을 높이는 데 기여할 것이라는 기대와 달리, 견고 고정방식이 술후 재발을 유의하게 감소시키지는 못하였다.[16] 술후 회귀 현상의 원인으로 술전 교정의 정도, 고정방식, 근심골편과 원심골편의 골 접촉량, 하악골 후퇴 이동량, 근심골편의 턱관절에서의 변화와 수술 후 성장 등이 제기되었다.[17] 이 중 근심골편의 수술 중 시계방향 회전이 하악후퇴 이동술 시행 후 회귀현상을 일으키는 주된 기여인자일 것이라는 분석이 최근 여러 차례 보고되었다(그림 11-1).[16,18-21]

이는 수술 중에 근심골편이 시계방향으로 회전함에 따라, 교근과 측두근 등과 같은 저작근이 늘어나게 되고, 수술 후 개구와 저작이 시작되면서 늘어난 저작근이 다시 원래의 길이로 회복하려는 작용에 따라 근심골편을 포함한 하악골이 반시계방향으로 회전하게 됨에 따라 하악의 회귀 현상이 나타난다고 설명되고 있다.[20] 그러므로, 원래의 해부학적인 위치에 근심골편을 보존하는 것이 안정적인 결과를 가져올 수 있다고 하였다.[20] 양악수술에서는 수술 중 근심골편의 시계방향 회전이 회귀 현상의 원인이고, 하악만의 수술 시에는 하악골의 후퇴 이동량이 수술 후 재발과 상관관계가 있는 것으로 나타났다고 보고되었으나[19] 하악만의 수술에서도 수술 중 근심골편의 시계방향 회전과 pogonion에서의 수평적 회귀량 사이에서 유의한 상관관계가 있으며, 수술 시 후퇴 이동량과 하악지 경사도의 수술 시 회전 사이에도 유의한 상관관계가 관찰되었으며, 또한 하악골 후퇴 이동량이 수평적 재발과도 약하지만 연관관계가 있음이 보고되었다.[24]

근심골편의 수술 중 조절이 하악골 후퇴 이동술의 치료 성과에 중요한 역할을 함이 여러 차례 보고되고, 견고 고정이 널리 이용되면서, 수술자는 견고 고정이 처음 도입된 시기보다 하악지의 경사를 좀 더 용이하게 조절할 수 있게 되었고, 재발 정도도 감소하였다.[18,22] 최근의 보고에 의하

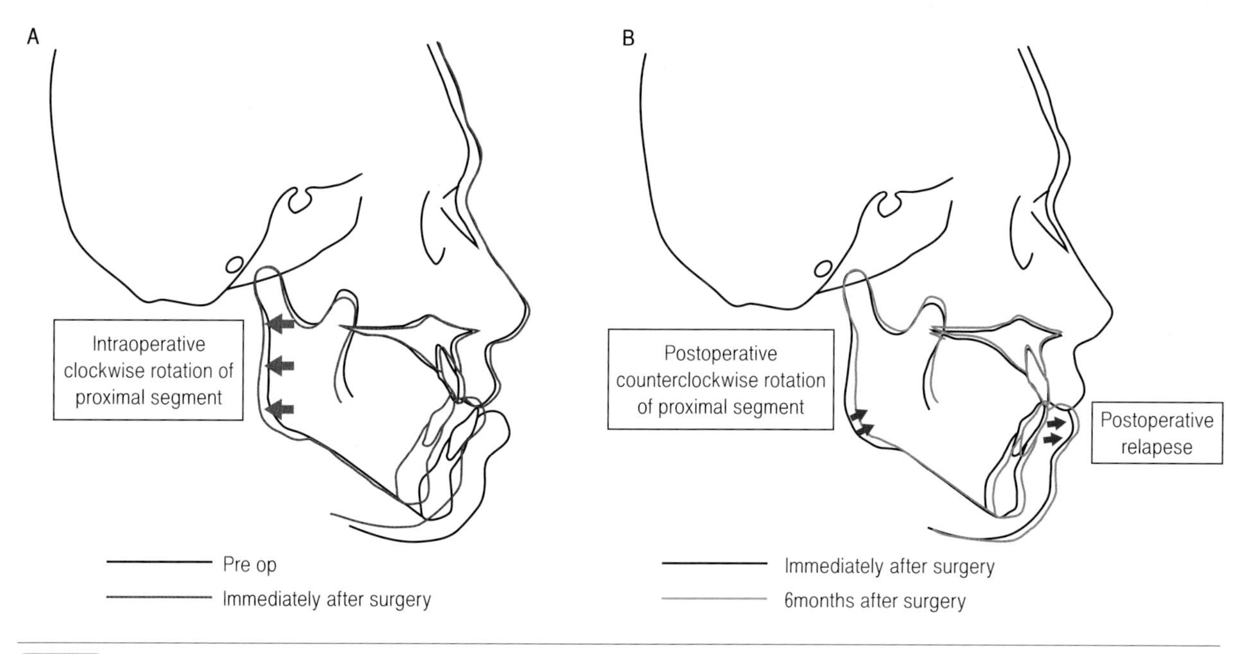

그림 11-1 **측모두부방사선의 수술 전후 중첩 이미지. A:** 하악지 시상분할 골절단술을 이용한 하악골 후퇴 이동술에서 수술 중 근심골편이 시계방향 회전이 발생함을 알 수 있다. **B:** 수술 직후와 비교하여 수술 6개월 후 하악골은 반시계방향으로 회전하였고, 이에 따라 수평적 재발을 보여주고 있다.

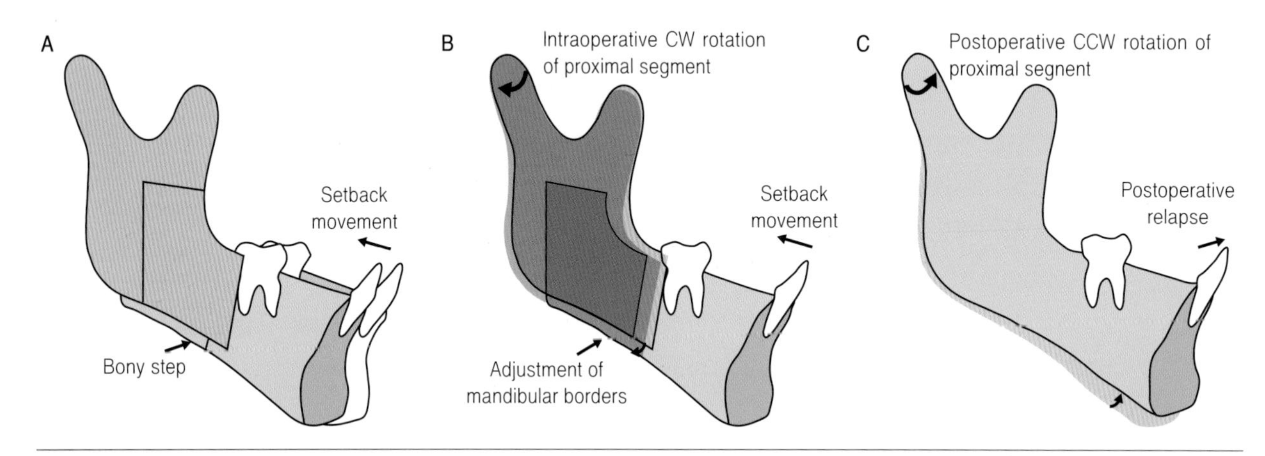

그림 11-2 하악후방이동 후 생기는 근심골편과 원심골편의 하연의 수직적 골 높이 차이가 근심골편이 시계방향 회전을 하게 되고 회귀를 야기하는 모식도. **A:** 원심골편의 후퇴 이동 시, 근심골편과 원심골편의 하연 사이에 수직적 차이가 발생한다. **B:** 수술자는 근심골편을 재위치시킬 때 골접촉을 증가시키고 하연의 골돌출부로 인한 환자의 불편감을 줄이기 위해서 두 골편의 하연을 맞추게 되며, 이는 근심골편의 시계방향 회전을 야기할 수 있다. **C:** 수술 후 근심골편은 원래의 위치대로 돌아가려는 경향에 의해 반시계방향 회전이 나타나고, 술후 회귀현상이 나타날 수 있다.

면 양측성 하악지 시상분할 골절단술을 이용한 하악골 후퇴 이동술에서 근심골편의 수술 중 시계방향 회전에 관련된 요소로 하악후방이동 후 생기는 근심골편과 원심골편의 하연의 수직적 골 높이 차이가 가장 관련 있는 요소이고(그림 11-2), 그 외에 하악골 후퇴 이동량, 하악각, 상악골의 하방이동 등이 유의한 연관성을 가지는 요소로 보고하였다.[23] 또한 다른 연구에 따르면 하악지 시상분할 골절단술을 이용한 하악골 후퇴 이동술 후의 회귀현상은 하악후방이동량과는 연관이 없었지만 근심골편의 수술 중 시계방향 회전은 유의한 상관관계가 있었는데, 이는 수술자가 수술 중에 근심골편을 수술 전과 같은 위치로 고정하면 하악후방이동량에 상관없이 회귀량을 줄일 수 있음을 시사하고 있다.[24]

3) 하악후퇴증에서 하악전방이동 수술 후 재발

수술 직후에 생기는 재발은 많은 경우 하악과두의 변위, 특히 전방으로의 이탈(anterior sagging)에 의한 후방이동에 의하거나, 과도한 전방이동으로 인해 늘어난 연조직에 생긴 긴장에 의해서 하악이 후방으로 밀리거나 견고고정의 이완 등에 의해서 발생할 수 있지만, 스플린트에 하악근심골편이 적합하는 과정을 통해 안정된 결과를 얻을 수 있다. 하지만, 하악평면각이 큰 2급 골격성 부정교합의 환자는 많은 경우 수술 전에 하악과두의 골흡수를 동반하거나 수술 후에 하악과두 흡수를 보이는데, 이 과두흡수의 원인은 명확히 알려져 있지 않아 원인불명성 하악과두흡수(idiopathic condylar resorption)로 일컬어지거나 또는 한 번 발생하면 지속적인 과두흡수가 나타난다고 해서 진행성 하악과두흡수(progressive condylar resorption)라고 불려지고 있다.[25-27] 이러한 하악과두의 흡수는 하악평면각이 큰 2급 골격성 부정교합의 환자에서 하악전방이동 수술 후 장기적인 회귀의 주된 원인으로 작용하고, 하악전방이동 후 나타나는 합병증으로 간주되고 있다(그림 11-3A~C).[25-30]

이러한 하악과두의 흡수는 턱관절의 퇴행성질환으로 턱관절염의 일종이며 10대 중반에서 30대 초반의 연령층에서 발생하고 여성에서 주로 관찰되며, 빈도수가 적지만 이 연령대의 남성 환자들에게서도 발생한다.[25-30] 이러한 여성 우위의 발생 빈도와 연관하여 여성호르몬의 역할이 추정되고 있으며, 턱관절에 통증, 관절잡음 및 개구제한 등의 임상적 증상이 관찰되지만 이러한 증상없이 나타나기도 한다.[26,27] 하악과두의 흡수는 뚜렷한 원인없이 자발적으로 발생하기도 하지만, 턱관절에 무리한 하중이 오거나 턱교정 수술 후 턱관절에 오는 변화가 클 경우는 발생 위험성이 더 높다.[25-30] 대부분 양측성으로 관찰되지만 편측으로도 나타나는 것은 호르몬에 의한 단독 요소라기보다 턱관절에 오

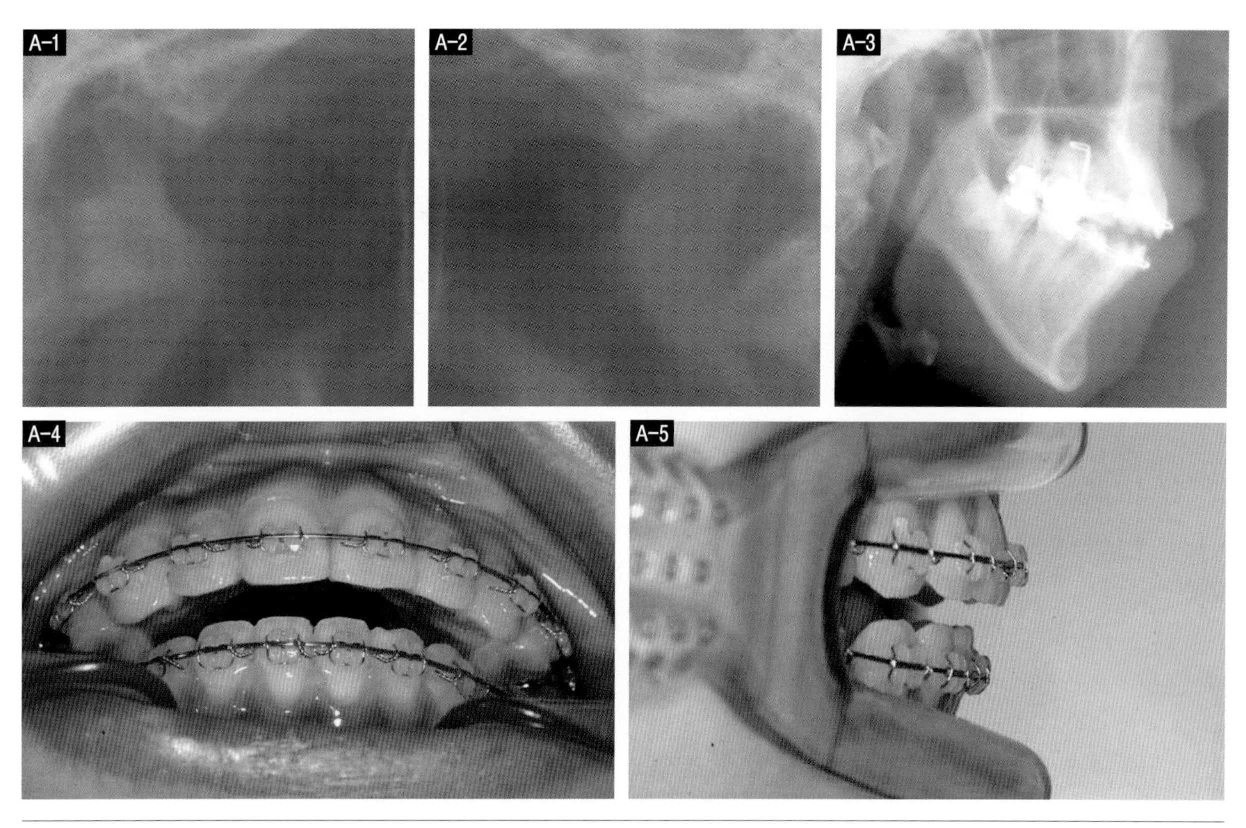

그림 11-3A **2급 골격성 부정교합 환자의 교정치료 초기의 방사선 및 임상사진. A-1:** 파노라마 방사선사진에서 우측 하악과두 **A-2:** 좌측 하악과두 **A-3:** 측모두부방사선사진 **A-4:** 전면에서 본 교합 **A-5:** 측면에서 본 교합

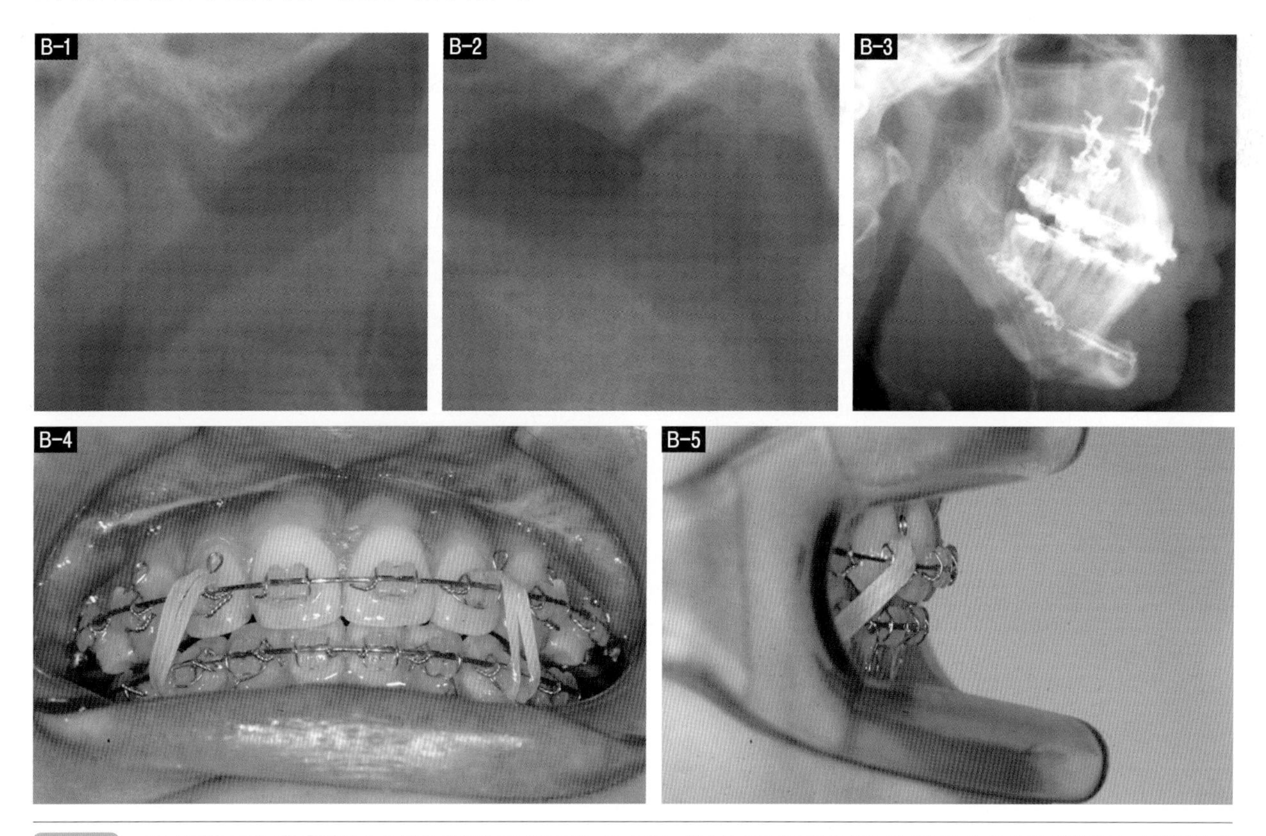

그림 11-3B **2급 골격성 부정교합 환자의 수술 직후 방사선 및 임상사진. B-1:** 파노라마 방사선사진에서 우측 하악과두 **B-2:** 좌측 하악과두 - 교정치료 초기에 비해 과두흡수가 있음이 관찰된다. **B-3:** 측모두부방사선사진 **B-4:** 전면에서 본 교합 **B-5:** 측면에서 본 교합

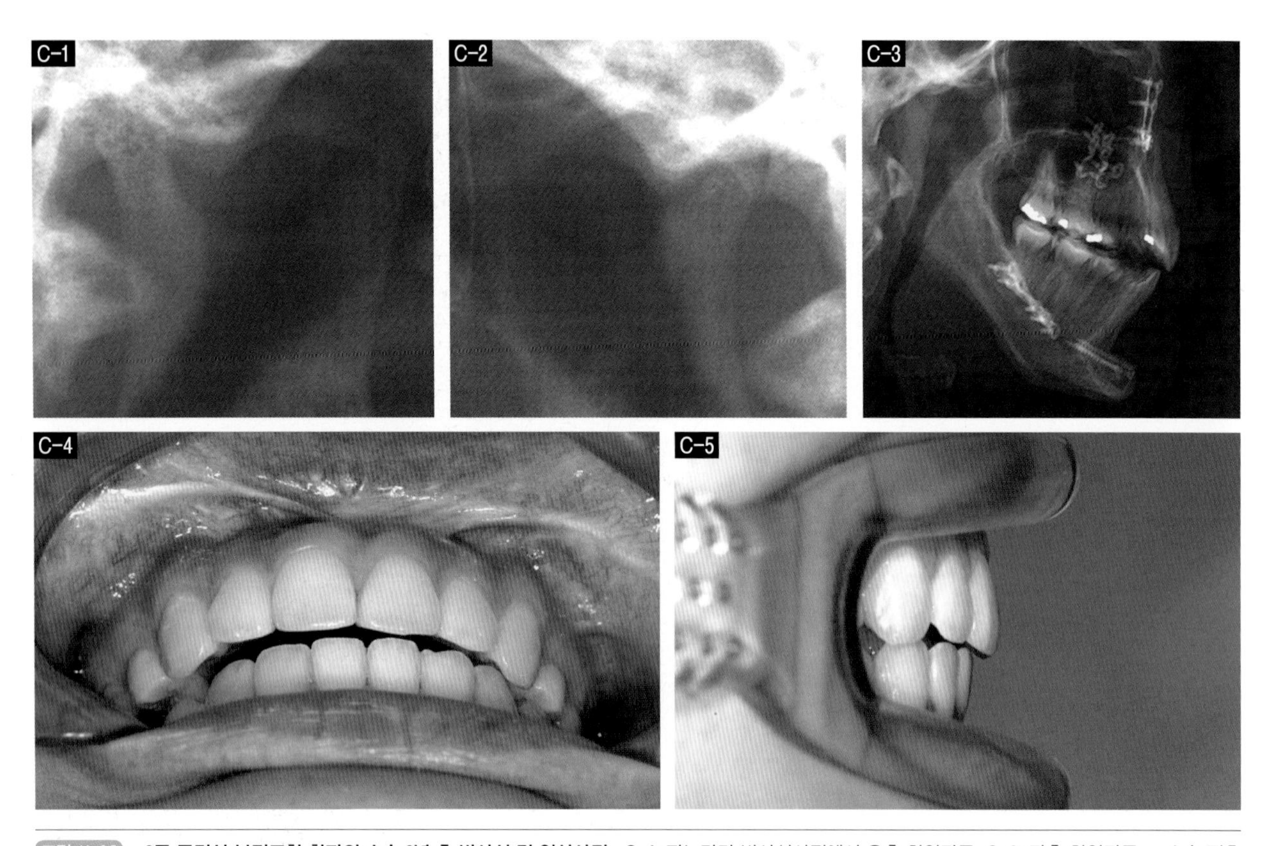

그림 11-3C 2급 골격성 부정교합 환자의 수술 2년 후 방사선 및 임상사진. **C-1:** 파노라마 방사선사진에서 우측 하악과두 **C-2:** 좌측 하악과두 - 수술 직후에 비해 하악과두 흡수가 증가된 모습이 관찰된다. **C-3:** 측모두부방사선사진 - 과두흡수로 인해 전치부 피개가 감소하고 하악이 후방이동된 모습이 관찰된다. **C-4:** 전면에서 본 교합 **C-5:** 측면에서 본 교합

는 역학적 요소가 관여함을 추측하게 한다.

수술 후 발생하는 하악과두의 흡수의 위험요소 중에서 환자 요소로는 10대 후반에서 20대의 여성,[28-33] 낮은 에스트로겐 수치[34]와 낮은 골밀도,[35] 하악평면각이 큰 경우,[28-33] 하악과두의 후방경사도가 큰 경우,[32,33] 관절원판의 변위[29,30] 등이 보고되었고, 수술적 요소로 과도한 하악의 전방이동,[28-31,35] 근심골편의 반시계방향 이동,[31] 원심골편의 반시계방향 회전,[31] 하악과두의 수술 후 변위[31] 등이 보고되었다.[25-32]

3. 악교정수술의 합병증

구강악안면 영역의 다른 수술과 마찬가지로 악교정수술과 관련해서도 다양한 합병증이 발생할 수 있다. 악교정수술이 비응급 수술이라는 특성상 예방을 위한 노력이 대단히 중요하고 발생하였을 때에는 적절히 대처할 수 있는 능력을 가질 수 있도록 하여야 한다. 악교정수술과 관련된 합병증으로는 그 시기에 따라서 수술 중 합병증, 수술 후 초기 합병증, 수술 후 지연된 시기의 합병증 등으로 구분할 수 있다.

1) 수술 중 발생할 수 있는 합병증

(1) 출혈

악교정수술 중의 출혈은 상악이나 하악수술 모두에서 발생할 수 있다. 생명을 위협할 정도의 대량 출혈은 흔하지 않지만 간혹 보고되고 있다.[33-35]

상악수술과 관련하여 손상받기 쉬운 동맥은 상악동맥(maxillary artery), 하행 구개 동맥(descending palatine artery), 후상치조 동맥(posteior alveolar artery) 등이 있다.

익돌상악접합부(pterygo-maxillary junction)의 절단 시 골절도를 상방이나 내측으로 과도하게 사용하여 혈관이 직접 손상될 수 있고 익돌판 부위의 불완전한 골절단을 방치한 채로 과도하게 상악을 움직이려고 시도하는 경우 골절단부가 상방 두개저 쪽으로 진행되거나 날카로운 절단면에 의한 이차적 혈관 손상이 발생할 수 있다. 비측벽 후방의 구개골절단시에는 하행 구개 동맥의 손상으로 인한 출혈이 발생할 수 있고, 하방골절(down-fracture) 후에는 익돌정맥총(pterygoid venous plexus)에서의 출혈도 흔히 관찰되지만 대개 혈관의 직접 결찰, 전기 소작기의 적용, 압박과 지혈제의 사용으로 적절한 지혈이 가능하다.

하악수술과 관련된 출혈은 상악동맥, 하치조 동맥(inferior alveolar artery), 안면 동맥(facial artery), 후하악 정맥(retromandibular vein) 등에서 일어날 수 있는데 절골도나 수술용 톱, 회전기구의 부적절한 사용에 의해 발생하는 경우가 많으므로 기구의 적절한 사용을 위해 노력하여야 한다. 지혈을 위한 조치는 상악에서의 경우와 마찬가지로 대개 수술 부위를 통해 시행할 수 있고 적절한 지혈이 얻어지지 않을 경우에는 구외 접근이 필요할 수도 있다.

(2) 부적절한 골절단 또는 골절

원하지 않는 부위의 골절은 상악골보다는 하악골에서 자주 일어난다. 일부 보고에 의하면 하악지 시상분할 골절단술에서는 0.5~5%까지 다양한 빈도로 부적절한 골절이 일어난다고 알려져 있다.[36-38] 흔한 원인은 적절하지 않은 기구의 사용이나 불완전하게 골절단선이 형성된 상태에서 과도하게 힘을 가하는 것이며 제3대구치가 존재하는 경우 그 빈도가 높아질 수 있다는 보고가 있다.[39]

골절이 근심골편 협측에 발생한 경우는 골절편을 근심골편에 단단히 고정시키고 통법대로 원심골편을 원하는 교합위치로 이동 후 고정하면 된다. 골절이 과두 하부에서 발생하면 과두의 정확한 위치를 잡기가 어렵지만 조심스럽게 골절 부위를 정복하면서 과두를 위치시키고 진행하여야 한다. 원심골편의 근심측 설측 골절이 생긴 경우에는 원심골편을 원하는 교합 위치로 이동하여 근원심골편을 서로 고정한 후에 설측 골절편을 근심골편에 고정시키는 경우도 있다.

상악골절단 시에는 부적절한 골절에 관한 문제가 하악에 비해서는 적은 편이다. 톱이나 회전 기구에 의해 얇은 상악골 전벽이 부서지거나 골분리기(bone separator)를 상악골 후방부에 사용할 때 얇은 골판이 부서질 수 있으므로 주의를 기울여야 한다.

(3) 신경 손상

① 하치조신경 손상의 발생률

하치조신경혈관 속 분지의 절단은 임상적으로 약 3%의 빈도로 발생한다. 하치조신경은 하악골상행지 시상분할 골절단술 동안 회전 절삭기구의 버나 reciprocating saw에 있는 톱날에 의해 직접 절단될 수 있고 치즐을 이용해 골을 절단하거나 플레이트와 나사를 이용해 골편을 고정시키는 동안에도 손상이 발생할 수 있다.[40]

수술 동안 직접적인 신경의 절단이 발생하지 않았어도 수술 후 환자의 신경손상 증상은 발생할 수 있다. 환자의 나이가 많거나 이부성형술을 동시에 시행하거나 하악골을 전진시키는 정도가 더 클수록 신경손상의 위험성이 더 높아질 수 있다. 하악골상행지 시상분할 골절단술 후 하치조신경의 이상감각의 발생률은 5.5%라고 보고되었다.[40-42] 다른 논문에 의하면 하악골상행지 시상분할 골절단술 동안 하치조신경 손상 발생을 직접 확인한 경우는 124명 중 7명으로 6% 정도라고 보고하였다.[43]

이에 반하여 하악골상행지 시상분할 골절단술을 받은 585명의 환자의 3년 이후 감각을 평가한 다른 여러 연구에 의하면, 36.8%의 환자들에서 장기간의 감각이상이 발생했다고 보고되었다.[44] 그리고 여러 논문에서 하악골상행지 시상분할 골절단술을 받은 환자들의 거의 100%가 감각 이상을 겪었다고 보고하였다.[45-48]

하치조신경손상 후의 감각이상에대한 체계적인 문헌고찰에 따르면, 객관적인 측정방법(trigeminal somatosensory evoked potentials, orthodromic sensory nerve action potentials, blink reflex)에 비해 주관적인 측정 방법이 각 검진 시점 동안 감각이상을 호소하는 빈도가 더 높게 나오는 경향이 있었다고 보고하였다.[49] 수술 후 7일에 객관적인 검사로 측정했을 때 63.3%에서 감각이상을 호소한 반면에 주관적인 검사로 측정한 결과 83%에서 감각이상을 호소하였다. 1

년 뒤에는 객관적인 검사 상 12.8%에서 감각이상이 지속된 반면에 주관적인 검사 상 18.4%에서 감각이상이 지속되었다. 이 연구의 결과에 의하면, 수술 후 3개월 이내에는 객관적인 방식의 검사가 가장 민감한 결과를 제공하고 그 이후에는 감각이 회복되어 객관적인 검사와 주관적인 검사 모두 만족할만한 결과를 제공한다.[49]

② 하치조신경 손상 예방

하악골상행지 시상분할 골절단술동안 하치조신경의 견인으로 인한 손상은 흔하게 발생하지만, 신경자체의 절단은 드물게 발생한다. 하치조신경의 손상은 골절단술을 시행하는 동안 가장 많이 발생한다. 따라서 신경손상을 예방하기 위해 가능하면 신경을 보호할 수 있도록 눈으로 보면서 골을 절단하고 골편을 분리한다.

만약 신경이 근심골편에 있거나 피질골 내부에 있으면, 신경을 박리하는 적절한 처치가 필요하다. 신경을 망상골로부터 골막기자를 이용하여 간단하게 박리시키거나 피질골로부터 박리하기 위한 추가적인 골절단이 필요할 수 있다. 하지만 너무 박리를 심하게 하면 추가적인 신경손상이 발생할 수 있기 때문에 주의해야 한다. 한 연구에서는 골격성 2급 하악후퇴증 환자 중 하악체의 높이가 낮고 신경의 높이가 낮게 위치한 경우 신경손상의 위험성이 더 높다고 보고하였다.

하치조신경 손상을 예방하는 방법은 골절단 술식의 다양화, 조심스런 치즐의 사용, 세심한 박리 기술, 적응증일 경우 측방골의 감압술, 수술 도중 스테로이드의 사용 등이 있다.

수평 골절단술 동안 아래쪽에 위치한 신경혈관가지의 근심쪽 견인을 심하게 할 경우 하악소설(lingula)쪽과는 반대쪽으로 하치조신경관을 압박해 수술 도중 신경의 전도를 감소시킬 수 있다. 따라서 근심으로의 견인은 조심스럽게 시행되어야 한다. 협면의 바깥 부분에서 수직으로 골절단술을 할 수 있는 가장 이상적인 위치는 피질골이 가장 두껍고, 하악골이 가장 두꺼우며 측면 피질골로부터 신경이 가장 멀리 위치한 제1대구치와 제2대구치 부위이다.

하지만 신경손상 예방을 위한 다른 방법은 임상적 경험에 근거한 것으로, 아직까지는 어떤 방식이 다른 방식보다 더 나은 방법인지 대조한 연구는 없다.

③ 하치조신경 손상의 치료법

하악관의 신경혈관분지가 손상된 경우, 신경의 연속성을 유지하기 위해 세심한 주의 및 처치가 필요하다. 부분적으로 손상된 신경혈관분지는 하악골을 이동시킨 후, 조심스럽게 재위치시킨다. 만약 신경혈관분지가 완전히 절단된 경우라면 신경봉합술을 시행한다. 현미경이나 확대경하에서 미세신경봉합술 시행 시 이상적인 회복을 제공할 수 있지만 회복되는 정도는 손상의 정도와 접합의 상태에 따라 다르다.

하치조신경 절단이 확인되면 그 자리에서 조기 문합을 시행하는 개념이 가장 확실한 방법이지만, 이 술식의 임상적 유용성과 장기간의 더 나은 결과에 대해서는 아직 명확하게 밝혀져 있지 않다. 하치조신경손상의 위치는 다양한데, 흔한 위치로 제1대구치와 제2대구치 사이의 협부를 따라서 골절단술을 시행한 전하방 부위이다. 이곳은 하악골상행지 시상분할 골절단술을 하는 도중 하치조신경 절단이 잘 일어나는 위험 부위로 인식되고 있다. 하악골 전진술 후 골편을 잘 접근시키기 위해 근심골편의 연장이 필요한 중등도~고도 수준의 하악의 열성장을 가진 환자에서 신경손상의 위험성이 증가한다.

하치조신경이 절단되었을 경우, 2개 이상의 비흡수성 8-0 혹은 9-0 봉합사로 절단된 신경을 신경외막에서 봉합을 해주는 것이 추천된다. 특히 상당히 많은 양의 하악체 전방이동술을 계획 중이라면 측방으로 피질골제거술(decortication)을 시행하여 이공으로부터 신경이 더 잘 움직일 수 있도록 박리해주는 작업이 필요할 수 있다. 특히, 이공 주변은 하치조신경이 가장 측방에 있고 하악체의 협측 피질골이 가장 얇은 곳으로, 신경 손상이 가장 잘 발생할 수 있는 부위이므로 주의해야 한다. 한 연구에서는 신경손상이 발생한 9명의 환자의 골편들을 가깝게 위치시킴으로써 손상된 신경 말단을 접근시켰으며 신경외막 봉합은 하지 않았다. 환자들은 2~5년 동안 점검을 받았고 모든 환자들은 하치조신경의 감각이 정상적으로 회복되었다. 이러한 현상이 신경의 자발적 재생이나 중추성 신경으로부터 새롭게 자라 나왔는지에 대해서는 알 수 없었다고 보고하였다.[50] 수직골절단술 도중에 절단이 발생하면, 후방에 위치하여 시야 확보의 어려움과 기구 접근의 어려움으로 즉각적인 봉합 처치는 어렵다.

(4) 설신경 손상

① 설신경 손상의 발생률

하악지 시상분할 골절단술 동안 설신경 손상이 드물게 발생하는데, 신경손상의 원인과 발생률 그리고 이에 따른 통증에 대해서는 아직 정립되지 않았다. Becelli 등은 482명의 하악골상행지 시상분할 골절단술 후 1주 동안 설신경 손상의 발생률은 0.6% 정도이며, 주기적 검진 결과 12개월 이후 신경 손상이 회복되었다고 보고하였다. 이는 하악 제3대구치를 발치할 때 발생한 설신경 손상과 비슷한 발생률이다.[51,52]

② 설신경 손상 원인

설신경은 하악신경(mandibular n.)의 posterior division (뒷부분)에서 나오며, 하치조신경의 전내측에 위치하여 다양하게 주행하므로, 하악골상행지 시상분할 골절단술 시 하악지 내측면으로 접근하기 위한 골막하 박리를 시행하는 동안 손상될 수 있다. 또한 골절단술을 시행하는 동안 린데만 버(Lindeman bur)같은 회전 절삭기구나 reciprocating saw를 사용할 때 손상될 수 있다. 그리고 수술 부위 출혈이 심하여 전기소작기를 이용하여 지혈을 할 때, 골절단술 후 이동된 골편을 드릴과 나사를 이용하여 고정할 때, 수술 후 절개 부위를 봉합하는 동안 바늘이 설신경을 통과하여 묶였을 경우 손상될 수 있다.[53-55]

③ 설신경 손상의 치료법

하악지 골절단술 동안 설신경손상이 발생할 경우 3~6개월 이내에 자세하게 평가하는 것이 환자로 하여금 치료 방법을 선택하도록 도움을 줄 수 있다.

만약 설신경이 수술 도중 노출이 되거나 열상 혹은 절단이 발생할 경우, 즉시 봉합이 좋으며 만약 외부물질(예: 나사)이 압박하여 신경이 손상되었을 경우 3차원 CT로 평가하여 치료 여부를 결정하는 것이 필요하다.

설신경 손상 후 3개월이 지나도 감각의 회복이 없고 심각한 감각이상이 있는 경우 수술의 적응증이 될 수 있다. 한 보고에 의하면 설신경 손상을 받은 환자 중 22%는 90일 이내에 치료를 받아 93%의 환자가 감각이 회복되었다고 하였으나, 90일 이후에 치료를 시행한 경우 63% 정도 회복되었다고 보고하였다.[56]

2) 수술 후 초기 합병증

(1) 출혈

술후 초기에 발생하는 출혈은 대개 상악수술이 원인인데 가벼운 비출혈은 비강 폐쇄술(nasal packing)로 조절하면 되나 조절이 어려운 출혈은 익돌정맥총의 출혈에 의한 것이거나 하행 구개동맥에 의한 것이 많다. 수술 중에 적절한 지혈을 하지 못한 경우에 술후 비강을 통한 과도한 출혈이 발생할 수 있는데 비강이나 구강쪽으로는 적절한 처치를 하기 어렵고 수술 부위를 직접 확인해야 하는 경우도 있으므로 수술 시에 완전한 지혈이 이루어진 것을 확인하는 것이 예방책이다. 간혹 부분적으로 손상되어 출혈이 심하지 않았던 동맥에서 2~3주 후에 지연된 출혈로 인한 가성동맥류가 생기는 경우에는 수술 부위의 직접 확인이 필요할 수도 있으나 대개는 색전술(embolization)로 치료할 수 있다.[57]

수술 후 원인이 뚜렷하지 않은 출혈이 지속될 때에는 수술 전 검사에서 발견되지 않았던 응고장애와 관련된 혈액학적 이상이 있을 가능성을 고려하여야 한다.

(2) 호흡과 관련된 합병증

수술 후 심한 부종은 적절한 기도 공간의 확보가 되지 않아 호흡 장애를 일으킬 수 있으며 상악수술을 시행한 경우 비호흡이 어렵고 악간고정을 하고 있는 환자는 그 정도가 더 심할 수 있다. 수술 시간이 예기치 않게 길어지거나 출혈이 심해 술후 부종이 더 심하고 기도 확보가 용이하지 않을 것이 예상되는 경우는 기관 튜브 삽관을 그대로 유지한 채로 하루 정도 지켜 보는 것이 좋다.

(3) 감염

모든 수술과 마찬가지로 악교정수술 후에도 감염이 발생할 수 있다.[2] 무균적 환경하에 수술이 진행되고 수술 전후 적절한 항생제를 투여하면 대개의 감염은 예방이 가능하나 감염이 발생하였을 경우는 배농과 함께 항생제 투여의 기간을 늘려야 할 수 있다. 골편이 움직이거나 미세한 골절편이 발생하여 움직이는 경우, 골편 고정용 스크류나 강판이 움직이는 경우에도 감염이 발생할 수 있으므로 원인을 적절히 제거하도록 한다.

3) 수술 후 지연 합병증

(1) 지연 유합, 비유합, 골편 괴사

지연 유합이나 비유합은 골편 간 접촉면적이 너무 작거나 고정이 완전하게 이루어지지 않았을 때 발생할 수 있다. 구개열 수술을 받은 적이 있는 상악골과 같이 혈액 공급에 방해를 줄 수 있는 요소가 그 발생률을 증가시킨다. 추가적인 악간고정이 지연유합이나 비유합의 치료에 도움을 줄 수 있으나 상악에서는 악간고정상태에서 환자가 입을 벌리려는 행동이 골편의 움직임을 증가시킬 수 있어 치유에 방해가 될 수 있다는 의견도 있다. 악간고정과 같은 보존적 처치로 해결되지 않는 비유합은 골편 간에 강한 고정을 제공할 수 있는 수술적 방법을 고려해야 하며 골이식이 필요할 수 있다.

골편 괴사는 드물지만 다분절 골전단술 시에 더 발생할 수 있는데 골편이 너무 작거나 고정이 불안정한 경우, 혈행 공급을 방해할 수 있는 연조직의 상처나 술후 고정용 구개 스플린트의 지나친 연조직 압박이 원인이 될 수 있고 전신적인 요인에 의해 그 발생 빈도가 높아질 수 있다.[58] 일단 골괴사의 진행이 의심될 경우는 항생제 투여와 함께 수술 부위의 소독, 청결함 유지 등으로 보존적 처치를 시행한 후 괴사된 골의 경계가 명확해지면 괴사골의 제거 후 재건을 고려한다.

(2) 구강-비강 누공, 구강-상악동 누공

대개의 누공은 수술 시 기구에 의한 상처나 연조직의 부적절한 처치로 인해 발생하며 다분절 골전단술 시에는 분절부가 정중부에 위치한 경우 생기기 쉽다. 예방이 최선이나 일단 발생한 경우 보존적 처치를 우선 시행하며 잘 치유되지 않을 때에는 수술적 폐쇄를 시행한다.[59]

4) 그 외의 합병증

골절단선이나 고정용 스크류의 위치가 적절하지 않았을 때 치근의 손상이 발생할 수 있고 부적절한 방향으로의 분절골편 이동으로 인한 치주 조직의 손상이 발생할 수 있으며 상악의 골절단선이 지나치게 상방으로 위치했을 때 비루관(nasolacrimal duct) 손상에 의한 유루증(epiphora)이 발생하거나 대추체 신경(greater petrosal nerve)의 손상에 의한 눈물 분비 감소가 발행할 수 있다. 상악의 이동에 의한 익돌판의 위치 변화는 구개범장근의 장력에 변화를 일으켜 유스타키오관의 기능이 저하되면서 귀의 삼출물이 발생하고 청력저하가 발생했다는 보고가 있다. 하악골의 후방 이동량이 많을 때 후방 기도 공간의 축소로 인한 코골이, 수면 무호흡증이 발생할 수 있고, 매우 드물게 일어나는 합병증으로 상악골 절단술 후 뇌신경 손상이나 시력 장애가 발생하였다는 보고도 있는데 익돌상악 접합부의 절단이 두개저쪽으로 너무 상방에 치우칠 경우 생길 수 있는 것으로 추정된다.[60,61]

참고문헌

1. Marik PE. Aspiration pneumonitis and aspiration pneumonia. N Engl J Med 2001;344:665-71.
2. Spaey YJ, Bettens RM, Mommaerts MY, et al. A prospective study on infectious complications in orthognathic surgery. J Craniomaxillofac Surg 2005;33:24-9.
3. Velanovich V. A meta-analysis of prophylactic antibiotics in head and neck surgery. Plast Reconstr Surg 1991;87:429-34; discussion 35.
4. Ruggles JE, Hann JR. Antibiotic prophylaxis in intraoral orthognathic surgery. J Oral Maxillofac Surg 1984;42:797-801.
5. Zijderveld SA, Smeele LE, Kostense PJ, Tuinzing DB. Preoperative antibiotic prophylaxis in orthognathic surgery: a randomized, double-blind, and placebo-controlled clinical study. J Oral

Maxillofac Surg 1999;57:1403-6; discussion 6-7.
6. Bell WH, Gonyea W, Finn RA, Storum KA, Johnston C, Throckmorton GS. Muscular rehabilitation after orthognathic surgery. Oral Surg Oral Med Oral Pathol 1983;56:229-35.
7. Ueki K, Marukawa K, Hashiba Y, Nakagawa K, Degerliyurt K, Yamamoto E. Assessment of the relationship between the recovery of maximum mandibular opening and the maxillomandibular fixation period after orthognathic surgery. J Oral Maxillofac Surg 2008;66:486-91.
8. Proffit WR, Turvey TA, Phillips C. Orthognathic surgery: a hierarchy of stability. Int J Adult Orthodon Orthognath Surg 1996;11:191-204.
9. Lapp TH. Bimaxillary surgery without the use of an intermediate splint to position the maxilla. J Oral Maxillofac Surg 1999;57:57-60.
10. Proffit WR, Bailey LJ, Phillips C, Turvey TA. Long-term stability of surgical open-bite correction by Le Fort I osteotomy. Angle Orthod 2000;70:112-7.
11. Kuroda S, Sakai Y, Tamamura N, Deguchi T, Takano-Yamamoto T. Treatment of severe anterior open bite with skeletal anchorage in adults: comparison with orthognathic surgery outcomes. Am J Orthod Dentofacial Orthop 2007;132:599-605.
12. Greenlee GM, Huang GJ, Chen SS, Chen J, Koepsell T, Hujoel P. Stability of treatment for anterior open-bite malocclusion: a meta-analysis. Am J Orthod Dentofacial Orthop 2011;139:154-69.
13. Burford D, Noar JH. The causes, diagnosis and treatment of anterior open bite. Dent Update 2003;30:235-41.
14. Beane RA, Jr. Nonsurgical management of the anterior open bite: a review of the options. Semin Orthod 1999;5:275-83.
15. Bailey LJ, Haltiwanger LH, Blakey GH, Proffit WR. Who seeks surgical-orthodontic treatment: a current review. Int J Adult Orthodon Orthognath Surg 2001;16:280-92.
16. Politi M, Costa F, Cian R, Polini F, Robiony M. Stability of skeletal class III malocclusion after combined maxillary and mandibular procedures: rigid internal fixation versus wire osteosynthesis of the mandible. J Oral Maxillofac Surg 2004;62:169-81.
17. de Villa GH, Huang CS, Chen PK, Chen YR. Bilateral sagittal split osteotomy for correction of mandibular prognathism: long-term results. J Oral Maxillofac Surg 2005;63:1584-92.
18. Han J, Lee S, Hwang S. Postoperative stability after SSRO in mandibular prognathism in relation to rotation of proximal segment. Recent Adv Orthod Orthognath Surg 2013;2:1-8.
19. Franco JE, Van Sickels JE, Thrash WJ. Factors contributing to relapse in rigidly fixed mandibular setbacks. J Oral Maxillofac Surg 1989;47:451-6.
20. Komori E, Aigase K, Sugisaki M, Tanabe H. Cause of early skeletal relapse after mandibular setback. Am J Orthod Dentofacial Orthop 1989;95:29-36.
21. Mobarak KA, Krogstad O, Espeland L, Lyberg T. Long-term stability of mandibular setback surgery: a follow-up of 80 bilateral sagittal split osteotomy patients. Int J Adult Orthodon Orthognath Surg 2000;15:83-95.
22. Proffit WR, Phillips C, Turvey TA. Stability after mandibular setback: mandible-only versus 2-jaw surgery. J Oral Maxillofac Surg 2012;70:e408-14.
23. Yang HJ, Hwang SJ. Contributing factors to intraoperative clockwise rotation of the proximal segment as a relapse factor after mandibular setback with sagittal split ramus osteotomy. J Craniomaxillofac Surg 2014;42:e57-63.
24. Han JJ, Yang HJ, Lee SJ, Hwang SJ. Relapse after SSRO for mandibular setback movement in relation to the amount of mandibular setback and intraoperative clockwise rotation of the proximal segment. J Craniomaxillofac Surg 2014;42:811-5.
25. Hoppenreijs TJ, Stoelinga PJ, Grace KL, Robben CM. Long-term evaluation of patients with progressive condylar resorption following orthognathic surgery. Int J Oral Maxillofac Surg 1999;28:411-8.
26. Arnett GW, Milam SB, Gottesman L. Progressive mandibular retrusion--idiopathic condylar resorption. Part I. Am J Orthod Dentofacial Orthop 1996;110:8-15.
27. Arnett GW. A redefinition of bilateral sagittal osteotomy (BSO) advancement relapse. Am J Orthod Dentofacial Orthop 1993;104:506-15.
28. Hwang SJ, Haers PE, Zimmermann A, Oechslin C, Seifert B, Sailer HF. Surgical risk factors for condylar resorption after orthognathic surgery. Oral Surg Oral Med Oral Pathol Oral Radiol Endod 2000;89:542-52.
29. Hwang SJ, Haers PE, Sailer HF. The role of a posteriorly inclined condylar neck in condylar resorption after orthognathic surgery. J Craniomaxillofac Surg 2000;28:85-90.
30. Hwang SJ, Haers PE, Seifert B, Sailer HF. Non-surgical risk factors for condylar resorption after orthognathic surgery. J Craniomaxillofac Surg 2004;32:103-11.
31. Gunson MJ, Arnett GW, Formby B, Falzone C, Mathur R, Alexander C. Oral contraceptive pill use and abnormal menstrual cycles in women with severe condylar resorption: a case for low serum 17beta-estradiol as a major factor in progressive condylar resorption. Am J Orthod Dentofacial Orthop 2009;136:772-9.
32. Yang HJ, Hwang SJ. Bone mineral density and mandibular advancement as contributing factors for postoperative relapse after orthognathic surgery in patients with preoperative idiopathic condylar resorption: a prospective study with preliminary 1-year follow-up. Oral Surg Oral Med Oral Pathol Oral Radiol 2015;120:112-8.
33. Oh JS, Kim SG, Kim HK, Moon SY. Massive hemorrhage following bilateral sagittal split ramus osteotomy: a case report. J Oral

Maxillofac Surg 2009;67:895-8.
34. Lanigan DT, Hey J, West RA. Hemorrhage following mandibular osteotomies: a report of 21 cases. J Oral Maxillofac Surg 1991;49:713-24.
35. Lanigan DT, Hey JH, West RA. Major vascular complications of orthognathic surgery: hemorrhage associated with Le Fort I osteotomies. J Oral Maxillofac Surg 1990;48:561-73.
36. Acebal-Bianco F, Vuylsteke PL, Mommaerts MY, De Clercq CA. Perioperative complications in corrective facial orthopedic surgery: a 5-year retrospective study. J Oral Maxillofac Surg 2000;58:754-60.
37. Kim SG, Park SS. Incidence of complications and problems related to orthognathic surgery. J Oral Maxillofac Surg 2007;65:2438-44.
38. Veras RB, Kriwalsky MS, Hoffmann S, Maurer P, Schubert J. Functional and radiographic long-term results after bad split in orthognathic surgery. Int J Oral Maxillofac Surg 2008;37:606-11.
39. Reyneke JP, Tsakiris P, Becker P. Age as a factor in the complication rate after removal of unerupted/impacted third molars at the time of mandibular sagittal split osteotomy. J Oral Maxillofac Surg 2002;60:654-9.
40. Turvey TA. Intraoperative complications of sagittal osteotomy of the mandibular ramus: incidence and management. J Oral Maxillofac Surg 1985;43:504-9.
41. Zuniga JR, Essick GK. A contemporary approach to the clinical evaluation of trigeminal nerve injuries. Oral Maxillofac Surg Clin North Am 1992;4:353-67.
42. Zuniga JR, Meyer RA, Gregg JM, Miloro M, Davis LF. The accuracy of clinical neurosensory testing for nerve injury diagnosis. J Oral Maxillofac Surg 1998;56:2-8.
43. van Merkesteyn JP, Groot RH, van Leeuwaarden R, Kroon FH. Intra-operative complications in sagittal and vertical ramus osteotomies. Int J Oral Maxillofac Surg 1987;16:665-70.
44. Espeland L, HØgevold HE, Stenvik A. A 3-year patient-centred follow-up of 516 consecutively treated orthognathic surgery patients. Eur J Orthod 2008;30:24-30.
45. Westermark A, Bystedt H, von Konow L. Inferior alveolar nerve function after mandibular osteotomies. Br J Oral Maxillofac Surg 1998;36:425-8.
46. Essick GK. Comprehensive clinical evaluation of perioral sensory function. Oral Maxillofac Surg Clin North Am 1992;4:503-26.
47. Teerijoki-Oksa T, Jääskeläinen SK, Forssell K, et al. Risk factors of nerve injury during mandibular sagittal split osteotomy. Int J Oral Maxillofac Surg 2002;31:33-9.
48. Teerijoki-Oksa T, Jääskeläinen S, Forssell K, Virtanen A, Forssell H. An evaluation of clinical and electrophysiologic tests in nerve injury diagnosis after mandibular sagittal split osteotomy. Int J Oral Maxillofac Surg 2003;32:15-23.
49. Colella G, Cannavale R, Vicidomini A, Lanza A. Neurosensory disturbance of the inferior alveolar nerve after bilateral sagittal split osteotomy: a systematic review. J Oral Maxillofac Surg 2007;65:1707-15.
50. Tay AB, Poon CY, Teh LY. Immediate repair of transected inferior alveolar nerves in sagittal split osteotomies. J Oral Maxillofac Surg 2008;66:2476-81.
51. Pogrel MA, Jergensen R, Burgon E, Hulme D. Long-term outcome of trigeminal nerve injuries related to dental treatment. J Oral Maxillofac Surg 2011;69:2284-8.
52. Pogrel MA, Le H. Etiology of lingual nerve injuries in the third molar region: a cadaver and histologic study. J Oral Maxillofac Surg 2006;64:1790-4.
53. Blakey GH, 3rd, Zuniga JR. Lingual nerve injury associated with superior border wire fixation. Int J Adult Orthodon Orthognath Surg 1992;7:115-7.
54. Hegtvedt AK, Zuniga JR. Lingual nerve injury as a complication of rigid fixation of the sagittal ramus osteotomy: report of a case. J Oral Maxillofac Surg 1990;48:647-50.
55. Jacks SC, Zuniga JR, Turvey TA, Schalit C. A retrospective analysis of lingual nerve sensory changes after mandibular bilateral sagittal split osteotomy. J Oral Maxillofac Surg 1998;56:700-4; discussion 5.
56. Susarla SM, Kaban LB, Donoff RB, Dodson TB. Does early repair of lingual nerve injuries improve functional sensory recovery? J Oral Maxillofac Surg 2007;65:1070-6.
57. Avelar RL, Goelzer JG, Becker OE, de Oliveira RB, Raupp EF, de Magalhães PS. Embolization of pseudoaneurysm of the internal maxillary artery after orthognathic surgery. J Craniofac Surg 2010;21:1764-8.
58. Lanigan DT, Hey JH, West RA. Aseptic necrosis following maxillary osteotomies: report of 36 cases. J Oral Maxillofac Surg 1990;48:142-56.
59. Wolford LM, Rieche-Fischel O, Mehra P. Soft tissue healing after parasagittal palatal incisions in segmental maxillary surgery: a review of 311 patients. J Oral Maxillofac Surg 2002;60:20-5; discussion 6.
60. Cruz AA, dos Santos AC. Blindness after Le Fort I osteotomy: a possible complication associated with pterygomaxillary separation. J Craniomaxillofac Surg 2006;34:210-6.
61. Kim JW, Chin BR, Park HS, Lee SH, Kwon TG. Cranial nerve injury after Le Fort I osteotomy. Int J Oral Maxillofac Surg 2011;40:327-9.

PART 3

미용성형술

책임편집
최진영

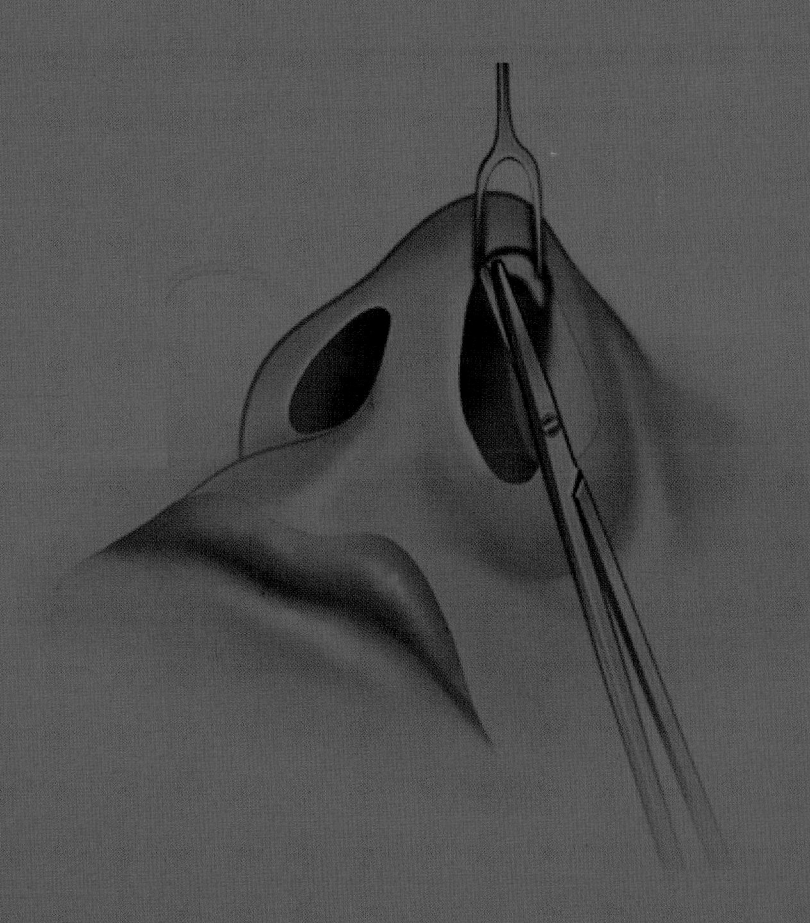

Chapter 12

안검성형술

Blepharoplasty

기본 학습 목표
- 안검의 표면 해부와 하부의 해부학적 구조에 대하여 이해한다.
- 안검성형술을 필요로 하는 환자의 상태에 대해서 이해한다.

심화 학습 목표
- 안검성형술의 수술방법을 이해한다.
- 안검성형술에 따른 부작용과 합병증을 이해한다.

1. 안검의 해부

1) 표면 해부

안검은 상안검 및 하안검으로 나뉘며, 양안검연 사이를 검열(palpebral fissure), 내측 끝은 내안각(medial canthus), 외측 끝을 외안각(lateral canthus)이라고 한다. 외안각은 예각을 이루지만, 내안각은 둔각을 이루고, 내안각 부위의 눈물이 고이는 부위를 누호(lacrimal lake)라고 한다. 누호 속에 황색의 융기된 누구(lacrimal caruncle)가 있으며, 그 아래쪽에 결막의 반월주름(semilunar conjunctival plica)이 있다. 누호의 입구에 해당되는 곳의 상하안검에 각각 한 개의 누점(lacrimal punctum)이 있고, 누소관(lacrimal canaliculus)으로 연결되어 있다(그림 12-1).

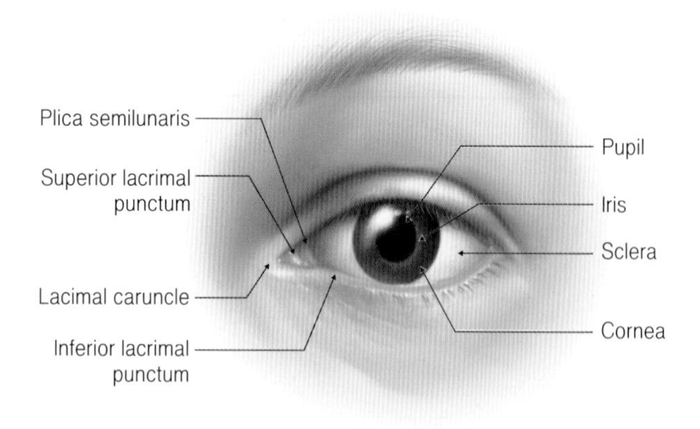

그림 12-1 안와 및 안와주위조직

상안검에는 전두안검구와 상안검구 혹은 상안검 주름(superior palpebral fold)을 볼 수 있다. 전두안검구는 안와 상연에 따른 함몰된 부위이며 '상안검 주름'은 눈을 뜰 때에 안검연(lid margin)에서 3~10 mm 떨어진 위치에 안검연과 평행하게 된 주름이다.

상안검 주름은 눈을 뜰 때 형성되는 주름으로 쌍꺼풀(double eyelid) 혹은 이중검이라고도 한다. 동양인은 약 40~50%가 이중검을 가지고 있으며, 그 위치가 서양인에 비하여 낮아서 검연에서 평균 약 6 mm 위에 위치해 있다. 동양인의 검열의 길이는 27~30 mm, 검열의 상하폭은 8~10 mm이다(그림 12-2).[1]

동양인과 서양인의 상안검의 차이는 해부학적인 요소에 기초를 둔다. 서양인의 쌍꺼풀(double eyelid)에서는 올림 필라멘트(levator filament)가 안와사이막(orbital septum)과 안륜근(orbicularis muscle)을 통과하여 진피층에 부착하게 되어 눈을 떴을 때, 상안검 주름(superior palpebral fold)이 생겨 상안검이 두 가닥으로 나뉘게 된다. 또한 눈썹 지방(brow fat pad)이 상안검에 풍융하게 나온 부위보다 상방에 존재한다. 동양인의 상안검에서는 올림 필라멘트(levator filament)가 안와사이막(orbital septum)과 안륜근(orbicularis muscle)을 더 다양하게 통과하여 얇거나 얕은 상안검 주름이 형성되며, 통과하지 않고 눈꺼풀판막(tarsal plate)에 정지하여 눈을 떴을 때 안검 주름(palpebral fold)이 형성되지 않는 경우에는 상안검 주름이 한가닥으로 존재하게 된

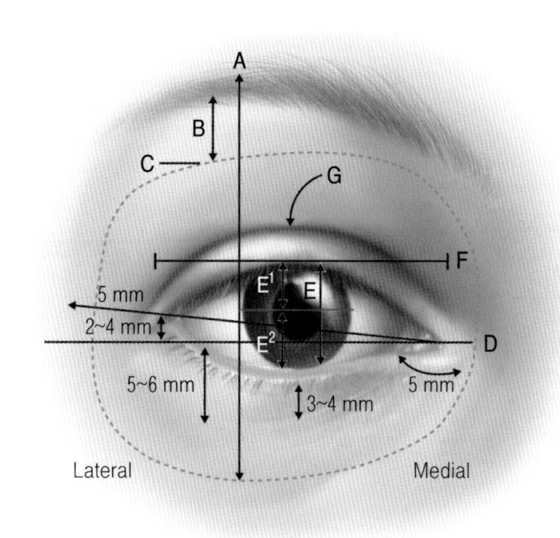

그림 12-2 **안와 및 안와주위조직의 이상적인 위치. A:** 눈썹의 최고점은 외측 각막윤부(lateral limbus)의 위치, 또는 그 측방부에 존재 **B:** 눈썹의 하방 경계(inferior edge)는 **C:** 상안와연(supraorbital rim) 10 mm 상방에 존재 **D:** 외안각(lateral canthus)은 내안각(medial canthus)보다 2~4 mm 상방에 존재 **E:** Intrapalpebral distance는 10~12 mm. (E1) 평균 reflex distance 1(상안검 하수(ptosis) 시 감소) (E2) 평균 reflex distance 2(하안검 외번(ectropion) 시 증가) **F:** 검열 길이 **G:** 상안검 주름 위치(서양인: 8~11 mm, 동양인: 6 mm)(출처: Most et al. 'Anatomy of the Eyelids' Facial Plast Surg Clin N Am 13 (2005) 487-492)

다(single fold). 또한 동양인에서 눈썹 지방(brow fat)이 안륜근(orbicularis oculi m.) 심부에 존재하며, 많은 경우 눈꺼풀판(tarsus)을 덮기 때문에 이러한 차이를 보인다고 설명할 수 있다(그림 12-3).[2]

하안검 주름은 상안검 주름만큼 확실하지 않다. 노인에서는 관골부위에 자루 모양의 주름(malar pouch)이나 비순주름(nasolabial fold)이 나타나는데, 전자는 안와하연 골막과 피부가 이루는 선이며, 후자는 안면동정맥이 내안각부를 향하는 주행선과 일치한다.[3]

2) 안검의 구조

상안검 및 하안검의 구조는 크게 검판결막층과 피부근육층으로 나뉘며, 피부근육층은 다시 피부, 안륜근, 중앙결합 조직층으로, 검판결막층은 안와격막, 안검거근건막, 검판, 결막층으로 나누어진다.

그림 12-4는 상안검의 단면을 나타낸 것으로 피부 근육층은 상안검 피부에서부터 피부, 피하조직, 안륜근, 근하층, 안와격막이 있고 검판결막층은 검판, 안와지방, 안검거근, Müller근, 결막층으로 구성되어 있다.[1]

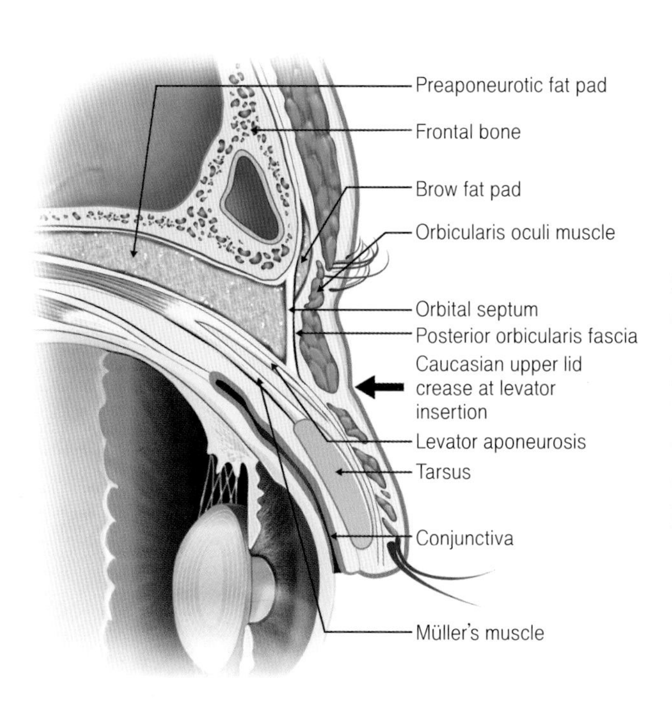

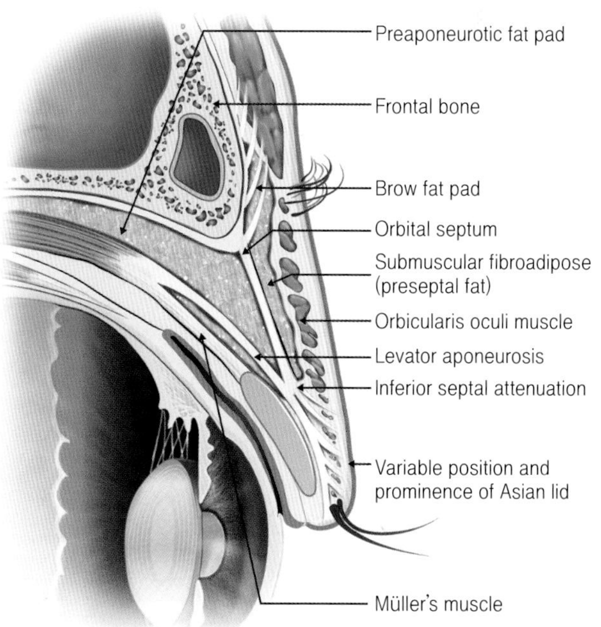

그림 12-3 **A:** 서양인 안검 횡면 구조 **B:** 동양인 안검 횡면 구조
(출처: Kim & Bhatki, 'Upper Blepharoplasty in the Asian Eyelid' Facial Plast Surg Clin N Am 13(2005))

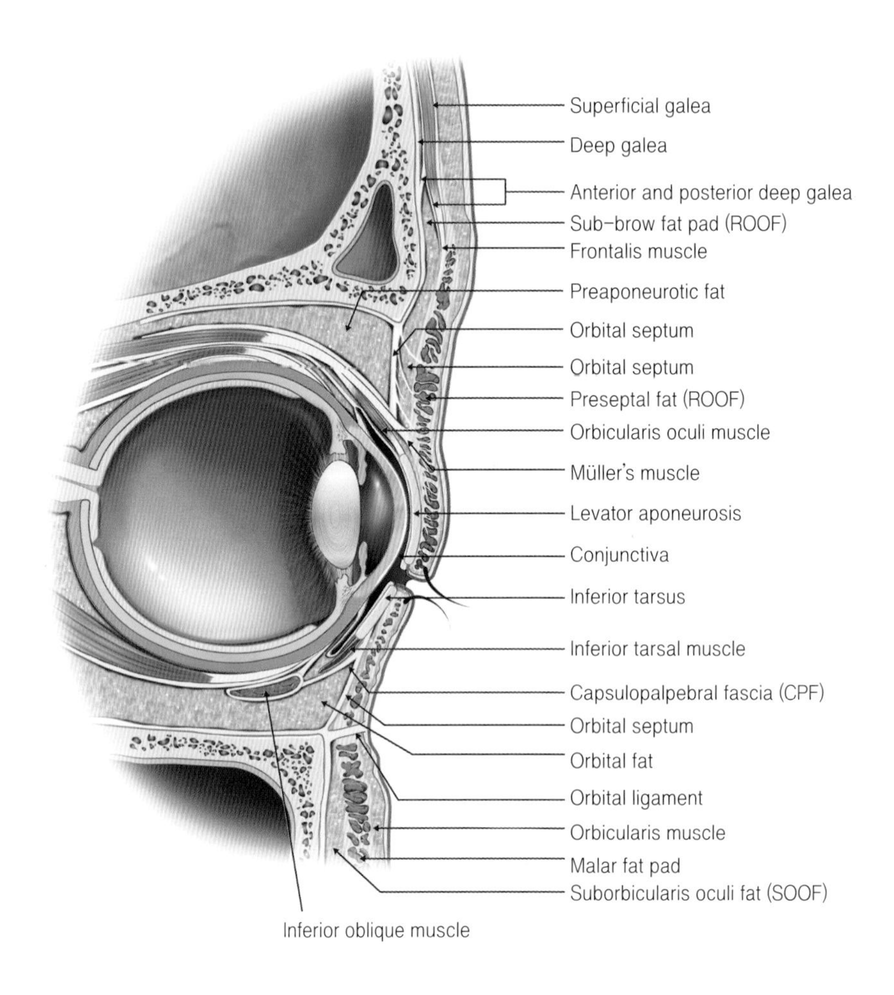

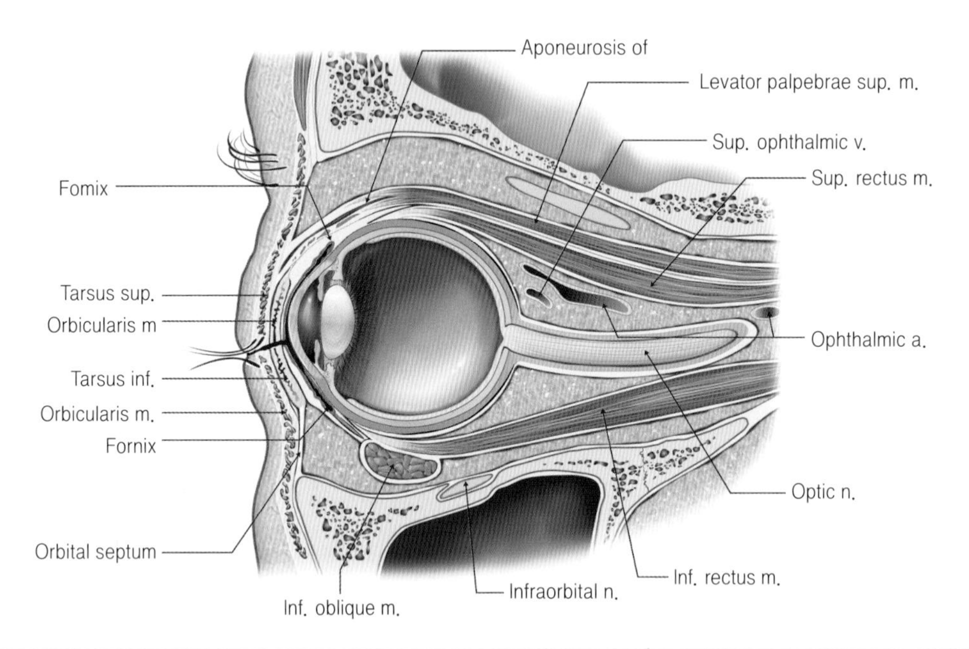

그림 12-4 **안와와 안구를 지나는 시상절단면.** Capsulopalpebral fascia, inferior tarsal muscle는 하안검의 retractor이며, Müller's muscle, Levator muscle, 그리고 aponeurosis는 상안검의 retractor이다. (출처: Most et al. Anatomy of the Eyelids Facial Plast Surg Clin N Am 13(2005) 487-492)

안검피부는 두께가 약 1 mm 정도로 신체 중 가장 얇고, 안검피부의 피하조직과의 결합은 느슨하여 유동성이 풍부하지만, 눈썹, 외안각 및 안검연에서는 피하조직과의 결합이 단단하다. 피하조직과의 결합이 느슨하여 피부반흔구축이 현저하고, 안검연 변형을 초래하기 쉬운 면도 있다.

피하조직은 극히 얇고 지방조직이 거의 없다. 이 피하결합 조직이 밑에 있는 안륜근과 느슨하게 붙어 있으므로 안검부 부종, 혈종 및 현저한 반흔구축을 초래하기 쉬운 원인이 되고 있다.

안륜근(orbicularis oculi muscle)은 검열을 둘러싸는 횡문근으로, 내안각건(medial canthal tendon)을 기시부로 하고 있으며 눈을 감는 역할을 한다(그림 12-5).[1]

안검은 안와격막에 의해 천층(superficial layer)과 심층(deep layer)으로 나누어진다. 안와격막의 안검연으로의 연장이 회색선(gray line)에 닿는다. 안와격막은 위는 안면골의 골막과 안와골막(periorbita)이 합쳐 두꺼워진 골막인 연

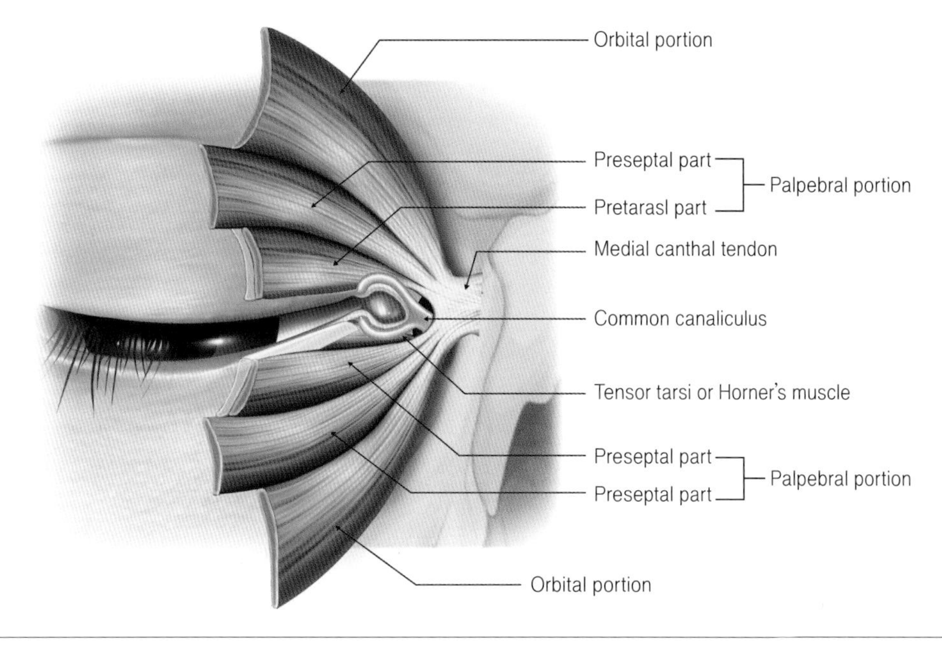

그림 12-5 **안륜근의 안와 및 안검부**(출처: Most et al. Anatomy of the Eyelids. Facial Plast Surg Clin N Am 13 (2005) 487–492)

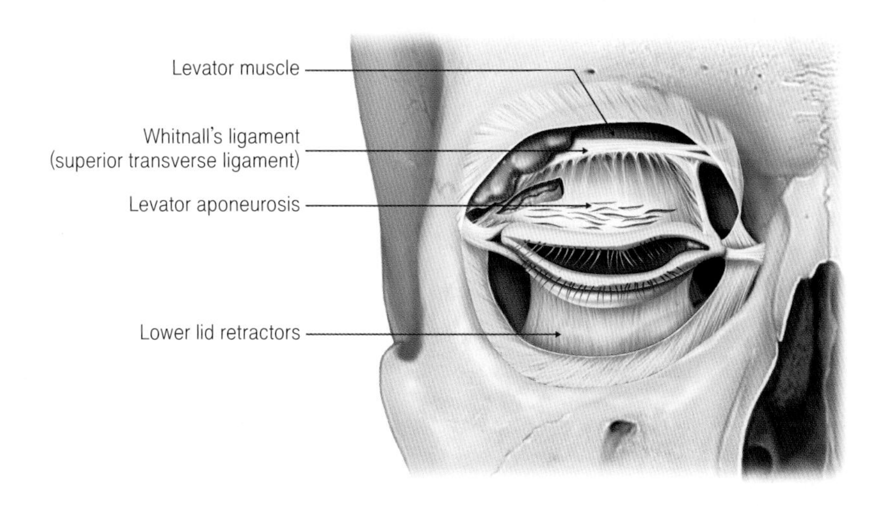

그림 12-6 **Whitnall's ligament, Levator palpebrae superioris, Lower lid retractor.**
(출처: Nerad JA. The requisites in ophthalmology: oculoplastic surgery. St. Louis (MO): Mosby; 2001)

변궁(arcus marginalis)에서 시작하며, 아래는 안검거근건막(levator palpebrae aponeurosis)과 융합하여 검판전면에서 끝난다. 안와격막은 결합조직의 비교적 얇은 막이며 고정된 것이 아니고 안검운동에 동반하여 그 형상이 변하는 부유막(floating membrane)이다.

상안검 거근(levator palpebrae superioris)은 동안신경(oculomotor nerve) 지배의 횡문근(striated muscle)으로 안검을 들어 올리며 눈을 뜨게 한다.

Whitnall 인대는 거근이 건막(aponeurosis)으로 이행하는 부위에 마치 안와상연의 내외, 양측부의 사이를 인대로 쳐놓은 것 같은 양상으로 되어 있으며, 거근의 지나친 수축을 제한하는 역할을 한다(그림 12-6).[4]

Müller근은 상안검 거근건막의 바로 아래를 달리는 가는 줄모양의 평활근(smooth muscle)으로 교감신경지배를 받고 있으며 주요기능은 올라간 상안검을 그대로 유지해 주는 것이다.

상방에서는 상안검 거근의 건막과 근육 연결 부위에서 발단하여 하방에서는 검판상연에 부착된다. 검판상연의 상방에서 Müller근은 안검거근 또는 결막과 성글게 결합되어 용이하게 분리할 수 있다. 검판은 치밀한 섬유성 결합조직으로 이루어져 연골과 비슷한 경도를 갖는 탄성판으로, 내부에 검판선(tarsal gland, meibomian gland)이 존재하며, 검판선은 안검연 후방에 일렬로 개구한다. 검판은 검연 바로 위로 볼록한 반달 모양을 이루고 있으며 상안검의 검판은 중앙부에서 8~10 mm의 높이가 되고 좌우 양 끝에서는 약간 낮게 되어 있다.

결막은 검판과는 치밀하게 결합되어 있지만, 상방에서는 Müller근과 느슨하게 결합되어 안검부 결막(palpebral conjunctiva)을 이루는데, 다시 상방에서 원개결막(fomical conjunctiva) 및 안구결막(bulbar conjunctiva)으로 이행된다.

안검의 구조 중 미용성형수술에서 중요한 것은 상안검의 지방조직이다. 이것은 "부어오른 상안검의 수정은 어떻게 하면 좋은가"라든지, "상안검에서 지방을 제거하려면 어느 부분이 적당한가"라는 실제적 문제와도 관계가 있다.

상안검의 지방조직은 피하지방, 안륜근하지방(중앙결합조직), 검판전지방 및 안와지방의 4개 부분으로 나누어 생각하는 것이 좋다.[3,5-8]

3) 혈관 및 신경분포

안검부는 혈행이 매우 풍부하고 정맥환류(venous return)도 좋다. 따라서 창상치유가 양호하고 식피는 잘 붙으며 국소피판의 성공률이 높다. 외상을 치료할 때도 안검조직의 괴사조직제거(debridement)는 최소한으로 해야 한다. 그러나 혈종을 만들기 쉽고, 국소마취가 빨리 풀리는 단점도 있다.

동맥은 내경동맥의 분지인 안동맥(ophthalmic artery)에서 나뉜 상하내측 안검동맥(superior and inferior medial palpebral artery)이 내안각건의 상하에서 안와격막을 뚫고 나와 측방으로 주행하여, 누선동맥(lacrimal artery) 및 안면횡동맥(transverse facial artery)으로부터 분지된 상하외측 안검동맥(lateral palpebral artery)과 문합된다.

정맥계는 다소 복잡하지만 풍부하여, 검판전 부분은 안각정맥(angular vein)이나 측두정맥(superficial temporal vein)으로 흐르고, 심부는 안정맥(ophthalmic vein)의 분지로 흐른다.

림프계는 상안검측방 2/3와 하안검측방 1/3은 이하선 림프절로, 상안검내방 1/3과 하안검 내방 2/3은 악하림프절로 흐른다.

안검근육의 운동신경지배는 안륜근은 안면신경, 안검거근은 동안신경, Müller근은 교감신경의 지배를 받는다.

안검의 지각신경은 삼차 신경지배를 받는다. 상안검은 주로 삼차 신경의 전두분지(frontal branch)인 상안분지(supraorbital branch), 상활차분지(supratrochlear branch)의 지배를 받지만, 상안검 측방의 일부는 누선신경(lacrimal nerve)의 지배를 받는다. 하안검은 주로 상악신경(maxillary nerve)의 하안와분지(infraorbital branch)의 지배를 받으며, 일부는 누선신경의 지배를 받는다.[3,8]

2. 안검성형술

사람이 노화되면서 안검부의 피부는 탄력성을 잃고 늘어지고, 안와지방이 약해진 안와격막을 밀고 튀어나와 안검이 두툼해지며, 상안검 피부가 늘어지면서 시야가 좁아져 기능적 장애도 생기게 된다. 이러한 안검을 줄여주는 안검성형술과 단순히 심미적 목적으로 시행되는 쌍꺼풀수술의 술식은 거의 비슷하다.

1) 안검 변형의 종류

(1) 안검이완증(Blepharochalasis)

젊은 나이에 부종이 반복된 결과로 피부가 늘어져 있고 근육의 긴장이 소실된 상태이다.

(2) 피부이완증(Dermatochalasis)

나이가 들면서 피부가 탄력성을 잃고 얇아지면서 아래로 처진 상태이다.

(3) 안륜근 비대(Hypertrophy of orbicularis oculi muscle)

하안검 속눈썹 바로 아래의 안륜근이 비대되어 수평으로 불거져 있는 상태이다.

(4) 안와지방 탈출(Herniated orbital fat)

과다한 안와지방이 약해진 안와격막을 밀고 돌출되어 있는 상태이다.

(5) 눈썹 하수(Eyebrow ptosis)

상안검과 함께 눈썹이 처져 있는 상태이다.

(6) 노인성 안검(Senile lid)

앞의 변형에 안검구조에 생긴 퇴행성 변화가 같이 있는 상태이다.

2) 수술 전 평가

(1) 병력

수술 후에 생길 수 있는 불만족스러운 경우를 방지하기 위하여 병력을 정확하게 청취하여야 하며, 특히 갑상선 질환이나 안구 질환에 대한 병력을 자세하게 물어보아야 한다.

(2) 진찰

술전에 환자가 앉은 상태에서 안검과 안구의 상태를 주의 깊게 관찰하여야 한다. 상안검에서는 쌍꺼풀의 상태, 늘어진 피부의 양, 안검하수의 유무에 대하여 관찰하여야 하며, 하안검에서는 탈출된 안와지방의 양, 토안의 유무, 하안검의 위치에 대하여 관찰하여야 한다. 안구의 크기와 모양도 관찰하여야 하는데 고도의 경우는 안검성형술 후에 안검외반증(ectropion)과 공막징(scleral show)이 쉽게 생길 수 있다.

단순한 쌍꺼풀 수술을 하고자 할 때는 환자에게 거울을 들게 하고 상안검의 적당한 부위를 지침기 등으로 압박해서 상안검이 접히는 부분을 환자에게 보이면서 환자의 취향을 참고할 수 있도록 해야 하며, 환자의 얼굴에 가장 적당한 쌍꺼풀이 되도록 쌍꺼풀 형이나 폭을 정한다.

(3) 사진

수술 전 사진은 수술 계획을 세우거나 수술 도중 결정을 내려야 할 경우 필요하며, 얼굴 정면, 측면 및 눈 주위를 확대한 정면, 측면 사진이 필요하다.

(4) 안검의 긴장도 검사

안검에 퇴행성 변화가 있는 환자는 수술 후에 안검외반증이나 공막징이 생길 수 있으므로 안검에 퇴행성 변화가 있는지 미리 확인하여야 한다.

① 안검의 이완성 검사(그림 12-7)[9]

하안검을 집어서 안구로부터 당겼을 때 안검연과 안구와의 거리가 3~5 mm 정도이면 정상이다. 만약 10~12 mm 이상이면 안검에 퇴행성 변화가 있는 상태로 수술 후에 안검외반증이 생길 가능성이 높으므로 내안각 고정술(medi-

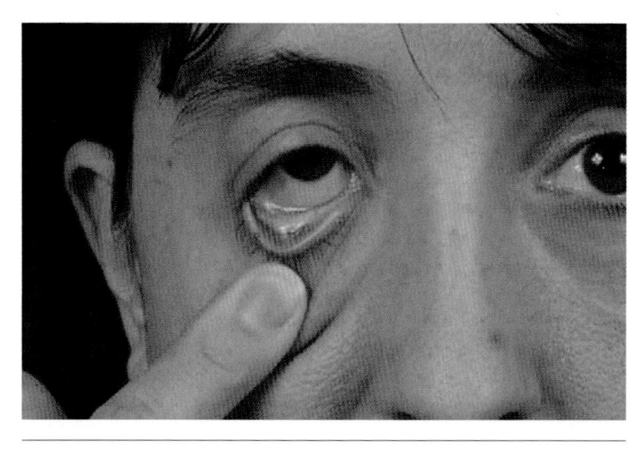

그림 12-7 안검의 Retraction 검사(출처: Lee & Thomas. Lower Lid Blepharoplasty and Canthal Surgery, Facial Plast Surg Clin N Am 13 (2005) 541-551)

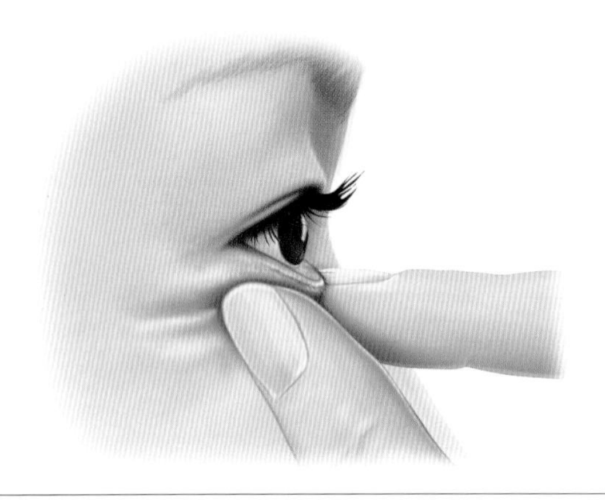
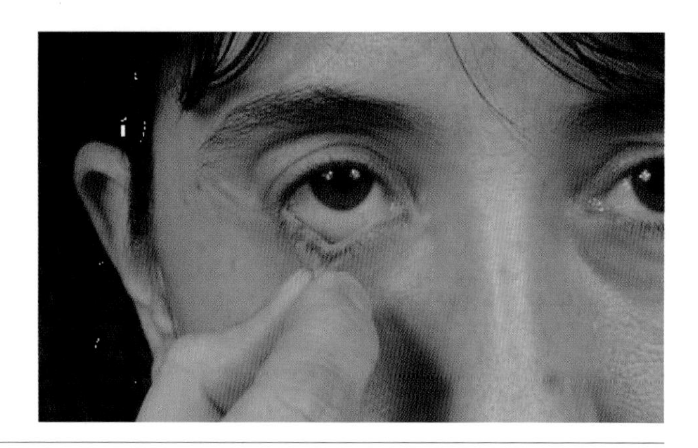

그림 12-8 안검의 수축검사(lid distraction or snap back test)

al canthopexy)이 필요할 수 있다.

② 안검의 수축 검사

하안검을 당겼다가 놓았을 때 얼마나 빨리 제자리로 돌아가는지 평가하는 검사로서, 천천히 제자리로 돌아가면 하안검의 수평 길이를 줄여 주어야 한다(그림 12-8).

하안검을 당겼다가 놓았을 때 천천히 제자리로 돌아가면 안검에 퇴행성 변화가 있음을 의미한다.

(5) 눈물 생성량 검사

건성 안증후군의 병력이 있는 환자에는 수술 후에 안구건조증이 악화될 수 있으므로 술전에 눈물 생성량을 측정해야 한다. 흡연, 폐경, 갑상선 이상, 노화, 약물 등에 의해서 눈물 생산이 적어질 수 있으므로 이런 병력을 가진 환자도 눈물 생성량을 측정하여야 한다.

3) 수술방법

수술은 국소마취와 전신마취가 모두 가능하지만 국소마취로 수술을 하면 수술 중에 눈을 떠보게 할 수 있으므로 편리하다.

(1) 상안검성형술(쌍꺼풀수술, Double eyelid operation)

① 도안선의 결정

상안검수술(쌍꺼풀수술)은 상안검거근과 눈의 피부조직을 연결하는 단순한 수술이다. 여기에서는 쌍꺼풀 환자의 얼굴 형태와 안검 형태에 따라 쌍꺼풀을 형성하는데, 눈 안쪽에서 바깥쪽으로 넓어지는 말광형과 평행형, 그리고 초승달형 등이 있다.

쌍꺼풀의 모양은 굴곡에 따라 안 쌍꺼풀(inside fold), 바깥 쌍꺼풀(outside fold), 그리고 중립 쌍꺼풀(neutral fold)으로 나뉜다. 쌍꺼풀 선은 흔히 안 쌍꺼풀과 바깥 쌍꺼풀 또는 부채형(fan type)과 평행형(parallel type)으로 나뉜다. 안 쌍꺼풀은 부채형이며 자연스러워 보이나 안쪽으로는 답답하고 변화가 적다. 눈꼬리가 처진 경우에 시술하기 좋으며 좁은 쌍꺼풀을 원하는 경우에 적당하다. 바깥 쌍꺼풀은 부채형, 평행형, 혼합형이 있으며 부자연스럽고 인위적으로 보이는 단점이 있으나, 시원스럽고 우아하며 적극적, 외향적인 느낌을 준다. 눈꼬리가 올라간 형 또는 넓거나 높은 쌍꺼풀을 원하는 경우에 시행하면 좋다.

② 수술방법

a. **단순봉합법(매몰법)**

쌍꺼풀 예정선에 작은 절개를 가하고 7-0 nylon으로 결막까지 매몰하여 진피층을 안검거근에 봉합해 주는 방법으로 한쪽 안검에 3개씩 매몰봉합을 해준다(그림 12-9).

최근에는 다양한 매몰 방법들이 소개되었으며 한국에서는 실을 제거하지 않거나 흉터를 줄이는 방법들도 개발되고 있다(그림 12-10, 11).[10]

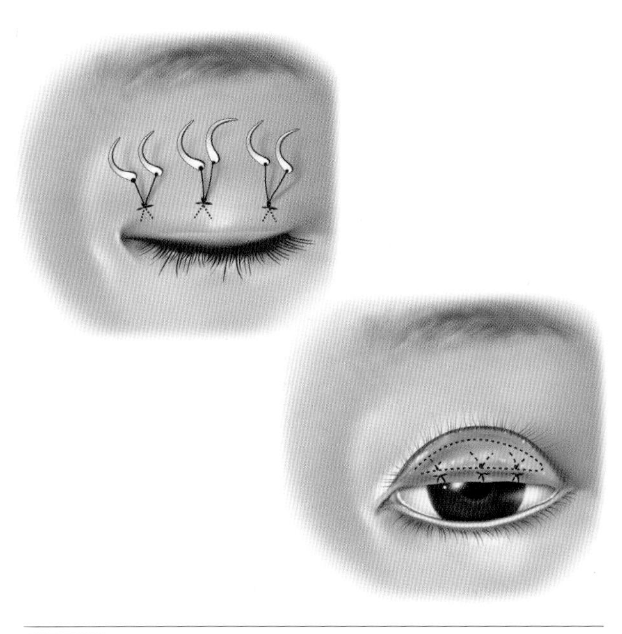

그림 12-9 매몰법에 의한 쌍꺼풀 수술

b. 절개법

가. 도안: 일반적으로 아래쪽 절개선은 쌍꺼풀 선에 그리거나, 상안검연에서 6~8 mm 떨어진 곳에 그린다. 그리고 외안각 주위의 주름선을 따라 완만하게 상방으로 굽어지도록 그리며, 안와 외연보다 10 mm 이상 밖으로 나가지 않게 한다. 위쪽 절개선은 측정된 절제 폭에 따라 적당한 부위에 그린다. 도안된 선을 따라 외과용 겸자로 제거될 폭만큼의 안검 피부를 잡고 눈을 뜨고 감게 하면서 절제 폭을 결정한다(그림 12-12).[11]

나. 절개: 피부만 절개를 하여 과잉 피부를 제거하고 안륜근을 피부 절제 폭보다 적게 절제한다. 안와지방이 과다한 경우는 안구를 약간 압박한 상태에서 돌출된 안와격막을 열고 안와지방을 제거해준다(그림 12-13).

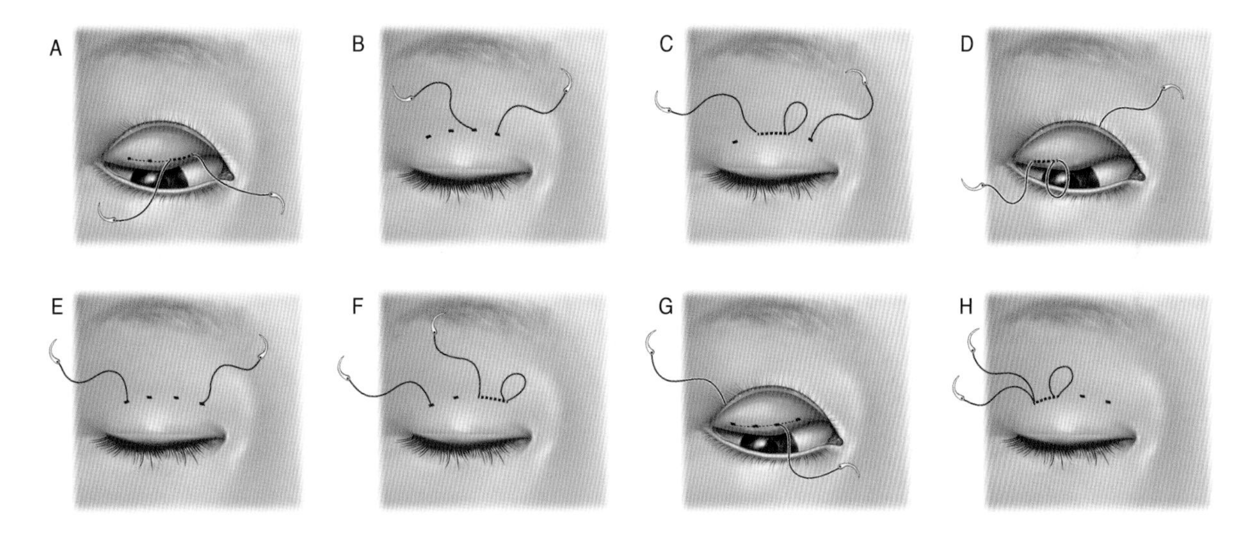

그림 12-10 연속봉합술을 이용한 매몰법(출처: Moon et al., Modified Double-Eyelid Blepharoplasty Using the Single-Knot Continuous Buried Non-Incisional Technique Arch Plast SurG. 2013 Jul; 40(4):409-413)

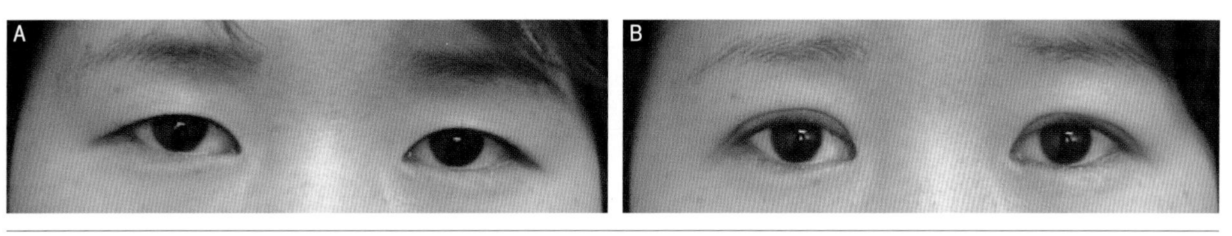

그림 12-11 매몰법 수술 환자 임상사진 A: 술전 모습 B: 술후 모습

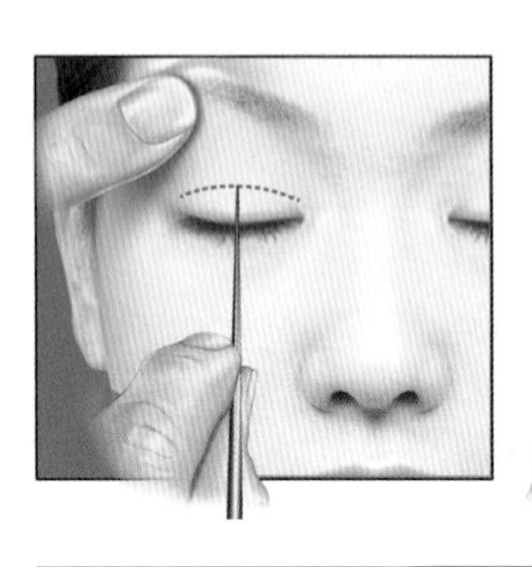
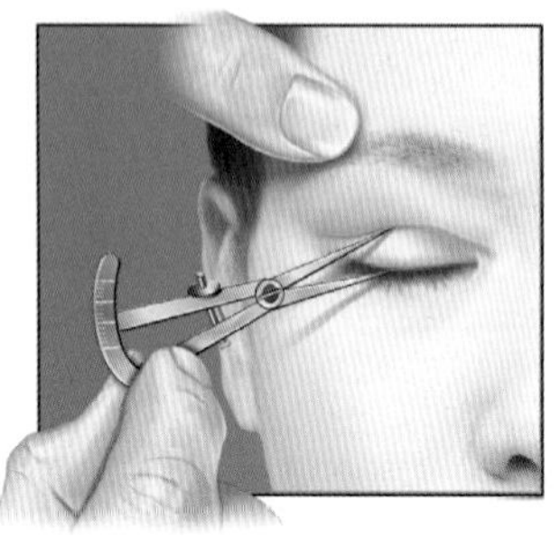
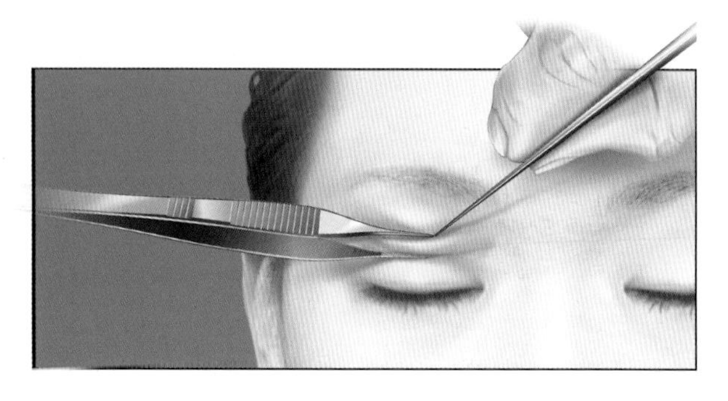

그림 12-12 **절개선 도안**(출처: Sadik et al., Concise Manual of Cosmetic Dermatologic Surgery; McGraw-Hill Inc 2008)

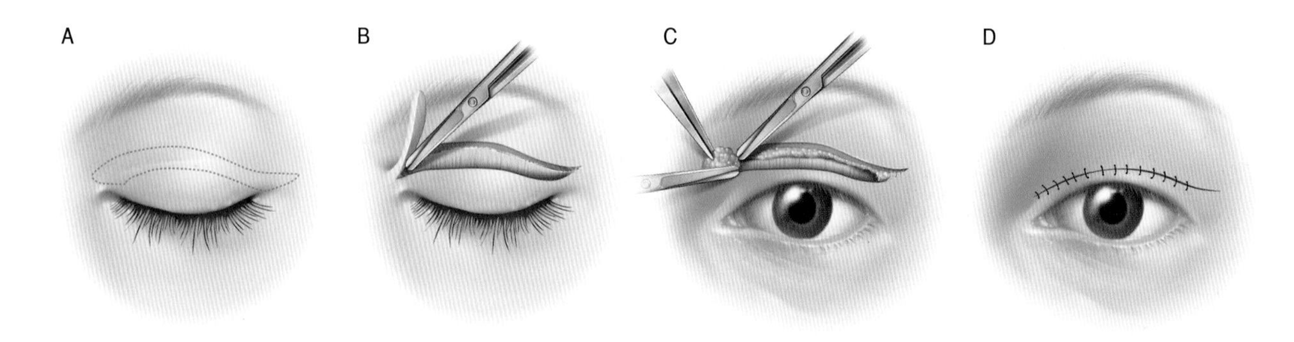

그림 12-13 **상안검성형술의 술식. A:** 절제할 과잉 피부를 도안한 모습이다. **B:** 피부와 근육을 제거한다. **C:** 안와 지방을 제거한다. **D:** 피부 봉합을 한다.

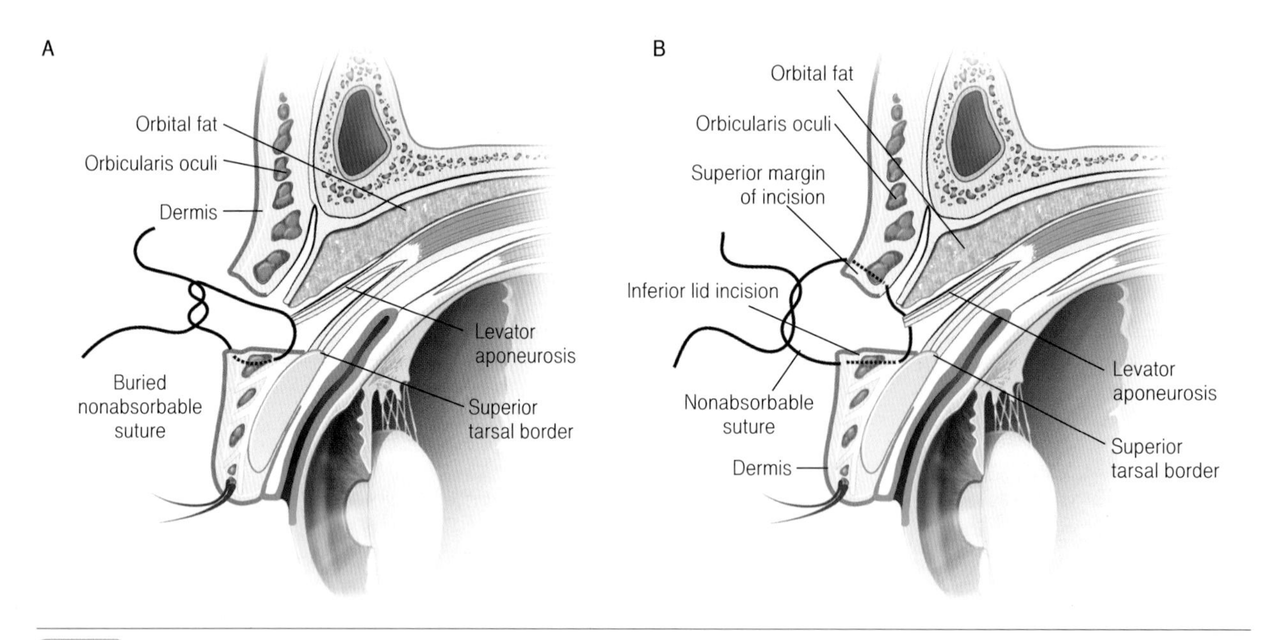

그림 12-14 **A:** Internal fixation suture **B:** External fixation suture

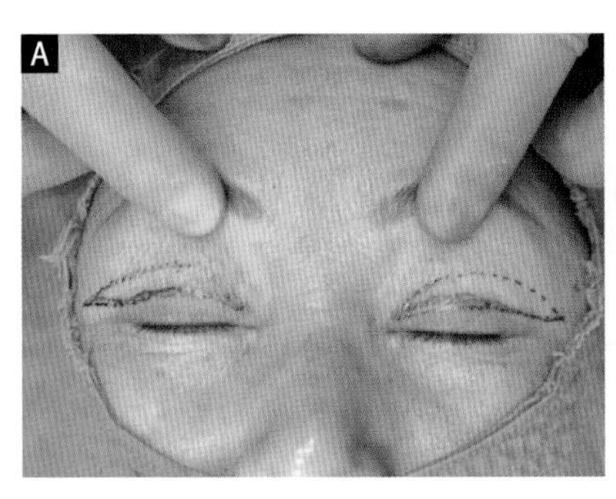

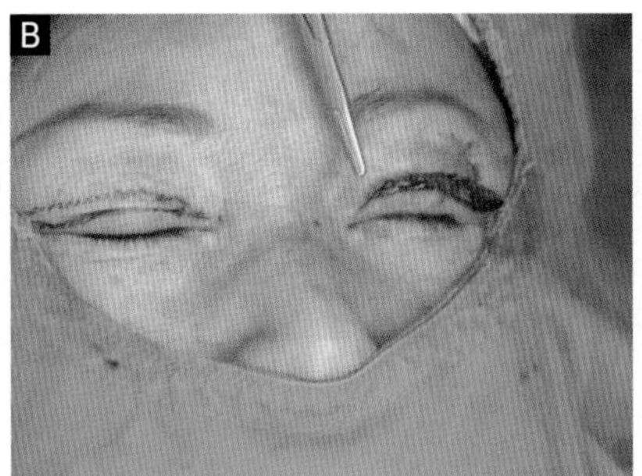

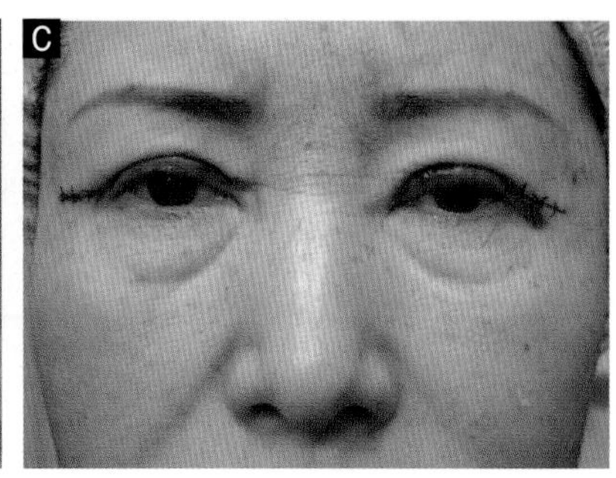

그림 12-15 **상안검성형술 수술 모습.** **A:** 술전 디자인 **B:** 술중 절개 **C:** 술후 봉합

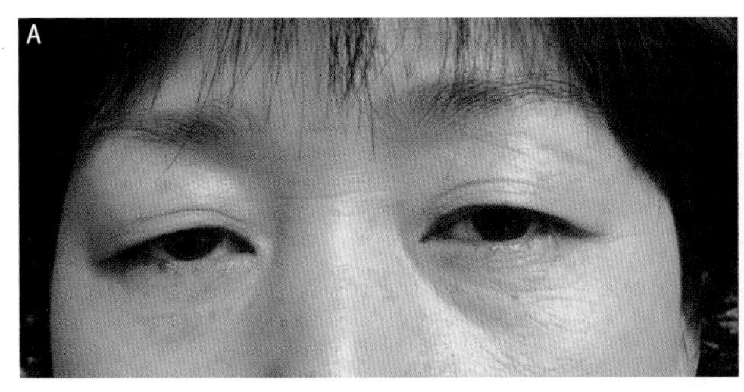

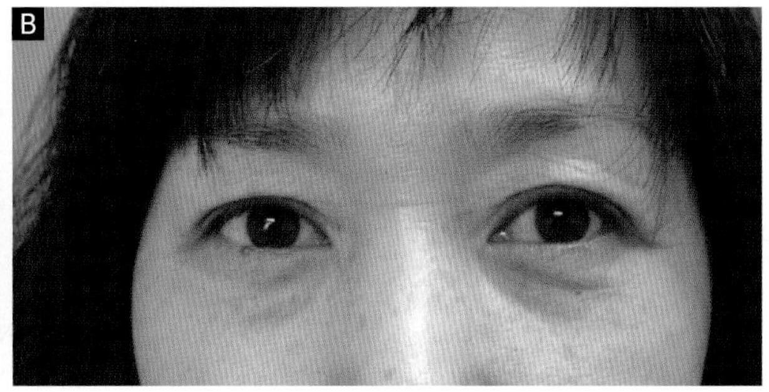

그림 12-16 **상안검성형술 임상사진.** **A:** 술전 모습 **B:** 술후 모습

다. 봉합: 절개법의 봉합 술식은 크게 내측 고정(internal fixation)과 외측 고정(external fixation)이 있다. 내측 고정법은 상안검 절개선 하부의 진피 조직과 올림근(levator) 혹은 위눈꺼풀판(upper tarsus)과 봉합을 시행한다. 외측 고정법은 상안검 절개선 하방의 진피 및 피부 조직, 올림근(levator)과 위눈꺼풀판(upper tarsus), 그리고 절개선 상방 조직의 진피 및 피부조직과 봉합한다. 6-0, 또는 7-0 nylon, 또는 prolene으로 세 군데를 봉합한다. 고정 외의 부분은 6-0 나 7-0 nylon으로 연속봉합(running suture)을 시행한다(그림 12-14~16).

(2) 하안검성형술

하안검성형술은 안검의 상태에 따라 수술방법이 다르다. 피부가 많이 늘어져 있는 경우는 피부만 거상하여 과도한 피부를 제거하는 피판법을 사용하는 것이 좋고, 피부는 별로 늘어지지 않았지만 안륜근이 늘어져 있거나 안와지방 탈출이 있는 경우는 피부와 근육을 붙여 근피판을 형성하여 절제해 주는 근피판법을 사용하는 것이 좋다. 그리고 안와지방 탈출만 있는 경우는 결막을 통해 지방을 제거해 줄 수 있다.[8,12,13]

① 도안

하안검연의 하방 2~3 mm에 안검연과 평행하게 절개선을 도안하며 누점(lacrimal punctum) 바로 외측에서 시작하고 외안각에서는 까마귀 발 주름을 따라 수평으로 10 mm 정도 연장되도록 도안한다.

② 방법

a. 피판법(Transcutaneous method)

도안된 선을 따라 절개한 후 피부를 안륜근으로 부터 박리하여 거상한다. 박리 범위는 안검 상태에 따라 다르지만 안와 하연까지 박리하면 된다. 그리고 안륜근을 벌린 상태에서 안와격막을 열고 돌출되는 지방을 제거해 준다. 하안

PART 3

검에는 세 개의 지방 구획이 있는데 중앙 구획에 지방이 가장 많고, 외측 구획에는 가장 적다. 지방을 너무 많이 제거하면 공막징이 생길 수 있으며, 내측 구획에서 지방을 제거할 때 하사근(inferior oblique muscle)이 손상될 수 있으므로 조심하여야 한다.

하안검성형술에서 절제되는 피부의 양을 결정하는 것이 매우 중요하다. 국소마취로 수술을 할 때에는 입을 크게 벌리고 상방을 보게 한 상태에서 피판을 상외방으로 당겨서 남는 피부의 양을 결정한다. 전신마취로 수술을 할 때에는 안구를 하방으로 눌러서 하안검연이 정상 위치로 올라오게 한 뒤에 남는 피부의 양을 결정한다. 그리고 피판을 외상방으로 견인하고 외안각 부위에 주요 봉합을 한 뒤에 남는 피부를 제거하고 피부 봉합을 한다(그림 12-17~20).

b. 근피판법

근피판법은 근본적으로 피판법과 동일하며 박리층이 근육과 안와격막 사이라는 점이 다르다. 수술 결과도 큰 차이가 없으므로 안검의 변형 상태에 따라 적절한 방법을 선택하여야 한다.

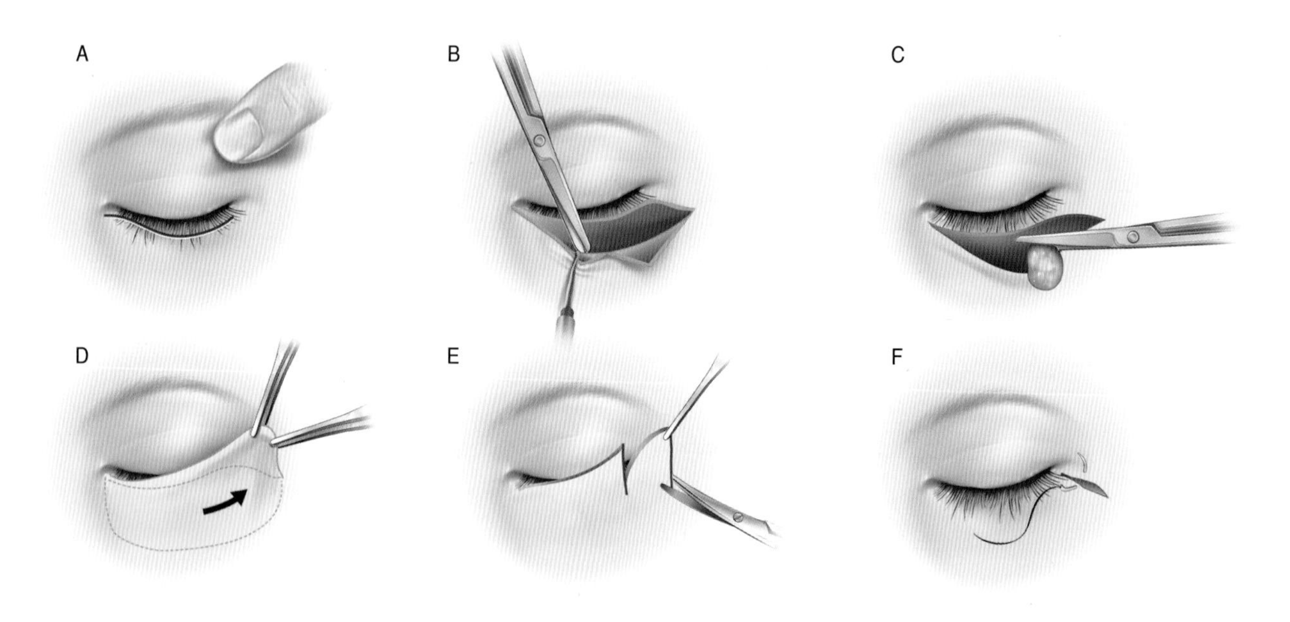

그림 12-17 **하안검성형술의 술식.** **A:** 절개선 **B:** 피판의 박리 **C:** 안와지방의 제거 **D:** 피판의 견인 **E:** 남는 피부 제거 **F:** 피부봉합

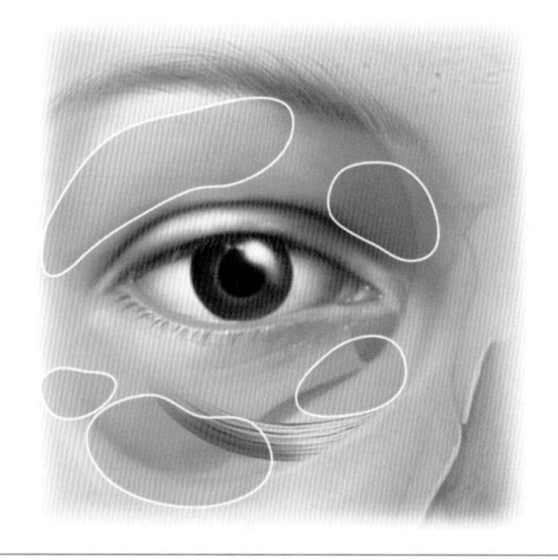

그림 12-18 **안와지방의 구획.** 상안검에 2개, 하안검에 3개의 지방구획이 있다. 하안검의 내측과 중앙 구획 사이에 하사근이 있다.

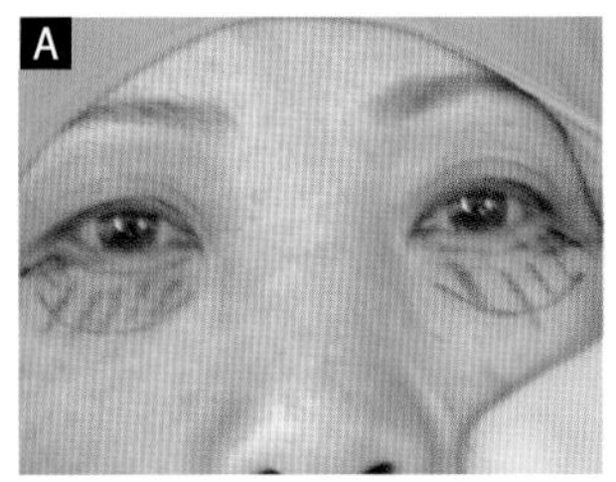

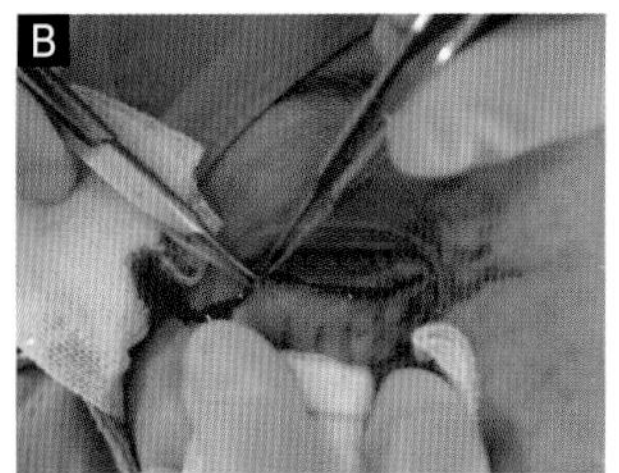

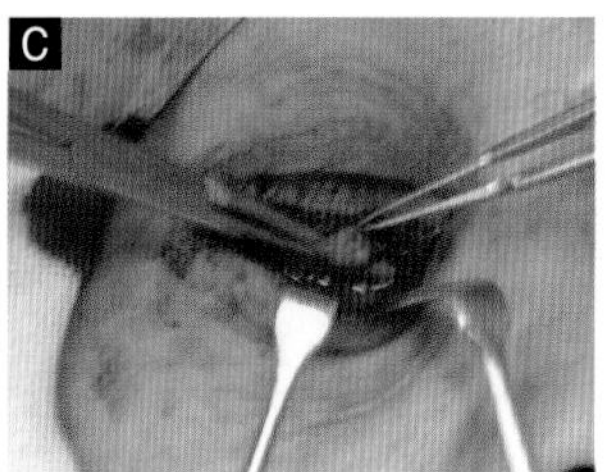

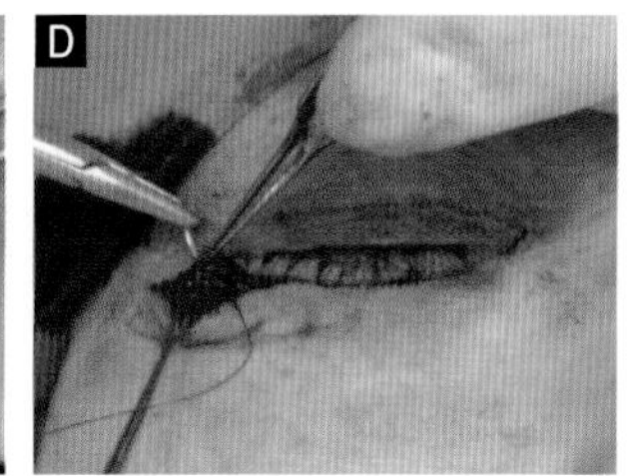

그림 12-19 **하안검성형술 수술 모습.** **A:** 술전 디자인 **B:** 술중 절개 **C:** 술중 지방제거 **D:** 봉합

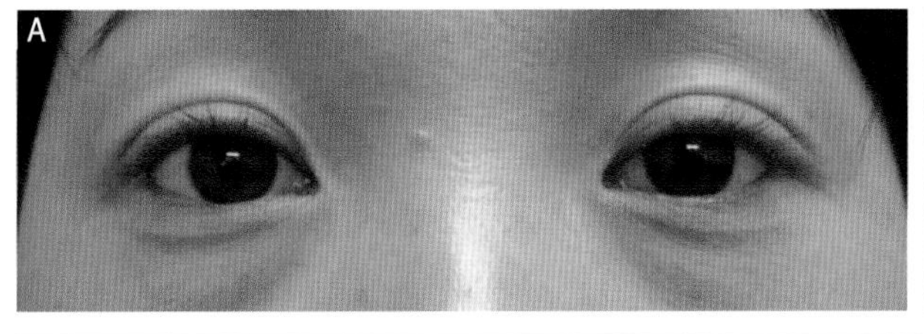

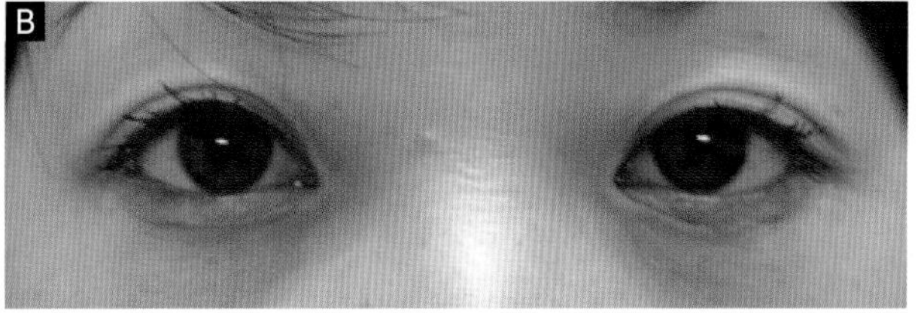

그림 12-20 **하안검성형술 임상사진.** **A:** 술전 모습 **B:** 술후 모습

c. 경결막법(Transconjunctival method)

하안검 결막을 통한 하안검성형술은 심미적으로 우수한 결과를 얻을 수 있다. 절개는 눈꺼풀판(tarsus)의 하방 경계 및 하뇌궁(inferior fornix) 중간 부위 결막을 통과해 하방 수축근(retractor)까지 시행한다. 내측으로는 누점(punctum) 하방, 외측으로는 외안각(lateral canthus)까지 진행한다. 절개선 상방 조직은 견인봉합(traction suture)을 이용해 상방으로 견인하여 지방탈출 조직(herniating fat)을 제거 후 조직을 재위치시키고 6-0나 7-0 polyglactin으로 봉합한다(그림 12-21).[14]

③ 노인성 안검외반증의 예방

하안검에 퇴행성 변화가 있거나 긴장도가 감소된 환자 또는 안구가 돌출된 환자에서는 하안검성형술을 할 때 안검외반증이나 공막징이 잘 생기므로 하안검의 수평 길이를 줄여주어야 한다.

하안검 길이를 줄여주기 위해서 하안검 외측의 검판과 결막을 V자형으로 절제하는 검판 설상절제술을 이용한다. 그러나 안구가 돌출된 환자에서 상기 방법을 이용하면 하안검이 오히려 안구의 밑으로 처지게 되므로 검판판을 만

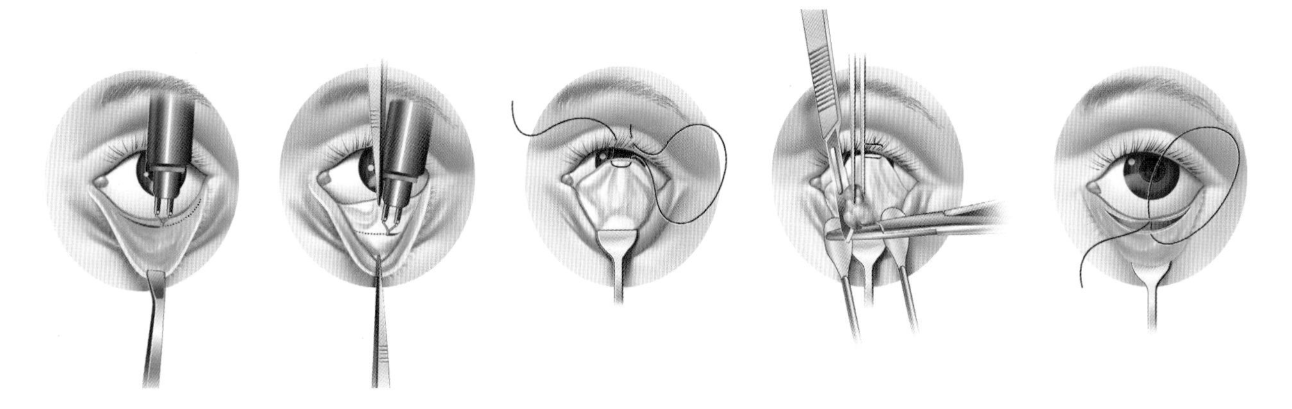

그림 12-21 **Transconjunctival 하안검성형술**(출처: Putterman AM, editor. Cosmetic oculoplastic surgery: eyelid, forehead, and facial techniques. 3rd eD. Philadelphia (PA): W.B. Saunders; 1999.)

들어서 외측 골막에 고정하는 외검판 판법을 사용하여야 한다.[15-18]

④ 하안검수술의 부작용

- 속눈썹 뒤집힘(ectropion)
- 눈꺼풀 처짐(lid retraction)
- 눈길이(horizontal palebral fissure) 짧아짐
- 눈 바깥 꼬리가 둥글게 변함
- 눈 바깥 꼬리가 안쪽 꼬리보다 아래로 처짐
- 애교살 소실
- 인상이 강해짐
- 눈의 불편한 증상(안구 건조, 시림, 피로)

(3) 내안각성형술(Epicanthoplasty)

눈구석주름 내안각 췌피, 몽고주름(epicanthal fold)이 있으면 눈이 안쪽으로 답답해 보이고 눈 사이가 멀며 안검열(palpebral fissure)의 가로 길이가 좁으면서 안쪽이 둥근 경향이 있다. 내안각성형술의 적응증으로는 안검열의 가로 길이를 연장시켜 눈이 보다 시원하게 보이도록 하고 싶을 때, 눈 사이의 거리가 멀 때, 눈구석주름이 존재할 때이다. 절제될 양을 좌우하는 것은 누호(lacrimal lake)의 노출량, 눈 사이의 거리, 그리고 누호의 모양 및 색깔이다.

누호의 노출량에 따라 내안각 주름을 분류할 수 있는데, type 1에서는 누호가 충분히 노출되어 있으며 내안각 주름이 존재하지 않는다. Type 2에서는 누호가 부분적으로 가려지며 피부 경계부위에만 내안각 주름이 존재한다. Type 3에서는 누호 및 누구(lacrimal caruncle)가 거의 가려지고 하안검의 주름이 내측으로 기울어져 있으며 검열(palpebral fissure)은 둥근 형태이다. Type 4에서는 특이하게 하안검에서 내안각 주름이 기시하여 상안검으로 이어지는 형태로 누호 및 누구가 거의 가려진다(그림 12-22).[19]

내안각 교정술은 내안각 거리(intercanthal distance)를 줄이는 수술이 아니라 외견상 보이는 눈구석주름간 거리(interepicanthal distance)를 줄이는 수술이다. 조화로운 눈 사이의 거리는 사람의 눈 크기, 얼굴 폭과도 관계가 있지만 대개 35 mm 전후이다. 눈 사이의 거리가 30 mm 이하인 경우에는 눈이 몰려 보이기 때문에 주의해야 한다.

누호의 색깔이 지나치게 붉거나 회색빛으로 어두운 경우나, 누유두(papilla lacrimalis)가 심하게 튀어나오거나, 갈고리 모양인 경우처럼 누호가 아름답지 못할 경우는 보다 적게 여는 것이 좋다(그림 12-23).

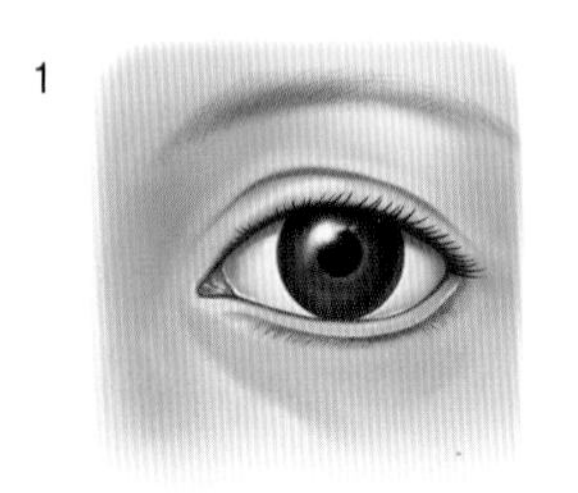

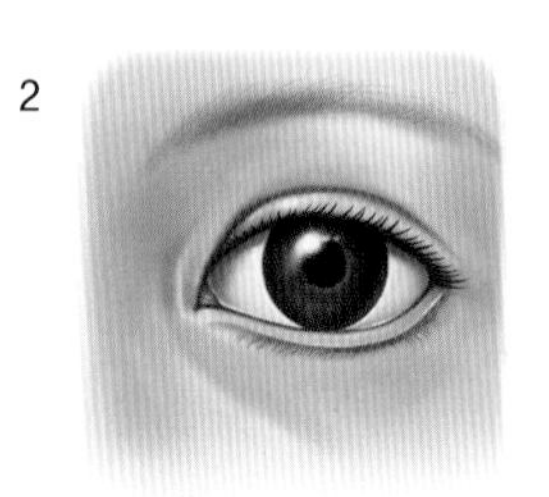

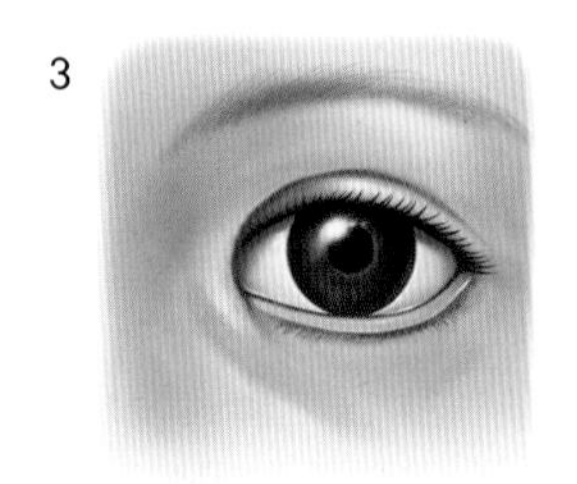

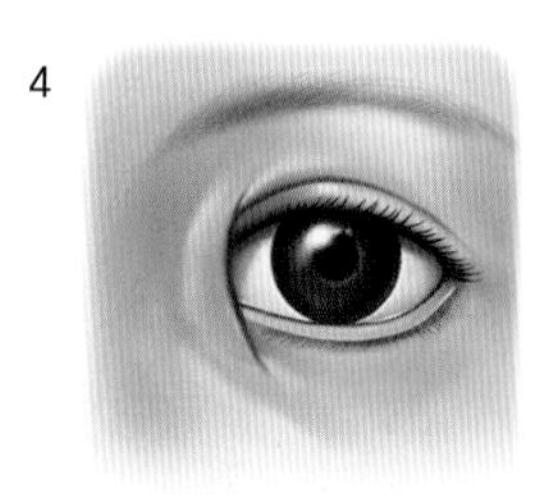

그림 12-22 **누호(lacrimal lake)의 노출량에 따라 내안각 주름(Medial epicanthal fold)은 Type 1, 2, 3, 4로 분류**(출처: Choi et al: Medical Epicanthoplasty Using a Modified Skin Redraping MethoD. Arch Aesthetic Plast Surg 2014;20(1):15-19)

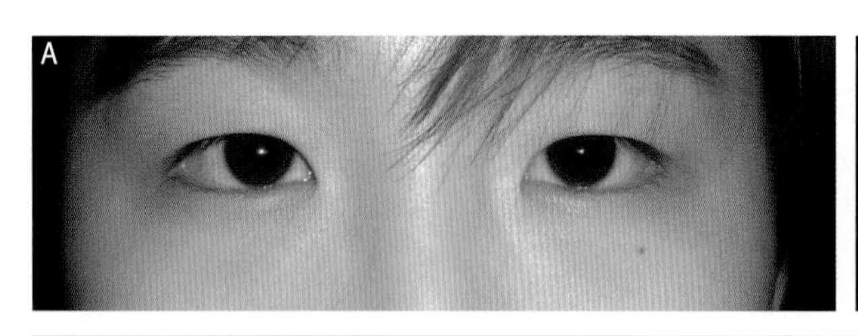

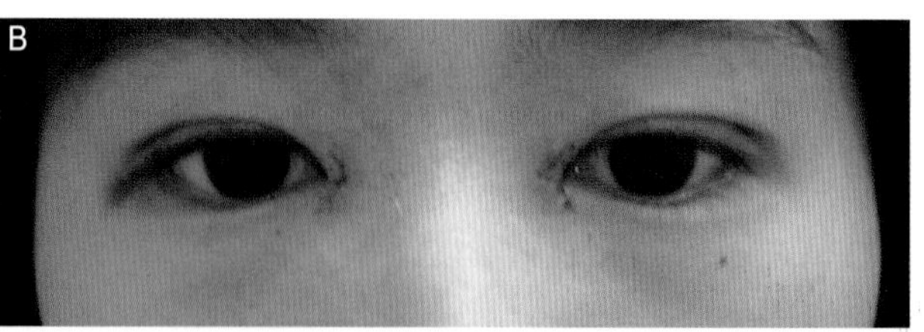

그림 12-23 **내안각 수술 임상사진. A:** 술전 모습 **B:** 술후 모습

4) 수술 후 처치

상안검이나 하안검수술은 clean surgical wound로 간주되어 항생제 투여는 술후 24시간 이내로 한다. 수술 후 며칠간은 contact lens 착용을 금지한다. 술후 2주간은 심한 운동이나 무거운 물건을 들지 않도록 주의한다. 이를 어길 경우 모세혈관의 파열로 멍이 들 수 있다. 술후 눈의 부종을 방지하기 위하여 steroid 안약을 처방할 수 있다.

5) 합병증

절개식 쌍꺼풀 수술을 기준으로, 술후 기간에 따라 구분하여 설명하면 다음과 같다.

(1) 수술 직후

① 각막손상 및 안구천공: 국소마취제를 주사할 때 또는 수술조작에 의해 직접적으로 손상이 일어날 수 있다.
② 안구건조: 상하안검의 불완전하게 닫혀서 눈물이 증발하면, 각막이 건조될 수 있다. 안연고를 투여하고 머리를 거상하는 등의 조치로 손상을 줄여줄 수 있다.
③ 부종: 결막 부종은 수술 즉시 또는 어느 정도 시간 경과 후 생기는데, 주로 각막 건조에 의해 발생한다.
④ 출혈 및 혈종: 반상출혈 및 전방 혈종은 대개 특별한 조치가 필요 없으나, 후방 혈종이나 안와격막 후방에 혈종이 고이는 구후출혈(retrobular hematoma)은 실명을 초래할 수도 있으므로 즉각적인 지혈과 이뇨제 투여 및 감압이 필요하다.
⑤ 봉와직염 및 농양: 안검은 혈행이 풍부하여 아주 드물다.

(2) 술 후 수주에서 수개월

① 안륜근 이상: 안륜근의 절제로 인한 근육의 비후, 반흔, 유착이 발생할 수 있다.
② 누계기능이상: 유루(epiphora)는 대부분 안구의 자극, 노출성 각막염, 건성안으로 생긴다.
③ 안구건조: 안검의 불완전한 닫힘, 일시적 안검지체나 토안(lagophthalmos), 증발현상 등에 의해 발생한다. 대부분 수주 내지 수개월 이내에 저절로 좋아진다.
④ 내안각변형: 쌍꺼풀 절개선을 지나치게 내측으로 연장하였거나, 내측 상안검으로부터 과도한 피부 절개를 하는 경우 web이나 pseudo epicanthal fold가 생긴다.
⑤ 복시 및 외안근 운동 장애: 드물지만 출혈이나 부종에 따른 일시적인 경우가 대부분이다. 영구적 복시는 외안근의 직접적인 손상으로 생기는데 주로 과다한 지방제거 시 발생한다.
⑥ 노출성 각막염: 과도한 피부절제나 안와격막의 안검 조직 일부가 유착되는 경우 발생한다.

(3) 수개월 후

① 안검하수: 지방제거 시 상안검거근막에 손상을 주어 발생한다.
② 안검외반(ectropion): 피부의 과다 절제, 절개선 아래 피부를 과도하게 당겨 상부에 고정했을 때 나타난다. 시간이 지나면서 개선될 수 있다.
③ 안검함몰: 지방을 과다하게 제거하는 경우 발생한다.
④ 비대칭(unequal fold): 좌우 쌍꺼풀의 높이가 달라 눈에 띄는 경우 재수술이 필요하다.
⑤ 봉입낭종: 절개 부위 피지선이나 봉합사의 자극으로 인하여 수주 혹은 수개월 후에 나타나며 저절로 없어지지 않으면 절개하여 제거한다.
⑥ 비후성 반흔: 발생하는 경우 주로 내안각쪽에 생기지만, 극히 드물다.
⑦ 토안(lagophthalmos): 반흔 구축이나 근육과 피하 지지조직들의 결핍 등으로 생기며 각막 손상이 생길 수 있다. 심한 경우 피부 이식을 해야 한다.
⑧ 쌍꺼풀 소실: 하부 피판과 안검판 봉합의 결찰이 풀림으로써 생기는 경우와 전안검판 연조직 제거가 충분하지 않아 유착이 약해져 시간이 경과함에 따라 안와지방과 함께 흘러내려 쌍꺼풀이 얇아지거나 없어지게 된다.
⑨ 높은 쌍꺼풀 혹은 낮은 쌍꺼풀: 높은 쌍꺼풀은 안검하연으로부터 8 mm 이상 떨어진 곳에 형성되거나, 안검판의 상부고정 시 발생하게 된다. 높거나 낮은 쌍꺼풀 모두 시간이 지날수록 환자의 불만이 커지므로 2차 수술을 고려해야 한다.

참고문헌

1. Most SP, Mobley SR, Larrabee WF, Jr. Anatomy of the eyelids. Facial Plast Surg Clin North Am 2005;13:487-92, v.
2. Kim DW, Bhatki AM. Upper blepharoplasty in the Asian eyelid. Facial Plast Surg Clin North Am 2005;13:525-32, vi.
3. Aiache AE, Ramirez OH. The suborbicularis oculi fat pads: an anatomic and clinical study. Plast Reconstr Surg 1995;95:37-42.
4. Nerad JA. The requisites in ophthalmology: oculoplastic surgery. St. Louis: CV Mosby; 2001.
5. Knize DM. Transpalpebral approach to the corrugator supercilii and procerus muscles. Plast Reconstr Surg 1995;95:52-60; discussion 1-2.
6. McKinney P, Mossie RD, Zukowski ML. Criteria for the forehead lift. Aesthetic Plast Surg 1991;15:141-7.
7. Shorr N, Enzer YR. Considerations in aesthetic eyelid surgery. J Dermatol Surg Oncol 1992;18:1081-95.
8. Wolfey D. Blepharoplasty. In: Krause CJ, Pastorek N, Mangat DS, editors. Aesthetic facial surgery. Philadelphia: JB Lippincott; 1991. p.571-99.
9. Lee AS, Thomas JR. Lower lid blepharoplasty and canthal surgery. Facial Plast Surg Clin North Am 2005;13:541-51, vi.
10. Moon KC, Yoon ES, Lee JM. Modified double-eyelid blepharoplasty using the single-knot continuous buried non-incisional technique. Arch Plast Surg 2013;40:409-13.
11. Sadick N, Moy R, Lawrence N, Hirsch R. Concise Manual of Cosmetic Dermatologic Surgery: Mcgraw-hill; 2008.
12. Baylis HI, Long JA, Groth MJ. Transconjunctival lower eyelid blepharoplasty. Technique and complications. Ophthalmology 1989;96:1027-32.
13. Werther JR. Cutaneous approaches to the lower lid and orbit. J Oral Maxillofac Surg 1998;56:60-5.
14. Putterman AM. Cosmetic Oculoplastic Surgery: Eyelid, Forehead, and Facial Techniques. 3rd ed. Philadelpiha: W.B. Saunders; 1999.
15. Connell BF, Marten TJ. The male foreheadplasty. Recognizing and treating aging in the upper face. Clin Plast Surg 1991;18:653-87.
16. Holtmann B, Wray RC, Little AG. A randomized comparison of four incisions for orbital fractures. Plast Reconstr Surg 1981;67:731-7.
17. Matarasso A, Terino EO. Forehead-brow rhytidoplasty: reassessing the goals. Plast Reconstr Surg 1994;93:1378-89; discussion 90-1.
18. Sokol AB, Sokol TP. Transblepharoplasty brow suspension. Plast Reconstr Surg 1982;69:940-4.
19. Choi HL, Lee MC, Kim YS, Lew DH. Medial Epicanthoplasty Using a Modified Skin Redraping Method. Arch Aesthetic Plast Surg 2014;20:15-9.

Chapter 13

비성형술

Rhinoplasty

기본 학습 목표

- 코의 표면 해부와 골격구조를 이해한다.
- 비성형술을 필요로 하는 환자의 상태와 적절한 시기에 대해서 이해한다.

심화 학습 목표

- 비골격에 대한 접근법에 대하여 설명할 수 있다.
- 비성형술을 필요로 하는 환자의 상태에 따른 다양한 수술 방법을 이해하고 적절히 선택할 수 있다.
- 융비술과 코끝성형술 등 비성형술에 사용할 수 있는 이식재를 알고 있으며 적절히 선택할 수 있다.

비성형술(rhinoplasty)은 미용 비성형술(esthetic rhinoplasty)과 재건 비성형술(reconstructive rhinoplasty)로 나눌 수 있다. 미용 비성형술은 모양이 좋지 못한 코를 보기 좋게 하는 성형술로 낮은 코를 세우는 융비술(augmentation rhinoplasty), 비정상적으로 큰 코를 작게 하는 축비술(reduction rhinoplasty), 그 외 비변형의 교정술과 같은 일차 비성형술과 이런 일차 비성형술 후 남아있는 문제점들을 수술하는 이차 비성형술(secondary rhinoplasty)이 있다. 재건 비성형술은 코에 결손이 있을 때 다른 조직을 이용하여 코를 다시 만들어 주는 재건수술을 말한다.

1. 해부

코는 비공(nasal cavity)의 앞에서 얼굴의 중앙에 돌출한 삼각추상의 부분으로 비골(nasal bone), 비연골(코연골, nasal cartilages)에 의하여 골격이 이루어지고, 여기에 비근(코근, nasalis m.)이 붙어 있으며 외부는 피부로 덮여있다. 코에는 비근(root of nose), 비배(dorsum of nose), 비첨(apex of nose) 및 비익(ala of nose)이 있고, 아래면에는 한 쌍의 외비공(콧구멍, nostrils)이 있어 비공과 통하고 있다.[1-3]

1) 외비(External nose)의 부위별 명칭

외비는 피라미드 모양의 구조로서 배부(dorsum), 첨부(tip), 익부(ala), 측부(lateral side)로 나뉜다. 비배부의 피부는 하부조직과 유연하게 부착되어 있으나 첨부는 하부의 연골 및 섬유조직과 밀착되어 있어 피부의 유동성이 적다. 비골을 덮고 있는 부위를 bridge라고도 한다. 비측부는 비배부에서 시작하여 협부와 연결되어 있으며 이 부위를 nasofacial angle이라 한다.

비익부는 비측부와 alar groove에 의해 경계가 지어지고 입술 부위와는 nasolabial groove에 의해 분리된다. 비근부는 glabella와 연결되는 부위를 말하며, 비공은 중앙에서 비중격으로 나누어지고 측방에는 비익이 존재한다. 비중격의 하부에 잘 움직이는 유연한 연부조직이 있는데 이를 비주(columella)라 한다.

2) 외비의 골과 연골

외비 피라미드는 비골과 네 가지 연골로 구성되어 있다. 좌우 한 쌍의 비골이 얼굴 정중선에서 서로 붙어 있으며, 상방에서는 전두골의 비돌기(nasal process)에 붙어 있고 양측에서는 상악골의 전두돌기(frontal process)에 붙어 있다. 비골의 가장자리와 상악골 전두돌기의 가장자리가 이어져 이상구(pyriform aperture)를 형성하고 있다.

외비 피라미드를 이루고 있는 네 가지 연골은 양측 외측

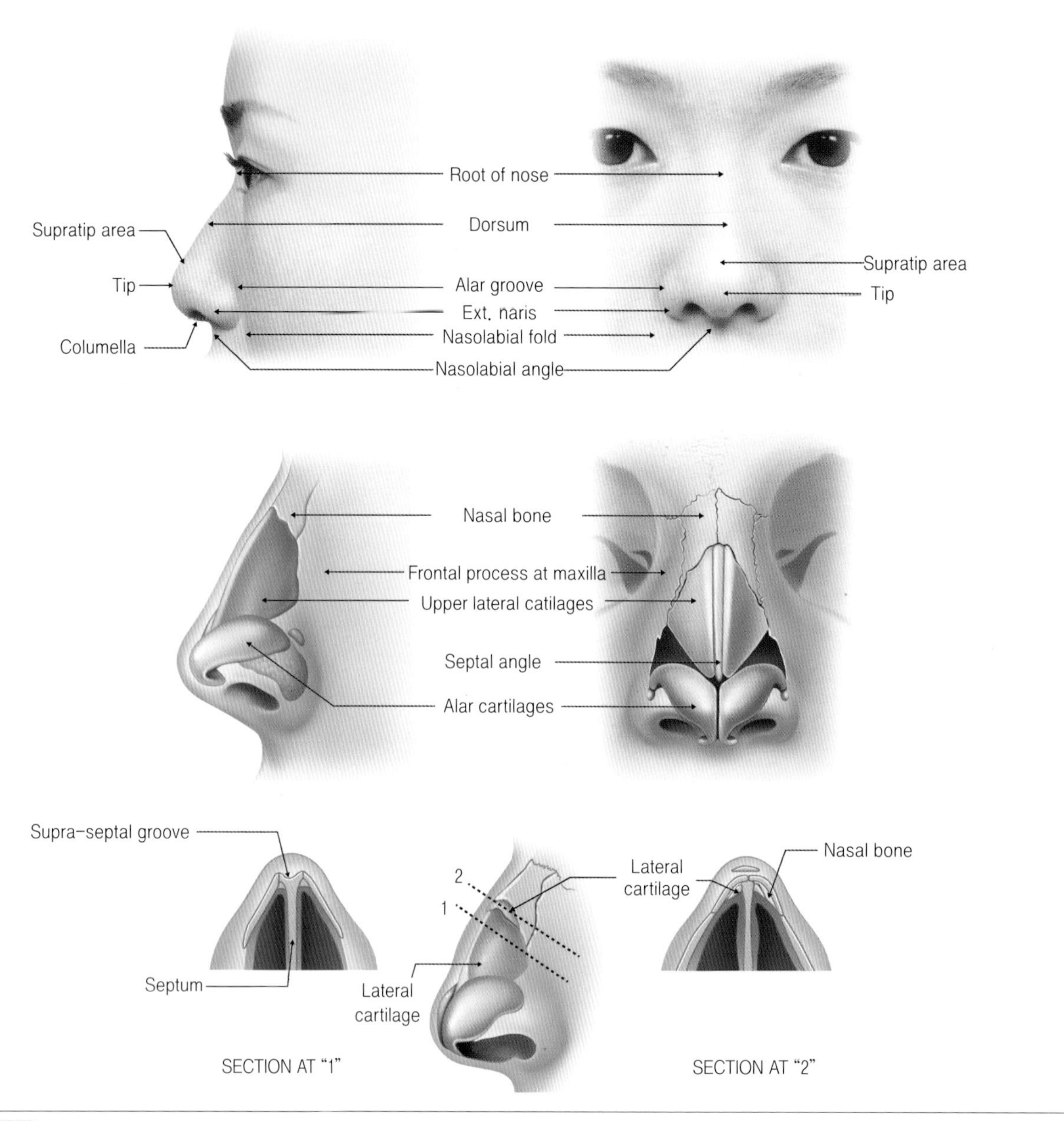

그림 13-1 **코의 부위별 명칭**

연골(상측방연골, lateral cartilage, upper lateral cartilage), 양측 비익연골(하측방연골, alar cartilage, lower lateral cartilage), 여러 개의 종자연골(sesamoid cartilage), 여러 개의 부연골(accessory cartilage)을 말한다.

외측 연골은 삼각형이며, 비중격연골과는 연골로 유합되어 있는데, 다만 미측 1/3에서는 치밀한 결합조직으로 연결되어 있으며, 상부에서는 비골 후면과 약 2~10 mm 정도 중첩되어 있다. 코의 코초석(key stone) 영역은 코등의 구조적 안정성을 유지하는 데 중요하다. 코초석 영역은 비골, 비중격 연골, 뼈 중격(bony septum) 및 상부 외측 연골(ULC)로 구성된다.

비익연골은 하방에서 쳐다보면 C자형인데 내각(medial crus)과 외각(lateral crus)으로 이루어져 있다. 종자연골은 비익연골과 외측 연골 사이에 있으면서, 비익연골이 외측 연골상에서 잘 움직일 수 있도록 베어링 역할을 한다. 부연골은 비익연골의 외각보다 외방에 여러 개가 들어 있으며 이들 연골은 섬유성 윤문상조직(fibroareolar tissue)으로 서로 연결되어 있다(그림 13-1).[4-6]

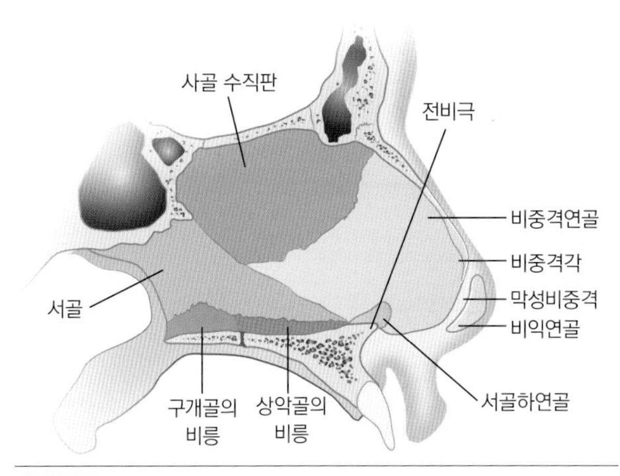

그림 13-2 비중격의 해부학적 명칭

3) 비중격(Nasal septum)

비중격은 비강을 두 개의 공간으로 나누고 있다. 비중격은 한 개의 비중격연골(septal cartilage)과 네 개의 골판, 즉 사골수직판(perpendicular plate of ethmoid), 서골(vomer), 상악골 비릉(nasal crest of maxilla), 구개골 비릉(nasal crest of palatine bone)으로 구성되어 있다(그림 13-2).[7]

2. 비성형술의 수술 시기

백인에서는 15세 이후에 코가 별로 성장하지 않으므로 15세 이후에는 수술이 가능하다고 하나, 동양인에서는 다소 성장이 늦으므로, 여성은 16세, 남성은 17세 이후에 수술을 해주는 것이 좋다.[1,8]

3. 비성형술의 술전 관리

1) 술전 검사

(1) 문진

환자로 하여금 직접 손거울을 잡게 한 다음 고쳤으면 하는 부분들을 우선순위대로 지적하게 한 다음 술자가 평가하는 것과의 차이점, 수술로써 개선될 부분과 개선이 힘든 부분들을 의논하면서 기록해 둔다. 이때 환자의 관심과 술자의 평가 사이에 격차가 크면 수술을 권하지 않는 것이 현명하다.

(2) 내비검사

내비검사는 비경(nasal speculum)만으로는 부족하고, 내시경을 이용하여 비중격의 만곡과 점막의 상태, 비갑개의 비후 등을 검사한다.

(3) 환자의 정신 상태

환자의 정서적 성숙도와 비성형술을 원하는 심리적 이유를 평가하는 일은 매우 중요하다. 배우처럼 외모를 고쳐서 이익을 얻고자 수술을 원하는 환자, 자기애(narcissism)의 남성 환자, 완벽주의자는 특별히 조심해야 하며, 술전 body dysmorphic disorder 감별을 요한다.

(4) 비변형 검사

융비술이든, 축비술이든 모든 비성형술은 항상 보존적이어야 하며, 비성형술의 일차적 목표는 정상적인 해부학 구조를 가지면서 자연스러운 코 모양을 갖게 하는 것이다.

(5) 술전 의학사진(Medical photograph) 촬영

술전에 정면, 비저면(nasal base view), 좌·우측 3/4 사면 및 좌우 측면 사진을 찍어서 술중 참고사진으로 삼고, 또 술후 사진과 비교함으로써 수술 결과를 평가할 수 있도록 한다. 술전에 환자 코를 석고모형(paster model)으로 만들거나 컴퓨터 영상을 얻는다면 환자와 함께 보면서 의논할 수 있으며, 술후 자료와 비교해서 수술 결과를 평가할 수도 있다. 환자 자신은 거울로도 자기 측면 모습을 잘 볼 수 없기 때문에 이런 자료는 특히 중요하다.

(6) 주위 안면 구조와의 상관관계

얼굴의 균형 특히 이마, 미간(glabella), 관골부(zygomatic area), 상순 및 턱과의 관계를 평가하고, 해당 부위의 수술을 비성형술과 동시에 시행할 것인지에 관해 의논한다.[9]

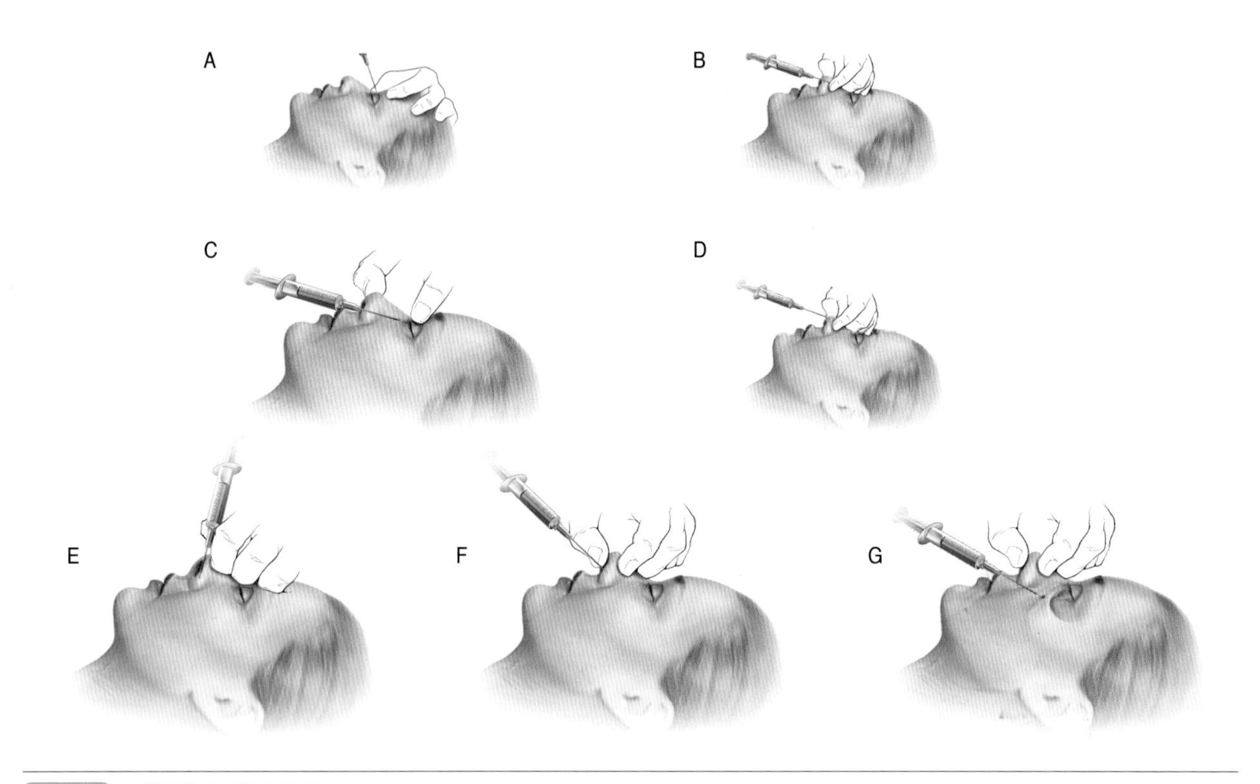

그림 13-3 비성형술을 위한 국소마취

2) 수술 전 준비

(1) 진정

비성형술은 전신 또는 국소마취하에 시행하며 전신마취가 더 선호된다. 환자가 전신마취를 거부할 때 마취과의사를 동반한 국소마취를 시행할 수도 있다. 국소마취와 nasal packing 동안 마취과의사에 의해 thiopental 60~150 mg 투여하고 diazepam (valium)과 meperidine (demerol)을 적정(titration)해서 수술 동안 진정 정도를 조절할 수 있다.

(2) 국소마취

① 비근부 연조직에 0.5 cc 마취액을 주입한다(그림 13-3A).

② 주사바늘을 angle of septum에 위치시키고 비근부를 향해 자입하고 서서히 뒤로 빼면서 골성 및 연골성 arch의 배부 상방으로 1 cc를 투여한다(그림 13-3B).

③ 주사바늘을 절개선 직상방에서 자입하여 상악골과 근접해서 비근부를 향해 서서히 뒤로 빼면서 마취액 1 cc를 주입하고, 반대편도 마찬가지로 시행한다(그림 13-3C).

④ Nasal tip의 마취와 지혈은 직접 침윤마취에 의해 얻어지며 외각의 미측의 기저부에서 연골의 전방에 주사바늘을 주입한다(그림 13-3D).

⑤ 주사바늘을 dome 부위로 전진시키며 0.5 cc 이하로도 충분히 지혈효과를 얻을 수 있다. 반대쪽도 반복하여 시행한다.

⑥ 주사바늘을 angle of septum과 미측 방향에 위치시키고 막성 중격을 따라 주입시킨 후, 뒤로 빼면서 마취액 1 cc를 주입한다(그림 13-3E).

⑦ alar wedge resection이 계획된다면 마취액 0.25 cc를 alar lobule에 추가로 주입시킨다(그림 13-3F).

⑧ 마지막으로 양측 안와하공 근처에 0.5 cc 주입한다(그림 13-3G).

(3) 소독

① 수술 부위 및 주변을 베타딘 용액으로 세밀하게 세척한다.

② 초기 세척 후 No.15 blade로 코털을 깎고 베타딘 용액으로 이차 세척을 한다.

③ 5% cocaine 4 cc를 sterile glass에 떨어뜨리고 norepinephrine을 첨가한 후 sterile cotton을 cocaine에 담그고 cotton을 짜낸 후 4 inch gauze에 짠다.

④ 첫 번째 큰 pack을 중격과 하비갑개 사이의 비강에 위치시킨다.

⑤ 두 번째 작은 pack은 배부의 절제될 부위와 lateral osteotomy를 피개하는 점막을 마취하기 위해 비강의 천정을 따라 위치시킨다.

⑥ 마지막으로, 세척 후 통상적으로 준비된 방포를 수술 부위만 노출시키고 덮는다.

4. 비성형술의 접근방법

비골격에 대한 수술 시 접근법은 비외(개방성)접근법과 비내접근법으로 나눌 수 있다.[2,3]

1) 비외(개방성)접근법(그림 13-4)

(1) 혈관수축과 준비

코털을 깎고 비강을 세척한 다음 혈관수축제에 적신 비강충전물을 비저부 끝까지 집어넣고 혈관수축제를 포함한 국소마취제로 점막하층에 국소 침윤주사를 시행한다.

(2) 변연 및 횡비주절개

하측방연골의 미측유리연을 따라 변연절개(marginal incision)를 시행하고 비공연(nostril rim)을 스킨훅(two prong)으로 견인하여 비공연을 외반시킨다. 이때, 비익연골의 외형을 따르는 절개는 내측에서 외측으로 진행할수록 cephalic 방향(상방)으로 올라가도록 형성해준다. 전정피부에서 연골깊이까지 시행한다. 그 다음 비주를 가로지르는 피부에 계단형이나 역 V자 절개를 통해 양쪽 절개선을 연결하는 횡비주절개를 시행한다. 횡비주절개는 columella에서 가장 좁은 폭을 갖는 부위에 시행하여 준다.

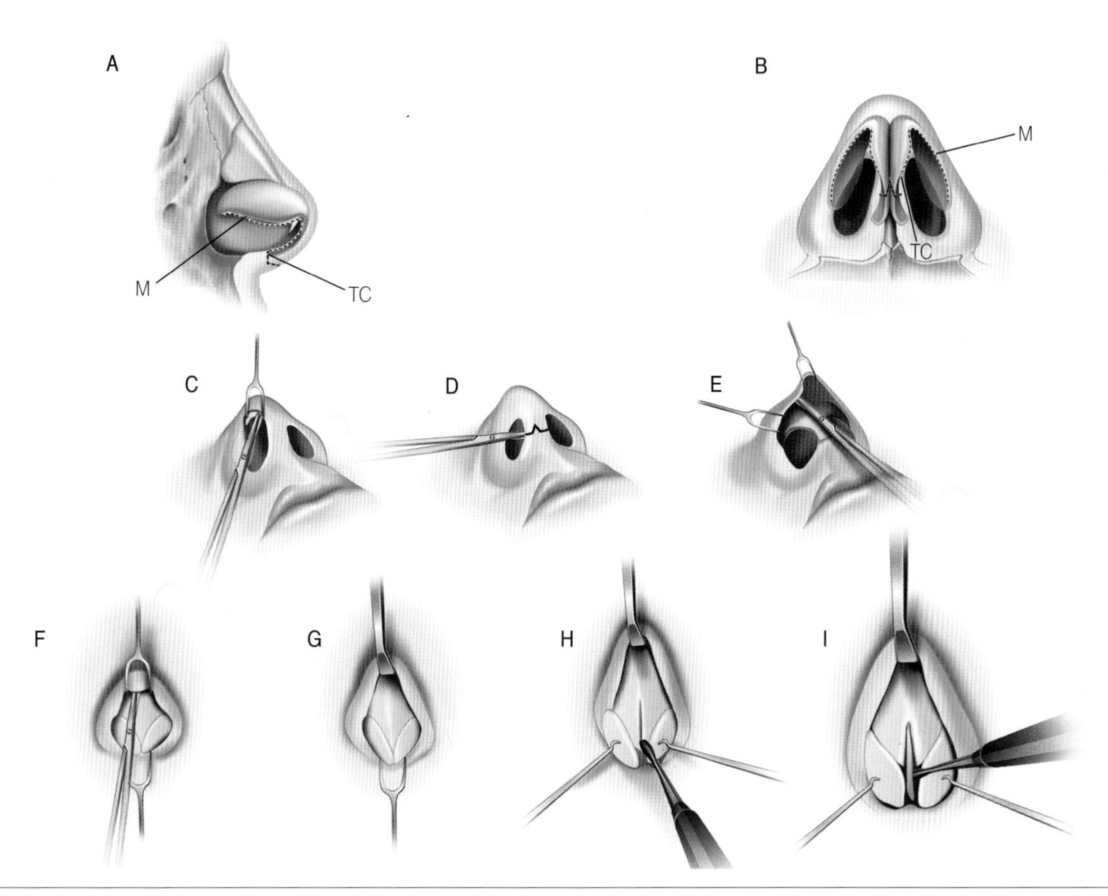

그림 13-4 A, B: 비외 접근법을 위한 절개선 C: 변연절개를 통해 하측방연골을 볼 수 있다. D: 박리가위를 통한 연골막상 박리 E: 비배부의 박리 F, G: 외비의 노출 H: 비중격 연골에 대한 박리 I: 비중격연골로부터 비중격 점막의 박리(M=marginal incision, TC=transcolumellar incision)

(3) 연골 노출을 위한 박리

스킨훅이나 미세한 겸자로 비주 피부의 절단연을 들어올리고 가위(converse scissors)로 내측각의 연골막상 박리를 하며 스킨훅으로 비공연을 외반시켜 가위로 부착조직의 미측연 전체를 박리한다. 그 후 가위 끝을 연골막하층에서 외측각의 상부에 집어넣고 상방조직을 박리한 다음 비골의 미측연에 도달하면 골막을 절개하고 거상시킨다.

(4) 중격의 노출

연골성 중격의 미부 경계를 따라 절개를 시행하고 점막연골막을 중격으로부터 거상시킨 다음 전하방으로 박리를 진행하여 중격연골과 전비극 사이의 접합부 전체를 노출시킨다.

(5) 봉합과 부목

코성형 수술을 마친 뒤 적절한 봉합을 시행하는데 횡비주 절개는 6-0 나일론이나 Poly propylen으로 봉합하고 변연절개는 5-0 white vicryl로 봉합해준다.

수술 후 부목은 통상 보형물을 이식한 경우 1주, 골절개술을 시행한 경우 3주 정도 시행한다. 부목은 아쿠아 스플린트와 알루미늄 스플린트가 사용되며, 통상의 경우 아쿠아 스플린트를 사용하고, 골절개술을 시행한 경우에는 알루미늄 스플린트를 사용한다.

중격점막이 박리되었을 때는 비강내 부목이나 팩(Merocel)을 위치시키는 방법과 횡중격봉합을 시행해 주는 방법을 이용할 수 있다. 발사는 통상적으로 비외 피부 봉합의 경우 1주일 후, 비내 봉합은 2주 후에 시행한다.

2) 비내접근법(그림 13-5)

(1) 혈관수축과 준비

비외접근법과 동일하게 시행한다.

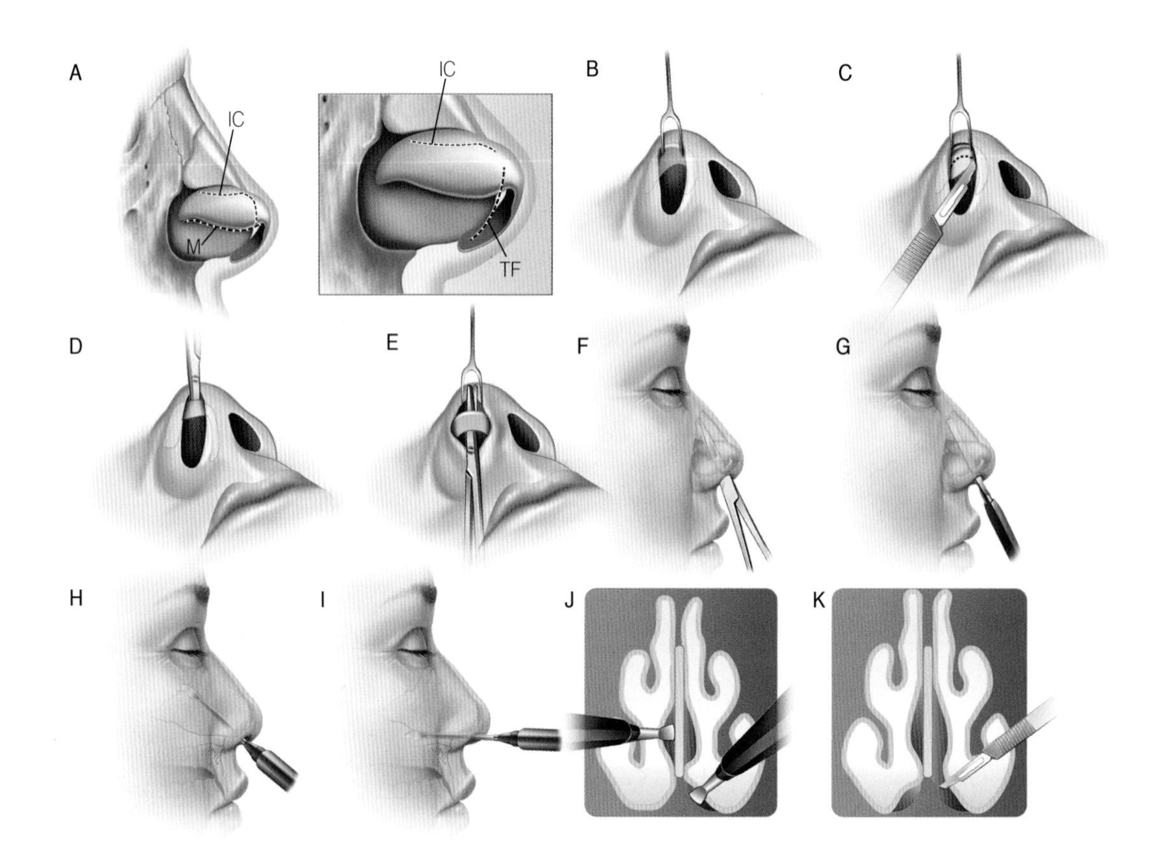

그림 13-5 A: 비내 접근법을 위한 절개선 B: 비익의 견인에 의해 변연, 연골간 및 관통절개선이 보인다. C: 절개 중 변연절개를 통해 하측방 연골을 볼 수 있다. D: 하측방 연골의 박리가위를 이용한 박리 E: 비익연골의 박리 F: 가위를 이용한 비부 골격 상방의 박리 G: 골막기자를 이용한 비배부 골막의 거상 H: 비중격의 점막하 거상 I: 비저부의 점막하 거상 J, K: 비중격의 점막하 박리와 아직 부착되어 있는 부분에 대한 절개(IC=intercartilagenous incision, M=marginal incision, TF=transfixation incision).

(2) 하측방 연골 노출을 위한 박리

변연절개(marginal incision)와 연골간절개(intercartilagenous incision)가 부분 혹은 완전 관통절개에 의해 연결되는데, 변연절개는 비외접근법과 동일하게 시행하고, 연골간절개를 통해 상측방연골과 하측방연골을 분할시킨다. 그리고 중격연골의 미측단에 관통절개(transfixation incsion)가 이루어지며 연골간 절개선과 서로 연결되는데 관통절개를 통해 중격이 완전히 노출된다. 비익연골상부의 연조직을 박리하고 스킨훅으로 비익연골을 견인하며 필요시 연골을 적출한다.

(3) 비배와 비근의 노출

상측방연골 상부에서 연조직을 견인하여 비골하연의 골막에 절개를 가하고 골막하박리를 시행한다.

(4) 중격의 노출

Freer 기자를 쓸어내리는 동작으로 이용하여 서골에서 비배까지 그리고 후방으로는 사골의 수직판 상방에서 중격연골 전체의 점막연골막을 박리한다. 그리고 점막골막을 비강저로부터 상악골 및 서골의 비골능상으로 거상시키는데 중격과 상악골/서골 간의 접합부까지 시행한다.

(5) 봉합과 부목

비외접근법과 동일하게 시행한다.

5. 비성형술식

1) 코를 올리는 수술(융비술)

① 융비술에서 가장 중요시해야 할 부분은 이상적인 코의 형태에 대한 관점이다(그림 13-6).

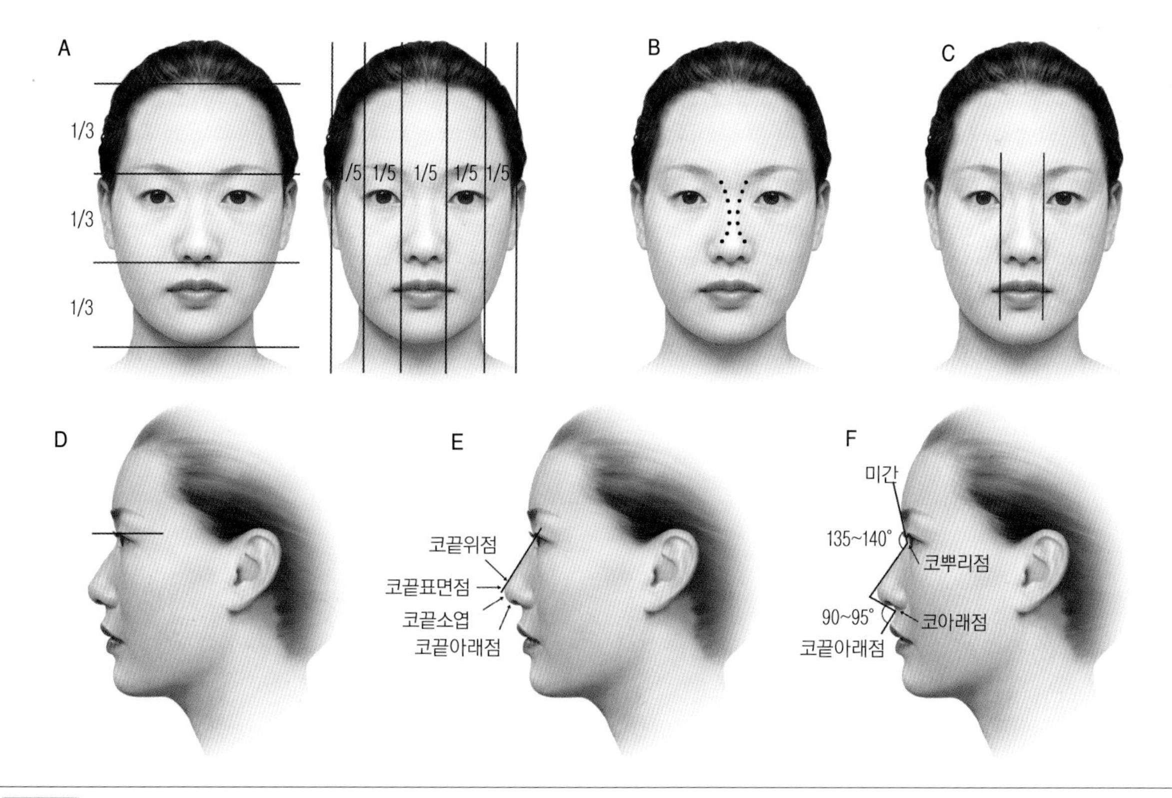

그림 13-6 **A:** 얼굴에서 코가 차지하는 비율은 수평 분할 시 1/3, 수직 분할 시 1/5 정도이다. **B:** 콧등의 선은 양쪽 눈썹의 안쪽에서 코끝 표면점으로 이어지는 두개의 선으로 8~10 mm의 폭을 가진다. **C:** 콧방울의 폭은 내안각까지 거리와 같거나 약간 넓다. **D:** 코의 융기는 상안검 주름이 잡히는 부위에서 시작된다. **E:** 콧등은 코뿌리와 코끝을 연결한 선보다 1~2 mm 낮다. **F:** 코이마각(nasofacial angle)은 135~140°가 적당하며, 코입술각(nasolabial angle)은 90~95° 정도이다.

PART 3

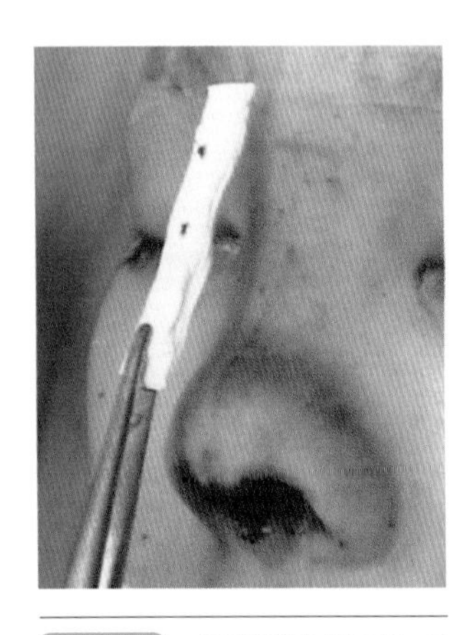

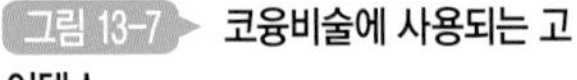

그림 13-7 코융비술에 사용되는 고어텍스

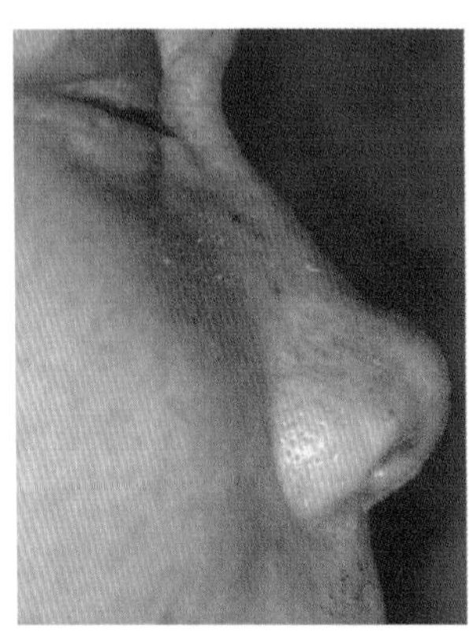
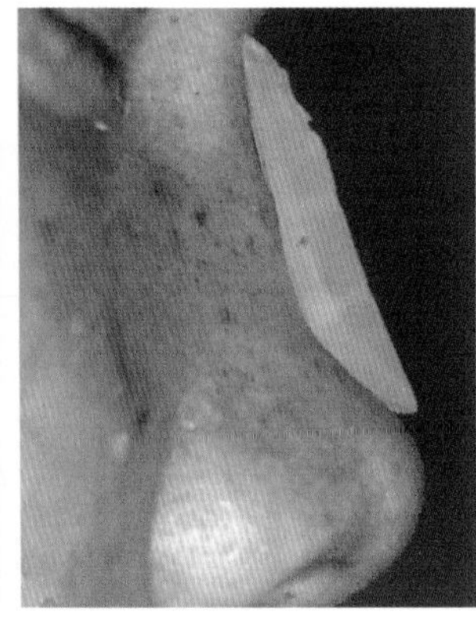
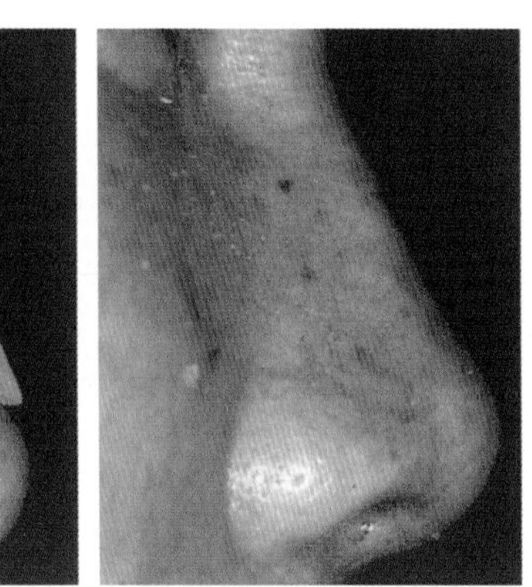

그림 13-8 실리콘을 이용한 비성형술의 증례사진

코뿌리 부위에서 코이마각(nasofacial angle)은 서양인에서 여성 134°, 남성은 130°이나 한국인은 135° 정도를 가장 선호하였다. 코뿌리점은 코에서 가장 낮은 부위로 일반적으로 눈을 떴을 때 상안검 주름이 잡히는 곳이 가장 이상적인 부위이다.

코의 폭은 코천장 부위에서 전면에서 볼 때 두 개의 선으로 나타나는 것이 좋으며, 서양인의 경우 여자 6~8 mm, 남자 8~10 mm 정도를 이상적으로 보지만, 한국인의 경우 이상적인 폭은 10 mm로 보고된 바 있다. 측면에서 코뿌리점과 코끝 부위를 연결하는 선과 비배부는 직선으로 곧게 이어지는 것보다 기와지붕처럼 약 2 mm 정도 오목하게 안으로 들어가는 것이 좋다. 콧등 바닥의 넓이는 양쪽 내안각선 안쪽으로 2~4 mm 들어간 것이 좋다.

코끝의 형태가 코 전체의 미적 완성도를 높이므로 tip defining point가 나타나도록 하여야 하며 측면에서 볼 때 한국인의 코입술각은 90~95°가 적당하다.[10]

② 재료의 준비

수술 전 병력과 사진 분석을 통하여 환자와의 면담 후 재료를 결정하는 것이 좋다.

많은 양의 증강술 필요시 자가골이나 가슴연골을 고려하며, 보통의 경우 진피와 고어텍스, 고어텍스와 귀연골 혼합사용이 추천된다. Strut에 사용하는 연골은 편평하고 견고해야 하므로 주로 septal cartilage를 사용하며, 이미 septal cartilage를 사용한 경우 사체연골을 사용할 수 있다.

(1) 인공재료

역사적으로 볼 때 코를 세우기 위해 파라핀(paraffin), 도재(porcelain), 알루미늄, 백금, 상아, 아크릴수지(acrylic resin), 폴리에틸렌(polyethylene), 다크론(dacron), 테프론(teflon), 나일론 및 실리콘 고무(silicone elastomer) 등 여러 가지 이물성형물(alloplastic material)을 사용해 왔으며, 요즈음에는 polytetra-fluoroethylene (PTFT), 다공성 고밀도 폴리에틸렌(multiporous high-density polyethylene, Medpor), Gore-Tex 등도 사용되고 있다(그림 13-7). 이 가운데 실리콘 고무는 1950년대 초에 소개된 이래, 동양인의 진피가 두껍고 피하조직이 섬유성이어서 술후 삽입물의 돌출 가능성이 낮아 동양인에서 비교적 안전하게 사용되고 있다(그림 13-8). 물론 융비술에서도 자가조직이식물(autogenous transplant)이 이물성형물보다 더 이상적인 것은 틀림없다.[8]

(2) 자가연골(그림 13-9)

자가연골이식 가운데 비중격연골(septal cartilage)과 이갑개연골(conchal cartilage)은 비배를 조금만 융비해도 좋은 결과를 얻을 수 있거나, 부분적 결손을 보충하거나, 비삽입물의 돌출을 방지하기 위해 삽입물에 붙여 사용하거나, 비첨을 돌출시키기 위해 사용한다. 코 전체를 융비시키기 위해서는 상당량이 필요하므로 늑연골(rib cartilage)을 이용하지만 술후 뒤틀리거나 휘는 단점 때문에 자주 사용하지는 않는다.

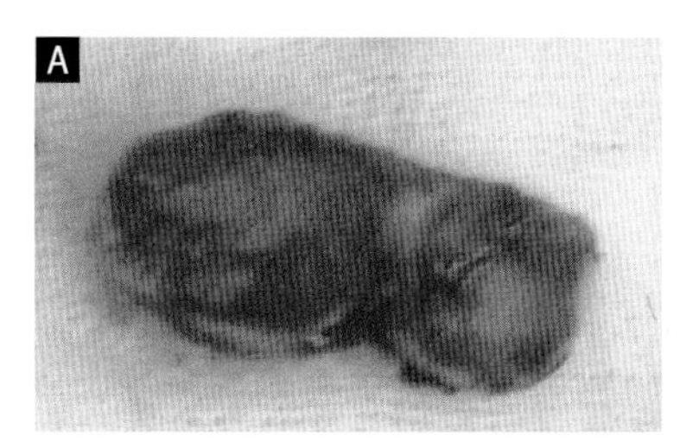

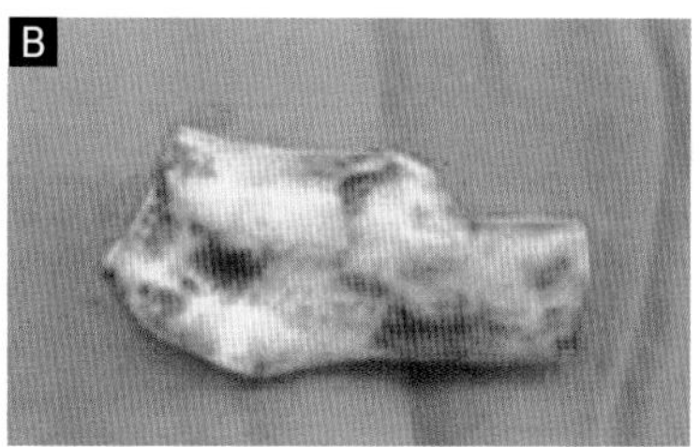

그림 13-9 A: 귓바퀴에서 채취한 연골. 비교적 많이 채취할 수 있으나 면이 평평하지 않다. B: 가슴(늑)에서 채취한 연골. 충분한 양의 연골채취가 가능하다.

(3) 자가골

안장코변형(saddle nose deformity)처럼 비배가 심하게 낮은 경우 인공 비삽입물로 융비시키려면 삽입물이 꽤 커야 하기 때문에 술후 합병증이 많아서 부적합하며, 자가연골이식은 그 양이 부족하므로 자가골이식을 할 수밖에 없다. 흔히 사용하는 자가골은 두개골(calvarium), 장골(iliac bone), 늑골 등이 있다. 과거에는 장골을 선호했지만, 최근에는 두개골을 많이 사용한다. 두개골은 발생학적으로 막골(membranous bone)이기 때문에 연골내골(endochondral bone)인 장골과 늑골보다 더 일찍 재혈관화(revasculariza-tion)되어 골이 많이 생존하고 흡수가 적기 때문이다. 자가골이식은 수혜부인 비골과 잘 접합되도록 단단히 고정시켜야 골성유합(bony union)이 이루어진다. 두개골과 늑골은 골 자체가 가지는 곡면 때문에 "외팔보" 이식(cantilever graft)이 가능하여 비첨을 돌출시킬 수 있는 장점이 있다.[8,11,12]

(4) 진피 지방 또는 근막

지방조직을 진피(dermis)에 붙여서 이식하면 흡수율을 20~25% 정도로 낮출 수 있으므로 진피 이식보다 흔히 사용한다. 둔구(gluteal sulcus)나 치모(pubic hair) 상부에서 방추상절제(fusiform excision)로 채취한 뒤 표피를 제거하여 이식하되, 진피가 비배의 피하에 접합하도록 하여 생존율을 높이도록 한다. 적응증은 근막이식 때와 비슷하다.

① 코의 융기

코안 접근법과 코밖 접근법을 통해 삽입술을 계획할 수 있으며, 수술면은 연골막위 골막하로 접근한다. 증강술에 사용되는 재료는 윗코 연골까지만 놓이게 하며 콧대를 올릴 때는 언제나 코끝을 동시에 올려야 한다. 이때 코끝은 콧등보다 높아야 하며 그 사이에 supratip break point가 나타나야 한다(그림 13-10).[8,13]

② 융비술 후 합병증

a. 출혈 및 혈종 형성

술후 출혈은 수술 시 불완전한 지혈, 아스피린 복용 등에 의해 발생할 수 있다. 경우에 따라 혈종이 기질화(orga-nization)되어 단단한 덩어리로 촉진될 수 있으며, 비배 윤곽을 변형시킬 수 있다.

만약 혈종이 한 쪽에만 생기면 삽입물을 반대쪽으로 밀어서 삽입물을 변위시킬 수 있다. 이런 사실은 종창이 사라진 후 알 수 있으므로 삽입물에 어떤 조치를 취하기에는 너무 늦다. 종창의 70%는 술후 2주 안에 사라지고 나머지 30%가 사라지는 데는 2~3개월 걸린다.

b. 감염

삽입물이 감염되었으면 일반적인 치료 원칙대로 삽입물을 제거해야 하지만 우선은 적절한 항생제를 투여한다. 제거는 삽입물이 돌출되기 전에 시행해야 반흔을 피할 수 있다. 삽입물 제거 후 다시 삽입하려면 최소한 3개월이 지나야 한다.

c. 삽입물의 변위 및 이동

삽입물의 변위는 다음과 같은 여러 가지 원인에 의해 발생할 수 있다.

① 코의 정중 시상선에서 정확히 박리하지 못했을 때
② 박리가 불완전해서 외측대(lateral band)가 남았을 때
③ 삽입물의 밑면이 비대칭일 때
④ 삽입물의 한쪽에 혈종이 생겼을 때
⑤ 술후 외상 등이다.

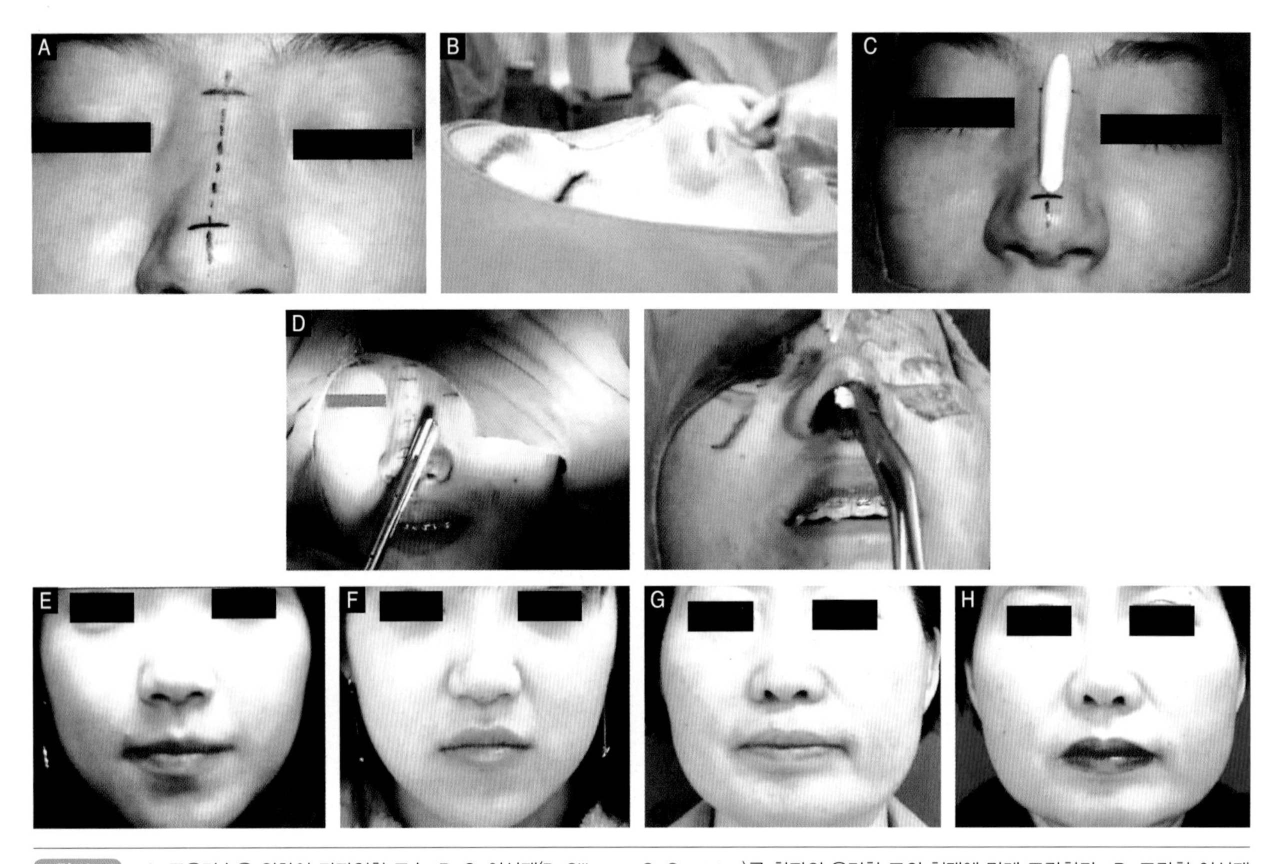

그림 13-10 **A:** 코융기술을 위하여 디자인한 모습 **B, C:** 이식재(B. Silicone, C. Gore-tex)를 환자의 융기할 코의 형태에 맞게 조각한다. **D:** 조각한 이식재(Gore-tex)를 코속에 넣는 모습 **E, F:** 코융기술 술전, 술후 모습 **G, H:** 코융기술 술전, 술후 모습

삽입물의 변위 시 재수술은 술후 2~3개월이면 가능하고, 삽입물의 이동은 수년에 걸쳐 서서히 일어나므로 발견되는 대로 재수술한다.

d. 삽입물의 돌출

삽입물이 변위되어 피부가 지속적으로 창백해지는 경우, 이를 교정하지 않으면 괴사가 일어나 결국에는 삽입물이 돌출된다. 주로 내안각사이나 콧등과 코끝을 함께 인공물질로 올린 경우에 코 끝으로 돌출되는 경우가 있다. 이의 처치는 삽입물을 제거하는 것이 원칙이다.

e. 환자의 불만족

술자의 최선의 노력에도 불구하고, 또 환자의 모습은 합병증 없이 술전 모습에 비해 훨씬 더 만족할만한 결과를 얻었다고 생각되는데도 불구하고 불만을 호소하는 환자를 볼 수 있다. 이런 환자 중에는 연예인의 코를 동경하는 고정관념을 가진 경우도 있다. 삽입물을 제거하여 원래 모습으로 되돌려주지만 나중에 다시 융비술을 원하는 경우도 있다. 또 수술 결과가 양호한데도 불구하고 주관적으로 불만족하는 이형공포증(dysmorphophobia) 환자가 드물게 있을 수 있다. 이런 환자는 대개 10대 후반에서 20대 초반의 완벽주의자로서 강박적이고 자기중심적이며 분열성 인격(schizoid personality)과 자기애성 인격(narcissistic personality)을 가진다. 이런 환자는 정신과적 진료가 필요할 수 있으며 술전에 잘 감별해야 한다.

2) 휘어진 코의 교정

(1) 휘어진 코의 교정

성장기에 nasoseptal growth center에 자신도 모르게 외상을 받은 이후 불균일하게 휘어진 코가 나타날 수 있다.

이러한 휘어진 코의 교정에서 코중격의 교정은 삐뚤어진 외비의 교정, 코막힘의 해결, 코변형의 교정을 위한 이식물의 채취를 가능하게 한다.

휘어진 코의 교정을 위해서는 안쪽 및 가쪽 절골술이 필수적이며 이때 nasolacrimal duct의 손상 가능성이 있다. 손상을 미연에 방지하기 위하여 안와 내하방에서 약 3 mm 정도를 띄운 뒤 코뿌리점 부위에서 안쪽 절골선과 만나도록 해야 한다. Thomas 등은 curved osteotome의 사용, nasomaxillary groove를 따라갈 것, nasofrontal suture 이상 절골술을 시행하지 말 것, saw의 사용을 피할 것, subperiosteal tunnel을 만들지 말 것을 추천하였다.[10,14]

(2) 교정을 위한 술기

코밖 접근법을 이용하는 것이 유리하다. 코중격성형술과 절골술 후에도 휘어진 코가 정위치로 오지 않는데 이는 코중격 중 골성중격의 휘어짐이 잔존하기 때문이며 boies elevator나 walsham forceps을 이용하여 골성중격 부위를 강하게 골절시키거나 손으로 강하게 힘을 주어 바로잡는다.

이때 연골부만 휘어진 경우에도 골절을 반드시 필요하다. 연골은 탄성이 있으므로 고정시키기가 어려워 골부를 절골하여 바로잡는 것이 좋다(그림 13-11).

3) 매부리코의 교정

(1) 매부리코의 교정(그림 13-12)

비혹(nasal hump)은 코뿌리점과 코끝을 연결한 가상선보다 돌출된 부분으로 코뼈, 윗코연골, 코중격 연결의 상연으로 구성되어 있다.

매부리코의 교정은 순수한 미용목적의 수술이 많아서

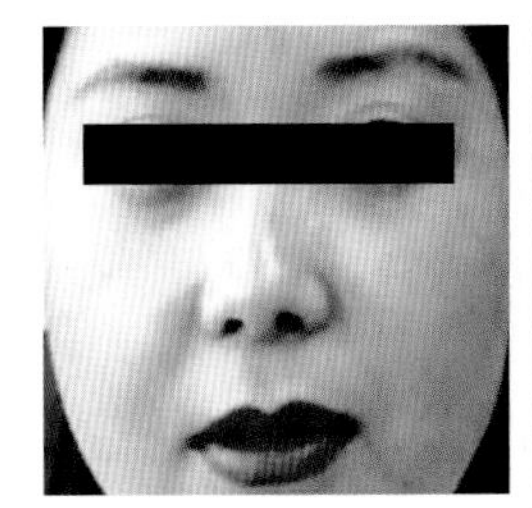
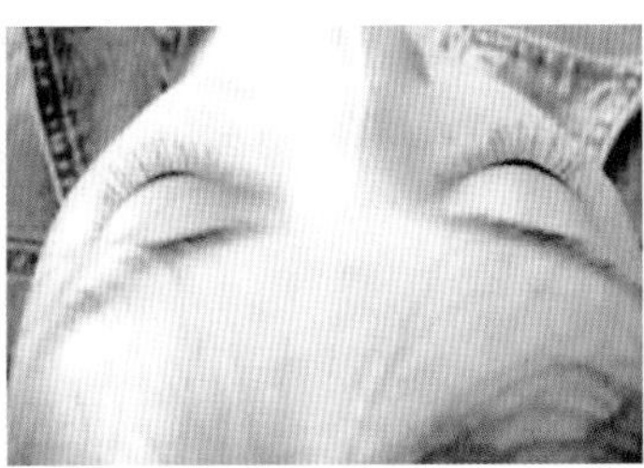
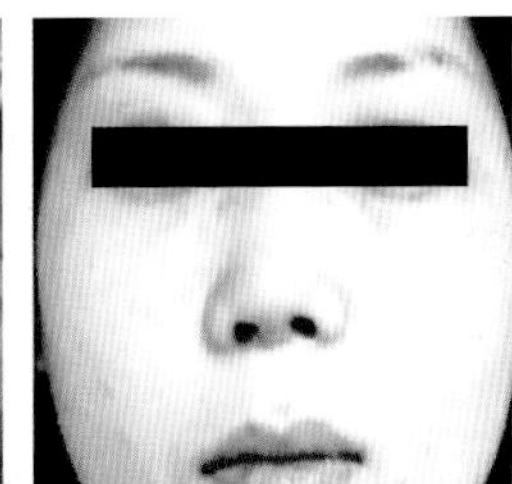

그림 13-11 **휘어진 코의 교정.** 안쪽 및 가쪽 절골술 비중격술을 함께하였다.

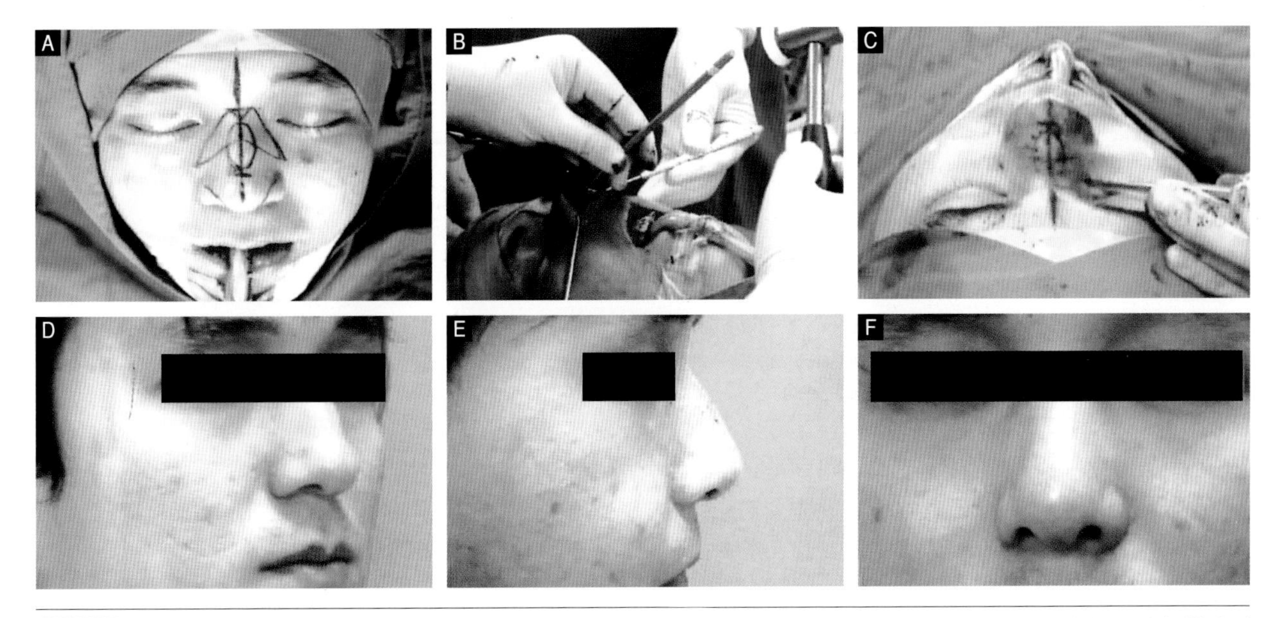

그림 13-12 **A:** 매부리코를 교정하기 위하여 디자인 한 모습 **B:** 비혹절제술을 시행하는 모습. 연골성 비혹은 수술용 칼이나 가위로 절제하고 골성 비혹은 절골도로 제거한다. **C:** 가쪽 절골술을 위하여 피부에 Stab incision을 가한 후 가쪽 절골술을 하는 모습 **D:** 비혹절제 술전의 환자 모습 **E:** 비혹절제술 술후 7일째 모습 **F:** 비혹절제술 술후 모습

미적인 완성에 목표를 두어야 한다.[10,13] 첫째로 이상적인 콧등의 선을 만드는 것에 주안점을 두어야 하며, 둘째로 코이마각과 코입술각을 적절히 구성하여야 한다. 코이마각은 한국인에서 135° 정도이며, 코입술각은 남자의 경우 90°, 여자의 경우 95°가 적당하다. 셋째로 비혹의 제거만으로는 어렵고 코끝과 코뿌리부의 융기가 필요하다.

(2) 교정을 위한 술식

매부리코의 교정은 다음 6단계로 구분된다.

① 제1단계: 접근

요즈음에는 비첨성형술(nasal tip plasty)을 먼저 시행한 후 나중에 비혹(nasal hump)을 절제한다. 비첨성형술로써 비첨을 맞추고 그 수준에 맞추어 비배의 높이를 조절하는 것이 그 반대보다 더 쉽기 때문이다.

접근방법에는 횡연골법(transcartilaginous method), Delivery 법, 비주-상순절개(columella-labial incison) 및 양쪽 비익연절개법 등이 있다.

② 제2단계: 비배노출

비배를 노출시키기 위해 연조직외피와 비중격점막을 거상시킨다.

③ 제3단계: 비혹절제술
(Humpectomy 또는 비배축소술, Dorsal reduction)

비봉이 심하면 연골성원개를 먼저 굽은 가위(angulated scissors)로써 자른 다음 골성원개를 절골도(osteotome)로써 제거한다. 그러나 비봉이 심하지 않으면 골성원개를 먼저 축소시켜야 연골성원개의 축소량을 결정하기가 쉽다.

④ 제4단계: 비골절술(Nasal osteotomy)

골절술은 가장 근본적이고 효과적인 축비술의 일종으로 bony pyramid의 비골과 상악골의 봉합부를 절단하는 술식이다. 이러한 골절술을 시행하는 데 있어, 골조직의 재생과 치유에 직접적인 작용을 하는 골막을 거상하고 보호하는 것이 중요하다.

양측에 연골간 절개를 가한 후 피부 및 골막을 거상한다. 이때 외측 연골 상방의 조직은 수술도를 사용하고 비골 상방의 조직은 골막기자를 이용하여 삭제될 골상방의 골막까지 거상한다. 만약 연골 및 비골로 이루어진 anterior hump가 존재한다면 먼저 제거한다. 135-degree serrated scissors를 이용하여 원하는 양의 과도한 연골성 비중격과 외측 연골을 제거한다. 이는 골절술을 위한 기저부로 작용하게 될 것이다.

다음으로 둥근끌(gouge)을 이용하여 사골의 수직판과 인접한 비골의 일부를 제거한다. 이때 수직판이 더 깊게 제거되도록 끌의 오목한 면이 위를 향하게 한다. 매우 넓은 nasal pyramid일 경우에는 radix에 이를 때까지 wider flat osteotome을 사용한 후 gouge로 마무리한다.

외측 연골의 재단(trimming) 및 줄질(rasping)을 시행하여 anterior hump의 제거를 마친다.

비골을 골성 중격과 반대측 비골로부터 분리시키는 medial osteotomies를 시행한다. Medial osteotomies는 하나 또는 여러 개의 lateral osteotomies나 transverse 또는 back fracture를 조절할 때 도움이 된다. 또한 뒤틀리거나 골절된 비부를 성형할 때에도 medial osteotomies를 시행한다. Flat, guarded osteotome을 anterior septum에 위치시킨 후 mallet으로 tapping하여 radix의 단단한 골에 다다르면 외측으로 서서히 편향시킨다.

마지막으로 lateral osteotomies를 시행한다. 이상연에 짧은 수평절개을 가한 후 thin 3~4 mm straight guarded chisel을 이용하여 비상악돌기의 바깥쪽인, 상악쪽 1/3에서 1/2 지점에서 radix를 향하여 골절단을 시행한다. 마지막 1/4에서 radix를 향하여 서서히 내방으로 편향시켜서 transverse fracture를 방지한다(그림 13-13).

비부가 뒤틀리거나 비정상적으로 휘어졌을 경우에는 multiple osteotomy를 시행한다. 이때 앞쪽의 골절단술을 먼저 시행하는 것이 좋다. Multiple fracture 시킨 후 정상적인 형태로 molding하여 비변형을 바로잡는다.[3,10,14]

⑤ 제5단계

외측 연골의 내단 다듬기, 비첨성형술(nasal tipplasty), 비저(nasal base) 교정술, 절개창 봉합 및 비강 충전(packing)으로 축비술을 마무리한다.

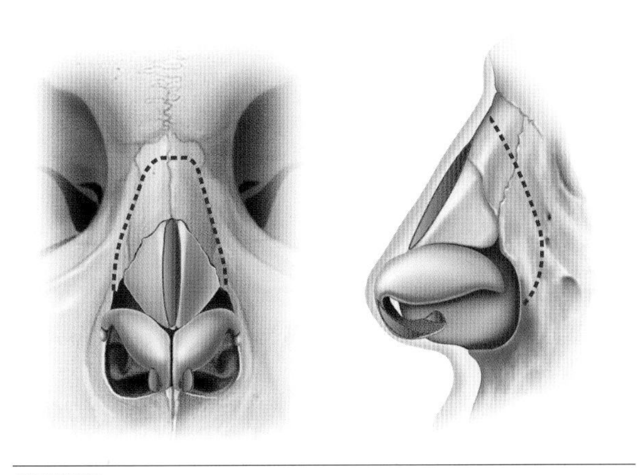

그림 13-13 **Lateral osteotomy의 모식도.** 비누관이 손상되지 않도록 피해서 작도해야 한다.

⑥ 제6단계(부목, Splint)

비골 절개술(nasal osteotomy)을 시행한 경우에는 통상 알루미늄 재질의 부목을 1주 정도 유지한 뒤 어느 정도 부종이 빠지면 다시 thermoplastic splint를 이용하여 추가로 약 2주 정도 부목을 대어준다. 이렇게 함으로써 절골된 코뼈가 벌어지지 않고 원하는 형태로 코의 모양이 유지된다.

(3) 합병증

① 반상출혈(Ecchymosis) 및 부종

술후 두부거상을 엄격히 하고, 얼음찜질을 열심히 한다면 반상출혈과 부종은 경미하게 넘길 수 있다. 초기 부종은 술후 2~3주 동안 지속되는데, 종이테이프로 외비부목을 대면 이를 감소시킬 수 있다.

② 출혈

대부분의 술중 출혈은 경미하며 일시적이지만, 심하면 에피네프린을 함유하는 거즈로 비강을 일시적으로 충전해야 한다. 술후 출혈은 두부를 거상시키고 비기저를 10~15분 동안 압박하면 대개는 조절될 수 있다. 그러나 비출혈이 심하면 탐폰을 이용하여 신속하게 멈추게 할 수 있다. 계속 출혈되면 전신 마취하여 혈관을 찾아 결찰해야 하며, 살리실산 함유제재의 복용은 즉시 중단시켜야 한다.

③ 감염

예방적 항생제를 수술 직후부터 5일 동안 경구 투여한다. 코털을 깎은 뒤 내비를 베타딘액으로 철저히 소독하는 것이 중요하다. 일단 감염되면 즉시 배액하고 세균 배양하여 이에 대한 적절한 항생제를 사용한다. 대부분의 경우 반흔 없이 잘 낫는다.

④ 기도 폐쇄

실제로 모든 환자는 일시적인 점막 부종 때문에 술후 2~3주 동안 약간의 호흡곤란을 호소한다. 코막힘을 방지하기 위해서는 보존적 비성형술, 하비갑개부분절제술(inferior turbinate resection), 신전이식술(spreader graft) 등을 한다.

⑤ 비중격 천공(Septal perforation)

비중격성형술(septoplasty)이나 비중격연골 채취 후 발생할 수 있다. 증상이 경미하면 아무런 치료도 필요 없지만, 심하면 개방 접근하여 연골 및 연골막이식술(cartilage and perichondrial graft), 근막이식술(fascial graft)로 막아준다.

⑥ 환자의 불만족

불만족의 원인은 대개 비첨정의(nasal tip definition)의 부족이다. 수술 직후 코 모양이 뭉툭하고 크지만, 시간이 지남에 따라 부종이 빠지면서 점차 코 모양이 좋아지게 된다.

4) 비첨성형술(Nasal tip surgery)

코끝성형은 코성형의 미적 완성도에 가장 큰 부분을 차지한다고 볼 수 있다.

코끝성형이 필요한 이유는 아래코연골이 위코연골과 달리 코중격의 지지를 받지 않음에 기인한다. 이러한 해부학적 특성을 무시하고 코끝까지 실리콘을 이용할 경우 앵무새 부리변형이 나타날 위험성이 크다.[10,12]

(1) 코끝성형의 기본 개념

Anderson은 코끝성형의 기본 원리를 tripod theory로 설명하였다. 안쪽 다리와 가쪽 다리를 3개의 다리로 보고 어느 쪽 다리든지 자르면 길이가 짧아지며 그 방향으로 회전이 일어난다는 것이다(그림 13-14).

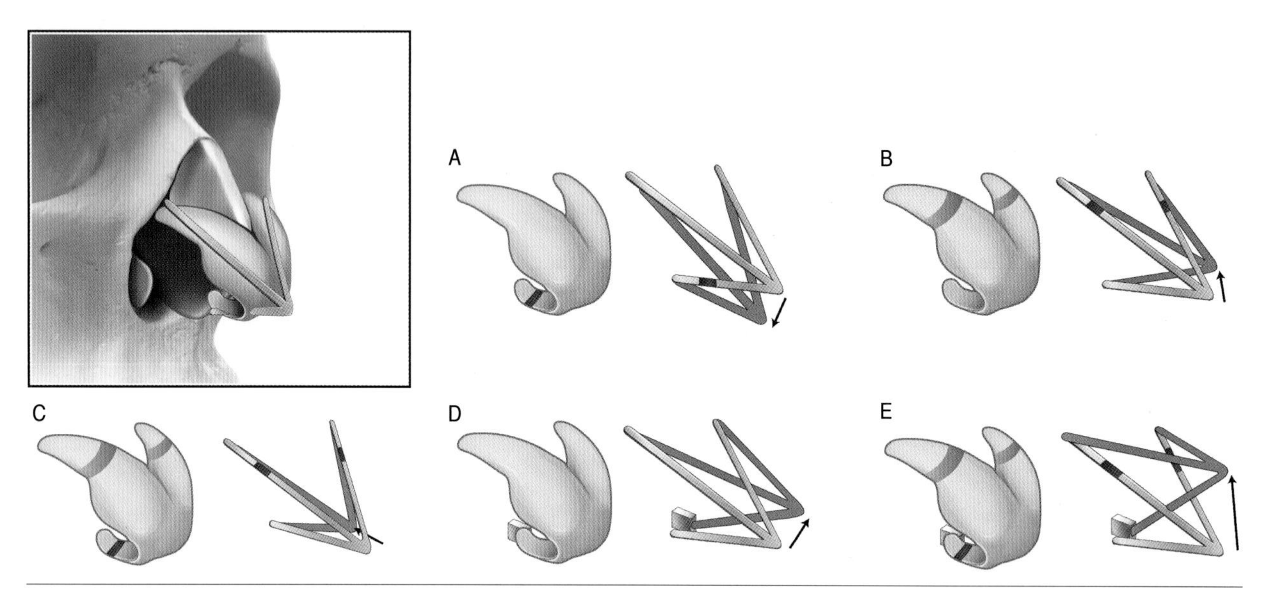

그림 13-14 **Anderson의 삼각이론.** 아래코연골의 양쪽 가쪽다리와 안쪽 다리를 하나씩의 다리로 보고 코끝성형술의 원리를 설명한다.
A: 안쪽 다리를 줄이면 코끝이 낮아지고(caudal rotation), **B:** 양쪽 가쪽다리를 줄이면 코끝은 상방으로 회전한다(cephalic rotation). **C:** 세 다리를 모두 줄일 경우 코끝이 낮아진다. **D:** 안쪽 다리를 받치는 받침이식(plumping graft) 시 코끝은 상승하며 상방향 회전한다. **E:** 안쪽 다리를 받쳐주고 가쪽다리를 줄일 경우 강한 코끝 상승과 상방향 코끝 회전을 얻을 수 있다.

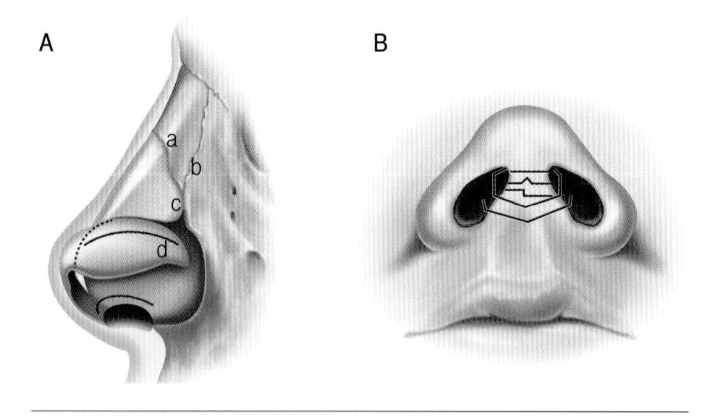

그림 13-15 **코안 및 코밖 접근에 사용되는 절개법. A:** 코안 접근법을 위한 절개법. a: 연골간 절개(Intercartilagenous incision) b: 경연골 절개(Intracartilagenous incision) c: 경계 절개(Marginal incision) d: 선단 절개(Rim incision) **B:** 코밖 접근법을 위한 콧기둥 가로 절개(transcolumellar incision). 위로부터 세서법(Sercer's), 역 'V' 절개(Goodman's), 계단절개(Stair step), 유고법(Jugo's) 그리고 파도반법(Padovan's incision)

(2) 코끝성형의 목적, 접근방법

오똑하고 약간 들쳐진 코가 미적으로 수용되기 쉬우므로 코끝을 올리거나, 코끝을 들어주거나, 뭉툭한 코의 교정을 위해 코끝수술을 시행한다.

코끝수술은 아래코연골의 해부학적 특성을 이용하여 이 연골에 대한 조작으로 이루어진다.

콧기둥 가로절개의 위치는 일반적으로 콧기둥의 가장 좁은 부위에 절개선을 넣음으로 반흔의 길이를 줄이고, 안쪽 다리가 지지구조로 반흔의 구축을 줄일 수 있다(그림 13-15).

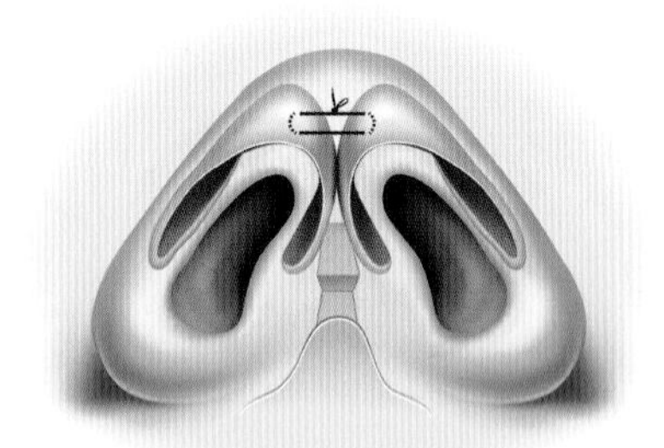

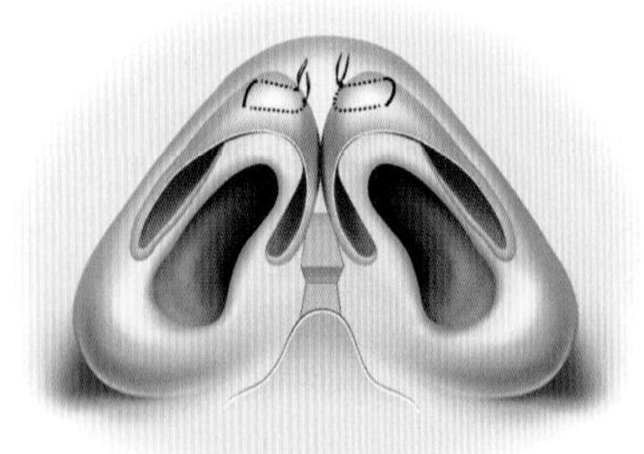

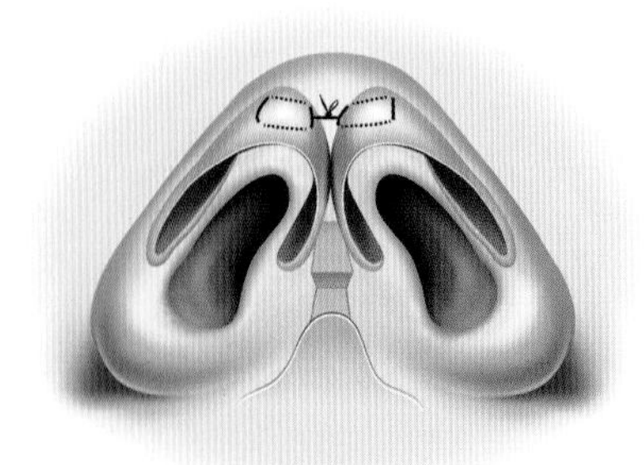

그림 13-16 **봉합법에 의한 코끝성형술.** 연골간 봉합(transdomal suture)

(3) 코끝성형술을 위한 코끝의 조작 방법

① 가쪽다리의 상부 절제(Cephalic resection of lateral crura)

② 중간다리 절제(Transection of the dome area)

③ 중간다리간 봉합(Transdormal suture or suture repositioning of the cartilage)(그림 13-16)

양쪽 아래코 연골의 dome 부위를 5-0 PDS 등으로 mattress suture를 시행한다.

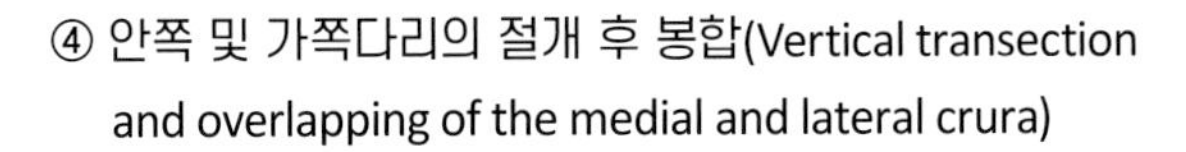
④ 안쪽 및 가쪽다리의 절개 후 봉합(Vertical transection and overlapping of the medial and lateral crura)

코끝의 정점 부위에서 양측 아래코 연골을 수직으로 절개 후 안쪽다리와 중간다리만을 봉합한다. 단점으로는 아래코연골이 약한 경우 코끝 융기의 효과가 적으며 피부가 얇은 환자에서 아래코연골의 절개 부위에서 흠이 나타나고 tip defining point가 사라지는 단점이 있다.

⑤ 안쪽 다리 선단의 일부절개(Trimming of the caudal margin of the medial crura)

⑥ 코중격의 선단 절제(Resection of caudal septum)

⑦ 방패이식(Shield graft)(그림 13-17)

가장 흔하게 이용되는 코끝융기술의 하나로 코중격연골이나 다른 연골을 이용한다. 은행잎 모양으로 조각하여 양쪽 끝이 코끝 표현점을 나타낼 수 있도록 상부는 6~8 mm

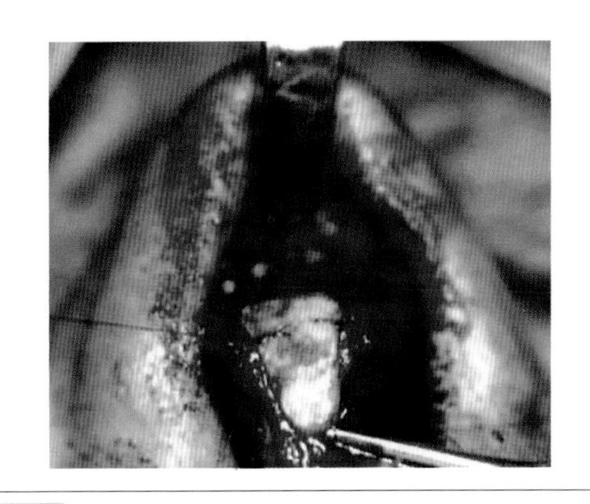

그림 13-17 방패이식

의 폭을 갖는 것이 좋다. 방패이식물의 경계 부위는 경사지게 하여 술후 부드러운 선을 갖도록 한다. 코끝보다 1~3 mm 정도 더 높여줄 수 있는데 더 높여야 하거나 연골이 약한 경우 방패이식이 꺾어질 수 있으므로 뒤쪽에 모자이식을 해주거나 연골조각으로 보강해 주는 것이 필요하다.

⑧ 모자이식(Cap graft)(그림 13-18)

코중격연골이나 귀연골을 이용하여 6~8 mm 정도의 폭으로 코중격연골이나 이개연골을 원하는 높이만큼 겹쳐서 사용한다. 여러 겹으로 올릴 때는 강한 버팀목(strut)을 대어주는 것이 좋다.

⑨ 콧기둥 지지대(Columella strut)(그림 13-19)

콧기둥 지지대는 코끝융기의 기본 술식으로 콧기둥측면에 수직절개를 통하여 안쪽다리에 삽입한다. 코가시(nasal

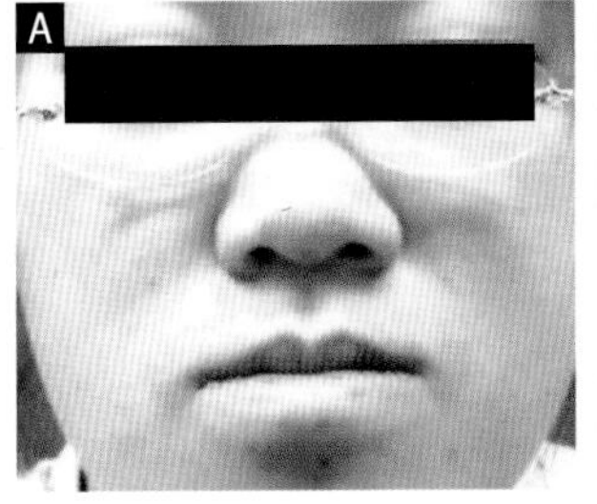

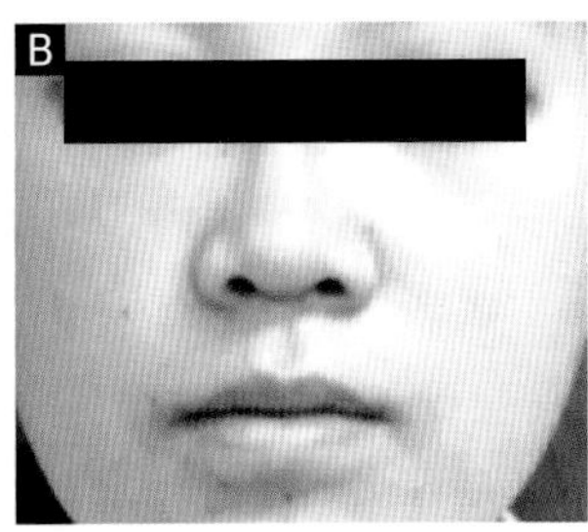

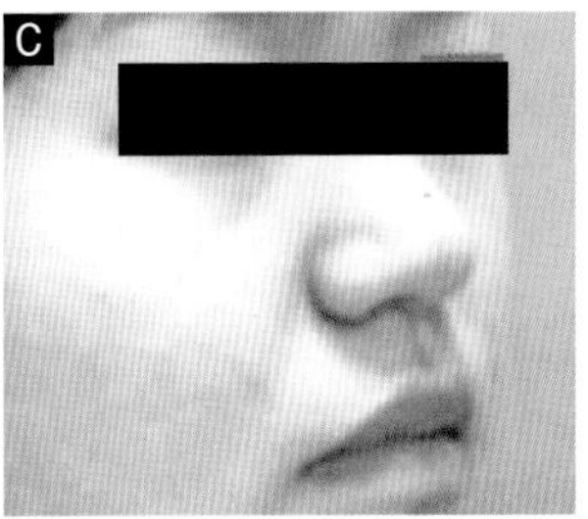

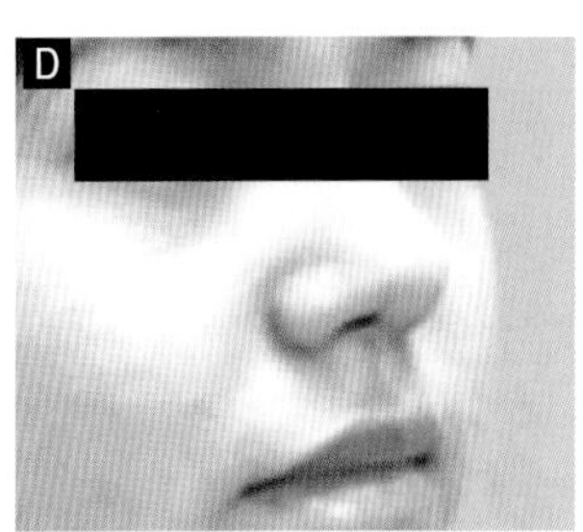

그림 13-18 **A:** 콧등 융기술과 코끝성형술을 한 예(술전) **B:** 콧등 융기술과 코끝성형술을 한 예(술후). 콧등은 고어텍스를 이용하였고 코끝은 Strut과 Cap graft를 시행하였다. **C, D:** 같은 방법으로 콧등과 코끝성형술을 시행한 예(술전, 술후)

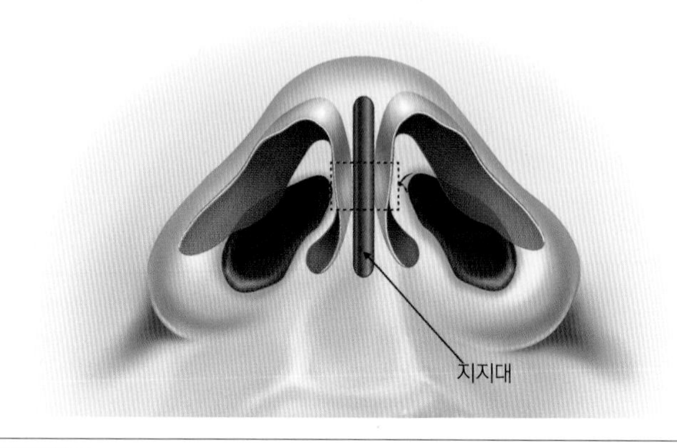

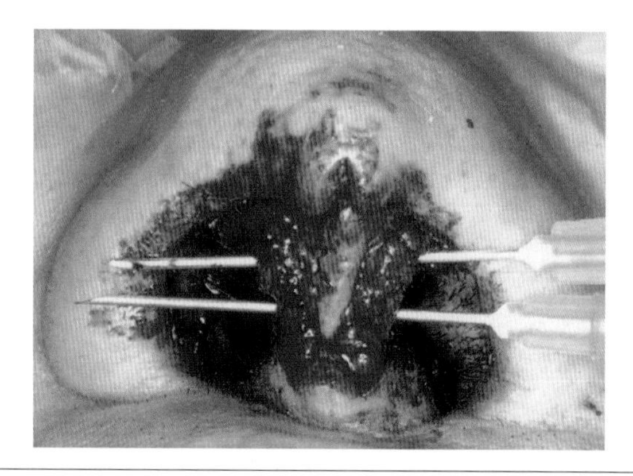

그림 13-19 **지지대(strut)를 대는 수술.** 그자체로 강한 코융기를 얻기보다 부가적 코융기를 위한 지지대역할이 크다.

spine)에 직접 닿지 않아도 상당한 코끝융기 효과를 나타내며 코중격연골이나 늑연골, 귀연골을 이용한다.

코끝 융기를 최대화하고자 하는 경우에는 폭 3~5 mm로 코가시로부터 받쳐주고 봉합한다.

⑩ 가쪽다리 지지대(Insertion of lateral crura strut)

5) 비중격 변형

비중격은 사골 수직판(perpendicular plate of ethmoid bone), 서골(vomerine bone) 및 상악골 비릉(nasal crest of maxilla)으로 구성된 골성 비중격(bony septum)과 연골성 비중격(cartilaginous septum)으로 이루어져 있다. 비중격연골이 변형되면 코의 형태와 기능에 변화가 생긴다.

미용적으로는 비연골과 연조직의 변위에 의해 외비 형태가 보기 싫게 되며, 기능적으로는 만곡(deviation) 부위에 따라 일측성 또는 양측성으로 비기도가 폐쇄되어 비기류(nasal air flow)에 영향을 미치게 되므로 비성형술이 필요하다.[1,15]

(1) 비중격 변형의 병리학적 해부

다음에 열거하는 원인적 요소가 단독 또는 함께 나타난다.

① 비중격 연골 탈구(septal cartilage dislocation)
② 비중격 연골 만곡(septal cartilage bowing)
③ 비중격 연골 중복(septal cartilage duplication)
④ 골성 비중격 변형(bony septal deformity)

(2) 비중격 변형의 수술원칙

① 비골 미측의 외비변형은 비중격연골의 탈구나 비중격연골 배부 윤곽의 만곡때문에 생기므로 외비변형을 교정하기 위해서는 우선 비중격 변형부터 교정한 다음에 비성형술을 해야 한다.

② 비중격연골의 배측 및 미측 지주(strut)를 유지하기에 충분한 양(최소한 10 mm 정도)의 연골을 남기면서 비중격 연골을 긴장 없이 코의 정중시상선으로 재위치 시켜야 한다.

③ 비중격 연골 절제는 연골을 정중시상선에 재위치시키기에 필요한 만큼만 보존적으로 한다.

④ 만곡된 비중격 연골은 주위의 점막, 외측 연골, 전비극, 서골이나 사골 수직판으로부터 박리시키면 펴질 수 있지만, 그래도 남아있는 경우에는 제한된 연골절제술, 부분층 연골절제술(cartilage scoring), 연골압좌술(cartilage morselization)과 같은 내재연골변형술(intrinsic cartiage modification)로써 펼 수 있다.

⑤ 사골 수직판과 접하고 있는 비중격연골은 두께기 때문에 비골 미부와 외측 연골을 지지하는데 기둥과 같은 역할을 한다. 비성형술로써 비외측벽을 절골한 뒤 점막하비중격절제술(submucous resection of septal cartilage)을 광범위하게 하고 난 뒤에 사골 수직판마저 골절시키면 비중격연골의 배측 지주(strut)가 붕괴될 수 있다. 그러므로 사골 수직판

과 접해 있는 비중격연골은 가능한 한 보존해야 한다.

(3) 비중격변형의 수술방법

외비교정술과 비중격수술(septal surgery)로 구성된다.

① 외비교정술의 수술방법

통상적인 축비술과 다른 점은 양쪽 비외측벽 사이에 불균형이 있기 때문에 비봉절제술(humpectomy) 대신 만곡된 반대쪽이 더 많이 절제되도록 경사지게 절제해야 비배가 코의 정중시상선에 위치하게 되는 것이다.

② 비중격수술(Septal surgery 또는 비중격성형술, Septoplasty)의 수술방법

a. 마취

- 마취액을 적신 거즈를 비강내 삽입한 후 epinephrine이 들어 있는 lidocaine을 가는 주사 바늘을 이용하여 점막하 주사한다. 이렇게 함으로써 마취효과, 수술 중 출혈감소, 연골과 점막 사이의 분리 용이 등의 효과를 기대한다.

b. 코중격에 대한 수술적 접근

- Interseptocolummela approach(freer, caudal septal approach): nasal spine에 대한 접근성 용이
- Killian approach: 코중격 선단으로부터 10 mm 정도 후방에 절개선을 넣는다. 막성 코중격을 유지할 수 있으나 코중격 선단의 교정이 힘들다.
- Intraoral approach: Nasal fossa의 floor 쪽으로 접근한다.
- External approach: 비외 접근법을 통한 코성형술 시 윗코연골 절개를 통하여 접근한다.

c. 술식

- 코중격 선단에서 2~3 mm 후방에 절개선을 넣는다.
- D knife 등으로 코점막과 연골막 안으로 접근하여 연골에 접근한다.
- 골성 코중격까지 박리한다.
- 상악능선 부위 점막이 찢어지지 않도록 조심스럽게 분리한다. 코중격 부분과 상악능 부분의 박리한 부분을 연결한다.
- 연골과 골성 코중격을 분리한 후 반대쪽 연골막을 분리한다.
- Rhinion과 nasal spine을 연결하는 선 앞쪽은 코를 지지하는 구조이므로 그 선 안쪽에서 연골을 얻도록 한다. 통상 콧등 쪽과 코중격 선단 부위 코중격은 L자 모양으로 1.5 cm 이상 남긴 후 연골을 얻어야 한다. 이때 keystone 부위의 연결이 떨어지지 않도록 한다. Keystone 부위는 비골과 윗코연골의 이행 부위로 이 부위가 분리되면 안장코가 될 수 있다.
- 상악능에서 2~3 mm 정도 상부에 절개선을 넣은 후 연골을 제거한다.
- 코중격 부위의 휘어진 부위를 찾아 다양한 방법(쐐기 모양 절제, 연골상에 바둑판 모양의 절개선, 만곡된 부분 제거 후 재건 등)을 이용하여 교정한다.
- 5-0 vicryl 등을 이용하여 절개부 봉합과 관통 봉합을 하고 심한 만곡의 경우 silastic sheet를 이용하여 코안 부목을 시행한다.

d. 합병증

- 코중격 수술의 합병증은 코중격천공, 혈종감염, 코중격농양 등이 올 수 있다. 코중격천공은 코중격 연골박리 시 연골막하 박리가 제대로 되지 않은 경우 발생할 수 있으며, 혈종감염이나 코중격농양은 외과적 배농술과 함께 항생제 투여로 치료한다.

6) 특수 코성형 술식(Special rhinoplasty techniques)

(1) 콧방울 아래 절제술(Alar base resections)

동양인이나 흑인에서 많이 적용되는 술식으로 코하부가 지나치게 펑퍼짐하거나 콧구멍이 너무 큰 경우 이를 좁게 하는 술식이다. 콧구멍의 모양에 따라 바깥쪽을 많이 절제할 것인지 안쪽을 많이 절제할 것인지, 혹은 안팎을 같은 크기로 절제할 것인지를 결정한다(그림 13-20, 21). 이때 안쪽을 바깥쪽보다 더 과하게 절제 시 물방울 모양 콧구멍이 형성되는 부작용이 생길 수 있음을 염두해야 한다(그림 13-25A).

콧방울 절제술을 위한 형태는 크게 두 가지로 나누어 볼 수 있는데 첫 번째는 콧방울 자체가 큰 경우이고 두 번째는 비공저가 넓은 경우이다. 전자의 경우 콧방울 절제수술

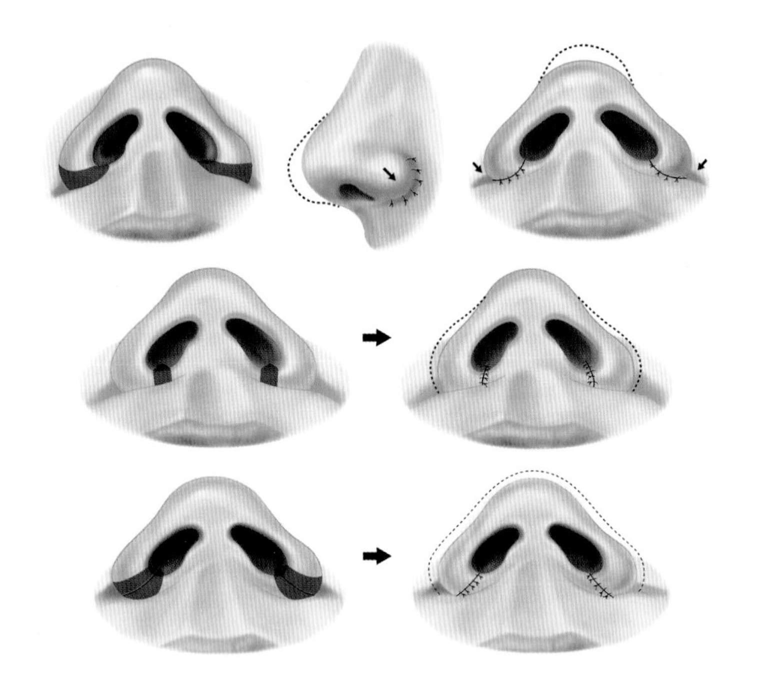

그림 13-20 **Alar base resection (콧방울 아래절제술).** 콧구멍의 안쪽만 절제 시 코끝은 그대로 있고 콧방울의 폭만 좁아진다. 콧방울 아래와 콧구멍의 안쪽을 모두 절제 시 코끝이 낮아지고 콧방울의 폭도 좁아진다.

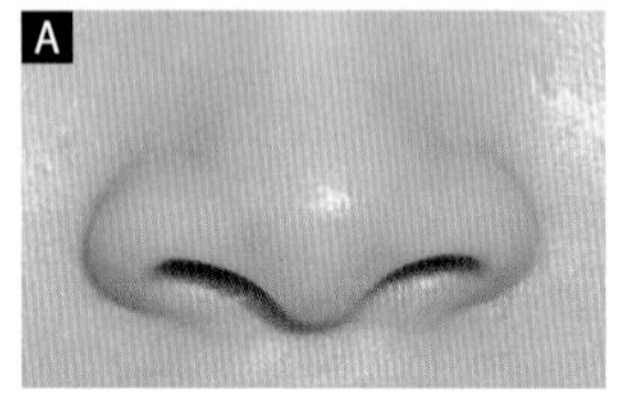

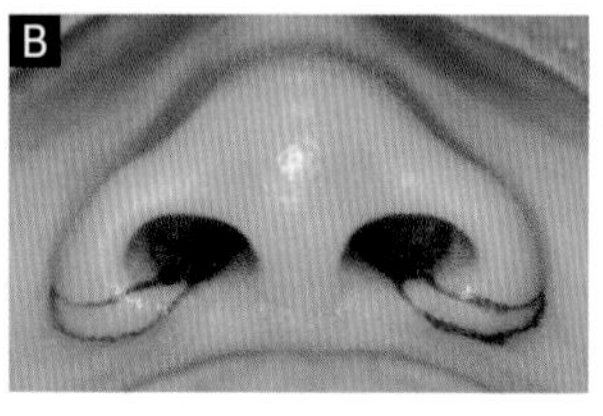

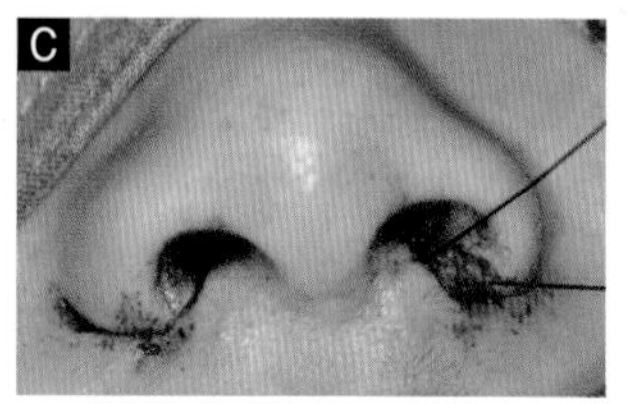

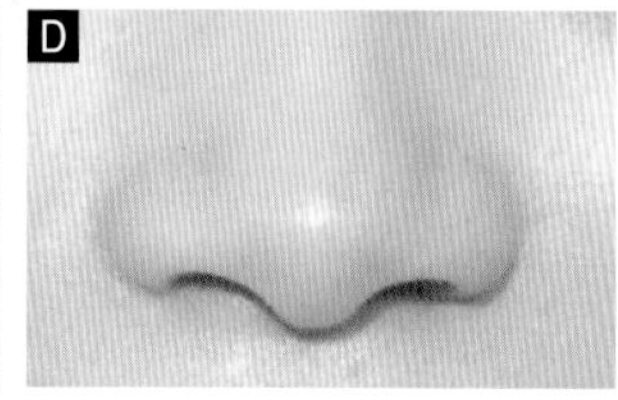

그림 13-21 **Alar base resection 시행한 환자의 폭경감소가 관찰됨. A:** 술전 임상사진 **B:** 술중 디자인 **C:** 술중 Resection 및 봉합 **D:** 술후 임상사진

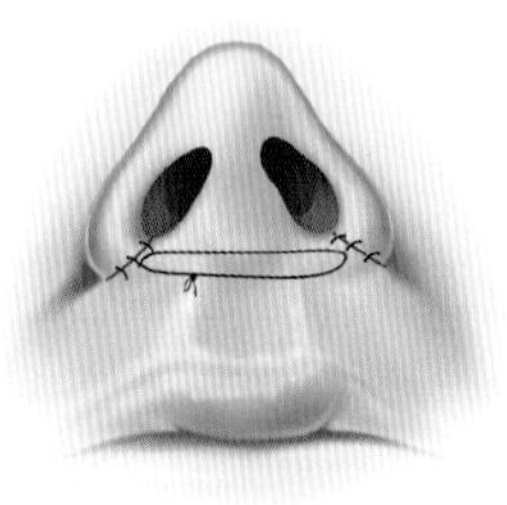

그림 13-22 나일론 3-0를 이용하여 양쪽 콧방울을 당겨서 봉합한다(봉합에 의한 콧방울 폭교정).

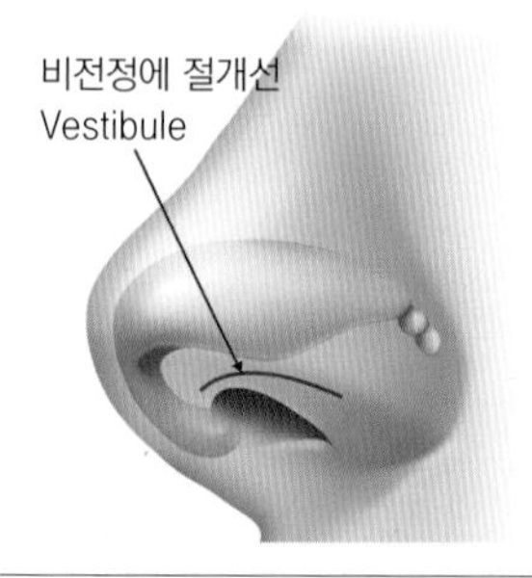

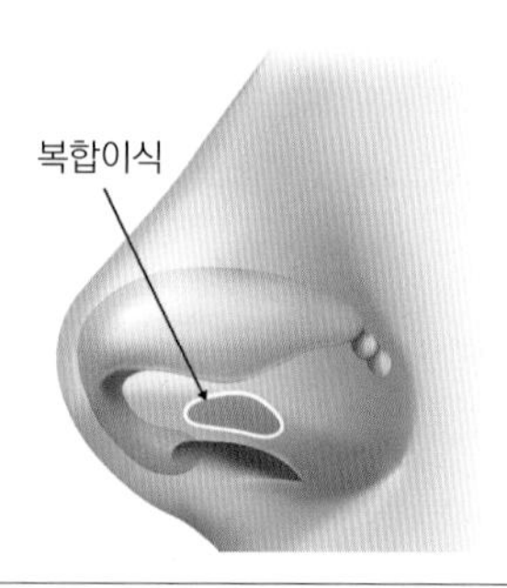

그림 13-23 **콧방울 함몰(notched alar rim)의 교정.** 콧방울의 일부가 깊게 패인 경우 귀복합 이식에 의하여 교정이 가능하다.

로 후자의 경우 콧구멍 안쪽 바닥을 줄여야 한다.

그러나 대부분의 경우 두 가지가 동반되는 경우가 많아 수술방법은 단순히 콧방울 절제 후 봉합하는 방법과 비강저 절제 후 봉합하는 방법, 비강저를 절제 후에 3-0 나일론 등으로 당겨서 봉합하는 방법 등이 있다(그림 13-22).

(2) 콧구멍의 교정

① 콧방울 함몰(Notched alar rim)

콧방울의 함몰은 들창코와는 달리 콧방울이 파여 있는 것으로 귀연골의 복합 이식 혹은 V-Y advancement 법에 의하여 교정이 가능하다(그림 13-23).

귀연골 복합 이식법은 아래 코연골의 하연을 따라서 절개선을 넣은 후 그 사이에 이식물을 삽입한 후 연골은 연골끼리, 피부는 피부끼리 봉합한다.

② 콧구멍 모양의 교정(그림 13-24)

Farkas는 콧구멍의 모양을 7개의 형태로 나누었다. 이 보고에 의하면 백인은 II형이 53%, 동양인은 III형이 53%, 흑인의 경우 IV형이 50%를 차지하였다. 콧구멍의 교정은 원인에 대한 정확한 분석 후에 교정을 시도하여야 한다.

③ 콧기둥의 교정

콧기둥(columella)과 콧방울(alar rim)의 관계는 GUNTER 분류에 따르면 코턱(nasal sill)과 연삼각(soft triangle)을 연결하는 선을 기준으로 분류할 수 있다(그림 13-25B).

a. **함몰된 콧기둥의 교정**

콧기둥 밑면과 콧방울 밑면이 이루는 각은 2.1°로 정상적으로 콧기둥이 하방으로 위치하여 있다. 콧기둥의 함몰은 선천적으로 함몰이 있거나 비중격수술 시 비중격의 과다한 절제, 비중격 농양, 또는 원인을 알 수 없는 비중격 손상 시 나타난다. 코중격선단(caudal septum)과 안쪽 다리 사이에 자가연골이식을 통하여 교정한다(그림 13-25C).

b. **늘어진 콧기둥의 교정**

늘어진 콧기둥의 교정은 대개 비중격선단 절제, 막성 비중격의 절제, 안쪽 다리 선단 절제 등 3가지 방법의 적절한 조합에 의하여 교정한다(그림 13-25D, 26).

c. **화살코의 교정**

늘어진 콧기둥이 콧기둥의 중간부분이 길어진 형태라면 화살코는 코끝부분이 길어진 형태이다. 수술방법은 늘어진 콧기둥의 교정과 같다. 늘어진 콧기둥과 비슷한 방법으로 교정하나 코끝의 융기와 상방향 회전(cephalic rotation)이 화살표의 교정에는 필수적이다.

d. **코길이의 연장**

선천적으로 들창코인 경우에는 피부가 쉽게 늘어나 교정이 쉬우나, 코성형술 후 이차적으로 발생한 구축이 존재할 경우 코길이 연장을 할 경우에 반흔조직에 의한 위축이 있고 점막의 손실이 있는 경우가 많기 때문에 연장에 한계가 있다.

코끝의 연장을 위해서는, 첫째, 코끝 피부하 조직의 박리, 둘째, 위아래코 연골의 분리, 셋째, 후코중격선단의 절제, 넷째, 안쪽 다리와 코중격의 분리 등이 사용되고 있으며, 이외에도 코뿌리를 올려줌으로써 코가 길어 보이는 효과를 얻을 수 있다.

코중격과 아래코연골 사이에 가슴연골이나 비중격 연골 등으로 연장된 쐐기 이식을 통하여 강제적으로 코를 늘리는 것이 가장 좋은 방법으로 추천된다. 수술 직후에는 피부가 늘어나지 않으며 약 4주에 걸쳐서 피부가 늘어나면서 코가 길어지는 효과가 나타나므로 미리 환자에게 설명하는 것이 좋다(그림 13-27).

e. **주먹코변형(Broad or bulbous nasal tip)**

비첨이 넓고 각진 비첨변형이다. 비익연골의 곡면이 넓고 편평하면서 원개 사이가 분리되어 있다. 뿐만 아니라 연조직은 두꺼운 데 반해 비익연골이 얇은 것이 특징이다. 교정방법은 비익연골봉합법(alar cartilage suture technique)이나 외측 회전법이 있다(그림 13-28).

f. **이열비첨(Bifid nasal tip)**

비익연골의 중간각 사이가 넓으면 두 개의 원개가 확연히 드러나 코끝이 갈라져 보이게 된다. 교정 방법은 중간각 사이에 있는 연조직을 절제하고 연골간 봉합을 시행하는 것이다.

g. **구순열 코변형**

구순열코는 거의 대부분 콧기둥, 코끝, 콧방울, 그리고 코안 기형이 동반된다. 코기형의 특징은 병변부위 콧기둥이 짧고 콧기둥의 아랫부분과 코가시는 정상쪽으로 향하고 있다. 따라서 코끝은 병변쪽으로 향하게 된다. 아래코연골의 가쪽다리는 아래로 처지며 후방으로 전위된다.

수술적 치료의 목적은 병변쪽에 결핍된 코주위부 및 코턱부위 재건, 콧기둥의 연장, 코끝성형, 콧방울교정, 입술의 교정, 휘어진 코의 교정, 코막힘, 비음으로 발성되는 부분까지 교정하여야 한다. 대개 입술의 재건 시 비강저와 코턱을 재건해두는 것이 차후 코의 재건을 위해 편리하다.

수술 시기 결정에 있어서 변형이 심한 경우 심적인 장애를 주므로 6~10세 사이에 최소한의 연조직에 대한 손상을 전제로 코끝 등에 대한 교정을 시행할 수 있다. 이 경우에도 어린이의 코성형에 준하여 제한적인 절개를 하여야 한

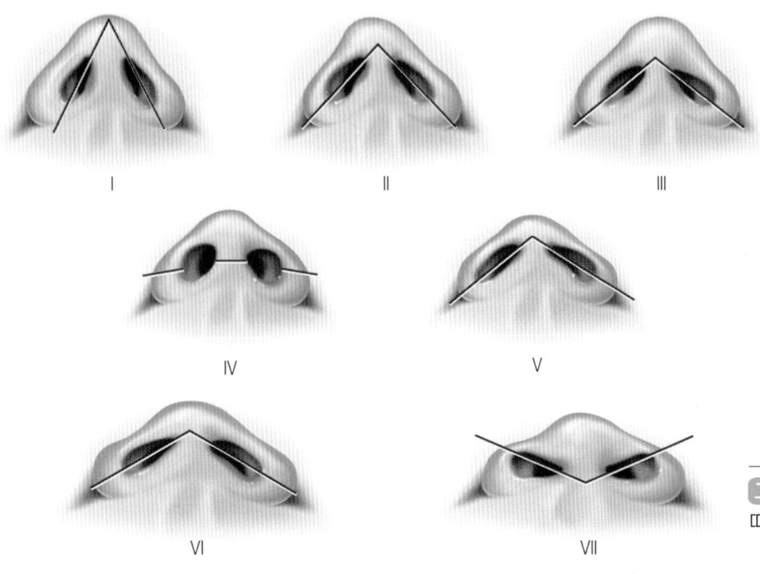

그림 13-24 **콧구멍의 형태 분류.** 콧구멍의 형태는 종족에 따라 다양하다.

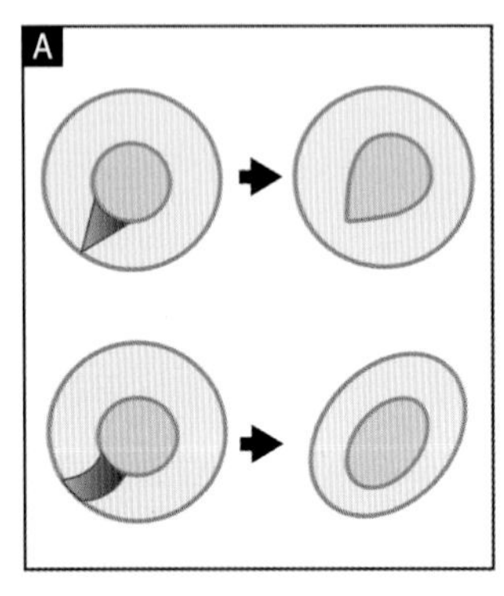

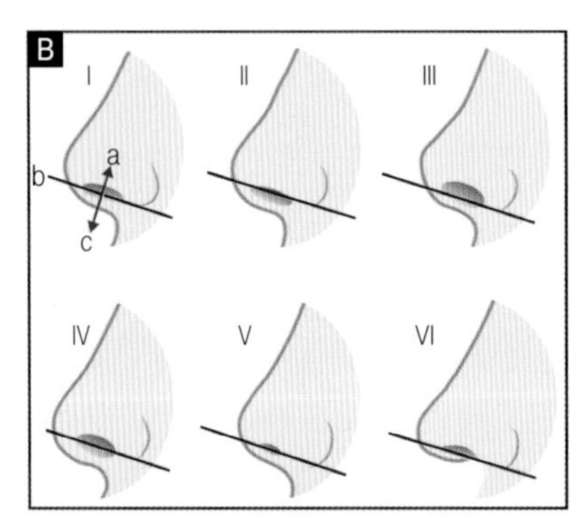

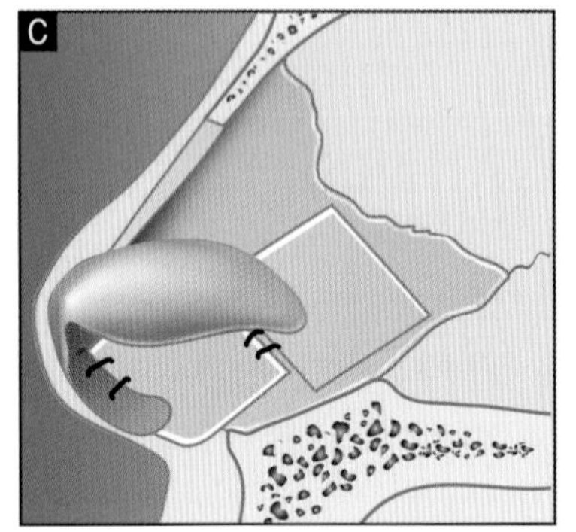

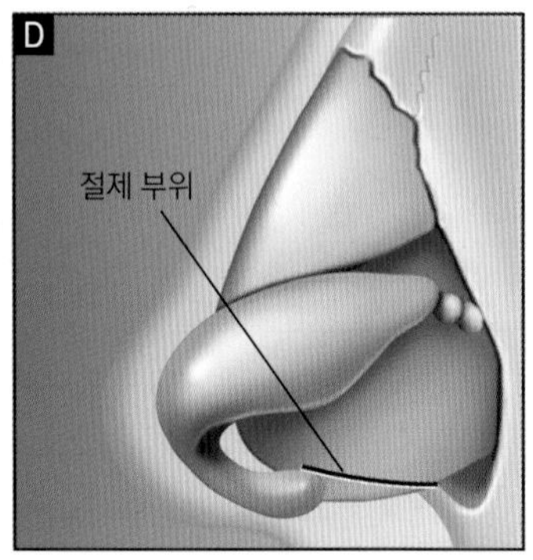

그림 13-25 **A:** 콧방울 절제 시 코턱 부위에서 콧구멍 안쪽을 쐐기 모양으로 과하게 절제 시 콧구멍이 물방울 모양이 될 수 있으므로 주의가 필요하다. **B:** 콧기둥과 콧방울의 관계는 Nasal sill과 연삼각(soft triangle)을 연결한 선을 기준으로 분류할 수 있다. **C:** 함몰된 콧기둥의 교정. **D:** 늘어진 콧기둥의 교정 코중격 선단을 제거

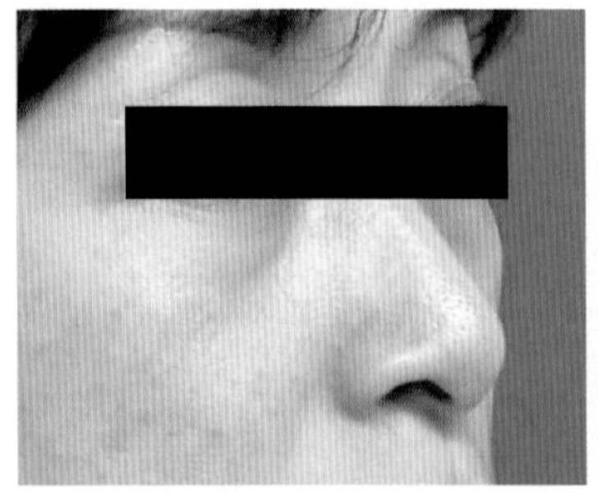

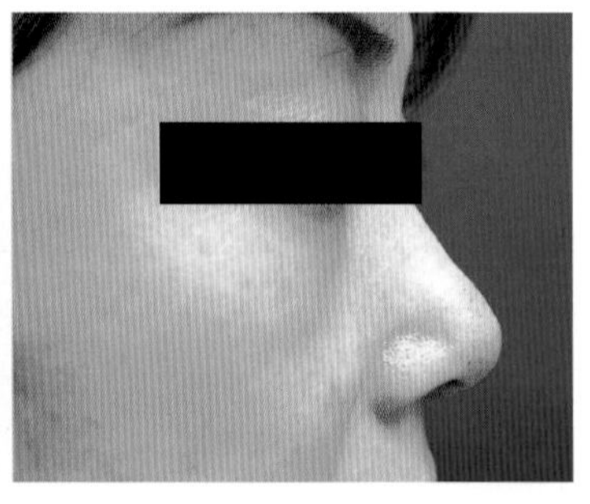

그림 13-26 **늘어진 콧기둥의 교정수술 전후**

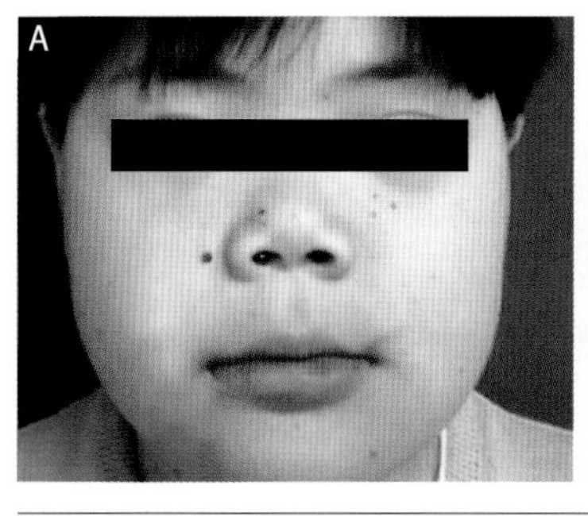

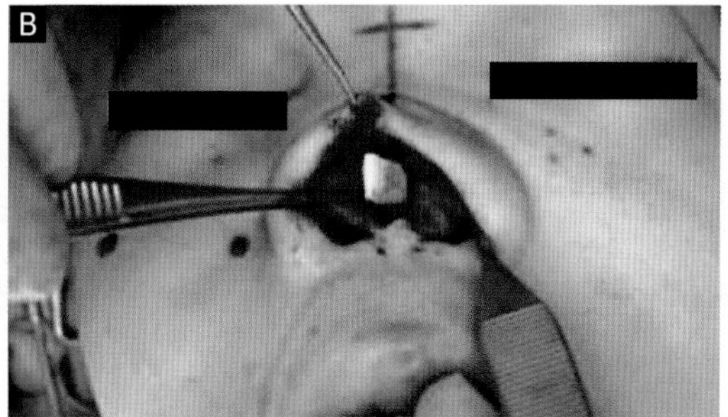

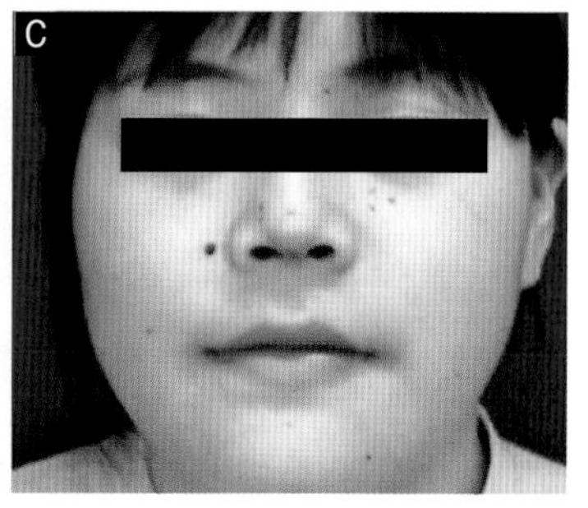

그림 13-27 **A.** 들창코의 교정수술 전 **B.** extended spread graft를 시행 **C.** 수술 후 모습

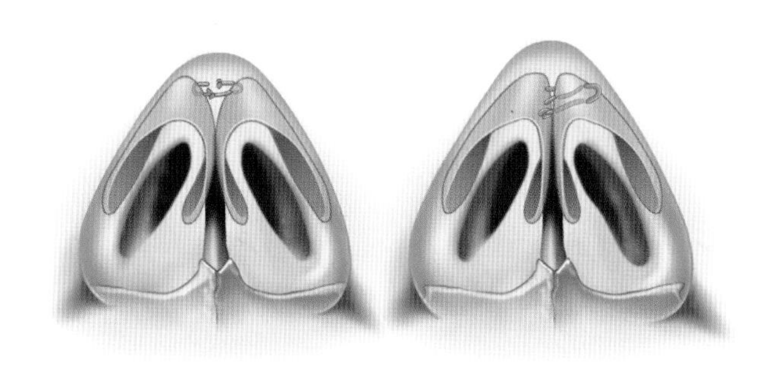

그림 13-28 **비익연골 봉합법을 이용한 비첨융기술**

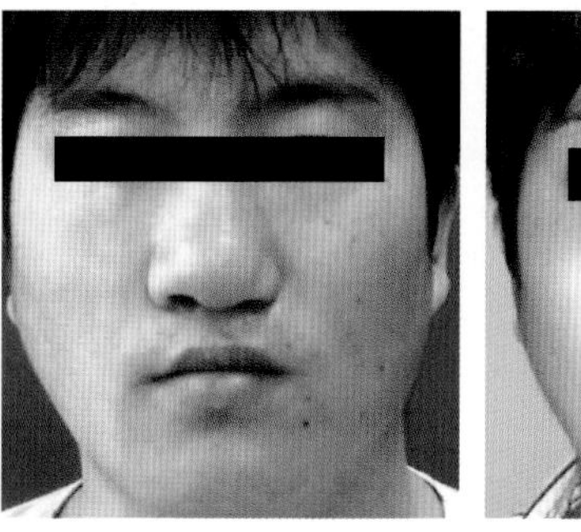
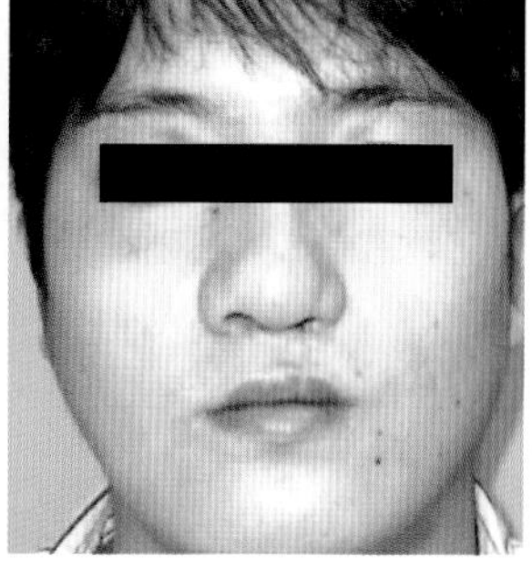

그림 13-29 **구순열 비변형의 교정 술전, 술후.** 안쪽 가쪽 절골술 비중격성형술을 시행하였다.

다. 코끝과 코중격의 완전한 교정은 일반적으로 코의 성장이 끝나는 17~18세 이후가 좋다(그림 13-29).

공통적으로 나타나는 전상악 부위와 이상구의 위축은 자가조직의 이식이나 LeFort I 골절을 통한 상악골의 전방이동을 통하여 교정한다.[1,10,16]

참고문헌

1. 민병일. 악안면성형외과학. 1판 ed. 서울: 군자출판사; 1990.
2. Aiach G. Atlas of Rhinoplasty: Open and Endonasal Approaches. St. Louis: Quality Medical Publishing, Incorporated; 1996.
3. Ellis E, Zide MF. Surgical Approaches to the Facial Skeleton: Williams & Wilkins; 1995.
4. Johnson CM, Toriumi DM. Open Structure Rhinoplasty. Philadelphia: Saunders; 1990.
5. Lipsett EM. A new approach surgery of the lower cartilaginous vault. AMA Arch Otolaryngol 1959;70:42-7.
6. Natvig P, Sether LA, Gingrass RP, Gardner WD. Anatomical details of the osseous-cartilaginous framework of the nose. Plast Reconstr Surg 1971;48:528-32.
7. Tardy ME, Brown RJ. Surgical Anatomy of the Nose. New York: Raven Press; 1990.
8. Berman WE. Rhinoplastic Surgery. St. Louis: Mosby; 1989.
9. Tardy ME. Rhinoplasty: The Art and the Science. Philadelphia: Saunders; 1997.
10. 정동학. 코성형. 서울: 그린북; 2002.
11. McCarthy JG, Zide BM. The spectrum of calvarial bone grafting: introduction of the vascularized calvarial bone flap. Plast Reconstr Surg 1984;74:10-8.
12. Peck GC. The onlay graft for nasal tip projection. Plast Reconstr Surg 1983;71:27-39.
13. Daniel RK, Lessard ML. Rhinoplasty: a graded aesthetic-anatomical approach. Ann Plast Surg 1984;13:436-51.
14. Hilger JA. The internal lateral osteotomy in rhinoplasty. Arch Otolaryngol 1968;88:211-2.
15. Uchida J. The practice of plastic surgery. Tokyo: Kinbara; 1958.
16. Sheen JH. Secondary rhinoplasty. Plast Reconstr Surg 1975;56:137-45.

Chapter 14

안면피부성형술

Cosmetic Facial Surgery

기본 학습 목표

- 피부의 해부구조를 이해한다.
- 반흔의 종류와 그에 대한 다양한 치료법을 이해한다.
- 이완피부긴장선에 대하여 이해한다.

심화 학습 목표

- 반흔교정술을 원하는 환자에 대하여 병력 청취, 검사 분석 등을 통해 적절한 치료계획을 수립할 수 있다.
- Z-성형술 또는 W-성혈술의 반흔교정술을 위한 작도를 시행할 수 있다.
- 피부박피술을 이해하고, 술식에 따른 치유과정을 이해한다.
- 피부박피술 후에 일어날 수 있는 합병증을 이해한다.

1. 주름절제술(Rhytidectomy)

1) 피부의 구조

피부는 표피, 진피, 피하조직의 3층으로 이루어지며 표피는 상피조직, 진피는 결합조직, 피하조직은 지방조직이다. 표피는 최하층에 한 층의 기저세포가 존재하고 그 위쪽에 4~6층의 유극세포가 돌담모양으로 배열하며 과립세포를 거쳐 최외층은 각층세포가 각층을 형성한다(그림 14-1).[1] 진피에서는 교원섬유와 탄력섬유 사이를 기질인 당단백의 프로테오글라이칸(proteoglycan)이 차지한다. 진피하층은 굵은 교원섬유, 탄력섬유가 얽혀있는 망상구조로 되어 있으며, 노화에 따른 주름은 이 망상층의 탄력성이 약화되어 안면근육의 수축력에 저항하는 균형력이 떨어져 생기게 된다.

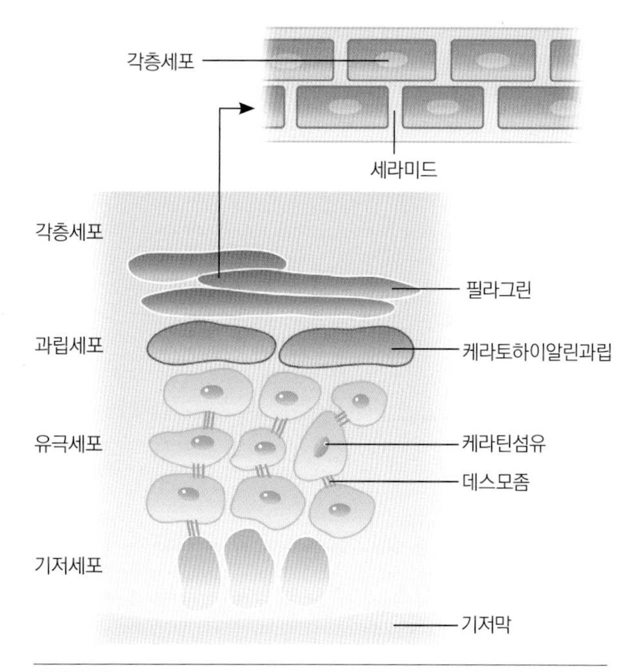

그림 14-1 표피의 구조

2) 피부의 노화

피부의 노화는 자연히 발생되는 생리적 노화와 자외선의 장기적이고 되풀이되는 노출에 의해 생기는 광노화가 있다. 생리적 노화는 나이가 들어감에 따라 한선기능이 저하되어 보온기능도 장애를 받아 피부는 건조해져서 이른바 dry skin을 나타낸다. 또한 각질세포의 대사산물로 알려져 있는 NMF (natutal moisturizing facotr)의 감소로 피부는 거칠어져 유연성이 떨어지고 용이하게 균열이 생긴다.

안면부는 항상 외부환경에 노출되어 있는 부위로 앞서 말한 생리적 노화 현상 외에 자외선 노출에 의한 광노화가

함께 진행된다. 이로 인해 피부는 깊은 주름을 형성하고 능형이나 도형상의 형태를 보인다.[2]

3) 주름 절제술

보통 나이가 많아지면서 나타나는 늙는 모습은 30대부터 상안검에서부터 나타나기 시작하여 나이가 들어감에 따라서 점점 심해진다. 주름 절제술을 받기 원하는 환자들은 대개 눈가에 잔주름이 생겼다고 호소하는 경우가 많으며, 그 외에 이마주름 입가와 턱 아래의 잔주름, 이중턱, 볼 아랫부분이 처진 것, 목주름 등을 호소한다. 주름 절제술은 나이가 들면서 생기는 주름살과 늘어지고 처진 연조직을 젊었을 때의 모습처럼 해부학적으로 되돌려 놓는 것이다. 만족스러운 결과를 얻기 위해서는 주름지고 처진 연조직피판을 적절하게 들어 올려서 잘 당겨주고 턱 밑이나 볼 등에서의 과잉 지방조직은 알맞게 제거해 주어야 한다. 주름절제술은 이마, 관골, 협부, 이부 및 경부 등에서 시행되고 있다. 최근에는 내시경을 이용한 주름제거 및 다양한 봉합사 및 흡수고정장치를 이용한 주름제거술이 시행되고 있다. 주름절제술의 합병증으로는 혈종 형성, 피부의 괴사, 안면신경마비, 지각장애, 탈모 등이 발생할 수 있다.

2. 반흔교정술

대부분의 환자들은 반흔을 감쪽같이 제거하기를 기대하면서 병원을 찾게 되는데 수술, 약물요법, 물리요법 등 그 어떠한 방법으로도 반흔을 완전히 없앨 수는 없다. 반흔교정술이란 반흔을 없애는 수술이 아니라 반흔을 가능한한 미용적 및 기능적으로 개선해 주기 위한 술식이며, 소기의 결과를 얻기 위해 환자들이 반흔교정술을 요구하게 되는 이유를 살펴보면 심미적인 요인, 반흔의 불안정성, 반흔으로 인한 기능의 문제, 반흔에 의한 동통 등 대략 4가지 정도의 요인들이 있다.[3] 보기 싫은 안면의 반흔, 외상 후 발생하는 탈모증, 착색 등의 여러 가지 심미적인 불만으로 환자들은 반흔제거술을 원하게 된다. 불안정한 반흔은 계속적인 조직의 파괴로 환자를 괴롭히며 만성적으로 자극을 받게 되는 반흔은 악성병소로 전이되기도 한다. 반흔이 관절부위를 지나거나 하부조직에 강하게 부착되는 경우에는 기능부전을 보일 수도 있다. 눈꺼풀이나 구각부에 근접한 반흔의 경우에는 외반(extropion) 등의 기능부전을 야기할 수 있다. 신경종(neuroma) 등을 함유하는 반흔은 동통을 유발하는 경우도 있다.

1) 흉터(Scar)

흉터란 손상됐던 피부가 치유된 흔적이다. 수술 또는 외상으로 말미암아 심부 진피까지 손상을 입었을 때 피부의 긴장도를 유지하는 진피층의 콜라겐(collagen)이 과다하게 증식하여 상처가 치유된 후에도 얇아진 피부를 밀고 나와 흉터로 남게 된다. 특히 얼굴 등 노출 부위에 흉터가 있으면 이것이 커다란 스트레스가 되어 대인관계를 기피하는 등 심신을 위축시키는 일이 잦다. 그러므로 상처가 생겼으면 흉터가 최소화 되도록 치료를 잘 하는 것이 우선이다. 흉터를 감쪽같이 없앨 수는 없지만 흉터의 폭과 두께와 방향 등을 변화시켜 눈에 덜 띄도록 할 수는 있다.

(1) 흉터의 유형

흉터의 유형에 따라 치료방법이 조금씩 다르기 때문에 구별할 줄 알아야 한다.

① 면상 반흔(Wide spread scar)(그림 14-2)

면상 반흔이란 수술 후 또는 외상 후 얼마 동안은 비교적 가늘던 흉터가 주변 피부의 당기는 힘에 의하여 폭이 점점 넓어진 것이다. 면상 반흔은 정상 반흔의 변형으로, 콜라겐의 과다 생성에 의한 것이 아니라 콜라겐의 tensile strengh가 증가되는 동안에 주변 피부의 지속적인 당김에 의해 콜라겐이 늘어져 발생한다. 면상반흔은 얼굴뿐만 아니라 주로 사지와 몸통에서, 그리고 젊은 사람의 피부에서 흉터가 긴장을 많이 받는 방향으로 놓여 있을 때 잘 생긴다.

대부분의 면상 반흔은 처음에는 붉은색을 띠지만 시일이 경과함에 따라 차츰 색깔이 옅어진다. 때로는 흉터가 주변 피부 색깔보다 탈색된 경우도 있고, 일광에 의해 색소가 과다하게 침착된 경우도 있다.

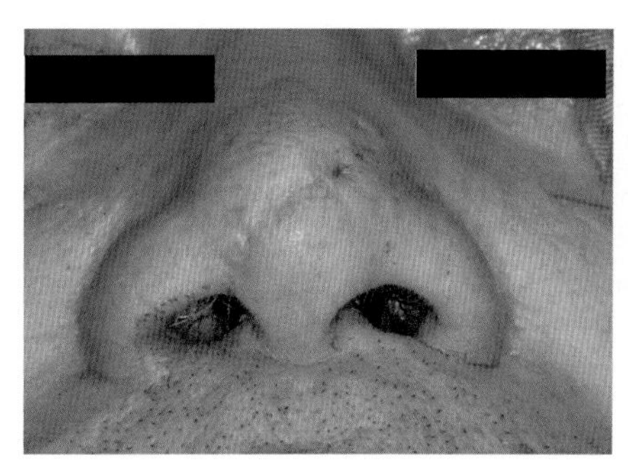
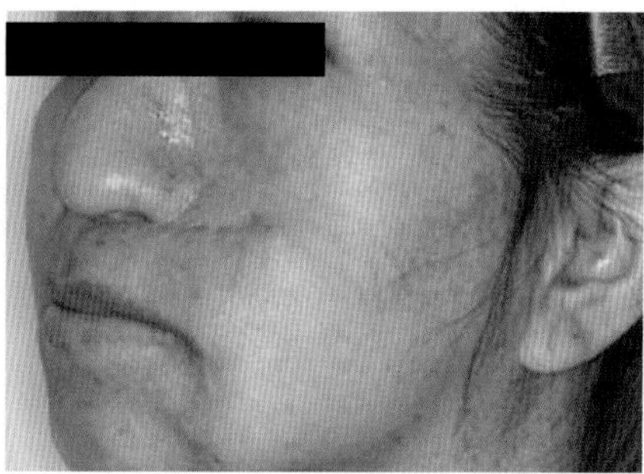

그림 14-2 면상 반흔

PART 3

② 비후성 반흔(Hypertrophic scar)(그림 14-3)

비정상적인 흉터에는 비후성 반흔(hypertrophic scar)과 켈로이드(keloid)가 있다. 이것들은 피부면보다 튀어 올라와 있으며, 가렵고, 따갑고, 아프다. 비후성 반흔과 켈로이드는 튀어 올라온 모양은 흡사하나 발생과정과 예후는 서로 다르다.

비후성 반흔은 면상 반흔과 대조적으로 더 단단하고, 피부면 위로 튀어 올라와 있으며, 붉고, 표면이 불규칙하다. 비후성 반흔은 켈로이드와는 달리 커진다 해도 절개나 상처 범위를 넘어서지는 않으며 수상 후 6~18개월이 지나면 작아지는 것(retraction)이 보통이다.

비후성 반흔의 발생 빈도는 인종과 연령에 따라 다르다. 보통 흑인에서 흔히 발생하고, 젊은 사람, 특히 어린이와 10대에서 많이 생긴다. 그 이유는 이 나이에 상처를 입는 경우가 더 많고, 젊을수록 피부의 긴장이 더 크며,[4] 젊은이에서 콜라겐 생성속도가 더 빠르기 때문이다.[5] 신체 부위에 따라 비후성 반흔이 잘 생기는 곳이 있으며, 특히 관절 부위에 생긴 흉터나 피부 주름에 직각으로 놓여 있는 흉터에서 발생하기 쉽다.

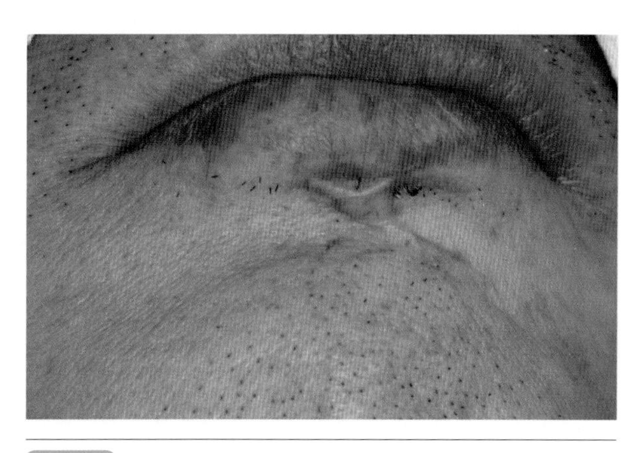

그림 14-3 비후성 반흔

③ 켈로이드(Keloid)

켈로이드는 언뜻 보면 외관상 비후성 반흔과 흡사하나, 반흔의 표면과 경계가 매우 불규칙하고, 단단하고 두꺼우며, 수상 후 6~18개월이 지나도 퇴축되는 것이 아니라 오히려 손상된 범위를 지나서 점점 자라나 정상 피부조직까지도 침범한다. 처음에는 분홍 또는 붉은색을 띠다가 시일이 지남에 따라 점차 갈색으로 변하며 따갑고 가렵다. 켈로이드라는 명칭은 그 모양이 마치 기어가는 게의 발(claw, 그리스어의 chele)처럼 보인다고 해서 붙여진 것이다.[6] 켈로이드도 비후성 반흔과 마찬가지로 피부 긴장성이 큰 곳에 호발하는데, 이는 섬유모세포가 피부의 긴장이 있는 곳에서 콜라겐을 더 많이 생성하기 때문이다. 그러므로 피부긴장성이 강한 어깨나 흉골부에 두꺼운 반흔이 생겼다면 이것이 켈로이드인지 비후성 반흔인지를 구별하기 어렵다. 그러나 피부의 긴장성이 별로 없는 부위, 즉 복부의 주름선에 평행하게 형성한 절개선이나 귀걸이를 위하여 귓불에 구멍을 뚫은 곳에서 아주 크고 튀어나온 반흔이 생겼다면 이는 켈로이드일 가능성이 높다. 켈로이드는 절제한 후에 더욱 심하게 재발하는 수가 많으므로, 두껍고 튀어나온 커다란 반흔에 대해서 수술을 시행할 때는 시술 전에 반드시 켈로이드인지 비후성 반흔인지를 감별하는 것이 중요하다.

켈로이드는 백인보다는 흑인과 동양인에서 더 잘 생기며, 크기도 더 큰 것이 일반적이다. 켈로이드 발생의 남녀

차이는 없으며, 일반적으로 비후성 반흔 보다는 발생 빈도가 낮다.[7]

(2) 켈로이드와 비후성 반흔의 원인

켈로이드와 비후성 반흔은 상처 치유과정에서 발생하는 해결하기 어려운 문제이다. 켈로이드와 비후성 반흔이 발생하는 이유가 아직 분명히 밝혀져 있지 않고, 유일하게 인간에게만 생기기 때문에 과도한 흉터가 생기지 않도록 하는 성공적인 치료법이 아직 나와 있지 않다.

켈로이드의 발생기전이 아직까지 확실하게 밝혀져 지지는 않았지만 정상과는 다른 특별한 섬유모세포(fibrolast)때문이라고 알려져 있다. 이러한 과도한 흉터가 생기는 원인으로는 이물 반응, 세균감염, 퇴화된 콜라겐(degenerated collagen), 저산소증(hypoxia) 등이 거론되고 있으나, 보통은 가족적 성향이 있는 경우가 많다. 따라서 켈로이드는 보통 켈로이드의 소인(predispostion)을 가진 사람에서만 발생하며, 사람이라도 상처가 생길 때마다 켈로이드가 되는 것은 아니다.[7]

(3) 켈로이드와 비후성 반흔의 조직학적 및 생화학적 소견

① 조직학적 소견

켈로이드와 비후성 반흔에서는 콜라겐 섬유다발이 무수한 소용돌이(swirl)를 이루고 있으며 탄성섬유(elastic fiber)의 수는 감소되어 있다. 콜라겐으로 이루어진 반흔 덩어리에는 혈관이 거의 없고 마치 콜라겐을 다져 놓은 것처럼 되어 있다. 조직학적으로 켈로이드는 비후성 반흔에서는 볼 수 없는 유리 같은 광택을 띤, 넓은 호산성 콜라겐섬유(eosinophilic refractile hyaline-like collagen fiber)가 발견된다. 또한 켈로이드에는 점액성 기질(mucinous ground substanc)은 많으나 섬유모세포의 수는 비후성 반흔에 비하여 적다. 광학현미경으로는 켈로이드와 비후성 반흔을 정확하게 구별하기는 어려우나 주사 전자현미경(scanning electron microscope)으로 관찰하면 형태적인 차이가 분명히 나타난다.

② 생화학적 소견

켈로이드, 비후성 반흔, 성숙한 반흔, 정상 피부들 사이에는 생화학적인 차이가 존재한다. 콜라겐을 생성하는데 관여하는 prolyl hydroxylase의 활성도는 콜라겐의 생성속도와 관련이 있다. Prolyl hydroxylase의 활성은 비후성 반흔보다 켈로이드에서 훨씬 높다. 켈로이드에서는 콜라겐의 생성이 정상 피부에 비하여 약 20배나 더 많고, 비후성 반흔에서는 약 3배 정도 더 많다. 교원질분해효소(collagenase)의 활성은 정상 반흔과 비교하여 켈로이드에서 약 14배 높고, 비후성 반흔에서는 약 4배 높다. 정상 반흔에서는 콜라겐 섬유의 생성과 분해 사이에 평형을 이루고 있으나, 켈로이드와 비후성 반흔에서는 그렇지 못하고, 콜라겐이 형성되는 양이 분해되는 양보다 훨씬 더 많아서 반흔이 커지게 된다. 켈로이드와 비후성 반흔에서 이처럼 많은 양의 콜라겐이 생성되는 것은 저산소증(hypoxia) 때문일 것으로 추측하고 있다. 저산소증과 섬유소(fibrin polymer)의 침착이 섬유모세포로 하여금 콜라겐을 많이 생산하도록 유도하는 것으로 추측한다. 그러나 켈로이드에서만 볼 수 있는 특별한 생화학적 이상이나 결함을 발견하지 못하였기 때문에 아직까지도 켈로이드의 치료제는 개발되지 못하였다. 결국 켈로이드와 비후성 반흔을 조직학적 및 생화학적으로 명확하게 구별하는 것은 어렵다.

③ 임상적 소견

켈로이드와 비후성 반흔을 조직학적 및 생화학적으로 분별하기 어렵기 때문에 임상적으로 손상되었던 범위를 넘어서 흉터가 크게 자라고 있는지, 또는 흉터를 절제한 후에 이전보다 더 큰 반흔으로 재발했는지 등의 임상적 소견을 종합하여 감별 진단하는 것이 유용하다.

(4) 치료

흉터의 유형에 따라 여러 가지 치료방법을 적용한다. 그러나 비후성 반흔과 켈로이드는 약제나 수술로 예방과 완전한 치료가 불가능하다는 사실을 의사와 환자가 알고 있어야 한다.

상처치유와 콜라겐 대사에 관한 지식은 계속 증가함에도 불구하고 아직도 켈로이드에 대한 완벽한 치료법이 없는 실정이다. 동물에서는 켈로이드가 발생하지 않으므로 적절한 실험동물이 없어 연구가 어렵다. 그러나 면역학의 발달, 결합조직의 생화학, 성장인자(growth factor) 등에 관한 이해가 많아질수록 좋은 치료법이 개발될 것으로 기대한다.

가렵거나 따가운 것이 문제인 경우에는 트라이암시놀론(triamcinolone acetonide)을 병소 내에 주사하고 전신적 항히스타민제(antihistaminics)를 사용하면 도움이 된다. Benadryl (diphenhydramine hydrochloride) 50 mg을 취침 때 경구 복용하면 효과적일 때가 있다.

① 면상 반흔에 대한 치료

가장 간단한 방법은 정상 조직을 조금 포함해서 흉터를 절제하고 봉합하는 것이다. 흉터의 방향을 바꿀 필요가 있을 때는 후술하는 Z-성형술 또는 W-성형술을 시행한다(그림 14-4~9). 흉터가 다시 넓어지는 것을 예방하기 위하여 실밥을 오래 두고자 할 때는 Prolene 같은 비흡수성 봉합사로 연속표피밑봉합(subcuticular suture)을 하기도 한다. 특히 긴장이 심한 곳에 이러한 봉합을 하며, 2~3주 후에 실밥을 제거한 후 수 주간 내지는 수 개월간 외과용 테이프로 봉합선이 넓어지지 않도록 붙잡아 준다.[8]

다칠 당시에 손상이 심해서 1차 봉합(primary suture)을 하지 못하고 2차 봉합을 시행한 결과 발생한 면상 반흔이거나, 실밥을 제거한 후 오랫동안 외과용 테이프로 봉합선을 붙잡아 주지 못해서 생긴 면상 반흔이면 흉터성형술로 만족스럽게 고칠 수 있다. 무릎관절(knee joint), 팔꿈치관절(elbow joint)처럼 계속 움직이는 곳에 생긴 면상 반흔은 흉터성형술 후에 흉터가 다시금 넓어질 가능성이 다분히 높다. 이 면상 반흔을 교정하고자 할 때에는 환자에게 흉터성형술을 하더라도 흉터가 다소 넓어지는 것은 불가피하다는 것을 미리 말해주어야 한다.

흉터 주변에 있는 피부에 상당한 긴장이 있어서 흉터성형술 후에 다시 늘어난 흉터가 생길 가능성이 있을 때는 특수한 방법으로 수술하여 이를 예방하도록 한다. 즉 흉터 조직을 모두 제거하지 않고 흉터의 표피층을 벗긴 후 이를 피판으로 만들어 이것을 맞은 편 피부 피판 밑으로 당겨 봉합 고정한다.[9]

흉터를 교정한 후에는 그 부위를 부동화(immobilization)

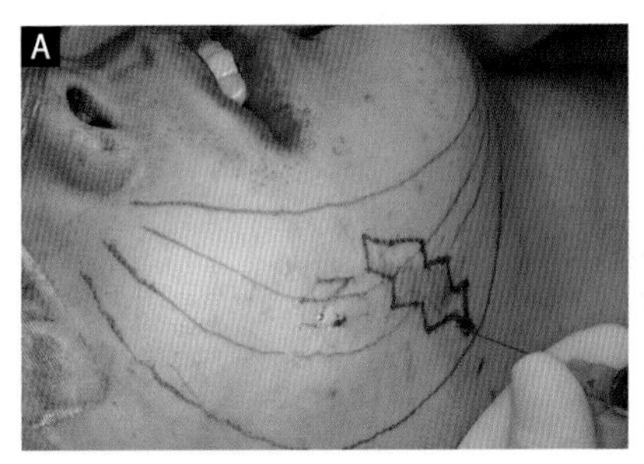
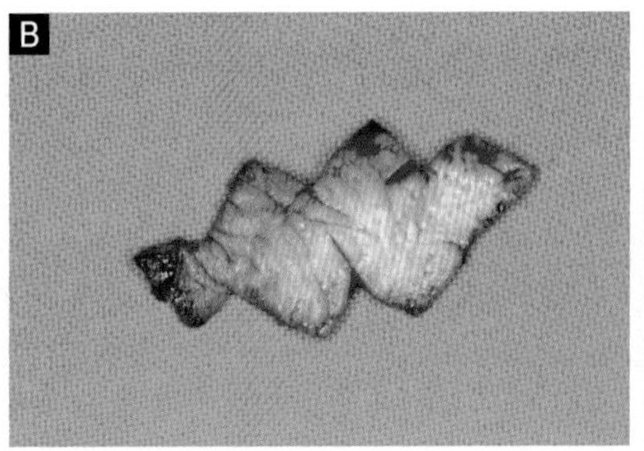
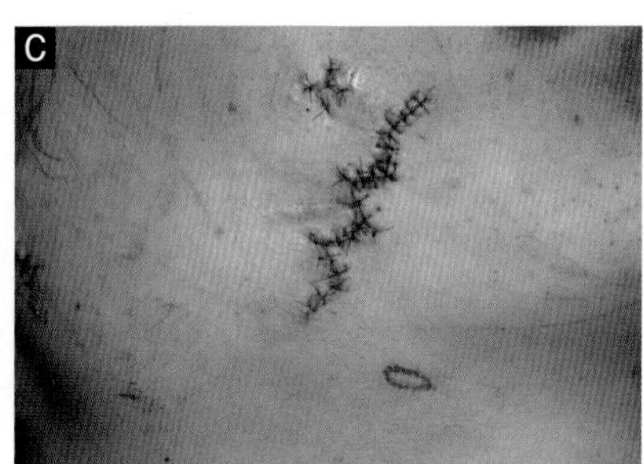

그림 14-4 **W-성형술. A:** 술전 도해 **B:** 술중 조직박리 **C:** 봉합 후

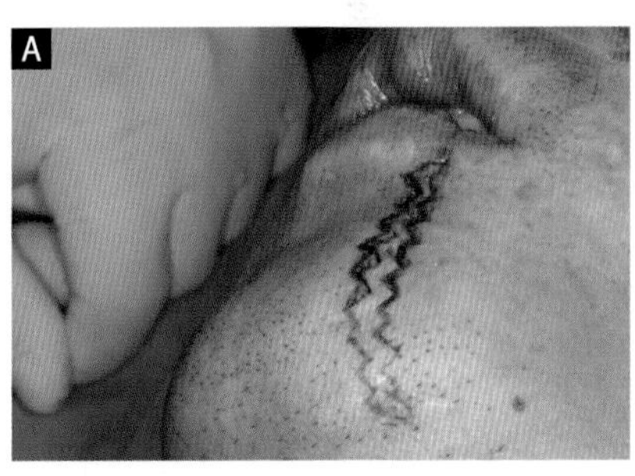
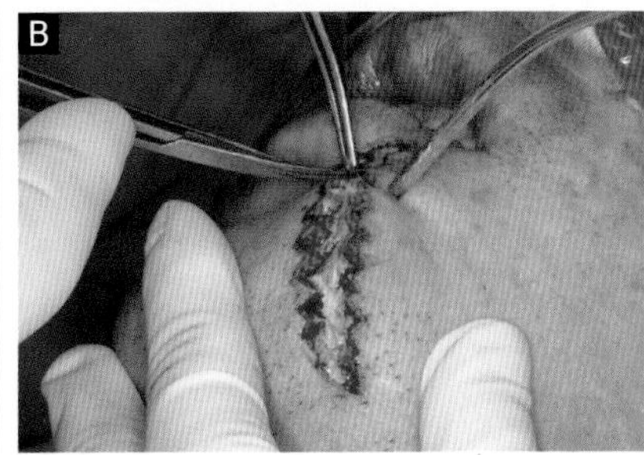
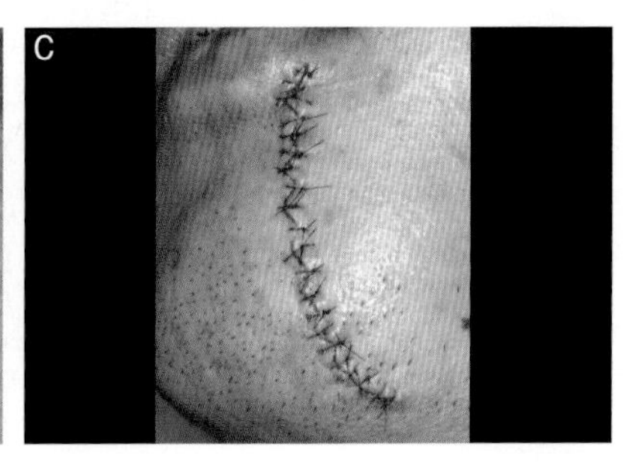

그림 14-5 **직선형 반흔교정을 위한 W-성형술.** 삼각형피판은 반흔의 끝부분에서 더욱 작아지며 축의 길이는 더 가늘게 해야 한다. **A:** 술전 도해 **B:** 술중 **C:** 봉합 후

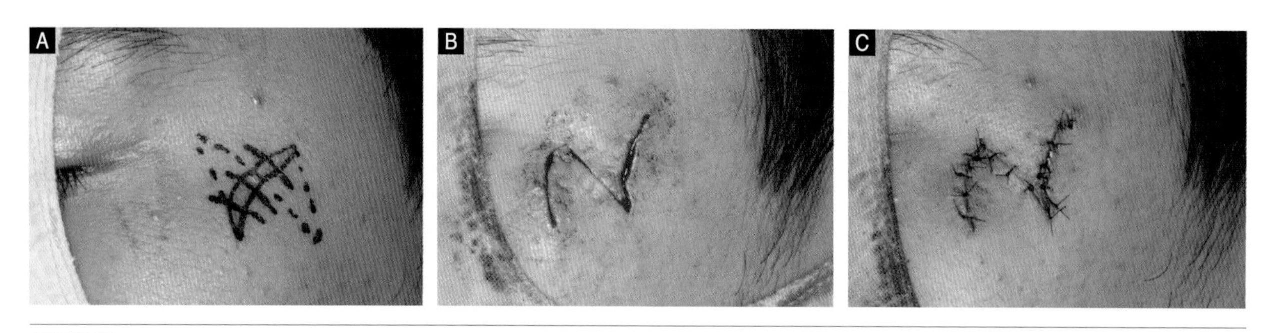

그림 14-6 **Z-성형술.** **A:** 술전 도해 **B:** 술중 **C:** 봉합 후

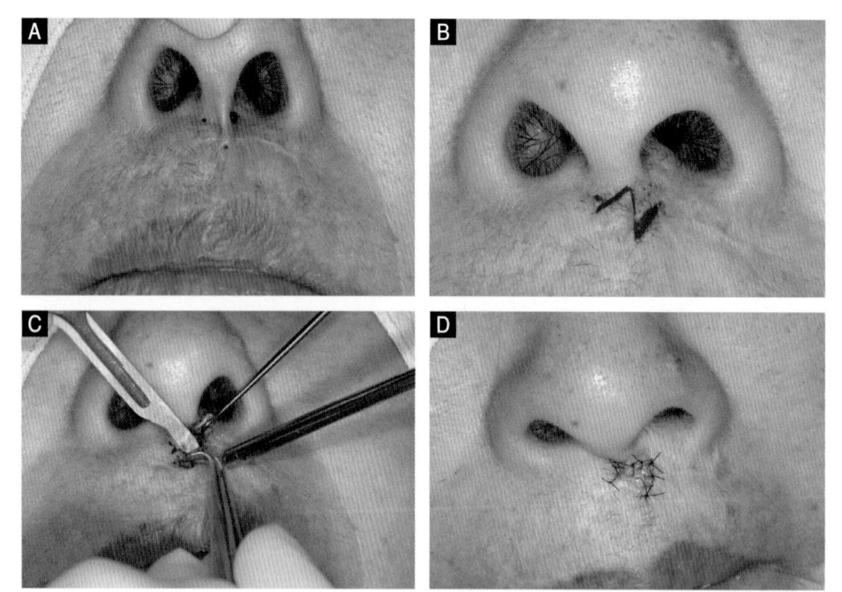

그림 14-7 **Z-성형술.** **A:** 술전 **B:** Incision 후 **C:** 술중 **D:** 봉합 후

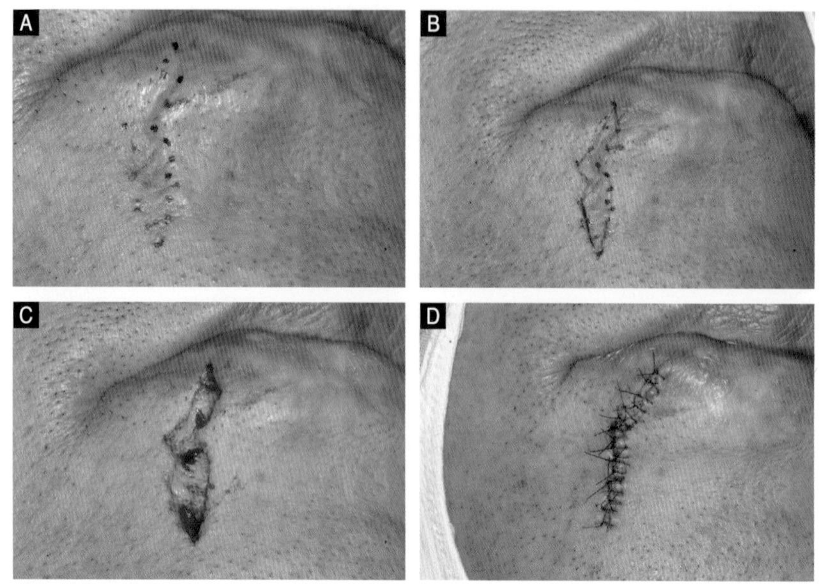

그림 14-8 **비정각 Z-성형술.** **A:** 술전 **B:** 술전 도해 **C:** 절개 후 **D:** 봉합 후

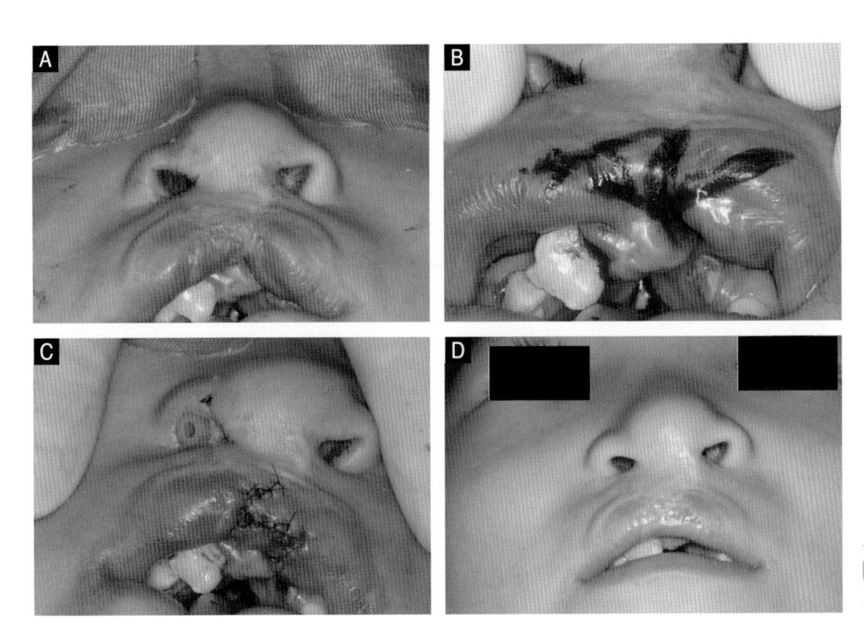

그림 14-9 Lip notch 교정을 위한 Z-성형술 술전. A: 술전 B: 술전 도해 C: 봉합 후 D: 술후

함으로써 흉터가 덜 넓어지게 된다. Vitamin E는 glucocorticoid처럼 상처치유를 억제하므로 사용하지 않는 것이 좋다.

② 비후성 반흔 및 켈로이드에 대한 치료(그림 14-10)

a. 병소 내 스테로이드주사

켈로이드를 치료하는 방법 중에는 스테로이드를 병소 내에 직접 주사(intralesional injection)를 하는 것이 가장 효과적이다. 가장 보편적으로 많이 쓰이는 스테로이드는 트라이암시놀론(triamcinolone acetonide, Kenalog)이다. 트라이 암시놀론을 켈로이드 내에 직접 주사하면, 교원질 분해효소의 활성이 증진되어 콜라겐이 많이 분해될 뿐만 아니라 콜라겐이 적게 형성된다. 따라서 켈로이드나 비후성 반흔의 크기가 줄어들게 된다. 일반적으로 비후성 반흔과 비슷한 크기의 켈로이드는 트라이암시놀론을 병소 내에 반복 주사함으로써 많이 축소되지만, 크기가 매우 크거나 줄기(pedicle)를 가진 켈로이드는 트라이암시놀론을 주사하더라도 눈에 띄게 축소되지 않는다. 그러므로 폭이 좁은 켈로이드에는 트라이암시놀론을 병소 내에 주사하고 폭이 넓은 켈로이드에는 병소 내 트라이암시놀론 주사와 압박요법(compression therapy)를 하는 것이 좋다. 비후성 반흔과 켈로이드 내에 트라이암시놀론을 주사하면 흉터가 낮아지고, 붉은색이 옅어지며, 특히 가려움증(pruritus)이 줄어든다. 환자에게 미리 말해 둘 것은 트라이암시놀론을 병소 내에 주사하더라도 흉터의 폭이 줄어들지는 않는다는 것이다. 스테로이

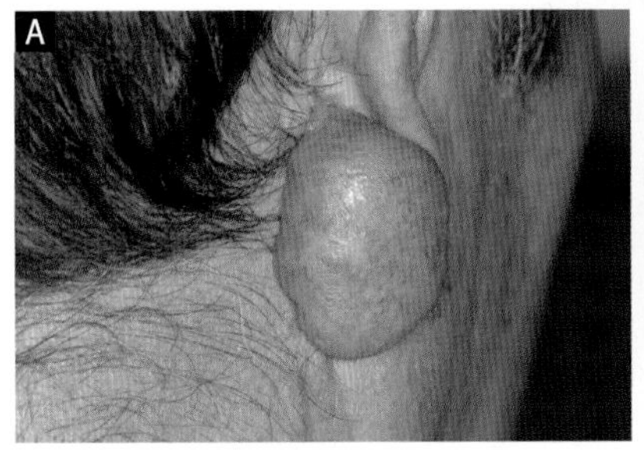

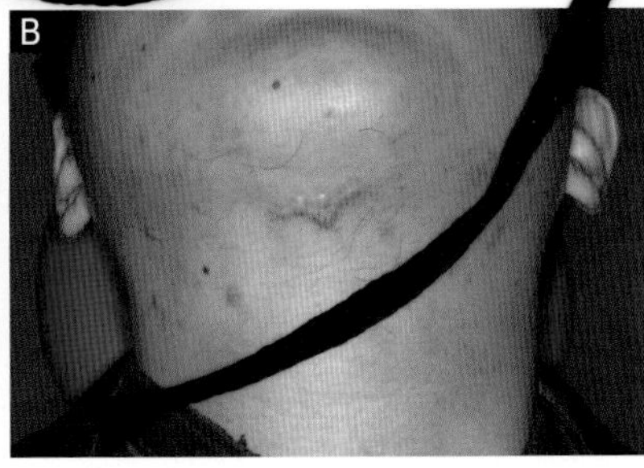

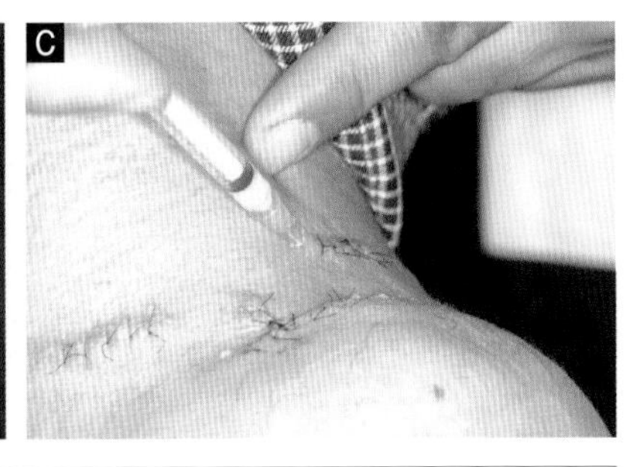

그림 14-10 켈로이드

드로 인한 전신증상이 나타나는 것을 피하기 위하여 보통 2~3주 간격으로 1회에 40 mg을 4~5개월간 반복하여 투여한다. 1회 주사량이 어른에서는 120 mg, 어린이에서는 80 mg을 초과해서는 안 된다. 흑인에서는 과색소침착(hyperpigmentation)이 일어나기 쉬우므로 주의해야 하며, 스테로이드는 기형아를 유발할 위험이 있으므로 임신부나 임신할 계획인 여성에게는 금물이다. 과량의 스테로이드를 병소 내에 주사하면 심각한 합병증을 일으킬 수 있다. 가장 흔히 볼 수 있는 부작용은 피부위축, 색소탈실(depigmentation)이다. 스테로이드로 인한 Cushing 증후군은 드물다. 이러한 부작용의 95%는 약제의 오남용에 기인한다.[4] 피부위축과 색소탈실은 대개 가역성(reversible)이다.[4,10]

b. 압박용법

물리적으로 압박을 가하면 비후성 반흔과 켈로이드가 생기는 것을 억제 내지는 감소시켜 줄 수 있다. 물리적으로 압박을 가한 부위에 산소가 감소해 섬유모세포에 변성(degeneration)이 일어나게 되고 이화대사(catabolism)가 우세해져서 콜라겐이 적게 생성된다.[11] 또한 흉터의 혈류가 감소하게 되고 이로 말미암아 콜라겐 분해효소(collagenase)의 활성을 억제하는 α2-macroglobulin의 공급이 줄어들어 콜라겐이 많이 분해된다.[12]

압박요법을 시행하려면 상처가 치유되자마자 곧장 압박을 가해야 하며, 일단 흉터가 튀어 올라오고 난 후에는 압박을 가해도 별 효과가 없다.

압박을 가할 때는 모세혈관압을 능가할 정도로 최소 24 mmHg를 가해야 한다.[13] 적어도 6~12개월 이상 밤낮으로 압박을 가해야 하며 하루에 30분 이상 중단하지 않아야 한다.

c. 실리콘젤시트(Silicone gel sheet)

실리콘젤시트로 효과를 보는 기전은 불분명하나 경험에 근거를 두고 이용하고 있다. 비후성 반흔이 생길 가능성이 있거나, 이미 생겼을 때, 압박요법이나 스테로이드 병소 내 주사 치료에 실패했을 때, 실리콘고무시트(Silastic sheet)를 단독 또는 실리콘젤을 발라서 하루에 적어도 12시간, 가능하면 24시간 동안 종이 반창고로 봉해두면 비후성 반흔을 예방할 수 있고 또 호전시킬 수 있다.[14]

d. 방사선 요법

수술 직후에 방사선 요법을 시행하면 켈로이드가 재발하는 것을 예방할 수도 있다. 6개월이 지나지 않은 켈로이드에는 방사선 요법을 시도해 볼 수 있다. 하지만, 방사선 요법은 방사선괴사(radiation necrosis)와 발암(carcinogenesis)의 위험성이 있기 때문에 요즈음은 거의 시행하지 않는다. 오고령의 환자와 다른 모든 치료가 실패한 경우에만 제한적으로 방사선 요법을 해야 한다.[15]

e. 수술

전술한 방법들이 효과가 없거나 이런 방법들을 시행한 후에 흉터가 재발한 경우에는 후술하는 흉터성형술(scar revision)을 한다.

비후성 반흔인 경우 : 비후성 반흔을 교정하고자 할 때는 면상 반흔과 마찬가지로 절제하고 다시 봉합한다. 이완피부긴장선(relaxed skin tension line, RSTL)에 역행하는 흉터는 비후성 반흔이 되기 쉬우므로 흉터의 방향을 바꾸어 준다.

켈로이드인 경우 : 켈로이드인 경우에 수술만 해서는 재발률이 매우 높다. Cosman과 Wolff의 보고에 의하면 재발률이 55%나 된다고 한다.[16] 절제하고 트라이암시놀론을 병소 내에 주사해도 재발하는 경우가 허다하다. 그러므로 요즈음은 크기가 작은 경우에는 먼저 트라이암시놀론 병소 내 주사와 압박 요법을 해보고, 크기가 큰 경우에는 다른 방법을 시행하기 전에 일단 수술로써 부피를 줄여준다.

스테로이드 요법이나 압박 요법을 해도 6개월 내에 효과가 없는 경우, 효과가 있다가 재발한 경우, 크기가 너무 커서 부피를 줄여야 할 경우에만 수술이 적용된다. Brown과 Pierce는 수술하기 1개월 전에 트라이암시놀론을 병소 내에 주사하고 수술 후에는 적어도 6개월간 매월 주사하기를 권한다.[17]

켈로이드가 크면 절제하고 피부이식술로 치료해 볼 수 있다. 피부이식술을 할 때에는 공여부(donor site)를 직접 봉합할 수 있는 전층 피부이식술(full-thickness skin graft)이 공여부를 개방해 두는 부분층 피부이식술(split-thickness skin graft)보다 낫다. 직접 봉합한 전층 피부이식편의 공여부에

서는 부분층 피부이식편의 공여부에서 보다 비정상적인 흉터가 발생할 가능성이 더 낮다.[17]

수술 후 경과 관찰 도중 가렵거나 흉터가 다시 튀어 올라오기 시작하면 트라이암시놀론을 즉시 주사해 준다. 그리고 수술한 경우에는 압박 요법을 지속적으로 하여 재발을 막도록 한다.

2) 반흔교정술(Scar revision)

반흔교정술이란 흉터를 없애는 수술이 아니라 흉터를 될 수 있으면 미용적 및 기능적으로 개선하는 것에 지나지 않으며, 소기의 결과가 나타나도록 하기 위해서는 수개월 내지 심지어는 수년 동안 인내로 기다려야 함을 환자에게 미리 인식시켜 놓을 필요가 있다.

❖ 고려사항

반흔교정술을 원하는 환자를 처음 진료를 할 때는 ① 반흔의 병력(history of scar), ② 반흔의 검사와 분석(examination & analysis), ③ 적절한 치료계획의 수립의 3가지 측면을 고려하여야 한다.

(1) 반흔의 병력(History of the scar)

반흔에 대한 적절한 치료를 위해서 반흔이 왜 이렇게 보기 흉하게 형성 되었는지를 이해하여야 한다. 반흔의 병력에 대한 것을 다음의 간단한 질문으로 확인할 수 있다.

① 반흔이 생긴 것이 얼마나 오래되었는가?
② 처음에 상처가 어떻게 발생되었는가?
③ 상처가 치유되는 과정이 어떠했는가?
④ 반흔에 대해서 과거에 제거술(혹은 교정술)을 받은 경험이 있는가?

반흔에 대한 검사에서 반흔의 형성이 환자의 내인성 요인(intrinsic factor)에 기인한 것인지, 처음 발생한 상처와 연관된 것인지, 아니면 처음 상처를 처치한 방법에서 기인한 것인지를 감별하여야 한다.

① 환자의 내인성 요인과 관련된 원인

환자에 따라서는 켈로이드성 반흔이 형성되는 경향을 가진 특발증(idiopathy)을 가지는 경우가 있고, Ehlers-Danlos 증후군 같이 유전적인 요인으로 탄성섬유에 이상이 생겨서 넓은 반흔이 생기는 경우가 있다. 또한 환자의 나이도 고려되어야 한다.

② 처음 발생한 상처와 관련된 원인

상처가 발생할 당시 특정한 물질이 조직 내로 들어가서 문신(tatooing)처럼 되는 경우, 조직에 대한 지속적인 자극은 비후성 반흔을 유발하며 일부 조직의 상실로 인하여 상처부위의 일차봉합이 어려운 경우나 봉합부위에 큰 장력이 존재하는 경우에는 보다 넓고 광범위한 반흔이 형성되는 경향이 있다. 또한 상처가 이완피부긴장선을 따라서 발생하였는지 혹은 이 선을 가로질러서 생겼는지에 따라 반흔의 형성은 달라지며, 상처 하부의 구조물과 유착된 정도에 따라서도 달라진다.

③ 상처의 초기 처치와 관련된 원인

상처 부위의 일차봉합 시 조직의 상실 등으로 지나치게 장력이 발생된다면, 이차적인 치유를 유도하는 것이 일차봉합술을 무리해서 시행하는 것보다 유리할 수 있다.

(2) 반흔의 검사

반흔을 교정하고자 하는 경우에는 반흔에 대한 정확한 검사가 필요하며, 이는 반흔에 대한 적절한 처치방법을 선택하는데 매우 중요하다. 이때 ① 반흔의 위치, ② 반흔의 성숙 정도, ③ 반흔의 물리적인 성질 또는 특징, ④ 반흔의 방향과 피부선과의 관계, ④ 반흔이 존재하는 피부의 질 등이 고려되어야 한다.

① 반흔의 위치

반흔과 주변 해부학적 구조물과의 위치 관계에 따라 치료의 예후가 달라질 수 있다. 또한 반흔의 위치에 따라 피부의 질이 달라지기 때문에 반드시 고려되어야 한다. 안검, 유륜, 음부, 결막, 홍순(vermilion)처럼 피부가 얇은 곳, 손바닥, 발바닥과 같이 피지선이 거의 없고 두꺼운 각질층을 갖고 있는 곳에는 반흔이나 실밥자국이 뚜렷하게 남지 않는다. 이와는 반대로 코끝, 이마, 볼처럼 피부가 두껍고 피지선의 활성도가 높은 곳에는 반흔과 실밥자국이 뚜렷하게 남는 경향이 있다. 일반적으로 피지선이 많은 피부, 젊은 사람의 피부, 반흔이 뚜렷하게 생기는 가족적 경향을 가진 사람의 피부, 색소가 많은 피부에 존재하는 반흔을 교정하는 경우에는 반흔 교정 시 특히 주의하여야 한다. 또한 어린이에서는 섬유모세포의 증식이 왕성하기 때문에 반흔이 성숙되는데 시일이 오래 걸리며, 반흔의 붉은색이 오래가며, 성장속도가 빠르고 피부탄력성이 크기 때문에 비후성 반흔이 잘 생기는 경향이 있으므로 어린이의 경우에는 빠르게 성장하는 시기를 피하는 것이 좋다. 반흔 교정 후에는 색소가 과다하게 침착하지 않도록 일광노출이나 피임약은 피하는 것이 좋다.

② 반흔의 성숙된 정도

반흔을 교정하려면 반흔이 성숙한 후에 교정하는 것이 좋다. 반흔이 성숙되는 시기는 반흔이 있는 부위와 그 부위의 피부의 질에 따라 달라지지만 보통 흉터는 4~5일 간의 염증반응기(벌겋게 됨), 6주~2개월 간의 증식기(상처가 아무는 시기로 불룩해짐), 9개월 정도의 성숙기를 거쳐 약 1년 만에 흉터로 자리를 잡게 된다. 보통 다치고 나서 6~18개월 후에 교정술을 시술하는 것이 좋다. 눈꺼풀이나 입주위에 반흔구축(scar contraction)으로 인하여 눈이나 입의 기능에 장애가 있는 경우에는 다친지 3개월 후라도 교정술을 시행할 수 있으나, 이러한 부득이한 경우를 제외하고는 반흔교정술을 서두르지 말아야 한다. 세포학적인 수준에서 보면 성숙된 반흔은 히알루론산(hyaluronic acid)이 콘드로이틴-4-설페이트(chondroitin-4-sulfate)로 대치되어 콜라겐 다발들의 교차 링크(cross linking)가 증가되고, type I 콜라겐이 주로 존재한다. 반흔 부위 피부의 장력은 다치기 전의 약 80% 정도까지 회복되며, 임상적으로 성숙된 반흔은 충혈성(hyperemic) 및 주위 조직보다 약간 올라온 소견이 사라지고 주위 조직과 색깔이 비슷해지며 편평해진다. 일반적으로 반흔이 성숙되면 가려움증도 사라진다. 반흔교정의 시기를 결정하는데 실질적으로 중요한 것은 반흔의 색깔과 단단한 정도이다. 성숙된 반흔은 혈관이 적어서 색깔이 연하며, 그 주위에 부종이 없고, 단단하지 않으며 부드럽다.

③ 반흔의 물리적 성질

반흔의 길이는 일직선으로 끊어지지 않은 반흔의 길이를 말한다. 절개선 있는 경우에 상처가 치유되는 것은 절단연으로부터 이루어지나, 상처의 수축은 길게 장축 방향으로 이루어진다. 따라서 길고 끊어 지지 않은 반흔은 장력의 끊어지지 않는 힘을 받게 되므로, 반흔에 대한 외과적인 교정술 시 반흔을 여러 개로 분할하여 장력을 끊어 주어 반흔구축을 줄여주어야 한다. 즉 긴 선상의 반흔은 구축이 일어나기 쉽고 구축이 일어나면 활시위처럼 팽팽해지고 비후성 반흔으로 될 수 있으나, 짧은 선상의 반흔은 예후가 좋다. 비후성 반흔이나 켈로이드성 반흔의 경우에는 반흔교정술 후 일반적인 반흔과는 다른 양상으로 치유되며, 재발 가능성이 높으므로 교정술의 방법 선택이나 술후 보조적인 치료방법 등의 추가적인 노력을 기울여야 한다.

④ 반흔의 방향과 피부선과의 관계

반흔의 방향이 피부선의 방향과 일치하고 반흔의 크기가 작다면 반흔은 잘 표시나지 않는다. 반흔의 외과적 교정술시 봉합선이 피부선과 같은 방향으로 이루어진 경우는 치유가 잘되고 치유 후에도 반흔이 피부선과 비슷하여 눈에 잘 띄지 않는다. 그러나 봉합선이 피부선에 직각으로 놓여 지면 치유 과정에 보다 긴 시간이 필요하며 치유된 후에도 반흔이 뚜렷해진다. 따라서 반흔교정술 시 피부선에 대한 정확한 이해를 하고 절개선의 방향을 피부선에 평행하게 가하는 것이 중요하다. 피부선에는 여러 가지가 있으나, 반흔교정술과 연관되어 중요한 것은 이완상태의 이완피부긴장선(relaxed skin tension line, RSTL)과 주름선(wrinkle line)이다.[18]

a. 이완피부긴장선(RSTL)

피부에 절개를 가하면 피부의 긴장(tension)으로 인하여 절개창이 벌어진다. 이러한 피부의 긴장은 골과 연골을 비롯한 심부 구조물들이 피부를 밑에서부터 치밀어 올려서 천막을 치는 것처럼 되어있기 때문이다. 피부는 긴장으로 인하여 여러 방향에서 당겨지고 있는데, 이 중에서도 어느 한 방향으로 가장 세게 당겨지고 있다.

근육이 편히 쉬고 있는 이완상태에서 가장 세게 당겨지고 있는 방향으로 그은 선을 이완피부긴장선이라고 부른다

(그림 14-11). 이완피부긴장선의 개념을 가장 잘 이해하기 쉬운 방법은 전두근의 예를 살펴 보는 것이다. 전두근은 머리카락의 경계 부위 앞쪽으로 이마 부분의 수축을 일으키는 수직으로 배열된 근육이다. 전두근은 근섬유와 평행하게 수직으로 배열된 조직이 아주 부드러워서 마치 아코디온처럼 잘 기능을 한다. 이와 같이 조직이 수직으로는 여유 부분이 존재하므로 수평축을 따라서는 어느 정도의 팽팽함(tightness)이 존재한다. 따라서 이마 부위의 피부는 옆으로는 팽팽하여, 마치 북처럼 두 개의 기둥에 단단하게 묶여진 가죽처럼 생각할 수 있다. 만약 칼로 가죽을 옆으로 당기고 있는 방향으로 자른다면 잘라진 면이 벌어지지 않을 것이나, 최대로 당기는 힘의 수직 방향으로 자른다면 잘라진 면은 즉시 벌어질 것이다. 이러한 최대로 당기는 힘의 방향을 이완피부긴장선이라고 부른다. 상처가 이완피부긴장선에 직각 방향으로 놓여 있을 때 가장 세게 당겨지기 때문에 반흔이 매우 넓어지며, 반대로 상처가 이완상태의 피부긴장선에 평행하게 놓여 있게 되면 가장 약하게 당겨지기 때문에 반흔은 넓어지지 않고 가늘게 나타난다.

b. 주름선(Wrinkle line)

이완피부긴장선과 주름선이 생기는 기전은 서로 다르다. 앞에서 서술한 것과 같이, 이완상태의 피부긴장선은 골이나 연골 같은 심부구조물이 피부를 치밀어 올려서 생기는 선이고, 반면에 주름선은 피부 밑에 존재하는 근육이 수축하기 때문에 만들어지는 선이다. 만약 실험적으로 피부 밑에 존재하는 골을 끄집어내어 피부의 긴장을 없애 본다면

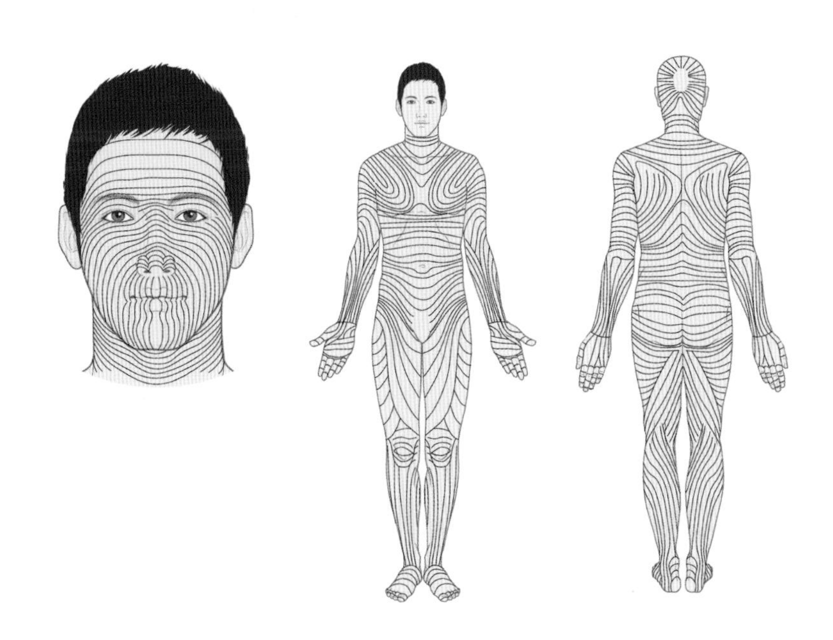

그림 14-11 이완 상태의 피부긴장선(relaxed skin tension line, RSTL).

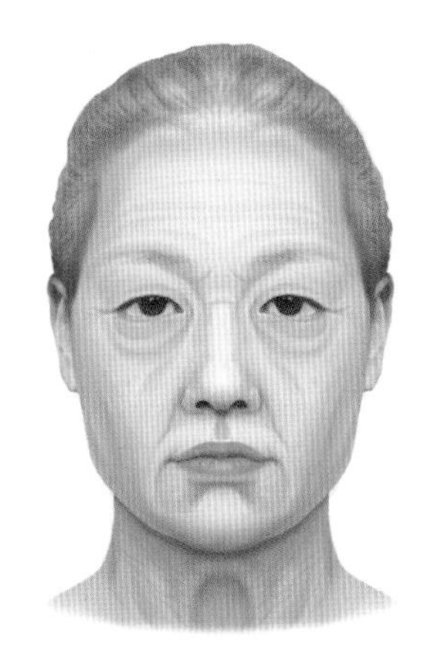

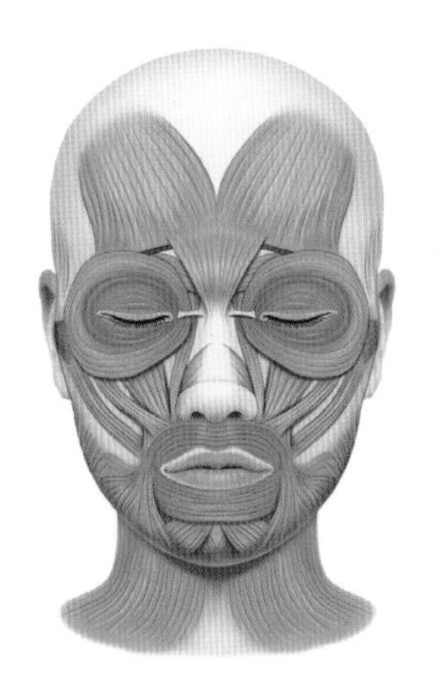

그림 14-12 주름선(Wrinkle line, 표정선) 얼굴과 목의 주름선은 피부밑의 근육의 장축방향에 직각으로 나타난다.

피부가 오므라들긴 하지만 주름선은 여전히 남아 있게 된다. 일반적으로 주름선은 근육의 장축방향에 직각 방향으로 나타난다(그림 14-12).

얼굴에서는 표정을 지을 때 주름선이 잘 나타나기 때문에 표정선(line of expression)이라고 부르기도 한다. 얼굴이 아닌 신체의 다른 부위에서는 관절 부위에서 주름선이 잘 나타난다. 대부분의 신체 부위에서는 주름선과 이완피부긴장선의 방향이 비슷하지만 어떤 부위에서는 방향이 서로 다르므로 이를 혼동하지 말아야한다.

3. 박피술

박피술이란 피부 표면에서부터 기계적, 화학적으로 원하는 만큼의 표피층과 진피 천층부를 제거하여 자연 치유되게 함으로서 고르지 않은 피부표면을 매끈하고 편평하게 하는 술식이다. 1905년 Kronmayer가 처음으로 이 술식을 시도하여 여드름 반흔, 각화증 및 색소침착 등을 치료했다는 기록이 있으며, 1947년 Iverson은 사포(sandpaper)를 이용해 외상성 문신을 제거했다는 보고가 있다. 현대의 박피술은 1953년 Kurtin에 의해 다양한 형태의 박피기구(dermabrader) 및 고속회전 박피기의 사용이 소개된 이후, 술식의 발전 및 여러 가지 기구와 약품의 개발로 인해 현재까지 괄목할 만한 효과를 거두고 있다.

1) 기계적 박피술(Mechanical dermabrasion)(그림 14-13)

기계적 박피술은 화학적 박피술에 비해 박피 깊이의 조절이 비교적 용이하며, 치유가 빠르고, 통증 기간이 짧으며, 유색인종에서 색소탈실(depigmentation)이 적게 발생하는 장점이 있다. 기계적 박피술 및 화학적 박피술 후 조직학적인 치유 양상은 근본적으로 큰 차이는 없다. 그러나 기계적 박피술은 화학적 박피술에 비해 술후 조직변화의 정도가 작아서 교원섬유(collagen fiber) 구조의 균질화(homogenization)가 없고, 색소량의 변화도 적으며, 탄력섬유(elastic fiber)의 증가도 없고, 신생 교원섬유의 재생도 작아, 피부를 젊게 재생시키는 능력은 떨어진다. 기계적 박피술을 시행한 부위의 치유과정은 부분층 피부이식 공여부의 치유되는 과정과 비슷하다(그림 14-14).[19]

(1) 수술방법

수술기구는 모터에 부착된 손잡이에 여러 종류의 다이아몬드버(diamond-impregnated bur)나 와이어 브러쉬(wire brush)를 필요에 따라 장착하여 사용한다(그림 14-15). 박피할 주위 피부를 잡아 당겨 수술 부위를 팽팽하게 한 뒤, 12,000~15,000 rpm으로 회전하는 버를 피부에 평행하게 하여 가볍게 갖다 대어 원하는 깊이로 박피한다. 박피되는 피부의 깊이는 박피된 피부의 출혈 양상으로 알 수 있으며 보통 부분층 피부이식의 공여부의 출혈 양상과 비슷하다(그림 14-16). 수술의 성공여부는 박피의 깊이이다. 너무 얕게 박피하면 색소가 침착되고, 진피의 망상층(reticular layer)보다 깊게 박피하면 비후성 반흔이 발생된다. 기계적 피부 박피술이 과하여 반흔이 생기는 것보다는 부족하여 나중에 재수술하는 편이 훨씬 나으므로 절대 지나치게 박피하지 않도록 한다. 특히 뼈가 튀어나온 부위는 쉽게 깊어

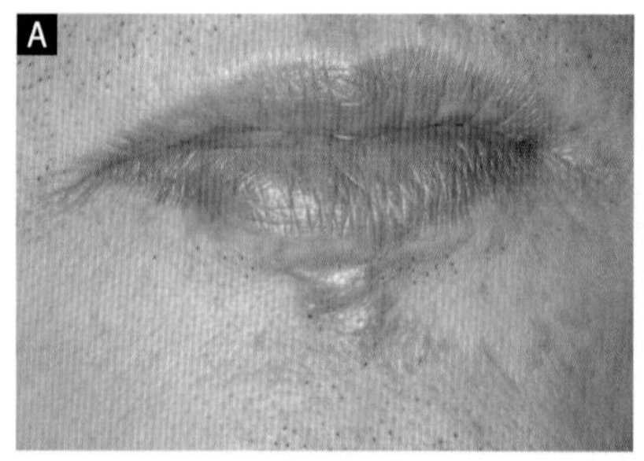

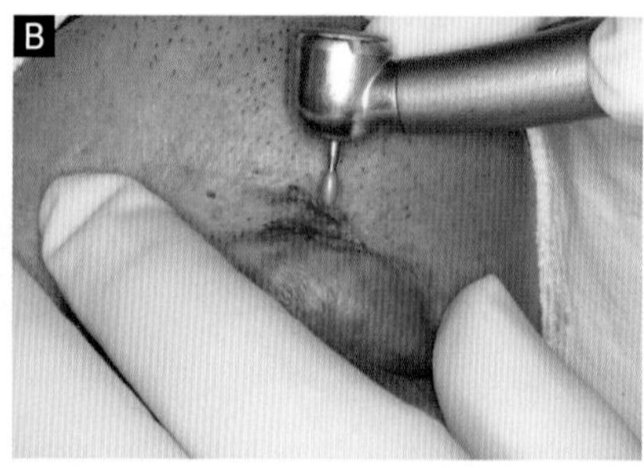

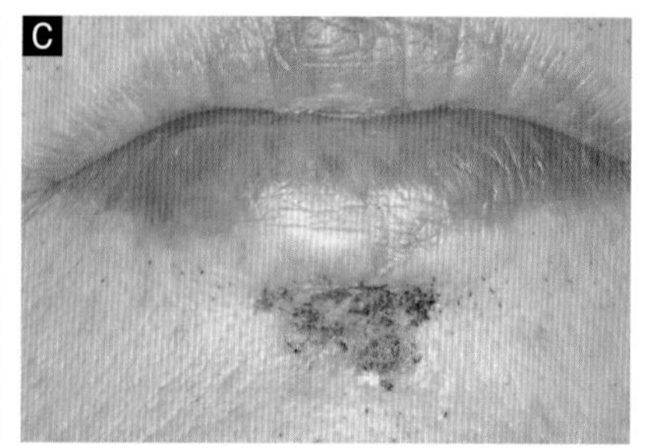

그림 14-13 기계적박피술. A: 술전 B: 술중 C: 술후

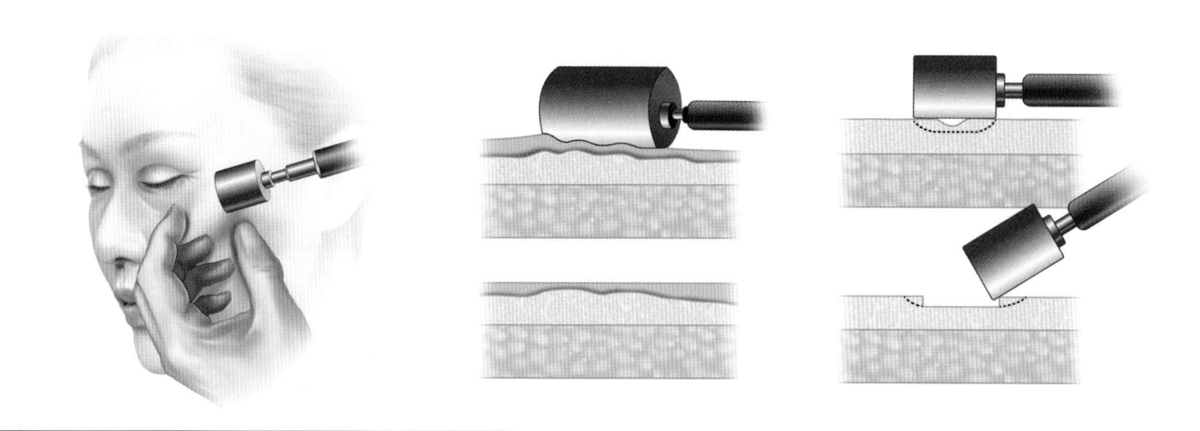

그림 14-14 피부박피술 모식도

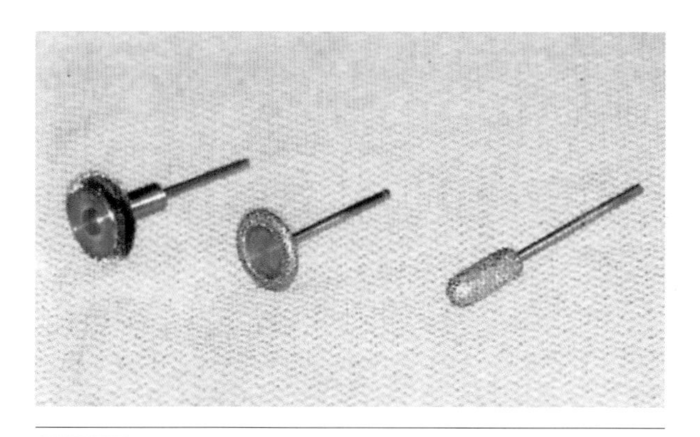

그림 14-15 피부박피술에 사용되는 버

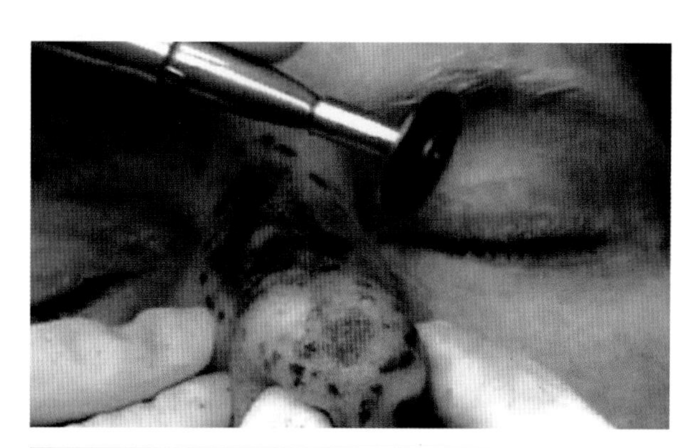

그림 14-16 피부박피술 술식

지므로 주의해야 한다.[20,21]

(2) 수술 후 처치

수술부위는 버에서 떨어진 돌가루로 인해 실리카 육아종(silica granuloma)이 생기지 않도록 생리식염수로 충분히 씻어 준다. 1:100,000 에피네프린이 포함된 리도케인에 적신 거즈를 약 5~10분간 압박하여 따끔거리는 동통을 경감시키고 지혈을 시킨다.

드레싱은 바세린이나 항생제 연고만을 바르고 얼굴을 열어놓는 개방 처치법과, 듀오덤(duoderm) 등을 덮고 저절로 탈락될 때까지 기다리는 폐쇄 처치법이 있으나, 그 결과에는 큰 차이가 없다. 개방 드레싱 시에도 연고를 계속 도포하여 피부가 건조되지 않도록 한다(그림 14-17).

대개 7~10일 내에 형성되는 가피는 차츰 저절로 탈락된다. 술후 10일째부터는 화장이 가능하나 상당기간 햇빛을 피하고 자외선 차단제를 사용하여 피부의 색소변화를 방지해야 하며, 피부가 정상으로 될 때까지 갈라지거나 마르지 않도록 습윤제를 발라준다.[22]

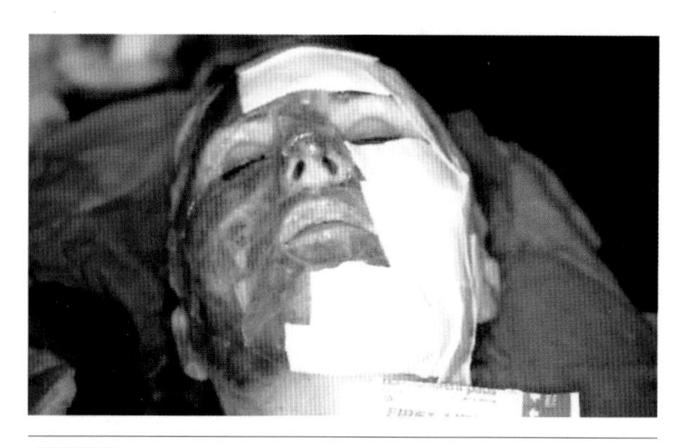

그림 14-17 피부박피술 드레싱

2) 화학적 박피술(Chemical peeling)

화학적 박피술이란 화학물질을 피부에 도포하여 미리

계산된 깊이의 손상을 피부에 가함으로써 표피와 상부 진피층을 파괴한 후 자연 치유되게 하여 젊고 주름이 적게 보이게 하는 방법으로, 주로 안면부의 잔주름과 색소침착 등을 제거하는데 이용된다.[23]

(1) 화학물질의 분류

화학적 박피술에 사용하는 약물들은 침투되는 피부깊이에 따라 크게 superficial, medium, deep 3가지로 분류한다(표 14-1). 그러나 이 분류는 이해를 돕기 위한 지침이며 절대적인 지표는 아니다. 박피되는 깊이는 화학물질의 종류뿐만 아니라 도포되는 양, 횟수, 시간과 같은 시술자의 기술, 박피술 전처치의 유무, 박피술 후의 처치 방법 등에 따라 크게 달라질 수 있다(표 14-2).[24]

(2) 적응증

얼굴 잔주름, 작은 표재성 색소성 피부이상, 변색증(pigmentary dyschromics), 검버섯, 색소모반, 기미(melasma), 주근깨(freckles), 광선 각화증, 일광 각화증(solar keratosis), 및 얕은 여드름 반흔 등에 화학적 박피술을 적용한다. 표피상층부에 위치하는 기미인 경우에는 얕은 층의 박피술을, 깊은 주름인 경우에는 깊은 층의 박피술을 시행한다(표 14-3).[25]

(3) 상대적 금기증

활동성 단순포진(Herpes simplex) 감염이 있는 경우는 타부위에 포진을 전염시켜 심한 반흔을 초래할 수 있으므로 박피를 피해야 하며, 재발이 잦은 환자는 예방적으로 수술 전 2일 또는 7일 전부터 acyclovir를 술후 10~12일까지 투여 한다. 여드름 치료를 위해 방사선 치료나 isotretinoin을 투여한 환자들은 피부 부속기의 손상으로 인해 심한 흉터를 남길 수 있으므로 적어도 1년 6개월~2년 정도는 수술을 연기한다. 남성은 피부가 두껍고, 지성이며, 대부분 화장을 하지 않으므로 여성에 비해 좋지 않은 결과를 나타낸다.[26]

주름살 제거 수술과 동시에 깊은 박피술을 하면 피부 전층이 모두 괴사될 수 있으므로 주름살 제거 후 적어도

표 14-1 화학적 박피술에 사용되는 약물의 분류

Depth of chemical peeling	Chemical agents
Superficial 0.06 mm (stratum granulosum to superficial papillary dermis)	• Tricholoacetic acid (10~25%) • Combes (Jessner s) solution • Resorcinol, 14 g • Salicylic acid, 14 g • Lactic acid 85%, 14 mL • Ethanol 95%, 100 mL • Alpha-hydroxy acids • Glycolic acid 50~70% • Unna s paste (resorcinol 40 g, zinc oxide 10 g, ceyssatite 2 g, benzoin axungia 28 g) • Carbon dioxide snow (Alcohol, sulfur) • Phenol 88%(Full-strength)
Medium 0.45 mm (papillary to upper reticular dermis)	• Trichloroacetic acid (35~50%) (A second kerat이 ytic, eg, CO_2, Jessner s/ Combes, glycolic acid) • Baker-Gordon phenol formula (occluded/ nonoccluded)
Deep 0.6 mm (midreticular dermis)	• Phenol 88%, 3 mL • Croton oil, 3 drops • Septisol, 8 drops • Distilled H_2O, 2 mL

표 14-2 박피의 깊이에 영향을 주는 요소들

Chemical agents	• Solution (deep, medium, superficial) • Concentration • Frequency of applications • Volume applied
Integrity of epidermal barrier	• Pretreatment (retinoic acid, combes solution, CO_2 slush) • Skin cleaning (soap and water, alcohol and acetone degreasing, mechanical gauze scrub)
Skin thickness	• Density of adnexal structures • Location
Occlusion	• Tape, porous versus nonporous • Occlusive ointments • Duration

표 14-3 환자평가

Pertinent Ouestions	• Pertinent Finding
Recent surgery	• Facelift or browlift, rhinoplasty
Medications	• Systemic steroids and retinoids • D-penicillamine • Dilantin
Skin	• Inflammatory skin disease • Verrucae vulgaris • Herpes simplex virus • Postinflammatory hyperpigmentation • History of radiation therapy to the area being treated • Presence of keloid or hypertrophic scars • History of poor wound healing
Social history	• Nicotine use

2~3개월 후에 박피술을 시행하는 것이 좋다. 에스트로겐은 tyrosine 생성을 자극하여 멜라닌의 생성을 늘려 기미를 끼게 하므로 피임약을 복용하는 환자는 시술을 연기한다. 다른 수술과 마찬가지로 정신적으로 불안정하고 치유과정에 대한 이해가 부족한 환자 및 조절되지 않는 전신질환을 가지고 있는 환자들에서는 박피술을 피한다.[27]

(4) 화학약제에 따른 화학적 박피술 방법

① Glycolic acid 박피술

3~10%의 glycolic acid는 화장품 형태로 만들어 매일 스스로 바르게 하면 각질층 및 표피 전체를 정상화시키는 역할이 있는 것으로 알려져 있으며, 고농도의 glycolic acid는 진피층까지 침투할 수 있어 박피술에 이용되기도 한다.

먼저 얼굴을 에틸알코올이나 아세톤으로 부드럽게 닦아낸다. 50% 또는 70%의 glycolic acid 를 15~20초 동안에 거즈나 큰 면봉으로 얼굴 전체에 고르게 바른다. 피부에 바른 후 시간 경과에 따라서 침투 깊이가 결정되는데 여드름 치료시는 1~2분 정도, 기미 제거시는 50%의 glycolic acid를 2~4분 정도, 주름 제거시는 70% glycolic acid를 4~8분 정도 경과한 다음, 물로 닦아내거나 중탄산염(sodium bicarbonate)으로 중화시킨다.

Glycolic acid 박피술은 깊이가 얕은 반면, 회복이 빠르고 합병증이 거의 없다. 그러나 중탄산염으로 중화시키는 경우에는 열이 발생하여 피부손상 위험이 있으므로 주의해

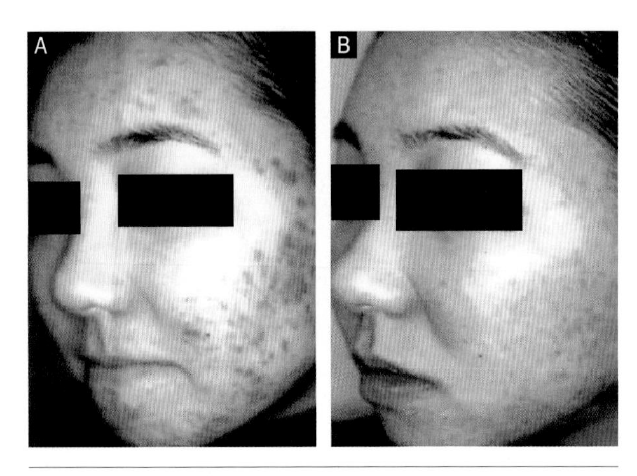

그림 14-18 A: Glycolic acid 박피술 치료 전 B: 12회 치료 종료 후

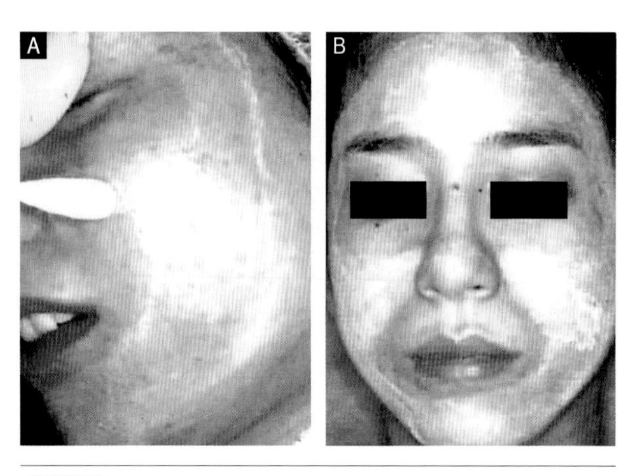

그림 14-19 Salicylic acid의 도포. A: 면봉으로 고르게 한다. B: Salicylic acid의 도표 후 형성

야 한다. 눈에 약물이 들어간 경우에는 따가울 수 있으며 물로 닦아 주면 된다. 만일 얼굴이 심하게 홍조를 띄는 경우에는 스테로이드 크림을 2일 정도 바르게 한다. 필요하면 2~4주 간격으로 반복해서 박피를 하면 좋은 결과를 얻을 수 있다(그림 14-18).

② Salicylic acid 박피술

Glycolic acid 박피술처럼, 먼저 에틸알코올이나 아세톤으로 얼굴을 부드럽게 닦아 피부의 기름기를 제거한다. 30~35%의 salicylic acid를 얼굴 전체에 균일하게 바른 다음, 6분 정도 지난 후 얼굴을 물로 씻는다(그림 14-19). 이때는 중탄산염으로 중화과정은 필요없으나 넓은 부위에 적용시 salicylism에 주의를 기울여야 하며, 특히 임산부에게는 이 술식을 피해야 한다.

③ TCA (tricholoacetic acid) 박피술

TCA 박피술은 glycolic, salicylic acid를 이용한 박피술에 비해 좀 더 깊은 박피시 사용되며, 도포 후 동통을 유발하므로 술전에 진정제를 투여한다.[28] 그러나 국소적으로 도포 마취(topical anesthesia)는 시행하지 않는데, 이는 피부를 수화(hydrate)시켜 TCA 약제가 원하는 깊이보다 더 깊게 도달할 수 있기 때문이다. 술전에 피부를 비누로 깨끗이 씻고 나서 아세톤이나 에테르로 얼굴의 기름기를 제거하며 깊은 주름 부위는 피부를 당겨서 깨끗이 제거한다. TCA를 거즈에 묻혀 흐르지 않게 조심하여 얼굴에 발라준다. TCA가 피부에 침투하는 정도는 TCA의 농도, 양, 발라주는 횟수 및 힘에 따라 다를 수 있으므로 얼굴 전체에 빠르고, 가볍게 그리고 균일하게 발라주며, 순서는 얼굴의 미적 단위로 나누어 이마, 볼, 코, 입 주위로 진행한다. 다른 부위에 바를 때는 새로운 거즈에 TCA를 적셔서 사용하며 눈꺼풀 주위에는 30% TCA를 면봉에 찍어서 바른다. 주름이 깊은 경우에는 농도를 10% 묽게 한 TCA로 주름 위에 덧칠을 하기도 한다. TCA가 얼굴 전체에 균일하게 서리화(frost, whitening)되는 것이 중요하며, 서리가 완전히 앉으면 선풍기와 냉찜질(dry, cold compress)로 동통을 감소시킬 수 있다.[29]

TCA를 바르면 피부의 표피층과 진피층 단백질의 분해 및 응고현상이 일어나는데 이는 피부에 서리가 내린 것 같이 하얗게 나타난다. 이와 같은 색깔의 변화는 TCA의 침투된 깊이를 알 수 있게 한다. 분홍색을 띠는 투명한 흰 서리 부위는 표피층과 유두층 상부까지 침투되었음을, 불투명한 흰서리는 유두층 전체가 박리되었음을 나타낸다. 그러나 망상층까지 침투시는 회색서리로 나타나는데 이는 술후 합병증 발생을 의미할 수 있다. 또한 피부의 팽팽한 상태(turgor)를 통해 깊이를 알 수 있다. 습하고 부종이 있어 보이면 표피층까지, 양피지같이 보이면 진피층까지 박리된 것을 의미한다. 피부색깔이 정상으로 돌아오는데 걸리는 시간을 보고도 TCA가 침투된 깊이를 알 수 있는데, 표피

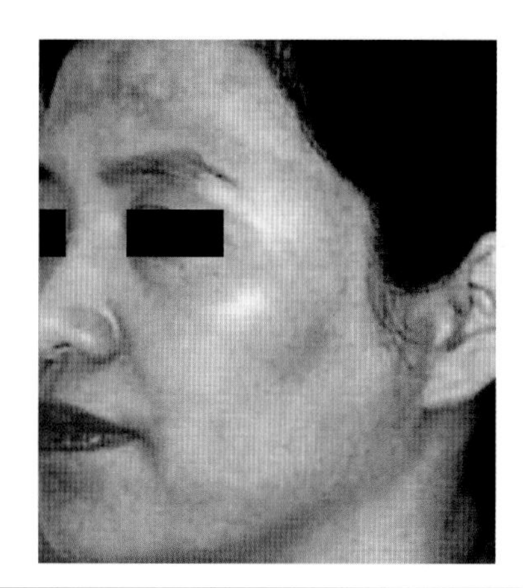

그림 14-20 **얼굴 전체의 모반 및 일광각화증**

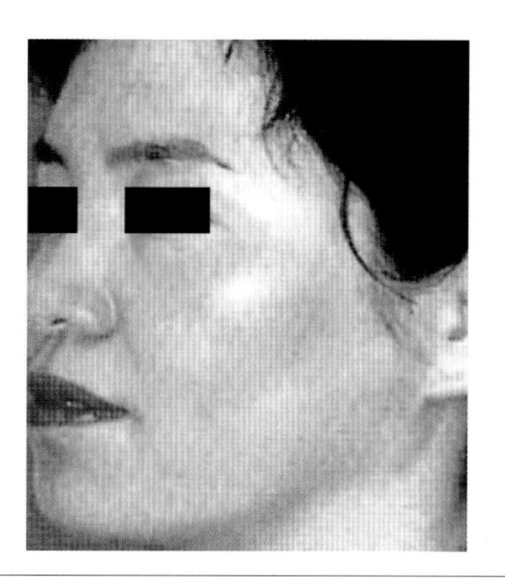

그림 14-21 **TCA 박피술 2개월 후 소견.** 노인성 반점은 옅어져 눈에 띄지 않게 되었다.

까지만 응고된 분홍색을 띤 서리부위는 정상 피부 색깔로 돌아오는데 5~15분이 걸리고, 진피층 깊이까지 응고된 경우는 30~40분이 걸린다(그림 14-20, 21).[27]

(5) 술후 처치

Glycolic 및 salicylic acid 박피술 후에는 특별한 술후 관리가 필요치 않다. 그러나 TCA 박피술 후에는 페놀에서와 마찬가지로 방수 테이프를 얼굴 전체에 붙이는, 폐색처치가 흔히 필요하다. 그러나 24~48시간 후 테이프를 뗄 때 페놀에서와 같이 삼출액이 많지 않아 쉽게 안 떨어져 통증이 있을 수 있다.

하루 3~4번씩 샤워하고 연화제(emolient)를 바르는 과정을 5~14일 반복하면 완전한 표피의 재생을 볼 수 있다. 이 동안 딱지를 억지로 떼지 않도록 조심해야 한다.

박피술 후에는 적어도 3개월간 햇빛에 노출되지 않아야 하고, 심한 운동 등 땀을 많이 흘리는 일은 피해야 한다. 가려워도 절대 긁지 말고 항히스타민제 등으로 해결하고, 베갯잇도 비단 등 부드러운 것으로 바꾸어야 한다. 술후 얼굴의 홍조가 수 개월 지속되는데 이 기간 동안 햇빛을 피하고 일광차단제를 바르며 저 알러지성 화장품을 쓰는 등의 각별한 피부관리가 필요하다. Retin-A, glycolic acid, hydroquinone 등을 적절히 배합하여 3~6개월 사용함으로써 색소침착 등의 합병증을 예방하고, 좋은 결과를 얻을 수 있다. 필요하면 1~3개월 간격으로 TCA 박피술을 반복할 수 있다. 박피술 후 6개월간은 임신을 피하는 것이 좋으며, 남성의 경우는 감염의 위험을 줄이기 위해 매일 면도를 시행하도록 한다.

3) 박피술 후 피부의 조직학적 변화

박피술로 얻을 수 있는 피부의 조직학적 변화는 박피술을 시행하는 약품이나 도구에 따라 결정되기보다는 박피되는 피부의 깊이에 따라 정해지게 된다. 적당한 두께의 박피술로

① 광선각화증(actinic keratosis)과 흑자(lentigines)의 제거
② 새로운 표피 생성(피부 부속기로부터의)
③ 탄력섬유증(elastosis) 감소
④ 새로운 교원섬유의 생성 및 구조의 정상화

등의 효과를 한꺼번에 얻을 수 있고, 노화되고 햇빛에 상한 피부를 젊고, 깨끗한 피부로 만들 수 있다.

4) 박피술 후 합병증

(1) 감염

대부분의 감염증은 포도상구균, 연쇄상구균 또는 녹농균에 의한 것으로 적절한 항생제와 청결을 유지시켜 주면 해결된다. 헤르페스 바이러스에 의한 단순 포진은 Acyclovir로 즉시 처치해 주어야 심한 흉터를 예방할 수 있다.[30]

(2) 저색소증(Hypopigmentation)

저색소증은 표피 이상 박피했을 때만 나타나며 표피-진

피 경계에 있는 멜라닌 세포(melanocyte)들이 파괴된 후 피부부속기로부터 다시 재생이 되지 못할 때 생긴다. 대부분 홍반(etythema)의 소실과 함께 사라지는 일과성이며, 홍조의 소실 이후에도 저색소증이 계속된다면 영구적인 것으로 간주되나 특별한 치료법은 없다.

(3) 과색소침착(Hyperpigmantation)

염증반응으로 인하여 세포가 외부 자극에 민감하게 반응하여 멜라닌이 과다하게 분비된 경우에 발생한다. 직사광선을 피하고 술후 관리에 주의를 기울이는 것이 예방법이다.

(4) 비후성 반응(Hypertrophic scar)

지나치게 깊이 박피된 경우와 감염증 등으로 염증이 심한 경우 정상적 표피 재생 대신 비후성 반흔이 생길 수 있으며, 특히 윗 입술과 턱 끝에 주로 잘 생긴다. 일단 발생하면 큰 문제를 야기하므로 철저한 예방과 조기치료가 중요하다. 어느 부분이든지 붉고 딱딱한 부분이 4주 이상 지속되면 silicon gel sheeting을 붙이기 시작한다. 1주일간 관찰하여 현저한 효과가 없을 경우는 silicon gel sheeting과 함께 Cordran tape (flourancrenolide)나 국소 스테로이드 도포를 아침, 저녁 번갈아 시행한다. 1~2주간 더 관찰하여 여전히 개선이 없다면, 트라이암시놀론 2~4 mg/mL를 2주 간격으로 국소 주사한다. 그러나 이러한 치료가 너무 과할 경우에는 피부위축증을 유발할 수 있으므로 조심하여야 한다(그림 14-22).

(5) 창상치유 지연

박피술 후 14~21일이 지나도록 표피 재생이 되지 않고, 표피 세포 대신 육아조직으로 남아있는 부위는 Vigilion 등의 습포나 반폐색성 처치(semi-occlusive dressing)로 치료하

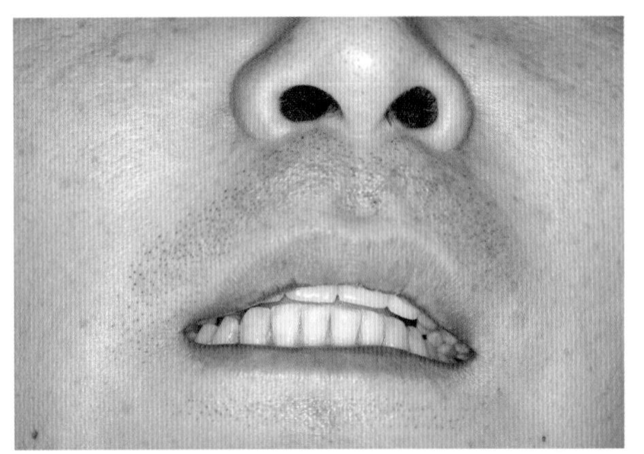
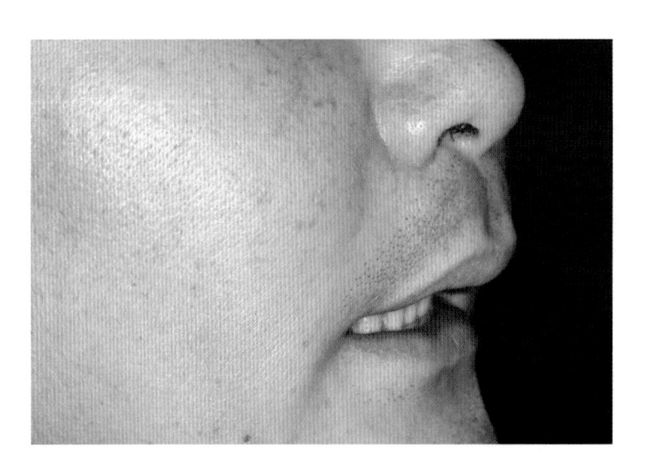
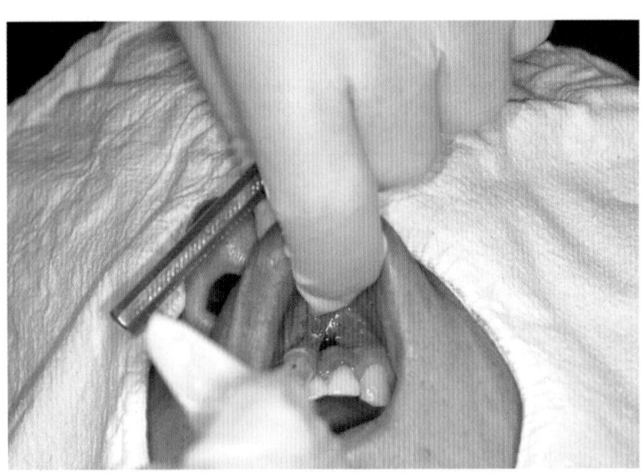
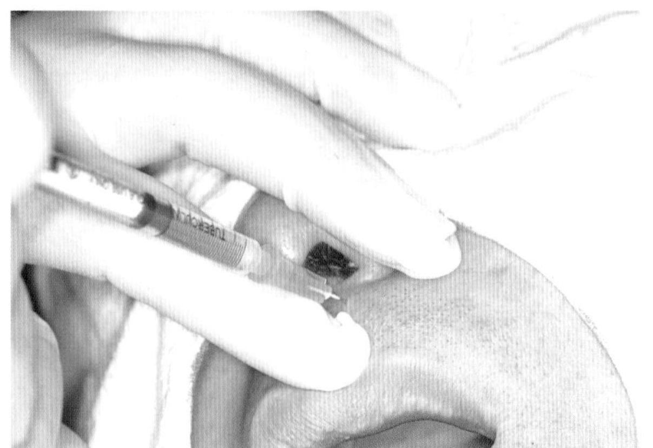

그림 14-22 Triamcinolone acetonide 2~4 mg/mL을 상순 부위이 비후성 흉터를 감소시키기 위해서 주사를 시행하는 모습

며, 개선이 있으면 점차 듀오덤(Duoderm)같은 gelform dressing으로 바꾸고, 표피가 덮이면 silicone gel sheet를 붙인다.

(6) 기타

모세혈관 확장증의 발생 시에는 레이저나 전기소작술로 치료한다. 비립종(milium) 박피술 후 4주째에 잘 생기며, 발생 시 바늘이나 전기소작술로 끝을 따준다. 소양증은 아스피린으로 치료하며 열감이나 지속적인 홍조는 시간과 함께 개선될 수 있다.

참고문헌

1. 박일홍, 박대환. 미용성형외과 Practice. 서울: 군자출판사; 2004.
2. Gilchrest BA. Age-associated changes in the skin. J Am Geriatr Soc 1982;30:139-43.
3. 민병일. 악안면성형외과학. 1판 ed. 서울: 군자출판사; 1990.
4. Ketchum LD, Cohen IK, Masters FW. Hypertrophic scars and keloids. A collective review. Plast Reconstr Surg 1974;53:140-54.
5. Uitto J. A method for studying collagen biosynthesis in human skin biopsies in vitro. Biochim Biophys Acta 1970;201:438-45.
6. Borges AF. Elective incisions and scar revision. Boston: Little, Brown & Co.; 1973.
7. McCarthy JG. Plastic Srugery. 3rd ed. Philadelphia: WB Saunders; 1990.
8. Brody HJ, Hailey CW. Medium-depth chemical peeling of the skin: a variation of superficial chemosurgery. J Dermatol Surg Oncol 1986;12:1268-75.
9. Millard DR. Scar repair by the double-breasted vest principle. Plast Reconstr Surg 1970;45:616-9.
10. Pollack SV, Goslen JB. The surgical treatment of keloids. J Dermatol Surg Oncol 1982;8:1045-9.
11. Rockwell WB, Cohen IK, Ehrlich HP. Keloids and hypertrophic scars: a comprehensive review. Plast Reconstr Surg 1989;84:827-37.
12. Lichtenstein JR, Bauer EA, Uitto J. Cleavage of human fibroblast type I procollagen by mammalian collagenase: demonstration of amino- and carboxy-terminal extension peptides. Biochem Biophys Res Commun 1976;73:665-72.
13. Kischer CW. Predictability of resolution of hypertrophic scars by scanning electron microscopy. J Trauma 1975;15:205-8.
14. Ahn ST, Mustoe TA. Effects of ischemia on ulcer wound healing: a new model in the rabbit ear. Ann Plast Surg 1990;24:17-23.
15. Cohen IK, McCoy BJ. The biology and control of surface overhealing. World J Surg 1980;4:289-95.
16. Cosman B, Wolff M. Correlation of keloid recurrence with completeness of local excision. A negative report. Plast Reconstr Surg 1972;50:163-6.
17. Brown LA, Jr., Pierce HE. Keloids: scar revision. J Dermatol Surg Oncol 1986;12:51-6.
18. Borges AF. Relaxed skin tension lines (RSTL) versus other skin lines. Plast Reconstr Surg 1984;73:144-50.
19. Epstein E. Dermabrasion for therapeutic purpose. In: Epstein E, editor. Skin surgery. 6th ed. Philadelphia: WB Saunders Co; 1987. p.344.
20. Stolar R. Abrasive Planing with High-Speed Cutting Tools:(30,000 to 85,000 RPM). Dermatol Clin 1984;2:285-91.
21. Sulzberger MB. Dermatology: Diagnosis and Treatment. Chicago: Yearbook Medical Publishers Inc.; 1961.
22. Hill TG. Cutaneous wound healing following dermabrasion. J Dermatol Surg Oncol 1980;6:487-8.
23. Engasser PG, Maibach HI. Cosmetic and dermatology: bleaching creams. J Am Acad Dermatol 1981;5:143-7.
24. Mosienko P, Baker TJ. Chemical peel. Clin Plast Surg 1978;5:79-96.
25. Stagnone JJ. Chemical peeling and chemobrasion. In: Epstein E, editor. Skin surgery. 6th ed. Philadelphia: WB Saunders Co; 1987. p.412.
26. Stepita DS. Chemical (phenol) peel. Instructional course of 61st Annual Scientific Meeting of ASPRS. Washington; 1992.
27. Kligman LH, Sapadin AN, Schwartz E. Peeling agents and irritants, unlike tretinoin, do not stimulate collagen synthesis in the photoaged hairless mouse. Arch Dermatol Res 1996;288:615-20.
28. Chiarello SE, Resnik BI, Resnik SS. The TCA Masque. A new cream formulation used alone and in combination with Jessner's solution. Dermatol Surg 1996;22:687-90.
29. Obagi ZE, Obagi S, Alaiti S, Stevens MB. TCA-based blue peel: a standardized procedure with depth control. Dermatol Surg 1999;25:773-80.
30. Resnik SS, Resnik BI. Complications of chemical peeling. Dermatol Clin 1995;13:309-12.

Chapter

15 지방흡입술, 자가지방이식술

Liposuction, Autogenous Fat Graft

기본 학습 목표

- 지방의 해부를 이해하고 증령에 따른 변화를 이해한다.
- 지방흡입술의 적응증과 금기증을 이해한다.
- 자가지방이식술의 장점을 이해한다.

심화 학습 목표

- 지방흡입술의 술식, 술후 처치, 합병증을 이해한다.
- 자가지방이식술의 술식과 기술적 사항을 이해한다.

연조직성형술 중에서 안면의 윤곽을 개선시켜 줄 수 있는 방법으로는 지방흡입술과 자가지방 이식술이 있다. 지방조직이 얼굴 전체에 혹은 어느 특정 부위에 과다하게 축적된 경우에는 지방흡입술을 통해 개선시켜 줄 수 있으며, 노화에 따른 지방 조직의 위축과 과도한 주름은 자가지방 이식술로 개선시켜 줄 수 있다. 최근에는 다양한 재료들을 주사 혹은 주입함으로써 이러한 술식들을 대체하고는 있지만, 현재까지 악안면성형재건외과 영역에서는 가치가 많은 술식들이다.

1. 지방흡입술(Lipodystrophy)

1) 해부학

악하부에서 활경근(platysma)보다 표재성으로 존재하는 지방조직을 preplatysma fat pad라 부르고, 활경근 하방에 있는 지방조직을 subplatysmal fat pad라 부른다. 하악이부 하방 정중선 부위에 지방조직이 가장 많고 측방으로 갈수록 두께가 차츰 얇아진다.

임상적으로 이들 지방대가 각각 어느 정도로 목 윤곽에 영향을 미치고 있는지 알려면 환자로 하여금 혀를 내밀고 활경근을 수축하게 해 보면 쉽게 알 수 있다. Subplatysmal fat pad를 제거하려면 지방 흡입술로 제거하기 보다는 절개해서 직접 눈으로 보면서 제거하는 편이 더 좋다. 이 방법은 지방흡입술 시 활경근의 여러 부위에 구멍을 뚫지 않아도 되고, 정확한 양의 지방을 제거할 수 있으며, 안면신경 분지를 손상시킬 가능성이 적다.[1-3]

2) 지방

나이가 많아질수록 근육의 부피는 줄고 지방은 증가한다. 지방세포의 수와 크기는 몸매에 큰 영향을 미친다. 지방이 너무 많이 축적되면 비만증이 되고 너무 적게 축적되면 악액질(cachexia)이 된다. 비만증으로 인해 몸매가 뚱뚱해지거나 유전적 소인으로 인해 국소에 지방이 많이 축적되어 몸매가 변하는 것도 모두 지방세포 때문이다.

정상적으로 지방세포의 수는 태아 말기 때부터 사춘기 때까지만 증가하는 것으로 알려져 있었다. 종전의 학설은 사춘기 이후 지방세포의 절대 수는 일정하고 그 크기만 변화한다고 주장했다. 그러나 최근에는 사춘기 이후에도 지방세포의 크기가 변화될 수 있음은 물론이고 수도 증가할 수 있다고 주장한다. 이는 지방조직의 양이 평생 동안 변화할 수 있다는 것이다. 다시 말하면 전구 지방세포가 한 평생 동안 몸에 존재하면서 세포분열을 하거나 분화할 수 있고 분화한 지방세포가 덜 성숙한 지방세포로 되돌아갈 수도 있다.[1,2]

사춘기 이후 중등도의 비만증이 될 때에는 지방세포의 수에는 변화가 없고 지방세포가 지방을 많이 저장해서 크기만 커진다. 이것을 비대성 지방축적이라 부른다. 그러나 비만증이 심해질 때에는 지방세포의 크기뿐만 아니라 수도 증가한다. 이러한 지방세포의 증식은 지방세포가 어느 정도 이상으로 커지면 촉발된다. 이것을 증식성 지방축적이라 부른다.

3) 수술의 적응증

지방흡입술은 국소적으로 과다하게 축적되어 있는 지방을 제거하여 그 부위의 크기와 굵기를 줄여 주는데 목적이 있다. 결코 전신적 비만증 환자의 온몸에 축적되어 있는 지방을 제거하여 체중을 줄여 주는 데 목적이 있는 것은 아니다.

(1) 지방 이영양증

선천적 및 유전적으로 신체의 어떤 부위에 지방이 정상보다 훨씬 많이 축적되어 있는 변형이다. 사춘기 이후에 변형이 더 심해지는 것이 특징이며, 대부분 모계가 이와 비슷한 몸매를 가지고 있다. 이러한 변형은 임신과 더불어 체중이 증가하면서 더욱 심해진다. 임신이 끝나고 철저하게 금식해서 체중이 감소하게 되면 특정 부위의 과다한 지방도 감소되어야 하지만 그대로 존재하게 된다.

(2) 피부지방절제술의 보조수단

피부가 매우 늘어져 있고 탄력성이 좋지 못해 피부지방절제술을 시행하거나 비만증 환자에게 피부지방절제술을 시행할 때 보조적 수단으로 지방흡입술을 동시에 시행해 주기도 한다.

4) 수술의 금기증

① 체중이 심하게 감소한 사람, 건강 상태가 좋지 못한 사람, 비현실적인 기대를 가지고 있으며 심리적으로 불안정한 병력을 가진 사람, 조직의 탄력성과 수축력이 미미한 사람

② 심한 흡연자: 폐 합병증과 피부 괴사가 발생할 위험성이 높다.

③ 비만증 환자: 심장의 위험성, 소화 이상, 악성종양과 관련이 있을 수 있다. 이러한 환자는 지방흡입술을 시행하기 전에 체중을 어느 정도 줄여야 한다. 지나치게 여위었고 피부가 많이 늘어진 환자는 지방흡입술보다는 피부절제술을 시행해주는 것이 좋다.

5) 수술 전 준비

① 흔히 발생할 수 있는 합병증에 대해 환자와 상의해야 하며, 20~30% 정도의 환자에서는 2차 수술이 필요함을 미리 설명한다.

② 혈소판 활성에 영향을 미치는 약제, 특히 아스피린, 살리실산제제, 스테로이드, 나프록센 등과 같은 항염증제, 항응고제 등을 장기 복용하고 있는 환자들은 수술 후에 심한 출혈이 있을 수 있으므로 담당 주치의와 상의하여 투약 중단 여부를 결정해야 한다. 혈압강하제 등의 복잡한 약제를 복용하고 있는 환자는 마취과 의사와 상의해 보는 것이 좋다.

③ 담배 피우는 사람의 피부는 수술 후에 괴사되기 쉬우므로 적어도 수술 2주 전에 금연해야 한다.

④ 술후 저혈압증과 빈혈을 예방하기 위해 출혈성 질환이나 다른 질환을 갖고 있지 않는지 조사해 보고 수술 전 및 수술 후 4주간 철분제제(300 mg/일)를 투여한다.

⑤ 2,000 mL 미만의 지방을 흡인할 때는 자가수혈을 하지 않아도 안전하지만, 2,000 mL 이상을 흡입할 때는 자가수혈이 요구된다. 3,000 mL 미만을 흡입할 때는 외래에서 경과를 관찰하면서 1 pint 정도의 자가수혈이 필요할 수 있다. 3,000 mL 이상 흡입할 경우에는 입원시켜야 하고, 최소한 2 pint의 자가수혈이 요구된다. 지방흡입술만 시행할 때에는 최고 5,500 mL까지 흡입할 수 있고, 지방흡입술과 피부지방 절제술을 겸해서 할 때에는 최고 4,000 mL까지 흡입할 수 있다. 흡입할 양만 생각할 것이 아니라 흡입할 면적도 고려해야 한다. 왜냐하면 총 실혈량은 흡인된 혈액량과 조직에 새어 나와 있는 혈액량을 합친 것이기 때문이다.

⑥ 환자를 일으켜 세워두거나 앉혀두고 측방과 상방에서 조명하면서 환자를 천천히 돌려 불규칙한 곳, 높은 곳, 낮은 곳을 잘 살펴본다. 손가락으로 눌러보고, 피부를 손가락으로 집어 보아서 피하지방조직의 두께를 확인한다. 부위에 따라서는 방사선사진을 보고 평가하

기보다는 직접 눈으로 보고 평가하는 것이 더 정확하다. 수술 결과를 상상하면서 어떤 부위에서 얼마만큼의 지방을 흡입할 것인지를 마음에 새기고, 지방이 축적된 정도를 등고선 지도처럼 피부에 표시해 둔다. 그리고 나서 적당한 피부 절개 부위를 결정해 둔다.
수술 부위의 둘레를 줄자로 재어서 표준 둘레와 비교해 보고 수술 후에 다시 둘레를 재어서 수술 전 둘레와 비교해 본다.

⑦ 환자가 6~8시간 동안 금식하고 수술실에 왔을 때에는 이미 1,200~1,500 mL 정도의 액체가 모자라는 상태에 있는데다가, 지방을 흡입함으로써 일어나게 될 체액 이동에 대비하기 위해 마취를 유도하기 전에 링거락트산염 용액(10~12 mL/kg)을 주입한다.

⑧ 당뇨병 환자에서는 지방을 1,000 mL 정도 흡입하고 나면 insulin 요구량이 줄어든다.

⑨ 반드시 임상사진을 찍어서 사진을 놓고 환자와 상의한다. 정상인에서도 좌우에 약간의 차이는 있다는 사실을 이해시키고 아무리 능력있는 의사라도 얼굴을 수평적, 수직적으로 꼭 대칭이 되도록 수술해 주기는 어렵다는 사실을 이해시킨다. 그리고 수술하기 전에 좌우가 비대칭이면 이를 지적해서 수술하기 전에 환자가 이를 수용하도록 한다.

⑩ 국소마취나 전신마취 수술을 시작하기 30분 전에 methylprednisolone 500 mg과 cefazole 1 g을 정맥으로 주사한다. 스테로이드는 피판의 혈액순환을 좋게 하고 폐지방 색전 증후군을 예방하며, 조직부종을 감소시키는 효과가 있다.

6) 지방흡입술의 장비

지방흡입시에는 진공펌프, 접혀지지 않는 실리콘 튜브, 캐뉼러가 필요하다. 음압을 높일수록, 캐뉼러를 전후방으로 빨리 움직일수록 더 많은 양의 지방이 흡인된다.

(1) 펌프

펌프는 5~15초의 비교적 짧은 시간 내에 20 torr에 해당하는 음압을 만들 수 있는 것이어야 한다. 이 정도의 음압이면 특히 굵기가 가는 캐뉼러를 사용하면 지방세포가 파괴되어 흡인된다. 큰 구멍을 가진 캐뉼러를 사용하면 이보다 낮은 음압으로도 흡인이 가능하다. 음압을 높이면 캐뉼러를 전후방으로 천천히 움직여도 되므로 캐뉼러를 조종하기가 쉽다.

(2) 실리콘 튜브

캐뉼러와 펌프 간은 길이가 6 feet 정도이고, 음압에서도 접혀지지 않는 실리콘 튜브로 연결한다.

(3) 캐뉼러

2~10 mm 정도의 다양한 굵기와 4~40 cm 정도의 다양한 길이의 끝이 무디고, 흡인 구멍이 1~3개인 캐뉼러를 준비한다. 캐뉼러의 길이는 손잡이의 길이를 제외한 나머지 길이를 말한다. 용도와 시술자의 선호에 따라 캐뉼러를 선택하여 사용하지만 일반적으로는 구멍이 3개인 캐뉼러를 사용하는 것이 좋다. 굵기가 가는 캐뉼러를 사용하면 실혈량이 적고 흡입하기 용이하다. 캐뉼러의 굵기가 6 mm 이상이면 연조직이 더 많이 손상되며 전후방으로 넣고 빼기가 더 어려우며, 수술 후에 피부면이 더 울퉁불퉁하다. 대부분의 외과의사들은 구멍이 3개이고, 구부릴 수 있으면서, 굵기가 1.5~4.0 mm인 스테인리스 캐뉼러를 사용하기를 좋아한다. 구멍이 3개인 3.7 mm 캐뉼러를 사용하면 구멍이 1개인 6 mm 캐뉼러와 같은 속도로 흡인할 수 있으며 힘도 적게 들고 더 정확하다.[4]

7) 부위별 지방흡입술

(1) 안면 지방흡입술

외과의들은 안면부에 대해서 지방흡입술 한 가지만을 시술하기보다는 처음부터 지방흡입술과 주름을 펴는 수술을 함께 하는 것을 선호한다. 지방흡입술은 지방이 과도한 비순구와 볼에서 행해진다. 젊은 여성에서 지방이 아주 많이 있는 볼 부분은 지방흡입술에 매우 좋은 적응증이 된다. 그러나 나이가 듦에 따라 안면의 빈 공간이 현저해지고 피부의 느슨함이 일어났을 때 지방층을 일찍 제거하는 것은 적절하지 못하다. 비순구의 지방절제술과 동시에 피부의 주름 제거술이 동시에 행해진다면 결과를 훨씬 더 좋게 만들 것이고 오래 갈 것이다.

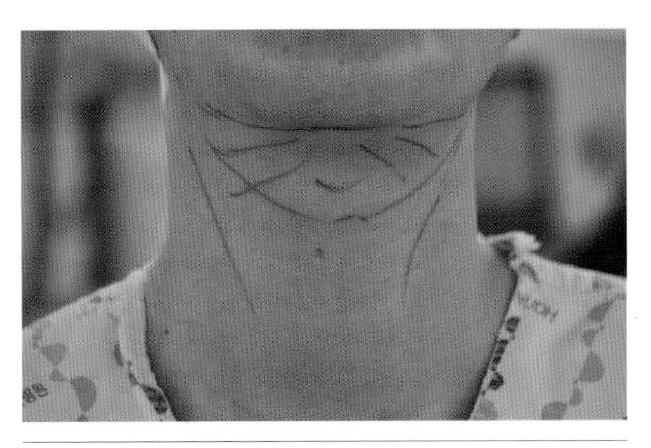

그림 15-1 심한 3급 부정교합수술 후 발생한 이중턱을 주소로 내원한 환자에서 지방흡인술을 할 부위를 디자인한 모습

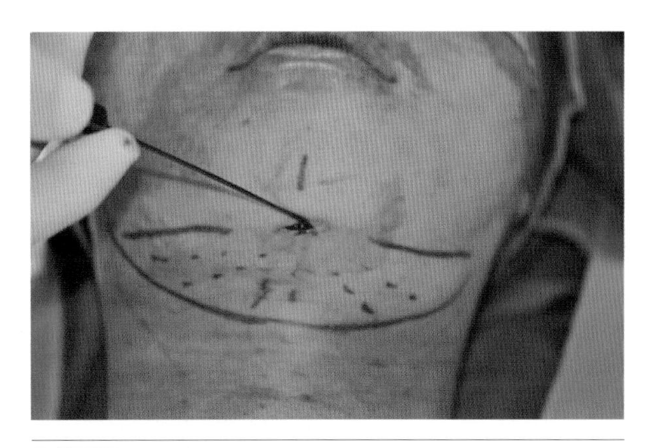

그림 15-2 실제 지방흡인술을 시행하는 모습

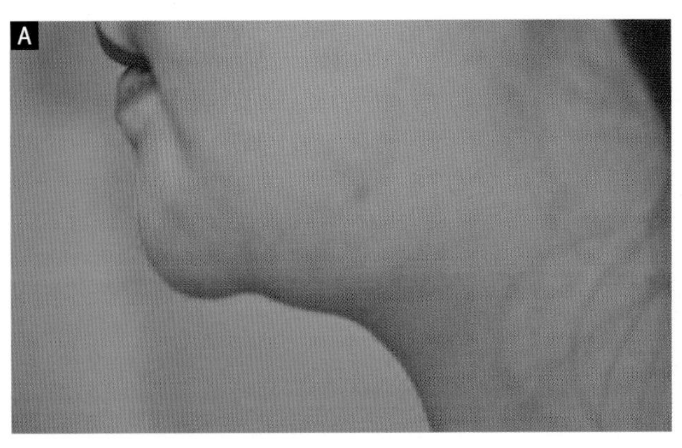

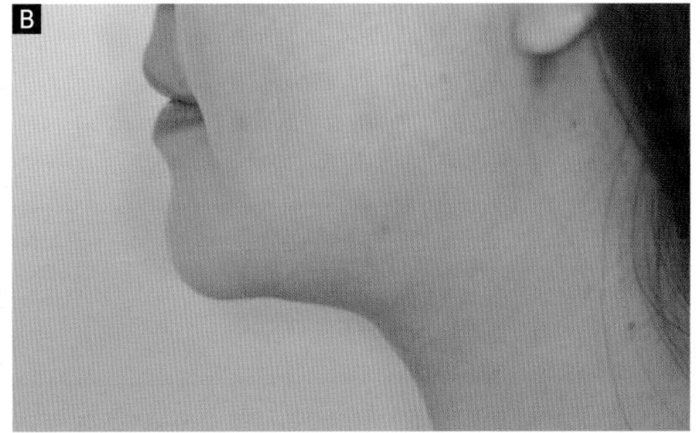

그림 15-3 양악수술 후 이중턱을 보이는 환자의 지방흡입술 전(A)과 후(B)

(2) 이부 지방흡입술

안면과 경부가 만나는 부위에 있는 턱 부위의 피부는 경부와 같이 좋은 적합성을 나타낸다. 턱 부위의 느슨한 피부는 종종 지방흡입술 후에 향상된다.[5]

(3) 경부 지방흡입술

경부는 지방흡입술이 가장 광범위하게 행해지는 부위이다. 다른 신체 부위의 지방흡입술 후에 최종 결과는 2개월 혹은 며칠 이내에 빠르게 평가될 수도 있는 반면에, 경부 지방절제술 후의 변화는 수개월 후에 나타나게 된다. 시간이 갈수록 경부에서 피부는 제 위치를 찾게 되고 먼저 존재했던 느슨함은 피부 제거 없이 지방흡입술만을 시행해도 사라질 것이다(그림 15-1~3).[6]

경부는 시간이 흐름에 따라 피부의 느슨함이 개선되는 유일한 부위이다. 이것은 경부의 지방흡입술을 단독으로 행하는 적응증이 증가하는 이유이다.

8) 지방흡입술 후 처치

(1) 활력 징후

수술을 다 마쳤을 때 환자의 활력 징후는 정상 범위 내에 있어야 한다. 수술 후 48시간 동안 누워서 안정하는 것이 좋다.

(2) 압박 처치

1주일간 탄력붕대나 탄력반창고로 압박해준다. 탄력반창고로 감아줄 때에는 폭의 절반씩 중복되도록 감아준다.

1주일 후에는 탄력붕대를 풀고 거들이나 팬티를 입혀서 5~8주간 지지해서 부종을 방지해준다. 수술 후 10~15일부터는 1주일에 두 번씩 가벼운 마사지를 하는 것이 수술 부위의 치유에 도움이 된다.

(3) 조기운동 시작

반상출혈이나 부종이 사라지고 나면 정상 활동이 가능하다. 1주일 후부터는 운동을 하는 것이 좋은데, 걸을 수 있을 때까지 많이 걷는 것이 좋다. 술후 5일경부터는 목욕이나 샤워를 할 수 있다.

(4) 2차 치료

2차 치료가 필요하면 적어도 수술한 지 4개월 후에 시행하는 것이 좋다.

9) 지방흡입술 후 합병증

(1) 불규칙한 피부면

수술 후 피부면이 물결모양으로 울퉁불퉁한 경우가 있으나 대개 6개월 이내에 호전된다. 그러나 조직이 처져 있는데도 불구하고 지방흡입술만 해주었거나 조직의 탄력성은 좋지만 지나치게 지방을 흡인했다면 2차 수술이 필요할 정도로 피부면이 울퉁불퉁해진다. 젊은 사람에게서는 그 정도가 경미하지만 노인이나 근육의 부피가 적은 환자에서는 울퉁불퉁한 것이 점점 심해질 수 있다.

진피 지방이식을 해 볼 수는 있겠지만 효과적이지 못하고 석회화가 되기 때문에 부적당하다. 환자 자신의 지방을 함몰된 부위에 주사해 주는 방법(lipo-injection)이 가장 좋은 편이다. 주사해 준 지방세포의 10~20%가 생존한다.

(2) 혈전증(Thrombosis)

(3) 반상출혈 및 부종

술 후 약 3~4주까지 지속될 수 있다.

(4) 감염

세균 감염은 매우 드문 것이긴 하지만 수술 부위의 심한 통증이나 발적이 있으면 감염을 의심해야 한다. Staphylococcus aureus에 의한 것이 가장 많다. 수술 중 cephalosporin을 정맥 내에 주사하고 수술 후에도 4~5일간 더 투여하여 감염을 예방한다.

(5) 감각 이상

수술 후 초기에는 수술 부위에 감각이상이 생길 수 있으나, 대부분 3~4개월 내에 회복된다. 얼굴의 주름살을 펴는 수술 후에 생긴 감각 이상은 100% 회복되지는 않는다. 피부지방절제술로 생기는 감각이상은 주의하면 예방할 수 있다.

(6) 폐지방 색전 증후군(Pulmonary fat embolism syndrome)

① 발생 빈도

복부 피부지방절제술을 해 준 경우 100명 중 1명꼴로 심한 혈전색전증이 발생하고, 1,000명 중 1명꼴로 사망할 수 있다.

② 원인

지방조직에 외과적 손상이 가해지면 혈중에 지방 입자가 들어갈 수 있다. 10 μm보다 큰 지방입자는 폐순환을 거쳐 뇌, 신장 또는 안구의 혈관에 걸리면서 손상을 일으킬 수 있다.

폐에 색전증이 일어나면 폐성 고혈압이 유발된다. 그리고 폐의 pneumocyte에 잡힌 지방입자는 lipase에 의해 지방산으로 가수분해된다. 이 지방산이 폐에 화학화상을 일으켜 폐혈관의 투과성이 증가한다. 그리하여 단백질이 많은 액체가 간질과 폐포 내로 누출되어 폐부종이 일어나고 염증과 표면활성물질 파괴가 유발되어 결과적으로는 폐부전이 생기게 된다.

③ 증상

대부분 수술 후 72시간 내에 일어난다. 급성호흡부전, 현저한 PO_2 감소, 흉부방사선사진상에 불투과상이 널리 퍼져 나타난다.

④ 예방

체액보충(volume loading), alcohol 정맥주사, 조기 운동

의 시작(early ambulation) 등이 중요하다.

(7) 과색소침착(Hyperpigmentation)

대부분은 혈액순환이 일시적으로 좋지 못했기 때문에 생기며 과도하게 흡입해서 진피에 손상이 가서 그럴 수도 있다. 그러므로 너무 피부 표면 가까이에서 흡입하지 말아야 한다.

대개는 손상된 조직이 회복됨에 따라 자연적으로 4~6개월 내에 없어진다. 초음파 마사지로 치료하고 일광노출을 피한다. 과색소침착이 없어지지 않으면 4% hydroquinone과 같은 피부 표백제를 사용하면 효과가 있다.

(8) 저색소침착(Hypopigmentation)

과색소침착보다 훨씬 드물다. 시일이 지남에 따라 그리고 일광에 노출하면 회복될 때도 있다. Trioxalen을 바르고 일광에 노출하면 도움이 된다.

(9) 혈종(Hematoma) 및 장액종(Seroma)

지방흡입술만 시행해 준 경우에는 혈종과 장액종이 발생하는 경우가 매우 드물다. 대부분은 피부지방절제술과 지방흡입술을 동시에 시행했을 경우에 발생한다. 출혈을 일으킬 수 있는 약제를 금하고 수술 시 지혈을 철저히 하고, 수술 후 압박드레싱을 잘 해주고, 적절하게 배액관을 꽂아서 예방하도록 한다. 주위조직에 압박을 줄 정도로 혈종이 생겼을 경우 생긴지 얼마 되지 않을 때에는 캐뉼러로 흡인해 낼 수 있다. 필요하면 절개했던 곳을 다시 열고 배출시켜 주어야 한다.

10) 2차 수술

윤곽이 불규칙하거나, 피부지방절제가 불충분했거나, 환자가 만족하지 않을 경우에는 2차 수술을 해주게 된다. 환자의 20~30%에서는 2차 수술이 요구되며, 심지어는 3차, 4차 수술까지도 요구될 때가 있다. 흡입해내기는 쉬워도 모자라서 다시 보충해 주기는 곤란하므로 1차 수술 시 과도하게 흡입해내기보다는 차라리 2차 수술을 하더라도 적당하게 흡입하는 편이 낫다.

2. 자가지방이식술[7]

노화에 따른 안면 지방의 부피 감소는 얼굴 주름을 두드러지게 하는 한 요인이다. 최근에 대두되고 있는 안면부 rejuvenation을 위한 방법으로는 filler가 선호되고 있지만, 재료 비용이 높다는 단점이 있다. 이에 전통적으로 이용되어 오고 있는 자가지방이식술에 대해 살펴보고자 한다.

1) 장점

지방자가이식은 다른 이식재나 filler에 비해 여러 장점들이 있다.

① 자가이식조직이다.
② 채취가 용이하다.
③ 면역거부 현상이 없다.
④ 시술이 몇 번 반복될 수 있다.
⑤ 비용이 적게 든다.
⑥ 채워 넣어야 할 필요가 있는 작은 함몰 부위는 어디에서나 적용이 가능하다: nasolabial sulcus, vermillion lines, glabella creases, surgical irregularities, trauma, acne scar, atrophy 등

2) 공여부

① 여성: 하복부, 골반부, 허리, 내외측 대퇴부, 안쪽 무릎
② 남성: 하복부, 골반부

3) 기구

캐뉼러, 주입기, 바늘, 수용성 컵, 실리콘, 폴리에틸렌튜브, 진공펌프로 구성되어 있다.

주입기는 처음 가축병 형태에서 수정되었다. 새 주입기는 1, 2, 3 cc의 피스톤에 함축을 부여하고, 조절레버로 작업량과 수용량이 더 커졌다. 주입기의 외부 구멍은 직경 2 mm이다. 캐뉼러는 작고, 편평해졌고, 멸균 수용컵과 폴리에틸렌 튜브와 진공펌프로 연결되어 있다. 적은 양의 공기가 특수 고안된 캐뉼러 안쪽에 위치한 얇은 관을 통해 흐르고 지방조직의 배출을 용이하게 한다.

PART 3

4) 외과적 술식

(1) 마취, 약물 및 투머슨트 용액의 제조

전신마취 또는 진정마취를 시행하고, 공여부와 수혜부에 따로 국소마취(침윤마취)를 시행한다.

지방이식 과정에 사용되는 필수적인 약물들은 지방을 분해하고 잘 흡입이 되고 시술 시 출혈을 억제하기 위하여 2% 리도케인(20 mg/ml), 에피네프린 용액(1 mg/ml), 8.4% 중탄산나트륨 용액(sodium bicarbonate: Bivon), 생리식염수 등이 필요한데 가장 보편적으로 사용되는 투머슨트 용액은 Klein 용액을 기준으로 하며 얼굴 영역에는 생리식염수 1,000 ml에 첨가되는 약물에 따라 1,500 mg/L, 1.5 mg/L 에피네프린, bicarbonate 20 mEq/L의 배합 비율로 사용된다.

(2) 지방 채취

공여부에서의 지방 채취는 반 자동성으로 작동하는 펌프를 이용하거나, 20 cc 주사기에 캐뉼러를 연결하여 수동으로 채취할 수도 있다. 펌프나 주사기 안에는 마취액, 혈액, 용해된 지방세포 등이 포함될 수 있기 때문에 수혜부 주입에 필요한 양보다 2배 정도 더 채취하여야 한다. 공여부의 비대칭을 방지하기 위해 가급적 좌, 우 양측에서 동일한 양을 채취한다(그림 15-4A, B).

(3) 고형지방의 분리

채취한 조직을 원심분리기에 넣어 3,000 rpm으로 3분간 처리한다. 용해된 지방세포가 있는 상층액과 혈액 및 마취제가 포함되어 있는 하층액을 제거하고, 고형지방만을 분리하여, 1 cc 주사기(지방주입기)에 담아 놓는다(그림 15-4 C, D).

(4) 지방 주입

안면부에서 바늘이 들어가는 위치는 주로 비익의 기저

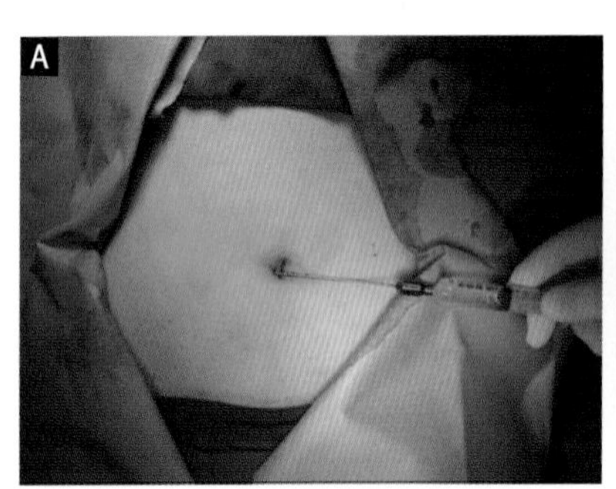

A: 지방이식술을 위하여 Tumescent solution을 주입하고 있는 모습

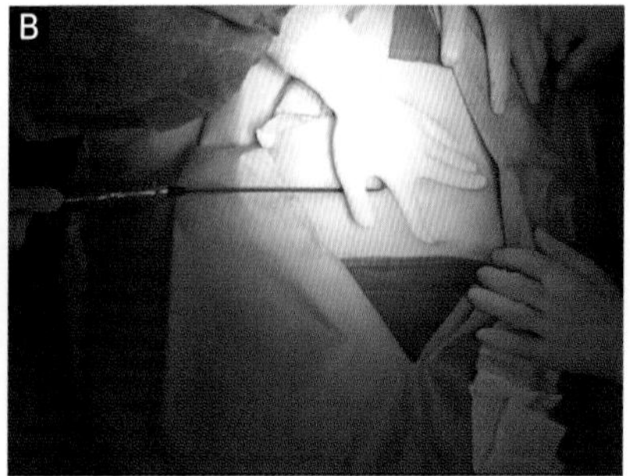

B: 복부로부터 지방을 흡입하고 있다.

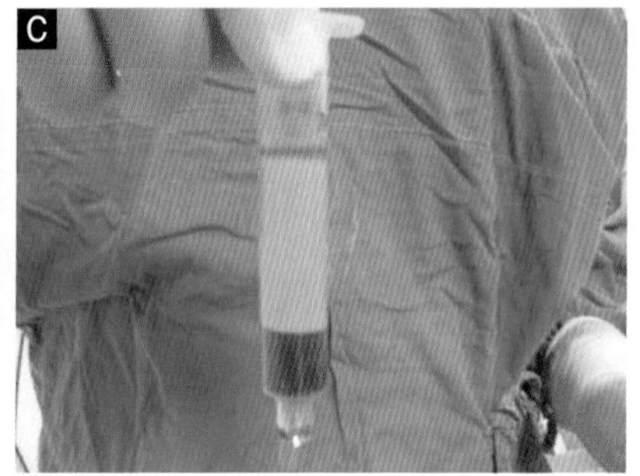

C: 흡입한 지방을 원심분리한 후의 모습

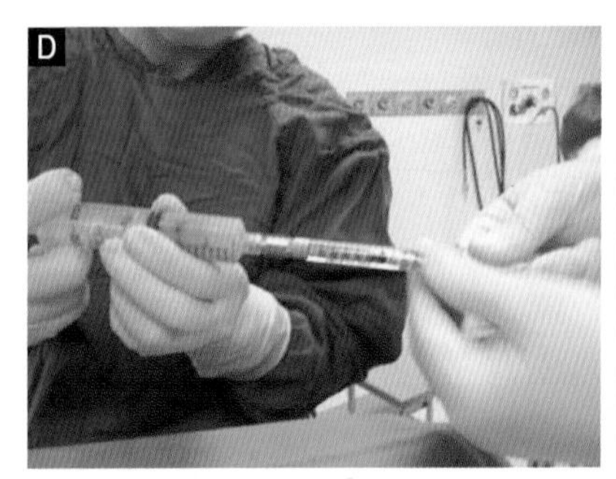

D: 이식하기 위하여 원심분리한 지방을 1 cc 짜리 실린지에 옮긴다.

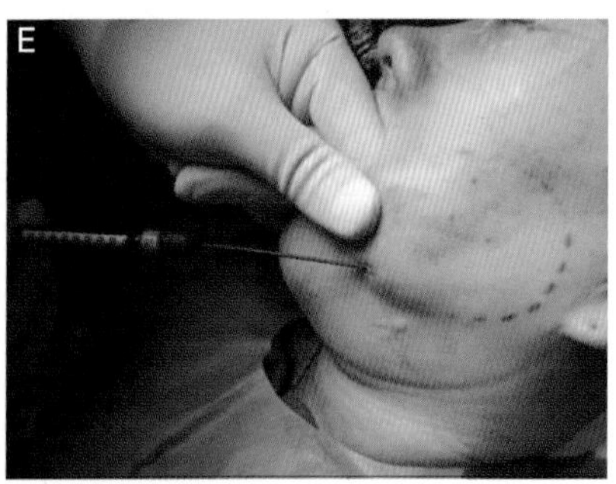

E: 이식할 부위에 18G 주사바늘을 이용하여 지방을 주입한다.

그림 15-4 자가지방이식술의 과정

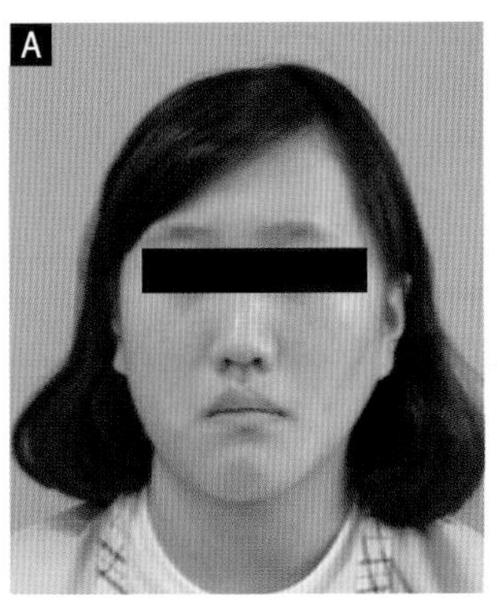

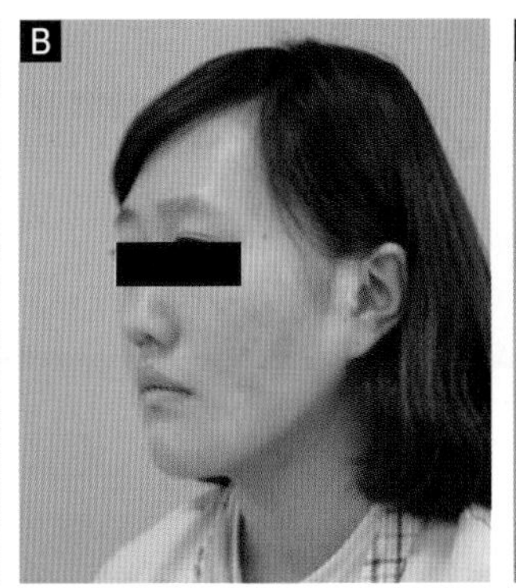

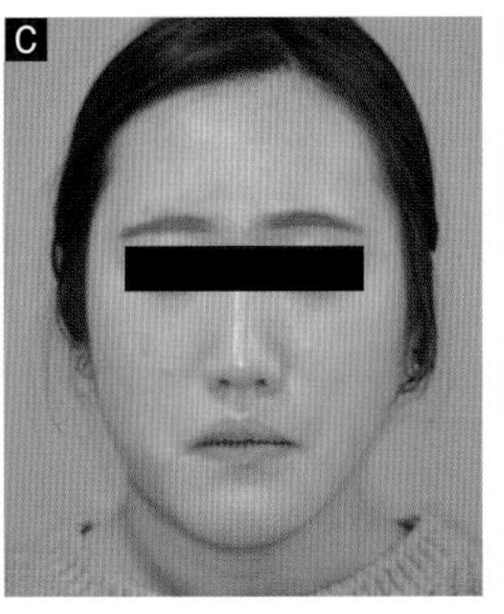

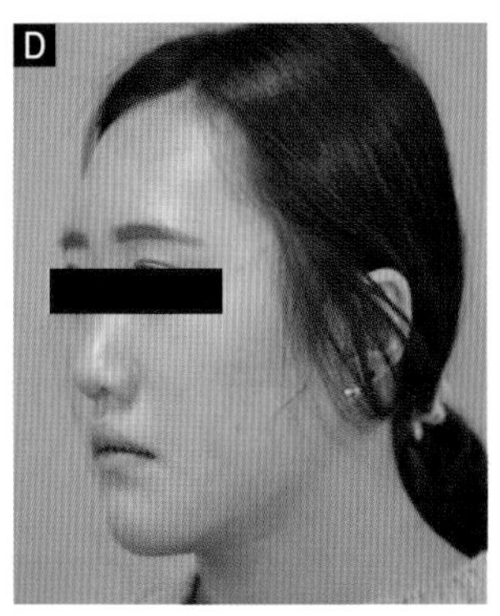

그림 15-5 **우측 뺨의 연조직 결손을 보이는 환자에서 지방이식의 예. A, B:** 지방이식 전 **C, D:** 지방이식 후

부, 순소대 결절, 전이부, 관골 지역이다. 주입 과정은 수혜부의 피부 밑, 천막과 근층, 지방층의 3개 층에서 바늘이 들어갔다가 나오면서 시작된다. 주입량은 수술 부위와 기형 범위에 의해 좌우된다. 일반적으로 결손부는 술후 흡수를 보상하기 위해 30~50% 정도 과교정(over-correction)하는 것이 좋다. 여분의 지방은 술후 8~11개월 사이에 흡수되기 때문에 필요량보다 더 주입한다(그림 15-4E).

(5) 수술 직후 처치

압력 붕대나 facial contouring mask를 사용하여 부종, 중력효과, 혈종이 발생하지 않도록 하고 편안하게 안정을 취하도록 하며, 예방적 항생제 복용이 필요할 수도 있다.

5) 중요한 기술적 사항들

① 지방흡입은 지방조직의 파괴를 피하기 위해 섬세하게 시행해야 한다.

② 식염수 용액에 이식될 지방을 담가서는 안된다. 이렇게 하면 지방조직의 본래 형태를 변화시킬 수 있고, 섬유소의 소실을 야기시킨다.

③ 좋은 질의 조직만 주입되어야 한다. 파괴된 지방세포, oil 또는 혈액은 양호한 조직과 분리되어야 하고, 사용되어서는 안된다.

④ 과교정(over-correction)이 필요하므로, 수술 전 환자에게 평균 회복 기간, 부작용, 2차, 3차 지방 주입 과정의 필요성에 대해 설명해야 한다(그림 15-5).

참고문헌

1. Kamer FM, Pieper PG. Surgical treatment of the aging neck. Facial Plast Surg 2001;17:123-8.
2. Perez MI. An anatomic approach to the rejuvenation of the neck. Dermatol Clin 2001;19:387-96.
3. Alexander RW. Liposculpture of the cervicofacial region. Atlas Oral Maxillofac Surg Clin North Am 1998;6:73-85.
4. Langdon RC. Liposuction of neck and jowls: five-incision method combining machine-assisted and syringe aspiration. Dermatol Surg 2000;26:388-91.
5. Mommaerts MY, Abeloos JV, De Clerq CA, Neyt LF. Intraoral transmental suction lipectomy. Int J Oral Maxillofac Surg 2002;31:364-6.
6. Ziccardi VB. Adjunctive cervicofacial liposuction. Atlas Oral Maxillofac Surg Clin North Am 2000;8:81-97.
7. Lam SM, Glasgold MJ, Glasgold RA. Complementary Fat Grafting: Wolters Kluwer Health/Lippincott, Williams, & Wilkins; 2007.

Chapter 16

필러 및 보툴리눔 톡신을 이용한 안모 개선

Improvement Facial from Using Filler and Botulinum Toxin

기본 학습 목표

- 필러의 종류와 특성을 이상적인 필러의 조건과 비교하여 이해한다.
- 얼굴 표정근의 해부에 대하여 이해한다.
- 보툴리눔 톡신의 구강악안면 영역에서 사용 용도를 이해한다.
- 필러 시술과 보툴리눔 시술이 필요한 경우를 구분할 수 있다.

심화 학습 목표

- 다양한 필러 주입 방법을 이해하고 시술 부위에 맞게 적용할 수 있다.
- 필러 시술 시의 주의사항과 합병증에 대하여 이해한다.
- 보툴리눔 톡신을 이용한 주름살 치료, 교근 비대의 치료 시 자입점과 용량을 이해한다.
- 필러 시술과 보툴리눔 시술의 부작용을 이해한다.

1. 필러를 이용한 연조직증대술

필러(filler)란 말 그대로 하면, 채운다는 의미를 갖는데 의학적으로는 피부의 함몰된 흉터나 주름과 같은 연조직 결손 부위를 다양한 물질로 채워서 심미적 증강을 도모하는 재료를 의미한다.

예전에는 대부분 이러한 노화 과정을 자연적인 현상으로 인식하고, 이에 순응하는 것 외에는 방법이 없다고 생각하였으나, 현대시대로 오면서 과학의 발달과 함께 의학도 발달하게 되어 누구나 원하는 젊은 피부를 유지하고자 하는 꿈들이 조금씩 현실화되어가고 있다. 그 중 대표적인 것이 보툴리눔 독소의 사용이었다.

동통이 작고 무엇보다 그 효과가 우수한 장점을 가진 보툴리눔 독소의 등장으로 인해 고연령층에서 많은 관심을 갖게 되었다. 그러나 보툴리눔 독소는 상안면부, 즉 이마나 눈가 주름 등에서만 뛰어난 결과를 보여주므로 그 사용에 한계가 있다. 상안면부의 주름 개선으로 인해 중안면부와 하안면부에도 관심을 갖게 되어 필러가 등장하게 되었다. 필러는 나이가 들어 함몰되고, 탄력이 없는 피부에 사용하여 볼륨감을 주고, 보툴리눔 독소로 해결할 수 없는 깊은 주름이나 팔자주름(비순구, nasolabial fold) 등에 사용하여 우수한 효과를 보여준다. 젊어 보이는 얼굴(youthful face)은 주름이 없는 얼굴일뿐 아니라, 편평한 2차원적 얼굴이 아니고 3차원적으로 볼륨감이 있는 얼굴이므로 보툴리눔 독소와 함께 필러가 개발되어 고연령층 환자의 젊어 보이고자 하는 본능을 어느 정도 해소시켜 줄 수 있게 되었다.[1]

2. 필러의 종류와 특성

1890년대 초에 처음으로 자가지방이식(autologous fat graft)으로 시작한 필러시술은 시간이 가면서 이상적인 필러를 만들기 위해 수많은 재료들이 개발되었다. 그렇다면 이상적인 필러의 기준은 무엇인가? 우선 인체에 사용하기 위해서는 생체 친화적이며 안전성이 확보되어야 한다. 육아종(granuloma)이 생기지 않아야 하고, 동물에서 기원된 물질이 아니면서 시술 전 알러지 검사를 요하지 않는 등 알러지 반응이 없어야 한다. 또한 다루기 쉬워야 하며, 얕은 주름에서부터 깊은 주름까지 모든 부분에서 적용 가능해야 하고, 심미적으로 우수해야 하고, 그 효과가 오랫동안 지속되어야 한다(표 16-1). 하지만 현재까지 이 모든 항목을 만족시키는 필러는 아직 개발되지 않았으며, 이에 가까워지고자 하는 노력들이 계속되고 있다.[2] 필러의 종류는 크게 흡수성, 영구적, 그리고 지방으로 나뉘어진다(표 16-2).

표 16-1 이상적인 필러의 조건

- Safety (less or none severe reactions)
- No granuloma formation
- No allergic reactions (no animal origin, no testing is needed)
- Easy handling
- One product to treat deep folds but also fine wrinkles
- Excellent cosmetic results
- Long lasting replenishment

흡수성 필러(resorbable fillers)에는 동물에서 기원된 필러, 사람에서 기원된 필러, 합성으로 형성된 필러가 있고, 동물에서 기원한 콜라겐 필러는 Zyderm®, Zyplast®, Fibrel® 등이 있는데, 알러지 반응이 있을 수 있으므로 사용하기 전 반드시 피부에 알러지 검사를 시행해야 하며, 오랫 동안 유지되지 못하는 단점이 있다. 사람에서 기원한 필러는 PlasmaGel®, Autologen®, Cosmoderm®, Cosmoplast®, Cymetra®, Fascian® 등이 있으며 동물에서 기원한 필러와는 달리 알러지 검사는 필요없으나, 역시 오랫동안 유지되지 못한다. 생합성으로 형성된 것으로는 Restylane®, Perlane®, Juviderm® 등이 있다.

흡수성 필러는 필러로서의 효과가 영구적이지 못하다는 단점이 있으나, 반대로 합병증 등이 발생된 경우 오히려 이것이 장점이 될 수도 있다.

이러한 흡수성 필러의 단점을 보완하고자 영구적 또는 반 영구적인 필러들이 개발되었는데, 가장 널리 사용되고 있는 것은 Artecoll®이다.[3] 오랫동안 유지된다는 장점은 가지고 있으나, 섬유화되고, 육아종 형성률이 높으며, 다른 곳으로의 이동이 가능하며, 결과를 예측하기 어려울 뿐 아니라 피부가 얇은 곳에 주입 시 lumpiness 등이 생길 가능성이 높아 사용 시 신중한 고려를 요한다.[4]

그 외에 필러로서 가장 먼저 사용된 물질인 지방조직(fatty tissue)이 있는데, 흡수율이 매우 높고, 공여부(donor site)의 형성을 위해 부가의 수술을 요하는 등의 단점을 가지고 있다.[5]

3. 주사방법(Injection technique)

사용하는 사람에 따라서 antegrade, retrograde threading과 serial puncture 방법이 모두 사용될 수 있다. 중요한 것은 자입하는 바늘의 끝이 천층에 오게 되면 푸르스름하게 나타나 보이기 때문에 deep dermis의 중간 부분에 오도록 해야 하고, 너무 깊게 자입하게 되면 효과가 덜 나타나게 된다.

Orbital rim 주변에 자입하고자 할 때는, 혈관 분포가 많기 때문에 정맥 내로 들어가지 않도록 하기 위해서 반드시 흡인(aspiration)검사를 해야 한다.

표 16-2 필러의 종류

	Examples	Comment
Resorbable		
Animal Human	Zyderm, Zyplast, Fibrel, etc.	Allergy (Skin- test), short-lived effect Short-lived effect
Synthetic/ Biotech	PlasmaGel, Auto logen, Cosmoderm, Cosmoplast, Cymetra, Fascian, etc. Restylane, Perlane, Juviderm, etc.	Short-lived effect Resorb. prod. of choice
Permanent		
Particles in suspension	Artecoll, Artefill, Radiance, Dermalive, Bioplastique	Fibrosis, migration, unpredictable results
Homogenous	Aquamid Bioalcamid	Documented product Origin of manufacture
Lipoplasty		
Fatty tissue		Uneven resorption

4. 주사방법에 따른 분류

주사방법(injection technique)에는 linear threading, serial puncture technique, fan technique, cross-hatching method 및 John's injection method (vertical injection) 등이 있다(그림 16-1~4).

1) Linear threading technique

바늘 총 길이 전체를 주름 중앙에 삽입한 다음, 바늘을 천천히 뒤로 빼면서 filler를 주입하는 방식이다. 각각 마디의 길이는 대개 10 mm 정도로 주름의 길이방향으로 주사한다. 각각의 마디들이 전체로 하나의 긴 선을 이루어 주름을 리프트하여 교정하게 된다(그림 16-1).

2) Serial puncture technique

주름의 방향을 따라 여러 번의 연속적인 주사방법이다. 각각의 주사마디는 전체적으로 고른 연속선을 형성해야 한다. 즉, 각 마디 사이에 빈 공간이 생기지 않도록 해야 한다.

Collagen injection에는 serial puncture가 주로 사용되고, retrograde linear threading은 nasolabial furrow 또는 lip에 HA injection을 할 때에 주로 사용된다. 바늘을 30~60° 정도의 각도로 mid to deep dermis에 삽입하고 주름 하방에서 수평으로 전진시킨다. Mid-dermis에 위치해있는지를 확인하면서 부피가 부족한 부위에 필러를 주입한다. 만약 표면에 가깝게 위치해 있는 경우에는 피부가 하얗게 되고, 단단해지면서 결절과 소시지와 같은 양상을 나타내게 되는데 이것은 몇 주간 지속된다. 또한 반대로 필러가 너무 깊게 위치된 경우에는 좋은 결과를 보이지 못하게 된다.

Linear injection method는 lump, 피하출혈, 부종, 출혈이 생기기 쉽고, 조직손상 및 동통이 많다는 단점을 가지고 있다(그림 16-2).

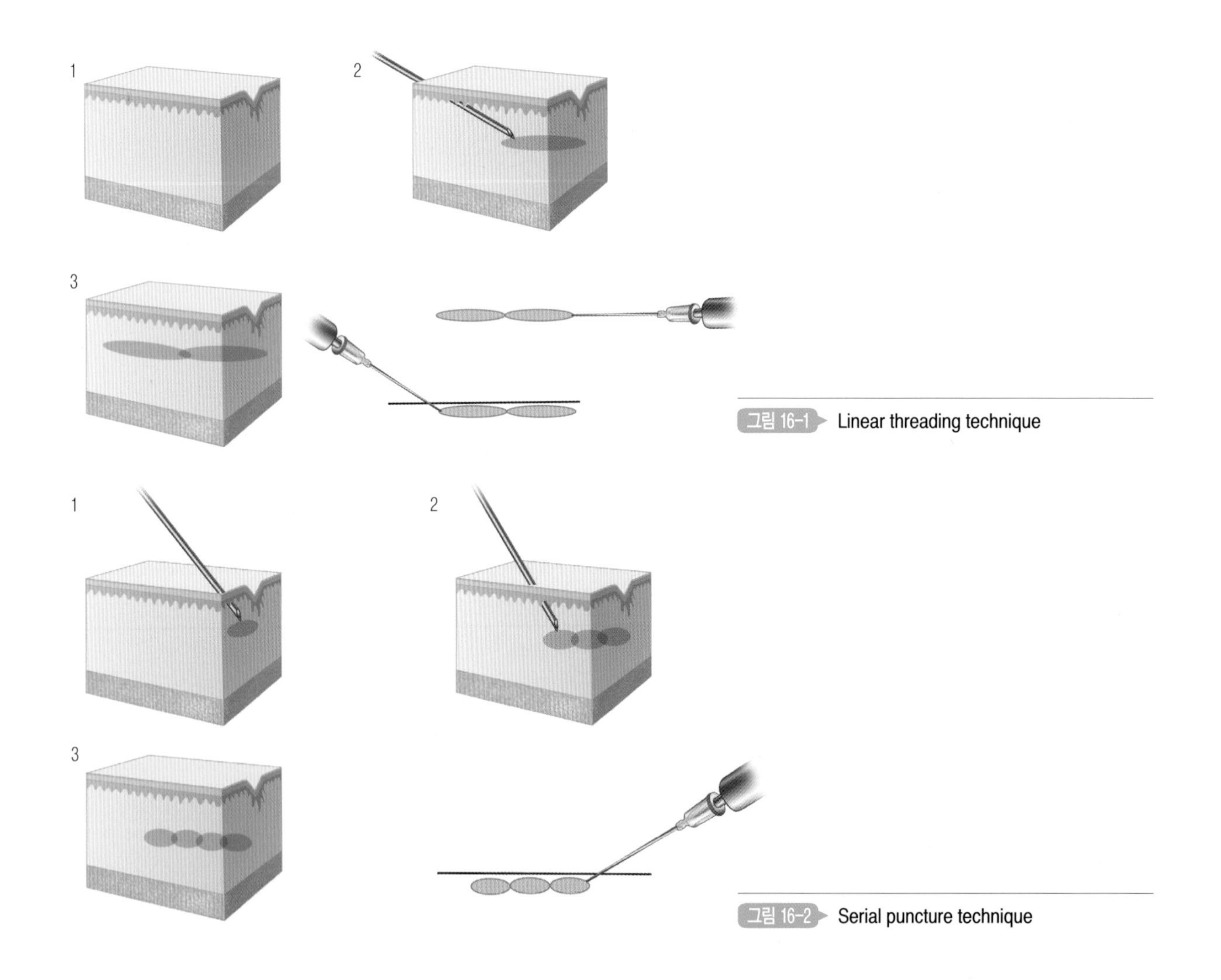

그림 16-1 Linear threading technique

그림 16-2 Serial puncture technique

3) Fan technique

Fan technique은 linear threading을 변형한 것으로, 결손 부위가 삼각형이나 원형인 경우 주사바늘을 회전하여 필러를 넣는 방법이다. 주사바늘을 linear threading technique의 경우와 마찬가지 방법으로 처치 부위의 주변에 삽입한다. 한 라인을 주사한 다음 바늘을 피부에서 완전히 빼지 않고 방향을 바꾸어서 다른 방향으로 삽입한 다음 주사한다. 이런 방법을 반복하여 부채살 모양이 되듯이 주사한다. 비순구의 상방 labial triangle 부위, 하순, marionette, deeper lip filling, brow augmentation 등에 주로 사용한다.

HA를 사용 시 결손부 주변 여러 부위에 serial puncture를시행하는 것도 좋은 방법이다. Serial injection과 linear threading을 함께 사용하면 두 방법의 장점을 잘 살릴 수 있게 된다(그림 16-3).

4) Cross hatching technique

주사바늘을 linear threading 테크닉의 경우와 마찬가지로 1회 주사 후 바늘을 피부에서 완전히 빼고 일정한 간격으로 filler를 주입한 후 방향을 완전히 90° 틀어서 다시 linear threading technique를 적용하는 방법이다(그림 16-4).

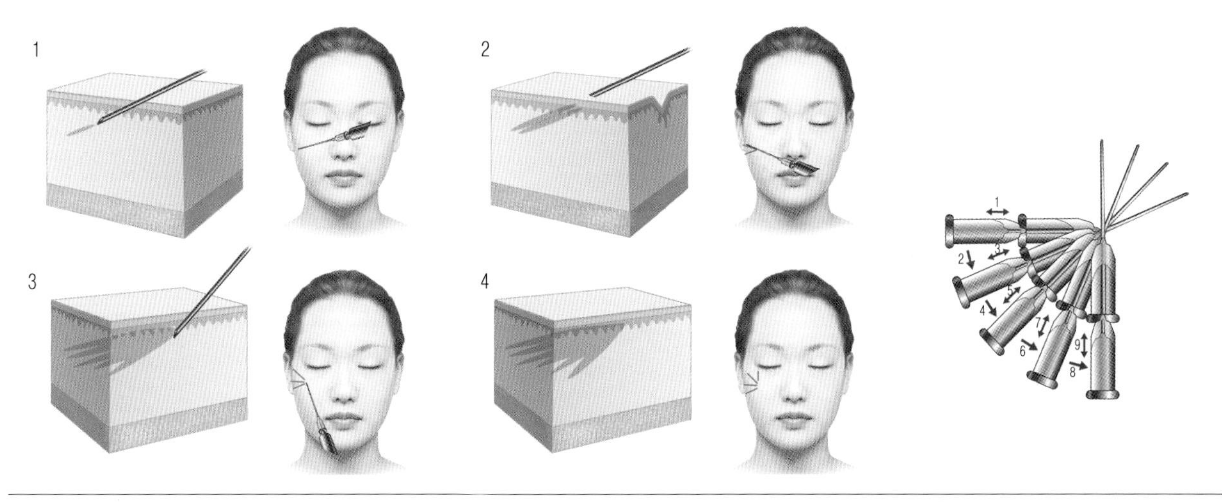

그림 16-3 Fan technique

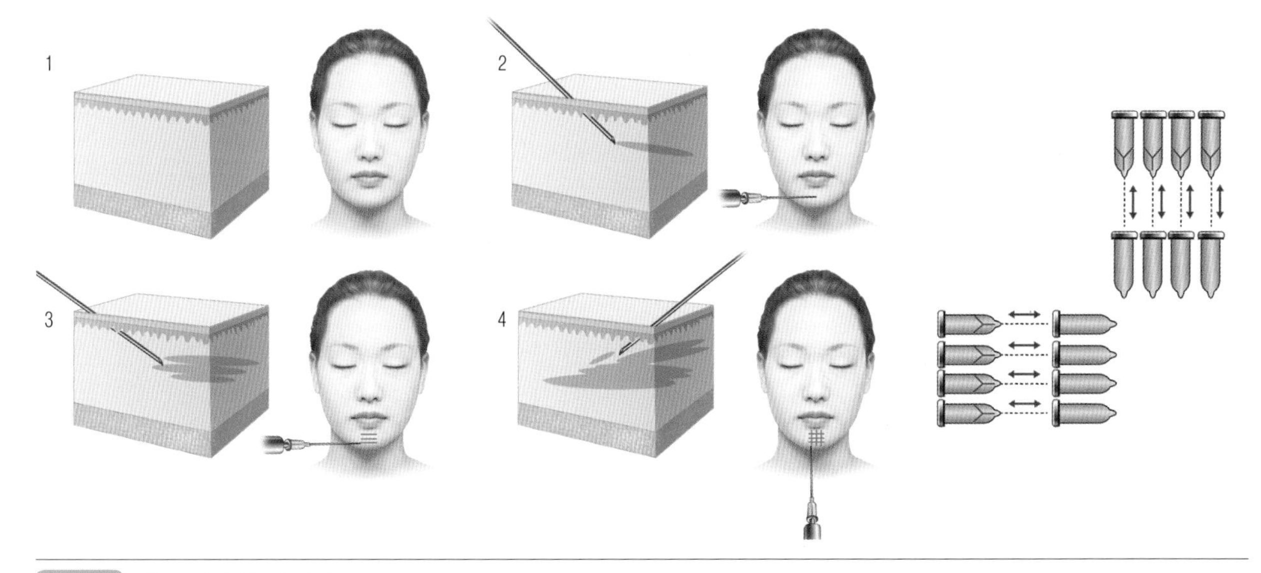

그림 16-4 Cross-hatching technique

표 16-3 주사법 비교

	John's injection method	Linear threading method
Bleeding	No	More
Swelling	Painless (Feeling < 10%)	Pain full (Feeling 100%)
Tissue damage	Small (< 10%)	Large (100%)
Ecchymosis	Low	High
Lump	Low	High
Needle/Technical (Gauge, Length)	• Evenly Injection method • Exactly Skin Thickness • Easy (Low pressure)	• Long length needle • Difficulty(High pressure)
Patient satisfaction	Very good	Big complaint
Duration (years)	Long term (3~6yrs)	Short term (<1yr)
Volume (mL)	2~3times	1

5) Vertical injection technique (John's injection method)

이러한 방법들과는 달리 John's injection method(vertical injection method)는 linear threading method가 가진 단점을 보완한 치료 방법(그림 16-5)으로 이론적으로는 linear threading technique나 cross hatching technique이 진피층에 주사를 하게끔 되어 있지만 아주 경험이 많지 않은 경우 사실상 진피층에 정확하게 주사한다는 것이 쉽지 않다. 그러므로 filler를 주사하려고 하는 부위의 진피층의 깊이를 안다면 바늘의 깊이를 원하는 깊이까지 이르도록 stopping (여기서는 needle cap)을 바늘에 씌워서 수직적으로 주사하면 초심자라도 쉽게 원하는 층에 주사가 가능하다. 이러한 이론적 근거를 가지는 주사법이 수직 주사법이다. 표 16-3과 같이 linear threading method에 비해서 출혈과 동통, 조직손상, 피하출혈과 lump 형성 비율이 상당히 적으며, linear injection method에 비해 부피의 증가율은 2~3배 가깝고, 1년 이내의 유지기간인 것에 비해 1~2년 동안 유지되는 등의 장점으로 인해 환자들이 높은 만족도를 나타낸다. 또한 짧은 주사 바늘을 사용하여 일정한 깊이로 일률적으로 주입할 수 있으며, 적은 압력으로 주사할 수 있으므로 주사방법이 쉬운 장점이 있다. 저자는 후반부에서 부위별 필러시술 시 많은 장점을 가진 vertical injection method를 사용한 치료방법을 언급하도록 하겠다.

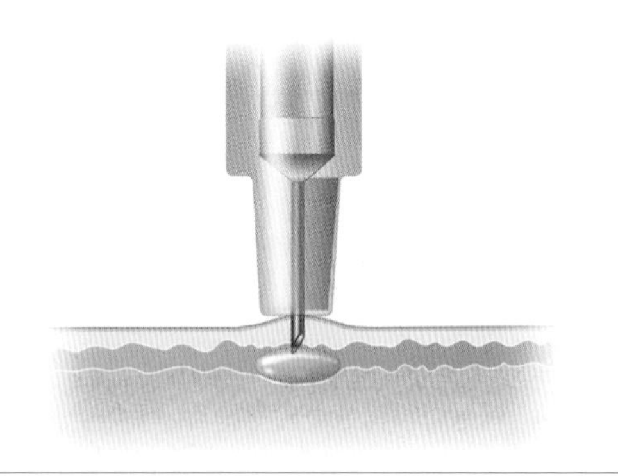

그림 16-5 Vertical injection technique

5. 필러 시술 시 주의사항

필러 시술은 간단하면서도 우수한 미용 효과를 보일 수 있는 훌륭한 방법이지만, 이 방법 역시 시술 시 주의사항을 지키지 않으면 원치 않는 합병증이나 부작용을 유발할 수 있다. 간단하다고 생각되는 시술에서 문제점이 발견되면 환자들은 더욱 큰 분만을 토로할 것이므로, 시술 시 주의 사항 및 생길 수 있는 문제점에 대하여 환자에게 충분히 주지시켜 주는 것이 중요하다.[6]

시술 전 환자에게 권고시켜야 할 내용으로, 환자가 아스피린이나 항응고제(anticoagulant)를 복용하고 있다면, 피하출혈(ecchymosis)의 발생률을 감소시키기 위해서 시술 7~10일 전에 이 약물들을 복용하지 않도록 해야 한다. 또한 예전에 필러 시술을 받은 적이 있었는지와 만약 시술을 받았다면 어떤 제품을 사용하였으며, 알러지 유무에 대해서도 물어봐야 하며, 환자의 피부가 켈로이드 체질인지를 확실히 물어봐야 한다. 켈로이드(keloid)란 그리스어로 '게의 집게발같은 모양'이라는 뜻이며, 상처가 나아감에 따라 새살이 비정상적으로 튀어 오르며, 상처 범주가 주위의 정상 피부까지 번져서 보기 흉한 살이 뭉쳐 딱딱한 '혹'같은 상태로 된것을 말한다. 켈로이드 체질인 환자에게 필러를 주입시, 이자극을 원인으로 켈로이드가 발생할 수 있기 때문이다. 따라서 시술 전 충분한 기왕력 및 복용하고 있는 약물에 대하여 알아야 한다. 시술을 받고자 하는 환자는 시술 전 여러 각도에서 사진을 촬영해야 하는데, 환자들은 미용성형에 대한 막연한 기대감을 갖고 있어서 시술 후 만족감을 못 느끼고 불평을 하는 경우가 있으므로, 시술 전과 후에 사진을 촬영하여 객관적 자료를 확보하는 것이 좋다. 시술을 하기 전, 시술 부위의 감염을 막기 위해 철저한 소독을 시행하고, 시술 후 lump가 생겼다면 시술 당일 또는 최대 다음 날까지는 마사지나 흡인을 통해 lump를 없애야 한다. 또한 비첨부 증강술(nasal tip augmentation)이나 이마 주름에 필러를 사용한 경우 모공이 넓어져서 leakage가 많은 경우 감염의 확률이 높으므로, 3일간 항생제를 처방하는 것이 좋다. 2~3일간 금주할 것을 지시하고, 혹시라도 음주와 관련된 직업을 가진 환자라면 필히 항생제를 처방하고 복용할 것을 지시해야 한다. 시술하고 1주일 간은 과격한 운동, 뜨거운 목욕이나 사우나 및 강렬한 햇빛을 피해야 한다. 융비술(nasal augmentation)을 시행한 경우, 최소 1주일간은 안경착용을 금해야 하고, 입술 증강술(lip augmentation)을 시행한 경우 혀로 핥지 말아야 하고, 1주간 kiss를 금해야 한다. 통증, 발적, 홍반 같은 현상이 3~5일 이상 지속될 시 시술받은 병원으로 연락 또는 내원해야 하고, 피부박피술은 4주 정도 삼가야 한다(표 16-4).

표 16-4 필러 시술 시 주의사항

1. 시술 받기 7~10일 전 아스피린, 항응고제 복용금지
2. 필러시술 기왕력 및 켈로이드 체질인지 문진
3. 시술 전후 다양한 각도의 사진촬영
4. 철저한 소독
5. Lump의 발생 시, 시술 당일 및 다음날까지 제거
6. 비첨부 및 이마에 필러 사용 시 반드시 3일간 항생제 처방
7. 시술 후 2~3일간 금주
8. 음주와 관련된 직장인에게는 항생제 처방
9. 시술 후 1주일간, 과격한 운동, 사우나, 강렬한 햇빛 피해야 함
10. 융비술 시행한 경우 1주일간 안경 착용 금지
11. 입술증강술 후 혀로 핥으면 안 되고, 1주일간 kiss 금지
12. 통증, 발적, 홍반 같은 현상이 3~5일 이상 지속될 시 시술받은 병원 내원
13. 시술 후 4주간 피부박피술 금지

6. 합병증

다른 필러와 마찬가지로 발적, 부종 및 압통이 나타나지만 24시간 이내에 사라지게 된다. 이 중 발적과 부종은 HA가 가지는 친수성 특성 때문으로 생각된다.[7] 자입한 부위에 결절과 같은 것이 형성되기도 하는데, 이것은 술자의 숙련도에 따라 나타나며 갑작스럽게 많은 양이 주입되거나 할 경우 나타나게 된다. 이 경우, 부드럽게 마사지를 해주는 것이 도움이 되나, 너무 강하게 마사지를 할 경우 멍이 들 위험이 있기 때문에 주의해야 한다. HA 필러의 합병증 중 특이한 것은 멍이 잘 든다는 것인데, 그 이유는 구조가 헤파린(heparin)과 유사하기 때문이다. 멍은 수일 또는 1주일까지 지속되기도 한다. Bauman은 멍이 드는 것을 방지하기 위해서 HA와 함께 콜라겐을 함께 주입할 것을 권유한다.[8] 그 이유는 Cosmoderm 또는 Cosmoplast 내에 리도케인이 함유되어 있어서 멍을 감소시키는 효과가 있다고 주장하였다. 그러나 리도케인은 호산구의 활성을 감소시키기 때문에 멍이 드는 것을 자극할 수 있다. 따라서 이 내용은 아직 논쟁중이다. 멍을 감소시킬 수 있는 확실한 방법은 자입하는 횟수를 줄이는 것인데, Lupo는 threading over serial puncture with HA fillers방법을 시행할 것을 제시하였다.[9]

표 16-5 HA 필러의 합병증과 그 대책

Redness Swelling Tenderness	Observation (fade after 24hours)
Nodule formation	Gentle massage
Bruising	Reducing the number of needle sticks
Allergic reaction	Hyaluronidase

HA에 대해 알러지 반응이 나타났다는 보고가 있다.

HA filler의 가장 큰 장점은 hyaluronidase가 있기 때문에 알러지 반응이 있거나, 갑작스럽게 많은 양을 주입하여 불룩 튀어나온 부분이 있는 경우 hyaluronidase를 사용하여 HA filler를 빠르게 분해시킬 수 있다(표 16-5, 6).[10]

7. 주름치료

1) 미간주름

미간 부위는 안동맥(ophthalmic artery)의 말단 가지인 활차위동맥(supratrochleara)과 안와위동맥(supraorbital artery)의 작은 분지 혈관들로 혈액 순환이 유지되며 측부 순환이 제한적인 이유로 국소 괴사가 가장 많이 호발하는 부위이다.

진피 내 필러 주입술 중 국소 괴사와 색전화(embolization)의 위험을 최소화하고 활차위동맥의 손상을 피하기 위해서는 필러 주입을 정중선에 가까운 부위에 얕게 시행하고, 주입 전 반드시 주사기를 역류(aspiration)시켜 주사바늘이 혈관 내에 들어가지 않은 것을 확인해야 하며 많은 양의 필러 주입으로 인해 주변 혈관이 혈관 내 압력을 초과하여 눌리는 것을 방지해야 한다.

주사 바늘이 진피 내로 들어가도록 해야 하는데, 만약 피부가 두껍고 모공이 넓은 환자의 경우 일반적인 방법으로 주입 시 필러가 모공을 통해서 빠져나올 수 있으므로 원하는 정도의 결과를 얻을 수 없다. 따라서 시술 전 환자에게 미리 언급을 해야 하고, 시술 시에는 원래의 목표로 하는 깊이보다 1~2 mm 가량 더 깊게 주입해야 한다. 또한 이부위 시술에는 약간의 과교정(overcorrection)이 필요하다. 시술 후, 어느 정도의 효과를 알 수 있는데, 만약 일률적이지 않고 많은 양이 주입되었다면 손가락으로 눌러 주변 조직으로 잘 퍼지도록 부드럽게 마사지하는 것이 큰 도움이 된다(그림 16-6).[11]

표 16-6 한국에서 시판되는 필러의 종류

상품명	성분	제작국가
Restylane	HA	Sweden
Juvederm	HA	France
Matridex	HA + Dextranomer	Germany
Aquamid	Polyacrylamide	Swiss
Interfall	Polyacrylamide	Ukraine
Amazing Gel	Polyacrylamide	China
Artecoll	PMMA	Netherlands
Bioplastique	PMMA	Netherlands

❖ 보툴리눔 독소와 필러를 사용한 병행요법

나이 들어 보이는 주된 요인은 연조직의 부피가 감소하고, 근육의 과활성으로 인해 주름이 생기게 되는 것이다. 따라서 필러를 통하여 감소된 연조직의 부피를 증강시켜주고, 보툴리눔 독소를 사용해서 근육의 움직임을 감소시켜 주는 2중 접근법을 사용하게 되면, 더욱 효과적인 결과를 얻어낼 수 있다. 앞에서 언급했던 주름의 2가지 종류 중 dynamic rhytide는 보툴리눔 독소를 사용하여 효과적으로 치료할 수 있다. 얼굴 표정근육을 약화시키거나 마비시켜서 하방에 있는 근육에 수직으로 형성하는 주름을 억제시

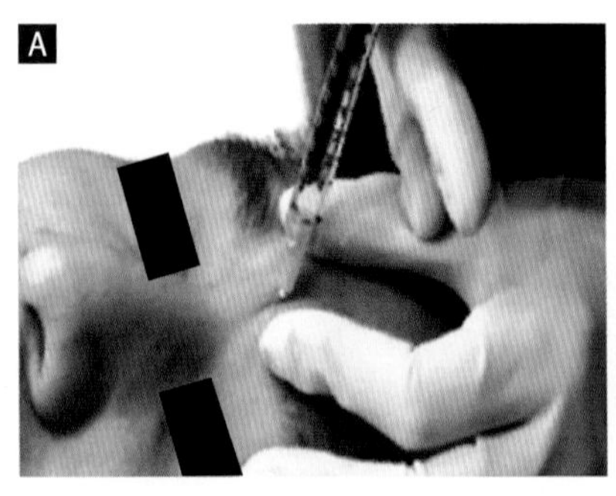

그림 16-6 미간 주름에 필러를 사용하여 시술하고 있는 모습. A: 자입하는 모습 **B:** 필러를 주입하여 주름 부위가 펴지는 것을 볼 수 있다.

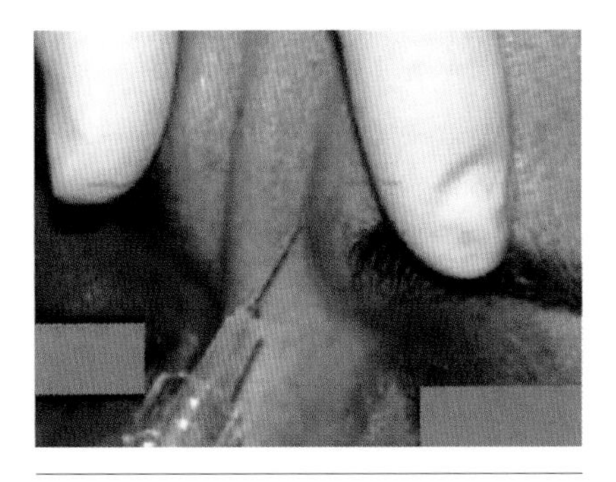

그림 16-7 미간 부위 주름 치료를 위해 보툴리눔 독소와 함께 필러를 주입

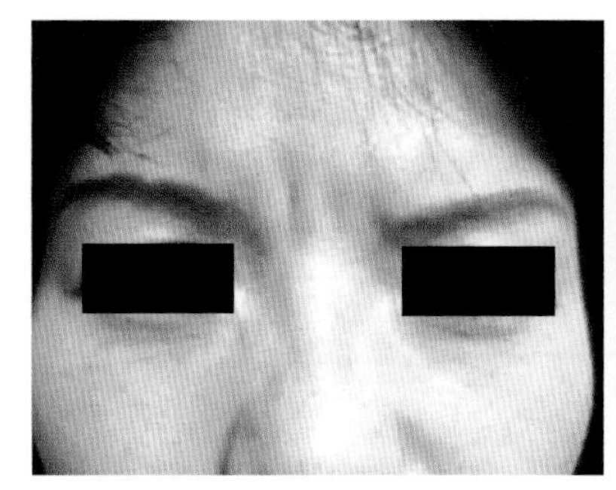

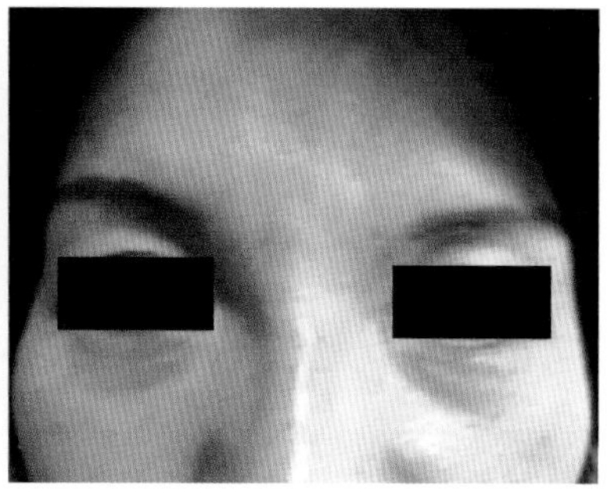

그림 16-8 필러를 이용하여 양미간 함몰 부위를 치료한 예

킬 수 있다. 그러나 static rhytide는 보툴리눔 독소 만으로는 효과적인 치료가 어려우므로, 보툴리눔 독소와 필러를 사용하여 효과적으로 치료해야 한다.[12]

젊은 환자에서 나타나는 미간주름은 오직 근육에 의해서 나타나므로 보툴리눔 독소만 사용해서도 매우 좋은 결과를 얻을 수 있다. 그러나 광선에 의해서 피부가 손상되기 시작하면, 미간주름은 가만히 있는 경우에도 주름이 잡히게 된다. 이 경우에는 보툴리눔 독소만으로는 효과를 보기 어렵고, 필러와 함께 보툴리눔 독소를 사용하는 것이 효과적일 뿐만 아니라, 필러의 유지기간을 2배 정도로 늘려줄 수 있다. 따라서 깊게 잡힌 주름의 치료에는 보툴리눔 독소와 필러를 동시에 삽입하는 방법이 주로 사용된다.

사용하는 방법에는 보툴리눔 독소를 먼저 주입하고, 1~2주간 지켜봐서 주름이 펴지는 정도를 관찰해서 효과가 미약한 부위에 필러를 주입하는 2단계의 방법이 있고, 시술하는 당일 필러를 진피층에 주입하고 나서 보툴리눔 독소를 근육에 주사하는 1단계의 방법이 있다. 시간적으로 여유가 있다면, 2단계의 방법을 사용하는 것이 보다 좋은 결과를 예측할 수 있어서 좋다(그림 16-7, 8).

2) 이마주름(Forehead lines)의 치료

환자를 unit chair에 똑바로 앉히고 시술하는 것이 자연스러운 주름의 방향을 볼 수 있어서 좋다. 눈썹 상방에는 상안와신경(supra-orbital nerve)가 분포되어 있으므로 자입 시 동통이 심할 수 있으므로, 필요에 따라 도포마취제인 EMLA 크림을 사용하여 표면을 마취하고, 50분 가량 방치한 후 주사한다. 한 개의 주름에 1syringe 정도 사용하며, 약간의 과교정을 해주는 것이 심미적으로 결과가 좋다(그림 16-9).

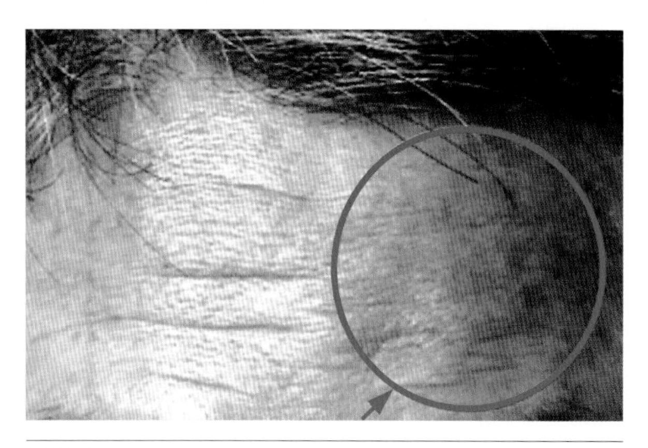

그림 16-9 **Juvederm 30.** 2개의 Syringe를 좌측 이마에 사용한 후 시술받지 않은 우측 이마와 비교한 사진으로 현저하게 주름이 개선되어 있음을 알 수 있다.

이마에 있는 주름은 보통 보툴리눔 독소 만으로도 우수한 효과를 볼 수 있고, 필러에 대한 경험이 부족한 술자가 피부의 천층에 주입할 경우 lump가 생길 우려도 있으므로, 깊게 형성된 정적인 주름(static rhytide)이 아니라면, 보툴리눔 독소로 치료를 하는 것도 좋은 방법이다.

❖ 보툴리눔 독소와 필러를 이용한 이마주름 치료

얼굴의 다른 주름과 마찬가지로 깊게 형성된 정적인 주름(static rhytide)이 있는 경우라면, 보툴리눔 독소나 필러 한 가지 재료만 가지고는 원하는 효과를 얻을 수 없으므로 두 가지 재료를 함께 사용하는 병행요법이 도움이 된다. 이 경우 근육을 움직여 이마에 주름을 만드는 습관이 있는

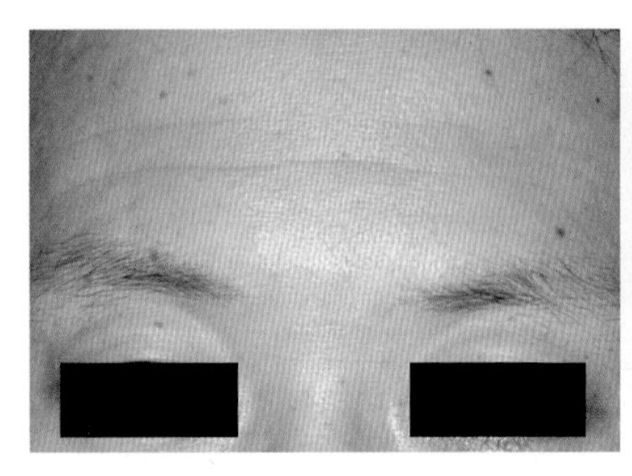
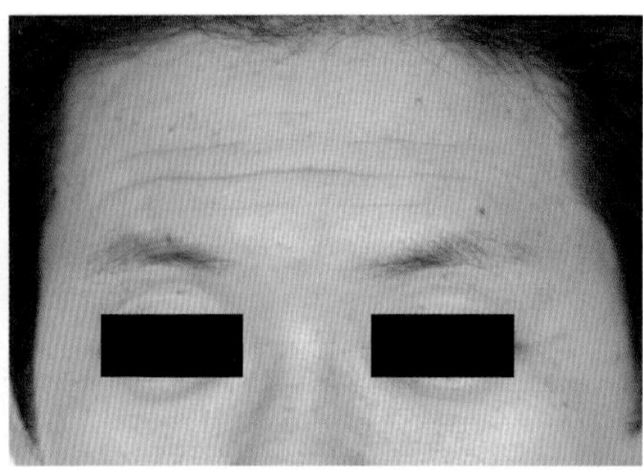

그림 16-10 **보툴리눔 독소를 이용하여 이마 주름살을 개선한 모습.** 독소 주입 후 3주 뒤에 개선이 이루어져 있지만 깊은 주름살의 경우에는 부가적으로 필러를 주입해서 복합 투여를 해주는 것이 오랜 기간 주름살을 개선할 수 있는 방법이다.

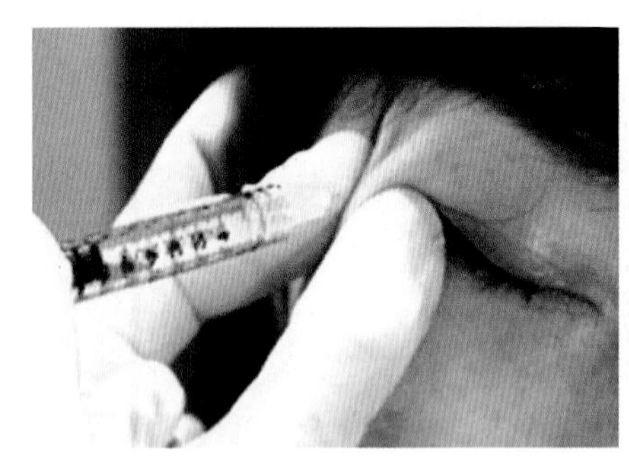

그림 16-11 **까마귀발주름(Crow's feet)에 필러를 주입하고 있는 모습**

환자의 습관을 교정시켜주고, 운동량이 줄어들게 되므로 주입한 필러의 유지 기간이 오래 지속될 수 있다는 장점이 있다(그림 16-10).

3) 까마귀발주름(Crow's feet)의 치료

까마귀발주름은 보통 30대부터 나타나기 시작하는데, 그 원인은 유전적 요인과 같은 내인성 노화와 함께, 햇빛으로 인한 광노화 및 안륜근(orbicularis muscle)의 만성적인 수축으로 인해 섬유화(fibrosis)가 나타나 발생된다.

눈 주변의 피부는 매우 얇은 피부로 구성되어 있으며, 혈관도 많이 분포되어 있다. 따라서 필러는 입자가 작은 것을 사용하는 것이 좋고, 용량은 정도에 따라 다르지만 0.5~1syringe를 사용한다. 피부가 얇기 때문에 자입 깊이는 깊게 해서는 안 되며, 피부표면에 가깝게 주입해야 하며, 과교정(overcorrection)되지 않도록 주의를 기울여야 한다. 또한 혈관의 분포가 많으므로 시술 후 피하출혈(ecchymosis)와 혈종(hematoma)가 생길 위험성이 높으므로, 환자에게 시술 전 미리 설명을 해야 하며, 시술 중 출혈이 많은 경우 시술을 중단하고 압박지혈을 시행하고 지혈이 되면 다시 시행하는 것이 좋다(그림 16-11).

4) 비순구주름(팔자주름)

Nasolabial fold에 필러를 주입하기 전에는 구강내로 마취를 해야 하는데, 동통에 대한 역치가 낮거나 두려움이 많은 환자에게는 도포마취제를 먼저 사용하고, 그 후에 리도케인 주사를 하는 것이 좋다. 리도케인(1:100,000 에피네프린 함유)이 들어 있는 주사기를 비순구 하방의 점막에서 비순구를 향하여 자입한다. 자입 깊이는 비순구 피부와 점막 사이 정도가 적당하고, 4~5 부위에 자입한다.

각 환자의 상태가 어떤 분류에 속하는지를 우선 파악하는 것이 중요하다. Nasolabial crease가 있는 경우에는, upper or mid-dermis에 주사하는 입자가 작은 필러가 가장 이상적이다. 만약 nasolabial crease에 dermal or subdermal injection을 할 경우, 외형은 좋아질 수 있으나 피부 표면의 dermal defect인 주름 자체는 개선되지 않는다.

단지 주름이 아닌 nasolabial fold는 skin defect가 아니고, 잉여 피부와 함께 지지가 없고, 부피가 부족한 것이 특징이다. 따라서 이런 경우에는 입자의 크기가 큰 deep dermal 또는subdermal fille를 사용하여 부족한 부피를 증강시켜야 한다(그림 16-12, 13). 또 다른 방법으로는 볼의 부피를 증가시켜 nasolabial fold를 만드는 쳐진 볼 자체를 거상하는 방

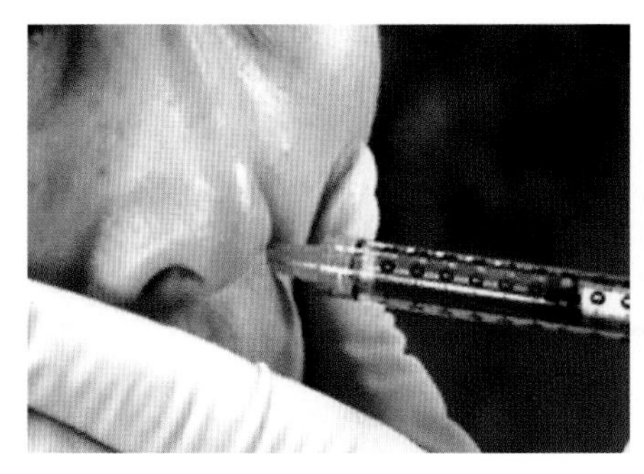
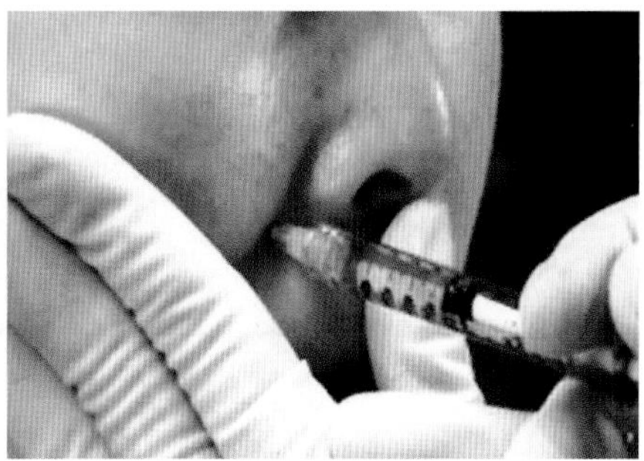

그림 16-12 수직주사법을 이용한 비순구 시술장면

법도 있다. 따라서 매우 깊은 비순구의 경우에는 filling agent만 사용해서는 만족하기 어렵고, follow up surgery하는 것이 가장 이상적이다.

마지막으로 nasolabial crease와 nasolabial fold가 함께 있는 혼합형인 경우에는, 한 가지의 필러만 가지고는 좋은 결과를 얻을 수 없다. Nasolabial crease에 적합한 필러가 있고, nasolabial fold에 적합한 필러가 있기 때문에, hybrid type에서는 적어도 2가지 이상의 필러를 사용해야 한다. 주로, 입자가 굵은 필러를 하방의 contour correction을 위해 주입하고, 입자가 작은 필러는 처음 주입한 부위보다 천층에 주입하여 nasolabial crease를 없애는데 사용하는 것이 좋다.

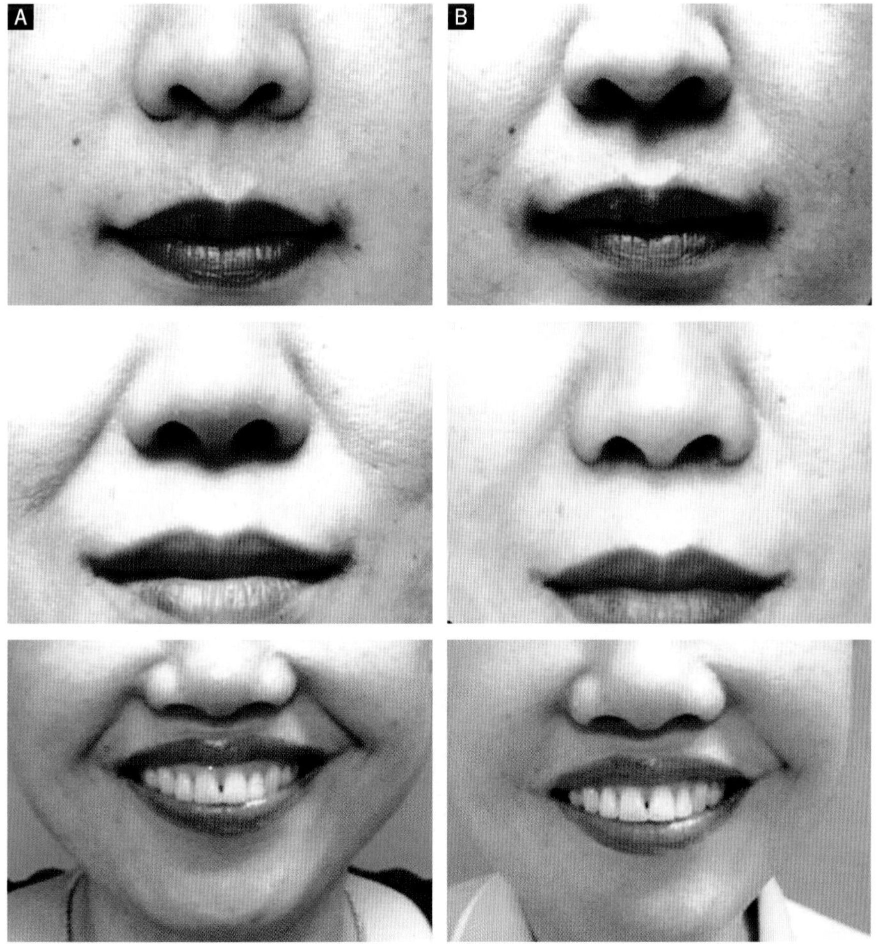

그림 16-13 필러를 이용하여 비순구를 치료한 예. A: 시술 전 B: 시술 2주 후

5) Filler를 이용한 코성형술

코는 얼굴의 중앙에 위치하면서 모양이나 형태에 따라 외모에 상당한 영향을 주고 있고 한국에서는 미용수술 중에서 쌍꺼풀 수술 다음으로 코를 높여주는 융비술이 많이 시행되고 있다. 통상 융비술은 실리콘이나 코어텍스를 이용하여 영구적인 성형수술을 하고 있다. 실시 후 환자의 만족도도 비교적 높은 수술이지만 재수술률 또한 30~50%로 비교적 높은 수술에 속한다. 한편 콧등을 높이거나 코끝을 세우고 싶지만 수술에 대한 두려움이나 수술 후에 혹시 발생할 수 있는 부작용으로 인해 수술을 받기를 주저하는 많은 환자들이 있다. 이러한 환자들에 있어서 filler를 이용한 융비술은 비교적 간편하게 원하는 코의 모양을 할 수 있기 때문에 유용하게 사용할 수 있다. 그리고 코 수술 후의 얼굴 모양에 대하여 불안한 환자들에게 있어서는 미리 filler를 이용하여 코교정을 한 후의 코의 모양을 보고 추후 수술여부를 결정할 수 있다. 또한 코성형술 후 부분적 교정이 필요할 때 2차 수술 없이 어느 정도의 교정이 filler를 통하여 가능하다.

(1) 필러를 이용한 코성형술의 적응증

① 코끝은 비교적 낮지 않고 콧등이 약간 낮은 경우(filler를 이용한 효과가 가장 좋은 경우이다)

② 전체적으로 코가 낮은 경우

(2) 시술 전 검토사항

코끝의 혈액공급은 가쪽 코동맥(lateral nasal artery)이나 콧등동맥(dorsal nasal artery)이 공급원이며 일부 콧기둥 가지에 의해서도 공급된다. Filler의 주입 시 코의 콧방울 고랑(alar groove)과 가쪽 코동맥 사이의 거리가 가깝기 때문에 측면에서 주사바늘의 삽입은 삼가야 한다. 또한 콧등동맥(dorsal nasal artery)을 분지하는 양미간 사이에서 측면 주사도 피해야 한다.

① 마취

필러를 이용한 융비술을 시행할 때에는 국소마취제 연고만으로 충분히 통증 조절이 가능하다. 국소마취제를 주사하는 경우 국소마취제로 인해 증강시킬 양을 정확하게 파악할 수 없기 때문에 주사용 국소마취제는 사용하지 않는다. 표면 국소마취제만으로도 환자는 통증을 거의 느끼지 않는다.

② 시술방법(콧등을 높일 때)

- 코의 전체적인 균형과 조화를 생각하여 시술한다.
- 코의 정준선을 표시한다. 얼굴의 정준선과 코의 정준선이 일치하는지를 확인하고 일치하지 않는 경우에는 시술 후에 삐뚠 코가 더욱더 두드러져 보일 수 있으므로 미리 환자에게 설명을 하고 이런 환자인 경우 가급적 시술을 피하는 것이 좋다(삐뚠 코에 대한 교정을 받는 것이 필요하다).
- 코의 정중선상에 주사기를 피부표면에 수직되게 위치하여 2.5 mm cap을 씌운 상태에서 콧등을 약 3등분하여 주입한다. 이때 filler가 코의 중앙에서 벗어나지 않도록 하는 것이 중요하다. 혹시 filler가 중앙에서 벗어나게 되면 이를 molding하는데 상당한 시간이 소요되기 때문이다. 코의 융기가 시작되는 부위는 눈을 떴을 때 상안검이 있는 높이이므로 이를 기준으로 filler를 주입한다(그림 16-14).

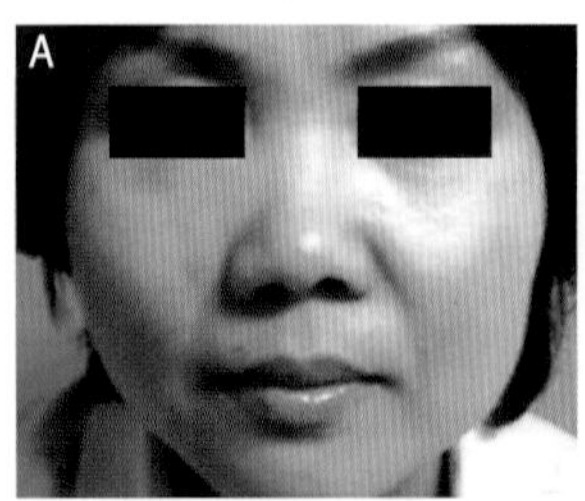

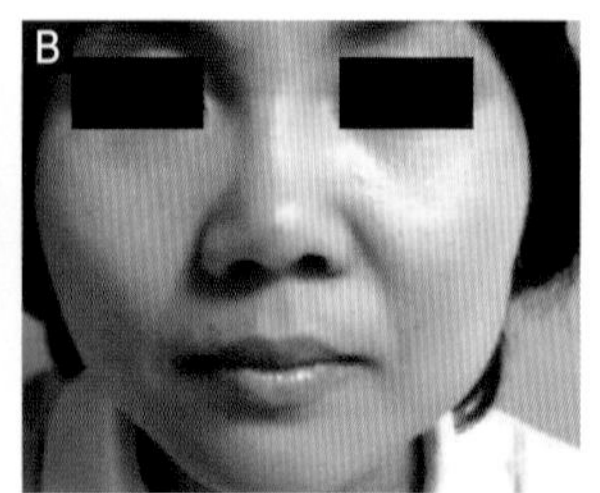

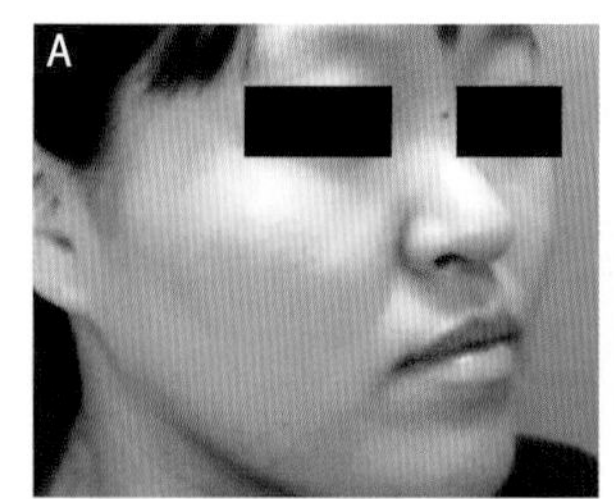

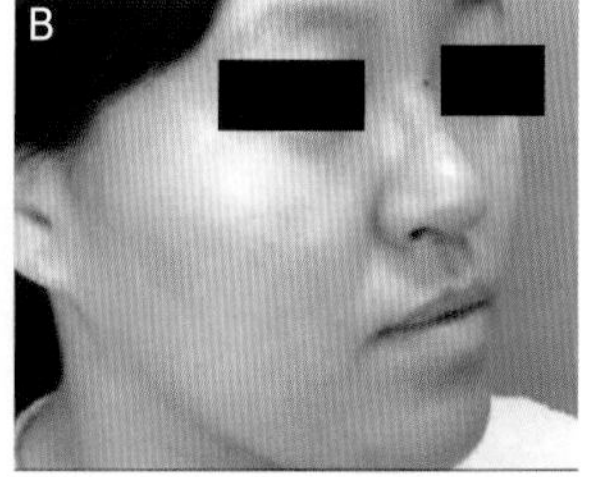

그림 16-14 **필러를 이용한 코융기술의 예. A:** 시술 전 **B:** 시술 2주 후

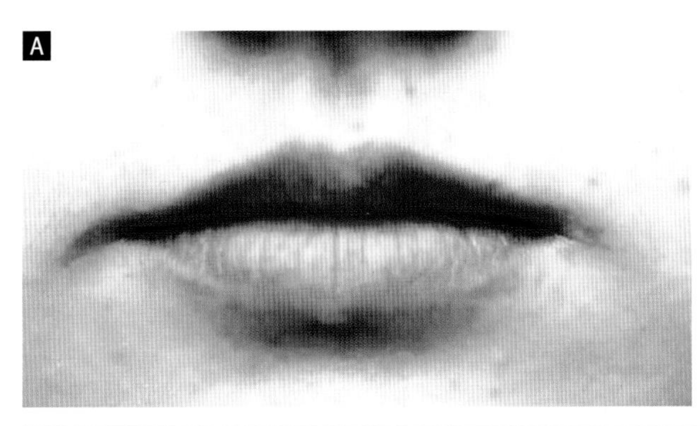

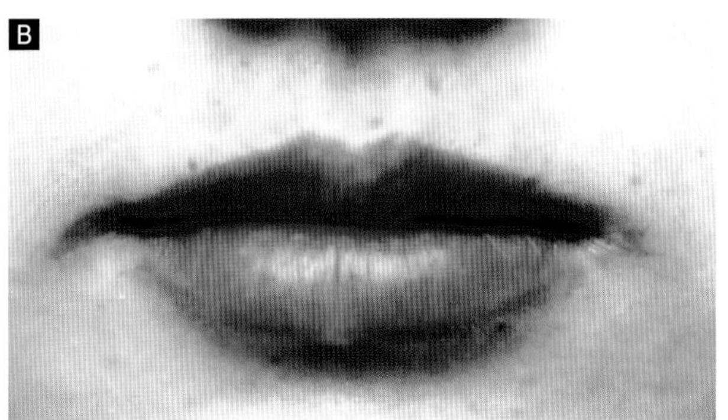

그림 16-15 필러를 이용한 입술증강술의 예. 입술증강의 효과뿐만 아니라 보습효과도 있다. **A:** 시술 전 **B:** 시술 2주 후

③ 주입량

아주 코가 낮지 않은 경우 0.7 cc 1syringe를 기준으로 주사하며 처음부터 한 번에 필요한 양 전부를 증강시키기 보다 필요량의 80% 정도 증강(augmentation)시킨다는 개념으로 시술을 하고 3주 정도 지나서 다시 평가를 해서 필요한 만큼을 추가로 주사하는 것이 좋다.

6) 입술증강술

Filler를 이용한 입술증강술은 무엇보다 간편하고 수술효과가 즉시 나타나서 환자들의 만족도가 높은 술식이다. 다른 부위에 비하여 지속시간이 짧은 것이 단점으로 지적된다. 시술 전 환자에게 충분히 주지시켜야 하며 시술 시 근육 내로 filler가 들어가지 않도록 해야 한다. 또한 시술 시 비대칭이 생기지 않도록 편측 당 주입된 필러의 양을 기억하여 반대측에도 동일한 양이 주입될 수 있도록 한다.

(1) 상순

입술 line을 강조하고 philtral ridge와 구순결절을 적절히 강조한다. 이를 위하여 lip line을 따라 0.1 mL씩 linear threading technique을 사용하고 또한 philtral ridge도 같은 방식으로 주사한다. 그리고 labial tubercle에도 적당량 주사함으로써 만족할 만한 상순을 만들어 줄 수 있다.

(2) 하순

한국사람의 경우 하순은 앵두 같은 입술을 선호하기 때문에 하순의 가로 길이를 3등분 하여 vermilion border에서 홍순의 wet lip과 dry lip의 경계 부위를 향해 9 mm cap을 사용하여 주사한다. 한쪽에 1/2 syringe 정도 즉 0.3 mL 정도를 주사한다(그림 16-15).

(3) 입술 시술 시 주의사항

① 입술 시술 시에는 입술이 부어올라 정확한 대칭 모양인지 판단하기가 어렵다. 그러므로 모양을 보고 대칭 여부를 판단할 것이 아니라 filler의 주입량으로 판단한다.

② 절대로 과교정하지 않는다.

③ 가급적 최소한 주사로 시술한다.

7) Marionette lines (Marionette folds, drooping labial commissure, drool groove, mouth frown) 처진 입꼬리, 꼭두각시 주름

흔히 marionette lines은 처진 입꼬리, 꼭두각시주름 정도로 불리는 것으로 이 주름은 입꼬리가 밑으로 처지면서 슬픈 표정이 되는 증상을 말하는데 대개 다른 사람들에게 부정적인 인상을 주게 된다. 이의 근본적인 치료는 하안면거상술(lower face-lift surgery)과 같은 수술법을 이용하거나 입구석(coner of the mouth)의 처짐은 2 units의 보톡스를 depressor anguli oris에 주사하면 입꼬리가 처짐을 어느 정도 개선할 수 있다. 하지만, 이 근육을 약화시키게 되면 levator muscle이 돌출하게 되므로 극도의 주의가 필요하다. 보톡스로 입구석의 처짐이 심해 개선되지 않으면 필러로 원하는 효과를 거둘 수 있다.

❖ 시술방법

Marionette Lines & Folds를 치료할 때에는 입의 모퉁이 주위의 삼각형 안에 주사하는 것이 주름 및 함몰을 없애기에 효과적이다.

수직 주사법을 사용하며 통상 Juvederm 24 혹은 30 등을 사용한다. 그 효과는 상당히 만족스럽다.

8. 보툴리눔 톡신을 이용한 사각턱 환자의 치료

보툴리눔 톡신의 이용이 점점 넓어지고 또한 시술방법도 다양하게 발전하고 있는 지금, 구강악안면영역에서 가장 관심의 대상이 되고 있는 분야가 사각턱축소술(하악각축소술)이다. 이 같은 관심은 세계 다른 나라보다 관심도가 높다. 특히 동양인의 모습과 연관지어 생각해 보면, 사각턱 부위의 발달과 더불어 턱의 수직적으로 짧은 현상으로 인해 더욱 사각턱부위가 두드러져 보이기도 하는 원인도 있다. 또한 동양인의 경우 서양인에 비해 상대적으로 낮은 코와 작은 눈으로 인하여 사각턱의 모습이 더욱 두드러지게 마련이다. 일반적으로 한국에서는 갸름한 턱선을 미인으로 여기고 예쁘고 아름답다고 느끼기 때문에 각진 모양의 턱선을 콤플렉스로 여기기도 한다.

사각턱 축소방법은 그 원리나 시술방법에서 일반적인 주름치료보다 어렵지 않아 점점 시술하는 의사의 수가 증가하고 있는 것이 사실이다. 그러나 보툴리눔 톡신을 이용한 사각턱축소술(하악각절제술)은 사각턱 수술과 상호보완적인 치료방법이라는 사실을 명심해야 할 것이다. 단독적인 치료만을 통해서 해결할 수 있는 것은 아니라는 사실이다.

1) 사각턱(양성교근비대증)의 정의와 치료역사

사각턱은 영어로 squared face, square jaw 등으로 불리우며, 정면에서 얼굴을 보았을 때 아래턱 부분이 양쪽으로(측면에서 보면 하후방으로) 커져 있어 얼굴 형태가 사각형에 가까워서 붙여진 용어이다. 악안면 기형의 한 유형으로 보면 두 가지 형태로 이야기할 수 있다. 첫째는 근육이 커진 양성교근비대증(benign masseteric hypertrophy 또는 단순히 그냥 masseteric hypertrophy)이고 둘째는 뼈가 과도하게 큰 상태(prominent mandibular bone, square shape man-

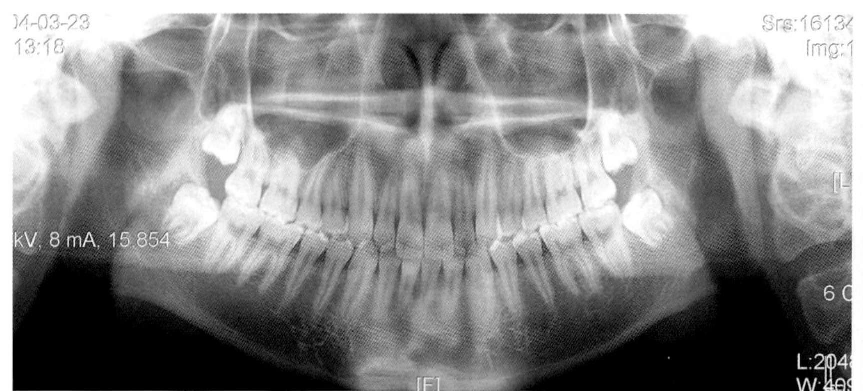

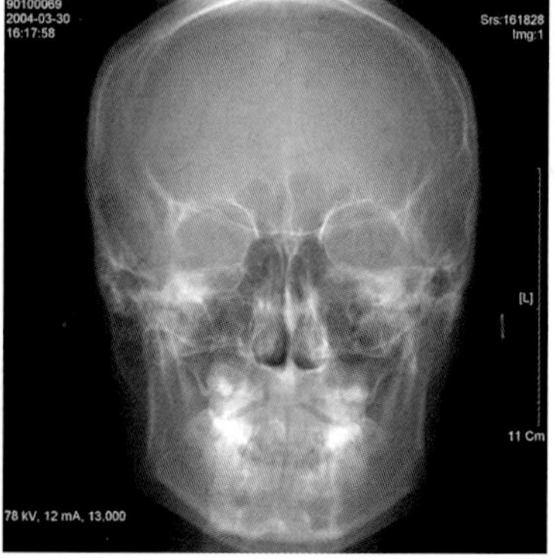

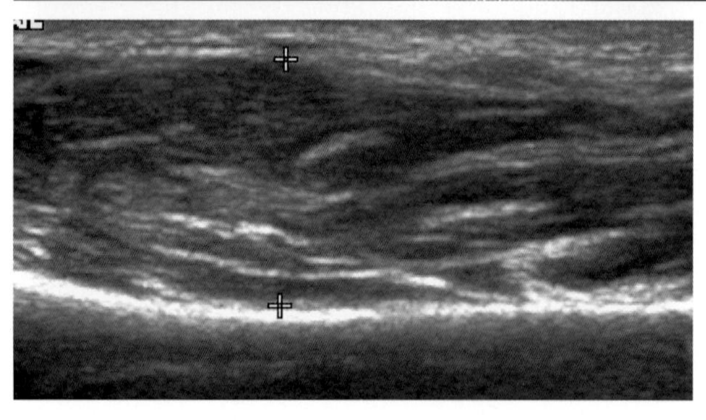

그림 16-16 **사각턱 환자의 진단방법.** Panorama, Skull PA, Masseteric muscles의 Sonograph를 통하여 Skeletal한 면과 Muscle의 Hypertrophy 양상을 파악하고 수술과 Botulinum toxin injection 단독 여부를 확인할 수 있다.

dible, square mandible face, prominent mandibular angle)이다. 이 두 가지가 동시에 존재하는 혼합형의 경우도 임상에서 관찰이 된다(그림 16-16).

서양에서는 사각턱이 주로 교근비대에 의해서 발생하는 것으로 언급하고 있지만 동양에서는 뼈가 큰 것이 주요한 원인이라고 주장하기도 한다. 그러나, 본 저자는 사각턱의 원인은 두 가지 모두가 가지고 나름대로의 기능을 가지고 있으며 두 가지 모든 부분을 해결해야 정면상과 측모상에서의 변화를 얻을 수 있는 것으로 사료된다.

앞서 언급 한 바 있지만 골격적으로 mandible angle의 외측으로 돌출현상과 저작근이 맞물려서 비대해 있을 경우에는 근육적인 문제만을 해결하는 것이 아니라 골격적인 문제도 수술적으로 해결해야만 사각턱의 정상적인 교정이 가능하다. 여기서 다루는 보툴리눔 톡신을 이용한 사각턱의 교정은 양성교근비대증 현상이 두드러지는 환자에게 유용하면 사각턱수술을 받고 난 다음 근육적인 문제로 비대현상이 남아 있는 경우에 치료하는 양상을 고려하고 있다.

1880년 Dr. Legg가 특별한 가족력이나 비정상적인 식습관이 없는 10세의 여아에서 보고한 것이 최초로 알려져 있는 양성교근비대현상 이었으며 그후 간헐적으로 여러 증례보고가 나오다가[13] 1947년 Gurney가 처음으로 수술적 구강내접근법으로 수술을 하였고 여러 다른 연구자들에 의해 그 유용성을 인정받기에 이르렀다.[14] Van Zandijcke 등은 1990년 이갈이(bruxism) 환자에서 교근에 보톡스를 주사해 치료한 증례를 처음 보고한바 있다.[15] 본 저자도 2004년도 치과임상 8월 호에 이갈이 환자의 교합치료와 함께 보툴리눔 톡신을 이용한 치료법을 소개한 바 있다. Filippi 등은 1993년 쥐의 Jaw muscle spindle에 대한 보톡스 주사가 수의운동에 관여하는 알파운동뉴런뿐만 아니라 tonic myotatic reflex에 관여하는 감마운동뉴런도 차단한다는 사실을 밝혀 보톡스에 의한 근육퇴축이 운동신경의 직접적인 마비에 의한 결과일 뿐만 아니라 reflex muscular tone의 감소에도 기인한다는 흥미로운 결과를 낸 바 있다.[16] 그후 1994년도에 Smyth와 Moore 등이 보톡스를 이용한 양성교근비대증의 치료가 매우 효과적인 것임을 동시 발표하여[17,18] 한국에서도 적극적으로 추천되는 방법으로 소개되고 있다.

Schnider 등은 1997년에 표적 근육에 해당하는 masseter m.에 보톡스를 근육주사하여 3~8주의 기간 동안 현저한 근위축이 일어남이 보고되었으며 근위축의 효과는 25개월의 follow-up 기간 동안 유지되었고 부작용은 전혀 관찰되지 않았다고 보고한 바 있다. 한국 내에서 2001년도부터 구강악안면외과, 피부과, 성형외과, 정형외과 등 다양한 과에서 보급되기 시작하였으며 다양한 경험과 효과의 평가를 수행해 오고 있다.

2) 교근과 사각턱 주변의 임상해부학(Clinical anatomy of masseter muscle and periangular area)

교근(masseter muscle, 깨물근)은 해부학적으로 직사각형 모영의 두껍고 강력한 저작근육으로 일반적으로 표재부(superficial portion)는 maxilla의 zygomatic process와 zygomatic arch하단의 앞쪽 2/3에서 기시해 아래후방쪽으로 진행해 내려오다 mandible angle과 mandibular ramus의 외측면의 아래쪽 1/2에 종지한다. 이에 비해 심부(deep portion)는 zygomatic arch의 medial surface에서 기시해 아래-전방

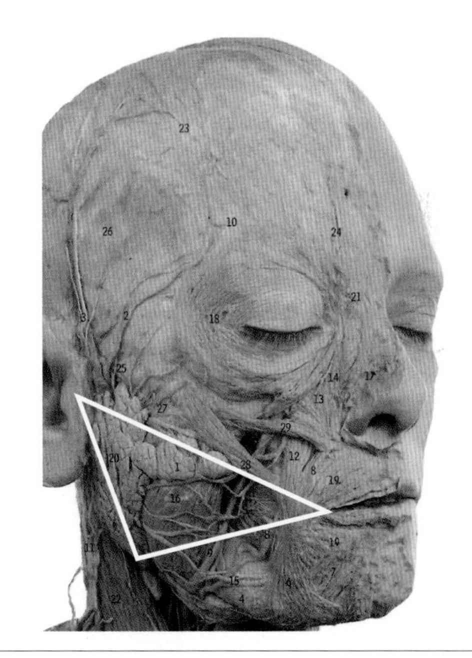

그림 16-17 **얼굴 앞 오른쪽 면의 얕은 사체해부사진.** 흰 삼각형은 K-line triangle를 그린 것으로 해부적인 구조물을 벗어나면서 Masseteric muscle의 풍융 부위를 파악할 수 있다. 그림의 주요번호를 확인해보면 1. Accessory parotid gland, 5. 9. Facial vein, 15. Mandible marginal branch, 16. Masseteric m. 20. Parotid gland. 주요한 구조물을 피하면서 보툴리눔 톡신 A를 주입할 수 있도록 하는 K-triangle line을 이용하여 Injection하는 방법은 아주 효과적인 방법이다.

쪽으로 진행해 내려오다 ramus의 위쪽 1/2과 coronoid process의 외측면에 종지한다.

교근은 저작 시에 두드러지게 나타나며 저작 시에 보통 30% 정도의 volume change가 오는 것으로 sonograph에서 확인된 바 있다(본 교실에서 연구한 결과 최대 25%까지 증가하는 양상을 확인할 수 있었다). 교근(masseteric muscle)은 삼차 신경의 mandibular branch에 의해 지배되며 혈액은 maxillary artery의 masseteric branch에 의해 공급받는다. 교근근막(masseteric fascia, parotidomasseteric fascia, 깨물근막)은 교근을 덮으면서 동시에 강하게 교근에 부착되어 있다. 위로는 zygomatic arch의 하단에 붙고 뒤쪽으로는 이하선(parotid gland)에 연결된다.

교근비대 증상은 여러 가지로 분류가 가능하다. 교근은 직사각형 형태로 이루어져 있으며 가장 풍융한 부위는 middle third부분이다. 이 부분의 측정은 K-line triangle로 이루어져 있다(그림 16-17).

3) 사각턱의 분류에 따른 치료방법

하악각의 돌출을 그 원인에 근거하여 크게 3가지 형태로 분류하여 치료한다. 앞서 언급한 바대로 panorama, skull PA, muscle sonograph를 통하여 하악각의 돌출이 근육성인지, 골격성인지, 근육성과 골격성이 혼재되어 있는 것인지를 확인하여 치료의 pattern을 잡는다(그림 16-16).

Type I은 주로 masseteric muscles의 비후에 의해서 하악각이 돌출된 형태로 하악각부의 골구조상 거의 정상적인 경우이며 전면에서 관찰 시 하악각부의 돌출이 심하며 측

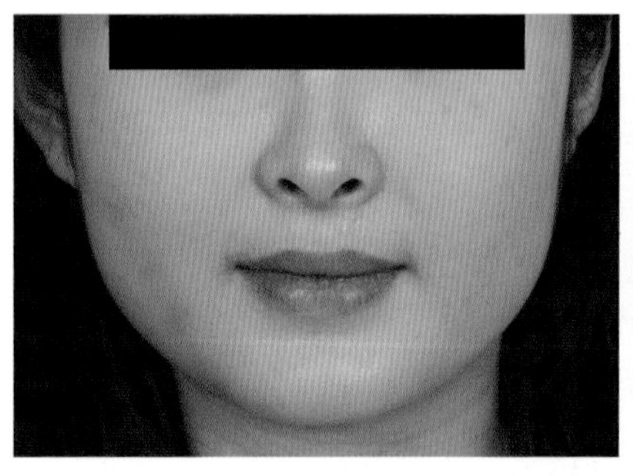
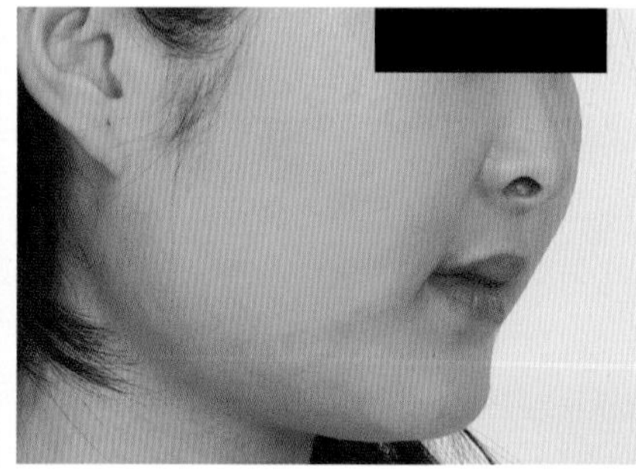

그림 16-18 **Type I. Musclular type.** Masseteric muscles의 Hypertrophy가 두드러지게 나타나는 형태로서 보툴리눔 톡신 A를 주입한 후에 개선을 시킬 수 있는 임상증례이다.

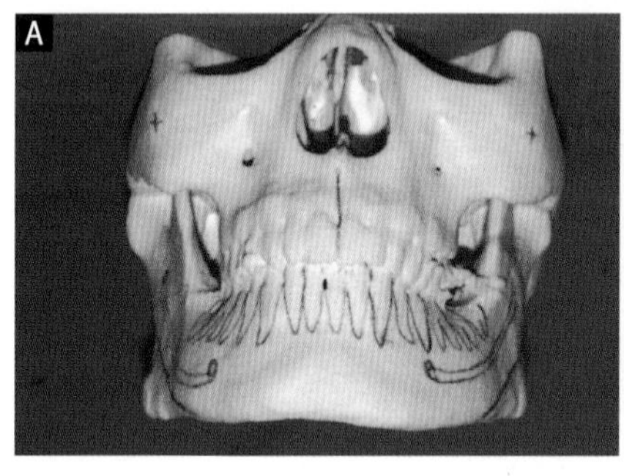

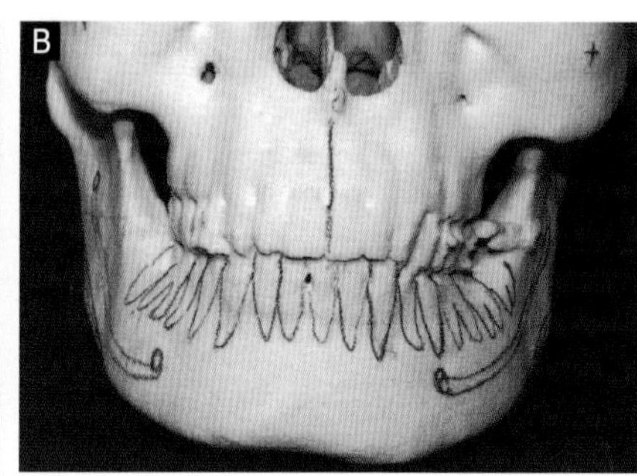

그림 16-19 **Type II. Skeletal lateral projection type.** **A:** 술전 3D model이며 **B:** 3D model에서 직접 시술을 해본 그림으로 Angle reduction양상을 확인할 수 있다.

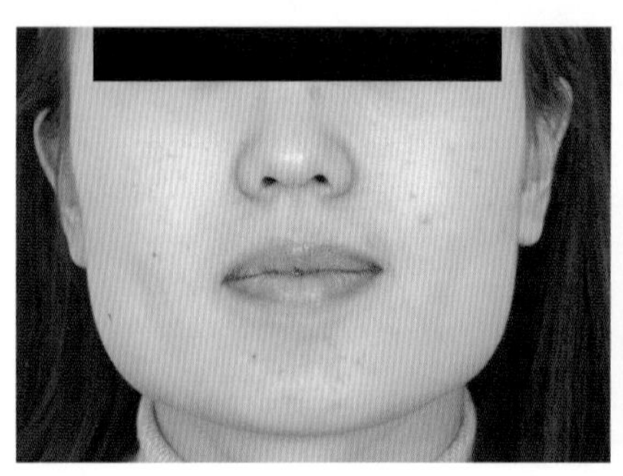
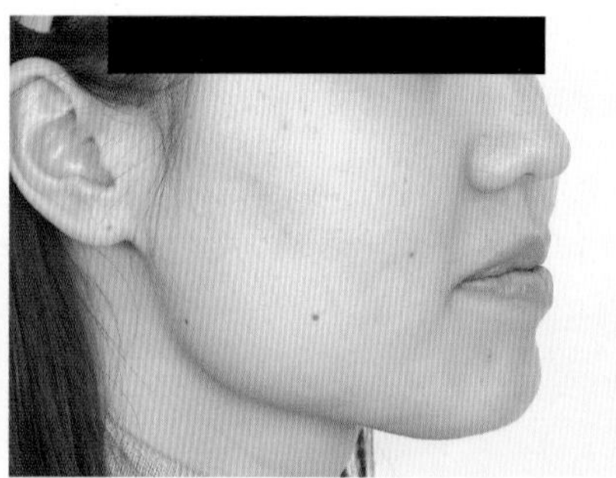

그림 16-20 **Type III. Combination type.** 하악각의 Outward projection과 Muscular hypertrophy 양상을 보이고 있는 환자의 모습을 관찰할 수 있다.

면에서 보았을 경우에는 하악각의 형태가 정상적인 경우를 의미한다. 이러한 경우에는 수술적 방법보다는 보툴리눔 톡신 A [botulinum toxin A (BTXA®, 한울제약)]를 injection하면 좋은 효과를 발휘할 수 있는 적응증(indication)이 된다. 보툴리눔 톡신 A를 단독 투여를 할 경우에 일반적으로 좋은 효과로 인하여 부가적인 수술을 고려하지 않아도 되는 case이다. Sonograph상의 10 mm 이상의 masseteric muscles의 hypertrophy가 관찰되고 panorama와 skull PA상에서 mandible angle의 outward projection이 관찰되지 않는 경우이다. Mandible angle의 posterior projection 양상을 보이는 경우도 이같은 현상을 관찰할 수 있다. 이러한 경우도 보툴리눔 톡신 A를 단독 투여 함으로써 효과를 볼 수 있다(그림 16-18).

Type II는 주로 하악각의 돌출에 의해 하악각부의 비후가 발생하는 경우로 masseteric muscles의 비후를 관찰할 수가 없거나 미약한 경우가 많다. 보툴리눔 톡신 A의 injection은 하악각절제술을 시행할 경우, 보조적인 수단으로 사용가능한 경우이다. 전방부위에서 남아 있는 풍융한 모습을 감소시켜줄 수 있다. 하악각절제술만을 시행했을 경우에는 술후 부종 등이 남아 있는 경우에 하악각절제술을 시행했을 경우와 하지 않은 경우의 얼굴모습이 비슷하다라는 환자의 complain을 듣기도 한다. 이러한 경우 보툴리눔 톡신 A의 부가적인 투여로 보조적인 효과를 얻을 수 있을 것이다(그림 16-19).

Type III는 주로 하악각과 masseteric muscle의 비후가 동반되어 있는 경우로 전면, 측면에서 모두 하악각부의 돌출을 관찰할 수 있는 경우를 의미한다(그림 16-20). 원인이 근육과 뼈에 있기 때문에 수술과 원인에 근거하여 크게 3가지 형태로 분류하여 치료에 임하고 있다. 앞서 언급한 바대로 panorama, skull PA, muscle sonograph를 통하여 하악각의 돌출이 근육성인지, 골격성인지, 근육성과 골격성이 혼재되어 있는 것인지를 확인하여 치료의 pattern을 잡고 있다(그림 16-16).

보툴리눔 톡신 A를 주입하는 것이 해결할 수 있는 방법이다. 근육적인 문제만을 해결했을 경우에는 강한 인상이 그대로 남는 경우가 대부분이다.

4) 보툴리눔 톡신 A의 주사방법

우선 국내에서 시판되고 있는 BTXA®와 Dysport®를 준비한다. BTXA® 100 U를 2 cc 생리식염수로 희석 후 30 G needle이 장착된 1 cc insulin 주사기에 총 0.5~0.6 cc를 채워서 2개의 주사기를 준비한다. 환자를 편하게 unit chair에 눕힌 후 고개를 한쪽으로 돌리게 하고 나서 어금니를 꽉 깨물게 하면 교근이 단단하게 만져질 것이다. 이때 경계 부위를 표시하기 위해 mouth corner와 귀의 tragus를 이은 선을 연결하고 mandible의 angle 부위를 연결한 삼각형을 만든다. 이때 어금니를 꽉 깨물게 하면 두툼하게 올라와 있는 교근을 만질 수 있을 것이다. 이 삼각형의 각 꼭지점을 향해서 좌우 교근에 25~30 BU를 주입하면 된다. 교근의 deep masseteric muscles에 주입하여야 효과가 지속적으로 퍼질 수 있으며 일반적으로 보툴리눔 톡신이 퍼질 수 있는 거리는 1.5 cm을 기준으로 하기 때문에 해부학적인 구조물과의 연관성을 고려하여 주입하는 것이 좋다. 근육의 크기와 주사량은 꼭 비례하지는 않으며 근육이 크면 적은 양으로도 크고 빠르게 반응을 보이기도 하며 근육이 작은 경우에는 반응도 느리고 만족도도 떨어지는 경우를 종종 볼 수 있다.

현저한 prominence를 보이는 부위는 중요한 injection point가 될 수 있다. 포인트를 되도록이면 3개 정도로 잡는 것이 좋을 것이며 근육에의 균등한 효과를 더 보기 위하여 포인트를 늘이면서 용량은 줄이는 시술법을 사용할 수도 있을 것이다. 하지만 안전지역(safety zone)을 무시해서는 안 된다.

환자 본인이 증상의 호전을 느끼기 시작하는 시기는 보통 3주째이며 다른 사람도 느끼는 시기는 6주째인 것으로 판단된다. 가장 효과가 좋은 시기는 3개월이 지난 후부터이며 한 번 주사로도 1년 이상 효과가 유지된다고 보고 있으나 6개월째에 다시 한 번 주사를 진행했을 경우에는 1년 반 이상 지속되는 것으로 판단된다.

여러 부위에 찌르는 이유는 보툴리눔 톡신 A가 조금이라도 더 고르게 퍼지게 하기 위함이며 위쪽 경계를 정한 이유는 parotid gland의 Stensen's duct때문이며 이것은 교근의 표면을 지나가는 위치와 일치하며 선의 위아래로 있는 소근(risorius)와 zygomaticus major의 마비를 막기 위해서다.

해부학적인 위치는 그림 16-16을 참조하기 바란다.

사각턱에 대한 보툴리눔 톡신 A 시술의 장단점

- 장점: 효과가 서서히 나타나서 시술을 받았다는 것을 주변에서 모르는 경우가 많으며 살이 빠진 정도의 변화로 보는 경우가 많다.
- 단점: 지속적인 시술이 필요한 경우가 많고 고비용의 시술이 될 수 있다.
- 효과가 없으면 2개월 후 같은 용량으로 2차 시술을 하고 효과가 있는 경우에는 6개월 이후에 2차 시술을 하는 것이 좋다.

5) 부작용과 주의사항(Complicationn & Caution)

사각턱 환자의 치료에 있어서 K-triangle line을 지키면 커다랗게 문제가 될 만한 부작용을 만나기 어렵다. 일과성으로 딱딱한 음식을 씹을 때 일시적인 저작곤란이나 뻐근한 느낌이 있기는 하지만 7일 이후부터는 없어지기 시작한다. 그런대로 적응이 가능하다.

외과적 수술에 비해 보툴리눔 톡신 A에 주입에 대한 치료는 결과의 예측이 어렵는 단점이 있으며 지속기간이 개인차에 따라 약간 다르게 나타난다는 단점이 있다.

Safety zone 내에서 주사하면 거의 멍이 발생되지 않지만 vessel에 손상을 주었을 경우에는 약간의 문제를 유발시킬 수 있다. 표정근 마비 시 환자가 걱정하는 것은 마비 효과가 1개월 이상 장기간 지속되는 것이므로 일시적임을 설명해 주고 안심시켜야 하지만, 일반적으로 K-triangle line상에서는 유발되지 않는다.

2~3% 내에서 약간의 부기가 있기는 하지만 1주일 정도 지나면 가라앉게 되고 2주 정도는 멍이 지속적으로 나타나기도 한다.

(1) 임상증례 1(그림 16-21)

이 환자는 외모를 보면 우측과 좌측의 하악각의 방향의 차이에 의해서 하악각이 불균형하게 형성되어 있는 것을 확인할 수 있다. 각각 masseteric muscle에 30 unit의 보툴리눔 톡신 A (BTXA)를 주입하였다(2 cc 생리식염수 희석용량). 주사 후 2주일 정도에 주위에서 살이 빠졌다는 말을 듣기 시작하였다고 하였으며 4주째에 턱선이 가름해지기는 하였지

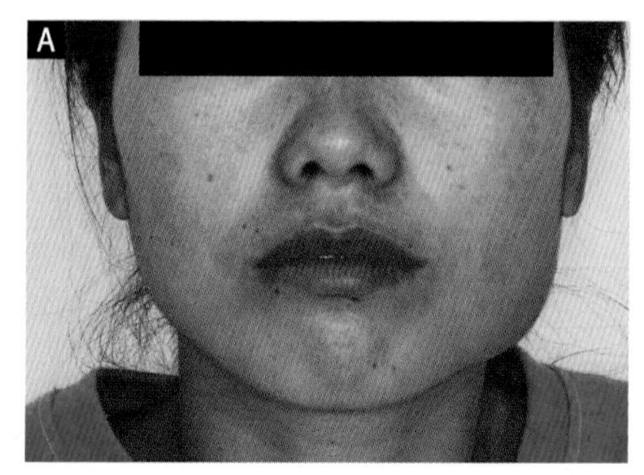

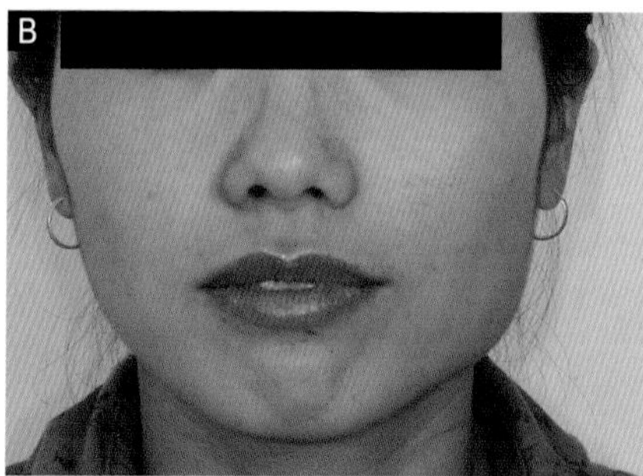

그림 16-21 A: 교근비대와 함께 왼쪽 하악각의 outward projection 양상을 보이고 있다. B: 보툴리눔 톡신 A를 주입하고 난 다음 4주가 지난 사진으로 살이 빠진 양상을 관찰할 수 있으나 outward projection 양상의 왼쪽 하악각은 줄지 않은 것을 확인할 수 있다.

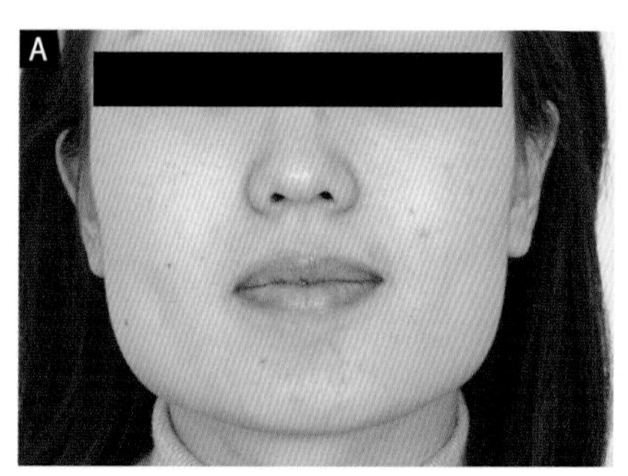

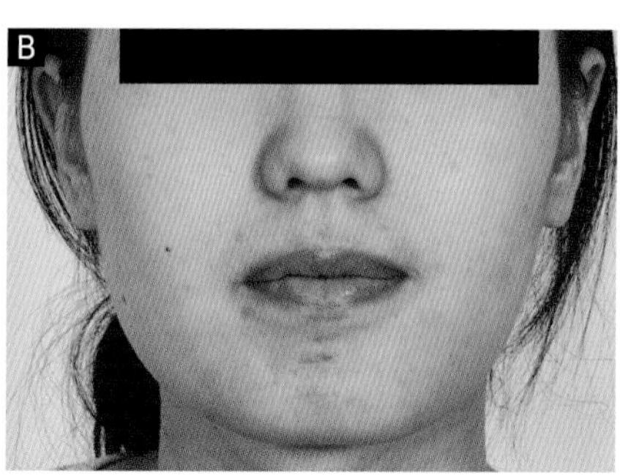

그림 16-22 **술전(A)과 술후 1년 뒤(B)의 모습.** 사각턱의 type은 combination type으로 angle reduction과 보툴리눔 톡신 A의 적용이 필수적인 환자이다. Modified bilateral sagittal split osteotomy를 이용한 angle contouring surgery를 시행하였으며 시행 후 6개월 뒤 보툴리눔 톡신 A를 양쪽 angle 부위에 30 uint씩을 주입하였다.

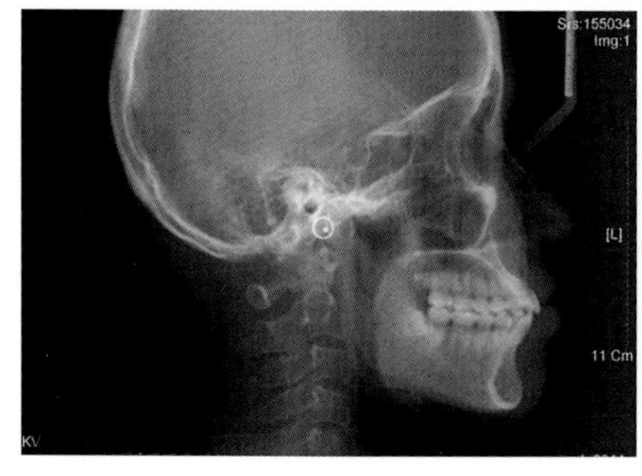

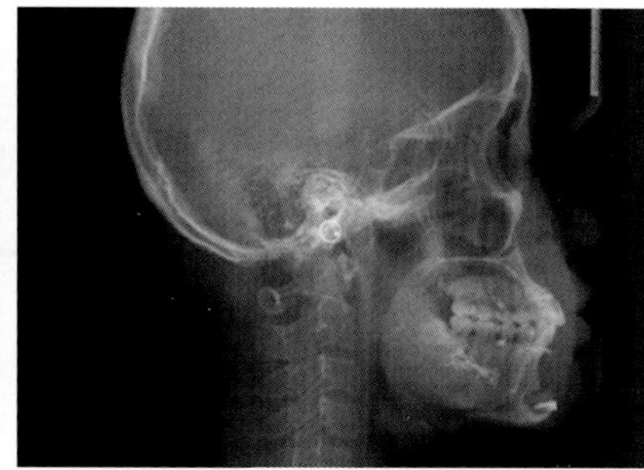

그림 16-23 **Lateral cephalogram 사진.** Angle contouring과 함께 narrowing genio-plasty를 시행한 환자이다. Lower lip에서 chin point까지의 vertical 거리가 짧기 때문에 이 부분에 lengthening을 동시에 시행한 상태이다.

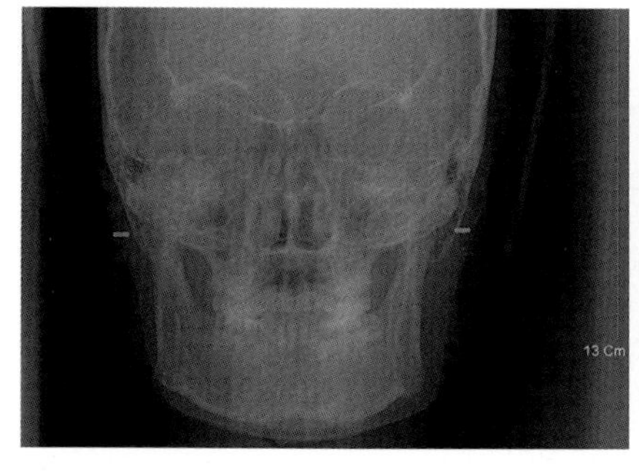

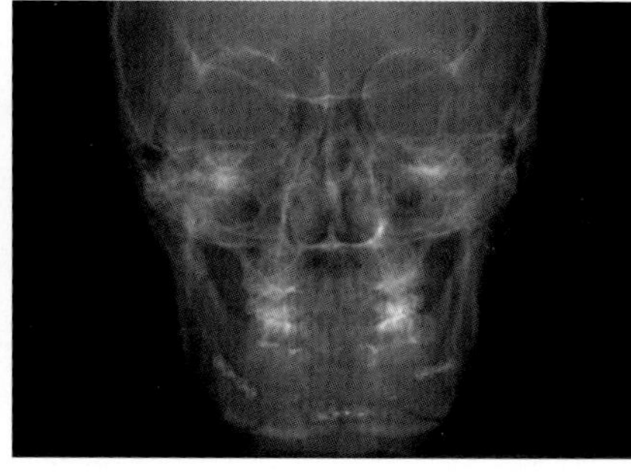

그림 16-24 Skull PA상으로 narrowing genioplasty와 함께 bilateral sagittal splint osteotomy를 시행한 모습을 볼 수 있다.

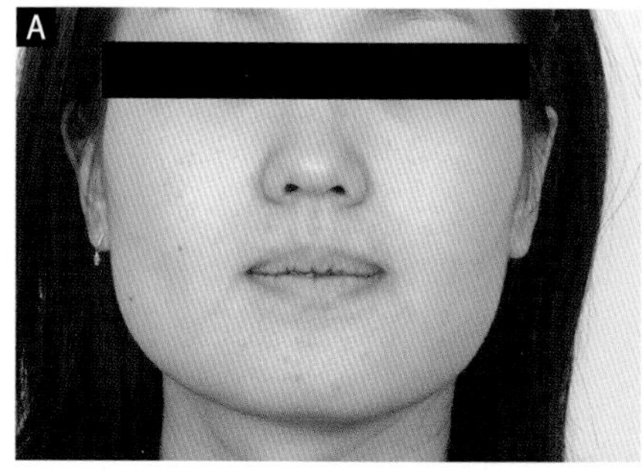

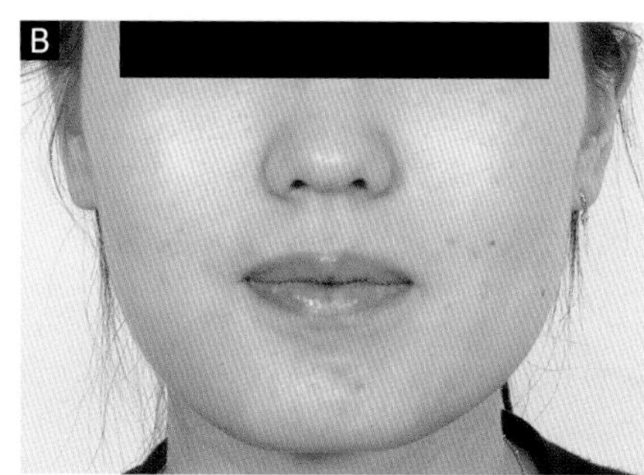

그림 16-25 A: 보툴리눔 톡신(BTXA)을 주입하기 전의 모습(angle contouring surgery로 가름한 형태의 얼굴형을 유지하고 있지만 muscle 부분의 volume감은 남아 있는 상태)
B: 주입 후 2개월의 모습

만 outward projection되어 있는 좌측 하악각의 경우에는 개선의 양상을 판단하기 어려웠다. 향후 contouring surgery of mandible angle를 실시하여야 할 것으로 사료된다.

(2) 임상증례 2

이 증례(그림 16-22~25) 환자는 combination type의 환자로 교근 비대 뿐 아니라 mandible angle의 outward projection 양상을 전형으로 드러내고 있다. Angle contouring surgery 만으로는 환자의 교근 비대(그림 16-25)를 정면상에서 관찰할 수 있기 때문에 심미적으로 불만족을 초래할 가능성이 있다. 이러한 경우, 양쪽 교근 부위에 30 unit BTXA를 주입하고 난 다음 효과를 본 환자 증례이다. 1년까지 follow up 한 결과 사각턱의 교정으로 인하여 안모개선 뿐 아니라, 머리모양의 변화 등, 자신감을 가지게 되는 효과도 가져오게 되었다.

6) Conclusion

사각턱 환자의 경우, 각 분류 방법에 따른 수술적인 면과 botulinum toxin의 주입으로 개선된 안모를 얻을 수 있었다. 환자의 분류와 치료방법의 체계화를 통하여 일정한 protocol을 확인할 수 있었으며 객관적인 데이터정리를 통하여 masseteric muscle의 감소양상을 확인할 수 있다. 향후에 보툴리눔 톡신 A를 6개월 내에 두 번 주입하여서 1년 반 이상의 지속양태가 근육에 어떠한 퇴화과정을 겪게 될 것인지에 대한 체계적인 연구가 필요하리라 사료된다. 일반적으로 botulinum toxin A injection은 각 type별로 주요한 치료방법이 될 수도 있고 보조적인 치료 수단이 될 수 있지만 근육성 사각턱에 주요한 역할을 할 수 있는 것으로 사료된다. 보툴리눔 톡신 A를 이용한 사각턱 교정은 시술법이 최소의 침습성으로 진행할 수 있는 아주 간편한 방법이다. 얼굴 형태에 따른 진단과 치료가 선행되었을 때 효과적인 결과를 얻을 수 있을 것이다.

9. 보툴리눔 톡신을 이용한 주름살 치료

구강악안면영역에서 보툴리눔 톡신의 사용빈도의 급격히 증가하고 있는 것이 현실이다. 특히, 질환에 대한 증상적인 치료뿐 아니라 원인적인 치료접근 방법으로도 사용되고 있다. 근골격성 악관절장애시 근육적인 문제를 일시적으로 해결하는 방법이나 이갈이 환자에서의 근육패턴의 변화를 통한 이갈이의 감소를 유도하는 방법, 근육성이면서 긴장성 두통을 가진 환자에서의 문제를 해결하는 방안 등 다양한 용도로 사용하고 있다. 이러한 질환 등의 해결뿐 아니라 얼굴의 표정근에 따라 생겨나는 주름살에 대한 성형적 목적으로도 많은 해결을 하는 것이 일반적인 쓰임새이다.[19]

1) 얼굴 표정근의 해부학 (Anatomy of facial expression muscles)

얼굴 표정근에 대한 해부학적 지식을 습득할 때 중요시 여기는 layer가 SMAS (superficial muscluoaponeurotic system)의 개념이다. 얼굴의 피부와 붙어 있는 근육의 층판을 관찰할 경우 SMAS는 두경부에서 한쪽은 진피에 그리고 다른 한쪽은 얼굴 근육의 facia와 연결되어 있는 구조를 가리키는데 상방으로는 temporalis muscles과 frontalis muscles, 전방으로는 orbicularis oculi, 하방으로는 platysma, 그리고 후방으로는 trapezius muscles과 연결되어 있다. SMAS Layer층에 대한 전반적인 내용은 그림 16-26에 도식적으로 표현되어 있다.

주름살 치료에 있어서 facial lifting을 통한 수술적인 치료방법으로 SMAS layer층을 후상방으로 올려 주었을 경우에 안면근육의 주름살을 제거하는 방법으로 사용되기도 한다.

Frontalis는 모상건막(galea aponeurotica)에서 기시해 눈

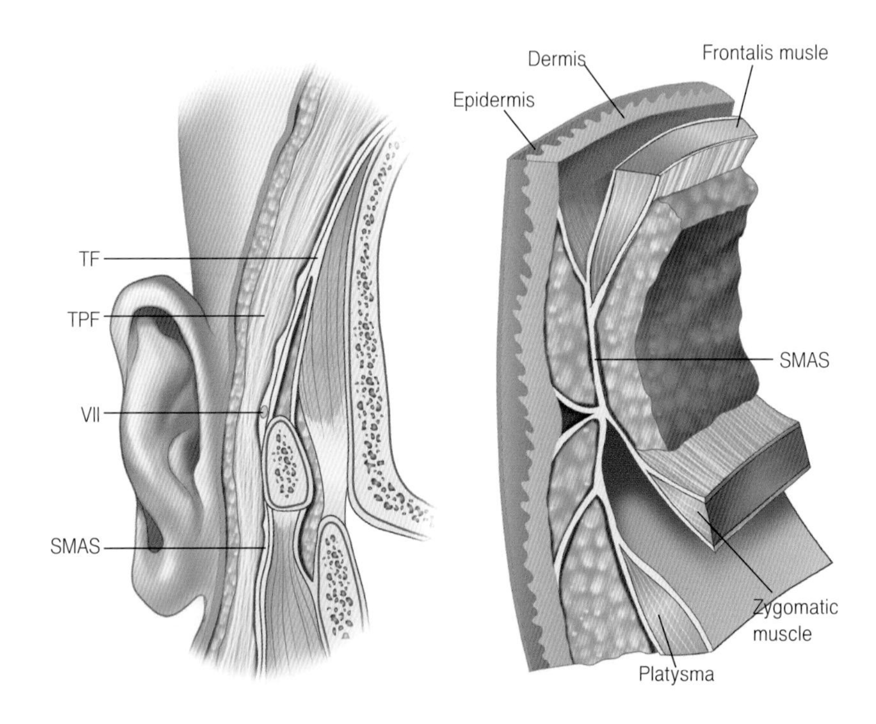

그림 16-26 SMAS (Superficial muscluo-aponeurotic system) Layer층 구조를 보여주고 있는 그림

썹 부위의 피부로 종지해 두개골과의 접촉이 없다는 특징이 있다(그림 16-27). 기능은 눈썹과 nasal root 부위의 피부를 상승시키고 이마에 주름을 만들며 안면신경의 temporal branch와 supraorbital & supratrochlear artery의 공급을 받는다. Forehead crease (전두주름살)을 담당하고 있으며 보툴리눔 톡신의 주입을 통하여 근육의 수축을 마비시켜서 주름살의 모양을 변형시키게 된다. 주름살은 6개월이 지난 후에는 다시 생기지만 과거의 주름살과는 다른 변형된 주름형태를 유지하게 된다.

Orbicularis oculi muscles (눈둘레근)은 medial palpebral ligament와 lateral palpebral ligament에 의해 전두골의 비골부분과 frontosphenoidal process에 각각 부착되어 눈을 감는 기능을 담당한다.

눈썹주름근(corrugator supercilli, 추미근)은 전두근과 눈둘레근의 아래에 위치하면서 눈썹을 내측으로 잡아당기는 기능을 담당하고 있으며 안면신경의 temporal branch의 지배와 supratrochlar artery의 공급을 받고 있다. 미간주름의 중요한 원인 근육으로 생각되고 있어서 보툴리눔 톡신의 사용 시 주요한 target muscles로 사용되고 있다.

소근(risorius, 입꼬리당김근)은 masseter의 facia에서 기시해 수평방향으로 앞쪽으로 진행해 입꼬리의 피부에 종지한다. 입꼬리를 옆으로 잡아당기는 기능이 있는데, 특히 씩

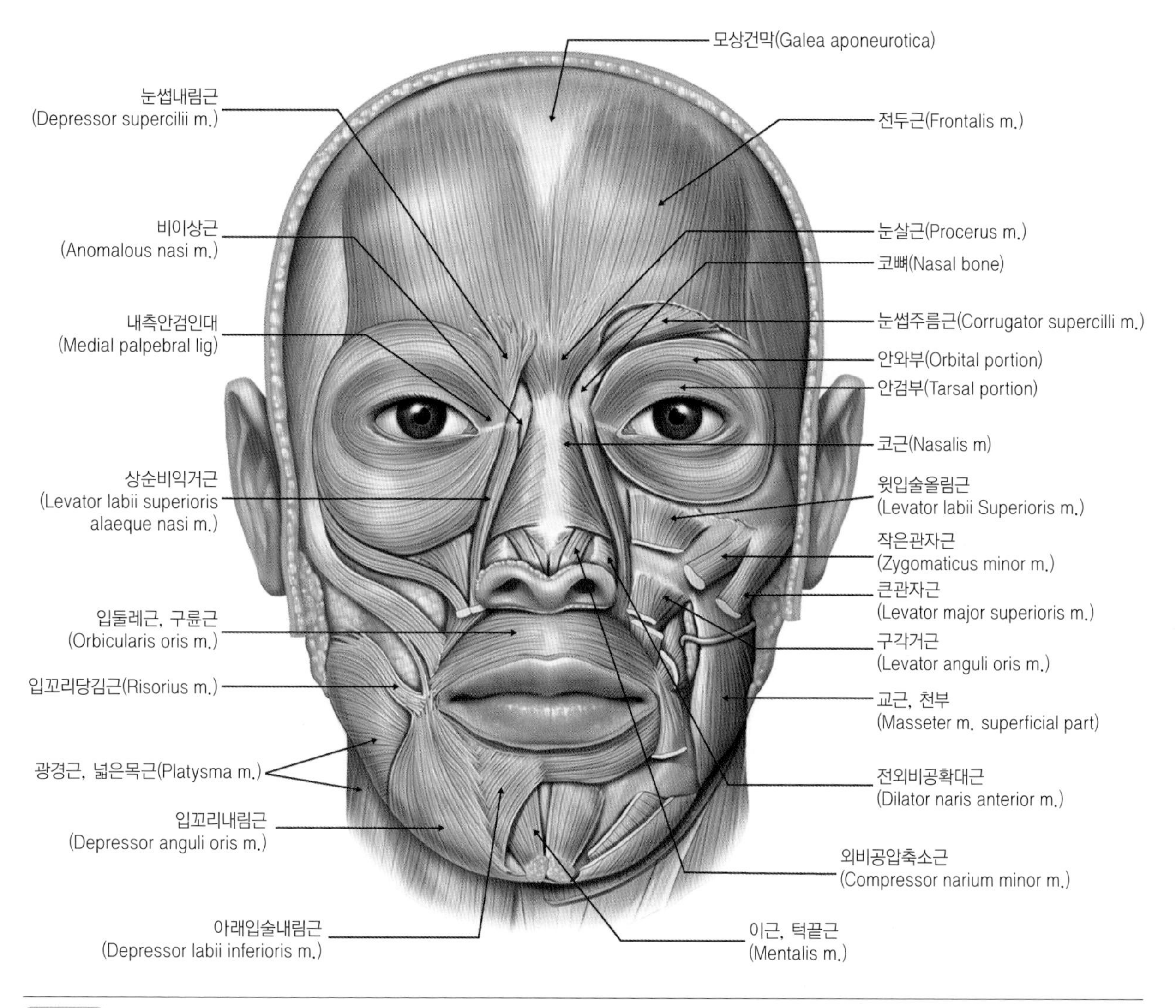

그림 16-27 안면부에 기시와 종지를 하고 있는 표정근을 파악하는 것이 주름살 치료에 매우 중요하다. 관심있게 보아야 할 것으로는 Frontalis muscles, Corrugator supercilii m., Procerus m., Orbicularis oculi m., Orbicularis oris m.의 기시와 종지를 유심히 관찰할 필요가 있다.

웃는 표정을 짓게 만들며 안면신경의 buccal branch에 의해 지배되고 transverse facial arter와 facial ateray에 의해 혈액을 공급받고 있다. Orbiculis oris (구륜근, 입둘레근)에 보툴리눔 톡신을 주입했을 경우에 소근에 영향을 미쳐서 입꼬리가 처지는 부작용을 유발시킬 수 있으므로 주의해야 한다.

2) 미간주름의 치료

미간주름 형성에 영향을 주는 근육은 Procerus muscles, corrugator supercilii muscles, depressor supercilii muscle이 있다. 움직일 때만 주름이 생기는 경우에는 완벽한 효과를 기대할 수 있지만 주름이 깊은 경우에는 collagen matrix나 다른 filler 계통의 주입도 고려해야 하는 경우도 있다. 반복적인 투여를 통하여 주름살이 완전히 없어지는 것은 아니며 주름모양의 변형이 오면 주름살이 줄어드는 현상을 관찰할 수 있다. 매 6개월마다 보툴리눔 톡신을 주입할 경우 주름살의 변형을 생성하게 되며 이러한 현상이 지속될 경우 기존의 주름살과는 다른 형태로 변형되게 된다.

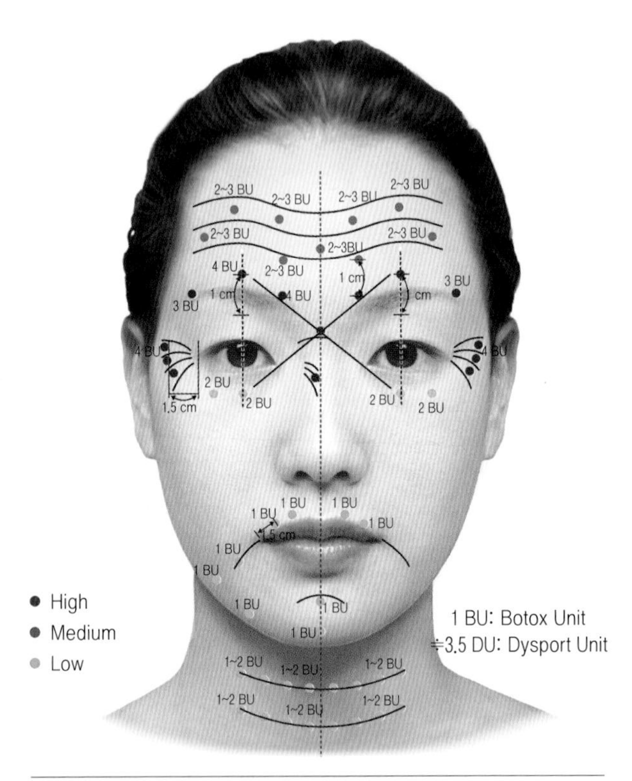

그림 16-28 **이마주름, 눈가주름 등 주름살에 사용할 수 있는 프로토콜.** 일반적인 용량은 BTXA로 용량을 결정한 것이다.

보툴리눔 톡신의 주사방법은 corrugator muscle을 target muscle로 하여 주입하는 것이 중요하다. 저자의 경우에는 보툴리눔 톡신 100 unit를 2.5 cc saline 섞어서 100 unit를 만든 다음 0.1 cc당 4 unit를 만든 후에 한 주입 point당 4 unit를 주입하는 방식을 채택하고 있다(각 부위별 용량은 그림 16-28에 표시되어 있음). Bone을 느낄 수 있을 때까지 60° 각도 정도(각 술자마다 다르게 시행하고 있다. 45° 이하로 주입하는 경우도 있고 90°로 주입하는 경우도 있다. 이 각도 부분은 술자의 기호도에 차이이며 본 저자는 임의적으로 기준을 정하여 주입하고 있지만 주입각도에 따른 퍼지는 정도의 차이가 있는 것으로 사료된다) 주입 후에 정확한 부위를 확인한 다음에는 약간 뒤로 당겨서 주사를 놓는다. Corrugator의 확실한 마비와 약간의 orbicularis oculi의 미간 주름에 미치는 영향을 줄이기 위하여 필요한 주사부위로 눈의 midpupilary line에서 orbital bony rim을 기준으로 위로 1 cm 지점에 주사를 한다. 환자별로 얕은 주름, 손으로 펴지는 깊은 주름, 고정된 깊은 주름으로 구분할 경우에 얕은 주름은 보툴리눔 톡신의 용량은 똑같이 주입하되 본인의 이미지에 큰 변화를 바라지 않은 경우에는 용량을 줄여서 주입하며 손으로 펴지는 깊은 주름살의 경우에는 1주일이나 2주일 뒤에 50% 용량을 가지고 부족한 부위에 주입을 고려해야 한다.

마지막으로 고정된 깊은 주름살의 경우에는 1주일이나 2주일 뒤에 50% 용량으로 부족한 부위를 다시 재 주입하고 난 다음 앞에서도 언급하였지만 filler의 사용을 고려해야 한다. 환자에게도 추가적인 filler사용을 인식시켜 주어야 한다.

Carruthers는 눈썹 내측 부위 안의 orbital bony rim이 1 cm 상방에 corrugator muscle의 내측에 있는 orbicularis를 마비시키기 위해 추가로 주사를 한다고 보고한 바 있다. 이러한 연유로 1~2주 후에 부족한 부위에 주입하는 위치를 선정 시에 고려해야 하는 부위이다.

부작용은 그리 크지 않으며 upper eyelid ptosis가 가장 큰 것으로 사료된다. 원인은 levator palpebrae superioris의 일부 마비로 생기는 현상으로 2~4주가 지나면 호전된다. 부작용을 줄이기 위해서는 보툴리눔 톡신이 과도하게 눈 주위로 퍼지는 것을 방지하기 위해서는 만지거나 누르지 않도록 주의를 주어야 하며 주사 후 2~3시간은 눕지 않도록 하며 주사량을 최대한 줄이며 내측 canthus의 바깥쪽 눈썹 아래에는 주사를 하지 않는 등의 주의를 기울이면 될 것이다.

보툴리눔 톡신을 이용한 미간 주름은 주사를 맞고 3~4일이 지나면서 효과가 서서히 나타나기 시작하여 일주일에서 10일 정도 지나야 효과를 정확히 알 수 있으며 보통 시술 1~2주일 후 효과를 판단하여 추가시술을 할 것인지를 결정해야 한다.

3) 이마주름의 치료

서양인에 비하여 동양인의 경우 특히 한국인의 경우에는 frontalis muscle 자체가 중앙 부위에 집중되기보다는 이마의 가장자리에도 있기 때문에 넓게 주사하는 것이 필요하다. 서양식의 주입방법(이마의 중앙 부위만을 중점적으로 주입하는 방식)을 채택하면 소위 사무라이눈썹(눈썹 모양이 V자형이 되는 현상)의 발생률을 높이게 된다. 가장자리(temporal area)의 frontalis근 육의 수축력이 남아 있어서 이마 전체로 보아 균형이 깨지는 현상이 생기고 결국 눈썹의 가장자리가 상대적으로 올라가 보이는 부작용을 경험하게 된다. 필자도 temporal 부위까지 확대해서 주입하지 않아서 사무라이 눈썹을 유발시킨 사례가 초기에는 있었으며 요즈음에는 거의 발생하지 않고 있다. 큰 frontal bellies는 뼈에 부착점이 없다는 사실과 중앙부위에 근육보다는 temporal쪽의 근육이 더 많이 분포한다는 사실이 보툴리눔 톡신 주입에 더욱 중요하다.

이마의 넓이와 주름의 깊이나 수, 주름의 분포범위에 따라 한 줄 또는 두줄로 1.5~2.5cm 간격으로 주사한다. Khawaja, Hassan Abbas 등에 의하면 앞이마에서 독소는 주사지점으로부터 모든 방향으로 2.5~3 cm 확산하여 균일하게 효과를 발휘한다고 한다. 보툴리눔 톡신의 확산 범위는 보통 주사 포인트당 2 U(0.05 cc 주입) 주입 시 반지름 약 1.5cm이고 지름 3 cm 동심원으로 확산 범위를 가진다고 생각하면 그 주사 간격을 미루어 짐작할 수 있다(그림 16-29).

한국인의 경우 보통 4~10개 point로 주사하면 양미간 주름 및 이마 주름의 치료를 동시에 고려할 수 있다. 눈썹의 바깥쪽 경계 부위에서 수직으로 그은 선을 기준으로 조금 더 바깥쪽에 좌우 한 곳씩 주사를 하고 orbital rim으로부터 2.5 cm 정도 위의 수평선상에 2 cm 간격으로 좌우 대칭으로 4~6곳을 주사한다. 정중앙 부위의 상단부에 주름이 생기는 경우는 이 부위에 추가로 1~2곳을 주사한다. 한 곳에 주사는 2 U를 기준으로 하여 주입하면 된다(그림 16-30).

부작용으로는 eyebrow ptosis, eyelid ptosis, upper eyelid swelling, 사무라이 눈썹 등이 있다. 그러나 일반적인 주의사항만을 지킨다면 커다랗게 문제가 될 만한 부작용은 없는 것으로 사료된다.

그림 16-29 **이마주름살에 대한 Injection point를 도식화한 그림**

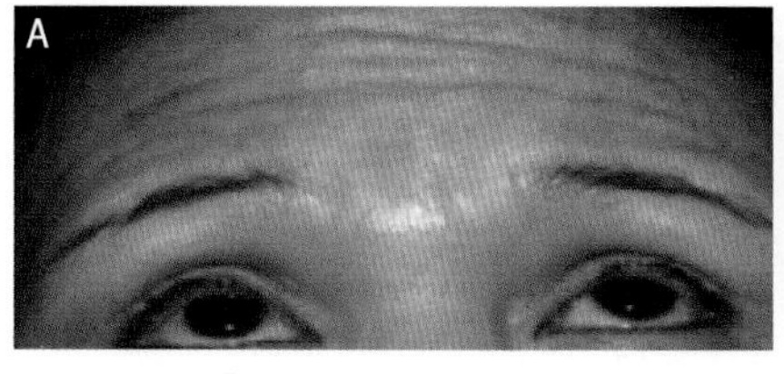

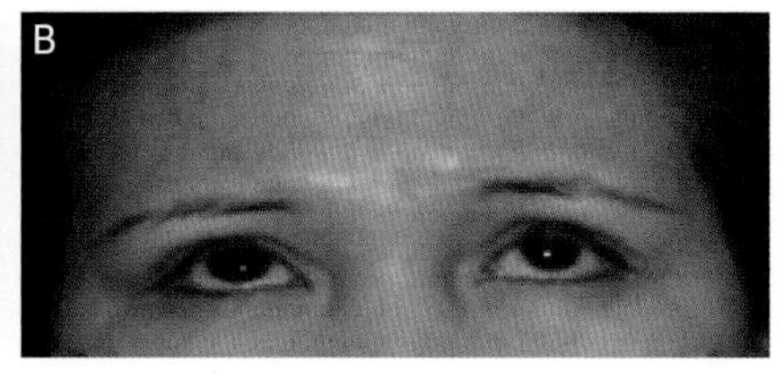

그림 16-30 **양미간의 주름살에 BTXA를 주입하고 난 다음 2주일 지난 모습.** 눈을 위로 치켜 떠서 주름을 만들려고 해도 만들어지지 않는다. 손으로 펴지는 깊은 주름살의 경우에는 보툴리눔 톡신의 효과가 두드러지게 나타난다. **A:** 초진 사진으로 이마 주름양태를 볼 수 있다. **B:** BTXA 주입 후 2주일 지난 사진

PART 3

4) 눈가주름(외안각의 주름)의 치료

눈가주름은 나이의 진행과 밀접한 관련을 가지고 있다. 30대 이후에 피부의 탄선이 감소하면서 미소주름이 진행지고 계속 탄력섬유증이 진행되면서 Crow's feet 양태의 주름살이 생기게 되면서 결국 노화의 징표로 인식되기까지에 이르게 된다. 소위 까마귀발주름은 피부의 내인성 노화와 자외선에 의한 광노화뿐 아니라 orbicularis oculi의 만성적이고 과도한 수축을 통한 미소주름의 악화와 눈둘레근의 섬유비후가 중요한 원인으로 생각된다.

눈가주름의 치료는 보툴리눔 톡신의 고농도-소량주사를 원칙으로 하고 있다. 저농도-다량주사에 비해 정밀하고 효과가 오래가며 부작용의 빈도가 적다는 의견이 다수를 차지하고 있다. 일반적으로 2.5 cc 증류수나 식염수로 희석한 후에 0.05 cc를 주입하면 2 U 단위로 적용이 가능하기 때문에 효과적으로 주입할 수 있다. 일반적으로 안와의 뼈가 만져지는 곳으로부터 1.5 cm 떨어진 곳과 point당 1 cm 간격으로 주입하는 것이 기본이다(그림 16-31).

피부가 얇기 때문에 45° 각도로 뉘여서 주사해도 좋다. 주사 후에는 효과가 고르게 나타나게 하기 위해 그 부위를 부드럽게 안와의 반대방향을 향해 문질러주는 것을 권하기도 한다. 쉽게 멍이 들기 쉬운 부위이므로 국소마취제를 이용하여 통증도 줄이면서 혈관도 수축시켜 멍의 위험도를 감소시켜주는 방안도 좋은 방법이다. 시술 후에는 2~3시간 동안 눕지 않도록 해야 한다. 주사액의 코부분으로 흐르거나 올바르지 못한 부분으로 번질가능성이 있기 때문이다(그림 16-32).

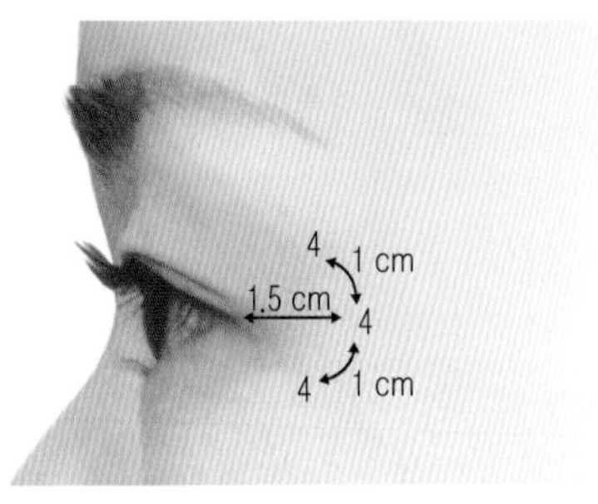

그림 16-31 눈가주름의 주사 부위를 도식한 그림

10. 보툴리눔 톡신의 사용 시 금기와 부작용

보툴리눔 톡신을 사용한 경우 금기(부적응증)와 부작용은 일반적인 다른 시술과 비교하면 현격하게 낮게 나타나고 있다. 가장 큰 문제는 환자와 술자간의 의사소통의 문제로 인하여 발생되는 문제가 더 크기도 하다. 이러한 부분을 해결할 수 있는 부분은 조금이라도 문제가 될 수 있는 소지의 내용을 환자에게 언급해 두는 것이 좋다.

보툴리눔 톡신의 치사량은 몸무게 70 kg 성인의 경우 약 30병 가량을 일시에 투여하였을 경우에 발생할 수 있다고 하였다. 그러나 제조사에서 5병(500 U)까지 일시에 투여시 보툴리눔 식중독 현상이 일어 날수도 있다고 하였다. 일반적인 용량을 지켜고 사용할 경우, 위와 같은 현상은 거의 발생하지 않는 것으로 나타났다.

1) Contraindication

(1) 정신질환적인 문제가 있는 경우

상담 전에 현실적인 기대를 하는 환자를 선별해 내는 것이 중요하며 미용적인 목적으로 수행하는 경우 특히 상담의 중요성은 치료 후 문제를 유발시키는 요소를 없앨 수 있는 방법이다.

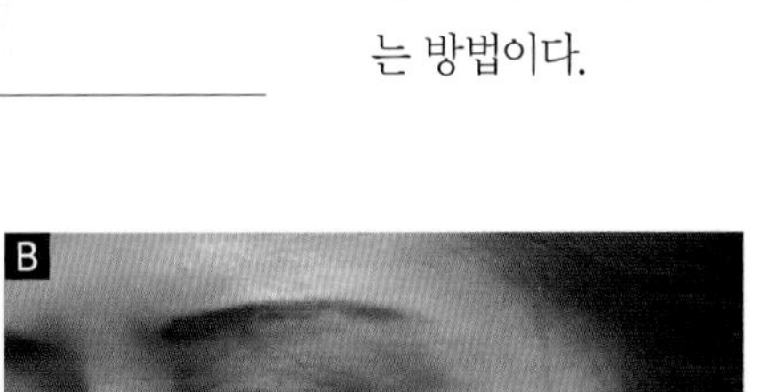

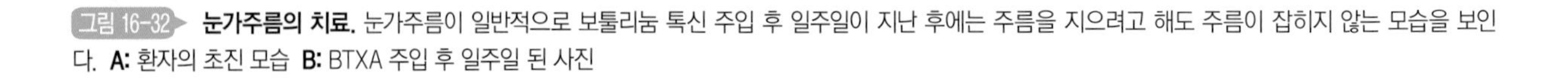

그림 16-32 **눈가주름의 치료.** 눈가주름이 일반적으로 보툴리눔 톡신 주입 후 일주일이 지난 후에는 주름을 지으려고 해도 주름이 잡히지 않는 모습을 보인다. **A:** 환자의 초진 모습 **B:** BTXA 주입 후 일주일 된 사진

(2) 근육질환의 질병을 가지고 있는 경우

Neuromuscular disease가 있거나 myasthenia gravis가 있는 환자에서는 보툴리눔 톡신의 사용을 금기시 해야 한다.

(3) 약물 간의 상호작용을 보이는 약물을 복용하는 경우

Aminoglycoside계, penicillamine, quinine, calcium channel blocker 등이 여기에 속하며 botulinum toxin의 작용을 증가시키는 경향이 있는 것을 알려져 있다.

(4) 임신 및 수유

아직은 정확한 연구결과가 있는 것은 아니다. 토끼를 대상으로 한 동물실험에서는 유산 및 다른 부작용이 나타난 적이 있다. 분류상으로는 보툴리눔 톡신은 pregnancy category C drug으로 우연히 임산부가 시술을 받고 아무 문제 없이 출산을 한 경우가 있고 보고도 있은 바 있다. Teratogenicity가 의심된 적도 아직 보고되지 않았지만 일반적으로 임신 중에는 보툴리눔 톡신 사용을 권장하지는 않는다.

2) Side effects

보툴리눔 독소를 주사하는 이유 중에서 아직까지 가장 흔한 이유는 원하는 특정 근육을 마비시키기 위해서라고 볼 수 있다. 따라서 마비된 근육이 가지고 있는 기능은 줄어들 수 밖에 없는 문제가 있다. 그러나 현재 미용적인 목적으로 시술하고 있는 대부분의 근육은 같은 기능을 하는 다른 근육이 존재하거나 기능적으로 필요성이 거의 없는 근육에 주사하기 때문에 큰 문제는 아닌 것으로 사료된다.

멍을 줄이기 위해서는 아스피린이나 NSAID와 같은 출혈 경향을 증가시키는 약제를 주사 놓기 7~10일 전에 하는 것을 고려해 볼 수 있다. 보툴리눔 톡신을 이용한 주사를 할 경우 최대한 출혈성향이 없는 부위를 골라서 주입해야 하며 눈 주변이나 이마의 가장자리를 주입할 경우에는 세심한 주의를 요한다. 주사 직후 압박을 하는 것도 멍이 들더라도 그 범위가 작고 빨리 가라앉도록 하는 효과가 있다.

참고문헌

1. 최진영. 턱, 얼굴 미용외과. 서울: 명문출판사; 2008.
2. Klein AW, Elson ML. The history of substances for soft tissue augmentation. Dermatol Surg 2000;26:1096-105.
3. Alcalay J, Alkalay R, Gat A, Yorav S. Late-onset granulomatous reaction to Artecoll. Dermatol Surg 2003;29:859-62.
4. 배정민, 김미연, 강훈, et al. 필러 (Filler) 주입으로 발생한 이물 육아종의 임상 및 병리조직학적 고찰. 대한피부과학회지 2007;45:255-61.
5. Rohrich RJ, Ghavami A, Crosby MA. The role of hyaluronic acid fillers (Restylane) in facial cosmetic surgery: review and technical considerations. Plast Reconstr Surg 2007;120:41s-54s.
6. Gladstone HB, Cohen JL. Adverse effects when injecting facial fillers. Semin Cutan Med Surg 2007;26:34-9.
7. Lowe NJ, Maxwell CA, Patnaik R. Adverse reactions to dermal fillers: review. Dermatol Surg 2005;31:1616-25.
8. Bauman L. CosmoDerm/CosmoPlast (human bioengineered collagen) for the aging face. Facial Plast Surg 2004;20:125-8.
9. Lupo MP. Hyaluronic acid fillers in facial rejuvenation. Semin Cutan Med Surg 2006;25:122-6.
10. Verpaele A, Strand A. Restylane SubQ, a non-animal stabilized hyaluronic acid gel for soft tissue augmentation of the mid- and lower face. Aesthet Surg J 2006;26:S10-7.
11. Glaich AS, Cohen JL, Goldberg LH. Injection necrosis of the glabella: protocol for prevention and treatment after use of dermal fillers. Dermatol Surg 2006;32:276-81.
12. Coleman KR, Carruthers J. Combination therapy with BOTOX and fillers: the new rejuvnation paradigm. Dermatol Ther 2006;19:177-88.
13. Legg J. Enlargement of the temporal and masseter muscles on both sides. Trans Pathol Soc (Lond) 1880;31:361-6.
14. Gurney CE. Chronic bilateral benign hypertrophy of the masseter muscles. Am J Surg 1947;73:137-9.
15. Van Zandijcke M, Marchau MM. Treatment of bruxism with botulinum toxin injections. J Neurol Neurosurg Psychiatry 1990;53:530.

16. Filippi GM, Errico P, Santarelli R, Bagolini B, Manni E. Botulinum A toxin effects on rat jaw muscle spindles. Acta Otolaryngol 1993;113:400-4.
17. Smyth AG. Botulinum toxin treatment of bilateral masseteric hypertrophy. Br J Oral Maxillofac Surg 1994;32:29-33.
18. Moore AP, Wood GD. The medical management of masseteric hypertrophy with botulinum toxin type A. Br J Oral Maxillofac Surg 1994;32:26-8.
19. Carruthers A, Carruthers J. Clinical indications and injection technique for the cosmetic use of botulinum A exotoxin. Dermatol Surg 1998;24:1189-94.

Chapter 17

레이저를 이용한 수술 및 성형술

Laser Surgery and Laser Cosmetic Surgery

기본 학습 목표

- 구강악안면 영역에서의 다양한 레이저의 용도에 대하여 이해한다.
- 레이저 치료의 장단점에 대하여 이해한다.

심화 학습 목표

- 레이저를 이용한 수술 기법을 이해한다.
- 기존 수술법에 대한 레이저 수술 기법의 특성을 이해한다.

최근 치의학이나 의학의 여러 분야에서 레이저(light amplification stimulated emission radiation, LASER)를 이용한 치료법은 이미 매우 안정적이고 효과적인 수술법으로 자리 잡고 있다. 특히 레이저를 이용한 안면피부박피술, 주름살 제거술, 여드름 흉터치료, 오타양 모반(Ota-like Marcules)의 치료 등은 안면성형술에서는 가장 기본적인 치료법으로서 활발하게 시술되고 있다(그림 17-1). 또한 새로운 레이저 기기와 기법들이 계속적으로 개발되어 향후에도 안면성형분야에서 획기적인 발전이 예상되고 있다. 이는 레이저를 이용하면 수술도(scalpel)나 전기소작기(electrocautery)를 이용하는 것보다 훨씬 더 정밀한 시술이 가능하며 주변 조직의 손상도 적기 때문이다. 더구나, 초기에는 레이저 치료 장비 자체의 크기가 컸기 때문에 사용이 번거로웠으나 최근에는 장비가 충분히 작아지고 쉽게 이동시킬 수 있기 때문에 외래에서 수술을 하거나 안면부나 구강내 시술을 할 때에도 보다 손쉽게 사용할 수 있게 되었다.

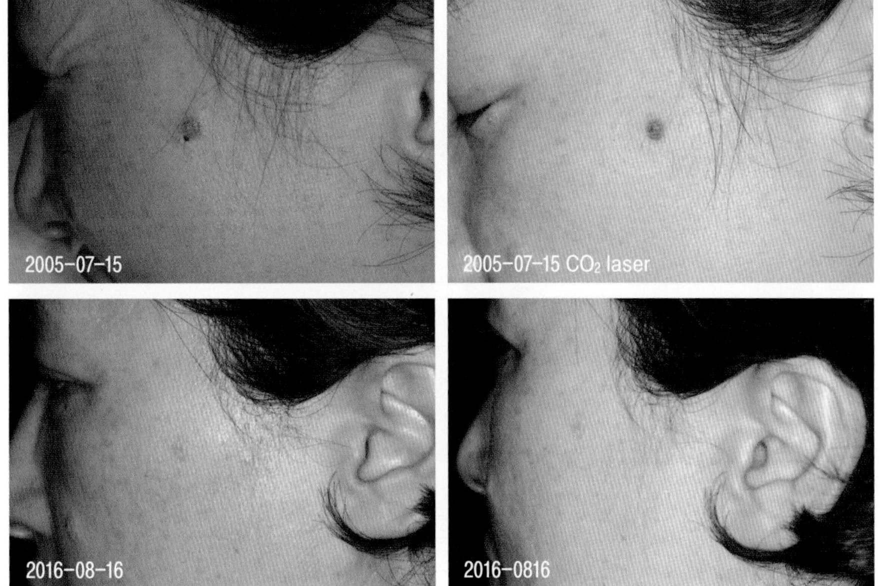

그림 17-1 CO_2 laser를 이용해서 오타양 모반을 제거하여 11년간 추적 관찰한 모습

1. 레이저 수술(Laser surgery)

모든 레이저는 특정 파장의 빛이 있으며 그 빛을 흡수하는 조직에는 발색단(chromophore)이 있어 서로 밀접하게 연관되어 있다. 예를 들어 아르곤, Dye 레이저 등은 혈관병변의 치료에 이용되고 있는데 이 경우 산화헤모글로빈(oxyhemoglobin)과 일산화탄소 헤모글로빈(carboxyhemoglobin)이 발색단이 되며, 알렉산드라이트 레이저의 경우는 색소병변의 치료에 이용되고 있는데 이는 피부의 멜라닌이 발색단이 되어 작용을 하기 때문이다. 이와 같이 레이저는 발색단만을 선택적으로 파괴하고 주위조직에는 영향을 적게 미치기 때문에 혈관종, 혈관확장증(telangiectasia) 등의 혈관 병변과 흑자, 주근깨 등의 색소질환을 부작용 없이 치료할 수 있는 것이다.[1] 10,600 nm의 파장을 가진 CO_2 레이저나 Er:TAG 레이저는 특별한 발단색은 없으나 모든 수성조직(water-based tissue)에 친화성이 있기 때문에, 구강악안면외과 영역에서 조직을 절개하거나 절제하는 데 많이 사용되며 양성종양 절제, 피부박피술, 흉터제거, 주름살제거, 등에 적용되고 있다. 또 다른 파장의 레이저도 각각 특별한 적응증에서는 좋은 성질을 나타낸다. 예컨대 아르곤(argon, 514 nm)과 KTP patassuim titanyl phosphate):YAG (yttrium-aluminum-garnet) 레이저(532 nm)는 구강내 혈관 질환의 치료에, 홀뮴(holmium, Ho):YAG 레이저(2,140 nm)는 악관절경 수술에, 그리고 섬광전등-펌프 파동관(flashlamp-pumped pulsed dye, 500~800 nm)과 구리-수증기(copper-vaper) 레이저(578 nm)는 구강외 혈관질환의 치료에 사용하고 있다.[2] 그 외에도 구강점막에 궤양 및 동통을 수반하는 염증성 구내염의 동통완화를 위하여 사용되기도 하며, 어비움(erbium, Er):YAG 레이저는 충치치료를 위한 치아 경조직 삭제에 사용되기도 한다(그림 17-2).

1) 레이저 물리학의 기초

현재 임상적으로 가장 많이 사용되는 레이저는 수분에 의해 흡수되는 CO_2 레이저와 Er-YAG 레이저이다. 레이저는 목표조직으로 흡수되면 광음(photoacoustic), 광화학(photochemical), 광절단(photoablation), 그리고 광열(photothermal)의 네 가지 효과가 발생하는데 이중 광열, 즉 열발생이 실제 수술에 있어서 가장 중요한 역할을 한다.

레이저는 수분에 굉장히 흡수가 잘 되기 때문에 조직표면 0.1 mm 이내의 범위에서 모두 흡수되고 이 부위의 온도가 100℃에 이르면 세포간액(intercellular fluid)은 증발하여 팽창하고 세포는 파괴되어 총부피의 75~95%의 수분을 수

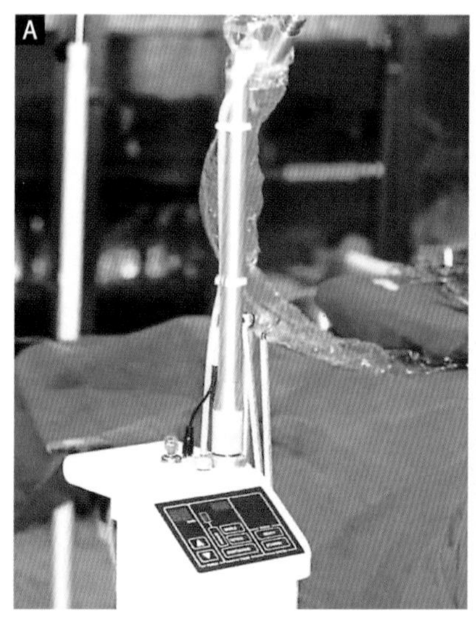

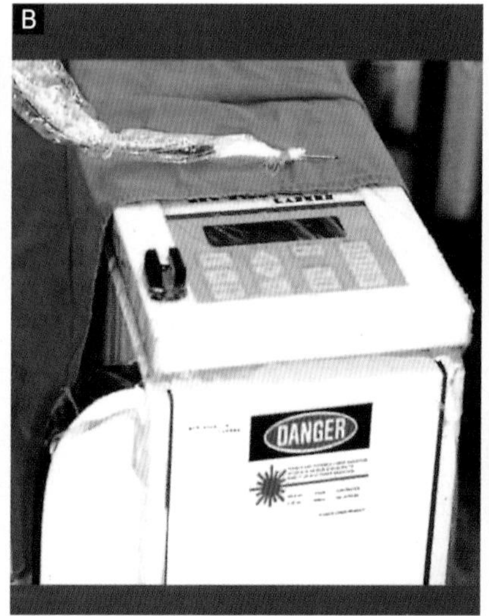

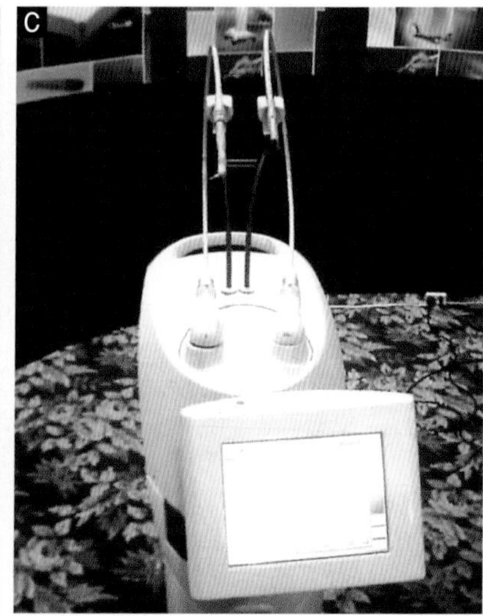

그림 17-2 **치과용으로 개발된 각종 레이저 수술기. A.** 치과용 CO_2 레이저 수술기로 점막 및 치은조직 등 연조직 절개에 주로 사용된다. **B.** 치과용 홀뮴(Ho. holmium):YAG 수술기로 점막 및 치은조직 등 연조직 병소의 조직제거(tissue ablation) 또는 조직증발(tissue vaporization)에 주로 사용된다. **C.** 치과용 CO_2 레이저 및 Er:YAG 복합레이저 수술기 Er:YAG 레이저 수술기는 충치삭제 등 치아 경조직 절삭에 사용된다.

증기로 잃는다. 이렇게 수분이 기화한 후 온도가 다시 급속하게 증가하여 모든 유기간질을 증발시키고 이로 인해 절개 효과를 얻는다. 그리고 이때 발생한 열이 주변으로 전파되어 목표점에서 동심원상으로 퍼진다. 이렇게 열이 전파된 영역을 열전도 영역이라고 하는데, CO_2 레이저는 이 열전도 영역이 500 μ에 이르러 비교적 크며 Er.YAG 레이저는 이보다 영역이 훨씬 작아, 보다 정밀하고 주변조직에 손상이 없는 조직절제가 가능하다.[3] 이와 같은 열전도 영역에 의한 조직의 손상은 구강내에서는 별로 문제 될게 없으며 지혈효과도 있어서 도움이 되지만 일반 피부에서는 조직손상이 너무 크면 눈에 보이는 반흔을 형성한다는 단점이 있다. 따라서 열전도 영역을 줄이는 것은 안면영역의 미용성형 수술에 있어서 매우 중요한 요소이다.[4]

열전도 영역을 줄이기 위해서는 레이저를 반복적으로 빠르게 발생시켜야 한다. 즉, 레이저에 파동(pulse)을 빠르게 줄수록 주위조직으로 열이 전도되는 시간이 짧아지는 것이다. 이러한 견지에서 섬광형태의 파동성 형태로 레이저를 쏘이면 조직의 열 손상을 최소화시킬 수 있다. 이러한 레이저들은 짧은 조사 시간 내에 강한 레이빔을 조사함으로써 주위조직의 손상을 최소화하고 원하는 부위만을 치료할 수 있는 것이다. Q-switch 루비, Nd:YAG 레이저 등은 짧은 파동성 빛으로 혈관종이나 문신, 오타모반 등과 같은 색소 질환의 치료에 널리 사용되고 있다. 한편, CO_2 레이저도 이 파동의 형태에 따라 continuous, superpulse, ultrapulse 형태로 발전되어 과거 연속파에 의한 조직 손상을 많이 감소시켜 발전하여 왔다. 특히 Ultrapulse type의 경우는 파형의 순간 최대 에너지를 superpulse보다 더욱 높이고 파동 간격 동안 조직을 충분히 기화시켜 탄소가 발생하지 않게 해줌으로써 주위조직의 손상을 최소화한 것이다.[4] 하지만 최근에는 이러한 목적 하에서는 Er:YAG 레이저가 가장 효과적으로 쓰이고 있다. 이것은 이 레이저가 CO_2 레이저에 비하여 수분에 흡수되는 비율이 10배 정도 높아 매우 섬세한 절제술을 시행할 수 있는 장점이 있기 때문이다. Er.YAG 레이저는 2,936 nm의 파장을 가지고 있으며, 2.8 J/cm^2의 에너지를 피부에 조사하였을 경우 5 μm 정도의 깊이만을 침투한다. 또한 주위조직으로의 열전달이 약 30℃ 정도로 주위조직에 열손상을 거의 일으키지 않는다. 그러나 CO_2 레이저와는 달리 지혈작용이 없어 수술 시야가 좋지 않은 단점을 가지고 있다.

한편 레이저가 효과를 나타내는 깊이를 정확하게 조절하는 것도 매우 중요하다. 레이저의 강도는 출력 밀도(power density) 또는 에너지 밀도(energy density)로 표시하는데 출력 밀도는 레이저가 조사되는 단위 면적당 출력량으로 다음 식으로 표현된다.

$$\text{PD (power density)} = \text{power/unit area} = W/cm^2$$

따라서 출력 밀도는 레이저가 효과를 나타내기까지 어느 정도의 시간이 경과하는지를 표현하는데 좋은 지표로 사용되는데 술자는 목표부로의 조사시간, 레이저의 출력 그리고 빔(beam)의 유효초점 크기 등 세 가지를 조절하여 레이저가 효과를 나타내는 깊이를 조절할 수 있다. 즉 출력을 높이거나 초점의 면적을 줄임으로써 단위 시간당 레이저는 더 깊은 조직까지 효과를 낼 수 있으며 출력을 낮추거나 초점 면적을 넓히면 효과를 보이는 조직의 깊이는 낮아진다. 또 출력을 높이거나 레이저 노출시간을 늘리거나 초점 면적을 줄이면 동일 시간 동안 레이저는 더 깊은 조직까지 영향을 줄 수 있다. 따라서 이런 요소들을 조절하면서 절개(incision)나 절제(excision)를 하기 위해서는 레이저를 조직 내로 좁고 깊게 적용하고 조직제거를 위해서는 레이저를 넓고 얕게 적용한다.[5]

레이저를 임상적으로 이용하는 데 있어서 고려해야 할 또 한 가지 중요한 요소는 레이저 전도장치 시스템이다. 비록 파이버옵틱(fiberoptic) 시스템이 이상적일 뿐더러 내시경 수술도 가능하게 해주지만 CO_2 레이저는 석영섬유로 전도될 수 없기 때문에 파이버옵틱 시스템을 사용할 수 없다. 따라서 속이 빈 여러 개의 금속튜브를 프리즘으로 연결해서 레이저가 전도될 수 있도록 한 장치를 고안하여 사용하게 되었다. 이 시스템은 대부분의 수술방법에서 유용하게 쓰였지만 핸드피스와 레이저 발생장치의 부피가 크기 때문에 구강내를 시술하는 데는 불편감이 있다. 최근에는 잘 휘어지는 금속튜브를 이용한 레이저 전도장치가 개발되어 좀 더 쉽게 레이저를 사용할 수 있게 되었다.

PART 3

2) 레이저 치료의 장단점

레이저 치료는 장점이 많다 하지만 외과의는 이 장점이 위험성이나 고비용 등, 단점을 상쇄하고도 남는 경우에만 레이저를 사용해야 한다는 점을 명심해야 한다. 레이저 치료의 장점은 다음과 같다. 먼저 레이저는 지혈효과가 있다. CO_2 레이저는 약 500 μ 범위의 혈관을 지혈해 준다. 따라서 레이저 수술은 출혈이 적어서 시야가 좋아지기 때문에 구강내 수술을 좀 더 정확하게 시행할 수 있다. 특히 수술 시 출혈이 많이 예상되는 혀, 연구개 또는 편도선 등의 부위를 수술할 때 용이하게 사용할 수 있으며 혈관종(hemangioma)이나 염증조직을 제거할 때도 유용하다.[6] Er:YAG 레이저는 이 지혈효과가 적기 때문에 구강내 연조직 제거 수술에는 불편한 경우가 많다. 레이저를 이용하면 수술 후 부종이 적어진다. 그 이유는 출혈이 적고 주변 조직 손상 또한 그만큼 작기 때문이다. 따라서 기도부(연구개, 설기저 또는 인두) 수술 시 술후 부종에 의한 기도폐쇄 위험이 적어지며 조직 치유가 좋아지고 반흔형성이 적어진다. 따라서 구강내 병소가 작을 경우를 레이저로 절개하면 봉합을

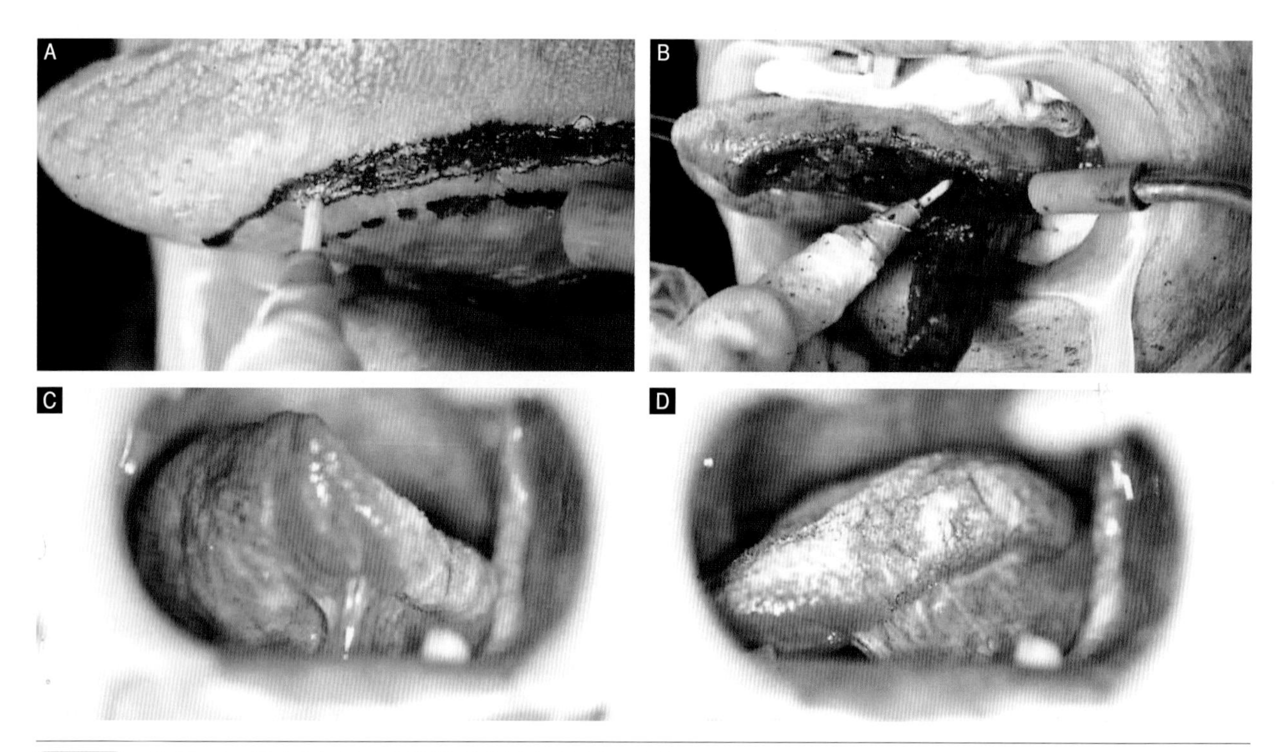

그림 17-3 **치과용 CO_2 레이저 수술기로 혀에 발생한 편평상피세포암종을 절제하는 장면. A:** 혀에 발생한 편평상피세포암종의 안전절제선 설정 **B:** CO_2 레이저 수술기로 병소를 절제하는 장면. 절제 후 봉합을 하지 않고 장상이 이차 상피화가 되도록 유도한다. **C, D:** 수술 후 치유된 모습으로 혀의 운동이 비교적 자유롭다.

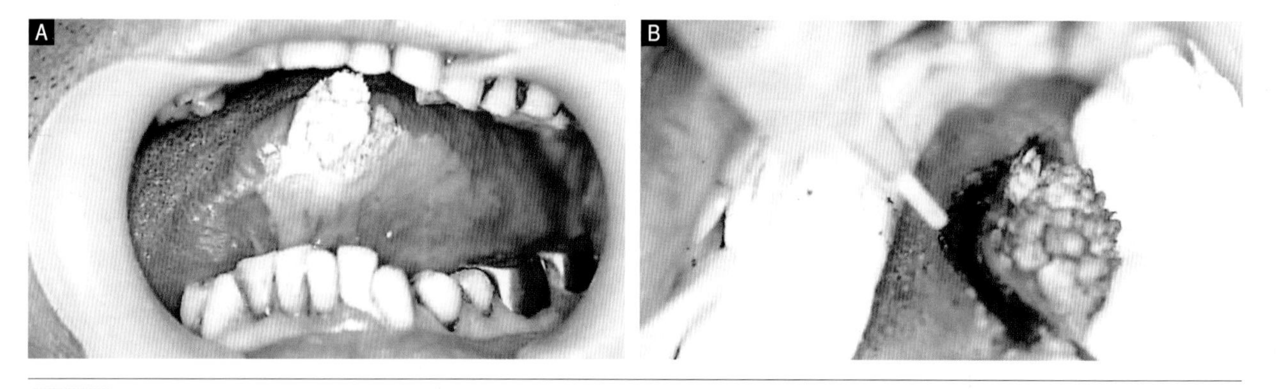

그림 17-4 **치과용 CO_2 레이저 수술기로 시술하는 장면. A:** 혀에 발생한 백반증 **B:** CO_2 레이저 수술기로 절제하는 장면. 적신거즈로 주위조직을 보호한다.

하지 않아도 되는 경우도 있다(그림 17-3).[7]

레이저 수술은 비록 예측 가능하지니 않지만 술후 동통이 대체로 적으며 간단한 시술은 마취를 하지 않아도 시술 시 환자가 통증을 호소하지 않는 경우도 많다. 그 기전은 정확히 밝혀진 바는 없지만 아마도 조직손상이 적고 국소적인 염증 반응이 적으며, 가는 동통신경섬유를 차단하여 신경전도가 변하기 때문일 것으로 생각되지만, 또 어떤 이는 beta-endorphin의 분비를 자극하고 항동통 물질(analgesic substance)을 분비하여 prostaglandin E2의 레벨을 낮추어 동통효과를 나타낸다는 기전을 주장하기도 한다. 최근의 레이저 장비는 그 크기가 작고 파이버 옵틱을 이용할 수도 있기 때문에 다른 방법으로는 접근이 어려운 부위도 수술이 쉽게 가능해졌다. 예컨대 연구개, 인두후벽, 비강, 설기저, 그리고 편도선 등의 부위도 충분한 접근이 가능해졌다.

레이저 치료의 단점 또한 고려해야 한다. 먼저 레이저는 눈에 보이지 않는 빛이기 때문에 물체, 특히 금속이나 치과용 거울에 반사되어 술자나 보조자의 안구 결막에 쪼여지면 해로운 손상을 입을 수 있어 이의 보호에 만전을 기하여야 한다. 항상 목표 부위 주변은 생리적 식염수나 증류수에 적신 거즈로 덮어 보호하는 것이 안전하다(그림 17-4). 또한 술자가 수술보조자들은 보안경을 착용하여 눈을 보호하며 수술실 입구에 레이저 수술 중이라는 표시를 하여 출입자들에게 주위를 환기시킨다(그림 17-5). 또한 발화성 물질이 있을 때 화재의 위험성이 있으며, 조직을 태울 때 나오는 심한 연기나 조직의 분해물질들은 공기 중에 날리면 암유발인자로 작용할 수 있어 가능하면 흡입하지 않도록 조심하여야 한다.[8]

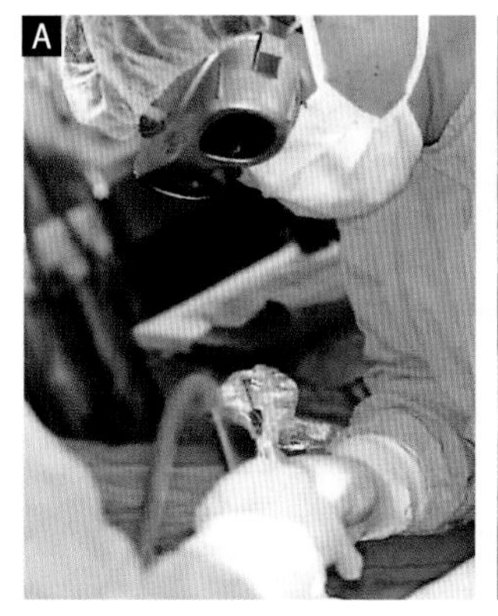
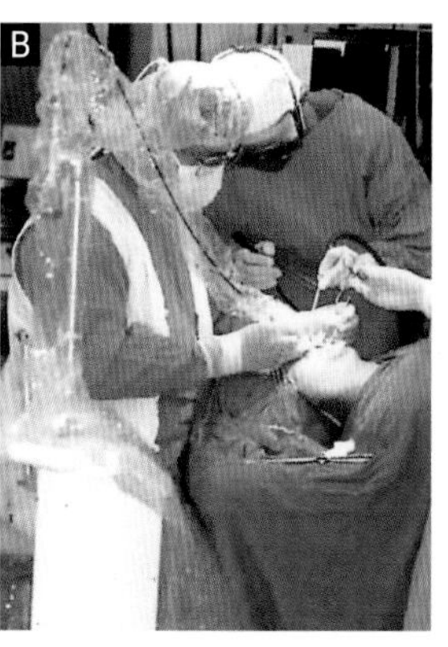

그림 17-5 **치과용 레이저 수술기로 시술하는 장면. A:** CO_2 레이저 수술기로 시술하는 장면 보안경을 장착하여 눈을 보호한다. **B:** 술자와 수술보조자가 함께 보안경을 장착하여 눈을 보호한다.

3) 레이저 수술 기법

레이저를 이용한 수술기법에는 기본적으로 절개와 절제(incision and excision)를 통한 조직제거(ablation), 조직증발(vaporization), 그리고 지혈(hemostasis) 등 세 가지 방법으로 레이저를 이용한다. 외과의는 일단 이 세 가지 방법을 이해하고 있어야 필요한 경우 적절한 방법으로 레이저를 이용한 수술을 시행할 수 있어야 한다.

(1) 절개와 절제(Incision and excision)

구강악안면외과 영역에서 레이저는 수술도의 대용으로

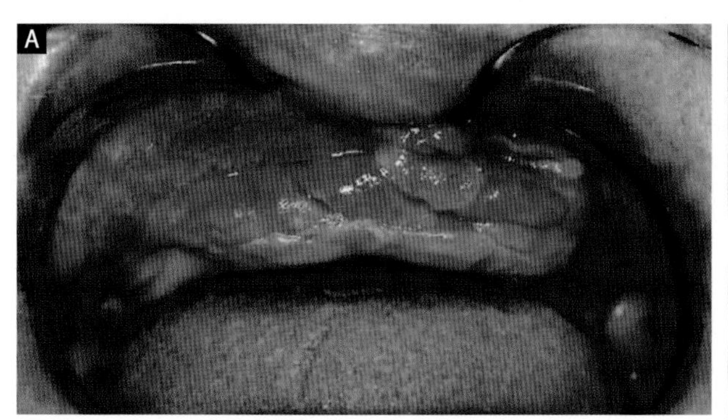
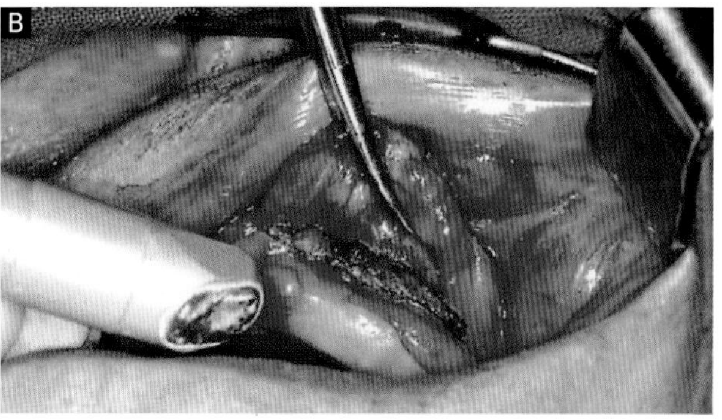

그림 17-6 **상악순협측에 발생한 증식성 치은열구(epulis fissuratum). A:** 증식성 치은열구의 모습 **B:** 레이저 수술기로 절제하는 장면

가장 많이 이용된다. 레이저는 수술도로 할 수 있는 모든 구강내 시술, 즉 절개 또는 절제 생검, 양성 및 악성종양의 절제술, 치주조직피판 형성을 위한 절개를 위해 사용할 수 있다(그림 17-6). 절개와 절제를 위해 레이저를 이용할 때는 깊고 가는 절개선을 만들기 위해 레이저의 초점면적을 줄이고 출력밀도를 높여야 한다. 표준 수술도의 좁은 절개선을 재현하기 위해서는 레이저 초점 크기를 최소로 줄여줘야 하는데 이러한 접근방식을 초점모드(focused mode)라고 한다. 이때 초점의 크기는 레이저 시스템에 따라 다르지만 일반적으로 0.1~0.5 mm 정도이다. 절개와 절제 술식 자체는 레이저 시스템에 따라서 별 다른 차이는 없다. 먼저 의도하는 절개선의 외형을 잡는다. 이때는 조직 깊이 레이저를 침투시키지 않고 단지 표면에 표시만 내기 위해서 낮은 에너지의 맥동성 레이저를 단속적으로 가한다. 이렇게 함으로써 외과의는 원하는 절개선을 정확히 잡을 수 있고 필요하면 이것을 수정할 수도 있다. 일단 이 과정을 끝내고 레이저를 연속적으로 조심스럽게 가해서 조직 내에 동일한 깊이로 절개를 형성한다. 만약 한 번의 절개로 원하는 깊이를 얻을 수 없다면 원하는 만큼의 깊이를 얻을 때까지 수차례 절개를 반복할 수 있다.

일단 적절한 깊이의 수직 절개선을 형성하고 나면 조직을 조직겸자로 거상하고 초점 모드의 레이저를 수평 방향으로 가해서 조직을 완전히 절제한다. 이때는 후방 또는 측방의 조직이 손상받지 않도록 주의해야 한다. 젖은 거즈나 젖은 설압자를 목표조직 하방에 두어 주변으로 새거나 후방으로 통과하는 레이저를 수분으로 흡수시킨다. 이 방법은 임플란트 수술 시에도 이용할 수 있는데, 타이타늄(titanium)은 CO_2 레이저를 흡수하지 않고 반사하기 때문이다. 주로 2차 수술 시 임플란트를 드러내기 위해 치은을 절제하거나 과증식된 임플란트 주위조직을 절제하는데 사용한다.[9]

(2) 조직제거 또는 조직증발(Tissue ablation or tissue vaporization)

레이저는 조직의 절개와 절제를 하는데 있어서도 많은 장점이 있지만 조직제거술에서는 더욱 많은 장점이 있다. 일반적인 수술도를 이용할 때에는 필요한 조직제거량보다 더 많은 양의 조직을 제거해야 하기 때문에 반흔형성, 출혈 그리고 중요한 주위조직의 손상 등 좋지 않는 결과를 초래할 수 있지만 레이저 술식은 하부의 정상조직에 최소한의 손상을 주면서 병소 조직만을 선택적으로 제거할 수 있기 때문에 레이저르 이용한 조직제거 또는 조직 증발술은 병소가 안면부와 같은 심미지역에서 상피조직 또는 상피조직과 상부 점막하 조직에만 국한되어 있을 때 이용하면 뛰어난 효과를 기대할 수 있다. 일반적으로 구강점막에 발생한 편평태선(lichen planus)의 제거나 백반증(leukoplakia)과 같은 전암병소의 제거에 효과적으로 사용할 수 있으며(그림 17-7, 8) 안면부에서 피부박피술(laser peeling, resurfacing), 주름살 제거술, 여드름 흉터 제거술, 오타양 모반, 비후성 반흔, 수두에 의한 흉터, 등의 치료에 이러한 기법을 사용하고 있다.[10] 절개와 절제술을 위해선 출력밀도를 높이고 초점 크기를 최소화해야 하지만, 조직증발을 위해선 출력밀도를 낮추고 초점 면적을 크게 해서 레이저가 적용되는 깊이를 얕게 하고 넓은 면적을 증발시킬 수 있도록 한다. 이를 비초점모드(defocused mode)라 하는데 대략 초점 크기가 1.5~3 mm 정도로 수직이나 수평의 한 방향으로 겹쳐지지 않도록 레이저를 여러 번 나란히 조사하여 조직의 제거없이 열손상에 의하여 조직이 증발되도록 한다. 이때 핸드피스를 움직이는 속도를 같게 해주어야 레이저가 조직내 균일한 깊이로 효과를 나타낼 수 있다. 적용되는 깊이를 크게 해주기 위해선 출력을 높이거나 핸드피스의 이동속도를 늦추거나 초점 크기를 작게 해주면 된다. 만약 레이저를 한 번만 적용해서 적절한 깊이의 증발을 얻지 못한다면 이 부위에 추가적으로 레이저를 적용해야 하는데, 일단 연소된 조직은 수분이 없으므로 열이 발생하는데 시간이 오래 걸린다. 따라서 주위조직으로도 불필요한 열전도가 생길 수 있으므로 이 부위를 젖은 거즈로 미리 충분히 닦아주어야 한다.

(3) 지혈(Hemostasis)

레이저, 특히 CO_2 레이저는 수술 영역에서 효과적으로 지혈작용을 한다. 또한 이러한 특성 때문에 다른 기구를 이용해서 수술을 진행했어도 이 레이저로 최종적인 지혈을 해줄 수도 있다. 지혈을 위해 레이저를 적용할 때에는 초점 크기를 더 작게 한다는 것 이외에는 조직 증발 시와 그 방법이 유사하다. 만일 레이저를 적용해도 지혈이 되지 않는다면 혈관이 비교적 큰 경우로, 다른 표준적인 지혈법 즉 전기소작술이나 봉합사를 이용한 결찰 등을 사용해야 한다.

구강내 혈관성 병소도 레이저의 지혈작용을 이용해서 제거할 수 있다. 예컨대 혈관종은 CO_2 레이저로 단순 절제만 해주어도 이 시술 자체가 혈관을 폐색시키는 효과가 있으므로 출혈이 없이 쉽게 제거할 수 있다. 또한 아르곤이나 KTP:YAG 레이저는 헤모글로빈에만 선택적으로 작용하는 파장을 가졌기 때문에 병소의 제거보다는 내부 응고과정을 통해 혈관성 병소를 치료할 수도 있다.[11]

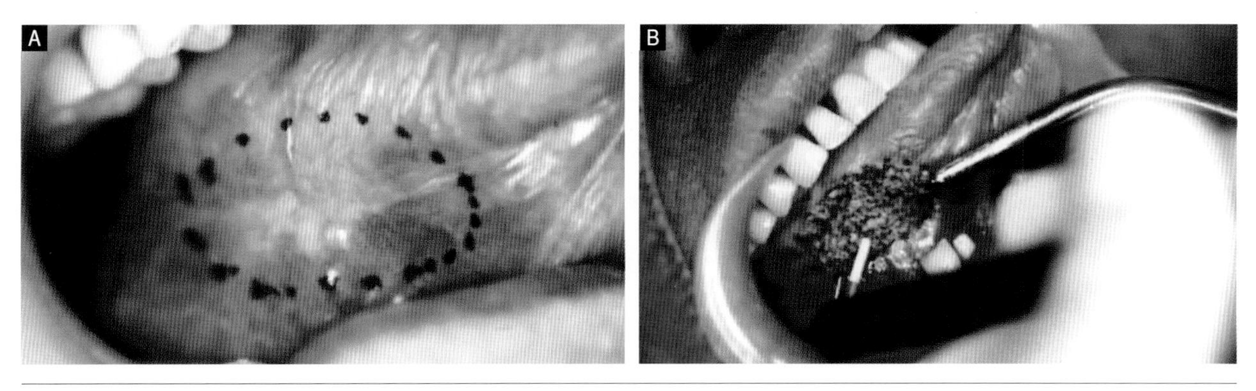

그림 17-7 **혀에 발생한 편평태선으로 자극 시 심한 작열감을 호소하였다. A:** CO_2 레이저 수술기로 병소를 조직제거 또는 조직증발(tissue ablation or tissue vapori zation) 하기 위한 병소경계부위를 도안 **B:** 조직제거시술 장면 창상은 이차 상피화가 되도록 유도한다.

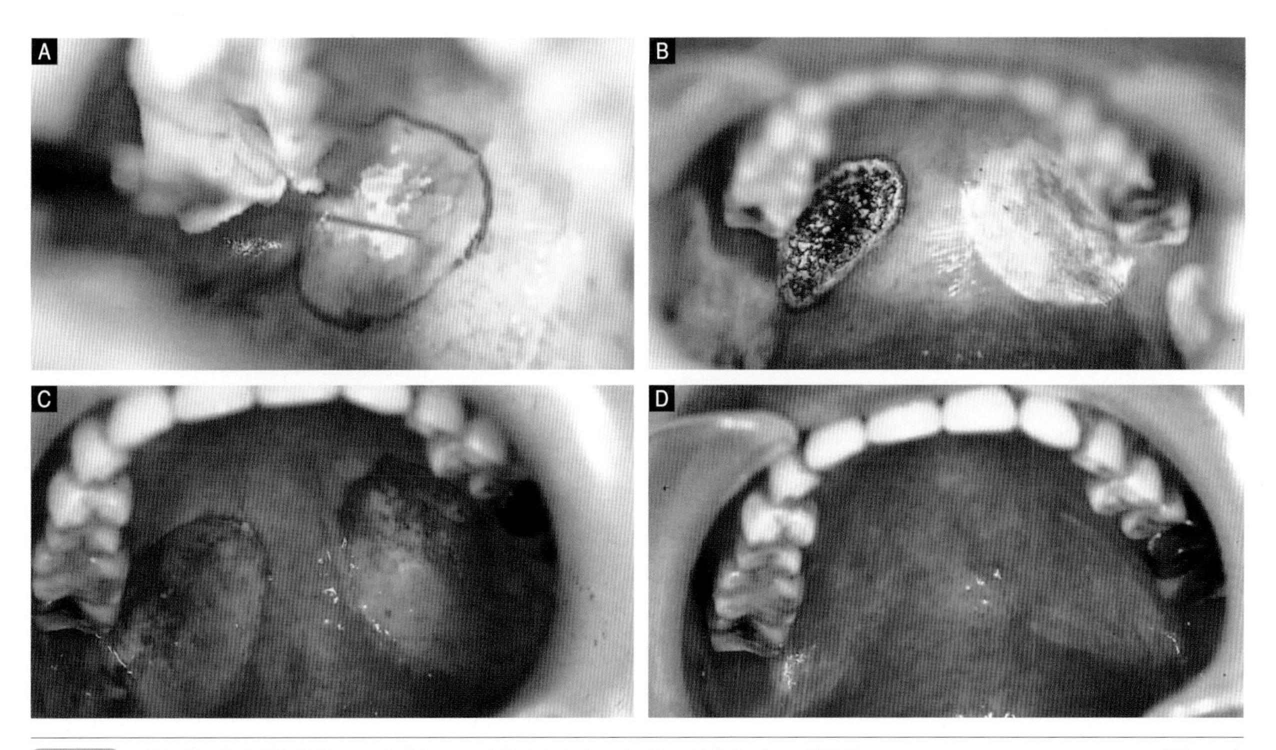

그림 17-8 **연구개부에 발생한 백반증. A:** 우측은 CO_2 레이저 수술기로 병소를 조직제거 또는 조직증발(tissue ablation or tissue vapori zation)하는 모습 **B:** 좌측은 Nd/YAG 레이저로 시술하는 장면 우측은 CO_2 레이저 수술기로 병소를 제거한 후 창상부에 탄소막이 잔존하여 검게 보이나 Nd/YAG 레이저로 시술한 좌측은 탄소층이 발생되지 않는다. **C:** 시술 후 1주 경과된 모습으로 표면괴사 조직이 탈락하고 이차 상피화가 이루어지고 있는 모습 **D:** 시술 후 3주 경과된 모습으로 치유가 완료된 모습

2. 레이저 성형술(Laser cosmetic surgery)

레이저를 이용하여 구강 및 악안면영역에서 성형수술을 시행한 역사는 레이저가 처음 개발된 초창기 루비레이저, 아르곤 레이저, CO_2 레이저를 사용할 때부터 가장 주된 치료 목적이었으며 처음에는 각종 색소성 피부질환이나 흉터, 기미 등을 치료하여 오다가 각종 연조직 질환의 절제 및 제거에도 광범위하게 사용되게 되었으며, 특히 최근에는 Er:YAG 레이저를 비롯하여 보다 다양한 목적으로 사용될 수 있는 레이저가 개발되면서 박피술을 비롯한 많은 미용수술에서 활발하게 이용되고 있다. 특히 피부 미용수술로서 화학적 박피술은 시술 비용이 많이 들지 않고 넓은 부위를 일정하게 시술할 수 있으며 큰 기술을 요하지 않는 장점이 있으나 약물의 침투를 정확히 확인할 수 없고 약물이 농도가 큰 경우 비후성 반흔 같은 부작용이 발생할 확률이 높으며, 또 dermabrader를 이용한 기계적 박피술은 숙련된 기술을 요하고 미세하고 얇은 피부에서는 시술이 어려우며, 또한 냉매의 사용으로 피부에 예기치 않은 손상을 줄 수도 있다. 하지만 레이저 박피술은 이러한 단점을 보완하고 수술 후 부작용을 획기적으로 줄일 수 있어 현재에는 가장 보편적인 피부성형방법으로 자리 잡게 되었다.

1) 레이저 구개수-연구개성형술 (Laser-assisted uvulopalatoplasty)

레이저 구개수-연구개성형술은 1990년 Kamami가 처음 시행한 이래로 구강악안면 영역에서 매우 광범위하게 사용되는 술식 중 하나가 되었다. 이것은 주로 코골이(snoring)나 수면무호흡증(obstructive sleep apnea syndrome, OSAS)을 치료하기 위해 사용된다. 연구개가 후방으로 길게 연장되어 있거나 하방으로 늘어진 경우에는 이것이 혀나 인두벽과 함께 기도를 협착시킬 수 있으며 이 기전이 가장 일반적인 코골이나 수면무호흡증의 원인이다. 레이저 구개수-연구개성형술은 구개수나 연구개 하부를 절제하여 호흡 시 이 부위의 협착을 줄여줄 수 있다. 수술 시 인두 후벽에 손상을 주지 않기 위해 핸드피스에 특별한 보호장치(backstop)를 달아주어야 하며, 먼저 구개수 양측으로 수직방향의 전층(through and through) 절개를 가한다. 이 절개의 전방부 즉 후방연구개부위의 구개수의 기시부에 수평절개를 가하여 구개수를 자르고 난 후 양측 후방 연구개와 양측의 편도궁(tonsillar pillar)을 해부학적 형태에 적합하게 제거한다. 수술이 끝난 후 환자는 바로 퇴원할 수 있으며 약 7~10일 후면 창상치유가 완료된다.[7]

2) 관절경 레이저 수술(Arthroscopic laser surgery)

관절경 수술은 악관절내장증(temporo-mandibular joint internal derangement)의 치료를 위해 시행되고 있다. 관절내 활액(synovial fluid)이 친수성인 CO_2 레이저나 Er:YAG 레이저파를 흡수하여 치료를 위한 레이저의 에너지가 목표조직에 도달하지 못하기 때문에 관절경수술에 이들 레이저는 사용할 수 없다. 따라서 Ho:YAG 레이저와 같은 수분에 흡수되는 양이 적은 비친수성의 레이저를 이용해야 한다. 이 레이저를 이용하면 관절경 수술 중 원판절제술(diskectomy), 원판성형술(discoplasty), 지혈(hemostasis), 원판후조직 수축술(posterior attachment contraction), 그리고 관절융기절제술(eminectomy) 등을 시행할 수 있다.

3) 치아 경조직 레이저 처치

충치 치료를 위하여 와동을 형성하는 과정에 Er:YAG 레이저를 이용할 수 있으며 기존의 버(bur)를 이용하는 방법에 비하여 속도는 다소 느리나 와동형성 과정을 무균적으로 진행할 수 있고 시술 중, 시술 후에 동통을 줄일 수 있는 장점이 있다. 치수에 가까이 soft dentin이 형성되어 있을 경우 기계적 제거보다는 레이저를 이용한 삭제가 유리하고 치수가 노출되는 경우도 상황에 따라 무균적으로 치수복탁술, 치수절제술 또는 근관치료 등 치수치료를 보다 용이하게 할 수 있는 장점이 있다.[12]

치경부에 와동을 형성할 경우나 과민치아의 처치 등에 보다 효과적으로 사용할 수 있다.

4) 레이저 박피술(Laser peeling, resurfacing)

레이저는 지혈작용이 있고 반흔형성이 적으며 치료 효과가 도달되는 조직의 깊이를 조절할 수 있기 때문에 피부의 미용수술, 특히 미용적 피부 재피술(cosmetic skin resurfacing)에 적합하다. 이 술식은 레이저로 표피와 상부진피

(papillary dermis)를 제거하고 진피내 교원질을 수축시켜서 피부가 좀 더 균일하게 재상피화하도록 한다. 이 방법은 원하는 양의 얇은 조직층만을 벗겨낼 수 있기 때문에 술후 창상치유가 빨라지고 상피조직의 유지에 중요한 부속조직을 포함하는 하부진피(reticular dermis)에 손상을 가하지 않는다는 장점이 있다.[13] 실제로 피부는 내측 방향이 아닌, 외측 방향으로 치유되는 양상이 훨씬 빠르고 중요하다. 따라서 이 방법을 이용하면 안면의 모든 피부를 제거하더라도 반흔 형성 없이 빠르게 재상피화시킬 수 있다.

지속파형(continuous-wave) CO_2 레이저의 열 손상 영역은 500 μm인데 반해서 표피와 상부 진피의 두께는 300 μm이기 때문에 과거에는 레이저 피부 재피술을 시행할 수 없었다. 그러나 근래에 열이 전도되는 시간을 단축시키기 위해 맥동파형의 Ultrapulse CO_2 laser가 개발되어 시술이 이러한 피부박피술이 가능해 졌다. CO_2 레이저는 10,600 nm의 파장을 가지고 있으며, 시술 시 출혈이 되지 않기 때문에 수술 시야가 매우 좋고 화학박피술이나 Dermabraser를 이용한 박피술에서는 시행하기 어려웠던 눈 주위 주름에 대한 치료도 어렵지 않게 시행할 수가 있으며 부작용이 월등히 적은 장점이 있다.[14] 먼저 레이저는 defocusing 방식으로 조사하는데, 조사하는 정도는 피부 진피의 두께, 즉 부위마다 달리해야 하며 그 정도는 레이저 조사 후 생리식염수를 적신 거즈를 닦아 냈을 때 핑크빛이 감도는 경우를 표피가 제거된 상태로 판단하고 더 조사하여 표면이 하얗게 변하게 되면 이를 유두진피까지 조사된 것으로 판단한다. 이때 레이저 조사를 멈추면 흉터가 발생하지 않고 치유될 수 있으나 계속 과하게 레이저를 조사하는 경우에는 흉터가 발생할 확률이 높아진다. Er:YAG 레이저는 최근에 박피술에서 가장 많이 사용되는 레이저이다. 전술한 바와 같이 CO_2 레이저에 비하여 수분에 흡수되는 비율이 높아 보다 정밀한 시술이 가능한데 이는 주로 밀도와 깊이 그리고 적용패턴을 변화시켜 피부 손상을 최소화하면서 보다 정확한 깊이만큼 레이저 시술이 가능하기 때문이다. 이에 따라 주변조직의 열손상이 현저하게 줄어 피부괴사, 술후 과색소 침착, 탄화현상 등의 부작용이 줄어들었다. CO_2 레이저의 경우 열손상의 범위가 약 200~300 μm인 반면 Er:YAG에서는 30~50 μm로 줄어 정밀한 시술이 가능한 것이다. 이에 따라 여드름흉터, 비후성 반흔,

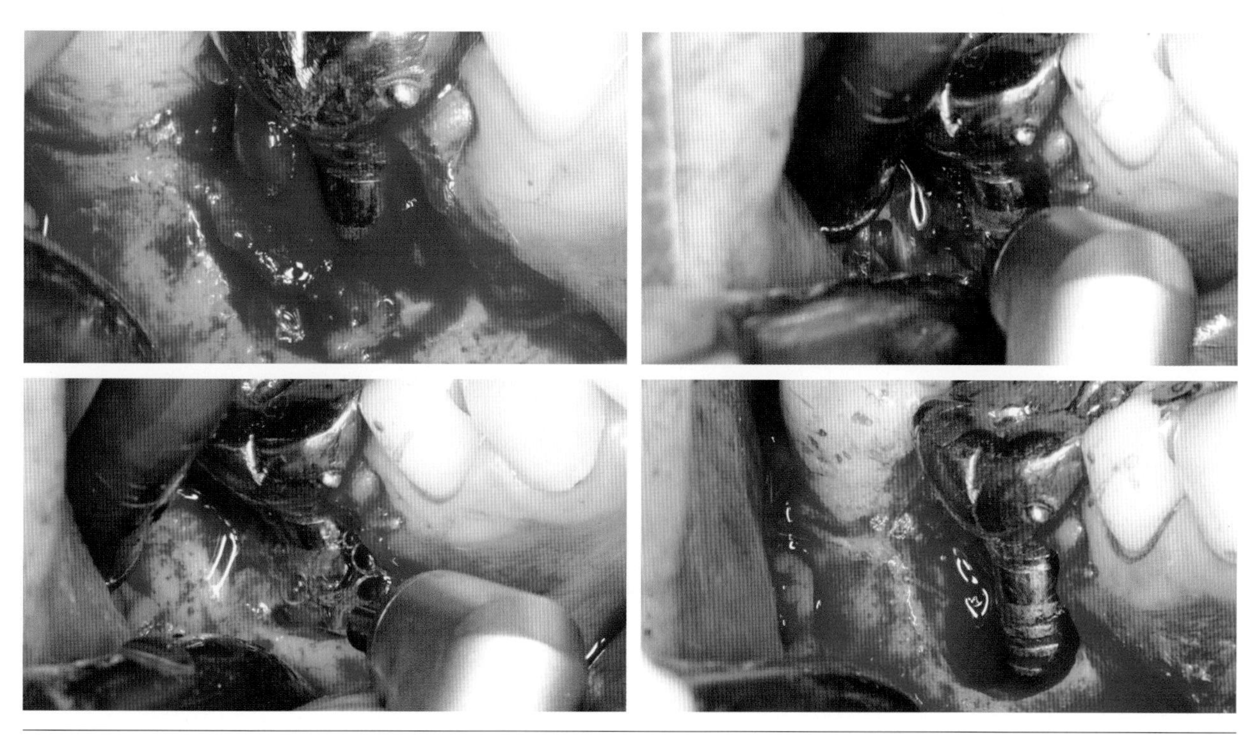

그림 17-9 임플란트 주위염을 Er.YAG 레이저를 이용해서 염증을 제거하고 있는 모습

모공, 주름제거 및 피부 미백에 활발하게 사용되고 있으며, 사용방법은 CO_2 레이저와 마찬가지로 레이저 조사 시마다 생리식염수로 닦아내면서 출혈이 되기 시작할 때까지 적절하게 시술한다.[15]

5) 임플란트 주위염의 레이저 처치

임플란트 주위염의 유병률은 16~47.1%까지 매우 다양하게 알려져 있으며, 이에 대한 치료방법은 많은 연구가 이루어지고 있음에도 불구하고 아직 치료에 대한 gold standard가 설정되어 있지 않은 실정이다. 오염된 임플란트 표면의 경우 decontamination이 필요한데, 이에 대한 방법으로는 기계적 세정, 화학적 살균법, 지속적 항생제 방출 약제 투여법 및 외과적 절제술 등이 이용되고 있다.[16] 최근 레이저를 이용한 임플란트 표면 decontamination이 치료방법으로 제시되고 있으며, Er:YAG(그림 17-9), CO_2, GaAlAs diode, Nd:YAG 등 다양한 레이저가 사용되고 있는데, 다양한 전임상 및 임상 연구에 의하면 레이저 처치 후 신생골 형성과 치주낭 깊이 및 탐침 시 출혈 감소 등이 보고되고 있다.[17,18] 레이저 에너지는 세균의 활성산소(reactive oxygen species, ROS) 생산을 유도함으로써 광독성의 효과를 가져오게 된다.[19] 이런 효과 등으로 레이저는 보다 효율적으로 임플란트 주위염의 처치에 사용되고 있다.

6) BRONJ (Bisphosophonate osteonecrosis of the jaws)의 저출력 레이저 처치

Bisphosphonate계열의 제재를 복용중인 환자에게서 치과 진료 후 나타나게 되는 BRONJ가 화두가 되고 있다. 현재 BRONJ의 발생과 예방 및 처치방법에 관해 많은 연구가 진행되고 있음에도 불구하고 명확한 진단 기준조차 정확히 제시되지 못하고 있는 실정이다. 현재 BRONJ의 치료법도 항생제 복용부터 보존적 치료, 악골절제술 등의 외과적 치료까지 매우 다양하게 소개되고 있으나 아직까지 정립된 치료법은 없다. 최근 이 BRONJ의 치료 방법중의 하나로 저출력 레이저가 소개되고 있는데, 이는 세포활성 증가와 향상된 치유효과의 대사에 관여하는 저출력 레이저의 효과에 착안한 것이다.[20] 아직은 많은 연구가 필요하나 실제 임상에서도 시도가 되고 있다.[21]

참고문헌

1. Raulin C, Greve B, Grema H. IPL technology: a review. Lasers Surg Med 2003;32:78-87.
2. Kauvar AN, Rosen N, Khrom T. A newly modified 595-nm pulsed dye laser with compression handpiece for the treatment of photodamaged skin. Lasers Surg Med 2006;38:808-13.
3. Fitzpatrick RE, Goldman MP, Satur NM, Tope WD. Pulsed carbon dioxide laser resurfacing of photo-aged facial skin. Arch Dermatol 1996;132:395-402.
4. Ross EV. Laser versus intense pulsed light: Competing technologies in dermatology. Lasers Surg Med 2006;38:261-72.
5. Butler EG, 2nd, McClellan SD, Ross EV. Split treatment of photodamaged skin with KTP 532 nm laser with 10 mm handpiece versus IPL: a cheek-to-cheek comparison. Lasers Surg Med 2006;38:124-8.
6. Bitter PH. Noninvasive rejuvenation of photodamaged skin using serial, full-face intense pulsed light treatments. Dermatol Surg 2000;26:835-42; discussion 43.
7. Kamami YV. Laser CO2 for snoring. Preliminary results. Acta Otorhinolaryngol Belg 1990;44:451-6.
8. Goldberg DJ, Samady JA. Intense pulsed light and Nd:YAG laser non-ablative treatment of facial rhytids. Lasers Surg Med 2001;28:141-4.
9. Trelles M, Allones I, Vélez M, Mordon S. Nd:YAG laser combined with IPL treatment improves clinical results in non-ablative photorejuvenation. J Cosmet Laser Ther 2004;6:69-78.
10. Negishi K, Tezuka Y, Kushikata N, Wakamatsu S. Photorejuvenation for Asian skin by intense pulsed light. Dermatol Surg 2001;27:627-31; discussion 32.
11. Negishi K, Wakamatsu S, Kushikata N, Tezuka Y, Kotani Y, Shiba K. Full-face photorejuvenation of photodamaged skin by intense pulsed light with integrated contact cooling: initial experiences in Asian patients. Lasers Surg Med 2002;30:298-305.
12. Miserendino L, Pick RM. Lasers in Dentistry: Quintessence Publishing Company; 1995.
13. Hedelund L, Due E, Bjerring P, Wulf HC, Haedersdal M. Skin

rejuvenation using intense pulsed light: a randomized controlled split-face trial with blinded response evaluation. Arch Dermatol 2006;142:985-90.

14. Bjerring P, Christiansen K, Troilius A, Dierickx C. Facial photo rejuvenation using two different intense pulsed light (IPL) wavelength bands. Lasers Surg Med 2004;34:120-6.
15. Christian MM. Microresurfacing using the variable-pulse erbium:YAG laser: a comparison of the 0.5- and 4-ms pulse durations. Dermatol Surg 2003;29:605-11.
16. Koldsland OC, Scheie AA, Aass AM. Prevalence of peri-implantitis related to severity of the disease with different degrees of bone loss. J Periodontol 2010;81:231-8.
17. Takasaki AA, Aoki A, Mizutani K, Kikuchi S, Oda S, Ishikawa I. Er:YAG laser therapy for peri-implant infection: a histological study. Lasers Med Sci 2007;22:143-57.
18. Schwarz F, Bieling K, Bonsmann M, Latz T, Becker J. Nonsurgical treatment of moderate and advanced periimplantitis lesions: a controlled clinical study. Clin Oral Investig 2006;10:279-88.
19. Lipovsky A, Nitzan Y, Gedanken A, Lubart R. Visible light-induced killing of bacteria as a function of wavelength: implication for wound healing. Lasers Surg Med 2010;42:467-72.
20. Damante CA, De Micheli G, Miyagi SP, Feist IS, Marques MM. Effect of laser phototherapy on the release of fibroblast growth factors by human gingival fibroblasts. Lasers Med Sci 2009;24:885-91.
21. Scoletta M, Arduino PG, Reggio L, Dalmasso P, Mozzati M. Effect of low-level laser irradiation on bisphosphonate-induced osteonecrosis of the jaws: preliminary results of a prospective study. Photomed Laser Surg 2010;28:179-84.

PART 4

책임편집

박영욱 • 백진아 • 정영수

구순 및 구개열성형술

Chapter

18 구순 및 구개열개론

Introduction to Cleft Lip and Palate

기본 학습 목표

- 두개악안면 부위의 정상 발생-성장 및 해부학적 구조를 숙지한다.
- 구순구개열의 발생 원인 및 발병 진행 과정을 이해한다.
- 구순구개열 치료의 전반적 개요를 이해한다.

심화 학습 목표

- 구순구개열의 발생 기전 및 원인을 설명할 수 있다.
- 정상 기능 및 성장 발육을 위한 구순구개열의 치료 목표를 설명할 수 있도록 한다.
- 구순구개열 환자에 대한 치과의사의 역할을 숙지하여 그 일관된 치료 방침을 설명할 수 있다.

구순구개열은 발생 과정 이상으로 인해 일어나는 안면 기형이며 선천성 기형 중 가장 빈발하는 질병이다. 그 원인에 대해서는 아직 확실히 규명되어 있지 않으나 여러 유전적, 환경적 요인들이 복합적으로 작용하는 것으로 알려져 있다. 구순구개열 환자의 치료는 기형의 복잡성 때문에 다양한 수술방법이 이용되고 여러 분야 전문가로 구성된 team approach가 필요할 뿐 아니라 성장 시기에 따라 일관되고 체계적인 치료가 필요한 분야이다.

1. 구순 및 구개의 정상-비정상 발생

1) 구순-구개부의 발생

제1인두궁(first pharyngeal arch)과 전두돌기(frontal process)가 구순 및 구개부의 발생에 중요한 역할을 담당한다. 발생 4주의 배아(embryo; crown-rump length 약 4~6 mm)에서는 일차 구강입구(stomodeum)가 상방의 전두돌기, 측방과 하방의 제1인두궁기원 상악돌기(maxillary process) 및 하악돌기(mandibular process)로 둘러싸여 있다(그림 18-1). 발생 과정이 진행되면서 제1인두궁 상방의 상악돌기가 빠르게 성장하고 전두돌기 하방 양측의 비판(nasal placode)은 깊어지면서 주변 전두돌기는 풍융해져 비와(nasal pit)를 형성한다.

발생 약 4-5주경에는 태아 안면의 형태와 구조가 분명히 구별될 수 있을 정도로 얼굴 발생이 진행된다. 전두돌기는 하방을 향해 발육하여 비와 내측의 내측 전두돌기와 외측의 외측 전두돌기로 발달하면서 더욱 뚜렷해진다. 이 중 내측 전두돌기는 하방으로 발육하여 내측 비돌기(medial nasal process)로 되고 특히 말단부는 더 빠른 속도로 성장하여 구형의 구상돌기(globular process)가 된다. 마찬가지로 전두돌기 외측도 하방으로 발육하면서 외측 비돌기(lateral nasal process)가 되고 비공을 내측 비돌기와 함께 둘러싼다. 외측 비돌기는 장래의 비익(ala nasi)을, 내측 비돌기 및 구상돌기는 인중(philtrum), 비중격(nasal septum) 전방부, 일차구개(primary palate)를 각각 형성한다(그림 18-2). 상악돌기는 정중 방향으로 점차 발육하면서 내상방에서 외측 비돌기와, 내하방에서 구상돌기와 fusion 또는 merging이 일어나 하나의 조직으로 연결된다. 이렇게 만들어진 상악간 분절(intermaxillary segment) 조직은 상순과 인중을 형성하는 구순 성분, 치아 및 치은을 포함하는 상악골 성분, 그리고 비강과 구강을 최초로 분리하는 일차 구개(primary palate) 성분으로 구성된다(그림 18-3). 그리고 상악돌기는 장래의 상협부(upper buccal vestibule), 상순(upper lip) 외측부, 하안검(lower eyelid) 등을 형성한다. 하악돌기도 내측 방향으로 발육하면서 중앙에서 merging이 일어나 하협부(lower buccal vestibule), 하순(lower lip), 이부(chin)를 후에 형성한다. 발생 6주 말부터 상악돌기 내측면에서 자라난 외측 구개돌기(lateral palatal process)는 발생 8주말 혀

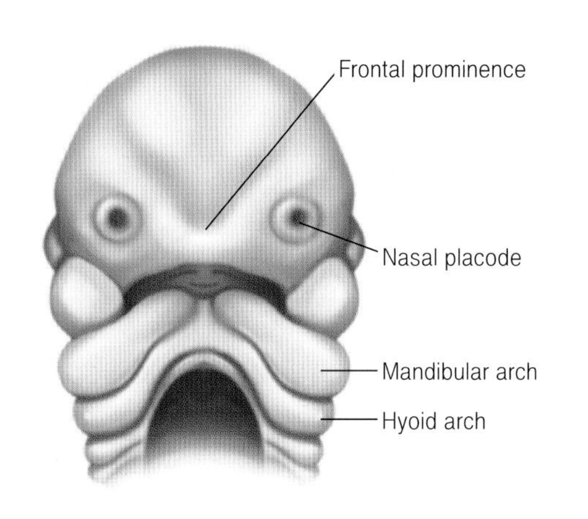

그림 18-1 **발생 4주째 태아**

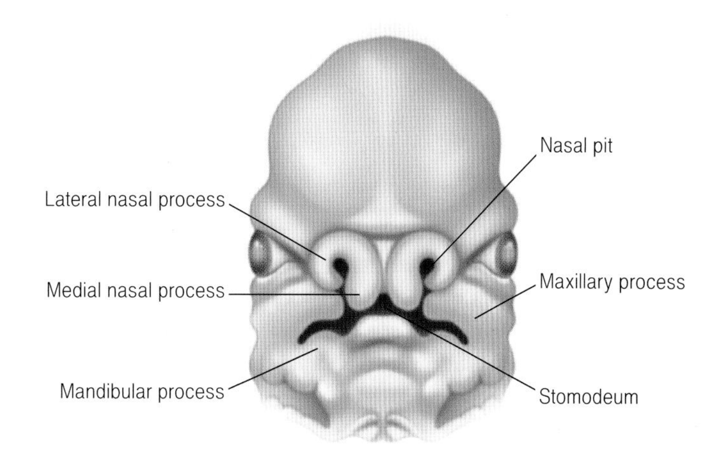

그림 18-2 **발생 6주째 태아의 모습**

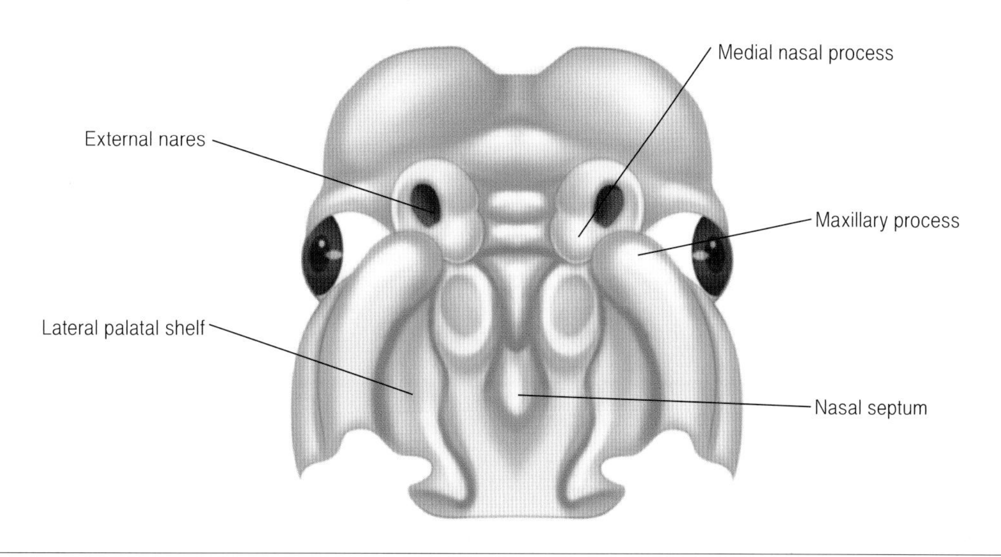

그림 18-3 **발생 7주째 배아 얼굴과 구강의 모습.** Palatal shelves 외측 구개돌기가 내측 하방으로 이동성장

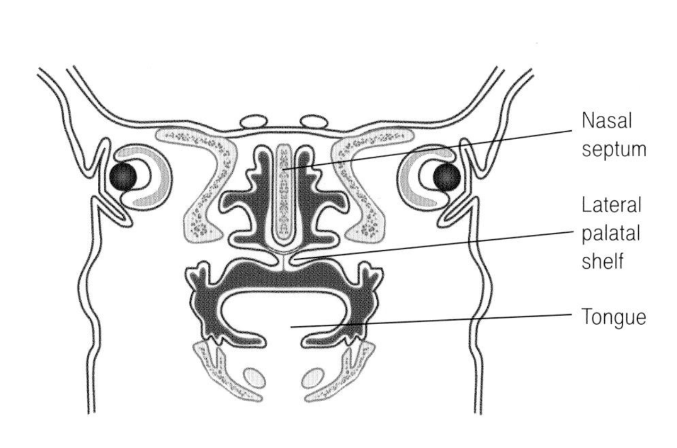

그림 18-4 **발생 8주 얼굴의 단면 모습.** 외측 구개돌기의 발생이 수평으로 계속되면서 혀는 하방으로 떨어져 구강과 비강이 구개돌기에 의해 구분되는 시기

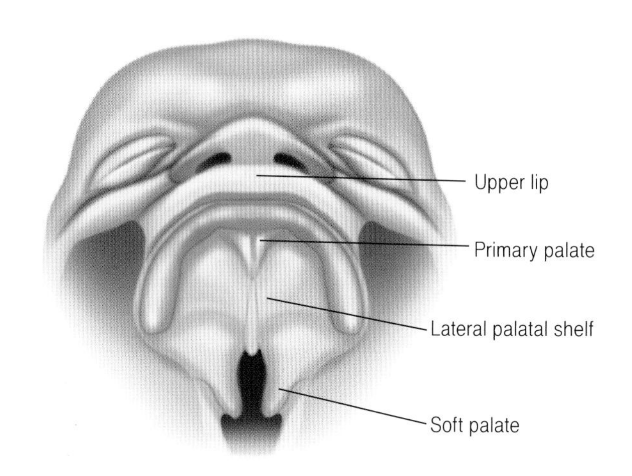

그림 18-5 **발생 8주 얼굴 및 구강 모습.** 외측 구개돌기의 성장에 의한 구개선반(palatal shelf)의 결합이 뒤쪽으로 진행되면서 연구개와 구개수(uvula)의 유합이 일어난다.

측방에서 상방으로 위치를 바꾸어서 수평으로 성장한다(그림 18-4). 양측의 구개돌기들이 서로 접근하며 구개선반(palatal shelf)을 형성하고 이들은 정중부에서 융합하면서 전방의 일차 구개, 상방의 비중격과도 결합하여 이차 구개(secondary palate)를 형성한다(그림 18-5).

2) 얼굴 돌기들 간의 유합 기전과 구순열의 발생

이러한 인두궁을 포함한 일굴 돌기(facial processes)들 간의 결합은 정상적인 얼굴 형태 형성에 중요하며, 정상 결합이 실패할 경우 구순-구개부나 얼굴 정중면 또는 시상면 상에 파열(cleft)이 발생할 수 있다. 얼굴 돌기의 결합을 설명하는 기전으로는 이제까지 상피세포 사멸설(epithelial cell death)이나 상피-간엽세포 전이설(epithelial-mesenchymal transition)이 가장 널리 인정받고 있으며 그 외에 상피세포 이동설이나 고전적인 merging theory, 중배엽 관통설 등이 알려져 있다. 이중 상피세포 사멸설은 얼굴 돌기의 상피가 만나 이룬 epithelial seam에서 세포사멸(apoptosis) 기전에 의해 상피 세포가 없어지면서 두 돌기의 간엽세포가 연결된다는 주장이다. 또 상피-간엽세포 전이설에 따르면 epithelial seam의 기저막(basement membrane)이 깨지고 상피세포가 간엽세포화하면서 두 얼굴 돌기가 연속성을 가지며 연결된다는 이론이다. 그 외의 merging theory에서는 간엽세포의 부분적 성장 촉진으로 안면돌기들 사이의 간격이 메워진다는 것이며 특히 외측 비돌기와 상악돌기의 사이나 내측 비돌기들 사이에서 일어난다고 알려졌다. 이러한 유합 기전이 정상적으로 일어나지 못한 경우, 상순, 일차 구개 또는 이차 구개 등 얼굴 돌기 결합 부위에서 파열이 발생할 수 있다고 할 수 있다.

2. 구순 및 구개열의 원인

1) 환경적 요인

자궁 내 태아의 주변 환경 요인 및 임신 초기 모체의 환경적 요인에 의해 구순-구개열이 발생될 수 있다고 알려져 있다. 임신 초기 태아에 가해지는 물리적 자극이나 방사선, 화학 물질의 영향, 임신 초기 모체의 풍진 바이러스, 매독균 감염 등은 구순 및 구개열 외에도 눈이나 심장의 기형, 치아의 이상 등 여러 가지 선천적인 이상을 일으킬 수 있다. 또 고연령 모체의 임신은 선천성 기형아의 발생률이 높고, 임신 초기의 외상, 중노동 등은 양막 파열로 인한 기형 발생도 높은 것으로 보고되고 있다. 또 Vitamin A, Folic acid, alcohol이나 화학 물질도 구순-구개열 발생과 관계있는 것으로 보고되고 있다.

2) 유전적 요인

일반적으로 구순-구개열 부모의 경우 자식에게서 이 질병이 다시 발생할 기회가 늘어나기는 하지만 그리 높지 않아 약 3~5% 정도가 된다고 알려져 있다. 물론 첫 아이가 발병한 경우 둘째에서는 약 40%로 비교적 높아진다고 한다. 그러나 구순-구개열의 주원인이 될 수 있는 일반 단일 유전자 변이는 아직 밝혀지지 않고 있다.

현재까지 밝혀진 구순-구개열 관련 특정 유전자에는 전사인자(transcription factor), 성장인자(growth factor) 등이 있으며 대표적으로는 transforming growth factor β3, Msx1, AP2, Tbx22, IRF6 등이 있다.[1] 그리고 구순-개열 혹은 위 유전자 등과 관련된 특정 증후군들이 밝혀지고 있으며 여기에는 Van der Woude 증후군, Velocardiofacial syndrome, DiGeorge 증후군 등이 있다.

3) 유전적 요인과 환경요인의 복합 작용

일부에서는 선천성 기형의 발생이 유전자의 변형과 다수의 환경 인자가 복합적으로 작용하여 일정한 역치를 넘어선 경우 발생한다고 주장하기도 한다.

3. 구순 및 구개열 치료의 목표

구순 및 구개열 치료의 기본적인 목표는 구강과 비강을 관통하는 파열 부위를 막아 언어 기능과 상악골 등 악골의 성장을 정상 유지시켜 주는 것이다. 그래서 구순-구개열 치료를 통해 구순-구개부의 구조적, 구성적 회복을 꾀하고 저작, 발음, 연하, 호흡, 심미, 성장 등의 기능이 정상 영위될 수 있도록 하는 것이다. 여기에는 음식물을 정상적으로 섭취하고 삼킬 수 있으면서 중이염 및 난청을 초래하기 쉬운 해부학 및 생리학적 기능을 개선해 주고, 정상적인 상하악골의 관계와 교합을 유지, 회복시켜 주는 것이 포함되어야 한다.

그러므로 이상적으로는 여러 분야 전문가들의 팀워크 치료가 필요하다. 즉, 구강악안면외과의사를 비롯하여 교정과, 보철과, 소아과 또는 내과, 이비인후과, 정신과 의료진과 언어병리사, 사회사업가 등이 팀을 이루어 가장 바람직한 치료계획을 시기에 따라서 적절하게 수행할 수 있어야 한다.

4. 구순 및 구개열 치료의 역사

역사적으로 최초의 구순열 수술(cheiloplasty)은 중국에서 4~5세기경에 행해졌다는 기록이 남아 있지만 이후의 술식 발전은 찾아볼 수 없다. 유럽에서는 10세기 말 견사로 파열연을 봉합하고 계란 흰자와 수지의 연고를 사용했다고 하는 기록이 남아 있으며 이후 점차 발달된 술식이 보고되었다. 초기에는 구순열 파열부에 창상을 만들고 이를 직선상으로 봉합하는 직선 봉합법(straight repair)이 행해졌다. 이후 비환측과 수술측에 대칭 형태가 만들어지도록 파열부 변연에 사각 조직판을 만들어 이용하는 사각 피판법(Wang:1960, LeMesurier:1984 등)과 구순하부에 삼각피판을 환측에서 인중 측으로 도입하는 삼각 피판법(Tennison:1952, Randall:1959, Cronin:1966 등)이 시행되었다.[2] 또한 비주 하부에 횡절개를 넣어 인중을 아래로 회전시키고 그 결과 생긴 인중과 비주 하부 사이의 간격에 환측의 구순조직 전체를 조직판으로 삼아 삽입하는 회전 신전법(Millard:1959)[3]과 이후 변형된 Millard 법[4] 등이 시행되었다. 양측성 구순열 치료에 대하여 1947년 Brown은 편측성 구순열 치료에 비하여 2배 힘들지만 결과는 절반 정도로 나빠 기존의 2차원적 치료 방법보다는 왜곡된 비부 및 상악골을 포함하여 3차원적으로 치료하는 것이 필요하다고 하였다. 또 Mulliken은 수술 후 성장 발육에 따른 변이를 포함하는 4차원적인 고려가 필요하다고 주장하기도 하였다.[5,6]

구개열 성형술 중 연구개 봉합술(veloplasty)은 1817년 독일의 Ferdinand von Graefe와 1819년 프랑스의 Joseph Roux이 처음 보고하였다. 구개 봉합술(uranoplasty)은 1826년 Dieffenbach가 양측 이완절개(bilateral relaxing incisions)를 주어 양측 유경피판(bipedicle flap)을 사용하면서 급속 발전하였으며, 1861년 von Langenbeck은 양측 점막골막 피판(bilateral mucoperiosteal flaps)을 시행하였다. 그 후 인두성형술(pharyngoplasty)과 구개 연장술(palatal lengthening)도 구개열 성형술에 도입되었다.

1920년 Magill은 기관내 삽관을 이용한 전신마취하에서 구개열 수술을 시행하여 수술이 이전보다 안전하게 시술될 수 있었다. 양측 유경피판을 사용할 경우 상악골 부위의 혈액 공급 저하와 반흔 형성으로 상악골 성장에 지장을 초래하므로 1845년 Dieffenbach는 상악골 절단술을 동반하는 bone flap operation을 시행하여 이 단점을 보완하였다. 독일의 Schwecken(1962), 미국의 Slaughter와 Pruzansky(1954) 등은 12~24개월 구개성형술 시행할 때 경구개 성형술을 제외한 연구개 성형술만을 권장하였고, 이를 통해 발음 장애를 개선시키고 상악골의 성장 저해를 피할 수 있다고 했다. 이 경우 연기된 경구개열에 대한 경구개 성형술은 5세경에 수술하는 것이 좋다고 하였다. 그 밖에 발음을 향상시키기 위해 Ganzer(1917), Halle(1925), Ernst(1925), Veau and Ruppe(1922), Moore-head(1928), Kilner(1927), Wardill(1928), Peet(1961), Reidy(1962) 등에 의해서 후방 전위술(retrodisplacement)이 발표되었다. 이 술식은 구개 전방 피판을 이동 후 "M" 형으로 봉합하는 V-Y 전진술의 변형이었다. 1925년 Dorrance는 이 방법의 변형으로 횡피판(transverse flap)을 사용하기도 하였다.

5. 구순-구개열 환자의 수유

구순-구개열 환자의 부모가 처음에 직면하는 문제는 수유 장애(feeding disturbance)이다. 구순-구개열 아동의 술전 젖 빨기는 아동의 성장을 위한 충분한 영양 섭취와 정상적인 연하 능력의 유지를 위하여 중요하다. 또 수유는 턱 기능을 유지하고 정상적인 악골의 성장을 유도하는 중요한 의미도 있다. 구순-구개열 환자를 위해서 파열의 형태, 정도에 따라 다양한 수유 장치를 이용할 수 있다. 구개열을

PART 4

동반하지 않은 편측의 구순열 유아에서는 모유나, 일반적인 젖병에 약간 넓은 모양의 젖꼭지를 이용하면 정상에 가까운 수유가 가능하다. 그러나 구개열을 가진 유아에서는 비강과 구강의 불확실한 폐쇄로 인하여, 연하 시 필요한 음압(negative pressure)의 형성 부전으로 빨기 능력이 떨어지고 유아가 쉽게 피로하게 되어 충분한 영양섭취가 어렵다. 또한 우유의 비강 유출(nasal regurgitation) 및 기도 흡입에 의한 폐렴 발생 등 많은 어려움이 있다. 이러한 유아에서는 일반적인 젖꼭지 대신에 구순 및 구개부의 폐쇄가 용이한 부드럽고 긴 젖꼭지를 이용하거나, 유아의 흡입력이 약할 경우에 우유를 구강내로 짜서 넣을 수 있는 젖병(squeezable bottle)이나 주사기(bulb syringe) 등을 이용한다. 또한 신생아에서는 특수한 젖병을 이용하기 전에 유아용 레빈관(levin tube)을 이용하여 우유를 직접 위장관 내로 주입할 수도 있다.

6. 술전 악정형술(Presurgical orthopedics)

구순-구개열 환자는 비정상적인 치열궁으로 인한 호흡, 연하, 저작 및 언어 등의 기능 장애와 이로 인한 안면골 성장의 변형이 일어날 수 있다. Pruzansky, Ross, Shaw 등은 구순열 수술 후에 전상악골(premaxilla)이 자연적으로 후방으로 이동하고, 술전 악정형장치는 오히려 성장을 저해할 수 있어서 장치의 사용이 필요하지 않다고 하였다. 그러나 Hotz와 Gnoinski[7], Perko[8], McNeil 등은 술전 악교정 장치가 필요하다고 하였으며, 그 이유는 전위된 상악분절(displaced maxillary segment)을 적절하게 배열되도록 도와 1차 수술을 용이하게 하며, 코 변형의 교정을 용이하게 해주고, 중안모 골격 성장을 대칭적이고 균형있게 만들어 주기 때문이라고 하였다.[8,9,10] 그외에도 악정형 장치는 구개결손부 폐쇄를 도와 정상적인 수유를 가능하게 하며, 혀의 위치를 정상화시켜서 기능적인 연하 작용을 가능하게 한다고 하였다.

수술 전 악정형을 위해 사용되는 장치는 단순히 구개열을 폐쇄시키는 수동적 장치(passive appliance)와 탄력을 이용하여 상악분절을 결손부로 유도하여 결손부의 크기를 감소시키는 능동적 장치(active appliance)로 크게 분류할 수 있다. 오늘날 이용되고 있는 술전 악교정 장치의 대표적인 것은 Hotz's appliance로 치조열의 안정(stabilization)을 위한 hard acrylic resin과 장치의 구강내 유지와 연조직 보호를 위한 soft resin의 이중적 구조로 되어 있다. Hotz's appliance는 구개열 유아의 젖빨기 능력을 증진시키고 정상적 악골 발육 유도 효과를 동시에 얻을 수 있다고 알려져 있다.[7]

참고문헌

1. Kim MH, Nahm DS, Rotaru H, et al. The ethnic difference of the prevalence of SfaN polymorphism in the nonsyndromic cleft palate. Korean J Orthod 2004;34:261-7.
2. Park YT, Kim SG, Park YW, Kwon KJ, Park KY. Primary Correction of Unilateral Cleft Lip by the Tennison-Randall Method: Cases Report and Literatures Review. Maxillofac Plast Reconstr Surg 2011;33:154-7.
3. Millard DR, Jr. Complete unilateral clefts of the lip. Plast Reconstr Surg Transplant Bull 1960;25:595-605.
4. Millard DR. Extensions of the rotation-advancement principle for wide unilateral cleft lips. Plast Reconstr Surg 1968;42:535-44.
5. Mulliken JB. Correction of the bilateral cleft lip nasal deformity: evolution of a surgical concept. Cleft Palate Craniofac J 1992;29:540-5.
6. Mulliken JB. Repair of bilateral complete cleft lip and nasal deformity--state of the art. Cleft Palate Craniofac J 2000;37:342-7.
7. Hotz M, Gnoinski W. Comprehensive care of cleft lip and palate children at Zü rich university: a preliminary report. Am J Orthod 1976;70:481-504.
8. Perko MA. Two-stage closure of cleft palate (progress report). J Maxillofac Surg 1979;7:46-80.
9. Grayson BH, Santiago PE, Brecht LE, Cutting CB. Presurgical nasoalveolar molding in infants with cleft lip and palate. Cleft Palate Craniofac J 1999;36:486-98.
10. Papay FA, Morales L, Jr., Motoki DS, Yamashiro DK. Presurgical orthopedic premaxillary alignment in cleft lip and palate reconstruction. Cleft Palate Craniofac J 1994;31:494-7; discussion 7-8.

Chapter 19

구순열의 치료

Repair of Cleft Lip

기본 학습 목표
- 입술의 정상 구조와 주위 근육을 이해한다.
- 구순열 치료 목적을 설명할 수 있다.
- 구순열 수술법의 종류를 구분할 수 있다.

심화 학습 목표
- 구순열에서 나타나는 해부학적 변형을 이해한다.
- 편측성 구순열 수술 방법을 이해한다.
- 양측성 구순열 수술 방법을 이해한다.
- 구순열 수술법 종류에 따른 장단점을 설명할 수 있다.

구순열 치료의 목적은 상순과 비부의 형태적, 기능적 회복을 통해 심미성과 기능을 정상화시키고 올바른 치열 및 상악골 성장을 유도하여 정상적인 구강-악안면 기능을 유지하는 데 있다. 구순구개열이 있는 경우는 파열 부위 양쪽으로 모든 해부학적 구조물이 존재하기는 하지만 서로 유합되지 못하여 비정상적으로 부착되어 있고 여러 가지 양상의 저형성을 보이고 있다. 특히 근육의 비정상적인 부착은 기능과 성장, 심미적 측면을 불완전하게 만든다. 피부와 근육, 그리고 코연골의 문제점을 종합적으로 이해하여야 이를 정상적으로 수복(repair)할 수 있다. 구순열의 정도와 양상이 아주 다양하게 나타나지만 치료의 원칙을 잘 이해하고 원칙에 따라 치료 방법과 시기를 적절히 조절하는 것이 중요하다.

1. 입술-코의 정상 구조

1) 입술-코의 표면구조와 계측점

입술의 붉은 점막 부위를 홍순(vermilion)이라 하며, 홍순의 전방은 창백한 분홍색(pale pink)을 띄고 건조하며 후방은 짙은 분홍색을 띄고 습하다. 홍순과 피부 사이의 융기된 접합부를 홍순연(vermilion border)이라고 하며, 홍순연의 상방에 백색릉(white roll)이 존재하는데 이 부분은 홍순과 안면피부가 만나는 경계보다 피부 쪽에 위치한다.[1] 인종에 따라서 이 구조의 색깔이 다르게 나타날 수 있다. 윗입술 홍순연은 외측에서 낮고 중앙으로 갈수록 높아지나, 홍순연의 제일 높은 부위에서 곡선이 반전되어 정중부에서 가장 낮고 그 좌우에 정점(peak)을 보이는데 이를 큐피드궁(Cupid's bow)이라 한다. 홍순연과 연결된 피부의 중앙부에는 약간 함몰된 인중와(philtral dimple)가 있고 좌우측에는 큐피드궁의 정점에서 연장된 인중능(philtral ridge)이 뻗어서 비주(columella)의 외측과 연결된다. 비주(columella)는 비첨(nasal tip)과 비근 사이에 해당하는 코 가운데 올라온 부분을 의미하며, 비익(nasal alar)은 비첨(nasal tip) 양쪽에 동그랗게 도드라진 부분을 말한다(그림 19-1).

구순구개열 환자의 계측에는 5개의 코 계측치와 3개의 상순 계측치가 사용된다(그림 19-2). 5개의 코 계측치는 코 길이(nasion-subnasale, n-sn), 코 폭(alar-alar, al-al), 비첨 돌출(subnasale-pronasale, sn-prn), 비주 폭(sn'-sn'), 비주 길이(subnasale-columella, sn-c)이며, 3개의 상순 계측치는 피부상순 길이(subnasale-labiale superius, sn-ls), 정중결절 길이(labiale superius-stomion, ls-sto, median tubercle), 총 상순길이(subnasale-stomion, sn-sto)가 있다.

2) 입술과 주위 근육

상순부의 근육(그림 19-3)에는 입 주위를 둘러싸는 구륜근, 관협골에서 상순피부에 이르는 대협골근과 소협골근, 상악골 전두돌기에서 상순피부에 이르는 상순비익거근이

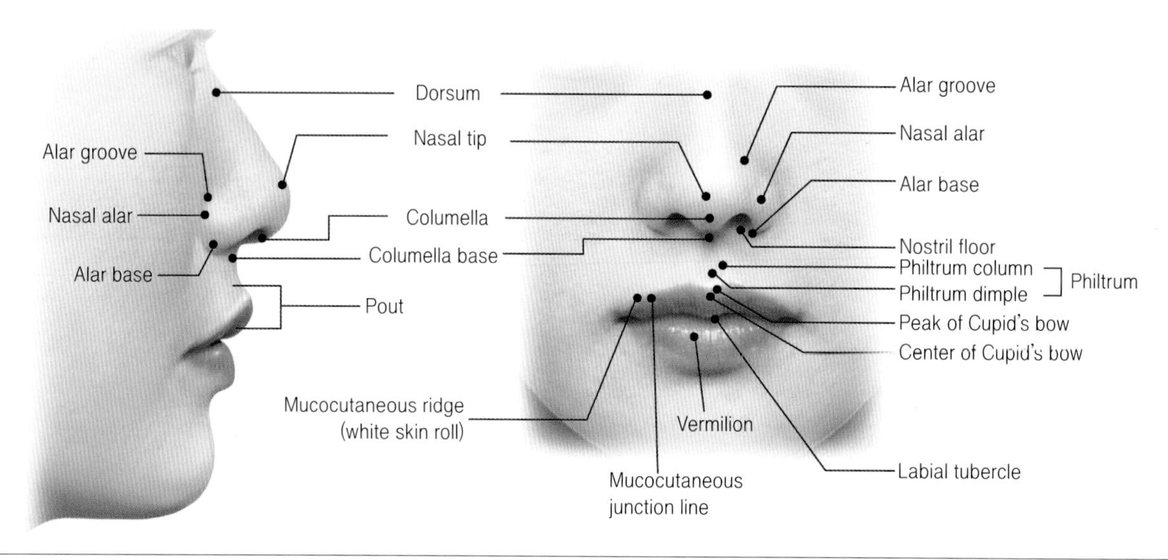

그림 19-1 정상 입술-코의 외형과 명칭

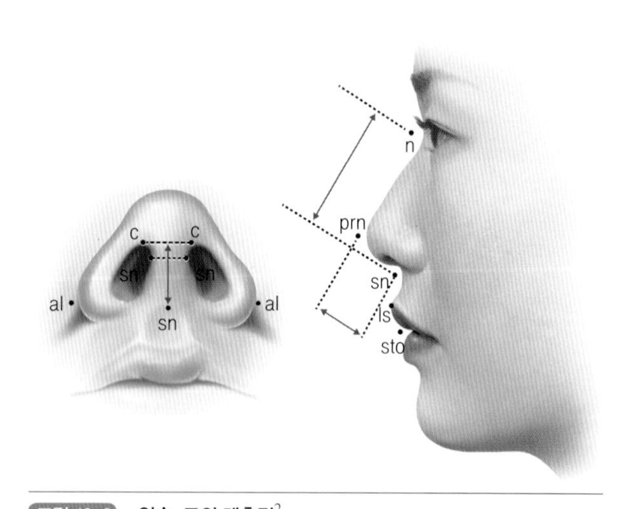

그림 19-2 입술-코의 계측점[2]

있다.[3] 또 소협골근과 대협골근의 하층에는 안와하공 부근에서 상순피부에 이르는 상순거근이 있다. 구륜근과 상순비익거근의 하층에는 견치와 절치의 치조에서 비익과 비배에 퍼지듯이 분포하는 비근이 있으며 그 내측으로 치조부에서 비강저와 비중격 피부에 퍼지듯이 배열된 비중격하체근(depressor septi naris)이 있다. 구륜근(orbicularis oris)은 입술을 형성하고 있는 주요 근육으로 전방에서는 피부, 후방에서는 점막과 접하고 있으며 해부학적인 측면과 기능적인 측면에서 2가지 군으로 세분된다. 그 명칭은 내인성 및 외인성(intrinsic/extrinsic), 또는 심부 및 표층부(deep/superficial) 또는 경계부와 주변부(pars marginalis/peripheralis)로 불린다.[4]

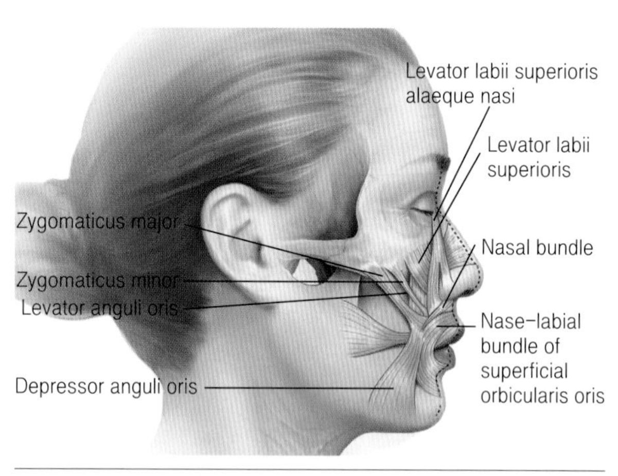

그림 19-3 입주변의 근육들[3]

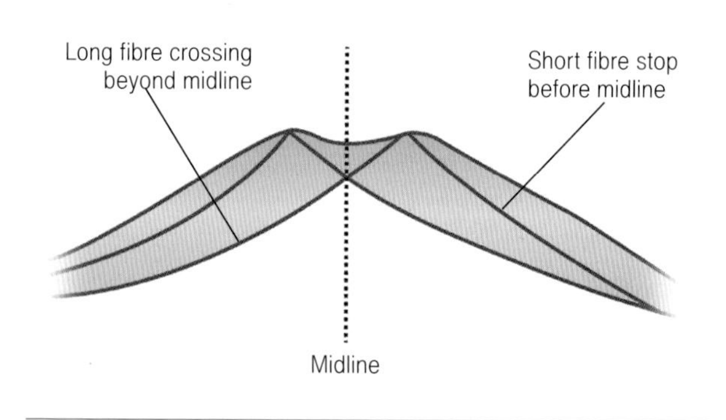

그림 19-4 상순 수평절단면상에서 인중능의 형성[3]

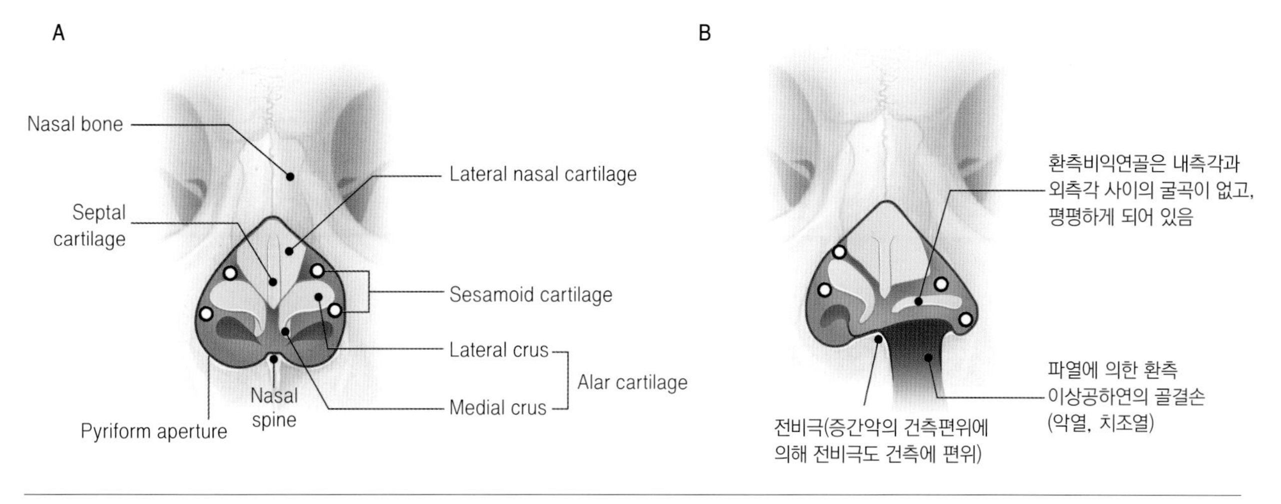

그림 19-5 A: 정상인 비부의 골·연골 B: 편측성 구순열의 치조골과 비익연골의 변형

인중능을 이루는 중요한 근육은 구륜근, 상순거근, 비근이며 이 근 섬유들이 합쳐져 인중능을 이루게 된다.[5] 구륜근의 섬유들은 중앙선에서 교차하여 반대편 인중능으로 들어가면서 인중능을 이루는데 일조한다(그림 19-4).[3] 이들 근육의 수축으로 인해 입술을 오므리는 동작 시 인중능의 형태가 더욱 명확해지고 전방으로 돌출되게 된다. 아래 부분에서는 상순거근이 인중능 아래쪽의 부피(bulk)를 만드는데 일조하게 되고 일부는 큐피드궁(Cupid's bow) 안으로 들어간다. 인중능의 윗부분은 비근, 특히 비중격하체근으로 구성되어 있다.

3) 코의 뼈와 연골

정상인 비부의 골, 연골구조(그림 19-5A)는 상악골과 비골에 둘러싸인 이상구(pyriform aperture)가 비강 입구가 되고 그 하연 중앙에 전비극(anterior nasal spine)이 돌출되어 있다. 전비극과 후방의 서골에서 일어선 비중격 연골(septal cartilage of nose)을 중심으로 상외측 연골(upper lateral cartilage), 비익연골(alar cartilage, lower lateral cartilage), 종자연골(sesamoid cartilage, lesser alar cartilage)이 좌우 대칭적으로 위치해 코의 기초가 된다. 편측성 구순열의 환자(그림 19-5B)에서는 치조열에서 이상구 하연까지 골결손이 있고 전비극과 비중격 연골의 전하방부는 비이환측으로 편위되어 비주경사의 원인이 된다. 이환측 비익연골은 내측각(medial crus)이 주저앉아 있고 내측각과 외측각(lateral crus) 사이의 각이 둔각이 되며 비익은 편평하게 변형되어 있다.[6] 양측성 구순열에서는 각 연골의 좌우 대칭성은 좋지만 양측의 비익연골의 내측각이 주저앉아 있고 일어섬이 없기 때문에 비주는 짧고 작으며 양측 비익은 외측으로 편평하게 뻗어 있고 비첨부는 평탄하다.[7]

2. 구순열의 입술-코 변형

1) 편측성

편측성 완전 구순열에서는 구륜근이 파열연에서 비스듬히 상방으로 달리면서 측방으로 비익의 기저부(alar base)에 정지하고 내방에서는 비주 기저부(columella base)의 상악골막부에 정지한다(그림 19-6).[3] 불완전 구순열의 경우 정도가 심하면 상부의 피부가 연결되어 있어도 구륜근은 완전 구순열의 경우와 동일한 배열을 갖게 되는데 반해 불완전 구순열의 정도가 미약하여 구순열이 2/3 정도 피부 연결이 남은 경우 이곳을 통과하여 내측과 외측으로 교차되는 구륜근이 존재한다. 편측성 완전 구순열에서는 구륜근의 연속성이 끊어짐으로 인해 정상적인 상악의 발달이 일어나지 않고 비이환측의 상악전방부가 들려 올라가게 되고 외측으로 변위되게 된다. 구각부의 위치도 이환측에서 하방으로 전위되어 나타나는데 이는 구각하체근(depressor anguli oris m.)의 영향으로 생기며 턱끝이 이환부로 편위되는 경

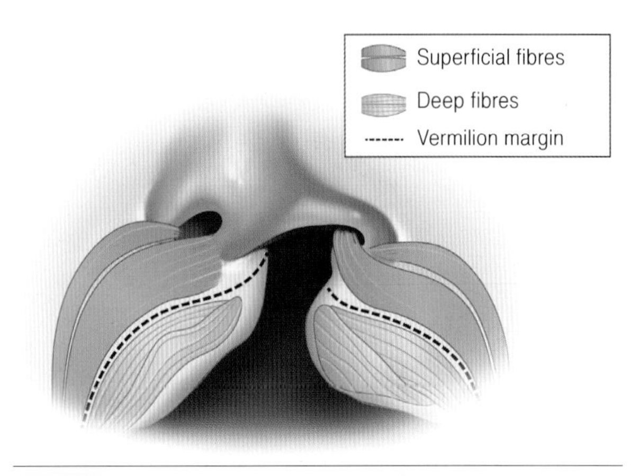

그림 19-6 편측성 구순열에서 구륜근의 주행[3]

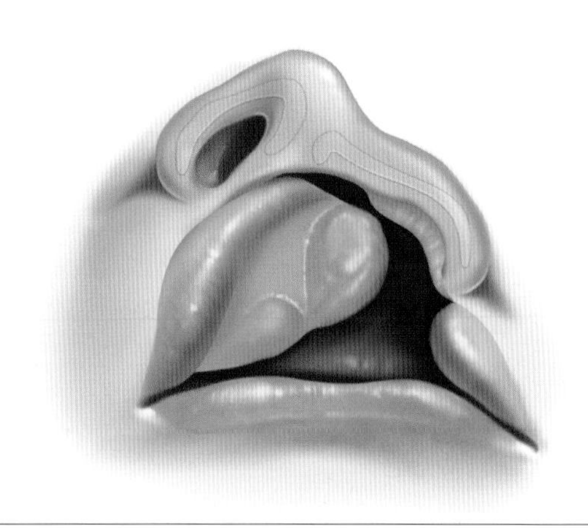

그림 19-7 편측성 구순열의 외형[8]

향으로 나타난다. 이환측 비근은 치조열부 근처의 상악골 치조외면에 부착해 비익 전체를 외후방으로 견인하기 때문에 비익 외형을 변형시키는 한 요인이 된다. 또한 본래 비중격과 비강저의 피부에 퍼져서 분포하는 비중격하체근이 편측성 구순열에서는 파열연 중간에서 비중격 피부로 연결된다. 전형적으로 편측성 구순열에서 비중격(nasal septum)은 비이환측으로 기울어지고 비첨(nasal tip)이 비이환측으로 편위되어 있으며 비주기저부도 전비극(anterior nasal spine)으로부터 비이환측으로 편위되어 있다(그림 19-7).[8] 이 부위의 변위는 장차 중안면부의 높이 성장과 관련하여 중요한 의미를 갖는다. 비중격이 직선적으로 중앙에 위치할 때 중안면부가 정상적인 높이를 보이는 반면 편측성 구순구개열의 경우 만곡된 비중격으로 인해 중안면부의 수직적 높이가 짧게 된다. 따라서 연골비중격이 지속적으로 휜 상태가 유지된다면 연결된 전상악부 역시 수직적인 높이가 줄어든 상태가 된다. 따라서 구순구개열 수술 시 만곡된 비중격의 개선이 함께 시도되어야 성장에 따른 비중격 전상악-상악의 성장 저해를 방지할 수 있게 된다. 편측성 구순열에서는 비익연골의 내측각과 외측각 사이의 각이 둔각이고 상외측 연골 위에 놓여있지 않아 비익은 편평하고 이환측 비공이 수평으로 위치(horizontal orientation)되어 있다. 비익기저부는 외측 상악골편에 부착되어 있으며 넓게 벌어져 후하방으로 변위되어 있다. 파열연의 외측면에서 과도한 근육 돌출이 관찰되고 촉지될 수 있는데, 이것은 근육들의 수축과 뭉침 때문에 일어난다. 반면 내측의 근육은 발육이 저하되어 있고 외측면에서와는 달리 파열연 전방으로 뻗어 있지 않다.

2) 양측성

양측성 구순열에서 외측 구순분절(lateral segment)에 있는 구륜근의 주행방향은 편측성 구순열과 비슷하다. 그러나 내측 구순분절(medial segment)격인 전순(prolabium)에는 홍순이 저형성 상태이고 구륜근 성분이 전혀 없고 오직 결합조직으로만 구성되어 있다. 양측성 완전 구순열이 심한 경우 전상악(premaxilla)과 전순이 상당히 전방으로 돌출되어 있다(그림 19-8).[8] 변형은 대칭적이나, 정상에 비해 비주가 짧고 전순이 비첨부에 부착된 것처럼 보인다. 또한 비첨부가 편평하고 넓으며 비익이 편평하고 비익 기저부가 외

그림 19-8 양측성 구순열의 외형[8]

측으로 벌어지고 후하방 변위를 보여 두 비공이 수평으로 위치한다.

3. 수술 전 악정형 치료 (Preoperative dentofacial orthopedics)

모든 수술의 원칙이기도 한 긴장 없는 봉합(tension-free closure)은 개열의 범위가 넓은 구순열 수술 시에도 중요하게 적용되어야 할 원칙이다. 이를 위해 수술 전 악정형술과 구순접합술을 본격적인 구순열 수술 전에 시행하면 수술이 더욱 용이해지고 좋은 결과가 나타난다. 넓은 편측성 완전 구순구개열과 양측성 완전 구순구개열이 있는 경우에 환아의 상악분절(maxillary segment)들과 전상악(premaxilla)은 개열을 사이에 두고 넓게 벌어지고 돌출된 경우가 대부분으로 그 상태로 구순열 수술을 진행할 경우 어려움을 겪게 되고 결과가 만족스럽지 못하게 된다. 전상악과 상악분절의 정렬은 구순열비기형(cleft lip-nose deformity)의 성공적인 동시 교정술을 위한 전 단계이다. 이것이 제대로 되어야 외과의사는 환아의 성장에 의한 4차원적 변화를 예상하여 3차원적 수술을 시행할 수 있어 입술과 코의 변형을 최소화할 수 있고 또한 치조 부위 공간을 폐쇄(치은골막성형술, gingivoperiosteoplasty)하여 악궁을 안정화시키고 누공(fistulae)을 없앨 수 있다.[9] 특히 양측성인 경우 외측 상악분절은 확장시키고 전방 전위된 전상악(protrusive premaxilla)을 후퇴시키고 중앙으로 옮겨야 술후 코-입술 뒤틀림이 최소화된다.

술전 악정형 치료에는 능동적(active)이거나 수동적인 방법(passive appliance)이 있는데 능동적 장치는 차후 중안면부 성장에 영향을 줄까 하여 여전히 논란 중이다. 수동적 장치의 대표적인 것이 Hotz's appliance인데, 이는 악정형 치료 효과는 미비하지만 구개열 환아의 젖 빨기 능력을 증진시키는 효과가 있다. 좀 더 능동적인 방법으로는 비치조정형(nasoalveolar molding, NAM) 장치를 이용하는 것이다(그림 19-9). 이는 Hotz's appliance와 같이 장치 내부를 삭제하여 상악치조분절을 수동적으로 이동시키고 변형된 비익

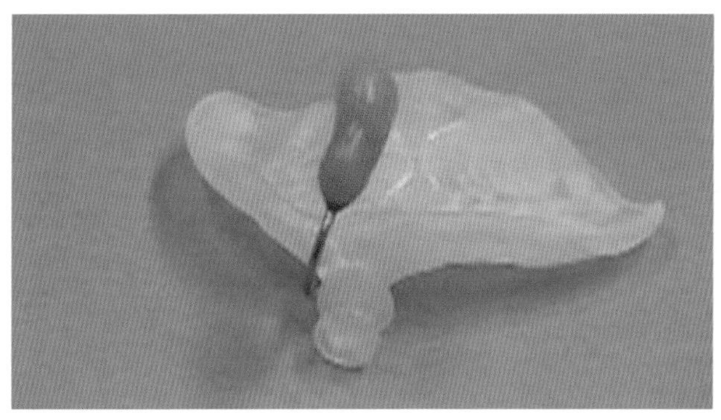
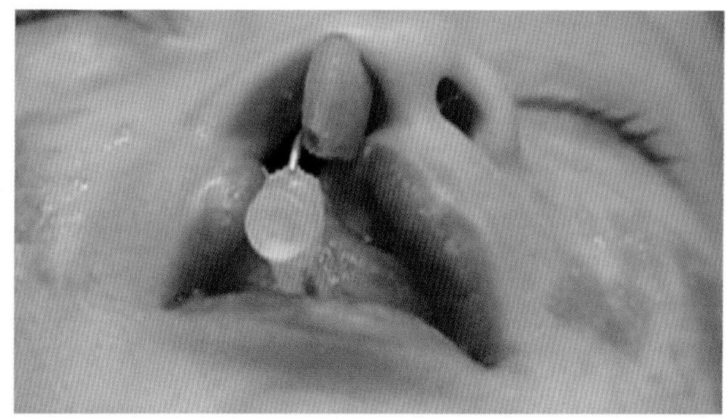

그림 19-9 비치조정형(nasoalveolar molding, NAM) 장치

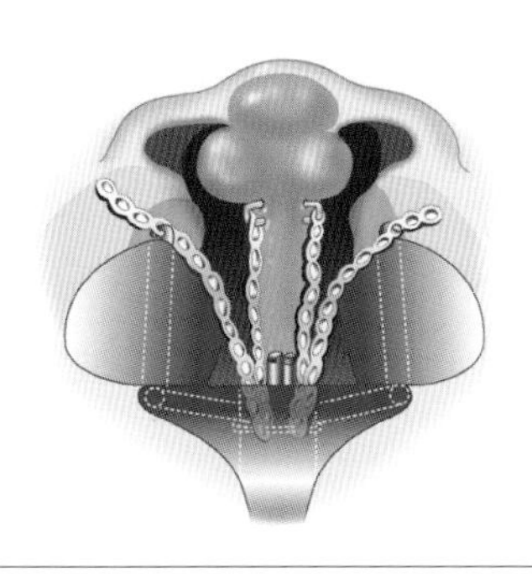
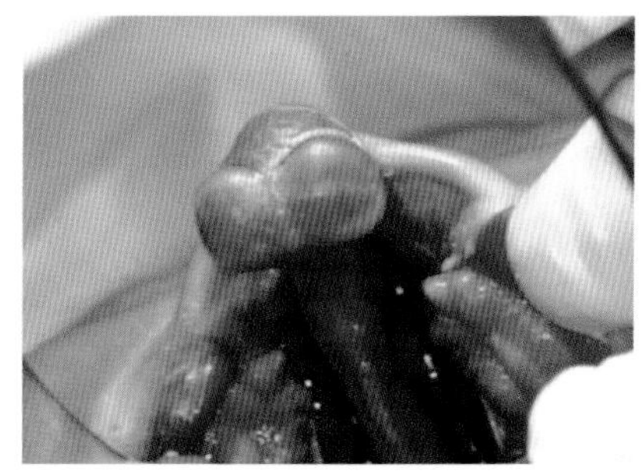
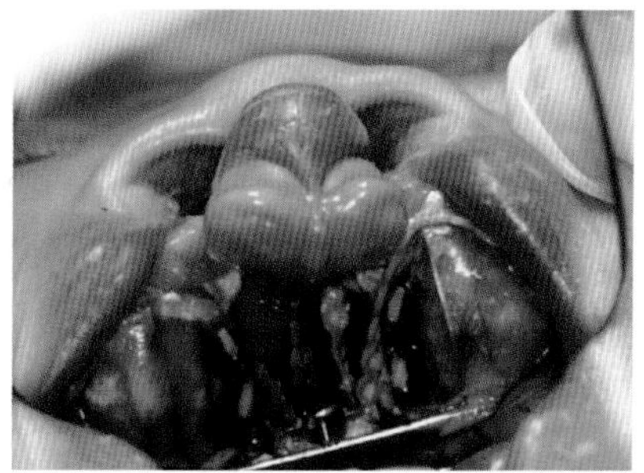

그림 19-10 능동적 악정형 장치, Latham device (양측성)

PART 4

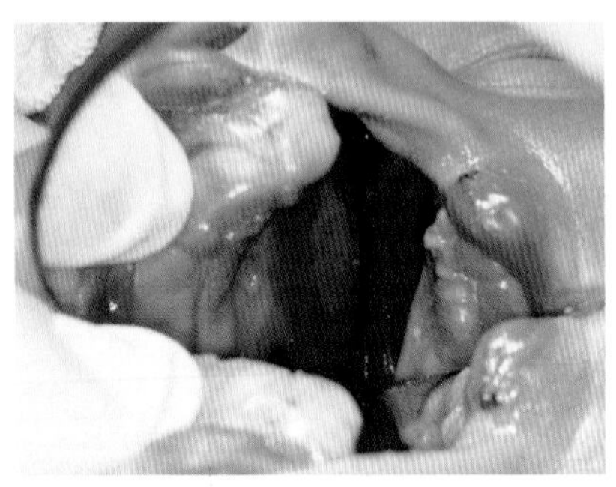
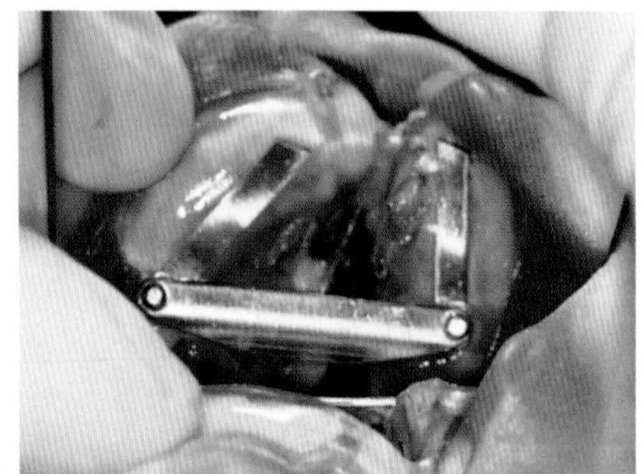
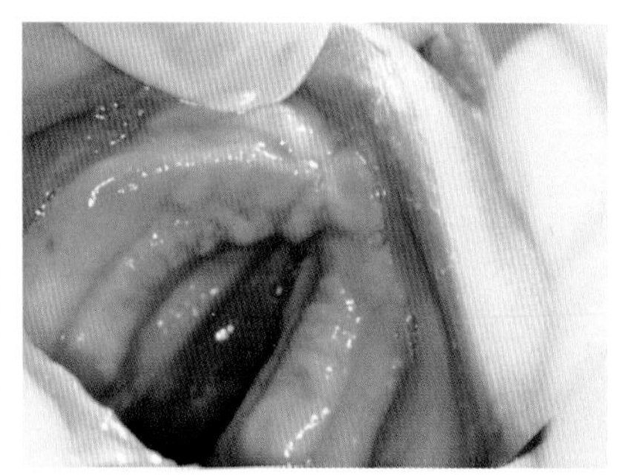

그림 19-11 능동적 악정형 장치, Latham Device (편측성)

연골을 세워주는 역할을 한다.[8] 대표적인 능동적 장치는 Georgiade 등[10]이 기본 설계를 하고 Latham이[11] Millard와 함께 완성한 것이다(그림 19-10). 이 장치는 전신마취하에 양측 상악분절에 핀으로 고정한 후 그림에서와 같이 집에서 보호자가 환아 구강내 장치의 나사를 돌리면 양측 구개판(palatal shelves)이 확장되면서 전상악은 후퇴된다. 전형적으로 각 분절을 수술하기 좋은 위치로 이동시키는데 약 6주가 소요된다. 이 Latham 장치는 전상악을 후방이동시키기에 가장 효과적이지만 이동방향이 엄밀하게 후방위치된다기보다는 약간 더 후방으로 기울어진 양상이 된다. 또한 회전에는 덜 성공적이고 수직적 길이 증가를 막기에는 아주 효과가 적다고 할 수 있다.[12] 편측성일 경우에도 비슷한 방법으로 악정형을 할 수 있다(그림 19-11). 대개 생후 약 1개월에 시작하여 상악분절이 수술하기에 좋은 정도로 모아질 때까지 약 2개월 정도 진행한다.

4. 구순접합술(Labiaonasal adhesion)

생후 3~4개월 Latham 장치를 제거하면서 시행한다. 이는 구순열 정규 수술(definitive repair) 시 긴장을 줄이고 구륜근피판의 부피와 내측 입술의 길이를 증가시키며 코의 하외측 연골(lower lateral cartilage) 위치를 두 번 교정할 기회를 부여한다. 상악분절들의 위치가 2 mm 이내로 아주 근접한 경우에는 치은골막성형술(gingivoperiosteoplasty, GPP)도 함께 시행한다.[13] 이차구개(secondary palate)에 파열이 없으면서 개열 간극이 넓지 않은 경우는 술전 악정형 장치와 구순접합술을 둘 다 생략하거나, 장치를 생략하고 생후 1개월에 구순접합술만 시행하고 생후 3~4개월에 구순열 수술을 시행한다. 유사한 몇 가지 방법들이 있는데 정규 수술 시에 포함되는 구조는 피해서 수술하는 것은 공통된 의견이며, 여기선 Mulliken의 방법을 소개한다.[14]

1) 수술부 표시

개열부 내측 부위의 정상적인 입술 표시점은 그대로 두고 홍순피부결합부(vermilion-cutaneous junction)에서 점막 쪽 1~2 mm에 6~8 mm 선을 그린다. 상응되는 선을 외측 입술 부분에 그린다. 다른 절개는 이상구의 점막(vestibular-piriform aperture)을 따라 표시하고 치은구(sulcus) 안까지 확장한다. 이 선은 외측 입술 부분 절개를 받침으로 하는 역 "T" 모양의 덮개를 형성한다(그림 19-12A).

2) 절개 및 박리

순측 절개는 근육을 충분히 노출시키기 위해 점막하 조직(submucosa)을 통해 시행하는데, 구륜근(orbicularis oris)을 완전히 박리하지는 않는다. 외측 치은구 안 절개선을 통해 외측 입술 부분을 골막상방(supraperiosteal plane)에서 박리하여 상악으로부터 들어 올린다. 이때 외측 입술이 내측 전위 시 장력이 없도록 박리를 확장한다. 점막 후방절개(back-cut)는 외측 입술이 전진되는 것을 도와준다(그림 19-12A). 가위를 비익연골내측각(medial crura) 사이로 넣어 비첨(nasal tip)을 넘어 연골성 돔(cartilaginous dome) 위로 비익연골상방 공간(supra-alar pocket)을 형성하도록 박리한다. 이 박리를 충분하게 시행해야 외측과 내측 입술 부분이

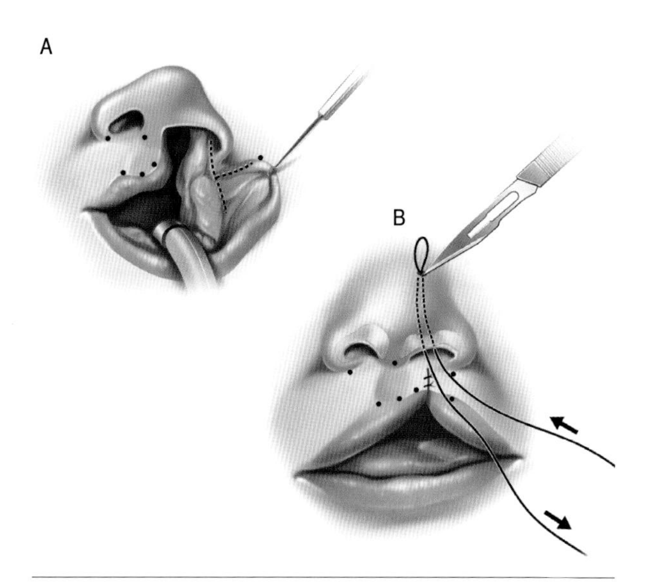

그림 19-12 **구순접합술.**[13] **A:** 절개선 도안 **B:** 비익연골. 콧방울 연골(alar cartilage)을 동측 상외측연골(upper lateral cartilage)에 매달기(suspension)

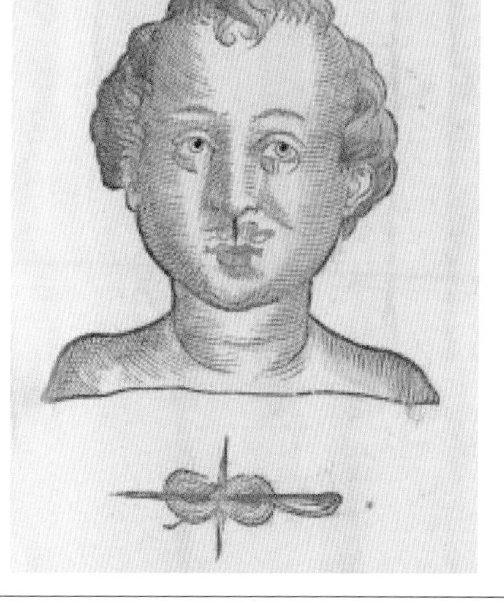

그림 19-13 **Ambroise Paré의 직선봉합 시 바늘과 봉합사의 사용방법**

잘 모이게 되고, 콧방울 만곡 아치(alar genu arch)와 타원형의 콧구멍 가장자리(nostril rim)가 형성될 수 있도록 한다.

3) 봉합

악정형 장치가 성공적이면 치은골막폐쇄(Gingivoperiosteal closure)가 가능하다. 외측 입술 부분을 전방 열구를 따라 전진시키고 후방 점막층을 봉합한다. 서너 개의 흡수성 봉합사로 내외측 근육을 모아주고, 전방의 홍순-점막(vermilionmucosal) 가장자리들은 얇은 흡수성 실을 이용하여 외번되도록 봉합한다. 만약 콧구멍 가장자리가 꺼진다면 비익연골(alar cartilage)을 동측 상외측 연골(upper lateral cartilage)에 매달기 위해 봉합사가 매복되도록 위치시킨다(그림 19-12B). 만약 콧구멍 가장자리가 타원형이라면 매달기 매복 봉합은 불필요하다.

5. 편측성 구순열 수술

편측성 구순열의 수술법 발달사를 되돌아보면 서기 390년 중국의 기록에 의한 구순열 수술이 행해졌다고 나타난다. 1564년 Ambroise Paré는 구순열의 양쪽을 직선으로 절개하여 신선창을 형성하고 긴 바늘로 양측 피판을 관통시킨 후 바늘 주위로 실을 8자 형태로 감아 구순열을 치료하였으나 이 방법은 입술에 절흔 형태 반흔이 남게 된다(그림 19-13).

1) 편측성 구순열의 외과적 수술 목표

구순열의 양측 변연을 접근시켜 봉합을 하되 자연적인 구조물의 외형을 최대로 보존하고 상실되지 않도록 하여야 한다. 큐피드궁의 보존과 인중능의 돌출을 재현하고 인중구의 형태를 되살리도록 해야 한다. 반흔이 놓이는 위치는 최대한 자연적인 구조물과 유사한 주행을 하도록 하여 가능한 눈에 띄지 않도록 한다. 또한 입술의 근육을 재배열하여 전체적인 근육의 크기를 재건하여 입술이 자연스러운 형태를 회복하고 또한 기능적인 회복을 도모하여야 한다. 비익의 형태도 회복하여 좌우 균형이 맞아야 하고 비주의 위치도 중앙에 위치하도록 재건하여야 한다.[15]

2) 구순열 수술의 시기

구순열 수술을 하기에 적당한 시기에 대해서 오래전부터 10의 법칙(rule of 10)이 적용되어 왔는데 그 내용은 최소 생후 10주 이상, 몸무게 10파운드 이상, 헤모글로빈 수치 10 g/dL 이상인 경우 구순열 수술을 하였다. 이러한 지침은 초기 전신마취의 안정성으로 인한 것이었지만 더 이른 신생아 시기에도 안전하게 마취가 이루어지고 있는 현재에도 구순열 수술은 생후 10~12주경에 이루어지고 있다. 이는 조기 수술에 따른 수술의 난이도가 높아 심미적으로 양호한 결과를 가져오기 어렵고 조기수술이 정신사회적으로 좋다는 과학적인 근거가 미약하다는 근거에서 시기가 늦춰지고 있다. 또한 조기 수술이 반흔 형성이 적다는 관점도 과학적으로 증명되지 않고 오히려 반흔이 크고 수술의 오류가 발생할 수 있는 가능성이 높아진다는 점에서 수술 시기를 늦추게 되는 한 원인이 된다.[16]

3) 수술법

(1) 직선법

Rose(1891)와 Thompson(1912)은 구순열 변연을 곡선 형태로 절제하여 길이를 늘인 후 봉합하여 비교적 양호한 결과를 보였다(그림 19-14). 이렇게 곡선의 형태로 작도한 후 직선으로 봉합하여 길이가 늘어나는 것을 Rose-Thompson 효과라고 한다. Mirault(1844)은 외측 조직판의 하방 부위에 작은 삼각피판을 도입하여 입술의 길이를 늘이는 방법을 도입하였고 이는 Blair(1930)와 Brown(1945)에 의해 하방의 삼각피판의 크기를 줄이는 변법이 소개되었다. 이 방법은 큐피드궁의 형태를 없애고 인중능에서는 직선의 형태를 유지하는 방법으로 1930년대와 40년대에 유행하게 되었다. 이러한 직선법은 양쪽 구순열 변연의 절제량이 많아 봉합 후 입술이 지나치게 당겨지는 단점이 있어 잘 사용되지 않았으나 Chait(2009) 등이 직선법을 재소개하기도 하였다.[17] 최근 Nakajima 등에 의해 인중선을 가로지르는 부분에서는 거의 직선 형태를 유지하며 부족한 입술의 길이를 늘이는 것은 비강저에서 시행하는 방법이 소개되어 이를 크게 분류하면 직선봉합법의 한 방법으로 넣을 수 있다.[18] 환자의 증상의 경중에 따라 직선법 수술을 시행하는 것이 가능하고 양호한 결과를 보이기도 한다(그림 19-15).

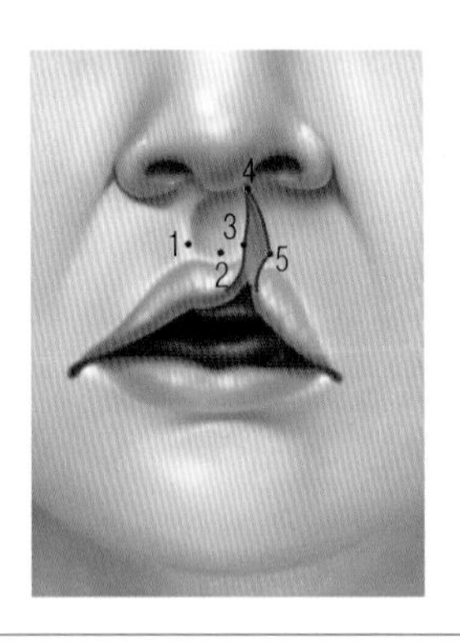

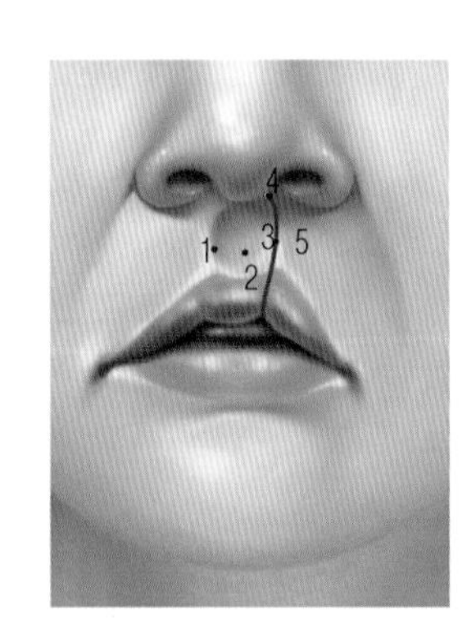

그림 19-14 **Rose-Thompson 수술법.** 양측성으로 대칭적으로 설계된 곡선이 입술의 길이를 증가시키는 효과가 있으나 조직의 절제량이 많아 입술의 긴장이 증가하는 경향이 있다. 추가적으로 직선의 반흔이 수축하여 입술에 절흔이 생기는 단점이 있다. 1. 큐피드궁의 정상측 최상점, 2. 큐피드궁 최하점, 3. 큐피드궁의 내측 이환부 최상점, 4. 비주하방경계점, 5. 외측 이환부의 큐피드궁 최상점

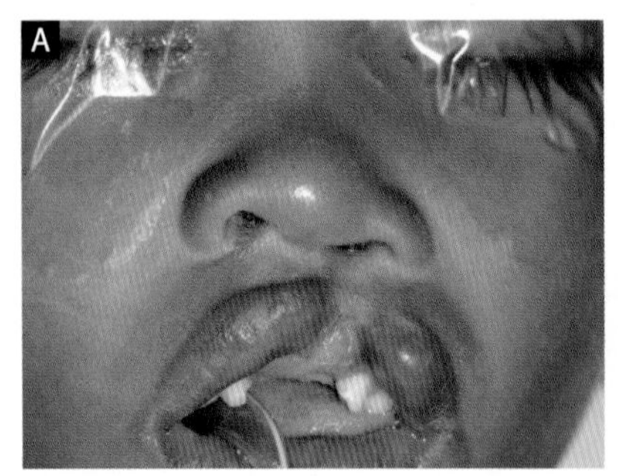

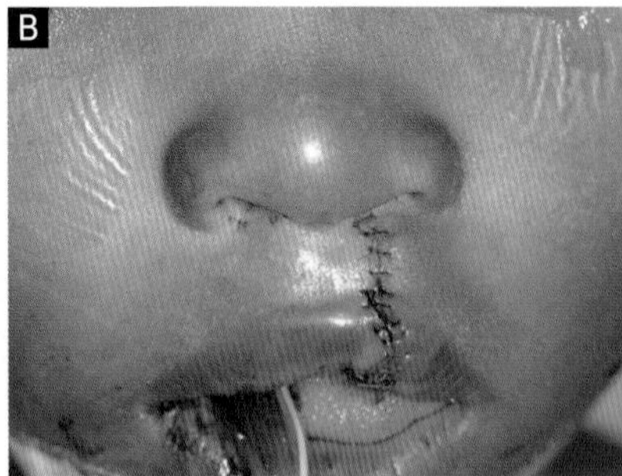

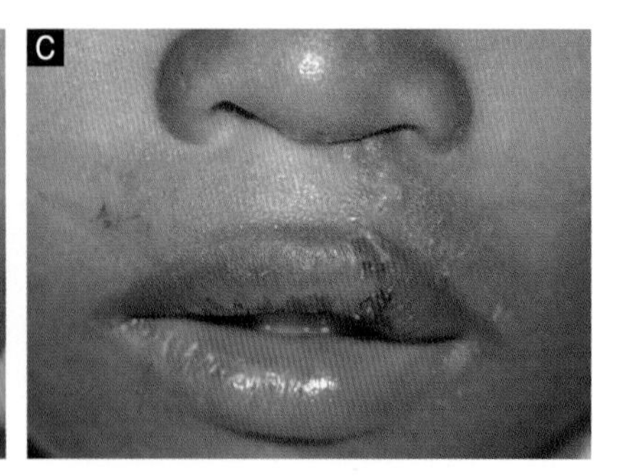

그림 19-15 **직선법의 실례. A:** 술전 불완전 편측 구순열 환자로 좌측 구순열이 홍순을 지나 피부까지 연장되어 나타나나 비기저부가 변형이 적고 구순의 길이가 충분하여 연장이 필요 없는 상태로 직선형의 반흔을 형성하는 방법으로 수술을 시행하였다. **B:** 수술 직후의 모습으로 정상의 인중능과 대칭적인 길이의 새로 형성된 인중능에 반흔이 놓여 비교적 눈에 띄지 않게 된다. 홍순의 두께도 적절히 재현되어 비대칭이 개선된 모습을 보인다. **C:** 술후 7일 봉합사를 제거한 후 모습으로 좌우 코의 대칭성을 회복한 모습이다.

(2) 사각피판법(Quadrilateral flap method)

Hagedorn(1892)의 방법을 LeMesurier(1949)가 다시 소개하여 발표하면서 널리 알려지게 된 방법으로 사각형의 피판을 외측부에서 형성하여 중앙부의 입술 정중앙에 절개선을 주어 인공적인 큐피드궁을 형성하는 방법이다.[19] 이전의 방법과 다른 큰 특징이 큐피드궁을 형성한다는 점이며 이전의 방법에 비해 심미적으로 진전된 술식이다. 그러나 반흔의 형태와 주행 방향, 위치가 이상적이지 않아 사각피판법은 더 이상 사용되지 않고 있다.

(3) 삼각피판법(Triangular flap method)

Tennison(1952)은 직선법의 반흔수축이 심하여 이에 대한 해결책으로 Z-성형술을 도입하여 큐피드궁을 보존하고 제 위치에 놓이게 함으로써 심미적으로 우수한 결과를 나타내는 삼각피판법을 창안하였다.[20] Randall(1959)은 Tennison의 방법을 개선하여 삼각피판의 크기를 줄이고 수학적인 계산을 통해 개량한 방법을 소개하였다.[21] 이 방법은 수술자의 숙련도에 덜 민감하고 수학적 바탕의 계산을 하여 초심자들이 사용하는 데에 유리한 방법으로 수직적 결손이 크고 구순열의 간격이 넓은 경우에 특히 유용한 방법으로 사용되고 있다. Malek에 의하면 내측 구순열부에 설정하는 인중을 가로지르는 절개선을 직각으로 주는 방법 이외에도 경우에 따라 60° 각도로 형성하는 방법을 제안하였다(그림 19-16). 삼각피판법은 완전 구순열 환자(그림 19-17)와 불완전 구순열 환자(그림 19-18) 모두에서 적용될 수 있다. 이 방법의 이론적 장점은 상당히 많은 양의 수직적 고경을 회복할 수 있으며 반흔의 수축으로 인한 입술의 휘파람결손의 발생을 줄일 수 있다는 것이다. 또한 조직의 과도한 절

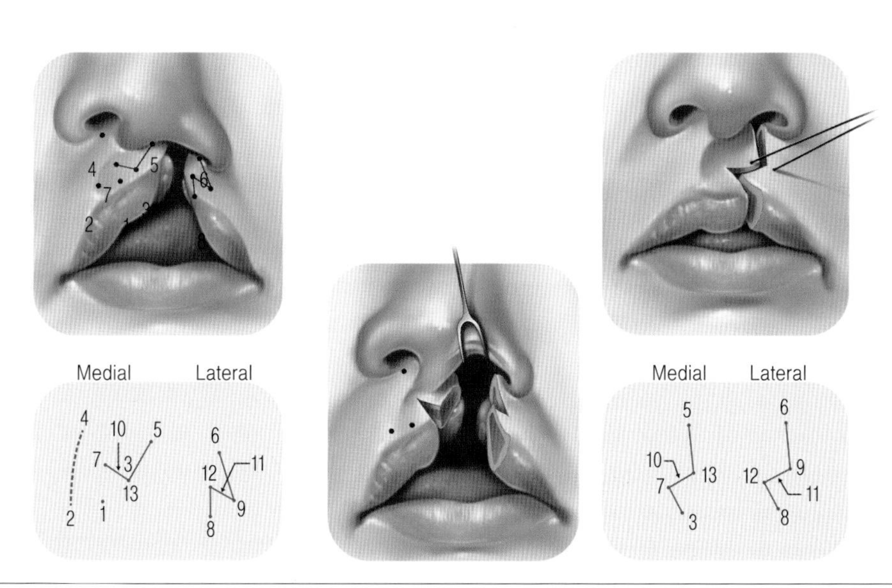

그림 19-16 **삼각피판법.** 구순열의 길이를 조절할 수 있으며 인중을 보존할 수 있는 장점이 있다. 그러나 반흔이 인중능을 가로지르게 되어 눈에 잘 띄는 단점이 있다. 큐피드궁의 정점과 중심점의 관계가 기본이 되며 큐피드궁의 1-3과 비주중점 4-5 그리고 비익하연 6이 관여한다. 선 3-7은 선 3-5와 직각을 이룬다. 이것은 술자에 따라서 직각 대신 60°를 이루어 구순열의 길이 부족을 해소하기도 한다. 점 10과 11은 각각 선 3-7, 9-12를 2등분 하는 점이다. 두 개의 등식은 선 5-10+선 8-11=선 2-4 / 선 8-12= 선 9-12= 선 3-7=선 7-13

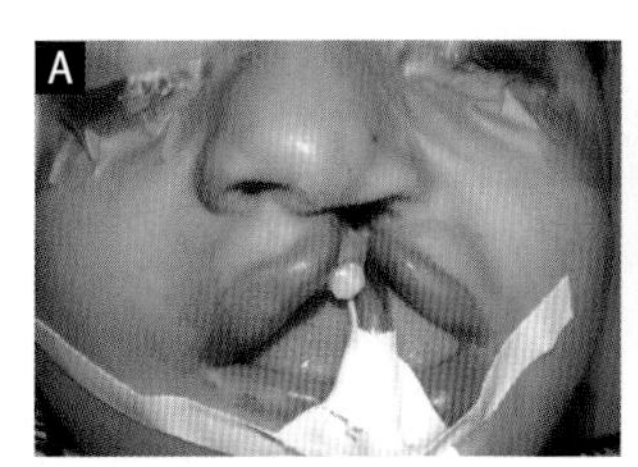

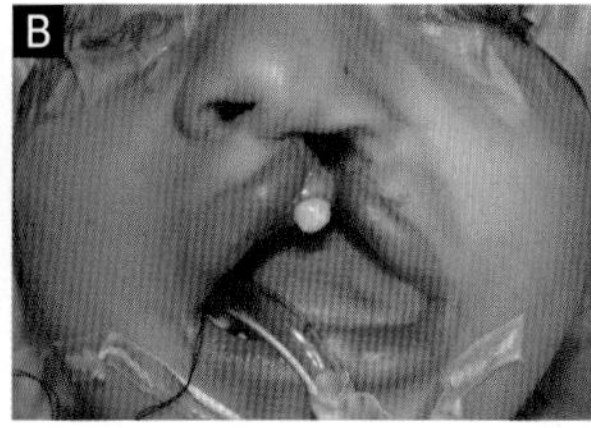

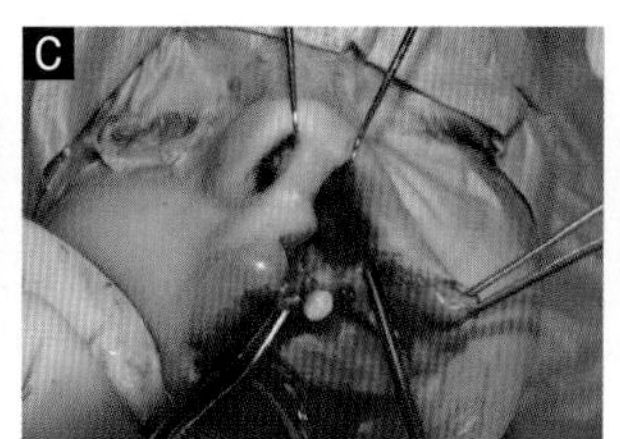

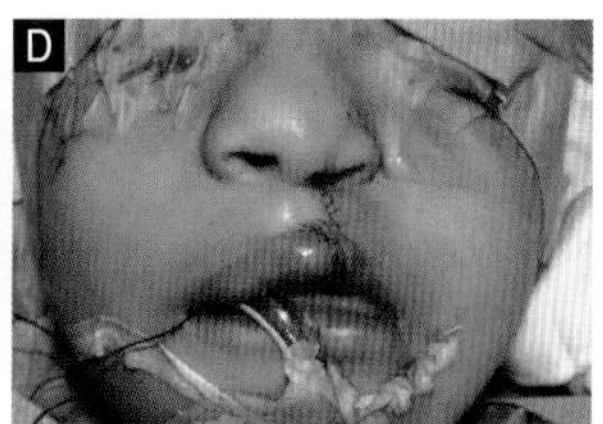

그림 19-17 **삼각피판법의 실례 1. A:** 수술 전 환자의 상태. 좌측 완전 구순구개열 환자(4세) **B:** 삼각피판법의 도해 **C:** 절개 및 박리 **D:** 삼각피판법의 수술 후 모습

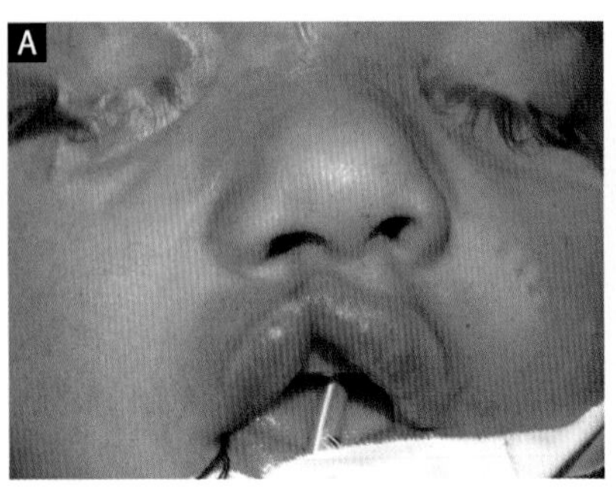

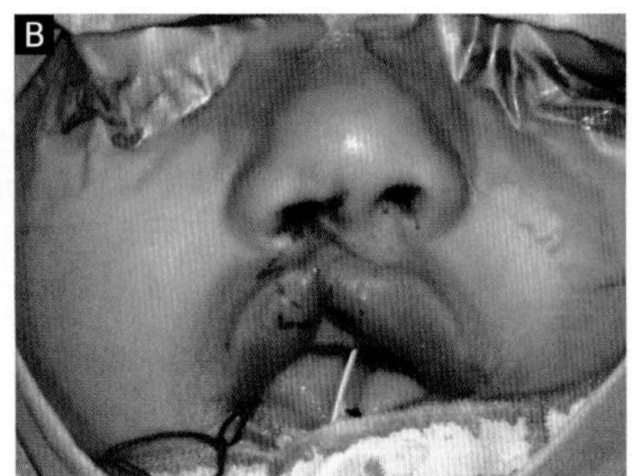

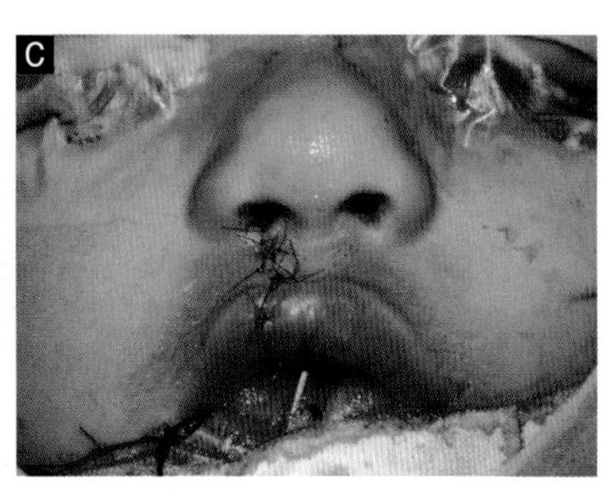

그림 19-18 **삼각피판법의 실례 2. A:** 불완전 구순열 환자의 수술 전 모습 **B:** 삼각피판법의 작도 **C:** 수술 후 모습

제를 피할 수 있어 비공의 왜소화를 예방할 수 있다. 다만 인중능을 가로지르는 반흔이 쉽게 눈에 띈다는 명백한 단점과 수술 시 처음 도안을 중간에 수정하기 어렵다는 것, 그리고 인중의 길이가 길어진다는 단점이 지적되고 있다.

(4) 회전-전진법(Rotation-advancement method)

Millard(1957)는 기존의 삼각피판법의 단점인 인중능을 가로지르는 반흔을 없애고 보다 심미적으로 우수한 수술 방법을 개발하였는데 회전전진법(rotation-advancement method)이라 명명하였다.[22] 수평적 후방절개(horizontal back-cut incision)가 특징적인 이 방법은 수술 시 표시점의 선정과 계측이 명확하며 수술 중 술자의 의도에 따라 지속적인 수정이 가능하다는 장점이 있다. 이 방법의 다른 장점으로 전상순피부(prolabial skin)의 조직을 이용해 입술의 수직적 길이를 늘일 수 있으며 큐피드궁의 정상 위치를 회복하고 반흔의 위치가 자연스럽게 해부학적 구조를 따른다는 것이다.

회전전진법은 잠재적인 단점이 있을 수 있는데 특히 간격이 넓은 완전 구순열 환자의 경우 수술의 결과로 입술의 수직적 길이가 짧게 되거나 외측 적순부의 두께가 충분하지 못하게 될 수 있다는 것이다. 이러한 경우 휘파람 형태 결손이 나타날 수 있다. 이를 극복하기 위한 여러 변형 방법이 소개되었는데 그 중의 하나는 적순부 직상방에 작은 삼각피판을 형성하여 길이 부족을 해소하는 방법이다.[23]

회전전진법은 회전과 전진의 부분으로 나눠지는데 회전은 내측 인중 부위의 작도에서 시작된다. 인중의 중앙부 큐피드궁의 최저점(그림 19-19의 점 1)을 표시하고 정상측의 큐피드궁 최상점(그림 19-19의 점 2)을 표시한 후 이환으로 최정상이 있어야 하는 점을 홍순과 피부 사이 경계부에 표시한다(그림 19-19의 점 3). 이후 좌우 비주기저부에서 홍순의 큐피드 정점을 잇는 인중능의 길이(선 2-5)를 측정하여 차이를 계산하고 이를 반영하여 후방절개(back cut)의 길이를

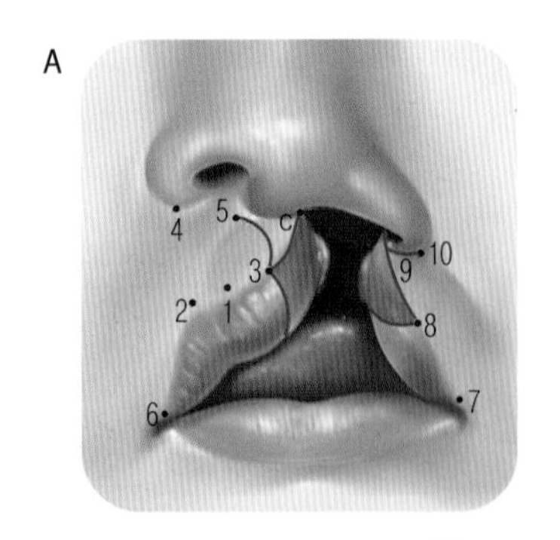

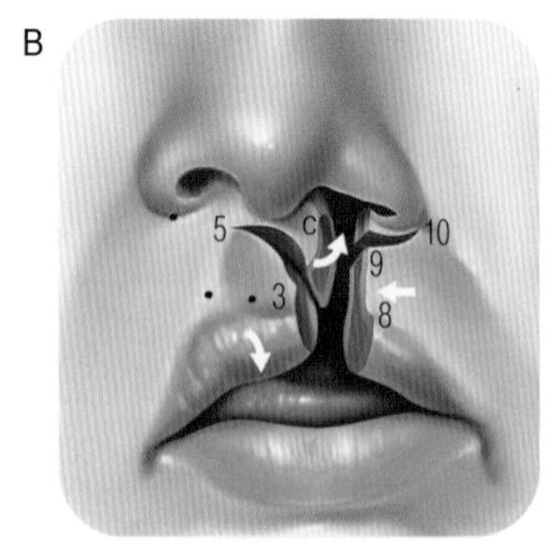

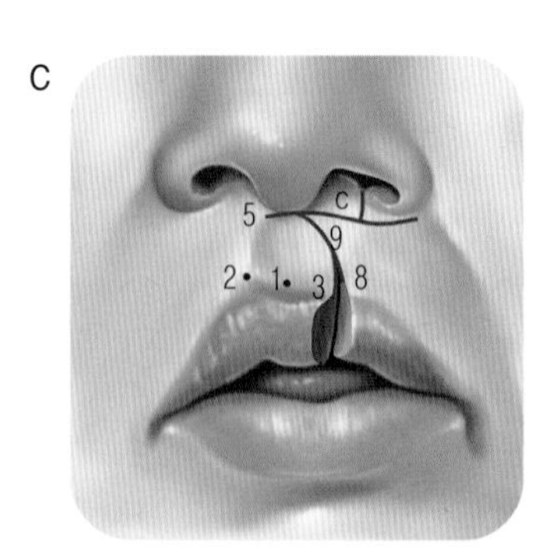

그림 19-19 **Millard의 회전전진법. A:** 회전전진법의 작도, **B:** 인중과 큐피드궁의 회전하며 아래로 내려오고 외측의 구순열피판이 전진하면서 구순열을 재건하게 된다. **C:** 구순열의 간격이 넓은 경우 수평적 장력이 과도하게 나타날 수 있다. 이 경우 외측 조직판의 하방을 광범위하게 박리하여 조직판의 전진이 용이하도록 하여야 한다.

산출하게 된다. 후방절개의 선이 비이환측의 인중능을 침범하지 않고 정상길이를 확보하는 것이 중요한 요소가 된다. 이 회전절개는 근육층까지 절개하여 내측 입술조직편이 충분히 늘어나도록 하여야 한다. 이때 피부와 근육 사이 박리는 1~2 mm 이상 넘지 않아야 하고 점막과 근육 사이의 박리도 1~2 mm 정도로 제한을 둔다. 더 광범위한 박리는 숨어있는 인중구(philtral dimple)를 파괴할 수 있다.

C 피판은 절개되어 비주 하방 기저부에 붙어 있고 하방으로부터 분리되어 입술로부터 자유로워진다. 이는 또한 비중격점막으로부터 분리되어 비주가 이동할 수 있게 된다. 이 부위를 비주의 하방과 봉합하여 준다.

전진 부분은 회전 부분에 맞는 길이를 외측피판에서 형성하여 전진시켜주게 된다. 비익 기저부의 횡적 절개를 통해 외측의 전진피판이 자유롭게 전진되는 것을 가능하게 한다. 그러나 구순열의 간격이 크고 이환측의 작은 상악편의 발육이 부진한 경우 외측피판을 하방의 상악 부위와 분리를 하여야만 조직편이 원활하게 전진될 수 있다.

외측피판의 구륜근은 피부 및 점막으로부터 박리하되 전진피판의 삼각형 끝 부위는 피부와 근육이 분리되지 않고 함께 전진하도록 하여야 한다.

비익 기저부의 당김 봉합(cinch suture)은 비익의 비대칭을 해소하는 중요한 방법이 된다. 외측 피부판의 비익부의 첨단 부위의 피부를 노출하고 내측의 C 피판 하부의 비주 기저부에 봉합하여 비공의 하방을 형성한다. 중요봉합점(key suture)은 전진되는 전진피판의 삼각형 끝단을 내측 회전피판의 후방절개의 가장 깊은 곳에 봉합하는 과정이다. 이때 후방절개연의 내측연을 봉합하여야 하며 회전피판의 하방 부위를 봉합하게 되면 회전피판이 다시 들려올라가게 되어 회전의 양이 줄어들게 된다는 점을 유의하여야 한다.

Millard는 자신의 수술법을 스스로 변형하여 보고하였다.[24,25] 그외 다른 학자들의 작은 삼각피판을 사용한 변법도 알고 있었으나 그러한 시도가 불필요한 것이라고 기술하고 있다. 후방절개를 시행하여도 내측피판의 회전량이 불충분하다고 느끼는 외과의들은 피판의 하단에 작은 삼각피판을 형성하여 인중 길이의 증가를 도모하는 변법을 사용하기도 하였다. 본 증례의 경우도 인중하방의 절개부위에 작은 삼각피판을 형성하여 인중 길이의 증가를 도모한 회전전진법의 변법을 보여주고 있다(그림 19-20).

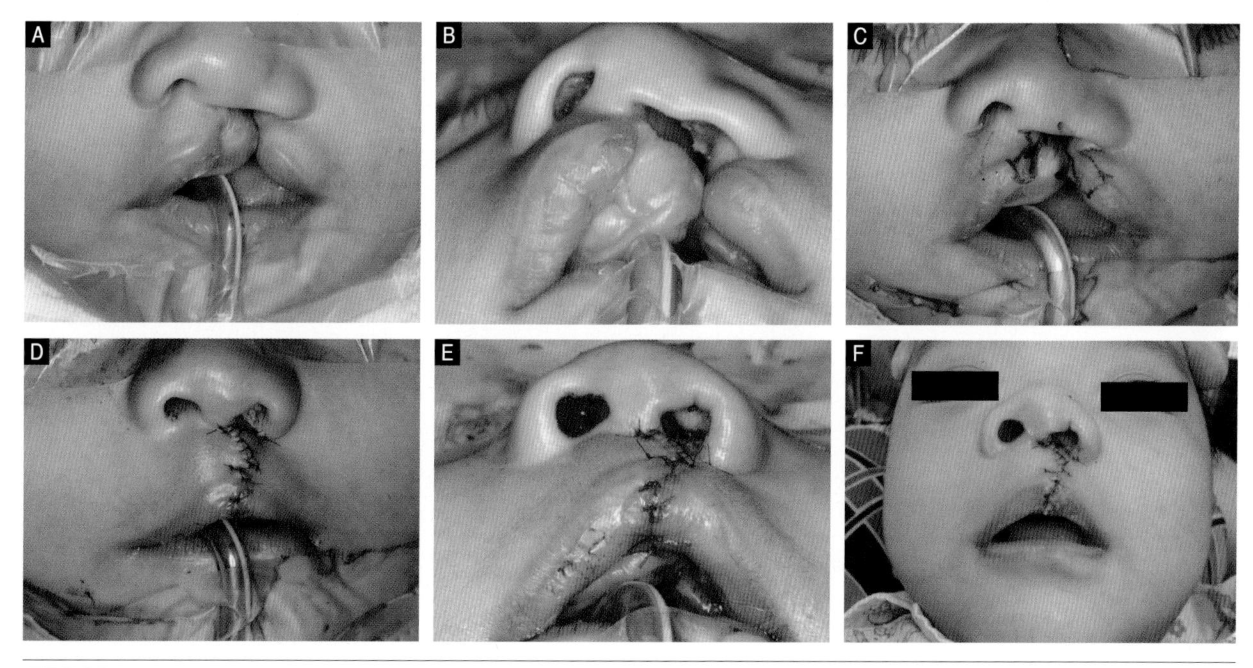

그림 19-20 **변형된 회전전진법의 실례. A, B:** 수술 전 편측성 완전 구순열 환아의 모습(정면 및 앙각) **C:** 변형된 회전전진법의 도안으로 외측피판의 인중능의 하방에 작은 삼각형피판이 작도되어 있다. 이 부분이 내측피판의 하방으로 들어가 인중능의 길이를 확보하는 역할을 한다. **D, E:** 수술 직후의 정면 및 앙각 사진. 비부의 비대칭이 해소되었고 입술의 대칭을 회복하였다. **F:** 수술 후 4일째 모습

현재 Millard의 방법과 그 변형된 변법들은 구순열 수술법 중 가장 널리 사용되는 방법이나 시술하는 술자마다 그 방법이 조금씩 변형되고 해부학적 표지자를 선택하는 것도 술자마다 달라 모두 같은 방법이라고 할 수 있을지 의문시된다. 다만 이 방법이 기존의 삼각피판법의 한계를 뛰어넘는 우수한 방법이라는 것에는 이견이 없을 것이다.

(5) 들레어법(Delaire method)

Delaire는 해부학적 구조의 재편, 특히 관련 근육의 재건이 구순열 수술의 근본적인 목적이 되어야 한다고 주장하였다.[26] 그래서 그 방법을 "일차 기능적 구순비성형술(primary functional cheilorhinoplasty)"이라고 명명하였다. 해부학적인 변위, 변형 그리고 기능적 저형성이 구순열 환자에게 나타나고 코의 피부가 상순으로 전위되고 상순 피부의 퇴축, 백색릉(white roll)의 변형, 구순열 양측의 비정상적인 특이 점막이 존재하는 특징을 보인다. 이 방법의 원칙은 주변 연조직의 기능적 결함에 의해 골격적인 부조화가 성장과 관련하여 나타나기 때문에 구순열 수술의 목표가 기능적 재건이 되어야 한다는 것이다. 이 방법의 특징으로 기능적 회복의 기본이 되는 골막하박리를 통해 근육-근막의 광범위한 이동이 가능하며 근육으로 공급되는 혈행이 방해받지 않는다고 하였다. 또한 내측 구순열조직의 인중능에서 형성하는 수평적 후방절개가 인중의 중심선을 넘어가지 않도록 피판의 작도와 절개가 이루어져야 한다(그림 19-21).

비공의 피부와 상순의 피부를 미세한 구멍의 존재를 통해 구별할 수 있는데 이 구멍은 비공피부에 특징적으로 존재한다. 외측 구순열피부편의 피부 하방에 구형의 조직 융기를 관찰할 수 있는데 이는 구륜근의 근육섬유단의 존재 때문에 생기는 것이다. 구순열의 양측 경계부에서 구순의 피부의 길이가 정상보다 짧게 보이는데 이는 조직의 저형성으로 인한 것으로 알려져 있으나 실제로 피부는 구륜근의 수축으로 인해 좀 더 두꺼워져 있다. 백색릉의 변형은 외측 구순열피부판에서 점점 사라지는 경계가 2~3 mm 정도 지속되며 내측 구순열피부판은 이 경계가 불분명하다.

• 수술절개의 작도

수술의 목표는 비공의 하방과 경계를 재건하기 위한 피부를 재위치시키고 구순열의 길이를 정상화하고 백색릉의 형태와 연속성을 재건해 주어야 하며 홍순의 높이를 양측이 동일하게 재현하여야 한다. 그리고 구순열의 양측 비정상 점막을 절제하여야 한다. 이와 같은 목표를 달성하기 위해 수술 절개선이 해부학적인 경계를 침범하지 않도록 하여야 한다고 제안하고 있다. 그래서 수술 도안 시 비주와 비익의 비강측 피부를 넘어서는 절개를 하지 말고 이 부위 피부의 절제도 피해야 한다고 주장하였다(그림 19-21).

구순열부 입술 피부의 높이가 짧은 것도 실제로 짧은 경우는 많지 않고 적절히 근육의 재배열을 시행하면 수술 후 수주 이내 비순부 근육의 평형이 이루어져 정상적인 높이를 회복할 것이라고 하였다. 술전 평가에서 구순의 길이가 심하게 짧다고 판단되는 경우 백색릉의 상방에 작은 이등변 삼각형의 피판을 삽입하여 길이 증가를 시행할 수 있는 변법을 소개하였다. 입술길이의 연장이 필요 없는 경우 삼각피판을 생략하고 아치 형태로 절개선을 변형하여 봉합할 수 있다(그림 19-21A).

백색릉의 재건을 위해 기준점을 표시하는 것이 필요하다. 외측 구순열피부판측에서 백색릉의 경계를 결정하는 것은 비교적 용이한데 백색릉이 점차 사라지는 점에서 외측으로 2~3 mm 떨어진 점으로 정하되 이 점이 홍순의 풍융부 위에 존재하는지 확인하여야 한다. 그러나 내측 구순열피부판에서의 능선의 존재는 비교적 덜 명확하여 대부분 입술의 중앙부에서부터 사라지게 된다. 따라서 이 경계의 결정은 인중능선의 중앙점으로부터 비이환측 능선의 가장 높은 부위까지의 거리를 동일하게 적용하여 이환측의 외측 경계를 설정하여야 한다.

불완전 구순열 환자의 경우 완전 구순열과 차이를 보이는데 상순의 입술 부위로 비강저에 존재하는 피부의 부위가 전위되어 존재할 수 있다. 이 부위 비강저에 존재하여야 하는 피부가 과도하게 있는 것처럼 보이지만 이 부위를 절제하지 말고 재위치시키면 점차적으로 적절한 위치를 잡아가게 된다는 것이다. 때로 경미한 이차적 수술로 완전한 위치를 잡아줄 수 있다. 완전 구순열에서 적용되었던 원칙을 불완전 구순열에서도 적용가능하며 대부분의 경우 외측피판 하부에서 삼각피판을 형성할 필요는 없다.

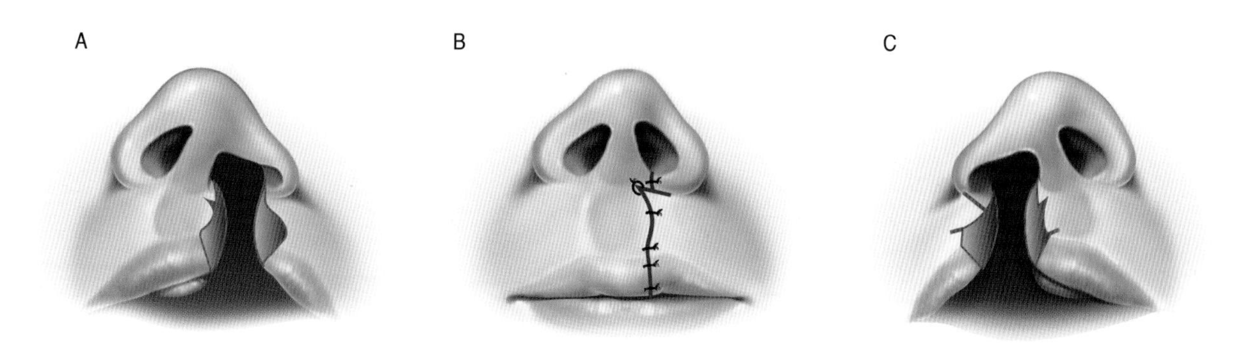

그림 19-21 **Delaire 법.** 기본적으로 회전전진법과 유사하나 C형 피판이 존재하지 않는 점이 큰 차이이며 그 외에는 거의 유사한 방법이다. 이 방법에서의 가장 큰 변화는 구륜근의 재배치에 대한 강조이며 이를 통한 기능적 회복이 가능하며 추후 성장함에 따라 초기 위치적 부조화를 개선할 수 있다는 점을 강조하고 있다. **A:** 완전 편측성 구순열의 수술 도해와 **B:** 이를 적용한 수술결과 모식도 **C:** 이환측 구순열의 길이 신장이 추가적으로 필요할 경우 인중의 하방에 추가적인 절개와 외측피판에서의 삼각피판을 형성하여 인중 길이 신장을 가능하게 한다.

(6) 피셔법(Fisher method)

Fisher(2005)는 최근 새로운 구순열 수술방법을 보고하였는데 핵심적인 변화는 비주 하방의 절개를 피하고 인중능을 가로지르는 절개를 최소화하는 것으로 이에 따라 심미적으로 우수한 결과를 보인다. 이 방법의 큰 특징은 형성된 수술 반흔이 인중능선을 따라 배치된다는 점이다. 수술 시 디자인은 계측에 의한 것이기도 하지만 해부학적 요소들을 고려한 방법이기도 하다. 구순열의 길이는 Rose-Thompson 효과와 백색릉의 상방에 설정한 작은 삼각피판에 의해 달성되는데 해부학적 구조물의 인지와 측정이 선행되어야 하고 이 과정에 많은 시간이 소요된다.[27]

- 표시점

내측 입술에서 비주하방과 입술피부가 만나는 곳에 중점과 비이환측 경계에 점을 표시하고 대칭되는 위치에 이환측 점을 표시한다. 큐피드궁의 중심점과 비이환측 궁의 정점을 표시하고 이에 대칭되는 부위에 이환측 궁의 정점을 표시한다. 비이환측 정상인중능의 길이를 a라고 하고 이환측 길이 b를 측정한다. 외측 입술에서 삼각피판의 크기는 a-b-1(mm)로 이를 c로 정한다. 이는 내측피판이 회전하면서 하방으로 내려오는 경향이 있어 약 1 mm 짧게 삼각피판을 형성하는 것이다. 미세구순열의 경우와 같이 입술의 하방 회전이 없어도 될 시 c의 삼각피판을 형성하지 않기도 한다(그림 19-22A).

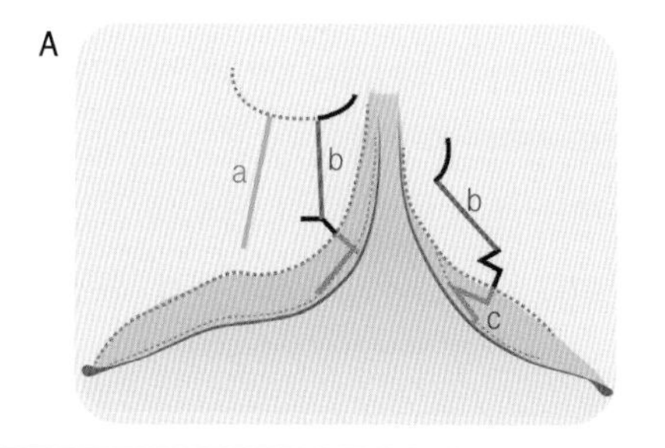

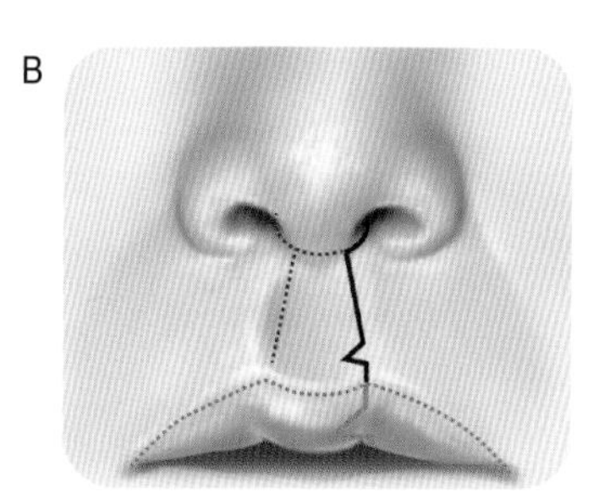

그림 19-22 **Fisher 법. A:** Fisher 법의 도안. a는 정상 인중능의 길이로 비주기저부에서 구순점막피부경계부의 1 mm 상부까지의 길이이다. 내측 인중길이 b는 이환측 내측 인중능의 길이로 이환측 내측 비주기저부에서 가상의 큐피드궁의 이환측 최상부에서 피부쪽 1 mm 상부까지의 길이이다. c는 외측 인중능 큐피드궁 최상부점에서 만들어주는 삼각형피판의 크기이다. 등식은 a=b+c+1로 새로 형성되는 인중능의 길이는 정상길이보다 1 mm 짧게 형성하여야 추후 길이 성장이 증가되면서 이 결손된 양이 보충된다는 것이다. **B:** 완성된 수술의 최종 모습

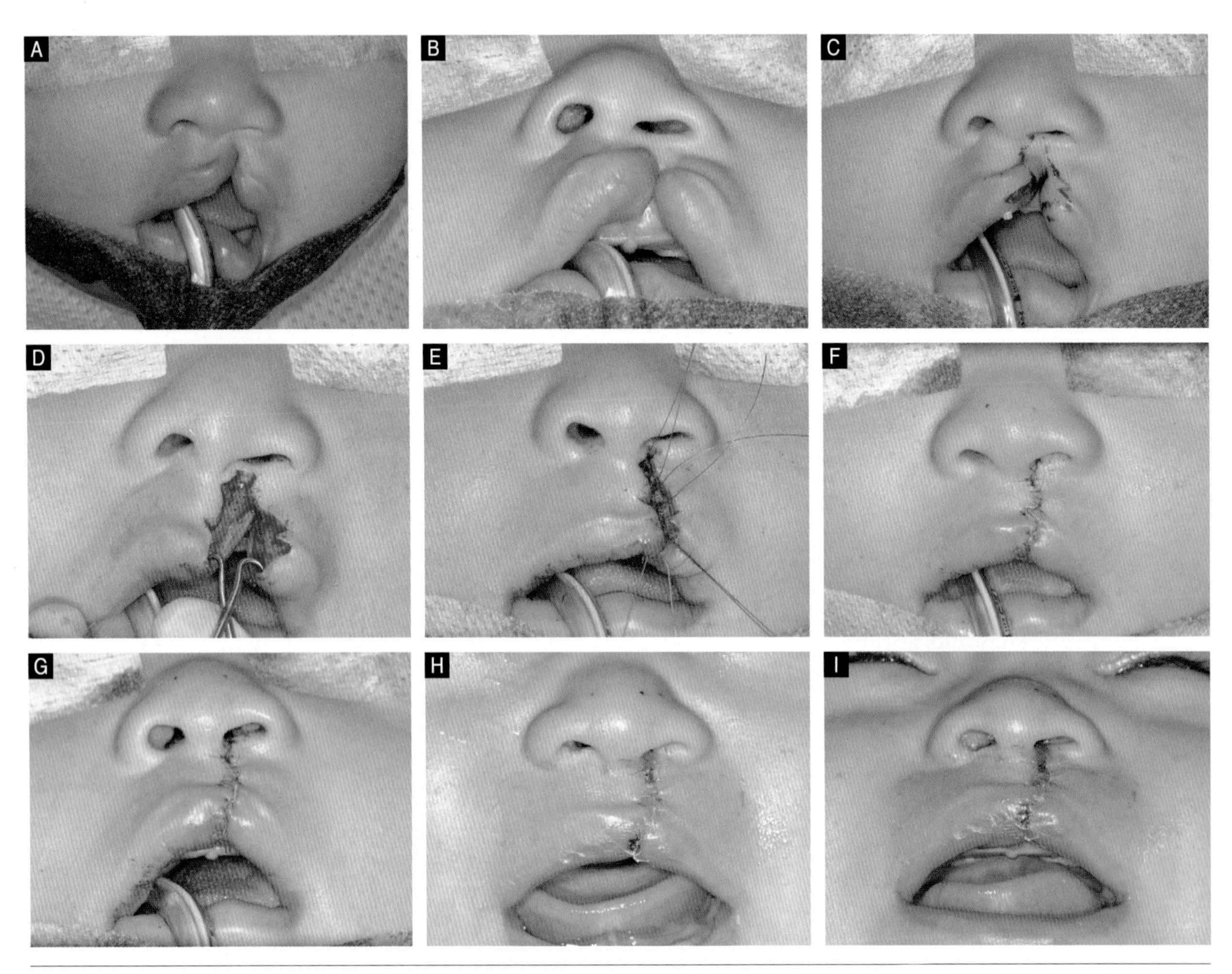

그림 19-23 **Fisher 법의 실례 1.** 편측성 불완전 구순열 환자에 적용한 Fisher 법. **A, B:** 수술 전 정면 및 앙각 사진 입술의 갈라짐이 비강저에 못미치는 경우로 코 하방의 연조직은 연결되어 있으나 구륜근의 존재가 미약할 것으로 보인다. 그 결과 이환측 비강이 옆으로 넓어져 보이고 비대칭의 형태를 보인다. **C:** 수술의 디자인으로 내측 조직에서의 절개선과 외측 조직에서의 절개선이 나타나 있다. **D:** 입술 표층부를 절개하고 구륜근을 경계부에서 약 2 mm 박리한 후 사진으로 특히 내측 조직판에서 구륜근이 명확히 보인다. **E:** 구륜근의 중첩봉합을 시행한 장면으로 인중능의 튀어나온 양상을 재현하기 좋은 방법이다. **F, G:** 수술 직후 모습으로 정면 및 앙각 사진 **H, I:** 술후 2일째 모습으로 정면 및 앙각 사진. 구륜근의 기능 시 근육 수축으로 인한 비대칭의 변형이 일어나지 않는 것을 확인할 수 있다.

Fisher의 방법은 절개선의 위치가 새로 설정되는 인중능과 일치한다는 점에서 술후 반흔의 위치가 자연스러운 형태로 남게 된다는 장점을 가지고 있다. 또한 인중의 길이를 늘이는 방법도 매우 효과적이며 외측 부위의 조직판의 설계도 조직의 과다에 따라 서로 다른 도안이 가능하게 된다. 이 방법은 조직의 절제가 가능한 적게 되는 불완전 구순열에서 효과적으로 적용될 수 있고 완전 구순열의 경우에도 적용할 수 있다.

외측 입술의 큐피드궁의 정점이 되는 곳은 백색릉이 흐려지는 부위를 중심으로 설정할 수 있는데 홍순의 가장 풍융한 부위를 기점(Noordoff 점)으로 위치를 설정하여 홍순의 두께가 적어지지 않도록 한다. 외측의 홍순의 정점을 내측 방향으로 더 이동하면 홍순의 두께가 부족하게 되고 반대로 외측 방향으로 이동하여 설정하면 외측부 입술의 길이가 부족하여 짧아지게 된다. 완전 구순열의 경우 외측부의 조직이 원활히 내측으로 이동하기 위해 하방의 골막피판을 충분히 거상하여 입술의 긴장감을 감소시키며 봉합을 시행하여야 한다.

Fisher 법은 불완전 구순열과 완전 구순열에서 모두 사용될 수 있는데 임상실례를 통해 확인할 수 있다(그림 19-23, 24).

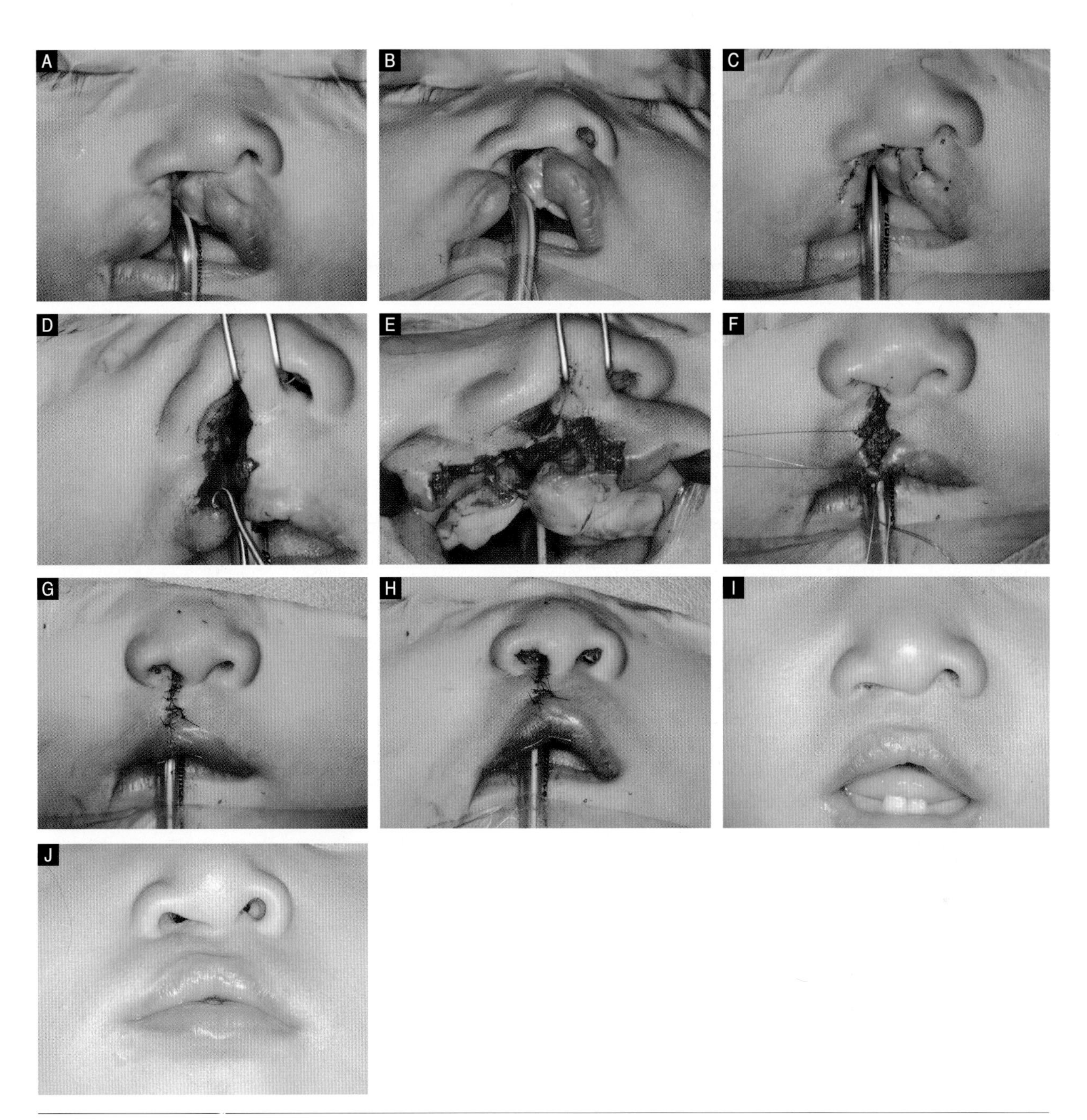

그림 19-24 **Fisher 법의 실례 2.** 생후 3개월 완전 편측성 구순열 환자의 증례로 우측 구순열이 완전히 갈라져 우측 비공이 넓어져 있고 비익이 납작하게 눌려 있다. **A, B:** 수술 전 정면 및 앙각 사진으로 갈라진 구개열의 존재를 확인할 수 있다. **C:** Fisher 법에 따른 수술 절개 작도 **D:** 구순열의 내외측피판의 절개 후 구륜근의 박리를 약 2 mm 진행한 사진, 외측피판의 하부에 삼각형의 피판이 잘 보인다. **E:** 비강저를 형성하는 모습으로 외측피판 하부의 골막하 절개 및 박리를 통해 외측피판이 충분히 전진할 수 있는 상태가 되었음을 확인할 수 있다. **F:** 구륜근의 중첩봉합 모습으로 새로 만든 인중능 하방의 근육을 도드라지게 하여 인중능의 융기를 재현하고 있다. **G, H:** 수술 직후의 정면 및 앙각 사진 모습으로 대칭적인 입술의 형태와 코의 모습을 확인할 수 있다. **I, J:** 수술 후 1년째 모습으로 대칭적인 큐피드궁과 자연스러운 구륜근의 형태를 볼 수 있다. 또한 인중능과 인중 함요가 대칭적인 형태를 이루고 있으며 비익 기저부의 수직적 높이도 대칭적으로 회복된 것이 확인된다. 다만 비익연골의 왜곡된 상이 남아 비공의 비대칭과 낮고 평편한 비익이 보인다. 추후 성장이 진행됨에 따라 치조골이식과 비성형술의 적용이 필요할 것으로 평가된다.

PART 4

(7) 광범위한 외과적 박리

구순구개열 환자를 수술적으로 회복함에 있어 왜곡된 하방의 골격에 부착된 상방의 연조직이 정상적인 입술과 코의 재위치를 방해하는 요소가 된다. 넓게 박리를 시행하여 부착된 연조직을 해방시켜야 3차원적인 재건이 가능하다. 상악골에서의 박리는 외측피판의 내측이동과 상방이동을 가능하게 하고 이상구(piriform aperture) 주변의 박리는 전방으로 이동을 촉진한다.

4) 각 부분의 재건

(1) 구륜근의 재배열과 인중능의 재현

구륜근의 불연속으로 인한 근육의 형태와 기능 이상이 동반되는데 구순열의 수술에서 근육 재배치는 필수적인 요소가 되었다. 그러나 근육의 단순한 연결로는 인중능의 융기를 재현하기 어렵다. 따라서 이를 극복하기 위한 여러 수술법이 제안되었으나[28,29] 실제로 유용한 방법은 외측의 구륜근과 내측의 구륜근을 중첩시켜 봉합하는 것으로, 이를 통해 근육의 재배열 시 구륜근의 기능을 회복하는 동시에 인중능의 융기를 재현할 수 있다(그림 19-25).

이 방법은 술후 인중능의 풍융도를 재현하여 재건된 인중능이 평평해지는 것을 방지할 수 있다.

(2) 일차 비성형술

구순열 수술 시 비뚤어진 코의 형태를 개선하기 위해 비성형술을 시행하는 것에 대해 찬반의 의견이 있으나 최소침습적인 비성형술이 필요하다는 견해가 많다. 완전 구순열의 경우는 필수적이겠으며 불완전 구순열의 경우에도 술전의 비공비대칭이 경미하다 하더라도 구순열 수술이 완료된 후 비공의 비대칭과 왜곡이 심해지는 현상이 대부분이라 불완전 구순열의 경우에도 최소침습적인 비성형술이 필요하게 된다. 코기형의 개선을 위해 비익기저부, 하부비익연골, 부연골 등을 상악의 부착 부위로부터 분리하여야 한다. 이렇게 박리한 후 비공의 처짐을 방지하고 하부비익연골을 지지하고 코의 외형을 개선하기 위해 흡수성 봉합사로 퀼트 봉합을 시행한다.

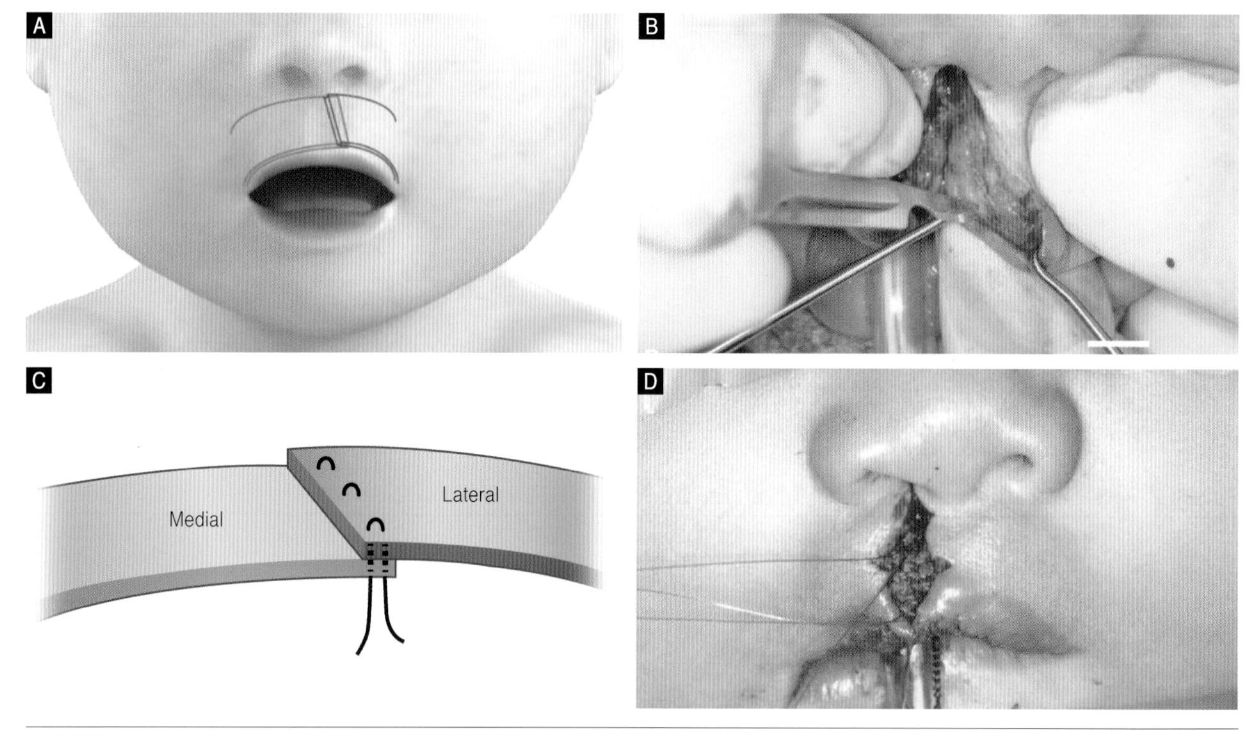

그림 19-25 **구륜근 재건 시 중첩봉합.** **A:** 구륜근의 중첩봉합 위치 **B:** 구순열 경계부의 구륜근을 피부와 점막으로부터 약 1 mm 정도 박리하고 있는 모습 **C:** 중첩봉합의 모식도 **D:** 5-0 나일론으로 중첩봉합을 진행하는 모습

(3) 비공저의 형성과 외측피판의 비공내 연조직 이완 절개

완전 편측성 구순열에서 외측 구순열의 치조골과 상부의 구순열은 내측의 구순열 치조골에 비해 후방으로 치우쳐 있는 경향이 있다. 이러한 위치의 변위는 구순열을 봉합하는 것을 어렵게 하고 술후 외측 구순부가 후방으로 당겨져 긴장도가 증가되는 문제를 일으킨다. 이를 해소하기 위해 외측피판의 광범위한 박리와 함께 외측 비강벽의 이완을 필수적으로 시행하여야 하는데 선택 가능한 방법이 있다. 첫 번째는 하비갑개에서 피판을 형성하여 전장으로 이동되는 공간을 닫아주는 하비갑개피판이 있고(그림 19-26A) 두 번째는 구순열의 절제되어 버리는 조직을 절제하지 않고 회전시켜 전진되는 외측 비강벽의 절개 부위에 삽입하는 방법(그림 19-26B), 그리고 마지막으로는 하비갑개전방 부위를 수직으로 절개하여 단순 이완시켜 외측 비강벽을 전방으로 이동하는 방법(그림 19-26C)가 있다.[30] 방법의 선택은 각 술자의 선호도에 따른다.

(4) 비중격

불연속적인 구개열과 치조열은 구륜근의 압박이 형성되지 않아 상악골의 절제되지 않은 성장과 비중격의 비이환측으로의 변위를 초래한다. 비중격 하방의 변화는 전체 비중격과 비익연골의 변형을 동반하게 된다. 일차 구순열 수술 시 변형된 비중격의 하방 부위를 중심선에 재위치하는 술식에 대해 상악골의 성장을 방해하지 않으면서 양호한 코의 외형을 재건할 수 있다고 보고되었다.[31-34] 비중격으로의 접근은 내측 구순열의 절개선을 통해 접근할 수 있고 휘어진 비중격의 하방 부위를 절단하여 펴준 후 중심선에 재위치시켜 준다.

(5) 비첨부 연골

비첨부 연골은 왜곡된 비기저부에 놓여지게 된다. 구순열 수술 시 비첨부에 대한 박리와 변형된 비익연골의 수정은 해부학적 형태 회복에 좋은 초기 결과를 보이지만 광범위한 비첨부 박리는 의원성 변형을 초래할 수 있는 위험이 있어 비판되고 있다. 또한 시간 경과에 따라 초기에 대칭성이 회복된 경우라도 점차 비대칭이 심해지는 경향을 나타낸다. 따라서 비첨부 형태 수정은 이러한 양면성을 고려하여 신중히 결정하여야 한다.

6. 양측성 구순열(Bilateral cleft lip) 수술

아주 오래전부터 양측성 구순열에 대한 치료는 편측성 구순열(unilateral cleft lip)보다 훨씬 어려운 것으로 생각되어 왔으며,[35] 오래된 교과서를 보면 양측성 구순열 수술법

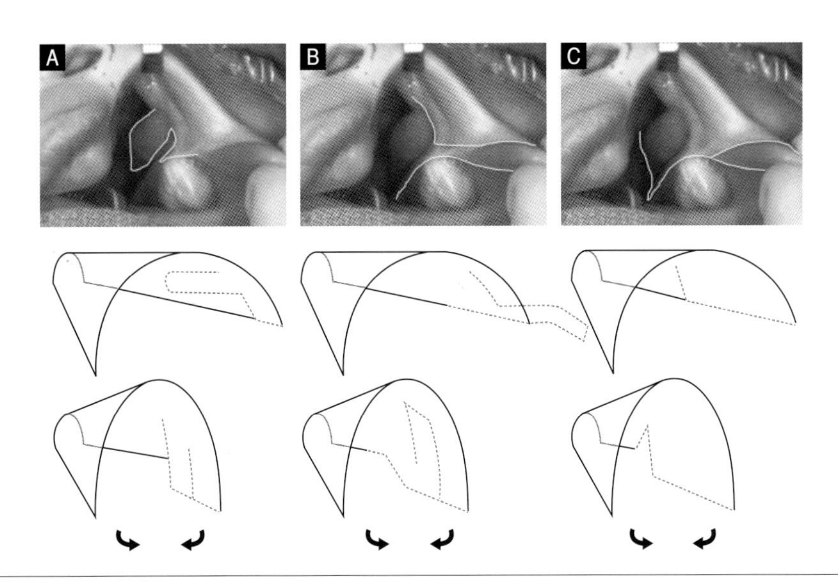

그림 19-26 **외측 비강벽의 재건과 비강저의 봉합을 위해 선택 가능한 방법. A:** 하비갑개피판 **B:** L-피판 **C:** 외측비강벽 전진

은 보다 흔한 편측성 구순열 수술법을 응용한 것을 알 수 있는데, 전형적인 예로는 한쪽을 먼저 편측성으로 간주하여 수술한 후(보통 개열이 큰 쪽부터) 3~4개월 지나 다른 쪽을 수술하는 2단계 방법이었다. 그러나 이런 2단계 방법은 결국 편측성에 준하여 하는 수술이라 구순열 잔존 기형의 대표인 코와 입술의 좌우 비대칭을 유발하는 큰 약점을 가진 방법이었다.[9,12]

이후 많은 외과의사들이 양측성 구순열에 대한 수술 기법을 발전시켜 양측을 동시에 수술하게 되었음에도 그들의 관심은 입술에 집중되어 있었고 코 기형의 치료는 연기하였다.[36-40] 코 교정을 연기한 이유는 인중 부위 혈류 공급(philtral blood supply)과 성장에 대한 이해 부족과 코연골(nasal cartilage)의 조기 조작이 성장을 방해할 것으로 생각한 때문이었으나 이의 증거가 없음이 밝혀지고[12] 나중에 시행한 코 교정수술(주로 비주연장술, columellar lengthening)과 잘못 위치된 코연골(특히 alar cartilage)이 2, 3차적인 기형을 유발하는 것이 분명해졌다.[2,12]

이런 양측성 구순열비(cleft lip-nose) 기형의 불만족스러운 결과를 교정하기 위하여 1980년대 중반부터 McComb, Mulliken, Trott, Cutting 등[2,7,41-45]의 외과의사들이 코 기형의 치료를 일차 구순열 수술에 포함시키기 시작하였다. 이들은 전순 피부(prolabial skin)를 이차적으로 증강시키는 오래되고 비해부학적인 기법이 잘못 되었다는 것과 비익연골(alar cartilage)을 입술 수술 시에 적절한 위치에 갖다 놓으면서 비첨부(nasal tip)의 연조직을 맞게 자르고 재위치시켜야 된다고 주장하였고 양측 입술과 코를 동시에 수술하여 좋은 결과들을 발표하였다.

1) 치료 원칙들과 목표

수술을 계획할 때에는 차후의 결과를 고려한 원칙과 목표를 세우는 것이 중요한데, 이상의 개척가적 외과의사들 중 Mullken은 1977년 Millard가 하버드의대에 방문교수로 와 있는 동안 그의 강의에서 영향을 받아 다년간 양측성 구순열 수술법과 수술 후 문제점에 대한 문헌고찰과 분석을 통해 다음과 같은 치료원칙을 확립, 발표하였다(1985년).[36,46]

(1) 대칭성(Symmetry) 유지

단계적 교정술이 오히려 비대칭을 일으키고 아무리 작은 양측의 차이(nasolabial difference)도 성장과 함께 확대되기 때문이다.

(2) 기본적 근육 연결성(Primary muscular continuity) 확립

구륜근 가지들은(orbicularis oris muscular bundles) 외측 입술 분절(lateral labial elements)에서 완전히 박리되어 자유로워야 하고 윗입술 전체의 수직 범위 내에서 모아져야 한다. 이를 통해 외측 근육 융기(lateral muscular bulge)를 제거하고 인중의 왜곡(distortion)을 최소화한다.

(3) 적절한 인중의 크기와 모양(Proper philtral size and shape)

수술 후 형성되는 인중은 성장하면서 아래쪽보다는 위쪽에서 두드러지게 넓어지고 괄목할 만한 수직성장을 한다.

(4) 외측 입술 분절로부터의 정중결절의 형성 (Formation of median tubercle from lateral labial elements)

완전 구순열에서는 전순부 백선(prolabial white roll)이 없고 중앙부 적순(vermilion)과 점막도 결손되어 있기 때문이다. 즉, 전순부 적순은 비정상적 색깔을 보이고 백선이 부족하며 완전히 성장하지 못하기 때문이다.

(5) 수술 시 비첨과 비주를 건설하기 위한 비익연골의 이동(Primary positioning of alar cartilages to construct the nasal tip and columella)

비주(columella)로 전순부조직을 이차적으로 옮기더라도 짧아 보일 뿐이기 때문이다.

이 원칙 5가 언급한 대로 코 교정을 1차 수술에 포함시킴으로써 양측성 구순열 환자의 얼굴을 바꿀 수 있는 가장 근본적(fundamental)이고 근치적인(radical) 변화이다(그림 19-27).

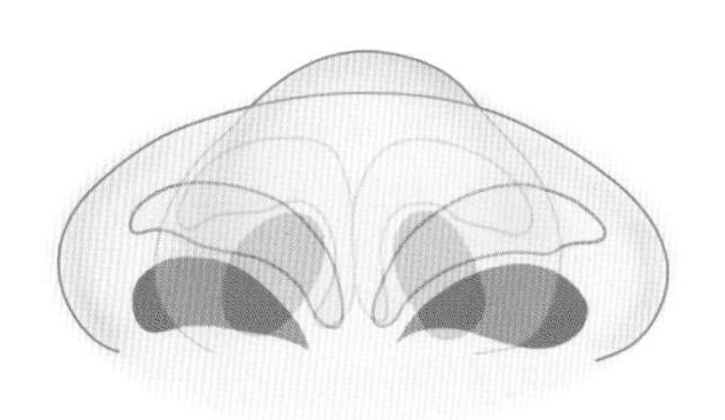

그림 19-27 양측 구순열 환자의 코 교정

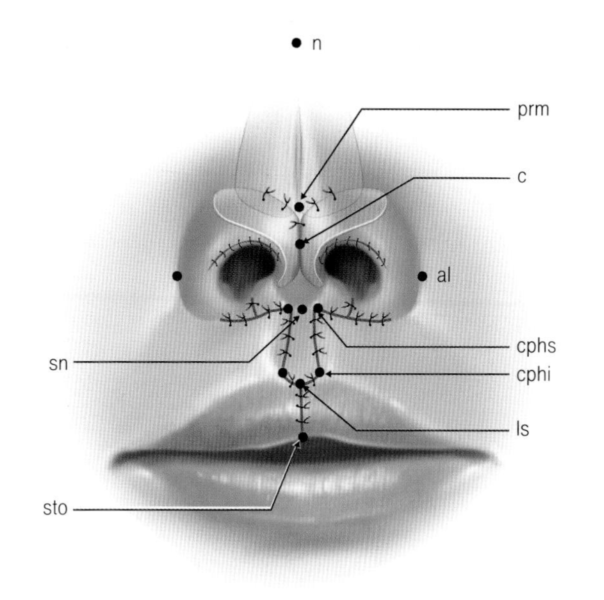

그림 19-28 양측성 구순열의 수술 시 계측점[48]

2) 4차원적 고려사항

수술에 임하는 외과의사는 입술-코의 크기, 모양, 부위별 비율에 대한 3차원적인 이해만으로는 충분하지 않다. 정상 성장에서 나타나는 변화를 개념화하여야 하고 또한 수술받은 양측성 구순열 환자에서 일어나는 입술-코 모양의 뒤틀림(distortion)도 예측해야만 한다.[36] Farkas 등[47]은 1세에서 18세까지 백인에서 입술과 코의 정상 성장 양상을 발표하였는데, 코길이(nasal height, n-sn)와 폭(al-al)은 조기에 발달해서 5세까지 각각 성인의 평균 76.9%와 87%까지 자라는 반면, 비첨 돌출(nasal tip protrusion, sn-prn)과 비주 길이(columellar length, sn-c′)는 천천히 자라 5세까지 성인의 2/3 정도까지만 자란다. 모든 입술 부위는 빨리 자라서 5세까지 성인의 90%까지 성장한다. 윗입술의 피부 높이(cutaneous height)는 여아에서는 3세, 남아에서는 6세에 성인 높이에 도달하는 것으로 알려졌다(그림 19-28).

이에 2001년 Mulliken 등[48]은 수술받은 양측성 구순열 환자의 잘못된 점들과 특정 부위들의 성장 속도 간에는 강한 상관성이 있음을 알 수 있었다. 즉, 빨리 자라는 부위는 너무 길거나 너무 넓게 자랐고, 늦게 자라는 부위는 너무 짧게 변형이 된 것이다(표 19-1). 그러므로 외과의사는 4차원적인 변화를 고려하여 수술 중 조절을 해주어야 한다. 즉, 빨리 성장하는 부위는 작게, 천천히 성장하는 부위는 정상보다 약간 크게 해주어야 한다. 하지만 정중 결절은(medi-

표 19-1 양측성 구순열에서 성장 속도를 고려한 수술 시 설정 방법[48]

계측점(Anthropometric points)	수술 후 문제	정상 성장 속도	수술 시 설정
코			
코 길이(n-sn)	정상 ~ 길다	빠름	짧게 설정
비첨 돌출(sn-prn)	짧다	느림	길게 설정
비주 길이(sn-c)	짧다	느림	길게 설정
코 폭(al-al)	넓다	빠름	좁게 설정
입술			
전순 상부의 폭(upper prolabial width, cphs-cphs)	넓다	빠름	좁게 설정
전순 하부의 폭(lower prolabial width, cphi-cphi)	넓다	빠름	좁게 설정
피부상순 길이(sn-ls)	길다	빠름	짧게 설정
총 상순길이(sn-sto)	길다	빠름	정상 범위로 설정
정중결절 길이(ls-sto)	짧다	빠름	길게 설정

an tubercle, ls-sto) 예외로, 정상에서는 빨리 자라지만 수술 받은 양측성 구순열 환자에서는 속도를 상실하는 것으로 알려져 있으므로 가능한 길게 해주어야 한다.

3) 양측성 구순열 수술법

(1) Mulliken 방법[7,9,12,36,40,46]

환자 나이 1~2개월에 Latham 장치를 장착하여 전상악을 후퇴시키고 양측 상악분절을 모은 후 코-입술 동시 수술은 환자 나이 4~5개월에 시행한다. 인중피판(philtral flap)의 크기는 환자의 인종과 나이, 그리고 부모의 모습에 따라 달리 하는데, 4~6개월된 백인의 경우, 피판의 수직길이는 6~8 mm, 하부에서는 3~4 mm, 상부에서는 2 mm로 한다. 인중피판 측면의 피부조각(그림 19-29A의 빗금 부분)은 탈상피하고 나머지 전순 피부는 절제한다. 인중피판을 거상하고 외측 구순분절을 비익저에서 분리하면서 구륜근을 피부하층과 점막하층에서 박리한다(그림 19-29B).

박리한 구륜근은 입술의 높이에 맞게 아래부위부터 시작하여 위로 올라가며 봉합하는데, 가장 윗부분은 전비극의 골막에 함께 고정되도록 한다. 외측 입술피판에서 남는 끝을 다듬어 중앙 결절을 만드는데 이는 위에서 아래로 봉합하면서 가능한 길게 조성해 준다(그림 19-30).

양측 콧구멍 가장자리(bilateral nostril rim) 절개선을 통해 비익연골의 연골무릎끼리(genua), 중간각끼리(middle crus) 단단봉합(interdormal mattress suture)을 시행하고 좌우측 모두 무릎 외측 그리고 외측각(lateral crus)에서 동측의 상외측 연골(upper lateral cartilage)에 봉합한다(그림 19-31).

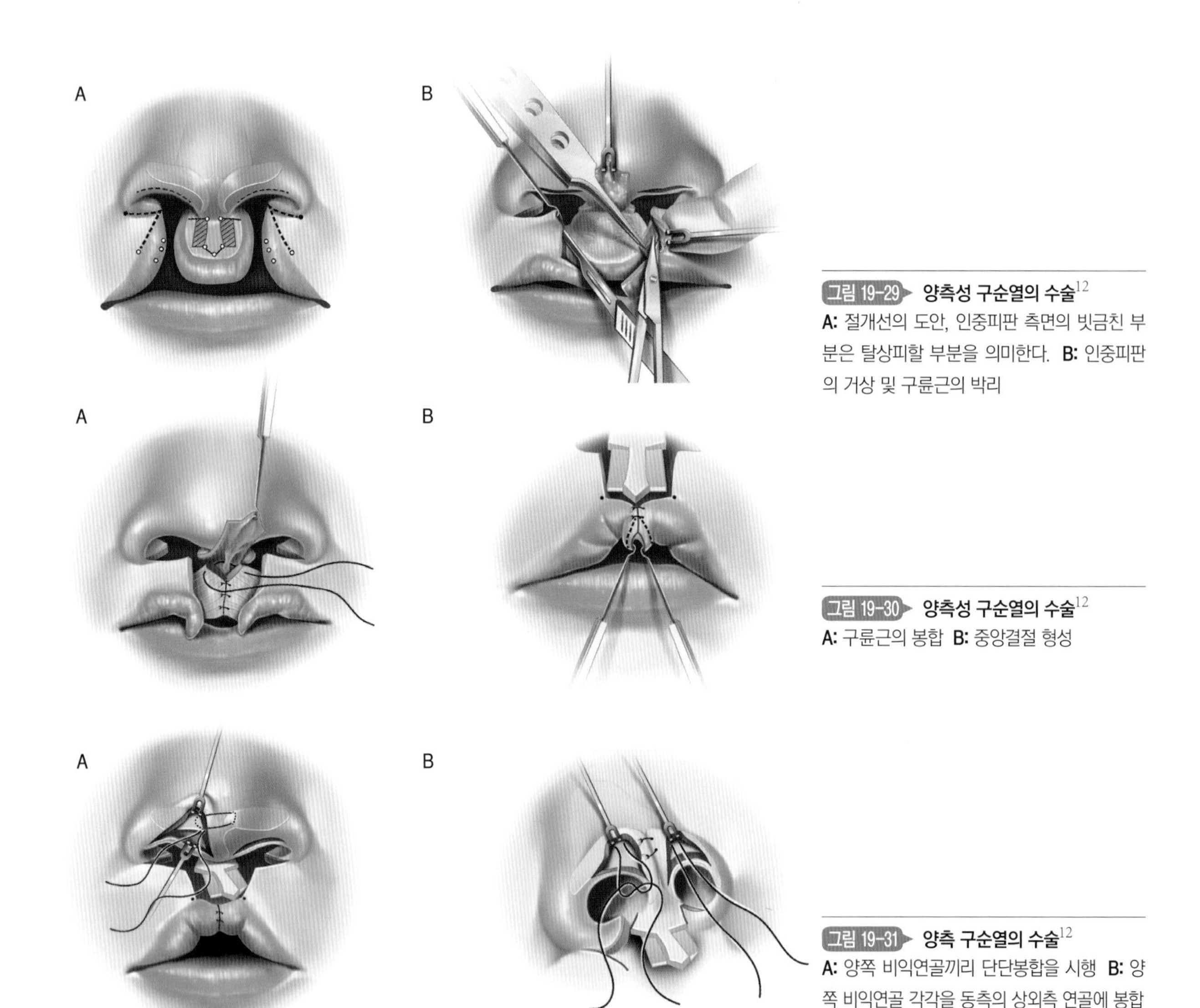

그림 19-29 **양측성 구순열의 수술**[12]
A: 절개선의 도안, 인중피판 측면의 빗금친 부분은 탈상피할 부분을 의미한다. **B:** 인중피판의 거상 및 구륜근의 박리

그림 19-30 **양측성 구순열의 수술**[12]
A: 구륜근의 봉합 **B:** 중앙결절 형성

그림 19-31 **양측 구순열의 수술**[12]
A: 양쪽 비익연골끼리 단단봉합을 시행 **B:** 양쪽 비익연골 각각을 동측의 상외측 연골에 봉합

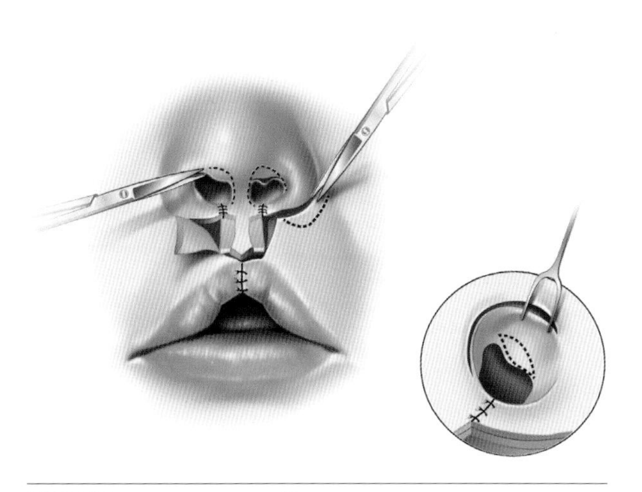

그림 19-32 **피부 봉합 전 절제.**[12] 동그라미 안은 비전정부 외측에 생긴 갈퀴(lateral vestibular web)를 렌즈형으로 절제하는 것을 보여준다.

비주 외측의 남는 피부는 초승달형 절제술(crescentic excision)로 비주의 상부 및 중간까지 시행하여 다듬는다. 비전정부 외측에 갈퀴(lateral vestibular web)가 생기게 되는데, 이런 갈퀴는 렌즈형으로 절제한 후(lenticular excision, 그림 19-32 동그라미 안) 봉합한다. 피부 봉합의 마지막 단계를 코 교정 후에 실시한다. 외측 입술피판의 위쪽 가장자리는 비익-구순 접합부(alar-labial junction)에서 곡선형(cyma curve)으로 잘라서 다듬어서 외측 입술 높이를 수정한다(그림 19-32, 33).

(2) Cutting 방법

근본적으로 Mulliken의 방법과 유사하지만 술전 악정형 장치로는 비치조정형(nasoalveolar molding, NAM) 장치를 이용하고, 전순 뒤로 막비중격(membraneous septum)을 따라서 중격각(septal angle) 위로 계속 박리해 주는 역행(retrograde) 접근을 이용한다. 비전정부 갈퀴 변형(lateral vestibular web)은 전정을 관통하는 단단봉합으로 수정한다(그림 19-34).[45]

(3) Trott과 Mohan 방법

이는 Millard의 양측성 구순열 수술법에 비첨성형술을 가미한 일회 수술법으로 1993년 발표하였다.[44]

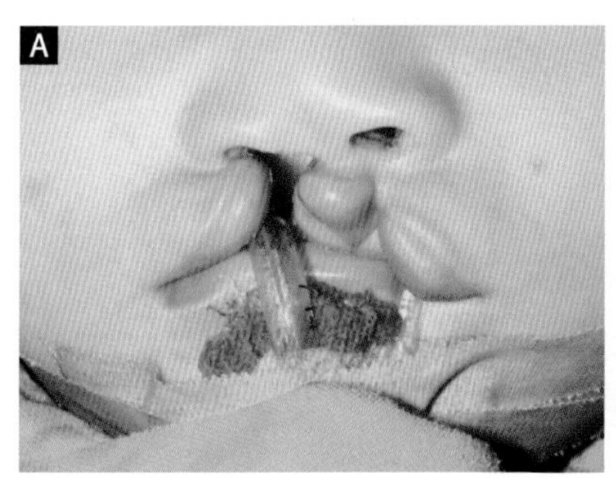

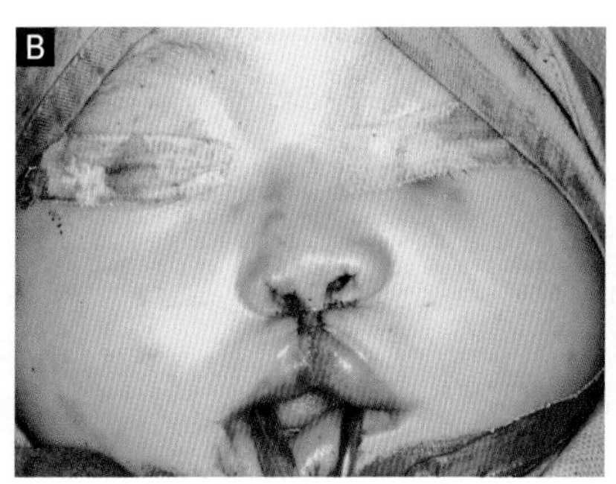

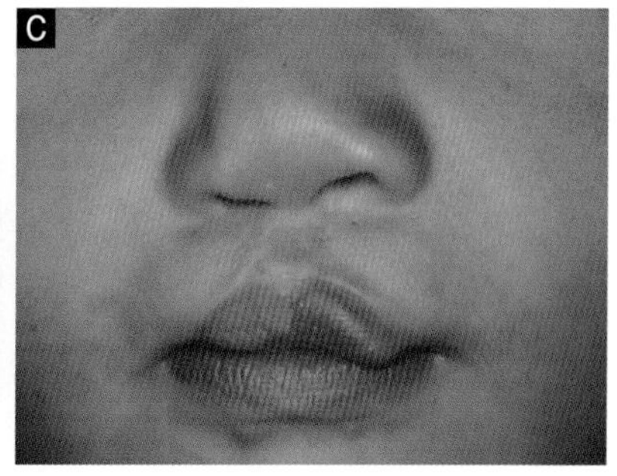

그림 19-33 **Mulliken 방법에 의한 양측성 구순열의 수술.** **A:** 수술 전 상태 **B:** 수술 직후 **C:** 수술 3년 후

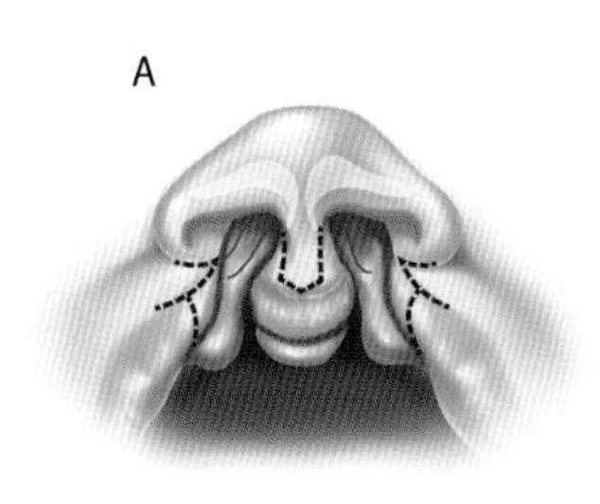

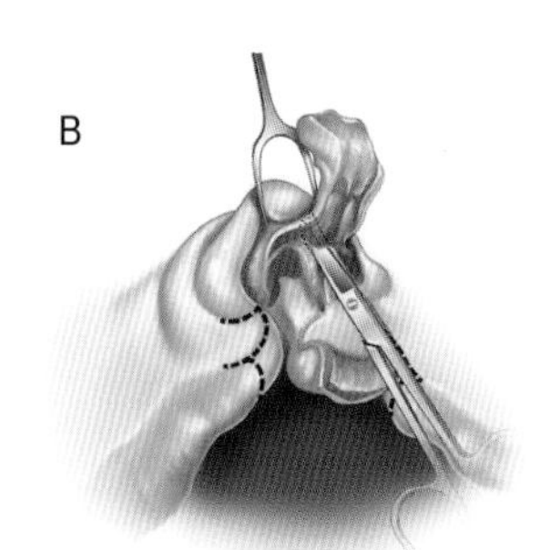

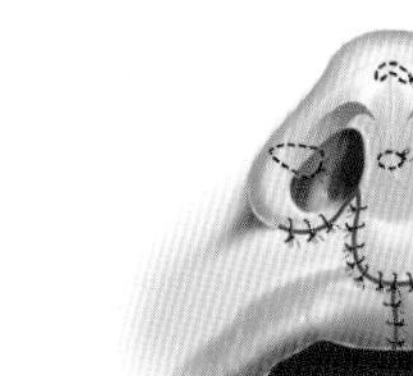
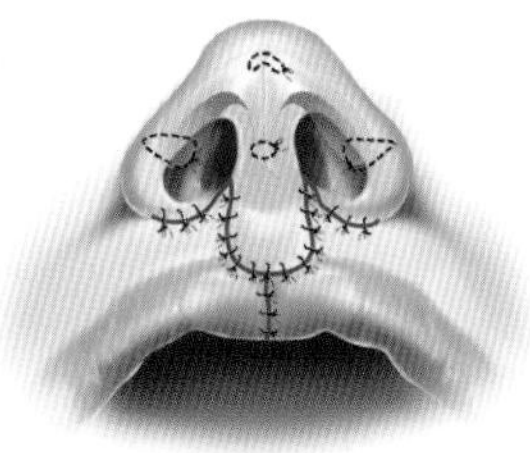

그림 19-34 **Cutting 방법으로 치료하는 양측성 구순열.**[45] **A:** 수술 디자인. 양측 비익저의 절개를 최소로 하고 전순부에서는 인중피판만 일으킨다. **B:** 인중피판과 비주를 같이 거상하며 막비중격(membraneous septum)을 따라서 중격각(septal angle) 위로 역행(retrograde) 박리한다. **C:** 수술 직후 모습. 비전정 물갈퀴 변형을 비전정관통 단단봉합(trans vestibular mattress suture)으로 교정한다.

(4) 다른 방법들

발표된 여러 많은 수술법 중 예전에 인정받았던 2회 수술법으로는 Skoog 법(1965), Manchester 법(1970), Tennison 방법 등이 있었고, 코는 제외하고 양측 입술만 동시 수술하는 것으로 Cronin 등이(1990) Veau III 법을 개량한 직선봉합법을 발표하기도 하였고 이외에 Noordhoff 방법(1986), Salyer 방법(그림 19-35)[49] 등이 있다.

7. 경미한 구순열 수술

불완전 구순열 중 상순 큐피드궁(Cupid's bow)의 변형이나 홍순의 작은 결손과 같이 경미한 경우 일반적으로 출생시에는 이러한 변형을 발견하지 못하고 성장하면서 구조물이 확실해지면서 눈에 띄는 경우가 있다.[50] 1938년 Veau가 이러한 경미한 구순열에 대하여 발표한 이래로 microform, minimal, occult, forme fruste, minor, congenital healed, pseudocleft 등과 같은 다양한 용어들이 사용되어 왔다.[51] 2008년 Mulliken과 Yuzuriha 등[52,53]은 편측성 불완전 구순열의 파열 정도가 심하지 않은 형태를 lesser-form(경미형)이라 명명하고 이를 해부학적 형태에 따라 minor-form, microform, mini-microform cleft라는 세 가지 형태로 재분류(subgroup)하고 각각의 치료법을 설명하였다(그림 19-36).

1) Minor-form의 특징과 치료

Minor-form은 적순 피부 패임(vermilion cutaneous notch)이 정상 큐피드궁 정점까지 이르는 거리가 3 mm 이상인 것을 말하며, 이환부의 내측(medial) 적순의 부족, 정중 결절부(median tubercle)의 부족, 비부의 변형은 물론 인중 융선의 위치에 근육의 함몰된 띠(muscular depression)가 명확히 보이는 경우이다(그림 19-36A).

치료는 회전-전진피판(rotation-advancement flap)을 이용하는데 기존의 완전 구순열에서 적용하는 방법보다는 절개선을 작게 형성해도 된다. 비순부 변형에 대해서는 돔간

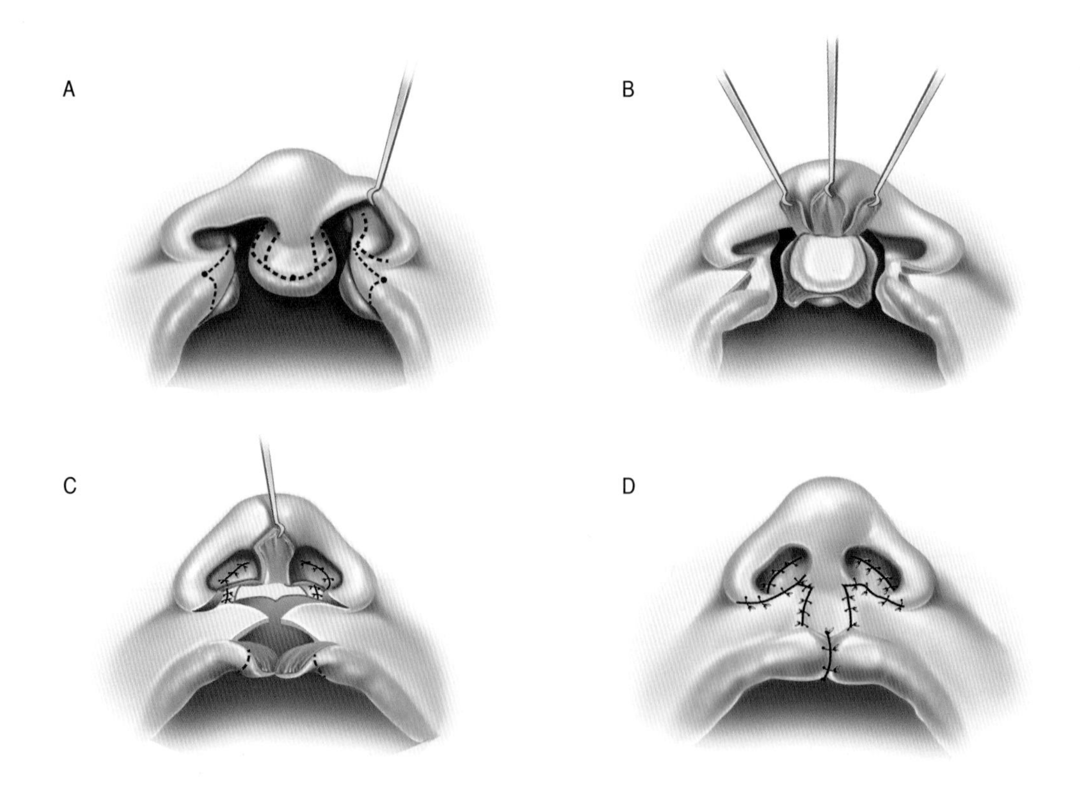

그림 19-35 **Salyer 방법으로 치료하는 양측성 구순열.**[49] **A:** 수술 디자인 **B:** 박리. 전순부에서 세 개의 피판을 일으켰다. **C:** 코 기저부를 형성하고 구륜근을 연결하였다. **D:** 수술 직후 모습. 정중결절은 양측 입술 분절에서 가져온다.

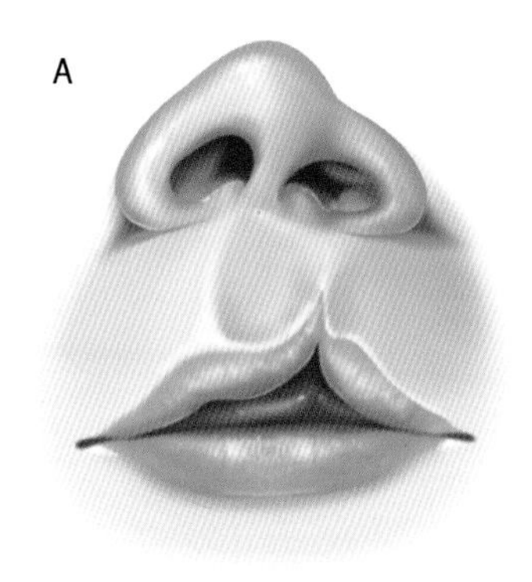

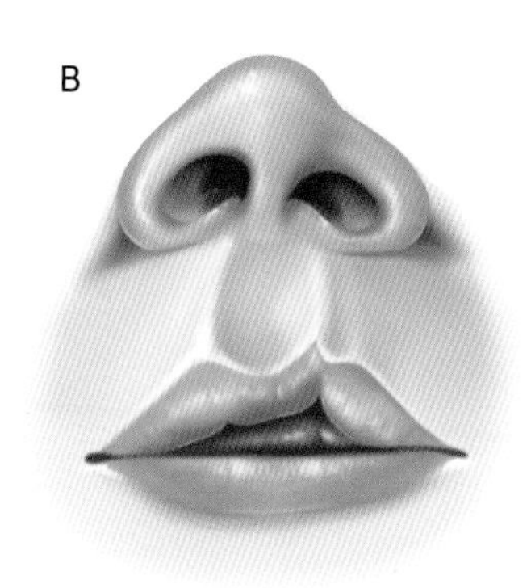

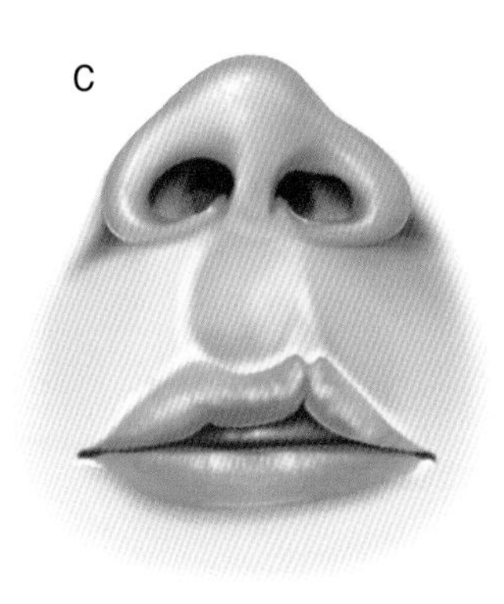

그림 19-36 **경미한 구순열의 분류.**[52] **A:** Minor-form cleft lip **B:** Microform cleft lip **C:** Mini-microform cleft lip

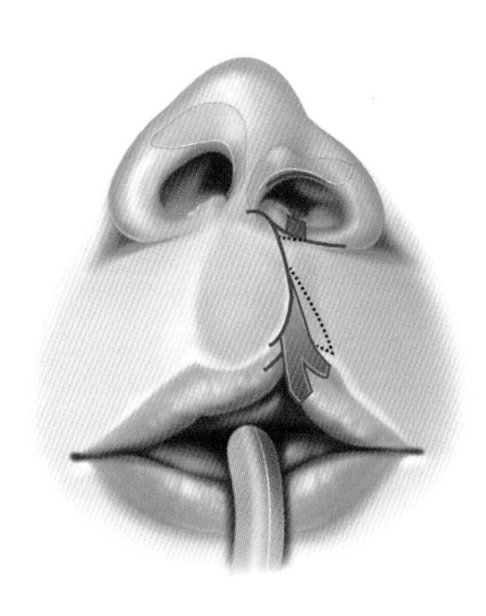
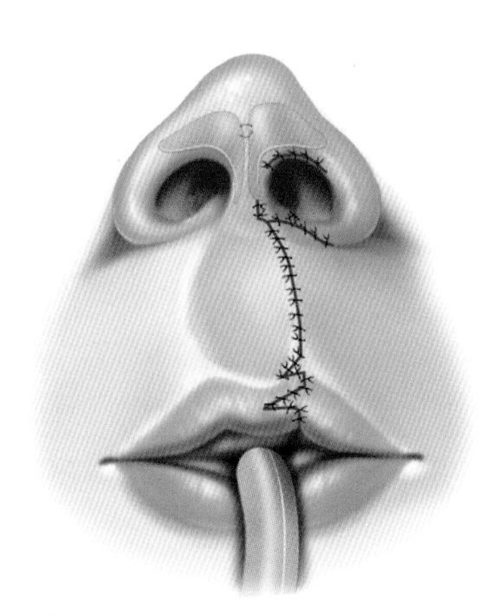

그림 19-37 **Rotation-advancement flap을 이용한 Minor-form cleft lip의 치료**[52]

봉합(interdomal suture)을 해주거나, 상외측 연골(upper lateral cartilage)과 비익연골(alar cartilage)을 고정하여 교정한다(그림 19-37).

2) Microform의 특징과 치료

Microform은 적순 피부 패임이 정상 큐피드궁 정점까지 이르는 거리가 3 mm 이하이며, 이환부의 내측 적순이 부족하게 나타나며, 인중 융선의 발달이 거의 없고, 심할 경우 함몰된 구의 형태로 나타나는 경우다. 비부의 변형이 동반되는 경우에는 비익연골의 변형에 따라 비중격 기저부가 약간 기울어지거나 비익이 바깥쪽으로 1~2 mm 편평해지게 나타난다(그림 19-36B).

이의 치료는 이중 편측 수지 Z-성형술(double unilimb Z-plasty)로 수정하여 정상 큐피드궁을 형성한다. 비순부의 변형이 있을 경우 돔간봉합(interdomal suture)을 해주거나, 비익 기저부에서 Y-V 전진봉합을 해주기도 한다(그림 19-38, 39).

3) Mini-microform의 특징과 치료

Mini-microform은 정상 부위와 비교했을 때 큐피드궁 정점의 차이가 크지 않고 적순 피부 경계에 끊어짐이 있는 것이며, 적순 하단에는 절흔이나 작은 순열을 보이고, 인중 융선은 거의 정상이나 부분적으로 비공 아랫부분의 함몰이 나타나며, 비부의 변형은 나타나는 경우도 있고 아닌 경우도 있다(그림 19-36C).

치료는 수직 수정체 모양의 절제(vertical lenticular excision 후 수직 봉합함으로써 입술 길이의 연장을 일부 얻을 수 있고, 큐피드궁 정점의 형태도 명확해질 수 있다(그림 19-40, 41).

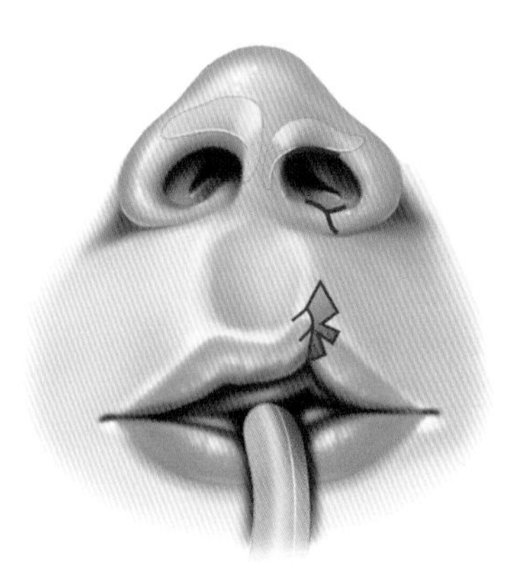

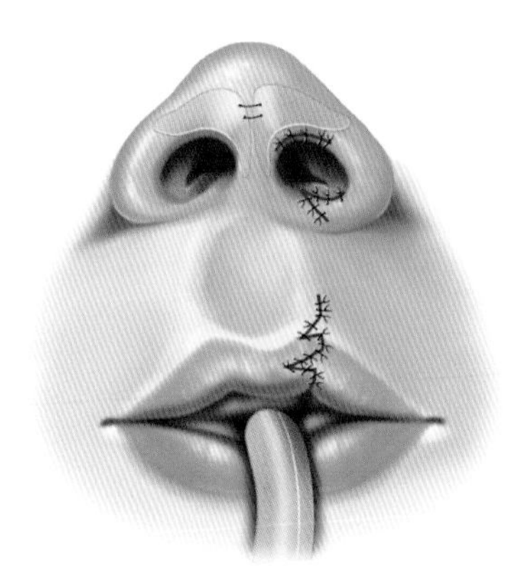

그림 19-38 Double unilimb Z-plasty를 이용한 Microform cleft lip의 치료[52]

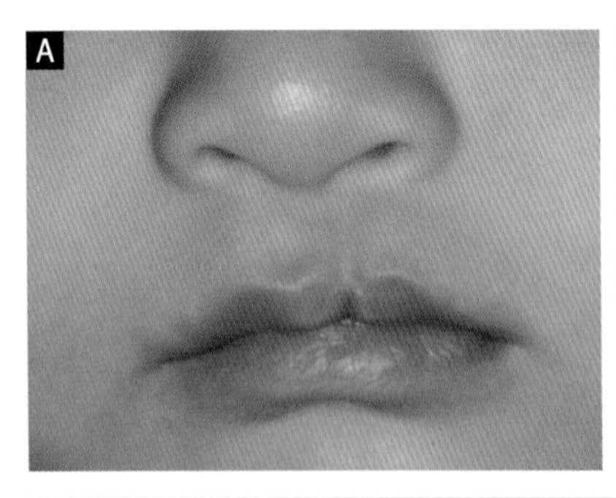

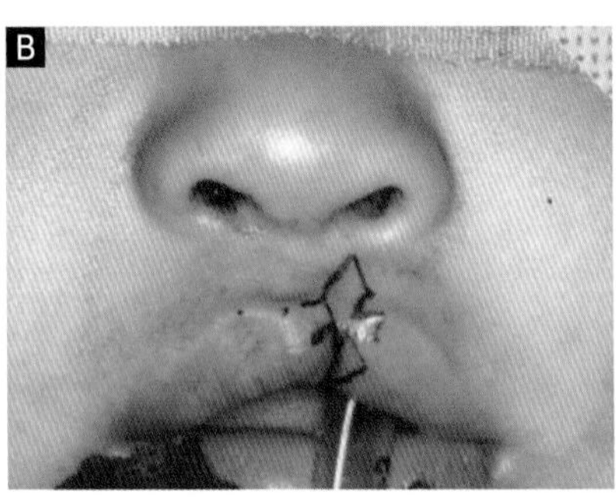

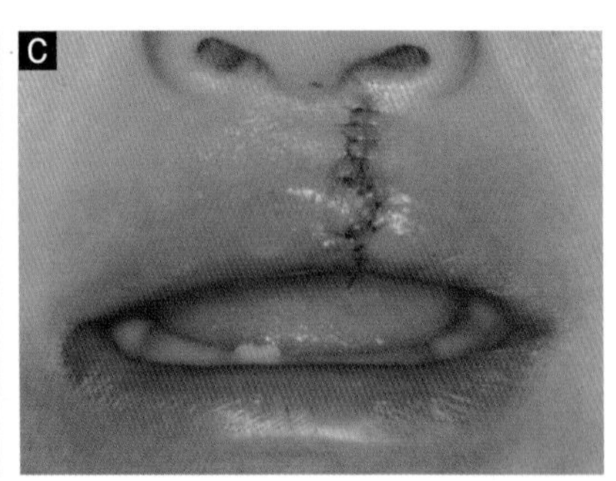

그림 19-39 Microform cleft lip의 치료. A: 수술 전 상태 B: 디자인 Double unilimb Z-plasty C: 수술 후 상태

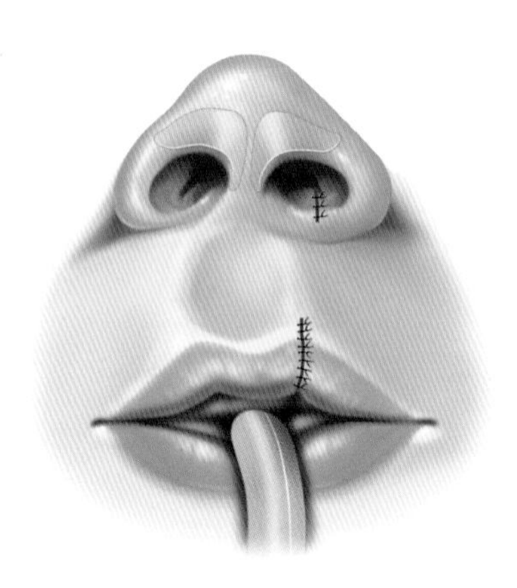

그림 19-40 Vertical lenticular excision을 이용한 Mini-microform cleft lip의 치료[52]

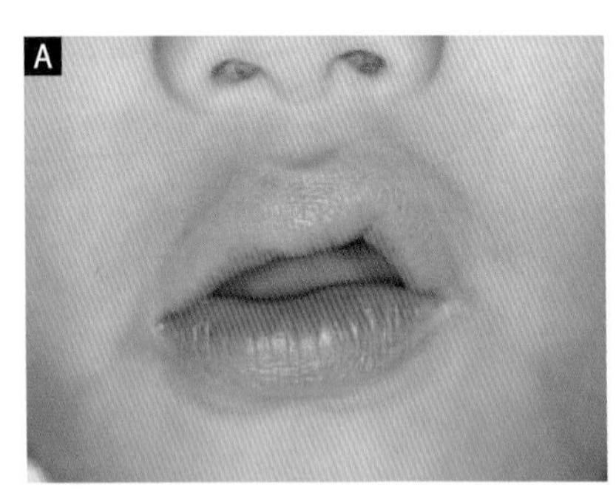

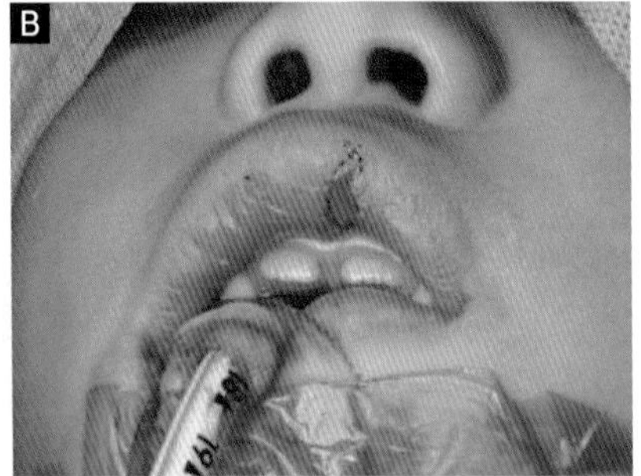

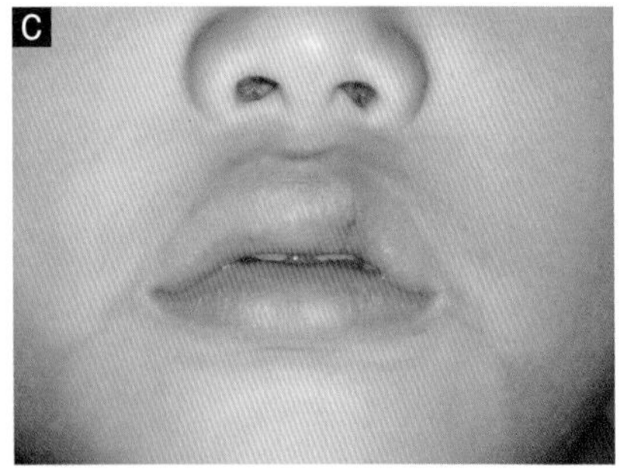

그림 19-41 Mini-microform cleft lip의 치료. A: 수술 전 상태 B: 디자인 Vertical lenticular excision C: 수술 후 상태

8. 요약

이 장에서는 구순열 치료를 위한 입술 주위 근육과 코의 해부를 정리하고 수술의 효과를 극대화하기 위한 악정형장치의 이용과 구순접합술에 대해 설명하고 구순열의 양태에 따른 수술법들을 기술하였다. 실제 환자에서는 구순열의 정도와 양상이 아주 다양하게 나타나므로 좋은 치료 결과를 위해서는 앞서 설명한 원칙과 목표를 이룰 수 있는 적재 적소의 다양한 기법을 적용하도록 노력하여야 한다.

참고문헌

1. Mulliken JB, Pensler JM, Kozakewich HP. The anatomy of Cupid's bow in normal and cleft lip. Plast Reconstr Surg 1993;92:395-403; discussion 4.
2. Mulliken JB. Bilateral complete cleft lip and nasal deformity: an anthropometric analysis of staged to synchronous repair. Plast Reconstr Surg 1995;96:9-23; discussion 4-6.
3. Nicolau PJ. The orbicularis oris muscle: a functional approach to its repair in the cleft lip. Br J Plast Surg 1983;36:141-53.
4. Rogers CR, Meara JG, Mulliken JB. The philtrum in cleft lip: review of anatomy and techniques for construction. J Craniofac Surg 2014;25:9-13.
5. Latham RA, Deaton TG. The structural basis of the philtrum and the contour of the vermilion border: a study of the musculature of the upper lip. J Anat 1976;121:151-60.
6. McComb H. Primary correction of unilateral cleft lip nasal deformity: a 10-year review. Plast Reconstr Surg 1985;75:791-9.
7. Mulliken JB. Correction of the bilateral cleft lip nasal deformity: evolution of a surgical concept. Cleft Palate Craniofac J 1992;29:540-5.
8. Grayson BH, Santiago PE, Brecht LE, Cutting CB. Presurgical nasoalveolar molding in infants with cleft lip and palate. Cleft Palate Craniofac J 1999;36:486-98.
9. Jung YS, Mulliken JB, Sullivan SR, Padwa BL. Repair of bilateral cleft lip and nose: Principles and methods of mulliken. Maxillofac Plast Reconstr Surg 2009;31:353-60.
10. Georgiade NG, Mason R, Riefkohl R, Georgiade G, Barwick W. Preoperative positioning of the protruding premaxilla in the bilateral cleft lip patient. Plast Reconstr Surg 1989;83:32-40.
11. Millard DR, Jr., Latham RA. Improved primary surgical and dental treatment of clefts. Plast Reconstr Surg 1990;86:856-71.
12. Mulliken JB. Primary repair of bilateral cleft lip and nasal deformity. Plast Reconstr Surg 2001;108:181-94; examination,95-6.
13. Mulliken JB, Martínez-Pérez D. The principle of rotation advancement for repair of unilateral complete cleft lip and nasal deformity: technical variations and analysis of results. Plast Reconstr Surg 1999;104:1247-60.
14. Jung YS, Lee GT, Jung HD, Mulliken JB. Repair of Unilateral Cleft Lip and Nose: Mulliken's Modification of Rotation Advancement. Maxillofac Plast Reconstr Surg 2012;34:133-9.
15. Millard DR. Cleft Craft. Boston: Little, Brown & Co.; 1976.
16. Ruiz RL, Costello BJ. Repair of the Unilateral Cleft Lip: A Comparison of Surgial Techniques. In: Scully JR, Waite PD, Costello BJ, Ruiz RL, Turvey TA, editors. Oral and Maxillfacial Surgery. 2nd ed. St. Louis: Saunders; 2009. p.735.
17. Chait L, Kadwa A, Potgieter A, Christofides E. The ultimate straight line repair for unilateral cleft lips. J Plast Reconstr Aesthet Surg 2009;62:50-5.
18. Nakajima T, Tamada I, Miyamoto J, Nagasao T, Hikosaka M. Straight line repair of unilateral cleft lip: new operative method based on 25 years experience. J Plast Reconstr Aesthet Surg 2008;61:870-8.
19. Le MA. A method of cutting and suturing the lip in the treatment of complete unilateral clefts. Plast Reconstr Surg (1946) 1949;4:1-12.
20. Tennison CW. The repair of the unilateral cleft lip by the stencil method. Plast Reconstr Surg (1946) 1952;9:115-20.
21. Randall P. A triangular flap operation for the primary repair of unilateral clefts of the lip. Plast Reconstr Surg Transplant Bull 1959;23:331-47.
22. Millard DR, Jr. A radical rotation in single harelip. Am J Surg 1958;95:318-22.
23. Smith KS. Part 1: Rotation and Advancement Flap Technique for Unilateral Cleft Lip Repair. In: Scully JR, Waite PD, Costello BJ, Ruiz RL, Turvey TA, editors. Oral and Maxillfacial Surgery. 2nd ed. St. Louis: Saunders; 2009. p.737.
24. Millard DR, Jr. Rotration-Advancement Principle in Cleft Lip Closure. Cleft Palate J 1964;12:246-52.
25. Millard DR. Extensions of the rotation-advancement principle for wide unilateral cleft lips. Plast Reconstr Surg 1968;42:535-44.
26. Delaire J. Theoretical principles and technique of functional closure of the lip and nasal aperture. J Maxillofac Surg 1978;6:109-16.
27. Fisher DM. Unilateral cleft lip repair: an anatomical subunit approximation technique. Plast Reconstr Surg 2005;116:61-71.

28. Cakir B, Gideroglu K, Akan M, Taylan G, Akoz T. Jack-like eversion by splitting the orbicularis oris muscle for reconstruction of the philtral column in secondary cleft lip. Scand J Plast Reconstr Surg Hand Surg 2009.
29. Cho BC. New technique for correction of the microform cleft lip using vertical interdigitation of the orbicularis oris muscle through the intraoral incision. Plast Reconstr Surg 2004;114:1032-41.
30. Tse R. Unilateral cleft lip: principles and practice of surgical management. Semin Plast Surg 2012;26:145-55.
31. Smahel Z, Müllerová Z. Effects of primary periosteoplasty on facial growth in unilateral cleft lip and palate: 10-year follow-up. Cleft Palate J 1988;25:356-61.
32. Smahel Z, Müllerová Z, Nejedlý A. Effect of primary repositioning of the nasal septum on facial growth in unilateral cleft lip and palate. Cleft Palate Craniofac J 1999;36:310-3.
33. Kim SK, Cha BH, Lee KC, Park JM. Primary correction of unilateral cleft lip nasal deformity in Asian patients: anthropometric evaluation. Plast Reconstr Surg 2004;114:1373-81.
34. Gosla-Reddy S, Nagy K, Mommaerts MY, et al. Primary septoplasty in the repair of unilateral complete cleft lip and palate. Plast Reconstr Surg 2011;127:761-7.
35. Brown JB, Mc DF, Byars LT. Double clefts of the lip. Surg Gynecol Obstet 1947;85:20-9.
36. Mulliken JB. Bilateral cleft lip. Clin Plast Surg 2004;31:209-20.
37. Millard DR. Cleft Craft: The Evolution of Its Surgery: Little, Brown & Co.; 1980.
38. Black PW, Scheflan M. Bilateral cleft lip repair: "putting it all together". Ann Plast Surg 1984;12:118-27.
39. Noordhoff MS. Bilateral cleft lip reconstruction. Plast Reconstr Surg 1986;78:45-54.
40. Mulliken JB, Wu JK, Padwa BL. Repair of bilateral cleft lip: review, revisions, and reflections. J Craniofac Surg 2003;14:609-20.
41. McComb H. Primary repair of the bilateral cleft lip nose: a 4-year review. Plast Reconstr Surg 1994;94:37-47; discussion 8-50.
42. Broadbent TR, Woolf RM. Cleft lip nasal deformity. Ann Plast Surg 1984;12:216-34.
43. McComb H. Primary repair of the bilateral cleft lip nose: a 15-year review and a new treatment plan. Plast Reconstr Surg 1990;86:882-9; discussion 90-3.
44. Trott JA, Mohan N. A preliminary report on open tip rhinoplasty at the time of lip repair in unilateral cleft lip and palate: the Alor Setar experience. Br J Plast Surg 1993;46:363-70.
45. Cutting C, Grayson B, Brecht L, Santiago P, Wood R, Kwon S. Presurgical columellar elongation and primary retrograde nasal reconstruction in one-stage bilateral cleft lip and nose repair. Plast Reconstr Surg 1998;101:630-9.
46. Mulliken JB. Principles and techniques of bilateral complete cleft lip repair. Plast Reconstr Surg 1985;75:477-87.
47. Farkas LG, Posnick JC, Hreczko TM, Pron GE. Growth patterns of the nasolabial region: a morphometric study. Cleft Palate Craniofac J 1992;29:318-24.
48. Mulliken JB, Burvin R, Farkas LG. Repair of bilateral complete cleft lip: intraoperative nasolabial anthropometry. Plast Reconstr Surg 2001;107:307-14.
49. Xu H, Salyer KE, Genecov ER. Primary bilateral one-stage cleft lip/nose repair: 40-year Dallas experience: part I. J Craniofac Surg 2009;20 Suppl 2:1913-26.
50. Park HJ, Jung H-D, Mulliken JB, Jung Y-S. Repair of Unilateral Incomplete Lesser Form Cleft Lip. Maxillofac Plast Reconstr Surg 2013;35:178-83.
51. Byun T, Uhm K. Classification and treatment of the microform cleft lip. J. Korean Plast. Reconstr. Surg 1995;22:788.
52. Yuzuriha S, Mulliken JB. Minor-form, microform, and mini-microform cleft lip: anatomical features, operative techniques, and revisions. Plast Reconstr Surg 2008;122:1485-93.
53. Yuzuriha S, Oh AK, Mulliken JB. Asymmetrical bilateral cleft lip: complete or incomplete and contralateral lesser defect (minor-form, microform, or mini-microform). Plast Reconstr Surg 2008;122:1494-504.

Chapter 20

구개열의 치료

Treatment of Cleft Palate

기본 학습 목표
- 구개열 환자의 해부학적 특징을 설명할 수 있다.
- 구개열 수술법의 목적을 이해한다.

심화 학습 목표
- 구개열 환자의 수술 시기에 따른 장단점을 이해한다.
- 구개열 수술법에 따른 특징 및 각각의 장단점을 설명할 수 있다.
- 구개열 수술 후 생길 수 있는 합병증의 종류 및 처치를 설명할 수 있다.

구개열 환자는 태어나서 처음 젖빨기 장애부터 시작하여 성장하면서 언어장애, 듣기장애, 악골성장장애 등 많은 문제점들이 발생한다. 따라서 구개열의 치료는 단순히 해부학적으로 구개열 부위를 덮어 주는 것만으로는 이러한 문제점들을 해결할 수 없다. 구개열 치료의 목표는 정상적인 악골 성장을 할 수 있도록 하는 기능회복이다. 이를 위해서는 구강악안면외과의사의 적절한 수술 시기와 적절한 수술 방법의 선택, 그리고 숙달된 술기가 치료 승패의 매우 중요한 요소이고, 그 외에도 언어치료사, 소아과, 이비인후과 등과의 협조 진료체제가 필수적이라고 할 수 있다.

1. 구개의 구조와 해부

구개는 발음, 연하, 호흡 시 비인강폐쇄기능(velopharyngeal function, V-P function)에 결정적 역할을 한다. 구개는 경구개와 연구개로 구성되어 있으며, 구개열 수술 시 정상 해부 구조를 회복시키거나 비인강폐쇄기능을 향상시키도록 해부학적 구조를 변화 시키는 것이 중요하다.

1) 경구개

경구개는 구개의 전방 골성 부분을 형성하고 있다. 정상적인 구개는 태아기 때 정중전두비융기(median frontonasal prominence)와 상악융기(maxillary prominence)의 2개의 측방 구개판(lateral palatal shelves)의 유합(fusion)으로 이루어진다. 이러한 유합의 부전으로 구개열이 발생한다. 절치공을 경계로 전방을 일차구개라고 하며, 후방을 이차구개라고 한다. 경구개는 점막골막(mucoperiosteum)으로 덮여 있고 치아 주위 에서 경구개 중앙으로 올수록 두꺼워지다가 정중부에서 다시 얇아지며 혈관화가 잘 된 부위이다. 구개열 환자의 경우, 구개판이 열성장되어 있고 구개열의 경계 부위는 날카롭게 각져 있으나 혀의 움직임이 많은 경우 둥근 경우도 있다. 상악 결절(maxillary tuberosity) 사이의 거리는 증가된다.

2) 연구개(Soft palate or velum)

연구개는 가동성 있는 섬유근육성(fibromuscular) 구조로 되어 있고, 두 부분으로 구성되어 있다. 전방으로는 구개건막(palatine aponeurosis)이 익상돌기(pterygoid process)에서 구개골 후방으로 위치하고 구개범장근(tensor veli palatini m.)에 의해 두개저에 연결된다. 후방으로는 근육들로 구성되어 있으며 구개범거근(levator veli palatine m.), 구개인두근(palatopharyngeus m.), 구개설근(palatoglossus m.), 구개수근(uvular m.)이 쌍으로 연결되어 있다(그림 20-1). 이들 근육들은 익상돌기와 익돌구에서 기시하여 인두 측방을 돌아 인두 후벽에 부착하는 상인두 측두근(sup. pharyngeal constrictor m.)과 함께 구개인두 폐쇄에 중요한 기능을 하게 된다(그림 20-2). 구개열 환자의 경우 중앙의 구

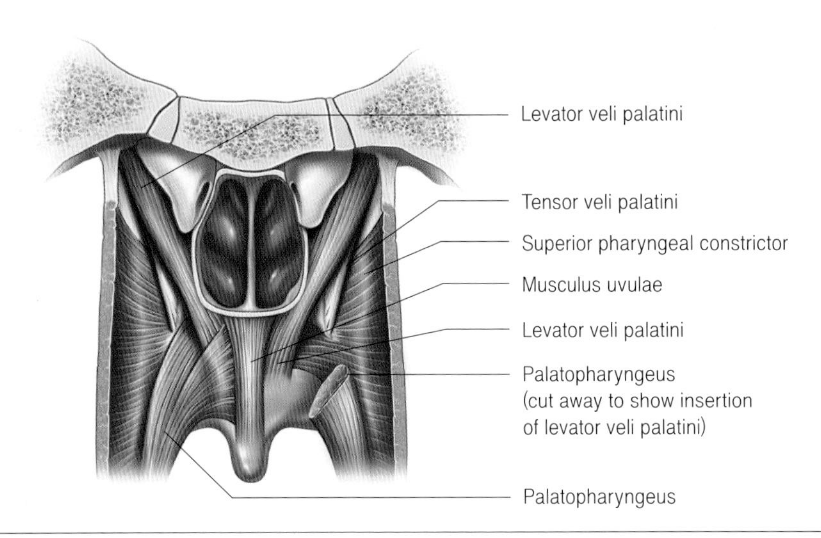

그림 20-1 **비인강폐쇄 기능을 담당하는 근육.** 구개설근은 그림에서 보이지 않으나 구개인두근 앞쪽에 존재한다.

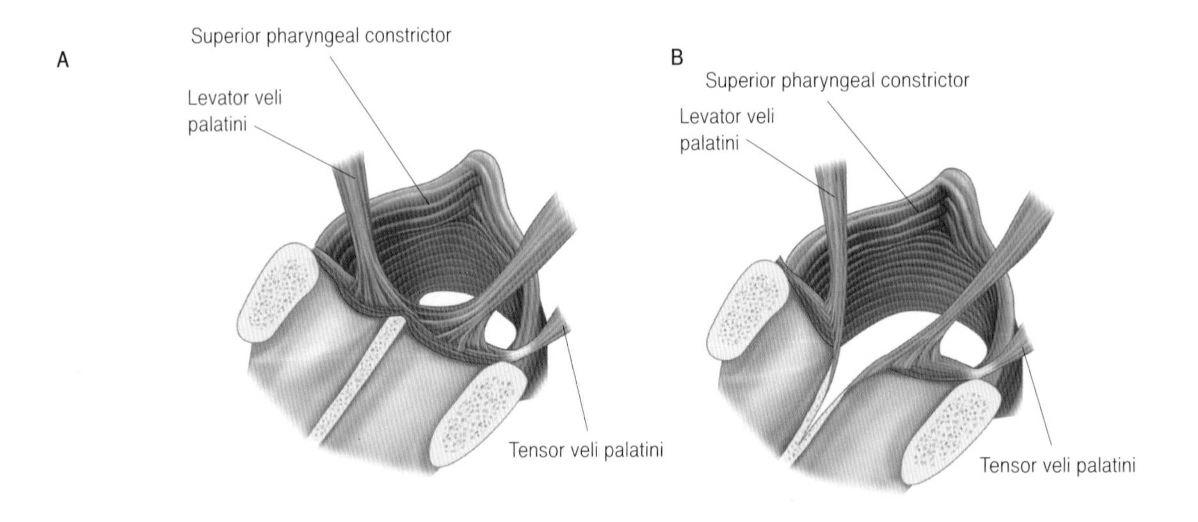

그림 20-2 **A:** 정상인의 구개범거근, 구개범장근, 상인두 수축근의 관계 **B:** 구개열 환자에서의 관계

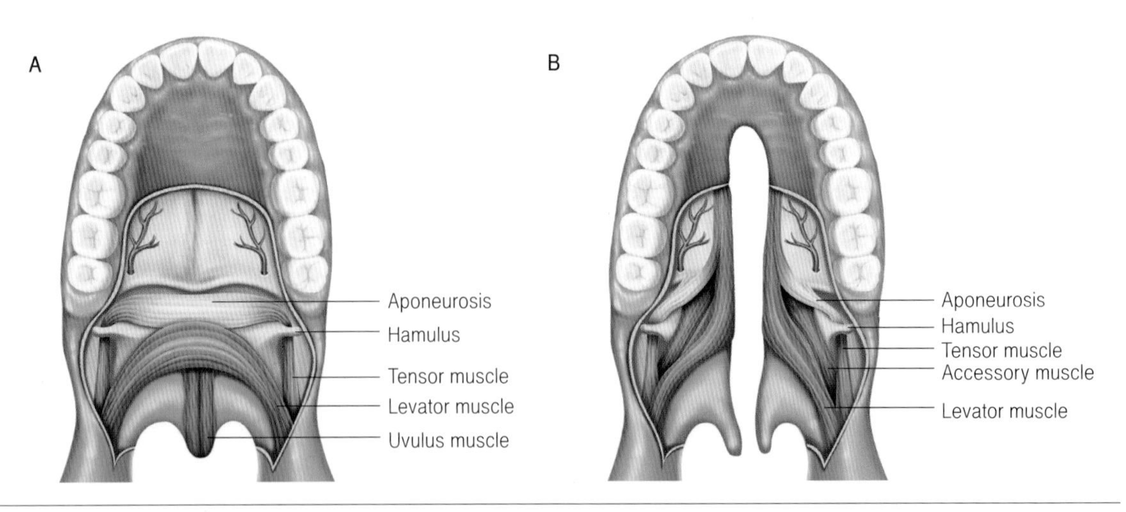

그림 20-3 **A:** 정상인의 구개근육 배열 **B:** 구개열 환자의 구개 근육 배열

개근막이 없으며 대신 측방에 작은 섬유성 다발로 존재하게 된다. 연구개의 근육들은 구개열의 경계를 따라 확인할 수 있다. 구개범장근이 정상에 비해 사선으로 배열되어 있으며, 구개열의 가장자리를 따라 기시한다. 구개범거근 및 구개인두근이 구개열의 측면에 평행하게 주행하고 중앙에서 만나지 못한다(그림 20-3). 구강쪽 점막은 다소 창백하며 비강쪽 점막은 좀 더 붉다. 점막의 경계는 구개열의 측면에서 관찰할 수 있다. 기능적으로, 구개열이 있는 경우, 발음, 호흡, 청각, 연하에 기능 저하가 생기고 구강과 비강의 개통으로 젖빨기 능력도 저하된다.

3) 신경과 혈관

연구개 근육은 인두신경얼기(pharyngeal plexus)와 소구개신경(lesser palatine n.)에서 나온 신경들이 분포해 있다. 인두신경얼기는 상인두 수축근의 측면에 위치하고 여기서 나온 분지가 상인두의 내측을 통해 연구개 근육에 분포한다. 소구개신경은 소구개공(lesser palatine foramen)에서 나와 구개건막과 구개인두근의 하방에서 후방내측으로 여러 개의 작은 분지로 나누어진다. 이들 분지 중 대부분은 구개범거근으로 들어가며 일부는 구개수근 및 구개인두근으로 들어간다. 점막은 전구개신경 및 중구개신경(ant. & middle palatine nerve)이 분포해 있다. 이러한 신경분포의 이해는 구개열 수술 시 근육기능 보전을 위해 중요한데, 특히 광범위한 근육 박리를 시행할 때 특히 주의해야 한다.[1]

경구개와 연구개의 혈관은 점막과 골막 사이의 침샘조직(경구개), 점막과 근육 사이(연구개)에 위치한다. 이 레벨에서 혈관 네트워크를 이루고 있으며, 구강 쪽이 비강 쪽보다 혈관이 풍부하다. 이러한 혈관들은 외경 동맥의 분지인 상행구개동맥(ascending palatine a.), 상행인두동맥(ascending pharyngeal a.), 상악동맥(maxillary a.)에서 나온다. 연구개 근육들은 이러한 동맥들의 2개 이상 혹은 양측성으로 혈관 공급을 받으므로 영양공급의 측면에서 구개열 수술 시 근육 박리 및 재배열은 일반적으로 안전하다.[2]

연구개의 풍부한 혈관분포로 입천장내근육성형술(intravelar veloplasty)이나 Furlow 구개성형술(Furlow double opposing Z-plasty) 시에 구강 및 비강 점막을 근육에서 분리시키는 것 역시 안전한 것으로 알려져 있다.[2] 하지만, 익상돌기(pterygoid process) 외측, 익상판(pterygoid plate) 내측 등의 박리 시에는 주요 혈관 분지가 손상 받지 않도록 해야 한다. 경구개에서는 점막 골막을 거상 시에 주 영양 공급 혈관인 대구개동맥(greater palatine a.)이 손상되지 않도록 보전해야 한다.

2. 구개열 환자의 수술 시기

구개열 환자를 처음 성공적으로 수술한 지 200년이 지난 이후 현대까지도 구개열의 수술시기는 끊임없이 논란의 대상이 되고 있고 앞으로도 계속될 전망이다. 구개열 수술의 목표는 악골 성장의 저해가 없이 정상적인 언어 획득을 하는 데 있다. 이론적으로 정상적인 언어 획득을 위해서는 수술 시기가 가능한 빨라야 되는데 이는 악골 성장에 장애를 줄 가능성이 있기 때문이다. 따라서 시기에 따른 듣기나 언어의 형성, 그리고 악골 성장 등을 고려하여 최대한 만족시킬만한 시기를 찾는 것이 매우 중요하다.

1) 구개열 환자의 수술 시기와 언어의 형성

정상적인 소아는 생후 3~4개월에 옹알이를 시작해 10~15개월이 되면 언어의 이해가 급속히 발달하기 시작하고 말할 수 있는 단어도 발달한다. 생후 12개월 이후에 첫 단어(first language) 시기를 지나고 생후 24개월 전후가 되면 어휘 폭발기의 시기로 두 단어 이상 급격히 증가하기 시작한다.

Morris[3] 등은 일단 구개열에 의해서 compensatory pattern에 의한 구개열 언어가 형성되면 수술 후에도 계속 그 습관이 지속되고 치료 또한 매우 어렵게 된다고 하였다. 현재까지 많은 논문들을 보면 언어발달을 위해서는 가능하면 빠른 시기에 수술을 해야 된다는 데에는 이견이 없는 듯하다.

Rohrich[4]와 Kaplan[5]은 3~6개월, Evans와 Renfrew[6] 등은 8개월 이전 Desai[7] 등은 16주 이전에 수술을 하자는 주장도 있으나, 이들은 단지 언어발달 측면에서 velar closure가 빠를수록 좋을 것이라는 이론적인 배경에서 제시된 수술 시기일 뿐 실제로 신빙성 있고 객관적인 증거 데이터를 제공하지는 못 하였다. 반면에 Kirschner[8] 등은 24개월 이전에 수술한 경우에 6개월 이전에 한 경우에 비교하여 언어발달에 차이가 없다고 보고한 바 있다. Dorf 와 Curtin[9,10] O'Gara와 Longemann[11], Henningson와 Isverg[12] 등은 생후 12개월 전에 하는 것이 언어 발달에 좋다고 주장하였다. 한편 Schweckendiek[13], Perko[14] 등은 연구개를 먼저 수술 하고 나중에 경구개를 수술하는 two-stage repair를 소개하였다. 또 다른 연구들에서는 이들의 delayed hard palate closure가 심한 언어 장애를 보이고 palate fistula도 많이 생긴다고 하였다.[15-18] 이러한 단점을 보완하기 위하여 Roruich[4]는 생후 3개월에 구순열과 연구개 수술을 동시에 하고 15~18개월에 경구개를 수술하는 약간 수정된 two-stage repair 방법을 제시하기도 하였다. Two-stage repair의 수술 시기는 연구개가 3~24개월, 경구개는 빠르게는 6개월에서 늦게는 17세까지 술자마다 또는 병원마다 다양한 프로토콜을 제시하고 있고 수술방법 또한 다양해서 비교연구가 곤란한 점이 있다. 그럼에도 불구하고 일부 유럽이나 아시아 국가에서 현재까지도 사용하고 있는 방법이다. 최근까지의 연구들을 종합해 볼 때 조기수술이 구개열 환자의 언어발달에 유리하다고 생각된다. 다만 너무 이른 수술(생후 6~8개월 이전)은 수술의 용이성이나 술 후 합병증, 악골성장면에서 불리하고 생후 1~2년에 하는 경우와 비교하여 언어발달에 특별한 장점이 있다는 증거자료도 별로 없다. 따라서 one-stage repair인 경우 보통은 생후 18개월 이전에 구개열 수술을 하는 것이 그 이후에 하는 것보다 언어 발달에 좋다고 알려져 있고, 최근에는 좀 더 빠른 시기인 생후 1년 이전 즉 생후 10~12개월경에 많이 시행하고 있는 추세이다.

2) 구개열 환자의 수술 시기와 악골의 성장

구개열 수술 시기가 악골 성장에 미치는 영향은 좀 더 복잡하다. 우선 수술 시기가 악골의 성장에 영향을 미치는 것은 의심의 여지가 없다. 그리고 여러 가지 복합적인 요인들 즉, 수술 시기뿐 아니라 수술 방법, 술후 생기는 반흔의 정도 등이 악골 성장에 영향을 미치고 있다. 또한 구개열 환자의 경우 다양한 정도의 선천적인 상악 성장부전이 있다는 것이다.[19] 여러 연구에서 구개열 및 구순열을 모두 가지고 있는 경우 구개열만 있는 경우보다 심한 악골 성장부전이 있다고 하고 있고 구개열 단독인 경우와 구순구개열인 경우를 서로 별개의 것으로 다루어야 된다고 하고 있다.[20-23] 즉, 구개열 단독인 경우는 일차적으로 상악골의 선천적 성장장애와 밀접한 관계가 있고 수술에 의한 성장장애는 2차적인 원인이라고 보고하고 있다.[19]

Robertson과 Jolleys[24]는 경구개수술을 생후 12~15개월에 한 경우와 생후 5년에 한 경우에서 악골의 성장이 큰 차이가 없다고 하였고 Oxford Cleft Palate Study에서는 생후 10개월과 생후 48개월에 구개열 수술을 한 경우 악골 성장에 차이가 없음으로 보고하였다. 또한 Koberg와 Koblin[25]은 생후 12개월 이전에 수술한 경우에서도 상악골 성장장애가 생기지 않는다고 하였고, 오히려 상악골의 2차 성장기인 8~15세에 하는 경우에 중안모의 성장장애가 있다고 하였다.

또한 여러 연구에서 연구개 수술을 일찍 하고 경구개 수술을 3~5세 또는 12~15세로 미루어서(delay closure) 하는 two-stage repair가 악골 성장에 유리하다고 하는 것도 충분한 과학적 증거를 제시하지는 못하였다. 오히려 최근에는 경구개의 delayed closure가 언어의 발달과 상악골 성장 둘다 좋지 않은 결과를 보인다고 주장하는 사람도 있다.[26,27] 수술 방법에서는 이론적으로 V-Y pushback이 술후에 생기는 반흔 때문에 von Langenbeck 법보다 성장에 불리할 것으로 알려져 있으나 실제로 확실히 증명되지는 않았고, 또한 push back에 의한 연구개의 길이 연장이 언어발달에 유리하단 증거도 분명하지는 않다. Furlow double opposing Z-plasty palatoplasty 또한 악골 성장이나 언어 발달면에서 다른 방법과 비교하여 우수하다고 할 수는 없을 것 같다. 또한 push back 이건 von Langenbeck법 이건 구개범장근(levator veli palatine muscle)의 release 및 repositioning에 의한 muscle sling을 재건해 주는 것(intravelar veloplasty)이 연구개의 기능과 언어발생에 중요한 역할을 하고 있다고 널리 알려져 있으나, 수술 시 근육 박리로 인한 반흔의 형성 및 선천적인 근육형성저하 등에 의하여 기대한 만큼 비인두 기능이 좋아지지 않다는 의견도 있다.

3) 구개열 환자의 수술 시기와 청력

Paradise[28]는 구개열 환자들 거의 대부분 중이염을 경험한다고 하였다. 이러한 구개열 환자에서 귀인두관의 기능 장애가 생기는 원인은 정확하게 알려져 있지 않으나 두 가지 정도를 생각할 수 있다. 첫 번째는 귀인두관의 비정상적인 구조와 기능 그리고 두 번째는 부적절한 velopharyngeal valving이다. 이러한 환자들에게 결과적으로 나타나는 난청은 언어발달에 많은 영향을 미치므로 반드시 수술 시 고려해야 될 사항이다. Bluestone[29]은 구개열 환자에서 평균 50% 정도가 난청이 생긴다고 하였고 Yules[30]는 구개열 환자의 약 50%가 난청을 보이고 94% 정도가 중이염이 생긴다 고 하였다.

수술 시기와 관련하여 Chaudhuri와 Bowen-Jones[31]는 생후 1년 이내에 하는 경우 약 10%, 그 이후에 하는 경우에 약 60% 정도가 난청을 경험한다고 한다. Bennett[32]와 Watson[33]은 경구개수술을 늦게 하면 중이염 발생 빈도가 현저히 늘어난다고 하였다.

일반적으로 조기에 구개열 수술을 하면 구강과 비강이 정상적으로 분리되어 각각 그 기능을 정상적으로 할 수 있게 되며 음식물이 코 안으로 흘러 들어가는 것을 막고 귀인두관과 중이가 건조해지지 않고 한냉해지지 않도록 하여 청력을 보존할 수 있다고 한다. Bluestone[34]은 조기에 구개 열 수술을 하면서 동시에 환기관(ventilating grommet, tympanostomy tube)을 삽입하면 중이염 빈도수를 줄여 줄 수 있다고 하였다. Dhillon[35]은 구개열 수술이 중이염의 빈도수를 줄여주기는 하나, 대부분이 수술 후에도 잔존한다고 하였다. 이는 구개열 수술로 귀인두관의 개폐 기능에 주된 역할을 하는 구개범장근(tensor veli palatine muscle)의 부착부와 근육 자체의 결함을 교정할 수 없기 때문이다.

결론적으로 조기에 구개열 수술을 하는 것이 중이염과 청력장애의 발생 빈도를 줄여서 언어발달에 긍적적인 영향을 미치고 조기에 환기관을 삽입하고 지속적인 관찰을 하는 것이 구개열 환자의 청력뿐 아니라 언어 발달에 중요하다고 생각된다.

수술 시기에 따른 듣기나 언어 발달, 악골 성장 등의 관계를 종합적으로 생각해볼 때, 첫째, 근래에는 조기 수술이 악골 발달에 크게 영향을 미치지 않는다는 주장들이 많이 있고 악골 성장 문제는 교정치료나 악교정수술 등이 발달되어 비교적 쉽게 치료할 수 있게 되었다는 점, 둘째, 일단 언어장애가 생기면 치료가 쉽지 않아서 최근에는 언어의 정상적인 발달에 초점을 두고 수술 시기를 잡는 추세라는 점, 셋째 조기 수술이 중이염이나 청력장애의 발생 빈도도 줄일 수 있다는 점 등을 고려했을 때 생후 10~12개월 정도에 하는 조기 수술이 최근의 경향이다.

3. 구개열 수술기구

구개열 수술을 위하여 특별히 고안된 기구들이 필요하다.

① Marking needle
② Caliper
③ Ruler
④ Ink pot
⑤ No.3 Bard Parker knife handle
⑥ No. 15 & No. 11 Bard Parker blades
⑦ Skin hooks
⑧ Pickup forceps with teeth
⑨ Mosquito, hemostats
⑩ Needle holder
⑪ Wooden tongue depressor
⑫ Metal tongue depressor
⑬ 12F Frazier suction tip
⑭ Bever knife handle
⑮ No. 67 Bever knife blade, Dingman retractor

4. 구개열 수술법

구개열 수술의 목표는 상악골이 정상적으로 성장하는 데 지장을 주지 않으면서 비인강폐쇄기능(velopharyngeal function, V-P function)을 정상적으로 회복시켜 주는 데 있다. 그 외에도 정상적인 연하기능의 회복, 중이염 및 난청을 초래하기 쉬운 해부생리학적 기능을 개선하여 주고, 정상적인 교합을 이룰 수 있도록 해주는 데 있다. 구개열 수술에서 비인강폐쇄기능을 정상적으로 회복시켜 주기 위해서는 연구개에 존재하고 기능하는 여러 근육들을 재배치하여 가능하면 정상 위치로 배열하여 주는 것이 중요하며, 또 다른 측면은 연구개의 길이를 후방까지 길게 연장시켜

주어서 비인강폐쇄부전(velopharyngeal incompetency, VPI)의 가능성을 줄여 주는 것이다. 따라서 구개열 수술의 방법을 선택할 때 고려하여야 하는 것은 가능하면 연구개의 길이를 후방까지 길게 형성하여 주고, 연구개의 운동성 기능의 회복 즉, 구개범거근(levator veli palatine muscle), 구개범장근(tensor veli palatine muscle), 구개수근(uvula muscle), 구개인두근(palate-pharyngeous) 등의 연구개에 분포한 근육들을 재배치하여 정상 위치로 배열하여 정상적인 연구개의 기능 및 운동을 회복시켜 줄 수 있는 수술 방법을 선택하여야 한다.

5. 수술 방법의 선택

구개열 수술이 시작된 이후로 가장 많이 유행된 수술 방법은 two-flap palatoplasty이고 이들은 매우 다양하게 응용되었다. 그 중에 가장 주목할 만한 수술 방법이 Wardill V-Y palatoplasty, Bardach two-flap palatoplasty, von Langenbeck palatoplasty이었다. 그러던 중 1978년에 Furlow에 의해 double-opposing Z-plasty palatoplasty가 소개되었고 그 이후에 많은 비교 논문들이 발표되었다. 한편 북아메리카를 제외한 일부 유럽이나 아시아에서는 Schweckendiek에 의해 소개된 two-stage repair가 다양한 방법으로 응용되어 사용되고 있다. 그러나 현재까지 어떤 수술 방법도 다른 방법과 비교하여 월등히 우수하다는 증거를 제시하지는 못하였다.

구개열은 크게 임상적으로 연구개만에 국한된 불완전 구개열, 연구개와 경구개 일부에 있는 불완전 구개열, 완전 구개열, 점막하 구개열로 구분될 수 있는데 각각에 따라서 다른 수술 방법이 적용될 수 있다.[36] 연구개에만 국한된 불완전 구개열은 주로 intravelar veloplasty나 Furlow 구개성형술(furlow double-opposing Z-plasty palatoplasty) 등이 많이 사용되고 연구개와 경구개 일부에 있는 불완전 구개열인 경우는 von Langenbeck palatoplasty나 Wardill V-Y palatoplasty가 많이 선호되고 있고 Dorrance 피판도 이 범주의 구개열에서 효과적으로 사용할 수 있다. 또한 von Langenbeck 방법과 Furlow 법을 같이 혼용하여 하기도 한다. 치조열을 포함하는 완전 구개열인 경우는 two-flap palatoplasty 또는 four-flap palatoplasty가 많이 사용되고 있고 양측성의 완전 구개열과 같이 구개열 간격이 넓은 경우는 비강측의 폐쇄를 vomer flap을 이용하기도 한다. 점막하 구개열인 비인두폐쇄부전이 있는 경우에는 반드시 intravelar veloplasty나 Furlow 구개성형술, von Langenbeck, Wardrill V-Y 피판 등으로 근육의 위치를 repair 해주어야 한다.

이러한 수술 방법들은 최근에 많은 술자들에 의해 선호되는 수술 방법일 뿐, 어떤 방법이 구개열 환자의 언어나 악골 발육에 특별한 장점이 있는지는 아직도 많은 논란이 되고 있어서 수술 방법의 선택은 여전히 술자의 선택에 의존하고 있다고 볼 수 있다.

1) Von Langenbeck 피판(그림 20-4)

표시펜(marking pen)을 이용하여 상악결절의 약간 내측에 표시한다. 이 표시로부터 후방으로 익돌상악선을 따라서 전방편도기둥(tonsilar pillar)을 향하여 연장한다(그림 20-4A). 전방으로는 치조정의 내측연을 따라서 연장하는데 대구개공의 외측으로 만곡을 그리며 구개의 견치부까지 연장한다. 같은 요령으로 양측에 표시하고 구개열이 있는 부위에서는 비강과 구강 점막의 경계부를 따라 표시한다. 에피네프린 1:100,000이 함유된 2% 리도케인 등의 국소 마취제를 이용하여 국소마취를 시행하면 지혈효과와 함께 적절한 조직의 부피 증가를 통하여 절개를 보다 손쉽게 시행할 수 있게 해준다.

15번 칼날(No.15 Bard-Parker blade)을 이용하여 측면 절개선의 후방부터 절개를 시행한다. 소아용 메젠바움 가위(Metzenbaum scissors)나 치과용 큐렛(dental curette)을 이용하여 절개선의 보다 깊은 부위를 박리하고 익상돌기를 노출시킨다(그림 20-4B).

구개범장근의 힘줄을 익상돌기의 후방으로 밀고 tonsil hemostat 등의 기구를 이용하여 익상돌기를 골절시켜서 제거하거나 내측으로 밀어낸다. 술자에 따라 익상돌기를 골절시키지 않을 수도 있으며 익상돌기를 골절시키는 것은 구개열 부위를 봉합한 이후에 구개범장근에 의한 봉합부의 긴장성을 줄여주기 위한 것이다. 지혈을 위해서 surgicel 등의 지혈제를 넣어 준다.

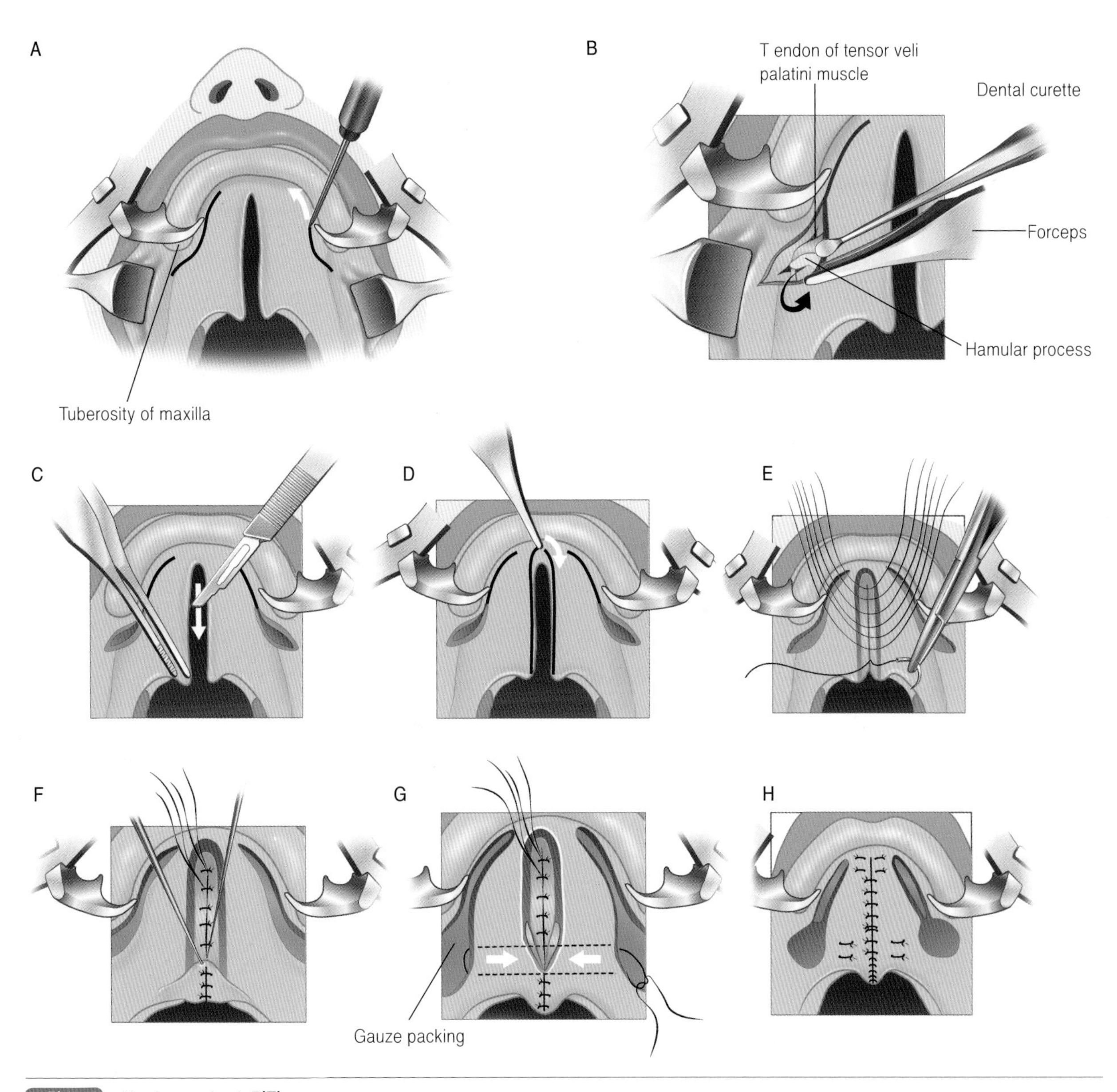

그림 20-4 Von Langenback 피판

구개수의 끝을 섬세한 Gillis forceps 등을 이용하여 조심스럽게 잡고 새로운 15번 혹은 11번 칼날을 이용하여 구개열 파열부의 경계를 따라 절개한다(그림 20-4C). 이때 파열부의 첨단에서 구강점막 쪽으로 약간 치우쳐서 구강점막 골막상에 절개하는 것이 중요한데, 얇은 비점막에 비하여 보다 견고한 구강점막골막피판을 얻음으로써 비점막 부위를 봉합할 때에 보다 쉽고 효과적으로 비강을 폐쇄시킬 수 있기 때문이다(그림 20-4D). 즉, 구강측 골막점막피판의 사용으로 이 부위의 봉합 시에 얇은 비점막이 찢기는 것을 막을 수 있다.

Brown-Adson forceps 등의 기구를 이용하여 구강점막 골막판의 전방부를 잡고, 치과용 골막기자(periosteal elevator)나 치과용 큐렛을 이용하여 측면 절개선과 파열부 절개선 사이의 구강점막골막판을 박리하여 거상시킨다. 이때 양쪽의 구강점막골막판은 전방과 후방이 붙어 있는 bipedicle flap으로 형성되는데, 양쪽 피판이 각각 정중선 부위를 향하여 내측으로 긴장이 없이 당겨질 수 있도록 해준다. 비강측의 골점막도 양쪽 측면으로 박리하여 긴장 없이 정중부에서 근접할 수 있도록 거상시켜야 한다. 경구개 후방 경계부에 부착되어 있는 근섬유 부착부위도 박리하여 점막이 긴장 없이 자유롭게 신장되도록 한다.

비강측의 비점막을 구개수 쪽부터 전방을 향하여 4-0 vicryl 등의 흡수성 봉합사를 이용하여 봉합한다(그림 20-4E). 이때 봉합 부위에 긴장이 없어야 한다. 순차적으로 봉합사를 결찰한 후 첫 번째나 두 번째까지의 매듭을 제외하고는 절단한다. 남겨진 봉합사는 이후 전방 중앙선에서 구강점막골막판을 고정하는데 이용된다. 구개수의 끝 부분은 6-0나 5-0의 봉합사를 이용하여 뒤쪽 부분은 직접 봉합하는데 끝 부분의 봉합사는 구개수를 전방으로 견인하는데 이용한다(그림 20-4F). 이로써 비강측 점막 봉합이 끝나면 구강측 구개수를 역시 6-0 등의 봉합사로 봉합한다.

구개측 구개부는 긴장이 있으면 폐쇄시킬 수 없다. 내측 익상판(medial pterygoid plate)의 내측면을 따라 외측 비인두벽(lateral nasopharyngeal wall)이 내측으로 긴장성 없이 이완되도록 거상시킨다. 만약 긴장성 때문에 봉합될 수 없다면 2, 3개의 4-0 vicryl을 이용한 수평 mattress 봉합을 근육층에 대하여 시행하여 근접시킨다(그림 20-4G). 익상돌기의 외측 절개 부위에 거즈 등을 삽입하거나 편측 익상돌기에서 근육을 통과하여 반대측까지 봉합함으로써 근육층의 인접을 도와주고 점막골막판이 긴장 없이 폐쇄되도록 한다(그림 20-4H). 다음 구강측 점막의 후방부터 봉합해 오는데 자르지 않고 남겨두었던 비강측의 봉합사를 구강점막을 관통하여 봉합을 시행해서 비강점막과 구강점막 사이의 사강(dead space)을 없애주는 역할을 한다. 절개부의 외측면은 노출시킨 채로 남겨두고 미리 제작하였던 구개상(palatal splint)을 장착하여 준다.

이 수술 방법은 연구개의 길이를 후방으로 연장시키지는 못하여 언어의 발달에 불리할 수 있다.

2) Wardill V-Y피판(Veau-Wardill-Kilner palatoplasty; V-W-K palatoplasty, V-Y pushback palatoplasty)(그림 20-5, 6)

이 방법은 구강점막골막판을 이용한 매우 유용한 술식으로, 특히 구개부의 길이 신장이 요구되거나 구개의 전방 1/3의 골 결손 시에 효과적이다. 완전 구순 및 구개열 환자에서 구순열 봉합술 시에 구개부 전방이 폐쇄되나 이후의 구개열 수술 시 다른 절개 방법에 의해 전방의 골 결손 부위가 노출될 수 있다. 그러나 V-Y 술식은 이전의 구순열 봉합술 시에 폐쇄된 구개열의 전방부를 침범하지 않은 채 남겨둘 수 있는 장점이 있다.

표시펜을 이용하여 전방편도기둥 부위에서 절개선 디자인의 시작을 표시하여 전방으로 익돌상악선을 따라서 치조골 가까이에 있는 움푹 파인 곳까지 연장하고, 계속해서 전방으로 치조골과 대구개공 사이를 따라서 절개선의 디자인을 연장한다. 똑같은 방법으로 반대쪽에도 절개선을 디자인하여 구개의 양측에 절개선을 디자인한다. 두 개의 피판을 이용한 Wardill V-Y 절개 방법은 다음으로 구개열 파열부의 전방에 절개선을 디자인한다(그림 20-5A). 그림과 같이 전방의 V자 형태의 절개선은 V자의 첨부가 구개열 부위를 향하도록 하여 양측에 대칭적으로 그려준다(그림 20-5B). 구개열을 따라서 절개선을 그릴 때는 구강점막과 비강점막의 경계부를 따라서 그리는데, 구강점막쪽에 절개선을 디자인하여 비강점막봉합 시 보다 튼튼한 조직을 취할 수 있도록 하여 비강점막의 봉합 시에 비강점막이 찢어지는 것을 예방할 수 있다. 지혈 효과 및 절개를 용이하게 할 수 있도록 조직의 부피를 약간 증가시켜 주기 위해 국소마취제를 절개선 디자인을 따라서 혹은 구개열의 경계부에서 약간 떨어진 부위에 주사하여 조직 내의 공간을 따라 구개수 부분까지 국소마취제가 퍼지도록 한다.

측면 절개선의 후방부터 15번 칼날을 사용하여 상악결절과 대구개공 사이를 지나 전방으로 향하여 절개한다. 칼날의 사용 시 견고하게 골에 접촉한 상태에서 톱질하듯이 시행하면 골막까지 용이하게 절개할 수 있다. 구개 파열부의 전방 끝까지 절개를 시행한 후 익돌상악선을 작은 메젠바움 가위 등을 이용하여 보다 깊이 박리하여 익상돌기를 노출시키고, 익상돌기로부터 치과용 큐렛 등을 사용하여 구개범장근의 힘줄을 후방으로 밀고 익상돌기를 골절시킨 후 제거한다. 술자에 따라서는 익상돌기를 골절시키지 않을 수도 있다. 새로운 15번 혹은 11번 칼날을 이용하여 구개파열부에 미리 디자인한 절개선을 따라 구개수의 끝 부분까지 절개하여 연구개의 근육층을 노출시킨다.

구강점막골막판은 골막기자 등을 이용하여 자르는 동작

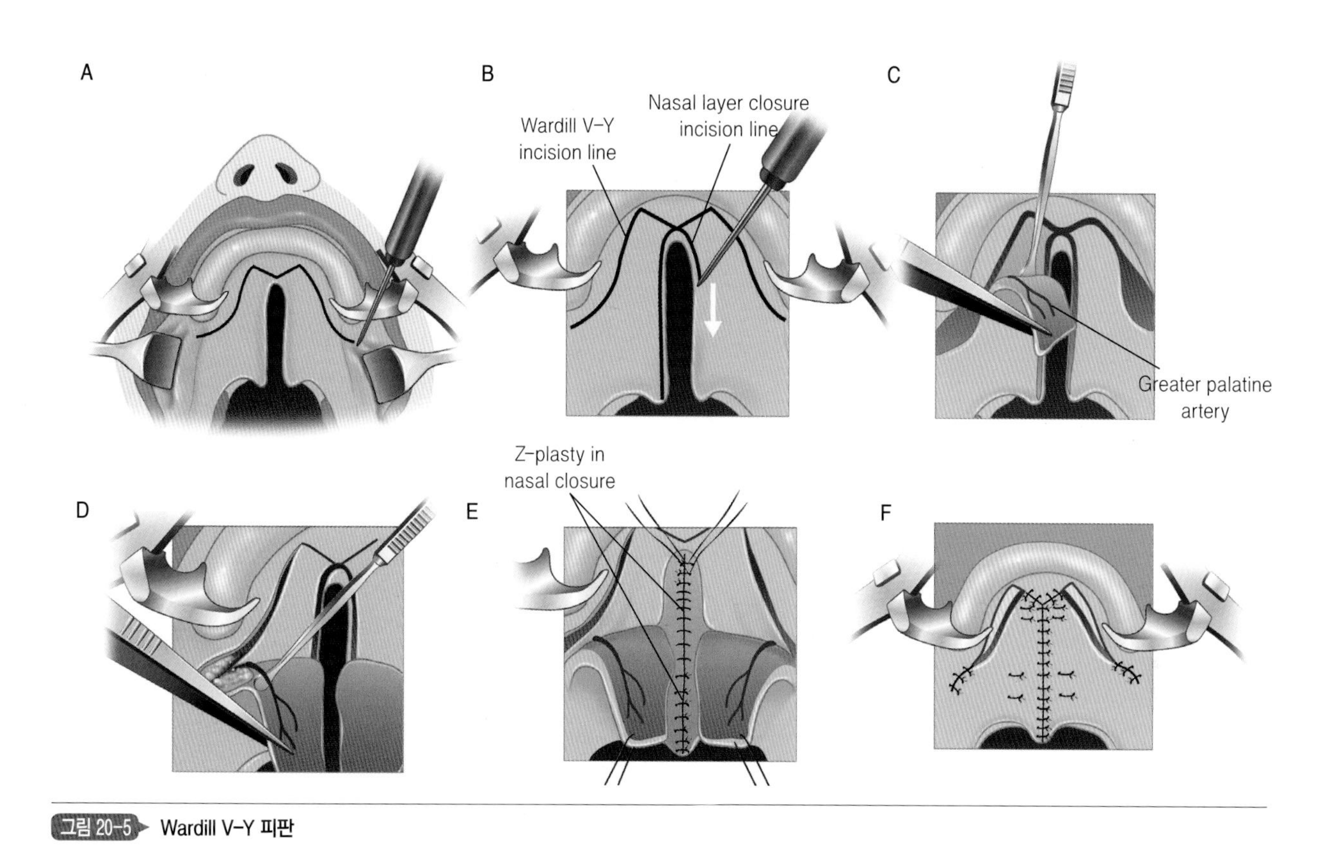

그림 20-5 Wardill V-Y 피판

(cutting motion)보다는 들어올리는 동작(lifting motion)으로 쉽게 거상할 수 있다(그림 20-5C). 경구개의 후방 경계에서 비강 점막은 상처가 생기지 않게 잘 보존한 채, 근육 부착 부위는 절개하여 비강점막판을 형성한다. 대구개공에서 나오는 혈관 다발은 혈관 뒤쪽을 박리하면서 피판을 들어올려서 피판과 혈관 다발이 분리되어 피판을 후방으로 재위치시키는 것이 용이하도록 한다(그림 20-5D). 비강점막은 경구개의 후방연의 내측 각과 파열부의 경계를 따라 박리하는데, 경구개 후방연의 연구개 건막(aponeurosis) 및 근육을 박리한다.

비강점막피판을 4-0 vicryl 등의 봉합사를 이용하여 구개수의 기저부까지 봉합을 시행한다. 구개수의 끝 부위는 6-0 등의 가는 봉합사를 사용하여 봉합하는데, 첫 번째 봉합사를 전방으로 견인하여 구개수의 비강측을 봉합하는데 이용한다.

V-Y 피판의 장점 중 하나는 V자 형태의 피판이 Y자 형태로 봉합되면서 구개부의 길이를 신장시킨다는 점이다. 또한 경우에 따라서는 이러한 구개부의 길이를 길게 해주는 이 술식의 장점을 적극적으로 활용하고 비강점막층 또한 길이 신장을 위하여 비강점막에 Z-성형술을 시행하게 되는데, 이는 연구개의 건막을 자르고 경구개의 후방연을 거상시켜 비강점막을 단순히 거상시켰던 것에 덧붙여 추가적으로 길이 신장을 꾀할 수 있게 해준다(그림 20-5E).

연구개의 근육층을 4-0 vicryl 등의 봉합사를 이용하여 수평 mattress 봉합을 하여 근육을 재배치하고 밀착시킨다.

구강점막은 구개수의 기저부에서부터 전방으로 봉합해 오는데 4-0 vicryl 등의 봉합사를 이용한다. 전방으로 봉합을 해오면 구강점막골막판의 전방 첨부가 경구개에 대해 Y 형태를 보이게 되며 이는 경구개 전방의 피판을 들어 올리지 않은 V자 형태의 구개점막과 잘 들어맞게 된다(그림 20-5F). 만족할만한 경계가 형성되면 자르지 않고 남겨두었던 비강측 봉합사로 구강점막을 통과하여 피판을 고정시켜 비강측 피판과 구강측 피판 사이에 사강이 생기지 않고 긴밀하게 접촉되도록 한다. V-Y 형태로 피판이 접촉되면 피판을 더욱 잘 고정시키기 위해 2개 이상의 봉합을 피판과 거상하지 않은 구개점막 부위 사이에 시행한다. 익상돌기

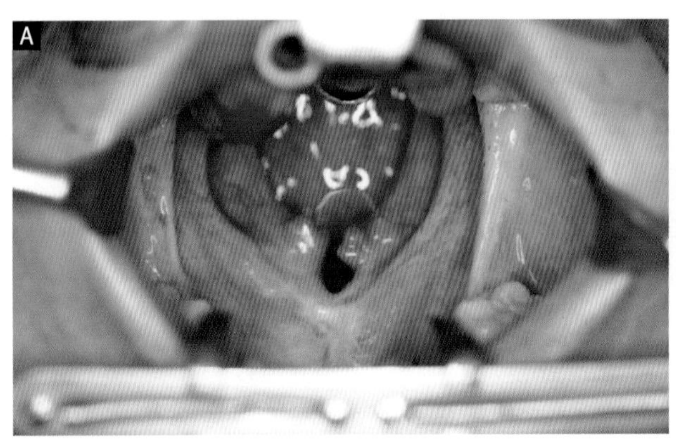

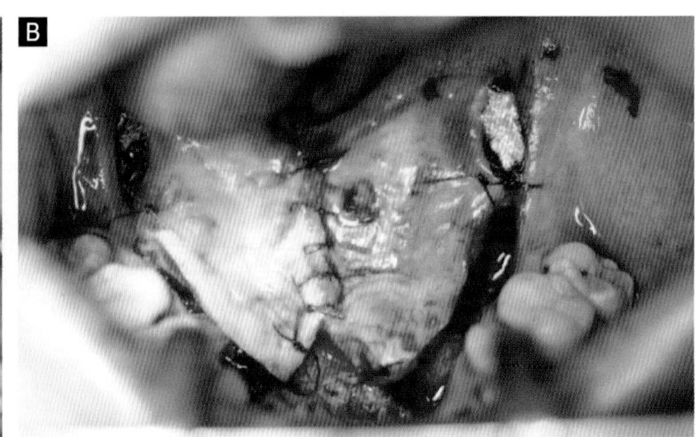

그림 20-6 V-Y push-back palatoplasty의 임상사진. A: 수술 전 B: 수술 후

부의 노출된 틈은 긴장이 발생되지 않도록 느슨하게 봉합하거나, 아니면 그대로 남겨둔 채 지혈 목적을 위하여 작은 surgicel 등으로 채워준 후 미리 만들어 놓은 구개상을 장착하여 준다.

이 방법은 연구개의 길이를 V-Y 형태로 연장할 수는 있으나 골조직의 노출이 많아서 악골의 성장에 영향을 미칠 수 있다.

3) Wardill V-Y 피판의 변형(그림 20-7)

V-Y 피판의 변형으로 내측 절개선의 외측에서 서로 엇갈리게 하여 긴 피판이 다른 두 피판의 전방을 덮도록 한다(그림 20-7A). 측면의 노출부를 덮기 위해 협측 피판을 형성하기도 한다. 완성 시 그림과 같은 형태를 보인다(그림 20-7B). 네 개의 피판을 사용하는 방법으로는(four flap palatoplasty) 한 쌍은 후방, 한 쌍은 전방을 피개하게 된다(그림 20-7C). 피판을 박리한 후 비점막층부터 4-0 vicryl으로 봉합한다. 완성된 모습으로 네 개의 피판이 중심선을 가로질러 봉합됨으로써 구강점막골막판의 폐쇄 및 고정 역할을 한다(그림 20-7D).

4) Two-flap palatoplasty(그림 20-8, 9)

Two-flap palatoplasty는 1967년 Bardach에 의해 처음 기술된 이후 Salyer 등에 의해 좋은 결과가 있음이 발표되었다.[37,38] 최초의 Bardach two-flap palatoplasty는 구개열의 경계 부위에서 구강점막골막판을 박리하였기 때문에 상대적으로 좁은 구개열에서만 사용할 수 있었다. 이후 더 광범위한 박리와 치조골 경계부를 따라 절개를 추가하면서 긴장 없는 봉합이 가능한 변형된 방법이 소개되었다. 이러한 방법을 사용하면 완전 편측 구개열 환자에서 내측면의 구강점막골막판을 구개열 부위로 이동시켜 치조열 후방에서 봉합할 수 있으며, 전방 경구개에 생긴 누공을 효과적으로 폐쇄할 수 있다.[39,40] Two-flap palatoplasty는 봉합 후 경구개의 골노출이 최소화되므로 악골 성장에 미치는 영향을 줄일 수 있는 장점이 있지만 연구개의 부가적인 길이 증가시킬 수 없다는 단점도 있다. Bae 등[41]은 비록 two flap palatoplasty가 V-Y pushback처럼 연구개의 길이를 증가시키는 수술은 아니지만 연구개 근육의 재배치 자체가 연구개의 길이를 일부 증가시킨다고 보고하였다. 수술은 양측으로 치조능의 후방으로 절개를 가한다. 판막의 끝은 둥글게 형성하고 V-Y pushback 디자인은 사용하지 않는다(그림 20-8A). 구강점막골막판을 거상하여 상악골과 구개골에 박리를 시행한다. 대구개공에서 나오는 혈관, 신경 다발을 확인하고 보존한다(그림 20-8B). 골막하 박리를 경구개 후방과 전방으로 진행하여 비강 점막이 상악골과 구개골에서 자유롭게 움직일 수 있도록 하여 긴장 없이 봉합할 수 있도록 한다. 이후 구개범거근(levetor veli palatini muscle)을 박리하여 재위치 및 재건을 시행하고(그림 20-8C), 구강점막골막판을 재위치시키고 봉합한다(그림 20-8D).[42,43]

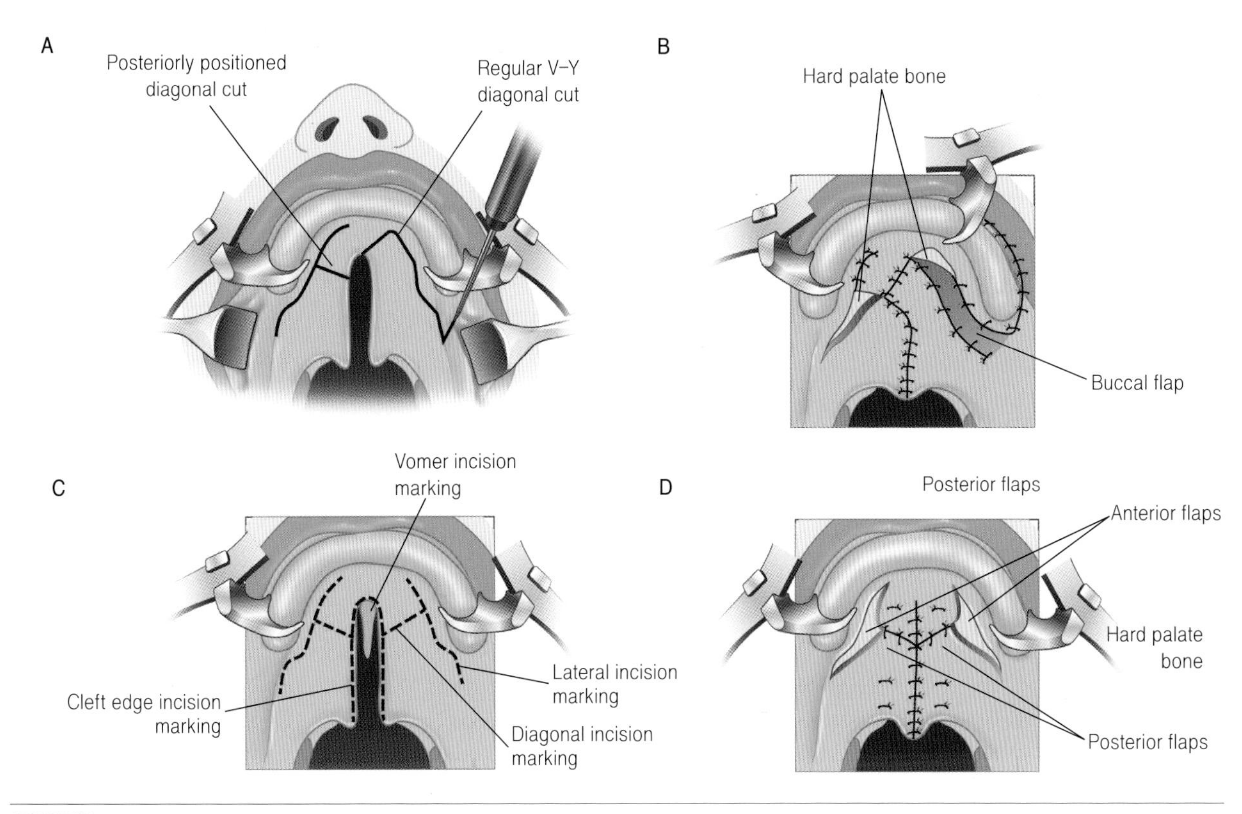

그림 20-7 Wardill V-Y 피판의 변형

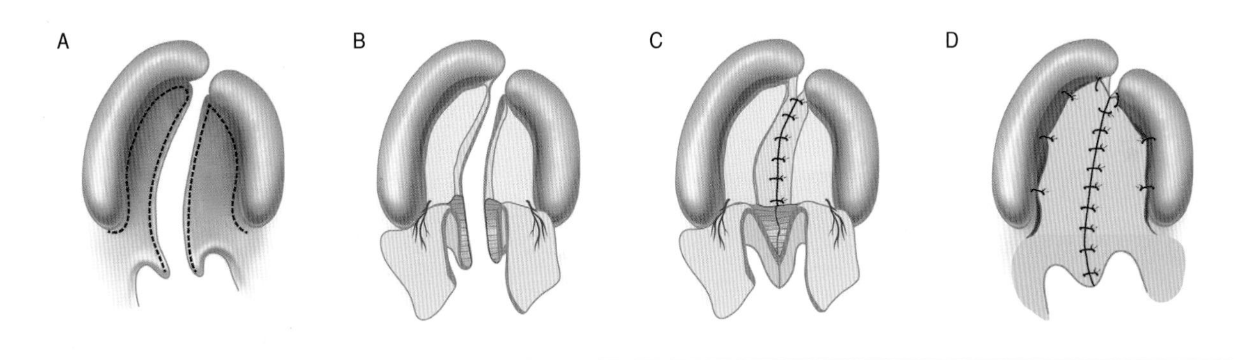

그림 20-8 Two-flap palatoplasty

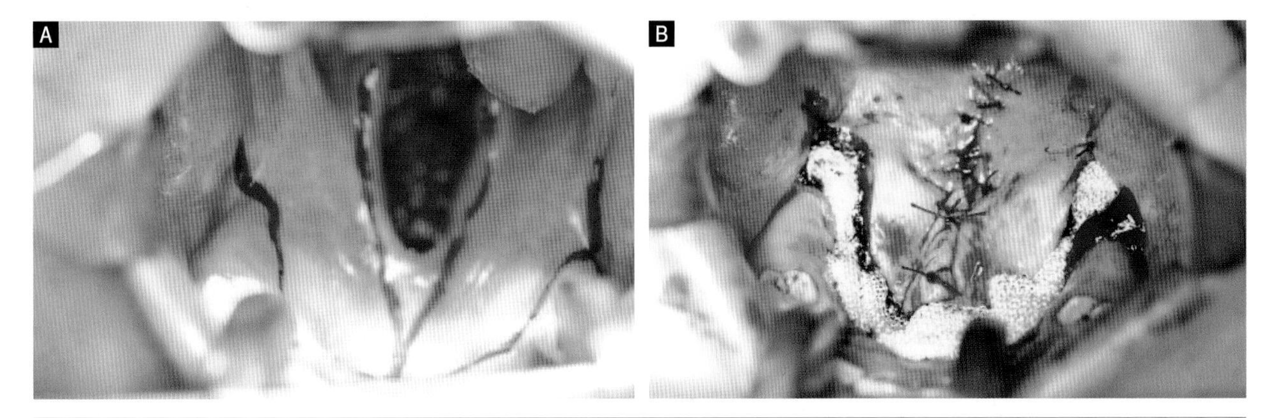

그림 20-9 Two-flap palatoplasty 임상사진. A: 수술 전 B: 수술 후

5) Furlow 구개성형술(Furlow double-opposing Z-plasty palatoplasty)(그림 20-10, 11)

Furlow는 구개부를 연장시켜 주고 구개범거근을 아치모양으로 연결시켜 주기 위하여 구강측과 비강측에 각기 서로 다른 방향으로 Z-성형술을 시행하는 방법을 고안하였다.

구개열의 한쪽(좌측)은 경구개와 연구개의 익상돌기쪽으로 절개를 가하고, 반대쪽(우측)은 목젖 가까이에서 익상돌기 쪽으로 구강측 점막에 절개를 가한다(그림 20-10A). 구개열을 따라서 절개를 가하고 구강점막 골막판을 그림과 같이 형성하면서 좌측 피판에는 구개범거근을 포함시켜 거상하고 우측 피판은 점막만을 거상한다(그림 20-10B).

비강측 점막에 대해서는 구강측과 반대로 좌측은 목젖에서부터 익상돌기를 향하여 전방에 기저를 둔 비강측 점막판을 형성하고 우측은 연구개에서 후방에 기저를 둔 비강측 점막판을 그림과 같이 형성한다(그림 20-10B). 좌우측 비강측 점막판을 전위시켜서 3-0 혹은 4-0 Vicryl을 이용하여 봉합하여 준다(그림 20-10C). 다음은 구강측 구강점막골막판을 전위시켜 봉합하여 준다(그림 20-10D).

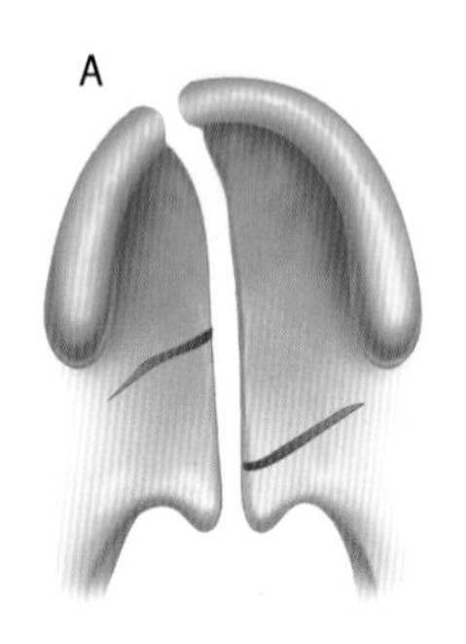

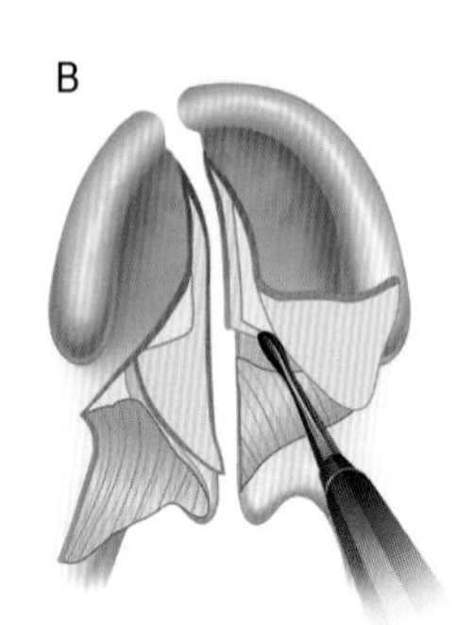

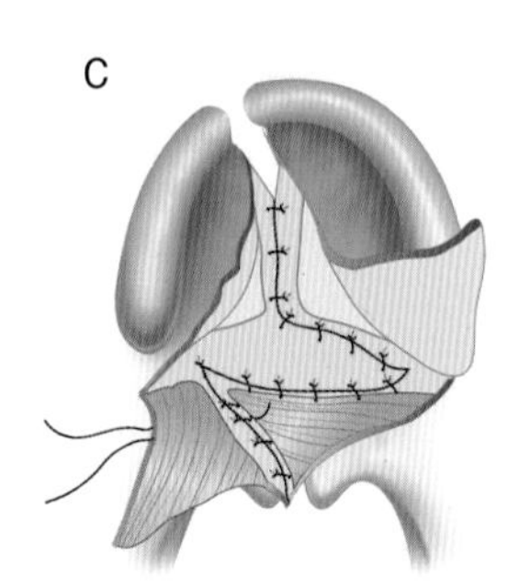

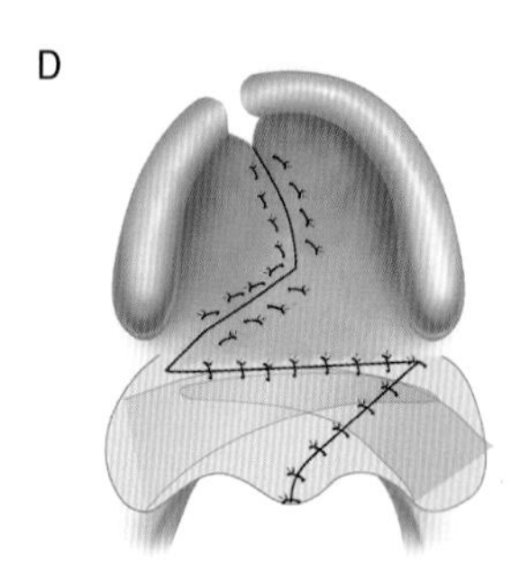

그림 20-10 Furlow 구개성형술(Double opposing Z-plasty)

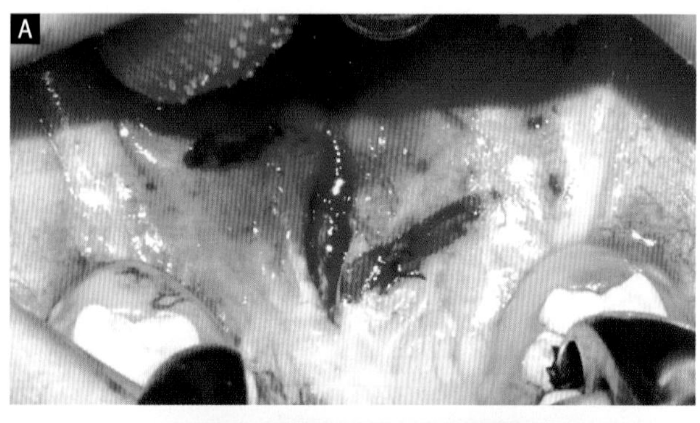

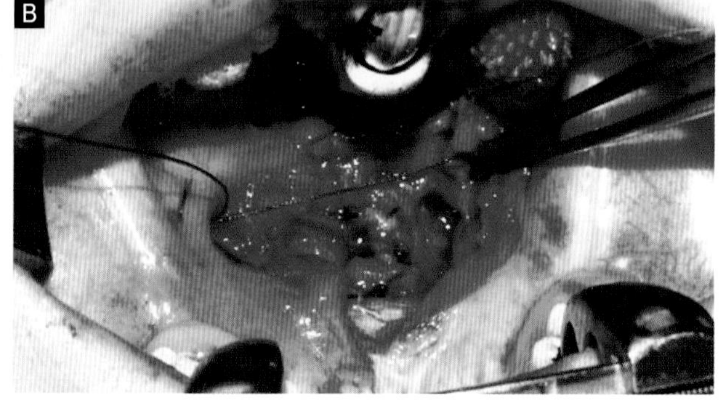

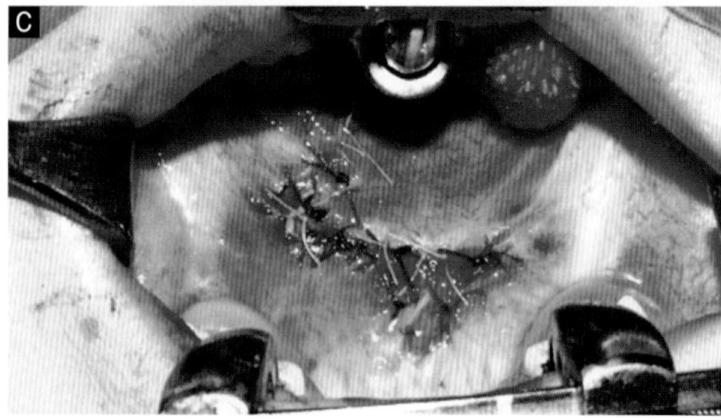

그림 20-11 Secondary Furlow palatoplasty. **A:** 작도 **B:** 근육의 재배치 **C:** 점막의 봉합

이 술식의 목표는 구개의 비강측과 구강측에 각각 반대되는 Z-plasty를 시행함으로써 연구개의 길이를 늘리고 구개범거근을 겹쳐서 강력한 muscular sling을 형성하는 것이다.

6) 입천장내근육성형술(Intravelar veloplasty, IVVP)

(그림 20-12~14)

Intravelar velopasty은 처음 Braithwaite와 Mauricer[44]가 시작하였고 나중에 Kriens[45,46]가 다시 소개하였다. 이는 비정상적으로 경구개 후연에 부착되어 있는 연구개에 있는 근육들을 박리하여 정상적으로 후방 재배치하여 주변 비인강폐쇄기능에 유리하다는 이론적 근거에서 시작된 해부학적-기능적 수술 방법이다(그림 20-13). 연구개근육은 구개범거근(levetor veli palatini muscle)만 단독으로 박리해서 재배치하는 방법에서부터 구개범거근뿐 아니라 구개인두근, 구개범장근, 구개수근 등을 포함하는 다양한 박리 방법들이 소개되고 있다.[42,47] Andrades 등[42]은 구개범거근을 재위치시키는 방법을 분류하여 발표하였는데(그림 20-14), Type 0은 근육의 봉합을 시행하지 않는 경우로, 점막하 구개열(submucous cleft palate)을 야기한다. Type I은 근육의 박리를 시행하지 않는 방법으로 양쪽 근육이 평행한 상태로 봉합하는 것이다. Type II는 근육의 일부만 박리하는 방법으로 Type IIa는 구강점막이나 비강점막에서의 박리는 최소로 하고 구개골의 후방만 박리한 것으로 역 U 형태의 근육 봉합이 이루어진다. Type IIb는 구개골과 비강점막으로부터 근육을 박리하고 구강점막에서의 박리는 시행하지 않은 것으로 역 V 형태의 근육 봉합이 이루어진다. 마지막으로 Type III는 구개골, 비강점막, 구강판막 모두에서 광범위한 근육 박리를 시행하는 것으로 수평적인 근육 봉합이 이루어진다. 일부 연구들에서 광범위한 근육 박리를 시행한 경우 그렇지 않은 경우에 비해 술후 합병증에는 차이가 없었으나 발음에 있어 더 나은 결과를 보여주었고, 추가적인 수술의 필요성을 감소시킨다고 보고하였다.[48,49] 이러한 근육의 재건은 연구개열만 있는 경우에 단독으로 사용할 수도 있지만 최근에는 V-Y push-back, von Langenback 피판

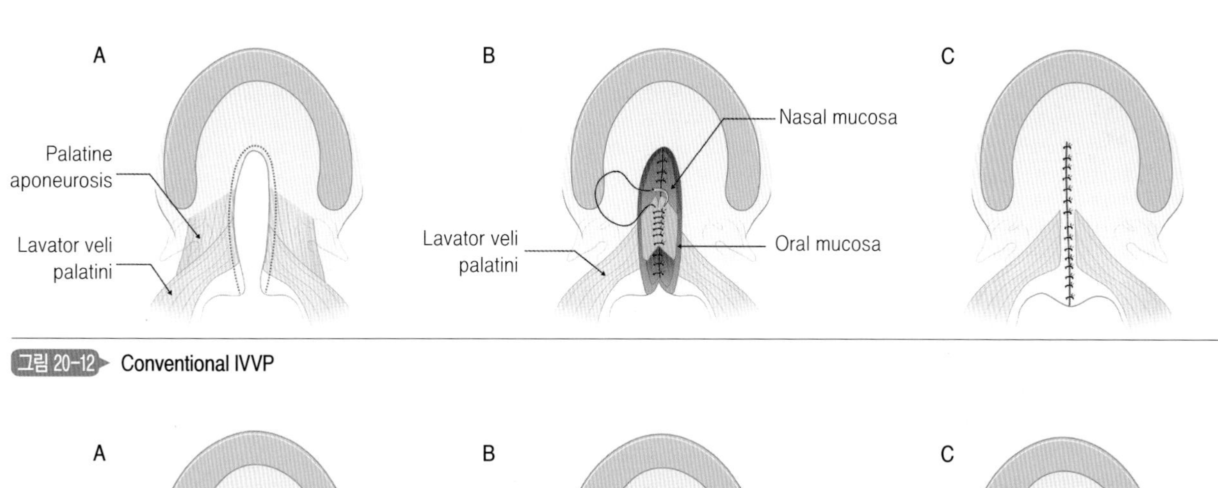

그림 20-12 Conventional IVVP

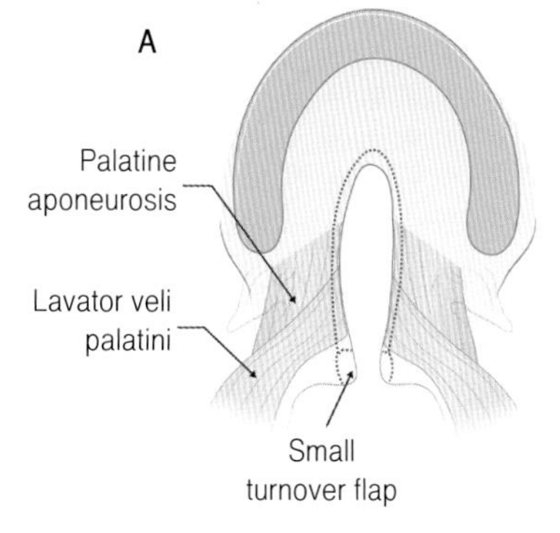

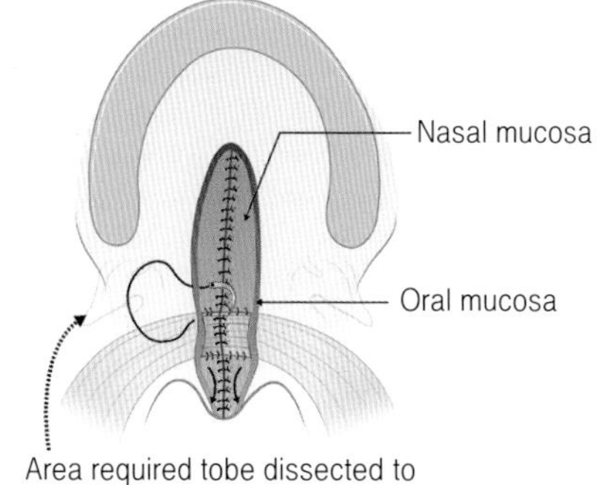

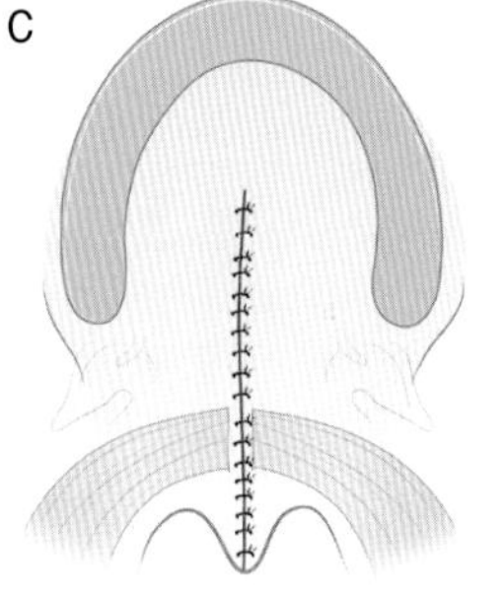

그림 20-13 Modification of IVVP

등 다른 시술에서도 같이 시행해주는 것이 보통이다.

7) 서골피판(Vomer flap)(그림 20-15, 16)

완전 구개열에서 구개열 간격이 너무 넓은 경우는 서골피판을 이용하여 비강측 점막을 폐쇄해 줄 수도 있다. 전구순(prolabium)의 전내측부터 비파열측인 서골의 끝 부분까지 양측의 점막 경계상에 표시펜 등을 이용하여 표시한다(그림 20-15A). 측면 labial sulcus에서 후방의 구강과 비강 골점막 경계까지 연장하여 표시한다. 절개선을 따라 국소마취제를 주입한다. 치조부의 비교적 얕게 위치하고 있는 치배(tooth buds)에 유의하여 15번 칼날을 이용, 골막을 거쳐 골까지 절개를 시행한다. 외과의는 주의를 기울여 free edge의 점막 표면에 수직이 되도록 절개해야 하며 비강쪽으로 미끄러져 비점막의 봉합선을 취약하게 만드는 일이 없어야 한다. 또한 전상악(premaxila) 및 측방 치조골 부위에서는 어린 환자의 연한 골조직을 자르지 않도록 주의하고, 또한 연한 골소식 내에서 발생하고 발육하고 있는 유치의 치배(developing deciduous tooth buds)에 손상이 생기지 않도록 주의한다. 피판은 골막기자나 치과용 큐렛 등의 기구를 이용하여 거상한다(그림 20-15B). 서골피판을 거상시켜서 반대

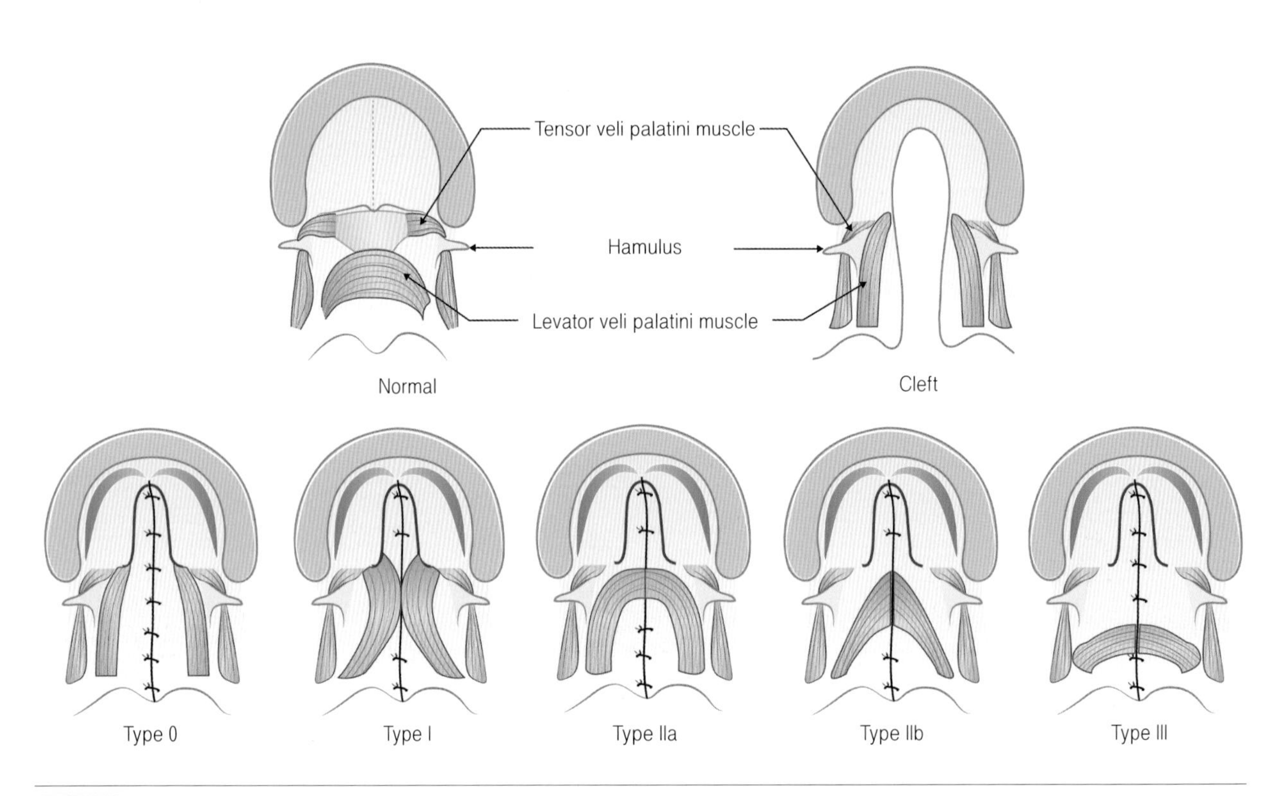

그림 20-14 Intravelar veloplasty classification

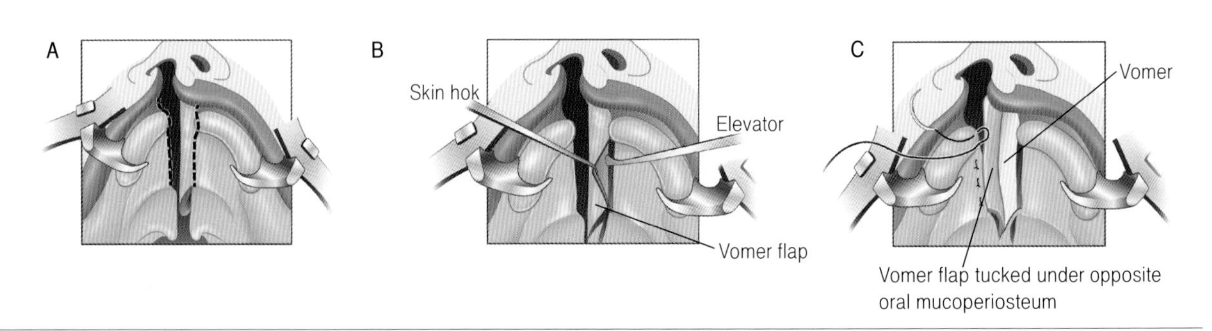

그림 20-15 Vomer flap

측의 구강점막골막에 4-0 vicryl 등의 봉합사를 이용하여 봉합을 시행한다(그림 20-15C).

6. 구개열성형술 후 처치

수술 후 회복실에서 기관튜브를 제거하고 최소한 1시간 이상 환자의 기도유지, 분비물의 흡입, 출혈 여부 등에 관심을 갖고 주의 깊게 관찰하여야 한다.

특히 환자의 나이가 어린 경우에는 더 주의를 기울여야 한다. 환자의 생징후 등을 잘 관찰하여야 하는데, 간단하게 손가락 혹은 발가락 끝에서 환자의 산소포화도(O2 saturation)를 측정할 수 있는 경피적 동맥혈산소포화도 측정장치(pulse oximeter) 등을 이용하여 기도가 잘 유지되고 있는지를 주의 깊게 관찰하여야 한다.

진정제 등의 약제는 호흡 중추를 억제할 수 있으므로 사용할 때는 주의를 요한다.

구강 및 비인두 등에 약간의 출혈이나 분비물 등이 고이게 되면 이를 깨끗하게 흡입하여 주어야 한다.

Von Langenbeck 구개성형술이나 V-Y pushback에서의 골노출 부위는 보통 2~3주 내에 상피화되고 치유된다. 수술 후 약 3주간은 유동식을 주게 되는데, 연한 아기 음식을 숟가락이나 주사기를 이용하여 먹이며, 젖병 혹은 빨대 등을 빨아먹는 것은 금지시키고, 적어도 술후 3주간은 입 속에 단단한 음식, 과자 등과 손가락을 넣지 못하게 한다.

7. 구개열성형술의 합병증

구개열성형술 후에 나타날 수 있는 합병증으로는 출혈, 기도폐쇄, 창상의 벌어짐, 구개 누공, 과비음 등이 있다.

1) 출혈

구개열성형술 후 발생하는 합병증 중에서 가장 흔한 것이 출혈이다. 이를 예방하기 위해서는 무엇보다도 수술 중에 발생하는 출혈에 대하여, 적절한 지혈 조치를 시행하는 것이다. 출혈점에 대해서는 압박 지혈을 시행하고, 그래도 지혈되지 않은 출혈점에 대해서는 전기소작 혹은 결찰술 등을 이용하여 확실하게 지혈을 시행한다. 골조직의 노출부위 등 결손부에 대해서는 surgicel 등 지혈제 혹은 idodoform 거즈 등을 사용하여 충전(packing)하여서 술후의 출혈을 방지하고, 미리 만들어 놓은 구개상을 이용하여 구개부를 압박한다. 구개상은 보통 술후 3~5일경에 제거하여 수술 부위의 상처를 소독하고 충전한 거즈를 제거하고 관찰한다.

2) 기도 폐쇄

수술 후 인후두(pharyngolarynx)의 부종, 분비물과 출혈 등으로 인하여 기도가 폐쇄될 수 있으므로 주의하여야 한다. 필요에 따라서 비인두호흡관(nasopharyngeal airway)을 삽입하여 기도를 유지하여 준다. 인후두에 부종이 심한 경우에는 전신적으로 스테로이드 등의 약제를 투입한다.

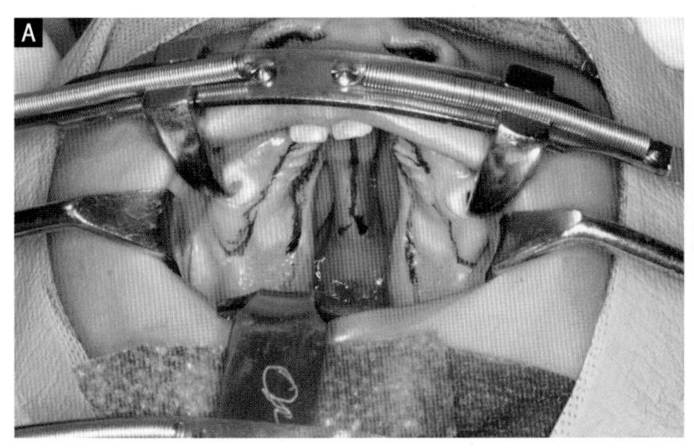

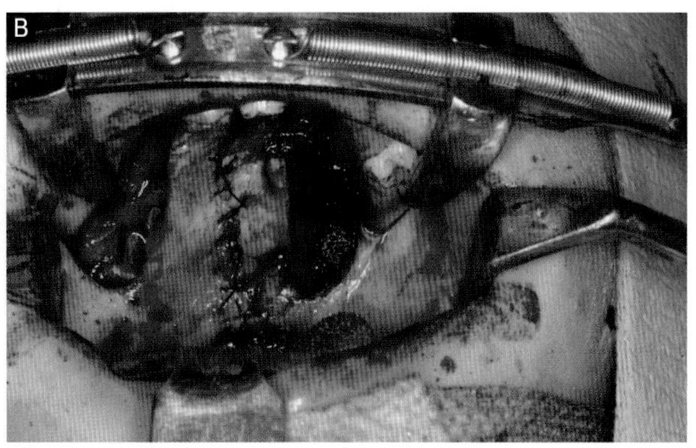

그림 20-16 Vomer flap 임상사진. A: 작도 B: 수술 후

3) 창상의 벌어짐(Wound dehiscence)

부적절한 봉합, 수술 시 점막성골막판의 긴장의 충분한 해소의 부족, 감염, 비강 혹은 구강의 점막의 결손, 수술 후 음식물 섭취 시의 부주의로 인한 외상, 감염 등 여러 가지 원인에 의해서 봉합한 부위가 벌어질 수 있다. 또한 환자가 심하게 울거나, 소리를 지르거나, 음식물 섭취 시의 구개부의 운동으로 인하여 발생하는 긴장 때문에도 봉합한 부위의 창상이 벌어질 수 있다. 창상이 벌어지게 되면 곧 다시 봉합해야 한다. 그러나 즉시 봉합하는 것이 불가능할 경우에는 염증이 없어지고, 창상 주위의 조직이 어느 정도 부드러워질 때까지 약 4~6개월 정도 지난 후에 다시 봉합하여 주는 것이 더 좋을 수도 있다.

4) 구개누공(Cleft palate fistula)

구개열성형술을 처음 시행할 때 구개 누공이 생기지 않도록 하는 것이 중요하다. 일단 구개 누공이 한 번 생기게 된 후 2차적인 수술을 시행하여 구개 누공의 폐쇄를 시도하는 경우, 이전에 수술로 인한 반흔이 남아 있어 또 다시 구개 누공이 발생할 가능성이 처음보다 높기 때문이다. 구개 누공이 발생하는 원인은 앞에서 기술한 창상이 벌어지는 것과 마찬가지이며, 또한 구개열성형술 시 봉합 부위에 조직의 절개면이 아닌 상피가 끼어들게 되면 이 부위는 창상의 치유 시 유착되지 않으면서 누공이 생길 가능성이 높아지므로 주의가 필요하다. 구개 누공은 누공의 위치에 따라 치조 누공(alveolar fistula), 경구개 누공(hard palate fistula), 연구개 누공(soft palate fistula)으로 나눌 수 있다.

누공의 발생 빈도는 술자의 숙련도, 수술 방법, 술후 처치 등의 여러 가지 요인에 따라 차이가 나는데, 일반적으로 von Langenbeck 구개열성형술 후보다는 pushback 구개열성형술 후에 보다 많이 발생하며, 편측성 구개열성형술보다는 양측성 구개열성형술 후에 발생 빈도가 더 높다. 또한 구개 누공이 잘 생기는 부위는 여러 개의 봉합선이 한 곳으로 모이는 부분이 잘 발생하므로 대개 경구개와 연구개의 접합부, 점막골막피판의 끝 부분에서 호발한다. 구개 누공의 발생 빈도는 구개열의 폭이 넓을수록 높아지는데, 양측 상악결절 사이의 거리인 구개의 폭과 구개열의 폭의 비율이 3:1 이상이 되면 구개 누공의 발생률이 약 8배 증가한다는 보고도 있다.

구개 누공으로 인한 가장 큰 문제점은 발음 시에 공기가 비강으로 새어 나가 구강 내 공기압이 유지되지 못하여 발생하는 과비음(hypernasality)으로 인한 발음장애이다. 일반적으로 누공의 크기와 위치에 따라 과비음 정도에 차이가 나지만, 크기나 위치가 발음장애의 정도와 반드시 일치하는 것은 아니다. 특히 치조음, 양순음 중에서도 구강내 공기압의 유지가 필요한 ㅂ, ㅃ, ㅍ, ㄷ, ㄸ, ㅅ, ㅆ 등이 들어가는 초성, 중성 및 종성에 현저한 장애가 발생한다. 또한 구개 누공이 있게 되면 음식물, 특히 음료수의 섭취 시 비강으로 누출되거나 음식물이 누공에 끼어 있게 되어 불편하 고, 구강위생에도 좋지 않다.

구개 누공으로 인한 과비음 등의 증상이 발견되면 수술이나 보철물(prosthesis)을 이용하여 누공을 폐쇄하여야 하는데, 누공에 대한 수술을 시행하기 전에 과비음의 원인이 구개누공으로 인한 것인지, 아니면 전반적인 비인강폐쇄부전에 의한 것인지를 반드시 감별하여야 한다. 누공 부위를 치과용 왁스 등으로 간단하게 폐쇄시킨 후에 발음을 평가하면, 과비음의 원인이 구개 누공 때문인지, 아니면 비인두괄약(velopharyngeal sphincter)의 기능부전으로 인한 것인지를 쉽게 구별할 수 있다.

만약 비인강폐쇄부전이 단순히 구개 누공으로 인한 것이 아니라면, 인두피판성형술 등의 시술을 시행하면서 동시에 구개 누공을 폐쇄하여 주는 것이 바람직하다.

구개 누공의 치료법은 외과적 방법과 비외과적 방법이 있는데, 비외과적 방법으로는 여러 차례 수술을 했음에도 불구하고 실패한 경우에 보철물(obturator)을 이용하여 구개 누공을 막아주는 방법이 있다. 외과적 방법으로는 누공에 인접한 구개부나 치조돌기에 점막성골막판을 형성하거나, 협부나 구순의 내측에서 손가락 모양의 점막판을 형성하여 누공을 폐쇄하는 방법이 있다.

참고문헌

1. Shimokawa T, Yi S, Tanaka S. Nerve supply to the soft palate muscles with special reference to the distribution of the lesser palatine nerve. Cleft Palate Craniofac J 2005;42:495-500.
2. Huang MH, Lee ST, Rajendran K. Clinical implications of the velopharyngeal blood supply: a fresh cadaveric study. Plast Reconstr Surg 1998;102:655-67.
3. Morris HL. Future prospects: the outlook for speech. In: Huddart AG, Ferguson MJW, editors. Cleft lip and palate: long-term results and future prospects. Manchester: Manchester University Press; 1990. p.292-6.
4. Rohrich RJ, Love EJ, Byrd HS, Johns DF. Optimal timing of cleft palate closure. Plast Reconstr Surg 2000;106:413-21; quiz 22; discussion 23-5.
5. Kaplan EN. Cleft palate repair at three months? Ann Plast Surg 1981;7:179-90.
6. Evans D, Renfrew C. The timing of primary cleft palate repair. Scand J Plast Reconstr Surg 1974;8:153-5.
7. Desai SN. Early cleft palate repair completed before the age of 16 weeks: observations on a personal series of 100 children. Br J Plast Surg 1983;36:300-4.
8. Kirschner RE, Wang P, Jawad AF, et al. Cleft-palate repair by modified Furlow double-opposing Z-plasty: the Children's Hospital of Philadelphia experience. Plast Reconstr Surg 1999;104:1998-2010; discussion 1-4.
9. Dorf DS, Curtin JW. Early cleft palate repair and speech outcome. Plast Reconstr Surg 1982;70:74-81.
10. Dorf D, Curtin J. Early cleft palate repair and speech outcome: a ten year experience. In: J. B, Morris HL, editors. Multidisciplinary management of cleft lip and palate. Philadelphia: Saunders; 1990. p.341-8.
11. O'Gara MM, Logemann JA. Phonetic analyses of the speech development of babies with cleft palate. Cleft Palate J 1988;25:122-34.
12. Henningsson GE, Isberg AM. Velopharyngeal movement patterns in patients alternating between oral and glottal articulation: a clinical and cineradiographical study. Cleft Palate J 1986;23:1-9.
13. Schweckendiek H. Zur Frage der Fruh-und Spat-operation der angeborenen Lippen-Kiefer-Graumen-spalten. Z. Laryng. 1951;30:51-6.
14. Perko MA. Two-stage closure of cleft palate (progress report). J Maxillofac Surg 1979;7:46-80.
15. Rohrich RJ, Rowsell AR, Drury M, et al. Timing of Hard Palate Repair: The Oxford Experience. 41st Annual Meeting of the American Cleft Palate Association. Seattle; 1984.
16. Henningsson G, Karling J, Larson O. Early or late surgery of the hard palate? A preliminary report on comparison of speech results. In: Huddart AG, Ferguson MJW, editors. Cleft lip and palate: long-term results and future prospects. Manchester: Manchester University Press; 1990. p.402-11.
17. Witzel MA, Salyer KE, Ross RB. Delayed hard palate closure: the philosophy revisited. Cleft Palate J 1984;21:263-9.
18. Bardach J, Morris HL, Olin WH. Late results of primary veloplasty: the Marburg Project. Plast Reconstr Surg 1984;73:207-18.
19. Bishara SE, de Arrendondo RS, Vales HP, Jakobsen JR. Dentofacial relationships in persons with unoperated clefts: comparisons between three cleft types. Am J Orthod 1985;87:481-507.
20. Oller DK, Wieman LA, Doyle WJ, Ross C. Infant babbling and speech. J Child Lang 1976;3:1-11.
21. Krogman WM, Mazaheri M, Harding RL, et al. A longitudinal study of the craniofacial growth pattern in children with clefts as compared to normal, birth to six years. Cleft Palate J 1975;12:59-84.
22. Schweckendiek W, Doz P. Primary veloplasty: long-term results without maxillary deformity. a twenty-five year report. Cleft Palate J 1978;15:268-74.
23. Pearl RM, Kaplan EN. Cephalometric study of facial growth in children after combined pushback and pharyngeal flap operations. Plast Reconstr Surg 1976;57:480-3.
24. Robertson NR, Jolleys A. The timing of hard palate repair. Scand J Plast Reconstr Surg 1974;8:49-51.
25. Koberg W, Koblin I. Speech development and maxillary growth in relation to technique and timing of palatoplasty. J Maxillofac Surg 1973;1:44-50.
26. Holland S, Gabbay JS, Heller JB, et al. Delayed closure of the hard palate leads to speech problems and deleterious maxillary growth. Plast Reconstr Surg 2007;119:1302-10.
27. Berkowitz S, Duncan R, Evans C, et al. Timing of cleft palate closure should be based on the ratio of the area of the cleft to that of the palatal segments and not on age alone. Plast Reconstr Surg 2005;115:1483-99.
28. Paradise JL. Otitis media in infants and children. Pediatrics 1980;65:917-43.
29. Bluestone C. Prevalence and pathogenesis of ear disease and hearing loss. Cleft Palate Middle Ear Disease and Hearing Loss 1978.
30. Yules RB. Current concepts of treatment of ear disease in cleft palate children and adults. Cleft Palate J 1975;12:315-22.
31. Chaudhuri PK, Bowen-Jones E. An otorhinological study of children with cleft palates. J Laryngol Otol 1978;92:29-40.
32. Bennett M. The older cleft palate patient. (A clinical otologic-audiologic study.). Laryngoscope 1972;82:1217-25.
33. Watson DJ, Rohrich RJ, Poole MD, Godfrey AM. The effect on the ear of late closure of the cleft hard palate. Br J Plast Surg 1986;39:190-2.
34. Bluestone CD. Eustachian tube obstruction in the infant with cleft

palate. Ann Otol Rhinol Laryngol 1971;80:Suppl 2:1-30.

35. Dhillon RS. The middle ear in cleft palate children pre and post palatal closure. J R Soc Med 1988;81:710-3.

36. Sadove AM, van Aalst JA, Culp JA. Cleft palate repair: art and issues. Clin Plast Surg 2004;31:231-41.

37. Bardach J. Two-flap palatoplasty: Bardach's technique. Oper Tech Plast Reconstr Surg 1995;2:211-4.

38. Salyer KE, Sng KW, Sperry EE. Two-flap palatoplasty: 20-year experience and evolution of surgical technique. Plast Reconstr Surg 2006;118:193-204.

39. Bardach J, Kelly KM. Does interference with mucoperiosteum and palatal bone affect craniofacial growth? An experimental study in beagles. Plast Reconstr Surg 1990;86:1093-100; discussion 101-2.

40. Bardach J, Mooney M, Bardach E. The influence of two-flap palatoplasty on facial growth in beagles. Plast Reconstr Surg 1982;69:927-39.

41. Bae YC, Kim JH, Lee J, Hwang SM, Kim SS. Comparative study of the extent of palatal lengthening by different methods. Ann Plast Surg 2002;48:359-62; discussion 62-4.

42. Andrades P, Espinosa-de-Los-Monteros A, Shell DHt, et al. The importance of radical intravelar veloplasty during two-flap palatoplasty. Plast Reconstr Surg 2008;122:1121-30.

43. Leow AM, Lo LJ. Palatoplasty: evolution and controversies. Chang Gung Med J 2008;31:335-45.

44. Braithwaite F, Maurice DG. The importance of the levator palati muscle in cleft palate closure. Br J Plast Surg 1968;21:60-2.

45. Kriens OB. An anatomical approach to veloplasty. Plast Reconstr Surg 1969;43:29-41.

46. Kriens O. Funktionell-anatomische Befunde im gespaltenen Gaumensegel und ihre Korrektur mit der intravelaren Gaumensegelplastik. Zeischr Kinderchir 1974;15:21.

47. Bütow KW, Jacobs FJ. Intravelar veloplasty: surgical modification according to anatomical defect. Int J Oral Maxillofac Surg 1991;20:296-300.

48. Cutting CB, Rosenbaum J, Rovati L. The technique of muscle repair in the cleft soft palate. Oper Tech Plast Reconstr Surg 1995;2:215-22.

49. Sommerlad BC. A technique for cleft palate repair. Plast Reconstr Surg 2003;112:1542-8.

Chapter

21

치조열의 골이식술

Bone Graft of Cleft Alveolus

기본 학습 목표

- 치조열 재건술의 목적을 이해한다.
- 치조열 재건의 수술 시기를 구분할 수 있다.

심화 학습 목표

- 치조열 재건과 교정치료와의 상관관계를 이해한다
- 치조열 재건술 시 사용되는 골이식재료의 특성에 대하여 이해한다.
- 치조열 골이식술의 수술과정과 술후 관리에 대하여 숙지한다.
- 치조열 골이식술의 실패 및 합병증과 관련된 요소를 이해한다.

구순과 전방 치조를 이루는 일차 구개(primary palate)는 태생 6주경에 폐쇄되기 시작한다. 태생 7주경에 내측 비돌기(medial nasal process)와 외측 비돌기(lateral nasal process), 그리고 상악돌기(maxillary process)의 접합부로 중배엽이 이동하지 못하면 치조열이 발생한다.

치조열 재건의 역사는 1901년 Eiselsberg가 유경 골피판 이식을 이용하고 1908년 Lexe가 유리골이식을 이용하여 치조열을 폐쇄한 것에서부터 시작되었다. 그러나 치조열 재건술식을 하나의 필수적인 치료 과정으로 인식하는 데는 이후에도 오랜 시간이 걸렸다. 골이식을 이용한 치조열 재건술식의 반대론자들은 치조열 사이의 점막은 저절로 위축되고 퇴화하기 때문에 두 치조골편이 서로 이동하여 폐쇄된다고 생각했다. 그리고 폐쇄가 완전치 못하면 수술보다는 단순히 보철적으로 폐쇄를 해주는 것이 좋다고 생각하였다. 그러나 오랜 경험과 연구가 축적되며 치조열의 재건술식에 많은 장점이 있다는 것이 밝혀졌으며 결국 이 술식은 구순구개열 치료에 있어서 하나의 중요한 과정으로 자리잡게 되었다.[1]

1. 치조열 재건술의 목적

치조열(cleft alveolus) 재건술의 목적은 다음과 같다.

① 치궁(dental arch)의 생리적인 연속성을 회복하여 구강과 치아 위생이 유지되도록 함

② 치궁, 전상악부(premaxilla), 그리고 인접치를 안정시킴

③ 미맹출된 영구치(주로 견치)의 생리적인 맹출을 돕거나 인공치아 매식을 위한 공간을 확보해 줌

④ 치아 교정을 위한 공간을 만듦

⑤ 구순과 비부를 지지함

⑥ 구강-비강 누공(oronasal fistula)을 폐쇄함[2]

치조골편의 안정과 구강-비강 누공의 폐쇄는 치조열 재건의 일차적인 목적이다. 구순구개열 환자의 치조궁은 연속성이 없고 일차 구개열 폐쇄 시 형성된 반흔이 잔존하기 때문에 좁아지는 경향이 있다(그림 21-1). 또한 상악견치부 악골의 성장이 제한받기 때문에 전치부에서 교차 교합이 일어날 가능성이 높다.

이때 후방 치조골 분절의 치아를 확장하고 전상악부의 교차 교합을 해소할 수 있다면 치조열 골이식술로 치조골편을 안정시켜서 치조궁이 협소해지지 않도록 예방할 수 있다.[2]

치조골이식술로 치조돌기 형태를 개선할 수도 있다. 치조돌기의 형태를 개선하고 나서야 결손된 치아를 수복하는 데, 골흡수를 방지하기 위하여 술후 적어도 6개월간은 가철식 보철물을 장착하지 말아야 한다. 그리고 금관가공의치나 인공치아 매식을 시행하려면 추가적으로 약 6개월간 더 기다린 후 시술하는 것이 좋다.[3]

치주조직의 결손으로 인해 영구치가 탈락하는 것을 예

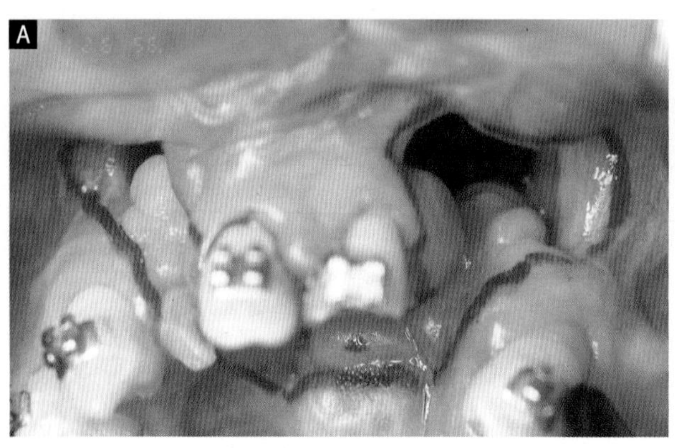

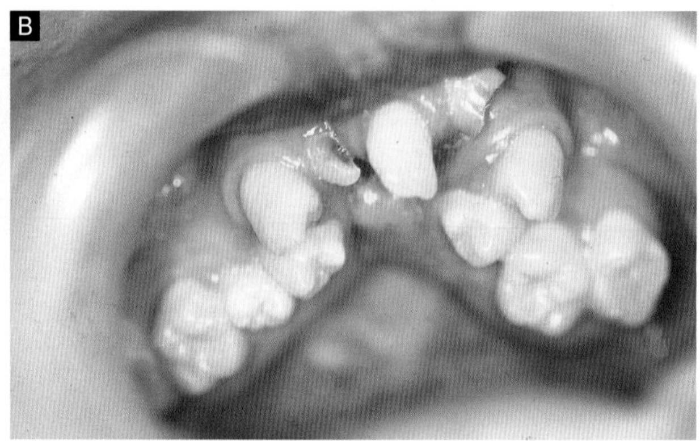

그림 21-1 A: 양측성 치조열로 인하여 초래된 비구강 누공 B: 양측성 치조열 증례에서 초래된 상악골의 심한 위축

방하는 것도 치조열 재건술의 또 다른 중요한 목적이다. 특히 측절치가 맹출되기 이전에 골이식을 해주면 영구견치는 적절한 치주조직의 지지하에 맹출될 수 있다. 하지만 이환측 측절치는 대부분 결손되거나 비정상적 형태를 보이고 그 맹출 경로도 나쁘기 때문에 정상적인 치조궁 내에 위치하지 못하는 경우가 많다. 따라서 약 5-6세경에 구강내 치근단 방사선사진을 촬영하여 측절치의 정상적인 맹출이 예상되는 경우에만 이 시기에 치조열을 재건하는 적응증으로 삼을 수 있다.[2] 그러나 성장이 완료된 시점까지 적절한 치료를 시행받지 못한 경우 결손된 측절치의 수복을 위하여 치조열 재건을 시행한 이후 임플란트를 이용한 보철수복도 치료방법의 하나가 될 수 있다.[4]

치조열 재건으로 비익기저(bass of nasal ala)를 지지할 수도 있다. 치조의 파열로 비익이 평탄해지고 함몰되어 이로 인해 비부의 뒤틀림이 더 심해지고 비교정수술의 예후가 좋지 않다. 비교정수술 전에 치조열 재건으로 비익기저부의 골지지를 미리 얻을 수 있으면 이차 비교정수술의 예후가 훨씬 좋아질 수 있다.[5]

2. 수술 시기

치조열 재건에서 가장 논란이 많은 부분이 바로 수술 시기이다. 치조골이식은 시행 시기에 따라서 다음과 같이 구분된다.[5]

① 일차 골이식(primary bone graft: 통상 구순성형수술 시 시행 0~2.5세 사이)

② 이차 골이식(secondary or delayed bone graft: 혼합치열기)

③ 삼차 골이식(tertiary bone graft: 영구치열기)

④ 르포트(le-Fort)씨 골절단술과 동시 시행

⑤ 수정 골이식(revision bone graft)[2]

과거에는 조기에 구순과 치조골의 기능을 회복함으로써 상악골 성장을 정상화할 수 있다고 생각하였다. 그러나 조기 수술에 의한 기능 회복이 상악골 성장을 정상화하는 양이 미미하며 오히려 이때 형성된 반흔이 상악골 성장의 결여를 초래한다는 것이 밝혀졌다. 또한 치조골수술을 좀 더 후기에 시행하는 것이 오히려 상악골 성장에 적게 영향을 준다는 사실이 알려지면서 대부분의 임상가들은 이차 골이식술을 더 선호하게 되었다.[2]

조기 이차 골이식은 맹출하는 영구 측절치를 지지하는 치조골을 재건하기 위해 시행한다. 만약 측절치가 존재하며 형태가 정상적이고 적절한 위치를 갖는다면 조기 이차 골이식을 시행하는 적응증이 될 수 있다. 측절치의 맹출은 견치의 맹출에 많은 영향을 끼치는 것으로 알려졌으며 측절치가 적절히 맹출되면 추후에 교정적으로 견치를 재위치시키거나 보철 치료를 통해 치아를 수복하지 않을 수도 있다. 물론 이 시기에도 상악골은 전후방 또는 횡적으로 많은 성장을 할 수 있기 때문에 이차 골이식이 더 선호된다.[2]

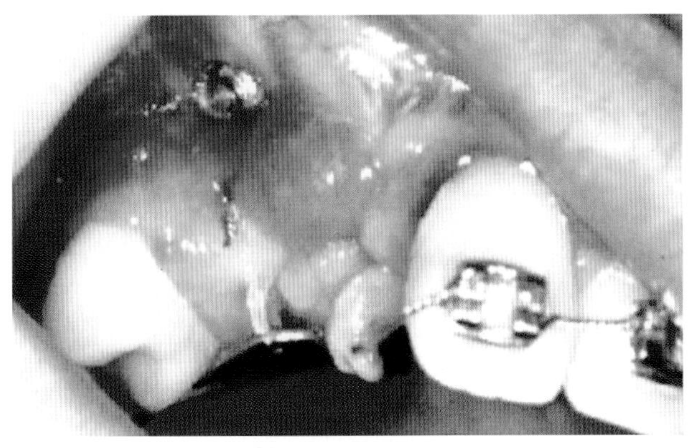
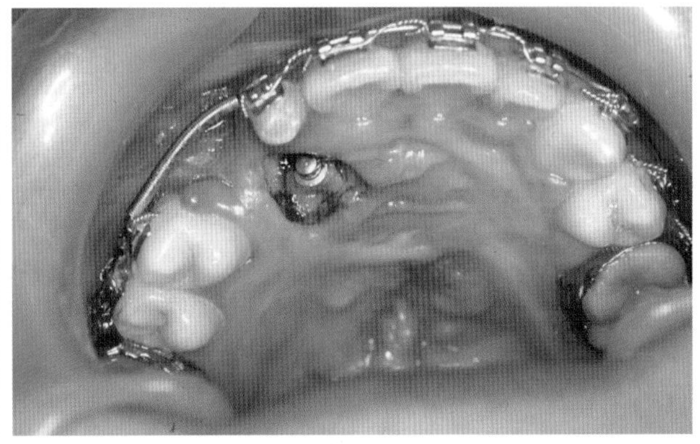

그림 21-2 ▶ 치조골이식 후 견치의 맹출을 돕기 위하여 교정적 장치를 연결한 상태

현재 술자들은 6세에서 13세에 이르는 시기에 치조열 재건을 시행하는 이차 골이식을 가장 선호한다. 수술 시기의 일반적인 기준은 견치의 치근이 1/2 내지 2/3 정도 형성된 시기로, 이때는 상악골의 성장이 수직 방향을 제외하고는 거의 완료되고 치아가 아직 맹출되지 않아서 중안모 성장에의 영향을 최소화하고 맹출하는 치아의 지지골을 재생해 줄 수 있는 최적의 시기이기 때문이다. 이차 골이식이 현재로선 가장 이상적인 방법이라고 생각되지만 그 이후, 즉 만기 이차 골이식을 시행해 주어야 하는 경우도 있다.[5,6]

가장 일반적인 경우는 12세 내지 13세 경 견치가 약간 맹출된 상태로 처음 교정 치료를 받으려는 환자이다.[5,6]

이때 견치의 치근이 치조열 방향으로 노출되어 있을 수도 있고 교정적 이동 후에 이것이 더 심해질 수도 있기 때문에, 일단 치조골을 먼저 이식해 주고 교정을 시행하는 것이 좋다(그림 21-2).[5,6] 그러나 치조골이식술 전에 상악궁을 확장하는 치료를 선행하여 치조열 부위의 연조직을 증대시키는 것이 수술 성공률을 높이는 데 도움이 된다.[7]

성장이 어느 정도 완료되고 악교정수술을 받아야 하는 환자가 치조열 재건술을 시행받지 않은 경우, 치조열 재건과 악교정수술을 동시에 시행할 수도 있다. 그러나 이 경우에는 상악골 골편이 안정적이지 못하고 술후 상악골편의 생활력을 상실할 수 있으며, 견치의 지지조직이 손상을 받을 수 있으며 치조열이 클 경우 수술 시 연조직의 부족으로 비강부 및 경구개부의 충분한 점막피판 형성이 어려워 연조직 폐쇄가 어렵고 골이식이 실패할 위험이 있어, 가능하면 치조열을 먼저 재건하고 악교정수술을 하는 것이 바람직하다.[1,6] 특히 양측성 치조열의 경우는 악교정수술과 치조열 골이식술을 동시에 하는 것은 실패할 위험이 더욱 높다.

3. 골이식 재료

일반적으로 골이식술 시에는 장골에서 채취한 자가입자 골수망상골(autogenous particulated marrow and cancellous bone, PMCB)을 주로 사용한다. 이 골은 골유도성(osteo induction)과 골전도성(osteoconduction)을 모두 지니고 있어서 주위골과 잘 유합되기 때문이다. 어떤 술자들은 이식 재료로써 연골내골(endochondral bone)보다는 치조골과 조직학적이나 발생학적으로 동일한 막내골(intramembranous bone)이 좋다고 생각했기 때문에 두개골을 사용하기도 했다. 그러나 장기간의 예후 관찰 결과, 두개골이식이 장골이식에 비해 특별한 장점을 보이지 않았다. 또한 경도가 커서 견치의 맹출을 방해할 수 있다는 점이 밝혀져서 현재로선 많이 사용되지 않는다. 한편 하악정중부에서 채취한 골로 골이식을 하는 방법이 최근 들어 많이 사용하고 있는데, 장골이식과 견주어 예후에 별다른 차이가 없고 수술 시간과 입원기간이 짧으며 구강외 반흔을 형성하지 않는다는 장점이 있다. 그러나 이식골의 양이 많이 필요한 경우는 장골을 이용하는 것이 유리하다. 분쇄골이 아닌, 하악정중부나 장골능에서 골괴 형태로 채취한 블록골편 이식(block bone graft)도 사용되고 있다. 골편을 이식하면 분쇄골을 이식한 경우에 비해 골흡수에 더 잘 저항하여 치조 돌기의 모양이 잘 유지될 수 있기 때문에 견치가 결손된 경우 금관가공 의치를 장착하거나 인공치아를 매식할 때 좋다. 견치가 결손되지 않고 정상적인 맹출을 유도할 수 있는 경우 블륵골이식은 견치가 일단 맹출된 이후에 시행하는 것이 좋다.[5]

인공 이식재인 수산화인회석(hydroxyapatite)은 주로 치조의 형태를 재현하기 위해 사용한다. 이 물질은 경도가 크기 때문에 치아맹출을 방해하여 측절치나 견치가 맹출되지 않은 상태에서는 사용할 수 없으며 치아의 치조골 지지가 필요한 경우에도 사용할 수 없다.

많은 임상가들이 동종골이식(allogenic bone graft)을 치조열 재건술에 사용하고 있는데 동종골은 골이식술 후 흡수가 거의 느리게 진행되어 골 흡수측면에서는 장점이 있다는 보고도 있으나, 일반적으로 자가골에 비하여 감염의 위험성이 높고 치유 후 골의 질이 떨어지고 골흡수가 많은 것으로 알려져 있으며 미맹출된 견치가 이식골로 맹출될 때 어떤 영향을 받을 수 있는지에 대해서는 아직 충분히 알려진 바가 없기 때문에 그 사용에 신중을 기해야 한다.

최근에는 조직공학의 발전으로 중배엽 줄기세포와 자가혈치료(platelet-rich plasma), 성장인자(growth factor) 등을 이용하여 자가골 채취 시의 공여부에 대한 위험성은 감소시키면서 골재생능력은 증가시킨 골이식재들이 소개되고 있다.[8,9]

4. 치조열 재건과 교정치료

치조골 재건술을 시행하기에 앞서 반드시 교정치료를 먼저 해주는 것이 좋다. 교정치료는 통상 혼합 치열기부터 시작하는데, 이때는 구치부 폭경을 넓히기 위해 상악을 확장하고 전치부 교차교합을 해소하며 정렬한다. 확장장치(expansion appliance)는 치조골을 재건한 이후에도 재발을 방지하기 위해 대략 3개월 정도는 그 상태로 유지해야 한다. 편측성 구순구개열 환자의 중절치는 대개 회전되어 있기 때문에 이식술 전에 정렬한다. 그러나 양측성 증례에서는 치조골을 먼저 재건하여 전상악부(premaxilla)를 안정시킨 후 중절치의 회전이동을 시행하는 것이 좋다. 또한 양측성 구순구개열에서는 전상악부가 가동적(mobile)이어서 이식된 골이 주위골과 잘 유합되지 않을 수 있기 때문에, 아치와이어(arch wire)나 구개 장치(palatal appliance)로 전상악부를 후방과 고정시킨 후 치조열을 재건해야 한다. 과잉치나 잔존 유치는 적어도 수술 8주 전에 발거하여 수술 후 이식골을 피개하는 연조직의 연속성과 적절한 두께를 유지 하도록 한다.

이식골의 종류와 관계없이 술전에 교정적으로 교차 교합을 교정하고 치아 정렬을 해주는 것이 좋다고 생각된다. 이식술 전에 교차 교합을 해소해도 수술의 예후에 별다른 영향을 주지 않고 분절된 상악골편이 훨씬 더 잘 이동하기 때문이다. 또한 8세 이전에는 골이식을 하지 않는 것이 좋은데, 상악골 성장에 영향이 없고 측절치가 구순구개열 환자의 치궁을 재건하는데 별다른 영향을 끼치지 않는 것으로 밝혀졌기 때문이다. 골편이식도 현재는 15세 이전에도 시행할 수 있는 것으로 생각되지만 견치가 맹출된 상태에서 시행하는 것이 바람직하다.

5. 수술과정

치조골 재건술을 시행함에 있어서 술자가 반드시 기억해야 할 특히 중요한 세 가지 원칙이 있다. 첫째, 비강측 폐쇄를 해주어야 한다. 둘째, 적절한 양의 골로 치조열 결손을 충분히 재건해야 한다. 셋째, 구강측 폐쇄를 완벽히 해야 한 다. 술자는 또한 결손부가 단지 치조돌기에만 있지 않고 후방으로 구개측까지 연장된다는 것을 기억해야 한다. 따라서 구강측 폐쇄는 순측은 물론 구개측 폐쇄도 포함된다.[2]

1) 이식골채취

환자를 앙와위(supine position)로 놓고 전신마취하에 시행하는데, 이식골은 전장골능(anterior iliac crest)에서 가장 많이 채취한다. 후방 장골능은 전방 장골능보다 채취할 수 있는 골의 양이 많다는 장점이 있으나 수술 중 환자의 위치를 바꿔야 하고 전방능에서도 치조열 재건술에 필요한 충분한 양의 이식골을 얻을 수 있기 때문에 일반적으로는 잘 쓰지 않는다. 수술 전 이식부 골반 하방으로 모래주머니(sand bag)를 받쳐준다. 이때의 해부학적 기준점은 전상 장골 돌기(anterosuperior iliac spine)이다. 이 전상 장골 돌기는 수술 시 혈관과 신경을 손상시키지 않는 내측 경계이다. 먼저 피부절개를 전상 장골 돌기 외하방 약 1 cm에서 시작하여 장골능을 따라 6 cm 내지 8 cm 가량 가한다. 절개부 상방의 피판을 거상하여 장골능을 확인하고 둔근(glutern muscle)과 복근(abdominal muscle)의 연결부인 골막에 절개를 가해 골을 노출시킨다. 이 절개는 전장골 돌기에서 후방으로 1 cm 이상 거리를 두어 서혜인대(inguinal ligament)를 손상시키지 않도록 한다. 내측으로 골막을 거상한다. 외측의 거상은 최소로 해야 하는데, 대둔근(gluteus maximus muscle)과 중둔근(gluteus medius muscle)의 손상이 없도록 하여 술후 동통과 보행장애를 최소화하기 위해서이다. 이후 골절단을 하고 이식골을 채취하는데, 뚜껑문(trap door)을 형성하여 골큐렛으로 망상골을 채취하거나 골절단하여 블록골편(block bone)을 형성하여 채취한다. 이식골의 깊이는 8 cm 이하로 하는데, 이보다 깊은 부위는 망상골이 없고 양측 피질골이 직접 접합하기 때문이다. 골채취 후 골왁스(bone wax) 등으로 망상골부를 지혈하고 음압배액관을 삽입한 후 골막과 피하조직, 그리고 피부를 층별로 봉합한다.

만약 하악정중부 골을 이식한다면 수혜부인 치조열부를 먼저 준비한다. 공여부는 환전정 절개(circumvestibular incision)를 양측 소구치 사이로 가한다. 점막골막 전층피판을 거상하여 하악정중부와 이신경(mental nerve)을 노출한다. 골절개톱이나 fissure bur를 이용하여 순측에서 설측으로 좁혀지는 비스듬한 경사로 골절개 및 천공을 시행한다. 이후 골절도(osteotome)로 피질골을 절단하고 골큐렛(bone curette)으로 망상골을 채취한다. 이때 이신경과 치근을 손상시키지 않도록 주의한다. 순측과 설측 피질을 모두 포함하는 전층 골이식을 해주어도 되지만 설측 피질골을 남겨야 창상 치유가 빠르고 완전하다. 골채취 후 결손부는 골왁스(bone wax)나 콜라겐스폰지블록으로 지혈을 충분히 한 후 결손부가 클 경우 동종골이나 인공 이식재인 수산화인회석(hydroxyapatite)으로 채워 골 재생을 도울 수 있다.

2) 편측성 치조열

먼저 치조열 변연에 절개를 가하고 점막골막피판(mucoperiosteal flap)을 거상한다. 이때 치조열 인접치 주변에 부착치은의 테두리(cuff)를 남겨서 점막-연조직(mucosa- soft tissue) 치아 폐쇄가 아닌, 점막-점막(mucosa-mucosa) 치아 폐쇄가 되도록 해준다. 모든 절개와 피판 형성이 끝난 후 이것을 상방으로 회전하여 비강저를 형성한다. 회전시킨 피판은 4-0 내지 5-0 흡수성 봉합사를 이용하여 봉합한다. 비방향으로 회전시킨 피판을 비강저 높이까지 올려줘야 이식골을 위한 충분한 공간을 확보할 수 있다. 이후 구개측 결손을 폐쇄하기 위해 구개측 점막을 거상하고, 마지막으로 치조열 후방 협측의 치은 변연에서 시작하여 구강 전정에 이르는, 후상방으로 비스듬한 절개를 가해 골막하피판을 거상한다. 구개측 피판과 협측 또는 순측 피판은 비강과 구강측으로 두 개의 층을 만들어야 하기 때문에 점막과 골막을 분리하여, 골막은 비강측을, 점막은 구강측을 폐쇄할 수 있 도록 한다. 비강저 폐쇄를 완료하고 준비된 골을 수혜부에 이식한다. 일반적으로 이식골은 망상골을 매우 작게 분쇄 하여 치조열 부위에 최대한 충전되도록 준비한다.

구강측 폐쇄를 위해선 치조열 주변으로 더 연장된 피판을 형성해야 한다. 일반적으로 많이 사용되는 피판에는 세 가지가 있다. 가장 널리 쓰이는 것은 협측치은활주피판(buccal gingival sliding flap)이다. 이것은 전층피판(full thickness)으로서 치은과 골막을 포함한다. 치조열 인접치 아래에 약간의 접합치은을 남기고 수평 절개를 가한다. 이 절개의 넓이는 적어도 치조골이식부 넓이보다 넓어야 한다. 수평 절개의 변연에서 구강전정까지 비스듬이 수직 절개를 가하는데, 이때 골점막피판은 치조돌기부보다 전정부가 넓게 되도록 주의해야 한다. 전층으로 피판을 거상하고 피판의 최상방부에서 피판을 이완시키기 위해 골막에 수평 이완절개(horizontal releasing incision)를 가한다. 이식골 위에 건전한 골막을 남기기 위해서 골막 절개는 가능한 한 높게 위치되도록 한다. 만약 구개측에 누공이 없다면 자가 입자골수망상골 또는 블록골편 이식 후 이 피판을 치조열 상방으로 활주이동하여 봉합하는 것만으로 수술을 끝낸다(그림 21-3, 4). 그러나 구개측 누공이 있다면 구개측에서도 역시 상악대골편측(major segment)에서 접합치은을 남기고 구개활주이동피판(palatal mucosal sliding flap)을 형성하여 누공 부위로 접합시켜 봉합해야 한다. 구개측 누공이

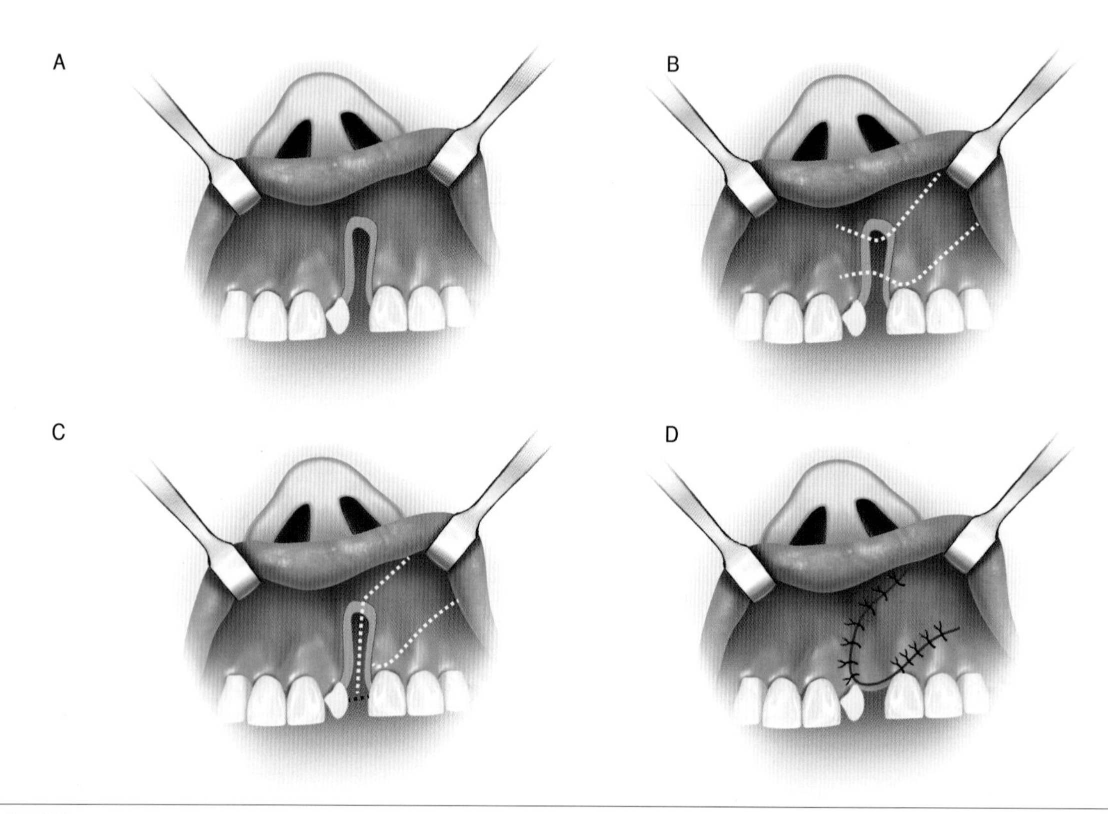

그림 21-3 **치조열 폐쇄.** 치조열이 크지 않을 경우 순협측의 치은활주피판(Buccal gingival sliding flap)을 이용하여 치조열을 폐쇄한다. **A:** 수상전정부의 작은 비구강루 **B:** 절개선 작도- 점선은 치은 점막골막판을 형성하기 위한 절개선 실선은 비강측 폐쇄를 위한 골막점막판을 형성 **C:** 비강측을 봉합한 상태 **D:** 골결손부의 골이식 후 순협측의 치은활주피판으로 누공을 폐쇄한 상태

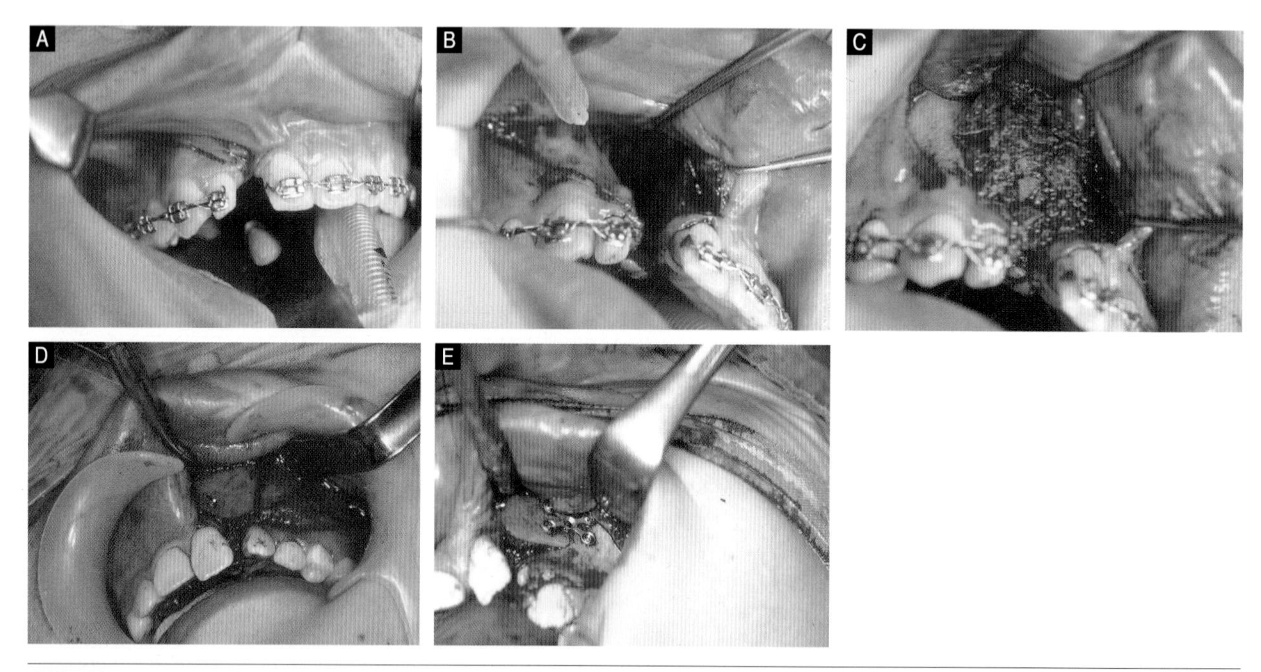

그림 21-4 **편측 치조열부 골이식술. A:** 편측성 치조열. 수술 전 상태 **B:** 비강측 점막폐쇄 **C:** 자가입자 골수망상골을 이용한 골이식술 **D, E:** 블록골편 이식(Block bone graft).

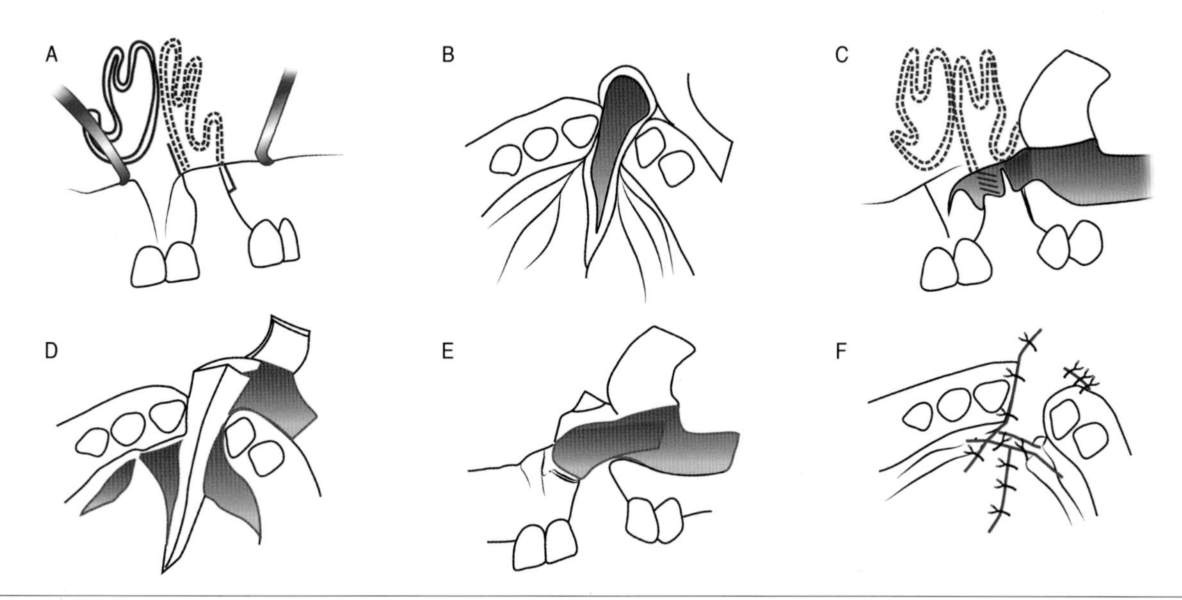

그림 21-5 **구개측에도 누공이 연결되어 있는 경우의 수술 디자인. A, B:** 절개선 **C:** 비강점막을 박리하여 Reverse flap을 형성 **D:** 비강점막의 봉합 **E:** 치조열 부위에 장골이식 **F:** 봉합: 구개측에서도 대골편측(major segment)에서 구개활주 이동피판을 형성하여 누공 부위로 접합시켜 봉합한다. 구개측 누공이 좁고 짧은 경우는 치조열 구개누공부에서 구개 측 점막피판을 봉합하여 직접 폐쇄하거나 협측치은활주피판 또는 협측치은전진피판을 구개측으로 이동시켜 누공을 폐쇄한다.

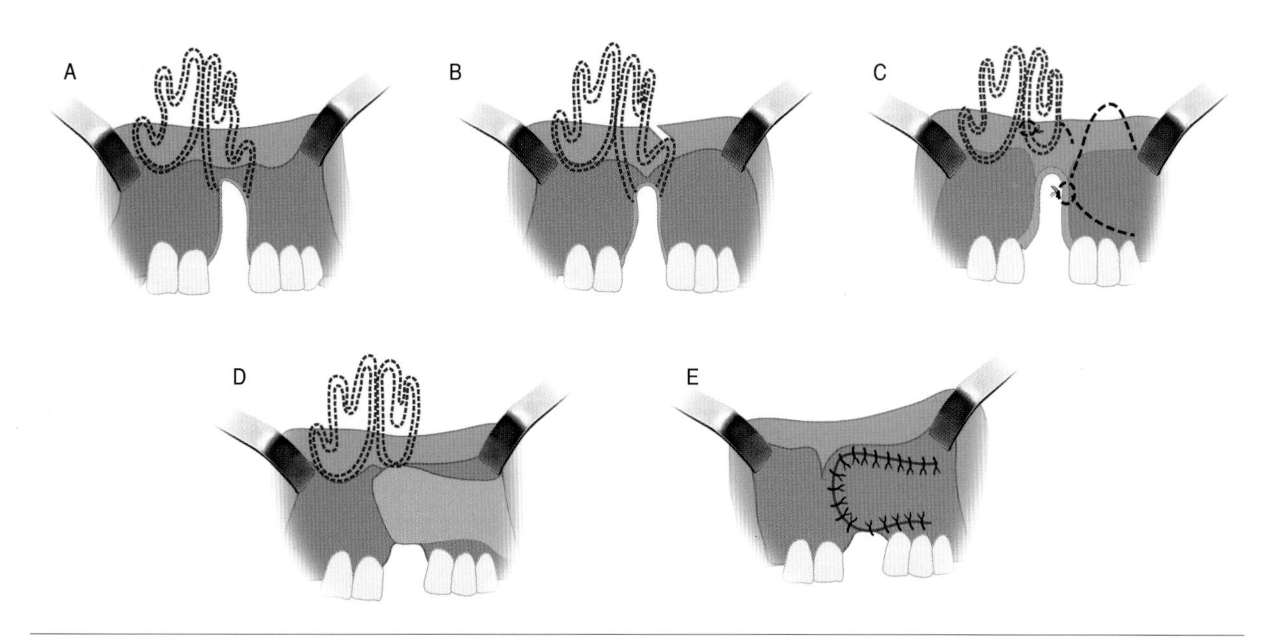

그림 21-6 **구강전정부에서 치조부 구개측까지 누공이 연결되어 있는 경우의 수술디자인.** 순협측 유경피판을 형성하여 폐쇄한다. **A, B, C:** 절개선 디자인과 비강측 폐쇄 **D, E:** 골이식 후 순협측 유경피판으로 누공부 폐쇄

좁고 짧은 경우는 구개활주이동피판을 형성치 않고 치조열 구개누공부에서 구개측 점막피판을 봉합하여 직접 폐쇄하거나 협측치은활주피판을 구개측으로 이동시켜 누공을 폐쇄한다(그림 21-5, 6).[2,5]

구강을 폐쇄하는 두 번째 방법은 협측점막전진피판(buccal mucosal advancement flap)이다. 이것은 두개의 협측과 두개의 구개측 점막골막피판을 형성하여 치조열부로 진전시키는 방법이다. 이 술식은 이식된 골을 부착치은으

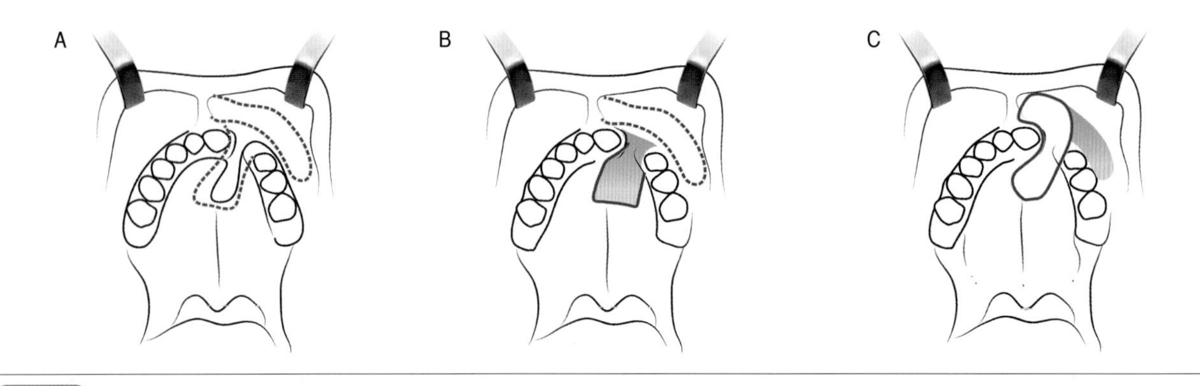

그림 21-7 **구개전방부의 비구강루 폐쇄. A:** 절개선 **B:** 비강측 폐쇄 **C:** 치은협 이행부의 협측 점막 회전 수지상 유경피판으로 폐쇄

로 피개할 수 있고 구강 전정이 낮아지지 않는다는 장점이 있다. 하지만 네 개의 피판을 형성하여 이것을 골이식부 상방에서 봉합하는 방법이기 때문에 피판의 파열과 이식골 노출 등, 실패의 가능성이 협측치은활주피판에 비해 높다는 단점이 있다.

마지막으로, 협측점막회전수지상피판(buccal mucosal rotational finger flap)은 협측의 점막을 수지상(손가락 모양)으로 형성하여 치조열 위로 회전 및 폐쇄시키는 방법이다. 이 술식은 이식골 위로 비부착(unattached), 비각화성(non-keratinized) 점막을 위치시키고 구순의 모양에 변형을 초래할 수 있으며 점막피판이 넓지 않은 경우 혈류공급이 원활치 않아 괴사될 수 있기 때문에 그다지 선호되진 않는다. 하지만 장기간의 예후 관찰 결과에 의하면 점막이 화생(metaplasia)되어 각화되기 때문에 맹출하는 견치의 예후에 큰 영향을 끼치진 않는 것으로 밝혀졌다(그림 21-7).[5]

3) 양측성 치조열

양측성 치조열을 재건하는 것은 기술적으로도 더 어렵고, 좀 더 치밀하게 수술계획을 세워야 한다. 치조골의 결손은 Y형이고 매우 작은 전상악부는 후방과 분리되어 혈류공급이 좋지 않다. 따라서 이 부분의 피판 거상은 최소로 해야 한다. 그리고 구개부는 결손이 크고 1차 수술의 반흔이 있으며, 해부학적으로도 복잡하기 때문에, 피판을 두 층으로 분리하여 비강측과 구강측을 폐쇄하는 것이 편측성 치조열에 비하여 용이하지 않다(그림 21-8). 더구나 구강측 폐쇄 시 봉합부가 길게 존재하고 골이식의 양이 크기 때문에 치조열이 클 경우는 피판을 이용한 연조직 폐쇄술을 먼저 시행하고 골이식을 이차로 추후에 시행하는 것을 고려하여야 한다.[1]

양측성 치조열 증례에서도 치조열이 크지 않을 경우는 구강측 폐쇄를 하기 위해 편측성 치조열에서 사용하는 치주피판들을 양측에서 사용하여 폐쇄가 가능하다. 그러나 치조열이 심하고 경구개부 누공이 클 경우는 일차로 연조직 폐쇄를 위해 설피판(tongue flap)을 이용할 수 있다(그림 21-9). 설피판은 충분한 양의 각화 점막을 제공하고, 치주피판으로는 피개가 힘든 넓은 결손도 폐쇄할 수 있으며, 봉합부가 짧아서 골노출이 잘 되지 않기 때문에 양측성 치조열의 재건술식에 사용하기가 좋다. 단, 설피판은 원격피판이라서 피판 거상 및 수혜부 봉합의 1차 수술과 피판 분리의 2차 수술 등, 이 단계 술식으로 시행해야 한다는 불편함이 있다. 저자는 Y형의 전방기저 설피판(Y-shaped anterior-based tongue flap)을 이용해 치주피판으로는 폐쇄가 어려운 양측성 치조열을 폐쇄하고 있다(그림 21-10).[1,10] 이 피판은 양측 치조열을 피개하는 V자 형태의 두 개의 치조부(alveolar portion)와 치조부를 피판저(flap base)에 연결하는 하나의 가교부(bridging portion)로 작도한다. 피판의 두께는 결손부의 크기 및 환자의 나이에 따라 약 2 mm 내지 3 mm 정도로 하여, 설근육이 약간 포함되어 점막하 혈관총(submu cosal plexus)을 보호하도록 한다. 이렇게 거상한 피판을 수혜부에 봉합하고 약 10일 내지 2주 경과 후에 피판을 분리한다(그림 21-11).[1,10] 설피판을 이용해 치조열을 폐쇄한 후 대략 3개월 내지 6개월 이상 경과하면 치조골이식술을 시행하게 되며 증례에 따라 유용하게 사용되어진다(그림 21-12).[1]

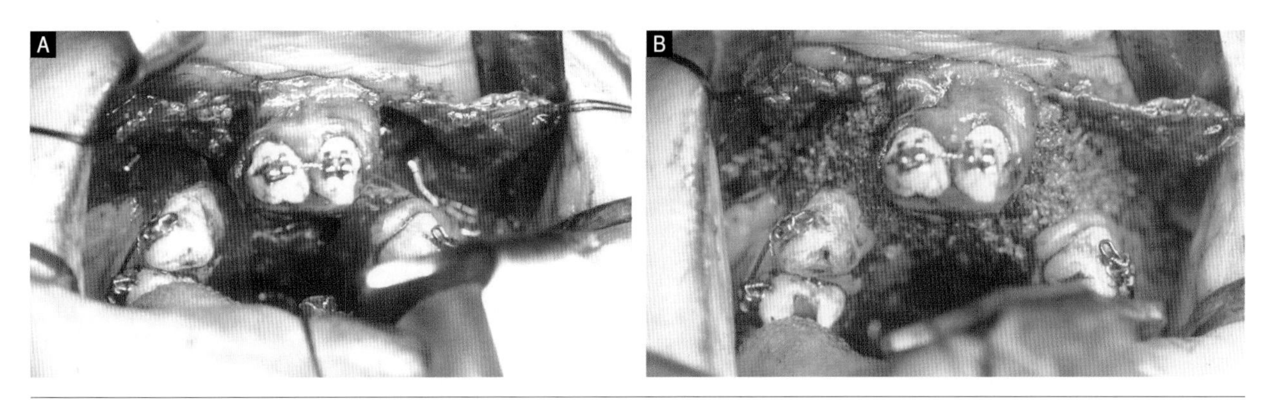

그림 21-8 **양측성 치조열의 폐쇄.** **A:** 협측점막전진피판(buccal mucosal advancement flap)의 형성 **B:** 자가입자 골수망상골을 이용한 골이식술 협측 피판을 구개부까지 끌어와 일차 봉합한다. 피판에 장력이 가해지지 않도록 충분히 이완(releasing)시킨다.

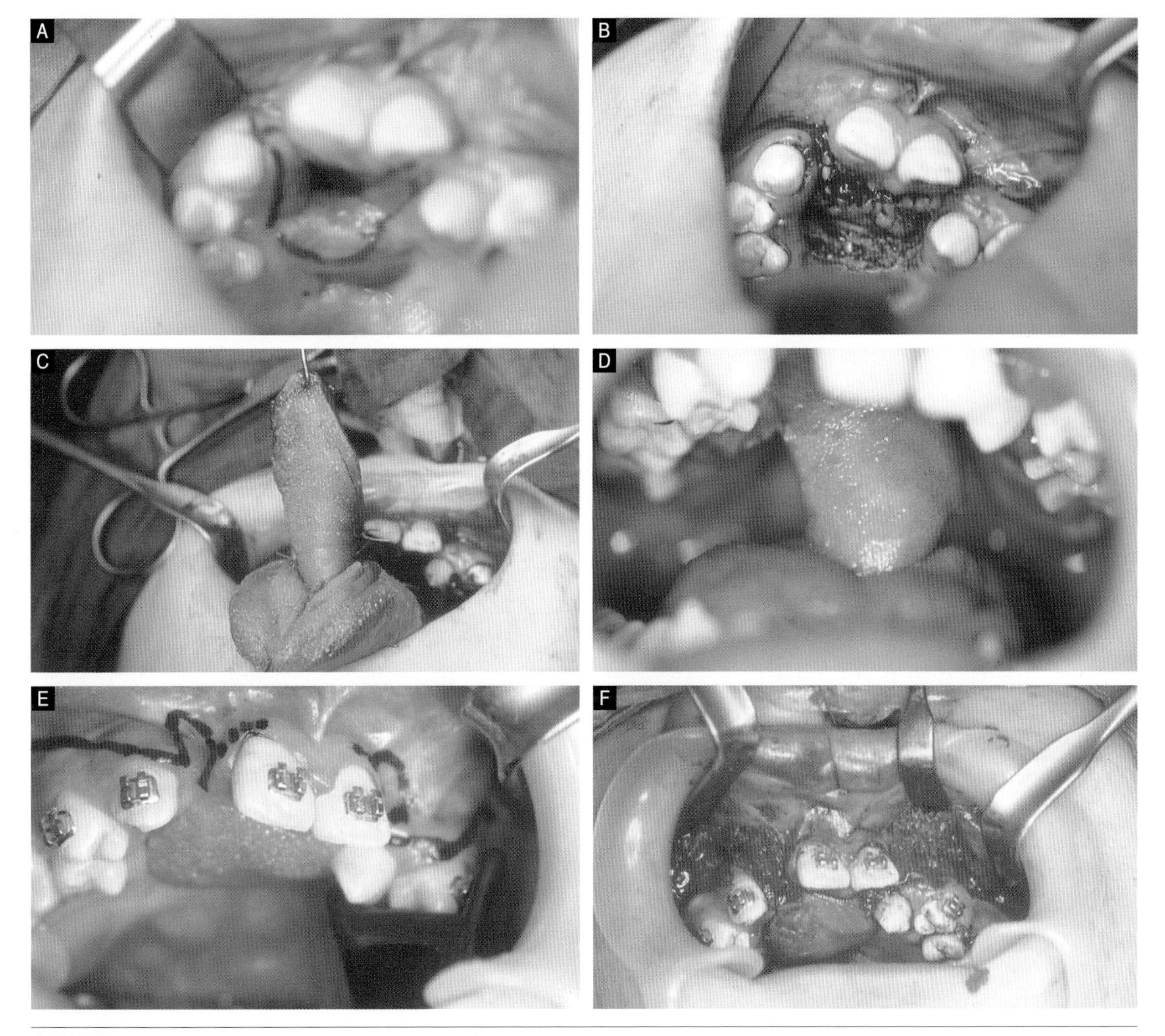

그림 21-9 **양측성 치조열의 폐쇄.** **A:** 구개측 구비강누공: 비강측 폐쇄를 위한 Reverse flap을 만들기 위하여 설정된 절개선 **B:** Reverse flap을 이용한 비강측 폐쇄 **C:** 구개부 연조직 결손을 재건하기 위해 만들어진 설피판 **D:** 설피판의 접합 **E:** 반년 후 골이식을 위한 피판형성 절개선 디자인 **F:** 자가입자 골수망상골을 이용한 골이식술

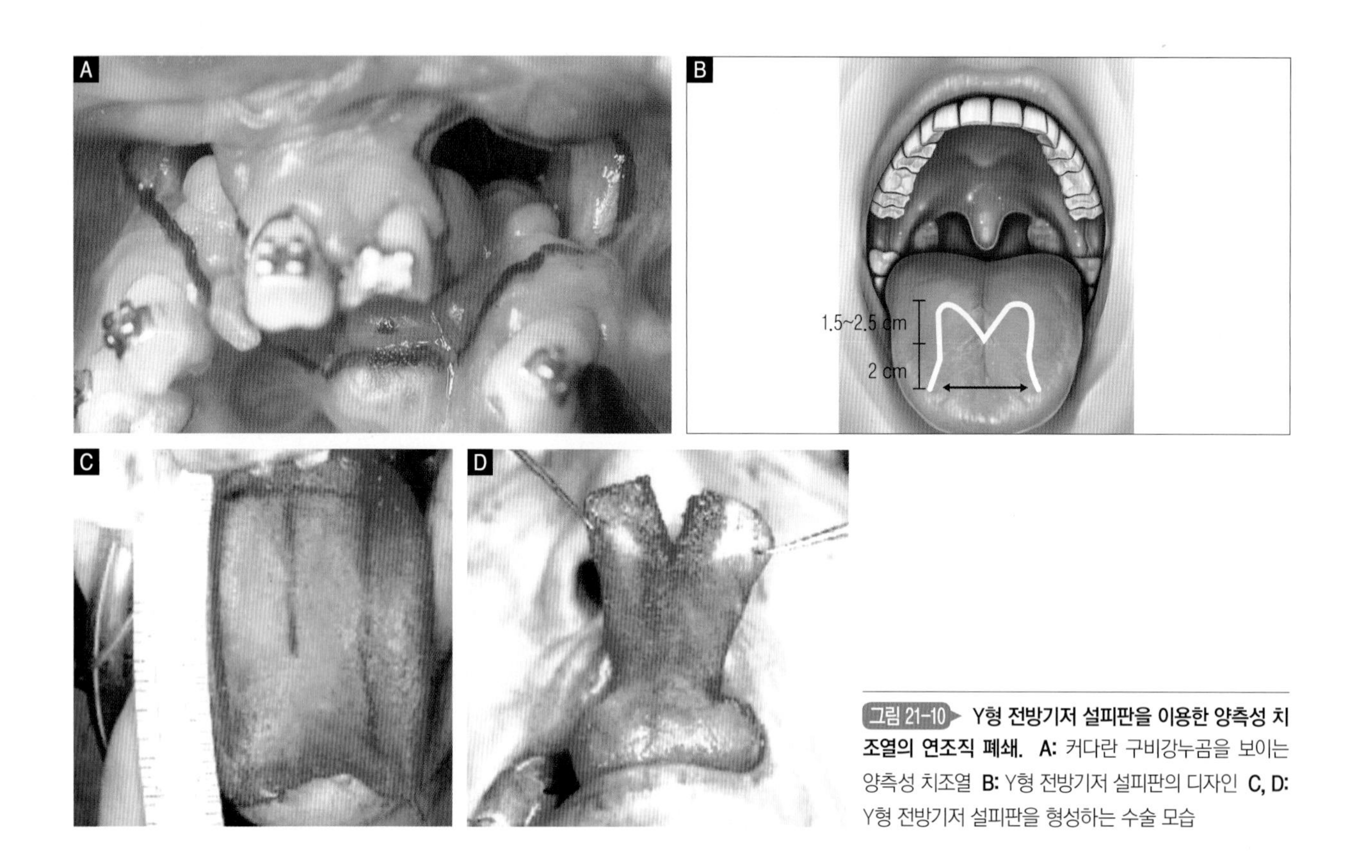

그림 21-10 **Y형 전방기저 설피판을 이용한 양측성 치조열의 연조직 폐쇄.** **A:** 커다란 구비강누공을 보이는 양측성 치조열 **B:** Y형 전방기저 설피판의 디자인 **C, D:** Y형 전방기저 설피판을 형성하는 수술 모습

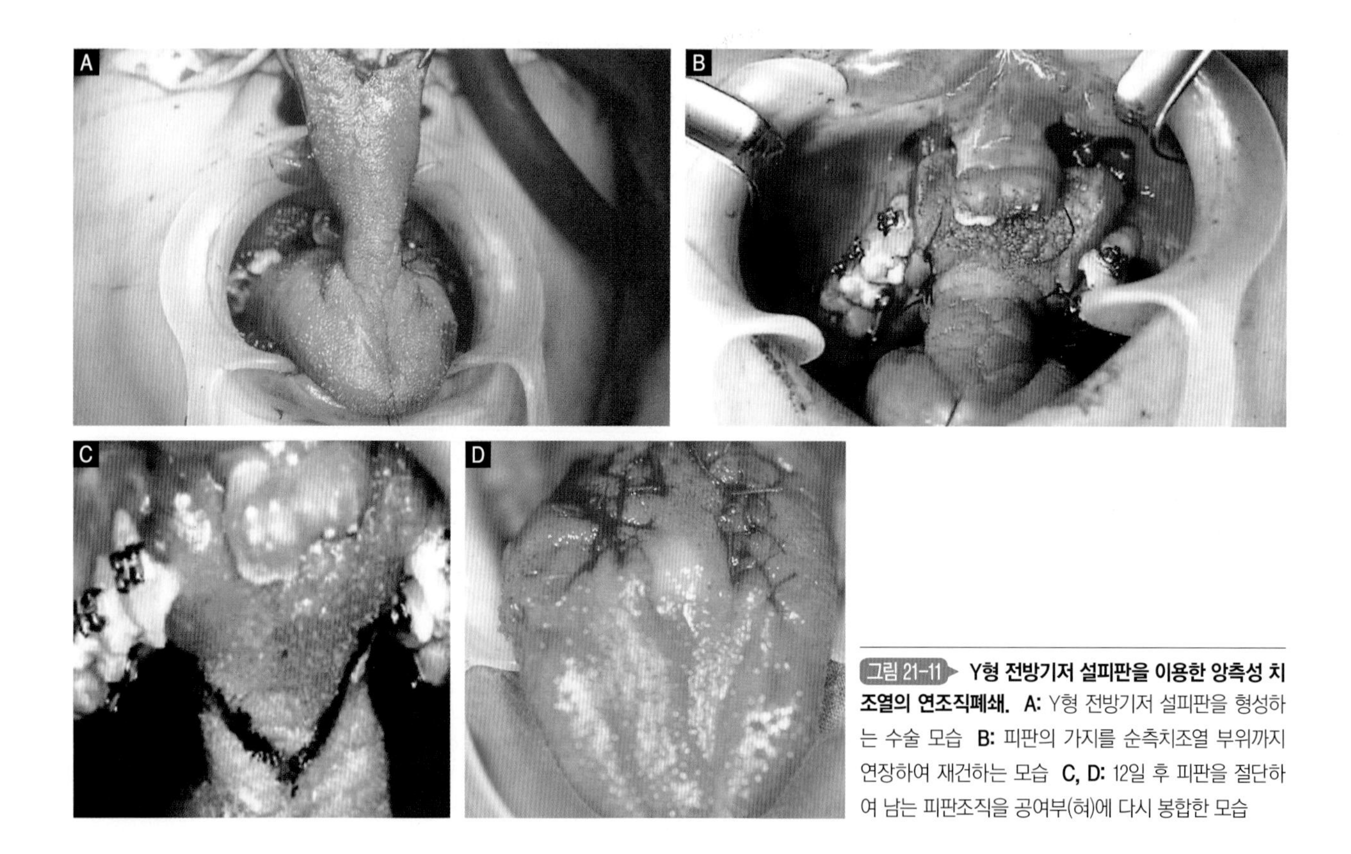

그림 21-11 **Y형 전방기저 설피판을 이용한 양측성 치조열의 연조직폐쇄.** **A:** Y형 전방기저 설피판을 형성하는 수술 모습 **B:** 피판의 가지를 순측치조열 부위까지 연장하여 재건하는 모습 **C, D:** 12일 후 피판을 절단하여 남는 피판조직을 공여부(혀)에 다시 봉합한 모습

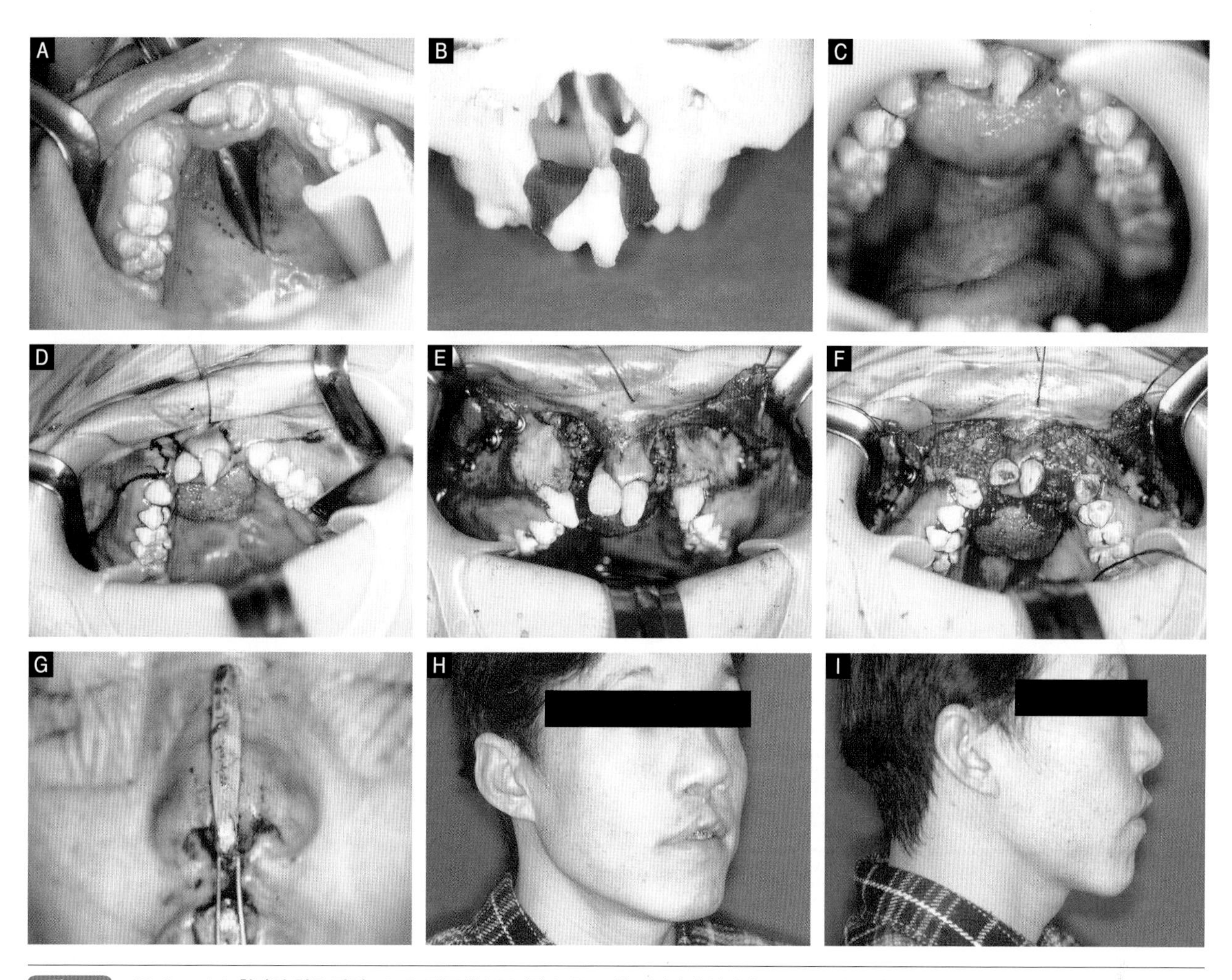

그림 21-12 **Median cleft 환자의 치료 과정. A~C:** 경구개부 구비강 누공. Y형 전방기저 설피판으로 치조 및 구개부 연조직재건모습 **D~F:** 반년 후 자가입자 골수망상골을 이용한 골이식 **G~I:** 비성형술 후의 개선된 안모

6. 술후 관리

구강위생은 골이식 전후에 매우 엄격하게 관리해야 한다. 수술 전에는 치주 질환과 치아 우식증을 모두 치료하고 잇솔질로 구강을 청결히 해야 한다. 만약 환자의 구강위생이 철저하지 못하거나 수술의 예후가 좋지 않을 것으로 예상되면 비위장관(nasogastric tube)을 삽입하여 구강내 위생관리를 도울 수 있다. 수술 후 약 2주간 유동식(soft diet)을 섭취하고 그 이후에는 수혜부의 상태를 관찰해보며 정규식(regular diet)을 섭취하도록 한다.[11]

항생제는 통상 약 일주일간 투여하는데, 세팔로스포린(cephalosporin) 등 광범위 항생제(broad-spectrum antibiotic)를 예방적으로 사용한다. 수혜부에는 특별한 불편감이 없지만 장골이식을 하면 골반의 동통이 2일 내지 3일간 지속되므로 진통제를 투여한다.

7. 합병증

치조열 골이식술의 실패는 여러 가지 요소와 관련되어 있다. 전상악부를 수술 후에 적절히 고정하지 않으면 이식골에 부분, 또는 전체적인 괴사를 유발할 수 있다. 또한 술후 구강 위생이 철저하지 못하면 감염, 창상 파손(wound breakdown) 그리고 이식골 흡수 등의 합병증이 생길 수

있다. 구강측과 비강측 폐쇄가 완전치 못하면 이식물의 노출과 흡수, 또는 감염을 유발할 수 있다. 그러나 미세한 창상 열개(wound dehiscence)는 주기적인 치료와 항생제투여 등 술후 관리를 적절히 함으로써 별다른 합병증을 예방할 수 있다. 또, 한 가지 부가적인 합병증은 백악질(cementum)이 노출되면 발생하는 치근의 외흡수(external root resorption)로서 주로 견치에 발생한다. 많은 술자들이 견치 치근의 외흡수를 방지하기 위해 반드시 견치가 맹출되기 전인 12세 이전에 치조골이식술을 해야 한다고 주장한다. 공여부 합병증으로는 동통, 출혈, 반흔, 외관이상, 골절 그리고 감각이상 등이 있지 만 그 정도는 일반적으로 경미하다.

참고문헌

1. 이종호, 김명진, 강진한, et al. Y-형 전방 기저 설 피판과 장골 이식을 이용한 양측성 치조열의 이단계 재건술. 대한구순구개열학회지 2000;3:23-31.
2. Lehman JA, Jr., Curtin P, Haas DG. Closure of anterior palate fistulae. Cleft Palate J 1978;15:33-8.
3. 이종한, 진우정, 신효근. 설피판을 이용한 PALATAL CLEFT CLOSURE 의 증례. 대한구강악안면외과학회지 1990;16:29-34.
4. Wermker K, Jung S, Joos U, Kleinheinz J. Dental implants in cleft lip, alveolus, and palate patients: a systematic review. Int J Oral Maxillofac Implants 2014;29:384-90.
5. 대한구강악안면외과학회. 구순구개열. In: 대한구강악안면외과학회, editor. 구강악안면외과학교과서. 3판 ed. 서울: 의치학사; 2013. p.589.
6. 최진영, 김명진, 김수곤, 윤정주, 정필훈. 치조 파열 환자에 있어서 이차성 골이식술 후의 치조정 높이 변화에 관한 임상적 연구: 예비적 연구. 대한구순구개열학회지 2000;3:1-9.
7. Luque-Martín E, Tobella-Camps ML, Rivera-Baró A. Alveolar graft in the cleft lip and palate patient: review of 104 cases. Med Oral Patol Oral Cir Bucal 2014;19:e531-7.
8. Hibi H, Yamada Y, Ueda M, Endo Y. Alveolar cleft osteoplasty using tissue-engineered osteogenic material. Int J Oral Maxillofac Surg 2006;35:551-5.
9. van Hout WM, Mink van der Molen AB, Breugem CC, Koole R, Van Cann EM. Reconstruction of the alveolar cleft: can growth factor-aided tissue engineering replace autologous bone grafting? A literature review and systematic review of results obtained with bone morphogenetic protein-2. Clin Oral Investig 2011;15:297-303.
10. Kim MJ, Lee JH, Choi JY, Kang N, Lee JH, Choi WJ. Two-stage reconstruction of bilateral alveolar cleft using Y-shaped anterior-based tongue flap and iliac bone graft. Cleft Palate Craniofac J 2001;38:432-7.
11. 이종호, 김용훈, 서병무, 최진영, 정필훈, 김명진. 선천성 악골유합증. 대한구순구개열학회지 2001;4:45-53.

Chapter 22

구순구개열의 이차 변형

Secondary Deformities of Cleft Lip and Palate

기본 학습 목표

- 구순열 수술 후 입술 변형이 생기는 원인을 구순열 수술과 연관 지어 설명할 수 있다.
- 상악성장부전의 원인을 설명할 수 있다.

심화 학습 목표

- 이차 구순열 코변형이 발생하는 원인을 설명할 수 있다.
- 편측성/양측성 코변형의 특징을 나열할 수 있다.
- 입술 변형을 교정할 수 있는 수술기법들을 설명할 수 있다.
- 코의 성장에 따른 구순열 코성형술의 원칙을 설명할 수 있다.
- 상악성장부전에 대한 수술기법들과 그 장단점을 설명할 수 있다.
- 구순열 악교정 수술의 고려사항을 설명할 수 있다.

구순구개열 환자들은 출생 시부터 입술과 코의 변형을 가지고 있다. 구순구개열을 가진 어린이는 선천적으로 개열(clefting)에 이환된 부위의 성장 잠재력이 떨어져 있기 때문에 수술받은 입술과 코가 정상적으로 성장하지 못한다. 그러므로 구순구개열 수술을 아무리 잘 해주어도 1차 수술 후에 변형이 남게 된다. 이와 같은 변형을 이차 변형(secondary deformity)이라고 하며 입술 변형, 코 변형, 상악형성부전, 구개인두기능부전 등 다양한 형태로 나타날 수 있다. 구순구개열의 이차 변형은 구순구개열의 심한 정도, 선행된 수술, 얼굴 성장 과정 등에 따라 다르게 나타나며 대부분의 증례에서 이차 교정술(secondary correction)이 필요하다.[1-10]

연조직에 대한 이차 교정술은 2~5세 사이에 해줌으로써 또래 아이들로부터 받게 될 놀림과 정신적 충격을 줄일 수 있다. 또한 구개열 수술을 받은 어린이는 4세 경부터 언어치료를 통해서 정확한 발음을 습득하도록 한다. 여성은 16세, 남성은 18세가 되면 수술로 인한 중안면 성장장애의 악영향이 없으므로 입술의 흉터교정술(scar revision)과 구순열 코변형에 대한 코성형술(rhinoplasty)을 본격적으로 시행한다. 이차 변형의 치료 시에는 외과의사뿐만 아니라 언어치료사, 교정과의사, 이비인후과의사, 정신과의사, 사회복지가 등의 협력치료가 필요하다.[1-4]

본 장에서는 편측성 및 양측성 구순구개열 환자에서 구순열 수술 후에 속발되는 입술과 코의 이차 변형, 구개열 수술 후에 발생되는 상악형성부전을 위주로 그 치료방법에 대하여 기술하고자 한다.

1. 입술 변형(Lip deformities)

입술의 이차 변형은 주로 구순열의 정도와 일차 구순열 수술방법 그리고 시술한 의사의 수술 술기에 따라 변형의 정도가 결정되며, 입술을 지지하고 있는 상악골 또는 치조골의 발육 상태에 따라 그 정도가 달라지게 된다.

과거 구순열 수술에 많이 사용되었던 삼각피판법으로 수술한 경우 인중에 삼각형 모양의 흉터가 남고 환측 입술이 길어져 밑으로 쳐질 수 있다. 또한 Millard 회전전진법으로 수술한 경우 내측피판(medial flap)이 아래로 충분히 회전되지 않으면 환측(cleft side) 입술이 짧아질 수 있다. 상순의 홍순(red vermilion)이 부족하여 생기는 휘파람 변형은 흔한 이차 변형 중 하나이다. 홍순과 피부의 경계선에 위치한 큐피드궁은 모양이 변하거나 이차적으로 편평해지거나 절흔 등의 변형을 나타낼 수 있다. 그 외에도 인중이 편평하거나 없는 경우, 상순조직 부족으로 상순이 지나치게 팽팽하고 후퇴되어 있는 경우, 구륜근의 부족이나 위치 이상 또는 해부학적 접합 부족으로 얼굴 표정이나 발음 시 입술

모양이 비정상적으로 되는 변형이 나타나기도 한다.[2-6]

1) 흉터(Scars)

구순열 수술 후에 가장 문제가 되는 것은 입술 흉터이다. 삼각피판법은 인중에 삼각형 모양의 흉터를 남겨 이것을 교정하기가 쉽지 않았다. 최근에는 많은 술자들이 Millard 개념으로 수술하므로 흉터가 인중능(philtral ridge)을 따라 수직으로 남아 눈에 띄지 않으며, 필요시 흉터교정술을 이용해 효과적으로 교정할 수 있다.[2-6]

구순열 수술 후 입술 흉터는 피할 수 없는 문제이며, 성장기 환아에서 흉터를 없애기 위하여 수술을 반복하는 것은 바람직하지 못하다. 그러나 입술 흉터와 연관된 입술 변형으로 인해 환아가 스트레스를 받을 우려가 있을 경우, 아이가 유치원에 들어가기 전인 4~5세 경에 또는 치조열에 대한 골이식술을 시술하는 7~10세 경에 흉터교정술을 함께 시행한다.[2-5]

흉터교정술은 사용된 구순열 수술방법에 따라 그 디자인이 달라지며, 흉터 절제 후 직선봉합법, Z-성형술, W-성형술 등을 이용하여 교정한다. 흉터가 인중능에 있는 경우 흉터의 표피만 절제한 다음 한쪽 입술에서 표피를 진피로부터 분리하여 진피피판(dermal flap)을 만들고 이것을 반대쪽 진피 밑으로 밀어 넣어서 인중능을 높여줄 수 있다(그림 22-1).[2-5]

양측성 구순열에서는 1차 수술 결과가 만족스럽지 못한 경우가 많아 편측성 구순열보다 2차 수술이 더 필요하다. 임상적으로 자주 제기되는 문제점들은 다음과 같다.[2-7]

① 홍순의 부족과 불충분한 근육 재건 그리고 점막의 흉터로 인한 입술 중앙부의 V-형 휘파람 변형
② 짧은 전순(prolabium)이 남았을 때
③ 넓은 전순이 남았을 때
④ 기능 시 움직임이 없는 전순부
⑤ 비대칭적인 홍순
⑥ 부적절한 구륜근의 연속성
⑦ 부족한 구강내 협측 전정부
⑧ 팽팽한(tight) 상순
⑨ 지나치게 긴 상순

양측성 구순열에 대한 이차 교정술 시에는 대부분 흉터를 모두 절제하고 전순부를 10 mm 이내로 만들어 주며, 측방의 포크피판(forked flap)은 비주 연장에 사용한다. 양측성 구순열에서 일차 구순열 수술과 동시에 비주를 연장하면 전순부가 비주저부(columellar base)로부터 분리되어 혈행에 문제가 생길 수 있으므로 비주연장술(columellar

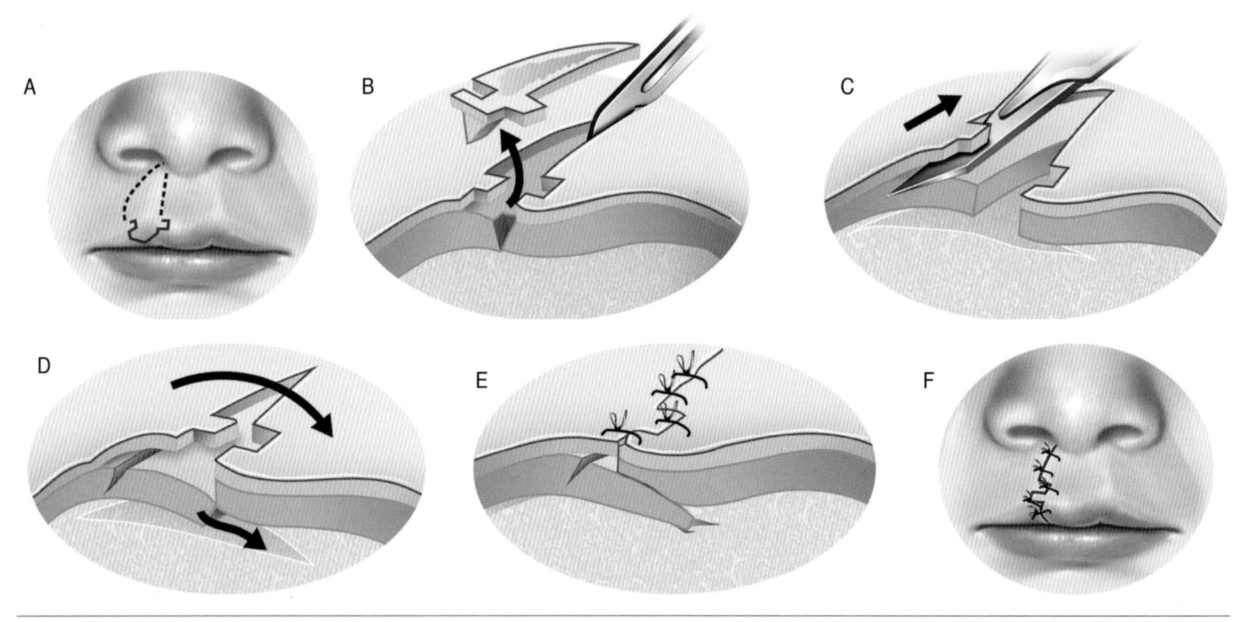

그림 22-1 흉터의 표피를 절제하고 한쪽 입술에서 진피로부터 표피를 분리한 후 마치 바지 위로 조끼를 올려 입듯이 진피피판을 반대쪽 진피 밑으로 밀어 넣어서 인중능을 높여준다('vest-over-pants' dermis closure).

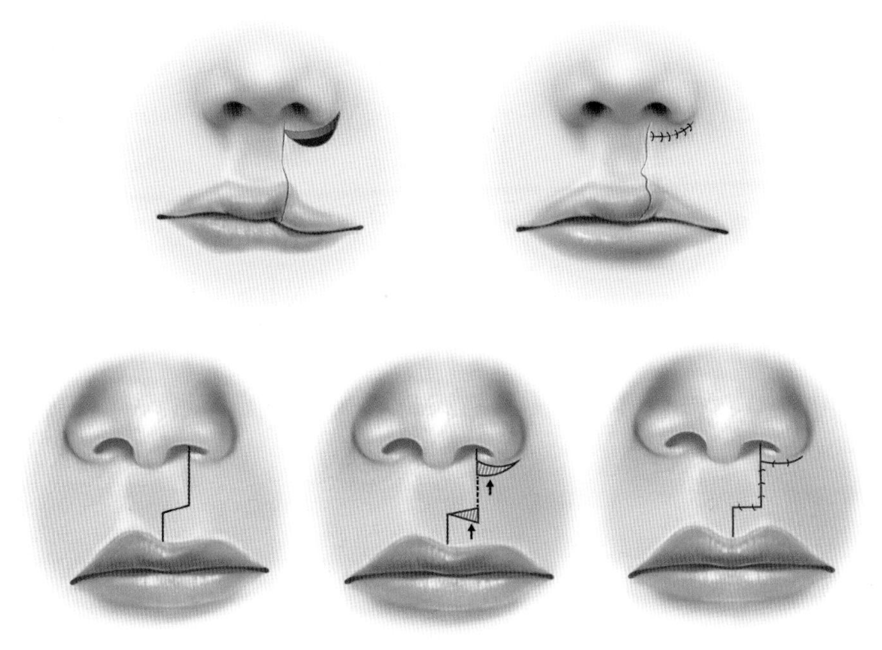

그림 22-2 **비공턱 하방의 전층 절제.** 긴 입술 변형의 경우 비공턱과 비익저부 아래에서 초승달 모양으로 조직을 수평절제하여 길이를 단축해준다.

그림 22-3 더 많은 조직을 절제해야 할 경우 비공턱 하방과 수평흉터의 두 군데에서 절제할 수 있다.

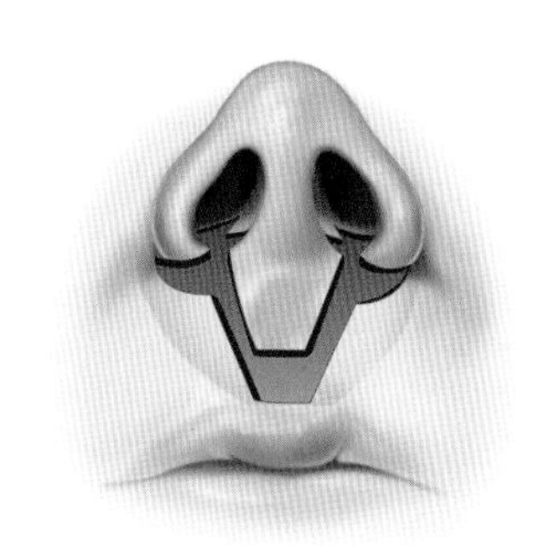
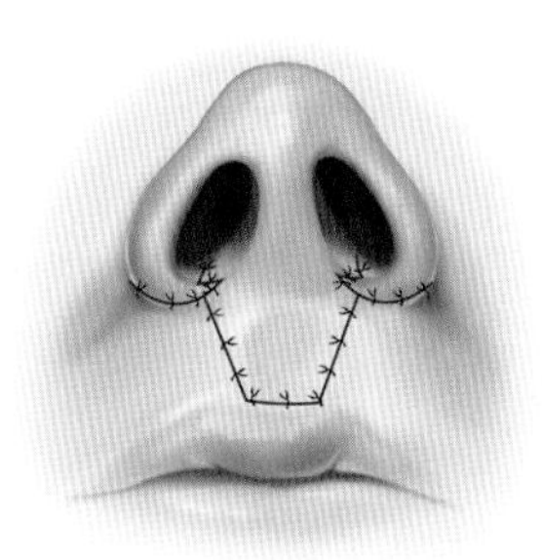

그림 22-4 **양측성 구순열에서 상순이 긴 입술의 교정방법**

lengthening)은 2차 수술 시에 하는 것이 바람직하다.[2] 그러나 최근에는 비주연장술을 포함한 일차 코교정술로 코연골의 위치를 일찍 바로잡아주면 더 만족스러운 형태와 위치로 코의 성장을 이룰 수 있다는 이론이 지지를 받고 있다.

양측성 구순열에서 이차 흉터교정술 시에 홍순경계부의 작은 불연속성이나 변형 등은 기본적으로 편측성 구순열과 같은 방법으로 교정한다. 양측성 구순열에서는 봉합선 양측으로 장력이 가해지는 경우가 많아 봉합선이 벌어지면서 흉터가 넓게 생기는데, 이 흉터는 절제하거나 자연스러운 위치에 재위치하거나 비주의 길이를 늘리는데 사용할 수 있다. 특히 양측성 구순열에서는 흉터를 양쪽 인중능과 유사한 위치와 방향에 배열하여 자연스럽게 보이도록 해주면 좋은 결과를 얻을 수 있다.[2-7]

2) 긴 입술(Long lip)

입술의 길이는 사용된 구순열 수술방법과 관계가 깊다. 삼각피판법을 사용한 경우 삼각피판이 크게 디자인되거나 근육의 방향이 잘못 배열되면 나중에 근육이 성장함에 따라 외측 입술이 길어질 수 있다. 그러므로 삼각피판법으로 수술할 경우 삼각피판을 가능한 작게 디자인하는 것이 좋다.[2-4] 긴 입술은 비공턱(nostril sill) 바로 아래에서 조직을 수평으로 전층 절제함으로써 교정할 수 있다(그림 22-2). 필요할 경우 비공턱 하방과 수술 흉터 중 수평 부분의 두 군데에서 적당량을 전층 절제하면 수직 길이를 더 단축해 줄 수 있다(그림 22-3).[2-6]

양측성 구순열에서는 대개 전순과 홍순 사이에 외측 입술분절(lip segment)이 들어오거나, Z-성형술 형태의 수술방법 사용 시 과도한 길이 연장으로 인해 입술이 길어지게 된다. 그 결과 상순이 마치 커튼처럼 길게 늘어지고 비주는 짧고 비첨은 낮으면서 납작한 변형이 초래된다. 상순이 긴 경우에는 기본적으로 흉터를 제거하면서 비순선(nasolabial line)을 따라 조직을 쐐기 모양으로 절제하여 길이를 단축하고 자연스러운 해부학적 경계표(landmark)에 맞추어 가면서 봉합해 주면 교정할 수 있다(그림 22-4).[2-6]

3) 짧은 입술(Short lip)

구순열 수술 후 일반적으로 수직 방향의 반흔구축 때문에 입술이 짧아질 수 있다. 직선수복법 으로 수술한 경우 또는 넓은 구순열을 Millard법으로 수술한 경우에 잘 발생한다. Millard법으로 수술 후 입술이 짧아지는 원인은 내측피판을 충분히 회전시키지 못하거나, 피판이 충분히 움직일 수 있도록 박리하지 못한 경우, 후절개(back cut)의 부족, 그리고 비대칭적인 근육 봉합 때문이다.

그러므로 Millard법으로 구순열 수술 시에 입술이 충분히 길어지지 않으면 더욱 광범위한 내측 근육박리를 통해 피판을 회전시키고, 필요하면 후절개를 사용하여 회전피판을 충분히 회전시켜 주어야 한다. 그래도 교정되지 않을 경우에는 내측피판의 큐피드궁 직상방에 1~2 mm 수평절개를 가하여 길이를 연장시키고, 여기에 외측피판의 홍순 바로 윗부분에 작성한 1~2 mm의 작은 삼각피판을 넣어줌으로써 수직 길이를 맞출 수 있다. Millard법으로 수술한 경우 술후 1년 이내에는 흉터 구축 등으로 인해 입술이 상방으로 당겨져서 입술이 다소 짧아 보이지만, 많은 증례에서 흉터가 성숙됨에 따라 호전된다.[2-6]

또 입술 하부에 수직 흉터가 있을 때에는 Rose-Thompson 흉터절제술을 통해 입술 길이를 약간 연장해줄 수 있다(그림 22-5). 그밖에도 부분적인 전위피판(transposition flap)을 이용할 수 있다(그림 22-6). 변형이 심한 경우에는 다시 Millard법으로 재수술하여 입술을 회전시켜 길이를 길게 해주는 것이 바람직하다(그림 22-7).[2-6]

양측성 구순열에서 입술이 짧아지는 것은 1차 수술 시 전순피판이 외측 입술분절에 맞도록 당겨지지 않았기 때문이다. 경도의 변형은 흉터절제술과 Z-성형술 등을 이용하여 교정할 수 있으나 중등도 이상의 변형은 전체적인 재수술을 시행하여 교정한다(그림 22-8). 또 주변 조직이 모자랄 경우에는 Abbe 피판을 이용한다. 특히 양측성 구순열에서는 포크피판을 적절히 활용하여 비주 또는 입술의 길이를 늘린다.

4) 팽팽한 입술(Tight lip)

정상인의 상순은 측면에서 보았을 때 도톰하게 튀어나와 하순보다 약간 앞으로 돌출되어 있다. 일차 구순열 수술 시 너무 많은 양의 조직을 절제한 경우, 또는 많은 흉터 때문에 상순이 제대로 성장하지 못한 경우 상순의 수평 길이가 짧아지면서 측면에서 보았을 때 돌출되는 느낌이 사라

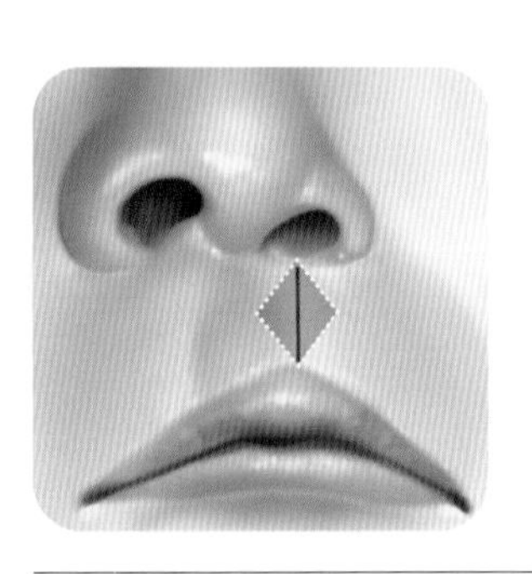
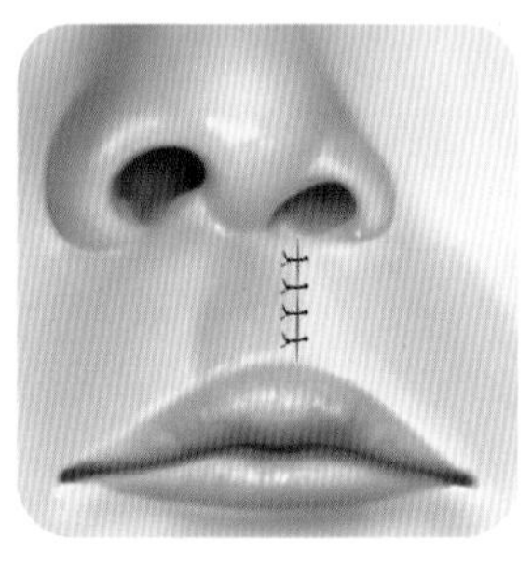

그림 22-5 Rose-Thompson 흉터절제술을 이용한 짧은 입술의 교정

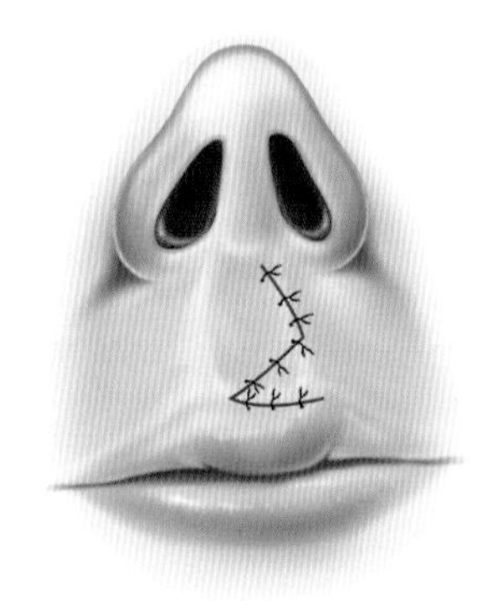

그림 22-6 전위피판(transpositional flap)을 이용한 짧은 입술의 교정

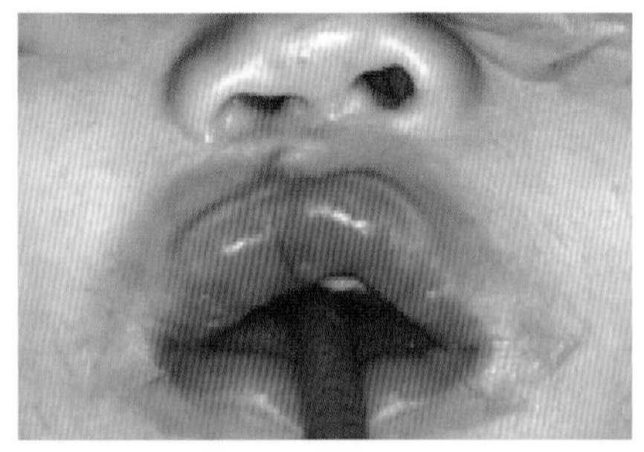
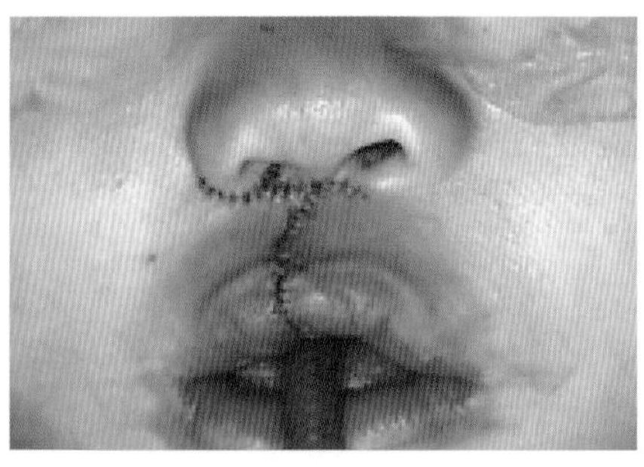

그림 22-7 Millard법으로 재수술하여 입술을 회전 연장시켜 짧은 입술을 교정한 증례

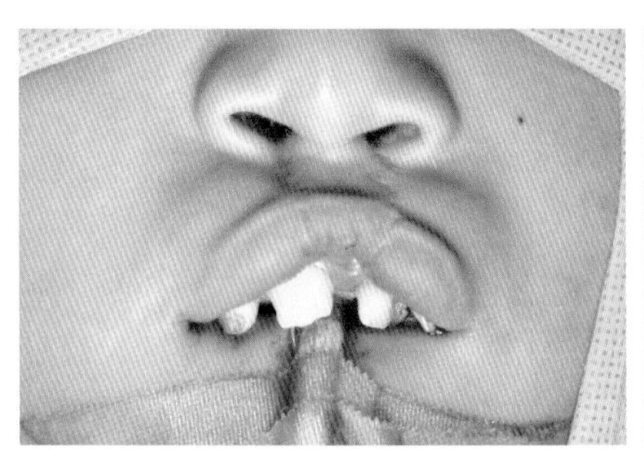

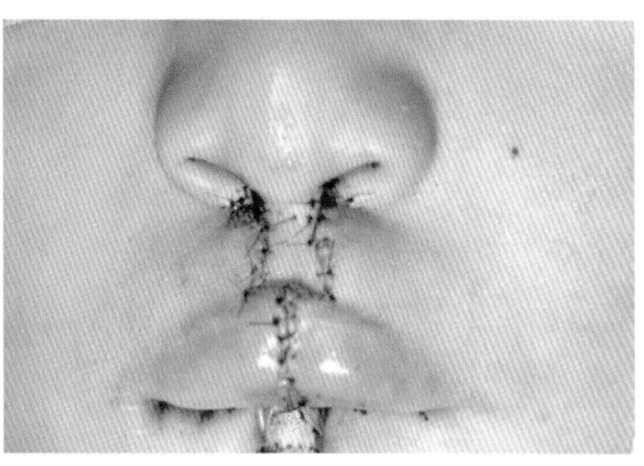

그림 22-8 양측성 구순열에서 짧아진 입술을 전체적인 재수술을 통하여 교정한 수술 전후 모습

지게 된다. 수직 길이의 변형은 비교적 쉽게 교정 가능한 반면, 수평 길이가 달라서 상순이 팽팽한 것을 교정하기는 매우 어렵다. 이는 조직의 양이 절대적으로 부족하여 발생하므로 다른 부위에서 조직을 보충하거나 연조직 하부의 골조직에 조작을 가하지 않는 한 만족할만한 결과를 얻기 어렵기 때문이다.

만약 상순은 팽팽한데 하순이 돌출되어 대조가 될 정도면 Abbe 피판술을 이용해 하순조직의 일부를 상순으로 이전하여 부족한 상순조직을 보충해주는 것이 좋다. 적당한 큐피드궁을 재건하기 위해서는 하순 정중부에서 피판을 작성하여 상순 정중부로 옮겨 준다(그림 22-9). 그렇게 함으로써 부족한 상순조직을 보충하고 큐피드궁과 인중 그리고 인중능을 재건할 수 있다.

Abbe 피판 형성 시 성인의 경우 인중의 폭은 하방에서 9~12 mm, 상방에서 6~9 mm 정도로 하고 인중의 길이는 17 mm 정도로 디자인한다. 상순으로 이전된 피판은 약

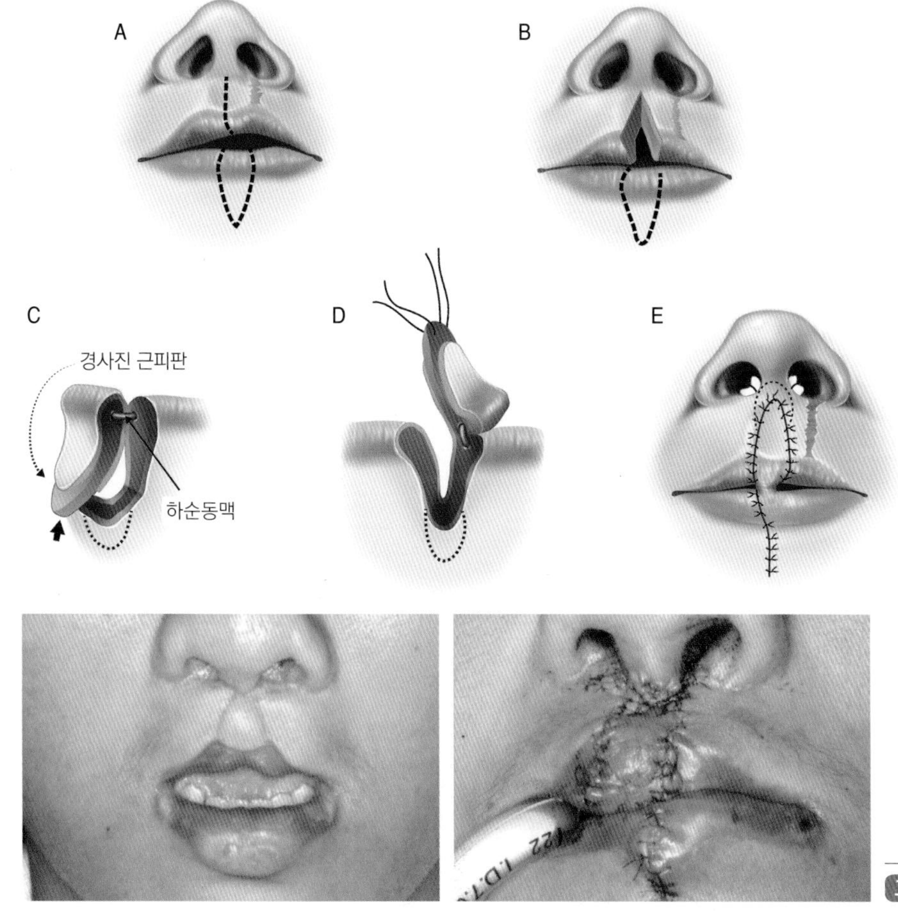

그림 22-9 Abbe 피판술의 모식도와 임상례

10~14일 후에 혈관경 부위인 하순 동맥(labial artery)과 점막 연결부를 안전하게 자를수 있으며, 1년 정도 경과하면 주변의 감각신경이 자라 들어가고 근육도 정상적으로 기능하게 된다. 아무리 정확히 봉합하더라도 수술 후 홍순의 연결부 등에 불규칙한 흉터가 남게 되므로 이에 대해서는 나중에 다시 흉터교정술이 필요할 수 있다.[6,7,10]

5) 구륜근 변형

일차 구순열 수술 시에 내측 및 외측 입술분절에 수직으로 위치하고 있는(그림 22-10) 구륜근을 부착부로부터 분리해 수평으로 재위치시킨 다음 봉합하여 해부학적 연속성을 회복해 주어야 한다. 그렇게 하지 않을 경우 환측 비익저부와 인중 부위에서 근육이 뭉쳐 볼록하게 보인다. 부적절한 구륜근 봉합은 피부 봉합선의 측방 장력을 증가시켜 더 넓은 반흔을 남긴다. 그뿐만 아니라 발음, 안면표정근 운동 또는 저작 시에 변형을 나타내게 된다.

이러한 경우 치료는 기본적으로 모든 반흔조직을 절제하고 구륜근 섬유들을 충분히 분리하여 수평방향으로 재배열 해주어야 한다. 외측 입술분절에서 피부와 점막으로부터 근육을 박리하고 박리된 근육을 골부착부, 비익저부 그리고 비공저로부터 분리하고 경우에 따라 윗입술네모근(quadratus labii superioris muscle)으로부터 분리하여 수평

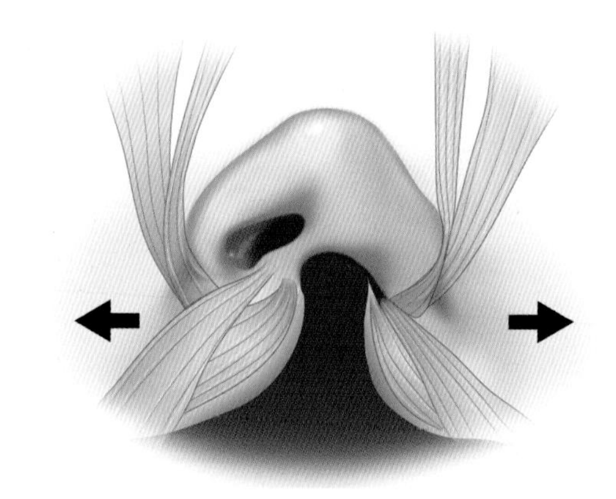

그림 22-10 편측성 구순열에서 구륜근의 비정상적인 부착을 보여주는 모식도

방향으로 재위치시킨 다음 내측 입술분절의 근육과 상순의 피부가 팽팽하게 당겨지지 않도록 봉합한다. 그러면 자연스러운 비공턱과 입술 모양을 유지할 수 있으며 흉터도 적게 발생된다(그림 22-11).[2-6]

6) 인중 변형

인중은 상순의 특징적인 부위이므로 구순열 수술시 인중을 보존하는 일이 중요하다. Millard법으로 수술하면 인중이 보존되지만 삼각피판법 또는 LeMesurier법을 사용하면 인중을 가로지르는 흉터가 남는다.

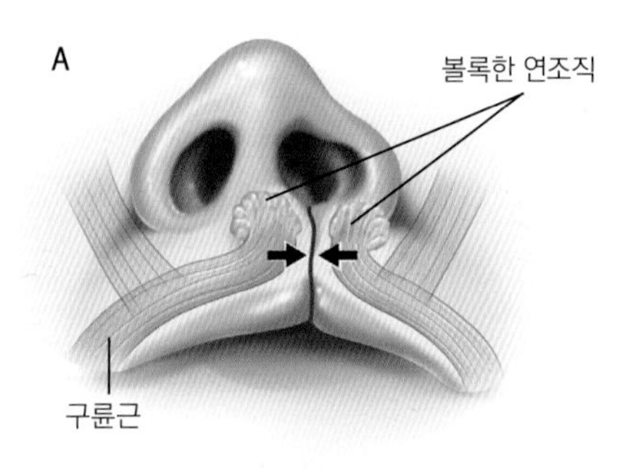

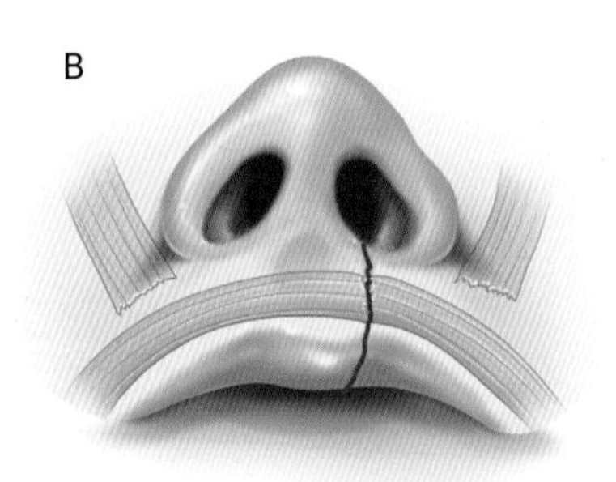

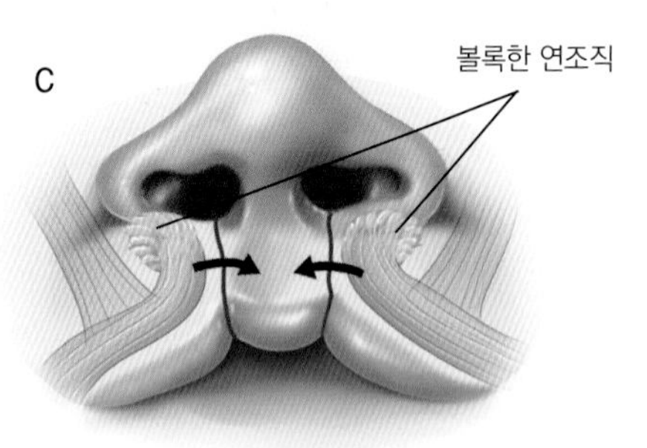

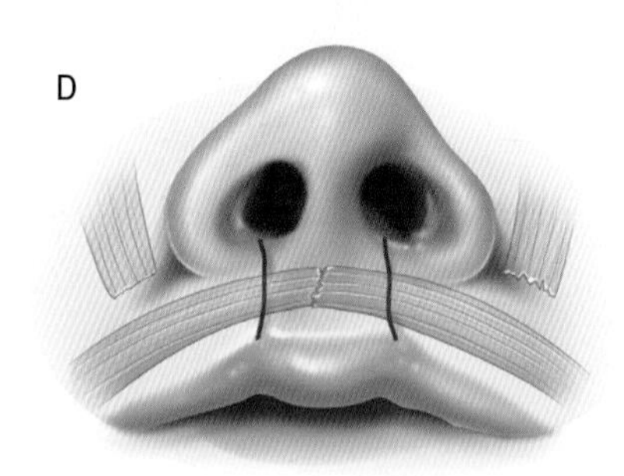

그림 22-11 **구륜근 변형의 교정. A:** 편측성 구순열에서 구륜근이 비공저부에 비정상적으로 부착되어 뭉쳐 있다. **B:** 구륜근을 분리하여 수평으로 재위치시키고 봉합하여 연결한다. **C:** 양측성 구순열에서 구륜근의 주행 방향이 잘못되어 있다. **D:** 구륜근 섬유의 주행 방향을 바로잡고 근육이 없는 전순부에 넣어준다. 필요할 경우 윗입술네모근을 절단한다.

인중은 중앙에 함몰된 인중와(philtral dimple)와 양측에 두 개의 인중능의 독특한 구조로 이루어져 있어 재건하기가 쉽지 않다. 인중을 재건할 때에는 인중을 명확하게 만들어 다른 사람의 시선이 입술 흉터로 쏠리지 않도록 하는 것이 중요하다. 구순열 수술기법의 발달로 최근에는 인중을 비교적 잘 만들 수 있게 되었지만, 1차 수술 시 인중 형성을 잘못할 경우 인중의 재건은 쉬운 일이 아니다.[2-4]

O'Connor 등은 하방의 홍순연에 기저를 둔 피하 회전피판(그림 22-12)으로, Onizuka 등은 "말아 올린 근피판(roll-over muscle flap)"(그림 22-13)으로 인중의 재건을 시도하였다.[5,6] 그러나 근피판이나 흉터피판을 이용할 경우 시간이 지남에 따라 인중의 융기부가 차츰 편평해지는 문제점이 있다. Neuner는 이개 연골의 삼각와(triangular fossa)에서 채취한 연골이식편 또는 연골-피부 복합이식편을 이용하여 인중을 재건하였다(그림 22-14). 그러나 이 방법은 상순에 이식한 연골이 단단하게 만져지고 자연스럽지 못한 단점이 있다.[5,6]

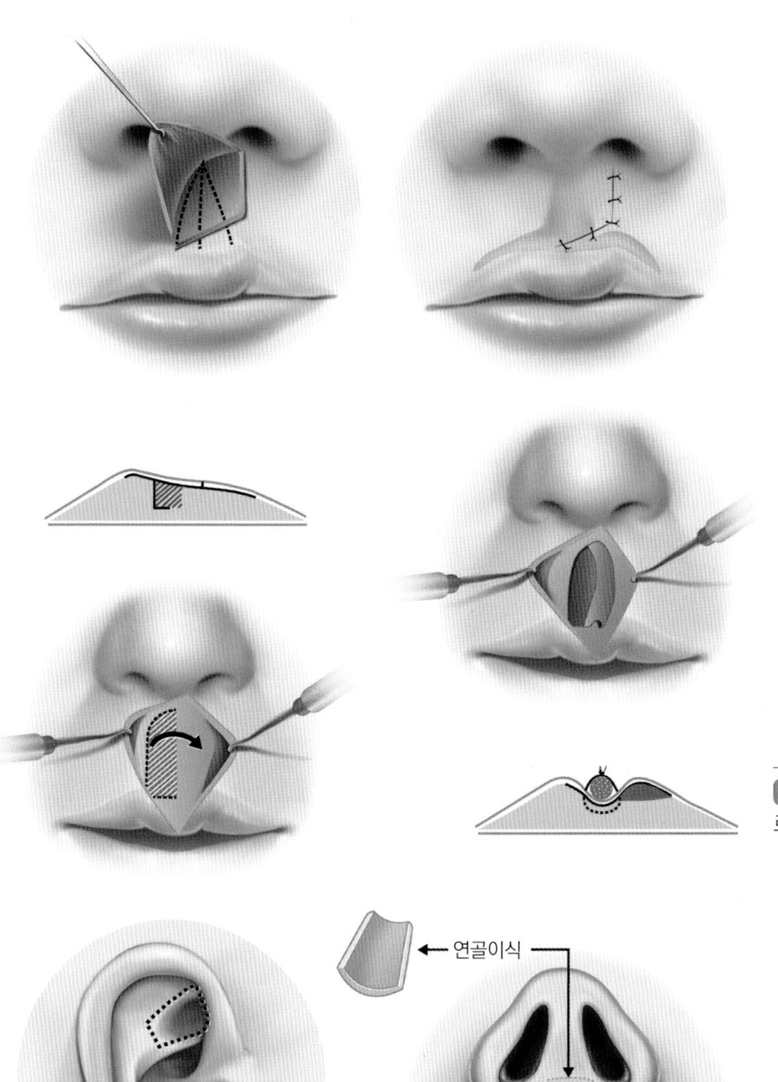

그림 22-12 인중 정중부에서 피하 회전피판을 작성하여 수평으로 홍순연으로 이전시킨 다음 피판 작성부의 함몰을 유도하여 인중을 재건한다.

그림 22-13 인중 중앙부에서 근피판을 거상하여 옆으로 말아 올려 인중능과 인중와를 만들어 준다.

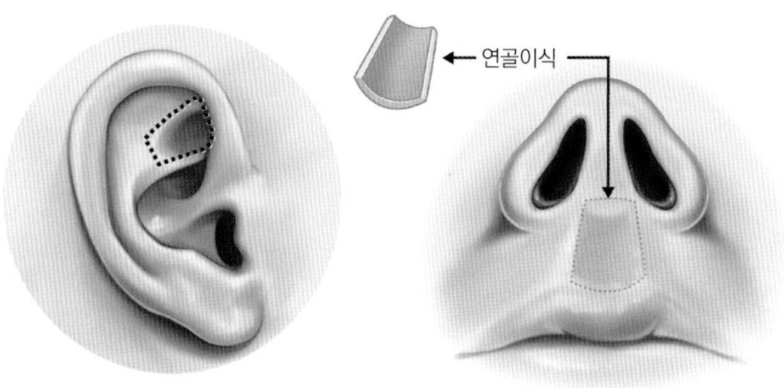

그림 22-14 이개연골 이식을 이용한 인중 재건

7) 홍순 변형

(1) 홍순 외측부의 부족

홍순 외측부가 조금 부족한 경우에는 구순점막에 Z-성형술(그림 22-15), V-Y 전진술(그림 22-16), 또는 복합이식으로 교정한다. 홍순 외측부가 많이 부족한 경우에는 하순으로부터 홍순피판 또는 하순 중앙부에 기저를 둔 Abbe 피판을 이용하여 교정한다.[2-6]

(2) 홍순 중앙부의 부족

상순의 홍순 중앙부가 부족하면 그 부분이 휘파람을 불 때처럼 잘록하게 위로 올라가게 되는데 이러한 상태를 휘파람 변형(whistle deformity)이라 한다. 편측성 구순열 수술 후에도 볼 수 있지만, 특히 양측성 구순열 수술 후에 홍순 중앙부가 부족해서 많이 나타난다. 편측성 홍순 부족의 수술기법은 양측성에도 적용할 수 있으며, 이러한 수술기법에는 Z-성형술, V-Y 전진술, 전위피판술, 그리고 Abbe 피판술이 있다.[2-6]

편측성 구순열 수술 후에 생긴 경도의 휘파람 변형은 Z성형술, V-Y 전진술(그림 22-17) 또는 입술 점막피판을 이용하여 교정할 수 있다. 양측성 구순열에서 휘파람 변형은 전치부 순측 전정부 전체에 걸쳐 디자인된 V-Y 전진술(그림 22-18), 이중 V-Y 전진술(그림 22-19), 또는 구륜근경(orbicu-

그림 22-15 Z-성형술을 이용한 부족한 홍순의 교정

그림 22-16 V-Y 전진술을 이용한 부족한 홍순의 교정

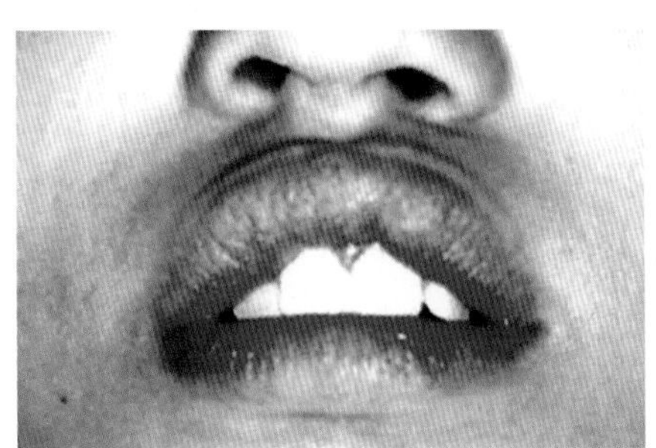
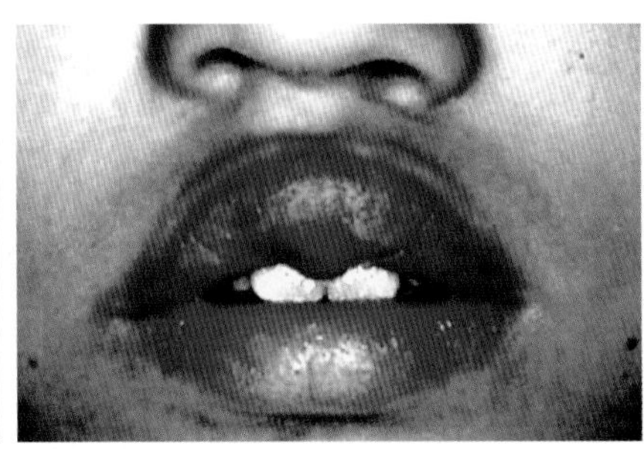

그림 22-17 V-Y 전진술을 이용하여 휘파람 변형을 교정한 증례

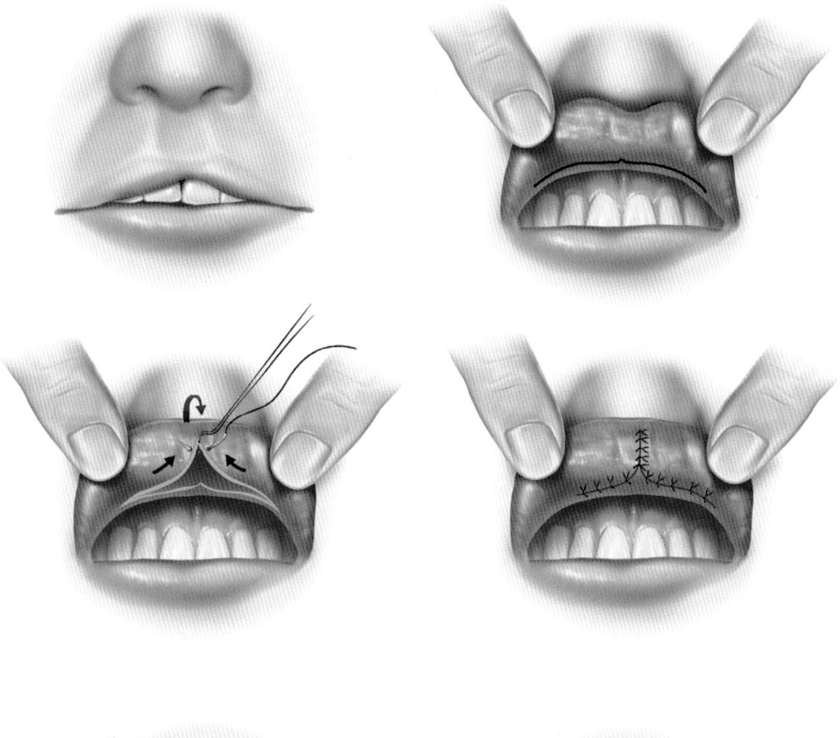

그림 22-18 양측성 구순열에서 전치부 순측 전정부 전체에 걸쳐 디자인 된 V-Y 전진술을 이용한 휘파람 변형의 교정

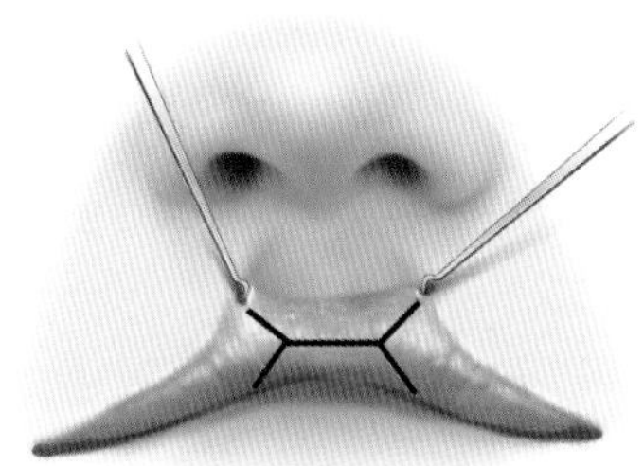
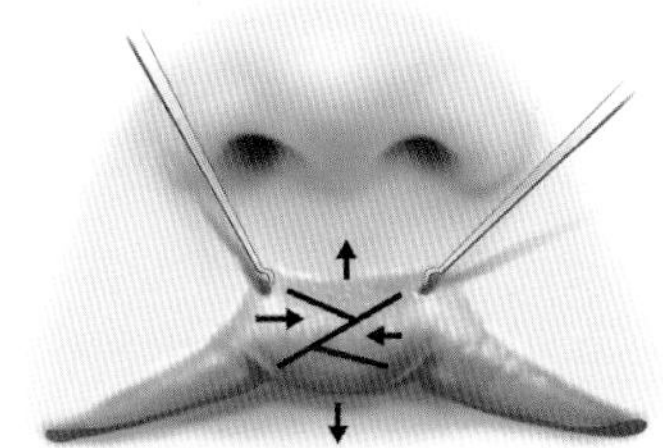

그림 22-19 양측성 구순열에서 이중 V-Y 전진술을 이용한 휘파람 변형의 교정

laris oris muscle pedicle)을 이용하는 pendulum 피판(그림 22-20, 21)으로 교정할 수 있다.[2-6,11]

홍순의 조직 결손이 심한 경우에는 부분적인 성형술로는 휘파람 변형을 교정하기 힘들고 혀 또는 하순으로부터 조직을 이전해 주어야 한다. 모양이나 색조를 고려할 때 혀를 이용한 조직은 결과가 좋지 못하며, 1 cm보다 작은 복합 조직이 필요할 경우 Abbe 피판을 이용할 수 있다. 심한 휘파람 변형이 관찰될 때는 입술의 기능, 즉 구륜근이 제대로 재건되었는지 먼저 확인하는 것이 중요하다. 구륜근이 제대로 재건되지 못한 상태에서는 상기 수술기법을 적용해도 효과적이지 못하기 때문이다.[2]

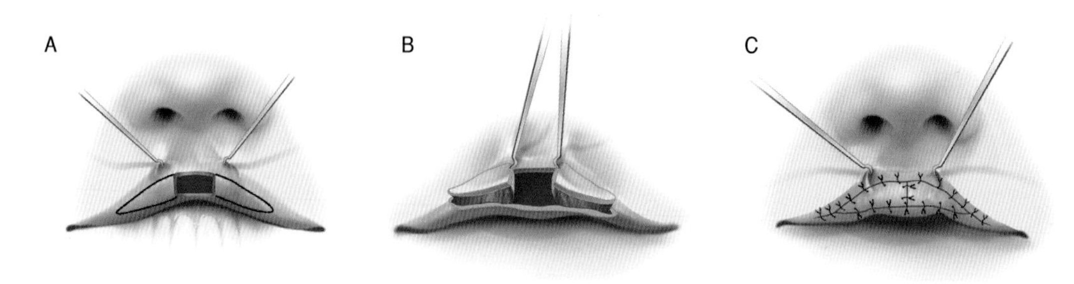

그림 22-20 Pendulum 피판을 이용한 휘파람 변형의 교정

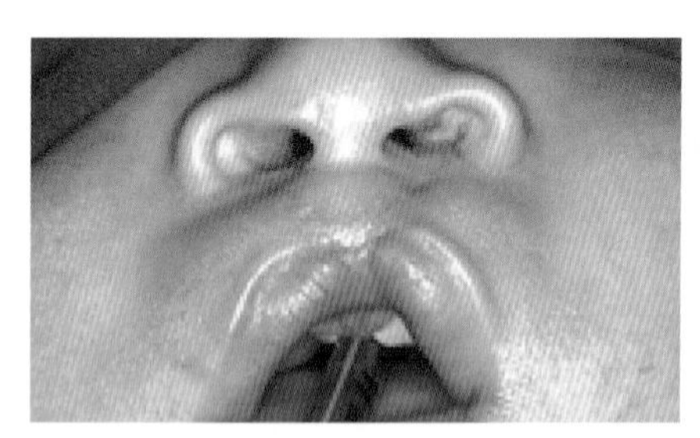
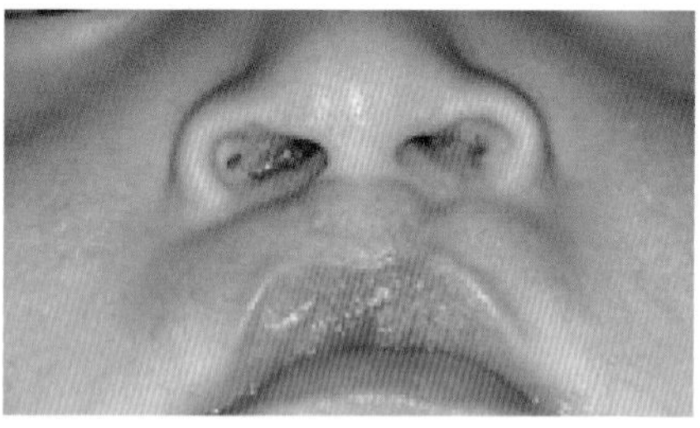

그림 22-21 양측성 구순열 환자에서 pendulum 피판을 이용하여 휘파람 변형을 교정한 증례

(3) 홍순의 과잉

홍순 외측부의 과잉은 편측성 구순열을 Millard 법으로 수술한 경우에 간혹 볼 수 있다. 양측성 구순열 수술 후 홍순의 과잉이 발생하였을 경우에는 과잉 부분을 가로로 절제하여 교정한다(그림 22-22).

(4) 홍순연의 변형

구순열에서 흔히 발생하는 이차 변형의 하나가 홍순의 부족 또는 변형이다. 이는 여러 방향의 문제일 수 있으며 대개는 절흔(notching), 홍순연의 불연속성, 홍순연 융기부가 상실되거나 지나치게 돌출된 경우, 큐피드궁과 인중의 뚜렷한 비정상적 구조, 순협측 구강 전정부의 유착 등의 소견을 보인다.

편측성 구순열에서 홍순부 변형의 수술기법은 양측성 구순열에도 같은 개념으로 적용할 수 있다. 먼저 많이 볼 수 있는 홍순의 계단모양 변형(step deformity)은 작은 Z-성형술을 이용하여 교정한다(그림 22-23). 홍순부의 절흔은 외측 홍순부의 잉여조직을 노출시켜 내측 입술분절 안으로 집어넣어 교정해 준다(그림 22-24).[2-6]

큐피드궁은 윗입술 선이 상방으로 쌍궁을 이루면서 그 사이가 하방 곡선으로 연결되어 활모양으로 된 피부와의 경계부를 가리킨다. 자세히 보면 점막-피부 경계선에 조직의 능선이 형성되는데 이 부위를 "white roll"이라 한다. 큐피드궁의 비대칭은 일차 구순열 수술 시 입술의 홍순부를

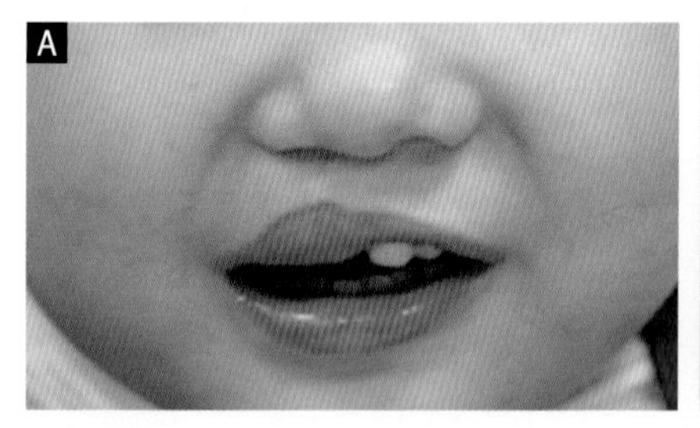

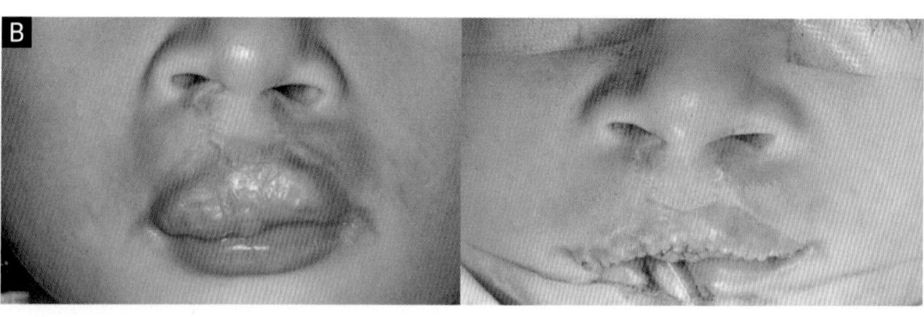

그림 22-22 A: 편측성 구순열 수술 후 홍순 과잉의 임상례 B: 양측성 구순열 수술 후의 과잉된 홍순을 가로 절제한 증례

잘 맞추지 못해 초래된다. 큐피드궁의 변형은 반복적인 흉터교정술로 인해 입술이 수평적으로 짧아지는 경우, 과도한 장력으로 인해 편평해지는 경우, 접합이 제대로 안 되어 절흔이 생기는 경우, 균형을 이루지 못한 피판으로 인해 뒤틀린 경우에 생길 수 있다.[2-4]

큐피드궁의 변형이 심하지 않은 경우에는 이중 Z-성형술(그림 22-25) 또는 홍순피판 전진술(vermilion flap advancement)(그림 22-26)로 교정할 수 있다. 그러나 변형이 심한 경우에는 전체적으로 다시 수술을 하거나 조직이 부족하면 Abbe 피판을 이용하여 교정한다.[2-6,12]

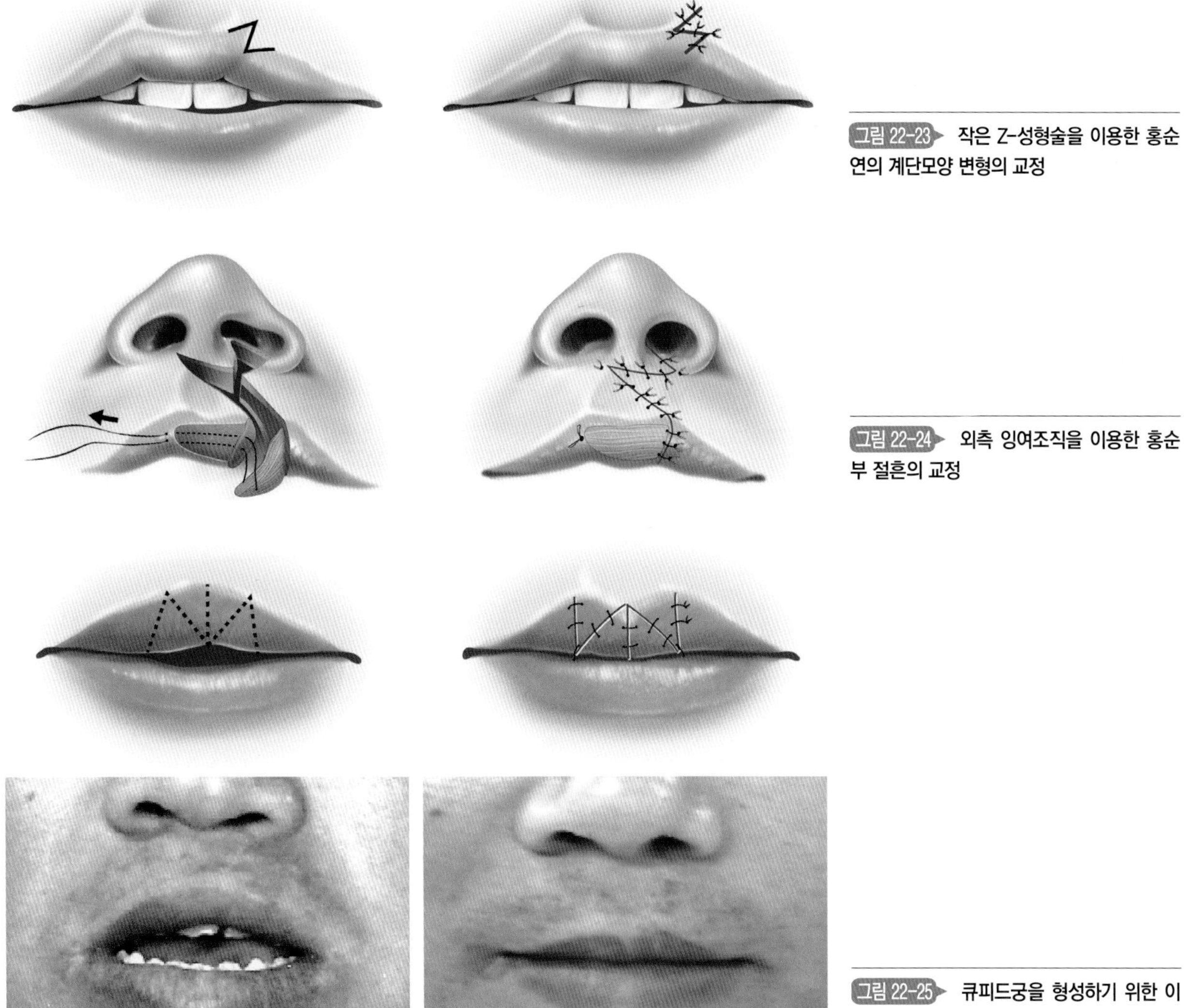

그림 22-23 작은 Z-성형술을 이용한 홍순연의 계단모양 변형의 교정

그림 22-24 외측 잉여조직을 이용한 홍순부 절흔의 교정

그림 22-25 큐피드궁을 형성하기 위한 이중 Z-성형술의 모식도와 수술 증례

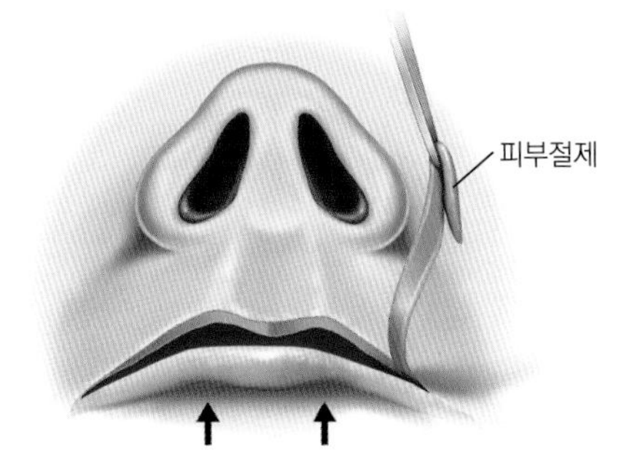

그림 22-26 홍순피판 전진술

(5) 순·협측 전정부의 유착

구순열 수술 후 순·협측 구강전정의 깊이가 얕은 경우가 자주 발생한다. 이런 현상은 편측성 구순열에서는 잘 생기지 않지만, 전순이 전상악골(premaxilla)과 맞붙어 있어 원래 전정부가 없는 양측성 구순열에서 잘 발생한다. 순·협측 전정부가 부족하면 입술의 기능이 제대로 이루어지지 않고, 나중에 치아교정치료 또는 치아 수복치료 시에도 불편하다. 그러므로 입술의 이차 교정 시 홍순 안쪽의 구강전정을 잘 형성해 주는 것이 중요하다.

구강전정부의 유착을 예방하기 위해서는 일차 구순열 수술 시 구강 점막을 전진시켜 개열부의 전정을 잘 형성해 주고(그림 22-27), 필요시 홍순과 구강점막의 잉여조직을 절제하지 말고 전정부 쪽으로 회전시켜 봉합해 준다. 양측성 구순열의 경우에는 일차 수술 시 전순의 점막 조직을 충분히 남겨 순측 전정을 형성해 주어야 한다. 전정부 유착의 교정은 점막측에서 Z-성형술, V-Y 전진술, 점막이식 등의 방법을 이용한다(그림 22-28). 치조열 또는 구비누공이 존재할 경우에는 골이식술 또는 점막피판술과 전정성형술을 함께 시행할 수도 있다.[2-6]

2. 코 변형(Nasal deformity)

발생학적으로 일차 구개(primary palate)의 개열이 존재하는 구순열 환자들은 선천적으로 코의 변형이 존재하여 이를 구순열 코변형(cleft nasal deformity)이라고 한다. 구순열 코변형이 발생하는 원인에 대해서는 태아 발생기에 신경능선(neural crest) 세포로부터 발생된 중배엽 돌기가 정상위치로 이동, 성장하지 못하여 코연골 형성능력이 감소되어 발생한다는 이론과 개열에 이환된 부위의 근육이나 기저부 골조직의 영향에 의하여 발생한다는 이론이 있다.[13] 최근의 연구결과에 의하면 전자에 해당하는 내재된 성장력 감소의 영향보다는 후자에 해당하는 골격 기저부의 저형성이나 변형된 근육으로부터의 압력에 의한 영향

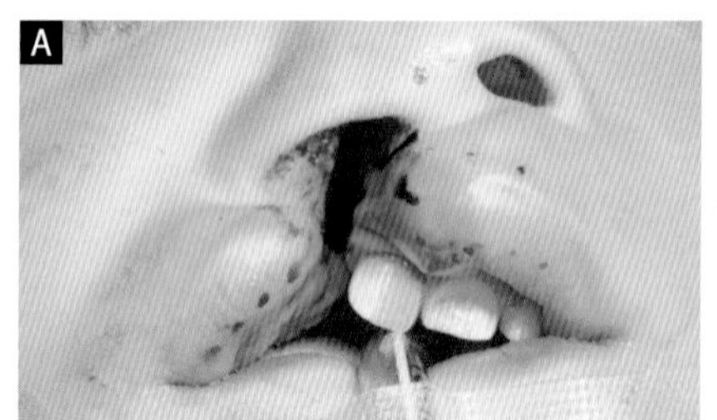

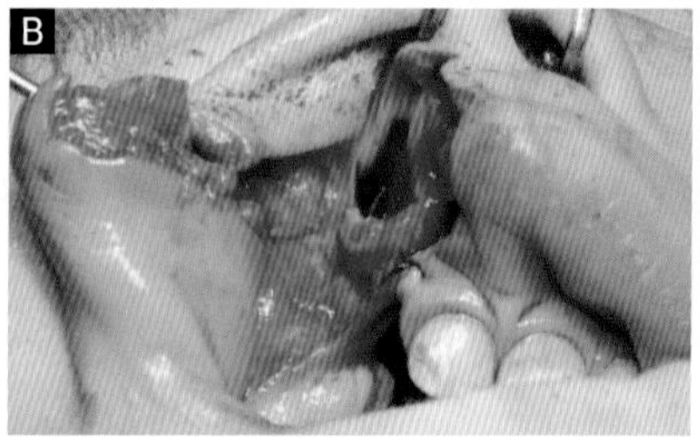

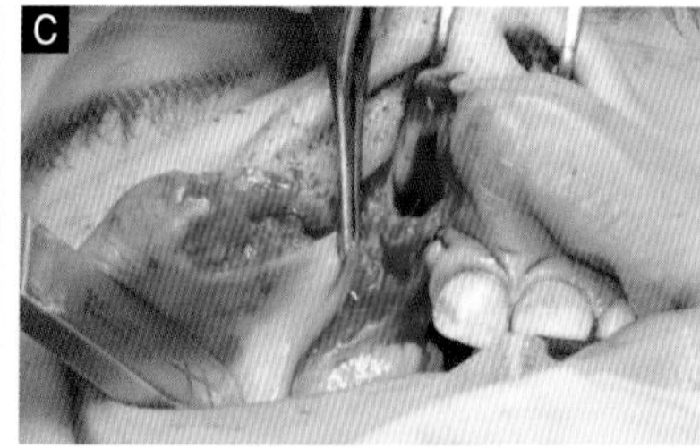

그림 22-27 **일차 구순열 수술 시 비강저와 전정부를 재건해 주는 임상례. A:** 개열 부위의 잉여 점막조직에 대한 디자인 **B:** 점막 피판을 이용한 비강저의 재건 **C:** 점막으로 이장된 개열부의 전방으로 구강 점막을 전진시켜 순측의 구강 전정을 재건해 주는 모습

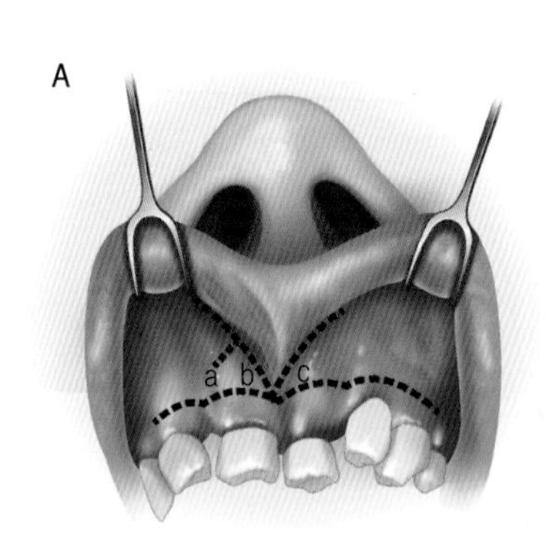

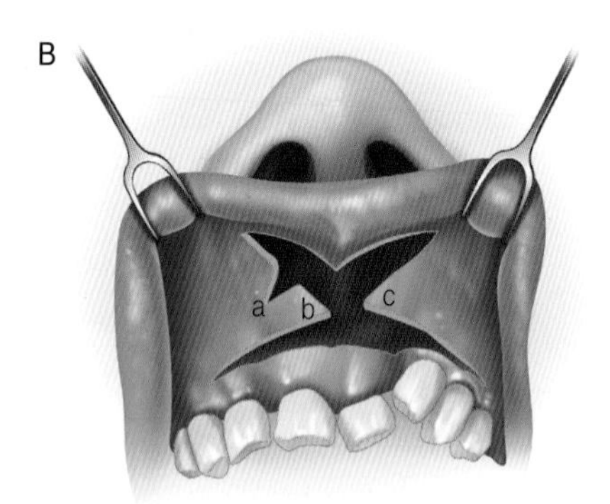

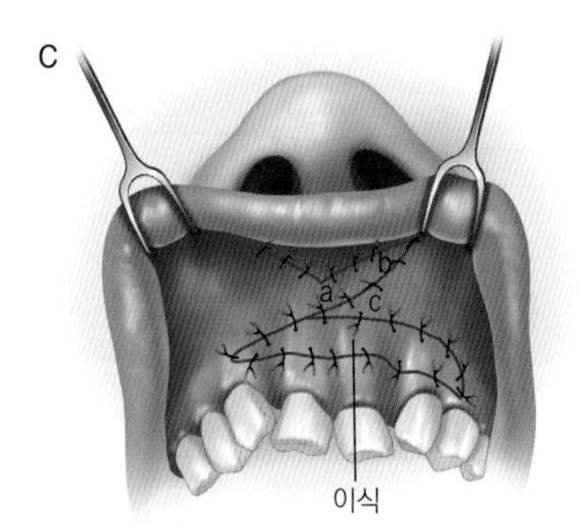

그림 22-28 **구강전정부 유착 시 Z-성형술, V-Y 전진술, 점막이식을 이용한 전정성형술**

이 더 부각되고 있다. 구순열 수술 후에는 반흔조직의 영향으로 인하여 얼굴 타 부위와 비교하여 상대적으로 성장 잠재력이 저하된 입술과 코 부위에 변형이 추가된다. 이와 같이 구순열 자체와 수술의 영향, 그리고 성장으로 인해 복합적으로 코에 생긴 변형을 이차 구순열 코변형이라고 한다.

정상적인 외형과 기능을 목표로 하는 외과의사들의 노력에도 불구하고 이차 구순열 코변형은 구순열 환자의 35~75%에서 나타남으로[14] 이차 구순열 코변형은 수술로 인한 예외적인 합병증이라기 보다는 필연적으로 거의 모든 구순열 환자들에게 발현되는 것으로 여겨진다. 그러한 이유에서 오래전부터 선학들은 "수복된 구순열은 입술의 흉터보다는 코변형 때문에 드러난다"고 지적한 바 있다. 이차 구순열 코변형은 코연골과 코점막, 피부, 그리고 골조직까지 이환되어 삼차원적으로 복잡한 양상을 보인다. 이차 구순열 코변형이 악화되는 요인으로는 외과의사의 술기 부족, 심한 개열로 인한 조직의 부족, 환자 개개인의 반흔조직 형성 정도, 얼굴 성장의 영향 등이 있다. 이차 구순열 코변형에 대한 가장 효과적인 치료는 구순열 성형술 시 균형잡힌 코와 입술을 재건하고자 최대한의 노력을 기울임으로써 이차 구순열 코변형이 악화되는 것을 예방하는 것이다.

1) 병리해부학적 특징

이차 구순열 코변형에는 비익연골의 결손을 비롯한 코연골의 변형과 더불어 비중격, 비주, 코끝 부위와 전체적인 코 피라미드(nasal pyramid)의 결손과 이들을 피개하고 있는 연조직의 문제점이 모두 포함된다. 또한 이차 구순열 코변형의 해부학적인 특징은 선천적인 개열로 인한 조직의 구조적인 결손의 정도에 영향을 받게 된다. 외과의사들은 이 같은 특성을 잘 이해함으로써 이차 구순열 코변형을 가진 환자의 외모와 기능을 개선시킬 수 있다.

(1) 편측성 이차 구순열 코변형

편측성 이차 구순열 코변형의 특징적인 병리해부 양상은 다음과 같다(그림 22-29, 30).[2-6]

① 코끝이 정상측으로 편위되어 있다.
② 비주저부, 비중격, 전비극(anterior nasal spine)이 정상측으로 변위되어 있고, 비중격 중앙부가 휘어있는 경우 환측 비강으로 볼록하게 곡면을 이루고 있어 비강을 통한 호흡을 방해하게 된다.
③ 환측 비익연골의 내각(medial crus)과 외각(lateral crus) 사이의 각도가 정상측보다 크다.
④ 환측 비익연골의 외각은 원심측과 하방으로 처져 있고 코끝 부위의 피부가 비공의 상내측에 물갈퀴 모양으로 현수(suspension) 된다.
⑤ 환측 비익연골의 외각이 비강 쪽으로 굽어 있다.
⑥ 환측 비공 내부에는 비공 정점에서부터 비익연골의 원심측 가장자리를 따라 비전정 물갈퀴(vestibular web)가 형성되어 있다.

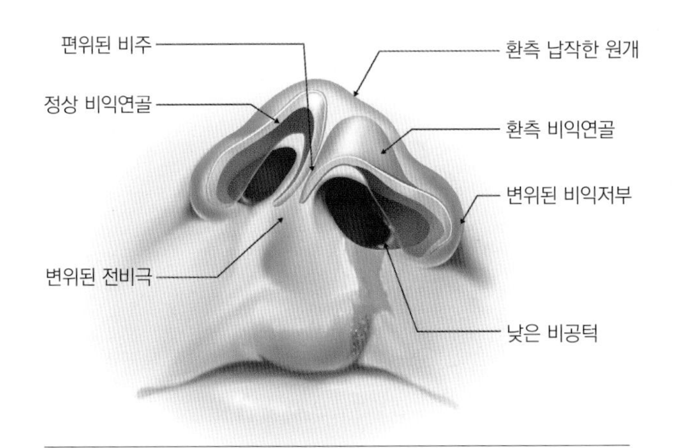

그림 22-29 편측성 구순열에서 이차 코변형의 특징

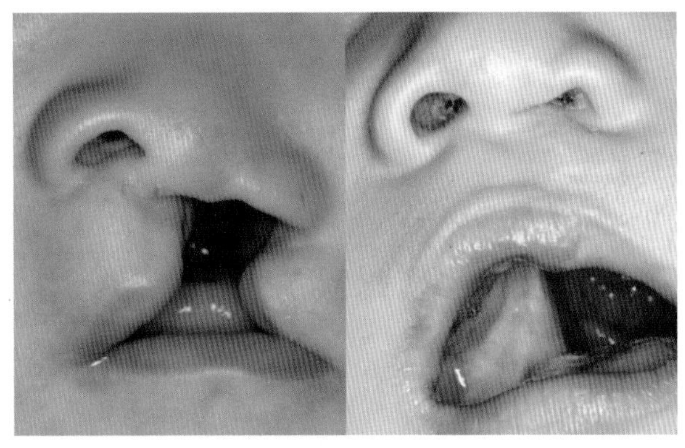

그림 22-30 편측성 구순열에서 선천성 코변형과 이차 코변형의 임상례

⑦ 환측 이상구(piriform aperture)의 형성저하로 인해 비익저부가 함몰되어 있다.
⑧ 환측 비공저가 넓고 양측 비공이 비대칭이다.

편측성 구순열 코변형이 발생하는 기전에 대해 Hogan 등은 "기울어진 삼각대(tilted tripod)" 이론으로 설명하였다.[15] 성상인에서는 양측 비익연골과 비중격이 상악골 위에 똑바로 서있는 삼각대처럼 대칭적으로 위치하고 있다. 그러나 편측성 구순열의 경우 환측 상악골과 이상구의 형성부전으로 인해 함몰되기 때문에 삼각대가 한쪽으로 기울어질 수밖에 없고, 따라서 비익연골과 비중격에 변형이 나타난다는 것이다(그림 22-31).

(2) 양측성 이차 구순열 코변형

양측성 구순열의 정도가 대칭적일 경우 양측성 구순열 코변형도 대칭적으로 발현되며, 그 특징적인 소견은 다음과 같다(그림 22-32).[2-10]

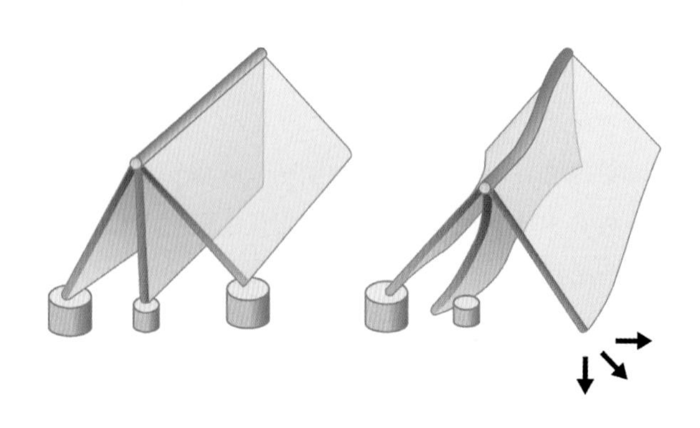

그림 22-31 "기울어진 삼각대(tilted tripod)" 이론의 모식도

① 비주가 짧다.
② 비익과 비익연골의 변위로 인해 코끝이 낮고 납작하며 때로는 정중선에 절흔이 있다.
③ 비익원개가 외측으로 변위되고 비익저부가 외측으로 벌어져 있으므로(flaring), 전비공각(a nterior nostril angle)이 둔각이고 비공의 모양은 수평에 가깝다.
④ 양쪽 상악형성부전이 있다.
⑤ 비전정부(vestibular floor)에 흉터가 있다.

양측성 이차 구순열 코변형의 경우 전체적으로 비주가 짧아 코끝(nasal tip)이 낮고 비공(nostril)이 작아지는 문제가 있다. 비대칭성 양측성 구순열에서 이차 코변형의 정도는 구륜근의 비정상적인 위치와 수축력, 이상구의 형성저하로 인해 코가 함몰된 정도에 따라 다르며, 특히 비익연골의 변형 정도에 따라 차이가 있다.

2) 구순열 코변형의 교정

구순열 코변형에 대한 수술 시에는 심미적인 면과 기능적인 면을 동시에 고려해야 한다. 코변형에서 심미적 관점이란 코의 대칭성과 코와 입술, 코와 안모와의 조화로운 관계, 그리고 수술로 인한 반흔조직의 형성을 최소화하는 것을 말한다. 기능적 관점이란 건전한 비기도와 상악골의 적절한 위치 확보를 말한다.[2]

구순열 코변형을 교정하기 위한 수술 시기에 대해서는 많은 견해가 있다. 구순열 수술 시 코교정술을 고려하지 않는 임상가들의 견해에 의하면, 코연골이 너무 작아 교정하기 어렵고 수술에 따른 손상으로 연골 주위에 흉터조직

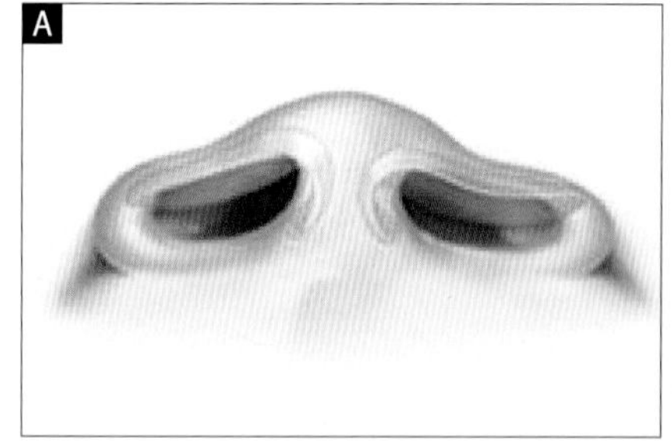

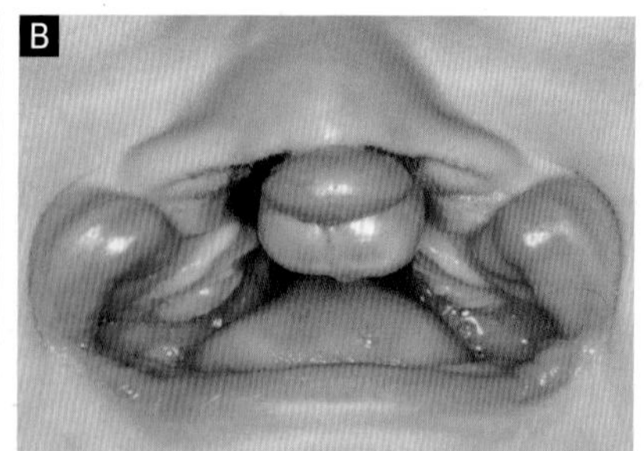

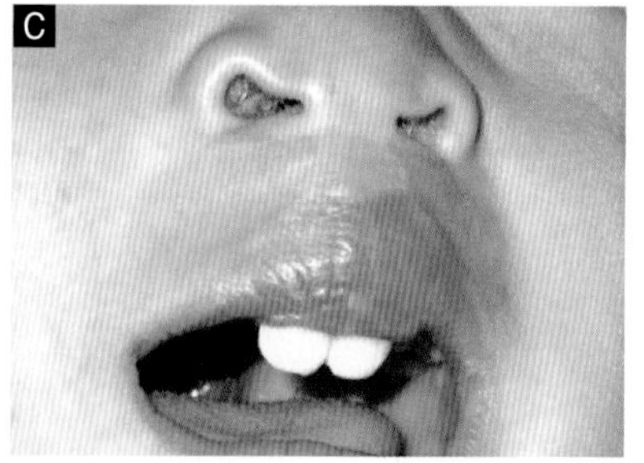

그림 22-32 전형적인 양측성 이차 구순열 코변형의 모식도(A)와 선천성 코변형(B), 이차 코변형(C)의 임상례

이 발생하여 코의 성장장애를 야기할 뿐만 아니라 이차 구순열 코변형 교정 시에 오히려 지장을 초래하기 때문에, 코 성장이 어느 정도 이루어질 때까지 코교정술을 연기하는 것이 바람직하다고 한다. 반면에 구순열 수술 시 코교정술을 동시에 시행하자는 견해에 의하면, 구순열 수술 시 코 연골을 바른 위치에 재배치함으로써 더 이상의 코변형을 예방하고, 최종 코성형술 시 더 우수한 결과를 얻을 수 있다는 것이다.[16] 위와 같은 개념에서 임상적으로 다양한 시기에 구순열 코성형술이 시행되고 있다.

(1) 일차 구순열 코성형술(Primary cleft rhinoplasty)

구순열 수술과 동시에 코수술을 하는 것을 일차 구순열 코성형술이라고 한다. 일차 구순열 코성형술을 통해 코 연골의 위치를 일찍 바로 잡아주면 더욱 만족스러운 형태와 위치로 코의 성장을 유도할 수 있다는 경험을 바탕으로, 많은 외과의사들이 구순열 수술 시에 코성형술을 함께 시행하는 추세이다.[17,18]

일차 구순열 코성형술 시에는 구순열 수술을 위한 절개선을 통해 또는 필요시 코 부위에 대한 제한적인 추가 절개선을 통해 코변형을 교정하면서도 의원성 변형(iatrogenic deformity)을 초래할 수 있는 과도한 수술 조작은 피하여야 한다. Fisher 등은 일차 구순열 코성형술의 목적은 다음과 같다고 하였다.[14]

① 양측 비익저(alar base)를 분리하여 전방에서 보았을 때 균형을 이루도록 재위치

② 미측 비중격(caudal septum)을 분리 후 재위치하면서 비주저를 정중선에 위치

③ 이상연 외측을 분리하여 재위치

④ 코의 지지(support)

⑤ 환측 돔(dome)과 외측다리를 내전방으로 전진

⑥ 호흡을 위하여 코 내부의 구조를 회복하고, 환측의 외측 전정부를 외측으로 형성

⑦ 피부 절개와 절제를 피할 것

일반적으로 편측성 구순열에 대한 일차 코성형술의 경우 환측 비익의 과도한 처짐을 교정함으로써 코끝 부위의 대칭성을 회복하고, 양측성 구순열에 대한 일차 코성형술에서는 하외측연골의 위치를 바로잡아 비익의 퍼짐(alar flaring)을 교정하고 비주의 길이를 확보하는 것이 중요하다(그림 22-33). 상세한 술식에 대해서는 19장에 기술되었다.

(2) 이차 구순열 코성형술(Secondary cleft rhinoplasty)

① 중간 코성형술(Intermediate rhinoplasty)

일차 구순열 코성형술과 최종 코성형술 사이에 시행되는 구순열 코성형술을 중간 코성형술이라고 한다. 구순열 수복술 시 일차 구순열 코교정이 이루어지지 않았거나 환아의 사회심리학적 스트레스를 완화하기 위해, 또한 최종 코성형술의 결과를 향상시키기 위한 목적으로 적용될 수 있다.

구순구개열을 가진 어린이들이 유치원 또는 초등학교에 들어갈 때가 되면 자의식이 발달하여 자신의 얼굴에 관심이 많아지며 친구들도 의식하게 됨으로 잔존된 구순열 코변형에 대한 교정이 필요할 수 있다.[2] Oritz-Monasterio와

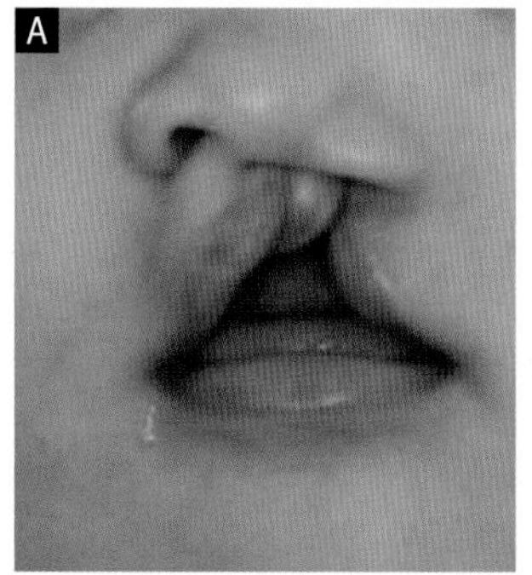

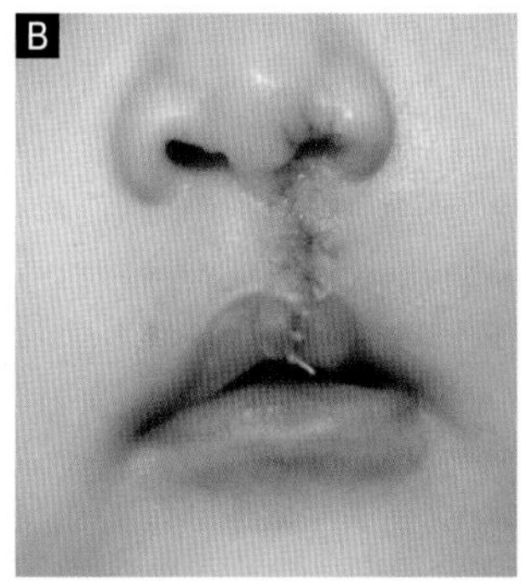

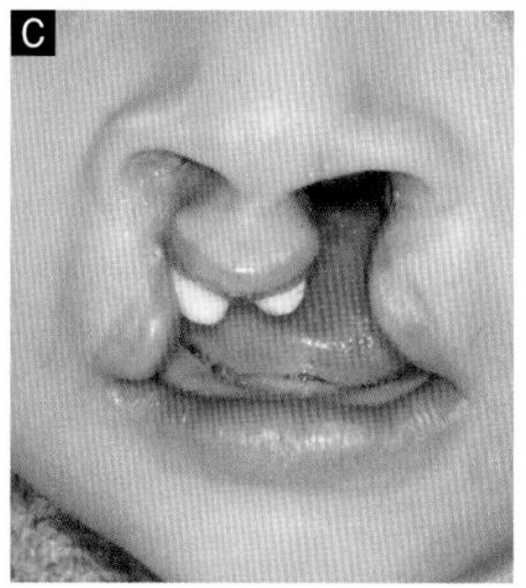

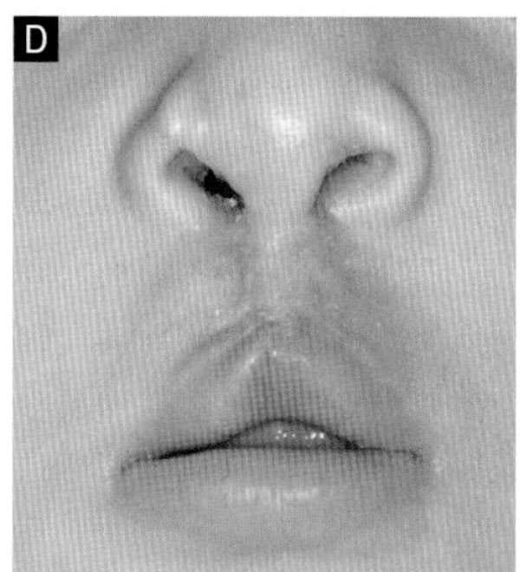

그림 22-33 **구순열 성형술 시 시행한 일차 구순열 코성형술.** 편측성(A, B)과 양측성(C, D) 일차 구순열 코성형술의 임상례

Olmedo[17], Salyer[1]는 심한 편측성 구순열 코변형의 경우 취학전 연령인 4~6세에 코교정술을 권하였다. Salyer와 Bardach는 8~12세가 되면 양쪽 상악분절에 대한 악정형 치료가 완료되어 상외측연골이 재배치해 놓은 비익연골을 지지할 수 있게 되며 상악형성부전에 대한 중첩골이식이 가능하므로, 치조열 골이식술을 시행하는 시기인 8~12세에 코교정술을 동시에 하는 것을 권하였다. 그러나 비중격성형술(septoplasty), 코뼈절단술(nasal osteotomy), 콧등증강술(dorsal augmentaion) 등의 교정 술식은 최종 코성형술로 연기함으로써 외과적 손상으로 인한 코의 성장장애를 최소화하는 것이 바람직하다.

중간 코성형술의 경우 코의 하방 1/3 부위에 제한된 수술을 하게 됨으로 비내접근법(endonasal approach)이 가능하다. 구순열 코변형에 대한 교정 수술방법의 기본적인 원칙은 변형된 비익연골을 충분히 박리하여 비익 외각을 내상방으로 들어올려 돔의 적절한 부위에 효과적으로 현수봉합하는 것이다. 하지만 심한 코변형, 비익연골의 위축, 연조직에 대한 불충분한 박리, 미세한 구조물의 손상, 그리고 기존의 흉터 조직이 너무 심한 경우에는 비내접근법을 이용한 코교정술의 결과가 성공적이지 못할 수도 있다.[2] 그러므로 비익연골을 광범위하게 노출시켜야 하는 심한 코변형 증례에서는 개방접근법이 선호된다.[2-5]

구순열 코교정술에서 많이 이용되는 Tajima 절개는 환측 비익저부를 손가락으로 밀어 올려 양측 비공저를 대칭으로 만든 상태에서, 비강내 점막에서부터 비익연(alar rim)을 포함하는 역-U자형(reverse-U) 절개를 하는 것이다. 즉 비강 내의 비주와 코중격 접합부에서 절개를 시작하여 비익연을 향해 진행한 후 비강 외로 나와 반대쪽 비익연과 대칭이 되도록 비익연을 따라 절개한 다음, 다시 비강 내로 들어가 비강내 전정 주름(nasal vestibular fold) 바로 외측에서 끝난다. 이 절개선을 통해 코의 하방 2/3를 덮고 있는 피부를 환측 비익연골로부터 박리하고, 정상측 비익연골과 비주 상부까지 박리할 수 있다. 이렇게 형성한 역 U자형 연골점막피부판을 내상방으로 끌어올려 그 안에 있는 비익연골을 정상측 돔과 비중격각(septal angle)과 양측 상외측연골(upper lateral cartilage)에 봉합하여 준다. 그후 절개선을 봉합하면 콧등을 덮고 있던 피부가 안쪽으로 말려 들어가 비익연 모양이 자연스럽게 만들어진다(그림 22-34, 35). 이 방법으로 변형된 비익연골을 효과적으로 교정할 수 있고 수술 흉터도 눈에 덜 띄는 반면, 수술 시야가 좁아 정확한 위치와 방향으로 비익연골을 재배치하기 어려운 단점이 있다.[19]

이차 코변형의 경우 비공 상방의 비전정부 점막이 구축(contracture)되어 물갈퀴 모양으로 변형될 수 있다. 이러한 잉여 피부는 역 U자형 절개를 시행하여 비점막으로 변위시킬 수도 있고, Z-성형술을 적용하면 비공을 넓힘과 동시에 비주를 연장한는 효과를 얻을 수 있다(그림 22-36). 비전정 물갈퀴의 교정에는 Z-성형술, V-Y 전진술, 후절개를 동반한 회전피판 등이 이용된다. 또는 환측 비익연골의 외각과 돔 부분을 내방으로 전진시킨 다음 이로 인해 생긴 결손부에 피부이식을 할 수도 있다(그림 22-37).[2-6,10,20]

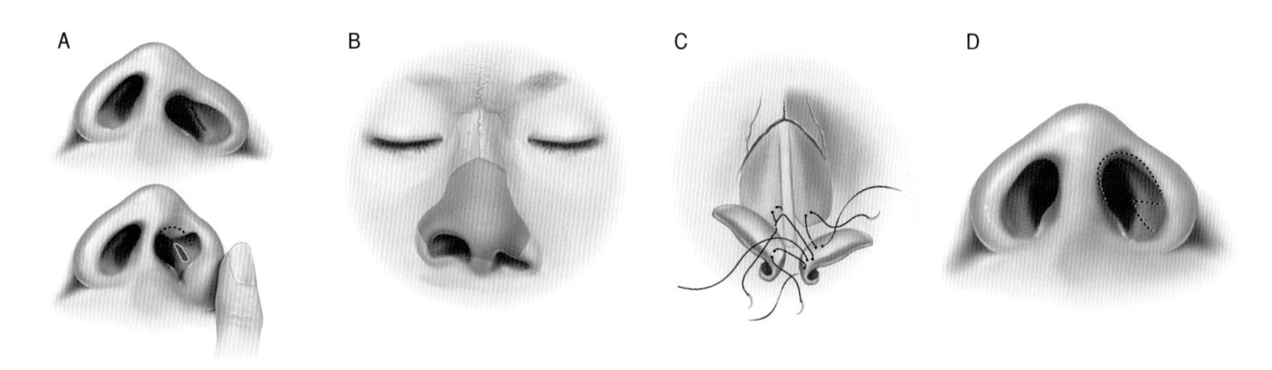

그림 22-34 **역 U자형 절개를 이용한 비성형술.** **A:** 절개선의 디자인 **B:** 박리 범위 **C:** 비익연골의 고정 부위 **D:** 절개선의 외측단에 Z-성형술을 넣은 수술 후 모식도

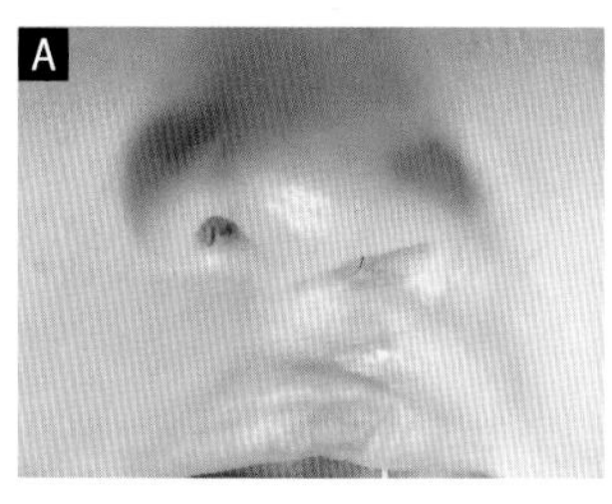

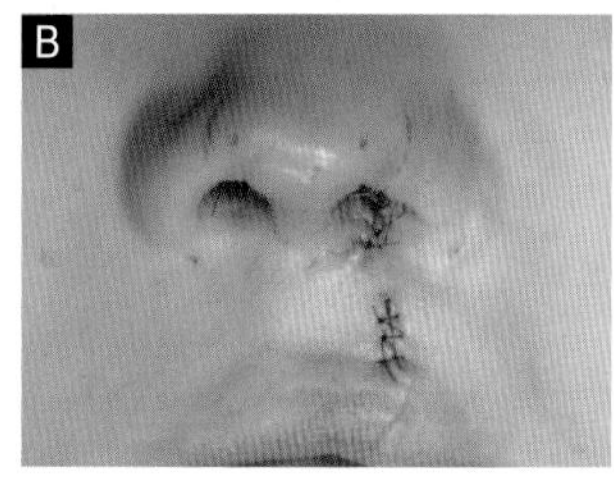

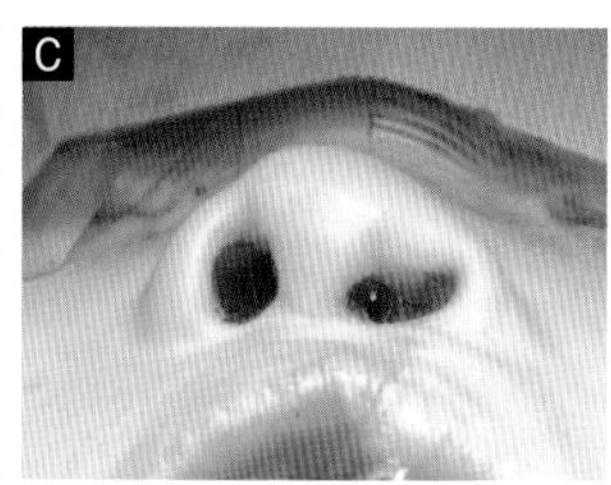

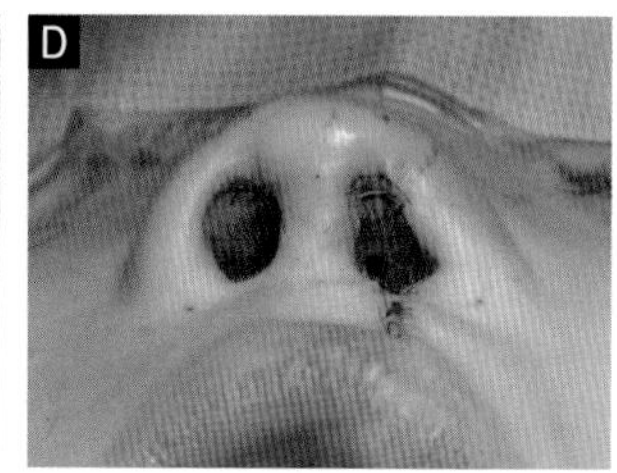

그림 22-35 **5세 환아에게 시행된 역 U자형 절개를 통한 중간 코성형술의 임상례.** 수술 전(A, C)과 수술 후(B, D)의 모습

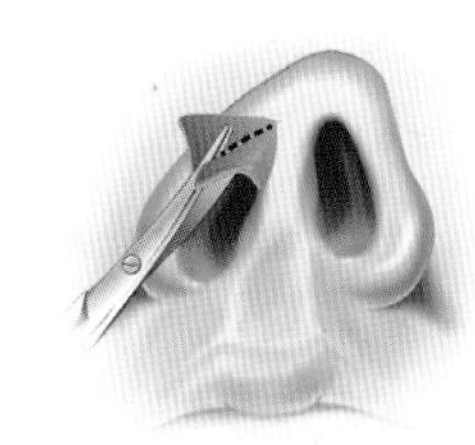
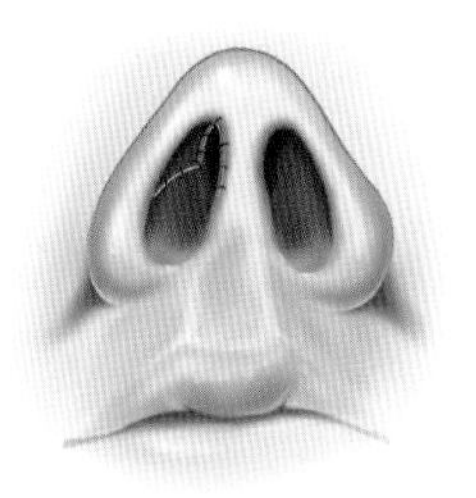
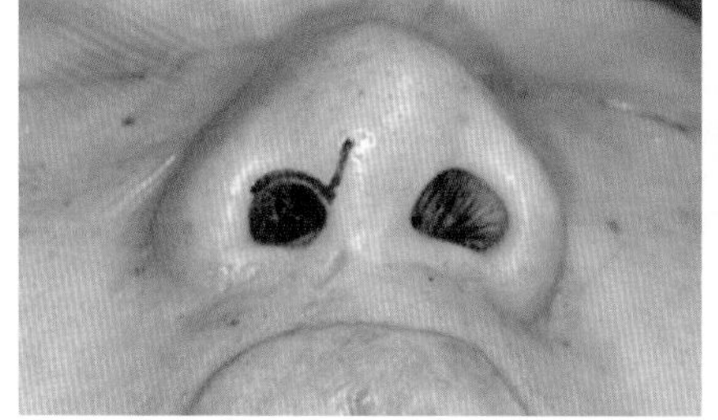
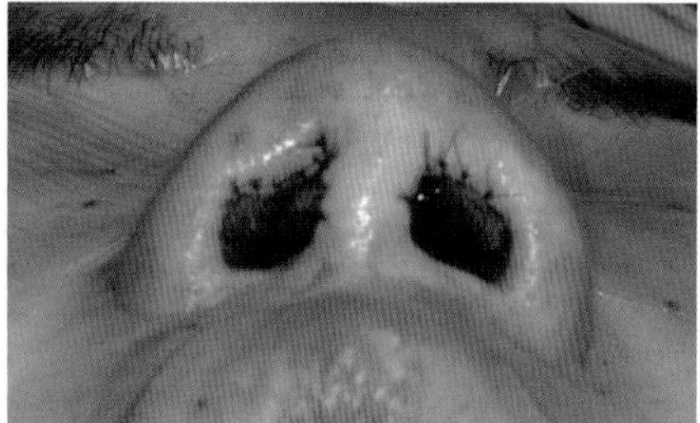

그림 22-36 **Z-성형술을 이용한 비공 교정의 모식도와 증례**

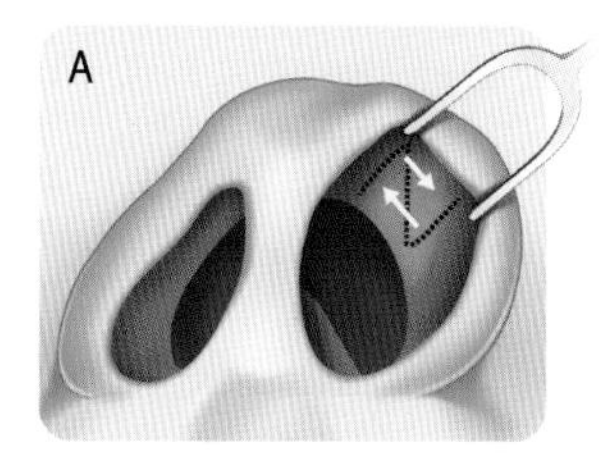

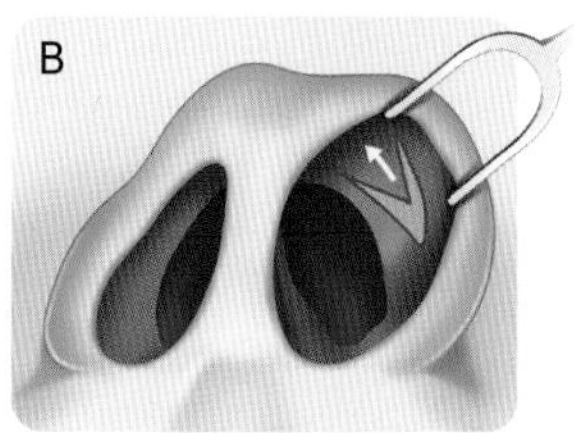

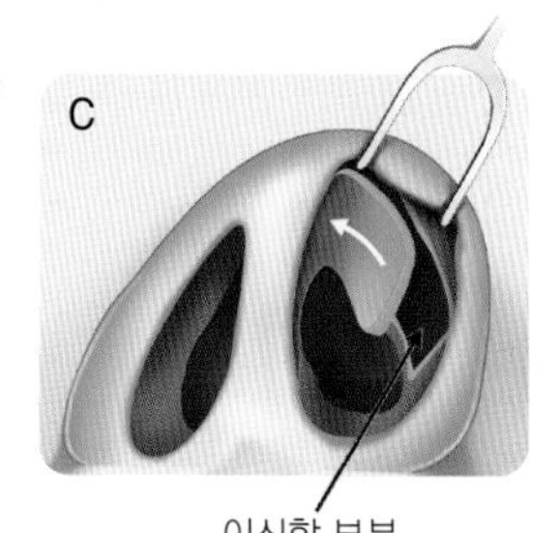

그림 22-37 **비전정부에 있는 물갈퀴(Web)를 교정하기 위한 여러 가지 방법. A:** Z-성형술 **B:** V-Y 전진술 **C:** 피부이식술

개방접근법은 기본적으로 경비주절개(transcolumellar incision)와 양측 연골하절개(Infracartilaginous incision)를 연결하고 박리하여 비익연골을 노출시키는 방법이다(그림 22-38). 개방접근법은 수술 시야가 넓고 연골과 뼈와 같은 해부학적 구조물을 눈으로 직접 보면서 원하는 위치로 쉽고 정확하게 교정할 수 있는 장점이 있다. 중간 코성형술 시 많이 이용되는 개방접근법을 통한 술식에는 다음과 같은 것들이 있다.

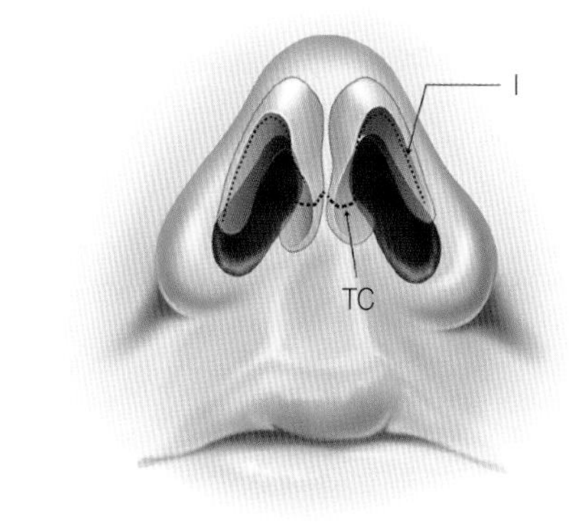

그림 22-38 **개방 코성형술을 위한 절개.** I: 연골하절개(infracartilaginous incision) TC: 경비주절개(transcolumellar incision)

a. Bardach 법: 상순에 조직이 충분한 경우 입술 흉터를 절개하여 V-Y 전진술로 봉합함으로써 상순 피부를 연장시켜 이를 비주 길이를 늘리는데 이용하고, 환측 비익연골의 외각을 박리하여 정중선 상에서 정상측 비익연골에 봉합 고정함으로써 코변형을 교정하는 방법이다(그림 22-39).[8]

b. Chen-Noordhoff 법: 개방접근법에 의한 절개를 통해서 환측 비익연골을 노출시킨 후 비익연골과 점막을 함께 V-Y 전진술로 내상방으로 회전시킨 다음 상외측 연골의 원위부 가장자리에 봉합하고, 양측 비익연골의 내각끼리 서로 봉합한다(그림 22-40).[21]

c. 연골이식술: 환측 비익연골을 재배열하여 고정해도 정상측과 같은 높이를 얻기 힘들거나 대칭성에 문제가 있을 경우 비익연골 위에 연골 이식편을 중첩하여 융기시킬 수 있다(그림 22-41). 비중격연골 또는 이개연골을 이용할 수 있는데, 비중격연골은 얻기 쉽고 단단한 장점을 갖으나 원하는 모양으로 만들기 어렵고, 이개연골은 비익연골과 같은 탄력연골로서 모양이 비익연골성형을 위해 더 유리하다(그림 22-42).[2-6]

양측성 이차 구순열 코변형에서는 짧은 비주와 낮은 비첨이 문제가 되어 중간 비성형술이 편측성의 경우보다 빈번히 구사된다. 비주 길이를 연장시켜 코의 높이를 높이기 위해서는 주로 입술 또는 코에서 조직을 얻으며, 드물게는 복합조직이식을 이용하기도 한다.[2-10] 양측성 구순열 코변형에 대한 중간 코성형술 시 적용할 수 있는 기법들은 다음과 같다.

a. Cronin과 Upton의 비주연장술: 양쪽 비순구(alar-labial fold)로부터 근심쪽으로 비익과 비공하연을 지나 비주의 정중선까지 역 Y자형 절개를 가한다. 봉합하면 양쪽 비익저부가 내측 전진되어 비주가 연장되고 비공이 내측으로 회전된다(그림 22-43).[10,22]

b. 중앙 전순의 V-Y 전진술: 전순의 길이가 적당하면 반흔을 포함한 비공저로부터 삼각형 피판을 작성하고

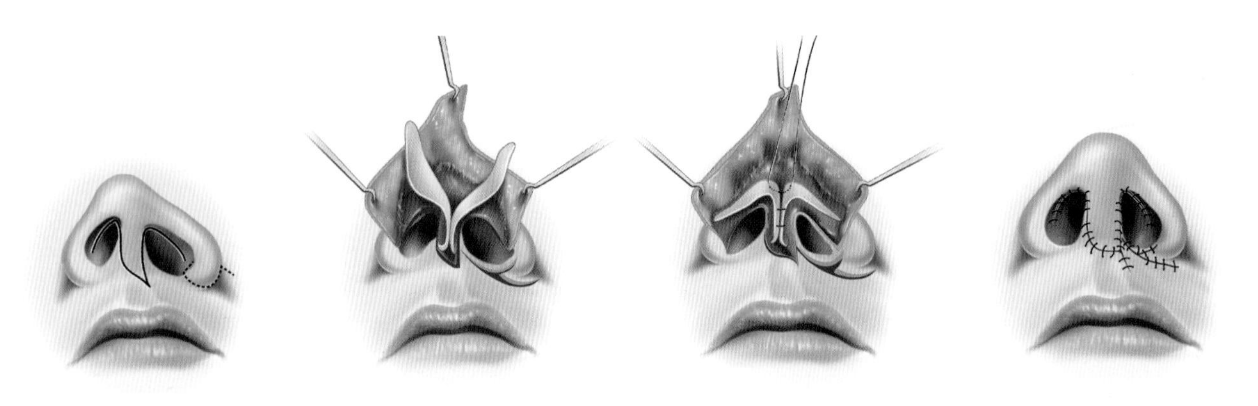

그림 22-39 **Bardach 법에 의한 코교정술.** 상순에서 V-Y 전진술로 비주를 연장하고 개방접근법을 통해 양측 비익연골을 박리하여 정중부에서 봉합, 고정해준다.

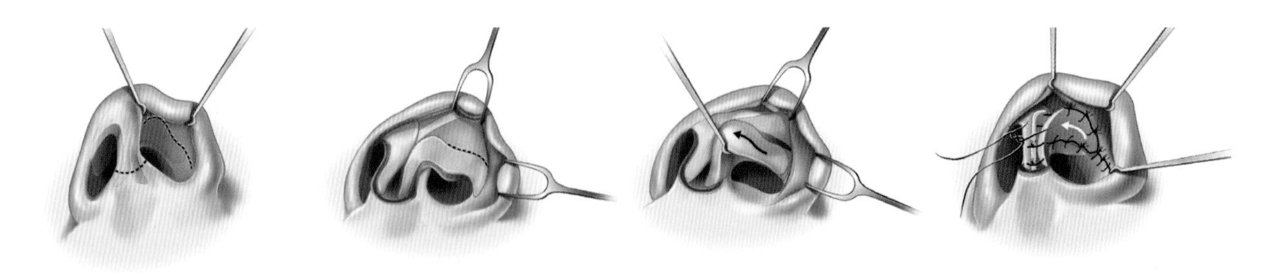

그림 22-40 **Chen-Noordhoff 법.** 비익연골과 점막을 V-Y 전진술로 내상방으로 회전시켜 양측 내각끼리 봉합한다.

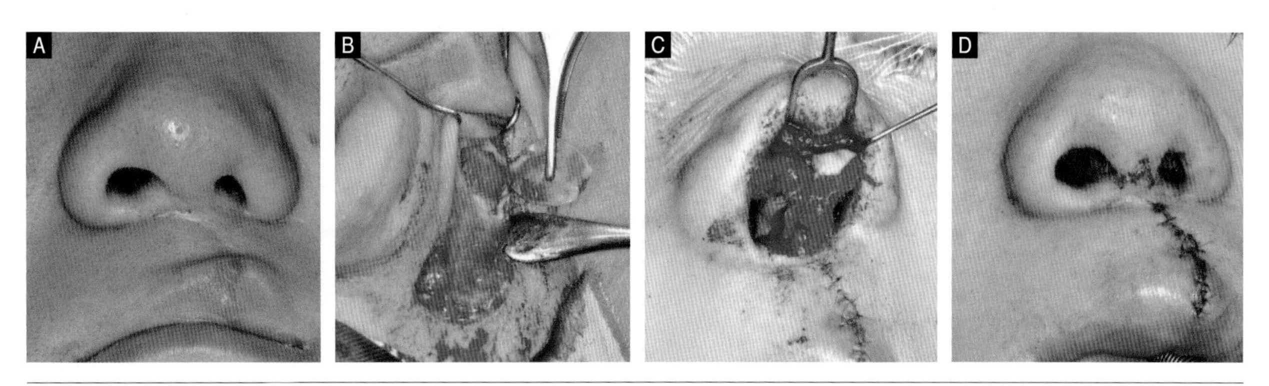

그림 22-41 **이개연골 이식을 이용한 중간 코성형술의 임상례(편측성). A:** 편측성 구순구개열 환자에서 이차 입술, 코 변형의 정면 모습 **B:** 이개연골의 채취 **C:** 이개연골 이식편으로 환측의 하외측연골을 중첩하여 보강 **D:** 봉합 후

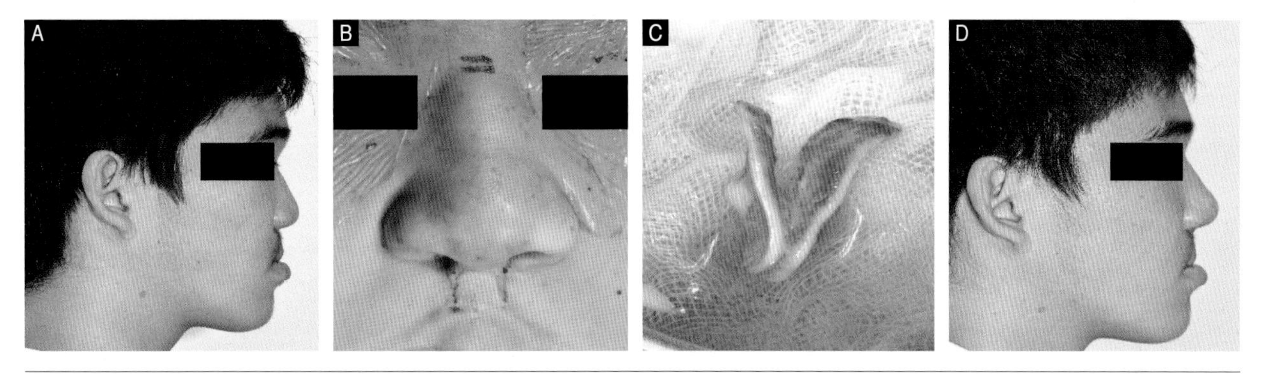

그림 22-42 **이개연골 이식을 이용한 중간 코성형술의 임상례(양측성). A:** 양측성 구순구개열 환자에서 이차 입술, 코 변형의 측면 모습 **B:** 비주 연장을 위한 포크피판의 설계 **C:** 양측 이개연골 채취후 원하는 모양으로 조각된 연골편 **D:** 수술 후 측면 모습

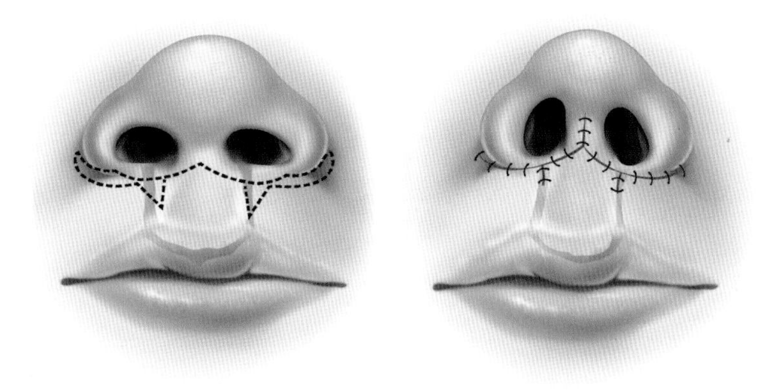

그림 22-43 **양측성 구순열 코변형에서 Cronin과 Upton의 비주연장술**

피판의 중앙부를 비주내로 전진시켜준다. 비주가 연장되고 흉터가 보이지 않게 된다(그림 22-44).[10]

c. **Bardach 법**: 상순에 조직이 충분한 경우 적용하며 양측 비익연골을 박리해서 정중선상에서 봉합, 고정하고 상순 피부를 V-Y 전진술로 연장시켜 봉합함으로써 비주 길이를 늘려준다(그림 22-45).

d. **Millard 포크피판을 이용한 비주연장술**: Millard 포크피판을 이용하여 비주를 연장하는 방법이다(그림 22-46).[10,23]

e. **전순부 전진술 및 Abbe 피판술**: 상순조직이 전체적으로 부족하여 주위에서 조직을 이용할 수 없는 상태에서 비주를 연장하려면 전순부 피부를 비주연장에 이용하고 전순 결손부에 Abbe 피판술을 적용할 수 있다(그림 22-47, 48).[7,10,11]

f. **이개 복합조직이식**: 비주연장술은 증례에 따라 상태에 맞게 적용하는 것이 임상적으로 중요하다. 상순, 코끝 및 비익의 관계가 비교적 양호한 상태에서 비주 길이만을 연장시킬 때에는 이개 복합조직이식(auricular composite graft)이 유용하다(그림 22-49, 50).

② 최종 코성형술(Definitive rhinoplasty)

최종 코성형술은 환자 얼굴 골격의 성숙이 완성되는 시점 이후에 시행함으로 여자 환자의 경우 15-17세, 남자 환자의 경우 16-18세 이후에, 또한 상악형성부전으로 인한 골절단술이 계획되어 있는 경우에는 골절단술 이후에 시행한다. 일차 코성형술이나 중간 코성형술을 통해 점진적으로 개선된 이차 구순열 코변형은 최종 코성형술을 통하여 기능적, 심미적으로 정상인의 코에 가깝게 재건해야 하므로 구순열 최종 코성형술은 구순열 코변형의 특징적인 패턴을 이해함과 동시에 현대적인 개념의 미용 코성형술의 개념하에서 이루어져야 한다.

구순열 최종 코성형술의 목적은 기본적으로 코의 대칭성

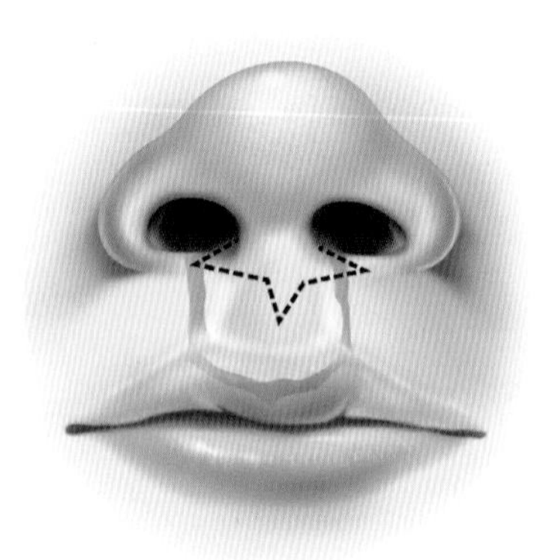
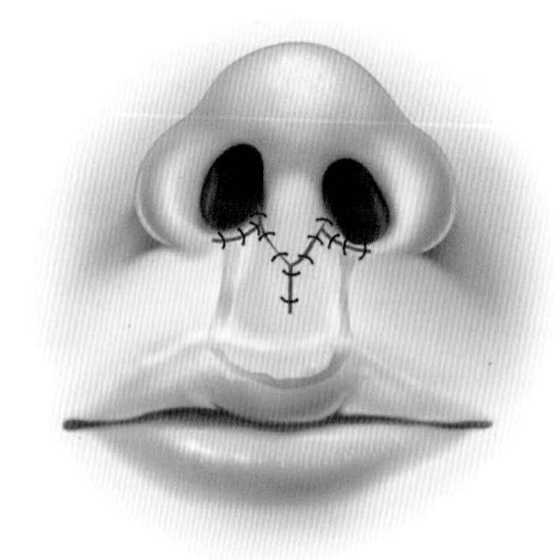

그림 22-44 양측성 구순열 코변형에서 중앙 전순의 V-Y 전진술

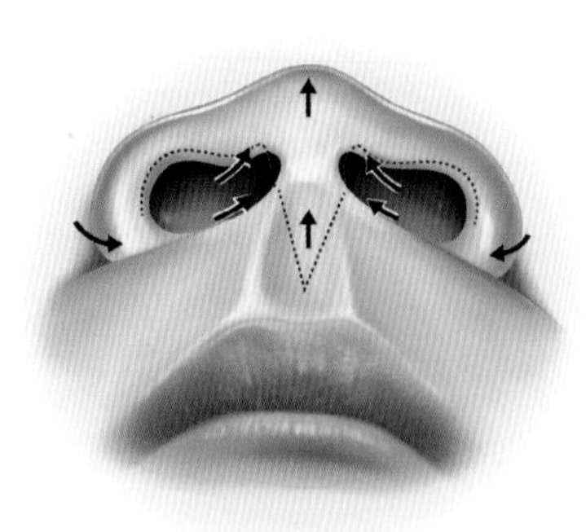
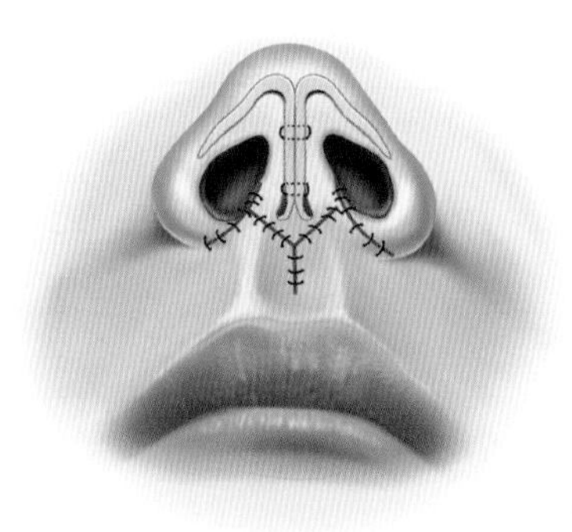

그림 22-45 양측성 구순열 코변형에서 Bardach법을 이용한 비주연장술

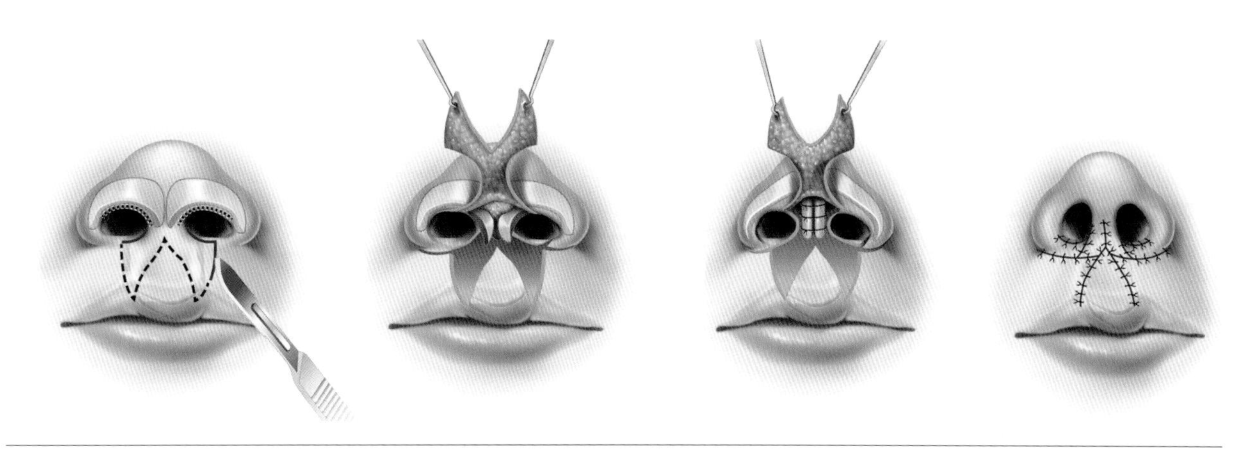

그림 22-46 양측성 구순열 코변형에서 Millard 포크피판을 이용한 비주연장술

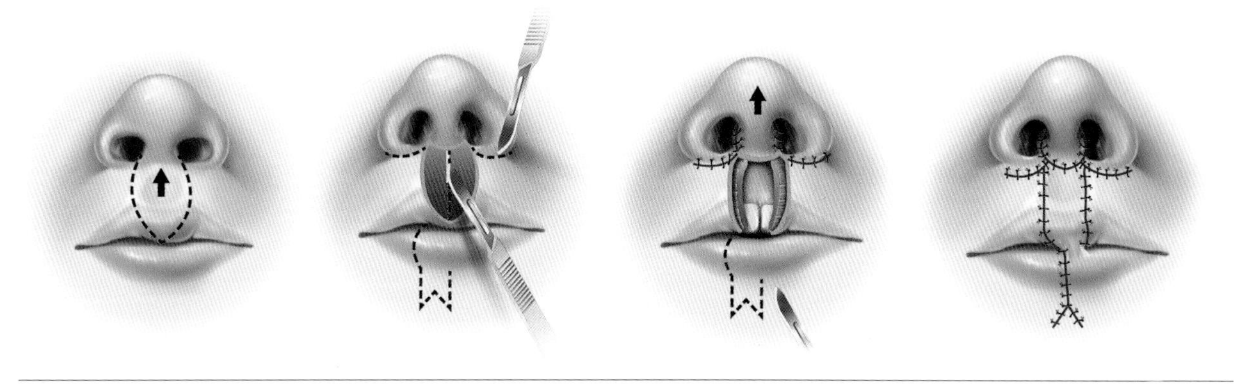

그림 22-47 전순부 전진술과 함께 Abbe 피판술을 적용한 술식

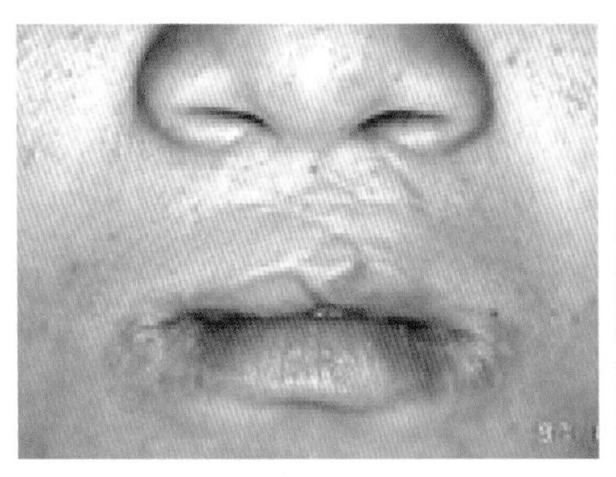

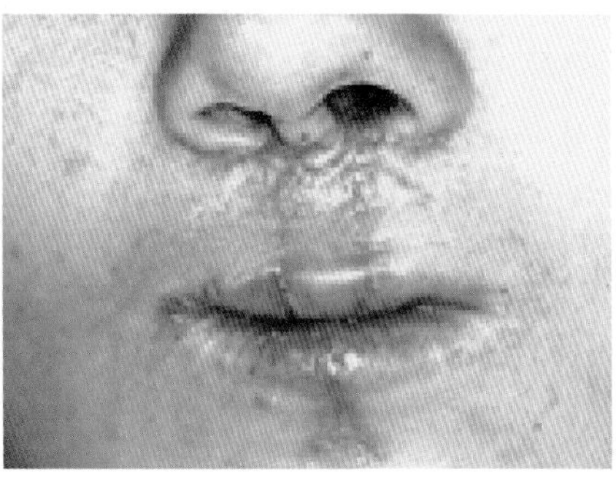

그림 22-48 양측성 구순열 환자에서 전순부 전진술로 비주를 연장하고 Abbe 피판술을 이용하여 교정한 증례

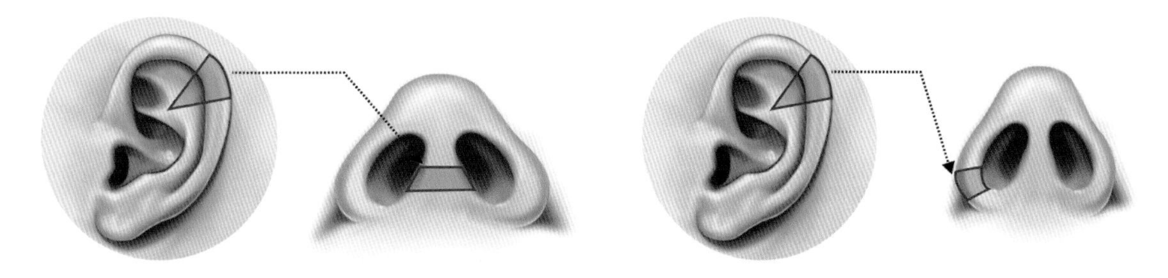

그림 22-49 이개 복합조직이식(auricular composit graft)을 이용한 비주와 비익 교정의 모식도

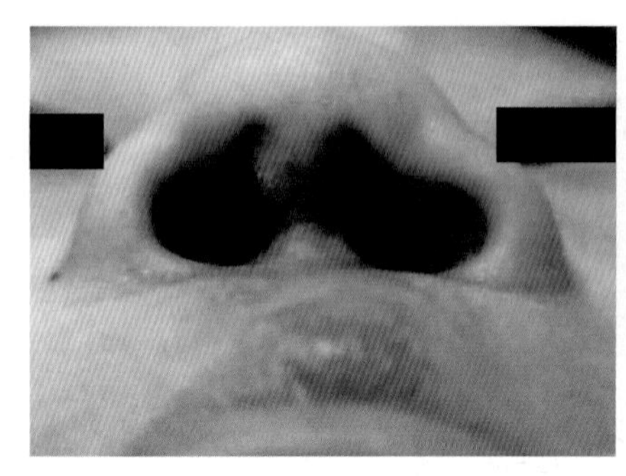
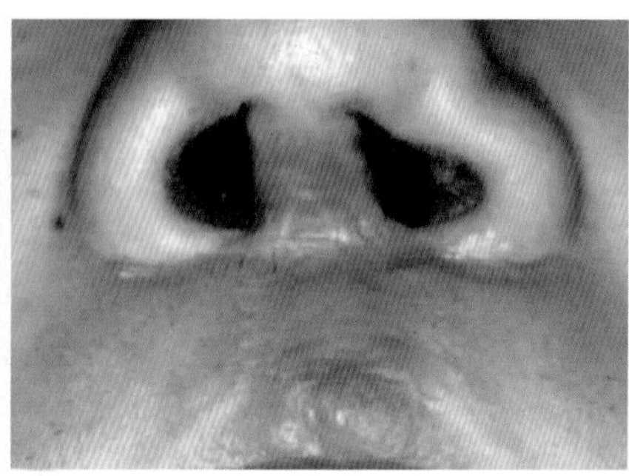

그림 22-50 이개 복합조직이식으로 비주를 연장한 임상례

과 윤곽을 바로잡아 심미성을 부여하고, 코의 폐쇄감과 반흔조직, 협착증(stenosis)을 완화하는 것이다. 최종 코성형술 직전의 이차 코변형은 선천적인 코변형의 정도, 환자의 성장과 인종적 특성, 그리고 그동안 시행된 수술의 결과에 따라 다양하게 나타남으로 환자 개개인의 상태에 맞추어 최종 코성형술을 계획한다. 개방접근법을 통해, 또는 기존의 절개 반흔을 통해 접근하여 수술하며 기본적인 수술기법은 다음과 같다.

a. **비중격 코성형술(Septorhinoplasty)**: 콧등의 험프(dorsal hump)나 미측 비중격의 절제가 필요할 경우, 코의 지지를 위한 L-strut를 확보하기 위해 비중격에 대한 점막하 절제술 전에 시행한다. 험프 제거시에는 연골 성분을 먼저 제거한 후 라스프를 이용하여 골조직을 점진적으로 제거한다. 편측성 구순열 코변형에서 미측 비중격은 전형적으로 정상측으로 편위된다(그림 22-51). 미측 비중격 절제 시에는 비중격을 전비극과 상악능(maxillary crest)로부터 정상측으로 분리한 후 시행한다. 전비중격각(anterior septal angle)을 통해 비중격에 접근한 후 점막하 절제술을 시행하면 비중격 변형을 교정함과 동시에 연골 이식재도 얻을 수 있으므로 코의 배면과 미측으로 12~15 mm의 L-strut를 남기고 심부의 비중격 연골을 절제한다.[13] 절제 후 남은 연골에는 필요시 scoring을 정상측 면에, 비중격의 변곡이 심한 경우에는 양측 면에 시행한다. 골성 비중격도 휘어진 부분은 절제하고, 구순구개열 환자에서 전형적으로 뾰족한 상악능도 다듬어 준다. 미측 비중격은 전비극 골막에, 필요시 드릴 홀을 형성한 후 매트레스 봉합으로 고정한다. 남은 비중격을 곧게 지지하여 internal valve를 통한 호흡 기능을 개선하고, 험프 절제술을 시행했다면 개방된 midvault를 닫아주기 위해 점막하 절제술 시 채취한 비중격 연골을 다듬어 spreader 이식을 시행한다. 이 경우 편측성 코변형에서는 비대칭적으로 환측을 더 강하게 보강함으로써 비중격 변형을 더욱 곧게 교정할 수 있다(그림 22-52). 비대칭성 양측성 구순열 코변형에서도 비중격이 휘어있어 기능적으로 문제가 있다면 비중격 코성형술을 시행한다(그림 22-53).

b. **코뼈절단술(nasal osteotomy)**: 편측성 구순구개열 환자에서 코뼈의 변형은 전형적으로 넓고 편평한 모양과 정상측으로의 편위(deviation)이다. 비강내 접근과 피부관통 접근을 통한 골절단술 후 코뼈를 내방으로 골절(infracture)시켜 편평한 코뼈를 좁혀줄 수 있다. 험프가 제거된 후라면 low-to-low 레벨의 외측 골절단술로 충분하고, 험프 제거술이 선행되지 않았다면 내측 골절단술과 함께 wedge resection이 필요할 수도 있다.[14]

c. **코끝 성형술(tip rhinoplasty)**: 코끝(nasal tip)의 모양은 편측성 이차 코변형의 경우 환측의 연골이 위축되어 비대칭적이며, 양측성 이차 코변형의 경우 코끝 지지력이 약하고 비주가 짧다는 문제가 있다. 따라서 코끝 성형술의 목적은 코끝의 대칭성을 회복하고, 코끝의 돌출도(projection)를 확보함으로써 코의 하방 1/3에 해당하는 코끝 부위의 윤곽을 선명하게 하는 것이다. 이를 위한 일반적인 수술 기법은 하외측연골을 회전하여 정상측과 유사하게 3차원적으로 재위치시켜

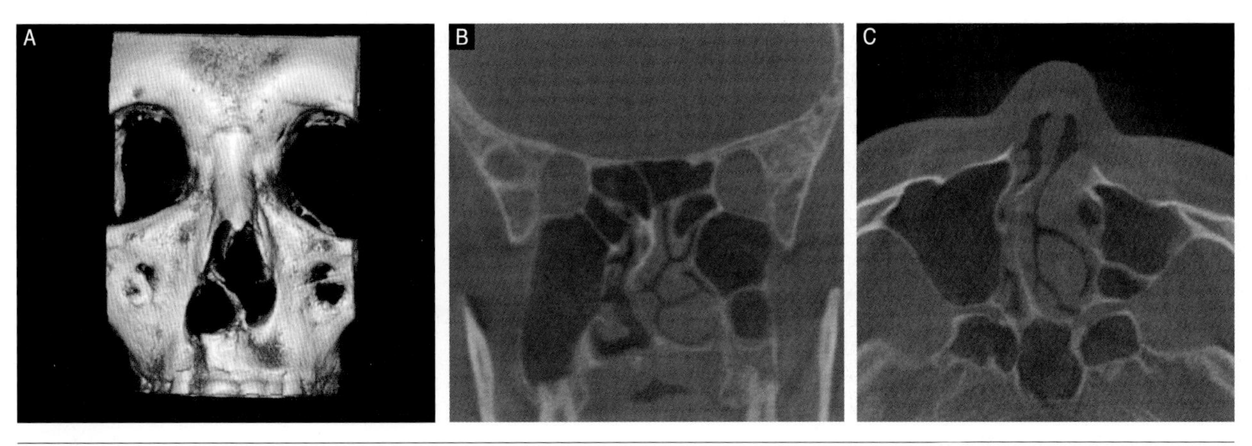

그림 22-51 편측성(우측) 완전 구순구개열 환자에서 흔히 관찰되는 C-자형 비중격 변형(A). 미측 비중격은 정상측으로 편위된 전비극에 연결되고(B), 연골성 중격의 중앙부와 후방의 골성 비중격(perpendicular plate)은 환측으로 휘어있다(C).

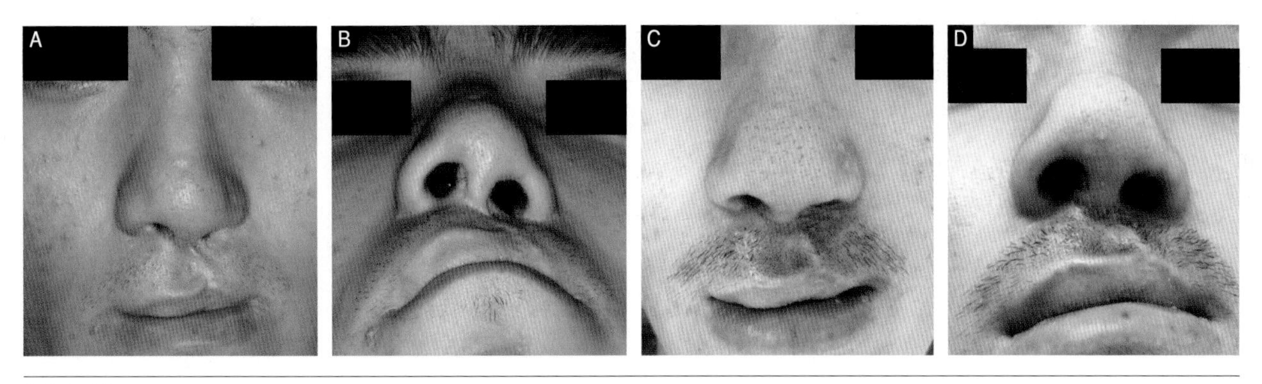

그림 22-52 편측성 구순구개열 환자에서 비중격 코성형술을 시행한 임상례. 수술 전(A, B)과 수술 후(C, D) 모습

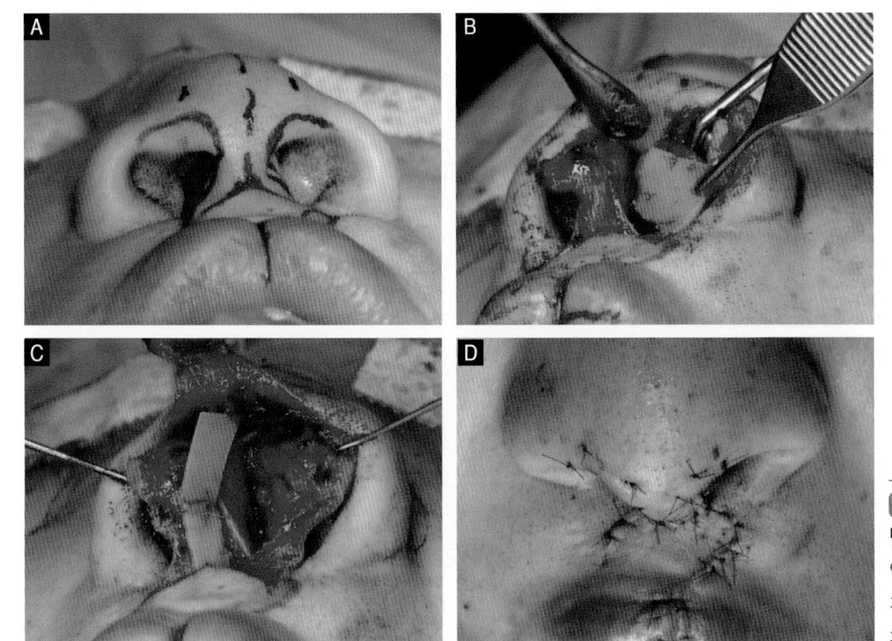

그림 22-53 양측성 구순열 환자의 이차 코변형에 대한 비중격 코성형술. **A:** 포크피판과 역 U자형 절개를 위한 수술 전 마킹 **B:** 비중격 연골에 대한 점막하 절제 **C:** 비중격 연골편을 조각하여 비주 보강에 이용 **D:** 봉합 후

PART 4

돌출도를 확보하고, 필요시 하외측연골의 외각을 6 mm 정도의 폭만 남기고 상부를 절제한 후 dome-defining 봉합을 시행한다. 또한 연골이식을 통해 비주와 환측의 비익을 강하게 지지하면서 양측 하외측연골에 대한 연골간 봉합을 시행한다. 양측 비익저부(alar base)와 비강저가 각각 대칭이 되도록 비강저에 대한 절제술이나 자가지방이식, 필러 주입술 등을 통해 대칭성을 부여하는 것도 중요하다.

구순열 이차 코변형에 대한 최종 코성형술 시 반흔조직의 영향을 극복하고 대칭적인 코 구조물의 지지를 얻기 위해서는 연골 이식술이 필요하다. 이개연골,[24] 비중격연골, 또는 늑연골(costal cartilage)을 주로 사용하며, 채취한 연골이식편은 필요에 따라 원하는 모양으로 만들어 이식한다. 이식된 연골은 충분히 견고하여 장기간 코끝과 콧등(dorsum)을 높여주고 비주를 연장해 주므로 효과가 좋은 것으로 알려져 있다(그림 22-54). 최근에는 콧등증강술 시 근막으로 감싼 조각연골(diced cartilage)(그림 22-55)이 흡수율이 낮아 장기간 결과가 우수하다고 보고되기도 하였다.[25]

3. 상악형성부전(Maxillary hypoplasia)

구개열 수술 후의 이차변형으로 구개인두기능부전과 상악형성부전이 나타날 수 있으나 구개인두기능부전은 23장에서 다루고 있으므로 본 장에서는 상악형성부전에 관하여 알아본다. 구순구개열 환자는 선천적으로 개열 주변조직의 성장 잠재력이 떨어져 있고,[26] 구순구개열 수술 후 얼굴 골격이 성장함에 있어 입술 또는 구개의 반흔에 의해 상악골 발육이 저하되어 이차 변형을 나타낸다. 그 결과로 얼굴 골격의 성장이 왕성한 성장기를 거치면서 상·하악 부조화가 더욱 심해져 대개의 경우 Ⅲ급 부정교합을 동반한 상악형성부전 혹은 상악열성장(maxillary deficiency)을 나타내게 된다(그림 22-56).[27]

상악형성부전 환자들은 외과적 및 교정적 복합치료를 필요로 한다. 성장에 따른 이차 변형을 예방하고 이를 교정하기 위해 치아교정치료가 이용되고, 사춘기 이후의 심한 상·하악 부조화를 치료하기 위해서는 외과적으로 형태적, 기능적 개선이 필요하다. 구순구개열 환자의 20~25% 정도에서 상악형성부전을 동반한 부정교합과 안모 추형이 야기되므로 외과적 치료가 필요한 것으로 추정되고 있다.[28] 외과적

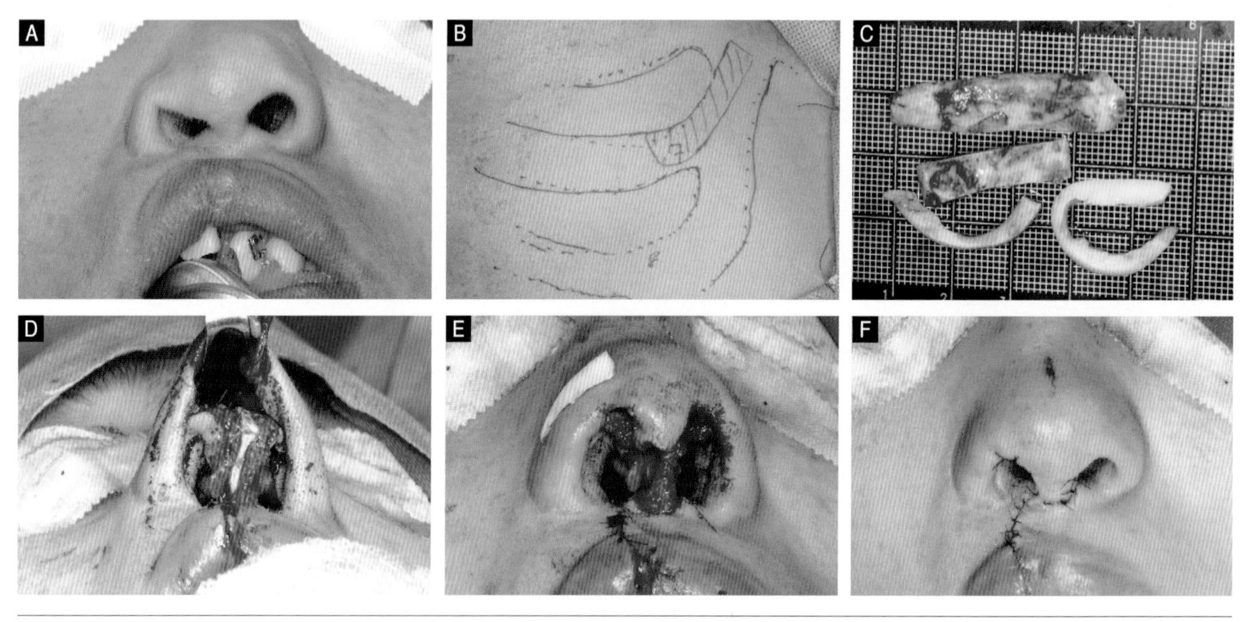

그림 22-54 **19세 여자 환자에게 시행된 최종 코성형술의 임상례. A:** 수술 전의 편측성 구순열 이차 코변형 **B, C:** 제7늑연골의 채취와 콧등 증강, 비주 증강, 비익 보강을 위해 조각된 연골편 **D:** 코끝 성형술 **E:** 콧등증강술 후 alar contouring을 시도하는 모습 **F:** 봉합 후

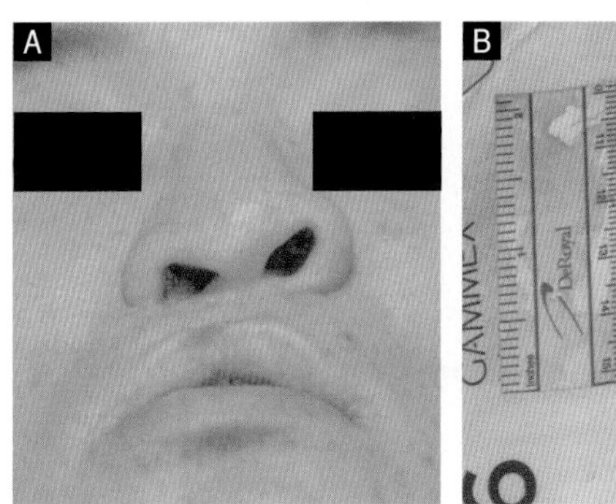
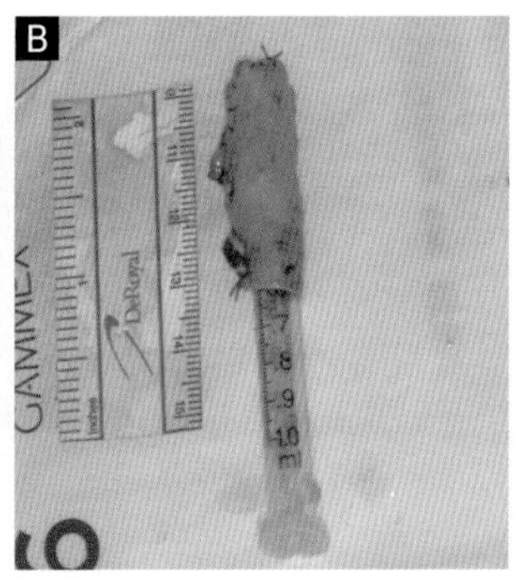
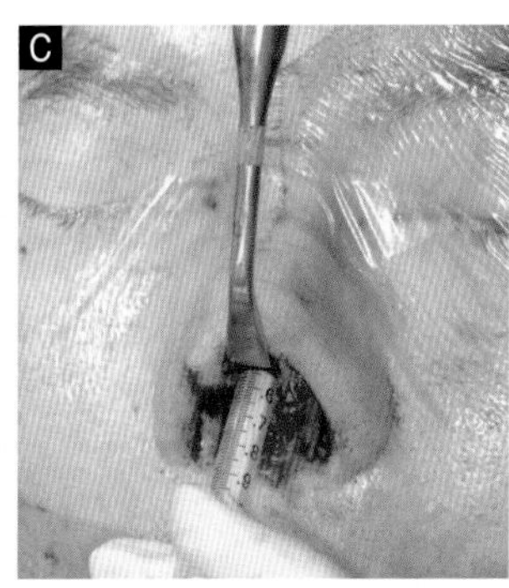
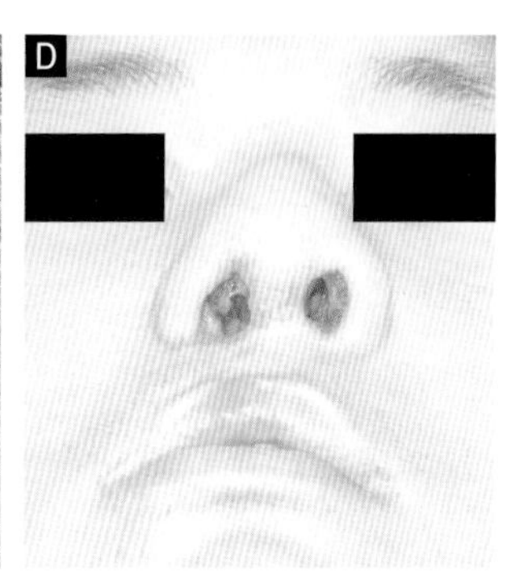

그림 22-55 **근막으로 감싼 조각연골(diced cartilage) 이식술을 통한 최종 코성형술의 임상례.** **A:** 편측성 이차 코변형의 수술 전 모습 **B:** 이식을 위한 심측두근막(deep temporal fascia)의 준비 **C:** 코끝 성형술후 조각연골을 주사기에 넣어 근막과 함께 이식하는 모습 **D:** 수술 후

치료로는 골신장술과 악교정수술을 적용할 수 있다.

1) 구순구개열 상악형성부전에 대한 골신장술

구순구개열 환자의 이차 변형 중 안모에 가장 큰 영향을 주는 상악형성부전은 아직 수복되지 않은 치조열 부위에서의 국소적인 해부학적 부족분과 함께 선천적인 상악골 성장능 저하, 그리고 어린 나이에 시행된 구순열수술이나 구개열수술로부터 개제된 반흔조직의 영향 때문인 것으로 여겨지고 있다. 구순구개열로 인해 심한 상악열성장을 보이는 청년기 환자에서 골신장술은 매우 유용한 치료방법이 될 수 있다.

구순구개열 환자를 위한 상악골 절단술에 이은 골신장술은 보통 6-15세에 이루어지기[28] 때문에 무엇보다도 환아가 얼굴이 변형된 상태로 악교정수술 때까지 기다릴 필요가 없어 심리적 위안을 기대할 수 있고, 이 외에도 다음과 같은 장점이 있다.

① 골격 성장이 완료될 때까지 기다릴 필요 없이 조기에 골격성 성장장애에 대한 치료가 가능하다.
② 정상적으로 위치한 하악에 대해서는 수술할 필요가 없고 단지 문제가 있는 상악만을 수술한다.
③ 수술기법이 더 간단하고 수혈의 필요성이 적다.
④ 골이식이 필요 없다.
⑤ 악간고정 기간이 필요치 않다.
⑥ 혈행과 신경이 본래의 상태대로 유지될 수 있다.

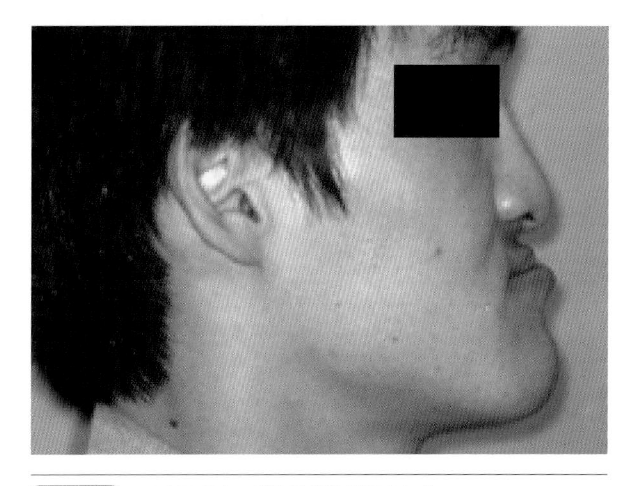

그림 22-56 **구순구개열로 인한 상악형성부전의 예**

(1) 외부형 장치를 이용한 골신장술

구순구개열을 비롯한 얼굴 기형 환자의 치료에는 외부형 골신장장치가 흔히 사용되며, 이 장치는 골신장 기간 중에 벡터 조절이 용이하다는 장점이 있으며, 장치가 외부로 노출되어 있어 조작이 편리하다. 외부형 골신장장치를 사용하면 비교적 많은 양의 상악골 이동이 가능하다(그림 22-57).

외부형 골신장장치를 이용한 치료술식은 먼저 수술을 통하여 골절단 및 골신장장치를 위치시키고 난 뒤, 약 3-5일 정도의 잠복기 후에 하루 1~1.5 mm로 골신장을 실시한다. 이때 구강내 교합장치(occlusal splint)나 고무줄(elastic)을 이용하여 상악의 위치를 조정할 수 있다. 일반적인 경화기간은 2~3개월이며, 이후 골신장장치를 제거한다. 골신장

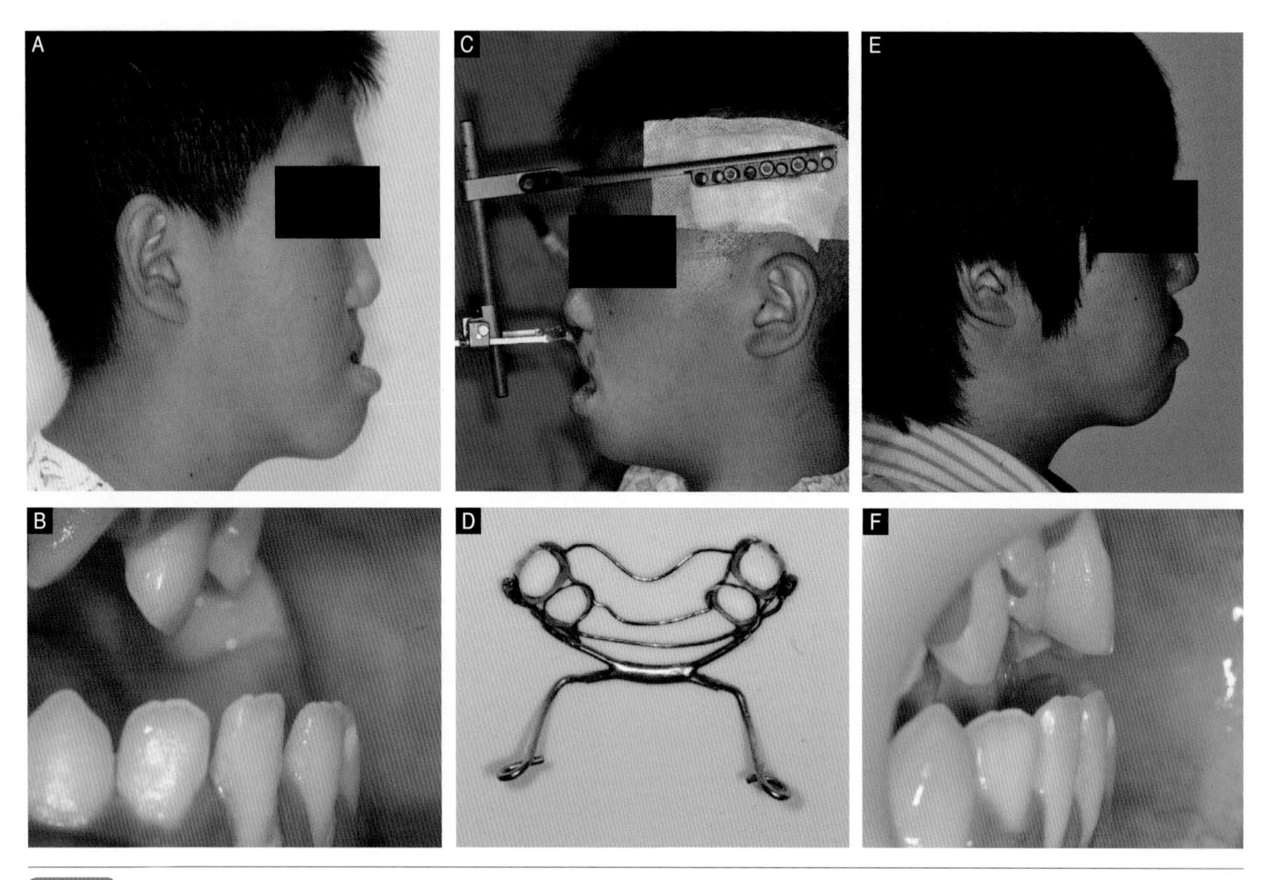

그림 22-57 **편측성 완전 구순구개열 환자에서 외부형 골신장장치인 RED II 시스템(KLS Martin, Germany)을 적용한 골신장술.** **A, B:** 초진 시 환아의 측모와 교합 **C, D:** 외부 고정장치와 구강내 장치 **E, F:** 골신장술 후의 측모와 교합

장치 제거 후 상악골의 위치 안정 및 재발 방지를 위해 밤 시간에 전방당김장치(reverse pull headgear)를 6개월간 사용하는 것이 추천되기도 하며, 일부 술자는 골신장장치 제거 시 골내 견고고정을 실시할 것을 권유하였다.[29] 이러한 외부형 장치의 단점은 치료기간 중 환자의 사회적인 모습으로 인한 거부감, 취침 시 자세의 불편감, 견인장치에 대한 외상 등이 있을 수 있다. 또한 시술 후 전방당김장치의 착용도 단점으로 지적될 수 있다.

(2) 내부형 장치를 이용한 골신장술

내부형 골신장장치(internal distractor)는 외부형 골신장장치의 단점을 극복하는데 유리하며, 골신장 기간이 끝난 뒤에 골신장 장치의 돌림봉(distraction activation arm)을 제거한 채로 6~9개월 정도 장치를 잔존시켜, 이동된 상악의 안정에 기여할 수 있고 전방당김장치의 사용을 피할 수 있는 장점이 있다. 하지만 내부형 장치의 경우, 장치를 제거하는 수술을 따로 시행해야 하며, 일단 장치를 위치시키고 골신장을 실시하면 술자가 벡터 등의 변화를 주기가 어렵다. 또한 장치를 양쪽으로 평행하게 위치시키기가 어려운 단점도 갖고 있다(그림 22-58).

(3) 미니플레이트를 이용한 술식

위에서와 같은 전통적인 상악골 신장술을 위에서는 전신마취하에 Le Fort I 골절단술과 함께 복잡한 구조의 신장기를 고정한 후, 경우에 따라서는 수개월 동안 이 장치물을 장착해야 하는 불편감을 환자가 감수해야 한다. 이와 같은 문제점을 해결하고 나이 어린 환자들에 대한 수술과 치료과정의 용이성을 고려하여 미니플레이트를 적용하여 구순구개열 환자의 상악후퇴증을 치료할 수 있다.

즉 환아의 협조도에 따라 의식하진정과 국소마취하에서

도 수술이 가능하여 수술 시에는 최소한의 절개를 통하여 7홀의 곡선형 미니플레이트를 양쪽 zygomatic buttress 부위에 스크류로 고정한다. 미니플레이트의 하단부는 상악 견치와 제1소구치 사이로 위치시켜 부착치은을 통해 구강내로 노출한다. 수술 3~4주 후 facemask를 착용하고 편측당 300~400 g의 힘을 적용하여 교합평면에서 30° 정도의 하전방 방향으로 5~9개월 정도의 전방견인을 시행한다.[30] 전신마취하에 상악골 절단술을 시행할 경우 견인기간을 줄일 수 있다. 치조열 부위는 견인 시 분리되지 않도록 레진 스플린트를 하고, 하루에 12시간 이상 장착하게 하여 상악골을 전진시킨다(그림 22-59).

이와 같이 혼합치열기의 조기에 facemask protraction을

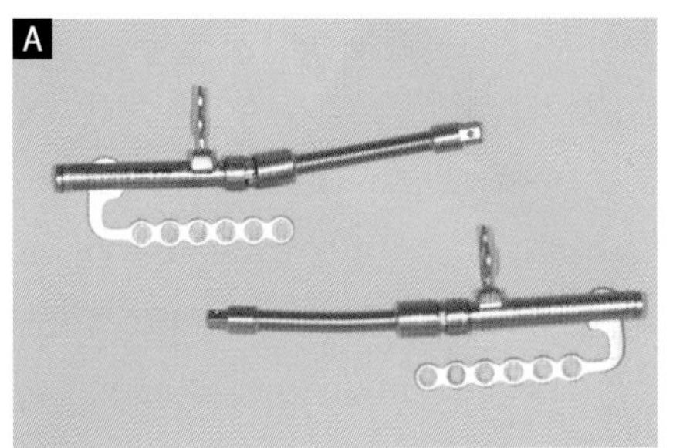
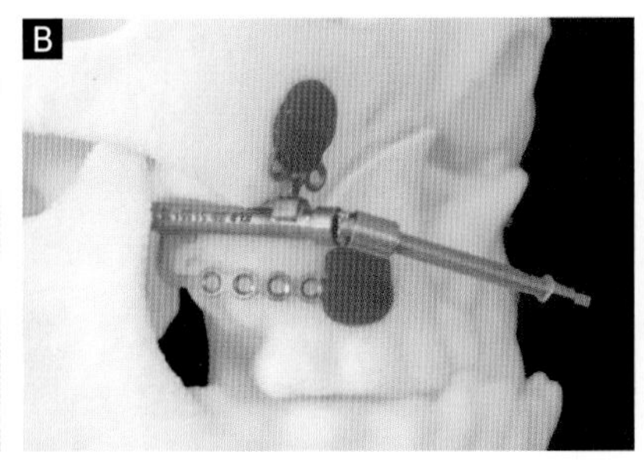
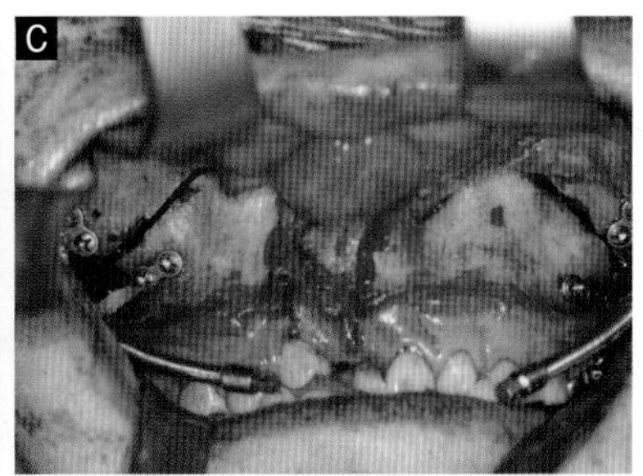

그림 22-58 **편측성 구순구개열 환아에 대한 상악골 신장술을 위해 내부형 골신장장치(A, Zurich Distractor®; KLS Martin, Germany)를 high Le Fort I 골절단술 후 장착한 모습.** 3-D 모델(B)과 수술장면(C)

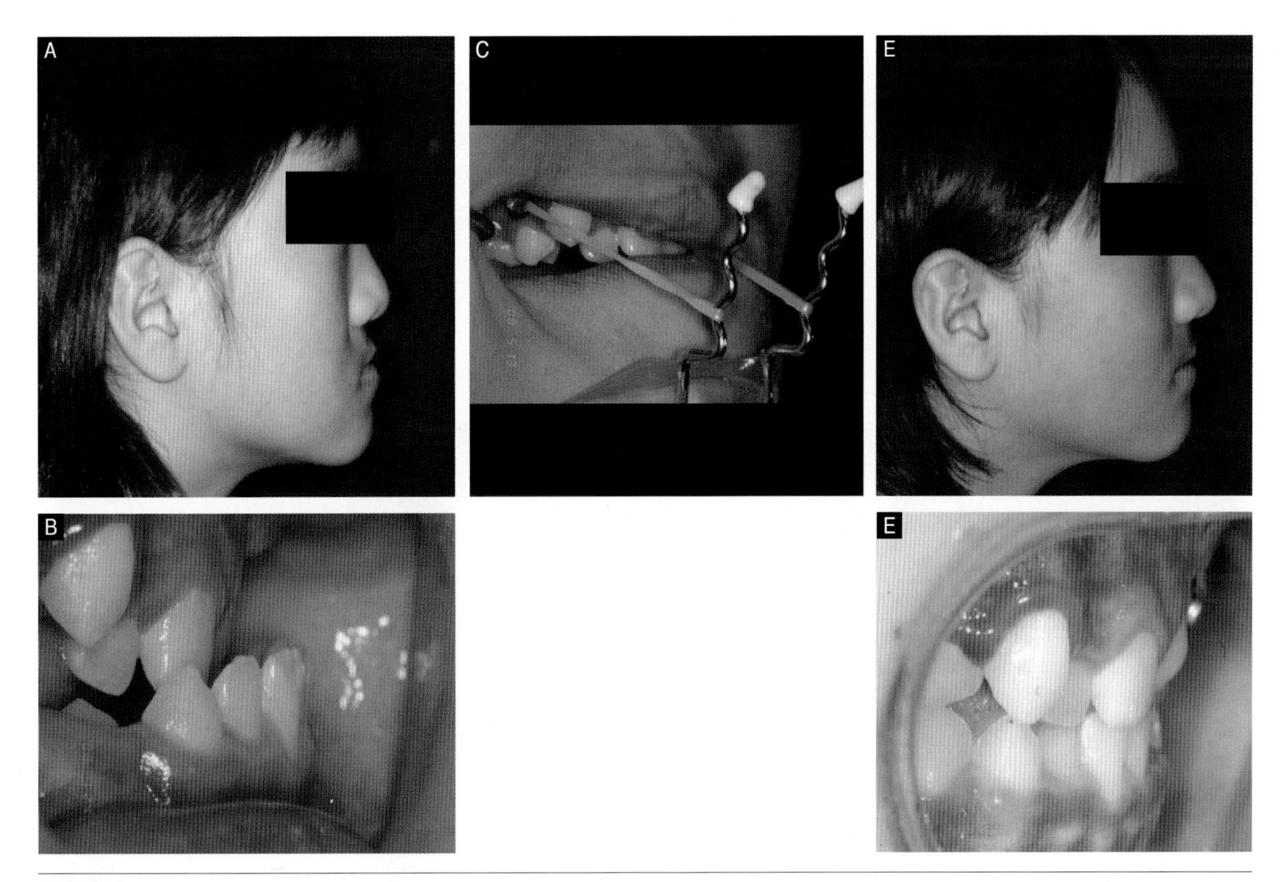

그림 22-59 **편측성 구순구개열 환아의 상악형성부전을 미니플레이트를 적용한 전방견인술로 치료한 임상례.** **A:** 수술 전 환아의 측모 **B:** 수술 전 교합 **C:** 미니플레이트을 이용하여 전방 견인하는 모습 **D:** 수술 후 환아의 측모 **E:** 수술 후 교합

시행하여 3급 부정교합을 치료하는 개념은 치료를 통해 조기에 정상화된 상,하악 간의 악골관계가 골격 성숙 시까지 정상적인 악골관계를 가이드할 것이라는 가설에 기반한다.[31] 구순구개열로 인한 상악형성부전의 경우 게재된 반흔조직의 영향과 환자 개개인의 성장 잠재력에 따라 추후 악교정수술이 필요할 수도 있으나,[32] 이 간편한 술식을 통하여 환자의 사춘기 시기에 안모 개선 효과를 기대할 수 있다. 또한 악교정수술이 진행되더라도 수술의 이동량을 줄여 줌으로써 보다 안정적인 악교정수술의 결과를 기대할 수 있다.

2) 구순구개열 환자에 대한 악교정수술(Cleft orthognathic surgery)

구순구개열 환자는 과거 수차례에 걸친 수술로 인한 반흔조직의 수축으로 인해 대개 상악열성장이 나타나고, 이는 임상적으로 상악후퇴증(maxillary retrusion)과 상악악궁의 수축(transverse maxillary con-striction)으로 나타난다. 또한 동반되는 부정교합의 정도와 양상이 단순한 치아교정 치료의 범위를 넘어서게 되어, 악교정수술을 요하는 경우가 많다(그림 22-60).

구순구개열 환자의 악교정수술은 일반적인 악교정수술과 마찬가지로 안면골 성장이 끝난 뒤에 시행하는 것이 일반적이며, 특히 상악의 성장이 정상적으로 이루어지지 않기 때문에 하악의 성장종료 시점이 수술시기에 영향을 미치게 된다. 구순구개열 환자에서 악교정수술을 요하는 상악열성장은 초기 구개열 수술이 잘 이루어지는 경우, 약 5~10% 정도로 알려져 있으나, 또 다른 연구에서 편측성 구순구개열 환자의 경우 약 25%의 환자에서 악교정수술을 필요하다고 보고되고 있다.[33]

구순구개열 환자의 상악 악교정수술은 일반적인 악교정수술 환자와 술식과 비교하여 몇 가지 고려사항이 존재한다. 일반적으로 상악을 전진시키거나 확장하기 위한 상악전체 골절단술(total maxillary oste-otomy)이 필요한데, 구순구개열 환자의 경우 치조열에 존재하는 공간을 폐쇄하기 위해 상악분절 골절단술(segmental osteotomy)이 필요하기도 하다. 또한 구순구개열이 없는 정상 환자들과 다른 가장 중요한 차이점은 입술과 구개부에 존재하는 반흔조직과 이로 인한 혈류공급의 감소를 고려해야한다는 점이다. 입술의 반흔조직은 상악의 전방이동량을 제한할 수도 있으며, 구개부의 반흔 조직은 상악의 전방이동뿐만 아니라 확장술을 어렵게 하며, 혈류감소 및 이로 인한 골치유 과정을 저해할 수도 있어 악교정수술 시 불필요한 외과적 손상을 피하는 세심한 수술조작이 필요하다.

치조열 골이식술이 이루어져 있지 않은 경우, 악교정수술을 시행하면서 동시에 개열 부위에 대한 골이식수술을 시행할 수 있으나, 양측성 구순열 환자의 경우, 전상악골의 불량한 혈류공급으로 인해 치조열에 대한 골이식수술을 먼저

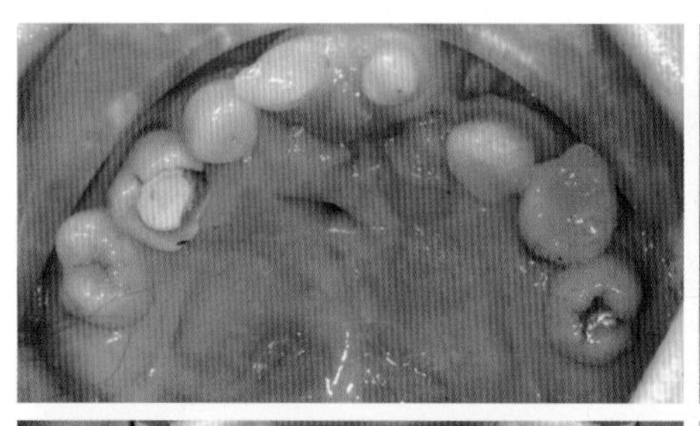
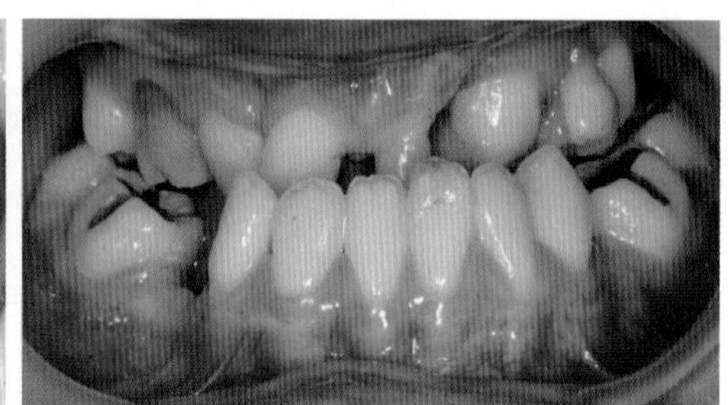
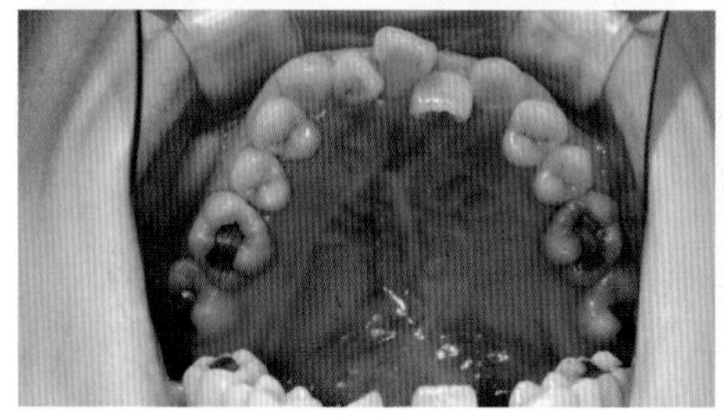
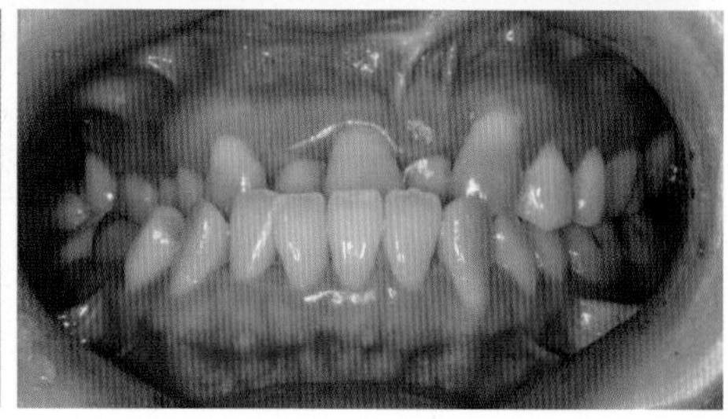

그림 22-60 구순구개열 환자의 구강내 소견과 교합양상. 이전 수술로 인한 구개부 반흔조직과 상악의 열성장으로 인한 상악후퇴증(maxillary retrusion)과 상악 악궁의 수축(trans-verse maxillary constriction)이 관찰된다.

시행하고 충분한 치유기간이 경과한 뒤 상악 전체 골절단술을 시행하는 것이 더 우수한 결과를 기대할 수 있다.

구개열 환자에서 상악전진술을 시행하는 경우, 또 다른 고려사항은 수술 후의 구개인두기능부전의 발생 가능성이다. 일반적으로 상악을 전진시키면, 연구개도 따라서 전진을 하게 되며, 이로 인해 수술 전에 구개인두기능이 경계성인 환자의 경우, 상악전진술 후 구개인두기능부전이 발생할 수 있다. 그러므로 구개인두의 적절한 기능을 유지 또는 증가시키기 위한 추가적인 수술의 가능성에 대해 환자와 충분히 논의를 해야 한다. 또한 악교정수술을 필요로 하는 일부 구순구개열 환자에서 이미 인두피판술이 시행되어져 있는 경우, 상악이동의 어려움으로 인해 피판을 제거하면서 악교정수술을 시행해야 하는 경우가 있다. 2차적으로 인두피판을 형성해야 하는 경우, 피판의 수축으로 인한 상악의 전이를 막기 위해, 악교정수술 후 6개월 뒤에 인두피판을 형성해주는 것이 권장된다.

임상적으로 그리고 두부방사선계측학적으로 하악이 전후방적으로 정상위치에 있는 경우, 구순구개열 환자의 악

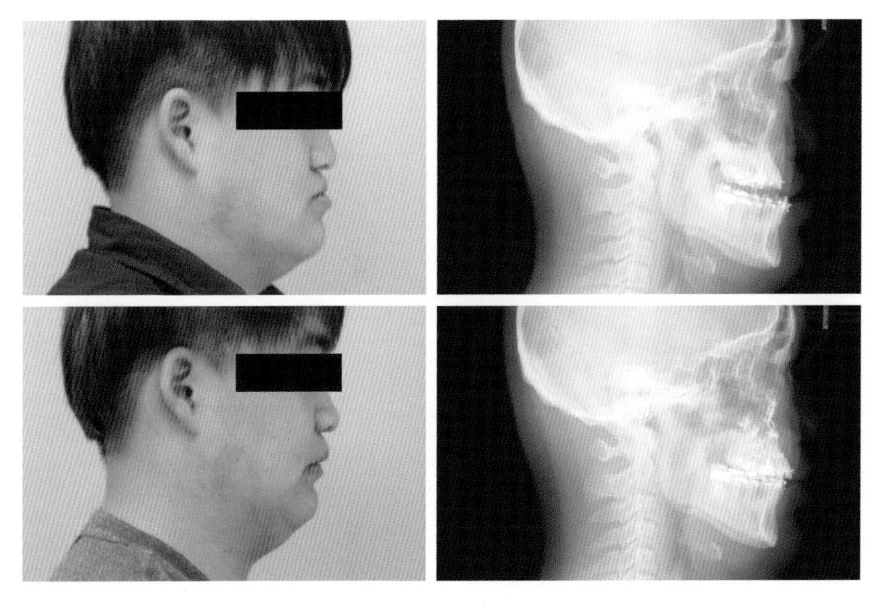

그림 22-61 구순구개열 환자의 악교정수술. 19세 남자환자로 반대교합을 주소로 내원하였으며, 과거 수술로 인한 반흔조직으로 인해 상악형성부전이 진단되어, 이를 개선하기 위해 Le Fort I 골절단술을 이용한 상악골 전진술을 시행하였다.

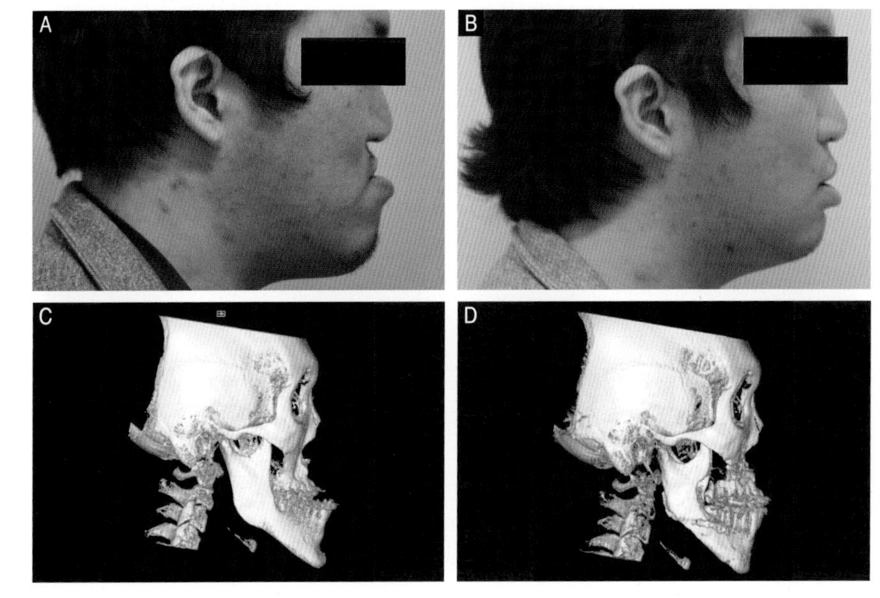

그림 22-62 구순구개열 환자의 양악수술. 반대교합과 안모개선을 위해 상악의 전방이동과 하악의 후방이동을 함께 시행하였다. **A, B:** 수술 전과 1년 후의 측모 사진 **C, D:** 수술 전과 1년 후의 3-D CT

교정수술을 계획할 때, 상악과의 심한 전후방 위치 차이로 인한 악골의 이동량을 분할하기 위해 하악을 후방이동시키는 술식은 권하지 않는다(그림 22-61). 하지만 반흔조직과 발음에 대한 부작용으로 인해 구순구개열 환자에서 상악의 전방이동량은 제한될 수밖에 없으며, 대개의 경우 수평피개가 -8~-10 mm보다 더 많이 상악이 후방위치되어 있거나, 상악 전방이동에 제한이 있을 수 있는 경우에는 악골부조화의 문제가 거의 전적으로 상악에 국한되어 있는 경우라도 상악전방이동뿐만 아니라 동시에 하악의 후방이동을 함께 시행하는 것이 바람직하다(그림 22-62).

Posnick 등은 인두성형술을 시행하지 않은 24명의 구순구개열 환자에서 평균 6.7 mm의 상악 전방 이동술을 시행한 결과, 2년간 평균 2.0 mm의 재발(relapse)을 보였다고 보고하였다.[34] 이들 연구를 토대로, 구순구개열 환자의 악교정수술 계획 시 과교정(overcorrection)이 필요할 것으로 생각된다.

상악의 전방이동이 비첨부의 상승, 상순의 지지, 및 안정된 교합 설정에 기여하지만 상순의 반흔조직이나 과거의 비심미적인 수술 결과를 개선시키지는 못한다. 그러므로 코성형술을 포함한 최종적인 연조직 미용 수술은 악교정수술을 시행한 후에 실시하는 것이 바람직하다.

참고문헌

1. 대한구강악안면외과학회. 구순구개열. In: 대한구강악안면외과학회, editor. 구강악안면외과학교과서. 3판 ed. 서울: 의치학사; 2013. p.589.
2. 대한악안면성형재건외과학회. 구순구개열의 이차 변형. 악안면성형재건외과학. 2판 ed. 서울: 의치학사; 2009. p.207-30.
3. 대한두개안면성형외과학회. 구순열비와 구개열의 이차변형. 구순구개열. 서울: 군자출판사; 2005. p.325-70.
4. 강진성. 갈림입술•입천장복원술 후 속발성 변형. 성형외과학. 3판 ed. 서울: 군자출판사; 2004. p.2463-508.
5. Jackson IT, Fasching MC. Secondary deformities of cleft lip, nose, and cleft palate. In: McCarthy JG, editor. Plastic Srugery. 3rd ed. Philadelphia: WB Saunders; 1990. p.2771-877.
6. Millard DR. The unilateral deformity. Cleft Craft. Boston: Little, Brown & Co.; 1976. p.525-734.
7. Millard DR. Bilateral and rare deformities. Cleft Craft. Boston: Little, Brown & Co.; 1977. p.417-722.
8. Salyer KE, Bardach J. Salyer and Bardach's Atlas of Craniofacial and Cleft Surgery: Cleft Lip and Palate Surgery. Philadelphia: Lippincott-Raven; 1999.
9. Bardach J, Morris HL. Multidisciplinary Management of Cleft Lip and Palate. Philadelphia: Saunders; 1990.
10. Smith HW, Bolinsky DM. The Atlas of Cleft Lip and Cleft Palate Surgery. New York: Grune & Stratton Inc.; 1983.
11. Kapetansky DI. Double pendulum flaps for whistling deformities in bilateral cleft lips. Plast Reconstr Surg 1971;47:321-3.
12. Ryu S-Y, Seo I-Y. Surgical correction of a cupid's bow using a double Z-plasty: Report of a case. Maxillofac Plast Reconstr Surg 2005;27:66-70.
13. Hsieh TY, Dedhia R, Del Toro D, Tollefson TT. Cleft Septorhinoplasty: Form and Function. Facial Plast Surg Clin North Am 2017;25:223-38.
14. Fisher MD, Fisher DM, Marcus JR. Correction of the cleft nasal deformity: from infancy to maturity. Clin Plast Surg 2014;41:283-99.
15. Hogan VM, Converse JM. Secondary deformities of unilateral cleft lip and nose. In: Grabb WC, Rowenstein SW, Bzoch KR, editors. Cleft lip and palate. Boston: Little, Brown and Co.; 1971.
16. McComb H. Primary repair of the bilateral cleft lip nose: a 10-year review. Plast Reconstr Surg 1986;77:701-16.
17. Ortiz-Monasterio F, Olmedo A. Corrective rhinoplasty before puberty: a long-term follow-up. Plast Reconstr Surg 1981;68:381-91.
18. Salyer KE. Primary correction of the unilateral cleft lip nose: a 15-year experience. Plast Reconstr Surg 1986;77:558-68.
19. Tajima S, Maruyama M. Reverse-U incision for secondary repair of cleft lip nose. Plast Reconstr Surg 1977;60:256-61.
20. Straith CL. Elongation of the nasal columella; a new operative technique. Plast Reconstr Surg (1946) 1946;1:79-86.
21. Chen KT, Noordhoff MS. Open tip rhinoplasty. Ann Plast Surg 1992;28:119-30.
22. Cronin TD, Upton J. Lengthening of the short columella associated with bilateral cleft lip. Ann Plast Surg 1978;1:75-95.
23. Millard DR, Jr. Columella lengthening by a forked flap. Plast Reconstr Surg Transplant Bull 1958;22:454-7.
24. Park YW. Corrective Rhinoplasty with Combined Use of Autoge-

nous Auricular Cartilage and Porcine Dermal Collagen in Cleft Lip Nose Deformity. Maxillofac Plast Reconstr Surg 2014;36:230-6.

25. Lin SI, Hsiao YC, Chang CS, Chen PK, Chen JP, Ueng SH. Histology and Long-term Stability of Diced Cartilage Graft for Revision Rhinoplasty in a Cleft Patient. Plast Reconstr Surg Glob Open 2016;4:e763.
26. Min B-G, Lee S-K, Park Y-W. Immunohistochemical detection of growth factors and extracellular matrix proteins in the degenerating tissues of pre-and postnatal human cleft lip and palate. J Korean Assoc Oral Maxillofac Surg 2002;28:421-33.
27. Ross RB. The clinical implications of facial growth in cleft lip and palate. Cleft Palate J 1970;7:37-47.
28. Cheung LK, Chua HD. A meta-analysis of cleft maxillary osteotomy and distraction osteogenesis. Int J Oral Maxillofac Surg 2006;35:14-24.
29. Polley JW, Figueroa AA. Management of severe maxillary deficiency in childhood and adolescence through distraction osteogenesis with an external, adjustable, rigid distraction device. J Craniofac Surg 1997;8:181-5; discussion 6.
30. Park YW, Cha BK. Long-term Follow-up of Treatment of Midfacial Deficiency in Cleft Patients Using Plate. J Korean Cleft Lip Palate Assoc 2013;16:1-7.
31. Mandall N, Cousley R, DiBiase A, et al. Early class III protraction facemask treatment reduces the need for orthognathic surgery: a multi-centre, two-arm parallel randomized, controlled trial. J Orthod 2016;43:164-75.
32. Park Y-W, Kwon K-J, Kim M-K. Long-term follow-up of early cleft maxillary distraction. Maxillofac Plast Reconstr Surg 2016;38:1-6.
33. Ganoo T, Sjöström M. Outcomes of Maxillary Orthognathic Surgery in Patients with Cleft Lip and Palate: A Literature Review. J Maxillofac Oral Surg 2019;18:500-8.
34. Posnick JC, Dagys AP. Skeletal stability and relapse patterns after Le Fort I maxillary osteotomy fixed with miniplates: the unilateral cleft lip and palate deformity. Plast Reconstr Surg 1994;94:924-32.

PART 4

Chapter 23

구개인두기능부전(비인강폐쇄부전)

Velopharyngeal Insufficiency

기본 학습 목표

- 구개인두기능부전을 정의할 수 있다.
- 구개인두기능부전 수술법을 구분할 수 있다.

심화 학습 목표

- 구개인두기능부전의 원인과 기전을 설명할 수 있다.
- 구개열 언어를 정의할 수 있다.
- 구개인두기능부전의 전반적인 치료방법에 대해 설명할 수 있다.

1. 구개인두기능장애의 정의와 원인

구개인두는 연구개, 인두후벽, 그리고 좌우 인두측벽으로 구성되어 있으며, 발성이나 연하 등의 기능을 하는 동안 이 근육들이 수축하여 비강과 구강을 완전히 분리하거나 좁게 함으로써 구강공명을 형성하는 중요한 역할을 하게 된다(그림 23-1). 정상적인 비인강폐쇄기능을 갖는 사람은 비호흡 시와 비강음 발음할 때를 제외하고는 그 외의 모든 발음 시와 구호흡, 연하, 불기, 빨기, 휘파람불기 등의 기능 시에 연구개의 후방 1/3이 후상방으로, 인두측벽이 내측으로, 인두후벽은 전방으로 수축하면서 괄약근과 같은 형식으로 비인강부를 완전히 폐쇄시킴으로써 비강과 구강을 분리하게 된다(그림 23-2). 이때 작용하는 근육은 연구개를 이루는 근육들과 인두측벽과 후벽을 이루는 상인두수축근이다.[1]

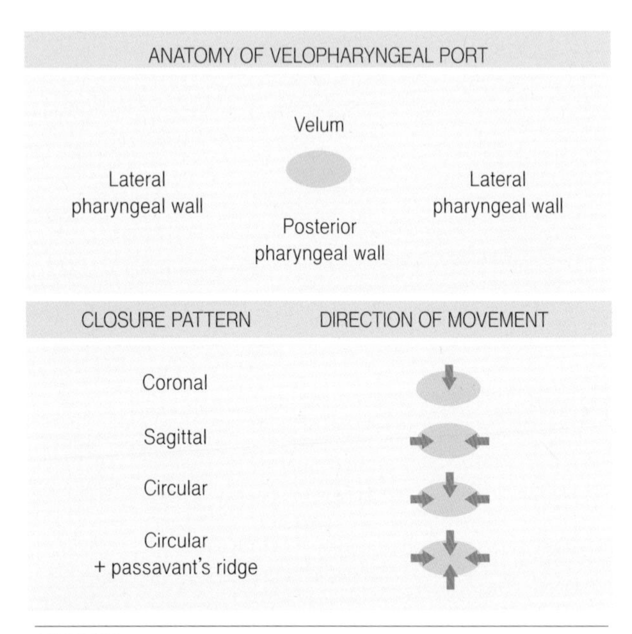

그림 23-1 **비인강폐쇄의 Patterns** (Adapted from Skolnick ML, McCall GN, Barnes M. The sphincteric mechanism of velopharyngeal closure: Cleft Palate J. 1973;10:286 -305.)

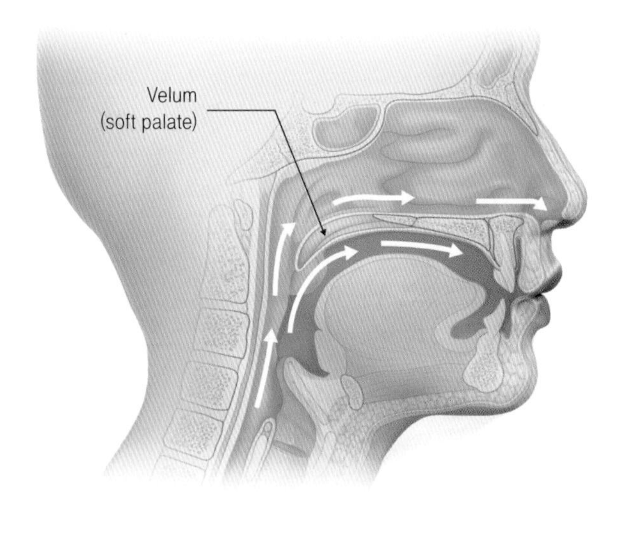

그림 23-2 **Nasal & Oral airway**

1) 정의

구개인두기능장애(velopharyngeal dysfunction)란 발성이나 연하 등의 기능을 하는 동안 구개인두 판막(velopharyngeal valve)이 지속적이면서도 완전한 폐쇄 기능을 하지 못하는 상태를 말한다. 구개인두기능장애는 구개인두폐쇄 기능을 수행하지 못하는 여러 종류의 원인 및 질환을 다 포함하는 포괄적인 개념이다. 구개인두기능장애를 크게 3가지 유형으로 구분 지을 수 있는데 velopharyngeal insufficiency, velopharyngeal incompetence, 그리고 velopharyngeal mislearning이 그것이다.[1-3]

2) 원인(표 23-1)

(1) Velopharyngeal insufficiency

적절한 구개인두폐쇄기능을 방해하는 해부학적 또는 구조적 이상을 말한다. 구강인두기능장애의 가장 흔한 유형이며 연구개(velum, soft palate)가 짧아서 인두벽을 폐쇄시키지 못한다. 원인은 주로 구개열, 점막하구개열, velar dysplasia, deep pharynx, irregular adenoids, adenoid atrophy, adenoidectomy, hypertrophic tonsils, maxillary advancement, post-tonsillectomy, oral or pharyngeal tumors 등이며 이 장에서 주로 다룰 유형의 구개인두기능장애이다. 비인강폐쇄부전으로 불린다.

(2) Velopharyngeal incompetence

신경생리학적 장애에 의해 구개인두구조의 움직임이 없거나 제한되어 구개인두폐쇄 기능에 장애가 생기는 유형이다. Cerebral palsy, neuromuscular diseases (myotonic dystrophy, myasthenic gravis, and muscular dystrophy), cerebral or brain stem tumors, neurofibromatosis, traumatic brain injury, cerebral vascular accident 등에 의해 유발된 조음장애가 그 원인이다. Velopharyngeal insufficiency와 velopharyngeal incompetence 둘 다 medically based disorders로서 수술이나 인공적인 보철장치가 필요하다.

(3) Velopharyngeal mislearning

구조적인 이상이나 근신경계의 문제보다는 speech sound disorder, compensatory speech productions, hearing loss or deafness 등 환자 스스로 비정상적인 구개인두기능을 터득, 사용함으로써 어떤 특정음 발성 시 비강유출이나 과비음이 유발되는 일종의 조음장애로 수술이나 인공장치 사용은 필요치 않으며 언어치료로 관리할 수 있다.

이 장에서는 주로 구개열에 의한 velopharyngeal insufficiency (이하 비인강폐쇄부전)의 진단 및 치료법 등에 대하여 서술하고자 한다.

2. 구개열 언어(Cleft palate speech)

구개열 환자는 수술 후에도 10~20%의 증례에서는 비인강폐쇄부전이 남는 경우가 있다. 조음기관의 형태이상과 비인강폐쇄부전 등으로 인하여 공명장애, 음성장애, 조음

표 23-1 비인강폐쇄부전의 분류와 원인

	Velopharyngeal insufficiency	Velopharygeal incompetence	Velopharyngeal mislearning
Cause	Abnormal structure (anatomy)	Abnormal function (neurophysiology)	Abnormal articulation placement (function)
Examples of causes	Cleft palate, submucous cleft, post-adenoidectomy	Any cause of dysarthria, including cerebral palsy, head trauma, stroke, etc.	Substitution of a pharyngeal fricative (which causes nasal emission) for an oral fricative
Treament	Physical management (i.e., surgery or prosthesis if surgery is not an option)	Physical management (i.e., surgery or prosthesis if surgery is not an option)	Speech therapy only

PART 4

장애 등의 특징적인 언어장애를 보이고 이를 구개열 언어라고 부른다. 또한 조음기술을 발달시키지 못하여 언어발달이 지체될 뿐 아니라 명료도도 저하되는 현상을 보이므로 단계적으로 체계적인 언어평가와 치료가 필요하다.[4-6]

1) 공명장애

구개열 환자에서 구강인두폐쇄기능(비인강폐쇄기능) 부전으로 비강과 구강을 분리시키지 못하여 음성 에너지의 공명장애를 일으키며 과비음, 저비음, 맹관장애 등의 특징적인 발성현상을 보이고 음성에너지의 비누출(nasal emission)로 인한 자음왜곡(비음화, 약음화)을 보이는 현상을 말한다.

① 과비음(hypernasality)과 비음화: 모음이나 /ㅂ, ㅍ, ㅃ/ 등 구강자음을 발성하는 동안 코로 음성 에너지가 흘러나와 비정상적인 비강공명음으로 발성되며 특히 모음 /이/나 자음 /ㅅ, ㅆ/ 등에서 두드러진다.

② 저비음(hyponasality)과 약음화: /ㅁ, ㄴ, 응/ 등과 같이 비강음을 산출할 때는 비인두강이 개방되어 있어야 하나 구강인두성문(velopharyngeal port)의 개방이 불완전하여 마치 /ㅂ, ㄷ, ㄱ/와 유사한 소리로 발성된다.

③ 맹관장애(cul-de-sac): 심한 콧물 감기에 걸려 코가 막혀 있을 때처럼 발성되며 마치 입안에 감자를 물고 말하는 목소리(potato-in-the-mouth speech) 같다고 하여 비유되는 공명장애로 구조적으로 공명강 중 한 곳이 막혀서 나타난다.

2) 조음장애

비인강폐쇄부전이 있는 구개열 환자는 무의식적으로 정상적인 언어를 표현하기 위해 보상적으로 이상조음현상(보상조음, compensatory articulation)을 나타낸다. 기질성 조음장애의 대표적인 예이며, 주원인은 비인강폐쇄부전이다. 그러나 치열, 교합, 악안면의 형태, 혀나 입술의 형태이상이나 반흔, 치아결손, 구개누공, alveolar collapse에 의한 구개의 협소화, 청력상태 등도 조음장애를 유발할 수 있다.

① 구개음화(palatalized articulation): 구개화 조음은 치음, 치경음의 조음위치가 후방으로 이동하여 생기는 왜곡음이다. 원래는 구개에 접촉하지 않지만 혀의 중앙부가 구개에 접촉해서 목표 음에서 벗어나 있는 경우, 예를 들면 /사/, /가/, /다/ 음이 /자/로 치환되는 경우이다.

② 측음화(lateral articulation): 치조열이나 치아의 결손, 부정교합, 잘못된 혀의 위치라든가 입술의 구조적 변형 등으로 인해 발성 시 입술이나 혀의 중앙부가 아닌 측방에서 발음되는 현상이다. 예를 들어 마찰음 /스/ 발음 시 기류 흐름이 중앙으로 방출되지 못하고 측면으로 방출된다.

③ 성문 파열음(glottal stop): 파열음의 기류 흐름의 차단이 성문(glottis) 근처에서 이루어지는 현상으로 구강압력을 증가시키기 위해 성문을 강하게 긴장시켜 발음한다. /브/, /그/, /드/ 등 파열음을 발음 시 /쁘/, /끄/, /뜨/로 들린다.

④ 인두파열음(pharyngeal stop): 혀뿌리가 후방으로 당겨져 인두 후벽에 접촉하였다가 떨어질 때 파열음이 산출된다. 청각적으로는 /그/ 음을 목에 힘을 넣어서 나오는 것과 같은 왜곡음이다. 단음절 발음 시 구별하기 어려운 경우도 있으나 연속발음이나 회화에서는 부자연스러움이 눈에 띈다.

⑤ 인두마찰음(pharyngeal fricatives): 정상적인 마찰 잡음(friction noise)을 구강에서 방출하지 못하고 인두관(pharyngeal tube)을 수축시킴으로써 결과적으로 혀와 인두벽 사이의 수축을 통해 이러한 말소리를 방출하게 된다. 예를 들면 /스/, /쉬/, /츠/ 발음 시 /흐/로 들린다.

3) 음성장애: 기식음화(Aspiration)

파열음과 파찰음의 조음에 필요한 구강내압이 불충분하여 보상적으로 성문 아래에서 공기를 많이 압축했다가 방출하면 마치 /흐/와 같은 마찰 소음을 내는 쉰 목소리 같은 발성을 하게 된다. /브/, /드/, /그/, /즈/가 /프/, /트/, /크/, /츠/로 발음된다. 공명의 이상과 발성기능 그 자체가 원인이 될 수 있다. 발성기능의 문제는 주로 성대의 이상에 의한 것으로 성대의 염증, 부종, 종양 등의 병적인 현상과 같이 수반되어 나타난다. 소리의 변화로 인해 쉰 목소리가 나오게 되며 청각적으로는 잠긴 목소리, 가르릉거리는 목소리로 들린다.

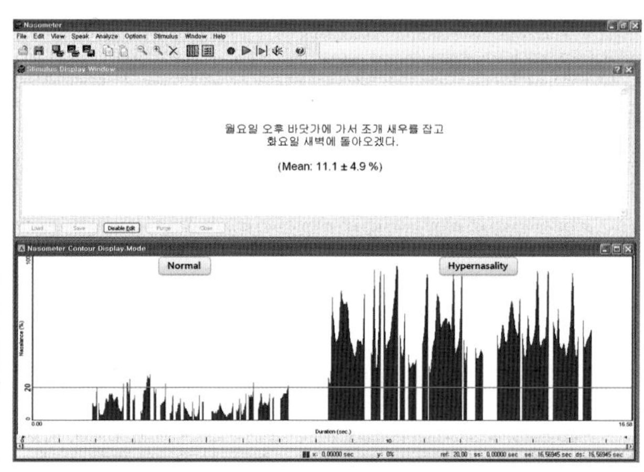

그림 23-3 Nasometer, 시각적으로 보여지는 과비음

PART 4

4) 언어발달의 지체 (Delayed speech and language development)

구개열 환자들은 조음기술을 발달시키지 못하여 언어발달이 지체될 뿐만 아니라 명료도(intelligibility) 또한 저하되는 현상을 보인다. 그러나 이 결과들은 말소리의 잘못된 학습으로 인하여 조음장애가 유발되고 그 결과 언어발달이 지체되기 때문에 적절한 조음장애 치료가 이루어진다면 이 문제는 개선될 수 있다.

3. 비인강폐쇄부전의 평가 및 진단

구개열 환자의 언어평가는 크게 공명, 조음, 언어발달 세 가지 주요 영역과 이를 위해 주관적 평가와 공기역학적, 음향학적 평가를 포함한 객관적 평가가 이루어진다.[7] 최근에는 비인강부의 구조 및 기능시의 형태 변화 등을 직간접적으로 평가할 수 있는 영상법도 많이 사용되고 있다.

1) 공명장애(Resonance) 평가

(1) 주관적 방법

① 육안검사: 얼굴, 코, 입술의 수술 전후 형태, 혀, 치아, 치열, 교합상태 및 구개의 형태, 누공의 유무, 연구개의 형태와 움직임, 연구개 거상 정도, 구개인두간 거리, nasal grimace 등을 검사한다.

② 불기검사: See-Scape, 비식경 등을 사용하여 발화 시 비강누출을 시각적으로 평가한다.

③ 청각적 판정: 고모음 /i/, /u/ 등의 연장발성이나, 비강음이 포함되지 않는 문형들을 읽게 하여 청각적으로 과비음을 평가한다.

문형 예: 월요일 오후 바닷가에 가서 조개 새우를 잡고 화요일 새벽에 돌아오겠다.

(2) 객관적 방법

Nasometer (Kay pentax, USA)는 산출된 말소리 전체의 음향 에너지 중 비강 음향 에너지의 상대적인 양인 비음도(nasalance)를 측정하는 기기이다(그림 23-3). 비강 공명의 정도를 객관적으로 측정할 수 있고 간편하며 비침습적이고 청각 판정과 거의 일치하여 공명장애의 평가 및 치료를 목적으로 가장 많이 사용되고 있다. 비음도는 사용되는 언어, 나라마다 평가 및 진단의 기준이 다를 수 있다. 국내에서는 통상적으로 비음측정기를 이용한 비음도가 20% 미만인 경우에는 정상, 20~35%는 경도, 35~50%는 중등도, 50% 이상은 고도로 분류한다. 경도의 비음도를 보이는 경우에는 언어치료가 우선적으로 고려된다. 중등도, 고도의 비음도를 보이는 경우 언어치료, 발음보조장치, 수술 등을 선택적으로 고려하는데, 수술이 시행되는 경우에도 언어치료와 발음보조장치는 필수적으로 동반되어야 한다.

2) 조음장애(Articulation disorder) 평가

(1) 주관적 방법

환자에게 그림이나 단어카드 등을 사용하여 음소, 무의미 음절, 단음절, 다음절 낱말, 문장, 대화 수준에서 발화를 유도한 후 목표음소의 조음정확도를 파악할 수 있다. 자음정확도(바르게 조음한 자음수/조음해야 할 총 자음수 ×100)는 경도(85~100%), 경도-중등도(65~84.9%), 중등도-중도(50~64.9%), 중도(<50%)로 평가될 수 있다. 첨가(예: 아파트-가파트; ㄱ첨가), 생략(예: 학교-하교; ㄱ생략), 대치(예: 가방-바방; ㄱ을 ㅂ으로 대치), 왜곡(우리말소리에 없는 소리로 발음) 등 주로 4가지의 조음 오류 형태를 평가한다.

임상에서는 검사목적에 따라 선별검사와 심화검사로 나누어 검사한다.[4,5] 선별검사(screening test)는 5분 이내에 수행할 수 있는 간단한 검사로, 구개열을 위한 VPI 조음감별검사(신효근 김현기, 2003, RISS)가 대표적이며 이외에도 여러 가지 평가자료들이 사용된다. 더 구체적인 검사와 치료목표 설정을 위해 여러 가지 심화검사를 시행하기도 한다.

(2) 객관적 방법

수집된 말소리 자료로 객관적인 연구 및 심화된 오류 분석를 위해서 사용되는 장비로는, CSL (computerized speech lab), multi-speech, Visi-Pitch 그리고 최근에 공개된 프로그램으로 Praat가 있다. 주로 spectrogram 상에서 모음은 포먼트나 반 공명(anti-resonance) 및 초과 공명(extra-resonance)을 측정하고 자음은 VOT (voice onset time) 및 피치(Hz)나 음성 강도(dB) 등을 정량적으로 측정한다. 구개열 조음 오류 패턴은 전기구개도(EPG)를 사용하면 조음 오류 패턴을 정확하게 시각화할 수 있다. Aerophone II 및 phonatory aerodynamic system (PAS)을 사용하여 발화 시 공기 내압 및 공기 유량 등을 정량적으로 측정할 수 있다.[8]

3) 음성(Voice) 평가

특징적인 공명장애, 조음장애, 언어장애 이외에도 쉰 음성과 '약한 음성 증후군'이 나타날 수 있는데, 평가자의 청각적 인지의 주관적인 평가와 multi dimensional voice program (MDVP)을 사용하여 34개의 변수를 측정하고, 음성의 병리 정도를 시각화하여 객관적으로 평가할 수 있다.

4) 언어발달(Language development) 평가

구개열 환자들은 초기 언어발달이 지연될 우려가 있으므로 조음발달과의 연관을 보기 위해 표현언어 및 수용언어의 발달검사를 진행한다. 연령에 따라 검사방법과 평가도구가 달라지며 특히 정확한 평가가 불가능한 영유아기 아동은 특정한 말소리를 산출하도록 미리 디자인된 장난감이나 다른 도구들을 사용하여 놀이활동, 무의미성 음성놀이(nonsense speech play)를 관찰함으로써 말을 통한 상호작용(verbal interaction)을 평가하도록 한다.

5) 영상법

① Cephalometrics: 2차원적인 정보만 얻을 수 있으나 촬영하기 쉽고 정량적인 계측이 가능하다. 안정 시와 발음 시의 연구개 길이, 경사도, 구개인두거리, 연구개 거상 정도 등을 평가할 수 있다.[9,10]

② CT, MRI: 비인강폐쇄기능을 평가하기 위한 단독 영상법으로 추천되지는 않는다. 그러나 유소아에서 적용가능하다는 장점은 있다.

③ Ultrasound: 조작이 간편하고 비침습적인 방법으로 소아에서도 적용이 가능하고 방사선 피폭의 위험이 없이 반복검사가 가능하다. 인두측벽의 움직임을 realtime으로 볼 수 있지만 안정된 영상을 얻기 어렵고 선명도도 떨어져 비인강폐쇄기능을 평가하기 위한 단독 영상법으로 추천되지는 않는다.

④ Electromyography (EMG), electropalatogram (EPG): 비인강폐쇄기능에 관여하는 근육의 활성도를 평가하는데 사용되지만 다소 침습적인 방법이다.

⑤ Videofluoroscopy: 빠르고 쉽게 비인강폐쇄기능을 3차원으로 평가할 수 있고 비침습적이며 어린 환자들에서도 사용가능한 유용한 진단도구이지만 반복적으로 사용할 때 방사선 피폭량에 대해 고려해야 한다.[10]

⑥ Video-Nasoendoscopy, video-pharyngoscopy: 내시경으로 직접 발성이나 연하 시 연구개, 인두측벽, 인두후벽의 움직임을 동시에 관찰할 수 있다. 화면은 정지사진, 동영상 등으로 다양하게 기록, 보존이 가능하다.[10]

⑦ 4D airway CT, 4D-CT endoscopy: 안정 시, 발음시 CT를 촬영하여 soft ware (ZIOSOFT, ZIOSOFT Inc., Tokyo) processing을 통하여 4D (three spatial planes plus time) airway CT 이미지와 가상의 4D-CT 내시경 이미지를 합성해낼 수 있는 최신 영상법이다. Video-nasoencoscopy는 카메라 각도에 의해 촬영 사각지대가 생겨 비인강폐쇄가 완전히 이루어지는 것처럼 보이지만 실제로 4D airway CT, 4D-CT endoscopy에서는 완전한 비인강폐쇄가 이루어지지 않은 것을 확인할 수 있다고 보고하였다.[11]

4. 비인강폐쇄부전의 치료

현대적인 개념의 구개열 수술이란 적절한 시기에 구개성형술(palatoplasty)을 통하여 구강과 비강을 기능적으로 분리할 뿐만 아니라 충분한 길이의 연구개를 재건함으로써 구개열 언어의 발생을 방지하고, 동시에 미발육된 구개 조직에 가해지는 외과적 손상을 최소화함으로써 성장에 따른 중안면부의 발육 저하를 최소화하는 것이다. 그럼에도 불구하고 일차 구개성형술 후 10-20%의 환자에서 구개인두기능부전에 의한 구개열 언어를 나타내는 것으로 보고되고 있다.[12] 또한 조음기술을 발달시키지 못하여 언어발달이 지체될 뿐 아니라 명료도도 저하되는 현상을 보인다. 즉 비인강폐쇄부전은 구개성형술의 일반적인 합병증으로 여겨지며, 정상적인 언어 기능을 유도하기 위해서는 가능한 빨리 비인강폐쇄기능을 평가하여 체계적인 언어평가와 언어치료, 그리고 필요에 따라서는 수술, 발음보조장치 등을 병행해야 한다.

1) 언어 치료

구개열 환자의 언어치료 목표는 발성 시 올바른 기류의 산출과 과비음 감소 및 자음 정확도 향상을 유도하여 명료도를 높이는 데 있다. 구개열 환자는 구강 구조의 선천적인 결함으로 인하여 의사소통 능력을 습득하는데 어려움이 있을 수 있으므로, 구개열 수술 후 언어검사와 더불어 의사소통능력 발달에 중요한 요소들인 신체의 운동기능이나 인지·사회성 발달 검사도 함께 해보는 것이 좋다. 언어평가를 시행하여 과비음과 부정확한 발음의 문제를 보였을 경우 빨리 언어치료를 시작하면 비인강폐쇄부전이나 발음의 장애가 최소화될 수 있다. 언어치료는 언어발달을 고려하여 영아, 유아, 학령전기, 학령기 등 연령에 따라 단계적으로 중재가 이루어지며, 올바른 조음을 유도하는 조음치료와 비인강폐쇄기능을 향상시키는 치료를 목표로 한다. 비인강폐쇄부전은 언어치료로만으로는 한계가 있으며 발음보조장치, 수술요법과 더불어 언어치료가 동반되어야 하는데 구개열 환자의 주된 언어치료는 공명장애와 조음장애 치료이다.

(1) 조음장애 치료

청각, 시각, 촉각, 운동 감각 훈련에 관한 다양한 접근법을 필요로 하며, 오조음 및 보상조음 등의 잘못된 말소리 패턴을 수정하거나 제거하고 올바른 조음점을 습득하도록 한다. 일반적으로 전통적인 조음치료 기법이 주로 사용되며 치료 절차는 청지각 훈련을 통해 소리의 변별능력을 키우고, 조음점 지시법과 청각적 자극, 모방, 말소리 수정법을 통해 올바른 말소리 산출을 습득하게 한 후 무의미 음절-낱말-구조화된 맥락-자발화 순으로 목표음의 일반화를 유도한다. 조음치료 과정 도중 기질적 요인으로 인한 비강누출 등의 문제가 부각되기도 하지만, 훈련을 통해 학습된 비강기류 유출을 제거하고 정확한 구강음으로 산출하게 하며 보상조음을 제거하는 등 올바른 발성패턴이 유도된다면 이러한 문제들을 최소화할 수 있다.[13]

(2) 비인강폐쇄기능 향상을 위한 치료

① 시각적 피드백 훈련

Nasometer, Visi-Pitch, See-Scape, Photographic mirror intraoral Reflector 등을 이용하여 목표음을 발성하면서 수정되어야 할 비강누출이나 구강누출의 시각적인 피드백을 제공함으로써 올바른 기류산출을 인지하도록 한다.

② CPAP (Continuous positive airway pressure)

수면 무호흡증 환자 치료에 사용되는 기기이나 1991년 Kuehn은 비인강폐쇄부전 환자에게 근저항 훈련의 수단으로

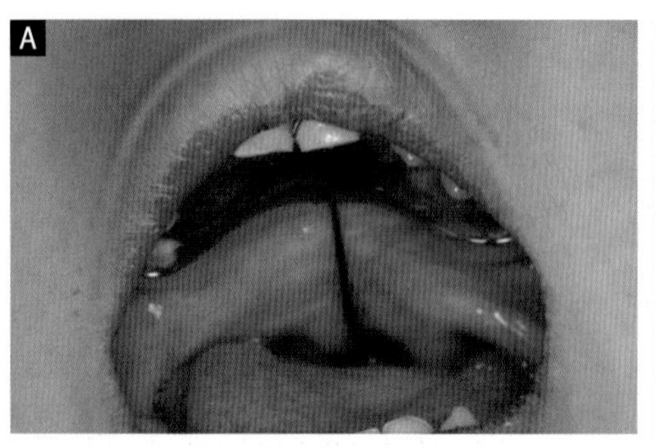

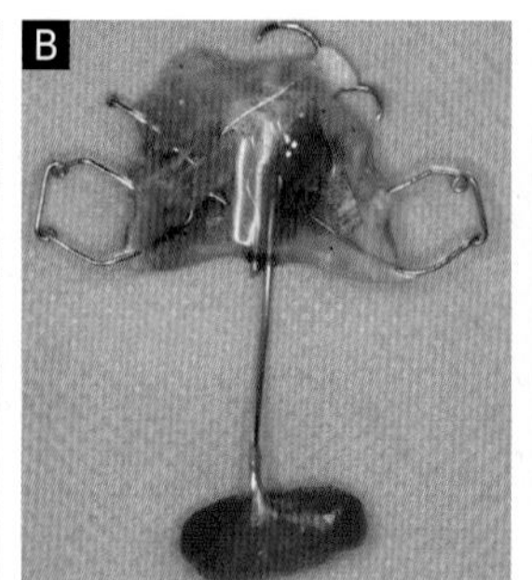

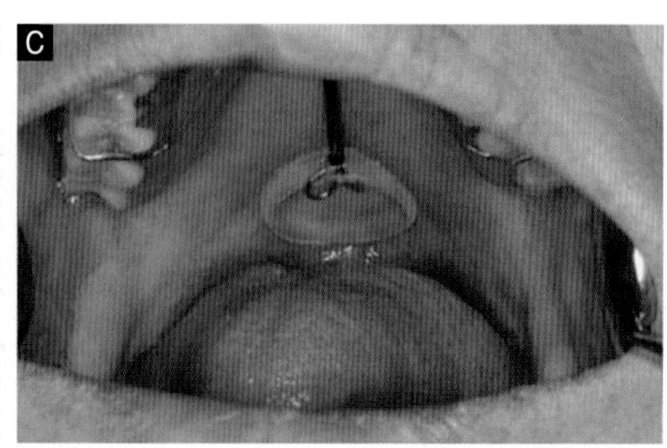

그림 23-4 **A, B:** Speech Bulb **C:** Palatal Lift

CPAP의 사용을 소개하였다. 인위적으로 증가시킨 저항력에 대해 근육을 활동시킴으로써 비인강폐쇄기능 향상을 유도하는 원리로, 8주 동안 압력과 시간을 조절하여 NVCV (모음-비음-압력자음-모음) 형태의 단어 목록을 발화한다.

2) 발음보조장치(Speech aids)

발음보조장치(speech aids)는 크게 구개거상형(palatal lift)과 벌브형(speech bulb)으로 나눌 수 있다. 구개거상형은 연구개 후방 1/3 부위를 올려주는 장치이고, 벌브형은 발음 시 열려 있는 비인강부를 직접 폐쇄시켜주는 장치이다(그림 23-4). 비인강부의 손상없이 고유의 비인강괄약근 기능을 이용하여 비인강폐쇄기능을 개선시킬 수 있고 기능 시에 비인강부의 움직임을 보면서 제작이 가능하다는 장점이 있다.

발음보조장치는 나이가 어릴 때 장착할수록 그 효과가 우수하다. 정상적인 언어 즉 비음도와 비강누출 그리고 언어 명료도가 정상적으로 될 때까지 장착하고 그 이후에는 점진적으로 삭제해나가면서 최종적으로는 완전히 제거하는 삭제 프로그램(reduction program)을 시행한다.

구개열 수술 후 연구개의 길이나 근육의 움직임이 비교적 적절히 유지되는 6~12세의 환자에서 발음보조장치 치료를 시행하면 삭제 프로그램 후 장치물 없이도 정상적인 언어를 유지할 수 있다. 만일 마지막까지 발음보조장치 제거가 불가능한 경우 인두성형술 등의 수술요법을 병행하여 더 우수한 결과를 얻을 수 있다. 발음보조장치는 반드시 언어치료와 병행해야 하는, 일종의 언어치료의 보조수단으로 생각하여야 한다. 또한 장착 후에도 장기간 관리와 언어치료가 필요한 만큼 치료법에 대해 환자와 보호자의 확신과 노력이 수반되어야 하는 치료방법이다. 심한 과비음을 보이거나 장기간의 언어치료로도 해결이 안 되는 비인강폐쇄부전 환자에서 수술 이전에 우선적으로 시도해볼 만한 효과적인 치료방법이다.[14-16]

3) 수술적 요법

비인강폐쇄부전에 대한 수술의 목적은 생리적인 연구개와 인두의 괄약근 기능이 확보되도록 연속적인 발음 시에 구개인두 부위에 최소한 5 mm 직경 이하의 개방성을 형성함으로써 과비음이나 공기의 비강 유출 현상을 방지하여 주는 데 있다. 또한 정상적인 해부학적 형태를 수술을 통하여 구조화함으로써, 일차적으로 해부학적 결함을 제거하고 혀의 위치를 정상적으로 유도하여 환자에게 이차적으로 형성된 습관적인 결함을 언어 치료를 통하여 없앨 수 있는 기능적인 상황을 만들어 주는 것이다. 그러나 수술은 비인강폐쇄부전에 대한 최종적 치료수단이지만 절대적인 치료방법은 아님을 염두에 두어야 한다.

5. 비인강폐쇄부전의 수술방법

구순구개열 외과의사들은 오래전부터 비인강폐쇄부전의 문제점을 인식하고 구순구개열 환자들의 부정확한 발성문제를 수술을 통하여 해결하려는 노력을 꾸준히 진행하였다. 1865년 Passavant가 연구개 조직을 인두 후방벽에 직접 붙이려는 시도를 한 바 있고, 1900년 이후 외과적 치료가 발달하기 시작하면서 연골, 실리콘, 콜라겐, hydroxyapatite, 그리고 최근에는 자가지방조직[17] 등과 같은 다양한 물질들을 이용하여 인두벽을 증강함으로써 연구개와 인두벽 사이의 공간을 줄이고자 하는 수술(augmentation pharyngoplasty)을 시행하여 왔다. 1950년 Hynes는 구개열 수술이 실패한 증례를 묘사하면서 구개인두근과 이관인두근(salpingopharyngeous muscle)을 포함한 점막근(myomucosal) 피판을 인두 후방벽에 연결해 주는 방법을 보고하였고 이것이 현대적인 괄약근 인두성형술의 시초가 되었다. 1968년 Orticochea는 구개인두 근육의 역동적인 괄약 기능을 재건해야 함을 주장하여 현대적인 비인강폐쇄부전 수술의 개념을 마련하고 또한 하부기저형 인두피판을 적용을 소개하기도 하였다.[18] 수술 후 인두피판은 해부학적 요인으로 중앙부의 상인두수축근이 결여되기도 하고, 영양 혈관인 상행인두동맥 분지가 수술 시 차단됨으로 이로 인한 허혈성 위축에 추가적으로 denervation atrophy 현상까지 겹치면 장기적으로 그 크기가 50%까지 수축되기도 하고 때로는 튜브 모양으로 남게 되어 본래 의도된 기능, 즉 괄약 기능을 하지 못하는 경우가 있다.[19] 1973년 Hogan은 측방 성문(lateral port) 조절의 개념을 소개하면서 점막하 조직의 노출이 없는 방법을 고안하였는데[20] 이 수술법이 장기적으로 결과가 우수하다고 입증되어 지금까지도 많은 외과의사들이 선호하고 있다.

수술적 방법은 크게 구개의 길이를 연장시키는 방법(palatal lengthening)과 비인강을 좁히는 방법(velopharyngeal narrowing)으로 나눌 수 있다. 구개의 길이를 연장시키는 방법은 V-Y pushback, intravelar veloplasty, double-opposing Z-plasty 등 구개수(velum)를 retropositioning하거나 palatal re-repair하는 것이다. 비인강을 좁히는 방법은 인두피판술(pharyngeal flap surgery)이나 괄약근 인두성형술(sphincter pharyngoplasty), posterior pharyngeal wall augmentation 등이 여기에 속한다. 인두피판술을 적용하기 힘든 정도로 비인강이 넓은 부위는 국소피판, 협부근 점막피판이나 free flap을 이용하여 재건하기도 한다.[21,22] 비인강성문(velopharyngeal port)의 해부학적 구조와 움직임, 비인강폐쇄부의 유형에 따라 적절한 술식을 선택하도록 한다. 여기서는 주로 비인강을 좁히는 방법에 대해 서술하고자 한다.

1) 인두피판술

기능 시 인두 측벽의 움직임은 양호하나 연구개의 움직임이 거의 없을 때, 구개인두간극이 큰 심한 비인강폐쇄부전의 경우에 가장 널리 이용되는 방법이다. 위에서 소개한 대로 1970년대 Hogan은 lateral port control 개념을 소개하였는데, 약 10 mm^2 catheter를 양측 lateral port에 위치시킴으로써 port 크기를 조절할 수 있다고 하였다.[20] 이 lateral ports는 구강 자음이나 모음 발성 시에 닫히게 된다. 이때 인두 측벽의 움직임이 수술 후 예후에 중요한 영향을 미친다. 후방 인두벽으로부터 채취된 피판을 연구개에 부착하여 가운데에서 구강과 비강을 부분적으로 차단하고 양쪽 외측으로 호흡과 비강 자음 발음, 그리고 추후 필요시 전신마취를 위한 2개의 작은 lateral ports을 남겨놓는 술식이다.

후방 인두벽으로부터 피판을 형성할 때 그 기저부가 상부에 있는지 하부에 있는지에 따라 상부 기저형 인두피판술과 하부 기저형 인두피판술로 구분하는데 주로 상부 기저형 인두피판술이 널리 사용되고 있다.[23] 또한 구개성형술과 인두피판성형술을 동시에 시행했을 때 더 좋은 결과를 얻을 수 있었다는 보고들도 있다.[24-26]

(1) 상부 기저형 인두피판술

❖ **수술방법(Hogan 법)**(그림 23-5~7)

① 시야 확보를 위해 양쪽 연구개에 봉합사를 위치시키고 연구개의 중앙에서 후비극까지 절개한다.

② 분리된 연구개를 양측으로 벌려 후방 인두후벽을 노출시키고 적절한 폭과 길이를 가진 인두피판을 도안한다. 기저부를 1번 경추 높이의 아데노이드 패드에 위치시키고, 손가락을 사용하여 비정상적 동맥이 감지되는지 확인하는 것이 안전하다. 피판의 넓이는 인두 측벽의 가동성과 수술 후 피판의 수축을 고려하여 2~3 cm로 충분히 넓게 형성한다. 피판의 길이는 2번 경추까지 형성하게 되면 환자의 나이와 크기에 따라 2.5~4 cm로 형성되는데 이때 하방으로 피판이 너무 길어지면 하인두(hypopharynx)가 좁아져 폐쇄성 수면무호흡증이 생길 수 있으므로 주의한다.

③ Prevertebral fascia 상방까지 절개하고 인두후벽의 하방 끝 부분으로부터 시작하여 인두후벽의 상방 기저

PART 4

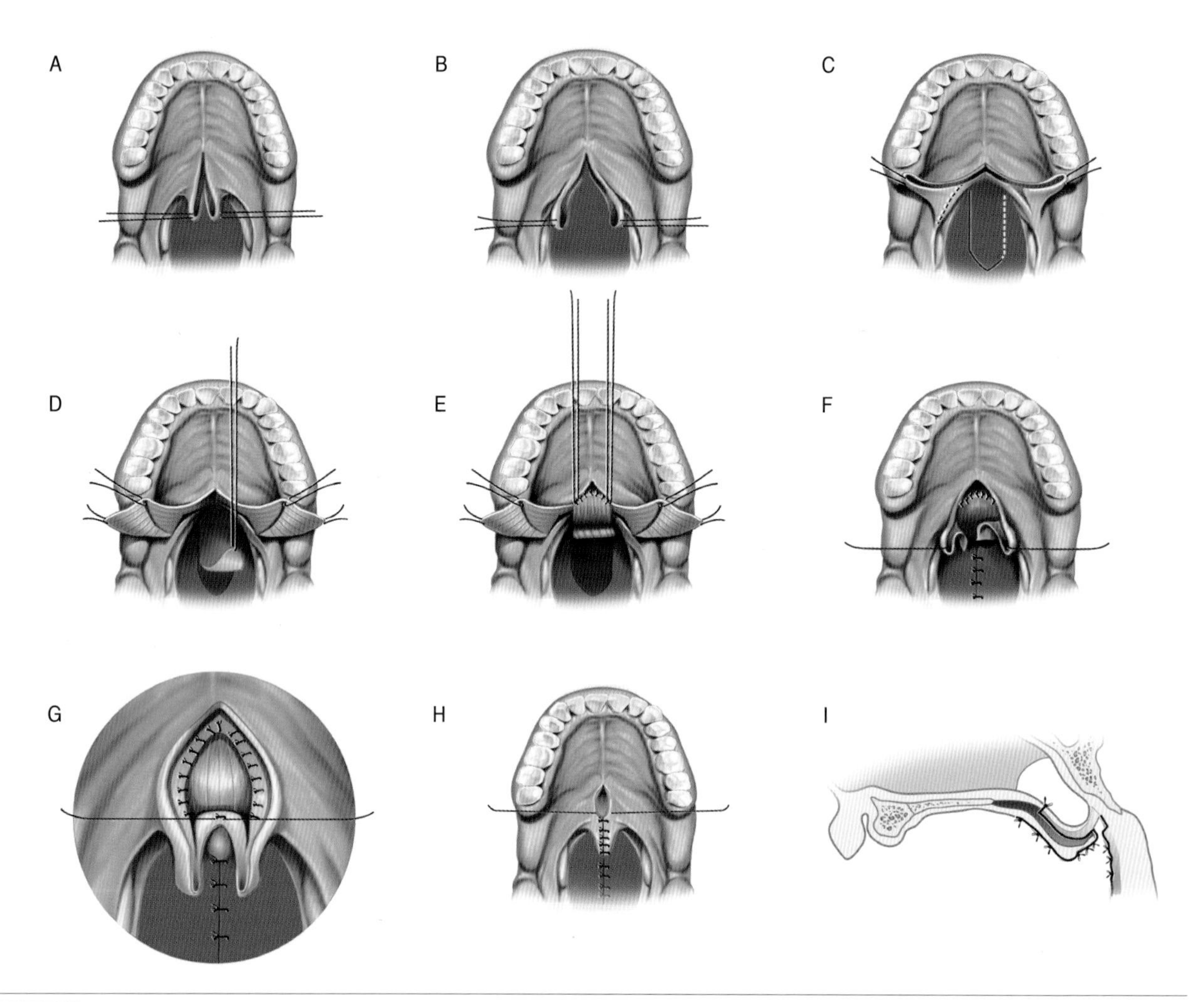

그림 23-5 **상부기저형 인두피판술.** **A:** 시야 확보를 위해 양쪽 연구개에 봉합사를 위치시키고 연구개의 중앙에서 후비극까지 절개한다. **B:** 분리된 연구개를 양측으로 벌려 후방 인두후벽을 노출시키고 적절한 폭과 길이를 가진 인두피판을 도안한다. **C:** Prevertebral fascia까지 절개하고 인두후벽의 하방 끝부분으로부터 시작하여 인두후벽의 상방 기저쪽으로 피판을 박리한다. **D:** 분리된 양쪽 연구개의 비강측 점막에 횡으로 절개를 넣고 점막피판을 박리한다. **E:** 인두피판의 상방 끝 부분을 경구개의 후연에 남아 있는 비강측에 봉합한다. **F:** 인두피판과 연구개의 비강측 변연을 봉합하고, 연구개 비강측 점막피판으로 인두피판의 노출면을 덮도록 봉합한다. **G:** 인두후벽의 노출면은 양쪽변연을 당겨서 봉합한다. **H, I:** Uvula를 봉합하고 연구개의 구강측 점막을 봉합한다.

쪽으로 피판을 박리한다. 피판은 척추전근막(prevertebral fascia)을 남기고 상인두수축근과 구개인두근으로 구성된 점막근 피판을 둔한 박리(blunt dissection)를 통하여 들어올린다. 아데노이드 부근에 오면 점막이 무르고 약하므로 피판의 기저부가 손상되지 않도록 주의한다.

④ 분리된 양쪽 연구개의 비강측 점막에 횡으로 절개를 넣고 점막피판을 박리한다.

⑤ 인두피판의 상방 끝 부분을 경구개의 후연에 남아 있는 비강측에 봉합한다.

⑥ 인두피판과 연구개의 비강측 변연을 봉합하고, ④의 연구개 비강측 점막피판으로 인두피판의 노출면을 덮도록 봉합한다.

⑦ 인두후벽의 노출면은 양쪽변연을 당겨서 봉합한다.

⑧ Uvula를 봉합하고 연구개의 구강측 점막을 봉합한다.

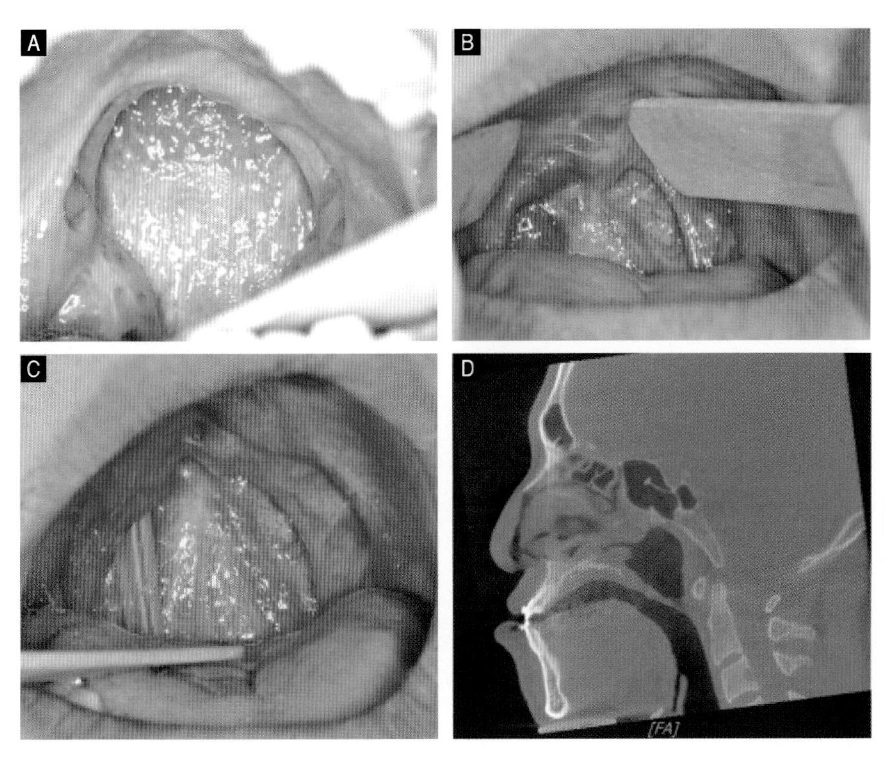

그림 23-6 Hogan's pharyngoplasty
A: velopharyngeal gap이 넓어서 Hogan's pharyngoplasty를 하기로 결정하였다. **B:** 술 후 10년째. pharyngeal flap이 심한 atrophy없이 유지되고 있다. **C:** lateral port가 생리적으로 잘 기능하고 있다. **D:** CT에서 연구개와 인두후벽이 잘 연결되어 있는 것이 확인된다.

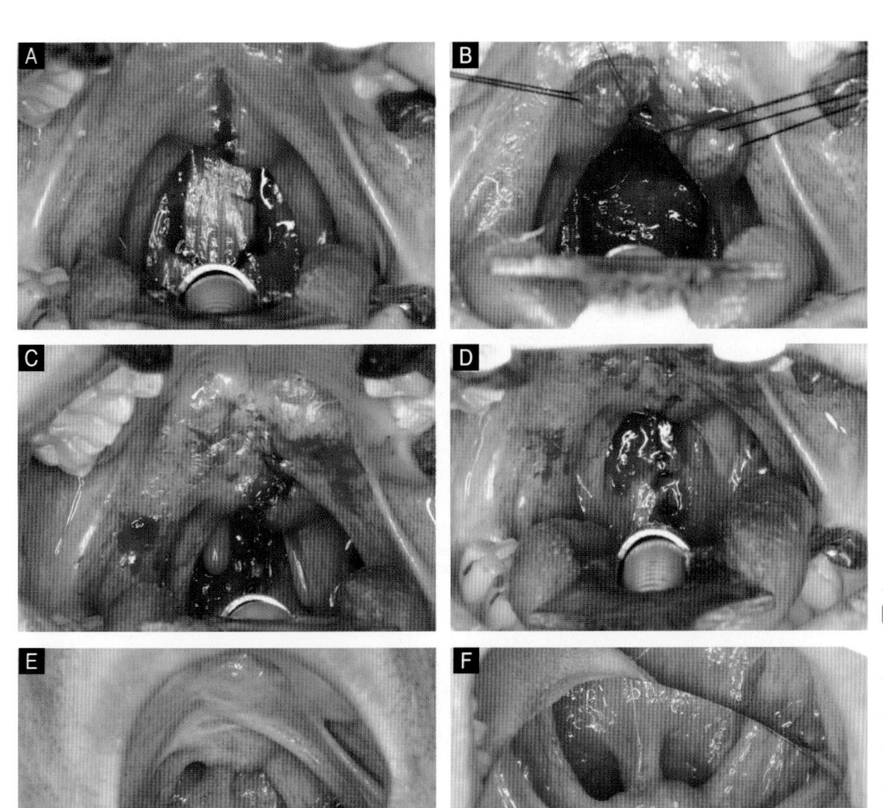

그림 23-7 **37세 남자. 34년 전(3세) 구개성형술 후 비인강폐쇄부전을 진단받고 인두피판술을 시행받았다.** **A:** posterior pharyngeal flap design **B:** 연구개 분리와 후방 인두 점막근 피판 박리 **C:** lateral port 확인 **D:** 수술 직후 **E:** 인두성형술 후 21개월 후 **F:** 인두피판의 심한 atrophy 없이 lateral port가 잘 유지되고 있으며, 자음 명료도가 술전 33.4%(word)에서 술후 86.4%(word), 79.06%(sentence)로 현저히 개선되었다.

PART 4

(2) 하부 기저형 인두피판술

상부 기저형과 하부 기저형 인두피판술간의 술식이나 수술 결과의 차이는 거의 없다고 보고되어 있다. 그러나 하부 기저형 인두피판술은 피판의 길이에 제한이 있고, 비인강 폐쇄기능에 필요한 움직임의 반대방향으로 피판이 위치하게 되는 단점이 있어 많이 사용되지 않는다.

2) 괄약근 인두성형술(Sphincter pharyngoplasty)

후방, 측방 인두벽의 움직임이 거의 없고 비인강성문(velopharyngeal port)의 크기가 작은 경우 인두피판술보다는 괄약근 인두성형술이 적응증이 될 수 있다.

원래의 개념은 1950년 이전에 Hynes에 의해 처음 도입되었고 이후 Orticochea 등에 의해 변형된 방법이 소개되었다. Riski 등은 palatopharyngeus flaps이 후방 인두벽에 끼워져 봉합되는 높이가 높을수록 술후 결과가 좋다고 보고한 바 있다.

❖ **수술방법**(그림 23-8, 9)

① 양쪽 후방 tonsillar pillar에서 각각 palatopharyngeus myomucosal flaps을 만든다.

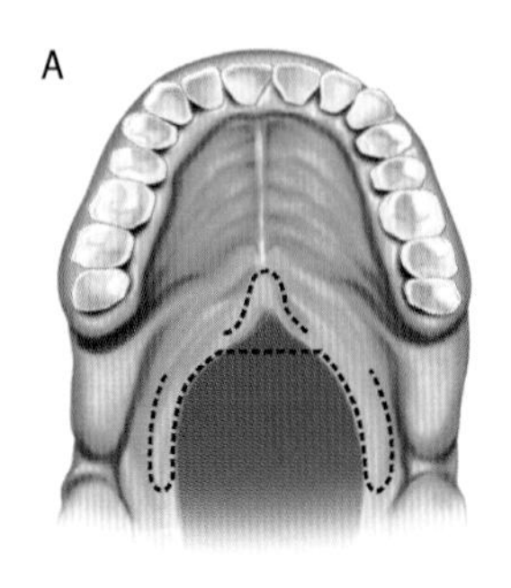

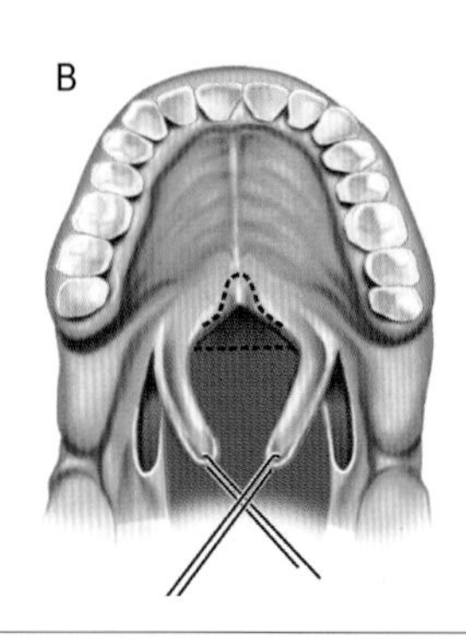

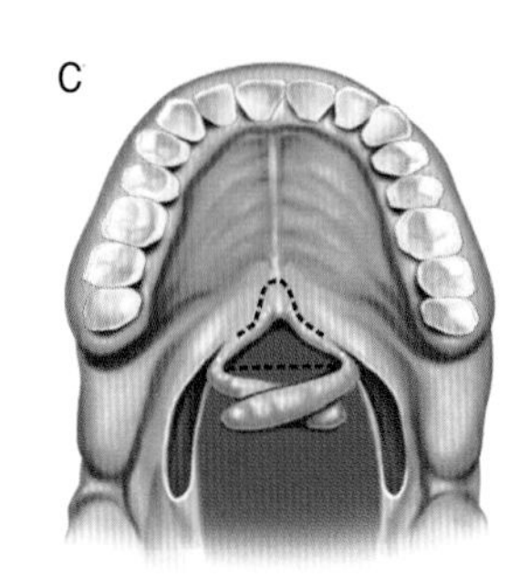

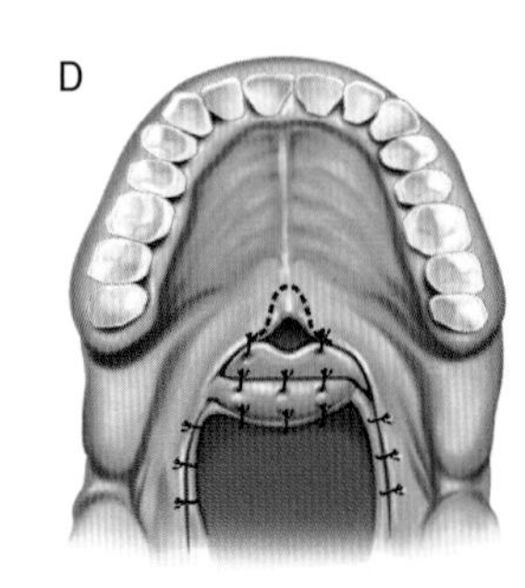

그림 23-8 **A:** 양쪽 후방 Tonsillar pillas에서 각각 Palatopharyngeus myomucosal flaps을 만든다. **B:** 한쪽 Palatopharyngeus flap을 절개하여 들어올린 부분에서 반대쪽 피판이 절개된 부위까지 후방 인두벽을 가로지르는 횡절개를 가한다. **C:** 중심에서 서로 교차시켜 층별 봉합하고 후방 인두벽에도 봉합한다. **D:** 중심에는 약 0.5~1.5 cm 직경의 성문(port)이 형성된다.

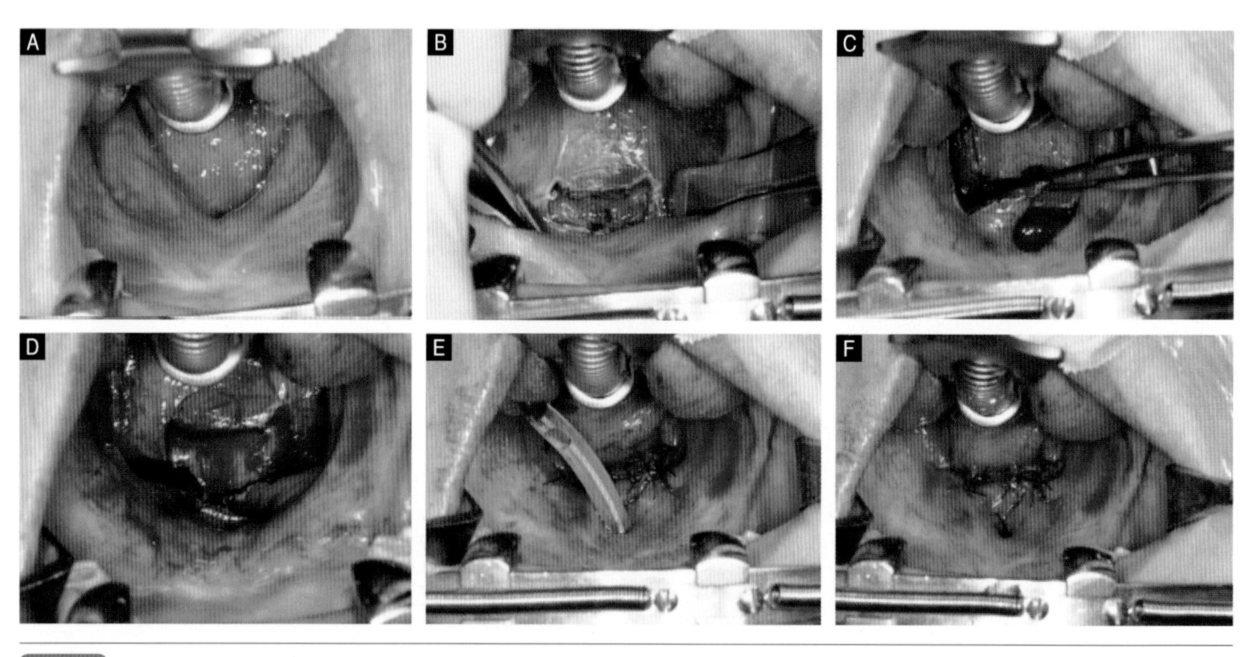

그림 23-9 Sphincter pharyngoplasty

② 한쪽 palatopharyngeus flap을 절개하여 들어올린 부분에서 반대쪽 피판이 절개된 부위까지 후방 인두벽을 가로지르는 횡절개를 가한다. 이 횡절개 부분으로 양측 palatopharyngeus flaps이 끼워지게 된다.

③ 중심에서 서로 교차시켜 층별 봉합하고 후방 인두벽에도 봉합한다.

④ 그 결과 중심에는 약 0.5~1.5 cm 직경의 성문(port)이 형성된다.

3) Posterior pharyngeal wall augmentation

Velopharyngeal gap이 1~3 mm 정도로 작으며 비인강부 성문의 폐쇄가 가능하지만 충분하지 못한 경우 적응증이 될 수 있다. 후방 인두벽을 보강하는 여러 재료들이 소개되고 있는데, Silicone은 술후 노출되는 문제점이 있으며, teflon은 큰 혈관 내로 주입될 위험성이 높다. 또한 둘 다 prevertebral fascia를 따라 하방으로 이동하는 경향이 있다. 최근 보고에 따르면 calcium hydroxyapatite를 후방 인두벽에 주입하거나 polyethylene implant를 augmentation하여 augmentation materials의 이동이나 노출없이 비교적 높은 성공률을 보였다고 한다.[27,28] Fat이나 rolled dermis 같은 자가 조직을 이용하면 이동이나 감염, 노출의 위험성이 훨씬 덜하지만 시간이 지남에 따라 흡수되는 경향이 있다.[29,30] Piotet 등은 mild VPI가 존재하거나 인두피판술 등 수술 후에도 비인강폐쇄부전이 남아있는 경우 fat graft와 언어치료를 병행하여 의미있는 결과를 얻었으며 1번의 fat graft보다는 여러 번 반복 주입하면 더 만족스러운 결과를 얻을 수 있다고 하였다.[31]

4) 술후 관리 및 예후

환자를 마취에서 깨울 때는 피판 조직을 손상시킬 수 있는 gagging에 조심하고, 기도 확보를 위하여 연질의 비인강관(nasopharyngeal tube)을 코를 통하여 측방 성문으로 삽입하여 수술 후 2일째까지 유지한다. 그리고 최소한 24시간 동안 환자는 기도 관리가 항상 유지되는 중환자실과 같은 환경에 있어야 한다. 입원 기간에는 항상 산소 분압을 모니터링하고, 환자가 물을 잘 마실 수 있게 되면 퇴원시킨다. 술후 약 2주간은 잠잘 때 머리를 높게 하고 구강위생을 철저히 하도록 교육한다. 그리고 코골이나 수면무호흡, 구호흡의 증상이 있었는지 확인한다. 술후 3~6주 사이에 특화된 언어치료를 받도록 하며 3개월, 1년이 지나면 같은 평가자에 의해 수술 전 시행했던 청각평가, 비인강 내시경, 연구개조영 방사선사진, air way evaluation 등을 다시 시행하여 결과를 비교 분석한다. 그리고 올바른 발성과 발음, 잔존하는 조음장애 등을 교정할 수 있도록 격려해야 한다.

초기 합병증으로 상기도 폐쇄, 출혈, 감염, 흡인과 폐렴, 피판의 열개(dehiscence)가 발생될 수 있고[32,33] 장기 합병증으로는 비강 폐쇄, 폐쇄성 수면무호흡, 저비음(hyponasality), 그리고 비인강폐쇄부전이 잔존하는 경우가 있다.[34,35]

수술의 결과 및 예후에 영향을 미치는 요소에는 비인강성문의 구조, 술전 비인강폐쇄부전의 정도, 연구개의 길이나 발음 시 근육의 수축 형태와 수축 정도, 일차 구개열 수술 시행 시의 연령, 술전 언어 치료나 발음보조장치 사용 등의 언어 중재 여부, 인두성형술 시행 시의 연령 등이 있으며 적절한 수술 방법의 선택이나 수술자의 숙련도도 중요한 요소이다.

수술의 적정 시기에 대해서는 4세 이전의 구개열 환아의 경우 협조도 결여 등으로 비인강폐쇄부전의 진단방법과 결과를 파악하기가 어렵고, 미성숙 조직에 대한 반복적인 수술은 환자의 얼굴 성장에 바람직하지 않기에 많은 임상가들이 5세 경 수술할 것을 추천하고 있다. 여러 가지 장단점들이 보고되고 있고 일반적인 합의는 이루어지지 않았지만 6세 이전에 수술을 해 주는 것이 정상적 언어의 유도 면에서 좀 더 개선된 결과를 암시하고 있다.[36] 그러나 환자의 나이가 많다고 하더라도 수술로부터 얻을 것이 없다는 이유로 거부되어서는 안되며 실제로 성인 환자의 경우에도 비인강폐쇄부전으로 진단받고 인두피판성형술 이후 좋은 언어성적을 보이는 경우들도 종종 있다.

그림 23-7 환자의 경우를 예로 들어보면 다소 늦은 나이인 3세에 일차 구개성형술을 시행받았고 언어발달에 중요한 시기인 5~7세까지 언어치료를 받았으며 20~23세까지 다시 언어치료와 발음보조장치를 장착하였다. 치료 후 상당한 발음의 개선이 있었으나 치료 중단 후 다시 발음불분명을 주소로 내원하여 37세에 인두피판성형술을 시행 받았다.

인두피판성형술 후 자음 명료도가 현저히 개선되었고 비음도도 약간 개선된 결과를 보였다. 이는 일차구개열 수술 이후 지속적이고 적절한 언어치료 중재가 인두성형술의 예후에 많은 영향을 미쳤다고 판단된다. 다만, 환자나 보호자가 수술에 대한 거부감이 심하거나, 술후 기도폐쇄의 위험성이 클 때, 현재의 언어치료에 대한 반응이 좋을 때, 그리고 수술을 위한 진단 자료가 충분히 확보되지 않았을 때 경험적으로 수술을 결정하는 것은 우수한 결과를 보장할 수 없다.

또한 폐쇄성 수면무호흡증(obstructive sleep apnea)이나 다른 상기도 문제가 있는 환자에서는 인두성형술을 시행하지 않도록 권장하고 있다. Velocardiofacial syndrome (VCF syndrome) 환자의 경우에는 후방 인두벽 수술 부위 내에 비정상적 해부학적 구조의 경동맥이 존재할 수 있으므로 수술 전 angiography를 시행하거나 수술 시 각별한 주의를 요한다.[37] 편도나 아데노이드가 비대한 환자의 경우 인두성형술 3개월 이전에 편도절제술이나 아데노이드 절제술을 시행하도록 한다. 그러나 편도절제술이나 아데노이드 절제술 후 비인강폐쇄부전의 임상적 증상이 더 심해질 수 있으므로 수술에 신중을 기하도록 한다.[38-40] 또한 편도절제술이나 아데노이드 절제술 3개월 후에 비인강폐쇄부전의 재평가를 실시하여 치료계획을 변경해야 할지를 결정하도록 한다.

정확한 진단하에 비인강성문의 구조, 환자와 보호자의 의지 및 여러 가지 여건을 고려하여 수술요법, 언어치료, 발음 보조장치 등 적절한 치료법을 단독 또는 복합 시행한다면 좋은 결과를 얻을 수 있을 것이다(그림 23-10).

5) 구개열 환자의 치료에 관한 부모의 역할

구순구개열 환자는 증후군에 연관된 신체장애, 언어장애, 악골의 성장장애, 심미적인 문제, 심리문제 및 사회적인 문제 등 여러 가지 복합적인 문제를 동반할 수 있기 때문에 협력치료를 통하여 일관성 있는 치료를 하여야 한다.

특히 언어장애의 경우 수술이나, 발음보조장치 등 보철치료, 언어치료 등의 관리에도 불구하고 기대에 못미치는 결과를 가져오는 경우도 있다. 이러한 경우 자신감 상실이나 불안감 등으로 인해 오히려 언어 발달의 퇴화를 초래할 수도 있다. 따라서 구순구개열 아동의 언어관리에 있어서 부모의 역할은 매우 중요하다. 부모 자신뿐 아니라 아동이

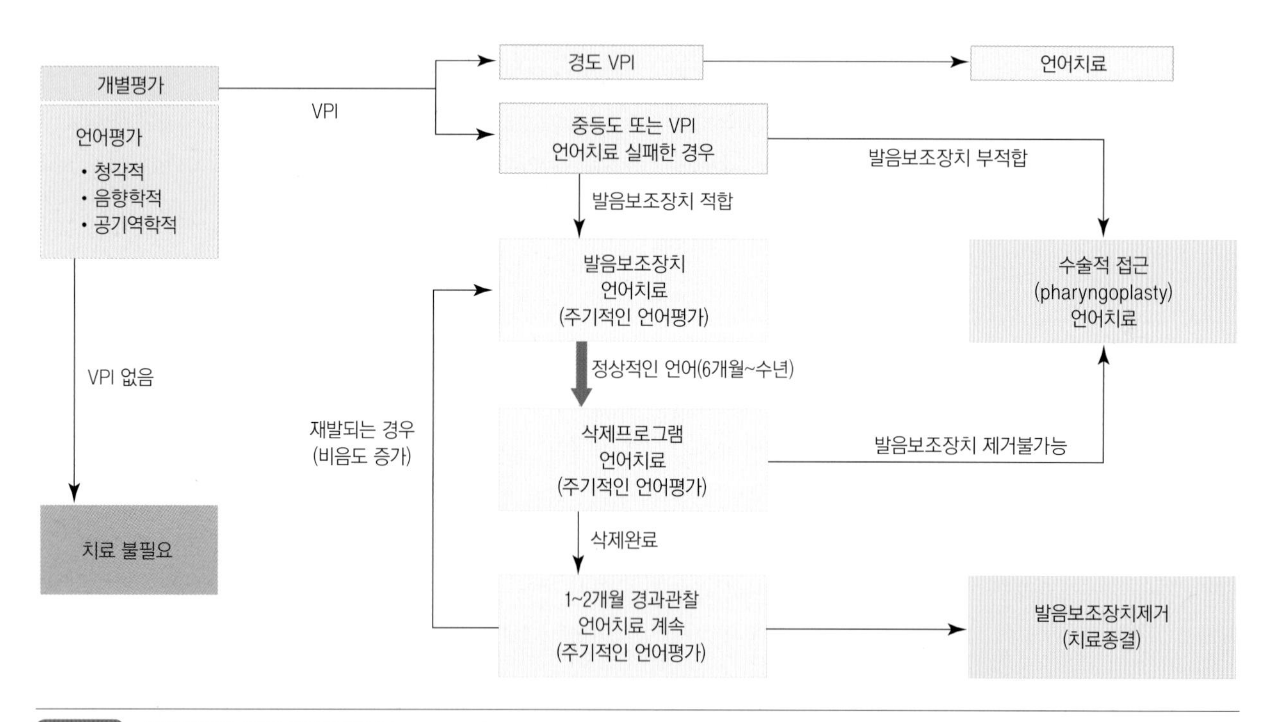

그림 23-10 비인강폐쇄부전의 치료 프로토콜

치료를 수용할 수 있도록 치료에 대한 올바른 이해를 시키고 치료사와의 상담을 통해 많은 정보를 공유하고 서로 신뢰해야 한다. 또한 지속적이고 일관성 있는 치료가 유지될 수 있도록 부모의 많은 인내와 사랑, 그리고 끊임없는 격려가 절대적으로 필요하다.

참고문헌

1. Fisher DM, Sommerlad BC. Cleft lip, cleft palate, and velopharyngeal insufficiency. Plast Reconstr Surg 2011;128:342e-60e.
2. Woo AS. Velopharyngeal dysfunction. Semin Plast Surg 2012;26:170-7.
3. Kummer AW, Marshall JL, Wilson MM. Non-cleft causes of velopharyngeal dysfunction: implications for treatment. Int J Pediatr Otorhinolaryngol 2015;79:286-95.
4. Kummer AW. Cleft Palate & Craniofacial Anomalies: Effects on Speech and Resonance. 3rd ed. New York: Delmar Cengage Learning; 2014.
5. 김현기. 구개열아동 말의 객관적 평가 및 치료방법. 언어청각장애연구 2000;5:106-20.
6. 권종진, 장현석, 박영준, et al. 임상 구개열 언어에 대한 Screening test 와 설문조사의 비교분석. 대한악안면성형재건외과학회지 2001;23:510-5.
7. 대한구강악안면외과학회. 구강악안면외과학교과서. 3판 ed. 서울: 의치학사; 2013.
8. 백진아. 임상원저 : 구개열 환자에서의 구강인두압력 및 공기유량에 관한 음성학적 특징. 대한악안면성형재건외과학회지 2006;28:13-20.
9. 신효근, 고광희. 구개열 환자에 있어서 구개 성형술후 비인강 폐쇄에 관한 임상적 연구. 대한악안면성형재건외과학회지 1992;14:1-21.
10. Hodgins N, Hoo C, McGee P, Hill C. A survey of assessment and management of velopharyngeal incompetence (VPI) in the UK and Ireland. J Plast Reconstr Aesthet Surg 2015;68:485-91.
11. Sakamoto Y, Soga S, Jinzaki M, Yamada Y, Ogata H, Kishi K. Evaluation of velopharyngeal closure by 4D imaging using 320-detector-row computed tomography. J Plast Reconstr Aesthet Surg 2015;68:479-84.
12. Sell D, Mildinhall S, Albery L, Wills AK, Sandy JR, Ness AR. The Cleft Care UK study. Part 4: perceptual speech outcomes. Orthod Craniofac Res 2015;18 Suppl 2:36-46.
13. Peterson-Falzone SJ, Trost-Cardamone J, Karnell M, Hardin-Jones M. The Clinician's Guide to Treating Cleft Palate Speech. Philadelphia: Mosby; 2005.
14. 윤보근, 고승오, 신효근. Palatal lift를 이용한 비인강폐쇄부전환자의 임상적 치험례. 대한구강악안면외과학회지 2001;27:92-6.
15. 고승오, 신효근. 발음보조장치를 이용한 비인강폐쇄부전환자의 음성언어 평가. 대한구강악안면외과학회지 2000;26:414-21.
16. Raju H, Padmanabhan TV, Narayan A. Effect of a palatal lift prosthesis in individuals with velopharyngeal incompetence. Int J Prosthodont 2009;22:579-85.
17. Contrera KJ, Tierney WS, Bryson PC. Autologous Fat Injection Pharyngoplasty in Adults with Velopharyngeal Insufficiency. Ann Otol Rhinol Laryngol 2020;129:201-4.
18. Orticochea M. Construction of a dynamic muscle sphincter in cleft palates. Plast Reconstr Surg 1968;41:323-7.
19. Hofer SO, Dhar BK, Robinson PH, Goorhuis-Brouwer SM, Nicolai JP. A 10-year review of perioperative complications in pharyngeal flap surgery. Plast Reconstr Surg 2002;110:1393-7; discussion 8-400.
20. Hogan VM. A clarification of the surgical goals in cleft palate speech and the introduction of the lateral port control (l.p.c.) pharyngeal flap. Cleft Palate J 1973;10:331-45.
21. 김태운, 최진영. 양측 협부 근점막 피판을 이용한 2 차성 연구개 비인강 폐쇄 부전의 치료: 증례보고. 대한악안면성형재건외과학회지 2010;32:454-8.
22. Ferrari S, Ferri A, Bianchi B, Copelli C, Sesenna E. Reconstructing large palate defects: the double buccinator myomucosal island flap. J Oral Maxillofac Surg 2010;68:924-6.
23. Sloan GM. Posterior pharyngeal flap and sphincter pharyngoplasty: the state of the art. Cleft Palate Craniofac J 2000;37:112-22.
24. Pryor LS, Lehman J, Parker MG, Schmidt A, Fox L, Murthy AS. Outcomes in pharyngoplasty: a 10-year experience. Cleft Palate Craniofac J 2006;43:222-5.
25. 여환호, 김영균. 구개열의 치료 : 구개성형술과 인두피판성형술의 동시 사용. 대한악안면성형재건외과학회지 1994;16:384-9.
26. Wermker K, Lünenbürger H, Joos U, Kleinheinz J, Jung S. Results of speech improvement following simultaneous push-back together with velopharyngeal flap surgery in cleft palate patients. J Craniomaxillofac Surg 2014;42:525-30.
27. Sipp JA, Ashland J, Hartnick CJ. Injection pharyngoplasty with calcium hydroxyapatite for treatment of velopalatal insufficiency. Arch Otolaryngol Head Neck Surg 2008;134:268-71.
28. Brigger MT, Ashland JE, Hartnick CJ. Injection pharyngoplasty with calcium hydroxylapatite for velopharyngeal insufficiency:

patient selection and technique. Arch Otolaryngol Head Neck Surg 2010;136:666-70.

29. Bishop A, Hong P, Bezuhly M. Autologous fat grafting for the treatment of velopharyngeal insufficiency: state of the art. J Plast Reconstr Aesthet Surg 2014;67:1-8.
30. Filip C, Matzen M, Aagenæs I, et al. Speech and magnetic resonance imaging results following autologous fat transplantation to the velopharynx in patients with velopharyngeal insufficiency. Cleft Palate Craniofac J 2011;48:708-16.
31. Piotet E, Beguin C, Broome M, et al. Rhinopharyngeal autologous fat injection for treatment of velopharyngeal insufficiency in patients with cleft palate. Eur Arch Otorhinolaryngol 2015;272:1277-85.
32. Witt PD, Myckatyn T, Marsh JL. Salvaging the failed pharyngoplasty: intervention outcome. Cleft Palate Craniofac J 1998;35:447-53.
33. Valnicek SM, Zuker RM, Halpern LM, Roy WL. Perioperative complications of superior pharyngeal flap surgery in children. Plast Reconstr Surg 1994;93:954-8.
34. Thurston JB, Larson DL, Shanks JC, Bennett JE, Parsons RW. Nasal obstruction as a complication of pharyngeal flap surgery. Cleft Palate J 1980;17:148-54.
35. Blecher G, Wainbergas N, McGlynn M, Teng A. Rapidly evolving narcolepsy-like syndrome coinciding with severe OSA following pharyngoplasty in Prader-Willi syndrome. Respirol Case Rep 2014;2:111-2.
36. Cable BB, Canady JW, Karnell MP, Karnell LH, Malick DN. Pharyngeal flap surgery: long-term outcomes at the University of Iowa. Plast Reconstr Surg 2004;113:475-8.
37. Brandão GR, de Souza Freitas JA, Genaro KF, Yamashita RP, Fukushiro AP, Lauris JR. Speech outcomes and velopharyngeal function after surgical treatment of velopharyngeal insufficiency in individuals with signs of velocardiofacial syndrome. J Craniofac Surg 2011;22:1736-42.
38. Abdel-Aziz M. Hypertrophied tonsils impair velopharyngeal function after palatoplasty. Laryngoscope 2012;122:528-32.
39. Lo TP, Jr., Thaller SR. Velopharyngoplasty and tonsillectomy: whether to perform them simultaneously. J Craniofac Surg 2003;14:445-7; discussion 8.
40. Eufinger H, Eggeling V. Should velopharyngoplasty and tonsillectomy in the cleft palate child be performed simultaneously? J Oral Maxillofac Surg 1994;52:927-30.

PART 5

악안면재건술

책임편집

김성민 ● 김형준 ● 안강민

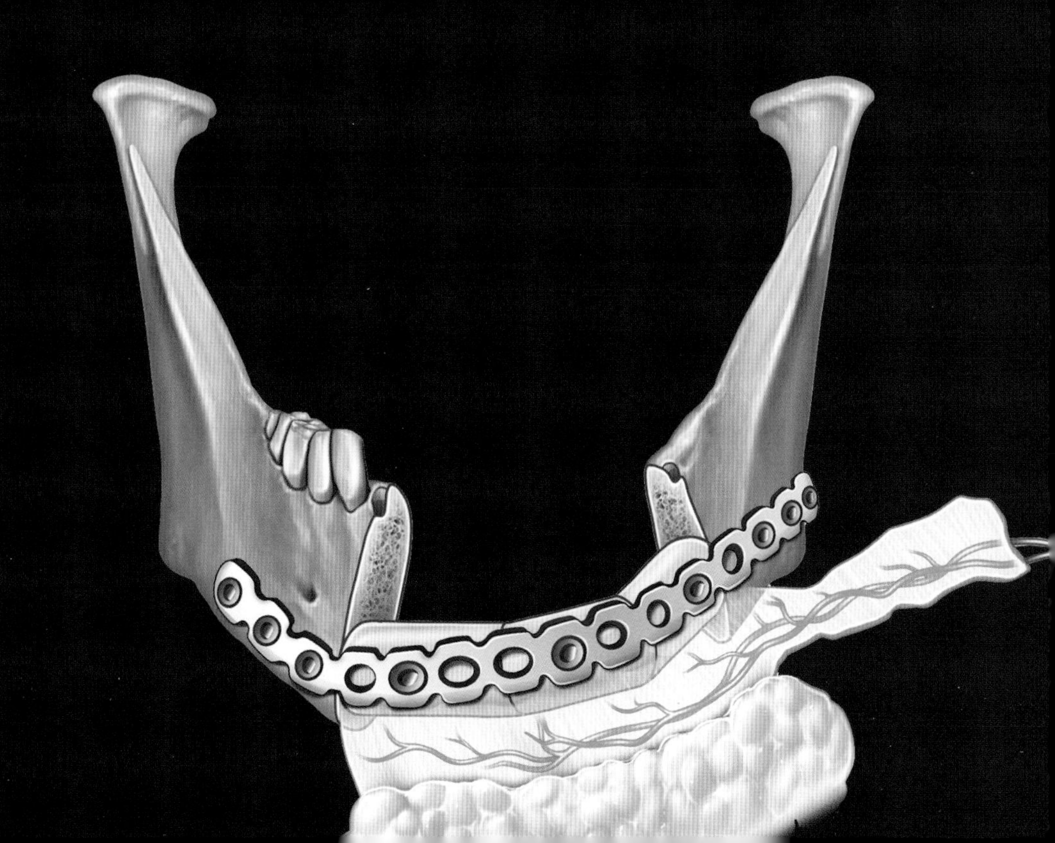

Chapter 24

조직이식술개론

Tissue Transplantation

기본 학습 목표

- 피부이식의 정의 및 종류에 대해 설명할 수 있다.
- 악안면 재건에 사용되는 피판의 정의 및 분류에 대해 설명할 수 있다.

심화 학습 목표

- 악안면 재건에 사용되는 피판의 종류에 대해 설명하고 이를 적용할 수 있다.
- 피판 작도 및 수술의 원칙에 대해 설명할 수 있다.
- 피판의 장단점에 대해 설명할 수 있다.

피부이식은 부분층 혹은 전층으로 유리조직 형태의 이식편을 채취하여 수여부로 옮기는 방법이 사용된다. 반면 피부와 함께 피하조직, 근육, 근막 등이 포함된 조직을 이식할 때는 혈류를 유지하기 위한 수단으로 혈관경이 포함된 유경피판의 형태로 수여부로 옮기거나 혈관경이 포함된 유리피판을 채취하여 공여부의 혈관에 미세수술을 이용한 혈관문합술을 통하여 이식하는 술식이 이용된다.

1. 피부이식의 정의 및 분류

1) 피부이식술의 정의

피부가 넓게 결손된 경우에 보존적인 치료는 치유 기간이 길며 긴장이 심한 상태의 넓은 반흔을 남기게 된다. 일차 봉합을 하는 경우에도 피부의 긴장 때문에 잘 치유되지 않을 뿐만 아니라 보기 흉한 반흔이 생기게 된다. 그러므로 이렇게 넓게 결손된 부위에는 피부 이식을 시행하게 된다.

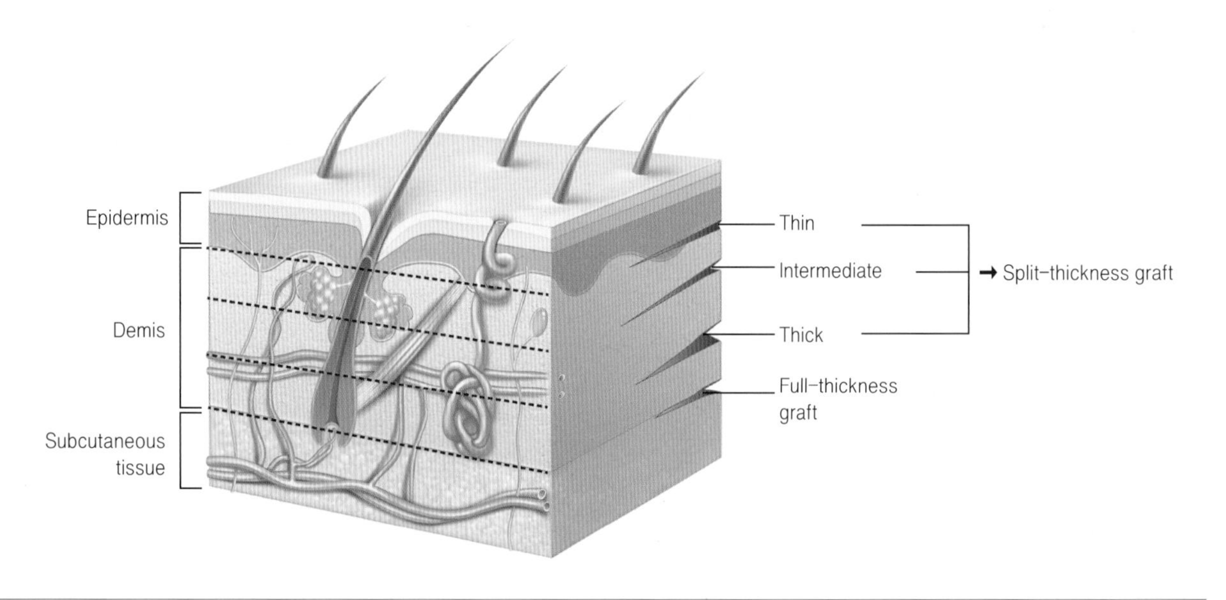

그림 24-1 부분층 피부이식과 전층 피부이식

이처럼 피부이식술이란 피부에 일차 봉합으로 닫아줄 수 있는 한계 이상의 결손이 있는 경우에 그만한 넓이의 피부 이식편을 다른 곳에서 부분층 혹은 전층으로 유리조직 형태의 이식편을 채취하여 필요로 하는 곳에 이식하는 것을 말한다.[1] 피판과 달리 이식된 피부의 절대적인 생존을 위해서는 수혜부에서부터 이식편으로 모세혈관의 내부 성장이 필수적이다.[2]

피부이식술에는 장점도 있지만 수술 후 이식피부의 수축이나 경화, 구축 그리고 색조의 이상 등의 문제점을 갖고 있다. 보통 이식피부는 두께를 늘리면 늘릴수록 양호한 외관과 기능을 얻을 수가 있지만 충분한 혈행을 얻는 것이 곤란해지므로 생착률의 저하를 초래한다. 공여부에서 채취한 이식편은 표피와 진피층 전체 또는 일부를 포함하고 있다.[3]

2) 피부이식의 분류

(1) 생물학적 분류

① 자가이식(Autograft): 자가 피부이식

a. 유리 피부이식(free skin graft)

b. 유경 피부이식(pedicle flap)

② 동종이식(Allograft)

동종의 서로 다른 개체끼리의 피부이식

③ 이종이식(Xenograft)

서로 다른 종의 피부이식

(2) 두께에 따른 분류(그림 24-1)(표 24-1)

① 부분층 피부이식(Split thickness skin graft, STSG)

a. 얇은 부분층 피부이식(Thin STSG): Epidermis + A small portion of the dermis (8/1,000 inch, 0.2 mm)

b. 중간 부분층 피부이식(Intermediate STSG): Epidermis + 1/2 of the dermis (10~15/1,000 inch, 0.25~0.3 mm)

c. 두꺼운 부분층 피부이식(Thick STSG): Epidermis + 3/4 of the dermis (15~25/1,000 inch, 0.4~0.6 mm)

② 전층 피부이식(Full thickness skin graft, FTSG)

Entire skin (whole graft): Epidermis + Dermis

2. 피판의 정의 및 분류

1960년대 이전까지 구강악안면영역의 결손은 대부분 일차 봉합술이나 임의형 피판(random pattern flap) 혹은 관상유경피판(tubed-pedicled flap)으로 재건하였다. 1946년 전두피판(forehead flap)[4]이, 1965년 흉삼각피판(deltopectoral flap)[5]이 처음으로 구강악안면영역의 재건에 소개되었는데, 비록 이런 종류의 피판 재건술이 다소의 문제점을 가지고 있었지만 약 20년 동안 두경부 영역의 재건술에 많은 기여를 하였다.

1970년대 중반부터는 유경근육피부피판(pedicled myocutaneous flap)과 유리조직이식술(free-tissue transfer)을 이용한 재건술이 시도되기 시작하였다.

1970년대 후반부터 1980년대 전반까지는 유경대흉근피판(pedicled pectoralis major myocutaneous flap)을 이용한 재건술이 주로 이용되었으며[6] 동시에 승모근(trapezius muscle),[7] 광배근피판(latissimus dorsi flap)[8]을 이용하기 시작하였다. 그러나 이런 종류의 피판들도 혈관경의 길이, 회전반경, 조직의 부피, 공여부의 합병증 등의 문제점이 노출되었다. 1973년부터 이런 문제점을 해결하기 위하여 미세수술

표 24-1 두께에 따른 부분층 피부이식의 특징[2]

Type	Durability	Cosmetic Result	Transparency	Donor site Healing
Thin	Least	Poorer	Greatest	Faster
Intermediate	↕	↕	↕	↕
Thick	Greatest	Better	Least	Slower

을 이용한 유리조직이식술 방법이 소개되기 시작하여 그동안 제기되었던 구강악안면재건의 여러 가지 문제점들을 해결하였다.[9] 미세수술법은 오랜 기간의 술기 연습을 통하여 숙달된 수술기술이 필요하지만 구강악안면외과의사에게는 필수적으로 익혀야 할 항목이 되었다.

성공적인 구강악안면재건을 위해서는 수술 전에 결손의 성격을 잘 파악해야 한다. 결손이 선천성 결손, 외상 등에 의한 후천적 결손 혹은 종양 수술 후에 발생한 결손인지에 따라서 선택할 피판의 종류, 수술방법 및 수술 범위가 달라진다.

1) 피판의 정의

피판이란 '이동되는 조직이 생존할 수 있도록 혈관경 및 그에 준하는 조직이 부착된 채 신체의 한 부위에서 다른 부위로 옮겨지는 피부와 하부 조직'으로 정의된다. 이와 같이 피판으로써 이동되는 조직은 주로 피부와 지방층에 국한되어 있었으나, 피판 수술법의 발달로 근육과 피부를 포함한 근육피부피판(myocutaneous flap), 근막과 피부를 포함한 근막피부피판(fasciocutaneous flap), 피부, 근육, 골 등 여러 조직을 포함한 복합피판(composite flap) 등 다양한 피판이 재건술에 이용되고 있다.[10]

피판의 기저부 즉 피판에 혈류를 공급해 주는 부분에는 잘 알려진 비교적 큰 혈관이 분포되는 혈관경피판(axial pattern flap 또는 arterial flap)과 모세혈관 정도의 혈관총만이 부착되어 피판이 생존할 수 있는 임의형 피판(random pattern flap)이 있다. 또한 조직에 영양 혈관을 부착하여 피판을 형성하고 이 혈관을 결손부의 수혜혈관에 미세문합하는 피판을 유리피판(free flap)이라고 한다. 이는 피판의 이동에 제한이 없어 사용 빈도가 증가하고 있다.

2) 피판의 분류

피판은 대개 이동방법, 혈류 공급 및 구성(composition) 등에 따라 분류된다.

(1) 이동 방법에 의한 분류

① 국소피판(Local flap)

전진피판(advancement flap), 회전피판(rotation flap), 삽입피판(interposition flap) 등이 있다.

전진피판은 좌우로 이동없이 전진만 하는 피판으로 보통 사각형 모양이고, 가능하면 최소 피부 장력선(minimal ten-

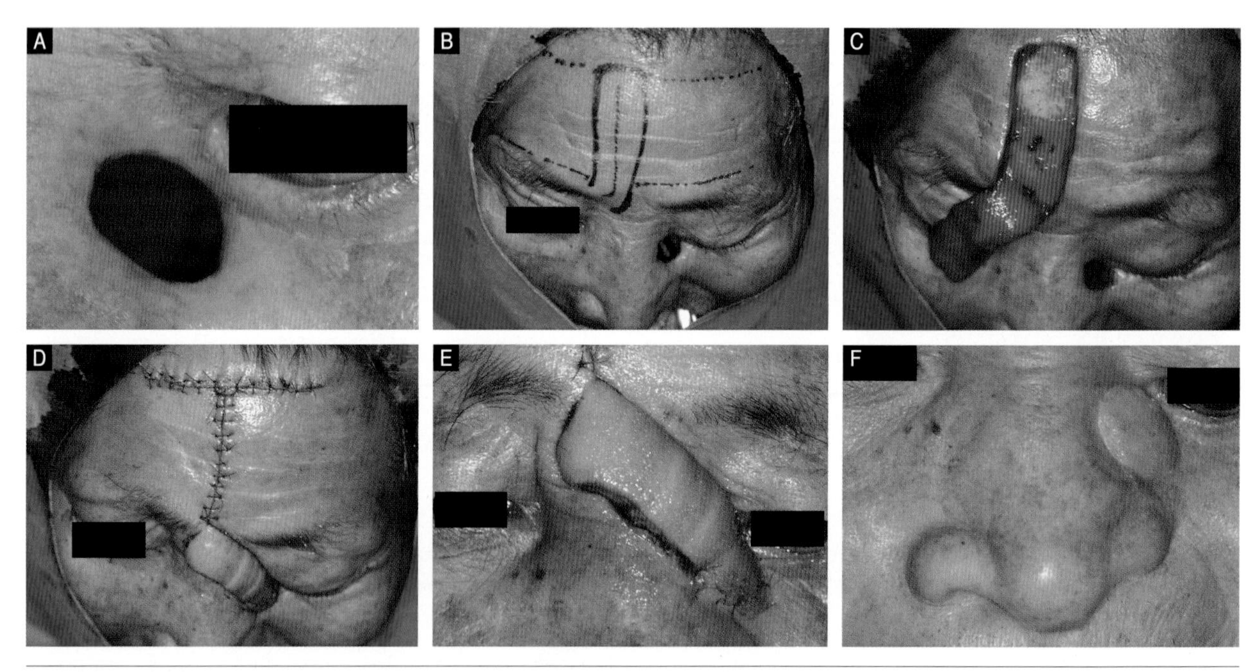

그림 24-2 **중앙전두피판으로 내안부 결손을 재건한 증례. A:** 상악골절제술 후 안와하부 내측에 발생한 누공 **B:** 중앙전두피판의 도안 **C:** 중앙전두피판의 거상 **D:** 결손부로 이동된 피판의 수술 직후 모습 **E:** 수술 후 2주 소견으로 잘 생착된 모습 **F:** 결손부를 회복하고 남은 피판을 원위치로 회복한 상태

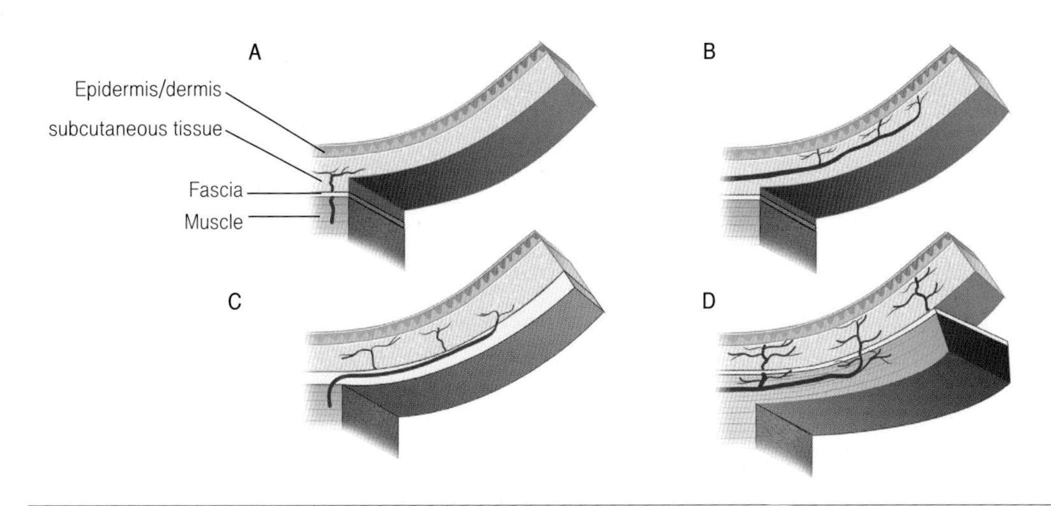

그림 24-3 **혈류 공급에 의한 피판의 분류.** **A:** 임의형 피부피판 **B:** 동맥혈관경피판 **C:** 근막피부피판 **D:** 근육피부피판

sion line)을 따라 직각으로 작도하여 절개선을 잘 보이지 않게 한다. V-Y 혹은 Y-V 전진피판은 변형된 전진피판으로 임상적으로 이용된다(그림 26-1C~E 참고).

회전피판은 피판의 기저부에 있는 회전축의 중심점에서 회전하는 정도에 따라 치환(transposition)피판과 회전(rotation)피판으로 나뉜다. 치환피판은 결손에 바로 연접한 직사각형 또는 정사각형 모양의 피판이며 Limberg씨 피판이 그 예이다. 회전피판은 보통 결손의 폭보다 5~8배의 원주위를 가진 반원형의 피판으로 적절한 최소 피부장력선을 따라 작도하여야 한다(그림 26-1G, 26-2 참고).

삽입피판은 근접하지만 연접해 있지는 않은 결손 부위를 정상피부의 상방 혹은 하방을 통해 연결시키는 피판으로, 비첨부의 교정을 위한 중앙전두피판(median forehead flap)이 좋은 예이다(그림 24-2).

② 원거리피판(Distant flap)

a. **직접피판(Direct flap), 관상피판(Tubed flap):** 피판이 수여부로부터 혈류공급이 완성될 때까지 공여부와 수여부 사이에 연결부를 두어 피판이 공여부에서 혈류공급을 받을 수 있도록 하는 피판으로, 공여부와 원거리의 수여부가 가까이 접근하는 것이 가능하여 공여부의 조직을 수여부로 직접적으로 이식하는 것을 직접피판이라 한다. 공여부와 원거리의 수여부가 가까이 접근하는 것이 불가능할 때 공여부의 조직을 관상(tube)으로 만들어 수여부에 이식하는 것을 관상피판이라 한다.

b. **유리피판(Free flap):** 공여부에서 피판으로 혈류공급을 하는 혈관을 절단하여 피판을 수여부로 옮긴 후, 피판의 혈관을 수여부의 혈관에 미세문합하여 혈류공급을 유지하는 피판을 의미한다.

(2) 혈류 공급에 의한 분류(그림 24-3)

① 임의형 피판(Random pattern flap)

영양공급을 위한 주요동맥이 존재하지 않고 근육과 피부 사이의 진피-아진피층(dermal-subdermal plexus) 혹은 근피부 동맥(myocutaneous artery)에 의해 혈액 공급을 받는다. 임의형 피부피판(random cutaneous flap)과 근육피부피판(myocutaneous flap)이 이에 속한다. 통상적으로 피판의 길이가 기저부 폭의 2배 이상이 되지 않도록 하는 것이 안전하지만 두경부에서는 혈행이 풍부하여 3배까지도 허용될 수 있다.[11]

② 혈관경피판(Axial pattern flap)

피판을 가로지르는 주요 동맥에 의해 혈액 공급을 받으며 중격피부동맥(septocutaneous artery)에 의한 혈류공급이 이루어진다. 근막피부피판(fasciocutaneous flap)과 동맥혈관경피판(arterial flap)이 이에 속한다. 동맥혈관경피판의 대표적인 예로 천장골회선 동맥(superficial circumflex iliac

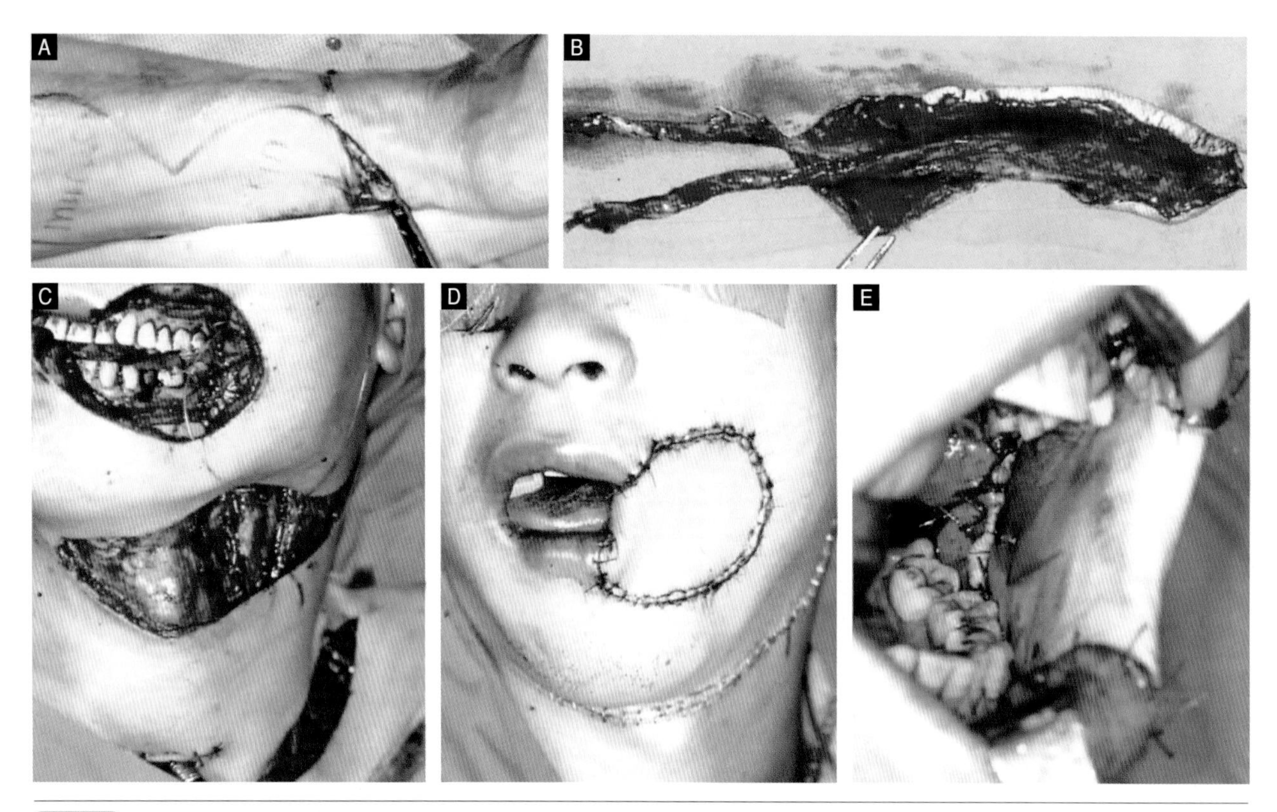

그림 24-4 **근막피부피판인 채취된 요골전완피판을 이용하여 구강점막과 안면피부결손을 재건한 증례.** **A:** 요골전완피판의 작도 **B:** 요골전완피판 **C:** 구강 및 안면 결손부 **D, E:** 재건된 안면피부와 구강점막

artery)에 의한 서혜부피판(groin flap), 족배피판(dorsalis pedis flap), 천측두피판(superficial temporal flap), 견갑피동맥(cutaneous scapular artery)에 의한 견갑피판(scapular flap) 등이 있다.

(3) 구성 조직에 의한 분류

① 피부피판(Cutaneous flap)

② 근막피부피판(Fasciocutaneous flap)

근막피부피판이란 피부(skin), 피부하조직(subcutaneous tissue) 그리고 하부의 근막(underlying fascia)를 포함하고 있는 피판을 말한다. 1984년 심재성근막을 포함한 피판이 피판의 혈류량을 증가시킨다고 보고되면서 새로운 종류의 근막피판으로 분류되었다.[12] 보고된 연구들을 종합해보면 근막피부동맥(fasciocutaneous artery)은 엄격한 의미에서 중격피부동맥의 분지이다. 근막은 상, 하근막혈관총으로부터 혈류를 공급받으므로, 근막과 근막혈관총을 같이 포함하여야 피판의 생존율이 증가된다. 실험적 연구에 의하면 임의피판보다 15~20%의 길이 증가율이 있다고 한다. 구강내 결손의 재건에 광범위하게 응용되고 있는 요골전완피판(radial forearm flap)이 대표적인 예이다(그림 24-4).[12]

근막피부피판의 변형으로 근막피판(fascial flap)과 근막-피하지방피판(fascia-subcutaneous fat flap)이 있다. 측두근막피판(temporal fascial flap)은 식피술의 훌륭한 기저조직(base)이 되므로 유리피판이나 이개부 또는 구강점막의 재건 등에 이용되고 있다(그림 24-5).

③ 근육피부피판(Myocutaneous flap)

근육피부피판은 처음에는 피부는 결손을 메꾸고, 근육은 피부조직에 혈류를 공급하는 보조조직으로 생각하였으나, 임상적인 사용이 증가됨에 따라 근육조직이 사강(dead space)을 메워주는 역할을 하며 혈류량이 풍부하여 감염을 조절할 수 있다는 사실을 알게 되었다.

근육피부피판은 근육을 뚫고 올라오는 근피부 동맥을

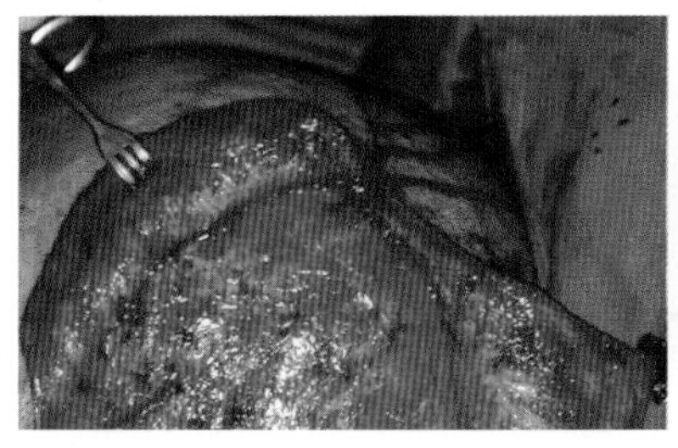
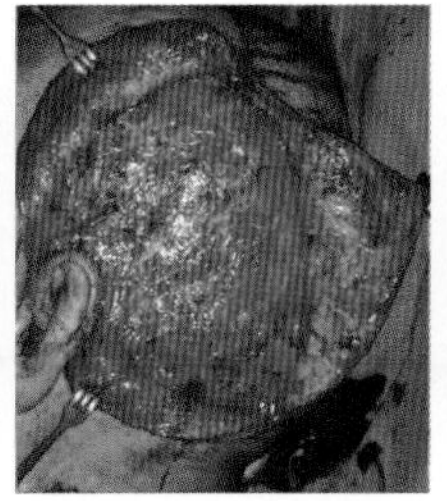
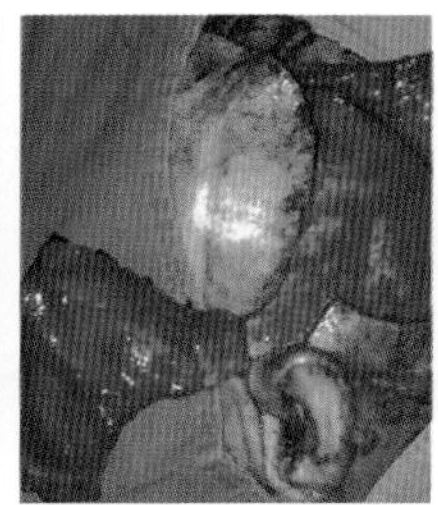
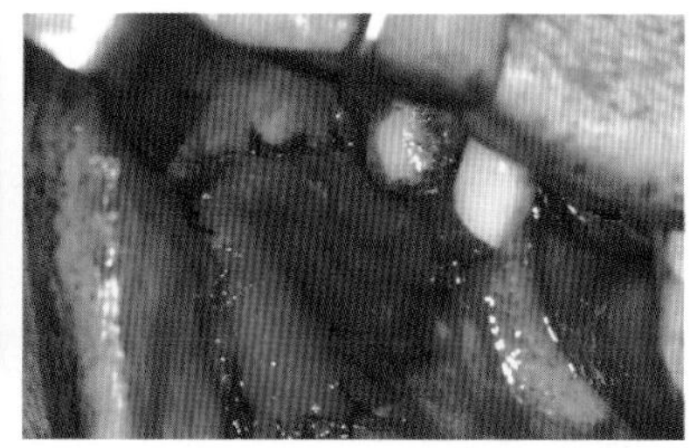

그림 24-5 근막피판인 측두근막피판을 이용하여 구강협부점막결손을 재건한 증례

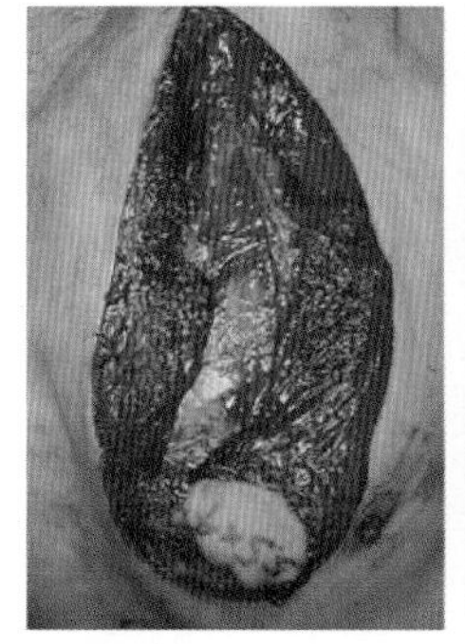
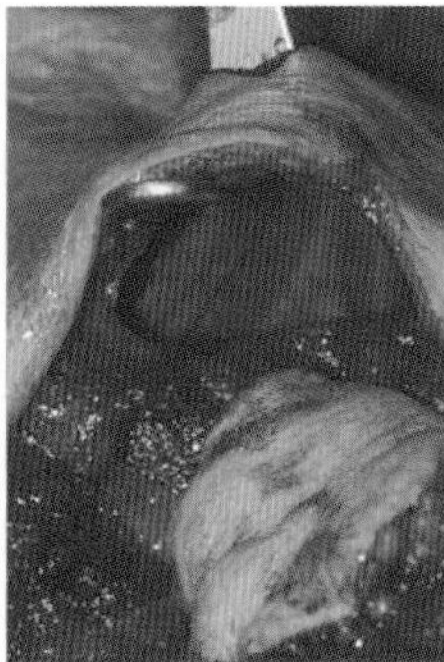
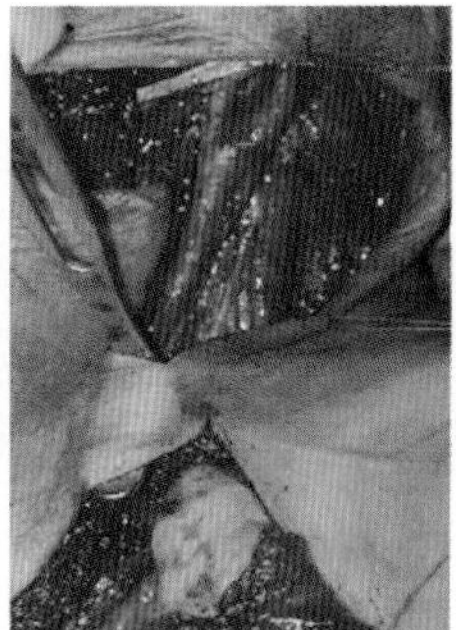
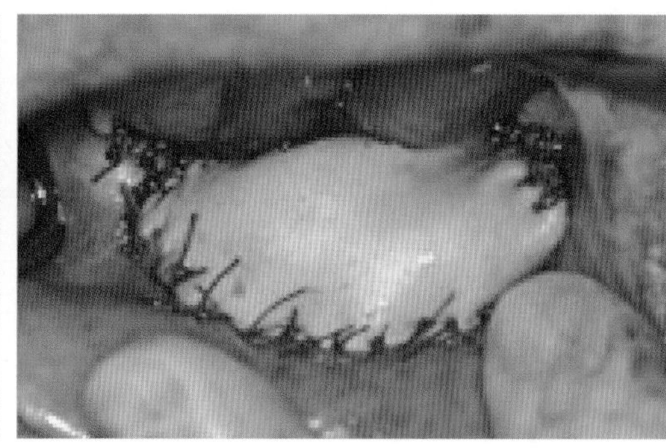

그림 24-6 **근육피부피판인 대흉근피판을 이용한 재건 증례**

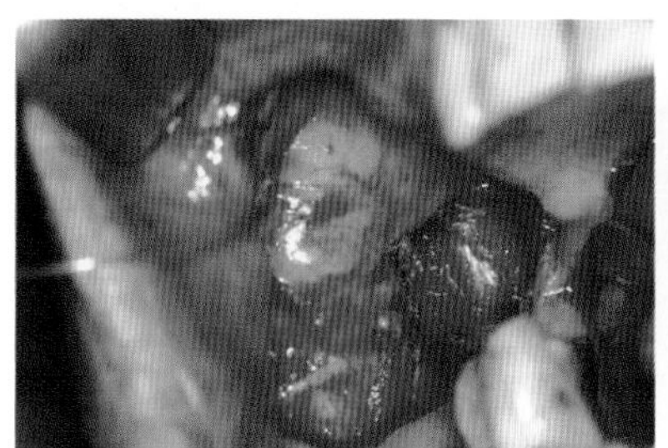
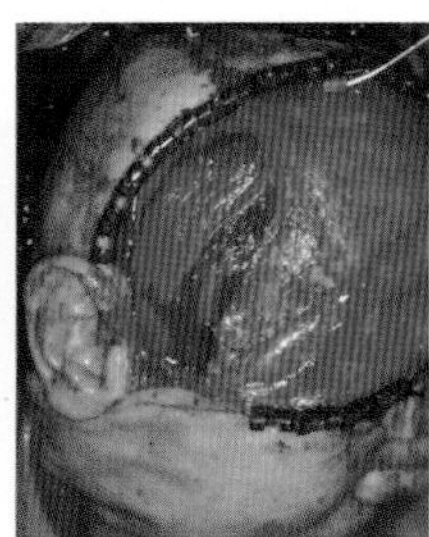
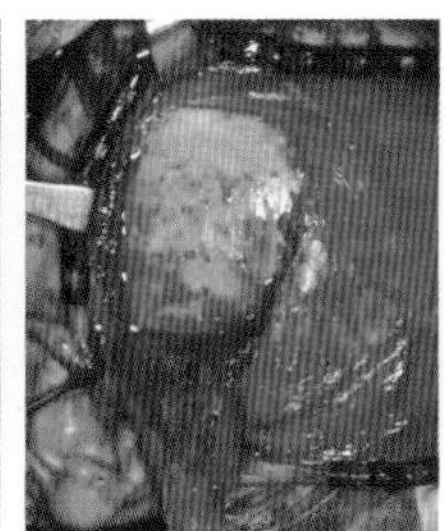
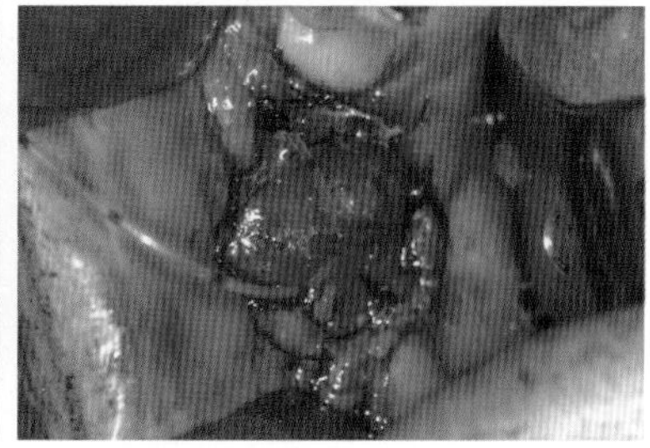

그림 24-7 **협점막암 절제 후 근육피판인 측두피판을 이용한 재건 증례**

PART 5

통해 혈류를 공급받으므로 만일 근육피부피판을 작도하려면 근육으로 가는 혈행, 근육 내부에서의 혈관의 분포, 가장 중요한 신경혈관경은 어떤 것인지 등에 대한 충분한 지식이 필요하며 근피부피판의 선택만큼이나 피판의 작도도 중요하다(그림 24-6).

대흉근피부피판(pectoralis major myocutaneous flap)과 광배근피부피판(latissimus dorsi myocutaneous flap)이 전형적인 근피부피판이며, 복직근피부피판(rectus abdominis myocutaneous flap)과 이의 변형인 횡형복직근피부피판(transverse rectus abdominis myocutaneous flap, TRAM)도 널리 쓰이고 있다.[13]

④ 근육피판(Muscle flap)

근육피판은 피부나 피하조직이 없이 근육만을 단독적으로 거상하고 근육에 혈류를 공급하는 혈관을 피판경으로 이용한 피판으로 근육피판 이식을 시행한 뒤 노출부위는 피부이식술을 시행한다. 근육피판을 선택할 때의 고려사항으로는 ① 그 근육을 창상으로 옮길 수 있는지, ② 혈관과 피판으로 적절한 크기의 근육인지, ③ 혈관경의 위치와 변형은 없는지, ④ 수술 후 공여부의 기능장애가 어느 정도인지 등으로 대개는 창상 주위에서 적당한 근육을 찾을 수 있다(그림 24-7).

근육피판은 충분한 혈류량 때문에 생존력도 높고, 골절

의 회복과 감염의 조절에도 효과가 있고, 골수염의 조절에도 효과가 있음이 보고되었다. 근육이 수혜부로 이식된 후에도 공여부의 기능결손은 잘 일어나지 않으며 이는 근육간의 상호보완작용 때문이라 하겠다.

⑤ 특수피판

특수피판에는 감각피판, 골피부피판, 복합피판 등이 있다. 감각피판이란 도서형피판 또는 유리피판에서 혈관경에 신경을 포함시켜 수혜부로 이식된 조직이 감각을 가지게 되는 피판이며, 미세 현미경술과 근피부피판술의 도입으로 현재는 근피부감각 유리피판술도 시행된다. 유리감각피판술의 원칙은 ① 혈관과 신경의 분포주행이 동일하여야 하며, ② 혈관문합이 가능할 정도의 혈관경을 가진 피판을 분리시킬 수 있어야 하며, ③ 피판의 신경이 분리되고 신경문합이 가능하여야 하고, ④ 공여부감각의 정도가 결손부위와 비슷하여야 하며, ⑤ 공여부의 후유 결손이 심하지 않아야 할 것 등이다. 임상에서는 유리족배피판, 요골전완피판, 늑간신경동체피판(intercostal neurovascular flap), 대퇴근막장근 유리피판 등이 이용되고 있다.

골피부피판은 혈관경을 가진 골조직이 포함된 피판으로 경피부피판(cervical neck flap)에 쇄골을 포함시킨 것이 시초이며, 서혜부피판에 장골능(iliac crest)을 포함시켜 하지의 복합골절을 한 번의 수술로 교정한 이후, 임상적인 적응증의 확대로 인체의 어느 부위에서도 사용할 수 있게 되었다. 실험 연구에 의하면 유리 이식골보다 혈관경을 가지고 이식된 골이 훨씬 강하고 골 비대(hypertrophy)가 빨랐다고 보고되었다.[14] 따라서 혈관경을 가진 유리골이식이 가장 유용한 골이식 방법이고 감염 및 비유합(non-union)이 적은 방법이라 하겠다.

복합피판(composite flap)이란 단일 혈관경에 피부, 근육, 골 등의 여러 구조물들을 포함하는 피판으로 예를 들어 안면부의 복합결손으로 구강점막, 안면골, 연조직, 피부 등의 결손이 있을 때에 서혜부 유리 골피판으로 단번에 교정하는 것이며 최근에는 전박피판, 견갑피판 등이 이용되기도 한다(그림 24-8, 9). 이러한 복합피판은 풍부한 혈류공급으로 창상치유가 빠르고 감염 없이 3차원적인 재건을 가능하게 해주는 진보적인 방법이라 하겠다.[15]

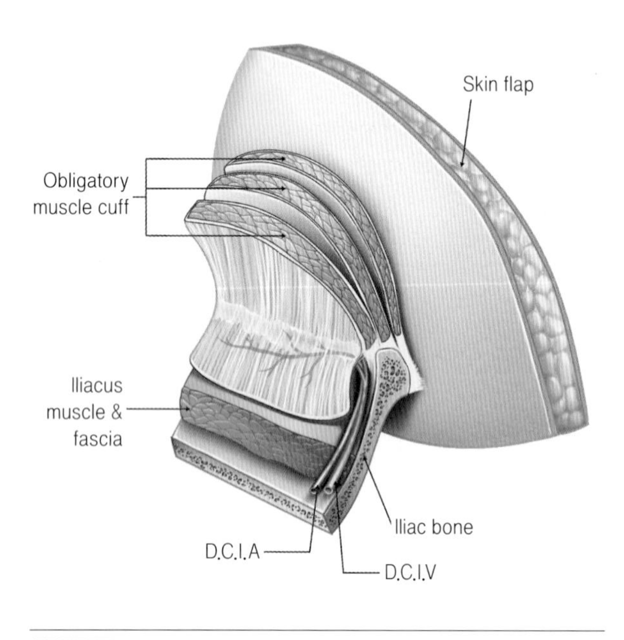

그림 24-8 **복합피판.** 심장골회선동맥을 이용한 골근육피부피판

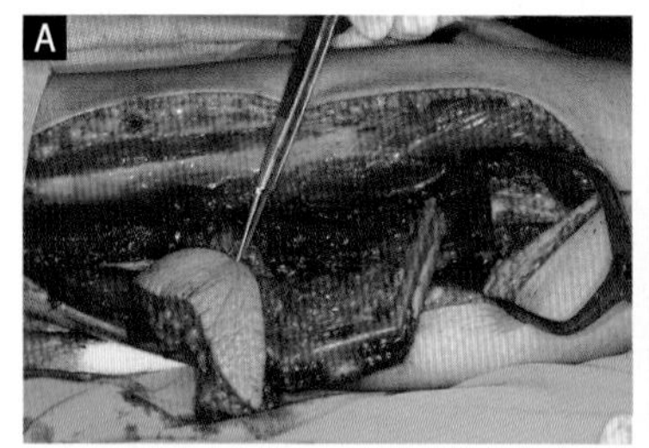

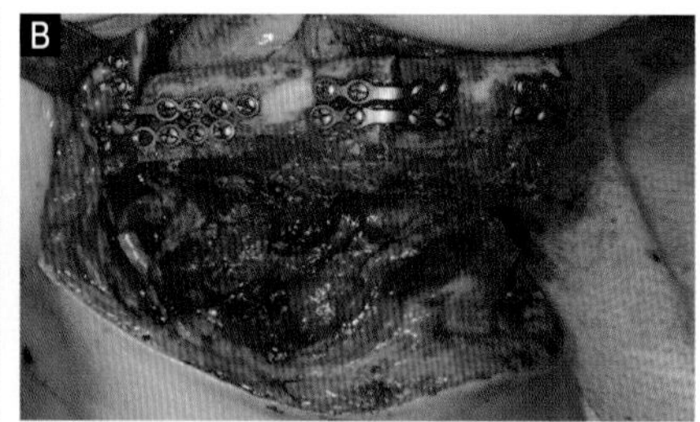

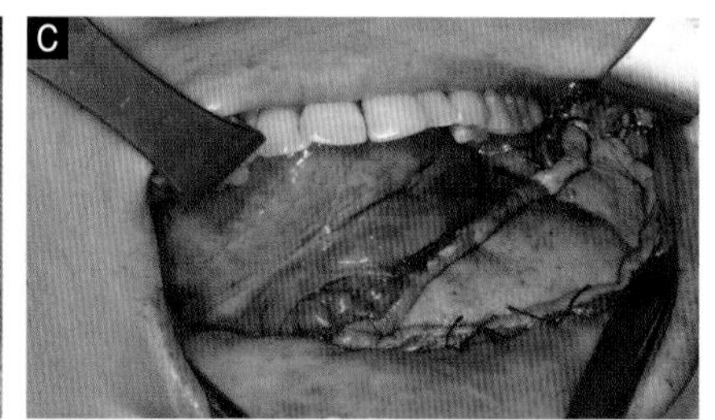

그림 24-9 **복합비골피판을 이용한 하악골 및 구강점막 재건 증례. A:** 복합비골피판의 형성 **B:** 하악골 형태에 따라 비골을 절단, 고정하여 하악골을 재건한 모습 **C:** 결손된 구강점막을 복합비골피판의 피부로 재건한 모습

참고문헌

1. Scherer-Pietramaggiori SS, Pietramaggiori G, Orgill DPl. Skin graft. In: Gurtner GC, editor. Plastic Surgery: Volume 1: Principles. 4th ed. London: Elsevier Inc.; 2018. p.214-30.
2. Adams DC, Ramsey ML. Grafts in dermatologic surgery: review and update on full- and split-thickness skin grafts, free cartilage grafts, and composite grafts. Dermatol Surg 2005;31:1055-67.
3. Ratner D. Skin grafting. From here to there. Dermatol Clin 1998;16:75-90.
4. Kazanjian VH. The repair of nasal defects with the median forehead flap; primary closure of forehead wound. Surg Gynecol Obstet 1946;83:37-49.
5. Bakamjian VY. A two-stage method for pharyngoesophageal reconstruction with a primary pectoral skin flap. Plast Reconstr Surg 1965;36:173-84.
6. Ariyan S. The pectoralis major myocutaneous flap. A versatile flap for reconstruction in the head and neck. Plast Reconstr Surg 1979;63:73-81.
7. Baek SM, Biller HF, Krespi YP, Lawson W. The lower trapezius island myocutaneous flap. Ann Plast Surg 1980;5:108-14.
8. Maxwell GP, Stueber K, Hoopes JE. A free latissimus dorsi myocutaneous flap: case report. Plast Reconstr Surg 1978;62:462-6.
9. Smith PJ. The vascular basis of axial pattern flaps. Br J Plast Surg 1973;26:150-7.
10. Hallock GG. Classification of flaps. In: Wei F-C, Mardini S, editors. Flaps and Reconstructive Surgery. 1st ed: Elsevier Inc.; 2009. p.7-15.
11. Mitchell DA. Reconstruction of the mouth, jaws and face. An Introduction to Oral and Maxillofacial Surgery. 2nd ed: CRC Press; 2015. p.373.
12. Cormack GC, Lamberty BG. A classification of fascio-cutaneous flaps according to their patterns of vascularisation. Br J Plast Surg 1984;37:80-7.
13. McCraw JB, Dibbell DG, Carraway JH. Clinical definition of independent myocutaneous vascular territories. Plast Reconstr Surg 1977;60:341-52.
14. Weiland AJ, Phillips TW, Randolph MA. Bone grafts: a radiologic, histologic, and biomechanical model comparing autografts, allografts, and free vascularized bone grafts. Plast Reconstr Surg 1984;74:368-79.
15. Schmelzeisen R, Neukam FW, Hausamen JE. Atlas der mikrochirurgie im Kopf-Halsbereich: Hanser, Carl; 1996.

Chapter 25

피부이식술

Skin Grafting

기본 학습 목표

- 바람직한 피부이식 수여부 상태를 설명할 수 있다.
- 피부이식편의 두께에 따른 특성과 장단점을 설명할 수 있다.

심화 학습 목표

- 전층 피부이식과 부분층 피부이식을 위한 피부이식편의 채취 술기와 공여부 술후 처치 및 치유과정을 설명할 수 있다.
- 피부이식술 후 치유 과정을 설명할 수 있다.
- 모발이식술의 적응증을 이해하고, 술식의 종류에 따른 특성을 설명할 수 있다.
- 모발이식술의 수술 과정, 경과 및 후유증을 설명할 수 있다.

피부는 인체에서 가장 큰 기관으로 평균 체중의 7%를 차지한다. 피부는 보호벽으로 작용하며, 온도 조절의 역할을 한다. 또한 단백질과 비타민 D 대사에도 역할을 한다. 피부의 약 95%는 진피(dermis)이며, 5%는 표피(epidermis)이다(그림 25-1). 표피는 주로 중층편평상피와 각질세포(keratinocyte)로 구성된 최외각층이며, 진피층은 결합조직, 콜라겐, 땀샘, 모낭 등으로 구성된 내부층이다.[1]

피부이식술은 피부 조직을 신체 내에서 채취하여 결손이 있는 다른 부위로 옮겨 덮는 술식을 의미한다. 부분층 혹은 전층으로 유리조직 형태의 피부이식편을 채취하여 수여부로 옮긴다.

1. 피부이식의 분류

1) 생물학적 분류

① 자가이식(autograft): 환자로부터 채취한 피부를 이식하는 것

② 동종이식(allograft): 동종의 서로 다른 개체로부터 채취한 피부를 이식하는 것

③ 이종이식(xenograft): 서로 다른 종으로부터 채취한 피부를 이식하는 것

④ 인공피부 또는 생체공학피부(artificial skin or bioengineered skin): 인공적으로 만들어진 피부를 이식하는 것

2) 두께에 따른 분류(그림 25-1)

① 부분층 피부이식(split thickness skin graft, STSG)

a. 얇은 부분층 피부이식(thin STSG): epidermis + a small portion of dermis (8/1,000 inch, 0.2 mm)

b. 중간 부분층 피부이식(intermediate STSG): epidermis + 1/2 of dermis(10~15/1,000 inch, 0.25~0.3 mm)

c. 두꺼운 부분층 피부이식(thick STSG): epidermis + 3/4 of dermis(15~25/1,000 inch, 0.4~0.6 mm)

② 전층 피부이식(full thickness skin graft, FTSG)

표피와 진피 전체

2. 피부이식의 수여부(Recipient site)

❖ 수여부가 갖추어야 할 조건

1) 혈관 분포

수여부에는 생활력을 잃은 조직이나, 부종이 없어야 한다. 피부이식편이 건전한 육아조직이나 살아있는 근막에는 생착할 수 있으나, 골막이 벗겨진 골이나 연골막이 벗겨진 연골, 건주위조직(paratenon)이 벗겨진 건에서는 영양공급을 받지 못해 괴사된다. 그러나 혈관분포가 없는 부위라도 결손된 피부 범위가 좁으면 피부이식편이 생존할 수 있다. 처음에는 혈장순환으로 생존하다가 나중에는 혈관분포가 있는 부위에 놓인 피부이식편 부분의 모세혈관이 혈관 분

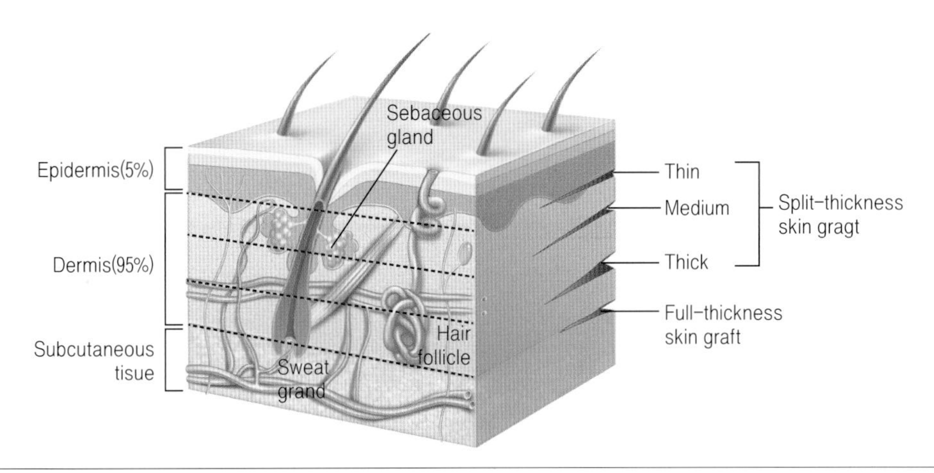

그림 25-1 Skin graft thickness, from Grabb and Smith's plastic surgery[3]

포가 없는 부위에 놓인 피부이식편 부분으로 자라 들어가 영양을 공급하기 때문이다. 피부 결손부의 가장자리에서 0.5 cm 거리까지는 교량현상에 의하여 영양이 공급될 수 있다. 임상적으로 건초가 벗겨진 건이나 골막이 벗겨진 피질골의 직경이 1 cm 미만이고, 그 주변부에 혈관분포가 좋은 조직이 있을 경우에는 피부이식편이 생착할 수 있다. 심하게 방사선 조사를 받은 부위, 지방층, 오래된 육아조직, 만성궤양, 노령이나 당뇨병으로 인해 동맥경화성 변화가 있는 부위는 피부이식의 수여부로서는 부적합하다. 수여부에 괴사된 조직이 있으면 외과적으로 괴사조직제거술(debridement)을 해주거나 Travase, Debrisan 같은 약제로 괴사된 조직을 제거해서 혈관분포가 좋은 상태로 만든 다음에 피부를 이식한다.[2]

2) 청결

세균이 일정 수 이상 존재할 경우 상처의 치유를 방해한다. 피부이식을 할 때도 상처 배양검사 결과 조직 1 g당 세균 수가 100,000개 이상이면 피부이식편의 생착이 이루어지기 어렵다.[3] β-hemolytic streptococcus균, 특히 Streptococcus pyogenes (group A streptococcus)는 단백분해효소를 생성하여 피부이식편을 용해시킬 수 있기 때문에 세균배양검사에서 검출될 경우 피부이식술은 금기이다. 더불어 non-group A β-hemolytic streptococcus균, Staphylococcus aureus, Pseudomonas aeruginosa과 관련된 피부이식편 용해도 보고된 바 있다.[4]

창상에서 세균을 제거하려면 괴사조직제거술과 박동성 분사세척을 해주는 것이 가장 좋다. 창상을 청정제로 세척할 경우는 조직이 손상되어 감염률이 높아지므로 생리식염수나 Betadine 용액 등으로 세척해야 한다. 경우에 따라서는 생리식염수에 적신 거즈 드레싱을 4~6시간마다 교환하여 세균 수를 줄여준다. 세균 수를 줄이는데 있어 전신적 항생제는 기대하는 것만큼 효과가 없고 그보다는 국소적 항생제가 더 효과적일 수도 있다.[3]

3. 피부이식의 공여부(donor site)

1) 공여부 피부이식편의 두께 선택

피부이식편을 채취할 때 중요한 점은 적당한 공여부를 선택하는 것과 피부이식편의 두께를 결정하는 것이다. 피부이식의 공여부로 사용할 수 있는 부위는 그림 25-2와 같다. 필요 이상의 지방이 이식편에 같이 채취된 경우 적당히 제거하도록 한다(그림 25-3).

전층 피부이식편은 진피 전체를 포함하는데 비하여, 부분층 피부이식편에 포함되는 진피층의 두께는 다양하다(그림 25-1).[5] 수축은 전층 피부이식편과 부분층 피부이식편 모두에서 일어나는데, 일차 수축과 이차 수축으로 나눌 수 있다. 일차 수축(primary contraction)은 이식편 채취 직후에

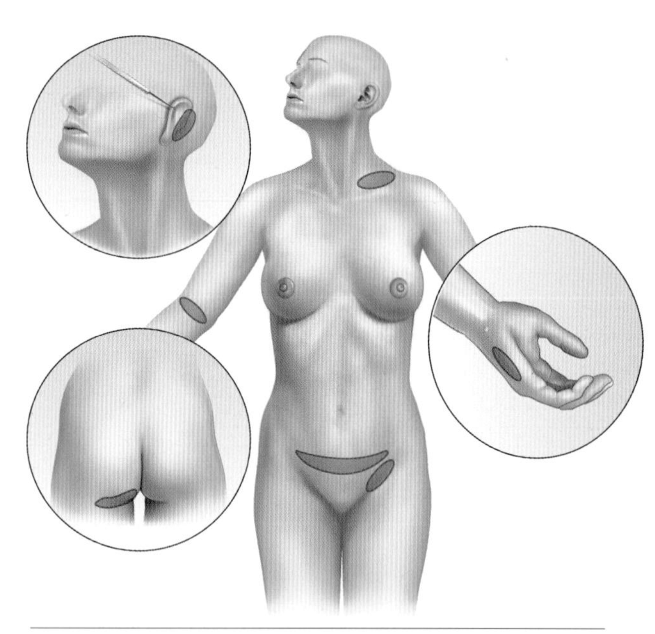

그림 25-2 Donor sites of full thickness skin graft[6]

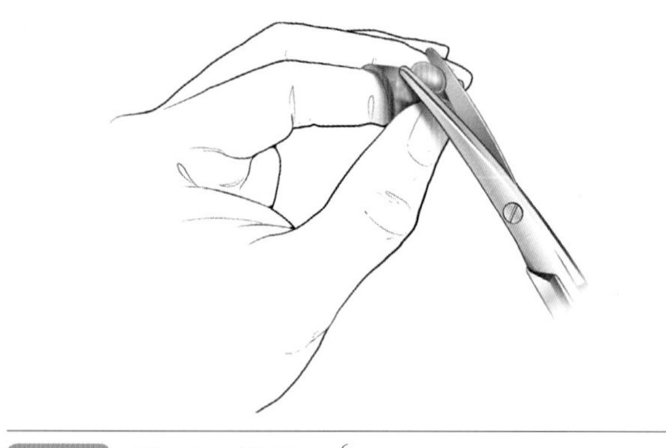

그림 25-3 Trimming of fat tissue[6]

이식편의 엘라스틴(elastin)에 의해 일어나는 수축으로 진피를 많이 포함할수록 수축양이 더 커진다. 이차 수축은 이식편 생착 이후에 일어나는데 근섬유모세포(myofibroblast)의 작용에 의해 일어나는 것으로 추정된다. 전층 피부이식편은 부분층 피부이식편에 비하여 일차 수축은 크지만, 이차 수축은 적은 편이다. 부분층 피부이식편은 그 두께가 얇을수록 이차 수축이 커진다.[4] 초창기에는 거의 표피만으로 된 매우 얇은 피부이식편을 사용했으나, 얇은 피부이식편을 이식한 경우 수축이 심한 경향이 있어서 최근에는 공여부가 모자라거나 수여부가 오염되었거나 수여부의 혈행이 나쁜 경우가 아니면, 두꺼운 부분층 피부이식을 사용한다.

4. 전층 피부이식

전층 피부이식편은 표피와 진피 전층을 포함하고 있다. 전층피부이식편은 부분층 피부이식편보다 수축이 적고 피부 질이나 색깔이 정상 피부와 유사하며, 어린이에서는 피부의 질이나 색깔이 정상 피부와 더 비슷하다. 전층 피부이식은 공여부가 제한되어 있지만, 피부 부속기의 손상이 적고 수술 후의 수축, 색소침착이 거의 없고 외부 힘에 대한 저항성도 강해 심미성이 중요한 안면부나 기능성이 중요한 손바닥, 발바닥이 공여부일 경우에도 자주 쓰인다.[7]

1) 용도

두경부와 손발의 결손 피부 이식에 많이 사용된다. 이식편에 혈행이 잘 되도록 창연이 붙게 고정한다. 지방이 포함될수록 혈행이 좋지 않으므로 잘 제거해야 한다.

2) 공여부

제한된 크기의 결손에만 사용할 수 있으며 얇은 순으로 나열한 공여부는 다음과 같다.

① 눈썹 상방
② 후이개부: 중간 크기 부위
③ 전이개부: 안면의 적은 부위, 색조 질감 모두 좋음
④ 쇄골상부: 광범위한 부위
⑤ 전완와부: 수술 후 황색조가 남음
⑥ 서혜부: 목이나 팔 등 노출 부위에 주로 사용

3) 전층 피부이식 방법[7] (그림 25-4)

① 수술용 수성 잉크 펜을 이용하여 수여부가 될 결손부의 변연을 표시하고, 거즈, Tefla™, 또는 알루미늄 포일 등 쉽게 구부릴 수 있는 재료를 결손부에 접합시킨다. 결손부 변연의 잉크가 옮겨 묻어 생긴 외형선을 따라 다듬어 주형(template)을 만든다.
② 주형을 공여부 위에 대고 주형 외곽을 따라 펜으로 피부이식편의 외형선을 그린다. 피부이식편은 주형보다 3~5% 더 커야 하는데, 절개 예정선의 바로 바깥쪽을 따라 채취하는 것이 넓은 이식편을 얻기에 도움이 된다.
③ Lidocaine 등의 용액을 피하에 주입하여 피부를 부풀린

다. 절개 예정선을 작도한 후에 국소마취를 해야 조직 팽윤으로 인한 이식편 크기 조절 실패를 방지할 수 있다.

④ 피하지방 전까지 절개 및 박리한다. 경우에 따라 부분층 피부이식 기계로 피하지방 바로 전까지 채취하는 방법으로 거의 전층에 가까운 피부이식편을 채취할 수 있다.

⑤ 채취한 피부이식편을 손가락에 감아 가위(curved iris scissors)로 피하지방을 제거하여 하얗고 반짝이는 진피층만 남도록 한다. 피하지방조직은 혈관화 정도가 좋지 않아서 이식편이 공여부에 생착하는 데에 불리하게 작용한다.

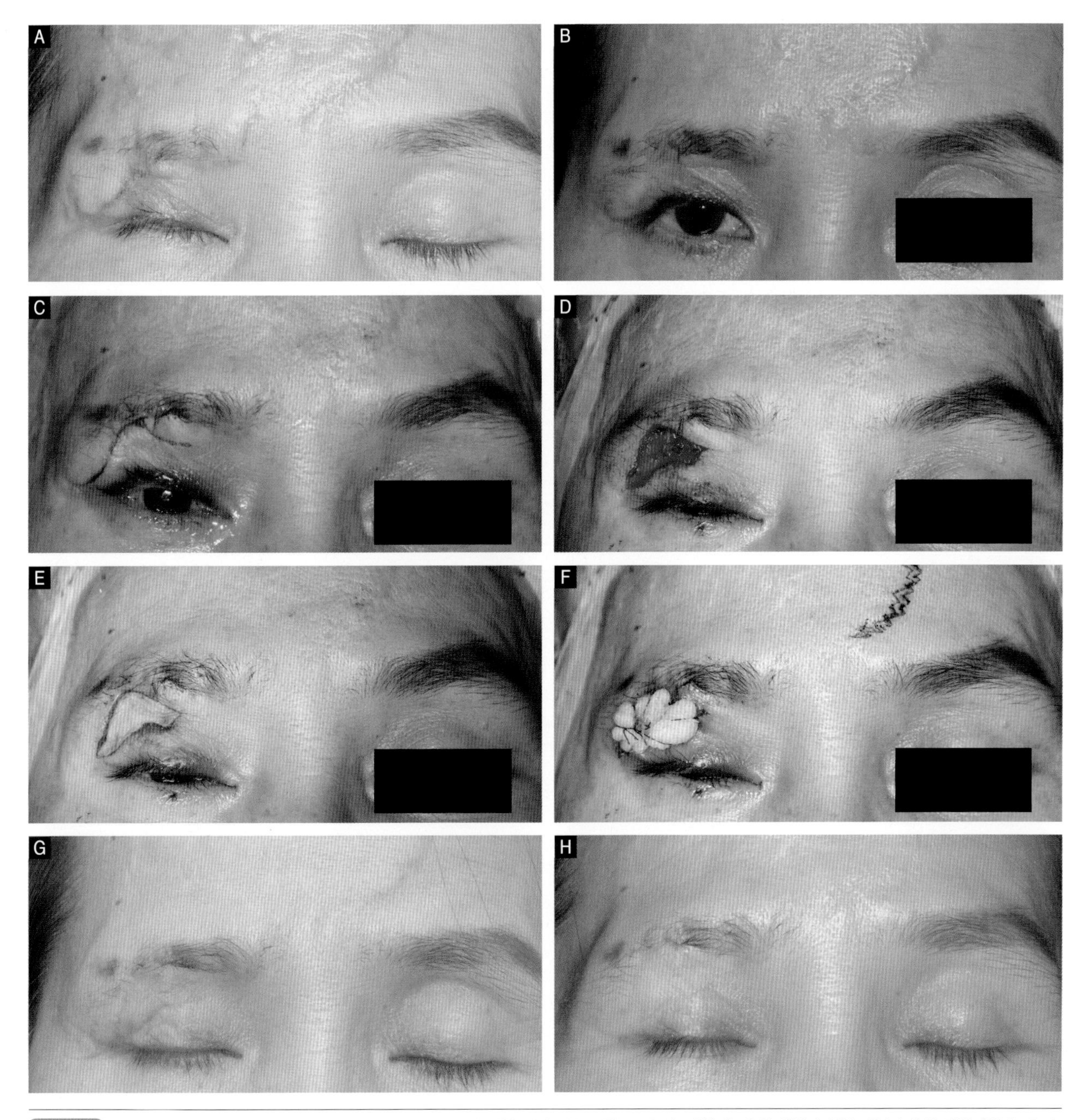

그림 25-4 **이식편의 채취와 고정. A:** 우측 상안검 skin avulsion에 대한 이차 치유 24일 **B:** 수상 6개월 후, 우측 상안검 외측 피부 수축이 관찰되었다. **C:** 수술 중 작도 **D:** 작도선을 따라 피부를 절개하고 근육층 상방에서 둔박리 시행하여 raw surface를 형성하였다. **E:** 후이개 부위에서 채취한 전층 피부 이식편을 수여부에 위치시켰다. **F:** 이식편 고정 후 tie-over dressing 시행하였다. **G:** 수술 후 2개월 경과. 이식편 주위 발적된 양상이 관찰되었다. **H:** 수술 후 8개월 경과. 이식편에 약간의 수축이 관찰되나 주변 조직과 색 조화가 개선된 모습을 보였다.

⑥ 수여부에 피부이식편을 덮은 다음 수여부 창연과 겹치지 않고 창연끼리 맞닿도록 봉합한다. 이식편이 수여부에 고정될 수 있도록 압박 드레싱(pressure dressing)을 해야 하는데, 주로 tie-over dressing으로 한다. Tie-over dressing을 위한 재료로 Xeroform™ gauze, 면구(cotton ball), 고무폼(foam rubber), 스폰지, 플라스틱 구슬 또는 원판 등을 사용할 수 있다.

⑦ 피부이식편을 공여부에서 떨어지지 않게 하기 위해서는 드레싱이 피부이식편에 달라붙지 않도록 하는 것이 중요하며, 그렇게 하기 위해서 이식편과 접촉하는 드레싱으로 항생제 연고, 바셀린 거즈, 또는 Xeroform™ gauze를 이용하도록 한다.

⑧ 채취한 공여부는 필요에 따라 두 층으로 봉합한다. 심층은 흡수성 봉합재로, 표층은 비흡수성 봉합재로 running pull-out suture를 한다.

⑨ 수술 후 5~7일째 tie-over 고정을 제거한다.

⑩ 수술 후 3주가량이 지나면 정상 활동이 가능하고 이식피부는 지각 등 피부 기능을 회복하는데 최소 1년은 안정 보호하는 게 좋다. 또한 햇빛 차단 크림 등을 사용해서 자외선에 의한 이식된 피부의 색조 변화를 방지하는 것이 좋다.

4) 수술 후 처치

일반적으로 피부이식술 후 5~7일이 지나면 수여부의 드레싱을 풀고 피부이식편의 상태를 관찰한다. 만약 피부이식편 밑에 혈청, 혈액, 또는 고름이 고여 있으면 뾰족한 칼날로 피부이식편에 자창을 가하여 면봉으로 액체를 살살 밀어내거나 가까이 있는 봉합연을 통해서 밀어낸다. 감염이 있거나 삼출액이 많은 수여부에 피부이식편을 이식해 준 경우에는 이식한 부위를 개방해 두거나 24~48시간마다 드레싱을 바꾸어 주어야 한다. 피부이식술 후에 감염이 있다고 해서 첫 24시간 내에 곧장 발열이 있지는 않는다. 만약 이 기간에 고열이 있으면 오히려 호흡기감염이나 요로감염을 의심해야 한다. 그러나 피부이식술 후 2~4일 사이에 미열이 나고, 수여부에서 냄새가 나고, 수여부 주변에 발적이 있고, 환자가 통증을 호소하면 감염을 의심해야 한다. 피부이식편 중 괴사한 부분이 있으면 조기에 조심스럽게 제거하고 생리식염수로 자주 세척해준다. 이식한 피부이식편을 보호해 주고 창상 바닥에 구축이 적게 일어나도록 하기 위하여 피부이식술을 시행한 부위를 최대 기능적 위치에 두고 회붕대나 부목을 대준다. 관절 부위에는 하루 2번 정도 부목을 풀고 완전한 관절운동을 하도록 한다. 하지에 피부이식술을 한 경우에는 1~2주간 걷지 않도록 한다.

5. 부분층 피부이식

피부이식편을 채취할 때 중요한 점은 적당한 공여부(그림 25-5)를 선택하는 것과 피부이식편의 두께를 선택하는 것이다. 초창기에는 거의 표피만으로 된 매우 얇은 피부이식편을 사용했으나, 얇은 피부이식편을 이식하면 수여부 바닥이 심하게 수축됨에 따라 이식해 준 피부이식편도 심하게 수축되므로 적합하지 않다. 그래서 요즘은 공여부가 모자라거나, 수여부가 오염되었거나 수여부의 혈행이 나쁜 경우가 아니면, 두꺼운 부분층 피부이식을 사용한다.[9,10]

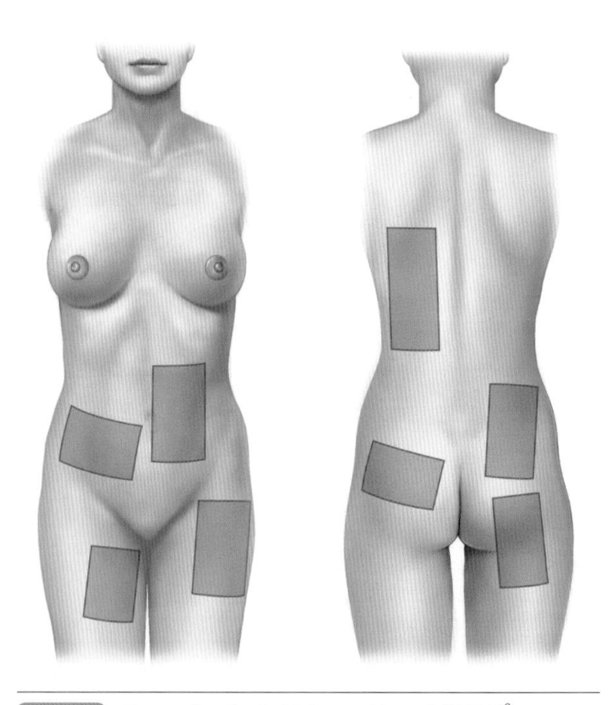

그림 25-5 Donor site of split thickness skin graft (STSG)[8]

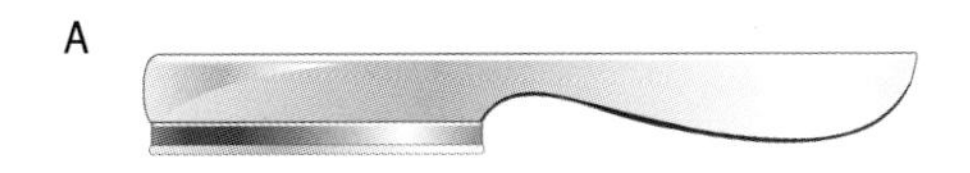

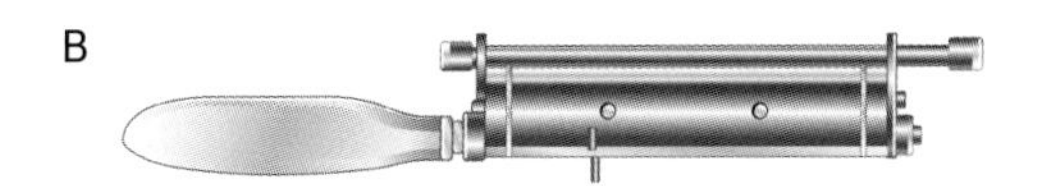

그림 25-6 **Free hand knife. A:** Shaving knife **B:** Free hand knife dermatome

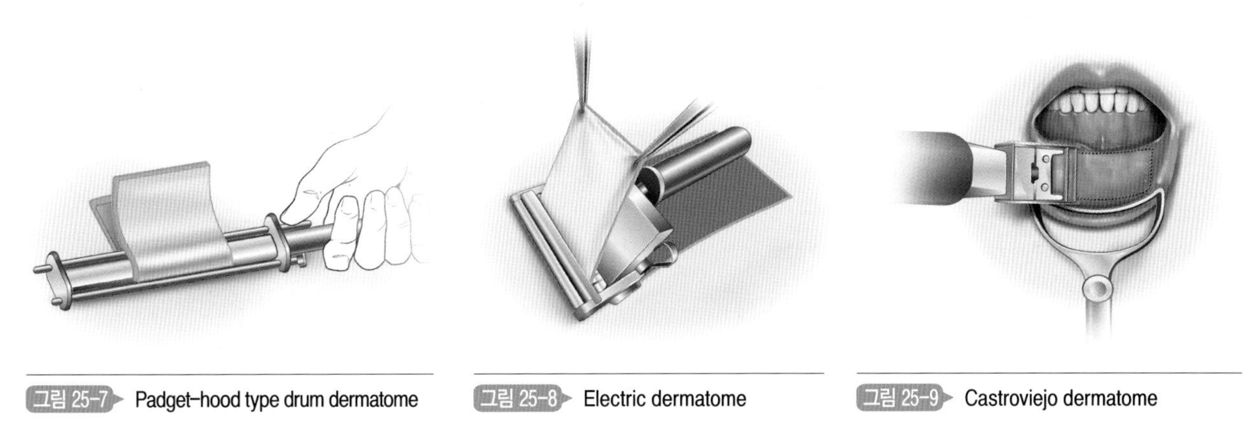

그림 25-7 Padget-hood type drum dermatome

그림 25-8 Electric dermatome

그림 25-9 Castroviejo dermatome

1) 용도

① 화상 등 치유를 위한 일시적인 이식

② 영구적인 이식

2) 공여부(그림 25-5)

하복부(plane surface of torso)나 대퇴부(thigh)에서 주로 채취하며, 화상 등으로 인해 정상적인 피부가 제한된 상태에서는 다른 부위(배부, 둔부, 상완부, 전완부 굽힘쪽 등)를 선택할 수 있다.

3) 채취기구

① Free hand knife(그림 25-6)
예: Manchester skin grafting knife

② Drum dermatome(그림 25-7)
예: Padget-hood type

③ Electric dermatome or air-powered dermatome(그림 25-8) 예: Stryker-rolo dermatome

④ Castroviejo dermatome(그림 25-9)

4) 부분층 피부이식술 방법: 더마톰(dermatome)을 이용한 방법[1,11,12]

① 채취 부위가 크지 않을 때는 국소마취를 시행한다. 채취 부위가 넓을 때는 전신마취를 시행할 수 있다.

② 채취 부위가 될 피부에 미네랄 오일을 얇게 바른다. 표면에 윤활 작용을 하여 피부이식편의 두께를 균일하게 채취할 수 있도록 도와주며, 건너뛰게 되는 것이나 구멍이 나는 것을 방지한다. 윤활을 위하여 미네랄 오일 외에 수용성 젤, 글리세린, 바셀린(vaseline, soft paraffin), 생리식염수, 클로르헥시딘 등이 이용되기도 한다.[13]

③ 설압자 또는 편평한 나무조각을 이용하여 더마톰 앞의 피부를 눌러서 편평하게 만든다.

④ 더마톰을 채취부에 45° 정도의 각도로 접근시켜서 작동시키고, 피부가 절단되기 시작하면 각도를 낮추고 하방으로 가볍게 힘을 주며 전진시킨다. 이때 더마톰을 채취부에 큰 힘으로 하방에 밀착시킬수록 이식편의 두께가 두꺼워진다.

⑤ 더마톰을 전진시킴에 따라 더마톰의 날 위로 이식편이 쌓이는데, 조직 겸자 등을 이용하여 양쪽 끝을 잡고 들어올린다(그림 25-8).

⑥ 피부이식편을 목표한 양만큼 채취하였다고 판단되면, 날의 작동을 중지시키지 않은 상태에서 더마톰을 가볍게 들어올려서 피부이식편을 절단한다. 또는 더마톰 날의 작동을 중지시킨 후 scalpel이나 가위를 이용

하여 절단할 수 있다.

⑦ 채취한 피부이식편은 진피층이 아래쪽으로 가게 하여 식염수로 적셔진 거즈 위에 올려놓고, 공여부는 에피네프린 희석액으로 적셔진 거즈로 덮어놓는다.

⑧ 먼저 수여부의 가장자리의 진피층을 흡수성 봉합사로 수여부 바닥에 봉합해서 피부이식편과 수여부 가장자리 사이에 사강이 발생하는 것을 방지하고, 피부이식편의 면과 수여부 가장자리의 피부면 사이에 수준 차이가 생기지 않도록 해준다.

⑨ 진피층이 아래쪽으로 가게 하여 피부이식편을 수여부에 위치시킨다. 이때 이식편의 크기를 증가시키기 위하여 망사형태로 만들거나 1 cm 간격으로 구멍을 만들어 주기도 하는데(meshed graft), 이것은 혈병이나 혈청이 이식편과 수여부 사이에 고이는 것을 방지하는 효과도 있다(그림 25-10).

⑩ 전층 피부이식술에서와 같이 피부이식편의 외곽부와 중심부가 모두 수여부에 고정되어야 한다. 이식편의 수여부에 사강이 생기지 않도록 완전히 지혈한 후 밀착시키고 이식피부를 창상에 봉합하여 고정시키는데 이때 봉합사를 길게 남겨두고 고정한 피부이식편 위에 vaseline gauze나 furacin gauze를 덮고 그 위에 솜을 덮은 후 남겨둔 봉합사로 단단하게 조여서 묶음(tie-over dressing)으로써 이식편을 고정시킨다(그림 25-11). 이식편 중심부에 시침 봉합(basting suture)를 하는 것 또한 이식편이 수여부에 잘 안착되는 데 도움이 될 수 있다.

⑪ 공여부는 vaseline gauze나 Xeroform™ gauze, 또는 furacin gauze로 덮어준다. 얇은 부분층 피부이식 시는 10일 정도, 두꺼운 부분층 피부이식 시는 14일 정도에 치유된다. 이때 공여부는 진피에 남아 있는 모낭, 피지선 및 한선으로부터 상피화가 일어나므로 너무 두껍게 피부이식을 시행하여 이들이 남아 있지 않은 경우 치유가 늦거나 육아 조직으로 덮이게 된다.

5) 부분층 피부이식술의 고려사항[11,14]

① 두꺼운 부분층 피부이식 시에는 엉덩이와 허벅지에서 하는 것이 바람직하며 서혜부와 전완와부위는 지방의 노출이 쉬우므로 가급적 피한다.

② 안면부 이식 시 색조 맞추는 어려움이 있다. 즉 초기에는 색조가 좋은 것 같으나 하복부에 있는 피부인 경우 시간이 지날수록 어두운 갈색을 띠게 된다.

③ 얇은 부분층 피부이식편일수록 채취부 상피화는 용이하나 수축이 심하다. 두께는 피부이식편의 투명도와 채취부의 pin point bleeding으로 판단할 수 있다.

④ Power dermatome은 근육층이 밑에 있는 대퇴부에 사용하기 좋고 drum dermatome은 하복부에 사용이 용이하다. 두부에서는 모발이 있으므로 사용이 어렵고 power dermatome이 padding surface에 대해 작동이 용이하도록 생리식염수를 침윤시킨다.

⑤ 이식편 변연을 전층 피부이식술에서와 같이 수여부 변연에 접합시킬 필요는 없다. 변연부가 약간 겹치게 할 수 있으나, 치유과정 중에 겹친 변연부가 괴사되어 심미적으로 좋지 않은 결과를 일으킬 수 있으므로 주의한다.

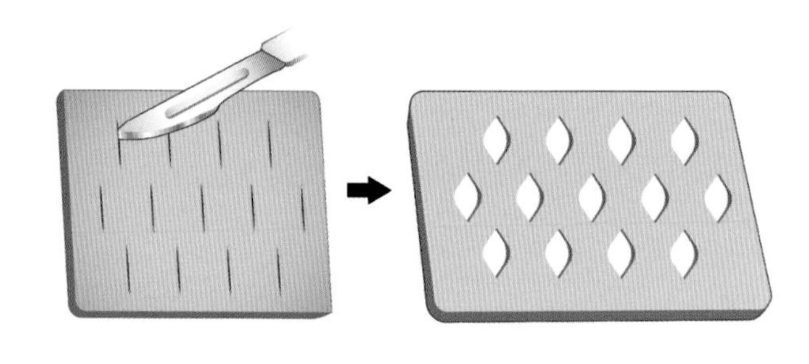

그림 25-10 Sguematic diagram of meshed graft

6) 부분층 피부이식 시 공여부의 치유 과정

통상의 창상 치유과정과 기본적으로는 동일하며 부분층 피부이식 공여부는 partial abrasion에 해당된다. 출혈 후 지혈이 되고서 염증 반응이 나타나고 2~3일 후에 모낭, 피지선 및 한선으로부터의 왕성한 표피증식을 관찰할 수 있다. 진피는 이식편의 두께에 따라 차이가 있기는 하나 5~10일 후엔 새로운 상피에 의해 덮여진다(그림 25-12). 부분층 피부이식 시 공여부의 치유 과정은 남아 있는 pilosebaceous apparatus와 한선의 양에 의해 좌우되며 재생되는 상피의 보호와 비후성 반흔의 조기 방지가 중요하다.[15]

7) 수술 후 관리

이식편의 수여부에 대하여 필요한 경우 부목을 사용하기도 하며 안정을 유지한 후 7일째에 tie-over고정을 제거한다. 다른 합병증이 없으면 약 3주만에 정상적인 활동이 가능하며 만약 생착이 나쁘면 이식편을 습윤 상태로 유지하고 건조 괴사되는 것을 막기 위해 생리식염수에 적신 거즈로 덮어 준다. 이때 수포막은 제거하지 않는다. 부분층 피부이식편은 이차 수축방지를 위해 6~12개월 동안 스폰지 압박안정 장치를 장착하고 과도한 색소침착을 방지키위해 약 2년간은 자외선 차단 크림 등으로 차광하는 것이 좋다.

8) 합병증[1,12]

① 초기 합병증

- 부분층 피부이식편의 소실: 혈종을 유발하는 과도한 출혈, 전단력(sheer forces)을 동반하는 과도한 움직임, 감염 등에 의해 발생할 수 있다.
- 부분층 피부이식편 소실과 관련된 감염: 혈관 궤양, 화상, 하지의 피부 결손에 대해서 피부이식술을 할 때 더 흔히 나타난다. Pseudomonas aeruginosa가 가장 흔하게 동정되며 그 다음은 Staphylococcus aures이다.

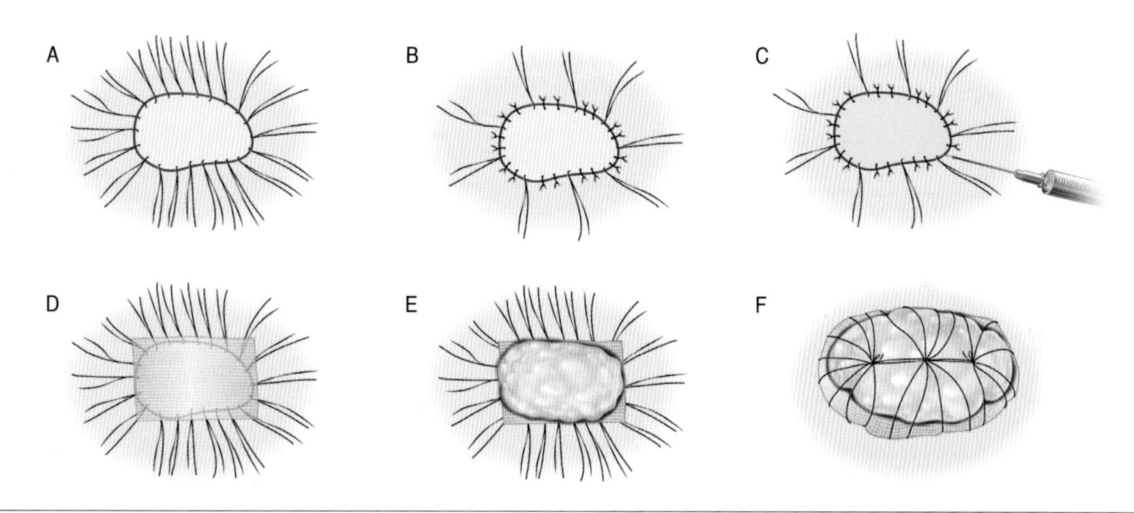

그림 25-11 **Tie-over-bollus dressing. A:** 이식편을 봉합한다. **B:** Tie-over 고정용 봉합사를 남기고 짧게 자른다. **C:** 이식편 하방의 혈종을 방지하기 위해 식염수로 씻어낸다. **D:** 이식편 위에 바세린를 한 겹 덮는다. **E:** Gauze bollus를 얹는다. **F:** 고정용 실로 bollus를 고정시킨다.

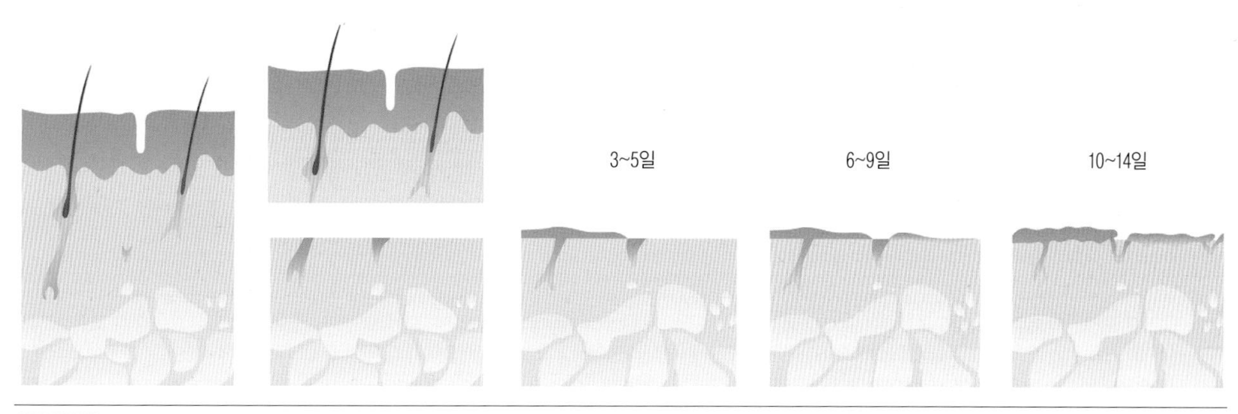

그림 25-12 **부분층 피부이식 공여부의 치유**

② 후기 합병증
- 피부 변색, 반흔 조직 형성, 감각 상실, 정맥혈전증, 고르지 못한 표면

9) 합병증의 예방[1,14]

① 피부이식편을 채취한 후 이식할 때까지 습윤한 상태를 유지하도록 한다.

② 피부이식편을 이식하기 전에 수여부에 과도한 출혈이 생기지 않도록 지혈을 충실히 한다. 혈종에 의해 피부이식편이 수여부로부터 떨어질 수 있다.

③ 이식하는 과정 중에 피부이식판 하방에 공기방울이 들어갈 수 있는데, 이를 제거해야 한다.

④ 사지 부위에 피부이식을 시행할 경우 술후에 부종이나 정맥 울혈이 발생하지 않도록 한다. 부종이나 울혈에 의해 이식편 하방에 삼출액이 저류될 수 있으며 이에 의해 피부이식편이 수여부로부터 떨어질 수 있다.

⑤ 피부이식편 상방의 드레싱을 너무 빨리 떼지 않도록 한다. 일반적으로 5~7일 이내에 떼지 않도록 한다.

⑥ 드레싱을 느슨하게 하지 않는다. 드레싱이 느슨할 경우 7~14일차 치유 과정에서 피부이식편에 과도한 전단력이 가해질 수 있다.

⑦ 피부이식편을 뒤집어서 이식하는 오류를 범하는 경우도 있으므로 주의한다.

6. 피부이식의 생착

1) 정의

피부이식의 생착이란 이식편이 수여부에 부착되어 혈행(attachment and revascularized action)이 재개되어 안착되는 것을 말한다.[16]

2) 생착기전(그림 25-13, 14)

① 혈청 침착기: 0~3일
- initial anchorage by fibrin and plasma circulation

A

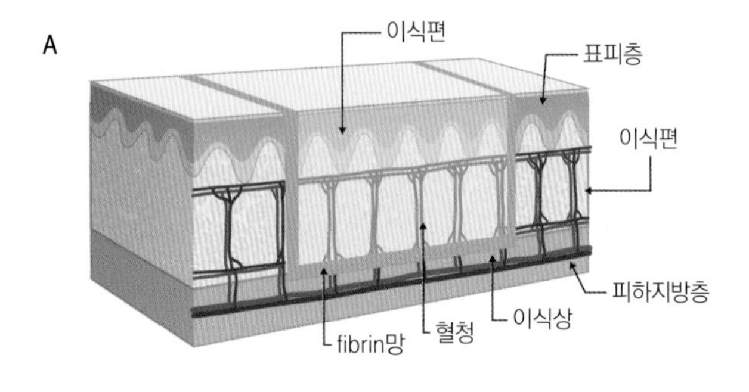

B

C

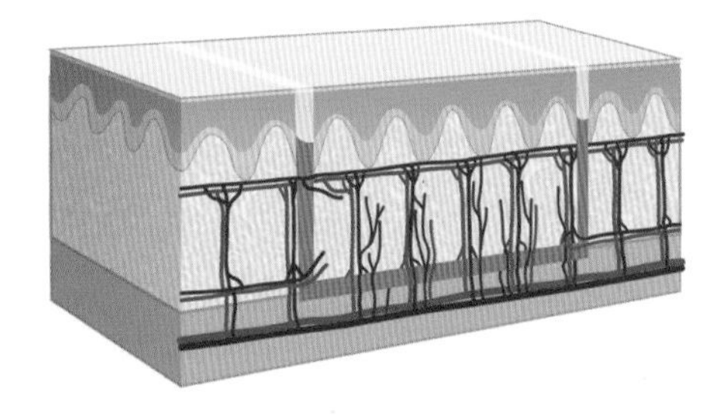

D

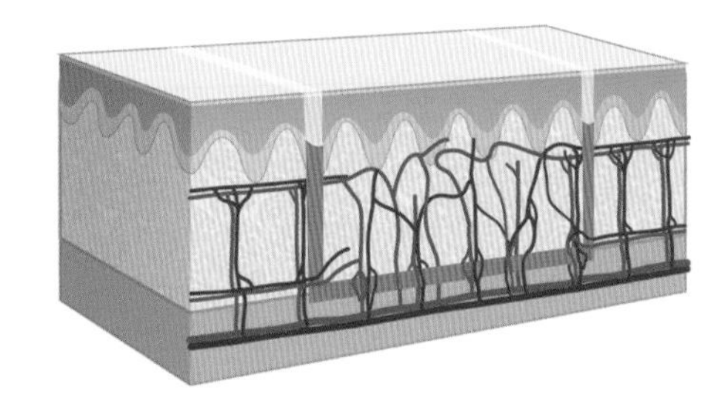

그림 25-13 **피부이식 생착기전. A:** 혈청침착기의 이식편, 이식편의 모세혈관은 혈청을 스펀지와 같이 빨아 들여서 건조를 막고 혈관을 열어서 혈행 재개에 대비한다. **B:** 기존 혈관에 의한 혈행재개, 이식상과 이식편의 기존 혈관이 직접 문합되고 혈행이 재개되어서 생착한다. **C:** 혈관신생에 의한 혈행재개, 이식편의 기존 혈관은 쇠퇴하고 이식상에서의 신생혈관에 의해 혈행이 재개되어서 생착한다. **D:** 절충설에 의한 혈행재개, 이식편의 기존혈관의 일부와 이식상에서의 신생혈관에 의해 혈행이 재개되어서 생착한다.

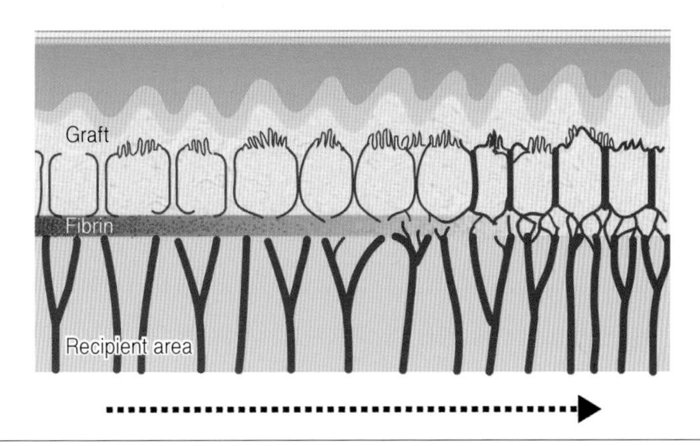

그림 25-14 **이식편 생착의 모식도.** 초기 fibrin에 의한 고정 fibrin의 기질화 및 미세혈관의 성장에 의한 문합 형성 fibrin에 의한 섬유 조직성 접촉

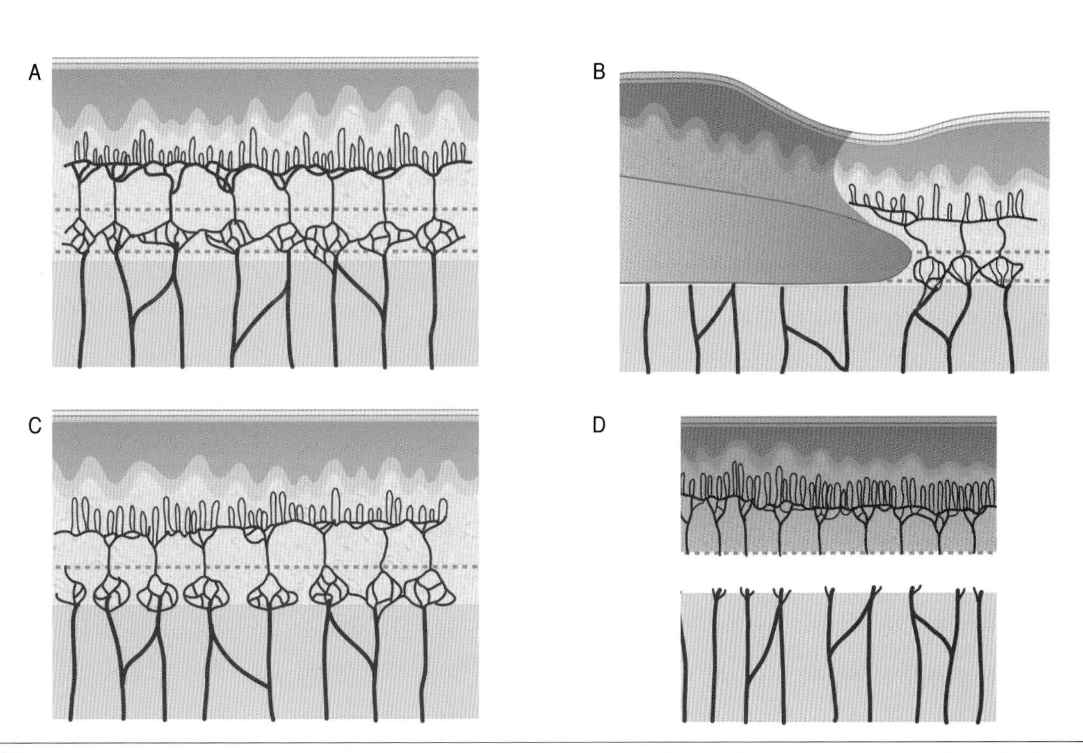

그림 25-15 **생착 요소.** 수혜부와 이식편과의 밀접한 고정성 접촉이 생착의 성공에 있어 중요한 요소이다. **A:** 밀접한 접촉, 빠른 혈관문합 **B:** 혈종에 의한 분리, 혈관문합의 실패로 인한 이식편의 상실 **C:** 고정성 접촉, 미세혈관에 의한 접촉 **D:** 비고정성 접촉, 미세혈관의 고정실패로 인한 이식편의 상실

② 혈관 문합기: 2~4일
- revascularization by outgrowth of capillary beds

③ 혈행 재생기: 4~7일
- definitive attachment by fibrous tissue
- re-establishment of blood circulation

④ 혈행 완성기: 8일 이후
- lymphatic link-up and slow nerve supply
- conversion of the fibrin into a fibrous tissue attachment.

3) 생착에 영향을 미치는 요소(그림 25-15)

① 수여부의 혈액 공급

② 이식편의 두께 및 혈관분포

③ 생착 환경

a. 수여부에 이식편이 밀착될 것

b. 혈병(hematoma)을 방지할 것

c. 고정을 잘 할 것

d. 감염방지

7. 피부이식편의 고정

피부이식편이 수여부 바닥에 잘 접촉되도록 해주어야 혈관이 잘 자라들어가 피부이식편이 생존할 수 있다. 피부이식편을 이식해 준 직후에는 피부이식편과 수여부 바닥 사이에 얇은 섬유소층이 생겨 피부이식편을 수여부에 붙여주는 풀과 같은 역할을 한다. 피부이식편이 너무 팽팽하게 당겨지고 있으면 수여부 바닥의 굴곡면에 잘 접촉되지 못하고, 그렇다고 피부이식편이 너무 느슨해도 피부이식편에 주름이 생겨 수여부 바닥에 잘 접촉되지 못한다. 피부이식편과 수여부 사이에 액체가 고이거나 피부이식편과 수여부 사이에 동요가 있어도 피부이식편과 수여부 바닥이 잘 접촉되지 못하여 혈행 재개가 이루어지지 못하고 결국에는 피부이식편이 괴사하고 만다. 그래서 창상에 얹어준 피부이식편을 봉합이나 외과용 테이프로 고정해 준 다음 furacin gauze로 덮어주고 이것을 탄력붕대로 감아준다. 동요가 심한 수여부는 회붕대나 부목으로 고정해 줄 필요가 있다. 대부분의 경우 tie-over bollus dressing을 해주는 것이 가장 좋다(그림 25-16).

1) 봉합고정 드레싱

피부이식편을 수여부 가장자리에 봉합해서 고정해 주는 방법이다. 피부이식편을 고정한 봉합사를 길게 남겨 둔다. 고정한 피부이식편 위에 furacin 거즈를 얹고 그 위에 또 축축한 솜을 고르게 얹어준 다음 길게 남겨둔 봉합사로 거즈와 솜을 묶어 준다(tie-over dressing).

2) Stent mold

볼고랑(buccal sulcus), 바깥귀길, 코 내측면처럼 깊숙이 들어 간 곳에 피부이식술을 할 때에는 미리 silastic 또는 dental compound로 틀을 만들어 피부이식 후 수용부에 고정하는 방법이다.

3) Quilted graft

봉합고정 드레싱등 다른 고정 방법이 어려울 때, 피부이식편을 단순 봉합을 이용하여 이식 주변부 및 가운데에 시행(basting suture)하여 이식편을 단단히 수여부 바닥에 밀착시킨다.

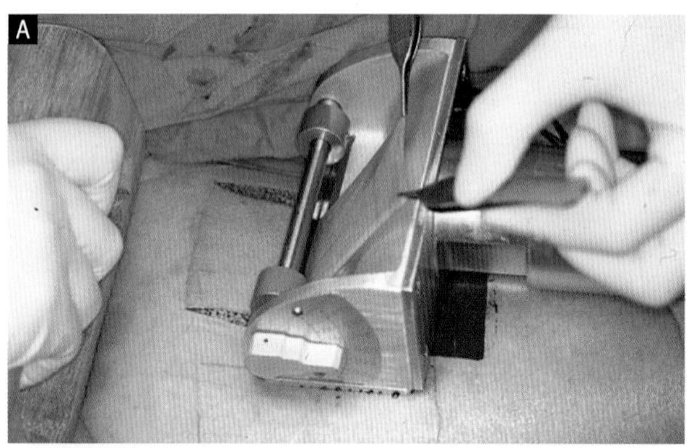

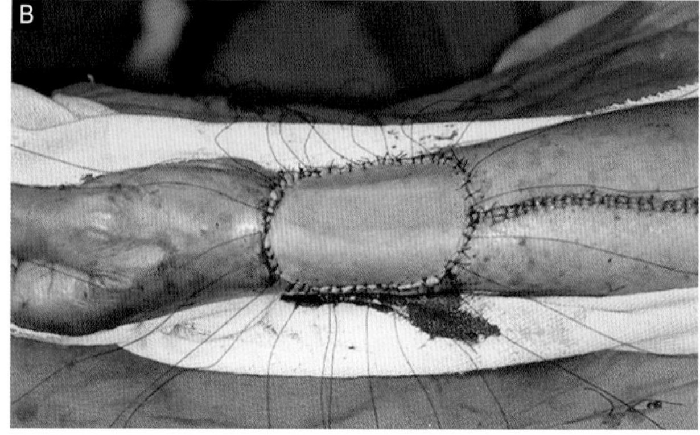

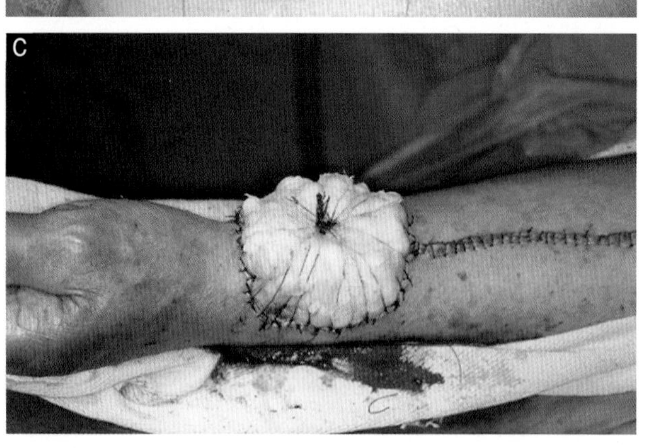

그림 25-16 이식편의 채취와 고정. A: Electric dermatome을 이용하여 이식편을 채취한다. **B:** 이식편을 봉합한다. **C:** 이식편 위에 vaseline gauze와 gauze bollus를 이용하여 봉합 고정한다.

8. 이식된 피부이식편의 특징

피부 이식편이 생착되고 나면 수개월에 걸쳐 다음과 같은 개조과정(remodeling process)이 진행되어 피부이식술의 궁극적인 결과가 나타난다.

1) 수축

부분층 이식편은 겨드랑이처럼 유연하고 많이 움직이는 부위에서는 더욱 많이 수축하고 pericranium처럼 전혀 움직이지 않는 뻣뻣한 곳에서는 수축이 적게 일어난다. 전층 피부이식편이 부분층 피부이식편에 비해 진피가 두껍게 포함되어 있어 탄력성 섬유가 많아서 일차수축은 많으나 이차수축은 적게 발생한다.

2) 진피 콜라겐의 전환

모든 유형의 피부이식술 후에는 피부이식편이 갖고 있던 원래 콜라겐의 85~88%가 140일 내에 상실된다. 전층 피부이식술 후에는 성장함에 따라 상실한 콜라겐보다 더 많은 양을 생성하지만 부분층 피부이식술 후에는 상실한 콜라겐을 다시 생성하지 않기도 한다.[17]

3) 진피와 표피의 특징

새로운 장소에 이식된 피부 이식편은 원래 공여부에서 갖고 있던 진피와 표피의 특성을 그대로 간직하고 있다. 예를 들면 부분층 피부이식편을 입 안에 이식했을 때 점막의 특성을 갖게 되는 것이 아니라 편평상피의 특성을 그대로 갖고 있다. 표피의 특성은 대체적으로 그 밑에 붙어 있는 진피에 의해서 결정된다.

4) 색깔 변화

피부이식술 후에 가장 문제가 되는 것은 수용부의 피부색과 이식편의 색이 어울리지 않는다는 것이다. 색소 침착은 멜라닌보유세포가 호르몬과 자외선의 자극을 받음으로써 일어난다. 피부이식편이 얇을수록 색소침착이 더 많다. 이것을 예방하기 위해서는 처음 6개월간은 자외선 차단제를 바르거나 긴 옷을 입는 것이 좋다.

5) 피부 부속기

전층 피부이식술과 두꺼운 부분층 피부이식술 후에는 피부이식편에 들어 있는 모낭이 살아 있어서 털이 다시 자라난다. 그러므로 어린이에게서 공여부를 택할 때에는 나중에 원치 않는 털이 자라나지 않을 곳을 택해야 한다. 피부기름샘은 부분층 피부이식술 때보다 전층 피부이식술 때 더 많이 보존되므로 전층 피부이식술 후에 피부가 더 부드럽다. 피부기름샘의 분비가 회복되려면 수개월이 걸리므로, 그 동안은 lanolin이나 로션 같은 것을 발라서 부드럽게 해주어야 한다. 땀샘은 부분층 피부이식술보다 전층 피부이식술 후에 기능을 더 완전히 회복한다. 피부이식술 후 신경이 재분포됨에 따라 땀샘이 기능을 회복하게 된다. 이는 3개월 정도까지 걸릴 수 있으므로, 3개월까지는 피부보습을 유지하는 것이 중요하다.[7]

6) 신경재분포

피부이식편의 신경재분포는 신경분포가 풍부한 수용부에 피부이식술을 한 경우에 더 잘 회복된다. 골막이나 근육 위에 이식한 경우에는 감각이 만족스럽게 회복되지 않는다. 신경이 피부이식편의 옆과 밑에서부터 자라 들어와서 신경재분포가 이루어진다. 신경재분포 속도는 얇은 부분층 피부이식술 후보다 전층 피부이식술이나 두꺼운 부분층 피부이식술 후에 더 느리긴 하지만 감각이 더 많이 회복된다. 통각이 가장 빨리 생기고 촉감, 열감, 냉감은 나중에 생긴다. 반흔 조직은 신경재분포를 방해하므로 반흔이 적게 생기도록 수술한다.

9. 모발이식술(hair transplantation)

헤어스타일은 사람의 인상을 결정짓는 중요한 요소이다. 꽉 찬 모발은 젊음, 건강 그리고 남성미를 나타내는 상징이다. 미용성형수술이 남자들에게도 점점 받아들여지고 있는 추세로 모발이식을 원하는 환자가 늘고 있으며 치료 방법 또한 다양해지고 있다. 그러나 모발의 색이나 결(texture) 그리고 밀도 등이 모든 경우에 있어 항상 동일하지는 않기 때문에 이런 다양한 치료법 중 모든 경우에 적용할 수 있는 이상적인 방법이란 있을 수 없다. 게다가 모발이식을 시행한 후에 다시 탈모증이 진행되는 경우가 대부분이므로, 치료는 좀 더 복잡해진다. 따라서 단순하게 모발만 채우는 것만으로는 치료가 완전치 않고, 치료 후에도 부자연스러운 모발선(hairline)이나 비정상적인 모발 성장 양상, 또는 반흔형성 등의 부작용이 생길 수 있다는 점을 염두에 두어야 한다. 따라서 모발이식과 더불어 외과적 수술을 부가적으로 시행하는 것이 좋은 결과를 얻을 수 있으며, 장기간의 변화를 고려한 치료계획을 세우는 것이 중요하다.

1) 탈모의 원인

남성의 대머리는 남성호르몬인 안드로겐(androgen)과 관련되어 있지만, 그 정확한 기전은 아직 확실히 밝혀지지 않았다. 안드로겐은 전신적으로 체모의 성장을 촉진하지만, 유전적으로 결정된 어떤 사람들에게는 두부의 특정 영역에서 탈모를 유발한다. 탈모는 사춘기 이후에는 어느 시기에나 발생할 수 있다. 안드로겐에 의한 탈모증의 형태나 정도를 예측할 수 있는 방법은 없지만, 이십대에 탈모가 시작되면 심한 탈모 증세로 진행되는 것이 일반적이다. 여성도 안드로겐에 의한 탈모증세가 나타날 수 있지만 남성보다 좀 더 나중에 발생한다. 또한 여성에서는 대개 모발선은 유지되고 두부의 정상 부위(top of the scalp)에서 넓게 탈모가 진행된다. 여성에서의 탈모는 그 빈도나 원인과 치료방법이 아직 확실히 정립되지 않았다.

2) 모발이식술의 역사와 분류

모발이식술은 모발 재생 술식의 가장 근간이 되는 치료법으로 탈모증 치료에서 가장 우선적으로 고려되는 방법이다. 모발이식은 1939년 Okuda에 의해 처음으로 시행되었는데, 그는 머리에 회장을 입은 환자의 두피부에 모낭을 포함한 피부를 이식할 경우 이식부에서 모발이 새롭게 자라는 것을 발견하였다. 그 후 Orentreich는 서방에서는 처음으로 현대 모발이식술의 원리와 수술법을 발표하였으며, 1959년 모발이식술에서 가장 중요한 기본 개념인 공여부 우성(donor dominance), 즉 각각의 모발은 다른 부위에 이식되었더라도 원래 있었던 부위의 성질을 갖고 자란다는 개념을 발표하였다.[18]

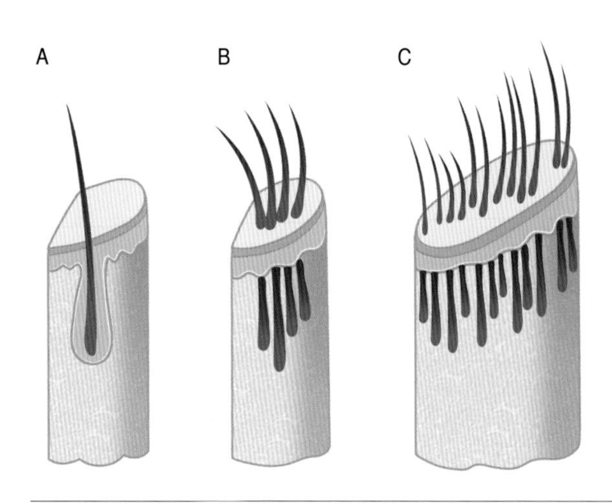

그림 25-17 **모발이식의 분류. A:** 마이크로이식 **B:** 미니이식 **C:** 표준이식

대머리는 아무리 탈모가 진행되어도 뒷머리와 옆머리의 머리카락은 없어지지 않고 남아 있다. 대머리 모발이식은 이와 같은 공여부 우성 원리를 이용하여 탈모가 진행된 환자에서 빠지지 않는 뒷머리를 앞쪽으로 옮겨주는 술식이며, 근 40년간 여러 개의 모발을 한 묶음으로 이식하는 표준이식술이 시행되어 왔다. 표준이식술은 초기엔 큰 반향을 일으켰지만, 마치 인형 머리카락처럼 일렬로 모를 심어 놓은 것과 같은 모양을 띠어 그 예후가 좋지 않았다. 1944년에 일본에서 이식편의 크기가 작을수록 결과가 양호하다는 모발이식 결과가 발표되었으나[19] 2차 세계대전의 포화 속에 묻혀버린 후 오랜 동안 Orentreich의 표준 술식만이 서양인에 있어서의 모발이식의 근간으로 여겨져 오던 중, 1980년대에 들어와서 이식절편을 작게 나누어 이식하는 방법이 생존율이 높으며 수술 후 모양이 자연스럽게 된다는 인식이 확산되면서 Marritt와 Bradshaw에 의하여 마이크로이식술(micro-graft)과 미니이식술(minigraft)이 소개된다.[20] Knudsed의 분류에 의하면 표준이식술(standard graft)은 이식편의 크기가 2.5 mm보다 크고, 미니이식술은 2.5 mm보다 작으며, 마이크로이식술은 단지 하나 내지 두개의 모발만을 포함한다 (그림 25-17).

3) 모발이식술의 종류

(1) 표준이식술(펀치식 식모술)

일본의 오꾸다에 의해 개발된 방법으로 2~4 mm 직경의 펀치를 이용해 뒷머리를 채취하여 탈모부에 옮겨 심는 것으로 이식한 머리카락이 칫솔이나 인형 머리카락처럼 다발로 뭉쳐서 열을 이루므로 부자연스럽다.

(2) 미니이식술 또는 미니그라프트

펀치식을 개선한 것으로 3~8개의 모근을 한 번에 이식하는 기법이다. 외관이 펀치식에 비해서는 많이 개선되었다. 그러나 색소 침착과 반흔이 잘 생기는 환자에서는 예후가 그렇게 좋지는 않다.

(3) 마이크로이식술

① 단일식모술

모근을 하나씩 옮겨 심는 것으로 눈썹, 음모, 수염 이식 등에 적합하다. 대머리에서는 전적으로 단일모만 심으면 어색하여 미니그라프트와 병행하기도 한다.

② 모낭단위이식술(그림 25-18)

사람의 머리카락은 1~3개씩 다발로 자라는데, 이렇게 머리에 있는 그대로 단일모, 이모, 삼모씩 옮겨 심는 방법이다. 비록 다른 식모술에 비해 비용이나 시간이 많이 소요되기는 하지만, 단일식모술에서 가끔 보이는 곱슬머리 현상이 없으며 단일모만 이식하는 것보다 더 자연스럽고 생착도 잘되 요즈음은 대부분 이 방법을 많이 사용하고 있다.

(4) 인조모발이식술

일본 니도사에서 개발하였으며, 폴리에틸렌으로 만들어진 인공모발을 한올씩 두피에 심는 것으로 1970년대에 유행하였다. 인공모발은 1년 정도가 되면 대부분이 빠지게 되고 빠진 자리가 섬유화되며 종종 염증반응을 보이기도 한다. 현재 미국에서는 시술이 금지되어 있다. 요즈음 대부분의 술자들은 탈모 부위에 따라서 여러 가지 이식 방법을 복합적으로 사용하고 있는데, 예를 들어 전두부의 모발선은 앞쪽 0.5~1 cm 정도는 마이크로이식술을, 뒤쪽은 미니이식술을 하는 것이 일반적인 방법이다. 어떤 환자는 표준이식술만으로 자연스러운 모발선을 재생할 수도 있다. 하지만 두부의 피부색이 밝으며 모발이 성기고 색조가 진한 사람은 마이크로이식술로도 완벽한 모발이식이 되지 않을 수 있다.

4) 모발이식술의 치료계획

치료계획 수립 단계는 모발이식에서 가장 중요하다. 잘못된 치료계획으로 인하여 불만족스러운 결과를 얻을 수도 있으며 어떤 경우엔 이것을 다시 바로잡는 것이 불가능해 질 수도 있다. 탈모가 진행되고 있는 초기에는 미래의 환자 탈모 양상을 예측하기가 매우 어렵다. 게다가 이런 환자는 일반적으로 심리적인 기대감이 매우 크기 때문에 술자로 하여금 잘못된 치료계획을 잡도록 할 수도 있다. 초기의 작은 결손부에 미니이식술을 하더라도 이식부 주변에서

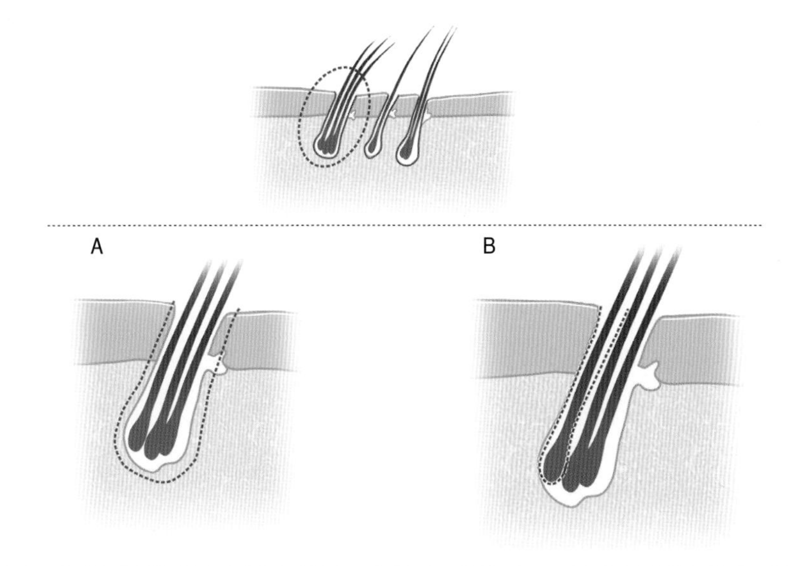

그림 25-18 모낭단위이식술(A)과 단일모이식술(B)의 차이

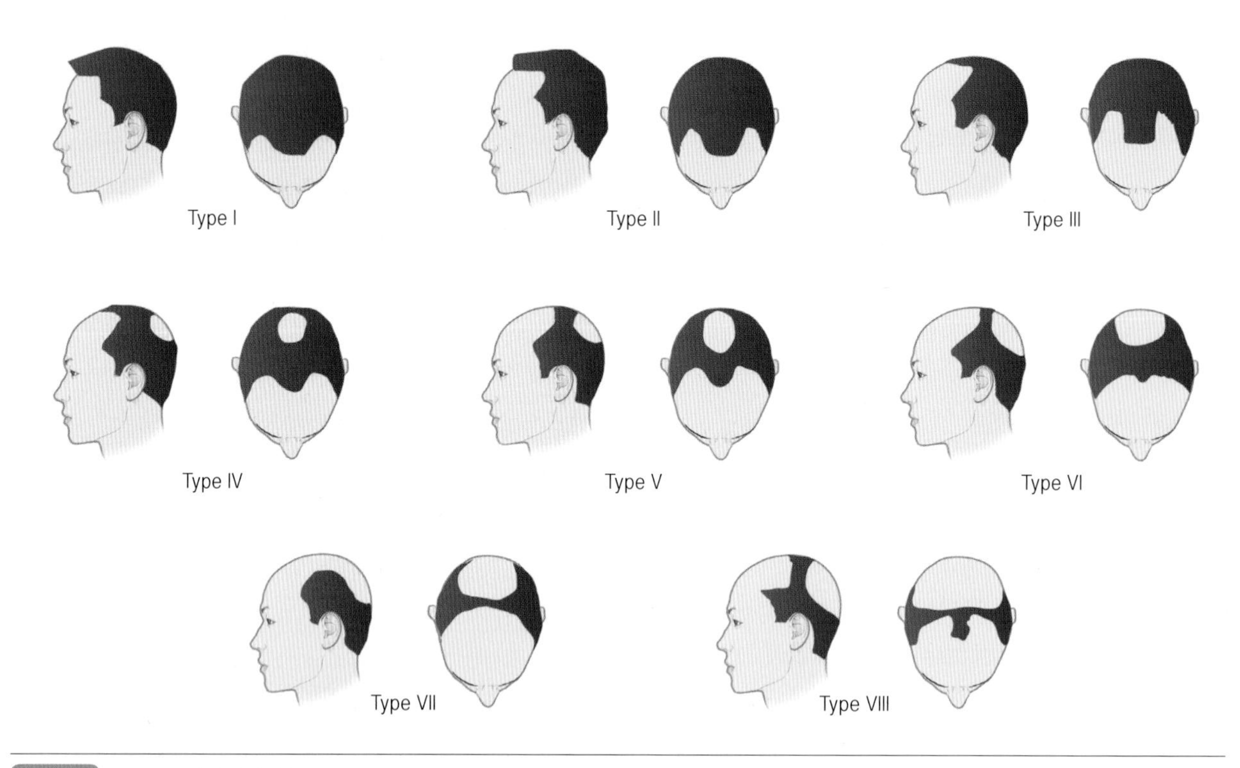

그림 25-19 Norwood의 탈모증 분류

점차 탈모과정이 진행되기 때문에 이식 부위가 두드러져 보일 가능성이 높다. 또한 원형 탈모(crown baldness)를 단순히 이식술로 해결하려는 것도 매우 문제가 많다. 이식 이후에도 원형 탈모는 계속 진행되기 때문에 이전의 이식부 주변으로 새롭게 탈모가 원형으로 형성되어 소위 후광 효과(halo deformity)를 보일 수도 있다. 따라서 향후의 진행 과정과 탈모의 양상을 고려한 신중한 치료계획을 잡아야 한다. 이러한 견지에서 Norwood는 환자의 선택과 치료계획에서 탈모증 분류(classification), 색조(color), 머리칼(curl), 결(texture), 밀도(density) 그리고 공여부 모발의 양(amount of donor hair) 등의 여섯 가지 중요한 요인을 분류하였다. 이러한 요인은 수술방법을 결정짓는데 있어서 중요한 고려 요소인데, Norwood는 그 중 탈모증의 분류를 가장 중요하게 생각하였다.[21] 그는 탈모를 I형에서 Ⅶ형까지로 분류하였는데(그림 25-19). 이 중 Ⅲ, Ⅳ, Ⅴ형은 대개 수술로 결과가 양호하다. 그러나 Ⅵ형과 Ⅶ형은 탈모의 유형보다는 다른 요인들에 의해 수술의 방법이나 난이도가 결정된다. 모발과 두피의 색조 또한 중요한 요소이다. 모발과 두피 간의 색조 대비가 적을수록 이식된 모발이 시각적으로 좀 더 자연스럽고 밀도가 있어 보인다. 모발이식술의 견지에서 예후를 보면 모발의 색은 백발이 좋고 흑발(blackhair)이 가장 나쁘다. 두피의 피부색이 밝으며 모발의 색조가 진한사람은 모발재생 술식의 예후가 아주 나쁜데, 이런 환자는 색조의 대비 효과가 크기 때문에 작은 미니이식술이나 마이크로이식술을 촘촘히 해야 한다. 또한 두피에 칠하는 색조제(coloring agent)를 부가적으로 써야 할 수도 있다. 곱슬머리는 탈모 부위를 가려줄 수 있기 때문에 예후가 좋다. 따라서 실제로 미니이식술이 필요한 경우에도 더 적은 양의 마이크로이식술만으로 양호한 결과를 얻을 수 있다. 하지만 곱슬머리인 경우, 모낭이 비스듬하게 위치하기 때문에 모발이식술 시 주의를 요한다. 머리카락이 굵은 경우 모발 자체의 부피가 크기 때문에 피부와 시각적으로 대조되어 부자연스러운 외형이 유발되기도 하며, 모발선의 모양을 잡기도 더 힘들어진다. 따라서 모발선 부위는 머리카락이 짧은 부위를 선택하여 이식하는데, 후두부(occipital area)나 귀 직상방이 주로 이용된다. 공여부 모발의 밀도가 크면 이식술에 유리하다. 모발의 밀도가 낮은 부위는 이식에 사용할 수 없다. 하지만 공여부의 밀도가 높으면 수혜부의 밀도도 높아지기 때문에 특히 진한 모발-밝은 두피를 가진 환자에서 부자연스러운 외형을 초래할 수도 있다. 이러한 환자에게는 마이크로이식술과 미니이식술을 시행해 주어야 한다. 모발이 성기고 진하며 두피가 밝은 환자는 앞쪽은 넓게 마이크로이식술을 하고 뒤쪽은 보통보다 작은 미니이식술을 해야 한다. 하지만 이런 환자는 자연스러운 모발선을 갖기가 거의 불가능하기 때문에 빗질을 앞쪽과 옆쪽으로 해서 탈모부를 가려줘야 한다. 공여부 모발의 양이 적은 경우 모발선 부위를 촘촘하게 이식하고 다른 부위는 좀 더 성기게 이식한다. 그러나 탈모가 아주 심한 경우엔 빗질로 탈모 부위를 가려줄 수 없기 때문에 넓은 부위를 성기게 이식해 주는 것이 좋다.

5) 적응증

남성형 탈모증(대머리), 여성형 탈모, 무모증, 눈썹, 수염, 넓은 이마 및 모발이 있는 곳의 화상이나 흉터 그리고 이러한 부위를 피판으로 재건한 후가 적응증이 된다.

6) 수술과정

(1) 마취

우선 환지를 복와위(prone position)로 위치시킨다. 수술은 국소마취로 진행하는데, 필요한 경우 미다졸람(midazolam) 등을 이용하여 정맥 마취를 시행한다. 항생제는 투여할 필요가 없으나, 술후 부종을 예방하기 위해 스테로이드(prednisolone)를 수술 전후로 투여하는 것이 좋다. 공여부를 리도카인으로 마취하고 나서 수여부를 마취하는데, 수여부는 지혈이 중요하므로 1:100,000 에피네프린을 포함한 0.5% 부피바카인(bupivacaine)이 추천된다.

(2) 이식할 부위의 디자인

모발선을 자세히 관찰해 보면 단순한 '선'이 아니라는 것을 알 수 있다. 따라서 모발선을 잘 재현하기 위해서는 미니이식술을 불규칙적으로 산란시켜서 시행하는 것이 좋으며, 뱀이 지나간 자리처럼(snail tract) 전두부 헤어라인을 디자인한다. 일반적으로 모발선은 눈썹 상방 9 cm에 수평선으로 위치한다. 모발이식의 측면에서 단 1 cm만이라도 모발선 높이가 낮아지면, 방법에 따라서 차이는 있겠지만 1,000~1,500개의 모발을 더 이식하게 된다. 따라서 만약 측두부 외변(temporal fringe)이 충분히 높으면 앞쪽 모발선을 더 높이더라도 부자연스럽지 않기 때문에 이 측두부 외변을 연결하는 선으로 잡기도 한다.

(3) 공여부 밀도 측정 및 채취

후두부에서 밀도측정기를 사용하여 모발밀도를 파악하고, 채취할 두피의 면적과 길이를 산출한다(그림 25-20). 공여부를 길게 절제하여 두피를 띠상으로 채취하고 공여부를 봉합사나 스테이플러로 봉합한다. 채취된 두피는 모낭단위나 단일모 또는 미니그라프트 형태로 분리 분배하여 수여부에 이식한다. 더 많은 양의 공여부가 필요하다면, 그 이전의 공여부와 약 2~3 mm 정도 간격을 두어 다시 절제하고 이식한다. 이렇게 수여부 준비와 공여부로의 이식을 반복할 수 있다. 그러나 필요한 만큼의 수여부를 한꺼번에 준비하고 나서 이식해 줄 수 도 있다.

과거에는 공여부에 여러 번 천공을 하여 4 mm 크기의 이식편을 만들어 주었다. 하지만 공여부 반흔이 크고 이식부의 모발밀도가 떨어지기 때문에, 최근에는 여러 개의 가늘고 긴 날을 가진 수술도로 띠(strip) 모양의 이식편을 형성하는 방법이 선호되고 있다. 이때 형성된 반흔은 잘 보이지 않고 공여부 모발의 밀도도 그대로 유지된다. 이식편의 깊이는 모낭하지방(subfollicular fat)을 2 mm 정도 포함하도록 한다. 이보다 더 깊이 이식편을 형성하면 불필요한 출혈이 생길 수 있고, 후두신경(occipital nerve)의 손상을 초래할 수 있다. 수술도 날 사이의 거리는 2~3 mm이고 세 개 내지 네 개의 날이 있다. 이렇게 얻어진 이식편을 2 mm

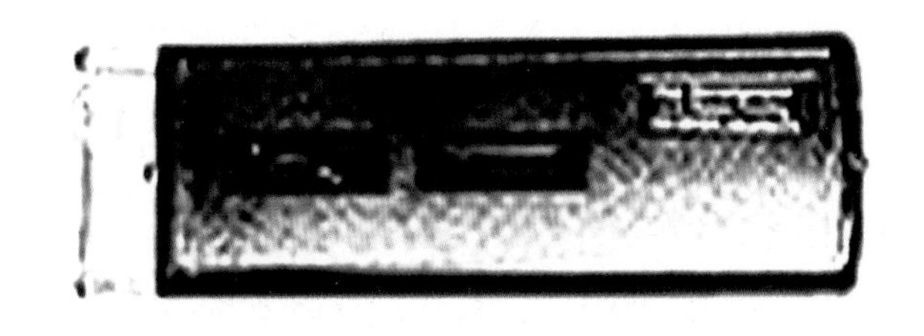

그림 25-20 모발밀도측정기

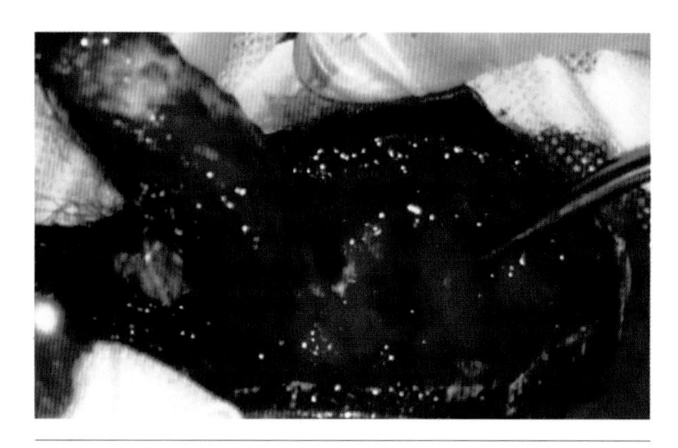

그림 25-21 띠상으로 채취한 모발띠

넓이의 미니 또는 마이크로이식체로 분리하게 된다(그림 25-21). 한편, 어떤 술자들은 하나의 긴 타원형 이식편을 선호한다. 이식편 절제 후 이것을 가로 방향으로 짧은 스트립으로 분리한다. 이러한 방법은 공여부 봉합을 위해서 넓은 부위를 거상해야 하기 때문에 반흔이 많이 형성된다는 단점이 있다.

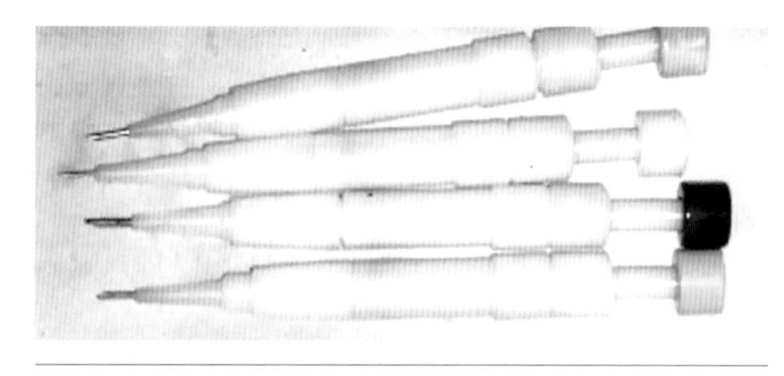

그림 25-22 모발식모기

(4) 이식

마이크로이식은 45° 전방으로 각진 16 또는 18게이지 주사 바늘로 모발선 부위에 식립한다(그림 25-22). 수술 계획에 따라 다르지만 보통은 앞쪽의 모발선 부위에는 약 100개의 마이크로이식술을 시행하고 그 윗부분은 탈모 부위에 따라서 필요한 양대로 미니이식술을 시행한다(그림 25-23, 24).

이식체를 위치시킬 부위는 둥글게 천공시키거나 슬릿(slit) 모양의 구멍(hole)을 형성하여 준비하는데, 어느 모양이 더 좋은지는 아직 논란의 여지가 있다. 슬릿 모양을 형성하는 수술방법은 탈모부 조직편(plug)을 제거하는 과정이 없기 때문에 시술이 빠르지만, 천공하여 조직편을 제거하는 방법은 수술 후 외관이 더 자연스럽다. 특히 슬릿 형성은 이식이 부분적으로 집중되기 때문에, 진한 모발-밝은 두피 환자에서는 이식부와 탈모부의 대비가 커져서 부자연스러운 외형을 유발할 수도 있다. 하지만 모발의 색조와 결이 나쁘지 않다면 슬릿을 형성하는 방법도 외관이 그다지 나쁘지는 않다. 더구나, 이 방법은 반흔이 적게 생기고 주위 모발에 해가 적다는 장점이 있다. 이식체를 위치시킨 후 가피가 형성되어 2주 후에 떨어진다. 이식된 모발은 대부분 탈락하고 2~3개월 후에 모발이 다시 자라기 시작한다. 한국인은 보통 모발이 100개/cm^2 정도로 너무 많이 심으면 이식 모발의 생존율이 떨어져 50~60개/cm^2 정도 이식한다. 이 경우 생착률이 70~80% 사이로 약 40개 정도가 실제 성공적으로 이식되어 남게 된다. 추가적인 이식술이 필

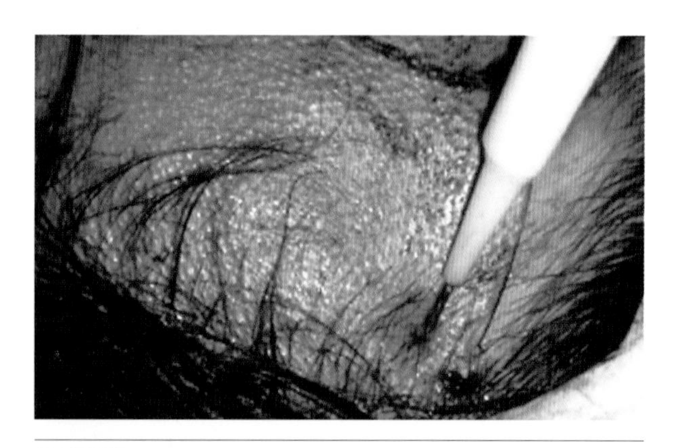

그림 25-23 모발을 심고 있는 모습

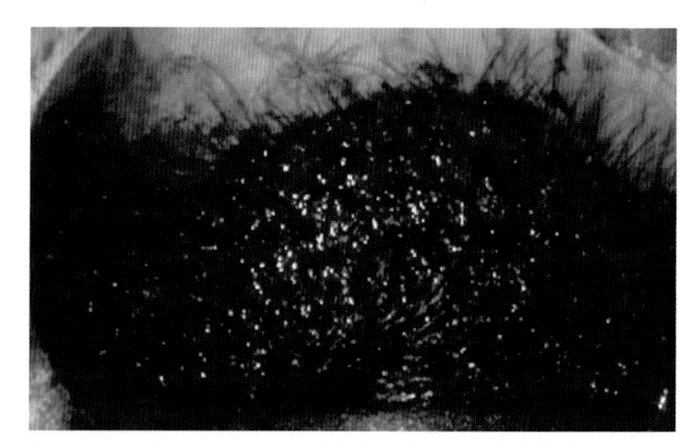

그림 25-24 식모 후의 모습

요하면 보통 4~8개월 후에 시행한다.

(5) 경과 및 후유증

이식 후 특별한 치료는 필요 없으며, 약 5일 후부터 샴푸를 한다. 수술 후 3주 정도 되면 이식한 모낭의 70% 정도에서 모발이 빠지기 시작하며, 술후 3~6개월 사이에 이 모낭에서 머리카락이 자라기 시작한다. 새로운 모발은 처음에는 연한 상태로 나오다가 점차 머리카락이 굵어져 후두공여부의 굵기로 자란다. 또한 처음에는 곱슬머리 형태로 자라기도 하지만 차차 원래의 형태를 갖게 된다. 후유증으로는 공여부나 이식부 모두에서 감각이상, 출혈 및 모낭염이 올수 있다. 감각이상은 6개월 정도 지나면 대개는 회복되며, 모낭염은 공여부에서 모낭을 채취할 때 잘려진 모낭이 남게 될 경우에 발생하며, 이식부에서는 모낭이 너무 깊게 심길 경우에 발생한다.

7) 두피축소술

모발이식술의 보조과정으로서, 두피축소술을 시행하기도 한다. 두피축소술은 1977년 Blanchard 형제와 Unger 형제에 의해 처음 개발되었다.[22] 이 방법을 이용하면 탈모부의 면적을 줄여주기 때문에 동일한 양의 모발이식술로도 더 큰 효과를 얻을 수 있다. 그러나 이 방법은 반흔을 크게 형성하고 모발의 방향이 비정상적으로 배열되는 결과를 초래하기 때문에 근래 들어서는 좀 더 신중하게 시행된다. 과거에 가장 많이 시행된 중앙부 타원형 축소술(midline elliptical scalp reduction)은 현재는 잘 사용되지 않고 있다. 그 이유는 중앙부 반흔을 중심으로 모발이 분리되어 보이기 때문인데, 이를 감추기가 쉽지 않기 때문이다. U형 축소술은 이러한 현상을 막아줄 수 있고 조직거상량이 적기 때문에 많이 이용된다. 반흔을 감춰줄 수 있는 또 다른 방법으로 S 또는 Y형 축소술이 개발되었다(그림 25-25). 두피축소술은 국소마취나 정맥 마취 하에서 시행되는데, 모상건막(galea aponeurosis) 하방으로 거상하고 필요한 조직량을 절제한다. 봉합은 두 층으로 하는데, 심부는 굵은 흡수성 봉합사를 사용하고(예컨대 2-0 PDS) 천부는 이보다 가는 비흡수성 봉합사를 사용한다(4-0 nylon 등). 모상건막은 신장력에 저항이 크기 때문에 조직 확장기를 탈모부 외변에 삽입하고 약 8~12주간 식염수를 주입하여 상방의 조직을 확장시킨다. 이렇게 확장된 두피는 혈관이 풍부하기 때문에 국소피판으로 사용되기에 좋다. Anderson은 확장된 두피를 모발선으로 옮겨주는 양측성 전진 전위피판술(bilateral advancement transposition flap)을 보고하였다. 또한 부가적으로 세 번째 피판을 형성하여 후두부에서 전위시키는 3중 전진 전위피판술을 사용하기도 하였다(그림 25-26). 이때 형

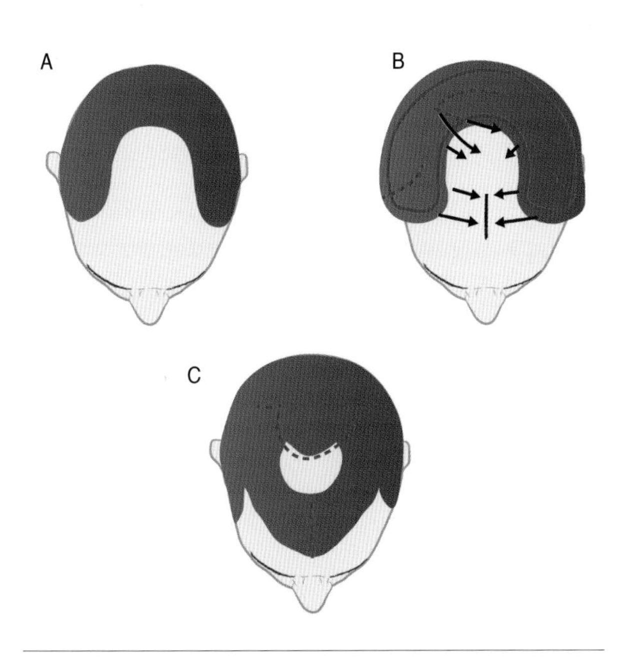

그림 25-25 **두피축소술의 종류. A:** Y형 **B:** S형 **C:** U형 **D:** 중앙부 타원형

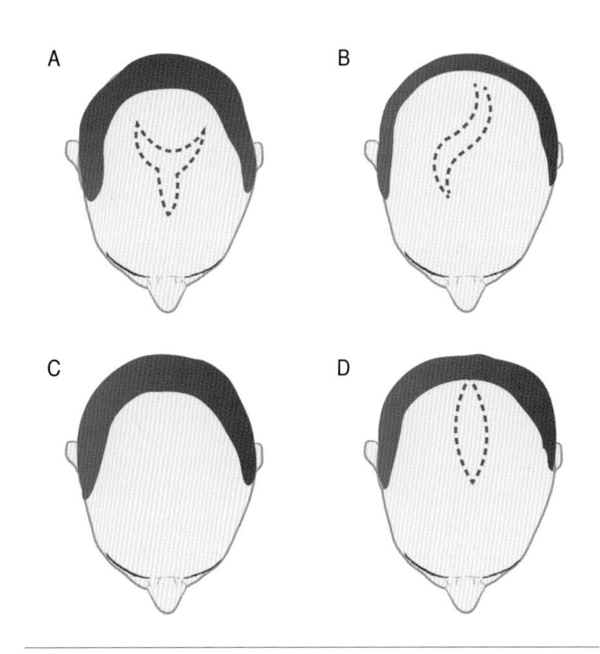

그림 25-26 **3중 전진 전위피판술의 모식도**

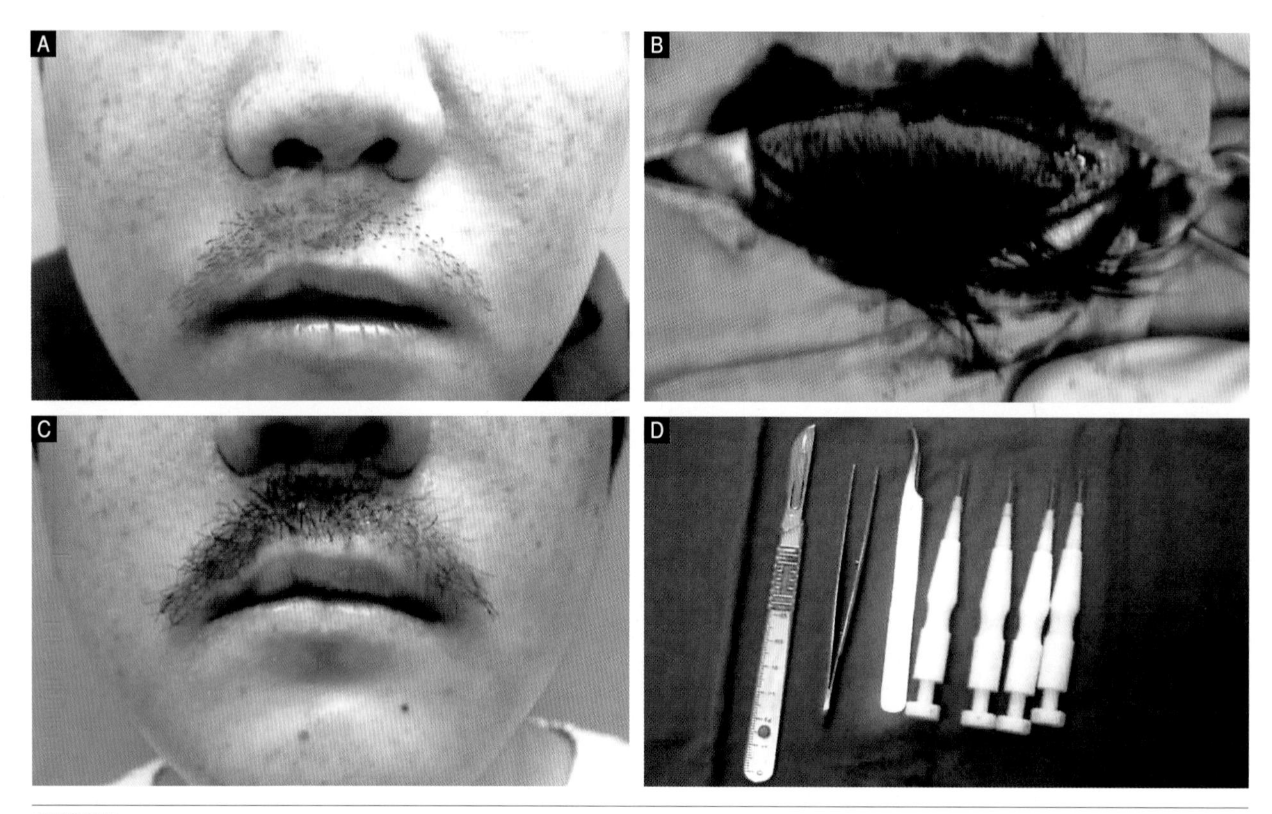

그림 25-27 A: 술전 구순열 반흔조직 B: 공여부조직 채취 그림 C: 술후 감춰진 반흔조직그림 D: 수술기구

성된 모발선은 반흔이 눈에 쉽게 띄지만 적은 양의 모발이식술로 이를 가려줄 수 있다.

8) 모발이식술의 응용

구순열 환자의 경우 술후 반흔이 외모에 영향을 끼치는 경우가 많은데 남자환자의 경우 인중 부위의 반흔은 자연스런 콧수염의 성장을 기대할 수 없으므로 눈에 띄는 경우가 많다. 이 부위에 콧수염을 인위적으로 자랄 수 있게 할 수 있다면 반흔의 노출을 감소시킬 수 있다. 여기에 착안하여 구순열 환자의 인중 부위에 모발이식을 시행한 예가 외국의 경우 몇 증례 보고되고 있는데[23,24] 우리나라의 경우 최 등에 의한 증례가 있어 소개하는 바이다.

1:100,000 혈관수축제가 함유된 리도케인 국소마취 후 모근을 포함하여 두피의 전층 채취를 시행하고 공여부 두피는 일차 봉합한다. 1 cm^2의 두피에 약 100개의 모근이 포함되어 있는데 이를 세로로 길쭉하게 몇 개의 조각으로 잘라서, 술후 생착을 돕고 반흔조직의 형성을 예방할 목적으로 진피 부위를 제거한 다음 수여부 구순열 반흔조직으로 이식한다(그림 25-27) [이 임상증례는 서울대학교 치과대학 구강악안면외과 최진영 교수의 증례입니다].

참고문헌

1. Khan AA, Khan IM, Nguyen PP, et al. Skin Graft Techniques. Clin Podiatr Med Surg 2020;37:821-35.
2. Krizek TJ, Robson MC. Evolution of quantitative bacteriology in wound management. Am J Surg 1975;130:579-84.
3. Galiano RD, Mustoe TA. Wound care. In: Thorne CH, editor. Grabb and Smith's Plastic Surgery. 6th ed. Philadelphia: Lippincott Williams & Wilkins; 2007.
4. Hogsberg T, Bjarnsholt T, Thomsen JS, Kirketerp-Moller K. Success rate of split-thickness skin grafting of chronic venous leg ulcers depends on the presence of Pseudomonas aeruginosa: a retrospective study. PLoS One 2011;6:e20492.
5. Thorne CH. Techniques and principles in plastic surgery. In: Thorne CH, editor. Grabb and Smith's Plastic Surgery. 6th ed. Philadelphia: Lippincott Williams & Wilkins; 2007.
6. Scherer-Pietramaggiori SS, Pietramaggiori G, Orgill DPl. Skin graft. In: Gurtner GC, editor. Plastic Surgery: Volume 1: Principles. 4th ed. London: Elsevier Inc.; 2018. p.214-30.
7. Barker DE. Vacutome; a new machine for obtaining split thickness skin grafts. Plast Reconstr Surg (1946) 1948;3:492-501.
8. Barker DE. Skin thickness in the human. Plast Reconstr Surg (1946) 1951;7:115-6.
9. Hinshaw JR, Miller ER. Histology of healing split-thickness, full-thickness autogenous skin grafts and donor sites. Arch Surg 1965;91:658-70.
10. Littlewood AHM. Seroma: An unrecognised cause of failure of split-thickness skin grafts. British Journal of Plastic Surgery 1960;13:42-6.
11. Ratner D, Nayyar PM. Grafts. In: Bolognia JL, Schaffer JV, Cerroni L, editors. Dermatology. 4th ed. Philadelphia: Elsevier Limited.; 2018. p.2517-30.
12. Braza ME, Fahrenkopf MP. Split-Thickness Skin Grafts. StatPearls. Treasure Island (FL): StatPearls Publishing Copyright ©2021, StatPearls Publishing LLC.; 2021.
13. Beckett AR, Larson KJ, Brooks RM, et al. Blinded Comparative Review of Lubricants Commonly Used for Split-Thickness Skin Graft Harvest. J Burn Care Res 2019;40:327-30.
14. Told TN. Skin grafting. In: Pfenninger JL, Fowler GC, editors. Pfenninger and Fowler's procedures for primary care: expert consult 3ed: Elsevier Health Sciences; 2010. p.227.
15. Smahel J. The healing of skin grafts. Clin Plast Surg 1977;4:409-24.
16. Rudolph R, Klein L. Healing processes in skin grafts. Surg Gynecol Obstet 1973;136:641-54.
17. Klein L, Rudolph R. Turnover of soluble and insoluble 3H-collagens in skin grafts. Surg Gynecol Obstet 1974;139:883-8.
18. Orentreich N. Autografts in alopecias and other selected dermatological conditions. Ann N Y Acad Sci 1959;83:463-79.
19. Tamura H. Hair grafting procedure. Jpn J Dermatol Venereol 1943;52:76.
20. Marritt E. Micrograft dilators: in pursuit of the undetectable hairline. J Dermatol Surg Oncol 1988;14:268-75.
21. Norwood O. Classification and incidence of male pattern baldness. In: Norwood O, editor. Hair Transplant Surgery. 1st ed. Springfield: Charles C. Thomas; 1973.
22. Blanchard G, Blanchard B. Obliteration of alopecia by hair-lifting: a new concept and technique. J Natl Med Assoc 1977;69:639-41.
23. KiliçA, KiliçA, Emsen IM, Ozdengil E. Lip scars camouflaged using microhair transplantation on male patients. Plast Reconstr Surg 2000;106:1340-1.
24. Miyamoto S, Takushima A, Momosawa A, Iida T, Ozaki M, Harii K. Camouflaging a cleft lip scar with single-hair transplantation using a Choi hair transplanter. Plast Reconstr Surg 2007;120:517-20.

PART 5

Chapter 26

국소피판

Local Flap

기본 학습 목표

- 악안면 재건 시 국소피판이 이용되는 경우를 설명할 수 있다.
- 국소피판의 원리와 분류에 대해 설명할 수 있다.

심화 학습 목표

- 안면부에서 이용되는 조직확장술에 대해 설명할 수 있다.
- 구순 재건 시 원칙과 이용되는 재건법 및 고려사항에 대해 설명할 수 있다.
- 협부 재건 시 이용되는 재건법과 고려사항에 대해 설명할 수 있다.
- 비부 재건 시 이용되는 재건법과 고려사항에 대해 설명할 수 있다.

입술과 볼은 심미적인 측면뿐만 아니라 표정, 발음 및 연하에 있어 없어서는 안 될 중요한 구조이므로 결손과 변형이 있으면 이를 고려한 재건을 해주어야 한다. 코 역시 호흡이라는 중요한 기능을 고려한 심미적 재건이 이루어져야 한다. 본 장에서는 다양한 안면 국소피판(local flap)의 분류 및 개념을 이해하고, 입술과 볼 그리고 코의 결손과 변형에 국소피판이 어떻게 응용되는지를 알아보고자 한다.

1. 국소피판의 분류

국소피판은 수혜부에 인접한 부위가 공여부로 사용되는 피판을 일컫는 용어로, 원격피판(distant flap)과 상대되는 용어이다. 국소피판은 이동방법에 따라 전진피판, 회전피판, 전위피판, 삽입피판으로 분류된다.[1]

1) 전진피판(Advancement flap)

결손부를 덮기 위해 주위조직을 선상 방향으로 전진시키는 피판을 말한다. 방추상 절제를 한 후 피부의 양 끝단을 당겨 봉합하는 것이 전진피판의 가장 단순한 형태이다(그림 26-1A). A to T 형태의 전진피판을 봉합하는 경우, 한 쪽이 다른 한 쪽에 비해 연조직의 양이 많기 때문에 standing cone deformity가 발생하게 된다. 이 경우 A의 아래쪽에 해당하는 축의 길이를 연장하기 위해 Burow 삼각(Burow's triangle)을 형성하여 절제할 수 있다(그림 26-1B). V to Y 전진피판은 하부의 축을 따라 길이를 연장하기 위해 종종 이용된다(그림 26-1C). 편측 전진피판(unilateral advancement flap)을 사용하는 경우 피판의 가장자리를 따라 길이의 편차가 있기 때문에, Burow 삼각을 설계하고 절제함으로써 standing cone deformity를 예방할 수 있다(그림 26-1D). 양측 전진피판에서도 편측 전진피판과 마찬가지로 Burow's 삼각이 필요하다(그림 26-1E). 도상 전진피판(island advancement flap)은 피부피판에서 피하 혈관경을 유지하면서 결손부로 피판을 이동하는 방법이다(그림 26-1F). 일반적으로 전진피판 작도시 피판 길이와 전진 길이의 비율은 1:1이나 2:1로 설정해야 한다. 전진피판은 종종 standing cone deformities나 dog-ear deformities를 유발하기 때문에 그 해결방법을 고려해야 한다.

2) 회전피판(Rotation flap)

피판의 기저부에 고정된 점을 가지고 결손부로 원호를 따라 회전시키는 피판을 말한다. 일반적으로 피판의 직경은 결손부의 직경의 2~3배 정도, 원호의 길이는 결손부 너비의 4~5배로 하고, 30° 이내로 회전하도록 설계된다. 회전피판의 구성은 대부분 전진피판과 유사하므로 회전-전진피판이라고 하는 것이 더 정확하다(그림 26-1G). O to Z 회전피판은 두 개의 마주보는 회전피판이 동일한 결손부의 구심점을 향해서 회전하는 피판이다. 결손부에 따라 부가적인 회전판이 추가되는 설계를 할 수 있다(그림 26-1H).

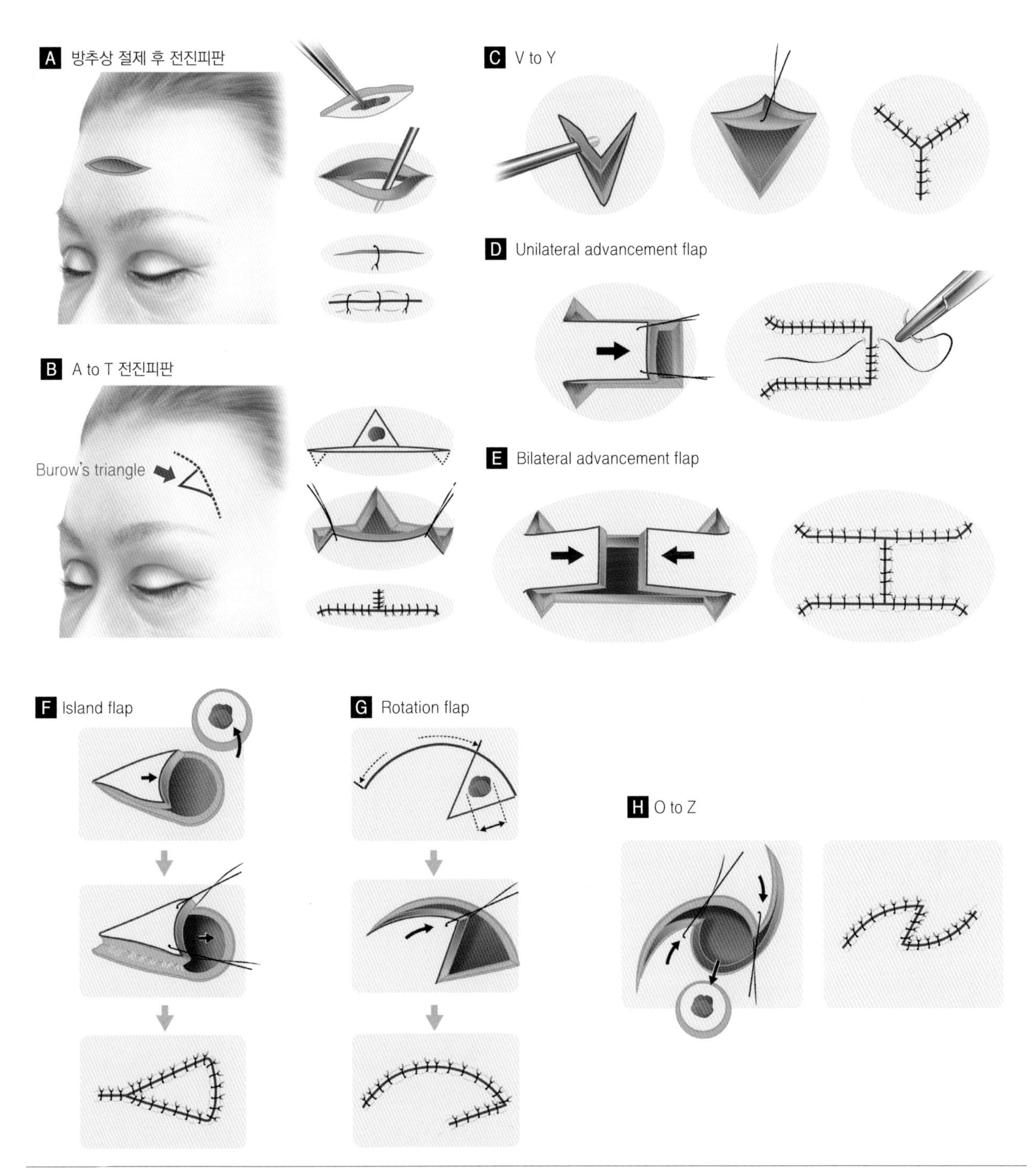

그림 26-1 **전진피판과 회전피판의 모식도.**[1] 작은 화살표는 결손부의 봉합을 위한 전진 또는 회전의 방향을 나타내며, 큰 화살표는 봉합 전후 결손부의 이동을 나타낸다. 봉합 후의 그림은 봉합방법에 기인하여 발생한 흉터를 나타낸다. **A:** 방추상 절제 후 봉합하는 형태의 전진피판 **B:** A to T 전진피판. Standing cone deformity를 방지하기 위해 조직이 많은 쪽의 가장자리에 Burow 삼각(표시)을 설계하여 절제한 후 봉합한다. **C:** V to Y 전진피판 **D:** 편측 전진피판 **E:** 양측 전진피판 **F:** 도상 전진피판 **G:** 회전피판 **H:** O to Z 회전피판

3) 전위피판(Transposition flap)

이차적인 결손이 생기게 설계되며, 다양하게 응용될 수 있다. 이 피판은 공여부에서 거상되어 피부의 불완전한 비결손부를 지나 결손부에 위치한다. 공여부는 설계의 일부로서 일차 봉합된다. 전위피판 중 자주 사용되는 것들은 사방형 피판(rhombic flap)과 이엽피판(bilobed flap), Z-성형술이다. 다음은 대표적으로 많이 사용되는 전위피판의 예이다(그림 26-2, 3).

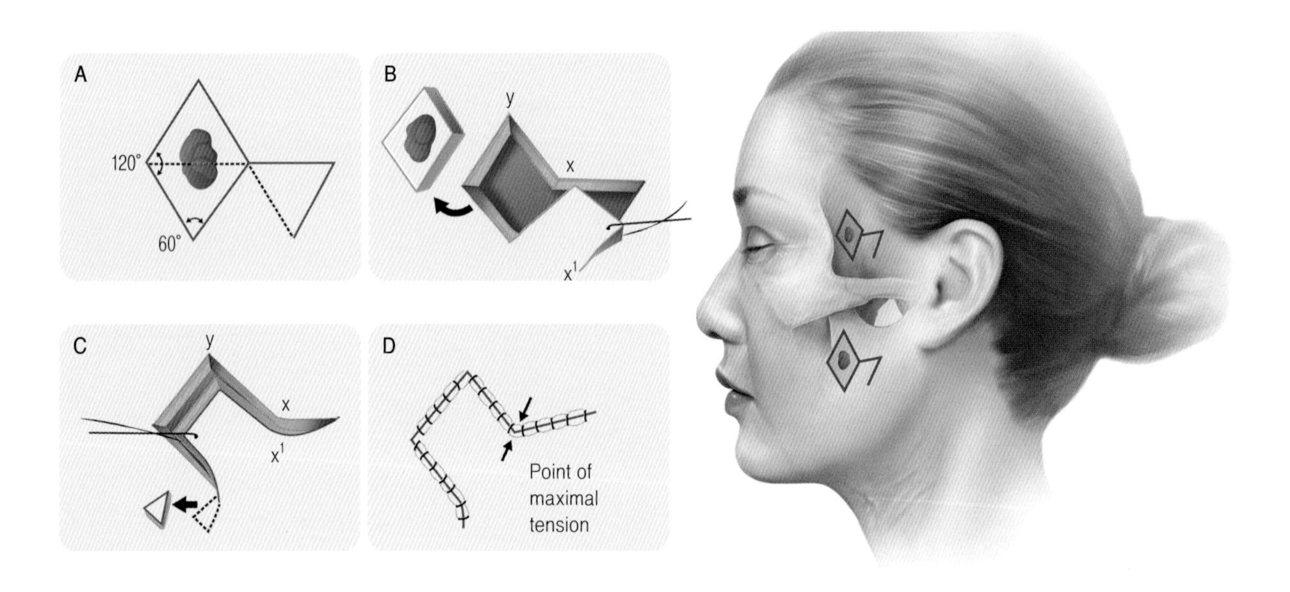

그림 26-2 **Limberg rhombic flap.**[1] **A:** 병소 주위로 60°와 120° 각도를 가진 마름모 형태로 설계한 후 봉합을 위해 120°의 각에서 마름모의 가장 가까운 변과 평행하도록 하나의 엽(Limb)을 더 설계한다. **B:** 병소 부위를 절제한 후 전위피판을 거상시킨다. X와 X1을 맞닿게 하여 봉합하는데, 그 부분에서 조직 긴장력이 최대가 된다. **C:** 피판을 전위시킨 후 Burow 삼각을 절제하여 standing cone deformity를 제거한다. **D:** 봉합 후의 모습이며, 화살표는 조직 긴장력이 가장 큰 부위를 나타낸다.

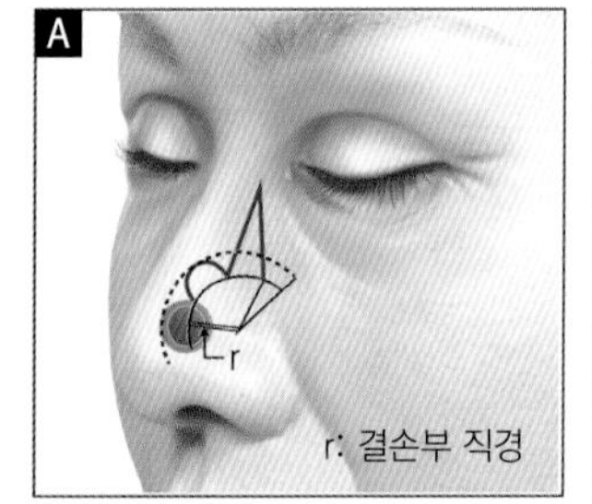

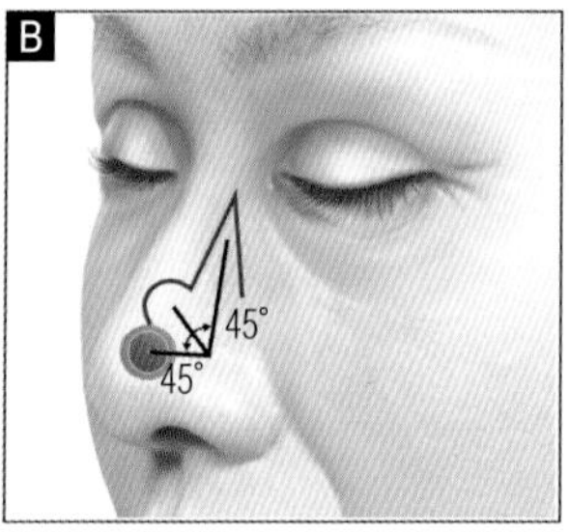

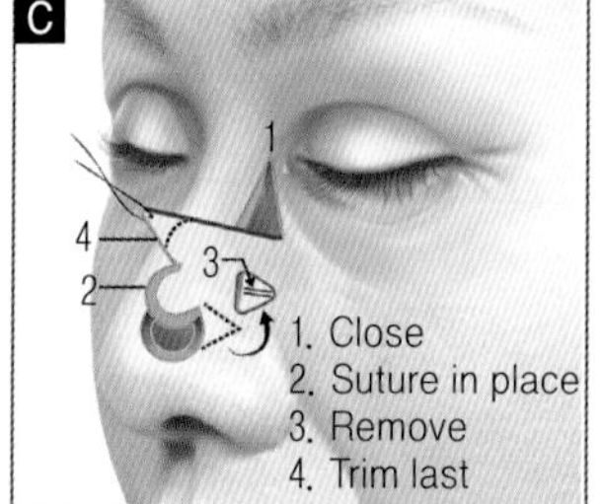

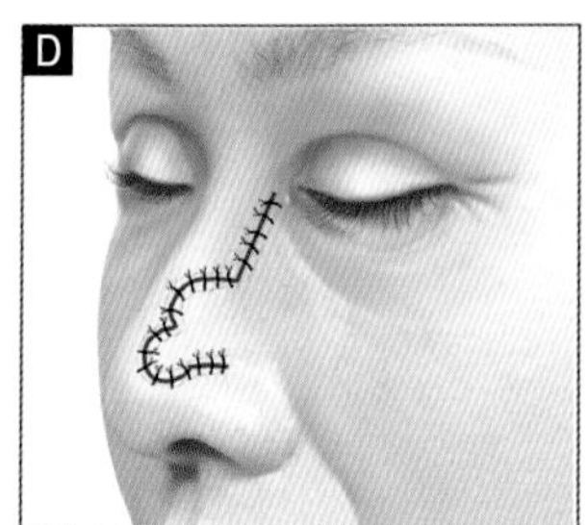

그림 26-3 **Zitelli의 이엽피판(bilobed flap).**[1] **A:** 두 개의 원호를 그림으로써 설계를 시작한다. 첫 번째 원호는 결손부의 중심부를 지나는 원호로, 결손부 반지름의 두 배가 되도록 그린다. 두 번째 원호는 결손부의 바깥쪽 변연을 따라서 반지름이 세 배가 되도록 그린다(점선). 두 개의 원호는 같은 점에서 시작하되, 이엽피판의 첫 번째 엽은 결손부의 폭과 같도록 설계하고 두 번째 원호의 변연까지 확장한다. 두 번째 엽은 Cone shape으로 폭은 첫 번째 엽보다는 작게, 높이는 두 배가 되도록 설계한다. **B:** 결손부의 축과 피판의 두 엽은 서로 45° 떨어져 있게 된다. **C:** 이엽피판을 결손부로 전위시키면서 두 번째 엽으로부터 생긴 결손부를 먼저 봉합하고, 그 다음 결손부로 이엽피판을 전위시킨다. 이후 첫 번째 엽에서부터 생긴 standing cone deformity는 절제해내고 두 번째 엽 꼭지점 부위의 과량의 조직 역시 모양을 맞춰 다듬는다. **D:** 봉합 후

표 26-1 국소피판의 분류

이동방법에 따른 분류	사용 예
전진피판	방추상 절제 및 일차 봉합술 A to T V to Y 편측/양측 전진 도상피판(Island flap) W-성형술
회전피판	두피(전진-회전피판) O to Z 경안면부(전진-회전피판) Karapandzic 미간(glabella)/ 비배부
전위피판	Rhombic Bilobed (Zitelli 변형) Z-성형술 Note Melolabial Nasofacial
삽입피판	Paramedian forehead Melolabial Nasofacial

4) 삽입피판(Interpolation flap)

결손 없는 피부의 상방, 혹은 하방으로 교차하는 유경피판이다. 만약 피판이 비결손 피부의 상방으로 건너가게 되면 이것은 차후에 이차적으로 분리하여야 한다. 전위피판과 대조적으로 삽입피판의 기저부는 결손부 기저부와 연속되지 않는다. 삽입피판은 종종 축상(axial) 혈액 공급에 의존한다. 안면부에서 가장 많이 사용되는 삽입피판은 supratrochlear artery에서 혈류공급을 받는 방정중 전두피판(paramedian forehead flap)이다.

2. 구순재건술(Lip reconstruction)

구순결손은 선천성 또는 후천성 원인에 의해 발생할 수 있다. 선천성 원인으로 구순열과 안면열 등이 있고, 후천성 원인으로 외상, 감염, 낭종, 양성종양 또는 악성종양의 절제 등이 있다. 구순의 재건시에는 이러한 결손 원인도 고려되어야 한다.

1) 구순의 해부

구순은 섬세한 감각신경과 운동신경의 지배하에서 침과 음식을 흘리지 않게 하고, 구순음을 만들며, 구강의 괄약기능을 한다. 협부는 구강의 측벽을 이루고 있으며, 피부와 구강점막 사이에 지방과 협근 등의 근육을 포함한다.

(1) 구순표면

구순은 피부, 근육 및 점막으로 구성되어 있다. 점막과 피부 사이에 있으면서 점액선이 없는 점막을 홍순(vermilion)이라 한다. 홍순은 그 하방의 혈관이 비쳐서 붉게 보이며 점액선이 없어서 건조하다.

(2) 근육

입 주위에 있는 근육들을 두 군으로 나눌 수 있다. 하나는 입을 다물게 하는 구륜근(orbicularis oris)이고, 다른 하나는 입을 벌리게 하는 근육들이다. 후자에는 상순을 끌어 올리는 근육들과 하순을 끌어내리는 근육들이 있다. 구륜근은 얼굴 여러 곳에서 입술로 모여 온 모든 길항근들을 수축하게도 하고 이완하게도 하여 갖가지 표정을 짓는다. 그리고 구륜근은 협근 및 인두수축근과 더불어 고리를 형성하고 있다. 만약 이 고리의 어느 한 부분이 결손되면 변형과 기능 장애가 온다(그림 26-4).

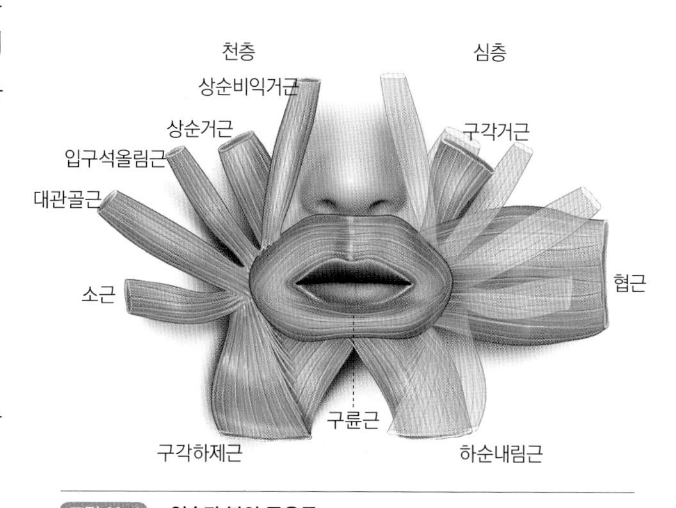

그림 26-4 입술과 볼의 근육들

(3) 신경

상순의 운동은 안면신경의 협부지(buccal branch)가, 하순의 운동은 안면신경의 협부지(buccal branch)와 변연하악지(marginal mandibular branch)가 지배한다. 구륜근은 협부지의 지배만 받는다. 상순의 감각은 삼차 신경의 안와하신경(infraorbital nerve)이 담당하고, 하순의 감각은 이신경(mental nerve)이 담당한다.

(4) 혈관

주로 안면동맥(facial artery)의 분지인 상하구순 동맥으로부터 혈액을 공급받는다. 안면동맥은 구각부(commissure)의 바로 측방에서 갈라져 구순의 점막하층(submucosal layer)으로 주행하며 구륜근(orbicularis oris)과 같이 주행한다. 정맥혈은 안면정맥으로 유입된다(그림 26-5).

2) 구순 재건수술의 원칙

구순을 재건할 때 가장 좋은 공여부는 운동신경과 감각신경을 포함하고 있는 구순 조직이다. 왜냐하면 단절되었던 구륜근이 연결되어야 괄약기능을 할 수 있게 되고 표정을 지을 수 있게 되기 때문이다. 그 다음으로 중요시해야 할 것은 심미성과 감각을 회복시키는 것이다.

❖ 구순을 재건할 때 지켜야 할 원칙

① 잔존하는 구순조직을 이용하는 것이 가장 좋다.

② 잔존 구순조직을 사용하기 불가능하면 반대측 구순으로부터 조직을 이전해 사용한다.

③ 반대측 구순조직이 충분치 못한 경우에는 결손부에 인접해 있는 협부에서 국소조직피판을 형성하여 사용한다.

④ 인접 협부에서 국소피판을 형성할 수 없는 경우에는 원거리 조직피판을 사용할 수 밖에 없다. 그러나 원거리피판을 사용하면 부피가 줄어들고, 근육이 포함되지 않거나 포함되어도 결국에는 위축되어 재건한 부위가 함몰되고, 신경지배를 받지 못해 괄약기능이 불가능하다. 따라서 가능하면 국소조직피판을 사용하도록 한다.

⑤ 심미적으로 모든 절개가 입술주위의 변연을 따라 이루어지거나 입술의 피부이완선(relaxed skin tension line, RSTL)과 평행한 것이 가장 좋다. RSTL은 구순의 중앙부에서는 수직으로 주행하고, 구순측방부에서는 약간 측방으로 경사지게(oblique lateral) 주행한다.

⑥ 상순은 하순보다 구륜근의 소실이 큰 문제가 되지 않는다. 이는 상순은 음식물을 유지하는 커튼과 같은 기능을 하며, 하순보다 덜 유동적이기 때문이다. 하순에서는 구륜근의 연속성이 기능에 대단히 중요한 영향을 미치므로 재건 시 이를 고려해야 한다. 또한 하순은 상순에 비하여 절제 후 형태 변화가 상대적으로 적은 편이므로 이 점도 고려해야 한다.

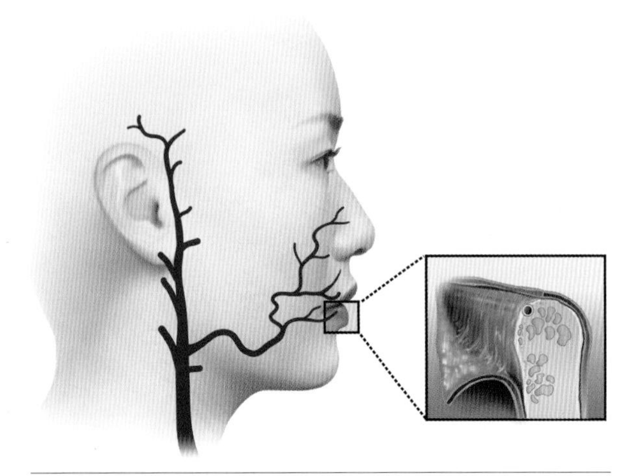

그림 26-5 구순 동맥의 주행 경로

3) 구순의 재건방법

❖ 상순의 재건방법

마취: 양측 안와하신경을 피부 또는 점막을 통해 전달마취하거나 전신마취한다. 침윤마취를 하면 주입된 국소마취제 때문에 조직이 부풀어 근육의 정확한 부피를 알 수 없게 되므로 입술모양을 제대로 만들기가 어려워진다.

(1) 상순의 1/3 미만이 전층 결손된 경우

상순에 1/4 정도의 결손이 있거나 노인의 상순에 1/3 정도의 결손이 있으면 직접 봉합으로 재건할 수 있다. 측방에 위치한 결손의 경우 비구순구(nasolabial fold)로 절개를 연장하여 완화(tapering) 시킬 수 있다(그림 26-6).[2,3]

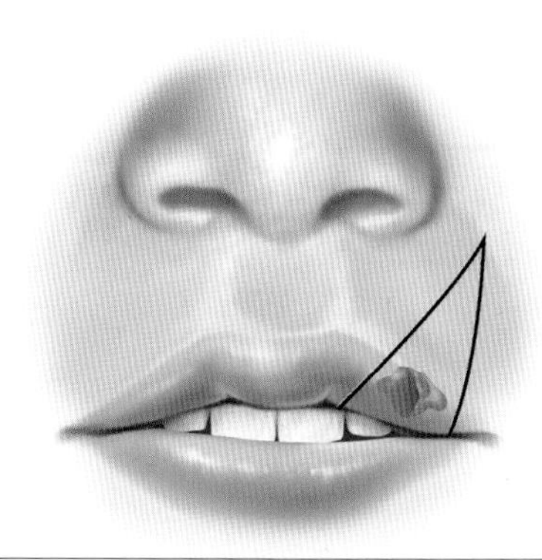

그림 26-6 상순결손 시의 직접봉합법(primary closure)

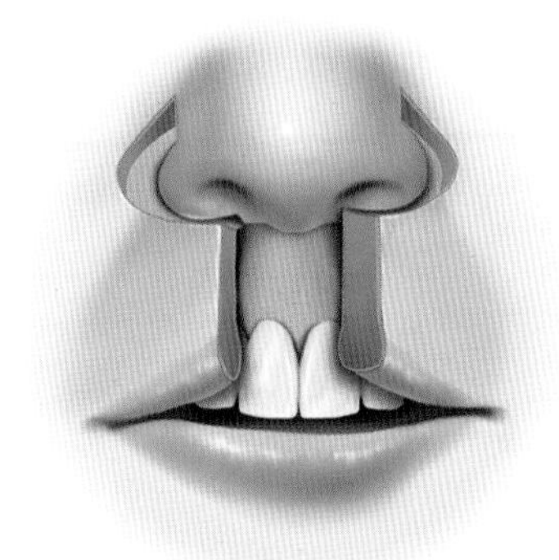

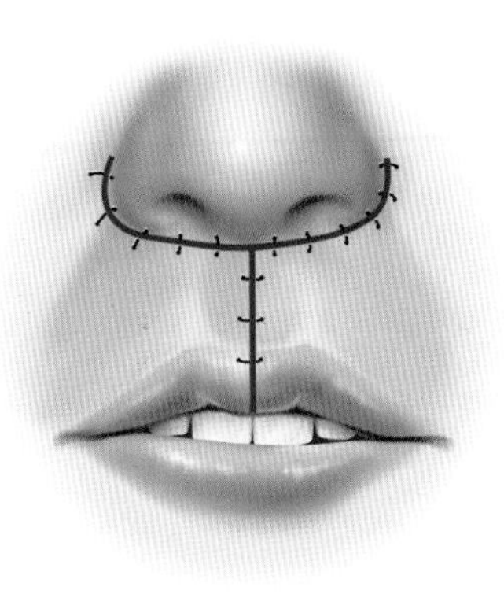

그림 26-7 비익 기저부 측방에서 피부를 초승달 모양으로 절제한 후 봉합

정중부 인중의 결손부를 직접 봉합하기 힘든 경우, 상순의 buccal vestibule을 releasing하고 초승달 모양으로 비익 주위 조직을 절제(perialar crescentic excision) 하여 피부와 피하조직을 제거한 후 근심측으로 전진시켜 결손부를 봉합할 수 있다(그림 26-7).[4] 이 경우 philtral groove와 cupid bow가 없어지므로 수염 등으로 반흔을 숨기는 것이 좋다.

(2) 상순의 1/3 이상이 전층 결손된 경우

① 국소피판

a. . **비구순구(nasolabial fold) 전위조직피판**: 비구순구에서 하방 또는 상방에 기저를 둔 피판을 만들어 이것을 상순으로 전위해 상순을 재건하는 것이다. 상순 피부 전체가 결손된 경우에는 양측 비구순구에서 전위피판을 만들어 이것으로 덮는다.

b. **Abbe 피판**: 상순에 결손이 생긴 경우, 상순조직처럼 기능할 수 있고 모양과 부피가 상순과 비슷하며, 공여부가 상순과 가까이 있는 조직으로 대치하는 것이 이상적이다. 이러한 조건에 부합하는 피판에는 Abbe 피판,[5] Estlander 피판,[6] Karapandzic 피판[7]이 있는데(그림 26-8), 그 중에서도 하순동맥을 혈관경으로 하여 하순 중앙부에서 만드는 Abbe 피판이 적합하다. 이 방법으로 상순의 1/2까지의 결손부도 재건할 수 있다. 그 뿐

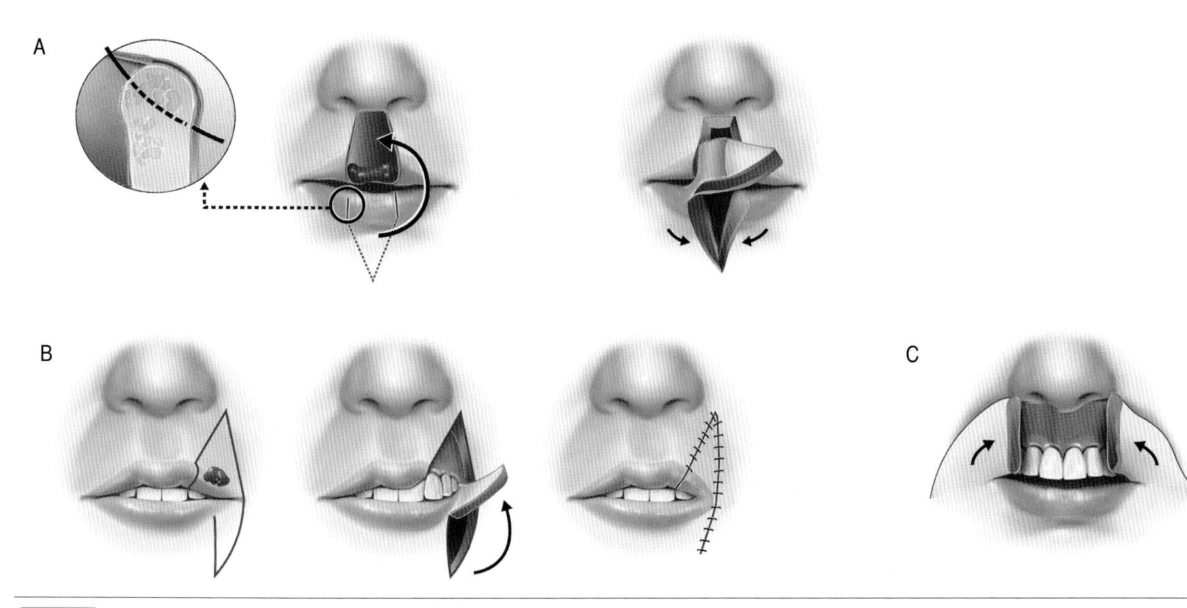

그림 26-8 A: Abbe 피판 B: Estlander 피판 C: Karapandzic 피판

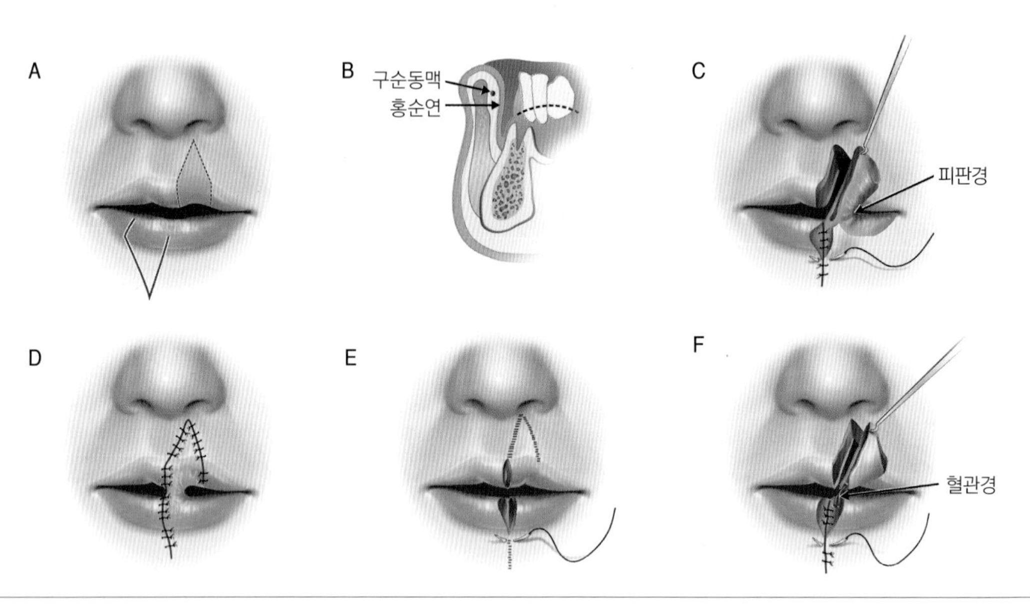

그림 26-9 **Abbe 피판. A:** 결손부에 맞게 피판을 도안 **B:** 구순 동맥의 위치 **C, D:** 결손부로 피판을 전위 **E:** 피판경을 절단하고 홍순을 봉합 **F:** 필요에 따라 도상피판으로 만들어 홍순을 즉시 재건해주는 모습

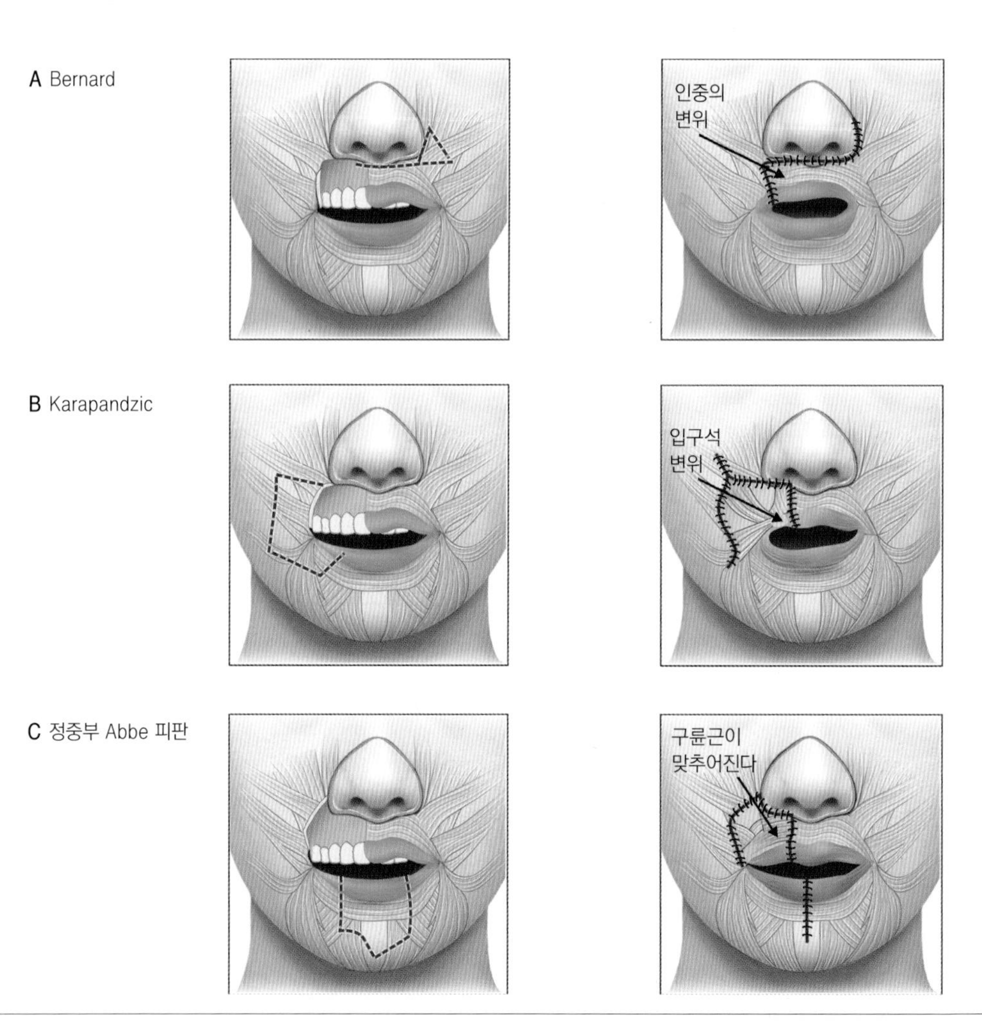

그림 26-10 **상구순 외측 부위에 결손이 있는 경우. A:** Bernard 법, **B:** Karapandzic 법, **C:** 하순 정중부에서 만든 Abbe 피판으로 재건할 수 있다.[8]

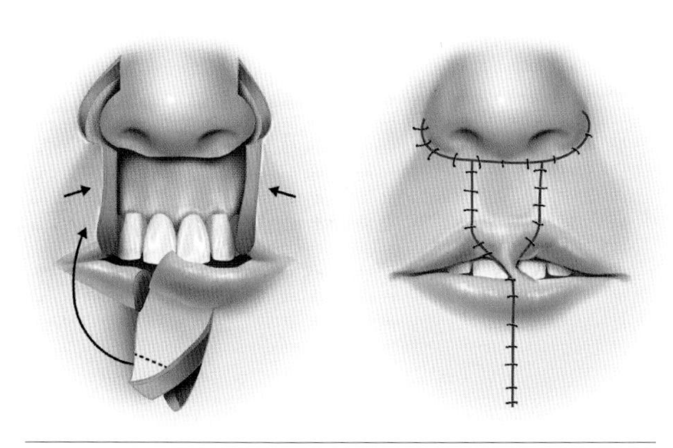

그림 26-11 초승달 모양으로 비익주위 조직을 절제하고 협부피판을 전진시켜 재건하면서 Abbe 피판을 병용하는 방법

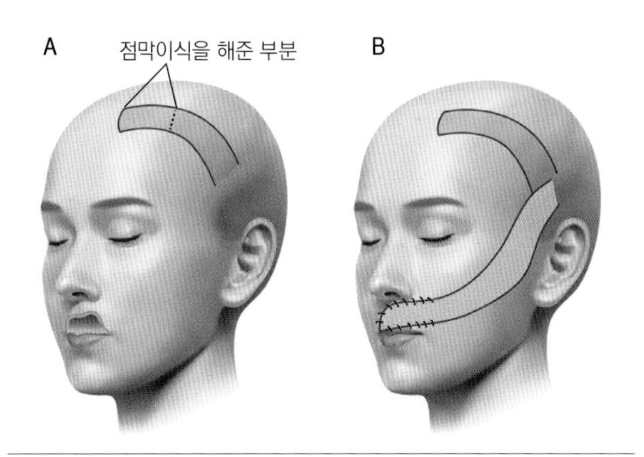

그림 26-12 두피판을 이용한 상순의 재건. A: 측두부에 두피판을 도안 B: 피판을 결손된 상순부에 봉합

아니라 공여부인 하순은 대칭이 유지되며 공여부의 절개반흔이 하순의 홍순에 어느 정도 가려지게 된다. 상순의 정중부를 벗어난 결손 부위의 수복 시에도 Abbe 피판을 하순에서 형성하여 재건할 수 있다(그림 26-9).

상순 정중부에 결손이 생긴 경우에는 하순 정중부에서 만든 Abbe 피판으로 재건한다.[8] 상순 외측부위에 결손이 생긴 경우에는 하순 정중부에서 만든 Abbe 피판으로 재건해야 구각부와 인중이 그대로 보존된다. 그렇지 않고 상순 외측부위에 결손이 생긴 경우에 Inverted Bernard 법으로 재건하면 상순 정중선 및 비구순구가 변위될 수 있다. Modified Karapandzic 법으로 재건하는 경우 구각부의 근육들이 절단되고 구각부가 위쪽으로 변위될 수 있다(그림 26-10).

c. **기타**: Inverted Bernard 법, Modified Karapandzic 법, 초승달 모양으로 비익주위 조직을 절제(perialar crescentic excision)하고 협부 피판을 전진시켜 재건하면서 Abbe 피판을 병용하는 방법들[2]이 있다(그림 26-11).

② 원거리피판(Distant flap)

구순에 광범위한 결손이 생긴 경우에 사용한다. 원거리피판으로 재건해 준 구순은 움직일 수도 없고 신경지배를 받을 수 없을 뿐 아니라 심미적으로도 좋지 못하다. 따라서 국소피판을 이용할 수 없는 부득이한 경우에 한해서만 두피피판(scalp flap), 유리피판 등의 원거리피판으로 재건해 주는 것이 좋다.

머리카락을 포함하는 두피피판은 천측두동맥의 혈관경을 가지는 단경(single pedicle) 두피피판 또는 양경(double pedicle)두피피판을 말하며, 수염이 있어야 할 상순을 재건하는데 사용한다. 그러나 머리카락은 수염과 다르게 수직으로 자라지 않아 외모가 자연스럽지 않을 수 있고, 수술을 여러 번 해야 하는 번거로움이 있으며, 공여부를 식피술로 덮어야 한다는 단점이 있다. 여성에게 사용되는 경우 재건된 구순에 털이 나고, 얇은 전두부피판으로 재건된 협부가 움푹 들어간다는 단점이 있다(그림 26-12).

상순 재건술의 대략적인 치료계획은 그림 26-13에 정리되어 있다.

❖ 하순의 재건방법

하순에 결손이 있으면 심미적인 문제가 발생할 뿐 아니라 항상 침을 흘리게 되므로 즉시 재건해 줄 필요가 있다.

(1) 하순의 1/3 미만이 결손된 경우

하순의 1/3 미만이 전층 결손되었지만 구각부가 보존되어 있는 경우에는 결손부의 모양을 V자형 혹은 W자형으로 만들어 직접 봉합할 수 있다(그림 26-14A).[3] 하지만 이순구(labiomental fold) 를 넘어서는 수직절개는 좋지 않은 반흔을 남기기 때문에 근심측 하순조직을 중앙으로 더 전진시키기 위해서는 이순구를 따라 single barrel 또는 double barrel 형태의 피부 및 피하조직절제를 추가하기도 한다(그림 26-14B, C).

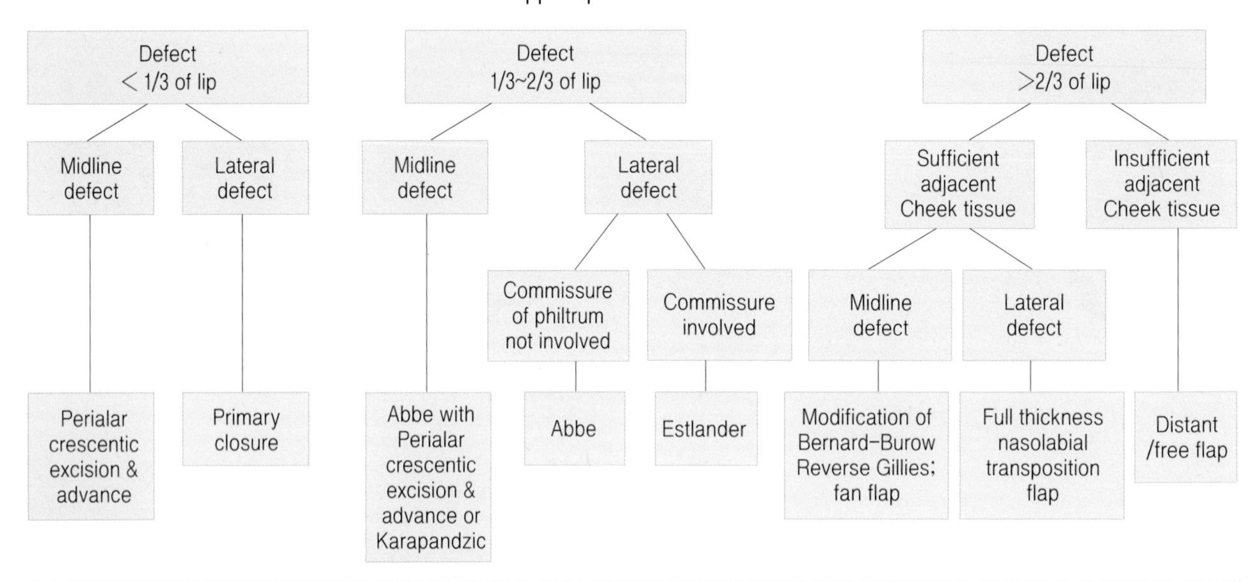

그림 26-13 상순 재건술의 치료 흐름도[8,9]

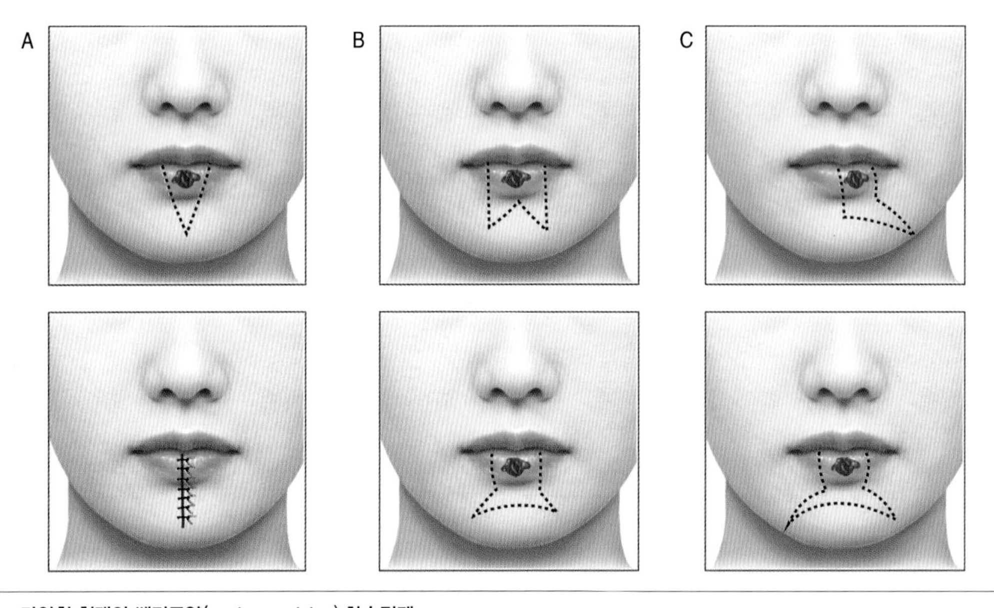

그림 26-14 다양한 형태의 쐐기모양(wedge excision) 하순절제

(2) 하순의 중앙 1/3~2/3가 결손되었을 경우

① Abbe 피판

하순에 1/3 이상의 결손이 생긴 경우에는 상순 중앙 1/3은 그대로 두고, 즉 인중주(philtral column)와 인중와(philtral dimple)는 그대로 두고 상순 중앙 1/3과 외측 1/3의 경계부에서 한 개의 전층 조직피판을 만들어 이것을 180° 회전시켜 하순을 재건한다. 이때 혈관경인 구순 동맥을 물론 포함하면서 이 동맥 주위의 점막도 폭이 1 cm 정도 되도록 보존하는 것이 매우 중요하다.

왜냐하면 구순 동맥을 통해서 공급되는 혈행만으로는

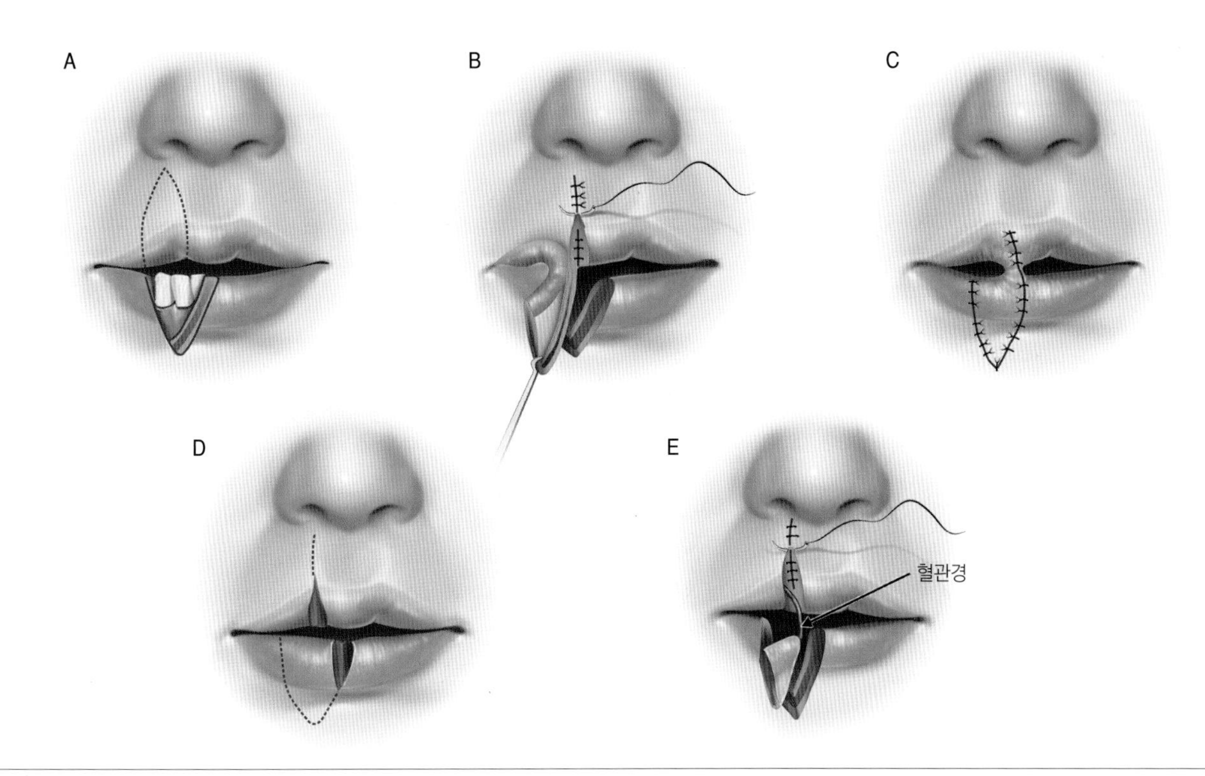

그림 26-15 **Abbe 피판. A:** 하구순 결손부와 피판 도안 **B:** 피판을 결손부로 전위 **C:** 하구순 결손부 재건 **D:** 피판의 경(pedicle)을 절단하고 홍순연을 복원 **E:** Abbe 피판을 도상피판으로 만들어 사용하는 방법

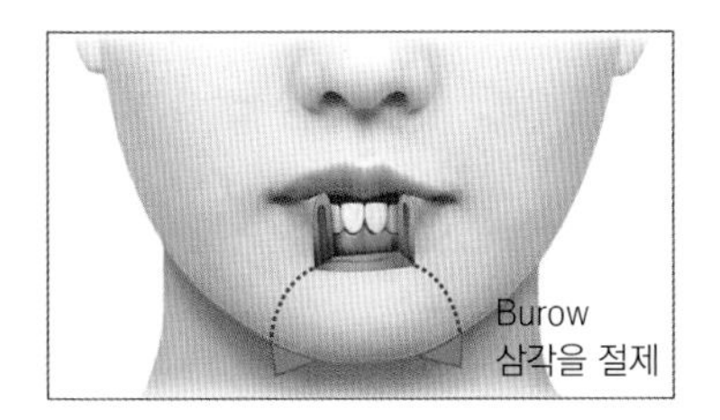

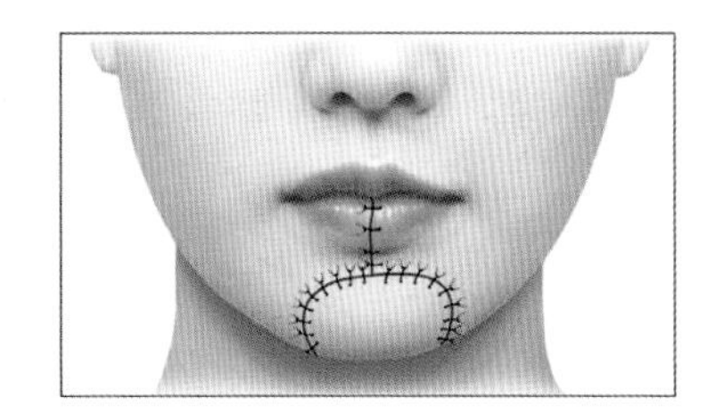

그림 26-16 **Schuchardt 법**

부족할 가능성이 있기 때문이다. 필요에 따라서는 도상피판으로 만들어 사용할 수도 있지만 이 때 혈관경이 분리되지 않도록 주의해야 한다. 수혜부의 봉합 시 white roll 부위부터 가장 먼저 봉합한다. 상순의 평균 길이가 8 cm 이므로 피판의 최대폭이 2~3 cm를 넘지 않아야 기능적 문제없이 공여부를 직접 봉합할 수 있다. 공여부를 직접 봉합하기 어려운 경우 초승달 모양의 비익 주위조직 절제(crescentic excision; skin + subcutaneous tissue)를 할 수 있다.

수술 후 11~14일째에 Abbe 피판의 혈행상태가 양호함을 확인한 후 국소마취하에서 혈관경을 절단한다. Abbe 피판으로 재건하면 심미적으로 우수하고, 수술 후에 피판의 구륜근이 다시 신경지배를 받아 괄약기능을 하게 되므로 기능적으로도 좋다(그림 26-15).

② Schuchardt 법

하방에 기저를 둔 두 개의 악하피판을 정중선으로 전진시켜 하순을 재건하고, 악하부위에 생기는 dog ear를 삼각형으로 절제하여 처리해주는 방법이다. 봉합선 중 피부이완선에 수직인 부분이 있으면 Z-성형술을 한다.[10] 하순에 40~50%의 결손이 생긴 경우에는 이 방법으로 재건이 가

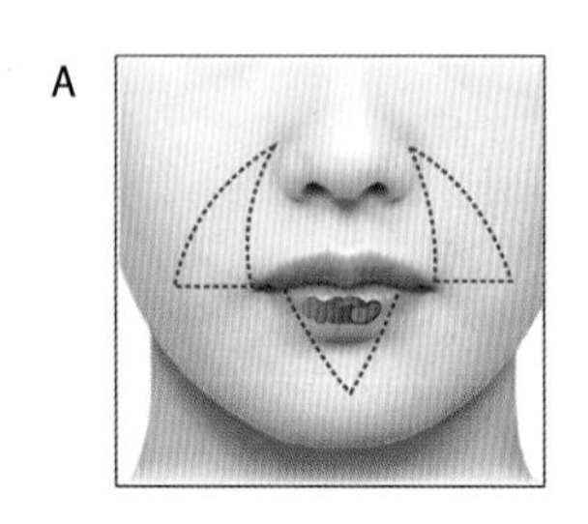

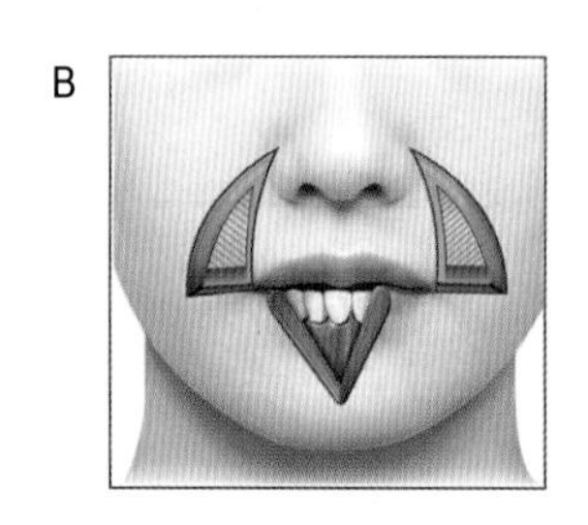

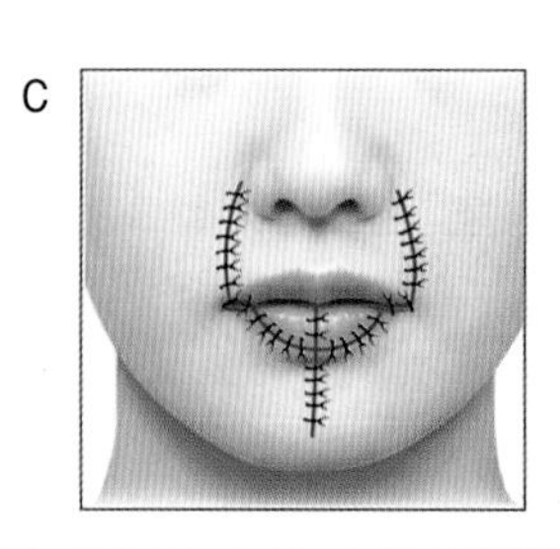

그림 26-17 **Bernard 법. A:** 하구순 절개선과 두 개의 Bernard 삼각피판 도안 **B:** 병소를 절제하고, 하구순의 홍순을 재건하는 데 사용할 구강내 점막판을 구각부 외방에 남겨둔다. **C:** 하구순 외방의 조직을 내방으로 이동하고 점막판으로 홍순을 재건해준다.

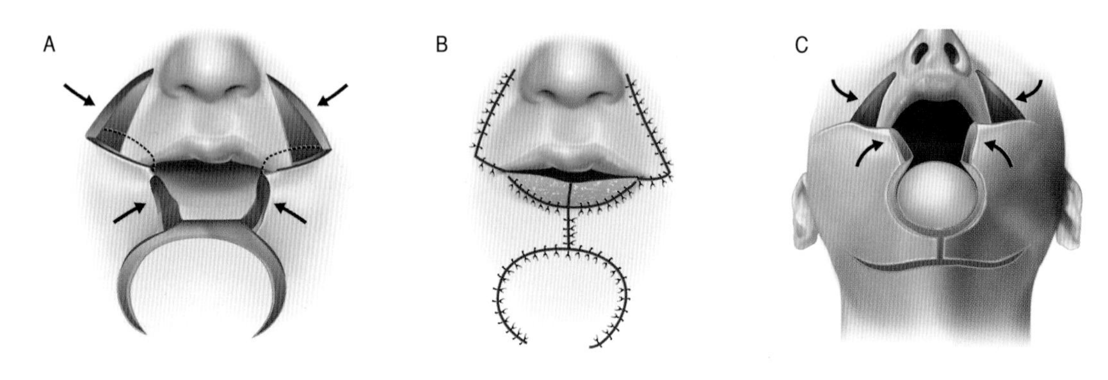

그림 26-18 **A, B:** Webster 변법 **C:** Lentrodt 법. Webster 변법에서 경부에 절개를 가하는 방법으로 경부림프절에 접근할 수 있다.

능하지만, 그 이상의 결손이 생긴 경우에는 이 방법으로 재건하면 주위 하순의 긴장이 심해진다(그림 26-16).

③ Bernard 법

하순 중앙부에 80% 정도의 장방형 전층 결손이 생긴 경우에 적용한다. 결손부 하부의 구순조직을 절제하여 결손부를 삼각형으로 만든다. 양쪽 구각부에서 외방으로 수평 절개를 가하고 양쪽 비순구에서 각각 삼각형 전층 협부 조직을 절개한 다음 양편 협부의 하부 전층 피판을 내방으로 전진시켜 하순을 재건해 주는 방법이다.[11] 이 방법으로 재건된 하순은 조직의 긴장이 크고, 후퇴해 있기 때문에 심미적으로 좋지 않으며 소구증(microstomia)이 초래되어 하순의 기능을 하기가 어려워진다. 따라서 이 방법은 잘 시행되지 않는다(그림 26-17).

④ Webster 변법

Webster 변법은 Bernard 법을 더욱 발전시킨 것이다. 구각부에서 협부쪽으로 가면서 약간 비스듬하게 절개를 가한다. 이때 협부 점막은 절개하지 않고 남겨두었다가 점막피판으로 만들어 하순의 홍순을 만드는데 사용한다. 비순구에서 삼각형으로 부분층 조직을 절제하여 양편 협부 하부의 피판이 내방으로 쉽게 전진되도록 한다. 하순 하부에서는 Schuchardt 피판을 만들어 협부피판이 내방으로 쉽게 전진되도록 한다(그림 26-18).[12,13]

⑤ Estlander 법

Estlander 법은 구각부를 포함한 하순의 1/3~2/3 크기의 결손이 생긴 경우에 동측 상순에서 상순 동맥을 혈관경으로 갖는 삼각형 전층조직피판을 만들어 이것을 180° 회전시켜 하순을 재건하는 방법이다. Abbe 피판과 다른 점은 Abbe 피판은 구각부를 포함하지 않으나 Estlander 피판은 구각부를 포함한다는 것이다. 기본적인 수술방법은 Abbe 피판을 사용할 때와 같다. 하순에 결손이 생긴 경우에는 Estlander 피판의 폭을 결손부 폭의 1/2로 해야 하순을 재

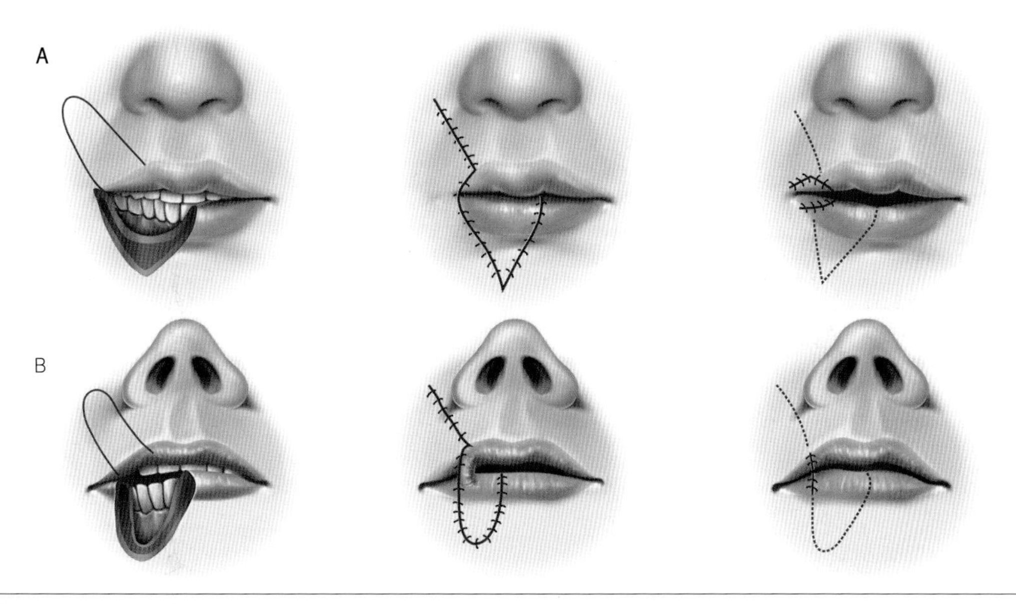

그림 26-19 A: Estlander 법 B: 구각부에 변형이 생기지 않는 Estlander 변법

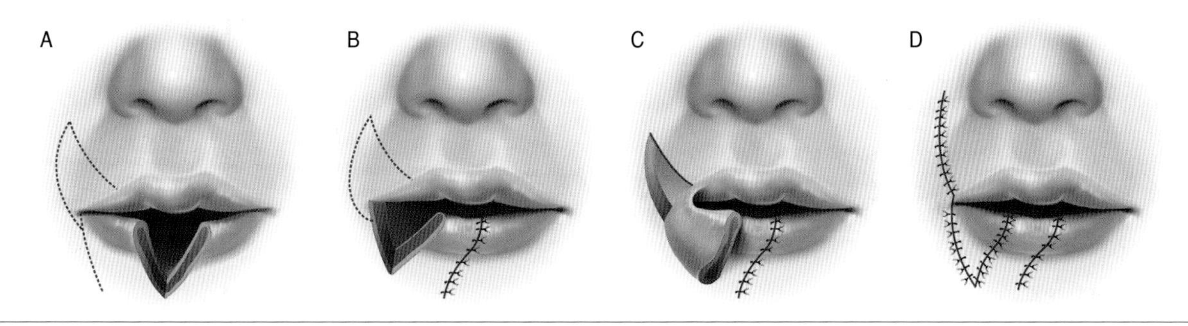

그림 26-20 **Buck 법. A:** 하구순 정중부의 결손과 절개예정선 **B:** 잔존 하순 조직을 정중부로 옮겨 결손을 수복해준다. **C, D:** 구각부를 포함한 Estlander 피판을 구순으로 회전하여 결손부를 수복해준다.

건한 후에 상, 하순이 균형을 이루게 된다. 이 방법을 시행한 후에는 구각부가 비대칭이 되기 때문에 3~4주가 지난 후에 구각성형술을 해야 한다. 구각부에 변형이 생기지 않도록 구각부를 피판 기저부에 포함시키지 않는 Estlander 변법을 사용할 수 있다(그림 26-19).[14]

⑥ Buck 법

하순 정중 부위에 결손이 생긴 경우에, 남아 있는 하순의 하방에 기저를 둔 조직피판을 만들어 정중부위로 옮겨서 결손부를 채우고 이로 인해 생긴 결손부는 Estlander 피판으로 재건하는 것이다(그림 26-20).[14]

⑦ Karapandzic 법

Gillies는 주위의 협부 조직으로부터 부채모양(fan)으로 피판을 형성하여 하순 결손부로 회전시키는 방법을 제시하였다.[15] 이에 반해 Karapandzic 법은 비순구의 주름을 이용하는 방법으로 하순 중앙부에 80% 정도의 결손(4~5 cm 이상 크기)이 생긴 경우에 사용할 수 있다.[7] 최종적으로 피부, 근육, 점막을 모두 절개하나 구각부는 피부와 피하조직 깊이로만 먼저 절개하여 구순 동맥과 협부 신경을 모두 찾아 확대경하에서 조심스럽게 박리하여 보존하면서 피판을 전진시킨 후 층별로 봉합한다. 이때 하순의 수평적 결손 정도에 따라 피판의 수직적 절개 길이를 결정한다. 상, 하

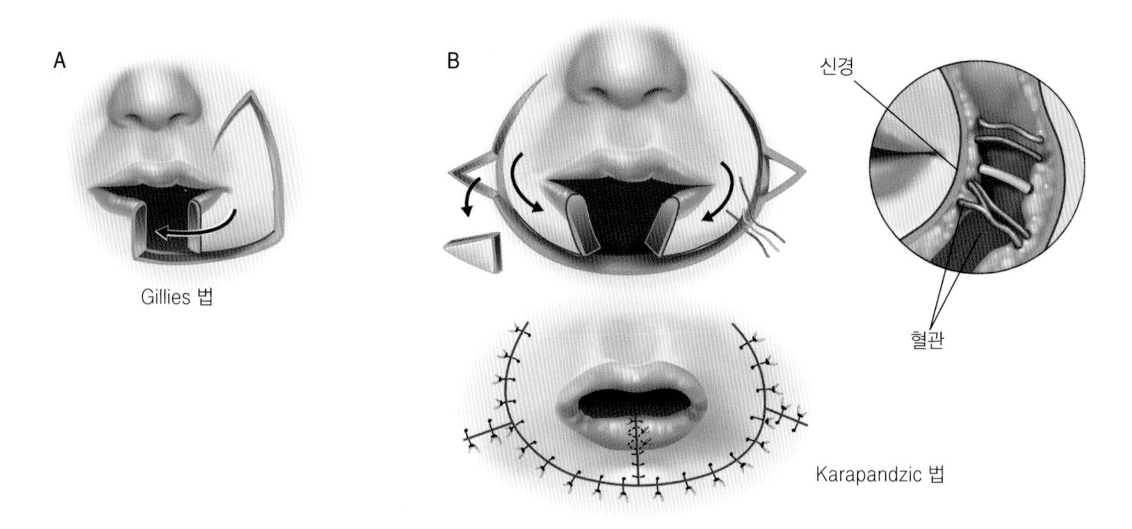

그림 26-21 A: Gilles 법 B: Karapandzic 법

순 어느 쪽이든 상당한 크기의 결손 부위를 높은 성공률로 회복시킬 수 있다. 협부 점막에 절개를 가할 때는 결손부 가까이에만 가해서 협부를 보존하도록 한다. 다량의 방사선 요법을 받아 구순 동맥의 개존(patency)이 의심스러울 때는 이 피판을 사용하는 것이 유리하다. 신경혈관경이 건재하고 구륜근의 방향이 제대로 되었으면 입술의 괄약기능이 회복된다. 따라서 이 방법은 현재 하순을 기능적으로 재건해 줄 수 있는 방법들 중의 하나라고 할 수 있다. 이 방법의 단점은 소구증이 된다는 것과 하순의 긴장이 증가한다는 것이다(그림 26-21).[16]

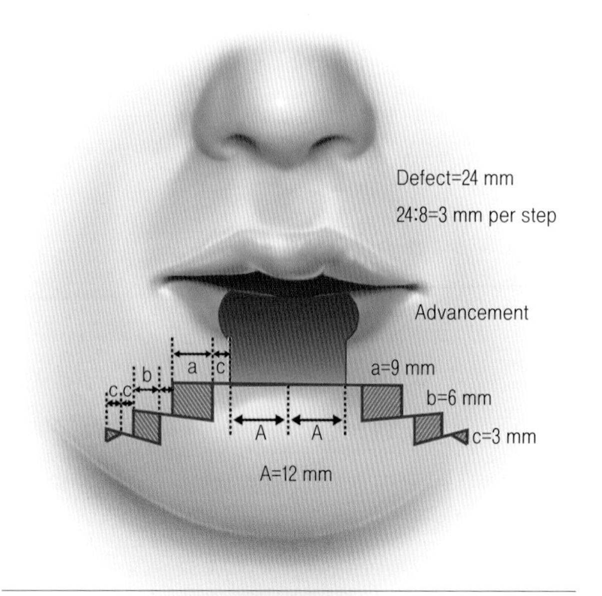

그림 26-22 Staircase 방법에 의한 하순 재건

⑧ Staircase 법

이 방법은 하순의 중간 정도 크기(2/3까지)의 결손에 사용이 가능하다. 반흔부가 이순구(labiomental fold)에 놓여 있어 심미적이고, 구각부의 형태가 변하지 않으며, 주위 근육을 침범하지 않고 전층피판을 형성하더라도 절개선이 하순하제근(depressor labii inferioris)과 구륜근의 주행방향을 변경하지 않는다는 장점이 있다. 고안된 초기에는 전층피판으로 제시되었으나[17] 여러 번의 변형을 거치면서 최근에는 구륜근과 하순하제근(depressor labii inferioris), 구강내 점막을 절개하지 않고 계단의 하방부위 사각형의 피부와 피하층까지만 절제하여 내측으로 이동시키는 피판이 되었다.[18] 정중부나 정중부에 가까운 결손부는 양측성 staircase incision을 하지만, 측방부에 있는 2 cm 이하의 결손부는 한 쪽의 staircase incision만으로 충분히 재건이 가능하다. 예를 들어, 결손부가 24 mm이고 4개의 staircase로 결손 부위를 수복한다면 좌우 합쳐 8회 전진하게 되고 이를 위해 각 step 당 3 mm씩 전진하면 된다(그림 26-22).

(3) 하순 전체가 결손된 경우

하순 전체를 절제한 경우 주위조직으로부터 새로운 구순

조직을 형성해야 한다. 이때 Webster, Bernard 법 등이 이용될 수 있으나, 이 경우 하순 감각과 기능이 만족스럽지 못하며 환자는 침을 계속 흘릴 수 있다. Karapandzic 법도 이용될 수는 있지만 술후 소구증이 발생하기 때문에 20% 정도의 하순조직이 남아있는 경우에 이용된다. 하순의 완전 절제시 Fujimori 관문피판(gate flap), Nakajima 부채형 피판(fan flap) 등도 사용될 수 있다. 이 방법은 조직을 제거해야 하는 Bernard 법의 단점을 보완하고 조직의 제거 없이 Gillies fan flap을 양쪽으로 이용하는 개념이다. 하순 재건시 조직 공여부로 이용되는 협부까지도 절제범위에 포함된 경우 국소피판만으로 재건하는 것이 불가능하므로, 미세수술을 통해 유리피판으로 재건하는 것을 고려해야 한다.

① Fujimori 관문피판(Gate flap)

양측 비구순구의 전층 조직피판으로 하순 전체를 재건하는 방법이다. 이 방법은 피판이 상당히 크고 봉합 후 dog-ear가 형성되지 않으며 감각신경이 포함된 근육을 함유하고 있다는 장점이 있으나, 홍순(vermilion) 형성이 어렵고 상순의 감각이 소실되는 단점이 있다.

종양에 이환된 하순 전체를 사각형으로 절제한 후 비순구에 안면 혈관으로부터 혈행을 공급받는 양측성 도상피판을 구각부로부터 0.5~1 cm 측방에 작성하여 하순 중앙부로 회전시킨다(그림 26-23).[19]

② Nakajima 부채형 피판(Fan flap)

하순의 전체 결손 시 주위의 협부 조직으로부터 형성된 부채모양의 피판을 회전시키는 방법이다. 회전을 용이하게 하기 위하여 비구순구에 절개하는 도상피판(island flap)을 형성하여 하순정중부까지 근심으로 전진 시킨다(그림 26-24).[20]

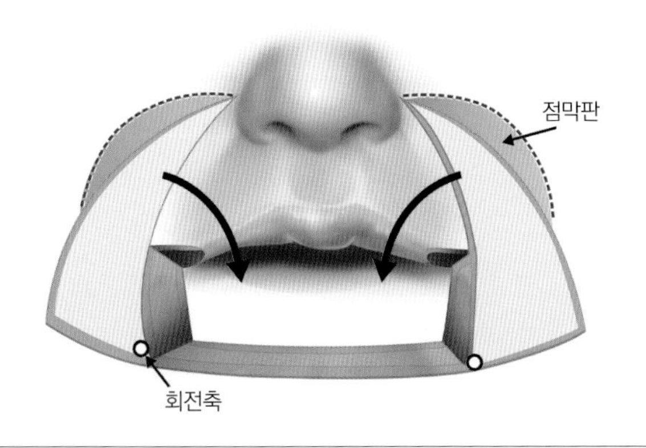

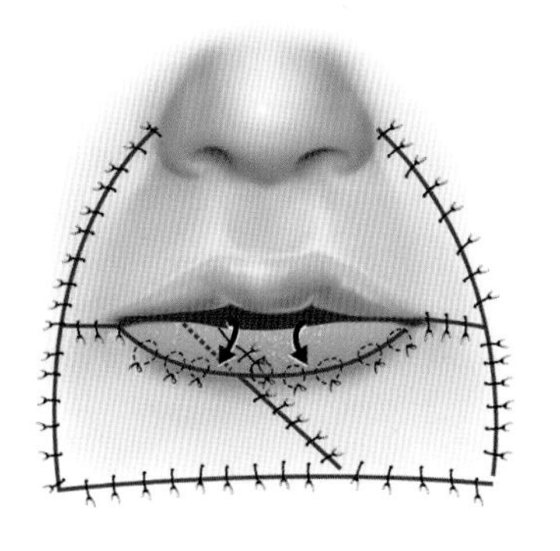

그림 26-23 Fujimori 관문피판법

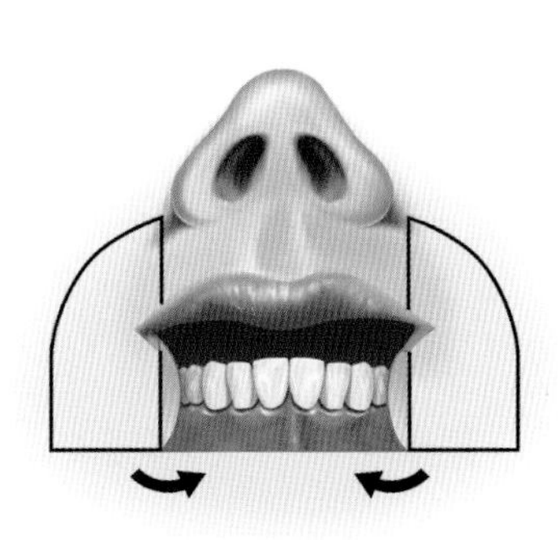
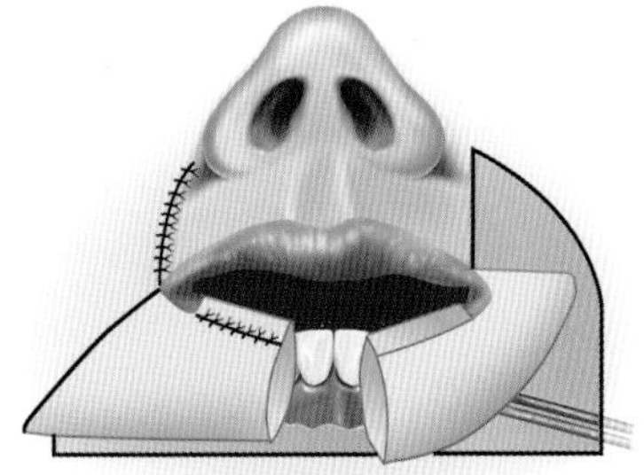

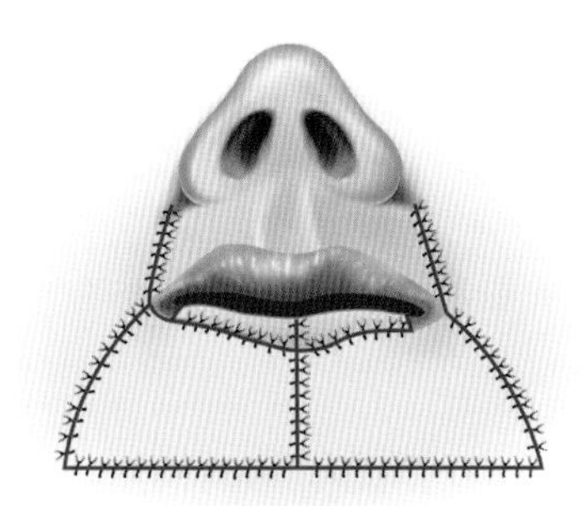

그림 26-24 Nakajima 부채형 피판

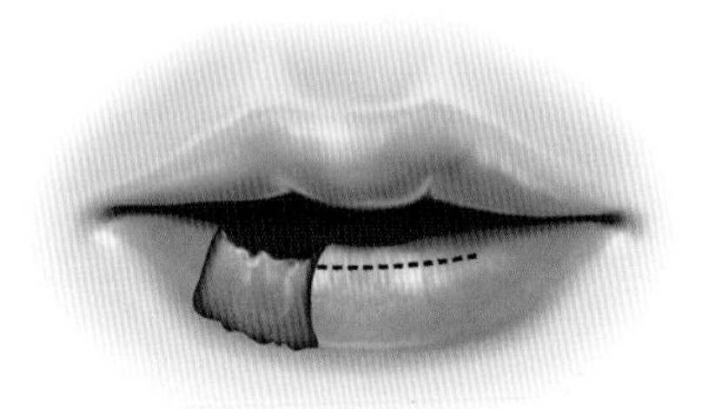
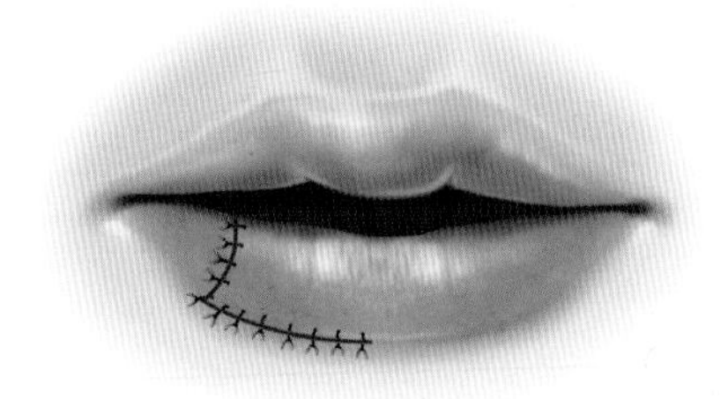

그림 26-25 **전진홍순피판.** 잔존 홍순에서 구순 동맥을 포함하는 홍순피판을 만든 다음 결손부로 전진시켜 홍순을 복원해준다.

4) 구순 홍순 및 구각부 재건방법

(1) 홍순부 재건방법

홍순이 결손된 경우에는 홍순이나 국소점막피판으로 재건하는 것이 이상적이다.

① 전진점막피판(Advancement mucosal flap)

홍순이 결손된 경우에 이를 재건하기 위한 가장 쉬운 방법이다. 홍순 결손부에 있는 구순점막과 그 밑에 있는 근육 일부로 구성된 점막피판을 거상하여 이것을 바깥쪽으로 전진시켜 홍순을 재건하거나, 남은 홍순에서 구순 동맥을 포함하는 홍순피판을 만들어 이것을 결손부로 전진시켜 홍순을 재건하는 것을 말한다.[21] 후자의 방법으로 하순 홍순의 1/2 결손까지도 재건할 수 있다. 전진점막피판으로 휘파람 부는 모양의 홍순 변형(whistle deformity)도 교정할 수 있다(그림 26-25).

② 구순점막피판(Mucosal apron flap)

반대측 점막을 apron 모양으로 거상하여 홍순을 재건하는 mucosal apron flap으로, 입술에서 단경 또는 양경 점막피판을 작성하여 홍순을 재건한다(그림 26-26~28).[5,9,14]

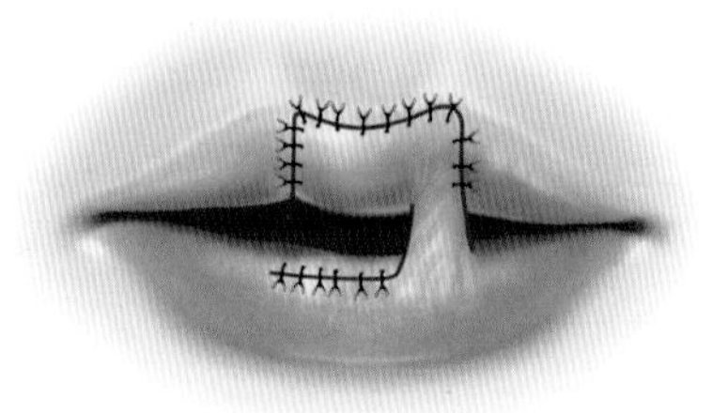

그림 26-27 **홍순 스위치피판(vermilion lip switch flap, 단경구순점막근피판).** 상구순 정중 부위에 홍순 결손이 있을 경우 하구순에서 홍순과 근층으로 된 홍순피판(vermilion flap)으로 재건하는 방법. 피판경을 술후 10~14일경에 절단한다.

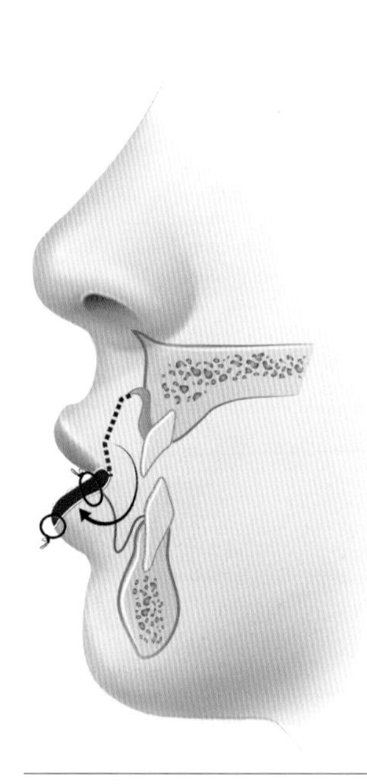

그림 26-26 Mucosal apron flap

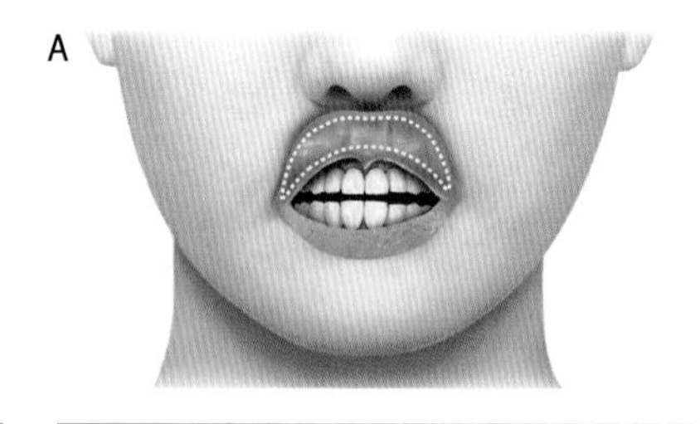

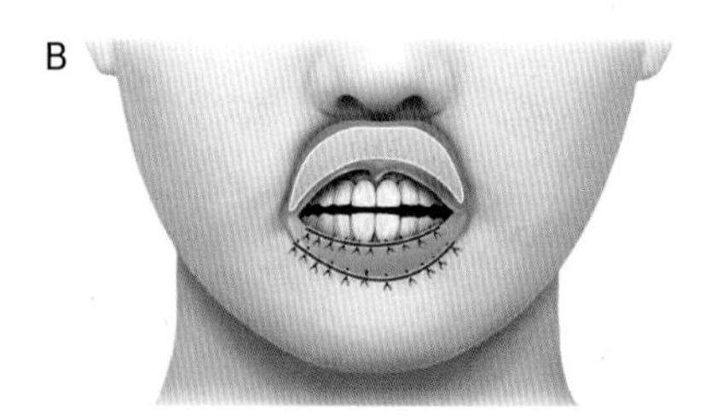

그림 26-28 **양경 구순점막피판. A:** 하순의 홍순 결손이 광범위한 경우 상순점막에 피판을 도안 **B:** 피판을 하순에 이전하여 홍순을 재건하는 모습

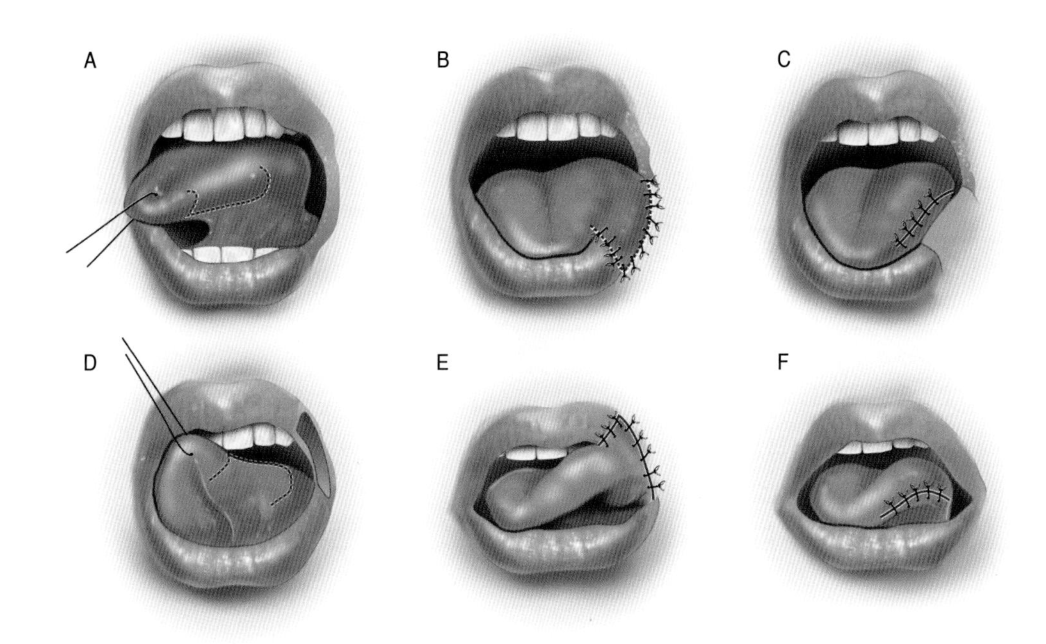

그림 26-29 **화상으로 변형된 입술을 재건하기 위한 설피판. A:** 설피판 도안 **B:** 점막과 하방 근육조직으로 이루어진 점막-근육피판을 상방에 기저를 두고 거상하여 하순 결손부에 봉합한다. **C:** 제2단계 수술 때 피판경을 절단 **D, E:** A에서 형성한 설피판의 기저를 하방에 두는 두 번째 설피판을 거상하여 상구순 결손부에 붙여준다. **F:** 피판경을 절단한다.

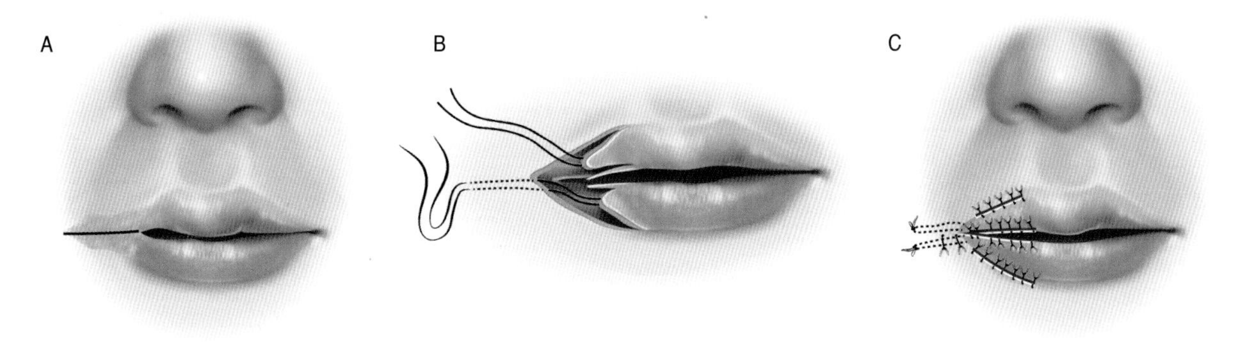

그림 26-30 **Kazanjian-Roopenian I 법. A:** 입술 길이를 연장해주고 구각부를 재건하기 위하여 유착된 구각부에 수평으로 전층절개를 가하고 홍순모양으로 반흔을 제거한다. **B:** 인접 홍순에서 홍순과 근육층으로 된 점막근피판을 거상하여 구각부쪽으로 전진시킨다. **C:** 홍순-근층 피판의 끝을 새로 만들어지는 구각부로 전진봉합하여 고정한다.

③ 설피판(Tongue flap)

혀끝 또는 혀의 가장자리에서 피판을 거상하여 홍순을 재건한다. 조직이 외부 환경에 노출되면 각화가 많이 일어난다는 단점이 있다(그림 26-29).[14,22]

(2) 구각부 재건방법

입술을 재건할 때 가장 재건하기 어려운 곳이 구각부이다. 필요한 입술의 길이를 정한 다음 점막을 전진시켜 구각부를 형성한다.[14]

① Kazanjian-Roopenian 법

전기화상 또는 열화상으로 인한 심한 구각부 변형의 재건에 많이 사용되는 Kazanjian과 Roopenian 법은 입술에 남아 있는 홍순의 양에 따라 다르게 시행될 수 있다.

a. **Kazanjian-Roopenian I 법:** 상, 하순의 외측 1/4~1/3부분이 반흔으로 유착되어 있는 경우에 적용된다. 반흔을 절제했을 때 홍순으로 덮여 있지 않은 부분의 길이가 1~1.5 cm 미만일 때는 측방의 홍순과 하방의 근육을 피판으로 거상한 다음 구각부쪽으로 전진시켜 재건하는 것이다(그림 26-30).

PART 5

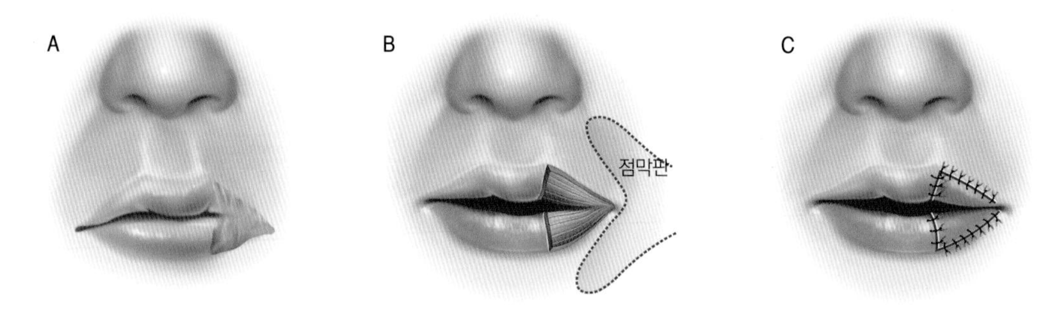

그림 26-31 **Kazanjian-Roopenian II 법. A:** 반흔으로 유착된 부분 **B:** 반흔으로 유착된 상하구순을 분리한 다음 협부 점막에 점막판을 도안한다. **C:** 점막판을 밖으로 이전하여 홍순을 재건한다.

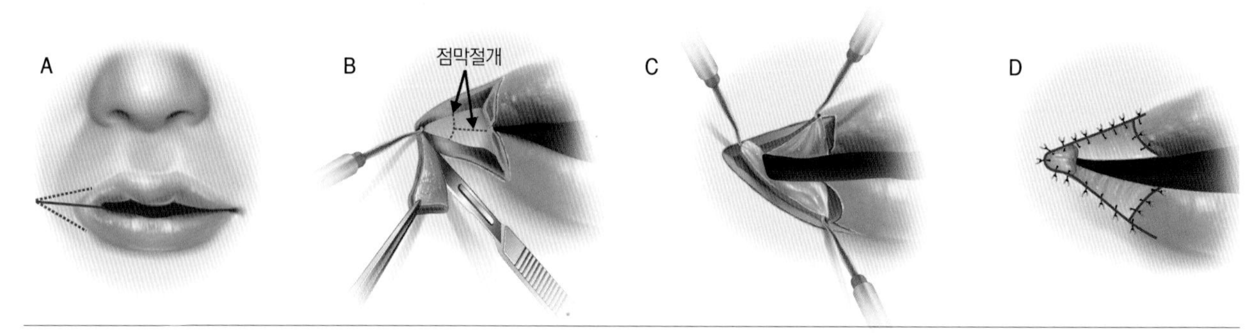

그림 26-32 **Converse 점막외전법.** 구순길이를 연장하고 구각부를 복원해주는 방법. **A:** 절개예정선 **B:** 피부 및 피하조직을 절제하고 구강점막을 노출시킨다. **C:** 점막절개 후 3개의 점막판을 밖으로 젖힌다. **D:** 점막판을 피부연에 봉합한다.

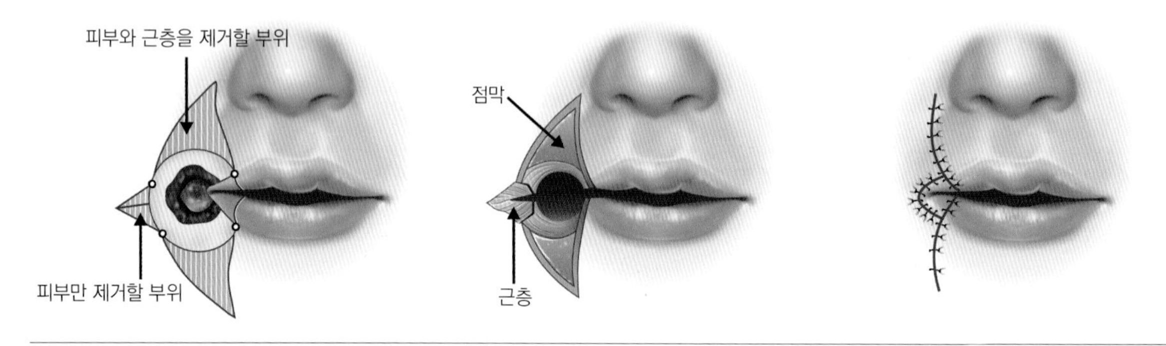

그림 26-33 **Zisser 법.** 구각부에 생긴 종양을 절제하고 그 상하부에서 삼각형으로 부분층 협부 조직을 절제하고 점막층을 노출시킨다. 종양을 절제한 부위 외측의 협부 조직으로 입술 외측을 복원한다.

b. Kazanjian-Roopenian II 법: 반흔으로 유착된 상, 하순의 외측부분에서 반흔을 제거했을 때 홍순으로 덮여 있지 않은 부분의 길이가 1~1.5 cm 이상일 경우 협부 점막에서 2개의 점막피판을 거상하여 홍순과 구각부를 재건하는 것이다(그림 26-31).

② Converse의 점막외전법

구각부의 모양을 도안한 다음, 구각부 피부와 피하조직을 제거해서 점막을 노출시킨다. 점막에 수평의 T자형 절개를 가하여 세 개의 점막편을 만들고 이것들을 바깥쪽으로 전진시켜 피부연에 봉합한다. 재건한 입술이 나중에 반흔구축으로 좁아지는 것을 방지하기 위하여 부목(splint)을 장착한다(그림 26-32).

③ Zisser 법

구각부에 발생한 종양을 전층으로 절제한 후 그 상하부에 dog-ear가 생기지 않도록 삼각형 모양으로 부분층의 협부 조직을 절제하고 점막층을 노출시킨다. 절제한 입술 길이만큼만 외측 협부 로 수평 전층절개를 가한다. 수평 전층절개의 상, 하 절개연에서 각각 피부를 작은 삼각형 모양으로 절제하고 그 자리에 협부 점막판을 밖으로 전진시켜 홍순을 만든다(그림 26-33).

④ Platz-Wepner 법

구각부에 있는 종양을 쐐기 모양으로 절제한 후 상, 하부에서 전층 조직피판을 회전하여 결손부를 직접 봉합해 준다. 쐐기 모양의 결손부의 내측에서 협부 점막판을 일으켜서 이것을 밖으로 젖혀서 홍순을 만든다. 피판은 회전시켜 봉합하고 dog-ear가 생기지 않도록 비구순구와 턱끝 하방의 잉여피부를 각각 Burow's 삼각절제한다(그림 26-34).

하순 재건술의 대략적인 치료계획은 그림 26-35에 정리되어 있다.

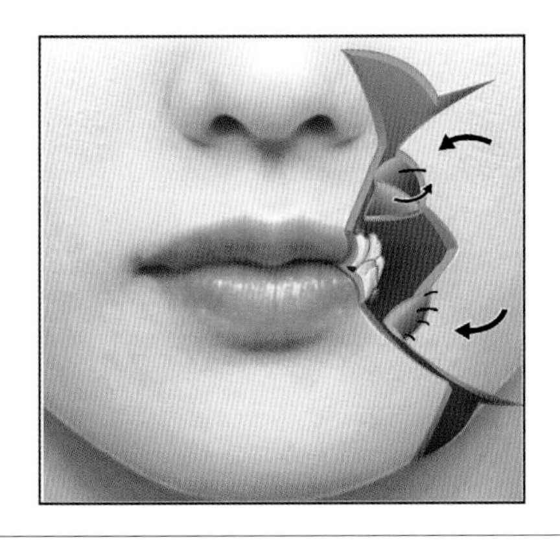

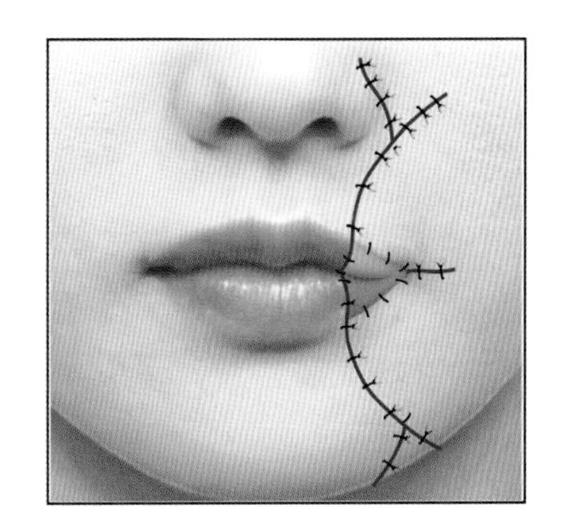

그림 26-34 Platz-Wepner 법

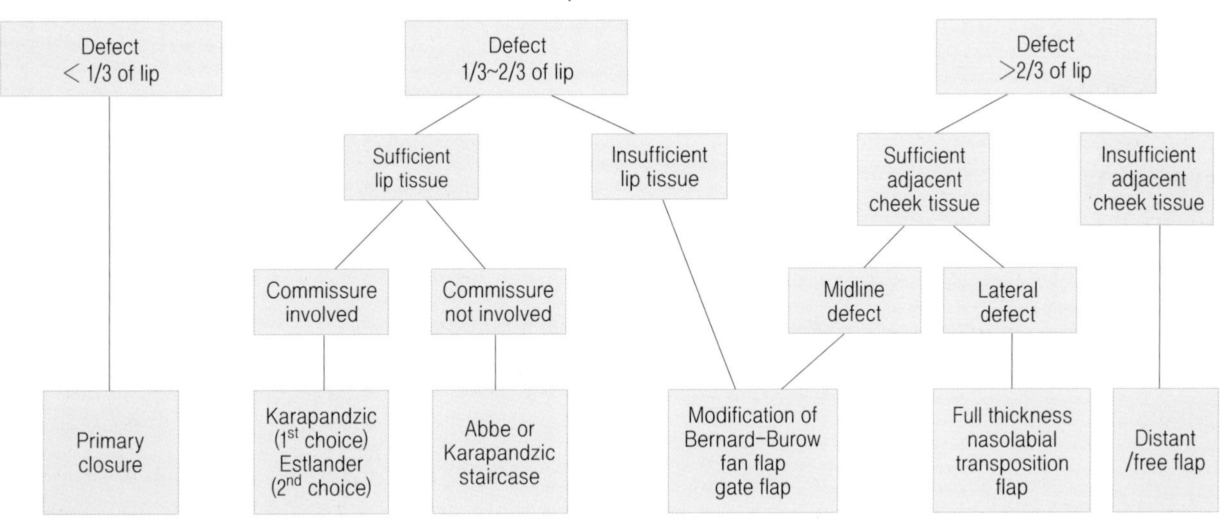

그림 26-35 하순 재건술의 치료 흐름도

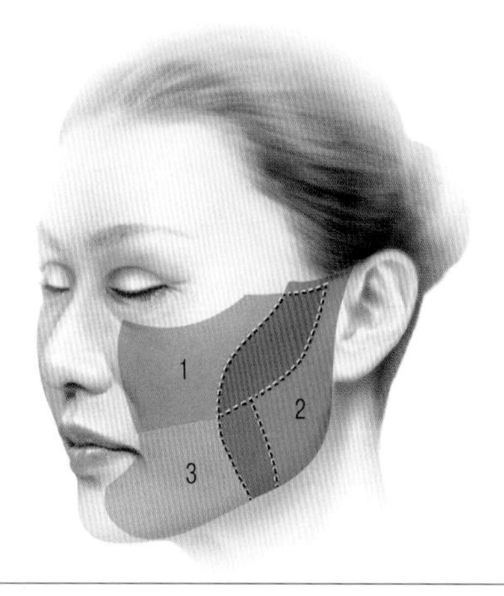

그림 26-36 **협부구역.** 협부를 안와하부위(제1구역), 전이개부(제2구역), 협하악부(제3구역)의 3개 구역으로 나눈다.

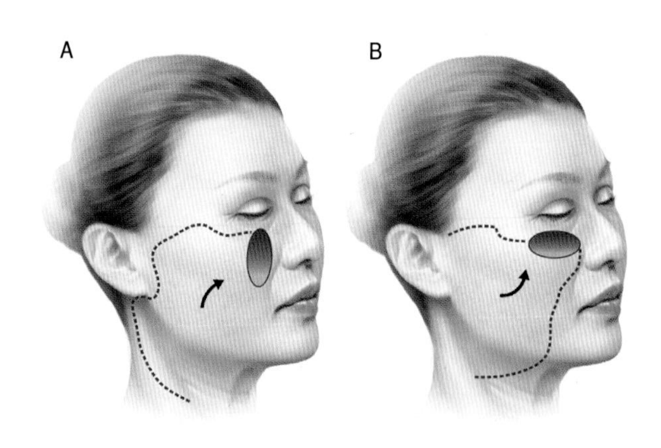

그림 26-37 **경안면부피판(cervicofacial flap).** **A:** 전방전위 **B:** 역위(reverse) 전진회전 피판

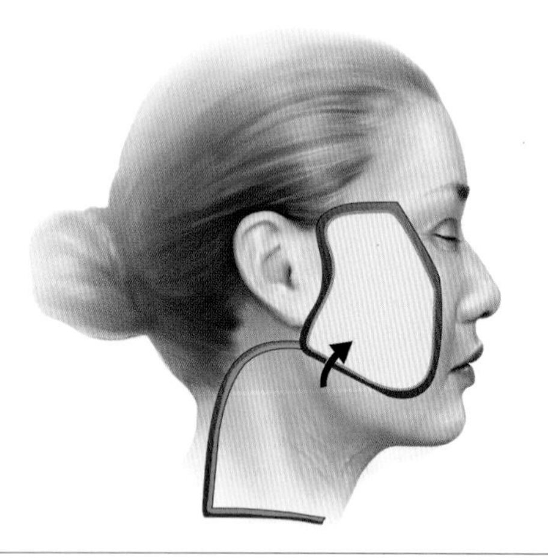

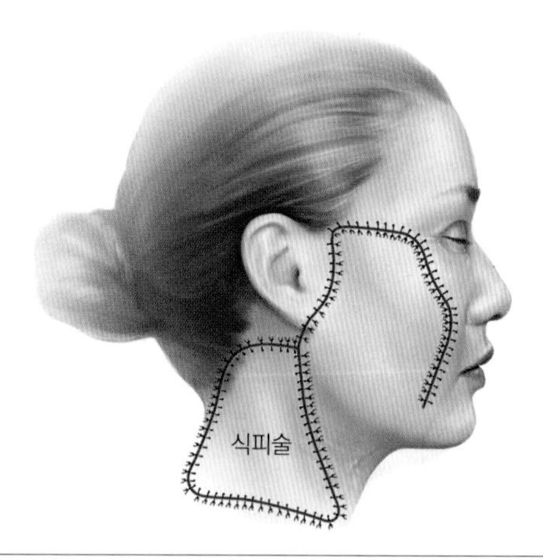

그림 26-38 **전방에 기저를 둔 경부피판.** 경부와 협부의 전진피판으로 덮기에는 너무 넓은 피부결손이 있는 경우 경부피판을 지연처치하여 사용한다. 공여부는 피부이식술로 덮는다.

3. 협부재건술

1) 협부의 재건방법

협부에 생긴 넓은 결손부를 재건하기 위해 미적 단위를 고려하여 협부를 안와하부위와 전이개부, 협하악부의 세 구역으로 나눈다. 이 구역의 일부는 서로 중복되기도 한다(그림 26-36).[13,23-25] 각 구역에 따른 수술방법은 아래와 같이 나뉜다.

(1) 제1구역(안와하 부위)

제1구역의 전방경계는 코의 외측과 비구순구(nasolabial fold)이다. 하방경계는 상악치은구 높이보다 낮으며, 평행하게 주행하다가 관골궁이 끝나는 부위에서 상방으로 곡선을 이룬다. 상방경계는 하안검의 하연부터 관골궁 상방으로 평행하게 주행한다.

① 피부이식술

부분층 피부를 이식하면 반흔구축으로 인해 하안검이 아래로 당겨지게 된다. 전층 피부를 이식하면 반흔구축이 부분층 피부이식술을 이식한 경우보다는 적어지지만, 5 mm 이상 함몰된 결손부에는 현저한 함몰이 생긴다. 따라서 피부이식술보다는 국소피판으로 재건하는 것이 좋다.

② 국소피판

경안면부피판(Cervicofacial flap): 제1구역에 4~6 cm 정도의 넓은 결손이 생긴 경우에는 전하방에 기저를 둔 경안면부피판을 상내방으로 회전해서 재건할 수 있다(그림 26-37).

경안면부피판을 사용할 때는 피판의 무게에 의한 처짐에 따른 안검외반의 발생을 예방하기 위해 피판을 안와의 골부분에 고정해야 한다. 경부에 생긴 공여부의 결손은 경부 전방과 반대편으로 절개를 연장하여 거상한 경부피판으로 덮는다. 제1구역의 내측에 있는 결손은 재건하기가 매우 어려우므로 조직확장술을 이용한다.

(2) 제2구역(전이개부)

제2구역은 하악각, 이개(귓바퀴)와 협부의 경계, 관골 돌출부 및 하악 하연중간부를 연결하는 선으로 둘러싸인 부위이다.

① 전방에 기저를 둔 경부피판

제2구역의 상부에 있는 결손을 경안면부피판으로 덮을 수 없는 경우에는 전방에 기저를 둔 피판을 전위하여 덮고 공여부는 피부이식술로 덮는다. 지연처치를 통해 피판의 원위부에 괴사가 일어나는 것을 예방할 수 있다. 안검외반이 생기지 않도록 가능하면 피판의 원위부를 눈썹보다 높은 귓바퀴 상방의 모발선에 고정한다. Dog-ear는 나중에 교정한다(그림 26-38).[13]

② 기타

삼각흉근피판(deltopectoral flap)이나 승모근(trapezius)피판, 대흉근(pectoralis major)피판, 광배근(latissimus dorsi)피판, cervicopectoral flap 등을 사용할 수 있다.

(3) 제3구역(협하악부)

제3구역의 상방경계는 제1구역의 하방경계와 같고, 전방경계는 구순의 외측 경계 및 하악이부의 정중부이다. 후방경계는 이하선의 전연을 따르며, 하방경계는 하악하연과 일치한다.

제2구역에 생긴 결손을 재건하기 위해 사용하는 피판들을 제3구역에 생긴 결손을 재건하는데도 사용할 수 있다(그림 26-39, 40).

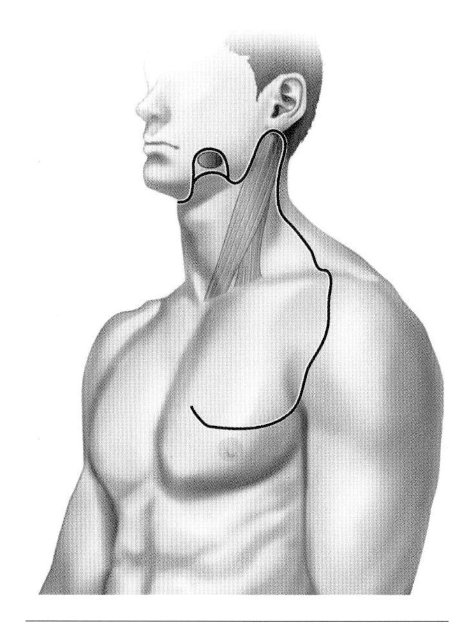

그림 26-39 하안면 결손부의 재건을 위한 Cervicopectoral rotation flap의 도안

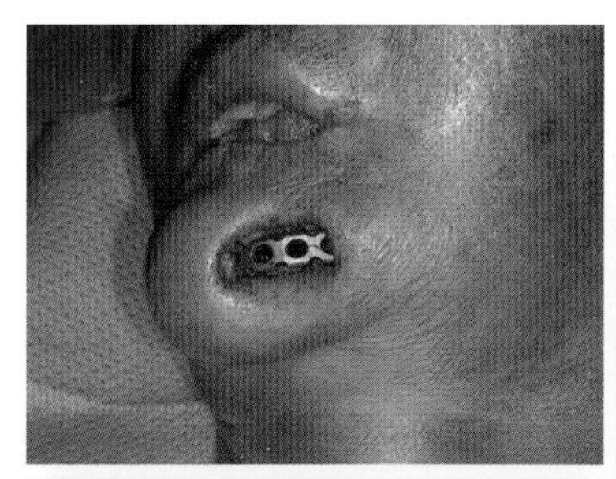

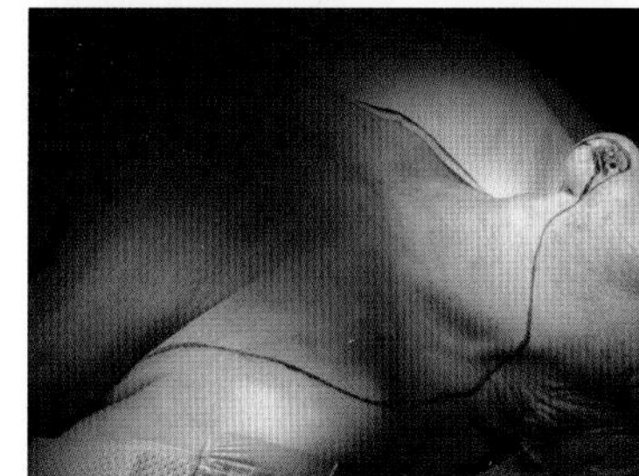

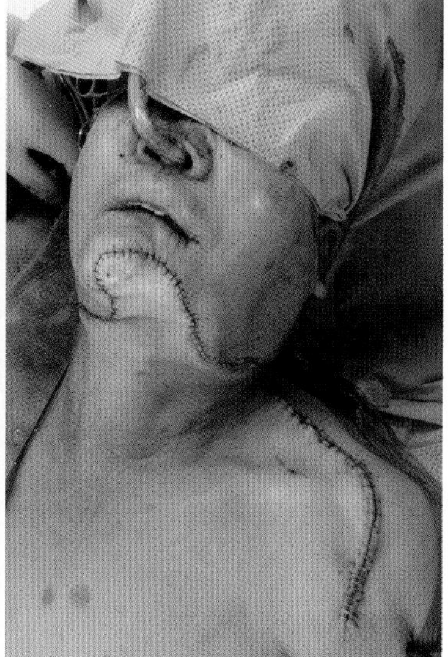

그림 26-40 금속판을 이용한 하악재건 후 합병증으로 노출된 금속판 상방의 피부를 cervicopectoral rotation flap을 이용하여 재건한 증례

❖ **협부재건 시 고려사항**

협부의 전층 결손이 있는 경우 내면의 구강점막부를 함께 재건해야 한다. 내면의 점막을 덮을 수 있는 피판으로 설피판 등이 있다. 피판을 접어서 내면과 외면을 동시에 덮을 수 있는 것으로 전두부피판, 삼각흉근피판, 대흉근피판과 승모근피판 등이 있다.

유리피판(Free flap)을 사용하는 경우 유리망피판(free omental flap), 광배근과 전방거근(serratus anterior muscle)의 이중 유리근피판, 부견갑피판(parascapular flap)과 광배근피판의 이중 유리피판, 접은 유리광배근피판을 사용할 수도 있다. 그 외에도 유리 대퇴근막장근(tensor fascia lata muscle)피판, 유리부견갑피판, 유리광배근피판 등을 사용할 수 있다.

4. 비부재건술

비부 결손을 심미적이면서도 기능적으로 재건하기 위해서는, 비부의 구조적인 구획을 고려하면서 색조, 촉감, 외형 등의 요소가 균형을 이루게 하고 환자의 병력과 주위 조직의 이용 가능성, 환자의 기대 정도 등도 종합적으로 고려해야 한다.

1) 일차 봉합(Primary closure)

결손이 없는 단순한 코 피부의 열상(laceration)은 긴장 없이 일차 봉합이 가능하며, 나중에 흉터도 별로 눈에 띄지 않는다. 코에 변형을 일으키지 않고 일차 봉합될 수 있는 창상의 최대폭은 0.5 cm 미만이다. 그 이상의 결손이 있을 때는 전층이식술이나 국소피판으로 덮어야 한다. 특히 상방 비장액성 조직부위(non-sebaceous nasal area)는 직접 봉합이 유용하다(그림 26-41).

2) 이차적 창상치유(Secondary intention)

내안각(medial canthus), 비익주름(alar crease), 비배(nasal dorsum)에 작은 결손이 생긴 경우 수술하지 않고 그냥 두어도 이차적 창상치유에 의해 치유된다. 또 직경 1 cm 미만의 비첨(nasal tip) 결손도 자연치유를 기대할 수 있다. 그러나 연골막이 벗겨져 노출된 연골은 생존할 수 없으므로 즉시 국소피판으로 덮어서 코의 지지구조인 연골을 잃지 않도록 해야 한다.

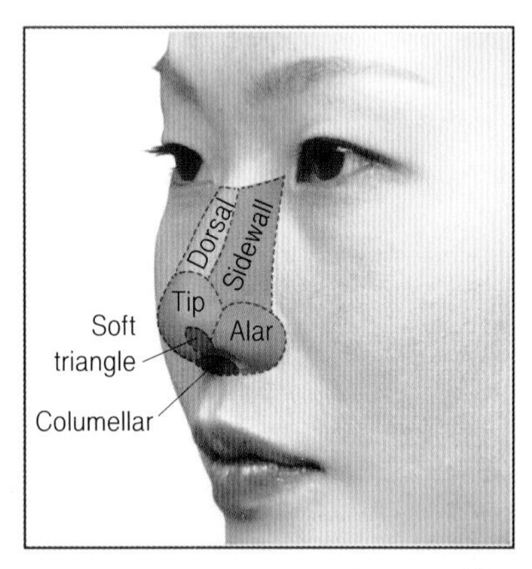

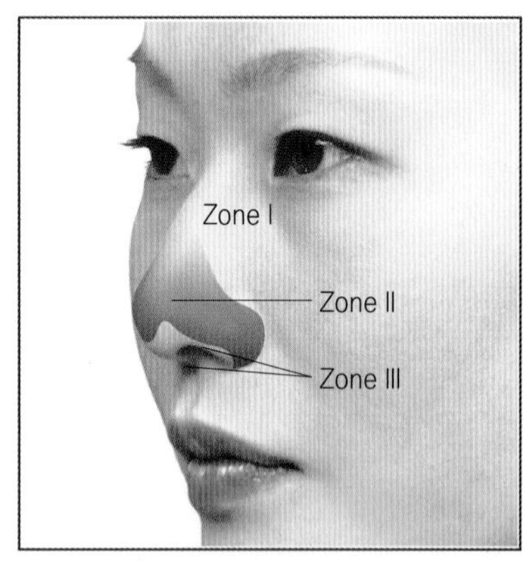

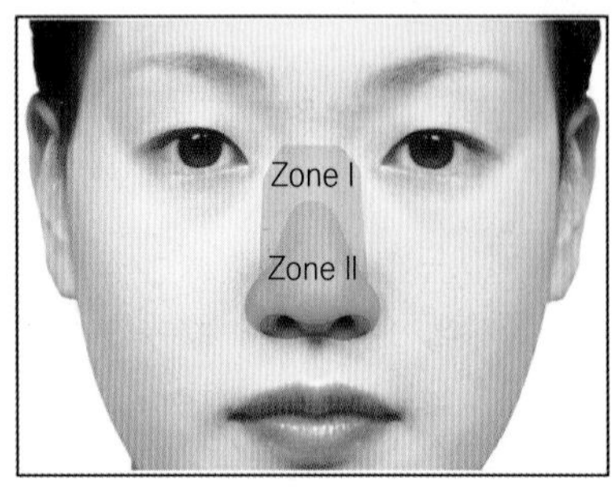

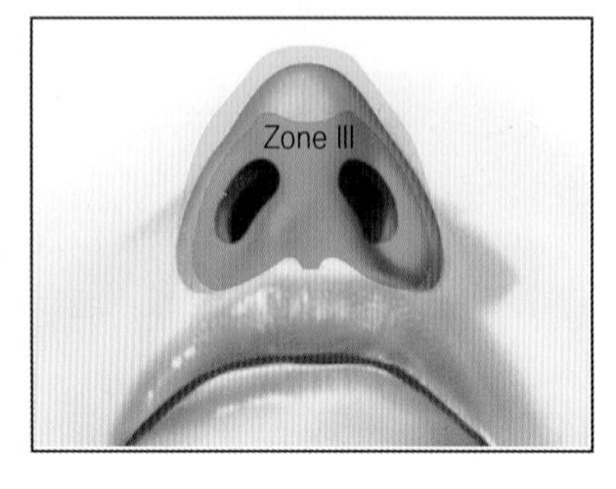

그림 26-41 Zone I = non-sebaceous nasal area

3) 피부이식술(Skin graft)

(1) 부분층 피부이식술(Split-thickness skin graft)

환자가 쇠약하거나 넓은 개방성 창상을 가진 경우, 빠른 치유를 위해 시행하지만 색깔차이가 많고 수술 후 반흔구축(contracture)에 의한 변형이 일어나기 때문에 일반적으로는 사용하지 않는다.

(2) 전층 피부이식술(Full-thickness skin graft)

개방성 창상의 혈관분포가 좋은 경우 시행하며, 공여부로 이개후부(postauricular area), 쇄골상부(supraclavicular area), 이개전부(preauricular area), 비구순구(nasolabial fold), 이하부(submental area) 등이 있다.

4) 복합조직이식술(Composite graft)

비익이나 비주에 작은 전층결손이 있을 때 주로 사용한다. 이개부(auricular area)가 가장 좋은 공여부이다. 비익연을 재건할 때는 이륜근(root of helix), 이륜연(helical rim), 이갑개(concha)에서 연골피부 복합조직(chondro-cutaneous graft)을 채취해서 사용하고, 비주나 막성비중격(membranous septum)을 재건할 때는 이소엽(ear lobule)에서 채취한 지방피부조직(adipose-cutaneous graft)을 사용한다(그림 26-42).

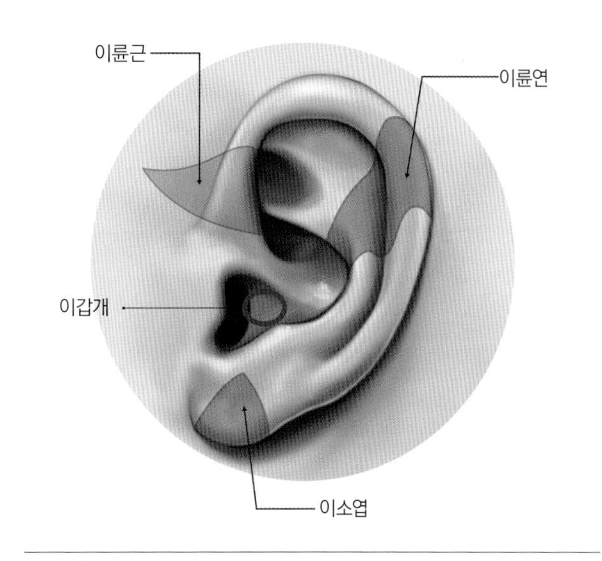

그림 26-42 이개복합조직이식편의 공여부

5) 피판술(Flap)

코에 넓은 전층결손이 생겼을 때는 피판으로 재건한다. 적당한 피판을 선택하기 위해 색깔, 피부질, 피부 두께, 수혜부 바닥의 혈관분포, 지지구조를 넣어 줄 시기 등을 고려해야 한다.[26-30]

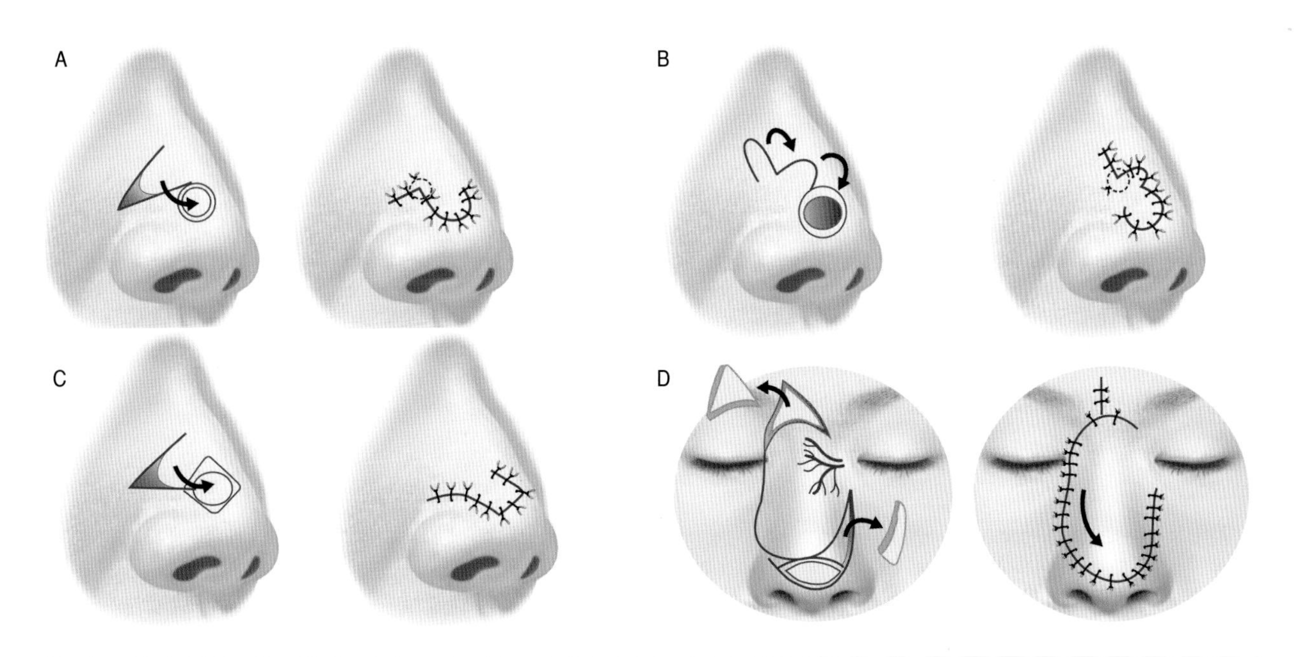

그림 26-43 비배결손 재건술. **A:** 깃발피판 **B:** 이엽피판 **C:** Limberg 피판 **D:** 비배피판

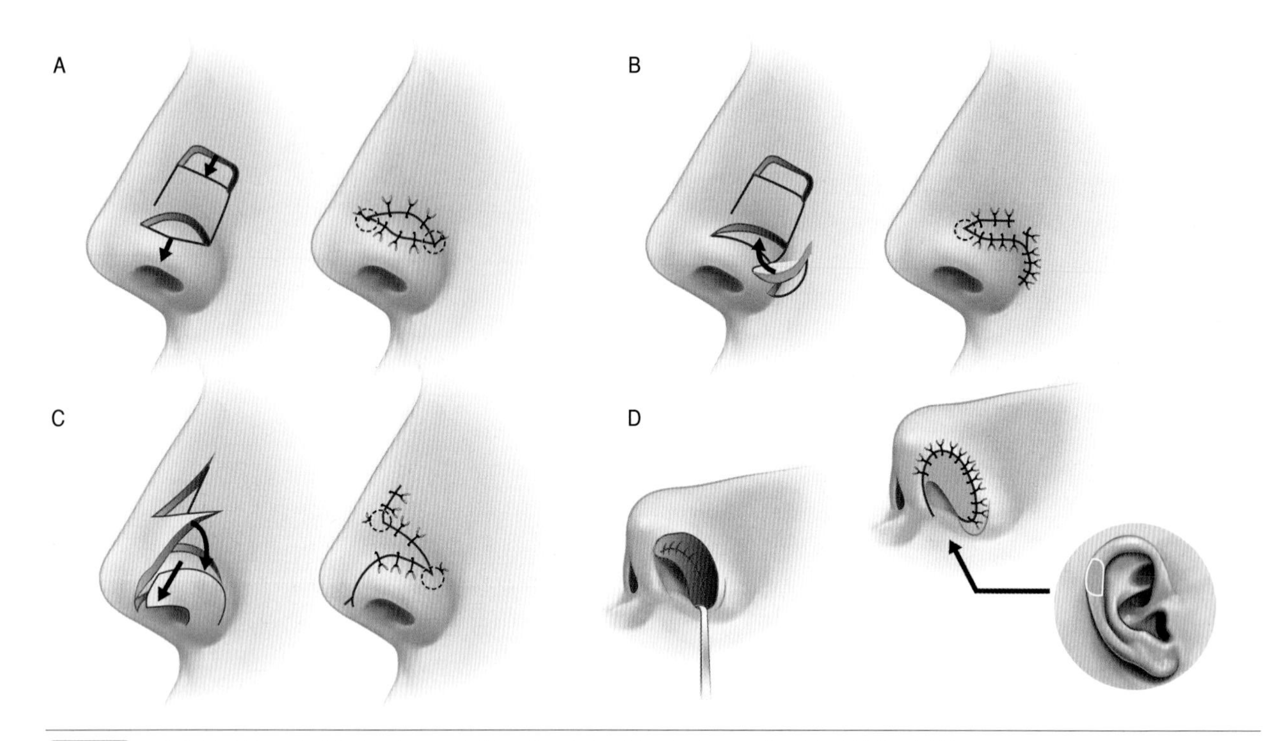

그림 26-44 **비익결손 재건술. A:** 양경비익피판 **B:** 비익부 전위피판 **C:** 비익 Z-성형술 **D:** 경첩피판 및 복합조직이식

(1) 국소 비부피판(Local nasal flap)

① 비배의 피부 결손의 재건을 위해 깃발피판(banner flap), 이엽피판(bilobed flap), Limberg 피판, 비배피판(dorsal nasal flap) 등이 이용된다(그림 26-43). 이엽피판(bilobed flap)은 비부 원심부나 측방부의 0.5 cm에서 1 cm 크기의 결손부, 특히 측방 첨부(lateral tip) 결손에, 비배피판(dorsal nasal flap), 비익 Z-성형술(Z-plasty of nasal rim)은 supratip 결손에 유용하게 이용될 수 있다.

② 비익의 결손이 있는 경우, 양경비익피판(bipedicle alar flap), 비익 Z-성형술(Z-plasty of nasal rim), 비익부 전위피판(perialar transposition flap), 경첩피판(hinge flap) 및 복합조직이식 등이 사용된다(그림 26-44).

(2) 비구순-협부피판(Nasolabial cheek flap)

① 피하경피판(Subcutaneous pedicle flap)

코 주위에 있는 협부 피부의 내측은 비교적 풍부한 혈액 공급을 받고 있기 때문에 피하조직을 피하혈관경(subcutaneous pedicle)으로 삼아 협부피판(cheek flap)을 만들어 이전할 수 있다. 비외측벽이나 비익을 재건하는데 사용한다(그림 26-45).

② 비구순 전위피판(Nasolabial transposition flap)

비구순구의 외측 피부 즉 협부의 내측 피부를 피판으로 만들어 사용한다(그림 26-46).

③ 협부 전진피판(Cheek advancement flap)

비익부에 결손이 있을 때 협부에서 형성한 전진피판으로 결손 부위를 재건한다(그림 26-47).

(3) 전두부피판(Forehead flap)

① 정중전두부피판(Midline forehead pedicle flap)

이마의 중앙에 있는 피부를 미간(glabella)에서부터 모발선(hair line)에 이르기까지 수직 방향 피판을 거상한 후 180° 회전하여 코의 결손부를 덮는 피판이다(그림 26-48). 일반적으로 결손부의 폭이 4 cm 이하이면 조직확장 없이도

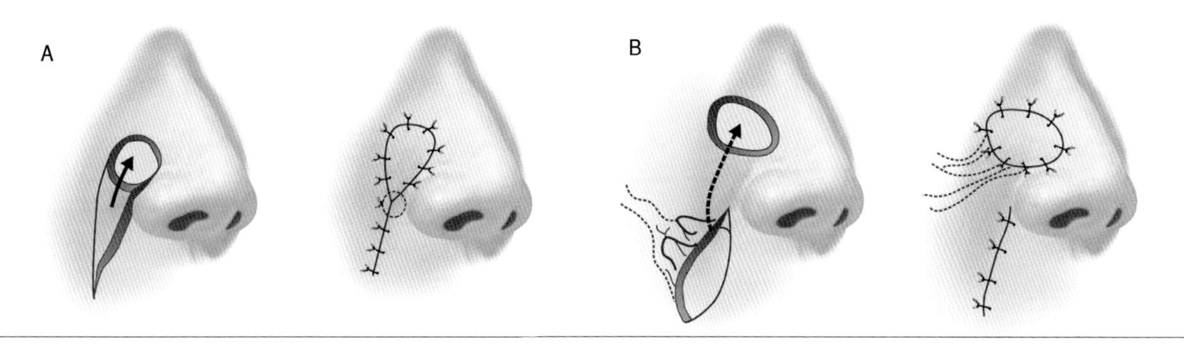

그림 26-45 **피하경피판. A:** V-Y 전진피판 **B:** 측방피하경피판

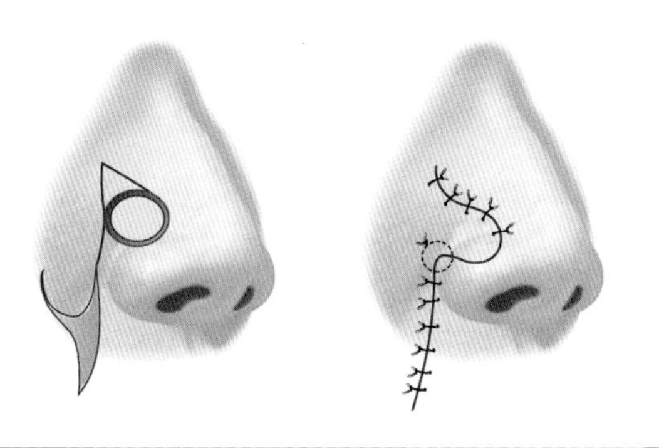

그림 26-46 **비구순 전위피판**

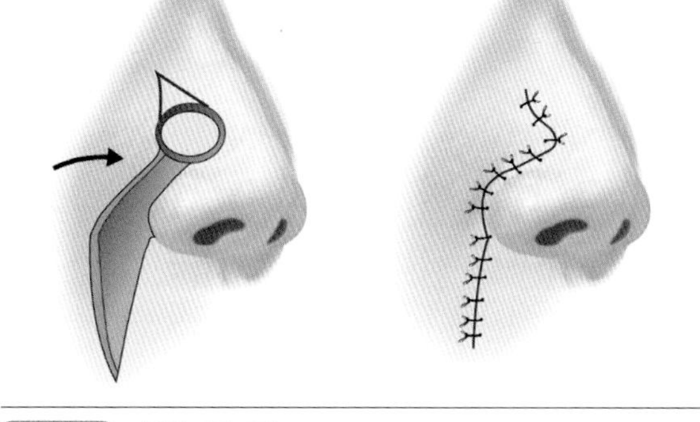

그림 26-47 **협부 전진피판**

직접 봉합이 가능하다.

이 술식은 두 번에 걸친 수술로 크고 깊은 비부 원심부의 결손부를 수복하는데 널리 이용되며, 특히 연골부위가 결손된 경우에 재건술로 이용하기 적합하다.

② 전두부 도상피판(Forehead island flap)

전두부에서 활차상혈관(supratrochlear artery)을 혈관경으로 하는 도상피판을 만들어 사용하면 피판의 회전이 용이하고 한 번의 수술로 재건이 가능하다는 장점이 있으나 정맥울혈(venous congestion)이 발생할 수 있다는 단점이 있다.

(4) 원거리피판(Remote flap)

이마와 이개 후방 측두부에 반흔이 있어서 전두부피판이나 이개후피판을 사용할 수 없는 경우나, 비결손이 너무 커서 두 피판으로 재건이 불가능할 경우 원거리 피판술을 이용할 수 있다.

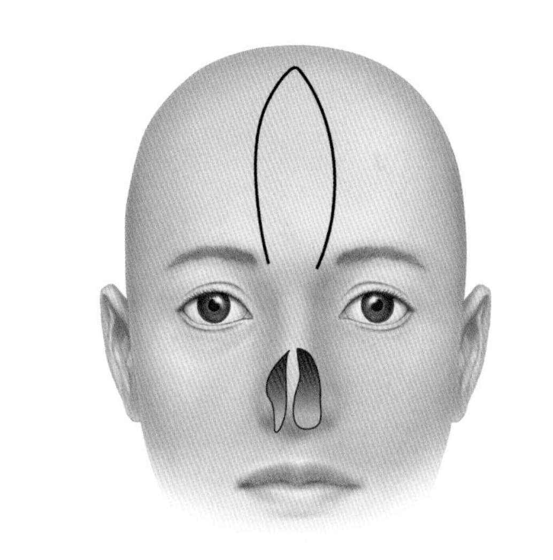

그림 26-48 **정중전두부피판**

5. 구강내 다양한 결손부 재건에 이용되는 피판

1) 배측 설피판(설배피판, Dorsal tongue flap)

혀의 혈행은 복측(ventral side)에 있는 양쪽 설동맥에 의해서 이루어지는데, 후방으로 향하는 배측 가지가 먼저 분

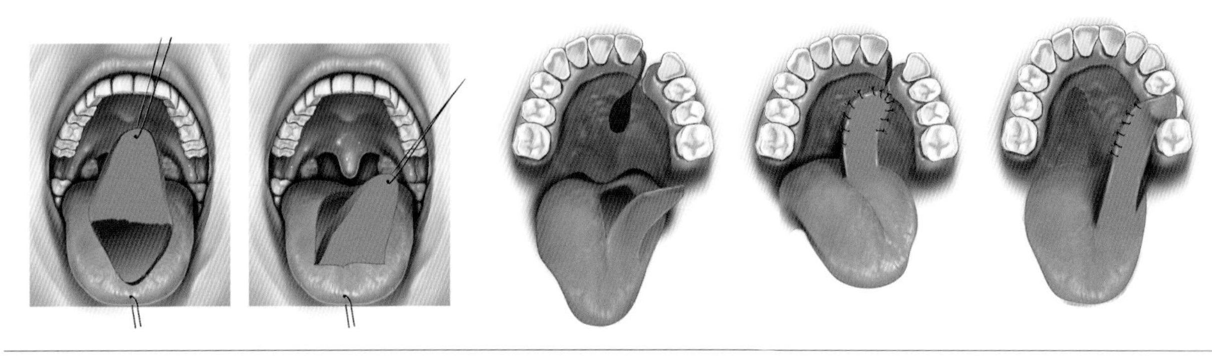

그림 26-49 설배피판의 영양 공급을 보여주는 모식도 및 후방기저, 전방기저 설피판과 이를 이용한 결손부 재건의 모습

지되어 혀의 동측 기저부에 혈류를 공급하며, 주동맥은 복측의 근육부를 통하여 혀끝으로 향하면서 수직으로 여러 개의 배측 혈관을 분지하여 혀 배측에 혈류를 공급한다. 설배피판은 혀의 배측을 이용하는 것으로 전방이나 후방 혹은 측연을 기저부로 하여 거상할 수 있다(그림 26-49). 전방기저형의 설피판은 동측 구개궁이나 인접부의 결손부위를 재건할 때 사용한다. 하방근육을 일부 포함시켜 5~7 mm 두께로 거상하고 공여부는 일차 봉합하거나 지연치유시킨다. 후방기저 형태로 혀의 배측면을 1/3~1/2 정도 거상하는 방법도 종종 사용된다. 전방기저형(distal based)의 피판은 후방기저형 피판보다 이동반경은 크나 피판의 생존(flap viability)율은 낮은 것으로 알려져 있으며, 입술의 홍순 결손부 재건에 많이 사용된다. 설피판은 25~30 cm^2 정도의 점막을 제공할 수 있으며 혀의 전방부가 유지된다면 혀 점막의 반이 사용되더라도 혀의 발음, 저작 및 연하 기능에는 영향을 주지 않는다.

2) 구개점막피판(Palatal mucosal flap)

구개부 점막은 대구개동맥을 이용하는 혈관경피판 또는 임의피판으로 디자인되어 구개 부분 결손부를 재건하는데 사용될 수 있다. 구개 점막의 약 75%까지 사용하여 구개 주위 연조직 결손부를 막는데 사용될 수 있고 혈액공급이 좋으며 적절한 부피를 가진다. 혀 점막을 사용하면 2번의 수술이 필요한데 비해서, 한 번의 수술로 결손부 피개가 가능하고 피판의 이동이 쉽다는 장점이 있다.

혈관경을 따라 피판을 가늘고 긴 형태로 만들 수 있기 때문에, 비교적 먼 부위에 생긴 결손의 재건에 이용하는 유경원위피판(pedicled distant flap)으로도 사용할 수 있다.

3) 비구순피판(Nasolabial flap)

상방 또는 하방에 기저부를 두고, 상하악의 협측 전정이나 구강저를 포함한 구내 전방부 결손부를 재건하는데 사용할 수 있다. 피판 거상이 쉽고 빠르며, 피판 생존율이 믿을 만하다. 이 피판은 비순부위 피부가 늘어진 경우가 가장 좋은 적응증이 되며, 수염이 없는 여자에게서 유리하다. 하방기저부피판은 내안각 근처까지 길게 연장할 수 있고 일차 봉합이 가능한 정도의 넓이까지 거상이 가능하다. 안면 근육 바로 상방에서 거상하여 하방의 협부 점막 하방에 만든 창을 통하여 구강내로 이동시키고, 이 때 정확한 피판 이동을 위하여 치아를 제거하기도 한다. 피판의 근위부를 탈상피화하면 1회로 이동이 가능하기도 하고, 2회 수술시에는 2~3주 후에 2차 수술을 하여 피판기저부를 원위치시킬 수도 있다. 공여부의 심미성은 뛰어나지만, 남자에서는 수여부인 구강내에서 수염이 자란다는 단점이 있다. 피판의 괴사는 드물고 구강 전방부에 결손부가 큰 경우 양측성 비구순피판을 이용하기도 한다.

6. 조직확장술

안면부 조직 결손 재건시 연조직이 불충분할 경우를 흔히 접하게 되는데, 이러한 어려움을 극복하기 위해 조직확장술이 도입되었다. 조직확장술은 실리콘으로 된 확장기를 피부 하방에 삽입한 후 단계적으로 팽창 혹은 신장시키는 시술로, 세포의 유사 분열(mitosis) 속도를 높이고 교원질(collagen)을 재배열함으로써 새로운 조직이 생성되도록 한다.

1957년 Neumann[31]이 조직확장술을 처음 임상적으로 사용해 문헌에 발표하였으나, 그 이후 오랜 기간 별다른 주목을 받지 못했다. 1976년 Radovan[32]은 외부로 연결된 장치가 필요 없는 자가 폐쇄형 밸브(self-sealing valve)가 달린 실리콘 확장기를 개발하여 새롭게 주목받았으며, 그 이후 수많은 임상적, 실험적 연구 결과가 쌓이며 임상적으로 사용할 만한 방법으로 정착되었다.[33,34]

조직확장술은 재건술에 있어 필수적인 요소인 색조, 질감, 그리고 어떤 부위에서는 감각을 거의 완벽하게 재현할 수 있다는 장점을 갖는다. 또한 수술계획만 잘 세운다면 반흔형성을 최소화하거나 공여부 결손이 없도록 할 수도 있다. 이 방법은 독립된 국소전진 또는 회전피판뿐만 아니라 유리피판과 피부이식술에도 사용할 수 있다. 또한 조직확장술은 방광, 소장, 수뇨관(urethra), 혈관, 그리고 신경 등 피부 이외의 조직에도 적용할 수 있다.

1) 물리적 신장력에 대한 조직의 반응

물리적 신장력에 대한 생활 조직의 반응에 대해서 동물과 인체에서 많은 연구가 수행되었다 신장의 속도와 양, 기간에 따라서 조직의 반응이 매우 다양한데, 일반적으로 적은 압력과 느린 속도로 단계적 확장을 할 경우 조직의 변화는 두드러지지 않는다. 그러나 과도한 신장력은 피부 열개, 지방 괴사, 근육 위축, 교원섬유 및 탄성섬유의 파열 그리고 신경 손상 등 상부 조직의 영구적 손상을 초래할 수 있다. 표피에서는 조직 확장시 세포가 증식(cellular hyperplasia)되어 약간 두꺼워지며, 때로 과각화증이 생기기도 한다. 전자현미경으로 관찰하면 세포간격이 좁아지고 기저막의 굽이침(undulation)이 심해지며 유사분열이 증가하는 소견이 보인다. 동물 실험에서 신장술 동안 기저 세포층에서 유사분열 속도가 500% 정도 증가했다고 보고되어 있다.

진피에서는 조직확장술 동안 섬유모세포(fibroblast)의 증식이 활발해지고 교원질이 축적되고 재배열되어 전체적인 두께가 30~50%가량 증가한다. 탄성섬유는 분절화되고 근섬유모세포(myofibroblast)가 현저히 증가한다. 신경 말단 수용체와 피지선, 모낭, 땀샘에서는 특별한 형태학적 변화가 보이지 않고 서로 거리가 멀어지지만 생활력이나 기능은 특별히 나빠지지 않는다. 하지만 과도한 조직 확장은 영구적인 기능손상을 동반한 조직괴사를 유발할 수 있다.

조직확장술에 의한 압력은 상방 지방 조직의 영구적 위축을 초래한다. 또한 확장을 급격히 시행하면 지방이 괴사되거나 섬유화할 수 있다. 조직확장 후 인접 지방 세포의 이주로 형태상의 결손은 약간 보완될 수 있지만 손상받은 대부분의 지방세포는 그다지 많이 회복되지 않는 것으로 보인다.

조직확장 동안 혈관조직은 큰 변화를 나타내는데, 특히 그 수와 직경이 현저하게 증가한다. 혈관화가 가장 많이 진행되는 곳은 조직확장기와 진피 사이에 형성되는 피막(capsule) 부위이다. 이렇게 형성된 피막 부위를 손상시키거나 제거하면 확장된 피판의 혈류순환이 급격히 감소한다. 이렇게 혈관화가 많이 되기 때문에 확장술을 시행한 조직은 그렇지 않은 조직보다 임의피판(random flap)의 생존율이 훨씬 높다. 또한 임상적으로는 확장된 조직에서 피판의 회전이 훨씬 자유롭고 감염에 대한 저항성도 훨씬 높아진다. 아직까진 혈관화가 촉진되는 원인이나 과정이 명확히 규명되지 않았지만 조직확장술 시 발생하는 인장력에 의해 발생하는 국소빈혈과 저산소증이 혈관 신생을 촉진하는 자극이 될 수 있다는 비교적 간단한 이론이 제시된 바 있다.[35,36]

2) 조직확장기의 형태와 조직확장술의 일반적인 고려사항

조직확장기는 자가폐쇄성으로서 식염수를 주입받는 용기(reservoir)와 이와 연결된 실리콘 외피막(envelope)으로 이루어져 있다. 이 용기가 외피막 내에 위치한 형태도 있고 외피막과 관으로 연결된 형태도 있다. 조직확장기의 표면은 꺼칠꺼칠하게 결(texture)이 부여되어 있는데, 이것은 팽창시키는 동안 조직확장기가 이동하지 않도록 하며 피막 형성을 줄여주기 때문에 더 작은 압력으로도 더 큰 조직의 확장을 얻을 수 있다. 최근에는 방향성을 가진 확장기와 자가 팽창형 확장기도 개발되었다. 대부분의 제조회사들은 원형, 사각형, 또는 초승달형 등 다양한 모양과 부피의 확장기를 시판하고 있고 주문형도 제작하고 있다(그림 26-50).

확장된 조직을 향후 수혜부로 회전 또는 전진시킬 때 거리나 각도 등을 맞게 하고 공여부 결손을 최소화하기 위해

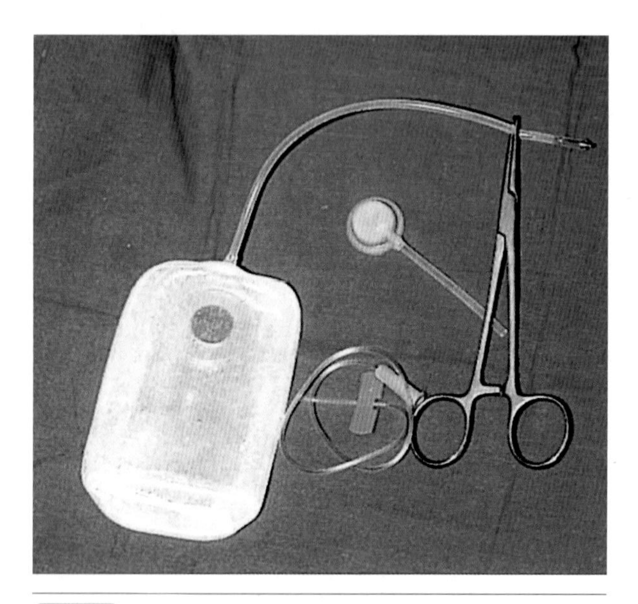

그림 26-50 조직확장기와 Injection port 및 그 부속들

서는 치료 전 면밀한 계획 수립이 중요하다. 치료계획 시 반흔의 양을 최소화하고 반흔을 노출되지 않는 위치에 두어야 한다. 또한 피부부속 조직이 고르게 분산되게 하고 피판에 대한 장력이나 변형이 최소가 되도록 과량의 조직을 확장한다. 조직확장기를 선택할 때 장치의 부피보다는 확장시킬 부위의 표면적을 우선적으로 고려해야 한다. 수혜부 주위에 다수의 확장기를 삽입하면 재건까지 소요되는 시간을 감소시킬 수 있고 재건의 안전도를 높일 수 있다.

수혜부에 인접한 정상 조직 하방에 확장기를 삽입한다. 절개는 가능하면 향후 재건술을 방해하지 않는, 잔존한 반흔 부위나 가려지는 부위, 식별이 쉽지 않은 부위에 한다. 박리는 조직 침식과 확장기의 외부 돌출을 최소화하도록 피하공간에서 균등한 깊이로 하고, 확장기가 위치될 수 있는 충분한 공간을 확보하기 위해 넓게 시행한다. 분리형 용기를 사용할 경우 injection port를 피하주사를 놓기 쉬운 부위의 피하공간에 꼬이지 않게 위치시킨다. 긴 실리콘관을 가진 체외형 용기는 가정에서 스스로 확장술을 시행하는 환자나 유아에게 유용한데, 이 때는 연결관을 헤모백 관(hemovac drainage)을 설치하듯이 피부를 뚫어 외부로 노출시킨다. 확장기가 접히거나 창상 변연에 접촉되면 노출될 수 있으므로 주의한다. 완전히 지혈되면 확장기를 넣고 창상을 층별로 봉합한다. 창상 봉합을 할 때, 주위조직에 심한 장력을 주지 않는 범위 내에서 확장기에 적절한 양의 생리식염수를 주입하여 사강(dead space)이 형성되지 않도록 한다.

7~10일 정도 창상 치유가 진행되면 23게이지 또는 더 가는 바늘을 용기에 삽입하여 등장성 식염수를 주입하여 확장기를 팽창시키기 시작한다. 이때 너무 많은 양을 주입하면 확장기가 외부로 돌출될 수 있고, 너무 적은 양을 주입하면 확장기간이 길어지므로 적절한 양을 주입하는 것이 중요하다. 일부 환자에서는 확장술을 시행하는 동안 충혈(hyperemia)이 나타나기도 하는데, 이것은 일반적으로 감염보다는 혈관화의 증가 때문이다. 임상적으로 허혈이 관찰되거나 심한 동통을 호소하면 이것은 과도한 확장의 증상이기 때문에 확장량을 줄인다. 대략 팽창시킨 후 20~24시간이 경과하면 조직의 장력이 급격히 감소하기 시작한다.[37] 2~3일 간격으로 적은 양으로 자주 팽창시키는 방법이, 많은 양으로 가끔 팽창시키는 방법보다 더 효율적으로 조직을 확장시킨다. 팽창시킬 양과 시간은 국소 조직의 허용도에 따라 달라지므로, 미리 정확한 계획을 잡을 필요는 없다. 손상된 조직이나 전신 상태가 좋지 않은 환자의 조직은 더 긴 시간동안 확장해야 한다.

3) 부위별 조직확장술

(1) 전두부(Fore head)의 조직확장술(그림 26-51, 52)

전두부는 안면과 두부 연조직의 이행 부위이지만 해부학적으로는 두피와 유사하다. 전두부에 결손이 있다면, 결손부 편측 또는 양측에 조직확장술을 시행하고 이를 이용하여 재건한다.

확장기는 전두근(frontalis muscle) 상방의 두피에 절개를 가하여 삽입한다. 확장기 삽입 시나 피판거상 시 안면신경의 전두 분지(frontal branch)가 손상되지 않도록 주의한다. 결손부를 제거하고 재건하면 이때 가해진 절개로 최종적으로는 하나의 수직 또는 수평적인 반흔만 남는다. 외측 전두부의 결손은 외측 안면부를 상방으로 전진하여 수복할 수도 있다. 또한 전두부의 큰 결손은 두피의 이동으로도 수복할 수 있다. 모든 전두부 수술 시 술후의 심미성을 위해 양측 눈썹의 높이를 맞춰야 한다.[38]

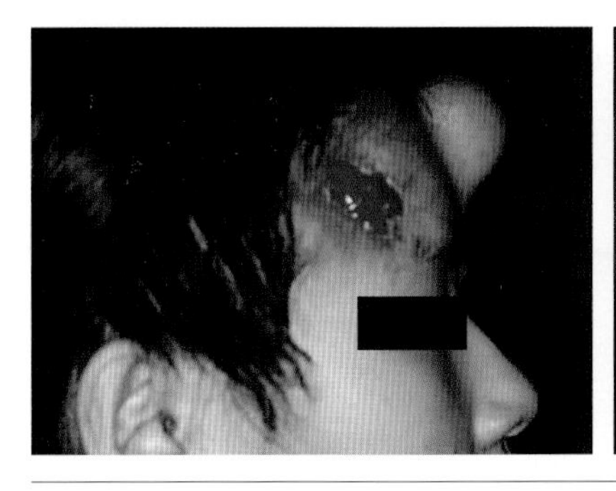
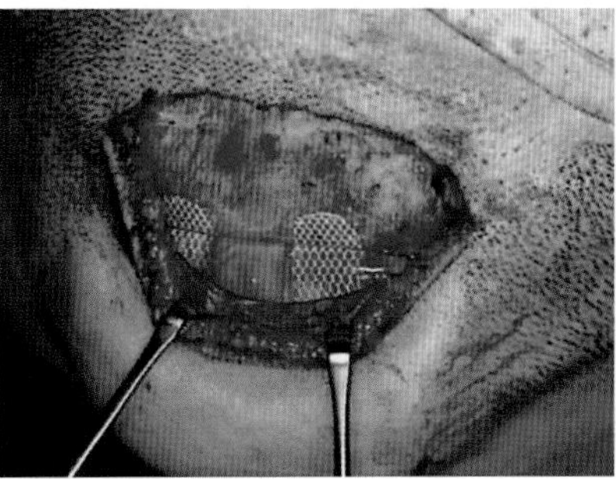
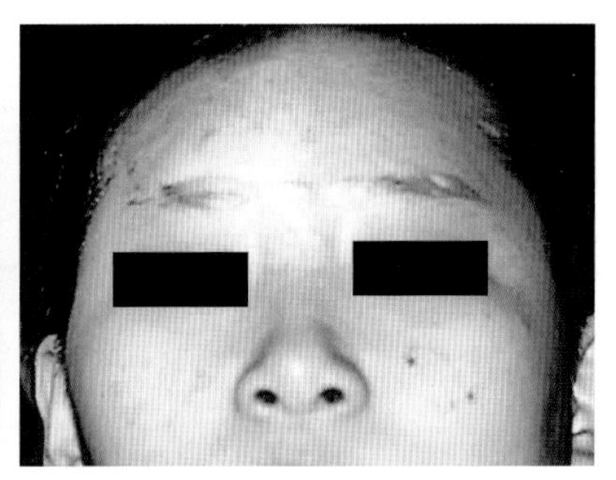

그림 26-51 우측 전두부의 피부결손부를 조직확장술을 이용하여 재건한 증례

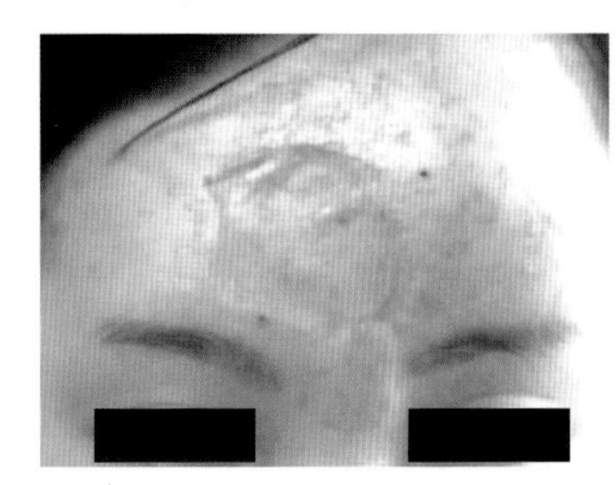
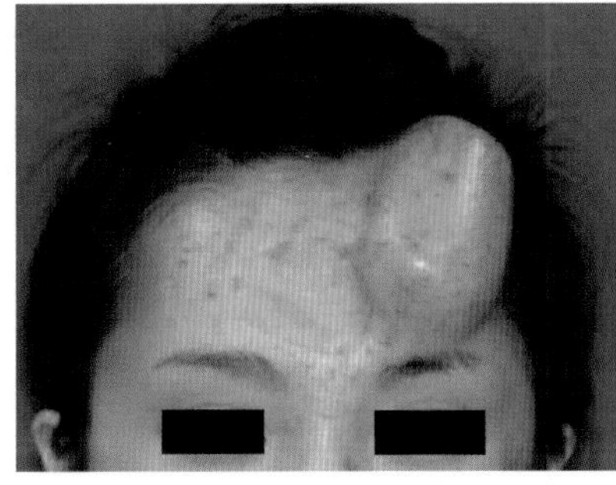
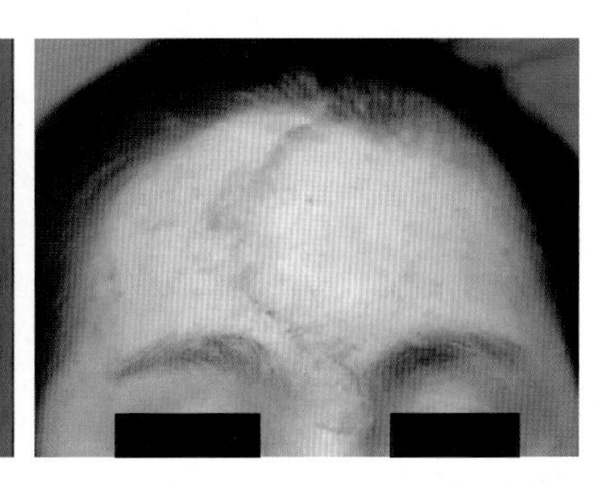

그림 26-52 전두부 피부결손부를 부분층피부이식으로 치유시킨 후 다시 조직확장을 통해 이식 반흔부위를 제거한 모습

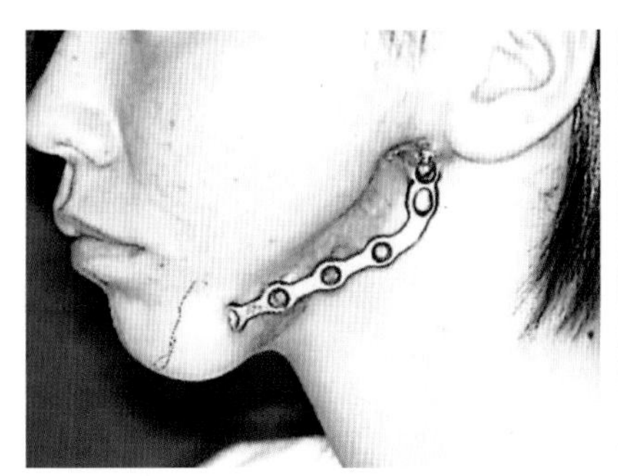
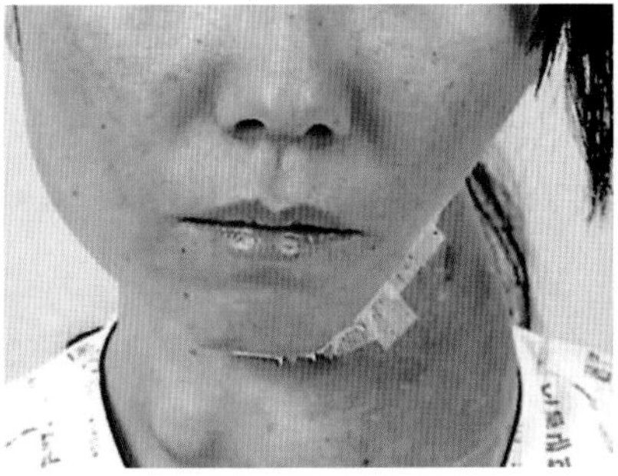
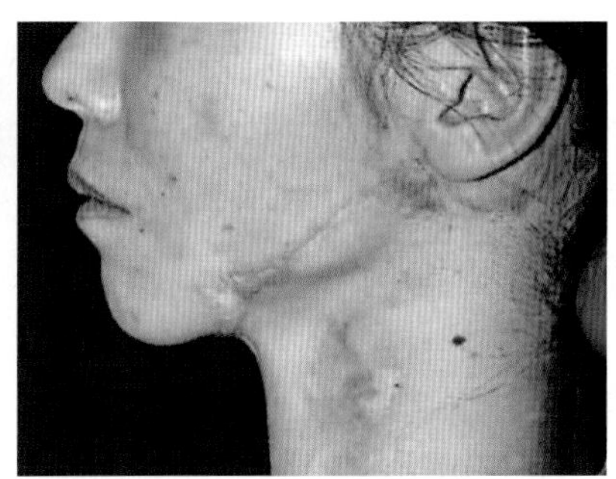

그림 26-53 좌측 하악골절제술 후 재건 금속판이 노출되어, 조직확장술로 치료한 모습

(2) 안면과 경부의 조직확장술

안면부에 위치한 큰 결손부의 수복을 위해선 적절한 양의 국소조직이 필요하다. 안면 피부는 독특한 색조(color), 감촉(texture), 그리고 모발이 자라는 특성이 있기 때문에, 안면 결손을 수복하기 위한 방법으로 국소피판이 가장 유리하다.

조직확장술은 국소피판의 중요한 보조 수단이 될 수 있다. 조직확장기를 삽입하기에 앞서 봉합부가 최소한으로 노출되는 부위에 위치하도록 피판을 위치시키고 작도를 한다. 절개 후 조직확장기를 표층 근막(superficial fascia) 상방의 피하조직에 위치시킨다. 신경손상과 상방 피부의 합병증을 최대한 줄이기 위해서 조직거상은 가능한 동일한 층에서 한다. 안면부 재건 시에는 표면적이 넓은 조직 확장기가 유용하다(그림 26-53).

경부 피부는 대부분의 안면 피부와 외관상 유사하기 때문에, 경부는 하안면 재건 시 조직 공여부로 많이 사용된

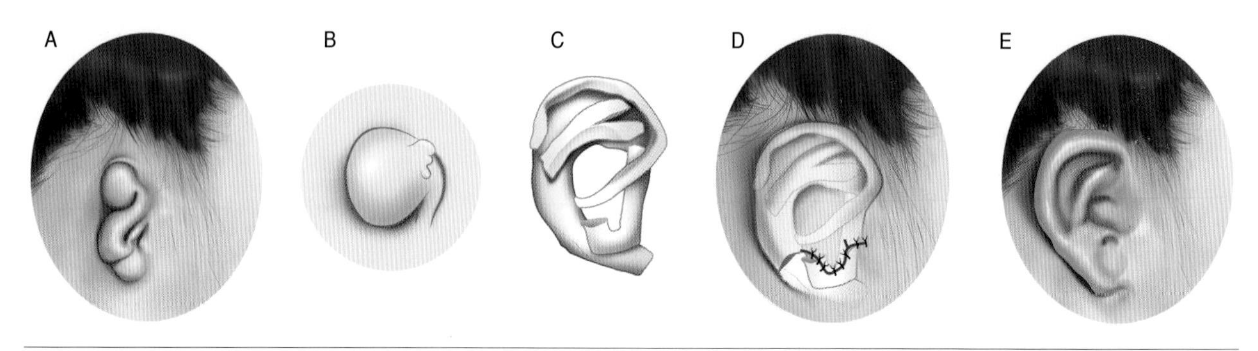

그림 26-54 **이부의 조직확장술.** **A:** 선천적 이기형(왜소이) **B:** 조직확장기를 잔존 귀의 후방에 삽입하고 조직확장술을 시행한 모습 **C:** 늑연골로 귀의 골격을 형성한 모습 **D:** 연골골격을 피부로 피개한 모습 **E:** 수술 후 재건된 귀

다. 조직확장기는 안면신경 분지의 손상이 없도록 광경근(platysma) 상방에 삽입한다. 경부피판을 최대한 상방으로 연장시키면 안와하연(infraorbital rim)까지 이를 수 있다. 안면과 경부에서는 여러 개의 조직확장기를 삽입하면 중요한 구조물의 손상없이 매우 많은 조직을 확장시킬 수 있다. 입이나 눈 주위의 조직을 확장하여 전진 또는 회전시킬 경우 수축이 일어나지 않도록 하방의 근막이나 골막에 부착시켜야 한다.

(3) 코와 귀 재건을 위한 조직확장술

코를 재건하기 위해선 코의 내부와 외부를 모두 이장할 수코를 재건하기 위해선 코의 내부와 외부를 모두 이장할 수 있는 충분한 양의 피부가 필요하다. 특히 화상이나 광범위한 신생물, 선천적 비기형이 있는 환자에서 더욱 피부가 많이 필요하다. 이때 전두부 확장술을 시행하면 필요한 조직의 양을 크게 늘릴 수 있고 공여부 결손을 일차 봉합할 수 있다. 두피부에 절개를 가하여 전두부를 완전히 포함할 수 있는 크기의 사각형 조직확장기를 삽입하고, 조직확장은 6주 이상 충분히 시행한다. 확장된 전두부의 조직 두께가 얇아지기 때문에 좀 더 섬세한 재건이 가능하다.

비부의 지지 구조물이 없으면 확장된 조직이 재수축 하기 때문에 지지 구조물을 재건하는 것도 매우 중요하다. 전두부피판을 이식할 때 지지 구조물로 두개골을 함께 이식할 수 있다. 또한 비첨(nasal tip)을 지지하고 비첨의 모양을 섬세하게 다듬기 위해 늑연골을 쓸 수 있다. 조직확장술 후 전두부피판을 거상할 때는 피막을 제거하고 진피와 표피만 얇게 남겨야 한다. 피판을 하방으로 회전하여 지지골과 연골을 덮고, 끝부분을 접어서 내부에 남아있는 점막과 봉합하여 비강(nasal cavity) 내부의 이장 점막 조직을 만든다. 2~3주 후에는 피판을 분리한다.

이부(ear)의 재건은 이기형증이나 이결손증 등의 선천적 이부 결손시, 혹은 외상이나 화상 등에 의한 후천적 이부 결손시에 시행한다. 이부 재건 시에 조직확장술을 이용하면 측두정골피판(temporoparietal flap)의 필요성과 이식 피부의 양을 최소로 줄일 수 있다. 조직확장술의 목적은 재건된 귀의 연골 골격(cartilage framework)을, 충분한 양의 얇고 탄력적이며 모근이 없는 피부로 피개하는 데 있다.[38,39] 조직확장기를 이용한 이부 재건술은 주로 2단계 또는 3단계의 과정을 거치는데, 1단계에서는 조직확장기를 삽입하고 확장시키며, 2단계에서는 늑연골을 이용해 연골 골격을 만들고 이를 확장된 피부피판으로 피개하며, 3단계에서는 귀의 세부 구조를 형성한다.

1단계 수술에서 조직확장기는 두피에 절개를 가해 삽입하는데, 이때 추후에 사용될 가능성이 있는 측두피판에 손상이 가지 않도록 주의한다. 절개선은 확장기가 들어갈 공간에서 많이 떨어진 부위에 위치시키는데, 박리는 측두근막(temporal fascia) 층으로 한다. 사용되는 확장기의 종류나 형태는 술자에 따라서 다양하게 선택되는데, 일반적으로는 귀의 형태가 남아 있으면 주문형 조직확장기를 사용하고, 귀가 완전히 결손된 경우에는 100 cc 정도의 초승달형(crescent) 확장기를 사용한다. 상부의 피부가 얇기 때문에 가능하면 한 번에 적은 양으로 단계적으로 팽창시킨다. 충분히 확장시킨 후 조직이 안정될 때까지 약 4주~3달 동안 기다린다. 한편, 선천적 이기형증 환자에서는 피부가 정상인보다 얇기 때문에 조직을 확장시키는 동안 특별히 주의하여야 한다.

대부분의 임상가들은 2단계 수술 시 피부판을 형성하면서 조직확장기 주위의 피막(capsule)을 제거하여 연골 골격을 둘러싸는 피부의 신장력을 증가시키고자 하지만, 피막이 제거되면 상방의 피부로의 혈류공급이 줄어들 수 있으므로 주의하여야 한다. 연골은 대부분 반대쪽 6~8번 늑연골 결합부에서 채취하며, 채취된 연골을 귀의 해부학적 형태에 맞게 조각한다. 이때 연골의 흡수를 막기 위해 연골막은 반드시 보존해야 한다. 피부와 연골을 잘 접촉시키기 위해 흡입배액(suction drain)을 삽입하는 것이 좋다(그림 26-54).[39]

3단계 수술에서는 이주(tragus), 이륜각(crus helicis), 이주간와(intertragic notch), 갑개(concha), 그리고 외이도 형태의 구멍 등, 귀의 전방구조물을 형성한다. 이때는 남는 연골 골격을 제거하거나 부족한 부분을 추가적으로 형성하기도 하며, 필요시 추가적인 피부이식을 시행한다.

참고문헌

1. Patel KG, Sykes JM. Concepts in local flap design and classification. Oper Tech Otolayngol Head Neck Surg 2011;22:13-23.
2. Behmand RA, Rees RS. Reconstructive lip surgery. In: Achauer BM, Eriksson E, Guyuron B, Coleman III JJ, Russell RL, Vander Kolk CA, editors. Plastic Surgery: Indications, Operations, and Outcomes. St. Louis: Mosby; 2000.
3. Zide M, Dean J. Cutaneous lip lesions and reconstruction. In: Ward-Booth P, Scheldel SA, Hausamen JE, editors. Maxillofacial Surgery. Edinburgh: Churchill Livingstone; 1999. p.735-58.
4. Webster JP. Crescentic peri-alar cheek excision for upper lip flap advancement with a short history of upper lip repair. Plast Reconstr Surg (1946) 1955;16:434-64.
5. Bailey BJ. Surgery of the Oral Cavity Chicago: Yearbook Medical Publishers Inc.; 1989.
6. Estlander JA. Eine Methode aus der einen Lippe Substanzverluste der anderen zu ersetzen. Arch Klin Chir 1872;14:622-31.
7. Karapandzic M. Reconstruction of lip defects by local arterial flaps. Br J Plast Surg 1974;27:93-7.
8. Burget GC, Menick FJ. Aesthetic restoration of one-half the upper lip. Plast Reconstr Surg 1986;78:583-93.
9. Baker SR. Carcinoma of the lip. In: Holt GR, Gates GA, Mattox DE, editors. Decision Making in Otolaryngology. Toronto: B.C. Decker; 1984. p.127.
10. Schuchardt K. Operationen im gesicht und im kieferbereich, operationen an den Lippen. Chirurgische Operationslehre. Leipzig: JA Barth; 1954.
11. Bernard C. Cancer de la levre inferieure: restauratio a l'aide de lembeaux quadrilataires-lateraux querison. Scalpel 1852;5:162-4.
12. Freeman BS. Myoplastic modification of the Bernard cheiloplasty. Plast Reconstr Surg Transplant Bull 1958;21:453-60.
13. Zide BM. Deformities of the lips and cheeks. In: McCarthy JG, editor. Plastic Srugery. 3rd ed. Philadelphia: WB Saunders; 1990. p.2009-56.
14. Converse JM. Reconstructive plastic surgery. 2nd ed. Philadelphia: WB Saunders; 1977.
15. Gillies H, Millard DR. The principles and art of plastic surgery. Boston: Little, Brown & Co.; 1957.
16. 이상철, 김여갑, 류동목, 이백수, 서경성. 증례보고 : 하순에 발생한 우췌성상피세포암의 Karapandzic flap 을 이용한 치험례. 대한악안면성형재건외과학회지 2001;23:568-71.
17. Johanson B, Aspelund E, Breine U, Holmström H. Surgical treatment of non-traumatic lower lip lesions with special reference to the step technique. A follow-up on 149 patients. Scand J Plast Reconstr Surg 1974;8:232-40.
18. Kuttenberger JJ, Hardt N. Results of a modified staircase technique for reconstruction of the lower lip. J Craniomaxillofac Surg 1997;25:239-44.
19. Fujimori R. "Gate flap" for the total reconstruction of the lower lip. Br J Plast Surg 1980;33:340-5.
20. Nakajima T, Yoshimura Y, Kami T. Reconstruction of the lower lip with a fan-shaped flap based on the facial artery. Br J Plast Surg 1984;37:52-4.
21. Iwahira Y, Yataka M, Maruyama Y. The sliding door flap for repair of vermilion defects. Ann Plast Surg 1998;41:300-3.
22. McGregor IA. The tongue flap in lip surgery. Br J Plast Surg 1966;19:253-63.
23. Skow J. One-stage reconstruction of full-thickness cheek defects. Plast Reconstr Surg 1983;71:855-7.
24. Weisberger EC, Hanke W. Reconstruction of full-thickness de-

fects of the cheek. Arch Otolaryngol 1983;109:190-4.
25. Juri J, Juri C. Cheek reconstruction with advancement-rotation flaps. Clin Plast Surg 1981;8:223-6.
26. 강진성. 최신 성형외과학. 대구: 계명대학교 출판부; 1995.
27. 민병일. 악안면성형외과학. 1판 ed. 서울: 군자출판사; 1990.
28. 대한성형외과학회. 표준성형외과학. 서울: 군자출판사; 1999.
29. Zitelli JA. The bilobed flap for nasal reconstruction. Arch Dermatol 1989;125:957-9.
30. Zitelli JA. Design aspect of the bilobed flap. Arch Facial Plast Surg 2008;10:186.
31. Neumann CG. The expansion of an area of skin by progressive distention of a subcutaneous balloon; use of the method for securing skin for subtotal reconstruction of the ear. Plast Reconstr Surg (1946) 1957;19:124-30.
32. Radovan C. Adjacent flap development using expandable silastic implant. Annual Meeting of the American Society of Plastic and Reconstructive Surgeons. Boston; 1976.
33. Argenta LC, Watanabe MJ, Grabb WC. The use of tissue expansion in head and neck reconstruction. Ann Plast Surg 1983;11:31-7.
34. Radovan C. Tissue expansion in soft-tissue reconstruction. Plast Reconstr Surg 1984;74:482-92.
35. Austad ED, Pasyk KA, McClatchey KD, Cherry GW. Histomorphologic evaluation of guinea pig skin and soft tissue after controlled tissue expansion. Plast Reconstr Surg 1982;70:704-10.
36. Pasyk KA, Argenta LC, Austad ED. Histopathology of human expanded tissue. Clin Plast Surg 1987;14:435-45.
37. Manders EK, Schenden MJ, Furrey JA, Hetzler PT, Davis TS, Graham WP, 3rd. Soft-tissue expansion: concepts and complications. Plast Reconstr Surg 1984;74:493-507.
38. Hata Y. Do not forget the fundamental merits of microtia repair using a tissue expander. Plast Reconstr Surg 2002;109:819-22.
39. Buchwach K. Standard grafts, minigrafts, and micrografts. Their use in hair transplantation. Facial Plast Surg Clin N Am 1994;2:149-61.

Chapter

27 유경피판

Pedicled flap

기본 학습 목표

- 유경피판의 정의와 분류를 설명할 수 있다.
- 유경피판의 공여부 해부학에 대하여 설명할 수 있다.

심화 학습 목표

- 다양한 두경부 결손 영역에 따른 유경피판의 적응증 및 각각의 특성을 설명할 수 있다.
- 유경피판의 종류에 따른 수술 술기를 익힌다.
- 유경피판 수술 이후 합병증 및 이에 대한 처치 방법에 대하여 설명할 수 있다.
- 유리피판에 비교되는 유경피판의 장단점을 설명할 수 있다.

피판은 피하조직의 검진이나 상처받은 부위를 보호 또는 이식(transplant)을 목적으로, 피하구조에서 외과적으로 분리된 피부나 다른 조직의 층을 일컫는 용어이다. 대개 피부를 포함하는 조직으로서 혈류를 유지한 상태로 채취되어 근처 또는 원위부의 결손부를 재건하기 위해 사용된다.

유경피판(pedicled flap)이란 피판의 혈류를 유지하기 위한 수단으로 혈행(blood supply), 즉 혈관경(vascular pedicle)을 분리하지 않고 피판에 연결된 부위(pedicle)를 포함하는 피판을 의미한다. 혈관경을 포함하는 또 다른 피판인 유리피판(free flap)과 달리 유경피판은 혈관경의 연속성이 유지되므로 유리피판에서 필수적인 미세혈관 문합술 과정이 생략될 수 있어서 수술시간을 크게 단축할 수 있는 장점이 있다.

일반적으로 유경피판은 피부로 공급되는 혈행의 단면 형태에 따라 임의형 피판(random pattern flap), 혈관경피판(axial pattern flap) 및 분절 혈관경피판(island pattern flap) 등으로 분류된다(그림 27-1).

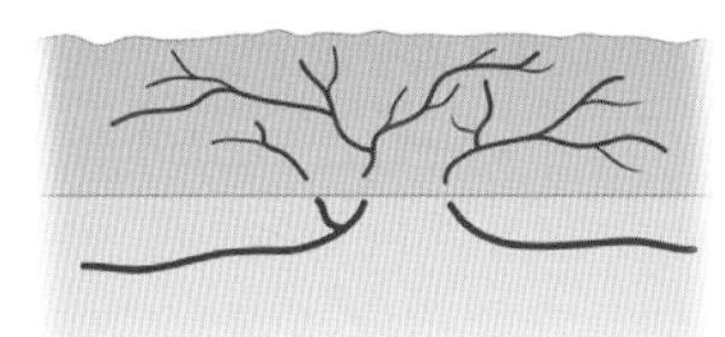

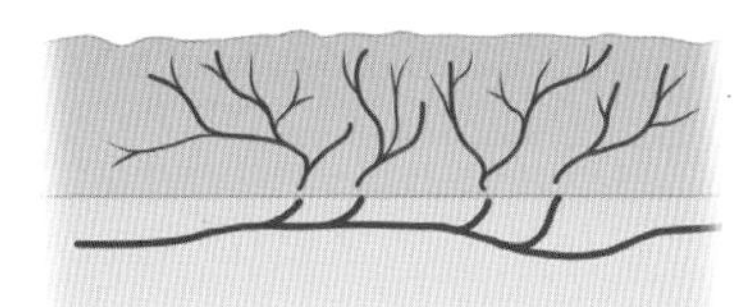

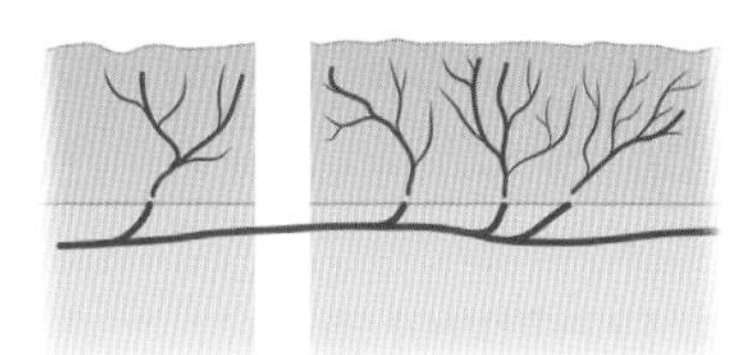
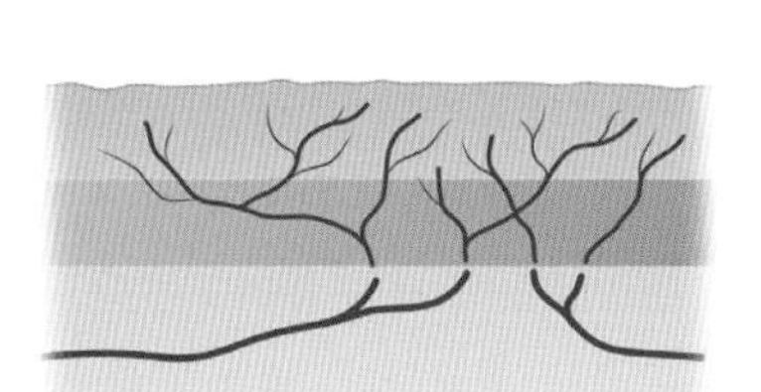
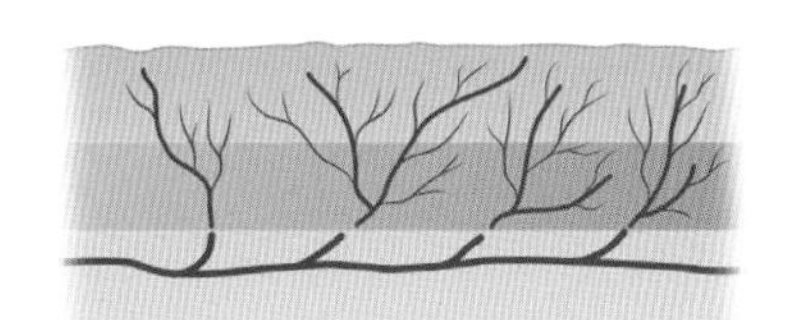
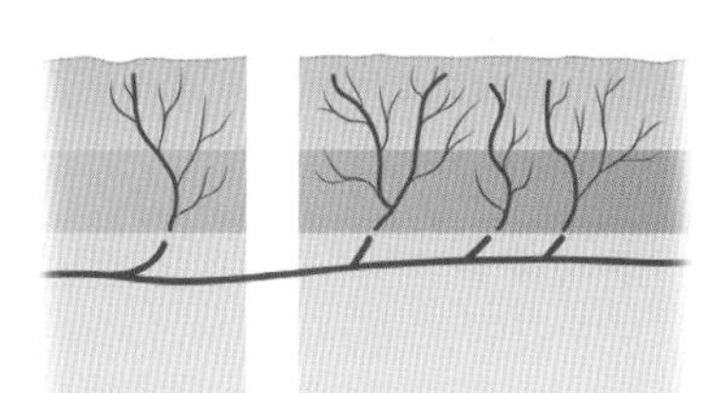

그림 27-1 임의형 피판, 혈관경피판 및 분절 혈관경피판의 모식도

1. 임의형 피판(Random pattern flap)

임의형 피판 또는 임의피판은 특정 혈관에 의해 혈행을 공급받는 피판이 아니며, 피판 기저부의 천공지와 피하 혈관층이 결합되면서 혈류를 공급받는 피판이다. 악안면부의 피부 결손 환자에서 주로 임의피판 형태가 고려되며, 이는 피부색상과 같은 피부 표면의 특성이 결손부와 비슷한 결손부 주변의 피판을 이용하는 것이 심미적으로 유리하기 때문이다. 구강내에서도 작은 크기의 결손부 재건에 임의피판을 이용할 수 있다. 설피판(tongue flap)이 대표적이며 이는 26장에 기술되어 있다. 임의피판의 디자인은 일반적으로 피판의 길이가 기저부 폭의 2배 이상이 되지 않도록 하는 것이 추천되나 피판의 길이와 폭의 비율이 절대적이지는 않으며 오히려 임의피판을 구성하는 혈관의 관류압과 혈관내 저항이 보다 중요하다.[1,2]

2. 혈관경피판(Axial pattern flap)

혈관경피판은 피판의 장축을 따라 주행하는 특정한 혈관에 의해 피부쪽 혈행을 공급받으며, 임의피판에 비해 직접적인 혈행 공급이 좋기 때문에 상대적으로 넓은 피부결손부를 안정적으로 재건할 수 있다.[2] 혈관경피판의 예로 대구개동맥을 기저혈관으로 하는 구개점막피판(palatal mucosal flap)과 안면동맥을 기저혈관으로 하는 비구순피판(nasolabial flap)이 26장에 소개되고 있다.

3. 유경피판의 종류

해부학적인 혈행분포와 근육 등의 이름으로 흔히 사용되는 유경피판에 대해 알아본다.

1) 방정중전두피판(Paramedian forehead flap)

전두부의 피부로서 활차상동맥(supratrochlear artery)을 영양축으로 하는 혈관경피판으로 코 부위 및 눈 주위 등의 결손 재건에 사용된다. 이 피판은 거상이 쉽고, 안면과 색 및 질감이 유사하여, 특히 코 부위 결손부 재건에 유리하며, 혈행이 좋고, 조직이 단단해서 잘 찢어지지 않아 봉합이 쉽다(그림 27-2). 이 피판의 단점으로는 전두부에 반흔이 남는다는 것이다. 이 피판을 두 단계로 나누어 시행하기도 하는데, 피판의 성공률을 높이기 위하여 지연피판(delayed flap)의 형태로 수술할 수 있으며, 코 재건의 경우 코의 내측 점막을 재건하기 위해 피판의 선행조작(prefabrication)을 일차적으로 시행할 수 있다(그림 27-2). 광범위한 조직이 필요할 경우 조직확장기(tissue expander)를 사용하여 원하는 만큼 조직을 확장시켜 사용할 수 있다.[2-5]

2) 흉삼각피판(Deltopectoral flap)

대흉근피판이 개발되기 전까지 악악면부 재건에 많이 사용된 피판으로 근육을 포함하지 않고 내유방동맥(internal mammary artery)의 첫 4개의 늑간관통지(intercostal perforating branches)를 혈행으로 하는 얇고 넓은 신축성이 있는 피부피판이다(그림 27-3, 4).

흉삼각피판은 원래 점막 결손을 수복하기 위해 고안되었으나, 두경부에서 피부결손을 재건하는 데에도 유용하다. 구강내 및 구강외 피부를 각각 혹은 동시에 재건할 수 있다. 흉삼각피판은 혈행이 믿을만하며, 신속하고 쉽게 피판을 거상할 수 있다. 주로 쇄골 바로 하방과 3~4번째의 늑골 사이에서 거상되며, 일반적으로 경부의 피부나 이하선 부위의 안면피부를 재건하는데 사용된다. 피부는 충분한 두께를 가지고 있으며 질감 역시 두경부의 피부와 잘 어울린다. 2차 수술이 필요하다는 단점이 있어서 후에 one stage 수술법이 개발되었다. 어깨의 측방부에서 거상된 피판의 원위부는 임의 형태의 피판이어서 이 부위는 지연 처치(delay)를 가하는 경우도 있다. 지연 처치를 위해서는 피판 측방부를 일부 거상하고 흉견봉동맥(thoracoacromial artery)의 전방 피하 분지를 분리한 후 이 부분을 다시 봉합하고 피판을 약 10~14일 후에 거상한다. 구강 또는 구인두부 재건을 위해 사용할 경우에는 피판을 수혜부로 넣기 위한 계획된 누공이 필요한데 이것은 2~3주 후에 2차 수술 시 피판경을 분리하면서 누공을 폐쇄한다. 피판 거상 시 대흉근 상방의 근막심부까지 절개를 가해 피판을 측방에서 내측으로 거상하는데, 혈행을 손상시키지 않기 위해 정

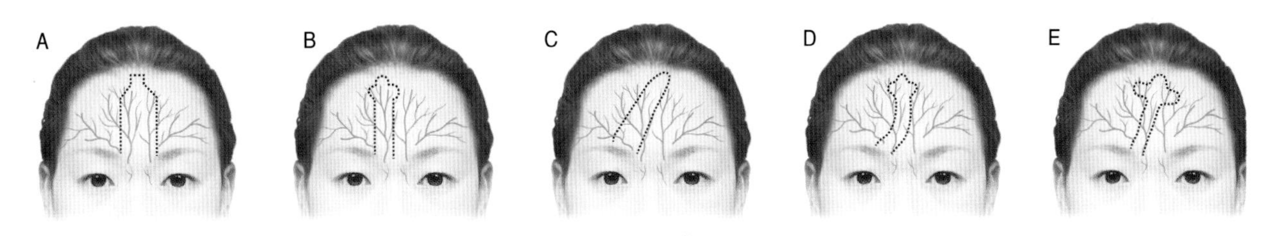

그림 27-2 방정중전두피판의 모식도 및 피판 디자인에 따른 분류

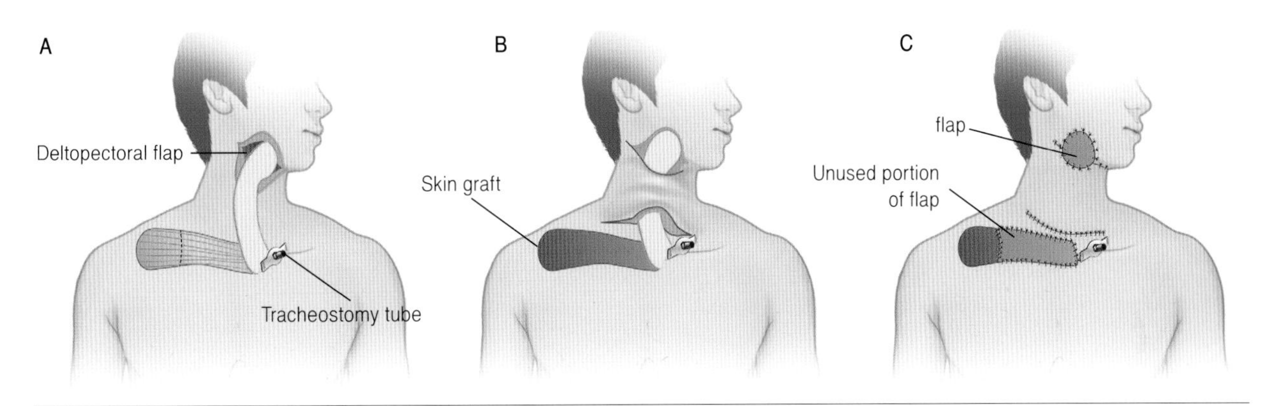

그림 27-3 흉삼각피판의 해부학 및 피판의 디자인과 구강내 및 안면부 재건의 모식도

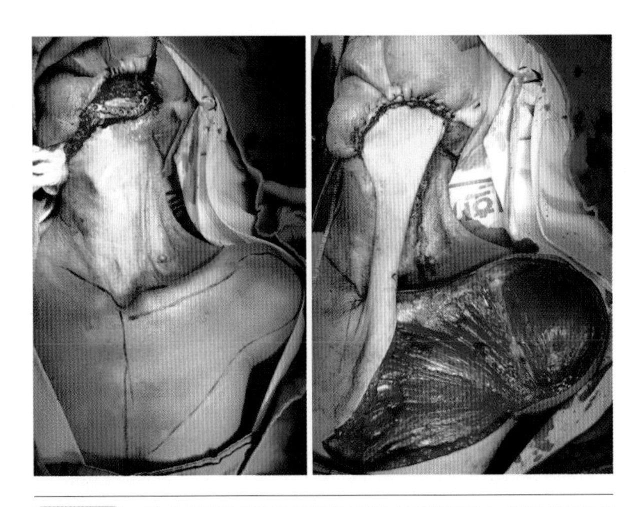

그림 27-4 **실제 흉삼각피판을 이용한 안면부 재건 케이스.** 방사선골괴사증 이후 발생한 안면부 피부 결손을 흉삼각피판을 이용하여 재건하였다.

중선에서 약 6 cm 정도 남기고 거상하는 것이 좋다. 공여부의 측방부에는 피판 회전 후 부분층피부이식을 해준다. 목 전방부의 피부 재건을 위해서는 피판을 거상하고 회전시켜 한 번에 수술을 마칠 수 있으나, 대개의 타 부위 재건에서는 14~21일 후에 남은 피판경을 재위치시키는 2차 수술을 시행한다.[5-7]

3) 대흉근피판(Pectoralis major muscle flap)

대흉근피판은 큰가슴근피판이라고도 하며 악안면재건에 있어 매우 유용한 근피판이다. 대흉근은 쇄골(clavicle) 전면의 내측 1/2, 흉골(sternum)의 전면, 제1에서 6번까지의 늑연골(costal cartilage) 그리고 외사건막(external oblique aponeurosis)의 상부에서 상완골(humerus) 결절간구(intertubercular groove)의 측연부에 부착한다. 흉견봉동맥(thoracoacromial artery)의 흉분지(pectoral branch)로부터 혈액을 공급받으며, 정맥혈 배액은 주위의 동반정맥(vena comitantes)으로부터 이루어진다. 피판의 혈관축은 오훼돌기(coracoid process)에서 검상흉골(칼돌기, xiphisternum)을 이은 선상에 있다(그림 27-5).

대흉근피판의 디자인은 재건 시 필요한 피부와 근육의 양에 따라 다양하게 시행될 수 있다. 일반적으로 피부판(skin island)은 대흉근의 원위부, 유두 내하방에 디자인한다. 대흉근에서 혈류를 일부 공급받는 4 또는 5번째 늑골을 포함하는 복합골근피판도 계획할 수 있다(그림 27-6). 마찬가지로 대흉근이 기시하는 흉골의 일부를 근피판에 포함시킬 수도 있다. 이러한 골편에 대한 혈류화 정도는 예측

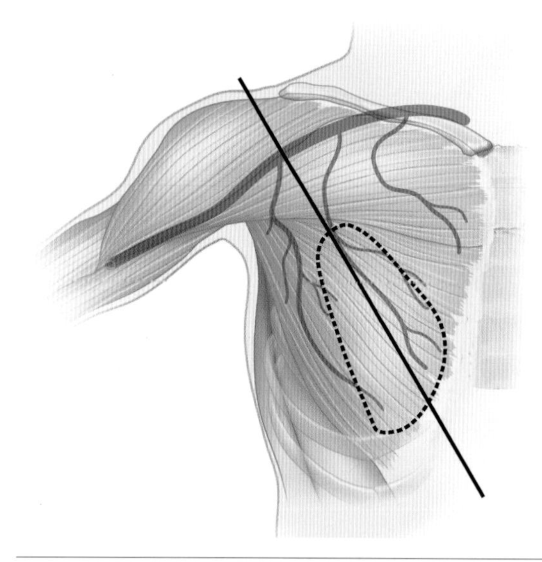

그림 27-5 대흉근피판의 근육분포 및 흉견봉동맥의 분포를 보여주는 모식도

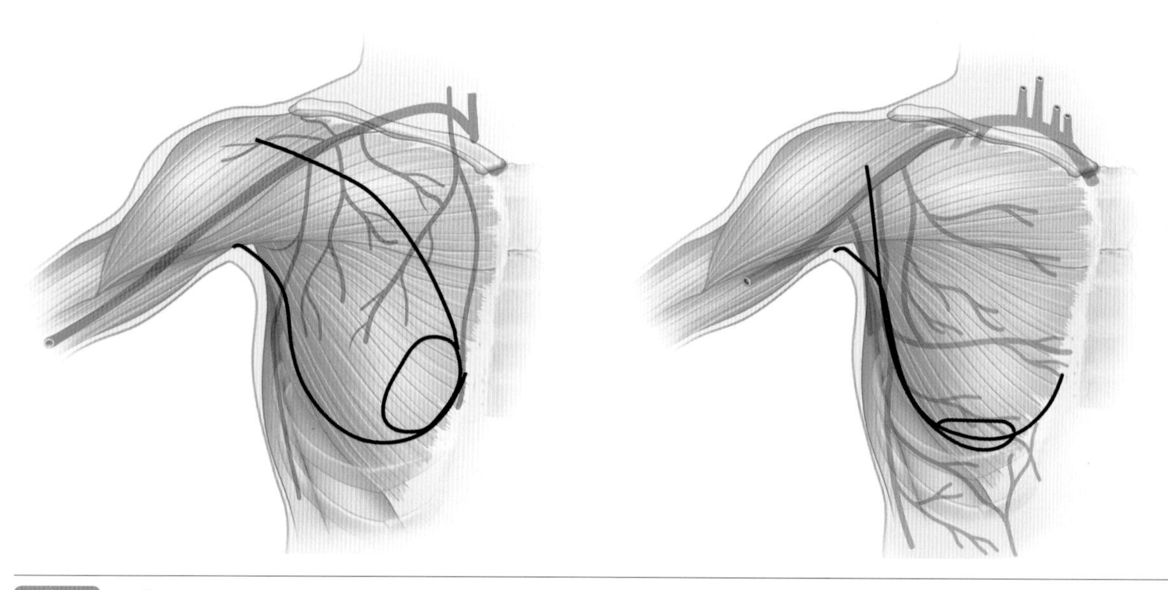

그림 27-6 **대흉근피판의 디자인을 보여주는 모식도.** 통상적인 좌측의 모습과 달리 여성의 경우 유방의 위치 변위를 고려하여 우측과 같이 작도하기도 한다.

하기 어렵지만, 혈관이 풍부한 근육을 포함하고 있어서 대부분 이식에 성공한다. 대흉근피판의 근육은 경부의 주요한 구조와 경동맥 등의 혈관을 보호해 주는데 유용하게 사용되며, 특히 수혜부에 많은 혈류를 공급해 주게 되어 방사선 치료를 받은 환자의 경우에 더욱 이점이 많다. 피판은 구강점막이나 인후부 재건 또는 협측과 경부의 피부 재건에 사용될 수 있다. 피판의 완전 괴사나 상처의 벌어짐 등은 드문데, 단점은 부피가 크고 중력 방향으로 처지는 것과 여자의 경우 유방 위치 변이와 피판이 큰 경우 공여부의 일차적인 봉합이 어렵다는 것이다(그림 27-7). 이 근피판은 안면의 하부와 경부의 재건에 특히 유용하며 관골 이상의 결손 부위에서는 사용이 제한된다. 술자에 따라서는 이 근피판을 미세재건술을 이용한 조직이식술이 실패하였을 경우에 구제용으로 사용하기도 한다.[5,8,9]

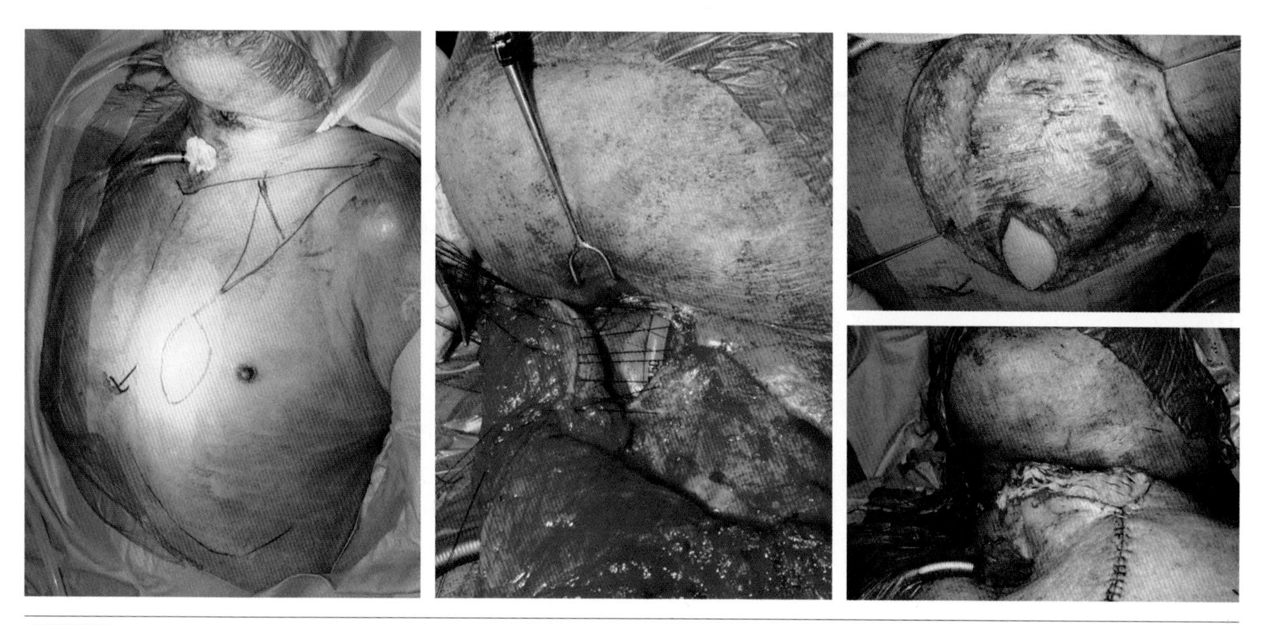

그림 27-7 **실제 대흉근피판을 이용하여 인후부를 재건한 케이스.** 대흉근피판의 피부는 인후두의 부분을 재건하였고, 노출된 대흉근은 피부이식을 통하여 재건하였다.

4) 광배근피판(Latissimus dorsi muscle flap)

광배근(latissimus dorsi muscle)은 겨드랑이에서 등쪽으로 분포하는 커다란 삼각형의 근육으로, 요배근막(lumbodorsal fascia), 5번째에서 12번째 요추의 극돌기(spinous process)와 후장골능(posterior iliac crest)에서 주로 기시하고 극히 일부분은 하방 4개의 늑골 외측과 견갑골 하각(tip of scapula)에서 기시하기도 하며, 상완골 후방의 결절간구(intertubercular groove)에 부착한다(그림 27-8).

일부는 견갑골의 하각에 부착되어 있는데 이것은 소성조직에 의해 하방의 전거근이나 승모근과 분리되어 있다. 광배근은 팔을 어깨 관절을 통해 내측으로 회전(medial rotation)하거나 내전 운동(adduction)을 하는데 관여하고 목발을 이용해서 걷거나 휠체어를 이용할 때 어깨를 고정시키는데 중요한 역할을 한다. 광배근피판은 얇고 넓은 근육과 원하는 양의 피부를 제공하므로 두피, 협부의 천공된 결손부, 혀, 귀, 목, 하지, 상지 등에 발생한 조직 결손부의 재건에 유용하다. 광배근피판은 흉배동맥(thoracodorsal artery)과 견갑하동맥(subscapular artery)의 해부학적 위치가 일정하고 혈관의 길이가 길며 직경이 굵어 비교적 쉽고 안전하게 피판을 형성할 수 있다. 또한 겨드랑이에서 장골능(iliac crest)까지 긴 피판을 만들 수도 있다. 폭 10 cm 정도까지의 피부 결손부는 직접 봉합이 가능하며, 그것보다 더 큰 결손부는 Z-plasty나 피부이식을 통해 해결된다. 또한 흉배 신경(thoracodorsal nerve)을 같이 옮겨서 운동 기

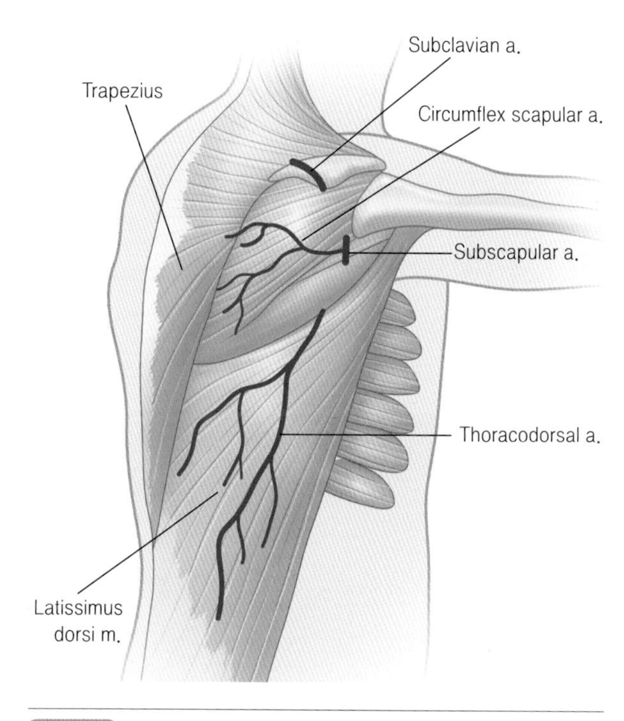

그림 27-8 **광배근피판의 근육과 동맥 해부학**

능을 회복할 필요가 있는 부위에 사용이 가능하다.

광배근피판은 필요에 따라 근판(muscular flap)만 채취하는 경우가 있고 근피판(myocutaneous flap)으로 채취하는 경우도 있다. 피부를 같이 채취할 경우에는 혈관의 주행 방향과 필요한 조직의 양을 잘 고려해서 디자인해야 한다. 피판의 방향은 근육의 주행 방향에 따라서 비스듬히 설계하는 경우가 대부분이지만 필요에 따라 옆으로 설계하기도 한다. 피판의 크기는 가능하면 공여부를 일차 봉합이 가능한 한도 내에서 채취하는 것이 바람직하다. 최근에는 내시경을 통해 최소 절개를 시행한 후 피판을 거상하는 방법이 보고되었다.

광배근피판은 유경피판과 유리피판 모두 가능하므로 신체 어느 부위 재건에도 이용할 수 있으며, 대개의 경우 공여부는 일차 봉합이 가능하고 수술 부위의 흔적도 그렇게 뚜렷하게 남지도 않는다. 피하 봉합은 오랫동안 유지되는 흡수 봉합사로 하고 피부 봉합사의 발사는 2주 정도 후에 하는 것이 좋으며, 흡입식 배액 장치(suction drain)는 1주일 정도 유지시킨다. 광배근피판은 필요한 경우 전거근쪽으로 분지되는 혈관을 이용하여 전거근피판(serratus anterior muscle flap)과 늑골을 동시에 채취하여 이용할 수도 있고, 견갑하동맥에서 분지되는 혈관들을 모두 이용하면 견갑피판, 부견갑피판, 견갑골 그리고 전거근피판, 늑골을 광배근피판과 동시에 채취하여 광범위한 복합조직 결손부 재건에 이용할 수 있다(그림 27-9).[5,10-12]

5) 승모근피판(Trapezius myocutaneous flap)

승모근은 후두골 결절부분(occipital protuberance), 후두골의 상부 목선(nuchal line), 7번째 경추의 극상돌기부와 흉추에 부착되고 견갑골과 쇄골의 측방 1/3에 부착된다. 주 혈액공급원인 횡경동맥(transverse cervical artery)은 약 75%에서는 갑상경동맥간(thyrocervical trunk)에서 기시하고 나머지 25%에서는 쇄골하동맥(subclavian artery)에서 기시하는데, 후자의 경우 근피판의 회전 반경에 많은 제약을 받는다. 횡경동맥은 견갑골극(scapular spine) 부위에 혈류를 공급하는 상행지와 승모근의 흉부(thoracic portion) 전체를 공급하는 하행지로 나뉜다(그림 27-10). 이와 같은 혈관 분지로 인해 피판을 측방 어깨근피판과 수직흉부근피판으로 두 개의 별도의 근피판을 동시에 디자인하여 거상할 수도 있다. 목 근처의 상방에 위치한 승모근은 후두동맥(occipital artery)에 의해서도 혈액을 공급받기 때문에 횡경동맥이 경부청소술 등의 술식으로 인해 절단되더라도 근피판을 형성할 수 있다. 측방어깨근피판은 상경부나 하안면부 피부 또는 구강내 결손의 재건에 이용된다. 견갑골의 견갑극을 근피판에 포함시킨 복합골근피판으로 하악골을 재

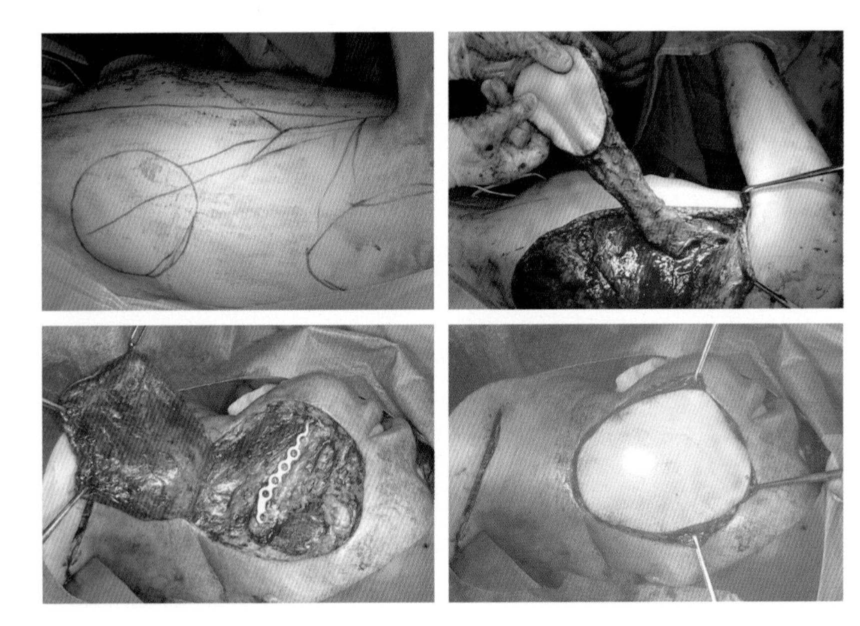

그림 27-9 실제 광배근 피판을 이용한 안면부 재건 케이스. 악성 종양 절제 후 발생한 안면부 피부 결손을 광배근 피판을 이용하여 재건하였다.

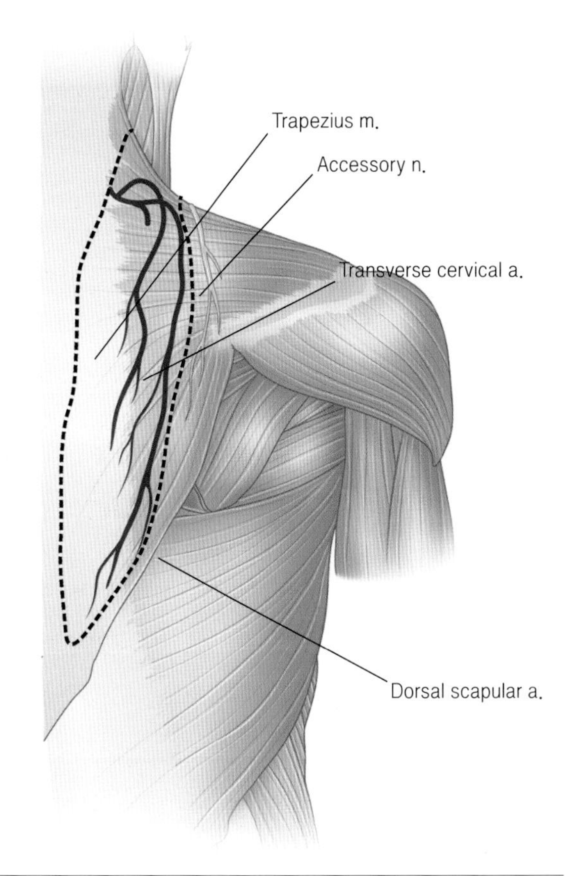

그림 27-10 **승모근피판의 해부학 및 승모근피판 작도의 예.** 수직근피판을 보여준다.

건하는데 적용할 수도 있다. 수직근피판은 상경부 피부 재건에 사용된다(그림 27-10).

승모근피판의 장점으로는 유연한 피부를 제공하여 재건 시 외형을 만들기 좋고, 근육의 부피가 적당하고 일정한 피부 두께를 확보할 수 있으며, 모발이 없고 공여부의 일차 봉합이 가능하다는 것이다. 단점은 피판 거상 시 출혈이 많고, 목이 짧고 지방이 많은 경우에는 횡경동맥경을 찾기가 쉽지 않으며, 또한 횡경동맥의 기시부에 해부학적 변이가 많다는 것이다. 부신경이나 쇄골 측방부 근육 기시부에 손상을 주면 관절 부위의 술후 동통과 경직감(stiffness) 등 어깨의 기능 이상을 나타낸다.[5,13]

6) 흉쇄유돌근피판 (Sternocleidomastoid myocutaneous flap)

흉쇄유돌근(sternocleidomastoid muscle)은 복장뼈자루(manubrium of sternum)와 쇄골(clavicle)의 내측 1/3 부위에서 두개의 분지를 내고, 유양돌기(mastoid process)와 상부 목선에서 기시한다. 이 피판은 분절된 혈액 공급을 받고 하부 또는 상부를 기저부로 하여 하부 피부 또는 상부의 피부를 동반하면서 피판을 이용할 수 있다. 근육의 상부 1/3은 후두동맥(occipital artery)에서 하부 1/3은 갑상경동맥간(thryocervical trunk)에서 혈행을 받는다. 중간 1/3은 상갑상동맥(superior thyroid artery)에서 혈행을 공급받는다.

구강 및 악안면부의 기능적인 재건과 이하선 절제술 후 재건에 적용된다(그림 27-11).

근육판만은 상당히 믿을 만하지만, 근피판으로 이용시에는 약간의 문제점이 있다. 피부를 동시에 이용할 경우에는 그 크기에 상당히 제한을 받으며, 피판 거상 후에도 정맥혈 배액(venous return)이 잘 안되어 정맥혈 울혈이 지속되는 경우가 많다. 경부청소술이 시행된 경우나 방사선 치료를 받은 곳은 적응증이 되지 못한다. 한때는 쇄골의 일부를 같이 채취하여 악골 재건에 사용하기도 하였으나, 원칙적인 의미에서 혈류화 골이식은 아니다. 보통 피부를 포함하지 않는 흉쇄유돌근만을 사용하여 구강저나 혀의 일부를 재건하거나 사강(dead space)을 없애는데 사용하고 있다.[5,14,15]

7) 측두근피판(Temporalis muscle flap)

사고와 같은 외상 치료 후의 재건이나, 상·하악골 및 서골, 안와의 암종제거술 후에 사용할 수 있는 피판으로, 부피가 크지 않고 유연성이 있다는 장점이 있다. 또한 회전 반경이 커서 구강내에 다양하게 사용할 수 있으며 공여부가 머리카락으로 인하여 보이지 않는다는 점도 큰 장점이다. 그리고 구강 재건에 사용하면 근-근막을 따라 자연적으로 4~6주 만에 상피화가 일어난다. 단점으로는 근판 거상부가 함몰되어 측안모 쪽의 변형이 초래되며, 안면신경 손상 가능성이 있는 점이다. 혈액공급은 내상악동맥(internal maxillary artery)의 분지인 전·후 심측두동맥(deep temporal artery)에 의하며, 하악근돌기(coronoid process)와 협골궁을 절단하여 주면 피판 회전 반경이 커진다(그림 27-12).[5,15-17]

PART 5

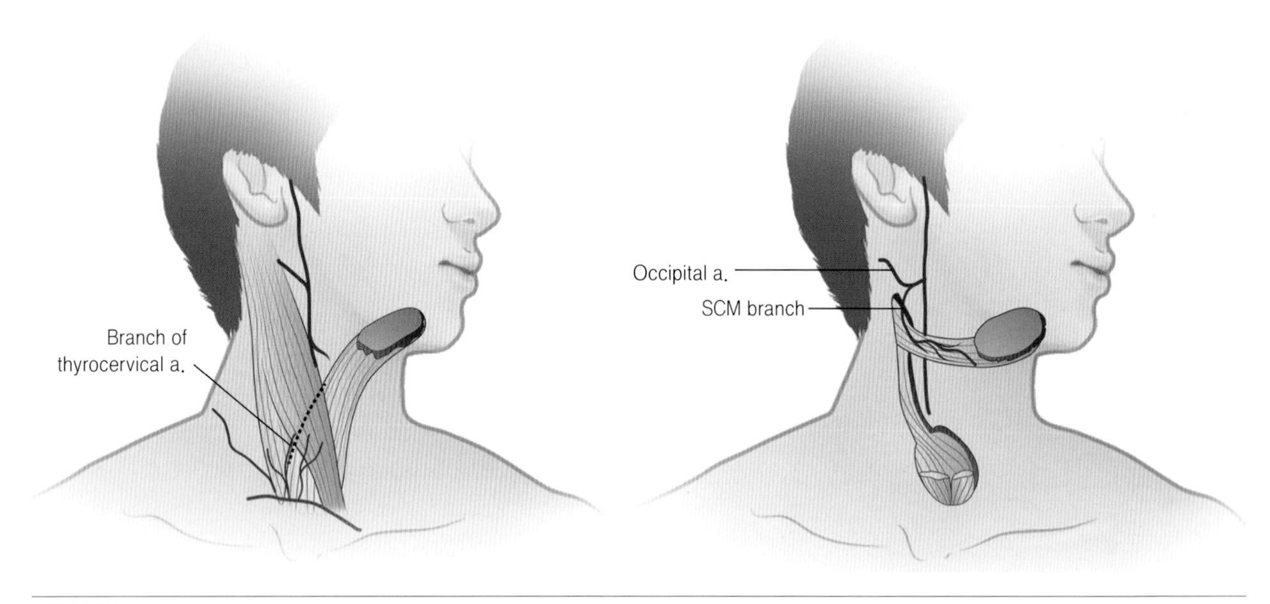

그림 27-11 **하부 및 상부 기저 흉쇄유돌근피판을 이용한 구강 재건 모습**

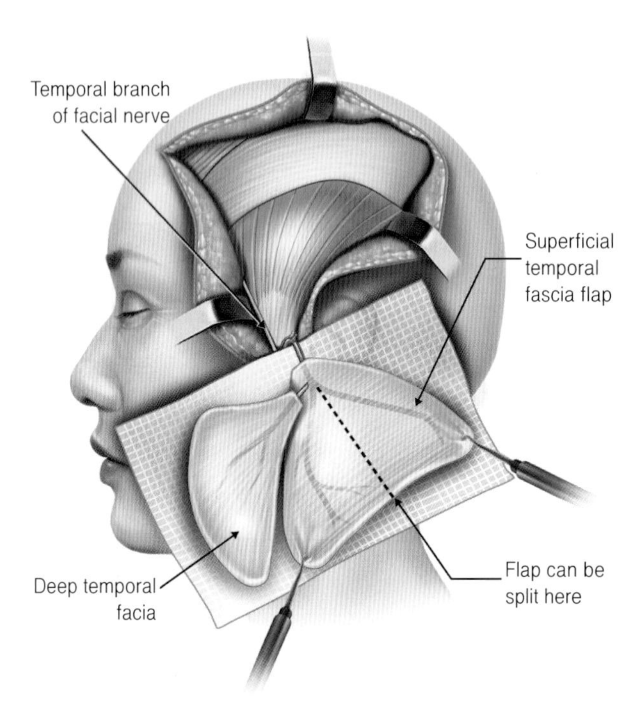

그림 27-12 **측두근피판의 해부학 및 거상 방법.** 근막 혹은 측두근을 포함하여 거상이 가능하다.

8) 광경근피판(Platysma myocutaneous flap)

경부의 피부와 광경근을 사용하는 피판으로서 피부판은 구강내 결손부를 재건하는데 사용된다. 상부기저와 하부기저 그리고 후방기저피판으로 구분되고, T1 또는 T2 암종에서 사용될 수 있으며, 피부이식만으로는 성공률을 보장할 수 없는 경우에 사용된다. 안면동맥(facial artery)을 주동맥으로 하며, 횡경동맥(transverse cervical artery)과 상갑상동맥(superior thyroid artery)을 부동맥으로 한다(그림 27-13).

피부가 얇고 유연하고 악안면부 수술 시 수술 부위가 인접하여 즉시 재건에 사용하기 좋으며 다른 근피판과 달리 근

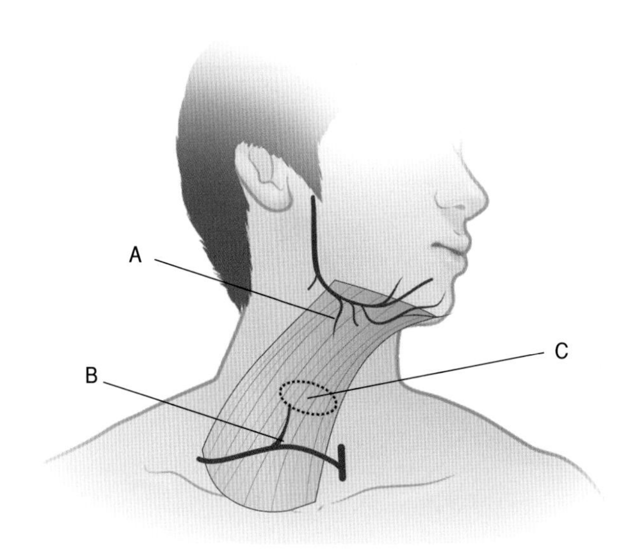

그림 27-13 **광경근피판의 해부학. A:** 안면동맥 **B:** 횡경동맥 **C:** 광경근피판의 디자인

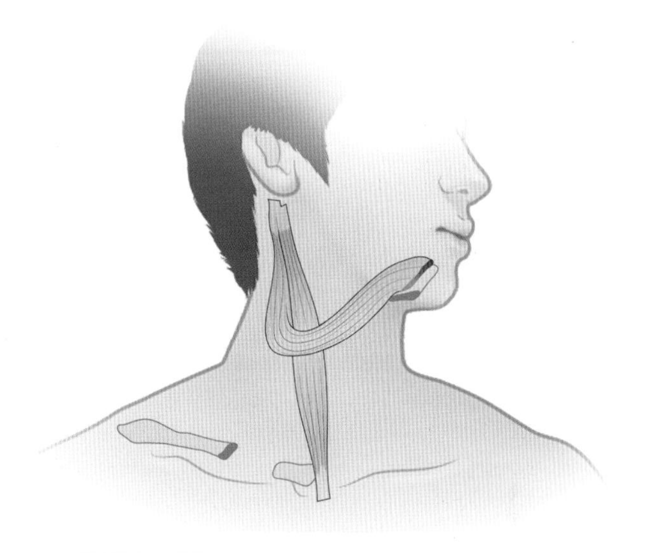

그림 27-14 **유경 골근피판의 예.** 흉쇄유돌근피판을 쇄골 일부와 함께 거상하여 하악골부의 결손부를 재건하는 모식도

육의 부피가 크지 않아서 안면부의 경도 함몰부를 위한 재건에 사용하기 좋다. 큰 결손부에서는 사용하기 힘들며, 후인두부를 광경근피판으로 재건할 경우 피판의 부피가 작아 음식물 역류(regurgitation)나 흡인(aspiration)이 발생할 수 있으므로 주의해야 한다. 그리고 피판의 실패율이 다른 피판에 비하여 높아 약 20%에서 많게는 40%까지 보고되어 있다.[18] 그리고 피판의 실패율이 약 20%에서 많게는 40%까지 보고되어 다른 피판에 비하여 높다.

9) 유경 골근피판(그림 27-14)

악안면외과 영역에서는 특히 악골결손 재건이 중요한 한 부분을 차지하는데, 많은 하악골 재건 방법 중 수혜상의 기저부가 연조직으로 잘 이장되어 있고 외부가 피부 등의 연조직으로 잘 싸여(external coverage) 있으며, 감염이 없고 혈류 공급이 잘되는 곳에는 비혈류화 유리골 이식(free non-vascularized bone graft)을 이용한 악골결손 재건이 통상적으로 많이 사용되고 있는 방법이다. 그러나 피판술(flap coverage)을 요구하는 연조직 결손이 있을 경우에는 성공률이 상당히 떨어지게 된다. 혈류화(vascularized) 측두골, 견갑골, 늑골, 장골능, 흉골 또는 쇄골 등의 일부를 전술한 근피판들에 같이 포함시켜 비혈류화 골이식의 이러한 문제점의 일부를 해결하고 있다(그림 27-14).

참고문헌

1. McGregor IA, Morgan G. Axial and random pattern flaps. Br J Plast Surg 1973;26:202-13.
2. Thomaidis VK. General considerations. Cutaneous Flaps in Head and Neck Reconstruction: From Anatomy to Surgery. Berlin: Springer; 2014. p.1-12.
3. Wilson JSP, Breach NM. Forehead skin flaps. In: Strauch B, Vasconez LO, Hall-Findlay EJ, Lee BT, editors. Grabb's encyclopedia of flaps. 3rd ed: Lippincott Williams & Wilkins; 2009. p.294.
4. Adamson JE. Nasal reconstruction with the expanded forehead flap. Plast Reconstr Surg 1988;81:12-20.
5. Urken ML, Cheney ML, Blackwell KE, Harris JR, Hadlock TA, Futran N. Atlas of Regional and Free Flaps for Head and Neck Reconstruction: Flap Harvest and Insetting. 2nd ed: Wolters Kluwer Health; 2012.
6. Lash H, Maser MR, Apfelberg DB. Deltopectoral flap with a segmental dermal pedicle in head and neck reconstruction. Plast Reconstr Surg 1977;59:235-40.
7. Sako K, Razack MS, Kalnins I. Reconstruction of massive orbitomaxillary-cheek defects. Head Neck Surg 1981;3:251-4.
8. Ariyan S. Further experiences with the pectoralis major myocutaneous flap for the immediate repair of defects from excisions of head and neck cancers. Plast Reconstr Surg 1979;64:605-12.
9. Ariyan S. The pectoralis major myocutaneous flap. A versatile flap for reconstruction in the head and neck. Plast Reconstr Surg 1979;63:73-81.
10. 이종호, 서구종, 박광, 박기덕. 두경부 영역의 종양 절제 후 광배근피판을 이용한 재건술. 대한악안면성형재건외과학회지 1992;14:105-16.
11. Baker SR. Closure of large orbital-maxillary defects with free latissimus dorsi myocutaneous flaps. Head Neck Surg 1984;6:828-35.
12. 김성민, 명훈, 이종호. 구강악안면재건을 위한 미세혈관피판. 서울: 서울대학교출판문화원; 2014.
13. Panje WR. Trapezius osteomusculocutaneous island flap for reconstruction. In: Strauch B, Vasconez LO, Hall-Findlay EJ, Lee BT, editors. Grabb's encyclopedia of flaps. 3rd ed: Lippincott Williams & Wilkins; 2009. p.558.
14. Ariyan S. Sternocleidomastoid muscle and musculocutaneous flap. In: Strauch B, Vasconez LO, Hall-Findlay EJ, Lee BT, editors. Grabb's encyclopedia of flaps. 3rd ed: Lippincott Williams & Wilkins; 2009. p.554.
15. Wei F-C, Mardini S. Flaps and Reconstructive Surgery. 1st ed: Elsevier Inc.; 2009.
16. Bradley P, Brockbank J. The temporalis muscle flap in oral reconstruction. A cadaveric, animal and clinical study. J Maxillofac Surg 1981;9:139-45.
17. Kang SH, Kim HJ, Cha IH, Nam W. Mandibular condyle and infratemporal fossa reconstruction using vascularised iliac crest and vascularised calvarial bone graft. J Plast Reconstr Aesthet Surg 2008;61:1561-2.
18. Barron JN, Saad MN, Vasconez LO. Platysmal flaps for cheek and intraoral reconstruction. In: Strauch B, Vasconez LO, Hall-Findlay EJ, Lee BT, editors. Grabb's encyclopedia of flaps. 3rd ed: Lippincott Williams & Wilkins; 2009. p.341.

Chapter 28

유리피판

Free Flap

기본 학습 목표
- 유리피판의 정의 및 종류에 대해 설명할 수 있다.
- 유리피판에 사용되는 기구와 기본 혈관문합 방법을 설명할 수 있다.
- 유리피판의 종류 및 분류에 대해 설명할 수 있다.

심화 학습 목표
- 악안면 재건에 사용되는 유리피판의 종류에 대해 설명하고 결손부에 따라 이를 적용할 수 있다.
- 각 유리피판의 장, 단점 및 혈관분포에 대해 설명할 수 있다.

유리피판의 이식(free tissue transfer)은 유리피판 조직을 우리 몸의 한 장소에서 다른 곳으로 옮기는 것을 뜻한다. 면역 거부반응이 없는 자가 조직을 사용하는 것이 대부분이지만 2005년부터는 타인의 안면전체를 이식하는 수술법도 개발되어 사용된다. 유리(free)의 뜻은 원래 조직이 있던 자리(공여부)에서 혈관과 함께 떨어진다는 의미이며 다른 장소(수여부)로 가게 될 때 미세혈관수술을 이용해서 수여부의 혈관과 유리피판의 혈관을 이어주는 수술이 필요하다. 그러므로 유리피판과 미세수술(microsurgery)은 떨어질 수 없는 관계를 가진다. 미세수술은 피판을 혈관경 또는 신경과 함께 분리하여 원거리에 있는 결손부를 재건하는 술식으로 두경부 재건 시에는 피판에 부착된 동맥과 정맥 또는 신경을 주로 경부의 혈관과 신경에 수술현미경과 미세수술기구를 이용하여 문합(anastomosis)하여 주는 방법이다. 미세수술을 통한 구강악안면 부위의 재건 시에는 안모, 저작기능, 식이, 개구, 타액분비, 연하, 발음과 같은 기능적 요소들을 우선적으로 고려하여야 하며 결손부의 위치, 결손부의 크기, 치아의 유무, 경부 임파절 수술의 범위와 종류, 향후 치아보철 계획 등을 고려하여 적합한 피판과 미세수술에 이용할 혈관들을 결정하는 것이 중요하다.

유리피판은 다양한 형태의 조직을 포함할 수 있으며 피부, 지방, 근육, 신경, 골조직을 각기 따로 혹은 조합을 해서도 이식할 수 있다. 본 장에서는 미세혈관수술의 역사와 방법 그리고 두경부 재건에 유용하게 사용되는 유리피판의 종류에 관하여 알아보고자 하였다.

1. 미세혈관수술(Microvascular surgery)의 역사

최초의 미세혈관수술은 1897년 J.B. Murphy에 의해서 기술되었으며 1902년 Alexis Carrel에 의해 three-stay 봉합 방법을 이용하여 최초로 단단 문합(end-to-end anastomosis)이 시행되었다(그림 28-1). 이 봉합 방법은 3군데 key suture를 시행하고 한 쪽 단을 좌우로 옮겨서 9군데 봉합을 하는 방법이다. Carrel은 혈관수술과 장기이식에서 그 성과를 인정받아서 1912년 노벨상을 받기도 하였다. 혈관수술 시 응고를 막아주는 헤파린(heparin)이 1916년 McLean에 의해 발견되고 1933년 Charles와 Scott이 헤파린을 정제하는 기술을 개발하여 수술 시 혈전의 발생을 줄여 줄 수 있게 되어 임상적인 혈관수술이 더욱 안정적으로 될 수 있게 하는 계기가 되었다.

미세혈관수술에 꼭 필요한 현미경은 1921년 스웨덴의 Olof Nylen이 최초로 사용하였으나 본격적인 미세혈관수술은 1960년대 Jacobson과 Suarez가 1 mm 직경의 혈관을 성공적으로 연결하면서 가능하게 되었다. 미세혈관수술을 이용하여 임상에서 초기에 많은 관심을 가진 영역은 재식수술(replantation)이었다. 1964년 Malt 등이 기차에 치어 팔이 떨어져 나간 12세 소년의 팔 이식을 성공한 것에 이어

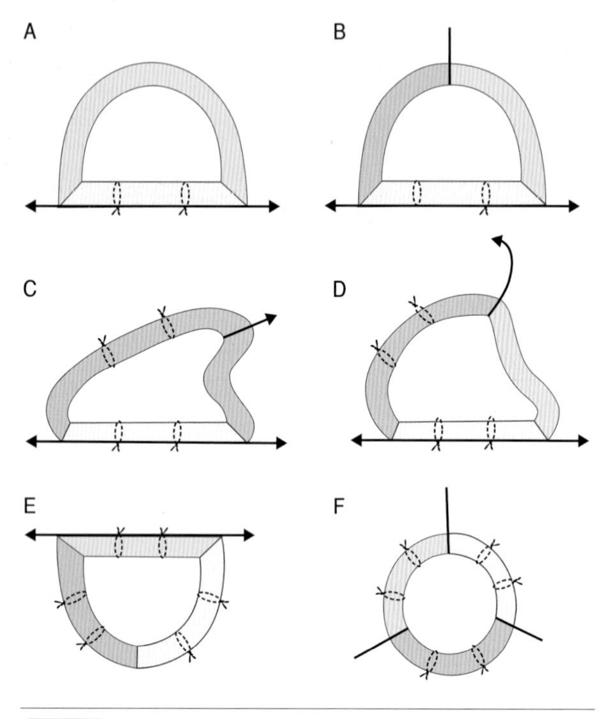

그림 28-1 Three-stay suture technique

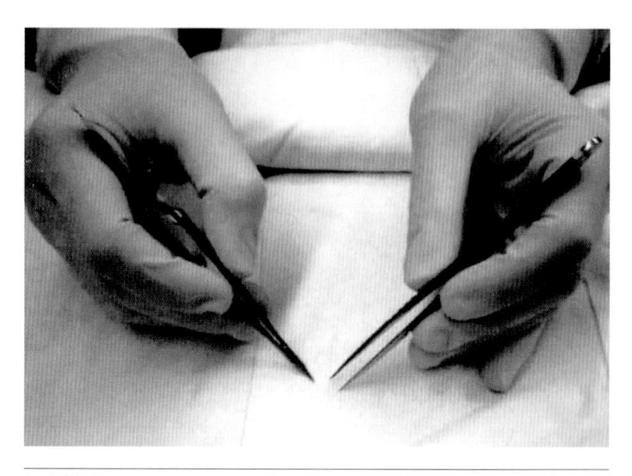
그림 28-2 수술 부위가 수술대보다 높은 경우 수술포 등으로 손목을 받치면 안정적인 수술이 가능하다.

다른 재식수술이 본격적으로 시행되기 시작하였다. 1965년 Tamai 등이 최초로 손가락의 재식에 성공하였으며 1968년 Cobbett 등이 발가락을 엄지손가락에 이식하는데 성공하였다. 사람에게 시도한 최초의 미세혈관수술을 이용한 유리피판은 1957년 Seidenberg가 식도재건에 시도한 공장피판(jejunal flap)이었다.[1] 그리고 두경부 영역에서 최초로 성공적인 유리피판 수술의 보고는 1970년 McLean과 Buncke이 omentum피판을 이용한 두피결손부의 재건이었다.[2] 뒤이어 Daniel과 Taylor가 groin 피판을 1973년 발표하여 복합조직의 이식 가능성을 열었다.[3] 이후 다양한 피판이 개발되었으며 국내에서는 1970년대 임상적으로 시도되었으며 1978년도 학회지에 처음 보고되었다. 1980년대 이후 구강암의 재건에 있어서 미세혈관수술을 이용한 유리피판의 재건이 활용되고 있으며 최근 성공률이 95~100 %까지 보고되고 있다.

2. 미세혈관수술을 위한 자세

미세혈관수술을 이용한 유리조직이식은 많은 시간을 소요하며 집중을 요하기 때문에 수술 전 마음가짐부터 달라야 한다. 항상 수술에 임하는 자세가 긍정적이어야 하고 수술 시 어려움을 만나더라도 항상 여유를 가져야 한다. 그리고 현미경을 보면서 혈관을 문합하여야 하기 때문에 편안한 자세를 유지하여야 한다. 수술대는 적절한 위치에 있어야 하며 수술대의 좌우 기울기를 맞추어서 수시간 동안 수술에도 피로하지 않게 하여야 한다. 손의 떨림은 미세혈관수술을 어렵게 하기 때문에 평소 술, 담배를 삼가는 것이 추천되며 카페인이 들어 있는 음료와 수술 전 격렬한 운동은 피하는 것이 좋다. 손의 위치가 편해야 하며 만약 손의 위치가 수평이 되지 않는다면 수건을 받치는 것이 도움이 된다(그림 28-2).

3. 미세수술을 이용한 유리피판 재건의 장점

미세수술을 이용하여 유리피판으로 두경부를 재건하는 것은 다음과 같은 장점이 있다.

첫째, 결손된 조직을 유사한 종류의 조직으로 재건할 수 있다. 비록 구강내는 점막으로 이루어져 있으며 이를 점막으로 대체 하기 위해서는 공장피판(jejunal flap)과 같은 내장피판을 사용하여야 하지만 피부피판으로 이를 대체 하여도 기능상 문제는 없다. 구강내 점막뿐만 아니라 악골의 결손도 복합조직이식을 통하여 재건하게 되면 골조직과 연조직을 동시에 재건할 수 있기 때문에 기능적이고 심미적인 결과를 얻을 수 있다. 최근에는 점막 세포를 미리 유리피판에 이식하여 점막으로 이장되어 있는 피판(mucosa prelaminated flap)이 개발되어 점막 재건의 가능성을 열었다.

둘째, 결손된 조직을 절제와 동시에 재건할 수 있다. 예전 tubed pedicle 피판을 이용하는 경우 생착이 되는 것을 기다렸다가 2차 재건법을 사용할 수밖에 없었으나 유리피판은 절제와 동시에 재건할 수 있기 때문에 환자의 수술 횟수를 줄일 수 있고 수술 후 심미적으로 우수한 결과를 가져 올 수 있다.

셋째, 공여부의 합병증이 적다. 두경부 재건에 가장 많이 사용되었던 유경피판인 대흉근피판과 광배근피판의 경우 피판의 회전을 위해서 절개량이 많으나 유리피판의 경우는 피부피판의 분리와 혈관의 박리만 하면 되기 때문에 공여부의 절개량이 적고 합병증도 역시 적다.

넷째, 절제와 재건을 두 팀이 동시에 수행할 수 있다. 이는 유리피판의 경우 다양한 부위에서 채취가 가능하고 특히 전완요피판이나 비골피판의 경우 두경부 수술 부위와 떨어져 있기 때문에 동시 수술이 가능한 장점이 있다. 동시에 수술을 하게 되면 수술 시간이 줄어들기 때문에 장시간을 요하는 구강암 환자의 치료에 술자와 환자 모두 좋은 환경을 만들 수 있다.

다섯째는 형태와 기능을 동시에 만족시켜 줄 수 있다. 유경피판의 경우 혈관경의 길이와 가동 범위 때문에 디자인과 적합의 한계가 있지만 이에 비해 유리피판은 다양한 형태의 피판을 형성할 수 있기 때문에 심미적이며 신경의 접합을 동시에 할 수 있기 때문에 기능과 감각의 회복을 동시에 기대할 수 있다.

여섯째는 조직피판의 혈류공급의 향상이다. 공여부의 조직이 감염이 되어 있거나 항암 방사선치료를 받은 조직의 경우 혈류 공급이 적기 때문에 이식조직의 실패율이 높다. 이때 유리피판을 사용하게 되면 안정적인 혈류 공급으로 창상 치유를 증진시키고 이식피판의 성공률을 높일 수 있다.

일곱째는 이식 피판 선택의 폭 증대에 있다. 유경피판은 결손부의 위치에 따라서 혈관경이 짧은 경우 이식할 수 없는 부분이 있지만 이에 비해 유리피판은 혈관 문합만 이루어진다면 어느 곳이든 재건할 수 있다.

여덟째는 감각이나 운동기능의 회복으로 복합조직 결손부 재건의 질을 향상할 수 있다는 것이다. 이는 혈관의 문합과 신경의 문합을 동시에 하여 신경의 재생을 동반할 수 있다는 것이다.

4. 미세수술기구 및 사용법

미세수술기구는 아주 다양하며 정밀한 기구이기 때문에 상당히 고가이다. 많이 사용하는 기구는 jeweler's forceps, vessel dilator, needle holder, microscissors (straight and curved), clamps and approximators, clamp forceps, background, irrigation tip과 microsuction으로 이루어진다 (그림 28-3).

모든 수술기구는 술자에게 매우 익숙한 것들이어야 하며 기구의 tip이 손상되지 않도록 잘 보관되어야 함은 물론 다른 용도로 사용되는 일이 있어서는 안 된다. 직선형 미세가위는 주로 혈관이나 봉합사를 절단하는 용도로 사용되며 굽은 미세가위는 혈관주위조직이나 혈관외벽(tunica adventitia)을 박리하는 용도로 사용된다. Jeweler's forceps 으로 혈관이나 혈관주위조직을 조작할 때는 매우 조심스럽고 부드럽게 다루어야 하며 혈관을 잡을 때는 반드시 외벽주위조직(periadventitial tissue)만을 잡아야 한다. 혈관의 말단 또는 내벽(tunica intima)을 잡거나 상처를 내는 일은 절대 금기 사항이며 vessel dilator를 이용하여 혈관 내면을 조작할 때에도 기구를 아주 조심스럽게 다루어야 한다. 혈관 외벽은 문합시 주위조직이 혈관 내로 말려들어가 혈류를 차단하는 것을 방지하고 봉합이 정확히 이루어질 수 있도록 말단으로부터 2~3 mm 정도 충분히 박리되어야 하며 이때에는 굽은 미세가위를 조심스럽게 다루어 혈관에 구멍이 뚫리는 일이 발생하지 않도록 주의해야 한다.

PART 5

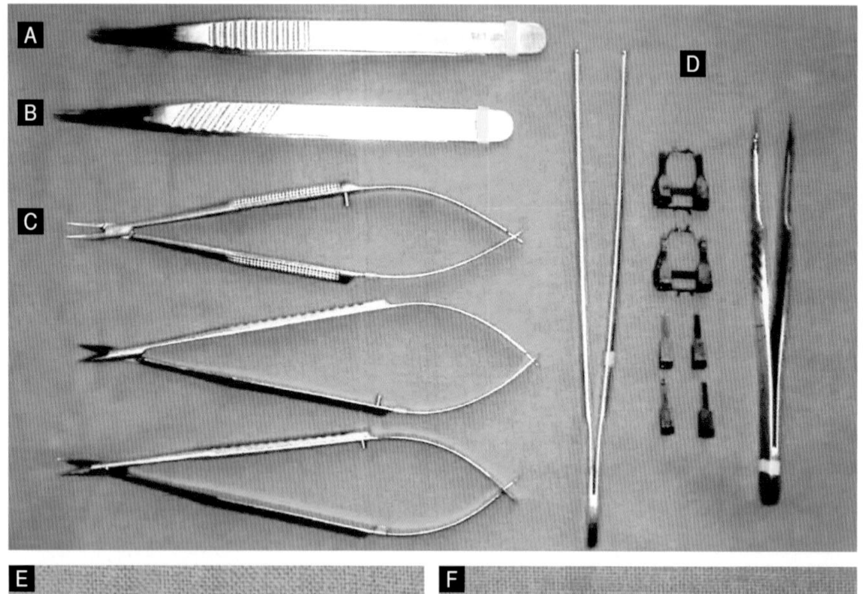

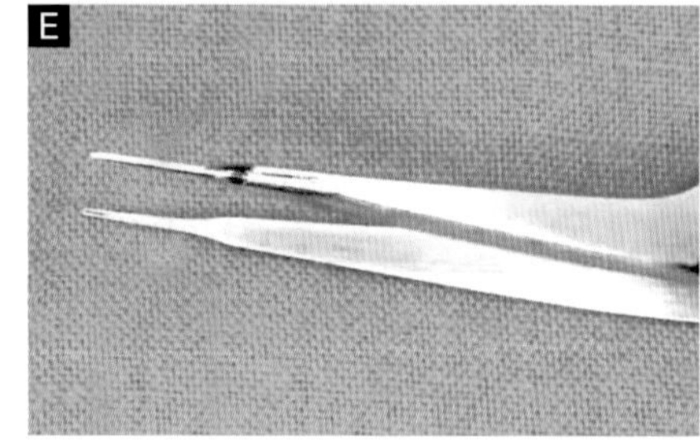

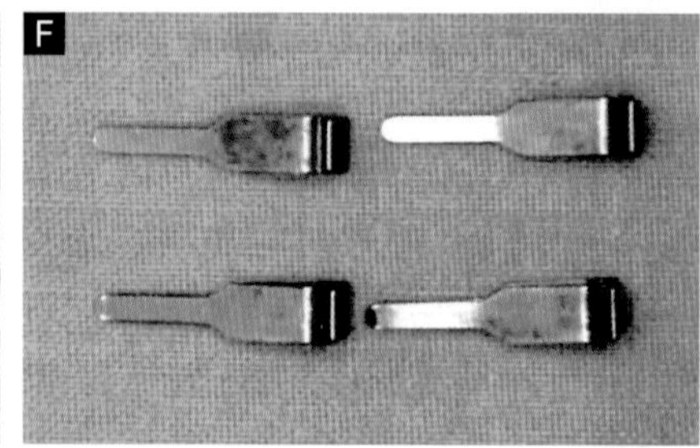

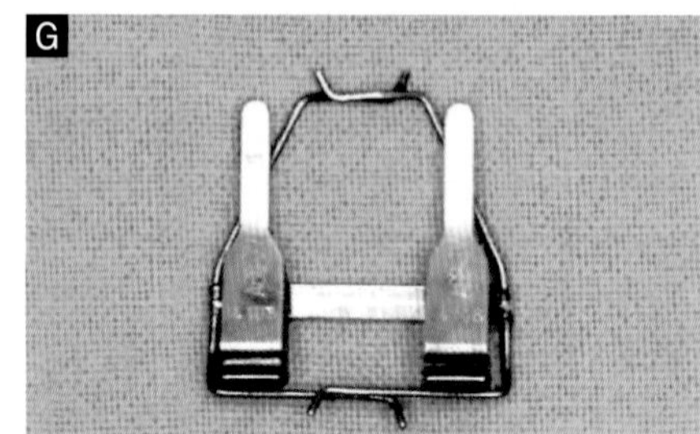

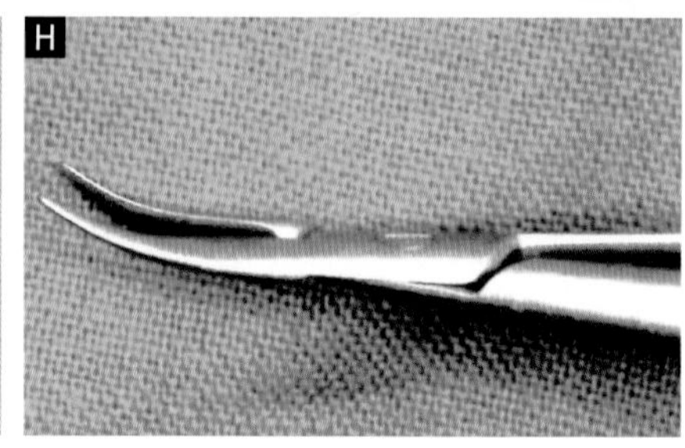

그림 28-3 **미세혈관수술기구**
A, B: Jeweler's forceps
C: Needle holder, Microscissors (straight and curved)
D: Clamp forceps, Clamps and approximators, Vessel dilator
E: Vessel dilator
F: Single clamps
G: Approximator for vein anastomosis
H: Needle holder

문합을 위한 준비가 끝난 혈관들은 clamp 또는 approximator에 조심스럽게 물려져야 하는데 혈관의 조작과 봉합을 위해 혈관의 말단으로부터 충분한 거리를 두고 clamp가 위치되어야 한다. 혈관 clamp는 동맥과 정맥에 따라 구분되어 있으며 동맥의 경우 더 강한 압력을 줄 수 있기 때문에 사용 시 반드시 구분하여야 한다. 구강암의 재건을 위해서는 2A 와 3A(동맥용), 2V 와 3V clamp가 많이 사용된다. 수여부와 공여부의 혈관들이 일직선상에 놓여야 봉합이 쉬우며, 봉합 시 말단 사이가 너무 멀면 인장력이 발생하기 때문에 approximator를 조심스럽게 이동시켜 혈관 말단끼리 서로 맞닿도록 위치되어야 한다. 문합을 위한 뒷배경은 혈액의 붉은색과 대비되는 초록색 또는 파란색 계통이 효과적이며 미세현미경 내의 시야에서 원근감을 보완해 주는 효과를 위해 술자의 취향에 따라 사용한다.

봉합사는 주로 9-0나 10-0의 나일론을 사용하며 바늘의 크기는 75~100 μm를 사용하고 바늘의 끝은 정맥의 경우 taper point를 사용하고 동맥의 경우 triangular point를 이용한다. 바늘의 모양은 1/2~3/8 circle이 선호된다. 동맥의 문합에는 주로 9-0를 이용하고 정맥의 경우 9-0나 10-0를 이용한다.

5. 미세혈관 문합법

미세혈관 문합법은 인내를 요하는 술식이고 환자에게 적용하기 전 반드시 전임상실험(preclinical practice)을 많이 하여 자신감을 가져야 한다. 혈관문합은 다음 순서대로 진행하여야 하며 순서를 뛰어넘지 않도록 하는 것이 좋다.

1) 혈관 박리

미세혈관 문합의 첫 단계는 혈관을 주위조직으로부터 박리하는 것이다. 동맥의 경우 혈관의 외피에 있는 결체조직을 제거하여야 문합이 쉬우며 dissecting scissors과 jeweler's forceps을 이용하여 제거한다. 혈관은 주위의 조직으로부터 약 2~3 cm 분리되게 박리하여야 approximator를 사용하기 쉬우며 유리피판을 박리할 때 미리 동맥과 정맥을 약 1~2 cm 분리해 두면 봉합 시 시간을 절약할 수 있다. 혈관을 조작할 때는 혈관의 내피를 잡으면 안 되며 이는 문합 후에 발생하는 혈전 예방을 위해서다.

2) 외피 다듬기

혈관의 외피(adventitia)를 2~3 mm 정도 박리한다. 정맥의 경우 외피가 두껍지 않으며 중간층인 근육이 거의 없기 때문에 외피의 박리가 필요하지 않으나 주위 지방조직이 있는 경우 제거해 주는 것이 문합에 도움이 된다(그림 28-4, 5).

3) Approximator clamp의 연결

혈관은 clamp의 arm에서 4 to 5 mm 떨어진 곳에 고정하며 수직으로 위치하여야 한다. 혈관의 양측단은 긴장이 없이 문합이 될 수 있도록 떨어져 있어야 하며 clamp의 arm을 sliding을 하여 혈관이 손상되지 않도록 해야 한다.

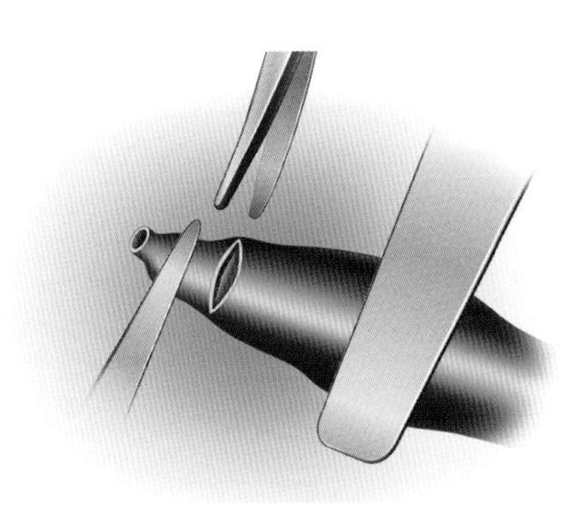

그림 28-4 포셉과 미세가위로 혈관의 끝을 자른다.

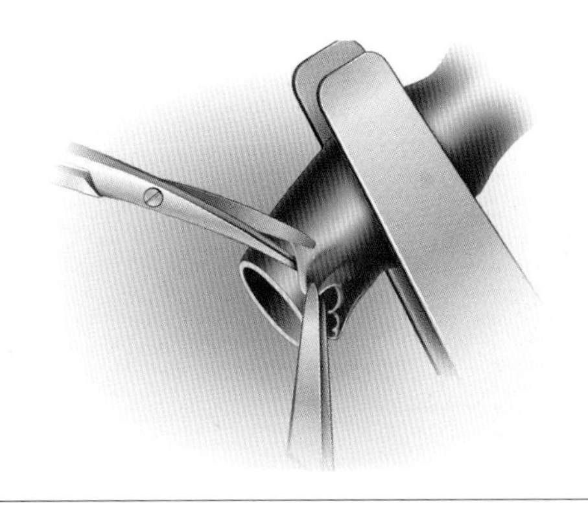

그림 28-5 혈관의 외피에 있는 조직을 혈관의 끝에서 2~3 mm 정도 조심스럽게 박리한다.

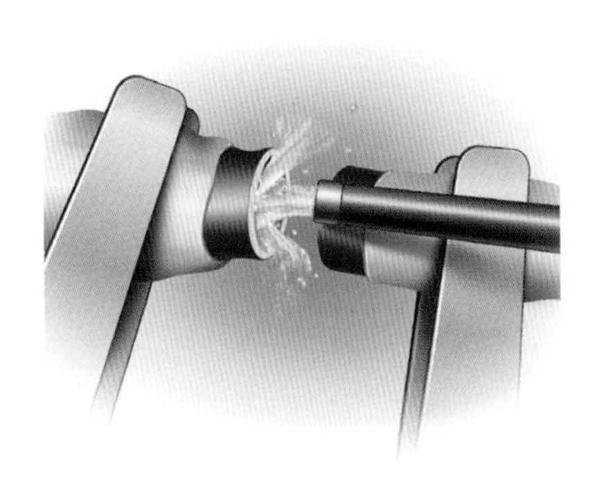

그림 28-6 헤파린 식염수를 이용하여 혈관내부를 관류하는 모습

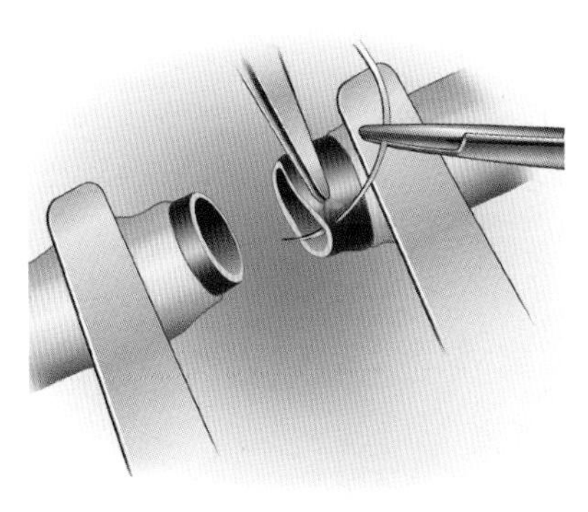

그림 28-7 최초 바늘의 자입 위치와 방향

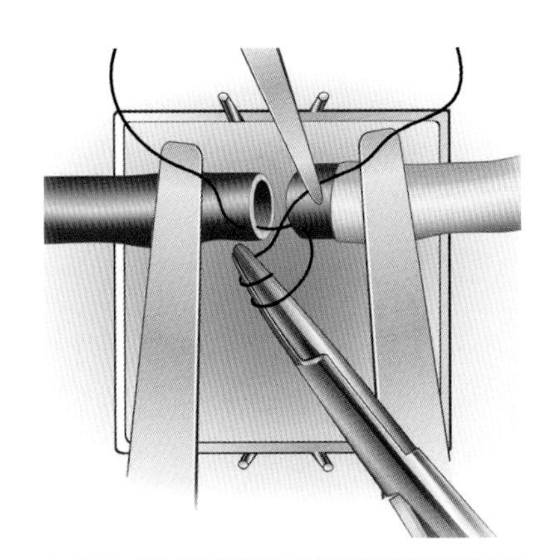

그림 28-8 동맥의 문합에서 Surgeon's knot의 사용

4) 세척 및 확장(Irrigation & Dilation)

혈관 내의 혈액을 헤파린화 된 식염수(통상 1리터의 식염수에 20만 unit의 헤파린을 혼합)를 이용하여 완전히 씻어낸다(그림 28-6). 혈관의 양측단은 혈관내 근육의 연축(spasm)으로 인하여 수축하기 때문에 vessel dilator를 이용하여 혈관을 늘여 줘야 한다. 혈관의 연축을 방지하기 위하여 1% 리도케인을 이용하여 자주 세척하는 것이 도움이 된다.

5) 봉합의 위치

최초로 자입하는 바늘의 위치는 통상 혈관 두께의 2배 위치에 하며 양측 혈관의 끝이 같은 길이가 될 수 있도록 한다(그림 28-7). 이때 jeweler's forceps은 혈관의 내피를 다치지 않도록 혈관의 외피 부분을 잡고 있어야 한다. 처음 하는 key suture는 동맥의 경우는 surgeon's knot를 하는 것이 바람직하고(그림 28-8) 정맥의 경우에는 square knot도 가능하다.

6) 혈관의 고정(180° Widening of vessel)

Frame을 가지고 있는 approximator clamp를 이용하여 2개의 key suture를 180°로 벌려 놓으면 사이에 있는 부분의 봉합이 쉽다(그림 28-9). Key suture의 고정은 frame의 양측단에 있는 hook에 걸면 되며 아래 그림과 같이 8자 모양(figure of eight)으로 고정하면 된다(그림 28-10). 혈관의 윗부분 봉합 시 후방벽의 봉합이 같이 이루어지는 것을 방지하기 위하여 jeweler's forceps을 이용하여 counter pressure를 주게 되면 이런 위험성이 감소하게 된다(그림 28-11).

7) 단속 봉합(Interrupted sutures)

봉합은 주로 interrupted 봉합을 하며 이때는 한쪽 방향에서 일정한 간격을 두고 하는 것이 좋다. 조수는 봉합하고 나면 봉합사를 자르는 역할을 하게 되며 이때 매듭이 적절한 길이가 되도록 하여야 한다(그림 28-12). 봉합이 완성이

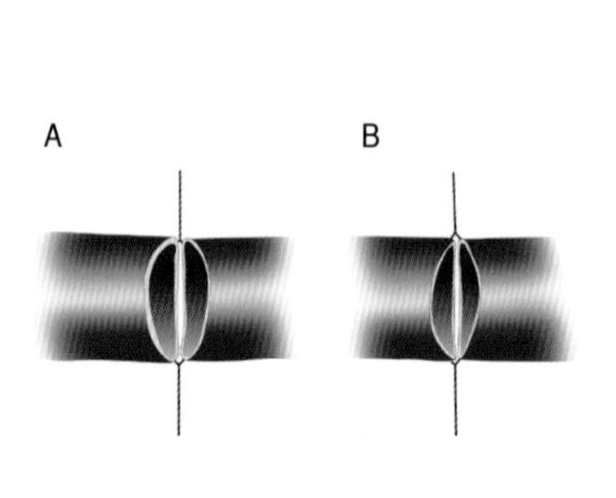

그림 28-9 180° 간격으로 양측 단을 벌려놓은 상태

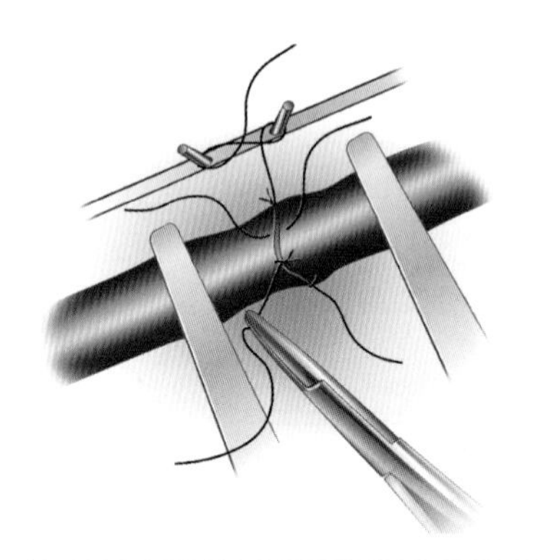

그림 28-10 Key Suture의 고정

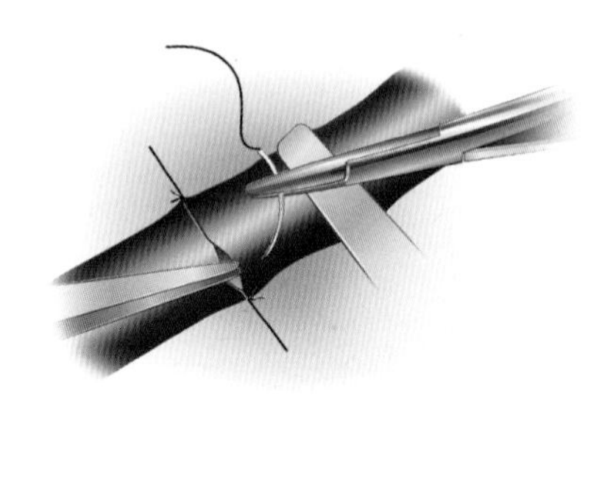

그림 28-11 봉합 시 Counter pressure를 이용하여 후방벽이 같이 봉합되는 것을 막아준다.

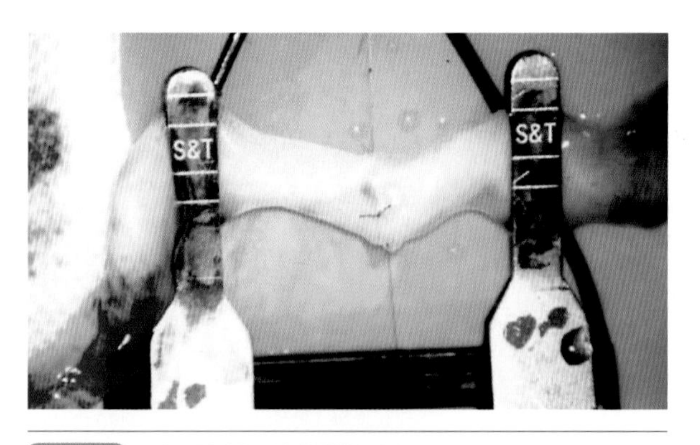

그림 28-12 실제 혈관을 단속 봉합한 사진

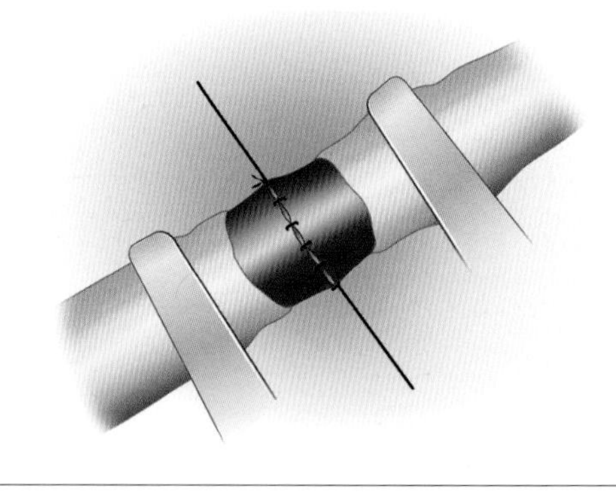

그림 28-13 Interrrupted suture를 완성한 모습

되면 approximator clamp를 뒤집어서 같은 방법으로 후방벽을 봉합하면 된다(그림 28-13). 정맥의 문합은 동맥의 문합 방법과 다른 것은 없지만 동맥에 비하여 정맥은 혈관이 약하기 때문에 동맥보다는 더 자주 헤파린 식염수로 세척하여야 하고 쉽게 찢어질 수 있으므로 좀 더 섬세한 기술을 요한다. 혈관의 봉합이 끝나게 되면 정맥 clamp를 먼저 풀고 만약 혈관에서 혈액이 새어 나온다면 조수는 헤파린 식염수를 뿌리고 술자는 봉합을 하여 극소량의 혈액도 빠져나오지 않게 하여야 한다. 이때 혈관의 연축을 막기 위해서는 1% 리도케인액도 뿌려 준다. 동맥과 정맥의 봉합 순서는 크게 중요하지 않지만 동맥이나 정맥 중 어떤 것이던 먼저 문합 후 혈액이 새지 않으면 일시적으로 clamp를 사용하여 혈류의 관류를 중단하고 동맥과 정맥이 완전한 봉합이 된 후에 관류를 시켜서 유리피판내에 혈류가 저류되는 것을 막아야 한다.

8) 혈관 직경의 불일치 시 봉합(Vessel mismatch) / End to side anastomosis

일반적으로 혈관의 직경이 2배 이내로 차이가 난다면 봉합 시 간격을 조절함으로써 혈관의 문합을 할 수 있다. 하지만 두 혈관의 직경이 2~3배 정도 차이가 날 경우 beveling이나 spatulation의 방법을 사용하여야 한다. Beveling이란 직경이 가는 혈관을 경사지게 절단하여 절단면을 넓히는 것이다. 이때 주의할 점은 경사 각도가 30° 이내가 되어야만 문합 후 혈액의 와류(turbulence)가 발생하지 안는다는 점이다(그림 28-14). Spatulation은 직경이 좁은 혈관에 절단면의 수직으로 절개를 하여 봉합하는 방법이다. 이 방법을 이용하면 혈관의 단면을 약 2~3배 정도 늘릴 수 있다(그림 28-15).

혈관의 직경 차이가 3배 이상 차이가 나는 경우 혈관은 단단 문합(end-to-end anastomosis)이 어려우며 이 경우 end-to-side 문합을 하여야 한다. 수여부와 공여부의 혈관

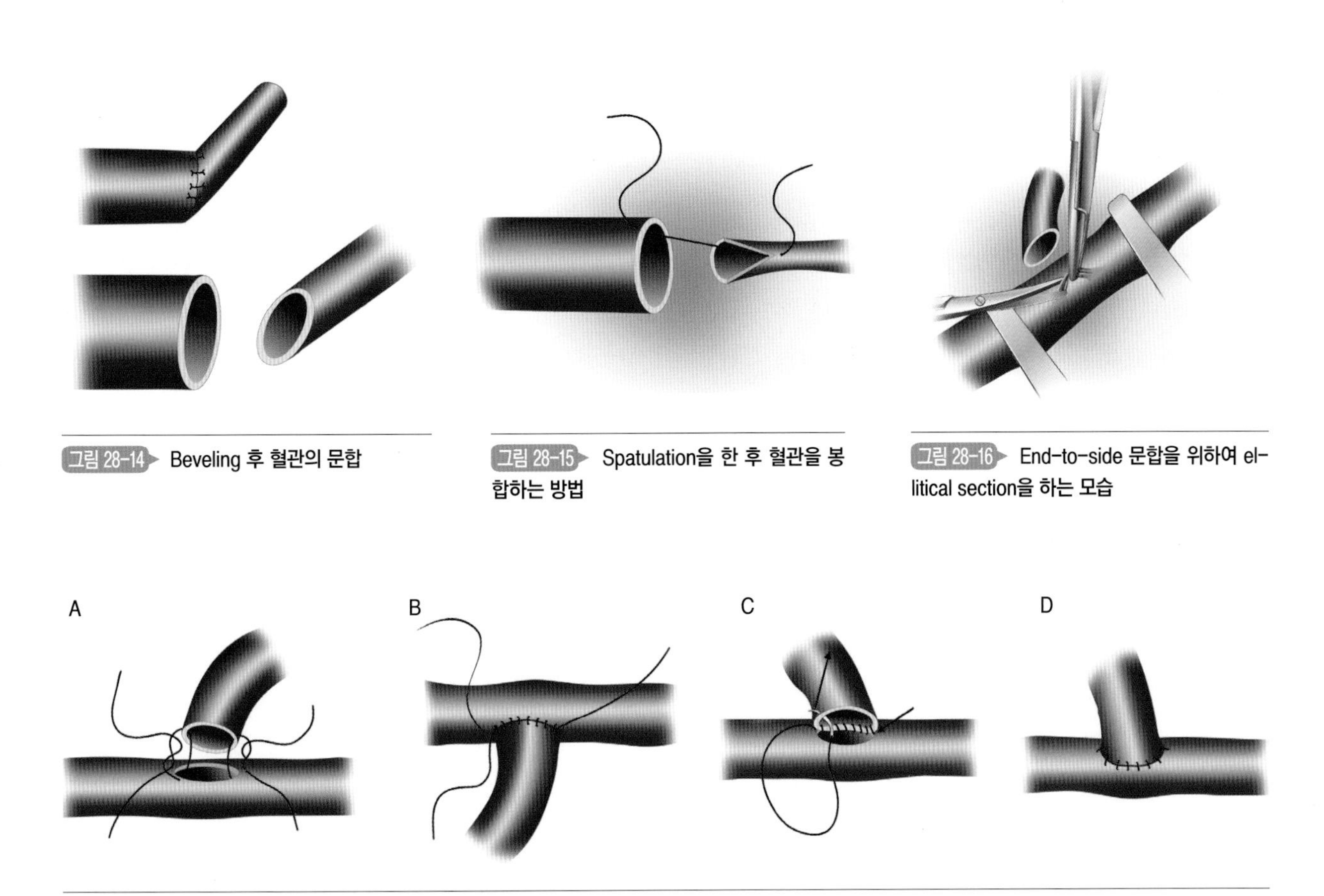

그림 28-14 Beveling 후 혈관의 문합

그림 28-15 Spatulation을 한 후 혈관을 봉합하는 방법

그림 28-16 End-to-side 문합을 위하여 ellitical section을 하는 모습

그림 28-17 End-to-side 문합을 연속봉합법을 이용해서 완성한 모습

은 60° 이하로 유지하여야 혈액의 흐름이 방해받지 않는다. 혈관문합의 시작은 수여부의 혈관에 elliptical section을 한 뒤 가장 자리가 평탄한지 확인하여야 한다(그림 28-16).

최초의 2개 guide suture는 180° 떨어지게 봉합하고 나머지는 단속봉합이나 연속 봉합을 시행한다(그림 28-17).

9) 혈관 개존도 검사

미세혈관문합의 마지막 단계로 동맥과 정맥혈류를 확인하여 혈관의 개통 여부를 검증하는 과정이다. 동맥혈류의 확인은 현미경을 통해 눈으로 확인하는 것이 가장 쉬운 방법으로 pulsation의 양상을 보고 판단할 수 있다. 문합 된 동맥의 원심(distal) 부위 즉 피판의 수여부 동맥이 요동치며 뛰는(expansile pulsation) 것이 보인다면 이는 성공적인 문합이 되어 혈관 내면이 막힘없이 혈류가 피판으로 공급되는 것을 시사하며 수여부 동맥이 길이 방향으로만 뛴다면(longitudinal pulsation) 혈관 내면의 일부가 막혀 혈류가 감소되었음을 알려주는 신호이다. 이때는 주저없이 혈관문합을 다시 시도하여야 한다. 이외에 jeweler's forceps을 이용하여 개존도를 측정하는 데에는 Flicker test와 strip test의 두 가지 방법이 알려져 있다. Flicker test는 forceps을 문합 한 부위의 원위측 하방에 넣은 뒤 조심스럽게 위로 올려 보아서 혈관 내에 혈액이 없어졌다가 다시 채워지는 것을 확인 하는 방법이다(그림 28-18). Strip test는 milking patency test라고도 하며 동맥의 문합부에서 원심쪽으로 forceps을 2개 위치 시킨 뒤 젖을 짜내듯이 원위부의 forceps을 이동시켜 두 개의 forceps 사이에 혈액을 짜낸 뒤 근심측의 forceps을 떼내면서 혈류를 관찰하고 정맥은 수여부(recipient) 즉 근심 쪽으로 forceps를 밀어 나가며 혈류를 확인하는 방법이다(그림 28-19).

6. 미세수술의 실패 요인 및 실패를 줄이기 위한 고려사항

1) 실패요인

미세수술의 실패 요인은 아주 다양하며 술자요인, 환자요인 및 수술 후 환자 보살핌에 따라 발생할 수 있다. 대표적인 미세수술의 실패요인은 문합혈관의 손상, 혈관의 꺾임이나 뒤틀림, 혈관의 경축(vasospasm), 저체온증(hypothermia), 혈관의 과도한 긴장(tension), 전기소작기(electrocautery)에 의한 혈관손상, 혈관외벽의 과도한 박리, 피판 내에서 혈액의 저류(stasis), 미숙한 술기(poor technique) 및 수술 후 출혈 등이다. 미숙한 술기는 긴 허혈 시간을 가져오게 되며 통상 3시간 이상의 허혈은 피판의 생존에 영향을 미치게 된다. 허혈 시간은 2가지로 나누어지며 일차 허혈시간(primary ischemic time)은 공여부로부터의 피판 거상과 수여부로의 피판 이동 그리고 혈관문합에 소요되는 시간으로 인해 필연적으로 발생되는 혈액 순환이 안 되는 시간이며 이차 허혈시간(secondary ischemic time)은 미세혈관문합의 실패로 인한 혈류 차단의 결과로 발생한다. 술자

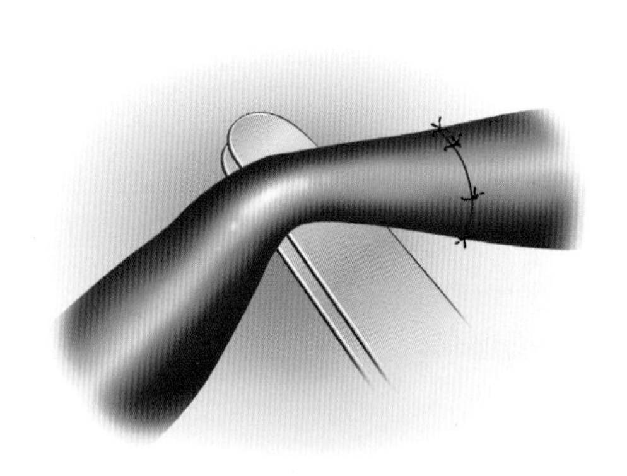

그림 28-18 Flicker test

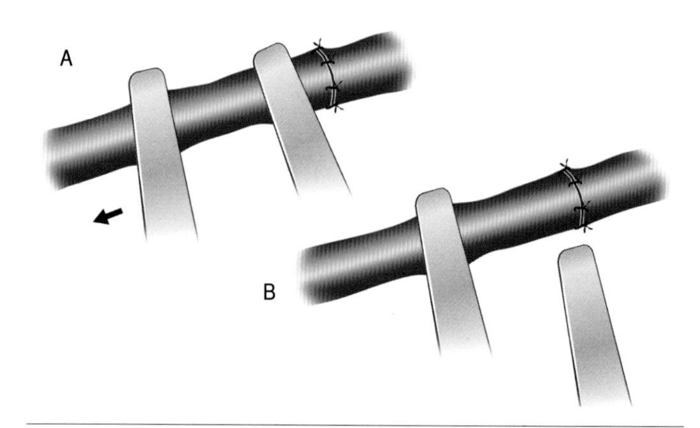

그림 28-19 Strip test (milking patency test)

는 허혈 시간이 길어져 초래되는 reperfusion injury을 방지하기 위한 최대한의 노력을 해야 한다.

2) 허혈/재관류 손상(Ischemia/Reperfusion injury)

유리피판의 주요한 실패 원인으로는 혈관 문합부에 발생하는 혈전(thrombosis)과 허혈/재관류 손상에 의한다. 재관류를 하면 혈류가 한꺼번에 공급되고 혈액과 동시에 염증물질도 동시에 피판으로 공급된다. 유리피판은 혈류가 끊어진 상태에서 허혈 상태로 손상을 받게 되는데 혈관 봉합 후에 염증물질이 혈액과 함께 공급되면서 추가적인 손상이 일어나는 현상을 허혈/재관류 손상이라고 한다.

정상적인 재관류와 재관류 손상의 전환되는 시점은 다양한 피판 조직에 따라 다르며 수술 상태와 환자 상태에 따라 다르다. 피부와 골 조직은 비교적 허혈에 잘 견디며 통상 3시간 정도의 허혈에는 손상이 없다. 하지만 골격근이나 내장 조직은 긴 허혈시간에 잘 견디지 못한다. 모든 조직은 허혈시간이 길어질수록 손상이 심하게 되며 피판의 생존율도 떨어지기 때문에 술자는 많은 전임상 실험을 통하여 봉합시간의 단축에 노력하여야 한다.

7. 피판 생활력의 검사방법

유리피판을 이식하고 나면 혈관의 문합이 유지되는 것에 대한 검사가 필요하다. 통상 일주일 간의 피판생활력 검사를 시행하게 되는데 간단한 피판 표면온도(surface temperature) 측정이나 피판 색깔과 반응의 관찰에서부터 바늘 자입검사(needle stick)를 하여 출혈이 되는 것을 관찰할 수 있다. 하지만 가장 많이 사용하는 것은 Doppler flowmetry를 이용하는 것이다(그림 28-20). 이를 통하여 정맥과 동맥의 연결 상태를 확인할 수 있으며 다른 어느 방법보다 안정된 검사방법이다.

8. 유리피판의 분류 및 종류

유리피판은 해부학적 위치, 혈행의 종류, 포함한 조직에

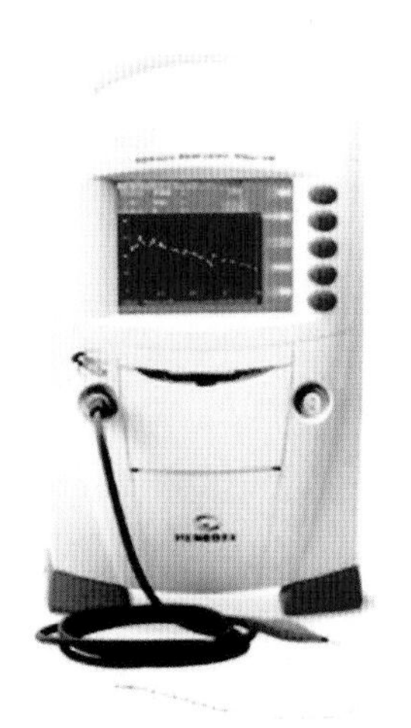

그림 28-20 Doppler flowmetry

의하여 다양하게 분류될 수 있다. 해부학적 위치에 따라서는 분류가 간단하며 각 위치에서 해부학적 명칭을 따르면 된다. 유리비골피판이나 전완요피판 등이 해부학적 위치에 따른 분류가 된다. 혈행의 종류에 따라서는 free pedicled flap과 perforator flap으로 분류할 수 있다. Free pedicled flap은 주요 혈관이 있으며 주 영양 공급을 하는 혈관이 명확하게 있는 경우를 말하며 perforator flap은 주요 혈관에서 분지하여 있는 perforator vessel을 찾아서 피판을 거상해서 만든 경우를 말한다. Anterolateral thigh flap이 perforator flap에 해당하고 최근에는 광배근피판도 perforator vessel을 찾아서 하는 경우가 있다. 포함한 조직에 의해서는 근피판, 근피부피판, 근막피부피판과 골피부피판, 골근육피부피판 등이 있으며 여러 조직이 포함될 때는 복합피판(composite flap)으로 칭하기도 한다. 또 일반 피판과 차이가 있는 특수피판이 있으며 이에는 감각피판과 prelaminated flap이 있다. 감각피판이란 도서형 피판 또는 유리피판에서 혈관경에 신경을 포함시켜 수혜부로 이식된 조직이 감각을 가지게 되는 피판이며, Littler의 수지부 도서형 감각피판 이후 미세현미경술과 근피부피판술의 도입으로 현재는 근피부 감각 유리피판술도 시행된다. 유리감각피판술의 원칙은 혈관과 신경의 분포주행이 동일하여야 하며 혈관문합이 가능할 정도의 혈관경을 가진 피판을 분리시킬 수 있어야 하며 피판의 신경이 분리되며 또 신경문합이 가능하여야 하고 공여부 감각의 정도가 결손 부위와 비슷하여야 하며 공

여부의 후유결손이 심하지 않아야 할 것 등이다. 임상에서는 유리족배피판, 요골전완피판, 늑골간신경동체피판(intercostal neurovascular flap), 대퇴근막장근 유리피판 등이 이용되고 있다.

구강암 수술에 따른 악안면 조직 결손부에 대한 즉시 재건방식은 결손부의 위치와 크기, 즉시 재건의 필요성, 장시간 수술에 견딜 수 있는 환자의 건강 상태 등에 따라서 달라질 수 있다. 골이나 연조직의 결손이 크거나, 이전 재건 수술이 실패하였을 경우 그리고 방사선 치료 등에 의해 수혜 이식상의 혈행 상태가 좋지 않을 경우에는 피부와 뼈를 동시에 유리 미세혈관수술에 의한 복합조직재건술이 필요하다. 통상적으로 상악의 경우 상악 전절제술(total maxillectomy)을 제외하고는 대부분 악안면보철물을 이용한 수복이 가능해 즉시 조직재건술이 필수적이지는 않으나 구강저 부위의 연조직 결손 부위와 하악골절제에 따른 경조직 결손 부위에는 즉시 재건이 필요하다. 이런 경우 혈관화 늑골, 중족골, 견갑골, 요골판, 재혈류화 장골극 이식술 그리고 비골판 등의 유리복합피판이 고려되며 또한 실제로 임상에 빈번히 적용되고 있다. 그 결과에서도 통상적인 골이식에서는 볼 수 없는 100%에 가까운 성공률을 보여주고 있는데, 이러한 진보된 구강 연조직 및 악골 재건술의 적용은 날로 그 사용 빈도가 높아지고 있다. 최근에는 악구강계 재건(oromandibular reconstruction)의 최종 목적인 기능적인 저작 수복(functional dental rehabilitation)을 얻기 위해 골 단독 또는 골과 연조직이 함께 재건된 부위에서 임플란트를 이용한 implant-supported overlay denture 또는 fixed bone anchored bridge 등이 시행되어 아주 우수한 결과를 얻고 있다. 아래에서는 해부학적 위치에 따른 피판을 나열하고 설명하고자 한다.

1) 비골피판(Fibular flap)

유리비골피판(free vascularized fibular flap)은 임상적으로 사용된 최초의 혈류화 조직이식으로 비골동맥(peroneal artery)에 기초한다.[4-7] 비골은 충분한 길이의 견고한 치밀골을 제공함으로써 경골, 대퇴골, 완골 및 요골 등의 사지골 결손을 재건하는데 혈관화 골의 공여부로 빈번히 이용되어 왔다. 비골은 3차원적 모양이나 골 구조가 하악골과 유사하고 어떠한 하악골결손도 재건할 수 있는 충분한 길이의 골(약 22~26 cm)을 제공하며, 공여부는 두경부에서 멀리 떨어져 있어 공여부와 수혜부를 두 팀이 동시에 수술할 수 있다. 또한 조직 공여로 인한 심미적 장애가 적고 원위부의 비골단을 7 cm 정도만 남겨 둔다면 보행 등 기능적 이환율이 매우 낮으며, 수혜부 외형에 맞추어 골절단을 시행하더라도 분절된 비골편에 충분한 혈액관류가 가능하다. 특히 하악골을 재건하기 위해서는 기저부는 혈류화 비골판으로 그리고 치조골결손부는 남은 비혈류화 비골편을 덧붙여서 동시에 재건하여 보철물이나 치아 임플란트 시술을 좀 더 용이하게 할 수도 있다(그림 28-21, 22). 그러나 피부를 포함하는 복합조직이식 시, 피부판으로의 혈관 분포에 변이가 많아 피판 생존율이 다소 떨어지며 또 전체 비골을 재건에 사용할 경우 혈관경의 길이가 짧고 하악골의 모양을 만들기 위해서는 여러 번의 골절단이 필요하다는 단점도 지적되고 있다.

2) 유리장골판 또는 심장골회선동맥판(Iliac crest free flap; Deep circumflex iliac artery flap, DCIA flap)

재혈류화 장골극 이식술(revascularized iliac crest graft)은 다량의 해면골을 제공하며 편측하악골(hemimandible)의 형태로 쉽게 형성할 수 있으며, 양측 장골이식술을 동시에 사용하여 전하악골을 성공적으로 재건할 수도 있다.[8-15] 그러나 안전한 혈관경을 갖기 위해서는 다량의 근조직을 포함해야 하며 피부 봉합을 긴장 없이 시행해야 하는 문제점이 존재한다. 이차적 하악골 재건 시 수혜부 연조직에 수축이 존재하는 경우에는 특히 이식골 자체의 크기와 장골극의 형태가 심미적인 결과를 얻는데 방해 요인이 되기도 한다.

심장골회선동맥골판을 이용하여 하악골을 재건할 경우에는 장골능의 전부나 또는 장골날(ilium blade)을 전부 사용할 수 있다(그림 28-23). 그리고 혈관 주행이 장골의 내면이므로 필요에 따라서는 장골을 분리시켜 내면(inner table)만 쓸 수도 있다. 그리고 내면의 내측 골막(medial periosteum)과 근부착이 충분할 경우에는 계단식 또는 쐐기형 골절단(wedge osteotomy)을 시행하여 하악골 이부의 돌출부

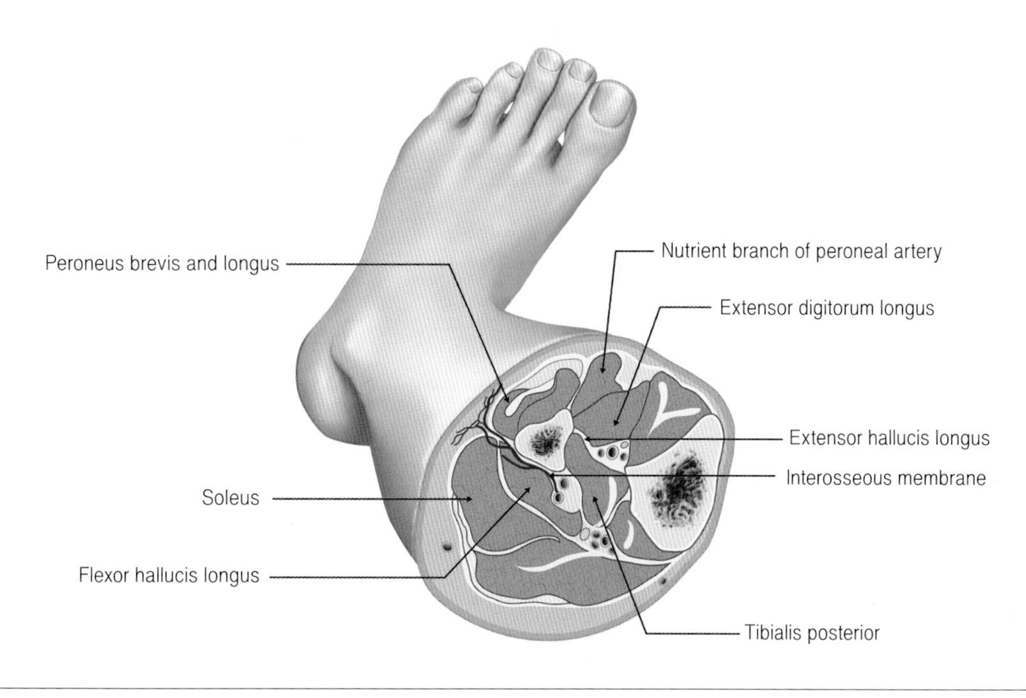

그림 28-21 비골피판 단면도

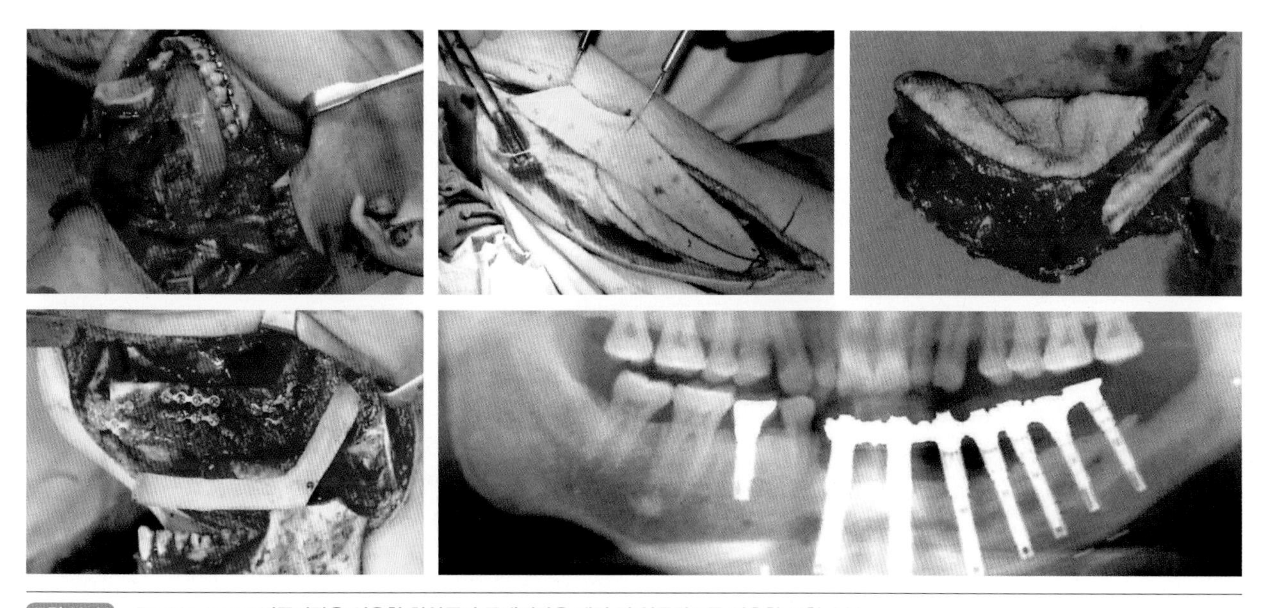

그림 28-22 Double-barrel 비골피판을 이용한 하악골과 구내점막을 재건 및 임플란트를 이용한 보철 수복

(chin prominence)를 형성할 수도 있다(그림 28-24). 심장골 회선동맥 골피판의 주요한 장점으로는 큰 크기의 복합조직을 얻을 수 있다는 것과 혈관의 직경이 2 mm 이상으로 크며, 혈관경의 길이도 5~7 cm 정도 얻을 수 있어 혈관문합이 용이하며 피판의 디자인과 골절단이 용이하다는 것이다. 그리고 연조직경(soft tissue pedicle)에 유연성(flexibility)이 있고 대퇴근막(fascia lata)이나 직대퇴인대(rectus femoris tendon)를 같이 포함시킬 수 있으며 공여부의 이환율(morbidity)이 매우 적다는 장점이 있다. 단점으로는 수술 시간이 길고, 서혜부(groin)와 얼굴 피부의 색조가 잘 맞지 않으며, 피판

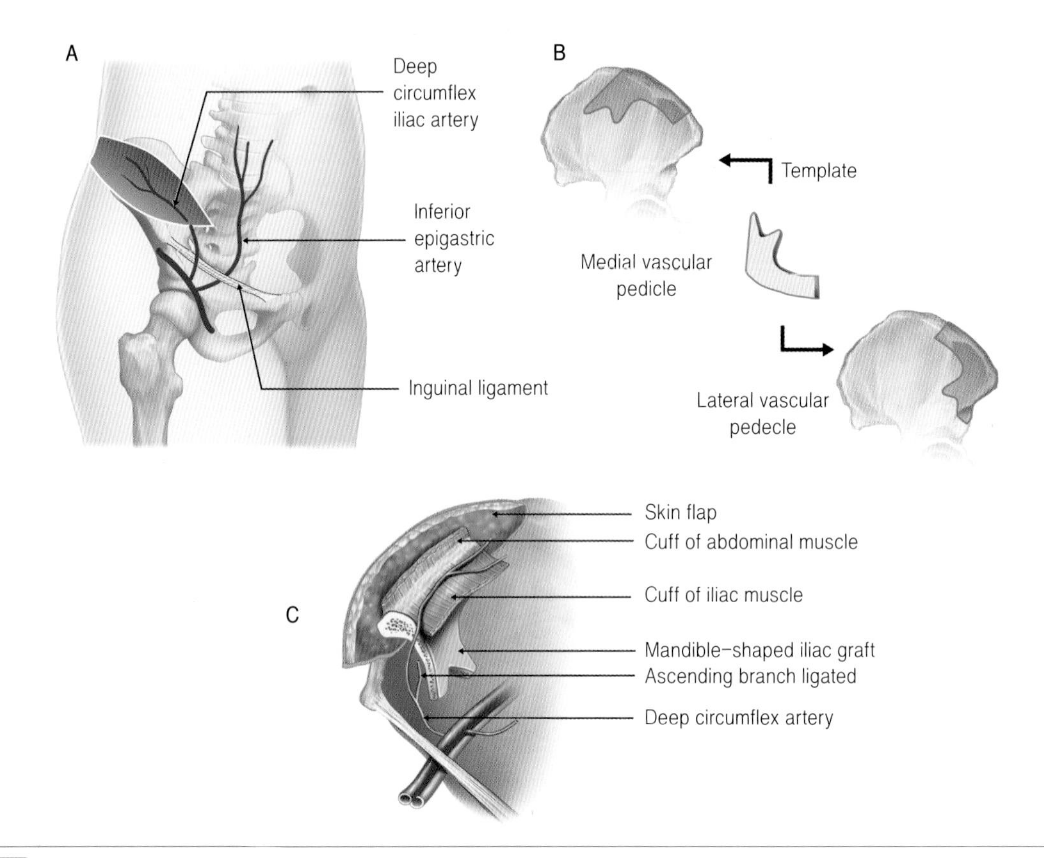

그림 28-23 **심장골회선골판을 이용한 하악재건 모식도.** **A:** 피판 경계 **B:** 하악골 재건시 골판 형태 **C:** 조직 거상

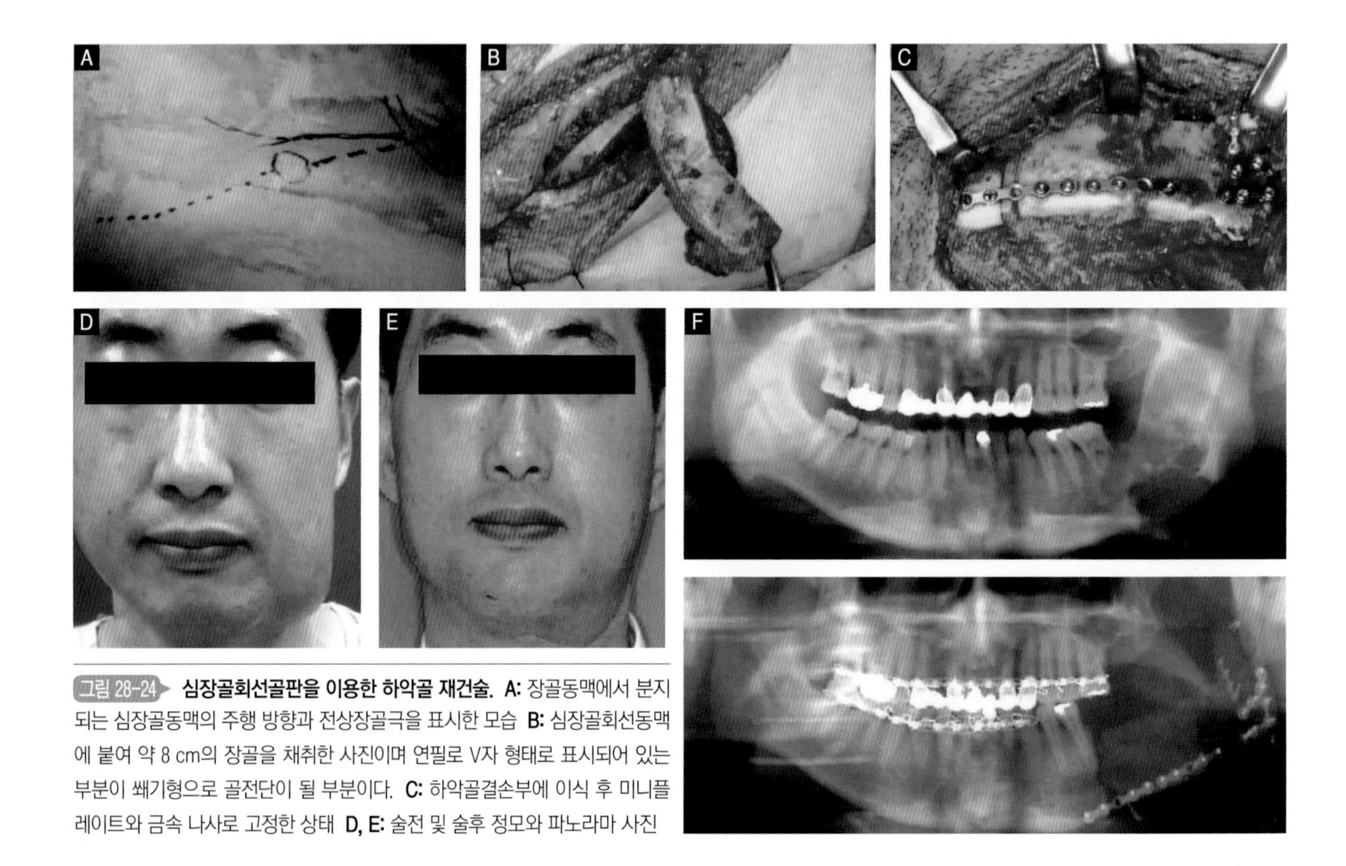

그림 28-24 **심장골회선골판을 이용한 하악골 재건술.** **A:** 장골동맥에서 분지되는 심장골동맥의 주행 방향과 전상장골극을 표시한 모습 **B:** 심장골회선동맥에 붙여 약 8 cm의 장골을 채취한 사진이며 연필로 V자 형태로 표시되어 있는 부분이 쐐기형으로 골전단이 될 부분이다. **C:** 하악골결손부에 이식 후 미니플레이트와 금속 나사로 고정한 상태 **D, E:** 술전 및 술후 정모와 파노라마 사진

의 부피가 커서 형태를 맞추기 어렵다는 점이다.

3) 견갑골피판(Scapular free flap)

견갑골피판은 처음에는 사지 재건을 위해 이용되었지만 두경부의 재건에도 아주 적절한 피판으로서 상하악 및 안면부의 복합결손에 다양한 형태의 피판으로 이용되고 있다.[16-20] 견갑하동맥의 한 분지인 견갑회선동맥에 의해 혈액을 공급받으며 혈관경의 길이는 6 cm 정도이다(그림 28-25). 피판의 크기는 6×8 내지 10×16 cm의 중간 크기의 피판이며, 견갑골극이나 견갑골 측연을 12 cm까지 채취할 수 있다. 유리피판 거

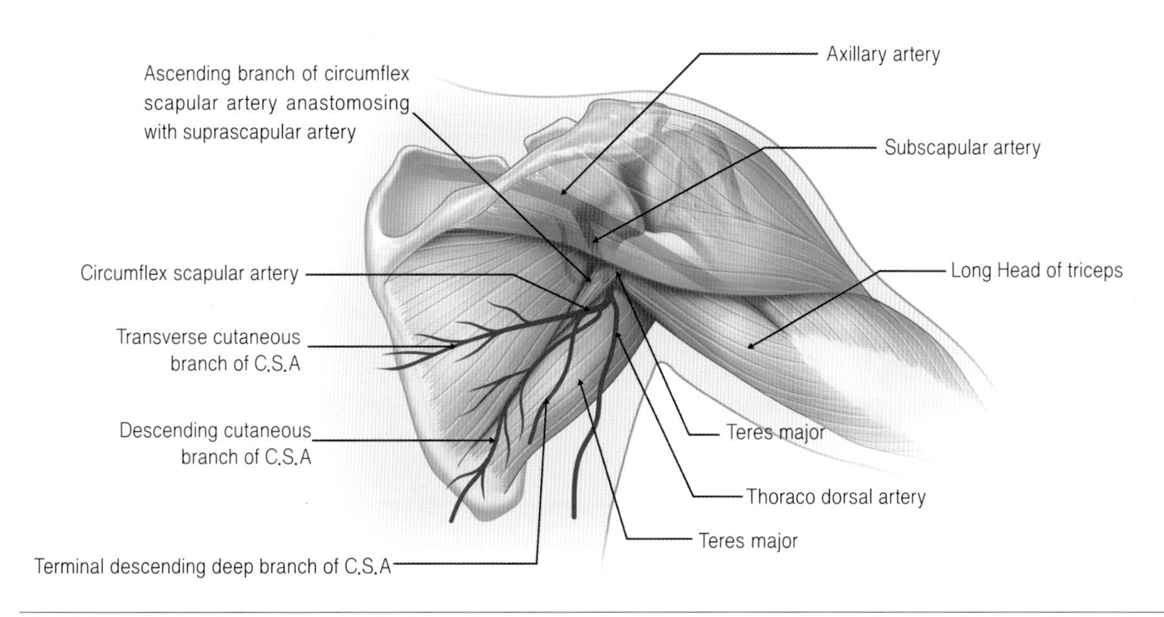

그림 28-25 견갑골피판의 혈관해부(circumflex scapular artery, C.S.A.)

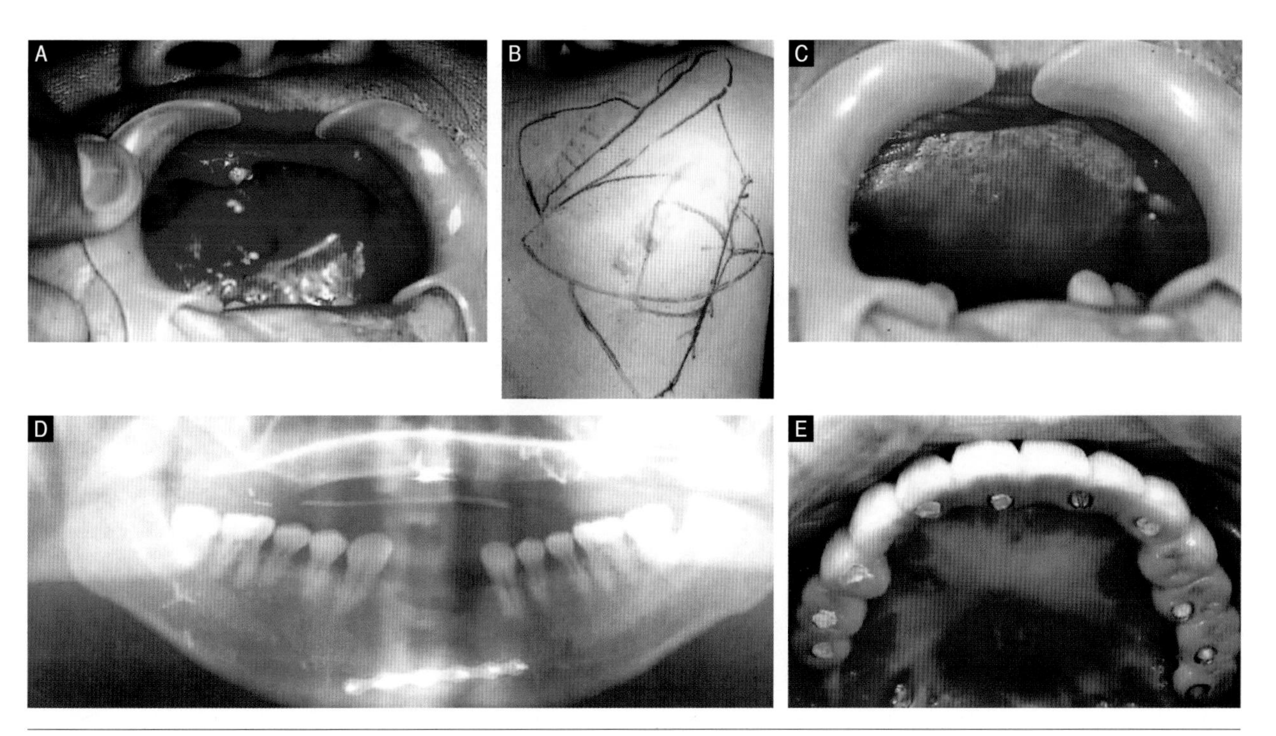

그림 28-26 견갑골판과 임플란트를 이용한 상악골-구개부 결손 재건

상이 비교적 쉽고 공여부는 인접 피부를 이용하여 직접 폐쇄가 가능하며 공여로 인한 기능적 장애가 거의 남지 않지만 골의 양이 적고 얇다. 견갑골피판은 중심부의 얇은 판 부위는 안와저 및 경구개의 재건에 이용되고 있으며, 견갑골 외연은 그 크기와 형태가 치과 임플란트를 충분히 식립할 수 있어 치조골 재건에 적절하다(그림 28-26). 혈류화 견갑골피판은 골판에 대해서 피판을 자유롭게 회전시킬 수 있는 점과 골판의 형태 부여 및 피판 채취가 용이하며, 최소의 공여부 부작용 등의 장점이 있다. 또한 혈관해부의 일관성, 혈관경의 길이와 직경이 적절하며 피판 거상이 용이하고 공여부를 일차 봉합할 수 있다는 장점이 있으나, 광범위한 결손부의 재건에는 사용하지 않는 것이 좋다. 견갑 또는 부견갑피판 및 골피판은 두경부 재건에 아주 유용한 피판 중의 하나다. 그렇게 두껍지도 않고 얇지도 않은 적절한 두께의 피판을 채취할 수 있고 견갑 회선동맥이 풍부한 피하혈관총을 형성하고 있으므로 몇 개의 피판을 분리해서 만들 수 있다. 견갑골에도 혈관이 풍부히 분포하고 있어 골편을 같이 포함시켜서 연조직과 경조직을 동시에 재건할 수도 있다. 견갑회선동맥은 해부학적 변이가 비교적 적어 피판 채취가 비교적 용이하다. 견갑피판은 협부, 경부, 전두부의 광범위한 결손부위를 심미적으로 재건을 할 수 있는 큰 크기의 피판을 채취할 수 있다는 장점이 있다. 또한 견갑피판은 색깔과 촉감이 안면부 피부를 대체해서 사용할 수 있으며, 안면에 대한 색조의 적합도는 서혜부, 흉부, 손목보다 우수하다.

4) 유리전완요피판(Free radial forearm flap)

전완요피판은 두경부 영역의 연조직 결손을 재선하는 데 있어 가장 많이 사용되고 안전하며 믿을 수 있는 피판 중 하나이다.[21-27] 전완요피판은 요골 동맥(radial a.)을 주혈관으로 하며 거상이 용이하고 혈관경의 해부학적 변이가 거의 없고, 긴 혈관경 길이를 가지고 있으며, 혈관경의 직경이 경부의 혈관과 비슷하여 문합이 쉬우며, 피판 디자인을 다양하게 작도할 수 있다. 또 이 피판은 피부부속기가 적어 털이 거의 없고 피부 두께가 얇아 유연하므로 두경부 피부나 구강 및 인두의 점막 재건에 유용하다. 주 혈관경은 요골동맥(radial artery)이며 요골동맥과 같이 주행하는 반행정맥(venae comitantes) 2개를 사용하거나 요골피정맥(cephalic vein)을 경부 혈관과 문합하게 된다.

전완 요피판 채취 시 요골의 일부를 피판에 같이 포함시켜 복합 피판으로 사용 가능하다. 골피부 복합 피판은 안면골 특히 악골의 재건에 적용할 수 있으며, 요골신경의 분지를 이용하거나 건(palmaris longus tendon)을 포함시킬 수 있는 등 다양한 피판 디자인이 가능하여 구강악안면외과 분야에서 유용하게 사용할 수 있다. 골근막피판 형태로 약 8

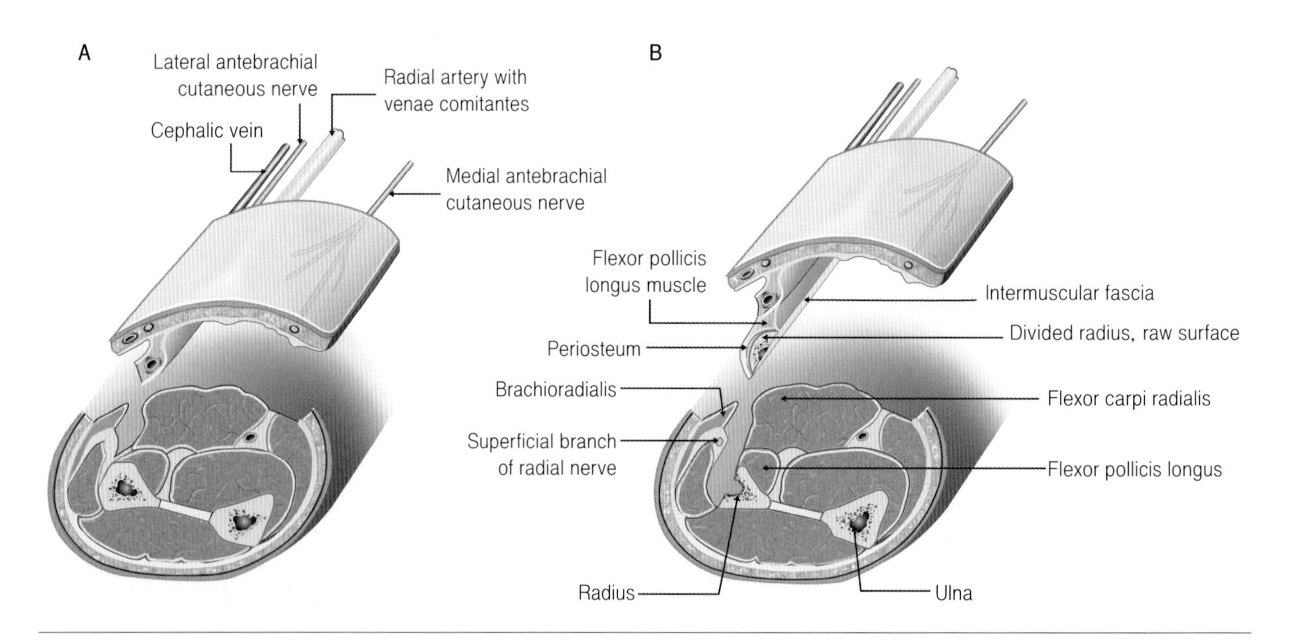

그림 28-27 **전완요피판 및 전완요골피판 모식도. A:** 근막피판 형태 **B:** 요골의 일부를 포함시킨 골근막피판 형태

cm의 요골을 포함하는 유리복합이식피판을 거상할 수 있는데, 원회내근과 완요골근이 부착된 부위 사이의 요골이 채취 가능하다(그림 28-27). 통상적으로 피판은 최대 20 cm 길이까지 그리고 골편은 최대 9 cm까지 채취할 수 있는 것으로 되어 있으나, 전완요골판에서 얻을 수 있는 피부의 최대 크기가 25×12 cm이고, 골편은 요골 원심부에서 부터 원회내근이 부착되어 있는 곳까지 최대 10~12 cm의 길이의 골을 채취할 수 있다고 보고되었다. 문헌적으로는 35×15 cm 크기의 피판을 거상할 수 있다고도 주장하는 사람도 있으나, 피판의 근심 한계는 전완와를 넘지 않는 것이 좋다. 요골을 길게 채취할 필요가 있을 경우는 원회내근의 정지부가 골과 함께 거상될 수 있으며 이때 완요골근을 그의 정지부 근처에서 분리하고 골편을 채취한 후에 다시 부착시킬 수도 있다.

재건 부위를 보면 하악골 골체부, 구강내 점막, 하악골 골체부와 구내 점막, 하악골 골체부와 구내 점막 및 구외

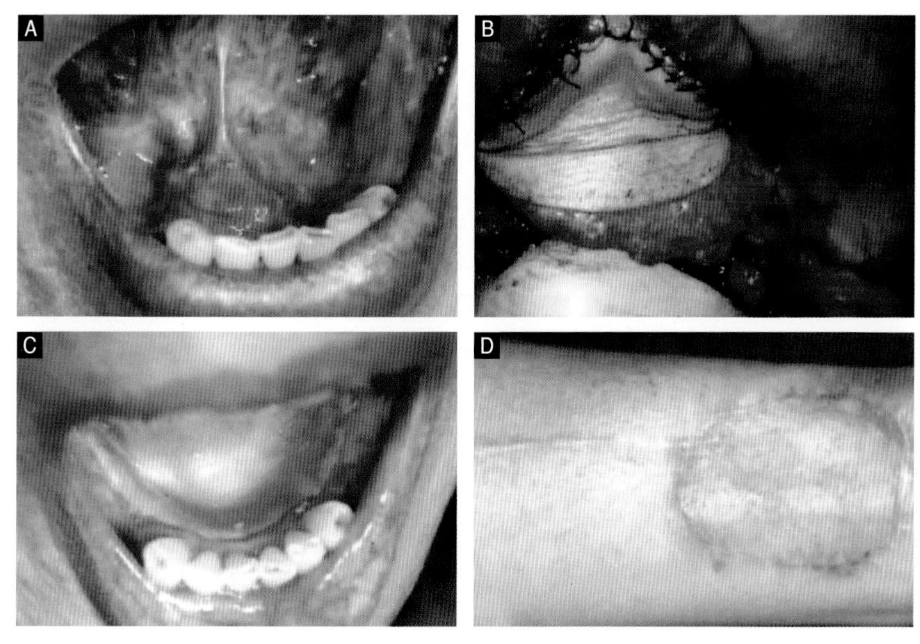

그림 28-28 **전완요피판을 이용한 구강저 재건. A:** 설소대 및 전방 구강저에 발생한 악성 종물 **B:** 종물 제거 후 전완요피판으로 재건하는 모습 **C, D:** 잘 치유된 수혜부 및 공여부 모습

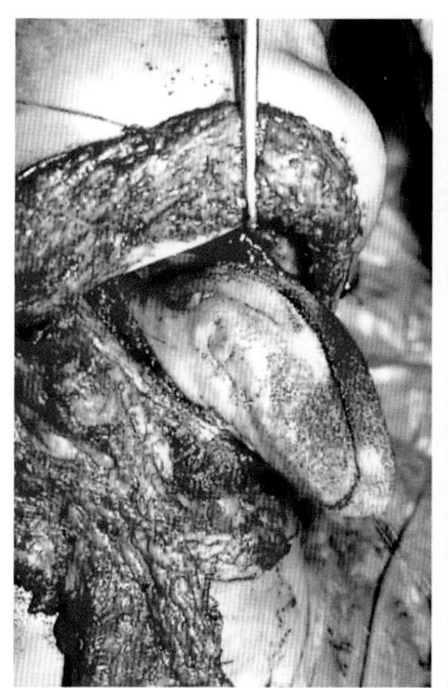

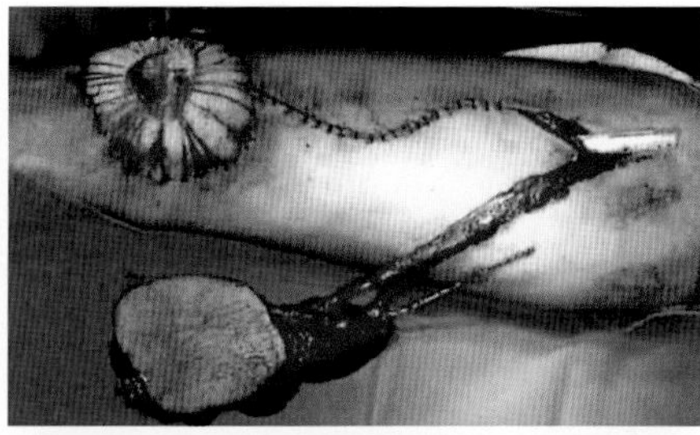

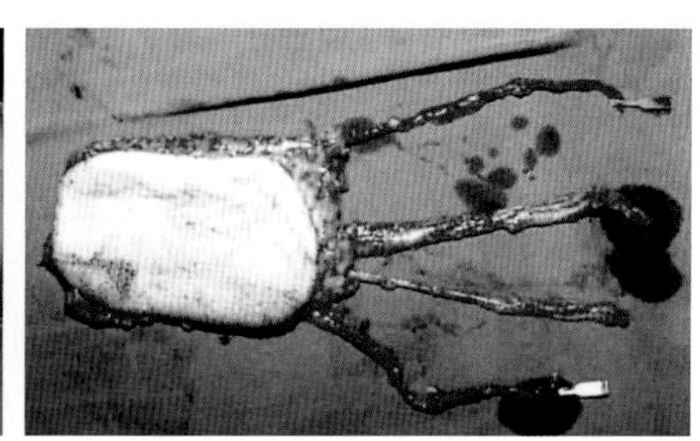

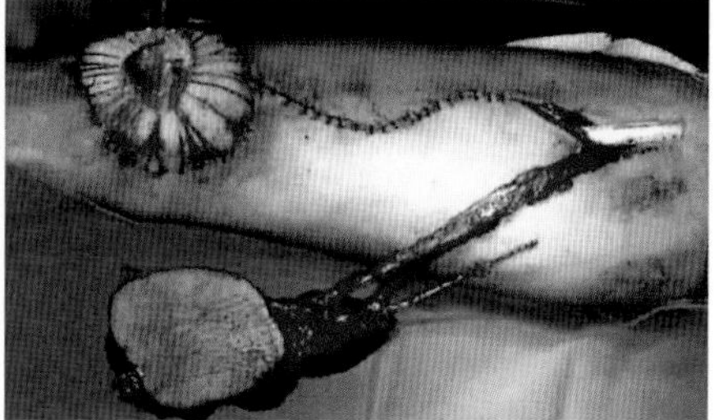

그림 28-29 **감각성 전완요피판을 이용한 혀의 재건.** Lateral cutaneous nerve를 같이 채취하여 피판에 감각을 부여하기도 한다.

피부, 상순점막, 구강저부, 협부, 상악골과 구개점막, 하순점막, 구내 협점막 등을 수복할 수 있다(그림 28-28, 29). 하지만 요골을 같이 채취하는 경우 손을 많이 사용하게 되면 요골의 골절이 유발될 가능성이 있어서 최근에는 전완요피판은 주로 연조직 피판으로만 사용된다.

전완요피판의 가장 큰 단점으로는 공여부의 반흔이 잘 보인다는 것이며 통상 피판을 채취하고 난 뒤 피부이식을 하게 되는데 이러한 반흔 부위는 눈에 쉽게 띈다. 이러한 공여부의 반흔을 줄이기 위하여 일차봉합법, 전진피판을 이용한 봉합법, 콜라겐 및 인공피부를 이용한 공여부 이식법이 개발되어 사용된다.

전완 요피판 공여부 합병증으로는 ① 피부이식의 실패로 인한 공여부의 치유지연 및 인대노출, ② 상완이나 손의 부종, ③ Lateral cutaneous nerve의 손상으로 인한 엄지손가락 감각저하 또는 지각이상, ④ 팔, 손목, 팔꿈치 및 어깨의 경직감, ⑤ 요골의 골절 등이 있다.

골조직을 같이 채취한 경우 술후 초기에는 요골의 골절 가능성이 매우 높으며, 술후 부목의 제거여부는 술후 방사선사진에 의존해서 행하는 것이 좋다. 특히 전체 요골의 40% 이상 채취할 경우에는 골절될 위험성이 매우 높으며, 가급적이면 이것보다 많은 양의 골을 채취하지 않는 것이 좋다.

5) 족배피판 또는 족배-제1중족동맥피판(Dorsalis pedis flap 또는 Dorsalis pedis-first dorsal metatarsal artery flap)

족배피판은 족배-제1배측중족동맥(dorsalis pedis-first dorsal metatarsal artery, DPA-FDMA)에 기초한다(그림 28-30). 이 피판은 피판, 감각성피판 또는 제2중족골을 포함시킬 경우에는 골피판으로 이용할 수 있다.[28-31] 비록 전완요피판과 같이 새롭게 개발된 피판이 족배피판의 역할을 상당 부분 대신하고 있지만, 족배피판은 피부가 얇고 유연하며 털이 적어 구강점막 결손 재건에 적절하고, 특히 악골과 구강 연조직 동반 결손부 수복에도 적용될 수 있는 여전히 특별한 적응증을 가지고 있는 필수적인 피판 중 하나이다(그림 28-31). 혈관경의 길이는 10~20 cm까지 가능하나 10×14 cm 이상의 피부 결손 부위와 8 cm 이상의 골결손을 동반한 경우에는 다른 피판을 고려하여야 한다. 그리고 성장기에 있는 아동이나 운동선수 등에서도 사용할 수 없으며 예전에 발에 외상의 기왕력이 있는 자도 비적응증이 된다.

6) 복직근피판(Rectus abdominis flap)

하심상복혈관경(deep inferior epigastric vascular pedicle)을 기초로 하는데, 거상이 용이하고 긴 혈관경을 가지고 있으며 피판 생존도가 아주 믿을 만하여 구강안면부 재건에 꼭 필요한 피판이다(그림 28-32). 동일한 non-vascularised free bone graft을 얻기 위한 장골능의 접근도 가능하여 미세조직이전과 비혈류화 골이식과의 조합으로 상악과 상악동 종양의 제거 후 생기는 큰 결손을 효과적으로 재건할 수 있다.[32-37] 일반적으로 뼈와 연조직을 동시에 재건해야 할 경우에는 혈류화복합피판(vascularised composite flap)이 선택되지만 이것은 뼈와 연조직을 외관이나 해부학적 측면에서 적절한 위치에 삽입하기 어려울 때가 많다. 이러한 점으로 인해 복합피판의 실패율이 다소 높은데 이럴 경우 통상적인 장골이식으로 안면골격 결손부의 모양을 만들고 혈액이 풍부한 복직근으로 골이식체를 감싸 재혈관화를 촉진시켜 이식 성공률을 극대화하는 방법을 선택할 수 있다. 장골과 복직근피판의 조합은 주요한 상악골 재건술에 매우 유용한 것으로 판명되어 있다. 상부 안면 골격은 비틀림 힘(torsional force)을 별로 받지 않고 근부착이 그리 많지 않아 이 피판이 잘 살 수 있다. 이 방법은 이식골의 소실이 거의 없으며 술후 방사선 치료에도 잘 견딘다. 물론 혈류화 골이식과는 달리 흡수되는 경우도 있으나 그 정도는 그리 많지 않다. 또한 두개저의 종양 제거로 인해 뇌경막이나 뇌 실질이 노출되었을 경우 이곳을 폐쇄하거나 측두하와(infratemporal fossa)의 사강 제거를 위해 이 근피판은 매우 유용하게 이용된다(그림 28-33). 일부는 구강저나 혀 절제 후에도 이 근피판을 적용하여 좋은 결과를 보았다고 한다. 이 피판은 두경부 종양 제거 시 환자의 체위 변화 없이 동시에 시행할 수 있으며, 피부 영역에 혈류가 아주 풍부하여 피판 디자인을 다양하게 할 수 있다. 또한 혈관경의 직경이 아주 크지는 않지만 미세혈관봉합이 용이하며, 복직근의 길이를 짧게 또는 길게 할 수 있다는 이점이 있다. 이 피판의 주요 단점으로는 복막을 약화시킬 수 있다는 점이

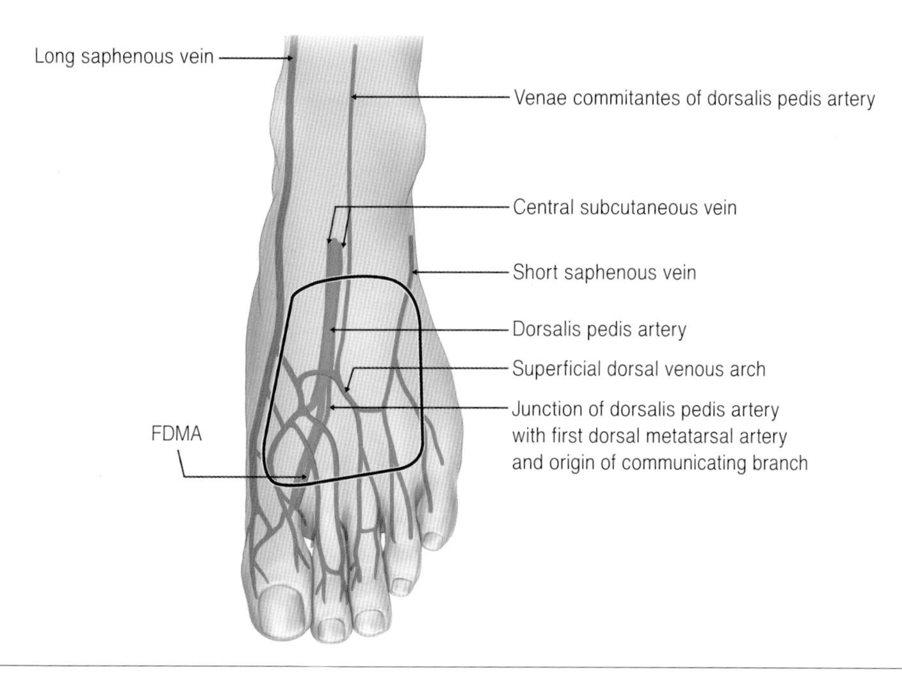

그림 28-30 족배피판의 혈관 해부

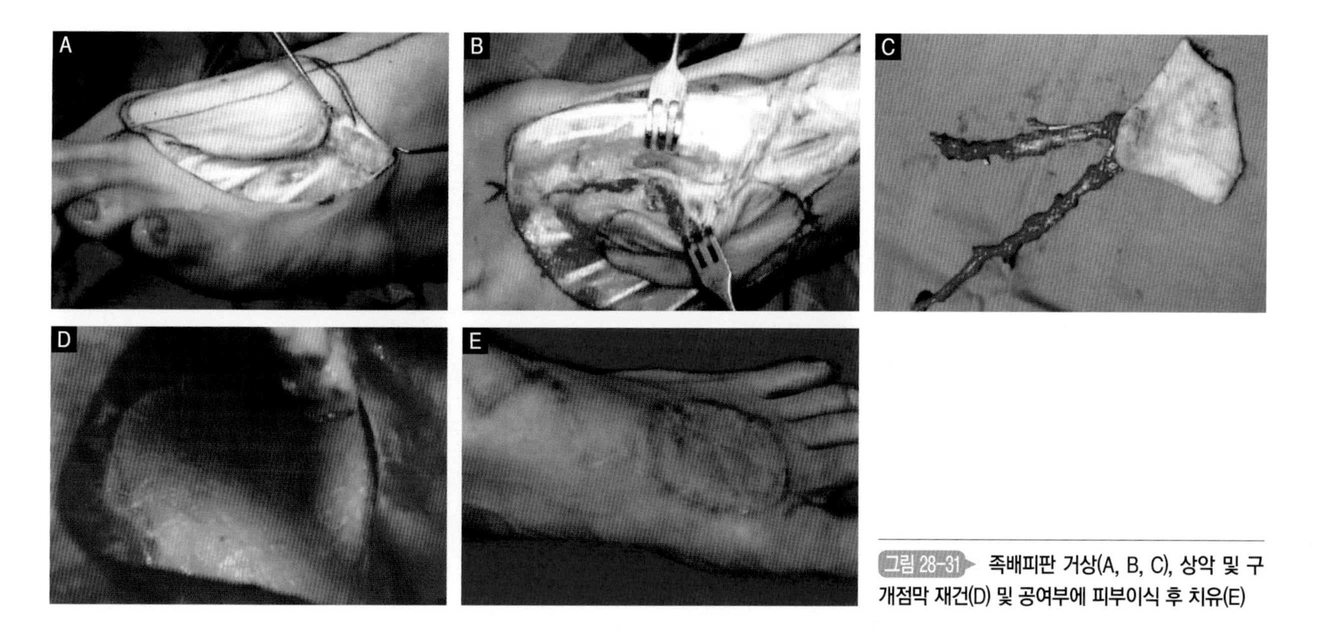

그림 28-31 족배피판 거상(A, B, C), 상악 및 구개점막 재건(D) 및 공여부에 피부이식 후 치유(E)

지적되고 있으나, 이런 약화 현상과 incisional hernia를 감소시키기 위해 Marlex mesh®나 Prolene mesh®를 이용해서 복벽을 강화하여야 하며 수술 후 10일 동안은 복대를 단단히 하고 있어야 한다. 복직근이 없어지고 나면 기능적인 문제점이 발생하므로 복부근육을 이용한 운동은 수술 후 최소 6주 이후에 시행하여야 한다. 근피판은 거상 후 공여부를 일차적으로 봉합할 수 있으나, 비만 환자에서는 그 거상된 복직근피판의 부피가 워낙 커서 그 적용을 신중히 할 필요가 있다.

7) 유리광배근피판(Free latissimus dorsi flap)

광배근피판은 흉배동맥(thoracodorsal artery)에 기초하는 (그림 28-34) 유경 또는 유리근피판의 형태로 사용될 수 있는데 유경 형태일 때 피판이 아래로 처지고 목 부위에 위치

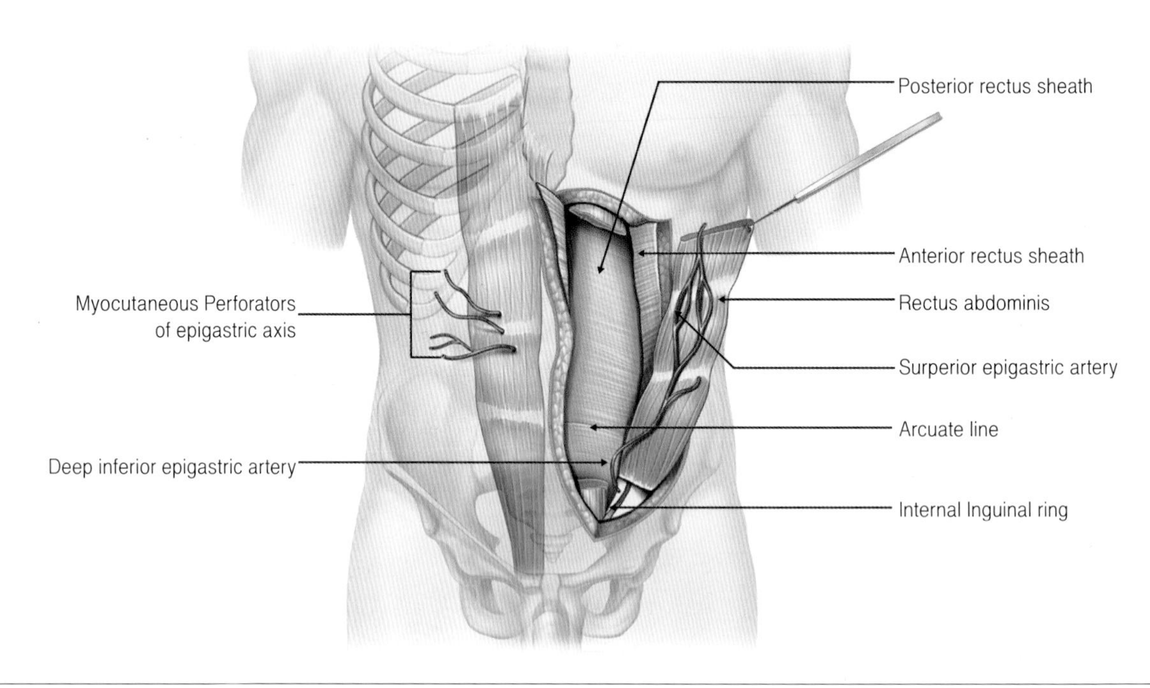

그림 28-32 복직근피판 모식도

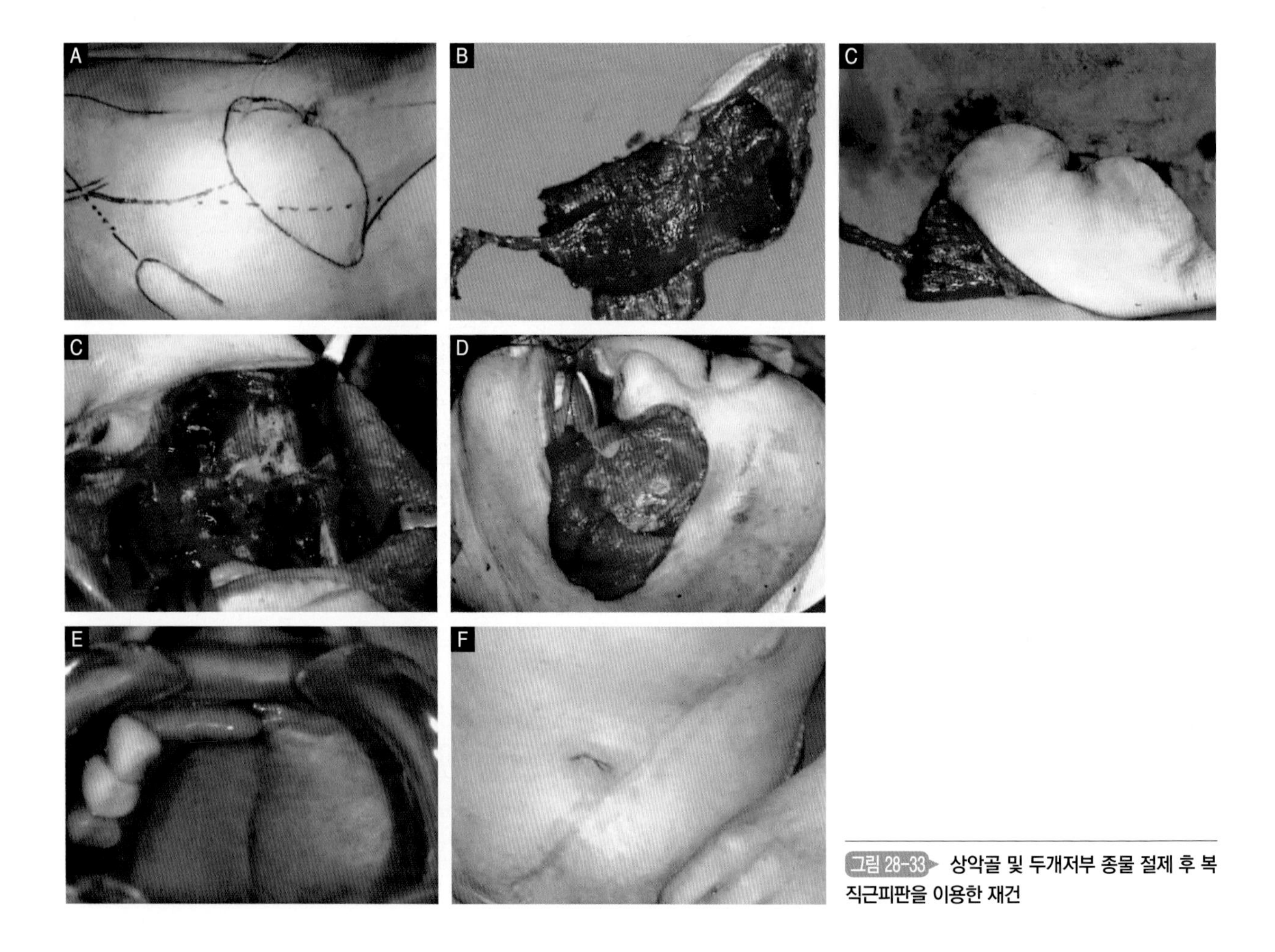

그림 28-33 상악골 및 두개저부 종물 절제 후 복직근피판을 이용한 재건

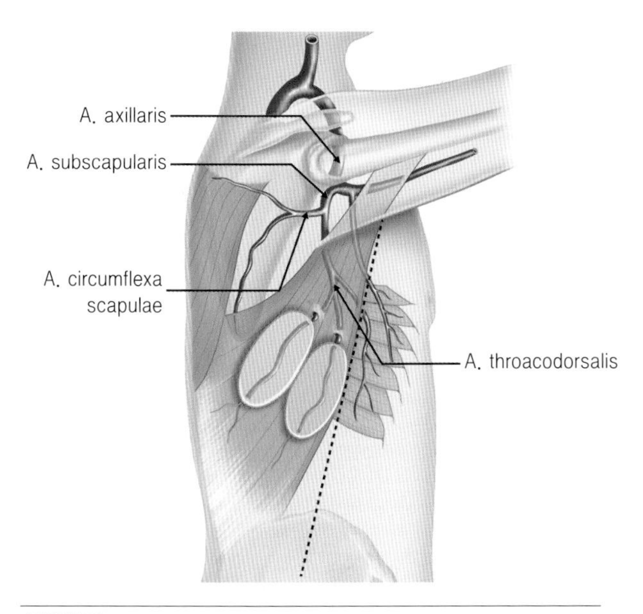

그림 28-34 광배근피판 혈관 해부

한 피판경이 아래로 당길 뿐 아니라 중력에 의해 처지는 현상이 와서 외관에 좋지 않으므로 주로 유리근피판의 형태로 이식한다.[38-42] 물론 미세문합술을 시행해야 하는 번거로움과 실패 가능성이 지적될 수 있지만, 이식성공률이 100%에 가깝다. 이러한 유리광배근피판의 주 적응증은 큰 부피의 결손이 존재하는 상악 또는 하악결손부에 유용하다. 특히 하악골이 구강이나 안면부 연조직과 같이 절제되어 많은 양의 조직이식이 필요한 경우에는 재건용 금속판(functional reconstruction plate)을 같이 사용하여 기능적이고 심미적인 재건이 가능하다(그림 28-35). 광배근피판은 충분한 양의 피부와 근육을 이식할 수 있으며 피판의 거상이 쉽고 긴 혈관을 얻을 수 있으며 공여부의 합병증이 적다는 장점이 있다. 피판은 8×10 cm에서 20×30 cm 크기까지 거상할 수 있으며 늑골과 같이 채취하면 골근육 피판을 만들 수 있다. 단점으로는 수술 시에 환자의 위치를 변화시켜야 하므로 수술 시간이 많이 걸리고, 피부의 색조가 두경부와 잘 맞지 않는 점이다. 공여부의 합병증으로 장액종(seroma)이 발생할 가능성이 높으므로 흡인 드레인(suction drain)을 최소 1주 이상 유지하여야 한다. 주혈액 공급은 유경피판에서와 같이 흉배동맥(thoracodorsal artery)에서 얻게 되며 하나의 흉배정맥을 이용하며 신경의 재건을 위하여 흉배신경을 같이 채취할 수 있다(그림 28-34).

8) 유리공장피판(Free jejunal flap)(그림 28-36)

소장은 십이지장(duodenum), 공장(jejunum), 회장(ilium)으로 이루어져 있으며, 그 중 공장은 직경이 약 4 cm 정도되며 주혈액원은 상장간막동맥(superior mesenteric artery)에서 분지하는 소장지(intestinal branch)이다. 공장의 일부분을 열어서 장간막의 반대 부분 경계를 따라

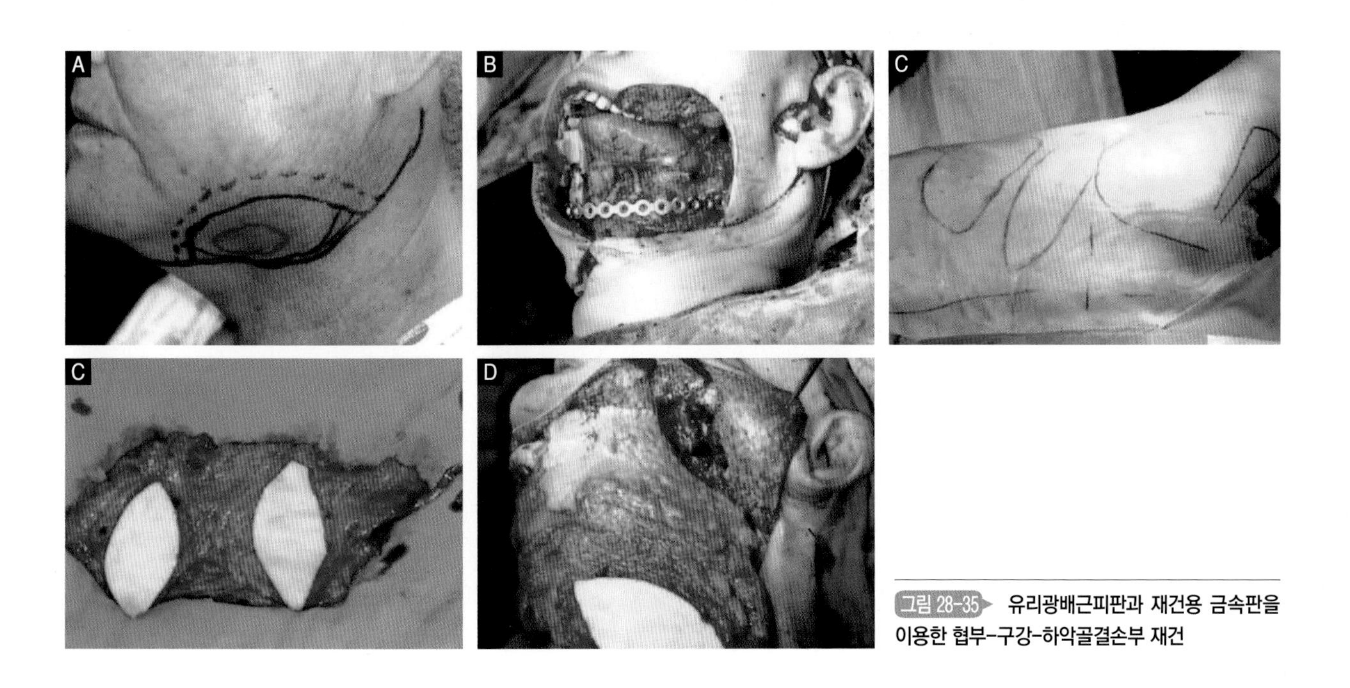

그림 28-35 유리광배근피판과 재건용 금속판을 이용한 협부-구강-하악골결손부 재건

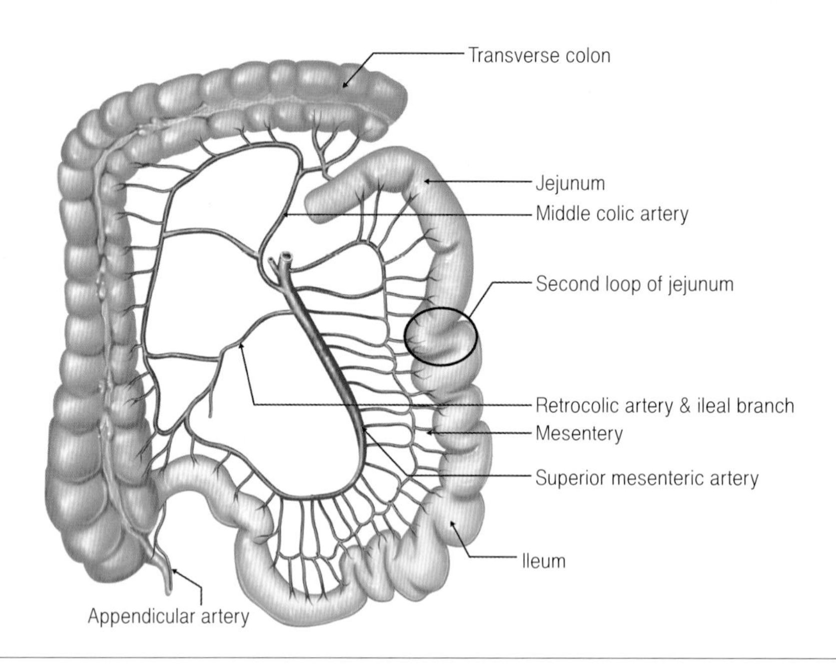

그림 28-36 공장피판 해부

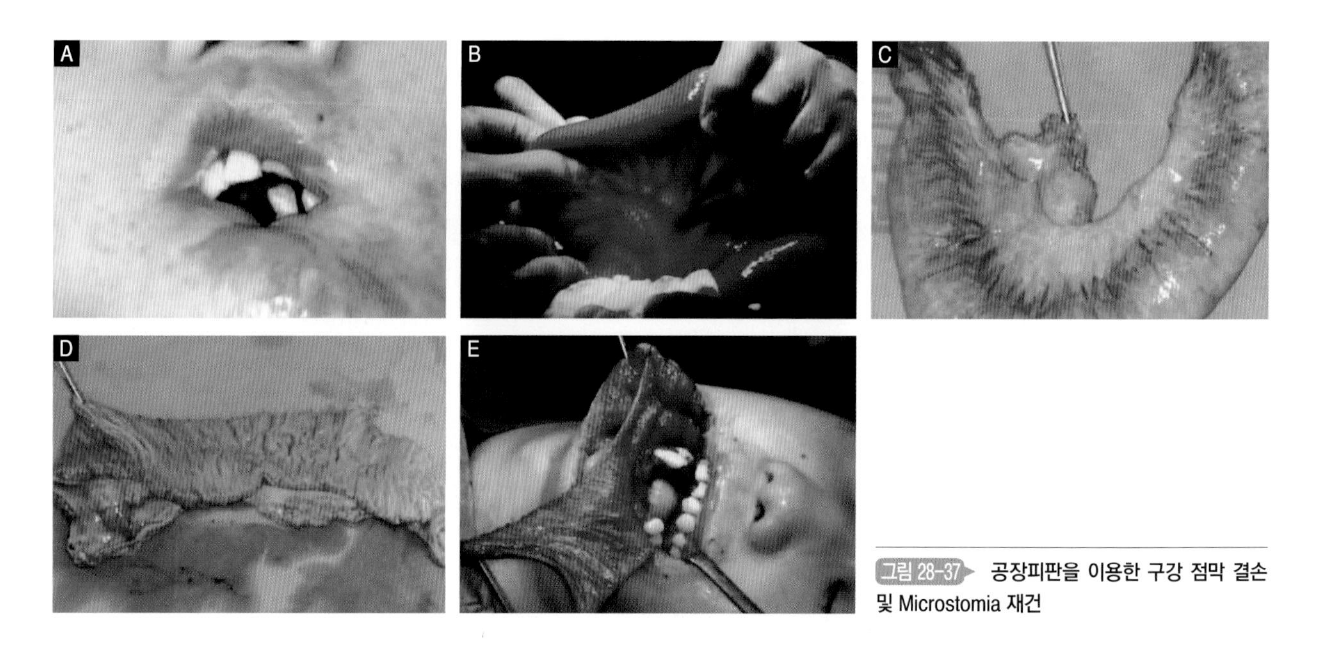

그림 28-37 공장피판을 이용한 구강 점막 결손 및 Microstomia 재건

구강 및 구인두부에 이장하는 패치(patch) 형태로 사용할 수 있다.[43-47] 소장을 구강내로 이식한 경우에는 구강점막과 비슷한 점막으로 재건하므로 혀나 인접 조직의 운동이 원활하여 구강내 악성 종양 절제술 후에 발생하는 구강 기능 장애를 최소한으로 줄일 수 있다. 턱관절을 포함한 하악골의 재건이나 안면신경마비교정(facial reanimation) 시 사용되며, 근육만을 사용하면 작고 얇은 기능성 근육이 필요한 곳에 적절히 사용될 수 있다. 상부의 4~5개판은 측흉동맥(lateral thoracic artery)에 의하여 혈류공급을 받으며 하부는 흉배동맥(thoracodorsal artery)의 큰 가지에서 혈류를 공급받는다. 단점으로서는 피부, 근육, 늑골을 포함하여 피판을 형성하였을 경우 폐나 흉막 등의 하부 조직에 대한 보호 작용이 부족하다는 것과 기흉이 생겨 chest tube를 삽입해야 하는 경우가 발생할 수 있다. 그

리고 장간막의 지방조직으로 연조직 결손부를 채워줄 수 있으므로 얼굴 모양을 정상으로 회복할 수 있고, 구강 점막과 유사한 조직을 필요에 따라 많은 양을 채취할 수 있다(그림 28-37).

또한 소장 점막에서 계속적으로 점액이 분비되어 방사선 치료 후에 발생하는 구강건조증을 막아줄 수 있다는 이점이 있다. 하지만 예전에 복부수술을 하였거나 십이지장궤양이 있는 경우 그리고 부피가 많이 필요한 경우에서는 비적응증이 된다. 단점으로는 구강피부 누공의 발생률이 10~30% 정도 된다는 것이며, 다른 피판에 비하여 합병증이 높다는 것이다. 요즘은 복강경(laparoscope)을 이용하여 최소 복부 절개를 이용하여 피판을 얻기도 한다.

9) 유리전거근피판(Serratus anterior muscle free flap)

(그림 28-38, 39)

전거근은 액와부위의 전방벽을 형성하는 얇은 근육으로서 손이나 발, 얼굴 등의 재건에 사용될 수 있다.[48-50] 다양한 크기로 결손부에 알맞도록 피판의 크기를 조절할 수 있으며 혈관의 주행 예측이 가능하고 근피판, 근육과 피부, 늑골 등을 다양하게 포함하여 피판의 형성이 가능하다. 턱관절을 포함한 하악골의 재건이나 안면신경마비교정(facial reanimation) 시 사용되며, 근육만을 사용하면 작고 얇은 기능성 근육이 필요한 곳에 적절히 사용될 수 있다. 상부의 4~5개판은 측흉동맥(lateral thoracic artery)에 의하여 혈류공급을 받으며 하부는 흉배동맥(thoracodorsal artery)의 큰 가지에서 혈류를 공급받는다. 단점으로서는 피부, 근육, 늑골을 포함하여 피판을 형성하였을 경우 폐나 흉막 등의 하부 조직에 대한 보호 작용이 부족하다는 것과 기흉이 생겨 chest tube를 삽입해야 하는 경우가 발생할 수 있다. 피판의 크기는 10~12×5~15 cm까지 가능하며 늑골을 피판에 포함시킬 수 있고 이외 견갑골의 하외측연(inferolateral border)의 일부 역시 피판에 포함될 수 있다. 공여부에서의 특별한 합병증은 없으나 팔의 움직임에 운동의 제한이 올 수 있으며 공여부의 일차 봉합이 가능하다. 유리전거근에 피부는 포함시키지 않고 늑골만을 붙여 하악지와 과두 재건에도 종종 사용되고 있다.

10) 전외측 대퇴피판(Anterolateral thigh free flap)

전외측 대퇴유리피판(anterolateral thigh flap)은 1984년 Song 등에 의해 septocutaneous perforator-based flap으로서 처음 소개된 이후 최근에는 구강악안면부의 재건에 많이 이용되고 있는데 심미적, 기능적인 재건을 가능하게 하는 적당한 두께와 넓은 면적을 사용할 수 있다는 장점이 있다. 또한 구강암수술 후 재건 시 두 팀이 동시에 수술을 할 수 있고, 혈관경은 8~16 cm까지 박리할 수 있어서 길이와 직경이 충분하고, 하나의 천공지로도 큰 피부판을 만들 수 있으며, 필요에 따라 vastus lateralis muscle을 포함하여 충분한 부피로 피판의 채취가 가능하여 큰 사강(dead space)를 채울 수 있고 또한 공여부 합병증이 거의 없다는 장점도 있다. 개개인의 체형에 따라 차이는 있지만 8~10 cm 폭의 피부판 채취 시에 일차 봉합이 가능하다.

전외측 대퇴피판은 심대퇴동맥(deep femoral artery)에서 분지하는 외측 회선대퇴동맥(lateral circumflex femoral artery)의 하행지에서 내려오는 근치천공지(musculocutaneous) 또는 근간피부천공지(septocutaneous perforator)에 의하여 작도되는 perforator flap으로(그림 28-40) 피부판만 채취하거나 근육과 같이 채취하여 혀나 협점막 등의 구강내 다양한 결손부의 재건이 가능하다(그림 28-41).

11) 외측 상박유리피판(lateral arm free flap)

외측 상박유리피판은 주로 septocutaneous flap의 형태로 사용되나 근육 및 신경과도 함께 이식이 가능한 골근막피판의 형태로 이용되기도 한다.[51-54] 외측상박유리피판은 두경부의 피부와 비슷한 질감과 색조를 가지고 있어 얼굴피부의 재건에 적합하다. 구강내 결손 조직의 재건에도 유용하며 특히 많은 양의 혀결손부의 재건에 유용하게 사용할 수 있다.

외측상박유리피판의 주혈관은 상완심동맥(profunda brachii artery)의 말단가지인 후요측측부동맥(posterior radial collateral artery)이며 이 혈관은 팔의 혈행에 필수적인 혈관이 아니기 때문에 동측의 유리전완요피판을 이용한 후에도 사용이 가능하다(그림 28-42). 외측상박유리피판은 채취 시 해부학적 구조가 대부분 일정하여 상완심동맥에서 분지된 후요측측부동맥은 상완신근(brachialis)과 상완삼두근(triceps muscle)을 분리하는 근간중격(intermuscular sep-

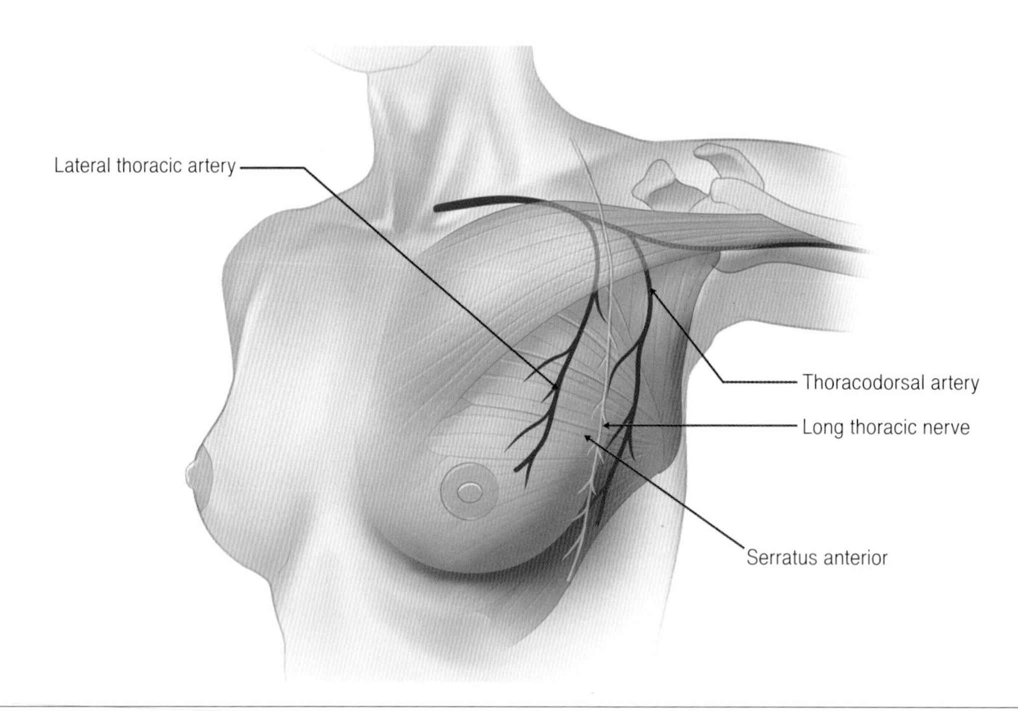

그림 28-38 전거근-늑골-늑연골판의 모식도

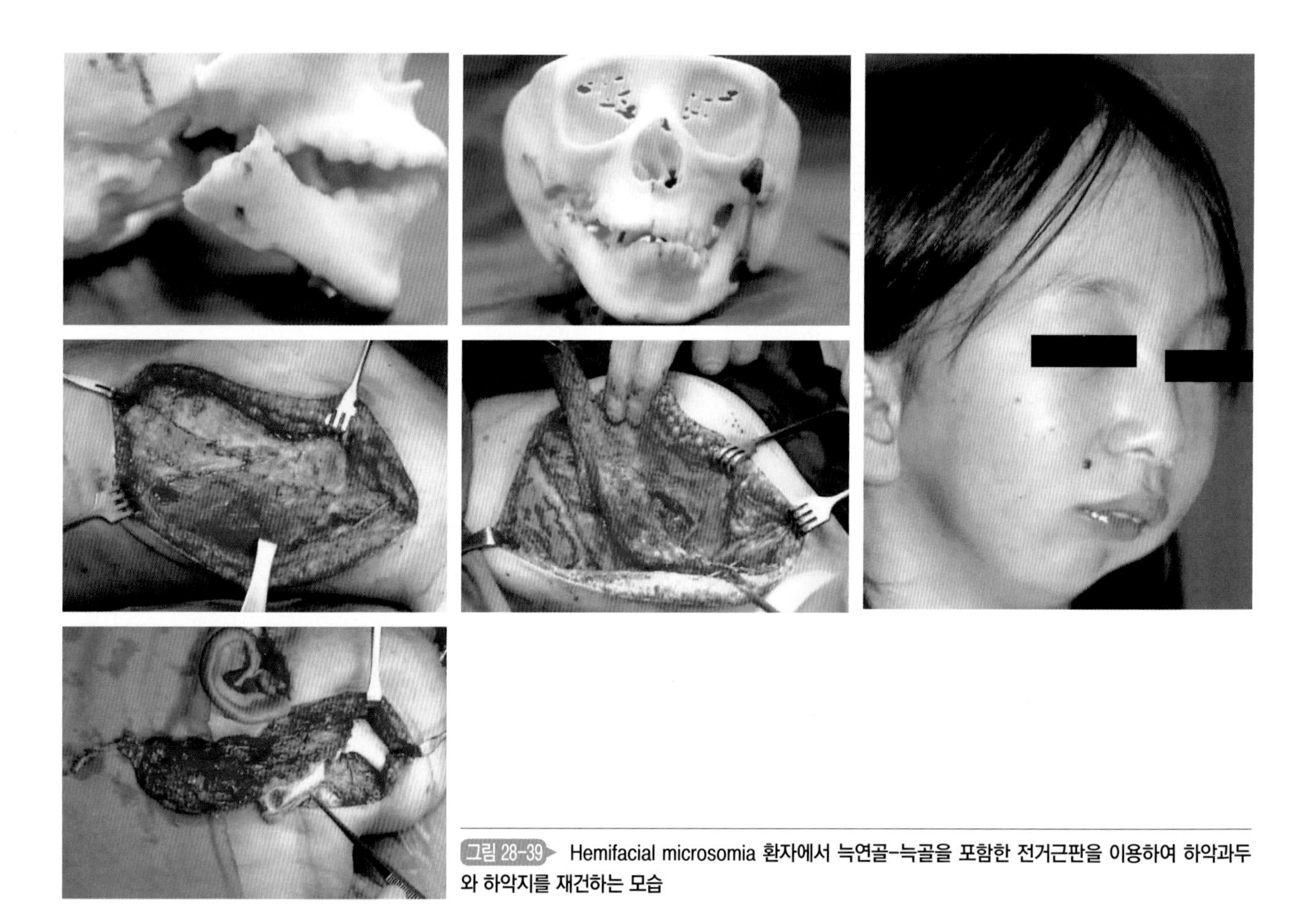

그림 28-39 Hemifacial microsomia 환자에서 늑연골-늑골을 포함한 전거근판을 이용하여 하악과두와 하악지를 재건하는 모습

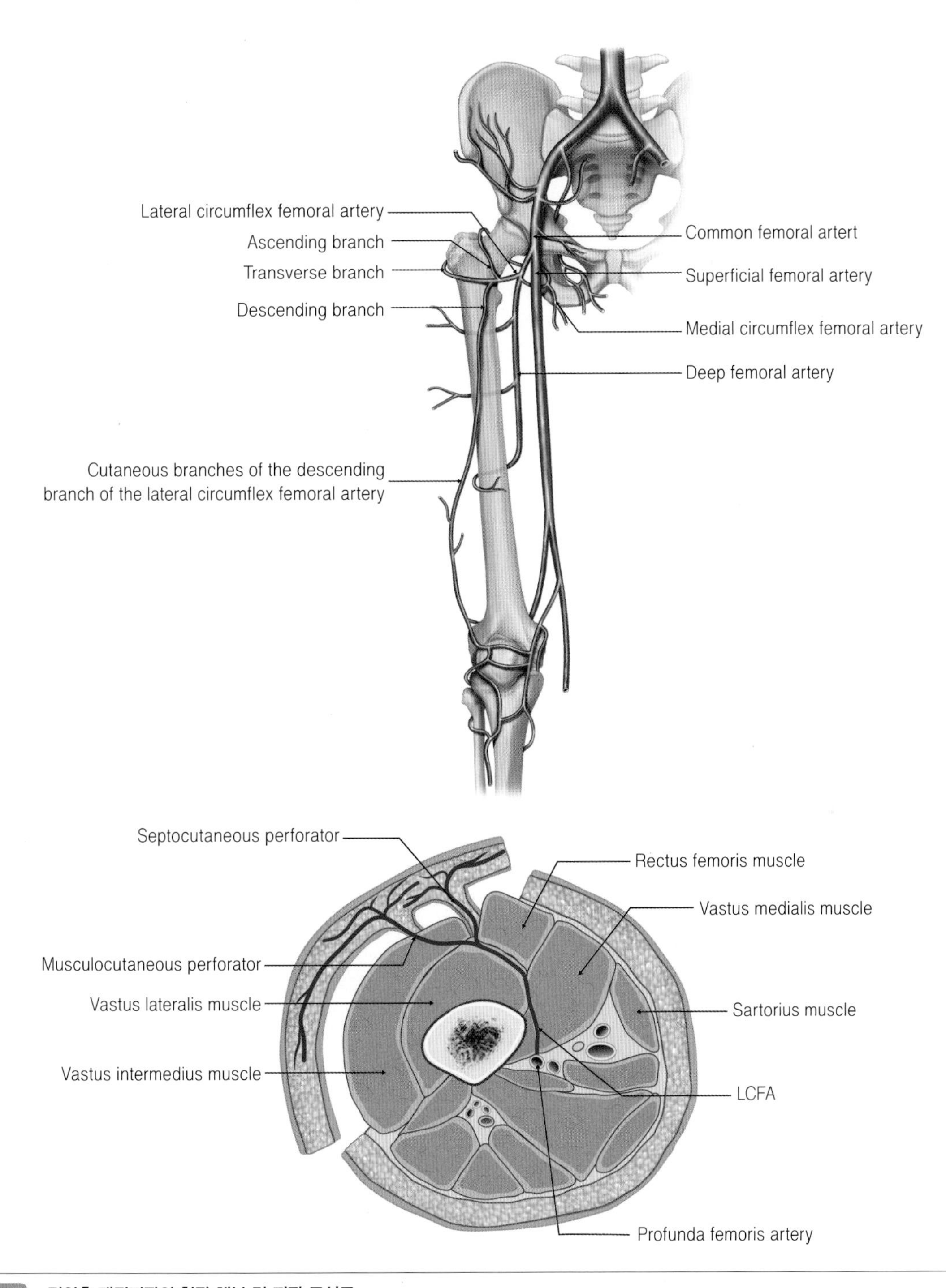

그림 28-40 전외측 대퇴피판의 혈관 해부 및 피판 모식도

tum)의 내부에서 피부로 올라간다. 평균적으로 얻을 수 있는 혈관경의 길이는 약 7~8 cm로 두경부재건에 주로 사용되는 전완요피판에 비해 조금 짧은 편이나 상완삼두근을 절개하여 상완심동맥쪽으로 혈관 박리를 연장하면 6~8 cm 더 연장도 가능하다. 후요측측부동맥은 혈관의 지름이 평균 1.2 ~1.5 mm 정도로 가늘고 요신경을 따라 주행하기 때문에 혈관의 분리 시 요신경의 손상을 주의해야 하기 때문에 술자의 숙련도를 필요로 한다.

외측상박유리피판은 후방상완피부신경(posterior cutaneous nerve of arm)을 같이 이식할 수 있어 혀의 재건 시 설신

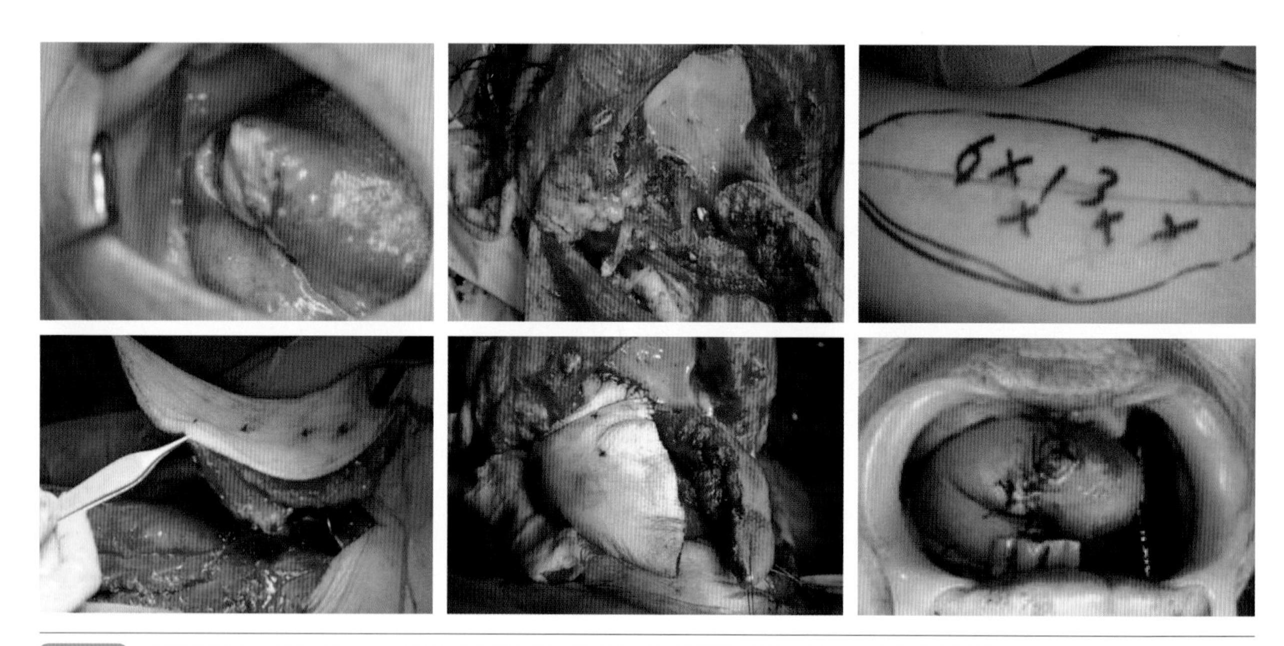

그림 28-41 혀반측절제술을 시행 후 6×13 cm의 전외측 대퇴피판을 채취하여 혀와 구인두를 재건. 일부 외측 대퇴근을 채취하여 구강저부 결손부를 동시 재건

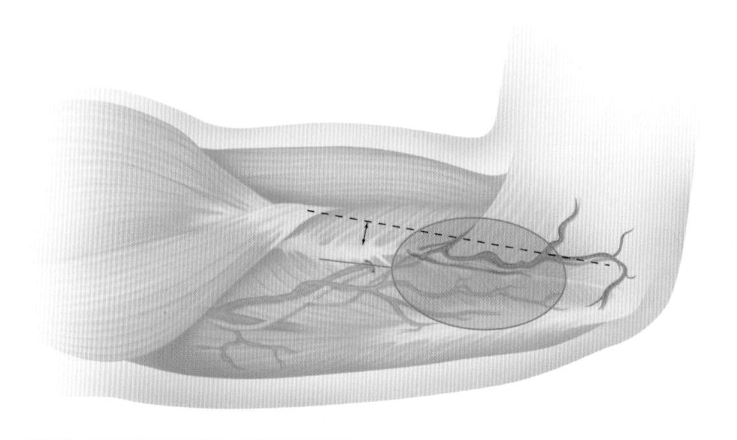

그림 28-42 외측상완유리피판의 해부 및 피판의 모식도

경과 문합하여 감각의 회복도 기대할 수 있는 장점이 있다. 후방상와피부신경은 요측측부동맥과 함께 주행하는 경우가 많으며 피판의 거상 시 대부분 절단되어 공여부 측부전완의 감각소실이 발생한다. 하지만 이 부위의 감각소실은 대부분의 환자들이 잘 적응하는 경우가 많다.

일반적으로 피판의 폭은 6~7 cm, 길이는 7~12 cm 를 넘지 않는 것이 좋지만 상완골 외측상관절융기(lateral epicondyle) 하방 8 cm까지 피판을 연장할 수 있다. 얇고 유연한 전완의 피부와 두꺼운 상완의 조직을 이용하여 구강내외로 천공된 결손에도 사용할 수 있다(그림 28-43). 피판의 폭이 6 cm을 넘지 않으면 일차 봉합이 가능한 장점이 있으나 피판의 폭이 제한적이기 때문에 넓은 피판이 필요한 경우 다른 피판을 고려하는 것이 좋다. 피하지방이 많은 환자의 경우 피판이 두꺼워 질 수 있다는 점 역시 단점으로 지적되고 있다.

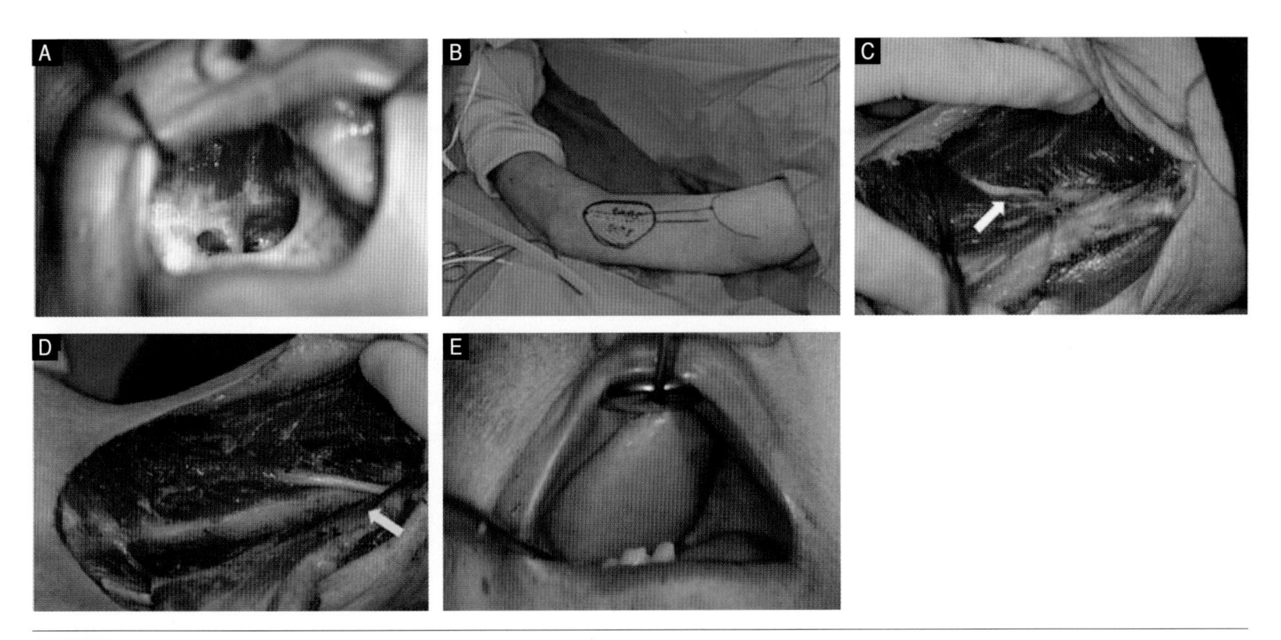

그림 28-43 **외측상완유리피판을 이용한 상악 구개부 결손 재건.** **B:** 외측상완유리피판 체취를 위한 피판의 작도. Lateral epicondyle와 삼각근의 첨부를 연결한 선의 1 cm 아래 상완신근-상완삼두근 근간중격을 표시 **C:** 상완요근과 상완신근사이 전요측측부동맥과 같이 주행하는 요신경의 모습(흰 화살-전요측측부동맥, 요신경) **D:** 상완골에서 분리된 근간중격 내부를 주행하는 후요측측부동맥 (노란 화살) **E:** 상악 구개부 결손을 재건한 모습

참고문헌

1. Seidenberg B, Rosenak SS, Hurwitt ES, Som ML. Immediate reconstruction of the cervical esophagus by a revascularized isolated jejunal segment. Ann Surg 1959;149:162-71.
2. McLean DH, Buncke HJ, Jr. Autotransplant of omentum to a large scalp defect, with microsurgical revascularization. Plast Reconstr Surg 1972;49:268-74.
3. Daniel RK, Taylor GI. Distant transfer of an island flap by microvascular anastomoses. A clinical technique. Plast Reconstr Surg 1973;52:111-7.
4. Posnick JC, Wells MD, Zuker RM. Use of the free fibular flap in the immediate reconstruction of pediatric mandibular tumors: report of cases. J Oral Maxillofac Surg 1993;51:189-96.
5. Minami A, Usui M, Ogino T, Minami M. Simultaneous reconstruction of bone and skin defects by free fibular graft with a skin flap. Microsurgery 1986;7:38-45.
6. Lee JH, Kim MJ, Choi WS, et al. Concomitant reconstruction of mandibular basal and alveolar bone with a free fibular flap. Int J Oral Maxillofac Surg 2004;33:150-6.
7. Belt PJ, Dickinson IC, Theile DR. Vascularised free fibular flap in bone resection and reconstruction. Br J Plast Surg 2005;58:425-30.
8. Urken ML, Weinberg H, Vickery C, Buchbinder D, Lawson W, Biller HF. The internal oblique-iliac crest free flap in composite defects of the oral cavity involving bone, skin, and mucosa. Laryngoscope 1991;101:257-70.
9. Urken ML, Weinberg H, Vickery C, Buchbinder D, Biller HF. Using the iliac crest free flap. Plast Reconstr Surg 1990;85:1001-2.
10. Urken ML, Vickery C, Weinberg H, Buchbinder D, Lawson W, Biller HF. The internal oblique-iliac crest osseomyocutaneous free flap in oromandibular reconstruction. Report of 20 cases. Arch Otolaryngol Head Neck Surg 1989;115:339-49.
11. Urken ML, Vickery C, Weinberg H, Buchbinder D, Biller HF. The internal oblique-iliac crest osseomyocutaneous microvascular free flap in head and neck reconstruction. J Reconstr Microsurg 1989;5:203-14; discussion 15-6.
12. Shenaq SM. Reconstruction of complex cranial and craniofacial defects utilizing iliac crest-internal oblique microsurgical free flap. Microsurgery 1988;9:154-8.
13. Puxeddu R, Ledda GP, Siotto P, et al. Free-flap iliac crest in mandibular reconstruction following segmental mandibulectomy for squamous cell carcinoma of the oral cavity. Eur Arch Otorhinolaryngol 2004;261:202-7.
14. Paletz JL, Boyd JB, Rosen IB. Bilateral functional mandibular re-

construction using the iliac crest free flap. A case report. J Reconstr Microsurg 1987;3:175-9, 81-2.
15. Ozkan O. Single osteotomized iliac crest free flap in anterior mandible reconstruction. Microsurgery 2006;26:93-9.
16. Sevin K, Ozbek MR, Ustünsoy E, Yormuk E. Applications of free scapular flap. Handchir Mikrochir Plast Chir 1993;25:148-51.
17. Hirota M, Mizuki N, Iwai T, et al. Vertical distraction of a free vascularized osteocutaneous scapular flap in the reconstructed mandible for implant therapy. Int J Oral Maxillofac Surg 2008;37:481-3.
18. Hamilton SG, Morrison WA. The scapular free flap. Br J Plast Surg 1982;35:2-7.
19. Gilbert A, Teot L. The free scapular flap. Plast Reconstr Surg 1982;69:601-4.
20. Barwick WJ, Goodkind DJ, Serafin D. The free scapular flap. Plast Reconstr Surg 1982;69:779-87.
21. Soutar DS, Scheker LR, Tanner NS, McGregor IA. The radial forearm flap: a versatile method for intra-oral reconstruction. Br J Plast Surg 1983;36:1-8.
22. Matthews RN, Hodge RA, Eyre J, Davies DM, Walsh-Waring GP. Radial forearm flap for floor of mouth reconstruction. Br J Surg 1985;72:561-4.
23. Matthews RN, Fatah F, Davies DM, Eyre J, Hodge RA, Walsh-Waring GP. Experience with the radial forearm flap in 14 cases. Scand J Plast Reconstr Surg 1984;18:303-10.
24. Lee JW, Jang YC, Oh SJ. Esthetic and functional reconstruction for burn deformities of the lower lip and chin with free radial forearm flap. Ann Plast Surg 2006;56:384-6.
25. Lee JT, Cheng LF, Chen PR, et al. Bipaddled radial forearm flap for the reconstruction of bilateral buccal defects in oral submucous fibrosis. Int J Oral Maxillofac Surg 2007;36:615-9.
26. Harii K, Ebihara S, Ono I. Radial forearm flap in reconstruction following surgery for head and neck cancers. Auris Nasus Larynx 1985;12 Suppl 2:S44-7.
27. de Vicente JC, de Villalaín L, Torre A, Peña I. Microvascular free tissue transfer for tongue reconstruction after hemiglossectomy: a functional assessment of radial forearm versus anterolateral thigh flap. J Oral Maxillofac Surg 2008;66:2270-5.
28. Leeb DC, Ben-Hur N, Mazzarella L. Reconstruction of the floor of the mouth with a free Dorsalis pedis flap. Plast Reconstr Surg 1977;59:379-81.
29. McCraw JB, Furlow LT, Jr. The dorsalis pedis arterialized flap. A clinical study. Plast Reconstr Surg 1975;55:177-85.
30. Robinson DW. Microsurgical transfer of the dorsalis pedis neurovascular island flap. Br J Plast Surg 1976;29:209-13.
31. Takeichi Y, Kamei S, Oyama S, Baba S. Mobile tongue reconstruction with the free dorsalis pedis flap. Acta Otolaryngol Suppl 1996;525:30-4.
32. Bianchi B, Bertolini F, Ferrari S, Sesenna E. Maxillary reconstruction using rectus abdominis free flap and bone grafts. Br J Oral Maxillofac Surg 2006;44:526-30.
33. Chicarilli ZN, Davey LM. Rectus abdominis myocutaneous free-flap reconstruction following a cranio-orbital-maxillary resection for neurofibrosarcoma. Plast Reconstr Surg 1987;80:726-31.
34. Herman CK, Benacquista T, Brindzei N, Berdichevsky M, Baum T, Strauch B. Single-stage maxillary and nasal floor reconstruction with the double-paddle rectus abdominis musculocutaneous free flap. J Reconstr Microsurg 2007;23:131-5.
35. Pennington DG, Pelly AD. The rectus abdominis myocutaneous free flap. Br J Plast Surg 1980;33:277-82.
36. Urken ML, Turk JB, Weinberg H, Vickery C, Biller HF. The rectus abdominis free flap in head and neck reconstruction. Arch Otolaryngol Head Neck Surg 1991;117:857-66.
37. Yokoo S, Komori T, Furudoi S, et al. Indications for vascularized free rectus abdominis musculocutaneous flap in oromandibular region in terms of efficiency of anterior rectus sheath. Microsurgery 2003;23:96-102.
38. Danino AM, Harchaoui A, Malka G. Functional reconstruction of maxilla with free latissimus dorsi-scapular osteomusculocutaneous flap. Plast Reconstr Surg 2003;112:925-6; author reply 6-7.
39. Kosutic D, Uglesic V, Knezevic P, Milenovic A, Virag M. Latissimus dorsi-scapula free flap for reconstruction of defects following radical maxillectomy with orbital exenteration. J Plast Reconstr Aesthet Surg 2008;61:620-7.
40. Maxwell GP, Stueber K, Hoopes JE. A free latissimus dorsi myocutaneous flap: case report. Plast Reconstr Surg 1978;62:462-6.
41. Watson JS, Craig RD, Orton CI. The free latissimus dorsi myocutaneous flap. Plast Reconstr Surg 1979;64:299-305.
42. White PB, Chait LA. The free latissimus dorsi myocutaneous flap. S Afr Med J 1982;61:9-11.
43. Dubsky PC, Stift A, Rath T, Kornfehl J. Salvage surgery for recurrent carcinoma of the hypopharynx and reconstruction using jejunal free tissue transfer and pectoralis major muscle pedicled flap. Arch Otolaryngol Head Neck Surg 2007;133:551-5.
44. Haughey BH. The jejunal free flap in oral cavity and pharyngeal reconstruction. Otolaryngol Clin North Am 1994;27:1159-70.
45. Inoue T, Harashina T, Asanami S, Fujino T. Reconstruction of the hard palate using free iliac bone covered with a jejunal flap. Br J Plast Surg 1988;41:143-6.
46. Kato H, Watanabe H, Iizuka T, et al. Primary esophageal reconstruction after resection of the cancer in the hypopharynx or cervical esophagus: comparison of free forearm skin tube flap, free jejunal transplantation and pull-through esophagectomy. Jpn J Clin Oncol 1987;17:255-61.
47. Temam S, Janot F, Germain M, et al. Functional results with advanced hypopharyngeal carcinoma treated with circular near-to-

tal pharyngolaryngectomy and jejunal free-flap repair. Head Neck 2006;28:8-14.
48. Arai H, Yanai A, Nishida M, Yoshikata R, Nakanishi H, Sato K. Reconstruction of scalp and cranium defect utilizing latissimus dorsi musculocutaneous and serratus anterior muscle free flaps with interpositional anastomosis of T-shaped flap artery: case report. Skull Base Surg 1995;5:117-21.
49. Tian W, Wang D, Liu L, et al. [Clinical study on reconstruction of hemifacial atrophy with serratus anterior free-muscle flap]. Zhongguo xiu fu chong jian wai ke za zhi 2005;19:799-802.
50. Whitney TM, Buncke HJ, Alpert BS, Buncke GM, Lineaweaver WC. The serratus anterior free-muscle flap: experience with 100 consecutive cases. Plast Reconstr Surg 1990;86:481-90; discussion 91.
51. Moffett TR, Madison SA, Derr JW, Jr., Acland RD. An extended approach for the vascular pedicle of the lateral arm free flap. Plast Reconstr Surg 1992;89:259-67.
52. Cormack GC, Lamberty BG. Fasciocutaneous vessels in the upper arm: application to the design of new fasciocutaneous flaps. Plast Reconstr Surg 1984;74:244-50.
53. Cormack GC, Lamberty BGH. The Arterial Anatomy of Skin Flaps. Edinburgh: Churchill Livingstone; 1986.
54. Matloub HS, Larson DL, Kuhn JC, Yousif NJ, Sanger JR. Lateral arm free flap in oral cavity reconstruction: a functional evaluation. Head Neck 1989;11:205-11.

Chapter

29 골이식술

기본 학습 목표

- 골조직에 대한 기초의학적 지식을 습득한다.
- 이식골의 치유기전을 이해한다.
- 골이식재의 종류와 장단점을 이해한다.
- 성공적인 골이식술을 위한 기본 원칙을 이해한다.

심화 학습 목표

- 자가골이식술의 적응증과 채취부위 및 방법을 습득한다.
- 재건용 금속판 및 이종 임플란트를 이용한 악골재건술을 이해하고 설명할 수 있다.
- 늑골을 이용한 하악과두재건술을 이해하고 설명할 수 있다.

외과적 치료 후 조직 결손으로 인해 발생하는 기능적 및 심미적 장애 등으로 환자들은 사회정신학적 문제를 가지게 되면서 사회 적응에 실패하기도 한다. 따라서 장애 및 조직 결손을 회복시키기 위한 재건술이 현재까지 계속 연구되고 있다. 특히 외상, 감염, 종양, 선천적 기형 등으로 인한 골조직 결손의 재건을 위해 자가골이식술, 혈행골 포함 근피판술, 유리혈관화 골이식술, 동종 및 이종골이식술 등이 이용되고 있다. 구강악안면외과 영역에서도 선천적인 골결손이나 외상, 감염, 종양 그리고 대사장애 등으로 인해 발생한 후천적인 골결손부를 수복하고 골형성이나 골치유를 촉진시키는 것은 매우 중요한 치료법의 하나이며 최근까지 자가골이식, 골신장술, 동종골, 이종골, 합성골과 같은 골대체재료, 골성장인자들에 대한 연구가 지속되고 있다. 또한 치과 임플란트의 발달로 대상 환자들이 증가하면서 불량한 골질과 골량이 부족한 부위에서 임플란트 수술의 성공률을 높이기 위한 다양한 이식술이 임상에 적용되고 있다. 이 장에서는 일반적인 골의 구조와 생리, 이식골의 치유기전에 대해 서술하였으며 임상가에게 필요한 각종 골이식 방법, 다양한 골이식재에 대해서 설명하였다. 치의학 학부과정 또는 전공과정에서 경조직이식과 관련된 지식을 습득하고 각종 골이식 방법을 숙지하여야 한다.

1. 골의 구조와 생리

1) 골의 구조

골은 유기질(organic matrix)과 무기질(inorganic mineral) 복합체로 구성되어 있다. 골기질(bone matrix)은 석회화되기 전의 유골조직(osteoid) 형태로 바탕질(ground substance)에 파묻혀 있는 콜라겐섬유(collagen fiber)로 주로 구성되어 있다. 바탕질은 물과 당단백질/단백질(glycoprotein/protein) 복합체로 구성되어 있으며 세포활성, 기질성숙, 석회화의 조절에 도움을 주는 여러 가지 시토카인(cytokines), 성장인자(growth factor) 등을 함유하고 있다. 석회화되는 동안 작은 수산화인회석(hydroxyapatite) 결정은 콜라겐섬유의 방향을 따라 치밀하게 배열된다. 환경적 조건에 따라 골은 분자 수준뿐만 아니라 육안으로도 잘 정돈된 생체구조를 이룬다.

2) 골조직 세포[1,2]

(1) 골모세포, 골모세포, 조골세포(Osteoblast)

골기질을 형성하며 골내막 골모세포(endosteal osteoblasts)와 골막 골모세포(periosteal osteoblasts)로 구분할 수 있다. 성숙한 골모세포는 골기질 단백질 생산에 관여한다. 새로 형성된 골기질을 광화(mineralization) 시키면서 phospholipids, proteoglycans와 같은 다른 기질 성분들을 생산한다. 또한 골형성 과정 중에 성장인자 들을 분비하며, 파골세포들에 대한 helper cells로서의 역할도 수행한다.

(2) 골세포(Osteocyte)

골모세포들은 골기질을 형성한 후에 그 내부에 묻히게 되며 골세포로 전환된다. 골모세포 전체가 골세포로 되는 것은 아니며 기질 형성이 종료되면 그 중 일부는 점차 편평화되어 세포 내 소기관이 부족한 휴지기 골모세포가 되면서, 골막 또는 내골막의 구성요소가 된다. 골세포의 크기는 조직 표본상의 골소와(lacunae) 크기에 의해 좌우된다.

(3) 파골세포(Osteoclast)

골흡수에 관여하며 광화된 골표면을 따라 존재하는 Howship 소와(Howship's lacunae)에 위치한다. 포식 작용을 통해 골기질과 결정체의 입자들을 흡수한다. 국소적인 골흡수가 완료되면 파골세포들은 사라지고 골모세포들이 들어와서 골형성이 시작된다.

(4) 골이장세포(Bone-lining cells)

은퇴한 골모세포(retired osteoblasts)라 불리며 골표면에 대해 편평한 비활성 상태로 존재한다.

3) 골의 분류

골은 다른 조직들과 기능적으로 관련된 생체기관이며 독특한 형태와 기능을 가지고 있다. 석회화된 조직, 골막, 연골, 골수, 혈관계, 신경, 건, 인대 등이 독특하게 구성되어 신체를 기계적으로 지탱하며 대사기능을 수행하고 있다. 골의 기본적인 구조는 치밀골(compact bone)과 해면골(망상골, 소주골, cancellous bone, spongious bone, trabecular bone)이 역학적으로 효율적인 배열을 하고 있다. 골의 크기와 형태는 유전적, 환경적 요소의 상호작용에 의해 좌우되며 기능적 하중의 유무에 따라 크게 다를 수 있다.[3]

골조직은 시기, 기능, 생리적 요소에 따라 현미경적으로 교직골(woven bone), 층판골(lamellar bone), 다발골(bundle bone), 복합골(composite bone)의 4가지로 구분될 수 있다. 또한 골의 구조는 밀도에 따라 크게 치밀골과 해면골로 구분되며 골질에 따라 섬세한 해면골(fine trabecular), 거친 해면골(coarse trabecular), 다공성의 치밀골(porous compact), 단단한 치밀골(porous compact) 등으로 구별된다. 치밀골은 층판골과 복합골로 구성된 골조직으로 주로 피질골(cortical bone)을 구성하고 있다. 골막은 피질골을 덮고 있는 살아있는 활성층(vital reactive layer)이다. 동맥공급 일부와 정맥계 모두 이 골막을 통하여 이루어지므로 골막을 박리하는 것은 혈류의 정체를 야기하고 피질골의 생활력에 지장을 초래한다.[1,4,5]

(1) 교직골

세포가 매우 풍부한 골조직(highly cellular osseous tissue)으로 성장기 또는 골손상 후 빠른 속도로 형성된다. 성숙골에 비하여 광물성분이 낮으며 섬유의 방향도 불규칙하고 생역학적으로 강도가 약한 경향을 보이며 Phase I bone이라고 명명되기도 한다.

(2) 층판골

성인 골격에서 하중을 지지하는 기본 조직으로 성숙 피질골과 해면골의 주된 구성 성분이다. 성인에서 층판골은 하루에 0.6~1 mm 이하의 속도로 천천히 형성되며 잘 배열된 콜라겐 단백질과 석회화 조직으로 이루어진다. 층판골은 형성된 시기와 무관하게 조직학적으로 거의 유사한 구조를 가지고 있다.

(3) 다발골

골형성면을 따라 건(tendon)이나 인대(ligament)가 부착하는 것이 특징이며 치조골에서는 치주인대섬유(Sharpy's fiber)가 뼈에 직접 부착되는 부분이다. 다발골은 관절과 치조골에 주로 존재한다.

(4) 복합골

교직골 기질에 층판골이 침착된 것이다. 교직골 격자는 고밀도의 층판골에 의해 채워져서 하중을 감당하기에 적절한 복합골을 형성하게 된다.

(5) 치밀골

전체 치밀골의 직경과 두께는 하중이 가해지는 양상과 관련이 있으며 피질골의 양은 반복되는 하중보다는 최고 하중(peak load)과 더 밀접한 관련이 있다. 과부하로 인해 야기된 골비대는 크기와 강도가 증가된 결과이며 역도 선수가 마라톤 선수보다 더 큰 근육과 골격을 가지는 것과 유사하다. 치과적인 측면에서 이갈이, 습관적 이악물기가 있는 사람의 턱이 크고 피질골이 두꺼운 것을 볼 수 있다.

2. 이식골의 치유

이식은 살아있는 세포의 이식을 의미하는 반면, 임플란트는 살아있지 않은 세포의 이식을 일컫는다. 따라서 살아있지 않는 물질은 이식체(graft)라 하지 않고 임플란트(implant)라 명명하는 것이 옳지만 현재 임상에서는 통상적으로 혼용되어 사용되고 있다. 이식재는 3가지 기본 기능 즉, 골형성(osteogenesis), 골유도(osteoinduction), 골전도(osteoconduction) 중 최소한 한 가지 기능을 가지고 있어야 한다.[6]

1) 골형성

골형성은 새로운 골의 생성으로 정의할 수 있으며 이식골 내부의 살아있는 세포들로부터 직접 골이 형성되는 것이다. 이 과정은 살아있는 골모세포 또는 골모전구세포(osteoblast precursors, stem cells)들이 골과 함께 이식될 때 발생한다. 골모전구세포는 적당한 숙주환경 하에서 성숙된 골모세포로 분화된다. 한편 이전에 형성되었던 성숙 골모세포는 비혈관성 골이식(free bone graft, nonvascularized bone graft)을 시행할 경우에는 살아남기 힘들다. 그래서 간질세포(stromal cell)가 새로운 골형성에 중요한 작용을 담당하게 된다. 골모전구세포들은 골, 골수, 골막, 기타 부위에서 발견된다. 자가골만이 골형성 능력을 가지고 있는 유일한 골형성 이식재이다. 가장 효과적인 형태는 해면골이며 골형성세포들의 밀도가 가장 높다. 새로운 골은 골내막의 골모세포 및 이식재의 간질세포로부터 형성된다.

2) 골유도

골유도는 골형성을 유도할 수 있음을 의미한다. 즉 골기질에서 추출된 한 가지나 그 이상의 유도물질이 영향을 미쳐 이식부위로 간질세포(줄기세포)가 보충되면서 이들이 골모세포로 분화되고 새로운 골이 형성되는 것을 말한다. 이식재 내의 골형성단백질(bone morphogenetic protein, BMP)과 같은 화학주성(chemotaxis)을 가진 물질이 주위에 있는 숙주의 미분화간엽세포들을 연골모세포(chondroblast), 골모세포로 분화할 수 있게 하여 신생골 형성을 유도한다.[7] 이러한 골유도와 관련이 있는 국소적 조절인자들은 TGF-β (transforming growth factor-β), IGF (insulin-like growth factor), FGF (fibroblast growth factor), PDGF (platelet derived growth factor), Interleukin-1, Interleukin-8, TNF-α (tumor necrosis factor-α), EGF (epidermal growth factor), retinoic acid 등이 있다. BMP는 골이 없는 피하나 근육에 이식되었을 때 골형성을 유도하는 것으로 알려져 있다. 골형성단백질이 포함된 유기질은 골의 무기질 내부에서 발견되며 파골세포는 골의 성장인자를 유리시키기 위한 골 흡수를 위해 필요하고 무기질은 골형성에 필요한 무기질 공급원으로 이용된다.

3) 골전도

골전도는 숙주세포가 재구성하는데 필요한 구조적 골격(framework)을 제공하여 주위 골로부터 골침착(apposition)에 의해 골이 형성되는 것을 의미한다. 골격은 혈관, 골아세포, 간질세포 등이 내부로 성장할 수 있도록 해준다. 골전도성 이식재료는 피하조직이나 근육 조직에 이식되면 골이 형성되지 않는다. 골전도성 물질의 중요한 구조적 성질은 다공성(porosity), 소공크기(pore size), 소공연결성(pore interconnectivity), 표면거칠기(surface roughness) 등이다. 그러나 골전도성은 결손부의 크기, 수혜부의 혈행상태 및 세포분포, 공여조직과의 접촉, 수혜부로의 수동적 신생골 성장, 골흡수와 재형성에 대한 숙주의 조절성 등의 요소들에 의해서도 좌우될 수 있다.[8]

4) 자가골이식의 치유

자가골이식은 한 개체에서 골격의 일정 부분을 채취하여 다른 부분으로 옮기는 것을 말한다. 자가골은 골수에 있는 세포의 작용으로 인해 직접적으로 골을 형성할 수 있는 유일한 이식재로써 살아있는 골모세포에 의한 직접적인 골형성, 골형성단백질 등에 의한 골유도 및 골전도에 의한 수동적 골형성이 일어난다. 채취하는 골조직에 따라 피질골이식(cortical bone graft), 해면골이식(cancellous bone graft), 피질해면골이식(corticocancellous bone graft)으로 분류할 수 있다. 자가골이식 중 해면골과 피질골이식은 치유와 융합 기전에 있어서 유사하나 조직학적으로 3가지 차이점을 보인다.[9,10]

① 해면골이식은 피질골에 비해 재혈관화(revascularization)가 빠르면서 완전히 이루어진다.

② 해면골이식은 creeping substitution 기전(이식골 내부로 침투하는 혈관에 의해 만들어진 통로를 통하여 신생조직이 이동하는 것)으로 치유되지만 피질골이식은 reverse creeping substitution 과정을 따른다.

③ 해면골이식은 시간이 지나면 완전히 치유되지만 피질골이식은 괴사골과 생활골(viable bone)이 혼합되어 있는 상태로 남아 있다.

자가골이식편은 섬유소(fibrin), 혈소판(platelets), 백혈구(leukocytes)와 적혈구(erythrocytes)를 함유하며 혈소판은 골재생을 촉진시킬 수 있는 성장인자들을 분비한다. 이식된 직후 살아있는 세포들의 양과 활성도에 의해서 골치유의 첫 단계 성공 여부가 결정된다. 초기에는 이식된 골소주의 골내막골모세포(endosteal osteoblast)에 의해 골이 생성되고, 골양조직(osteoid)의 생성이 증가됨에 따라 이식재는 신생골과 유합된다. 따라서 성공적인 초기 치유를 위해서는 공여부에서 채취된 이식체 내의 세포 성분들이 파괴되지 않도록 모든 조치를 취해야 할 것이다. 3~4주 이후에 시작하는 후기 단계는 숙주조직에서 신생골이 형성되면서 점차 성숙되고, 지속적인 골개조(bone remodeling) 과정을 거치게 된다. 일차 골형성 과정에서 형성된 골양조직은 신생혈관을 따라 이식부에 공급되는 파골세포에 의해 흡수되면서 새로운 소주소골(trabecular ossicle)로 대체된다. 이 두 번째 단계는 동종골 혹은 이종골이 이식된 후에도 관찰되는 기본적인 치유기전이다. 시간대별 자가골이식의 치유과정을 자세히 정리해 보면 다음과 같다.[1,11]

(1) 이식 후 수 시간 내

이식골편 내로 혈소판이 이동한 후 탈과립(degranulation) 작용이 일어나면서 PDGF, TGF-β가 방출된다. PDGF는 모세혈관의 증식을 촉발하고 TGF-β는 골내막골모세포(endosteal osteoblasts)와 조혈줄기세포들(osteoblastic stem cells)을 자극하여 골양조직의 형성을 증가시킨다. 이런 과정이 첫 3일 동안 계속되며, 이때 모세혈관이 이식재 내로 자라 들어오기 시작하고 혈소판은 분해가 완료되어 골형성 과정을 유도하는 성장인자의 주요 공급원으로서의 작용이 끝나게 된다. 이후에는 대식세포(macrophage)가 역할을 대신 수행하게 된다.

(2) 1~2주

순환하는 대식세포들이 성장인자들의 공급원이 된다. 산소분압차에 의해 초기단계에 이식재 쪽으로 이동한다. 인접조직이 40~50 mmHg의 정상 산소분압을 보이는데 비해 이식재는 0~5 mmHg의 저산소증을 나타내는 바, 20 mmHg 이상의 산소분압차를 보이면 대식세포의 반응이 시작된다. Macrophage-derived angiogenic factor (MDAF), fibroblast growth factor (FGF), insulin-like growth factor (IGF), osteoclast-activating factor (OAF)와 같은 성장인자들이 방출되면서 골형성이 활발하게 이루어진다.

(3) 2~3주

재혈관화가 이루어지면서 새로운 골양조직이 형성된다. 일단 재혈관화가 이루어지면 산소와 영양분의 이용이 가능해져 골양조직의 생산이 가속화된다.

(4) 3주~3개월

처음 3~4주는 생화학적 및 세포적 단계의 골재생이 이루어지는데 이식된 골에 의한 골형성 과정과 이식골의 섬유소망을 뼈대로 하여 신생 골조직이 성장해 들어오는 골전도 현상(잠행성 치환: creeping substitution)에 의해 제1단계 골형성(Phase I bone formation)이 이루어진다. 이때 형성된 골은 세포들이 불규칙하게 배열된 골로서 미성숙 교직골(woven bone)이라 불린다. 제1단계 골형성은 골친화성 세포들의 밀도에 의해 좌우되기 때문에 해면골이 많은 골을 공여부로 선택하는 것이 좋고, 이식재를 압축시켜 사용하면 I 단계 골형성이 더욱 증진될 수 있다. 4~6주가 되면 I단계 골형성은 거의 완성되며 그 후에는 성숙한 층판골(lamellar bone)로 치환되는 II 단계 골형성 과정(Phase II bone formation)을 거치게 된다. II단계 골형성은 파골세포에 의해 시작된다. I단계에서 형성된 골과 생명력이 상실된 이식골이 흡수되고 골형성유도단백질과 인슐린성장인자들이 유리되면서 골양조직이 생산되는 동안 골모세포들에 의해 신생골이 침착된다.

(5) 3~4개월

골이식편의 완전한 유착이 이루어지고 이식골편은 전 생애에 걸쳐 지속적인 개조과정(remodeling)을 거치게 된다.[12] 자가골을 이식한 부위의 골질은 공여부의 골조직 성질을 따르는 경향을 보인다. 이것을 "donor specific principle"이라고 하는데, 가령 Type III 골질의 상악전치부에 Type II 골질의 하악정중부골을 이식하면 추후 골개조가 이루어진 후 상악전치부가 Type II의 골질로 바뀌는 것을 볼 수 있다.

5) 동종골이식의 면역반응과 치유

동종골은 수용체와 같은 종이지만 다른 유전자형에서 얻은 골조직을 말한다. 따라서 인간에게 이식될 때 사체에서 얻은 골이 사용된다. 동종골은 숙주의 골세포가 치환하는 데 필요한 골격구조물로 작용한다. 그러나 숙주와 공여 조직 사이의 항원성 정도가 동종골의 융합을 결정하는 중요한 요소로 작용한다. 다른 동종 조직과 같이 동종골 역시 면역반응을 일으키고 다른 이식조직과 같은 면역학적 법칙이 적용된다. 그것의 생물학적 운명은 숙주세포의 활성 정도에 의해 결정된다.

신선골과 신선-냉동 동종골(fresh and fresh-frozen bone allografts)은 큰 면역반응을 유발하고 냉동-건조 탈회골(freeze-dried demineralized bone)은 항원성이 매우 적어 임상적으로 면역거부반응을 거의 일으키지 않는다. 동종골 이식 후 비특이적 염증반응이 발생할 수 있으며, 숙주와 이식재 사이의 유전적 차이에 의해서 Type 1(acceptance), Type 2(partial acceptance), Type 3(rejection) 3가지 형태의 반응이 일어난다.[13] Type 1 반응에서는 분명한 유전적 차이가 없어 숙주가 동종골을 받아들이는 것이다. 이식 후 염증반응이 거의 없고 골융합은 유리 자가골이식 때와 유사하게 진행된다. Type 2 반응에서는 숙주와 이식재 사이에 큰 유전적 차이로 인해 완전한 골융합이 이루어지지 않는다. 내부로 성장하는 혈관은 폐쇄되면서 높은 염증반응을 유발한다. 중심성 골괴사, 제한적인 creeping substitution, 숙주-동종골이식체 사이의 융합지연 또는 비유합, 제한적인 골재형성, 피로골절(fatigue fracture)의 증가, 기계적 강도의 약화, 동종골이식재 크기 감소, 연조직 부착 불량 등이 특징적으로 나타난다. Type 3 반응은 심각한 유전적 차이로 인해서 발생된다. 동종골이식재는 신속하게 완전히 흡수되며 조직학적, 방사선학적 골융합이 전혀 이루어지지 않는다.

동종골이식 시 골치유 기전은 초기에 골전도 작용에 의해 숙주로부터 모세혈관과 간엽조직세포가 성장해 들어가면서 신생골을 형성하고 후기에 유기질 성분이 조직간엽세포들을 연골모세포와 골모세포로 분화시켜 신생골 형성을 유도하는 골전도와 골유도 기능을 동시에 가진다. 이식 후 약 8일 정도 지나면 반응성 골형성(reactive bone formation)이 나타나며 교직골이 풍부하게 형성된다. 이식 후 약 35일경 기존의 Volkman 또는 Haversian canal을 통해 재혈관화가 일어나며 파골세포의 작용으로 인해 점차 관이 확장된다. 이 과정은 골막, 골내막 및 이식골과의 접합부에서 발생한다. 60~90일 경에 vascular sinusoid 구조 주위에 구심성의 혈관주위 신생골 형성이 일어나며 이런 층판골 형성으로 인해 sinusoid의 크기가 감소되고 새로운 구조의 Haversian 구조를 이루며 골이 첨가되면서 이식골이 숙주골로 대체된다.[14]

6) 이종골, 합성골이식의 치유

이종골과 합성골은 골전도성 치유를 보인다. 주변 골조직에서 신생혈관과 새로 형성된 골조직이 이식재료들 사이와 표면을 따라 자라 들어와 골조직의 회복 혹은 성장을 위한 기반을 제공함으로써 결손된 조직의 수복이 이루어진다. 그러나 골전도성 재료들은 자가 치유가 잘 이루어질 수 있는 부위, 즉 주변에 골벽이 잘 형성되어 있는 부위에 충전재로 사용할 때 효과적이다. 즉 상악동, 골벽이 건전한 발치창, 작은 낭종 적출 후 발생한 결손부, 치조능 분할술

(ridge splitting) 사이 공간 등에는 골전도성 이식재만 사용해도 양호한 골치유가 이루어질 수 있지만 자가골 혹은 동종골을 사용한 경우에 비해 치유기간은 많이 길어질 것이다. 잔존 골벽이 없는 결손부, 치조능 수직 혹은 수평증대술(1-wall defect), 광범위한 골결손부 수복을 위해서는 자가골이 일차적으로 선택되는 것이 좋으며 골전도성 재료 단독으로 사용할 경우 좋은 결과를 얻기 어렵다.[1]

3. 골이식재료

골결손부를 재건하기 위한 이상적인 이식재료는 자가골로 알려져 있다. 그러나 자가골이식은 골 공여부위의 제한, 이식골의 크기 및 채취량의 제한, 부가적인 수술과 이로 인한 여러 가지 합병증 등 문제점들이 많다. 이러한 자가골이식에 대한 문제점들을 해결하고자 자가골 대체물에 대해서 많은 연구가 행해지고 있으며 적출된 골조직을 재처리하여 이식하는 방법, 다른 공여자의 골을 특수 처리한 동종골, 발치된 자기치아들을 처리하여 블록 혹은 분말형 골이식재로 사용하는 방법, 여러 동물들의 골을 다양한 방법으로 가공 처리하여 항원성을 없애는 이종골 등이 개발되어 임상에 사용되고 있다. 또한 세라믹 계통의 hydroxyapatite 제재를 이용한 합성골의 골형성 효과에 대해서도 많은 보고가 발표되었다.[1,8,15]

1) 자가골이식(Autograft)

자가골이식은 유리블록형골이식(free block bone graft), 유리입자형해면골(free particulate cancellous bone) 또는 혈관화 복합이식(vascularized composite graft) 등의 형태로 이용된다(그림 29-1). 유리블록형골이식은 고정이 어렵고,

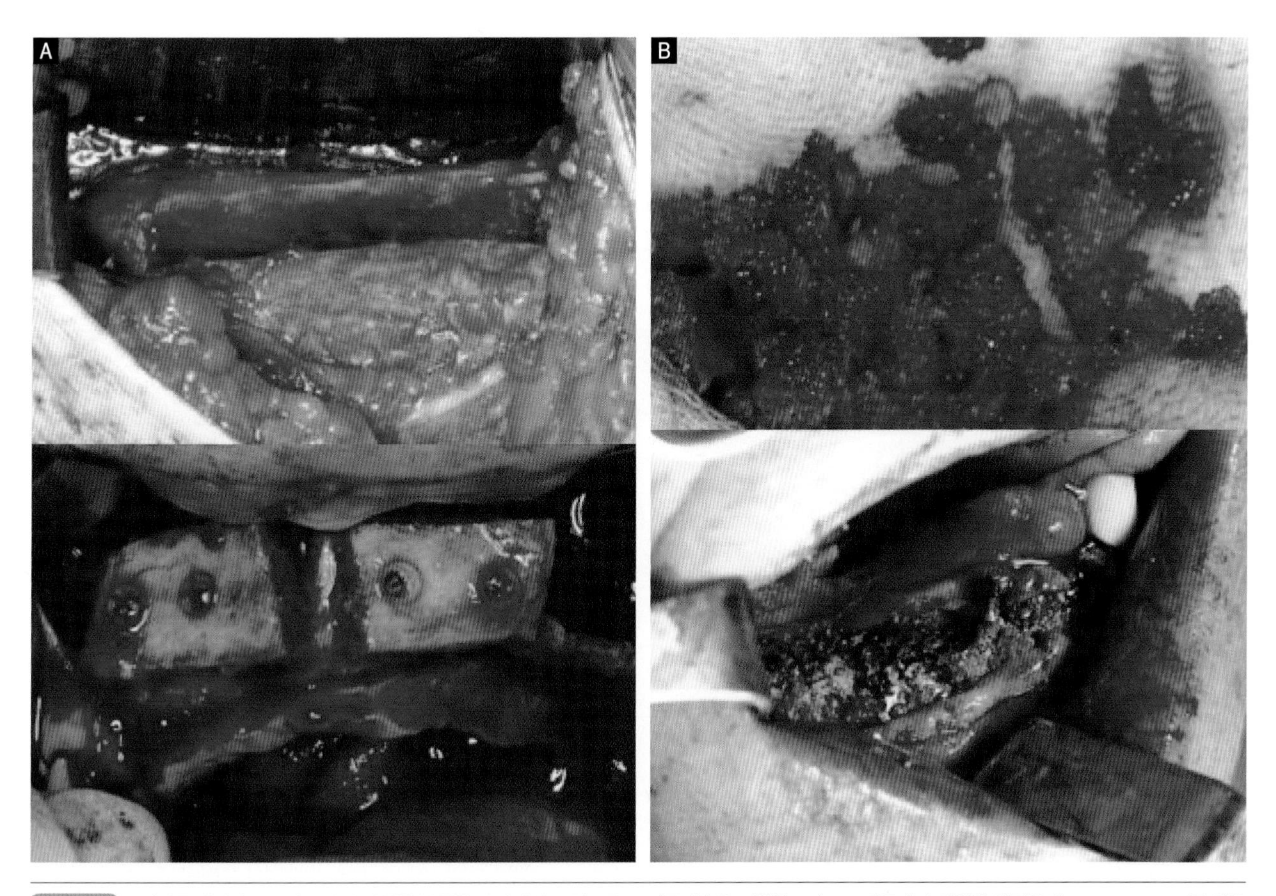

그림 29-1 **자가골이식편. A:** 장골에서 채취한 블록형 골이식재로 치조골 수평증대술을 시행한 모습 **B:** 장골에서 채취한 해면골과 Titanium mesh를 이용하여 치조골 수직증대술을 시행한 증례

느린 골개조를 보이며, 고정이 부적절한 경우 환자의 잔존 골과 이식재 사이에 움직임이 발생하여 부분 혹은 완전 비유합이나 과도한 흡수가 일어나는 단점이 있다. 따라서, 최근에는 대부분 금속판이나 나사를 이용한 견고고정(rigid fixation)을 시행하고 있으며 유리블록형 이식재보다는 입자형 해면골을 사용하는 것이 추천되기도 한다. 골이식은 이식 부위에 혈관이 생기도록 하는 충분한 혈류공급을 바탕으로 이루어지므로 방사선조사, 광범위한 섬유화 등과 같은 골막 또는 피하혈관이 손상된 병적 상태에서는 좋지 못한 결과를 초래할 가능성이 많다.

2) 동종골이식재(Allograft)

자가골을 대체할 수 있는 유용한 재료가 같은 사람의 골이며 보통 사체에서 얻은 골이 많이 사용된다. 면역반응을 줄이기 위해 ① 동결, ② 동결건조, ③ 탈회 동결건조 등을 시행한다. 동결건조(freeze-drying, lyophilization)는 단순히 조직을 얼려서 보관하는 것과는 달리 고진공(high vacuum) 상태에서 조직으로부터 수분을 제거하여 보존하는 방법이기 때문에 단순히 냉동(frozen)시킨 상태에서는 질병의 전이가 가능한 단점을 해결할 수 있는 조직 보관방법 중의 하나이다. 멸균 방법으로는 방사선조사와 가스소독 등이 있는데 방사선 조사 멸균법은 세균, 바이러스 외에 골재생에 유용한 콜라겐을 파괴하고 골이식재의 강도를 약화시키는 단점이 있다. 한편 동결건조동종골의 재수화 과정을 거치면서 항생제를 흡수할 수 있도록 함으로써 약물 운반체의 역할을 하도록 하여 골이식재 자체 및 주위의 멸균효과를 도와줄 수도 있다. 동결건조 처리법에 골의 calcium이나 광물질(mineral)을 제거하기 위한 공정을 가미하면 탈회골(demineralized bone)을 얻을 수 있다. 임상에서 많이 사용되는 동종골이식재에는 탈회동결건조골(demineralized freeze dried bone, DFDB), 비탈회동결건조골(freeze dried bone, FDB) 등이 있다. FDB는 일차적으로 골전도 능력이 있으며 DFDB는 탈회과정을 통해 무기질을 제거함으로써 골전도 능력은 거의 없으며 BMP

표 29-1 FDB와 DFDB의 비교

	FDB	DFDB
골유도	약하다.	우수하다.
골전도	우수하다.	약하거나 거의 없다.
강도	우수하다.	약하다.
흡수	늦다.	빠르다.

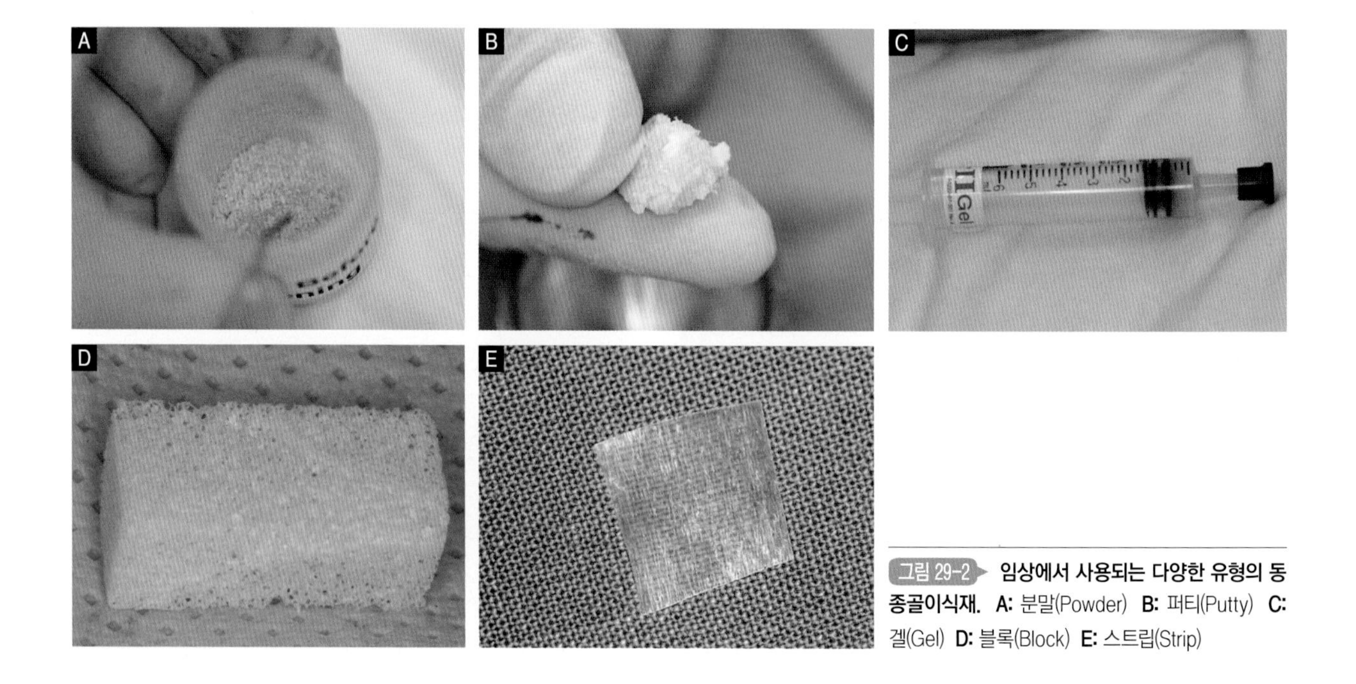

그림 29-2 **임상에서 사용되는 다양한 유형의 동종골이식재. A:** 분말(Powder) **B:** 퍼티(Putty) **C:** 겔(Gel) **D:** 블록(Block) **E:** 스트립(Strip)

가 노출됨으로써 골유도 능력이 더 우수한 것으로 알려져 있다. DFDB의 골유도 효과는 탈회골기질(demineralized bone matrix, DBM) 내에 함유된 골형성단백질에 달려 있으며 DBM의 함량이 클수록 골유도 효과는 현저하게 증가한다(그림 29-2, 표 29-1).

3) 이종골이식재(Xenograft)

1960년대에 많이 사용되다가 자가면역질환(autoimmune disease)을 유발하는 문제점 때문에 퇴조되었다가 1990년대부터 단백질을 제거하는 처리 기술이 발달되면서 다시 등장한 이식재료이다. 과거부터 소뼈를 이용한 이종골 개발이 시도되어 왔으며 최근에는 말뼈, 돼지뼈를 이용한 이식재료가 개발되어 시판되고 있다(표 29-2). 이종골은 이식 후 골전도 과정을 통해 치유된다. 이종골은 항원성에 대한 처리가 대단히 중요하기 때문에 탈회나 동결건조 이외에도 항원성을 제거하는 부가적인 처리과정이 필요하다. 이종골이식의 효과는 발치창 골이식, 국소적인 치조골증대술, 상악동골이식술과 같은 술식에서 연구되어왔으며 적절히 처리된 이종골이식은 생체적합성이 있으면서 수용부와 잘 융화되는 것을 보여주었고, 술후 합병증이 적게 나타났다.[1]

4) 합성골(Alloplastic materials)

합성골이식재는 인체골과 유사한 특성을 갖도록 개발된 재료들로써 골전도기능을 가지고 있으며 조작이 용이하고 가격이 저렴한 장점이 있다. 합성골이식재에 사용되는 재료는 생체친화적인 재료들로 세라믹(ceramics), 고분자콤퍼짓(high-molecular composite), 중합체(polymers) 등이 있다. 생활성의 세라믹은 골수복에 가장 많이 사용되는 합성재료로서 합성 수산화인회석(hydroxyapatite, HA), calcium phosphate, calcium carbonate ($CaCO_3$) 등이 골전도성이 우수한 것으로 보고되고 있다.[16]

(1) Hydroxyapatite 제재: $Ca_{10}(PO_4)_6(OH)_2$

HA 제재가 개발된 이후 현재까지 지속적으로 사용되고 있으며 생물학적으로 우수한 조직친화성을 갖고 있으며 인접 골조직과 유합이 잘 되는 우수한 재료이다. HA는 대략 골질의 65%, 치아 법랑질의 98%를 차지하고 있으며 이와 유사한 특징을 갖는 HA가 인공적으로 개발되었다. 구조와 성분이 골과 유사하며 이식부에서 광물 저장소(mineral reservior) 역할을 하고 골전도 과정에 의해 골을 형성한다고 알려져 있다. 그러나 이식부에서 섬유성 결합조직의 개재 및 비흡수성으로 인한 문제점들도 많이 발생하여 흡수성이 뛰어난 HA의 개발이 계속되고 있으며 제조 방법에 따라 흡수성과 비흡수성, 치밀형과 다공형 제재들이 만들어져 사용되고 있다. 임상에서 사용되는 HA 제재들은 IngeniOs™ HA Synthetic Bone Particles (Zimmer Dental Inc., USA http://www.zimmerdental.com/Products/Regenerative/rg_catalog.aspx), OsteoGen®(HA RESORB)® (Implandent LTD, New York, USA, http://www.impladentltd.com/OsteoGen-p/200.htm), FRIOS® ALGIPORE® (Dentsply Implants, Germany, http://www.dentsplyimplants.com/Regenerative-products/Bone-graft-materials/FRIOS-Algipore), OSTEOGRAF®/N (Dentsply Implants, Germany, https://dentsply.com/en-us/implants/regenerative-solutions/symbios.html/Implants/Regenerative-solutions/SYMBIOS/Bone-Grafting-Materials/c/3000101.html#currentPage=3&pageSize=10), Ovis Bone HA (Dentis, Korea, www.dentis.co.kr), OssaBase-HA (LASAK Ltd., Hloubetin, Czech Republic, www.lasak.com) 등이 있다.

표 29-2 국내에서 사용되고 있는 다양한 이종골

Origin	Brand name
Bovine	Bio-Oss®, BBP®, BBC®, Biocera™, InduCera®, OCS-B®, INTERGRAFT™Cera-bone® A-Oss®InterOss®, Ti-Oss®, Mega-OssBovine™Endobon® Xenograft Granules, NuOss®
Porcine	Por-Oss, THE Graft
Equine	BIO-GEN®, OSTEOPLANT® FLEX, OCS-H®
Composite Equine + Porcine Bovine + Porcine	EQUIMATRIX® Collagen OCS-B Collagen®

(2) Tricalcium phosphate (TCP): $Ca_3(PO_4)_2$

Tricalcium phosphate (TCP)가 주로 사용되며 HA와 유사하나 자연골에는 존재하지 않는 성분이다. 생체 내에서 TCP는 HA로 일부 전환되면서 흡수되는 생체적합성이 입증된 재료이다. 흡수율은 재료의 화학적 구조, 다공성(porosity), 입자 크기(particle size)에 따라 달라지며 흡수와 함께 골로 대체되는 것으로 알려져 있다. 임상에서 사용되고 있는 β-TCP 제재들은 Cerasorb® M (Curasan, Lindigstrasse, Germany, http://curasaninc.com/products/cerasorb), SynCera® (Oscotec Inc., Cheonan, Korea, www.oscotec.com), GEO TCP (GeoMedi, Uiwang, Korea, www.geodent.co.kr), Mega-TCP TM (MEGAGEN, Gyeongsan, Korea, http://www.megagen.co.kr/), Excelos (Daewoong CGBio, Seongnam, Korea, www.cgbio.co.kr), Excelos inject (Daewoong CGBio, Seongnam, Korea, www.cgbio.co.kr), Kasios TCP (Kasios, L'UNION, France, http://www.kasios.com/TCP_gb.html), SynthoGraft (SynthoGraft, Boston, USA, http://www.synthograft.com/), BoneSigmaTM TCP(GRAFT Biomaterials, USA, http://www.SigmaGraft.co.kr), IngeniOsTM ß-TCP (Zimmer Dental Inc., , Germany, http://www.zimmerdental.com/Products/Regenerative/rg_ingeniOsB-TCPBioSynth-BonePart.aspx), Sorbone (Meta Biomed, Seowon, Korea, http://www.meta-biomed.com/eng/cnt/prod/prod020101.html?uid=39&cateID=3), Calcibon® (Biomet Deutschland GmbH,berlin, Germany, http://www.biomet.co.uk/userfiles/files/Biomaterials/Bone%20substitute%20materials.pdf) 등이 있다.[1]

(3) Biphasic calcium phosphate (BCP)

장기간의 안정성을 유지하는 HA와 높은 용해성으로 빠른 골성장을 유도하는 β-TCP를 일정 비율로 혼합한 합성골이 개발되었으며 임상에서 많이 사용되고 있는 제품들은 MBCP, MBCP⁺ (Micro-macro Biphasic Calcium Phosphate)(Biomatlante, Vigneux-de-Bretagne,France, http://biomatlante.com/synthetic-bone-graft-products/), OSTEON™ II, III (GENOSS, Suwon, Korea, http://www.genoss.com/), Bone Plus™ (MEGAGEN, Gyeongsan, Korea, http://www.megagen.co.kr/), Ovis Bone BCP (DENTIS, Dague, Korea, http://dentis.co.kr/index.php), CalPore® (KYUNGWON MEDICAL, Seoul, Korea, http://www.kyungwonmedical.com/2015/product-biologics-calpore.html), BoneSigma™ BCP (GRAFT Biomaterials, USA, http://sigmagraft.com/bonesigma-bcp), DM Bone, Bone-Medik-DM (Meta Biomed, Seowon, Korea, http://www.marlettaenterprises.com), Bio-CTM (CowellMedi, Busan, Korea, http://www.cowellmedi.com/), GENESIS-BCPTM (DIO Implant Co.,, Busan, Korea, http://www.dio.co.kr), Boncel-Os (Daewoong CGBio, Seongnam, Korea, www.cgbio.co.kr) 등이 있다.[1]

(4) 탄산칼슘: Calcium carbonate ($CaCO_3$)

산호의 골격에서 추출하여 제조한 것으로 98% 이상의 calcium carbonate로 구성되어 있으며 신생골 침투를 위한 적절한 기질로서 작용하면서 골대체물질로 적절히 사용될 수 있다. 또한 지혈효과가 우수하며 이식 부위에 잘 유지되는 장점이 있지만 최근에는 많이 사용되지 않고 있다. 임상에서 소개되었던 제품들은 Biocoral® (Biocoral Inc., France, http://www.biocoral.com), Interpore 200 (Interpore International, Irvine, CA USA) 등이 있다.[1]

5) 자가치아골이식재(Autogenous tooth bone graft material)

발치된 자가치아들을 탈회냉동건조처리한 후 분말과 블록형으로 제조하여 임상에 사용되는 골이식재로서 2008년 국내에서 최초로 개발되었고 2015년 보건복지부 신의료기술 인증을 취득한 신개념 골이식재료이다. 골유도 및 골전도성 치유를 보이고 유리자가골이식(free autogenous bone graft)과 거의 유사한 골치유과정을 보이며 기초 및 임상연구를 통해 안전성과 유효성이 입증되었다(그림 29-3).[17-19]

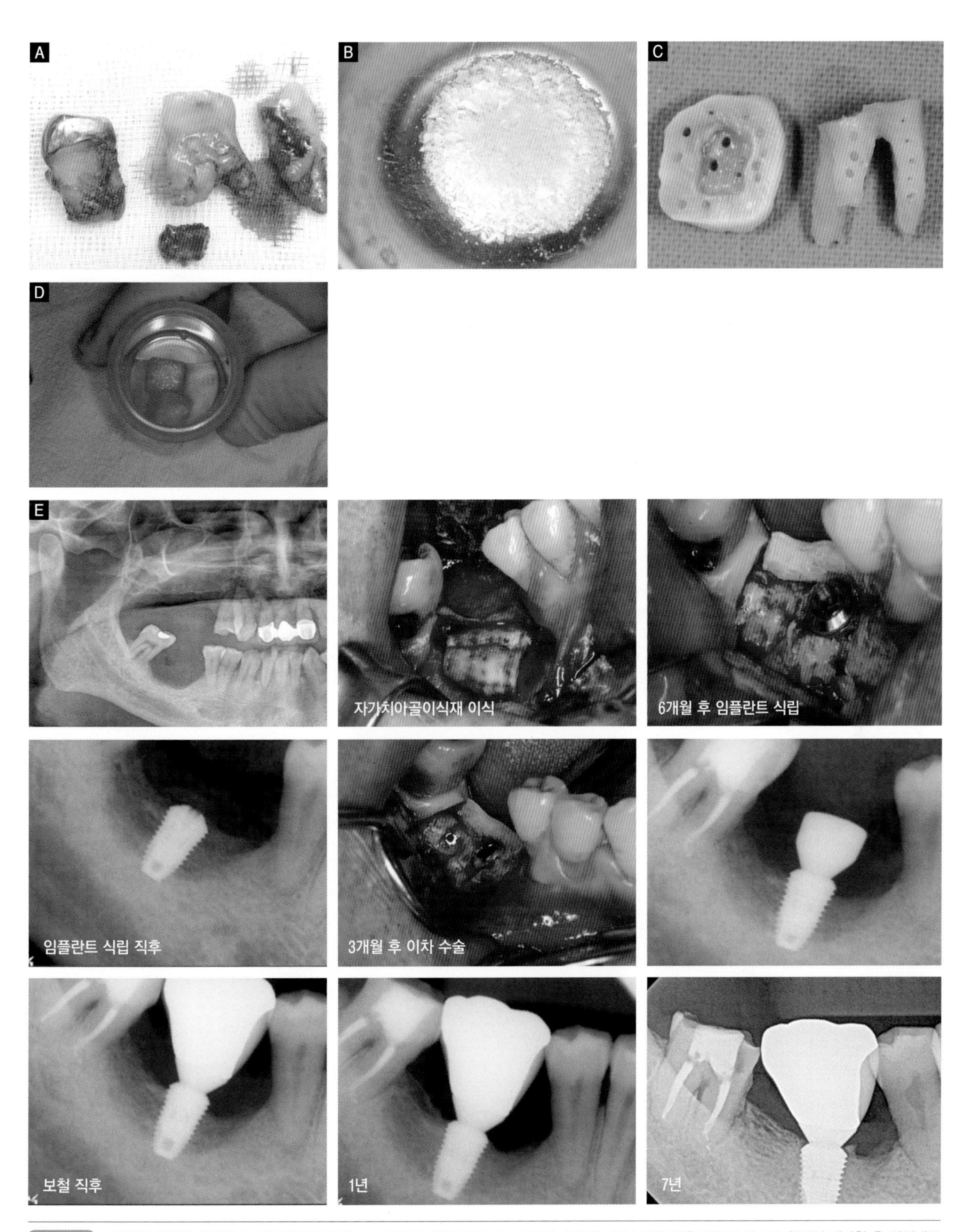

그림 29-3 **발치한 치아를 이용하여 제조한 골이식재. A:** 발치된 치아들의 모습. 보철물, 접착제, 치석 등과 같은 이물과 치수를 완전히 제거한 후 탈회냉동건조 방법으로 골이식재료를 제조할 수 있다. **B:** 분말형 치아골이식재 **C:** 블록형 치아골이식재 **D:** 퍼티형 치아골이식재(moldable putty type) **E:** 42세 남자 환자에서 자가치아뼈이식재를 이용하여 #46 부위 치조골증대술을 시행하고 6개월 후 임플란트를 식립하여 상부 보철치료를 완료한 증례. 장기간 시간이 경과하면서 임플란트 주변 변연골의 골개조가 양호하게 이루어지면서 안정적인 결과를 유지하고 있다.

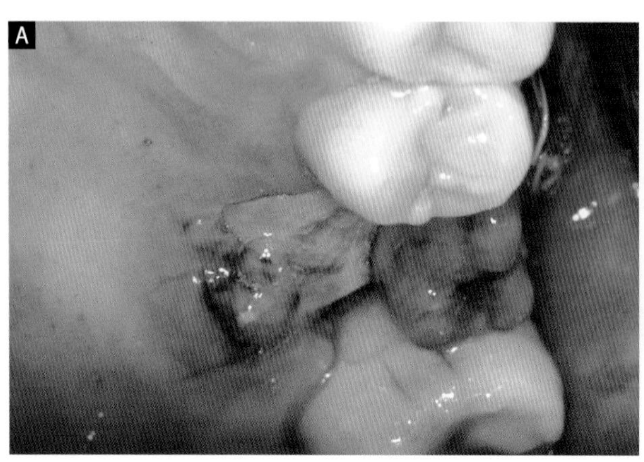

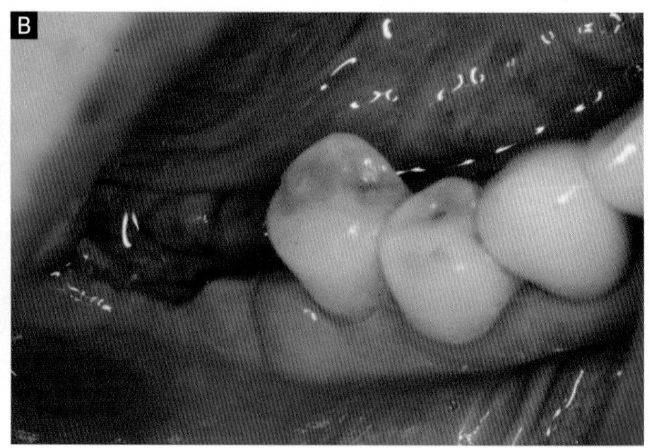

그림 29-4 **골이식 후 창상이 벌어질 경우 골이식 실패 및 감염이 발생할 수 있다.** **A:** 상악 제 1대구치 부위에 골이식을 시행한 후 창상이 벌어진 모습. 하방의 차폐막이 노출된 것을 볼 수 있다. **B:** 하악 우측 구치부 임플란트 식립과 골이식을 시행한 후 창상이 벌어지면서 덮개 나사가 노출되었다.

4. 골이식의 성공요건

골이식이 성공하기 위해서는 이식 후 예후에 영향을 줄 수 있는 국소적인 요소들을 고려하여야 한다. 감염방지, 연조직 피개, 자가골 사용 여부, 치유기간, 이식골의 고정, 영양혈관, 성장인자, 국소촉진현상 등이 중요하다. 그 외에도 환자의 전신건강상태가 중요한 요소로 관여한다.[1]

1) 엄격한 무균처치와 감염 방지

골이식을 시행하기 전에 가능한 감염 발생 소인들을 제거해야 한다. 내재성 세균이나 무균처치 실패, 연조직 일차 봉합 실패, 타액에 의한 오염으로 인해 이식재 감염이 발생할 수 있다. 술후 감염은 골이식 실패의 결정적인 요인으로 관여한다. 흡연은 말초순환을 악화시키기 때문에 창상열개나 치유 지연을 유발하여 감염에 취약한 조건을 만들게 된다. 또한 무치악 부위에 골이식을 시행한 후 임시의치 사용이 문제가 될 수 있다. 환자는 기능이나 심미적 측면에서 의치 장착을 희망하지만 적어도 발사 후 상처가 아물 때까지 약 2주간은 의치를 장착하지 않는 것이 좋다. 의치 장착은 탈착 시 음압이 가해지고 저작 시 음압과 양압이 반복되기 때문에 상처치유를 지연시키고 감염을 유발하는 원인이 된다.

2) 완벽한 연조직 피개

완벽한 연조직 일차 봉합은 골이식 성공을 위한 필수조건이다. 초기 치유 시 절개선이 벌어지는 것은 구강내 골이식의 가장 흔한 합병증이다. 결과적으로 이식골이 오염되고 혈액공급에 악영향을 초래하면서 골이식이 실패하게 된다. 골이식을 시행한 후 충분한 연조직 이완절개를 통해 피판의 장력을 최소화하면서 긴밀한 봉합이 시행되어야 한다(그림 29-4).

3) 자가골 사용 여부

자가골은 골형성, 골유도 및 골전도 능력을 모두 보유한 가장 이상적인 재료이며 창상 노출 및 감염에 대해서도 다른 골이식재료들에 비해 저항성이 있다. 결손부가 광범위한 경우나 예측 가능한 골이식술을 원한다면 자가골이식을 일차적으로 선택할 필요가 있다.

4) 치유 기간

새로 골이 형성되는 데 필요한 시간은 다양하며, 남아있는 숙주골의 양과 상태, 이식재에 자가골이 포함되었는지 여부, 결손부의 크기 등 국소적 인자에 따라 다르다. 결손부가 크고 자가골이 적을수록, 그리고 결손부의 골벽이 적을수록 치유기간이 길어진다. 그 외에도 당뇨병, 부갑상선기능항진증, 갑상선중독증, 골연화증, 골다공증, Paget병과 같은 전신질환은 창상치유를 지연시키기 때문에 치유 기간을 연장해야 한다.

5) 이식편의 고정

수용부에 이식재가 잘 부착될 수 있도록 견고히 고정해야 한다. 골편이 움직이면 혈행이 잘 이루어지지 않고, 골편은 흡수되거나 감염에 이환되면서 섬유성 조직으로 대체된다. 블록골은 티타늄 나사나 금속판으로 견고히 고정하고 입자형 골이식재는 조직접착제, 혈소판농축혈장겔(platelet rich plasma gel, PRP gel), 차폐막(barrier membrane) 등을 사용하여 유동성을 최소화하도록 한다(그림 29-5, 6).

6) 풍부한 영양혈관(Nutrient vessel)

영양혈관은 이식재 내로 증식하여 이식된 세포의 생활력을 유지시켜 준다. 이 혈관들은 주로 두 경로를 따라 도달되는데, 숙주 피질골에 함유되어 있는 적은 혈관과 해면골에 함유되어 있는 풍부한 혈관망이다. 혈관이 이식재에

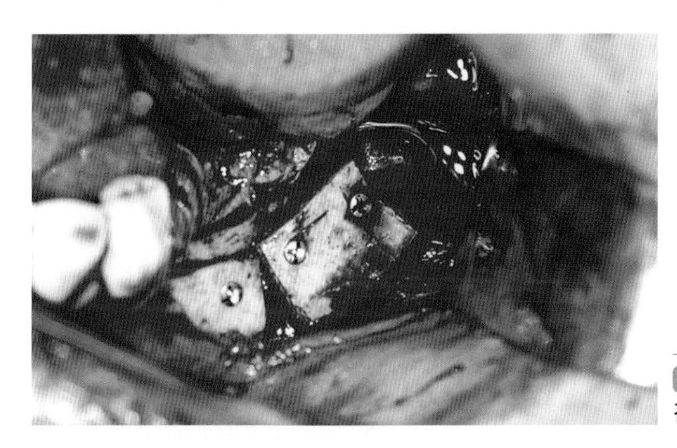

그림 29-5 **치조능 수평증대술을 위해 블록골을 이식한 후 티타늄 나사로 견고하게 고정한 모습**

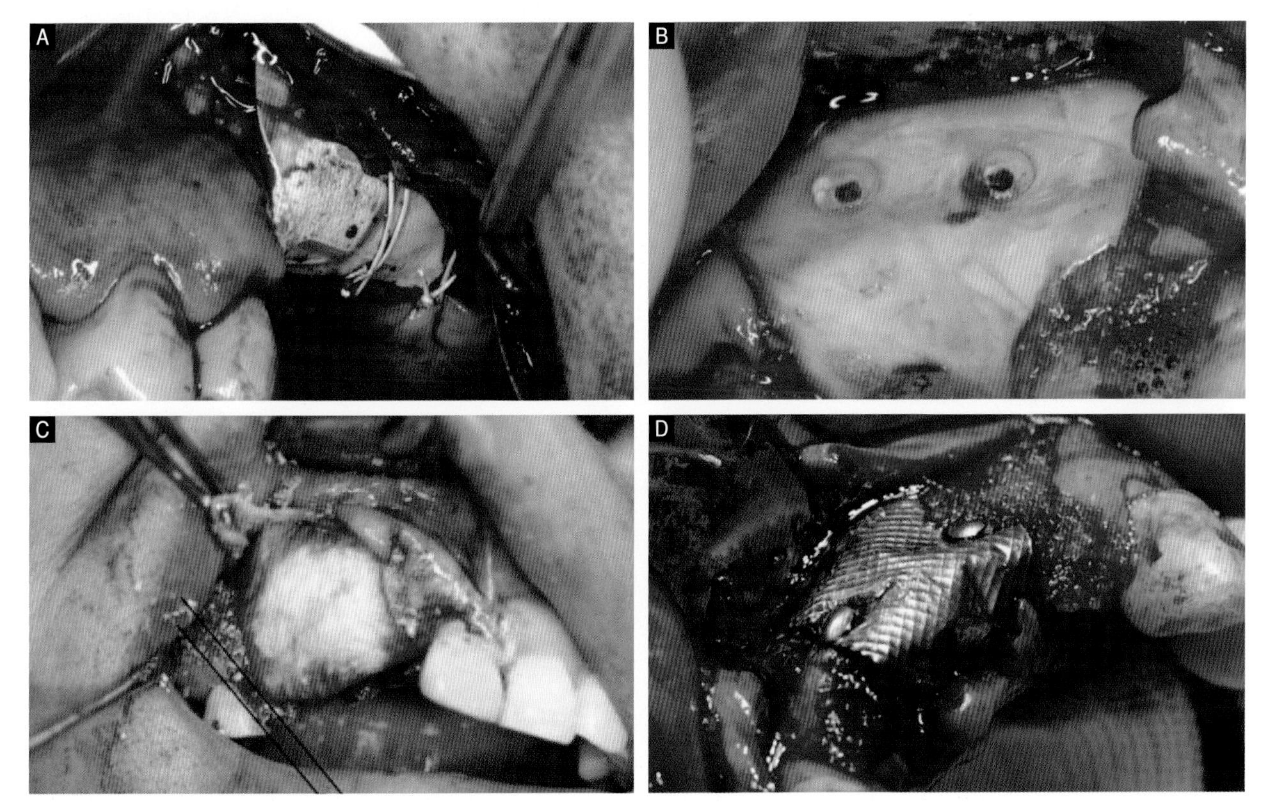

그림 29-6 **치조골결손부에 골이식을 시행한 후 차폐막을 피개한 모습.** 골재생을 위한 공간 확보 및 입자형 골이식재의 유동성을 방지하는 효과를 얻을 수 있다. **A:** 비흡수성 차폐막을 circumferential suture로 고정한 모습 **B:** 흡수성 차폐막을 흡수성나사로 고정한 모습 **C:** 흡수성 차폐막을 조직 공간(pouch)에 끼워 넣으면서 고정한 모습 **D:** 티타늄 차폐막을 핀(bone tack or pin)으로 고정한 모습

PART 5

도달하려면 피질골을 관통하거나 피질골이 없어야 하며, 이것은 피질골이 두꺼운 하악에서 골치유에 많은 영향을 미친다. 다음으로 혈관의 원천은 연조직이다. 골막의 골형성층에 존재하는 전구세포들은 외과적인 손상에 의해 영향을 받으며 골형성은 외상 변연부의 손상받지 않은 골막에서 시작된다.

골이식 부위 직상방에 절개선이 설정되지 않도록 한다. 또한 이완절개를 시행할 경우 차단막 직상방에 절개선이 설정되면 창상이 벌어질 가능성이 높고 골이식 실패로 이어질 수 있다. 이식재에 혈관이 잘 도달될 수 있도록 피질골에 다수의 구멍을 형성하는 것이 골치유에 도움을 줄 수 있다(그림 29-7).

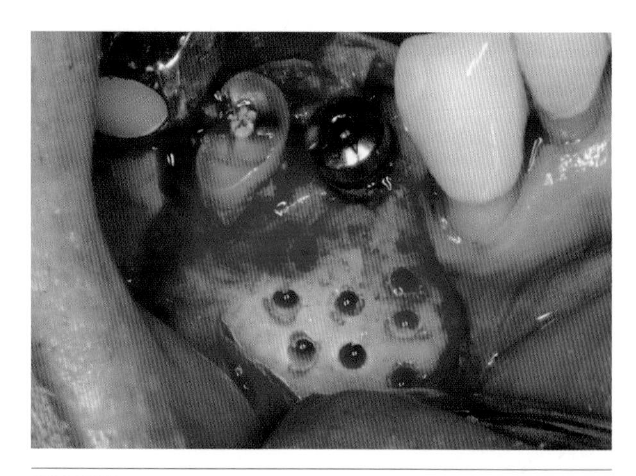

그림 29-7 하악 피질골에 다수의 구멍을 형성함으로써 이식재에 혈류공급이 잘 이루어질 수 있도록 한다.

7) 골이식 부위의 하중 최소화

임시 의치 등에 의한 조기 과부하를 방지해야 하며 치유 초기 단계에 이식 부위에 과도한 하중이 가해지면 이식골의 흡수 및 창상이 벌어질 위험성이 증가한다.

8) 국소촉진현상 (Regional acceleratory phenomenon, RAP)

유해자극에 대한 일종의 국소반응인 국소촉진현상은 정상적인 재생과정보다 더 빨리 조직이 형성되는 경우이다. 이 경우 치유과정을 촉진시켜 정상적인 생리적 치유 때보다 2~10배 정도 더 빨리 치유된다. RAP는 손상 후 수일 내에 시작되어 1~2개월째 최고에 달한다. RAP의 기간과 강도는 자극의 종류와 양 및 부위에 따라 다르다. 골절, 비염증성 손상, 골이식수술 등과 같은 술식 자체가 적당량의 자극을 가하면서 RAP를 유발할 수 있지만 병적 과정과 연관된 손상은 RAP를 억제하거나 치유를 불가능하게 할 수 있다. RAP는 골의 형성이 빨라지는 것일 뿐 골의 부피가 변하는 것은 아니며 주로 피질골에서 나타나는 현상이다. Prostaglandin E1 (PGE1), bisphosphonate와 같은 생화학 물질이 RAP를 유발하는 것으로 생각된다. 악골에서 협측과 설측에 대한 외과적 수술을 시행할 때 RAP는 협측 수술의 경우에 더욱 뚜렷하게 나타나는 것이 관찰된다.[20]

5. 자가골이식 시 골 채취 부위 및 채취방법[1,21,22]

1) 하악골 정중부(Symphysis)

(1) 특징

① 막내골(intramembranous bone)로써 조기 조기 재혈관화(revascularization)가 이루어지면서 치유된다. 이식 후 골흡수가 적고 용적이 잘 유지된다.

② 평균적으로 성인에서는 양측 이공 사이의 길이가 5 cm 정도이므로 치근과 이신경 손상을 피하면서 조심스럽게 골편을 채취하면 비교적 큰 결손부 재건에도 유용하게 사용할 수 있다.

(2) 장점

쉽게 접근할 수 있으며 채취가 용이하여 외과적 시술 시간이 짧고 블록형, 입자형, 피질골이식, 해면골이식 및 피질해면골 복합이식편을 다양하게 채취할 수 있다.

(3) 단점

하악골 정중부에서 채취한 골은 대부분 피질골이며 약간의 해면골을 추가로 얻을 수 있으나 아주 큰 결손부를 회복하기에는 부족하다. 또한 골편 채취 시 절치신경(incisive nerve)의 절단이 불가피하여 장기간에 걸쳐 하악전치부의 감각이상을 호소하거나 신경병변증(neuropathy)이 발생할 수 있다.

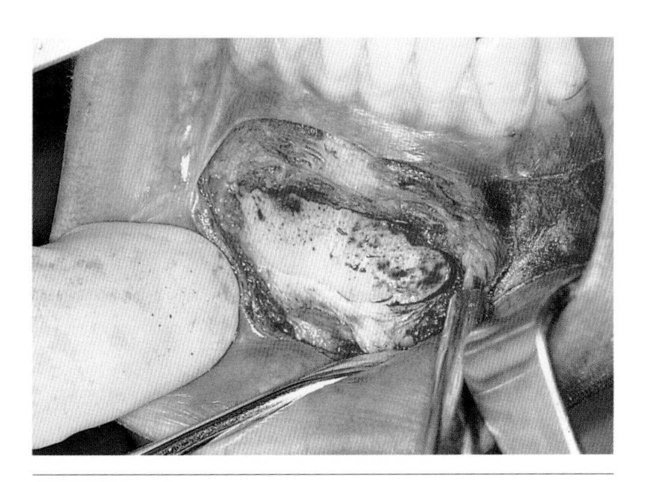

그림 29-8 **절개 후 피판을 거상하여 하악골 정중부를 노출시킨 모습.** 측방의 이신경이 손상되지 않도록 주의해야 한다.

(4) 방법

① 점막치은 경계로부터 약 1.5cm 떨어진 곳에 4cm 정도 길이로 하순의 만곡도에 평행한 절개를 가한다. 이때 메스는 점막을 지나 이근(mentalis muscle)까지 도달되게 하며, 양측 이공에서 나오는 이신경이 손상되지 않도록 유의한다(그림 29-8).

② 골막절개 후 하악골하연이 노출되도록 골막피판을 젖힌다. 마킹펜으로 채취할 골편의 범위를 표시한다. 가로의 길이는 1~1.5 cm이 되도록 하고 양측 이공으로부터 최소한 5 mm 이상 내측으로 떨어지게 한다. 골편의 윗변은 전치부 치근단으로부터 최소한 5 mm 아래쪽으로 떨어져야 치근 손상을 피할 수 있다. 골편의 아래 변은 하악골하연 5 mm 위 쪽에 위치시킴으로써 가급적 악골의 하연을 보존시킨다.

③ 외과용 버(#701 fissure bur, round bur, trephine bur) 혹은 톱(saw)을 이용하여 외측 피질골을 지나 수질골까지 절단한다. 골절도(osteotome)를 이용하여 골편을 분리하고 채취한 골편은 즉시 생리식염수 안에 혹은 식염수로 적신 거즈에 싸서 보관한다(그림 29-9).

④ 공여부 골강 안에 남아 있는 해면골을 추가로 더 채취할 수 있다. 설측 피질골은 남겨놓고 지혈 처치를 시행한다. 젊은 환자의 경우에는 특별한 처치를 하지 않더라도 시간이 경과하면서 신생골로 회복된다. 그러나 노인 환자들이나 공여부 결손이 큰 경우에는 Collagen, Gelfoam, Avitene, 인공골대체재료 등으로 충전하는 것이 좋다(그림 29-10).

⑤ 골막과 이근 그리고 점막을 층별로 봉합한다.

2) 하악골 상행지부(Ascending ramus)

(1) 특징

하악골 상행지의 외사선(external oblique ridge) 부위는 하악골의 폭, 오훼돌기, 대구치, 하치조신경 등과 같은 제약 요소들이 많기 때문에 많은 양의 골을 채취하기는 어렵다. 최대 두께 약 4 mm, 전후방 길이 약 3 cm, 폭 약 1 cm 정도의 피질골을 채취할 수 있으며 대개 치조골의 폭이 부족한 경우에 수평적으로 덧붙이는 골이식(horizontal ridge augmentation, veneer graft)을 하기에 적당하다. 또한 채취

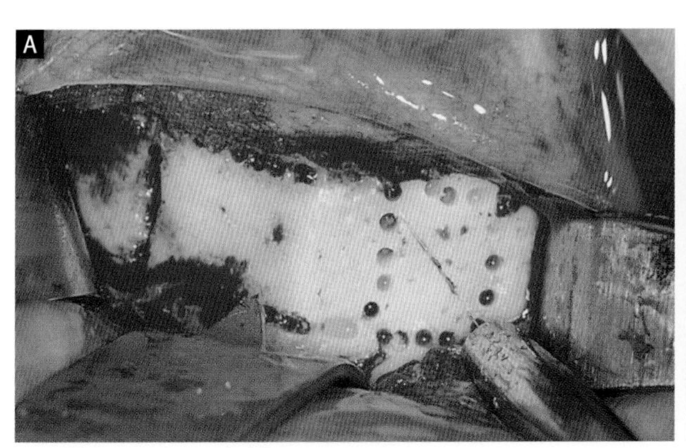

그림 29-9 **하악골 정중부에서 골편을 채취하는 모습. A:** 외과용 버 혹은 톱을 사용하여 블록형의 골편을 채취할 수 있다. **B:** Trephine bur로 골편을 채취하는 모습. 분쇄하여 입자형 골이식재로 사용할 수 있다.

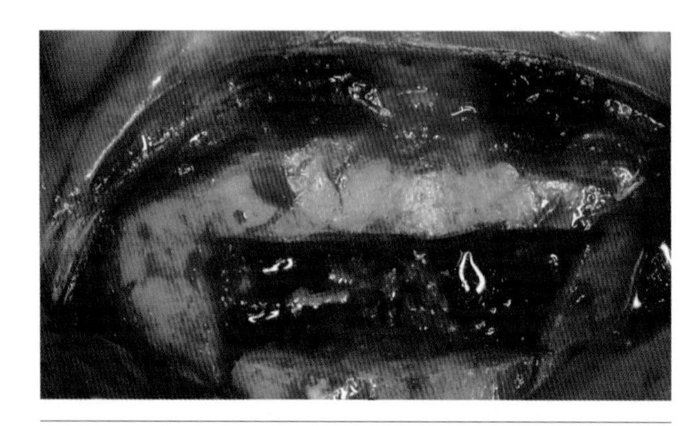

그림 29-10 **하악골 정중부에서 블록골편을 채취한 후의 모습.** 소량의 해면골을 추가로 채취할 수 있다.

된 피질골은 분쇄하여 사용할 수도 있다. 막내골의 일종이기 때문에 흡수가 늦고 재혈관화가 잘 이루어지면서 양호한 골치유를 보인다.

(2) 장점

하악골 정중부에 비해 합병증이 적고 외과적 접근 및 골채취가 쉽다.

(3) 단점

채취한 골양이 적고 최후방 구치의 치근 손상과 하치조신경 손상의 위험성이 있다. 드물게 대량의 골채취로 인해 하악골 골절이 발생할 수 있으며 오훼돌기에 부착된 측두근건(temporal tendon)에 과도한 외상이나 견인으로 인해 술후 개구장애나 턱관절장애가 발생할 수도 있다.

(4) 방법

① 절개는 구강내 하악지시상분할골절단술(sagittal split ramus osteotomy)을 시행할 때와 유사하게 하며 외사선 내측에서 하방으로 절개한다. 이때 상방으로 너무 높게 절개하면 협동맥(buccal artery)을 절단하거나 협지방대(buccal fat pad)가 빠져나올 수 있으며 때로는 신경이 손상되어 협부의 감각이상을 호소할 수도 있으므로 주의해야 한다.

② 연조직을 상방으로 견인한 다음, 가는 fissure bur나 round bur를 이용하여 상행지 전연을 따라 적당한 두께로 골절단술을 시행한다. 필요한 길이만큼 전방과 후방에도 수직골절단술을 시행한다. 골절단부의 하연은 소형 다이아몬드 디스크 혹은 톱(oscillating saw)을 이용하여 절단하고 골절도를 사용하여 외측으로 힘을 가하면서 골편을 채취한다(그림 29-11).

③ 채취된 부위의 지혈처치를 시행한 후 절개 부위를 봉합한다. 대개 공여부에 다른 이식재료를 충전할 필요는 없지만 다량의 골조직을 채취한 경우에는 골대체재료를 충전할 수도 있다.

3) 두개골(Calvarial bone)

(1) 특징

두개골이식은 막내골이므로 흡수가 적고 생존율이 높으며 술후 통증이 적다. 대개 두개관 내판은 건드리지 않고 외판만 채취해서 사용하며 두정골(parietal bone)을 많이 이용

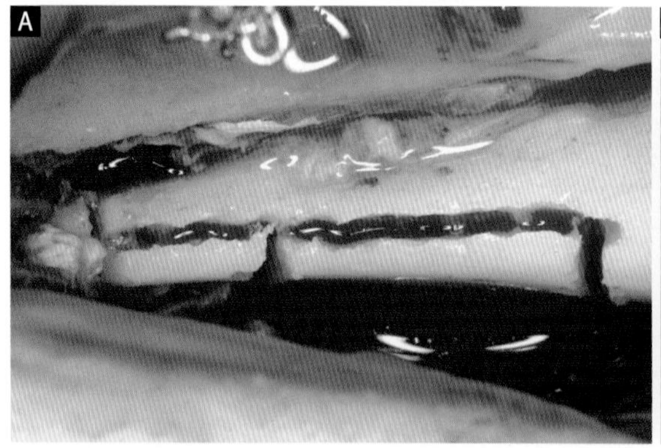

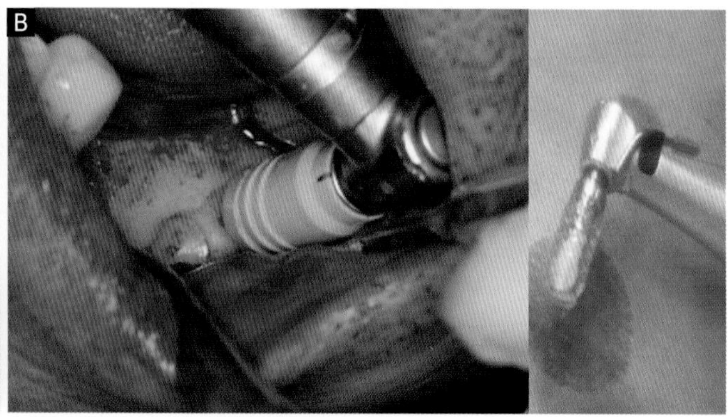

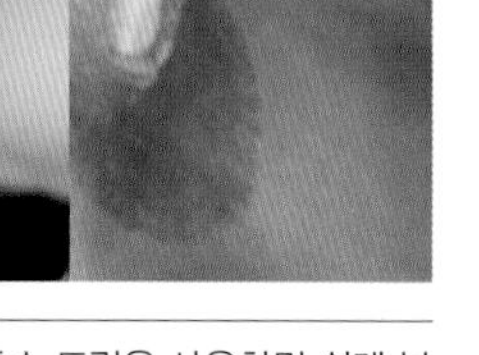

그림 29-11 **하악골 상행지에서 골편을 채취하는 모습. A:** 외과용 버와 톱을 사용하여 블록골편을 채취하는 모습 **B:** 골채취용 특수 드릴을 사용하면 쉽게 분말형 골이식재를 채취할 수 있다.

하는데 그 이유는 내판이 두꺼워 경막 손상 가능성이 적으며 판간층(diploe)에 해면골이 많기 때문이다. 환자의 나이, 성별 및 위치에 따라 두께가 다양하기 때문에 시술 전 CT를 촬영하여 두개골의 두께를 평가하는 것이 중요하다. 두개골이 너무 얇거나 전부 피질골만으로 구성되어 판간층이 없는 경우에는 다른 공여부를 선택하는 것이 좋다(그림 29-12).

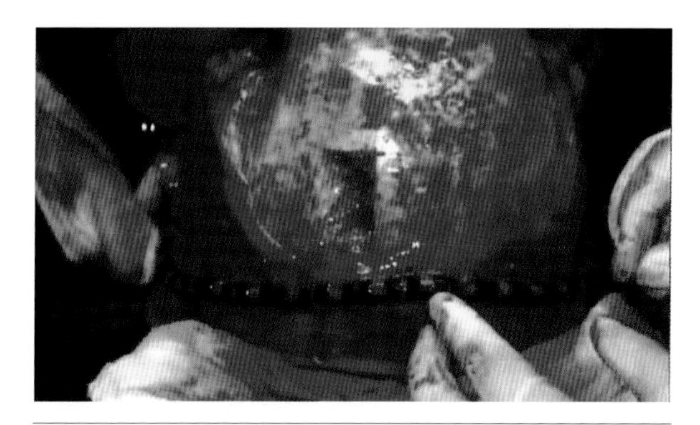

그림 29-12 두개골 외측 피질골을 채취한 모습

(2) 장점

구강내 수술 부위와 근접해 있고 술후 통증이 덜하고 머리카락에 의해 흉터가 가려진다. 채취한 골은 안면골과 발생학적으로 동일하며 골이식 후 흡수가 적게 일어나고 강도가 우수하다.

(3) 단점

머리 부분에 부가적인 수술을 하기 때문에 환자들의 거부감이 심하다. 탈모증이 있는 환자의 경우 술후 심한 흉터가 보일 수 있다. 골편을 채취하는 과정과 채취 후 조작이 어렵다. 또한 해면골량이 부족하며 술중 경질막(dura) 손상의 위험성이 있고 수술 시간이 많이 소요된다.

(4) 방법

편측 혹은 양측 관상절개(coronal incision)를 통해 두정골을 노출시킨다. 두피 절개선은 이개(pinna of the ear)의 후방까지 연장시킴으로써 두정골의 두꺼운 부분으로의 접근이 용이하고 심미적으로 좋은 결과를 얻을 수 있다. 절개는 피부, 피하조직, 모상건막(galea aponeurotica) 층을 지나 두개골면까지 시행하는데, 심한 출혈을 막기 위해 Raney clip이나 지혈겸자를 사용한다. 지혈처치를 위해 전기소작을 과도하게 시행할 경우 모근을 손상시키면서 반점상의 원형탈모증을 야기할 수 있다.

두개골을 노출시킨 후 채취하고자 하는 모양을 골면에 작도한 후 bur로 외측 피질골만 관통한다. 관통한 피질골 구멍들을 연결한 후 구부러진 골절도(curved osteotome)를 이용하여 내측 피질골과 분리하여 채취한다. 두개 정중부의 절단을 피해야 하는데, 그 이유는 내측 피질골의 바로 안쪽에 시상동(sagittal sinus)이 위치하며, 정중부의 두정골간 봉합의 분리가 거의 불가능하기 때문이다. 골 채취 후 층별봉합을 시행하여 창상을 폐쇄하고 압박 드레싱을 시행한다.

4) 장골(Iliac bone)

(1) 특징

인체에서 가장 많은 양의 골을 채취할 수 있는 부위로써 큰 결손으로 인한 다량의 골이식이 필요한 경우 유용한 공여부이며 결손부의 크기 및 형태에 따라 피질해면골블록이나 다량의 입자형골수해면골(particulate marrow cancellous bone, PMCB)을 채취할 수 있다.

(2) 장점

살아 있는 골세포들을 함유한 충분한 양의 골편을 채취할 수 있다.

(3) 단점

장골능은 성장점이기 때문에 성장기 환자에는 사용하지 않는 것이 좋다. 전방 장골능에서 골편을 채취할 경우 술후 대둔근(gluteus maximus)에 대한 손상으로 인해 보행장애를 야기한다. 또한 전신마취 및 수일 간의 입원이 필요하다. 채취한 골은 악골과 기원이 다른 연골내골(endochondral bone)이기 때문에 이식 후 골흡수가 많이 일어난다.

(4) 방법

① 전방 장골능(Anterior iliac crest)

전방 장골능에서 가장 두꺼운 부위는 전상장골극(anterior superior iliac spine)과 장골능 결절(tubercle of crest) 사

이의 전방 1/3 부위이다. 주변의 중요한 신경 구조물로는 척수(L2, L3)로부터 분지된 측방 대퇴피부신경(lateral femoral cutaneous nerve)이 있는데 약 97%의 경우 전상장골극의 아래쪽으로 지나므로 수술 시 문제가 안 된다. 그러나 전상장골극 직상방에 존재할 경우에는 수술 중 절단될 위험성이 있으며 다리 외측의 감각이 소실될 수 있다.

a. 환자를 supine position으로 위치시킨다. Rolled towel이나 sandbag을 엉덩이 하방에 위치시켜 장골능을 들어올림으로써 수술 접근이 용이하도록 해준다. 베타딘 소독제로 배꼽과 넓적다리 중앙부(midthigh)에서 측방으로 후상장골극(posterior superior iliac spine)까지 소독을 시행하고 멸균 방포를 덮어 주변에서 격리시킨다.
b. 피부절개는 반흔이 장골능보다 외후방에 생기도록 장골능 상방의 피부를 복부 쪽으로 당긴 상태에서 절개하며 절개선은 전상장골극의 1 cm 후방 부위로부터 장골결절의 2 cm 하방 부위에 위치시키며, 장골능의 외측으로 1 cm 가량 떨어지도록 한다.
c. 조직을 층별로 박리한다. 이때 전상장골극에 인접한 부분은 박리하지 않는다.
d. 뼈를 노출시키기 위해 내측이나 외측에서 접근할 수 있다. 내측 접근법이 대퇴근막장근(tensor fascia lata)의 손상을 피함으로써 술후 환자의 보행 불편을 최소화할 수 있기 때문에 선호되고 있다.
e. 골편을 채취한다. 필요에 따라 해면골만 채취하거나 피질골을 포함하여 덩어리로 채취할 수도 있다. 해면골은 대개 한쪽 전방 장골능으로부터 약 30~40 cc 채취할 수 있다. 피질골과 해면골을 한꺼번에 덩어리로 떼어낼 경우에는 외측의 골막피판을 동시에 박리해야 하므로 술후 보행에 불편감이 생길 수 있다(그림 29-13).

② 후방 장골능(Posterior iliac crest)

이 부분은 인체에서 세포가 풍부한 해면골을 가장 많이 제공해 줄 수 있는 부위이다. 골을 채취할 부위는 장골 후상방에 위치한 삼각형의 결절로서 대둔근이 부착되어 있다. 근처의 감각신경들은 상둔부신경(superior gluteal nerve: L1, L2, L3)의 가지들이 후방 장골능의 상방에 부착된 요배근막(lumbodorsal fascia)을 뚫고 나가서 후방 둔부 중앙의 피부를 지배하며, 중간 둔부신경(middle gluteal nerve) 등이 근심측 둔부의 피부를 지배한다. 골을 채취할 부위는 대부분 두 감각신경 사이에 위치하기 때문에 신경 손상을 최소화할 수 있다. 하지를 지배하는 운동신경인 좌골신경은 후방 장골능 하방 6~8 cm에 위치하는 좌골절흔을 지나고, 후방 장골은 심부회선장골동맥(deep circumflex iliac artery, DCIA)의 가지인 하둔근동맥(subgluteal artery)으로부터 혈액공급을 받는다(그림 29-14).

a. 양측 겨드랑이와 하지의 맨 위쪽에 둥근 받침대를 대고 수술대 위에 복와위(prone position)를 취하게 한다. 수술대는 약 210° 정도로 구부러지게 하며 구부러진 수술대의 가운데 부분에 둔부를 위치시켜 위쪽으로 튀어나오게 한다.

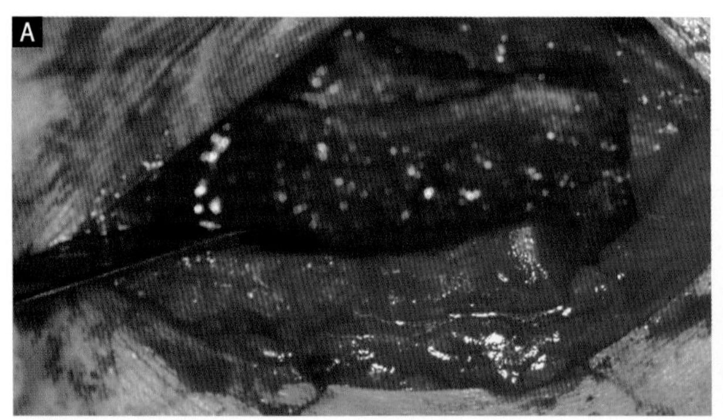

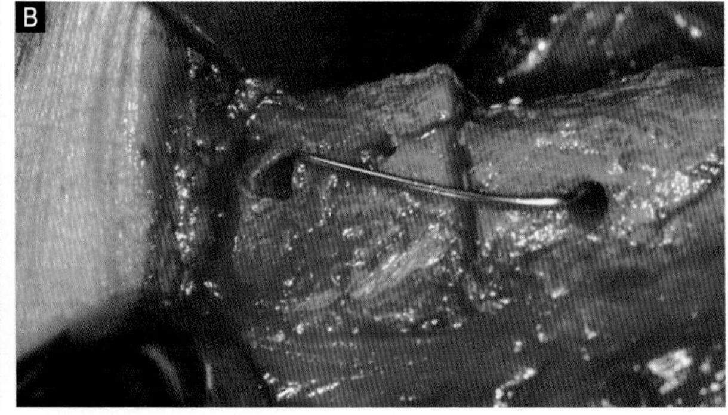

그림 29-13 **장골을 채취하는 모습. A:** 장골능의 Trap-door를 연 상태. 하방에서 블록골 혹은 해면골을 충분히 채취할 수 있다. **B:** Trap-door 법으로 골을 채취한 후 장골능을 원위치 시킨 후 고정한 모습

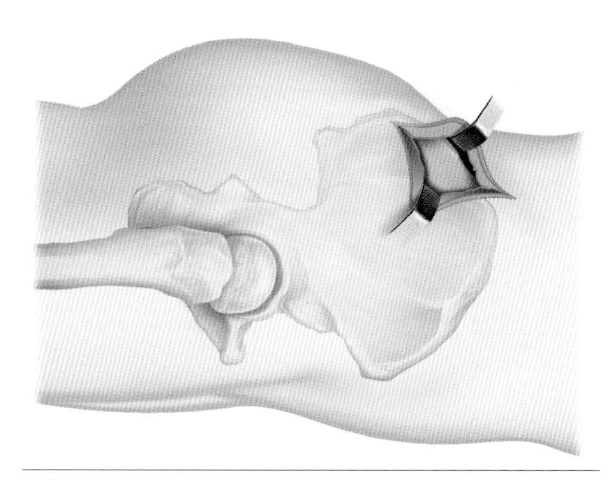

그림 29-14 후방 장골능에서 전층으로 골편을 채취하는 모식도

b. 후방 장골능의 직상방에 둥글게 구부러진 절개를 시행한다. 절개선의 하방 경계는 양측 둔부의 중앙선으로부터 최소 3 cm 이상 떨어지게 함으로써 신경을 보호하며 전체 길이는 약 10 cm가 되게 한다. 이 절개선을 통하여 골 채취부위로 직접 접근이 용이하고 절단시킬 근육의 양을 최소로 할 수 있다.

c. 대둔근이 부착된 골막을 박리하고 골면을 충분히 노출시킨 후 5×5 cm 크기의 피질해면골 판을 떼어낸다. 이것을 골 입자로 만들면 약 20~25 cc에 해당된다. 떼어낸 골창 부위로부터 소파기구(bone rongeur나 bone curette)를 이용하여 해면골을 추가로 긁어낸다. 후방 장골능에서 골을 채취하는 경우는 최소 50 cc 이상의 골이식이 필요한 증례에 적용된다. 골편이 압축되지 않은 상태에서 보통 60~140 cc까지의 양을 얻을 수 있는데 이것은 전방 장골능에서 채취할 수 있는 골 채취량의 2~2.5배에 해당된다.

5) 경골(Tibia)

(1) 특징

장골이식에 비해 시술이 용이하며 시술 시간도 짧고 술후 통증과 보행 불편감이 덜하다. 또한 비교적 많은 양의 골채취가 가능하다.

(2) 장점

최소한의 연조직 절개로 풍부한 해면골을 채취할 수 있으며 술후 발생되는 합병증이 적고 수술 후 즉시 거동이 가능하다. 골이식 후 재혈관화와 골치유가 빨리 진행되면서 우수한 기계적 강도를 회복하며 형성된 골조직의 골질이 양호하다.

(3) 단점

골단성장판(epiphyseal growth plate)에 손상을 줄 수 있으므로 18세 이하의 어린이와 청소년기에는 금기이다.

(4) 방법

경골과두는 무릎 바로 아래에서 촉진된다. 이들 경골과두 사이에서 경골의 근심 말단 전면에 둥근 돌기(protuberance)가 존재하는데, 이를 경골결절(tibial tuberosity) 혹은 Gerdy's tubercle이라고 한다. Gerdy's tubercle을 정확히 찾은 다음에 절개를 하여야 무릎 관절에 손상을 유발하지 않는다. 부근의 혈관들은 슬개골건(patellar tendon)의 하방, 내측으로 슬동맥(genicular artery)들의 가지들이 지나고, 외측으로 하슬동맥(inferior genicular artery), 비골동맥(fibular artery), 전경골회동맥(anterior tibial recurrent artery), 전경골동맥(anterior tibial artery)들이 지난다. 경골의 외측으로 전경골근(anterior tibial muscle)이 전경골분지(anterior tibial branch)들과 겹치며 수직으로 주행하여 부착된다. 경골 근심부에는 총비골신경(common peroneal nerve)에서 분지된 심비골신경(deep peroneal nerve)이 주행한다(그림 29-15).

① Supine position을 취하고 동측의 엉덩이 하방에 수건을 말아서 놓아 경골의 전측방이 거상되도록 한다.

② 다리 주변을 소독한 후 멸균 방포를 덮어 주변 조직과 격리시킨다.

③ Gerdy's tubercle 바로 위에 2~3 cm 정도 비스듬하게 절개를 시행한다. 절개의 상방 끝은 전방 장골근 기시부의 직상방 내측에, 절개의 하방 끝은 슬개골 인대 외측에 위치하도록 절개의 각도를 정한다.

④ 하방 조직들을 박리하면서 대퇴근막(fascia lata)의 경골 쪽 근막을 지난 후 골막을 U자 모양으로 절개하여 골조직을 노출시킨다.

⑤ 노출된 골표면에 절개선을 따라 구멍을 뚫어 연결시

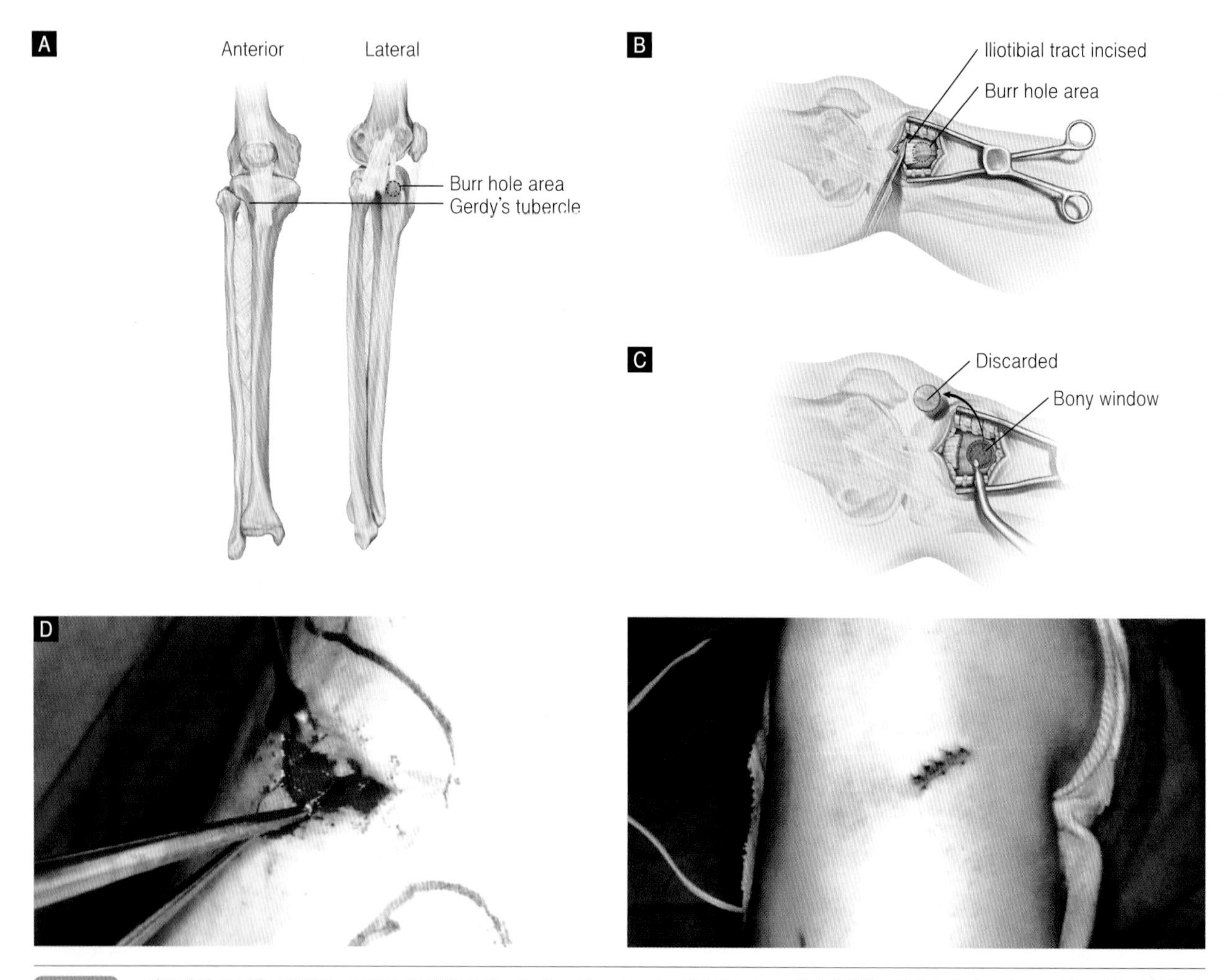

그림 29-15 **경골에서 골편을 채취하는 모식도 및 임상사진.** **A:** Gerdy's tubercle 에서 Burr hole을 형성하는 전방과 측면 모습 **B:** 연조직을 박리한 후 Gerdy's tubercle 상방에 Burr hole을 형성하는 모식도 **C:** 골창을 형성한 후 내부에서 다량의 해면골을 채취할 수 있다. **D:** 경골에서 해면골을 채취한 후 봉합한 모습. Gerdy's tubercle의 위치 확인이 중요하다.

키고, 위쪽 변을 연결한 후 들어 올리는 문(trap door) 형태의 골-골막피판을 형성한다. 골창을 들어 올린 후 해면골을 골소파기로 긁어낸다. 골채취는 바깥 쪽에 위치한 해면골에 한정함으로써 술후 골절 위험성을 줄여주어야 한다. 골창을 원위치 시키거나, 필요하다면 떼어내서 해면골과 함께 이식할 수 있다. 최대 40 cc까지 채취할 수 있다. 15 cc 이하의 소량이 필요한 경우 천공기(trephine)나 bone aspirator with a filter를 이용한 간단한 채취법이 시행될 수도 있다.[21]

⑥ 적절한 지혈 처치를 시행한 후 창상을 층별로 봉합한다. 골채취 후 형성된 빈 공간은 특정 골대체재료를 충전할 필요가 없으며, 드레인 삽입도 필요하지 않다.

6) 관골(Zygoma)

관골은 1~2개 임플란트 주변 골결손부와 같이 작은 크기의 결손부 수복에 유용하게 사용할 수 있으며 외과적 접근이 쉽고 국소마취하에서 시술이 가능하다. 결손부가 상악에 존재할 경우 동일 절개선을 이용하여 관골부위까지 충분히 피판을 거상한 후 trephine bur, 외과용 바, bone scraper 등을 이용하여 골편을 채취한다. 관골 몸체부에서 주변의 골격을 유지하면서 1.5×1 cm 정도의 골편을 채취하면 연조직 함몰 등의 심미적 결함을 초래하지 않고 쉽게 채취가 가능하다. 합병증은 거의 없지만 안와신경(infraorbital nerve) 쪽으로 피판을 과도하게 거상하여 견인할 경우 압박성 신경 손상이 발생할 수 있으므로 주의해야

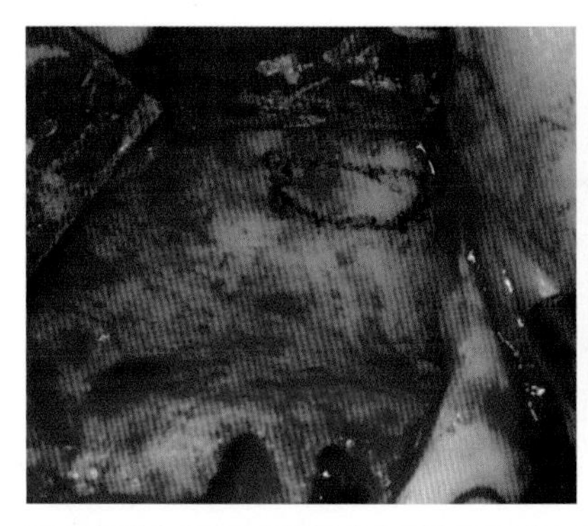
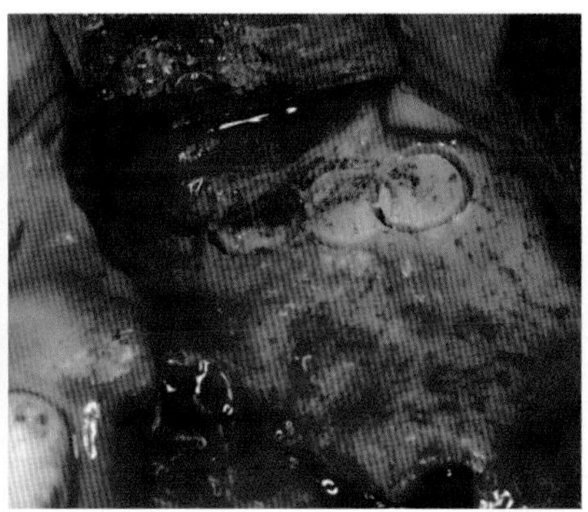
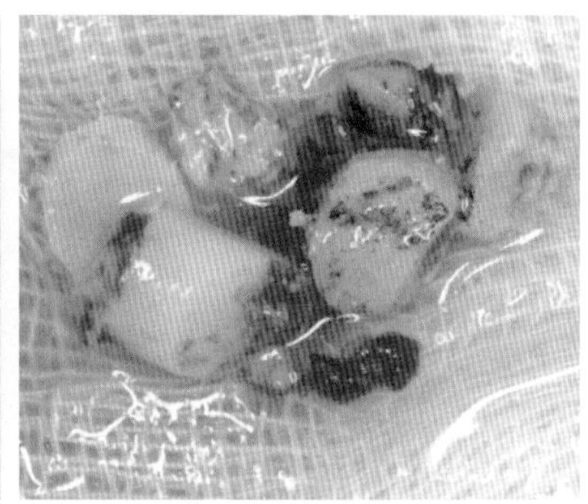

그림 29-16 **관골 몸체부에서 trephine bur로 골편을 채취한 모습**

한다. 간혹 채취 중에 상악동이 천공되는 경우가 있으나 특별히 문제가 되지 않는다. 관골에 부착된 교근을 과도하게 박리할 경우에는 일시적인 개구장애가 발생할 수 있다(그림 29-16).

7) 상악결절(Maxillary tuberosity)

상악결절은 상악 제2대구치 원심측에 위치하는 상악골 최후방 부위이다. 둥글고 두꺼운 형태를 띠며 익돌상악간극(pterygomaxillary space)의 전벽을 형성하면서 하방에서는 구개골(palatine bone)과 연결되어 있다. 상악결절의 전방에는 상악동이 위치하며 골편을 채취할 때 상악동을 침범할 위험성이 있으므로 술전 방사선, CT 촬영 등을 통해 상악동의 위치를 정확히 평가한 후 시술에 임해야 한다. 상악 최후방 대구치 원심측 혹은 무치악 치조정 절개를 시행하여 쉽게 접근할 수 있으며 chisel, bone rongeur, bone scraper, trephine bur 등을 사용하여 쉽게 채취할 수 있다(그림 29-17). 대부분 해면골로 구성되어 있기 때문에 채취 후 골편을 조작하기 용이한 장점이 있지만 채취량이 제한적이고, 나이가 많은 환자들은 내부가 주로 지방 골수(fatty marrow)로 구성된 경우가 많으며, 골질의 상태가 불량하여 자가골이식의 장점을 살릴 수 없는 경우가 있다.

8) 구개골(Palatine bone)

채취할 부위의 인접치 2개 부위까지 구개측 치은열구절개를 시행한 후 전층으로 피판을 박리한다. Bone scraper 혹은 trephine bur를 사용하여 자가골편을 채취한다. 술후 합병증은 거의 없으며 술후 종창이나 통증이 매우 적은 장점이 있다. 그러나 골채취 시 치근 손상에 주의해야 한다. 무치악 부위의 구개측에서는 치근 손상의 위험성이 없이 적당량의 자가골편 채취가 가능하다.

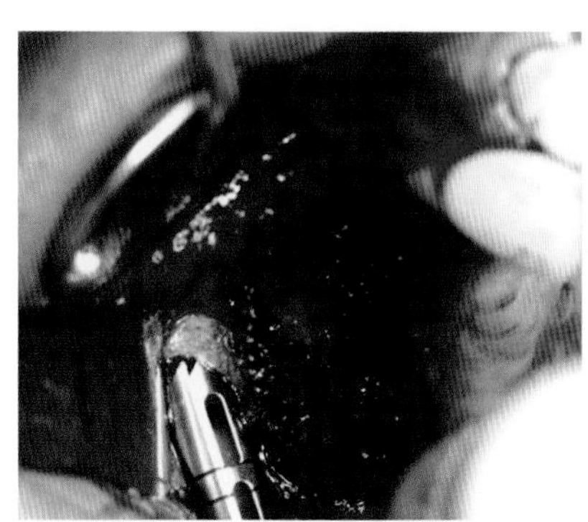
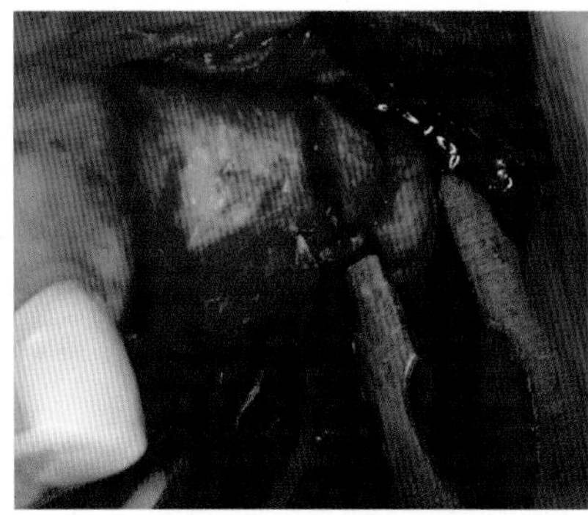
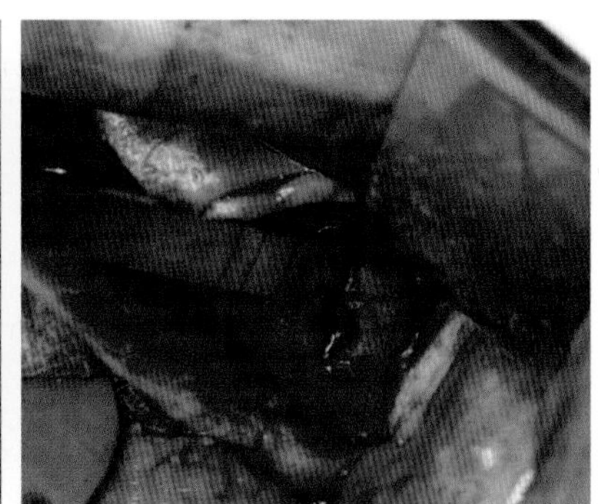

그림 29-17 **상악결절 부위에서 trephine bur, bone rongeur, chisel로 골편을 채취하는 모습**

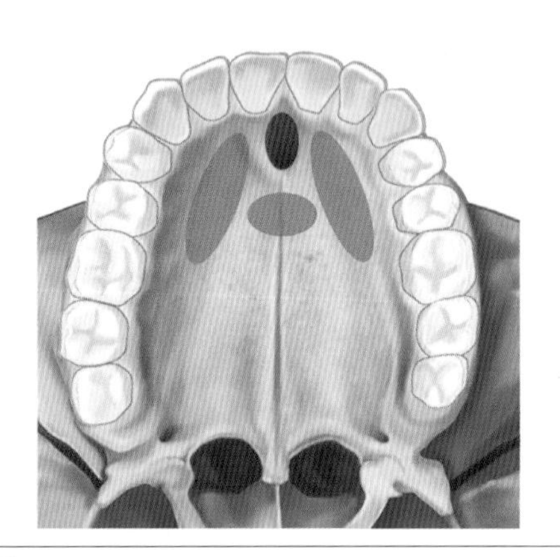

그림 29-18 구개골에서 골편을 채취할 수 있는 부위

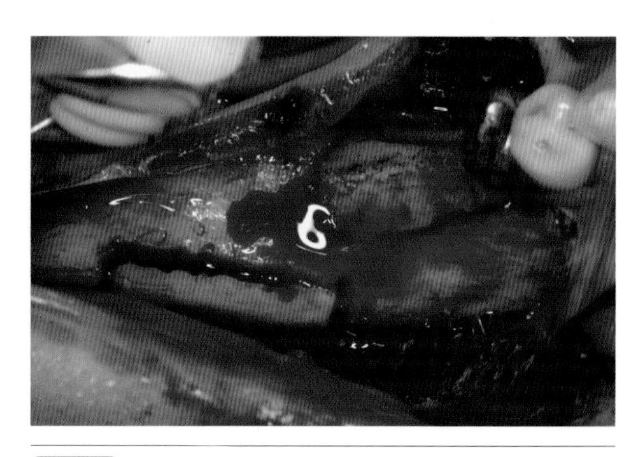

그림 29-19 우측 하악골체부에서 블록골을 채취하는 모습

9) 하악골체부(Mandibular body)

이공과 하악 제3대구치 사이의 협측 피질골 부분이 이에 해당된다. 채취 가능한 골량은 하악골의 퇴축 정도, 환자의 나이 및 성별에 따라 다양하다. 제2소구치 하방에 위치하는 이신경 손상에 주의해야 하며, 치근단 부위, 이공 및 하악골하연에서 최소한 5 mm의 간격을 두고 골편을 채취해야 한다. 채취되는 골의 대부분은 피질골이며 채취 후 공여부는 기능적 결손이 전혀 없으며 합병증이 거의 없는 장점이 있다(그림 29-19).

10) 오훼돌기(Coronoid process)

오훼돌기는 하악골 상행지의 전상방에 위치한 삼각형의 구조물로서 두껍고 치밀한 피질골에 둘러싸인 얇은 해면골을 가지고 있다. 하악 최후방 대구치의 원심부에서 상행지 전연을 따라 절개를 시행한 후 피판을 거상한다. 전연에 부착된 측두근건(temporal muscle tendon)을 박리하면서 오훼돌기에 접근한다. 오훼돌기의 상방부를 bone forceps으로 잡은 후 하방에서 외과용 버를 사용하여 골절단술을 시행하고 골절도로 최종 분리시킨다. 분리된 오훼돌기 골편 주위의 연조직과 상방에 부착된 측두근을 골막기자로 박리하면서 골편을 제거한다. 술후 합병증은 출혈, 심한 종창, 개구장애 및 턱관절장애가 보고되었지만 시간이 경과하면서 대부분 소멸되는 경향을 보인다(그림 29-20).

11) 상악동 전벽(Sinus anterior wall)

얇은 피질골로 구성되어 있으며 작은 round bur, diamond bur, piezoelectric instruments 등을 이용하여 쉽게 채취할 수 있다. 대개 측방접근법을 이용한 상악골이식술을 시행할 때 전벽골을 제거하여 골이식재로 많이 사용한다(그림 29-21).

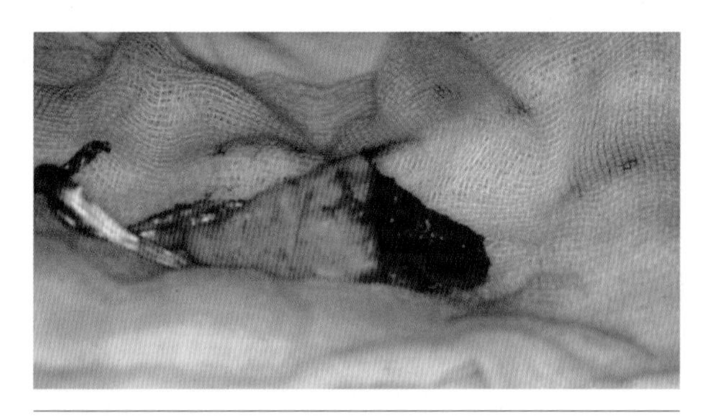

그림 29-20 오훼돌기 골편을 채취한 모습

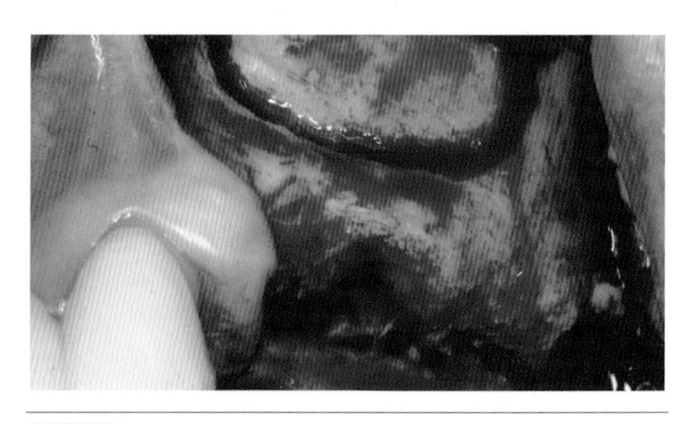

그림 29-21 상악동 전벽을 노출시킨 후 골편을 채취하는 모습

12) 기타 부위

최근 외과적 술식은 가급적 최소 침습적 방법(minimal invasive technique)으로 접근하는 것이 추천된다. 자가골을 채취할 때에도 다음과 같은 방법을 적용하면 소규모 결손부 수복에 필요한 자가골을 쉽게 채취할 수 있다. 협측골 융기(buccal bony protuberance) 혹은 하악골 융기(lingual torus), 임플란트 식립 시 인접한 무치악 치조능, 하악매복지치 발치 후 주변의 치조골, 발치창 주변의 골조직, 골삭제 시 수집한 자가골 분말 등이 유용한 자가골이식재로 사용될 수도 있다(그림 29-22).

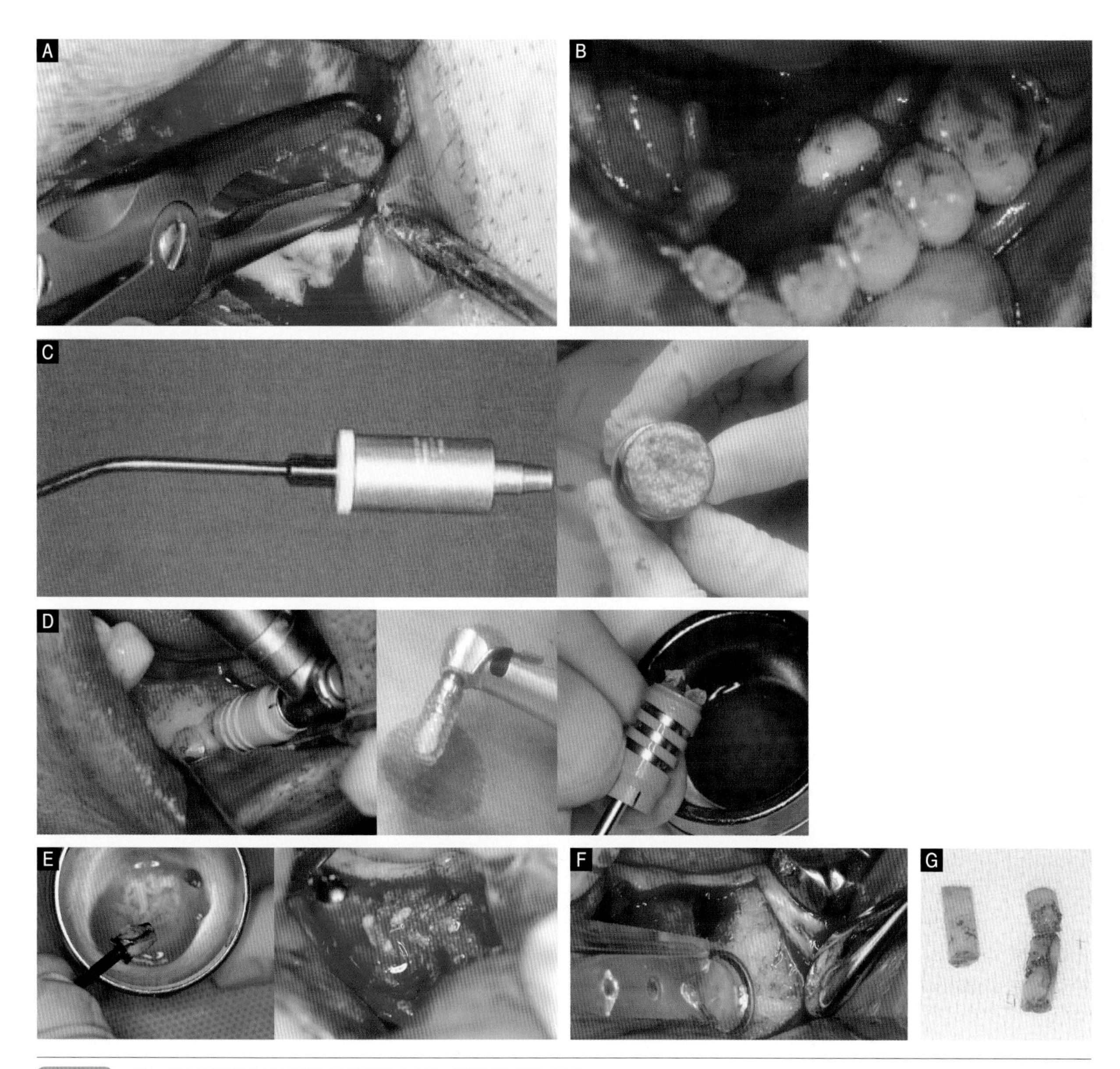

그림 29-22 최소 침습적 방법으로 자가골을 채취할 수 있는 방법들이 많이 있다.
A: 협측 골융기를 bone rongeur로 제거하는 모습 **B:** 하악골에 존재하는 설측 골융기(Lingual torus)는 자가골 채취를 위한 유용한 공여부가 될 수 있다. **C:** 필터가 장착된 흡인기를 이용하여 임플란트 드릴링 도중에 자가골분말을 수집할 수 있다. 골이식재가 오염되지 않도록 타액 및 불순물들을 빨아들이는 것과 골을 수집하는 용도로 2개의 흡인기를 사용하는 것이 좋다. **D:** 특수 드릴을 사용하여 구강내에서 쉽게 자가골 칩을 채취할 수 있다. **E:** 임플란트 드릴에 부착된 자가골 분말을 모아서 소량의 결손부에 이식할 수 있다. **F:** 피질골 표면을 긁어서 자가골을 채취하는 bone scraper **G:** trephine bur를 사용하여 채취한 자가골편

6. 재건용 금속판과 이종임플란트를 이용한 재건

외상, 감염 그리고 종양 등에 의하여 발생된 상악골 및 하악골 등과 같은 악안면 부위 경조직 결손은 기능적이고 심미적으로 수복되어야 하므로 구강악안면외과의사들의 주된 관심사 중의 하나였다. 그러나 악골은 저작압과 같은 큰 스트레스를 견뎌내야 하고, 구강점막으로만 피개되어 있으므로 이 부위의 재건술은 매우 까다롭고 어려운 술식이며, 여러 방법적인 면에서 논란이 있어 왔다. 악골결손 부위에 사용되는 이식재는 자가골이식, 동종골이식 또는 이종골이식 등이 있으며, 이 중 자가골이식이 생물학적인 측면에서 가장 유리한 것으로 받아들여진다.

악안면골 재건의 목적은 악안면부의 3차원적인 형태를 회복하고, 얼굴 외형을 수복하며, 의치 또는 치과 임플란트 수복을 가능하게 하여, 기능적 교합관계와 악골의 연속성을 유지하거나 재형성하는데 있다고 할 수 있다. 광범위한 악안면부의 경조직 결손 재건을 위해 사용될 수 있는 이식재는 다음과 같다.

① 자가 블록형 장골 및 늑골(autogenous iliac and rib bone)
② 자가 입자형 해면골(particulate marrow and cancellous bone, PMCB)
③ 자가 입자형 해면골과 골대체재료 복합이식(combined graft using PMCB and bony substitutes)
④ 혈관화 복합 이식(vascularized composite graft) 등

일반적인 악안면 골재건 시 고려사항들은 다음과 같다.
① 자가골이식이 우선적으로 선택되어야 한다.
② 골막을 최대한 보존할 수 있는 재건술식이 바람직하다.
③ 이물질이 적게 사용될수록 술후 감염의 위험이 줄어든다.
④ 가능하면 시간이 적게 소요되면서 술식이 간단한 기법을 선택한다.
⑤ 기본적인 외과적 술식을 잘 숙지하여야 한다. 수술 중 지혈처치를 잘 해야 하며 출혈이 많이 발생할 경우 혈종과 감염이 발생할 가능성이 크다. 재건술 후 사강(dead space)이 형성되지 않도록 하는 것이 매우 중요하다.
⑥ 악골 재건은 각 환자들의 증례에 따라 차별화되어야 한다. 예를 들면 하악정중부를 포함하는 광범위한 하악골 결손의 재건 시 혈관화복합이식술을 시행하는 것은 바람직할 수 있지만, 길이가 짧은 하악체 혹은 하악지에 위치한 결손부의 재건은 과도한 수술이 될 수 있다.
⑦ 이식재가 움직이지 않도록 잘 고정해야 한다. 견고한 고정은 이식 골편의 안정성을 증가시키고, 섬유성 유합 혹은 비유합을 방지하고, 이식골편의 흡수와 악간 고정의 기간을 감소시킴으로써, 이식재 내로의 빠른 혈관의 증식 및 감염에 대한 저항력을 증가시키고, 이식골편의 흡수도 감소시킨다.

1) 재건용 금속판(Reconstruction plate)을 이용한 재건술

하악골 재건에 쓰이는 재건용 금속판은 남아있는 하악골편과 골이식재를 견고히 고정시키는 방법 중 가장 기본적인 방법으로 사용된다. 3~4개의 양측 피질골 나사(bicortical screws)로 견고히 고정하기 때문에 수술 후 악간고정을 하지 않아도 하악골을 견고히 재건할 수 있다(그림 29-23, 24).

하악의 광범위한 외상 혹은 종양으로 인해 하악골편을 절제한 후 잔존하고 있는 양측 하악골편을 재건용 금속판으로 서로 연결함으로써 수술 후 기능적 및 심미적 수복이 많이 향상되었다. 이상적인 재건 결과를 위해서는 기능 시에 안정성이 요구되며 잔존 하악골편이 해부학적으로 정확히 위치되도록 고정해야 하며, 일차적 또는 이차적인 골이식의 가능성 및 악성종양의 경우 부가적인 방사선 치료 가능성을 고려하여 시행한다.

골이식을 시행하지 않고 재건용 금속판으로만 재건할 경우, 지속적인 악골 운동에 의한 재건용 금속판에 반복된 부하가 가해지면서 금속판 파절의 위험이 있으며, 구강내 점막과 피부의 금속판 노출 위험성도 발생할 수 있으므로 주의가 필요하다.

2) 이종임플란트 트레이(Tray)를 이용한 고정 및 재건

격자형 티타늄 트레이와 입자형 해면골을 이용하여 하악골을 재건하는 술식은 1970년대에 Boyne에 의해 처음으로

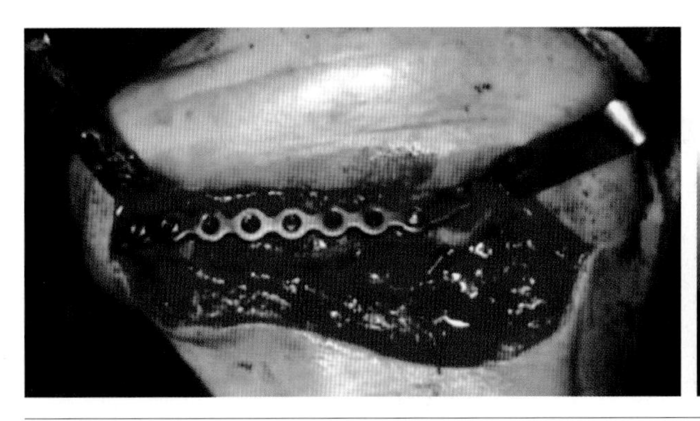
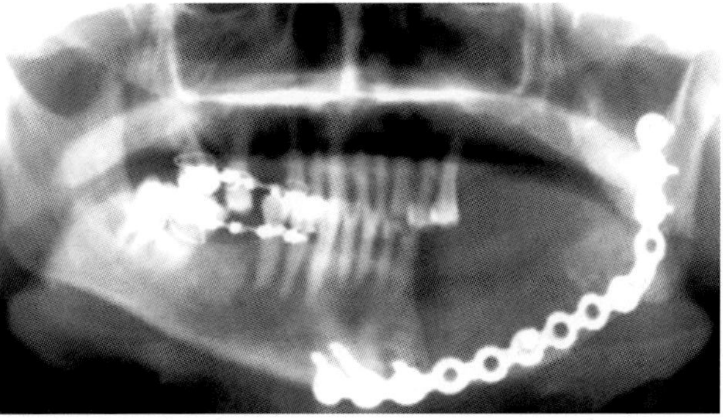

그림 29-23 **블록형 장골과 재건용 금속판을 이용하여 좌측 하악골체부 결손을 수복한 임상사진과 방사선사진**

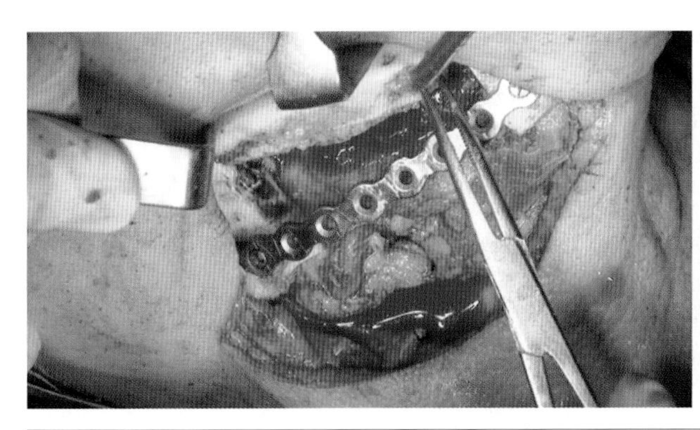
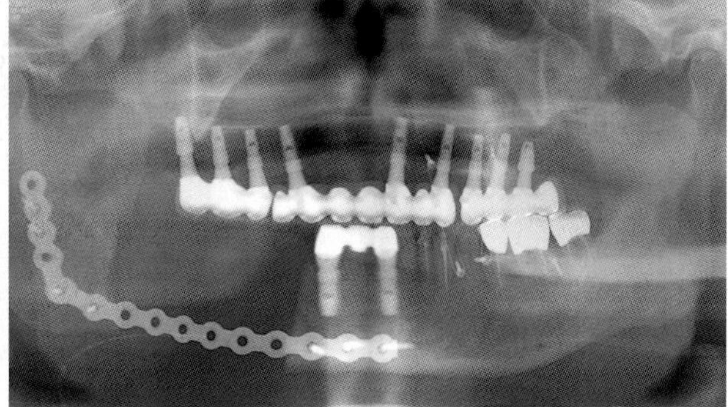

그림 29-24 **하악우측 골체부 부분절단술(segmental osteotomy)을 시행한 후 재건용 금속판으로 고정한 모습.** 악골의 간격과 교합을 유지시켜 주며 종양의 재발이나 감염이 발생하지 않은 것을 확인한 후 이차적으로 골이식술을 시행한다.

소개되었다.[23,24] 입자형 해면골을 수용할 수 있는 재료로 티타늄 소재 재료가 주로 사용되고 있다. 과거에는 스테인레스 스틸, Dacron-polyurethane, Teflon 등이 가능한데, Teflon은 불활성 상태이며 표면이 평탄하고, Dacron-polyurethane은 외형을 쉽게 만들 수 있고 방사선 투과성을 가지므로 컴퓨터 단층 촬영과 같은 방사선 검사에서 금속 산란을 피할 수 있어 정확한 판독을 할 수 있는 장점이 있었다. 스테인리스 스틸은 소, 중, 대 크기의 기성품으로 나뉘어져 있고, 매우 견고하게 고정되기 때문에 악간고정이 필요하지 않은 장점이 있었다. 이러한 트레이들은 적절한 강도를 지니면서 입자형 해면골을 수용할 수 있고, 많은 구멍을 지니고 있어서 이식재 안으로 혈관증식이 가능하여 Phase I 골형성이 가능하다. 이식재가 성공적으로 잘 생착될 수 있으며, 그 모양은 이식재를 둘러싸고 있던 트레이의 모양과 비슷해진다. 트레이에 채워 넣어야 하는 입자형 해면골의 양은 하악골의 경우 10 cc/cm^2 이상의 밀도를 가져야 하며 최대의 골형성 세포의 수를 확보해야 성공적인 재건효과를 얻을 수 있다. 격자형 트레이의 가장 큰 문제점은 얇고 반흔이 형성되어 있거나 방사선 조사를 받은 연조직에서는 점막이나 피부에 열개가 흔히 발생할 수 있으며, 열개가 발생하면 대부분 트레이를 제거해야 한다는 것이다. 이때 이식된 골도 부분 혹은 전부 소실될 수 있다. 따라서 충분한 연조직 피개를 위해서는 주변 인접골 주위로 연조직을 연장하여 충분히 노출시키고, 트레이를 확실하게 고정함으로써 안정성을 도모해야 한다. 금속판 고정은 한 쪽에 최소 3개 이상의 나사로 고정해야 악간고정 없이 트레이를 안정시킬 수 있으며, 하악과두까지 제거된 경우와 같이 골편의 말단부가 결손된 경우에는 5개의 나사를 이용하여 고정함으로써 안정된 상태를 유지하기도 한다. 이처럼 격자형 트레이는 연속성을 상실한 하악골의 재건이나 심하게

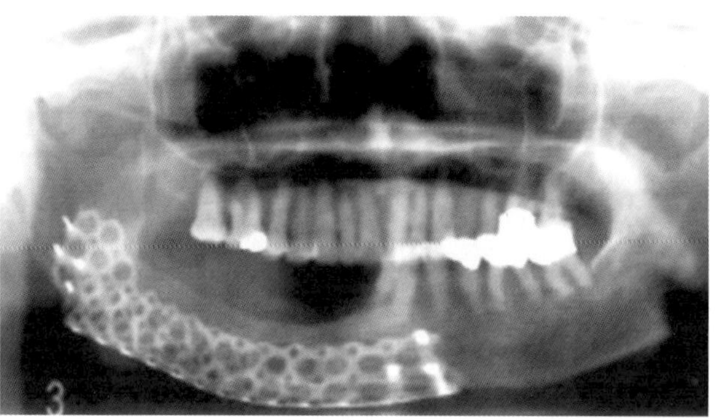

그림 29-25 티타늄 격자형 트레이에 채취한 장골을 넣어서 우측 하악골체부 결손을 수복한 모습

위축된 상악치조골의 재건, 골절 또는 골절단부의 견고고정 및 골결손부의 재건 등에 사용된다(그림 29-25).

3) 동종골 크립(Allogenic crib)을 이용한 고정 및 재건

공여자 사체의 늑골, 장골 혹은 전체 하악골을 냉동건조 처리하여 제조한 동종골 크립은 면역반응이 적으며 생체적합성이 좋고 악안면부 재건술에 유용하게 이용될 수 있다고 보고된 바 있다. 동종골 크립은 살아있는 골세포가 없고 생활력이 없는 무기질로 구성되어 있지만 합성임플란트트레이에 비해 생체적합성이 좀더 우수한 것으로 알려져 있다. 수술 도중에 좀더 쉽게 수용부 골단부에 적합되도록 형태를 부여할 수 있으며, 동종 늑골의 경우 장축 방향으로 분리해서 협설측 또는 위아래 2개의 피질골편으로 경계를 형성하여, 그 사이에 입자형 해면골을 채워서 금속판 등으로 고정하는 방법이 소개된 바 있다. 트레이에 채워 넣은 입자형 해면골이식재로 혈액공급이 잘 이루어지도록 하기 위해 동종골 크립에 다수의 구멍을 형성해야 한다.

4) 입자형 해면골을 이용한 재건

악안면골결손의 재건술을 시행할 때 자가입자형해면골을 사용하여 창상열개, 감염, 비유합 및 골흡수 등의 여러 합병증을 많이 극복하여 왔으며, 입자형 해면골이식재에 대한 골치유개념들이 정립됨에 따라 하악골의 성공적인 재건이 가능하게 되었다. 유리블록골이식(free block bone graft)은 이식된 대부분의 골세포가 생존하지 못하고 느린 흡수과정을 거치면서 거의 신생골 생성을 하지 못한다. 블록골의 이식은 초기에는 만족할 만한 결과를 보이나, 시간이 지남에 따라 결국 흡수되면서 비유합이나 병적 골절이 발생한 합병증들도 보고되어 왔다. 1992년 Soderholm 등[25]은 자가블록골을 견고하게 고정하여 하악골재건술을 시행

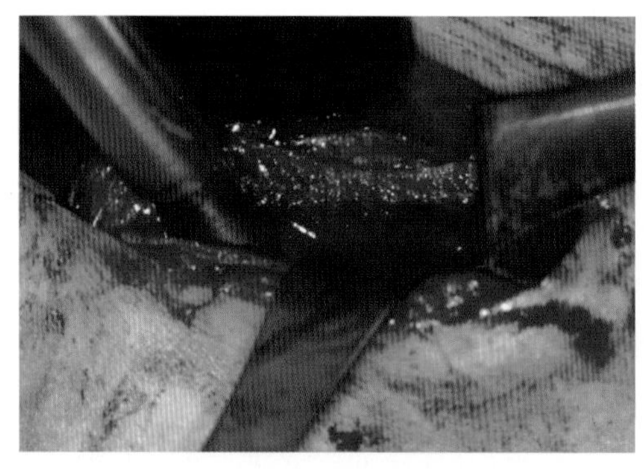
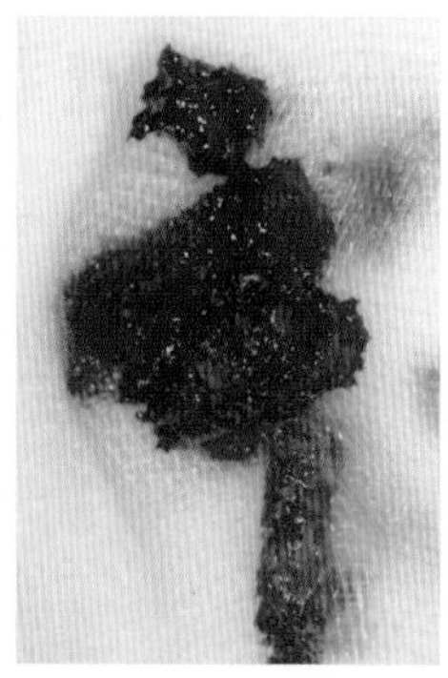
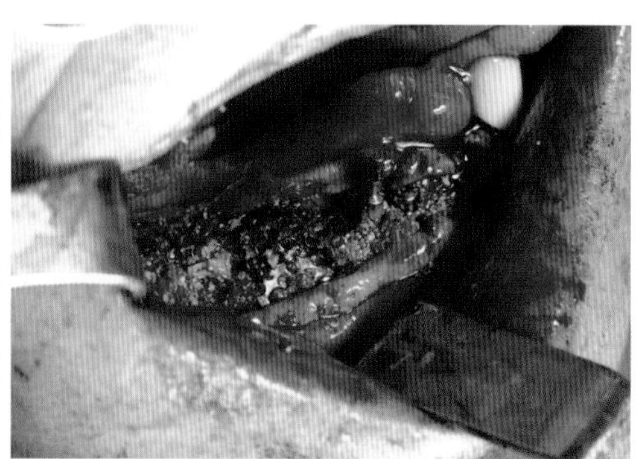

그림 29-26 장골에서 해면골수골을 채취하여 입자형으로 다듬어서 하악 치조골 수직증대술을 시행하고 티타늄 메쉬로 고정한 모습

한 증례들을 대상으로 장기간 추적관찰한 연구를 시행하였는데, 조사대상의 30%에서 과도한 흡수, 15~30%에서 중등도의 흡수, 15% 미만에서 소량의 흡수가 발생하였다고 보고하였다. Miyamoto 등[26]은 종양적출술 후 발생한 하악골 결손부를 입자형해면골을 티타늄메쉬(titanium mesh)에 담아서 재건한 증례들을 추적 관찰한 결과 안면형태를 성공적으로 회복시키면서 좋은 결과를 얻었다고 보고하였다. 유리골이식(free bone graft)의 성공적인 생착을 위해서는 인접 주위 연조직의 양호한 혈행 공급 및 이식재의 움직임이 없는 안정성, 골이식재의 표면과 인접 연조직 간의 긴밀한 접촉 등의 조건들이 필수적으로 요구된다. 하악골 재건을 위한 유리골이식은 고정이 불안정할 경우 신생혈관을 통한 골전도성 치유가 잘 이루어지지 않기 때문에 실패할 가능성이 매우 높다. 골접촉 부위에서 골이식재가 자가골로 전환되는 시간은 약 8~12주 소요되고 이식된 골의 약 25% 정도가 흡수되는 것을 고려하여 충분한 양의 골이식을 시행하도록 하며, 해면골이 피질골에 비하여 더 높은 골형성 능력을 보이는 점을 기억해야 한다(그림 29-26).

7. 늑골(Rib bone)을 이용한 하악과두 재건술 (Mandibular condyle reconstruction)(그림 29-27)

턱관절의 재건은 구강악안면외과 영역에서 가장 힘든 치료법 중의 하나이다. 치료 목표는 정상 관절의 복잡한 구조의 회복과 함께, 안면 대칭성, 교합 및 저작기능의 회복을 포함한다. 턱관절성형술의 가장 일반적인 적응증은 다양한 형태의 강직증(ankylosis)이며, 이것은 개구제한과 저작기능 장애를 야기한다. 외상, 류마티스질환, 중이염이나 골수염이 턱관절강직증의 원인들로 관여할 수 있다. 또한 다양한 형태의 악골형성장애나 악골기형 및 하악과두의 종양도 턱관절성형술의 적응증이 된다. 과두절제가 요구되는 구강암 수술의 경우 하악골과 턱관절재건의 복합수술이 필요할 수 있다.

턱관절의 운동제한을 치료하기 위해 여러 방법들이 소개되어 왔다. 가장 흔히 사용되는 방법은 개재 관절성형술(interpositional arthroplasty)이다. 이것은 100년 이상 동안 유착증 치료의 주된 방법이었다. 그러나 개재 관절성형술과 관계된 문제점들이 많이 보고되었는데 인공성형물질이 사용될 때 이식체의 고정과 관련된 문제와 이물 반응들이 발표되었다. 여러 자가조직이 하악과두의 대체 이식재로 사용되어 왔으며 장골, 비골, 중족골, 발허리발가락 관절, 쇄골 및 흉쇄관절 등이 턱관절의 상실된 기능을 회복하는데 성공적이라고 보고된 바 있다.[27]

늑연골이식(costochondral graft)을 이용한 턱관절재건술은 턱관절의 선천성 형성장애, 강직증, 진행성 골관절염, 종양 및 외상 등으로 인해 발생한 턱관절 결손 및 기능 이상을 치료하기 위해 사용되어 왔다. 늑연골이식의 장점들은 하악과두와 생물학적 및 해부학적 유사성을 가지며, 재생 및 성장 잠재력을 가지고 있다는 점이다. 여러 실험적 연구들에서 늑골의 연골부분이 하악과두의 연골부와 유

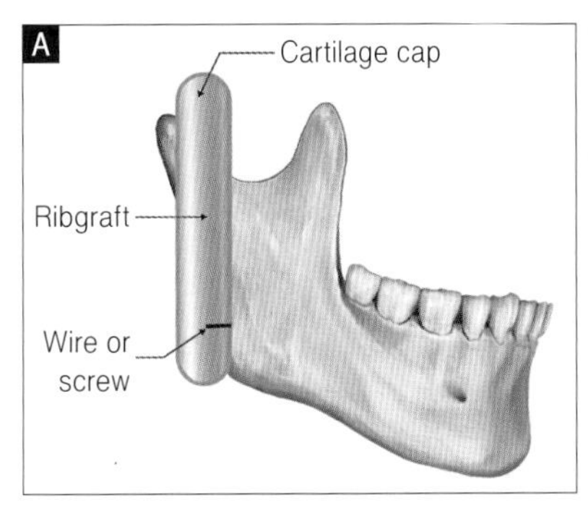

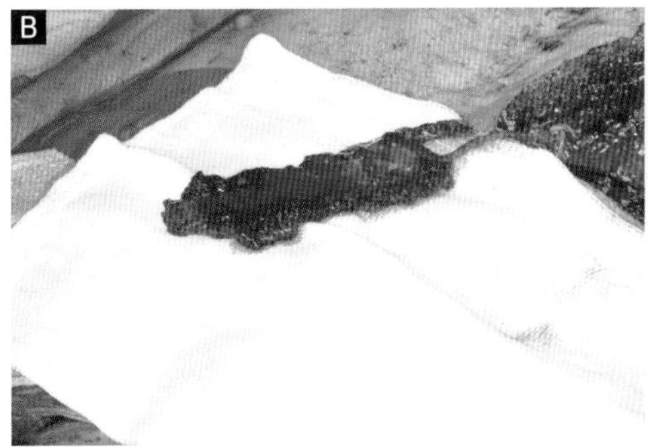

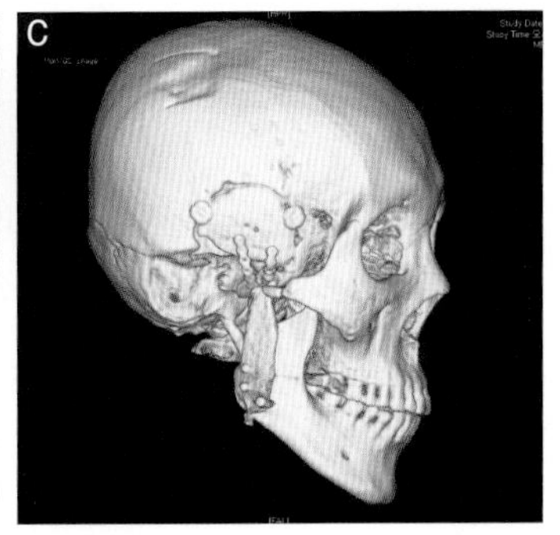

그림 29-27 A: 늑골을 이용한 하악과두부 재건술의 모식도 B: 채취된 늑골 C: 술후 3D CT 사진

사한 특징들을 가지는 것이 증명되었다. 단점은 골편 채취 후 기흉이나 혈흉이 발생할 위험성이 있으며, 술후 통증이 심하고 성장을 예측할 수 없다는 점이다.[27] 경우에 따라서는 과대 성장이 나타나기도 하는데 대부분 성장 중인 환자들에서 보고되었으며 임신한 환자에서 성장이 관찰된 사례도 보고된 바 있었다. 이식체가 기능적기질론(functional matrix theory)으로 설명되지 않는 호르몬의 영향을 받는 내인성 성장력을 가진 것으로 생각되며, 이와 관련하여 Ellis와 Carlson 등이 늑골 접합부의 연골은 내인성 유전 요소에 의해 조절되는 일차연골이라고 언급한 것과 Figueroa 등의 일차성 및 이차성 연골의 특성을 모두 가지고 있다는 의견 등이 제시되었다.[7-30]

1) 성장기 환자에서의 수술시기

성장기 청소년에서 늑연골이식은 학자들마다 많은 논란이 있다. Moss의 기능적기질(functional matrix) 이론에 의하면 가능한 한 빨리 수술을 해주는 것이 좋다고 하였는데, 조기수술이 골성장을 자극하고 영구치열이 손상받는 것을 방지해 줄 수 있기 때문이다. 과두는 성장의 중심(growth center)이 아니라 성장 부위(growth site)이고, 이식골편이 정상적인 성장을 하여 안면비대칭을 방지해 줄 수 있을 것으로 기대되었다.[30] 반면에 늑연골이식을 교정치료를 수용할 수 있는 7~10세 이후로 연기해야 한다는 의견이 있었다. 하악과두를 중요한 성장의 중심으로 보는 경우에는, 외과적 처치는 성장이 모두 끝난 후로 연기될 수 있으며, 연속적인 측모두부방사선계측사진으로 성장이 완전히 멈춘 것이 확인된 후 수술시기를 결정하는 것이 도움이 될 수 있다.[28,31]

2) 하악과두 재건술의 목표

수술 목표는 적절한 개구량과 하악골의 전방 및 측방운동의 회복, 수직고경의 회복과 유지, 교합의 회복과 수술 후 개방교합의 예방, 안면비대칭의 회복, 턱관절강직증 재발을 방지하는 것이다. 강직증의 재발을 방지하기 위해서는 과두절제 시 약 1 cm 이상의 공간을 형성해 주어야 하는데, 이러한 간극관절성형술(gap arthroplasty) 후 하악골의 역학적인 변화가 일어나며, 하악은 3급 지렛대에서 1급 지렛대로 변화하여 결국 지렛대가 구치부로 이동하고 구치부가 없는 경우에는 하악의 후상방이동이 일어나게 되면서 개방교합과 같은 부정교합이 발생하게 된다. 따라서 하악과두의 재건은 하악을 3급 지렛대로 만들어 주어야 하며, 이때 다른 자가골보다 늑연골이 선호되는데 이것은 공여부의 위험성이 적고 이식체의 관절 부위 적합이 용이하기 때문이다.[28,32]

3) 수술방법[33,34]

(1) 수용부 노출 및 오훼돌기 절제술

전이개 절개 및 악하 절개법을 통해 하악과두와 우각부를 노출시키고 관절부위에 접근한다. 병적 부분을 제거하고 오훼돌기(coronoid process)가 개구를 방해하는 경우에는 절단한다. 오훼돌기 절제술은 일반적으로 턱관절강직증 수술을 시행할 때 함께 수행되는 경우가 많은데 오훼돌기의 과증식으로 인해 관골과 접촉되면서 개구가 제한되는 경우가 많고 이차적으로 발생하는 측두근의 수축과 섬유화가 하악골의 움직임 제한에 관여하기 때문이다.

(2) 늑연골 채취

제4, 5, 6번 늑골 중에서 하악골의 외형과 유사한 늑골이 선택되는데, 상부의 늑골은 넓은 면을 가지고 있으며 하부의 늑골은 곡선이 필요할 때 선택된다. 4번 늑골이 가장 선호되는데 그 이유는 4번 늑골은 흉골 몸체부 속으로 삽입되고 상부 또는 하부 늑골과 어떠한 형식으로도 결합되는 경우가 없기 때문이다. 5번 늑골은 흉골 몸체부에 삽입되기 전에 연골성 기질에 의해 6번 늑골과 결합하는 경우가 종종 있으며 늑골의 채취를 매우 어렵게 만든다. 그럼에도 불구하고 5번 늑골은 성장하는 여성 환자에서 4번 늑골보다 우선적으로 선택되는 경우가 있는데, 그 이유는 4번 늑골을 채취함으로써 발생되는 흉터가 유방의 발달을 방해할 수도 있기 때문이다. 늑골을 채취하기 위한 최초의 피부 절개선은 대흉근 바로 아래 위치한다. 유두선 아래에서 원하는 늑골을 촉진한 후 마킹펜으로 절개선을 표시한다. 4번 또는 5번 늑골의 흉늑절흔(sternocostal notch)에서 외측으로 2~3 cm 지점에서 시작하여 흉곽의 굴곡 주위를 따라 외측으로 연장한다. 최초의 피부 절개는 10번 칼을 사용하여 피하조직 깊이까지 시행한 후 하방의 연조직을 층별로 박리하면서 늑연골에 접근한다. 공여부 늑골의 해부학적인 경계가 골막과 연골막 아래에서 명확하게 관찰되면, 22게이지 주사침으로 늑연골 결합부의 위치를 탐침하여 확인한다. 늑연골 결합부가 확인된 후 마킹펜으로 표시하고 외측으로부터 늑연골 결합부의 1 cm 외측점까지 골막을 절개한다. 이후 조심스럽게 늑연골 결합부의 내측으로 연골막을 1 cm 정도 절개하여 채취할 부위를 노출시킨다. 늑연골의 길이는 0.5~1 cm 정도로 채취하는 것이 좋으며, 연골을 너무 길게 채취하면 늑연골 결합부 골절의 위험성이 증가한다. 골막기자 혹은 늑골 박리용 기구를 사용하여 골막과 늑연골막을 박리한 후 늑골절단기 또는 외과용 버와 외과용 칼을 사용하여 늑연골을 절단한다. 채취한 늑연골이식체를 즉시 생리식염수에 보관한 후 채취 부위를 세척하면서 흉강의 천공 유무를 확인한다. 천공되었을 경우에는 기포가 발생하는 것이 관찰될 것이다. 천공이 없다면 수술부위를 골막, 근육, 피하조직과 피부 순으로 층별 봉합을 시행한다.

(3) 채취한 이식체의 형태 조절

10번 칼로 늑연골 부분을 조각하여 하악과두와 유사한 형태로 다듬는다. 약 3~5 mm 정도의 연골이 남게 된다. 형태 조절이 완료된 후 이식체를 생리식염수에 담가 둔다.

(4) 관절성형술 및 늑연골이식

관절와(glenoid fossa)와 늑연골 사이에 완충 목적으로 연골이나 측두근피판과 같은 자가조직을 이식할 수도 있다. 악간고정을 시행한 후 늑골이 잘 접촉될 수 있도록 하악지(mandibular ramus)의 형태를 다듬는다. 역 L자형 골절단술(inverted L osteotomy)을 시행하거나 하악지의 외측 피질골을 제거한 후 늑연골이 관절와에 정확히 위치되도록 적합시킨 상태에서 강선이나 금속판 또는 나사를 이용하여 이식체를 고정한다.[35]

4) 합병증

조심스럽게 골편을 채취한다면 기흉이나 혈흉과 같은 합병증 발생률은 매우 낮고 적절한 술 후 관리를 통해 흉곽감염을 예방할 수 있다. 늑연골이식체의 고정이 불량하여 수용부와 적합이 안되거나 감염이 발생할 수 있고 성장기 환자들의 일부에서 늑연골이식 후 하악의 과성장이 발생할 수 있다는 보고가 있었다.[36, 37]

PART 5

참고문헌

1. 김영균, 윤필영. 치과에서 사용되는 다양한 생체재료, 골이식재료, VOL. 1. 서울: 나래출판사; 2017.
2. Bonucci E. New knowledge on the origin, function and fate of osteoclasts. Clin Orthop Relat Res 1981:252-69.
3. Boyne PJ. Autogenous cancellous bone and marrow transplants. Clin Orthop Relat Res 1970;73:199-209.
4. Coelho PG, Fernandes PR, Rodrigues HC, Cardoso JB, Guedes JM. Numerical modeling of bone tissue adaptation--a hierarchical approach for bone apparent density and trabecular structure. J Biomech 2009;42:830-7.
5. Roberts WE, Turley PK, Brezniak N, Fielder PJ. Implants: Bone physiology and metabolism. J Calif Dental Assoc 1987;15:54-61.
6. Marx RE, Wong ME. A technique for the compression and carriage of autogenous bone during bone grafting procedures. J Oral Maxillofac Surg 1987;45:988-9.
7. Urist MR, Strates BS. Bone morphogenetic protein. J Dent Res 1971;50:1392-406.
8. Misch CE, Dietsh F. Bone-grafting materials in implant dentistry. Implant Dent 1993;2:158-67.
9. Misch CM. Comparison of intraoral donor sites for onlay grafting prior to implant placement. Int J Oral Maxillofac Implants 1997;12:767-76.
10. Stevenson S. Biology of bone grafts. Orthop Clin North Am 1999;30:543-52.
11. Burchardt H. The biology of bone graft repair. Clin Orthop Relat Res 1983:28-42.
12. Kalfas IH. Principles of bone healing. Neurosurg Focus 2001;10:E1.
13. Witte KW, West DP. Immunology of adverse drug reactions. Pharmacotherapy 1982;2:54-65.
14. Gupta D, Tuli SM. Osteoinductivity of partially decalcified allo-

implants in healing of large osteoperiosteal defects. Acta Orthop Scand 1982;53:857-65.

15. Kim YK, Lee J, Um IW, et al. Tooth-derived bone graft material. J Korean Assoc Oral Maxillofac Surg 2013;39:103-11.
16. Al Ruhaimi KA. Bone graft substitutes: a comparative qualitative histologic review of current osteoconductive grafting materials. Int J Oral Maxillofac Implants 2001;16:105-14.
17. Kim YK, Kim SG, Byeon JH, et al. Development of a novel bone grafting material using autogenous teeth. Oral Surg Oral Med Oral Pathol Oral Radiol Endod 2010;109:496-503.
18. Kim YK, Lee JH, Um IW, Cho WJ. Guided Bone Regeneration Using Demineralized Dentin Matrix: Long-Term Follow-Up. J Oral Maxillofac Surg 2016;74:515.e1-9.
19. Kim SY, Kim YK, Park YH, et al. Evaluation of the Healing Potential of Demineralized Dentin Matrix Fixed with Recombinant Human Bone Morphogenetic Protein-2 in Bone Grafts. Materials (Basel) 2017;10.
20. Mueller M, Schilling T, Minne HW, Ziegler R. A systemic acceleratory phenomenon (SAP) accompanies the regional acceleratory phenomenon (RAP) during healing of a bone defect in the rat. J Bone Miner Res 1991;6:401-10.
21. Alfaro FH. Bone Grafting in Oral Implantology: Techniques and Clinical Applications. Spain: Quintessence Publishing Company; 2006.
22. 대한구강악안면외과학회. 구강악안면외과학교과서. 3판 ed. 서울: 의치학사; 2013.
23. Boyne PJ. Transplantation, implantation, and grafts. Dent Clin North Am 1971;15:433-53.
24. Boyne PJ. Methods of osseous reconstruction of the mandible following surgical resection. J Biomed Mater Res 1973;7:195-204.
25. Söderholm AL, Hallikainen D, Lindqvist C. Radiologic follow-up of bone transplants to bridge mandibular continuity defects. Oral Surg Oral Med Oral Pathol 1992;73:253-61.
26. Miyamoto I, Yamashita Y, Yamamoto N, et al. Evaluation of mandibular reconstruction with particulate cancellous bone marrow and titanium mesh after mandibular resection due to tumor surgery. Implant Dent 2014;23:108-15.
27. Greenberg AM, Prein J. Craniomaxillofacial Reconstructive and Corrective Bone Surgery: Principles of Internal Fixation Using AO/ASIF Technique. New York: Springer-Verlag Inc.; 2002.
28. Lindqvist C, Jokinen J, Paukku P, Tasanen A. Adaptation of autogenous costochondral grafts used for temporomandibular joint reconstruction: a long-term clinical and radiologic follow-up. J Oral Maxillofac Surg 1988;46:465-70.
29. Ellis E, 3rd, Carlson DS. Histologic comparison of the costochondral, sternoclavicular, and temporomandibular joints during growth in Macaca mulatta. J Oral Maxillofac Surg 1986;44:312-21.
30. Bailey BJ, Holt GR. Surgery of the mandible. New York: Thieme Medical Publishers Inc.; 1987.
31. Moss ML. The functional matrix hypothesis revisited. 1. The role of mechanotransduction. Am J Orthod Dentofacial Orthop 1997;112:8-11.
32. Steinhauser EW. The treatment of ankylosis in children. Int J Oral Surg 1973;2:129-36.
33. Politis C, Vroninks P, Fossion E. Arthroplasty for temporomandibular joint ankylosis secondary to ankylosing spondylitis. Clin Rheumatol 1987;6:264-9.
34. Epker BN, Stella JP, Fish LC. Dentofacial Deformities: Integrated Orthodontic and Surgical Correction. 2nd ed. Philadelphia: Mosby; 1998.
35. Bell WH. Modern Practice in Orthognathic and Reconstructive Surgery. Philadelphia: WB Saunders Co.; 1992.
36. Yang S, Fan H, Du W, Li J, Hu J, Luo E. Overgrowth of costochondral grafts in craniomaxillofacial reconstruction: Rare complication and literature review. J Craniomaxillofac Surg 2015;43:803-12.
37. Lonergan AR, Scott AR. Autologous costochondral graft harvest in children. Int J Pediatr Otorhinolaryngol 2020;135:110111.

Chapter 30

복합조직 결손, 총상 및 화상의 치료

Management of Composite Tissue Defect, Gunshot and Burn

기본 학습 목표

- 복합조직 재건의 목표와 고려사항을 설명할 수 있다.

심화 학습 목표

- 악안면 결손에 따른 복합조직 재건방법을 설명할 수 있다.
- 총상의 특성과 그에 대한 처치, 그리고 총상으로 인한 결손의 재건 방법을 설명할 수 있다.
- 악안면 부위별 화상의 특성과 그에 대한 처치법을 설명할 수 있다.

구강 및 악안면 영역을 재건하기 위해서는 재건해야 할 조직부에 따라 악안면 연조직, 경조직, 및 복합조직으로 나눌 수 있으며 이들 각각의 해부학적 구조물과 기능, 그리고 심미적인 결과를 고려하여 재건하는 것이 바람직하다. 본 30장에서는 복합조직재건술에 대해 알아보고자 한다. 악안면 복합조직재건술에서는 복합조직재건의 목표와 고려사항을 살펴본 후 구강암 수술 후 악안면재건술, 총상 및 외상 결손부의 악안면재건술 및 화상 후 악안면재건술 등과 같이 복합조직 결손의 원인에 따라 세분하여 악안면 재건의 임상적인 적용을 살펴본다.

구강암의 외과적 절제 및 여러 손상과 연관된 후유증은 해부학적인 결손에서 비롯되며, 두경부 수술 후 구강 및 인두부의 재건은 먹고, 숨쉬고, 말하는 등의 필수기능을 적절하고 이상적으로 재건하여야 한다. 이를 위해서는 종물 제거 후 또는 총상 및 화상에 의한 손상 정도를 정확히 파악하여 기능과 형태를 재건하는 적절한 치료계획을 세우는 것이 중요하다.

1. 복합조직재건의 목표와 고려사항

1) 재건의 목표와 원칙

구강과 구인두는 상호 협조하에 작용하는 많은 근육으로 둘러싸여 있으며, 일반적으로 섬세한 구강내외의 역동적인 운동을 완전하게 수복하는 것은 아직까지는 불가능하며, 단지 수복은 결손부를 정적인 조직으로 바꾸어 주는 것이라 할 수 있다. 구강 및 구인두 수복의 기능적 목표로는 구강-식도의 연속성을 유지하고, 음식물 저작 및 연하를 가능하게 하며, 폐로 이물이 흡인되지 않도록 하고, 언어능력을 보상하고, 인접부의 주요 기관을 보호하며, 수술부 창상의 일차 치유를 얻는 것이다. 구강의 폐쇄는 입술의 작용으로 얻어지며 상하순에서 신경지배 근육조직과 충분한 연조직이 있어야 가능하고, 또한, 연하 작용은 음식물이 입에서 위로 움직일 수 있는 구조적으로 완전한 상부 소화기관이 있어야 한다. 구강저나 혀를 절제해 내면 혀가 음식물을 설하인두로 밀어내는 작용에 손상이 오게 되고, 흡인현상과 이에 따른 폐렴은 구강암 절제 후의 흔한 후유증인데, 혀 기저부의 근육 운동능력 상실과 후두개 운동 제한으로 인한 전상방 후두의 부유 상태 상실과 후방 설하인두의 감각상실 등으로 초래된다. 발음 작용은 후두에서 소리를 만들고 연구개, 혀, 입술이 연속적인 소리 및 단어를 만들어 냄으로써 이루어지는데, 이러한 조음기관은 매우 역동적이어서 다른 조직으로 대체하기가 어렵다. 따라서, 조음기관을 절제해 낸 후에는 남아 있는 역동적 구조물에 장애를 주지 않는 것이 중요하며, 특히 술후 방사선 치료를 할 경우 경동맥이나 하악골 등 주요기관을 잘 보호해 주어야 한다. 또한, 감염이나 절개부 이개 등이 없이 조기에 창상이 일차 치유되는 것이 중요한데, 이러한 것이 잘 되지 않을 경우에는 타액 누공이나 경동맥 마모 그리고 술후 방사선 조사나 항암요법의 지연 등이 초래될 수 있다.

구강 및 구인두부 재건의 일차적 목적은 가능한 한 동일한 성질과 형태의 조직으로 결손부를 회복시켜주는 것이다. 연조직재건과 경조직재건은 앞서 기술되어 있으나, 대부분의 조직들은 연, 경조직이 복합적으로 이루어져 있는 복합조직이므로 복합조직의 재건을 항상 고려하는 것이 필요하다. 연조직은 같은 종류의 조직과 성질을 가진 공여부가 없기 때문에 재건은 같은 양의 조직으로 교정하는 데 초점을 맞추어야 하며, 구강외의 결손 부위에는 얼굴의 외형에 맞추고, 구강내에서도 구강내의 다른 해부학적인 구조 와 비슷한 관계를 유지하도록 재건하여야 한다. 구강의 형태도 중요하며 너무 큰 부피의 피판은 구강의 해부학적 구조를 변형시키며, 구강 기능에 많은 장애를 가져올 수 있음을 고려해야 한다.[1,2]

재건의 이차적인 목적은 충분한 혈행을 가진 조직으로 대체하여 상처 부위가 일차적으로 치유되도록 하는 것이다. 연조직과 경조직의 일차적인 치유는 반흔 형성을 적게 하며 누공, 패혈증 그리고 상처의 손상을 예방하기 위하여 필수적이다. 합병증이 없는 일차적인 상처치유는 수술 후에 다른 치료를 가능하게 한다. 두 가지 이상의 치료방법이 계획되어 있으면 혈행이 좋은 조직으로 즉시 재건하는 방법을 선택하도록 하는데, 이러한 원칙은 복합조직재건에서 같이 고려되어야 한다. 혈행함유 골조직은 술후 방사선 치료와 항암치료를 받을 계획인 환자에게는 통상적인 비혈류화 골이식보다 보다 양호한 결과를가져올 수 있다. 경우에 따라서는 대흉근피판과 같이 독립적이고 연속적인 혈류공급이되는 유경피판(pedicled flap)이 혈관문합 후 혈행이 재개되는 유리피판보다 선호될 수도 있음을 고려해야 한다.

2) 재건 시 고려사항

혀의 일부분 또는 주위 점막조직을 같이 제거하더라도 재건시에 혀 운동의 제한을 주지 않도록 고려해야 하며, 완전설절제(total glossectomy) 시 혀 전체의 부피를 수복하는 재건술을 시행해야 한다. 만약 전체를 회복하지 못하면 구강저에서 후두로 직접 통로가 생기게 되어 연하에 어려움이 생기고 폐로 음식물이 흡인되게 된다. 하악골의 전방궁은 하순을 지지하고 입술을 이용한 구강밀폐를 도와주며, 설측에는 이설근(genioglossus m.), 이설골근(geniohyoid m.) 및 악설골근(mylohyoid m.)이 부착하여 발음 및 연하에 중요한 역할을 한다. 이 부위를 절제는 Andy Gump 기형과 같은 심한 안모 변형뿐 아니라 연하기능의 부조화를 야기할 수 있어 재건이 필요한데, 재건금속판만을 이용한 재건으로는 안모와 기능의 회복이 어려우며, 비틀림(torsional stress)으로 인한 재건판의 파절과 재건판의 노출이 발생할 수 있다.[3] 따라서 추후 임플란트를 이용한 저작기능의 회복까지 도모 가능한 유리혈관화 골이식이 선호되나, 불가능하여 금속재건판 만으로 재건해야 하는 경우에는 충분한 양의 연조직으로 사강(dead space)의 발생을 방지할 필요가 있고, 설골상부근육의 절제로 설골이 변위된 경우에는 설골의 현수(hyoid suspension)가 필요할 수 있다.

하악골 상행지와 후수평지를 절제하는 경우의 반드시 골조직을 이용하여 재건해야 할 필요는없지만, 재건을 하지 않을 경우에는 하악골의 변위, 기능 장애와 개구장애가 유발된다.[4-6]

재건 시기와 관련하여서는 크게 즉시 재건과 이차적인 지연 재건으로 나눌 수 있으며, 절제와 재건을 분리하여 시행하는 것보다 동시에 시행하면 수술에 따른 이환율도 낮아져서 즉시 재건이 추천될 수 있다. 기술적인 면에서도 재건은 결손부를 만들 때 시행하는 것이 결손부의 정확한 크기와 부피를 측정할 수 있기 때문에 유리하며, 특히 골조직은 절제된 조직을 사용하여 비교적 정확하게 재건을 할 수 있다. 지연 재건 시에는 조직의 수축과 반흔으로 정상적인 기능-해부학적 구조로 만드는 것이 쉽지 않은데, 즉시 재건은 한 번의 수술과정을 거치며 조기에 술후 재활을 시작할 수 있다는 이점이 있다. 또한 최근의 재건 방법은 추가적인 치료에 장해가 되지 않으며 특히 단거리방사선치료(brachytherapy)를 가능하도록 고려하여야 한다.[7,8] 그 밖에 비용 등을 고려하여야 하며 다른 추가적인 고려사항으로는 ① 완전재건을 필요로 하는 시기와 비용, ② 치료를 위한 환자의 예후, ③ 결손부의 크기와 위치 및 ④ 공여부의 희생량 등을 들 수 있다. 재건 후 최종적인 점검 포인트로는 ① 제시한 기술과 연관된 입원기간, ② 술식의 비용 - 총 병원비, 외과의에 대한 수당 및 타과의에 대한 수당, 총 외래진료비, 환자의 직업 중단으로 인한 시간 손실 등을 포함한 비용, ③ 수술 횟수 - 모든 단계의 술식, 재수술 및 필요한 외과적 재형성 등을 포함한 횟수, ④ 환자의 불만, 만족도, 동의 정도, ⑤ 저작능력과 제한 정도, ⑥ 의치 장착 가능성, ⑦ 연하(식품의 종류, 구강내 통과 시간), ⑧ 조음기능, ⑨ 술전 방사선치료와 술식의 적합성, ⑩ 술후 방사선치료와 술식의 적합성, ⑪ 외형 및 ⑫공여부 희생률(동통, 외관, 기능저하 포함) 등을 들수있다.

재건시 어떠한 술식을 선택하기 전에 가능한 모든 방법을 계통적 순서에 따라 간단한 것부터 복잡한 것까지 전부 고려해야 한다. 범위가 작고 직접적인 방법이 가장 좋은 술식 이므로 작은 구강내 병소나 구인두부 암종을 절제한 후 생기는 결손부는 큰 어려움 없이 직접 봉합을 할 수 있으나, 결손부가 큰 경우에는 발음과 연하의 어려움을 최소화 시키는 재건술이 필요하다. 가능하면 결손부의 재건은 일차 수술 시에 동시에 시행하지만 병소부의 완전 절제 여부가 의심되어 확진을 위한 파라핀 포매 절단이 필요한 경우나 보철물을 이용한 재건술을 계획하고 있는 경우에는 이차적 재건술을 시행한다. 재건 전후 점검 사항으로는 ① 일차병소를 적절하고 충분히 제거하였는가? ② 결손 재건에 환자에게 필요한 최상의 방법을 선택하였는가? ③ 상하악간 관계를 적절히 유지 재건하였는가? ④ 재건부는 안정되고 움직임은 없는가? ⑤ 재건은 영구적인가? ⑥ 재건술이 방사선치료와 병행 가능한가? ⑦ 재건부가 술후 기능시 그리고 외력에 버틸 정도로 충분히 강한가? ⑧ 심미적으로 만족스러운가? ⑨ 위치, 크기, 관련된 내과적 질환 등 환자의 특이점이 고려되었는가? ⑩ 비용, 시간, 병기, 술후 공여부 희생 정도 등의 요인은 적절히 고려되었는가? 등이며, 이러한 점에 대해 술자와 환자 모두의 입장에서 질문하여 명확히 함으로써 환자의 요구와 희망을 한층 더 높이 충족시킬 수 있다. 또한, 재건을 하는 것이 재건을 하지 않았을 때 보다 명확히 이점이 있다고 판단될 경우에 재건술을 시행해야 한다. 재건의 순서도(Ladder of Reconsrtuction)를 고려하여 구강이나 구인후 부위에 생긴 종물을 제거하여야 하며, 아래와 같다. ① 일차 또는 직접 봉합, ② 유리 이식(free graft): a. 피부(부분, 전층), b. 뼈, 연골, 근육, 신경, ③ 국소피판(local flap): a. 임의(random), b. 축상(axial), ④ 원위피판(distant flap): a. 축상(axial), b. 근피판(myocutaneous), c. 골근피판(osteomyocutaneous), ⑤ 미세혈관문합을 이용한 유리피판술(free flap with microvascular anastomosis): a. 근막피부(fascio-cutaneous), b. 골근막피부(osteo-fascio-cutaneous), c. 골근피부(osteo-myo-cutaneous), d. 근피부(myocutaneous), e. 내장(viscera)

2. 복합유리피판

1) 비골피판

비골피판은 커다란 하악골 결손의 미세재건에 가장 유용하고 신뢰할만한 옵션이다.[9-12] 이를 이용하면 최장 25 cm의 골조직과 10~20 cm 크기의 피부판을 채취하여 악안면복합조직의 결손을 재건하는 것이 가능하며[11,12] 골조직의 bicorticocancellous 구조는 골유착 임플란트에 커다란 장점을 지닌다.[12,13] 피부판도 비교적 임플란트의 유지에 양호한 조건이 되며,[14] 피부판을 복수로 형성하여 동시에 구강점막과 외측 피부의 결손을 재건할 수 있다. 피부판을

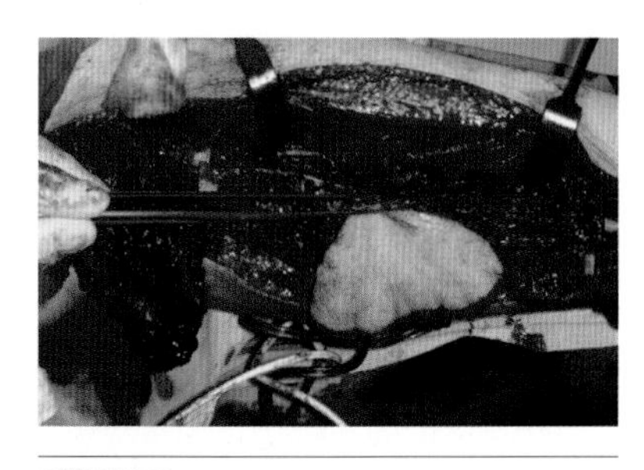

그림 30-1 비골 골-피부복합피판 거상

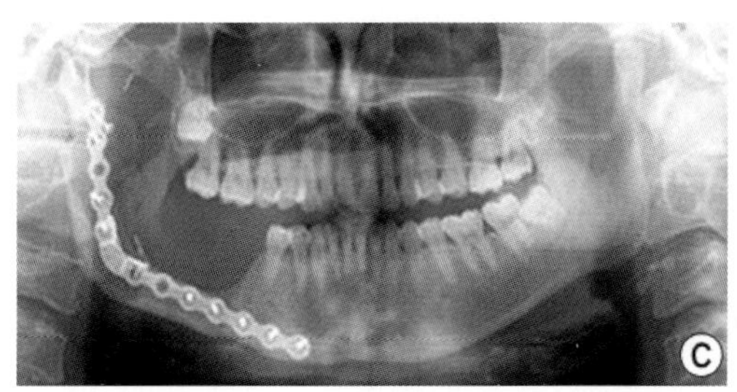

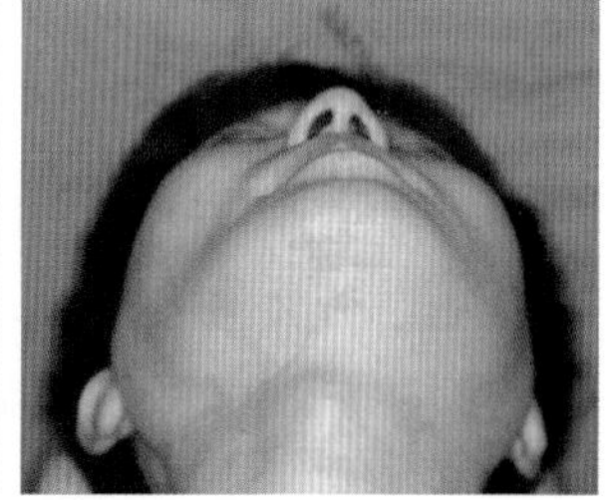

그림 30-2 비골 골-피부복합피판을 이용한 하악골과 피부 재건

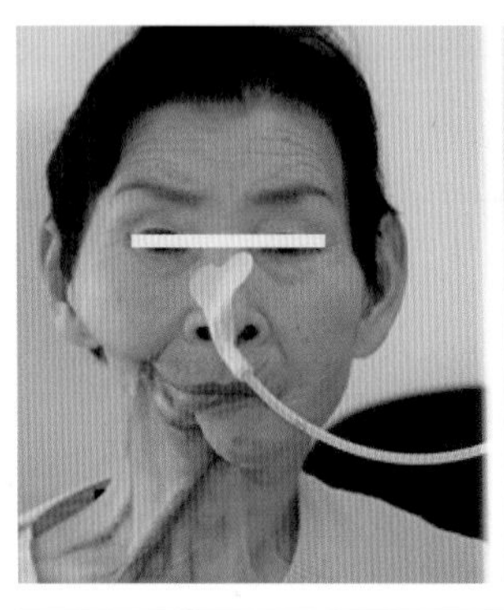
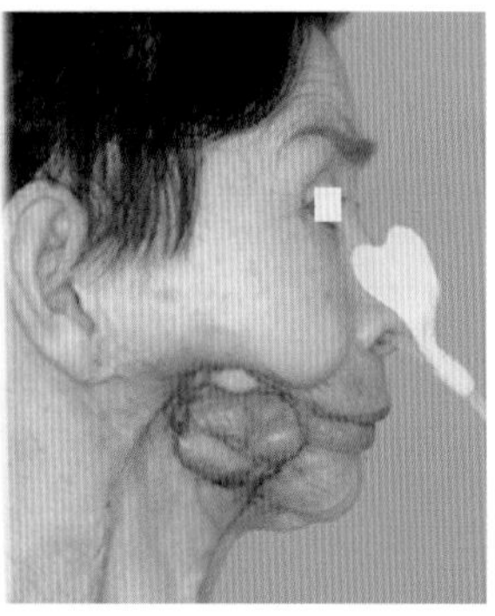

그림 30-3 ▸ 하악골과 구강점막 및 피부의 복합결손

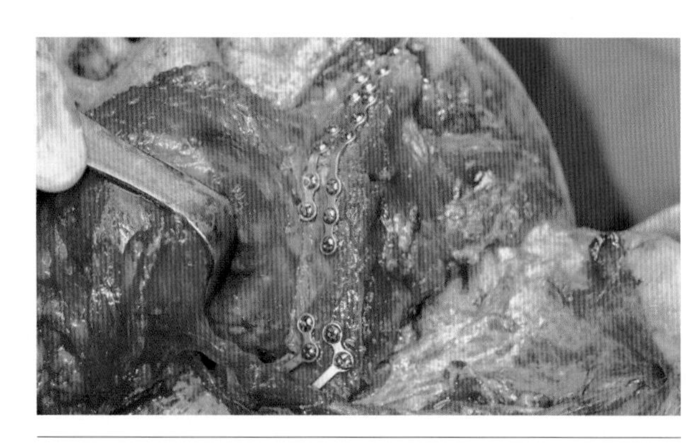

그림 30-4 ▸ 비골피판을 이용한 하악골 결손의 재건

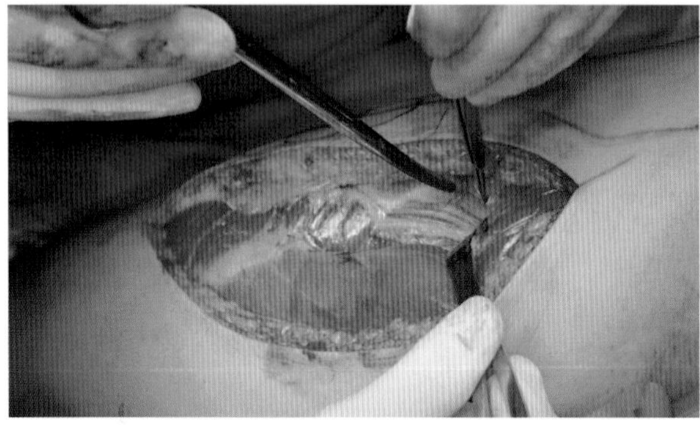
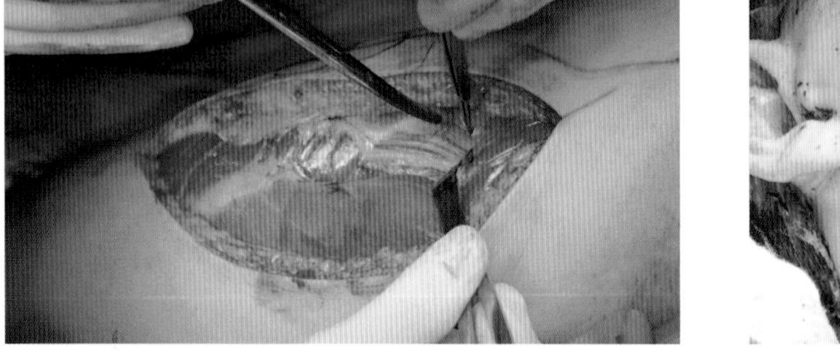
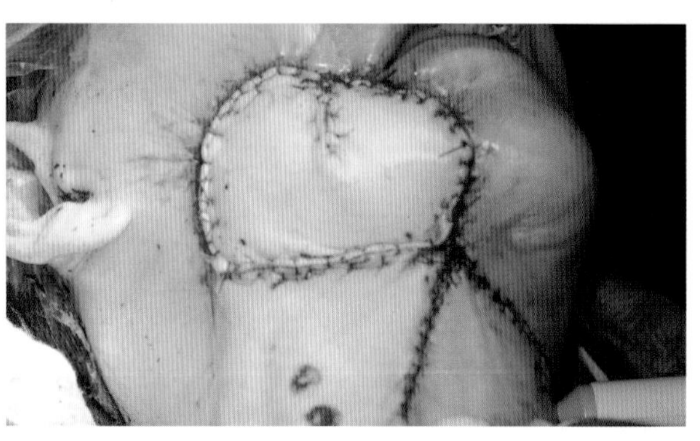

그림 30-5 ▸ Anterolateral thigh 피판을 이용한 구강점막 및 피부의 복합재건

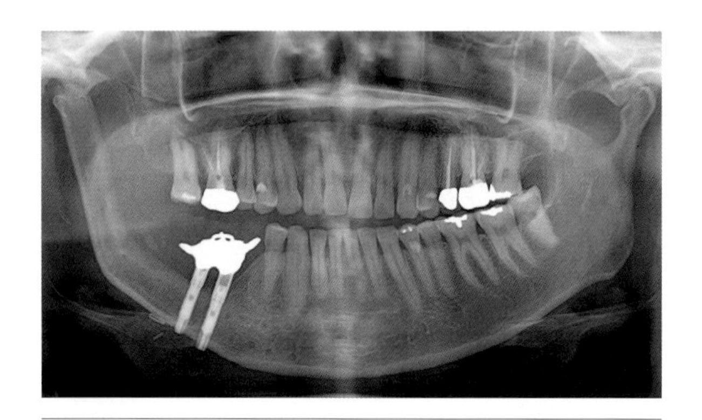

그림 30-6 ▸ 비골피판 재건 후 부적절한 Crown-implant 비율

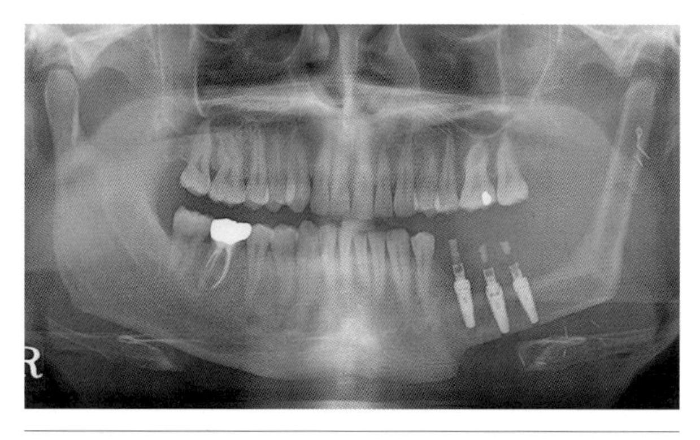

그림 30-7 ▸ 비골피판을 상방으로 위치하여 재건 후 개선된 Crown-implant 비율

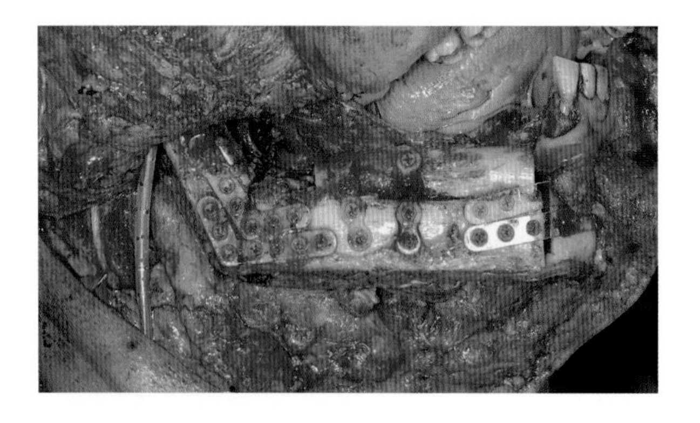

그림 30-8 ▸ Crown-implant 비율을 개선하여 임플란트 성공률을 높이기 위해 두 겹으로 재건

포함한 피판의 형성에는 septocutaneous and osteomusculocutaneous peroneal perforators를 반드시 포함하여 피판을 거상하여야 한다.[15] 피판의 공여부는 구강수술 부위와 멀리 떨어져 있어 공여부와 수여부에서 동시에 two team으로 수술하는 것이 가능하여 수술시간을 단축시킬 수 있다.[12]

비골피판의 단점은 골체의 두께가 비교적 얇아 하악골 재건에 수직고경이 부족하게 되는 것인데, 이로 인해 골유착 임플란트의 크라운-임플란트 비율이 적절치 못하여 장기적으로 임플란트 실패의 원인을 제공할 가능성이 있다는 것이다.[11] 그러나 이러한 수직고경의 부족은 하악골 재건 시 비골판을 약간 높은 위치에 고정하거나 임플란트가 식립될 하악골체부에는 비골을 두 겹으로 쌓아 주는 방법을 적용하여 손쉽게 해결할 수도 있다(그림 30-1~2, 5~8, 21).[16-19]

2) 장골피판

심장골회선동맥을 영양혈관으로 하는 장골피판은 하악골의 미세수술재건에 아주 유용한 방법이다.[19-24] 장골피판은 충분한 길이의 두껍고 강하며 골유착 임플란트를 지지하는데 충분한 높이의 골을 제공해 주며 주며 편측 하악골 재건에 완벽한 형태를 갖고 있다. 하지만 장골피판의 피부판은 매우 두껍고 이동이 제한적이며 심장골회선동맥의 분지가 짧고 혈행 공급이 안정적이지 못해 복합피판으로서의 유용성은 매우 제한적이다.[25] 게다가 공여부의 morbidity가 여타 피판에 비하여 높은 편이라 잘 이용되어지지 않는다. 이러한 단점을 극복하고 장골피판의 장점을 극대화하기 위한 방법으로 피부 및 피하 조직을 제외하고 장골능에 부착된 transverse abdominis muscle과 internal oblique abdominis muscle만을 이용한 복합피판을 형성하여 하악골과 구강점막의 복합조직 결손을 재건하는 방법이 제시되어 하악골의 구조적 재건에 가능한 옵션으로 자리 매김하고 있다(그림 30-9~18).[26]

3) 견갑피판

견갑피판은 악안면부의 재건 시 각광받는 피판의 하나로 복수의 골조직과 피부판을 채취하여 복합조직의 재건에 유용하게 이용할 수 있기 때문이다.[27,28] 견갑피판의 골조

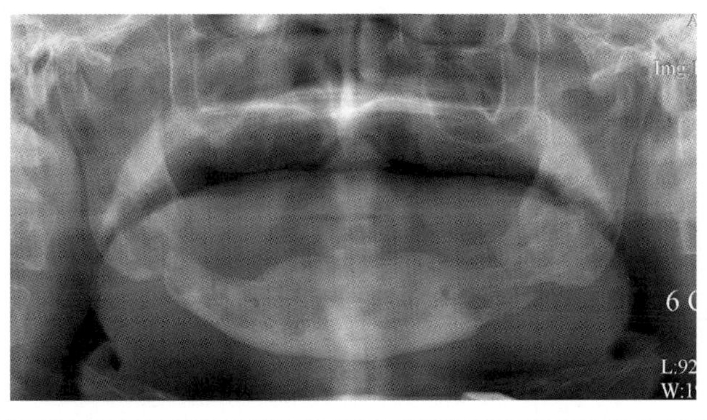
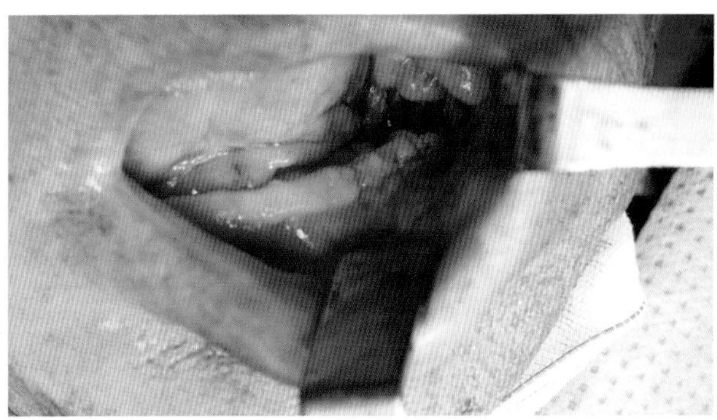

그림 30-9 방사선성괴사로 인한 하악골 구강점막 복합조직 결손

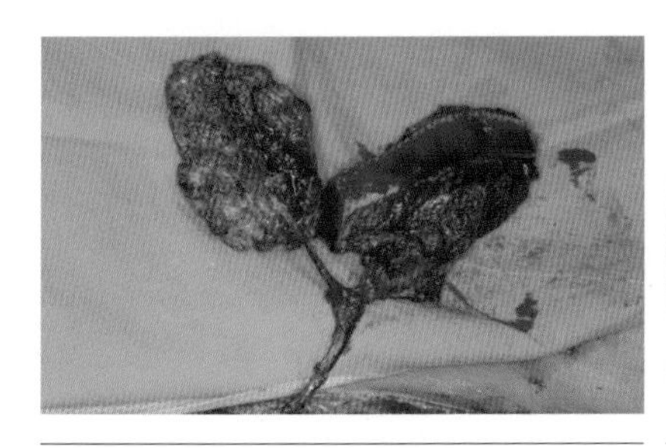

그림 30-10 장골골근육 복합피판

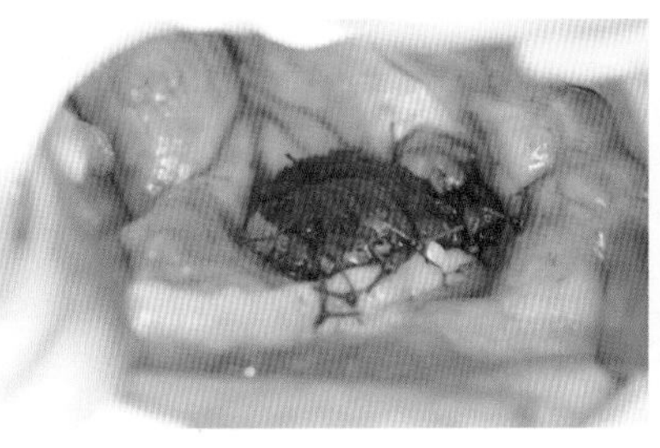

그림 30-11 장골골근육 복합피판으로 재건한 구강점막

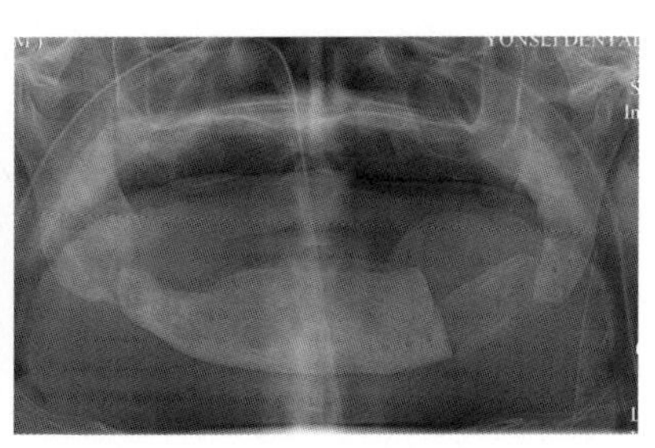

그림 30-12 장골골근육 복합피판으로 재건한 하악골

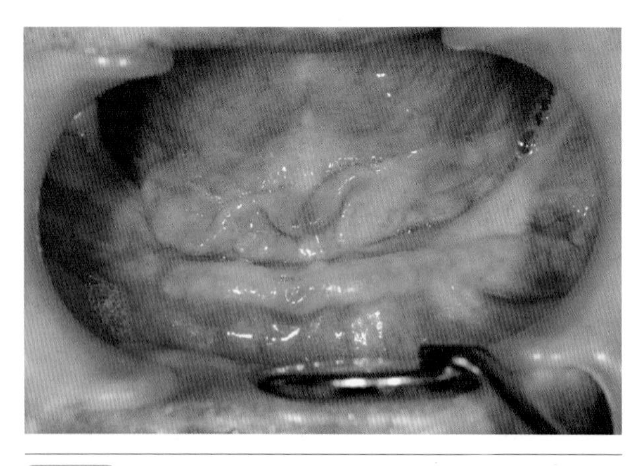

그림 30-13 장골골근육 복합피판으로 재건한 구강점막의 수술 후 3개월 상태

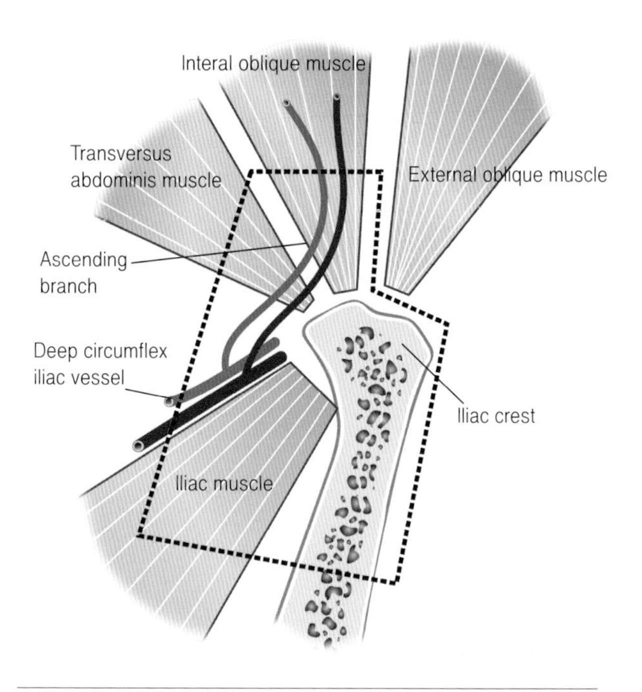

그림 30-14 장골골근육복합피판 모식도

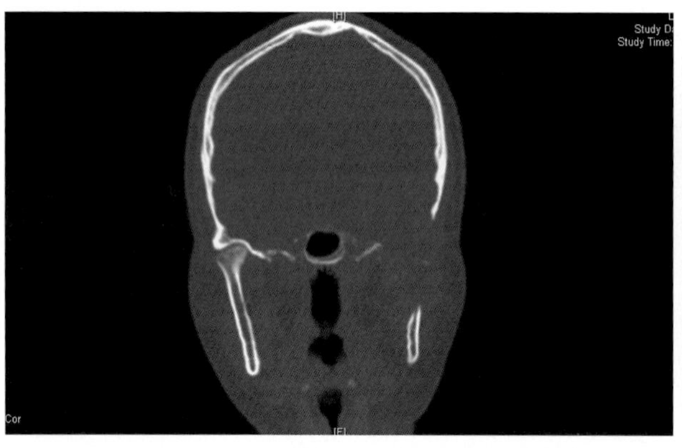

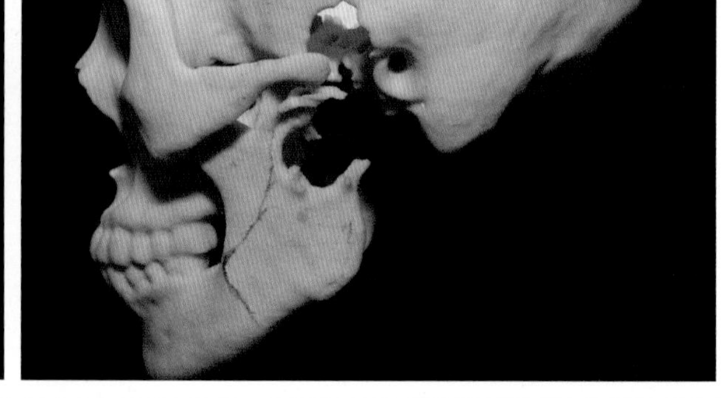

그림 30-15 하악골 및 두개저에 발생한 중심성 육아종에 의한 하악골 및 두개저 복합 결손

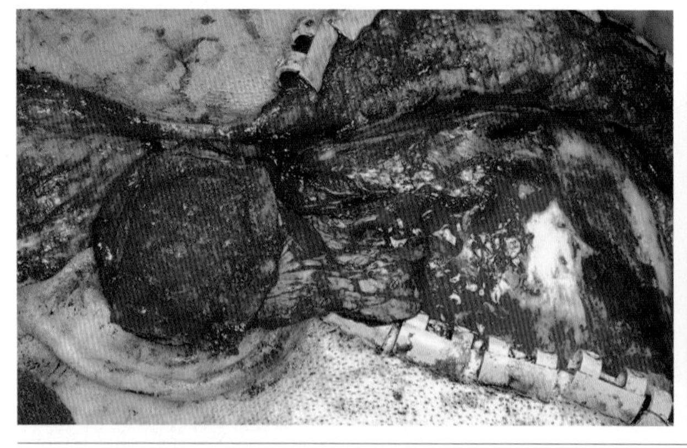

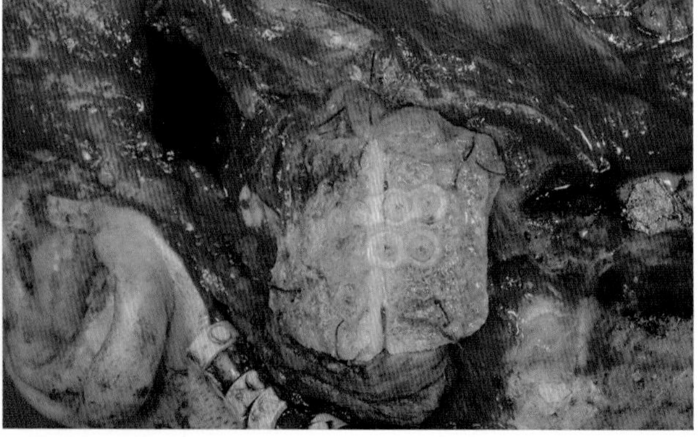

그림 30-16 두개저 결손부 재건을 위한 유경측두골근막복합피판(parieto-temporal osteofascial flap)

그림 30-17 하악골 결손부 재건을 위한 유리혈관화 장골피판

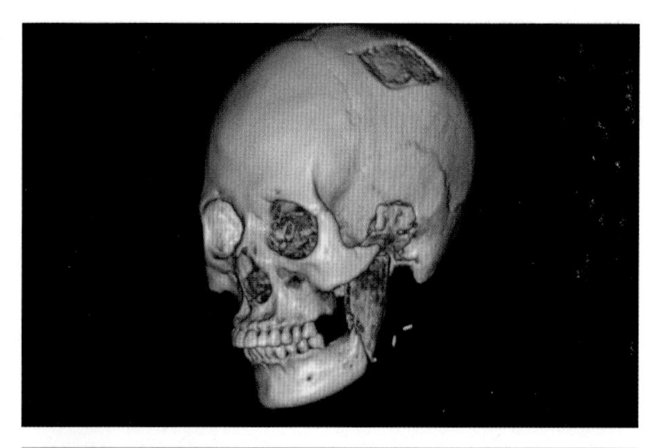

그림 30-18 하악골 및 두개저 복합 결손 재건

직은 장골피판에 비하여는 부족하지만 11~12 cm 정도의 하악골 또는 상악골 결손을 재건하기에는 부족함이 없으며 광범위한 연조직 복합결손의 재건에는 가장 우수하다.[27] 견갑복합피판은 특히 하악골 전방부와 광범위한 혀를 포함한 연조직 결손의 복합조직재건과, 하악골 후방부와 연구개를 포함한 구인두의 광범위한 점막 결손 및 방사선성 괴사로 초래된 피부를 포함한 복합조직의 재건에 훌륭한 옵션이 될 수 있다.[27] 그러나 수술 중에 환자의 체위를 바꾸어야 하는 번거로움이 있고 혈관의 길이가 짧으며 피부판이 두껍고 골조직의 양이 충분치 못한 단점이 있다(그림 30-19).[27,28]

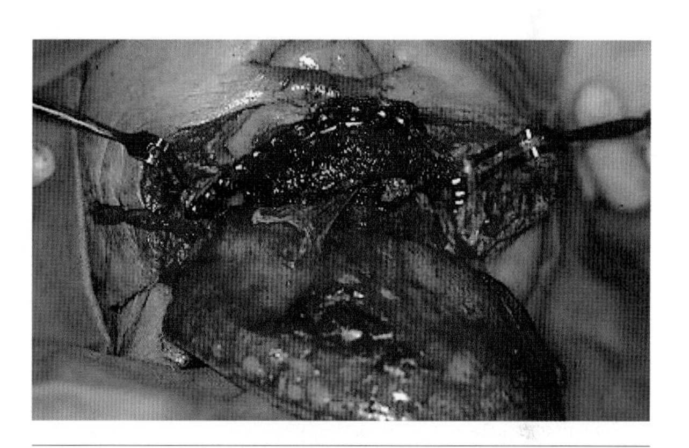

그림 30-19 견갑골피부 복합피판을 이용한 하악골 및 피부 복합결손의 재건

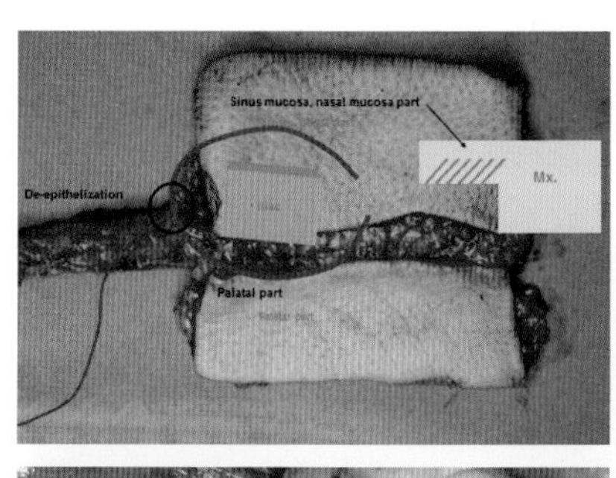

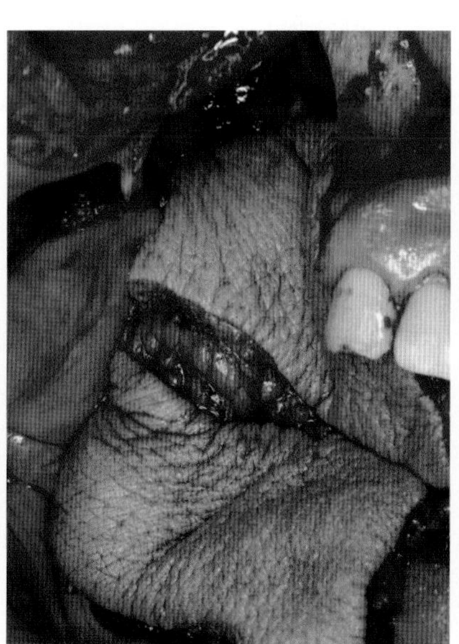

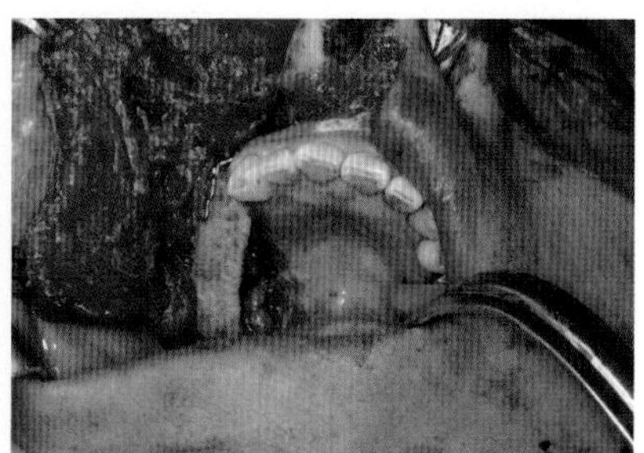

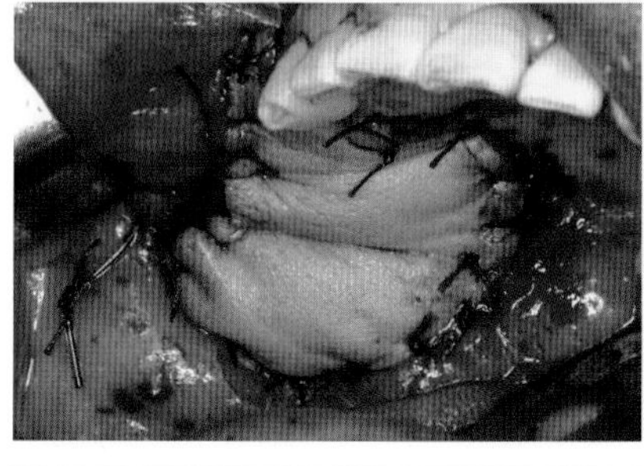

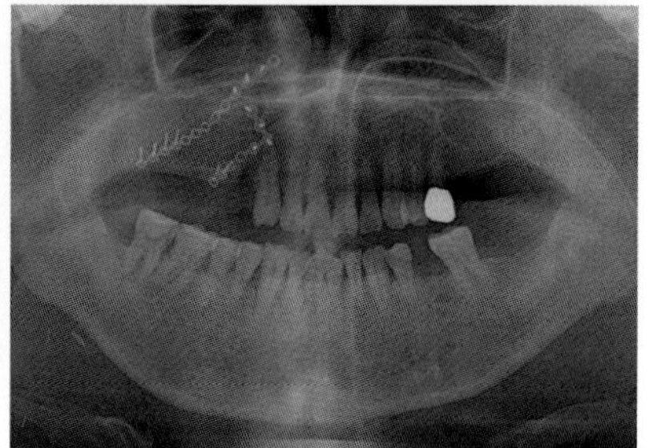

그림 30-20 전완피판 및 장골을 이용한 상악골점막 복합조직 결손의 재건

PART 5

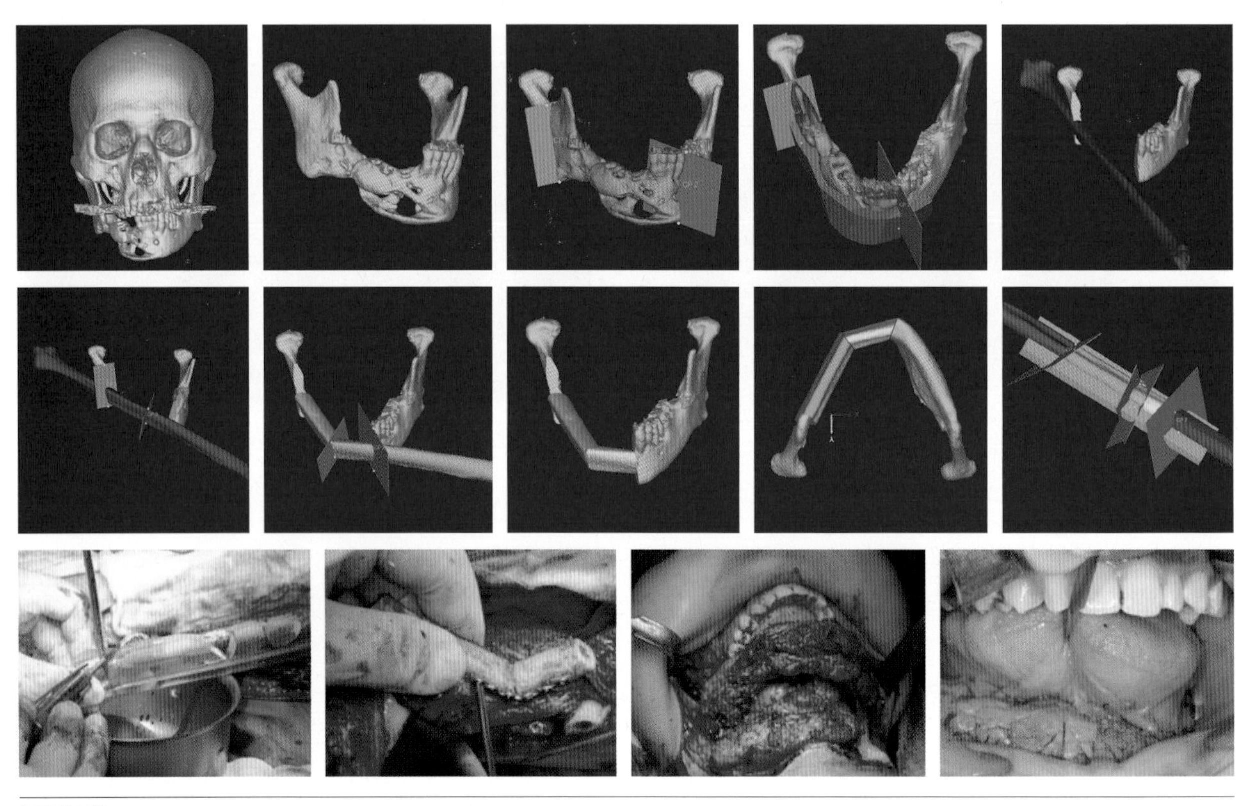

그림 30-21 Computer simulation (virtual surgical planning)을 이용한 종양절제 및 재건술

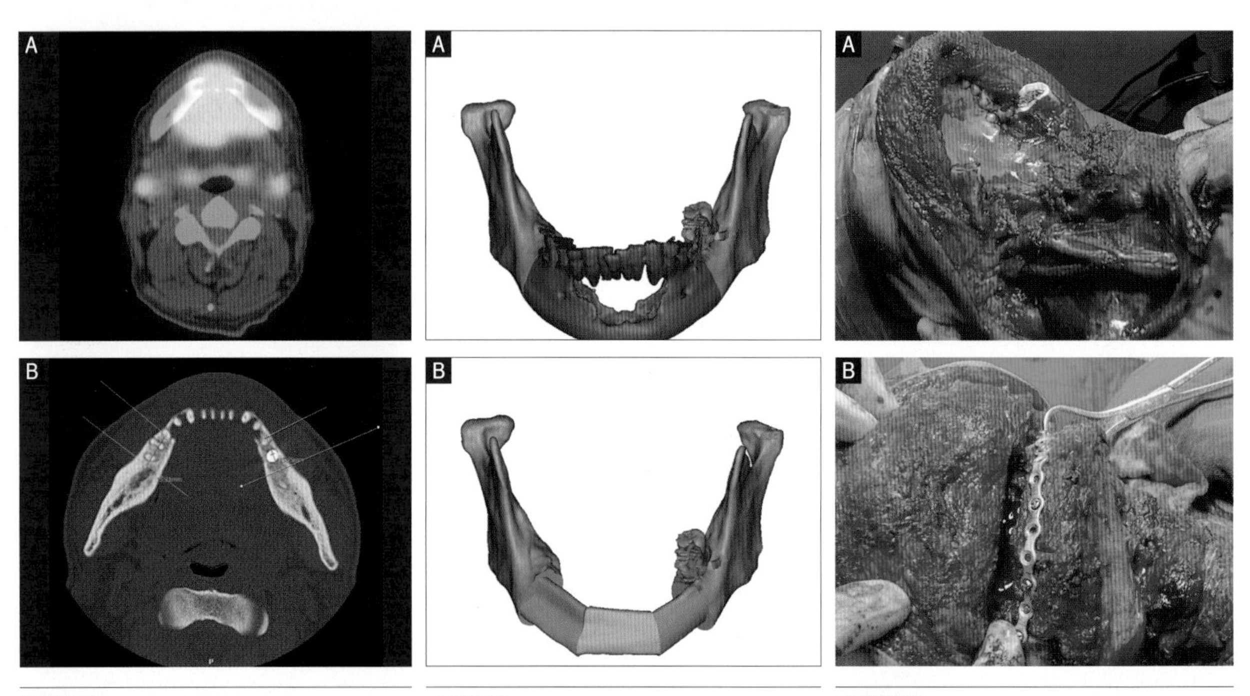

그림 30-22 **진행된 설암.** 턱뼈를 침범하여 혀의 완전절제(total glossectomy)와 하악골 전방부의 분절절제(segmental mandibulectomy)가 필요한 경우

그림 30-23 **그림 30-22의 증례에서 비골피판을 이용한 하악골 재건 디자인(virtual surgical planning)**

그림 30-24 **A:** 그림 30-22의 증례에서 경부 임파절 절제술, 하악골절제 및 전설 절제 후 결손부 **B:** 비골 유리 피판(fibula free flap)을 이용한 하악골과 치은의 재건

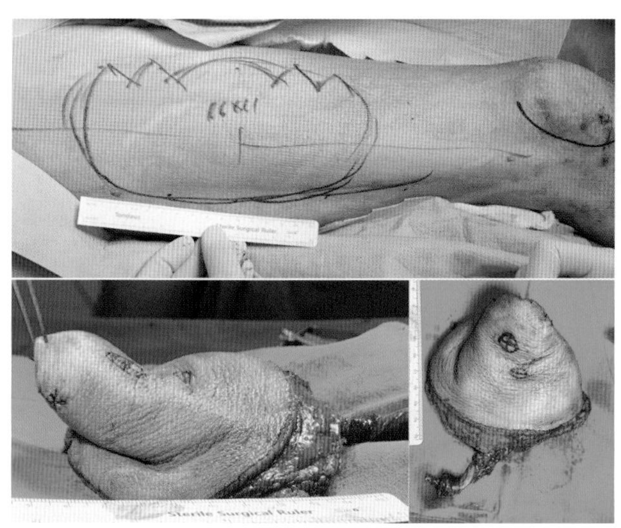

그림 30-25 그림 30-22의 증례에서 전외측대퇴유리피판(anterolateral thigh free flap)을 이용한 혀 전체(entire tongue) 재건

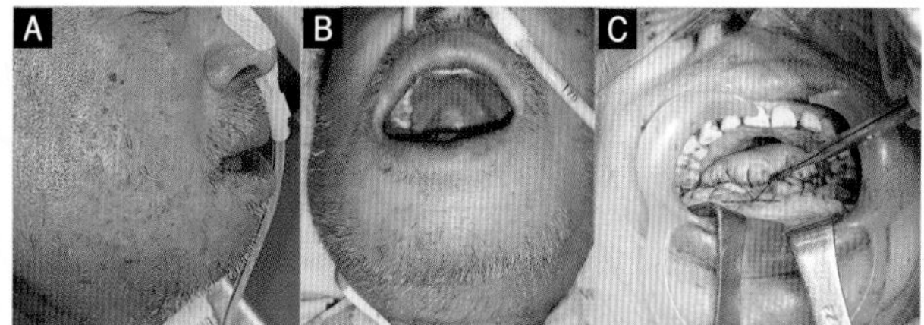

그림 30-26 그림 30-22의 증례에서 재건 후 양호한 측모(A)와 개구량(B) 및 재건한 혀(C)

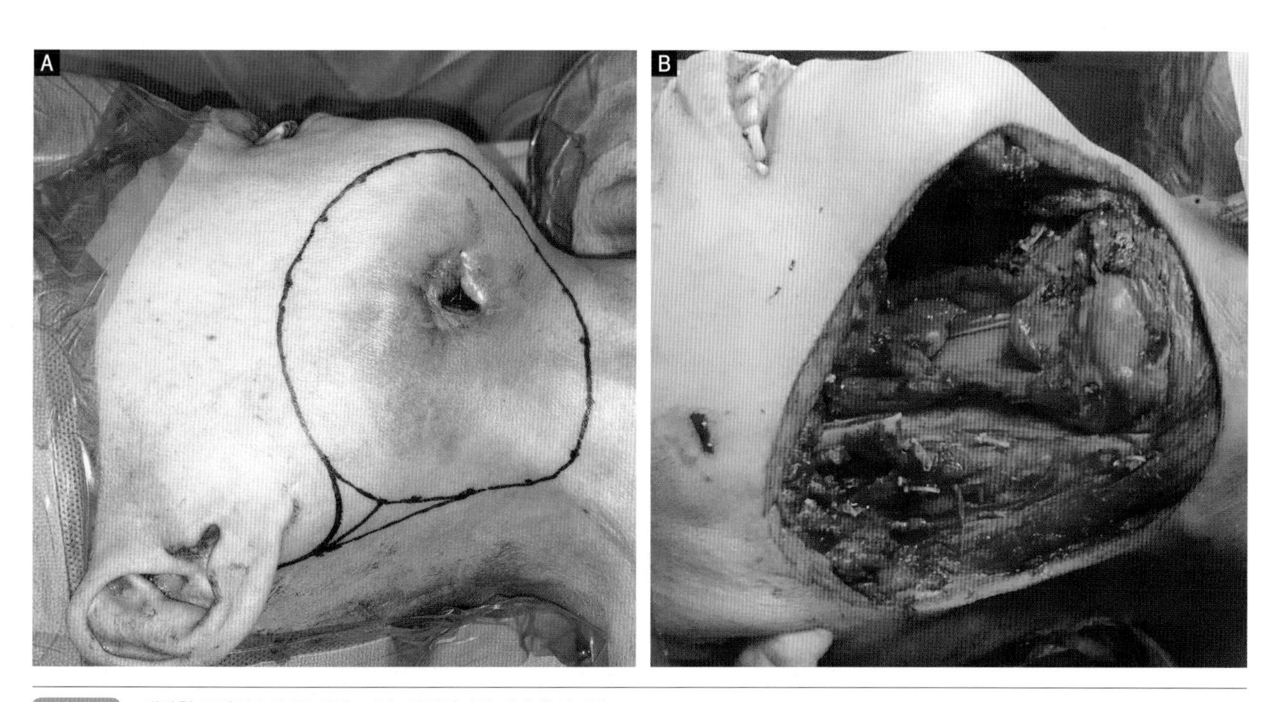

그림 30-27 재발한 구강암으로 혀 전체, 피부, 아래턱뼈의 절제 후의 결손

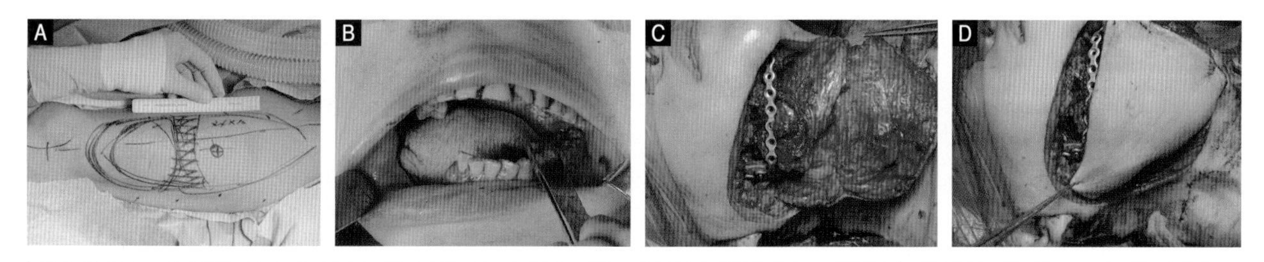

그림 30-28 **A:** 그림 30-27 환자에서 대퇴측부유리피판의 중앙을 탈상피화하여 두개의 섬으로 디자인하여 하나는 혀 전체를 수복하였다. **B~D:** 탈상피화 한 이행부에서 접어 올려 reconstruction plate를 피개하며 피부 결손을 수복하였다.

3. 광범위 복합조직 결손

종양의 절제, 외상 등으로 인한 구강악안면부위의 결손은, 그 크기가 크고 골조직과 연조직의 복합 결손인 경우에도 대부분은 한 종류의 피판으로 재건이 가능하다. 그러나 진행된 악성종양의 경우에서 한 종류의 피판만으로는 재건이 불가능한 경우도 있으며, 앞서 언급한 재건 전 점검사항을 고려하여 적절한 술식을 선택하여야 한다(그림 30-3~5, 20).

예를 들어, 혀 전체와 아래턱 절제 후 혀와 아래턱의 복합 부위 결손 재건이 필요한 증례에서 하악골과 치은은 비골 피판(fibula free flap)으로, 혀는 대퇴측부피판(anterolateral thigh free flap)으로 재건할 수 있다(그림 30-22~26).

한편, 재발한 설암으로 혀 전체, 피부, 하악골의 절제의 구제 수술(salvage surgery) 후 복합 부위 결손의 재건을 요한 증례에서는 예후와 환자의 전신 상태를 고려하여 재건 금속판과 대퇴측부피판(aneterolateral tigh free flap) 1개의 유리피판으로 결손부를 수복할 수 있다(그림 30-27, 28). 과거의 수술력과 방사선 치료 병력이 있는 경우 수혜부 혈관 선택 시 신중한 술전 평가와 수술 중 변수에 대한 대처가 필요하다.

4. 총상 및 외상 결손부의 악안면재건술

히포크라테스가 "전쟁은 외과의에게 적절한 학습장이다(war is the only proper school for a surgeon)"라고 언급한 바와 같이 전쟁에서의 총상은 조직상실을 동반한 광범위한 손상이 많고, 1차 응급치료의 시기가 지연되어 생명위협과 창상 감염의 우려가 크며, 방사선사진 검사나 이학적 검사가 어렵고 수술장비와 의료 인력의 부족으로 적절한 치료를 시행하기 어려워서 2차적인 재건술을 필요로 하는 경우가 많다. 또한, 환자는 극심한 전쟁의 공포감과 영양결핍 상태에 있으며 술자 또한 총상 등 전상환자에 대한 진료경험의 부족으로 응급처치와 1차적인 환자관리가 미숙할 수 있으므로 총상 환자를 진료하는 의료진은 총체적인 치료법을 숙지하여야 하며, 악안면성형재건외과의사 또한 총체적인 내용뿐만 아니라 구체적인 내용들도 숙지하여야 할 필요가 있다.[29,30]

1) 총상(Gunshot wound)의 임상적 분류와 병태생리

탄알 운동은 총구 내면의 선조(rifle)로 회전 현상(spin)을 일으켜서 세차(precession), 장동(nutation) 및 전도(tumbling) 운동 등을 초래하고, 따라서 목표물을 강타할 때 손상조직의 면적을 증가시켜서 큰 창상을 형성하게 된다. 이러한 총상을 분류하는 방법은 그 양상에 따라 관통창(penetrating wound), 천공창(perforating wound), 및 결출창(avulsive wound) 등으로 나누게 된다. 탄알의 속도와 탄알이 형성하는 창상들의 형태는 그림 30-29에 표시된 바와 같이 네 경우를 생각할 수 있다. 저속도 탄알에 의한 손상의 주요기전은 연조직의 열창과 압좌상(crushing)으로 나타나는 반면에 고속도 미사일에 의한 연조직 손상은 보다 더 광범위한 손상인 공동형성(cavitation)과 압력 및 쇼크파장(shock waves)의 형성으로 나타난다. 쇼크파장은 세포막의 붕괴, 간접적인 골절, 단백질의 응고, 말초와 중추신경의 축삭형질(axoplasm)의 변형 등을 초래한다. 공동은 고속도

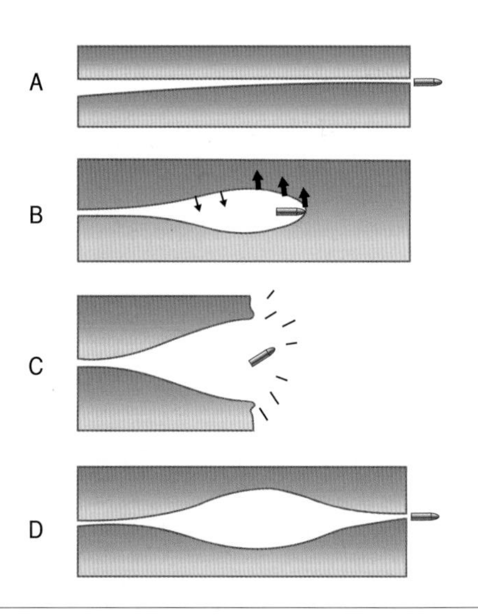

그림 30-29 **속도별 총상의 양상을 보여주는 모식도. A:** 저속탄알 손상으로 최소 공동과 작은 사입구 및 사출구를 보여준다. **B:** 고속탄알 손상으로 일시적 공동형성을 보여준다. **C:** 고속탄알 손상으로 작은 사입구와 크고 지저분한 사출구를 보여준다. **D:** 두꺼운 목표물에서의 고속탄알 손상으로 사입구와 사출구 모두 작다.

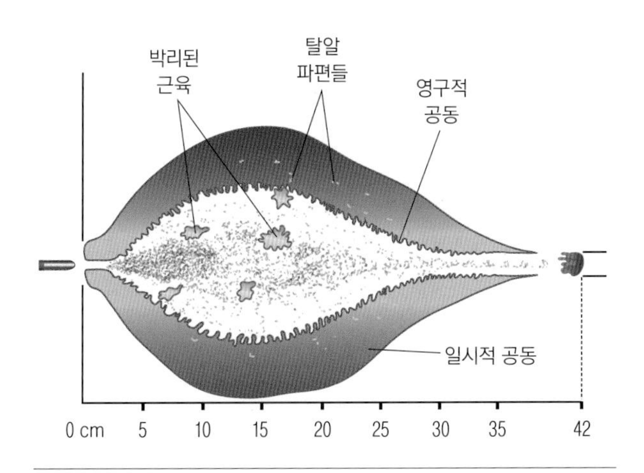

그림 30-30 고속도 탄알의 조직 내 창상 양상으로 과도한 조직붕괴와 공동을 보이나 작은 영구적 공동이 형성되어 있다.

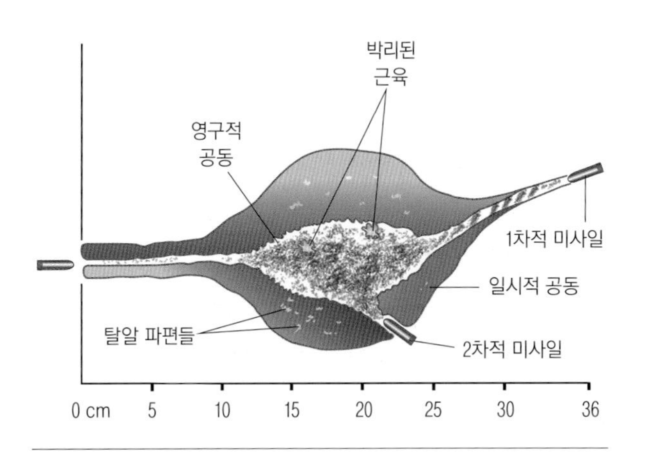

그림 30-31 조직 내에서 파편을 형성하는 고속 탄알의 모습으로 커 다란 공동 형성과 함께 과도한 조직의 파괴 근육박리 및 탄알의 파편화현상이 보인다.

탄알이 조직을 관통하는 동안 형성되며 관통 시 빠르게 에너지가 유리되고, 에너지가 흡수됨에 따라 조직은 발사체와 함께 전방으로 이동해서 탄알 직경의 30~40배 정도의 큰 공동을 형성하게 된다. 이 공동은 대기압 이하의 증기로 채워지면서 맥동성을 가지고 팽창과 쇠퇴를 반복하면서 크기가 작아져서 결국 영구적인 공동을 남기게 된다(그림 30-30). 공동이 형성되는 동안 일시적으로 공동내 압력이 대기압보다 낮아져서 주위의 오염물질들이 사입구와 사출구로부터 창상 속으로 유입되어 감염의 원인이 되며, 파편이 만들어지는 탄알은 이차적인 미사일의 형성 때문에 더 큰 영구적인 공동과 광범위한 조직손상을 가져오게 된다. 이차적으로 미사일 조각들은 조직 사이로 박혀들어 조직을 쇠약하게 만들며 주변 근육과 결합 조직들일 떨어져 나와서 공동 내에 포함되기도 한다(그림 30-31). 총상에 대한 조직의 감수성은 조직마다 다르며 장력(tensile strength)이 큰 근육, 피부, 및 간 등의 조직은 탄알의 운동에너지를 흡수해서 많은 손상을 입는 반면에 폐나 장 같이 장력이 낮고 탄성이 많은 조직은 적은 손상을 입게 된다. 반면에 탄성이 적은 골조직은 공동형성에 가장 저항적이면서 고속도 미사일에 가장 심하게 손상받는 조직이 된다. 고속도 탄알의 충격 시 맥압은 약 200기압으로 바로 상쇄되는 국면이 따르지만 그동안에 탄알 진행 경로나 일시적 공동 부위에서 먼 곳에 있는 혈관, 신경, 내장 부위가 손상을 입고 골절이 발생될 수도 있다. 특히 상악동을 관통하는 총상은 일차적인 피부피복을 얻기 어렵고 경구개마저 상실된 경우 구강상악동 누공이나 구비강 누공 발생이 불가피하다. 또한 중안면부의 총상은 상악동맥의 분지들과 전사골동맥의 손상으로 과도한 출혈에 의한 기도폐쇄의 우려와 2차적인 정맥류(aneurysm) 형성의 우려도 있다.[29,31-34] 하악골 주위의 총상도 단순골절부터 복합분쇄골절까지 다양하게 나타나며, 충격파에 의한 다소 떨어진 위치의 치아손상과 함께 하악골 정중부나 골체부의 복합분쇄 골절은 이결절(genial tubercle)에 부착된 설골근육의 손상으로 심각한 기도폐쇄의 우려가 크게 된다(그림 30-32, 33).

2) 총상에 대한 생물학적 반응

총상 부위의 인접한 조직과 손상부위로부터 떨어진 조직들에도 생리적인 변화가 있으며 미세순환, 국소순환, 전해질 조성 및 물 함량과 대사과정에서의 변화 과정 등이 포함된다. 이러한 생리적인 변화가 복합적으로 발생하여 지연된 조직괴사와 창상감염이 발생하게 된다. Holmstrom 등은 고속도 탄알 손상을 받은 후 변색된 조직에서 Na, K, Mg, Cl 이온조성의 현저한 변화가 있음을 보고하였고, 변색된 조직에서는 세포외 Na와 Cl이온의 현저한 증가와 K와 Mg이온의 감소가 있음을 확인하고, 이 점이 조직 실활(non viability)을 의미한다고 보고한 바 있었다. 총상 역시

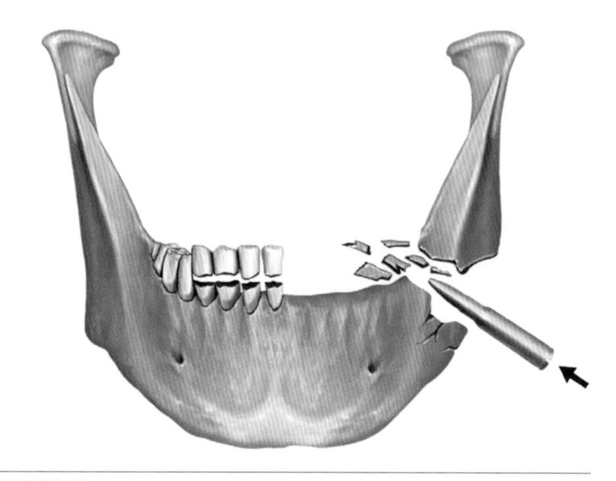

그림 30-32 총상의 충격 지점에서 다소 떨어진 치아 파절은 하악골을 통한 충격파가 원인이 됨을 보여주는 모식도

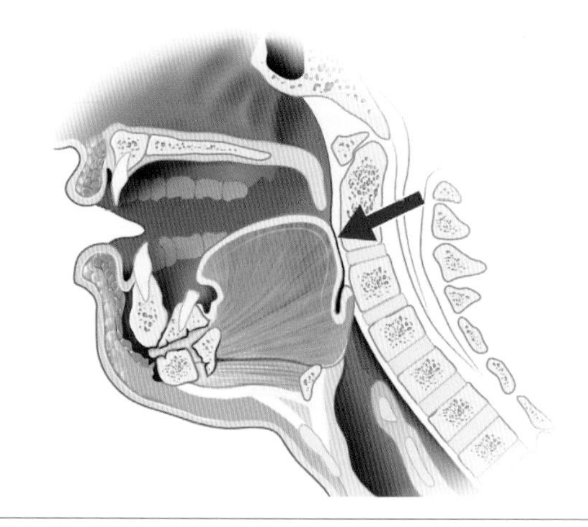

그림 30-33 하악골 정중부와 골체부의 복합분쇄골절로 설골상부 근육의 후방 작용에 의한 기도폐쇄 모습을 보여주는 모식도

조직의 생활력을 결정하는 데는 색깔, 모세혈관 출혈과 근육수축 등을 고려하게 된다. 대사와 순환 변화는 창상 관통로(wound track)를 따라 일어나서 조직의 실활부를 유도하며, 근육부와 같은 이러한 실활조직은 세균성장을 위한 이상적인 배지가 되어 국소적인 감염을 증진시킨다. 또한, 총상은 오염물질로 더럽혀져 있어 감염된 창상의 우려가 크므로 배농로를 위한 배액관 설정이 필수적이다.[32,33]

3) 재건술을 중심으로 한 총상 처치 시 고려사항

총상 이외의 악안면 손상에서는 일반적으로 골과 연조직의 상실량이 적은 반면에, 과도한 총상에서는 골과 연조직의 상실량이 많고, 1차 치료 시간이 지체되어 정확한 수복치료가 지연되는 경우가 많이 발생한다. 따라서 1차 처치는 반흔구축 조직에 의한 하악골의 변위를 방지하는 것과 상하악궁의 붕괴를 최소화하기 위한 시도가 이루어져야 하며, 2차 처치인 재활기에 기능과 모양을 완전히 회복시키기는 쉽지 않으므로 응급처치 및 1차 치료시기에 결손부를 최소화하려는 신속한 노력이 필수적이라 할 수 있다 총상 역시 응급처치의 단계에서는 기도확보와 호흡기능 및 혈역학(hemodynamics)의 수복이 필수적이고, 환자가 안정을 찾게 되면 방사선 검사를 통해 탄알의 파편이나 이물의 조직 내 위치와 정도를 파악하게 된다. 총상 내부에 포함된 탄알의 파편, 골조각, 이물 등의 오염물질은 가능한 전신마취하에서 그 위치를 정확히 파악해서 노출된 것들은 제거하고, 큰 혈관, 신경, 악관절, 움직임이 많은 근육부 등의 중요한 해부학적 구조물에 근접된 것들은 제거 시 또 다른 합병증인 출혈, 신경장애, 및 근육손상 등을 초래할 우려가 있기에 응급처치 시에는 그냥 남겨두고, 환자의 전신상태가 안정된 후에 추가적인 제거수술을 고려하는 것이 원칙이다. 특히, 탄알의 파편이 골조직 등에 고정되어 박힌 경우는 2차적인 감염이나 주변 혈관에 정맥류 형성이 없으면, 그냥 두어도 안전함이 기존 한국 전쟁 시 전상 환자의 체험에서도 여러 차례 증명되고 있다. 그러나 가시적으로 오염된 이물질들은 철저히 제거함으로써 문신(tattoo) 반흔과 감염 가능성을 줄여야 한다. 총상의 즉각적인 재건술 시 기본 원리는 또 다른 안면부 손상에서의 재건술과 유사하다고 할 수 있는데, 안면 조직의 가장 심부인 악골부가 먼저 정복되어야 하고 중간 근육층이 다음으로 봉합되며 마지막으로 피부가 봉합되도록 시행한다. 골절부의 수복은 하악골에서 시작해서 위쪽으로 옮겨가면서 정복 및 고정술을 시행한다. 고속도 총상에서 골절부의 정복 고정술을 시행할 경우 가장 간단하고 직접적인 방법인 일차 치간결찰(primary interdental wiring), 구개횡단결찰(transpalatal wiring), 노출된 골절편의 골간결찰(interosseous wiring) 등을 적절히 활용해야 한다. 이처럼 총상에 의한 골절부의 정복 고정술을 가능한 간소한 방법으로 시행하는 이유는

총상으로 인하여 이미 오염되고 분쇄된 조직들에 부가적인 외과적 손상을 가함으로써 골조직과 연조직의 실활(devitalization)이 더욱 심해질 수 있고, 외상 자체로 고통받는 환자에게 또 다른 부담을 줄 수 있기 때문인데, 예를 들어 하악골이 총상으로 분쇄골절 되고 조직상실이 과도한 경우 골절편의 정복고정을 위해 인접된 골막과 연조직을 벗겨내고 금속판으로 즉각적인 하악골 재건술을 시행하는 것보다는, 우선 노출된 양측 하악골 부위에 간편히 핀(pin)을 박은 다음 외부에서 부목을 연결해 하악궁이 좁아지는 것을 방지하고 하악 운동의 안정을 도모한 다음에 2차적인 재건술을 시행함이 바람직하다. 안면부 총상과 관련된 연조직 손상은 넝마조각처럼 지저분하고 구강내를 침범해서 신경과 타액선 도관에도 손상을 초래하게 되며, 이 경우 봉합은 구강내에서 시작해 구강외부로 진행하고 타액선 도관과 신경 분지들을 1차적으로 회복하게 된다. 수상 후 24시간 이내의 창상은 흔히 1차 봉합술로 폐쇄하되 감염방지를 위한 배농로 설정을 고려하며, 24시간 이상 지난 창상은 1차 봉합술을 지연시키고 배농로를 확보한 다음 추후 감염 소견이 없어진 시기에 봉합술을 시행해야 한다. 피부창상의 변연은 변연절제술 시행 시 1~2 mm 이내로 절제하여야 하고, 피부층을 당기기 위한 피하 박리는 5 cm 이상을 초과하지 않도록 하며, 필요하면 조직을 안정되게 유지하기 위한 피하 봉합술이 추천된다(그림 30-34). 그러나 과도한 연조직 상실로 피판을 당겨서도 피복될 수 없는 부위는 우선 감염방지와 이차적인 상피화를 위해 미세 망사거즈(mesh gauze)로 드레싱하고 5~7일 후 건강한 육아조직이 창상을 피복하는 시기에 피부이식술을 시행하게 된다. 만약 구강조직 주위의 연조직 결손이 너무 과도하다면 구강점막의 변연을 얼굴피부 변연과 봉합해서라도 창상수축과 반흔의 형성을 최소화함이 바람직하다. 일차적인 처치를 시행한 이후에는 합병증을 방지하기 위한 적절한 창상관리와 항생제 등의 약제 사용이 필요하며, 환자의 수액, 전해질, 및 영양 상태를 면밀히 평가하고 정신사회적이고 심리적 관점에도 주의를 기울여야 한다. 특히, 총기로 자살을 시도한 환자는 신체적, 정신적 고충상태에 있으므로 정신과의사, 사회사업가, 및 작업치료사의 도움을 받는 것도 중요하다. 특히 식이 섭취는 통상적인 악골골절 환자에서와 유사하게 유동식이 섭취되도록 하며, 때로는 비위장관 삽관을 이용한 식이섭취가 추천되기도 하지만, 이는 환자에게 음식 맛을 못 느껴 정서적 불만족을 가져오고 삽관 자체로 인한 구인두부 감염 가능성도 있으므로 그다지 추천되지는 않는다. 부득이 구강조직의 상실로 인한 구강내외 관통성 창상으로 음식물의 저작과 연하 시 음식물이 외부로 유출되는 불편감이 있으면 관통창상 내부를 거즈 충전(gauze packing)으로 막아주거나 타액 차폐판(saliva shield) 같은 마스크를 걸어주면서 창상 세척술을 시행하면 큰 도움이 된다. 구강악안면부의 총상은 구강, 비강, 및 인후부의 손상과 연관되어 구강내 감염발생 시 호흡계 전체로 감염이 전파될수 있으며 뇌척수액의 누출이 있는 중안면부 손상은 뇌막염 발생의 우려도 있을 수 있다. 또한 창상의

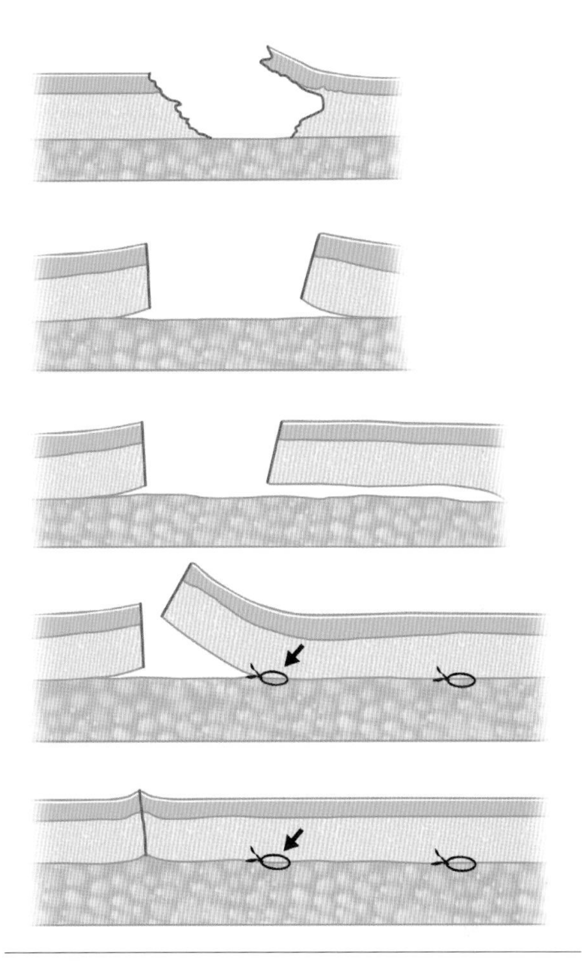

그림 30-34 과도한 피부 결손부를 피복하기 위해 피하조직을 박리하여 화살표 방향으로 봉합하여 창상의 장력을 감소시키는 모식도

감염은 혈관 특히 정맥벽의 부식을 초래하거나 기존 혈액 응괴의 부패성 붕괴(septic breakdown)를 가져와 과도한 2차적 출혈의 위험성도 지니게 된다. 따라서, 창상감염의 방지에 주력하고 만약 이차적인 출혈이 발생되면 압박지혈, 감염조절을 위한 배농로 확보 등을 고려해야 한다. 또한, 총상으로 인한 입원 기간이 길어지면서 운동량이 감소되어 혈전성 정맥염(thrombophlebitis)이 발생할 수 있으므로 전신상태가 안정되는 대로 조기 거동과 약화된 저작근육의 물리치료가 필요하게 된다.

4) 총상 처치에서의 재건술 시행단계

이 시기에는 잔존 결손부에 대한 재건 치료 치료를 시행하게 되는데 반흔과 연조직 변형의 수복, 누공(fistula)의 폐쇄, 골결손부의 재건, 치아 교합 회복 등을 시행하게 된다. 재건술 시행단계에서 직면하는 합병증의 종류로는 ① 골조직 결손, ② 연조직 결손, ③ 악관절의 섬유성 강직증으로 인한 하악기능의 제한, ④ 보철치료를 위한 부적절한 구강환경, ⑤ 다양한 구강피부 누공, 구비강 또는 구강상악동 누공 등의 형성 등을 생각할 수 있다.

재건 시기로는 손상받은 치아나 골조직의 예후결정 및 처치를 완료할 수 있고 이차 감염의 처치도 완료되며, 반흔조직 자체의 성숙과 이차 수술을 위한 환자의 전신 영양이 개선되는 시기인 손상 후 약 3~6개월이 바람직하다. 또한, 재활기에는 환자의 정신건강을 고려하여 정신과 의사나 사회복지사와의 협진도 생각해야 하며, 만약 재활치료의 예후가 불량한 경우 환자는 심한 우울증을 겪게 되고 사회적 재활이 여의치 않는 경우 자살기도의 가능성도 있음을 명심해야 한다.

(1) 총상에 의한 골조직 결손 시 재건술

총상에 의한 골 상실이나 부정유합은 안모의 변형을 가져오므로 골이식술이나 이물성형재료의 삽입 및 골절제술 등으로 수정해야 한다. 그러나 총상 후 악골절제술은 골질이 더 경화되고 잔존 반흔 조직이 수술적인 접근과 골편 이동을 어렵게 하여 시술이 용이하지 않으며, 악골의 상실은 대부분 연조직의 상실도 동반하므로 악골 상실부는 피복하는 반흔 연조직의 용적과 혈류의 감소도 동반되어 쉽지 않게 된다. 골이식은 흔히 두개골, 장골능 및 늑골로부터의 이식편을 이용하며 장골, 비골, 요골(radius), 늑골로부터 혈관화된 복합-유리 조직이식(vascularized composite-free graft)을 시행하기도 한다. 자가골이 고체형이나 분쇄된 미립자물 형태로 광범위하게 사용될 수 있으며 미립자물 이식의 경우 망사형의 금속 그물 모양이나 골 크립 등을 이용할 수 있다.

(2) 총상에 의한 연조직 상실 시 재건술

피부, 근육, 점막 등의 연조직 결손 시 재건은 반흔조직의 절제후 결손부 면적과 깊이의 정도에 따라 결정하게 된다. 피부 주름선에 위치된 선형반흔(linear scar)이나 작은 결손부는 피하박리 후 국소조직의 전진, 회전, 전위 등의 방법으로 봉합하고, 만약, 반흔이 피부장력선을 가로지르는 경우라면 Z-성형술이나 W-성형술에 의해 반흔의 방향을 변경시키게 된다. 반흔의 면적이 넓으나 피부의 탄력성이 양호한 경우는 반흔의 절제를 3개월 정도의 간격으로 연속적으로 시행하는 것도 도움이 된다. 피부의 광범위 결손부를 간단히 즉각적으로 폐쇄하기 위해 부분층 두께의 피부이식술이 고려될 수도 있다. 근육층을 포함한 광범위한 결손부는 복잡한 피판의 설계를 필요로 하여 전두피판, 경부피판, 두피피판(scalp flap) 등과 같은 국소적 근위부피판술부터 광경근 또는 대흉근 피부피판, 광배근피판, 유리 미세혈관 복합이식 등과 같이 원위부피판술까지 다양하게 고려할 수 있다. 골결손과 연조직의 결손이 동반되는 총상에서는 상실된 골주위의 연조직이 광범위하게 반흔조직화되고 섬유성 조직의 구축으로 상당한 조직의 변형이 예상되므로, 상실된 골조직의 재건술과 함께 연조직의 재건술이 동반되어야 양호한 예후를 보이게 된다. 특히, 구각부, 비익저부, 홍순부 등에서의 반흔구축은 안모의 비대칭을 초래할 수 있는 추형이므로 재건술에 만전을 기해야 하며, 미세혈관수술법과 조직면역학의 발전에도 불구하고 근피부 이식과 유리 미세혈관 이식술은 가장 광범위한 결손부의 재건술시 사용되어야 한다.[35-38]

(3) 하악골 강직에 대한 재건술

총상으로 인한 하악 과두와 하악지 및 인접된 관골의 복합분쇄골절은 악관절의 섬유성 또는 골성강직을 초래하게 된다. 안면근육이나 저작근육의 손상으로 발생된 반흔과 섬유화는 하악운동을 제한시키며 특히, 교근과 측두근 손상 시나 장기간의 악간고정술 시행 후 강직증이 발생하게 된다. 따라서 하악골재건술 시행 시 골이식체의 융합 후에는 과도한 신장 운동과 저작근육 운동이 조기에 시작되어야 하악운동이 기능적으로 개선된다. 하악운동의 개선을 위한 보존적인 물리치료 및 운동 요법 등에도 불구하고 하악골의 강직현상이 개선되지 않을 때는 외과적 처치를 시행하여, 하악운동에 장애가 되는 조직들을 충분히 제거하여 하악골의 자유로운 운동을 가능하게 해야 한다. 부득이하게 하악 과두와 하악지의 일부를 완전히 제거해야 될 경우에는 악관절와 부위에 금속판이나 실라스틱 박판(silastic sheet)을 부착시켜서 강직현상을 방지해 주거나, 늑연골 이식(costochondral graft)을 통한 악관절 재건술이 바람직한 예후를 보이게 된다(그림 30-35).

(4) 보철물을 이용한 재건술

총상에 의한 구강악안면의 결손부를 보철물로 재건하는 것은 기능적인 면에서 환자의 사회복귀에 큰 도움이 된다. 상실된 코, 눈, 귀 등을 인공적으로 수복하는 악안면 보철물과 치아가 포함된 악골을 수복하는 Obturator 등과 같은 구강내 보철물이 있는데, 의치를 유지하는 데 도움이 되는 잔존치아들을 보존하려는 노력은 매우 중요하며 특히 상악과 구개골 등의 상실로 저작기능뿐만 아니라 연하 기능에 상당한 장애를 보이는 총상 환자에서는 보철 폐쇄장치와 같은 악안면 보철물을 장착함이 기능적이고 심미적인 재활에 유리하다(그림 30-36). 또한, 총상으로 인한 조직 상실 시 협설측 치조골 전정부의 복원을 위한 치조와 전정술(vestibuloplasty)이 필요할 수도 있다.

(5) 구비강, 구강상악동, 구강피부 누공 등의 여러 누공들의 관리

경구개와 상악골을 횡단하는 총상에서 구강상악동 누공의 형성은 음식물의 저작과 연하에 장애를 초래하므로 가능한 한 일차치료의 기간에 폐쇄를 도모해야 한다. 그러나 총상으로 인한 조직의 상실과 손상된 상악골을 제위치로 정복 고정시키는 시술은 부득이 구강상악동 누공의 크기를 확대시켜 구강의 기능을 방해할 수 있다. 따라서, 우선은 폐쇄장치(obturator)를 사용해서 구강상악동 누공을 차단시키되 상악동 배농의 차단우려가 있는 경우 비강 상악동 절개술(nasoantrostomy)이 고려되어야 한다. 구비강 누공이 형성된 경우의 폐쇄술은 구강상악동 누공폐쇄술보다 어려워 반드시 이중피판술(two flap technique)을 구사

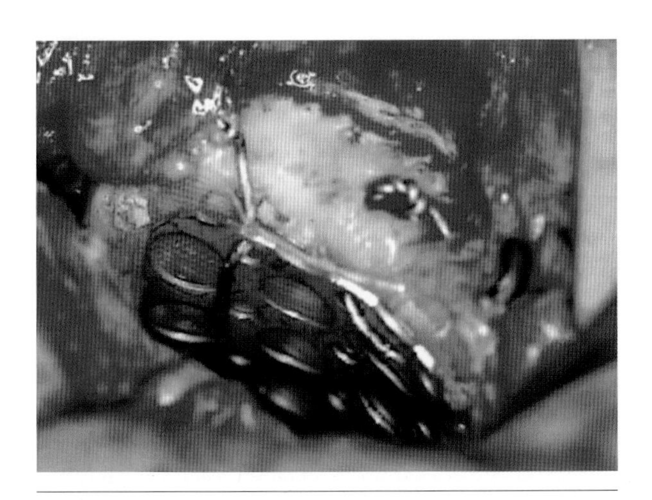

그림 30-35 총상으로 악관절강직증이 발생된 증례에서 측두하악와 부위에 금속판을 위치시켜서 고정한 모습

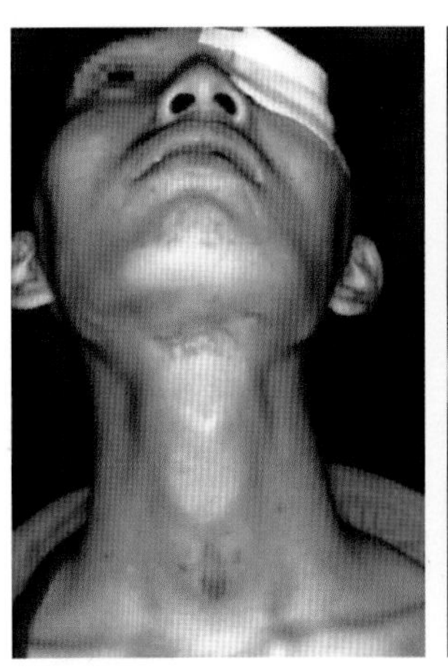
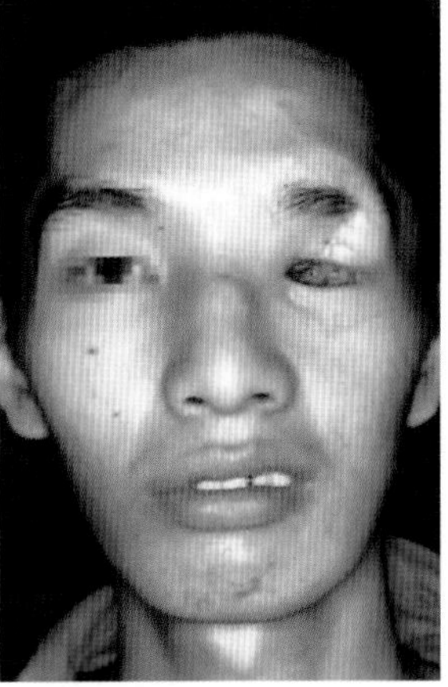

그림 30-36 자살을 목적으로 턱하방이 사입구인 총상환자의 예로 Obturator를 장착하여 안모대칭과 하악골 기능개선을 도모한 모습

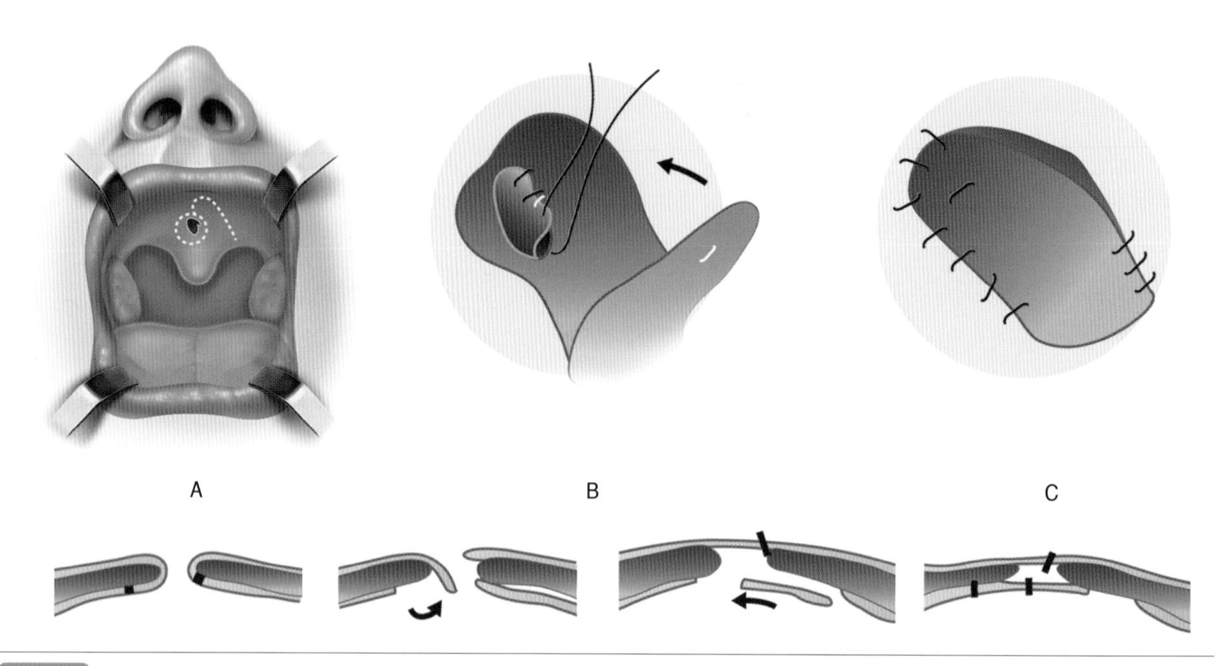

그림 30-37 **구비강 누공을 이중피판술로 폐쇄시키는 모식도.** 하단은 관상면으로 절단한 모식도를 보여준다. **A:** 피판을 디자인하고 **B:** 비강저의 내표면을 덮는 작은피판으로 봉합하며 **C:** 구강을 피복하는 큰 피판으로 전위시킨 모습

해야 한다. 즉 누공의 변연부가 내표면을 덮도록 내부로 돌려지고 바깥 피복은 인접된 국소피판들을 피하박리(undermining)해 전위(transposition)나 회전으로 덮어준다(그림 30-37). 특히 과도한 누공은 다른 조직의 이식을 필요로 하여, 과도한 구비강 누공의 경우 두층의 점막 봉합부 사이에 골이식을 삽입해 폐쇄하기도 한다. 때로는 누공을 피복할 인접 국소조직이 부적절한 경우가 있어 혀나 협점막피판이 이용되기도 한다. 총상으로 인한 피부, 근육, 점막조직의 상실, 압좌상(crushing)에 의한 괴사, 지속적 창상감염 등으로 형성된 구강피부 누공(orocutaneous fistula) 역시 외과적 처치가 필요해, 작은 누공이 형성된 경우는 누공 주위 병적 조직들을 절제하고 인접조직을 전진시켜 봉합술을 시도해 폐쇄시킬 수도 있으나, 누공의 크기가 큰 경우는 역시 이중피판술을 이용해 폐쇄시켜야 한다. 모든 누공의 외과적 처치는 폐쇄수술 이전에 주위조직에 병변이 없어야 하며, 특히 구강상악동 누공 폐쇄술 시행 전에는 부비동염의 완전한 치유가 선행되어야 한다. 때로는 상당 기간 지속된 각종 누공이 주위 조직의 병변(주로 감염증) 치유로 항상성(homeostasis) 반응에 의해 저절로 폐쇄되기도 하기에(그림 30-38), 외과적 처치를 서두르지 않는 편이

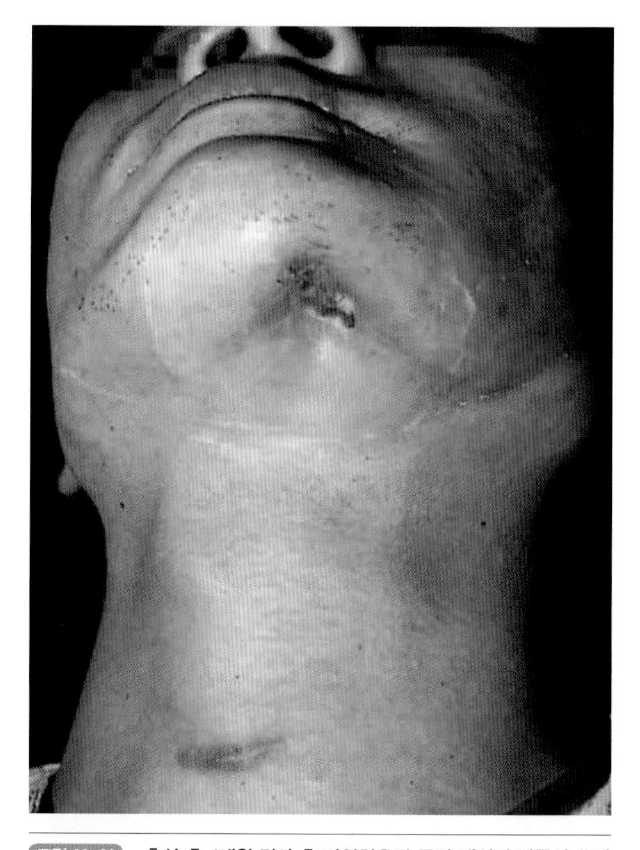

그림 30-38 **총상 후 4개월 경과 후 자연치유된 구강 내외의 관통성 구강피부 누공의 모습.** 상실된 조직 결손부가 신생육아조직의 증식과 감염조절로 자연적으로 폐쇄되었다.

유익하다는 보고도 있다.

5. 화상 후 악안면재건술

두경부는 인체내 여러 부위 중에서 화상 및 열손상에 쉽게 노출되어 있으며 치유과정은 반흔이 형성되고 수축되는 구축(contracture) 과정으로 때로는 심각한 심미적이고 기능적인 장애를 초래하게 된다. 이런 화상은 신체적 손상뿐만 아니라 때로는 혐오스런 안면모습 때문에 환자들에게 정신적인 고통을 겪게 하며, 또한 화상은 안면 구조물을 파괴함으로써 기도(respiratory tract) 손상에 의한 호흡장애도 초래하게 된다. 1950년대 이전에는 화상으로 사망하는 가장 큰 원인이 창상감염에 의한 것이었으나, 1960년대 이후에는 다양한 항생제의 개발과 창상관리법의 발전과 응급의학의 발달 등에 힘입어 사망률은 현저히 감소되어 왔다.

1) 화상의 중증도 및 병태생리

피부화상의 주요 원인은 크게 고열, 화학약품, 및 전기자극 화상으로 대별되며, 화상의 중증도를 확인하는 것은 정확한 임상적 단계를 설정하는데 필요하고 화상의 근원, 피부 파괴의 깊이, 손상된 피부면의 정도를 결정함에 있어

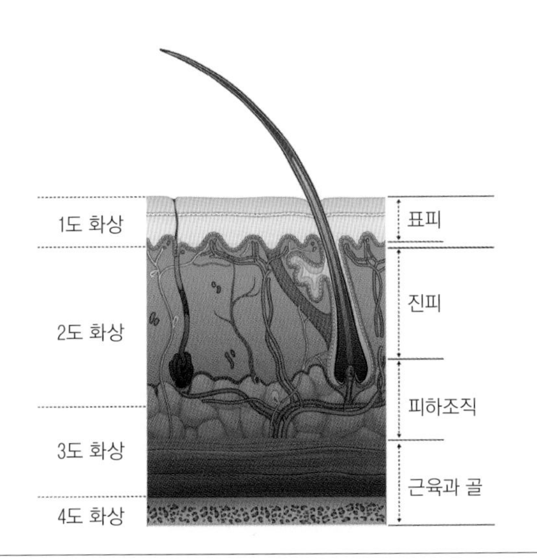

그림 30-39 화상의 길이에 따른 피부 단면도

서 중요하다고 할 수 있다. 화상의 깊이는 그 정도에 따라 1도, 2도, 3도, 및 4도로 구분된다(그림 30-39). 화상 부위의 피부면은 응고대(zone of coagulation), 정지대(zone of stasis) 및 충혈대(zone of hyperemia) 등과 같이 3가지 혈관변화 구역으로 구분될 수 있다.[32,34] ① 응고대: 화상의 중심부, 특히 심부 화상에서 중심에 위치되고, 모든 혈관과 모세혈관이 폐색되어 열성응고와 세포괴사를 초래하여 피부 전체를 파괴하는 부위이다. ② 정지대: 응고대를 둘러싸며 진피층의 혈행을 침범하고 초기에는 발적 상태를 보이며 수분 내에 혈전증이 일어난다. 혈관수축에 의해 화상부위로 혈류가 감소되지만, 일부 혈관은 열려있으므로 초기 치료 시 순환 혈류를 잘 보존하면 화상 조직의 생활력을 회복시킬 수 있다. ③ 충혈대: 정지대를 둘러싸며 화상 시 가장 적은 영향을 받는 부위이다. 선명한 적색을 보이며 압박 시 표백되고, 혈관의 실체를 유지하고 있어 세포괴사는 거의 없다. 따라서 병균 침입에 대해서도 부분적인 방어벽 역할을 한다. 성인에서 피부의 표면적은 1.75 m^2이며 체중의 약 15%에 해당되고 두께는 1~3 mm로 다양하다. 피부는 인체에서 수분의 유지를 위한 방벽이고 열손실을 조절하며 병균감염에 대한 주요 방어벽 역할과 함께 촉각, 동통, 온도, 및 압력 등을 인지하는 주요 감각기관이다. 표피와 진피로 주로 구성되는 피부가 화상으로 손상될 경우 인체는 수분의 상실, 체열의 상실에 따른 체온저하, 조직응고괴사에 따른 병균감염 가능성이 증가되며 인체의 대사성 요구와 혈행이 변화하게 된다. 화상 후 즉각적인 변화는 화상을 입은 국소적인 부위에서 히스타민(histamine)이 유리되어 혈관수축의 원인이 되며, 몇 시간 내로 다시 혈관이 확장되어 모세혈관의 투과성을 증가시키며 이는 전체 혈장이 화상부 내부로 흘러 들어가게 만다. 화상 후 24시간 이내에는 혈전증(thrombosis)이 형성되는데 이는 혈관벽에 부착되는 혈소판과 백혈구의 집합 때문이고, 이러한 혈전증 상태는 점진적인 혈관의 폐색을 초래해 허혈(ischemia) 부위를 만들기도 하며, 화상으로 인한 부종은 손상된 세포들로의 산소와 영양물질의 전달을 방해해서 부수적인 세포손상을 초래하게 되는데, 이런 현상들은 최소 약 5일간 일어난다.

2) 흡입(Inhalation) 손상과 기도문제

두경부 화상 환자의 소생을 위해서는 기도(respiratory tract) 손상의 즉각적인 평가와 호흡부전에 대한 신속한 치료가 요구된다. 호흡계 손상이 처음에는 분명하지 않을 수 있기 때문에 기도의 지속적인 관찰과 확인은 화상치료 초기 며칠이 제일 중요하다. 최초의 기도관리는 화상 후 즉시 100% 산소를 투여하는 것으로 저산소증(hypoxia)과 일산화탄소 중독을 치료할 목적으로 시행되며, 흡입되는 뜨거운 공기로부터 직접적인 손상은 상기도의 과도한 부종을 초래하게 되는데, 통상적으로 화상 발현 8~24시간 경과 시 나타나고, 48시간 경과 후 최고의 부종을 보이다가 서서히 감소된다. 따라서 부종으로 인해 상기도 폐쇄가 확인되면 기도유지를 위해 기관내 삽관(endotracheal intubation)이 시행되어야 하며, 가능한 비강을 통한 삽관이 이루어져야 안정성을 유지할 수 있다. 기관 내 삽관이 시행되기 어려울 경우는 윤상갑상절개술(cricothyroidotomy)이나 기관절개술(tracheostomy)을 통해 기도를 확보하도록 고려하며, 이때 폐감염의 우려를 항상 주의해야 한다. 흡입손상은 유독가스가 원인이 되기도 하는데, 밀폐된 공간에서 화염 화상을 포함해 태워 그슬린 코털, 기도내 검둥 매연, 쉰 목소리, 나음, 씨근거리는 숨소리 등이 표식자가 된다. 흡입 화상을 확인하는 데는 폐 스캔(lung scan)이나 기관지경(fiber-optic bronchoscopy) 검사가 필요하며, 과도한 화상 환자에서는 화상 발생 3~5일 후에 무기폐(atelectasis), 파종성 혈관내 응고(disseminated intravascular coagulation) 및 대사성 산혈증이 발현되어 호흡부전을 초래할 수 있으므로 최초 5일간 지속적인 관찰이 필요하다(그림 30-40).

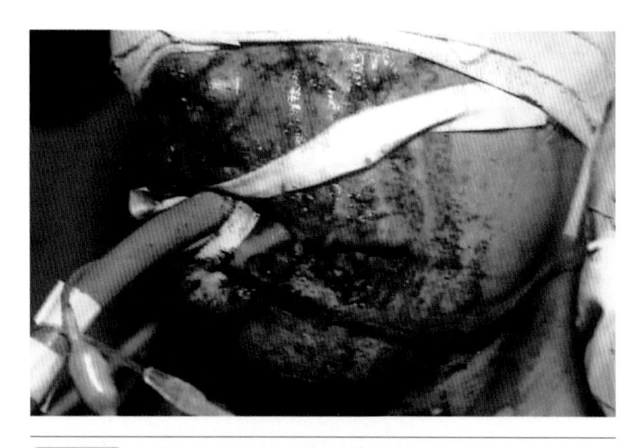

그림 30-40 탄광 폭파사고에 의한 과도한 흡입화상으로 호흡분전이야기되어 기관내삽관술을 시행한 58세 남자환자의 예

3) 화상의 초기 및 후기 관리

두경부 화상환자의 초기 치료는 모든 화상 부위의 철저한 세척 과정에서 시작된다. 특히, 파편과 혈괴가 축적될 우려가 있는 속눈썹 부위의 세척과 각막(cornea) 손상에 대한 평가가 중요하다. 화상은 습윤 드레싱(moist dressing)으로 피복하여 가피(crust) 형성을 방지하고, 괴사조직을 철저히 제거하는 것이 감염 방지에 필수적이다. 안면 화상의 전형적인 치료는 부분층 두께(partial-thickness) 창상인 경우 1차적인 창상치유로 치료하고, 전층 두께(full-thickness) 창상인 경우 피부이식술 이전에 육아조직의 형성으로 치료하는 것인데, 최근에는 전층 두께의 화상에도 육아조직이 형성되는 오랜 기간을 기다리지 않고, 조기절제 및 자가 피부이식으로 비교적 양호한 예후를 보이는 것으로 보고되고 있다. 한편, 구강내 흡입화상에 의한 창상의 세척은 클로로헥사메드 함수제(chlorohexamed gargle) 같은 화학적 세척액 보다는 무자극성의 생리식염수 함수제가 보다 추천되며, 이는 화상으로 인한 점막염을 악화시킬 우려가 있기 때문이다. 때로는 화상 자체로 인한 정신적인 스트레스와 음식물 섭취 어려움에 따른 면역약화로 포진성 바이러스 병소(herpetic viral lesion) 등이 동반될 수 있어 오라메디 연고의 도포가 도움이 되기도 한다. 화상의 초기 세척과 괴사조직의 절제 후 피부이식을 위한 육아조직의 형성이 서서히 시작된 후부터는 두경부 화상의 후기 치료로서 접근하게 된다. 두경부에서는 부분층 두께의 피부 이식 중 분할두께(split-thickness)에 해당하는 0.014~0.018 inch 두께의 비교적 두꺼운 피부이식술이 수축량이 적고 양호한 결과를 보여 많이 추천되며, 그물눈 이식체(mesh graft)는 부적절한 것으로 알려져 있다. 두경부에서 피부이식술의 기본적인 원리는 미용 안면단위(aesthetic facial units)를 고려하는 것으로 작은 조각(patch) 형태로 피부이식술을 시행하는 것보다 전체 미용 단위로 재배치 되어야 하는 것이 중요하다. 안면단위는 전두부, 눈썹부, 상안검부, 하안검부, 협부, 상순부, 및 턱끝이 포함된 하순부가 포함되며,

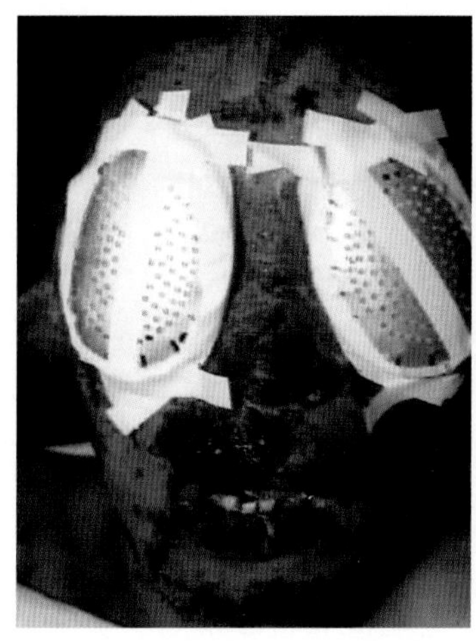
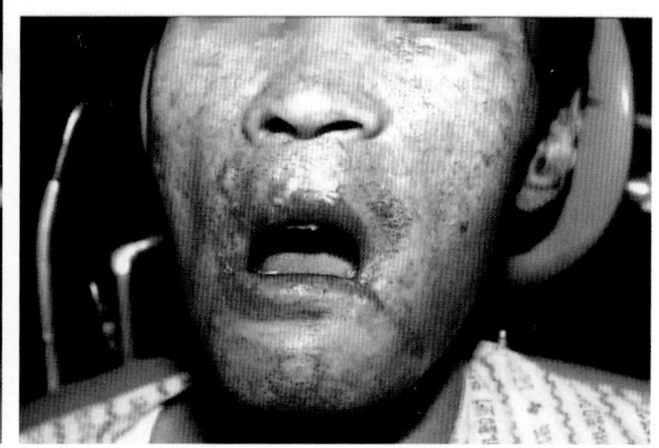

그림 30-41 탄광 폭파사고에 의한 안면화상으로 장기간의 창상드레싱과 괴사 조직의 변연절제 및 단계적인 피부이식으로 치료하는 환자의 증례

특히 주의를 요구하는 부위는 인중(philtrum)과 턱끝인 이부 쪽으로 이곳에서는 이전의 반흔조직을 표층으로만 절제하고 심층은 남겨서 안면의 정상윤곽의 융기부를 보존해야 한다(그림 30-41). 피부이식 시 안면피부에 조화로운 색조 공여부로 두피(scalp), 후이개부(posterior auricular region) 및 쇄골상부(supraclavicular region) 등을 고려할 수 있다. 피부이식편의 초기 치유단계 시 고정 방법으로는 이식편을 스텐트나 압박 드레싱으로 안정화하며 환자에게는 비위장관 삽관(nasogastric tube)에 의한 식이섭취와 말하는 것을 삼가는 등의 주의사항을 지시하게 된다. 피부이식술과 더불어 화상 후 비대성 반흔(hypertrophic scar)을 관리하는 방법으로는 압박 치료법이 추천되며, 각 환자에 적합한 견고한 목버팀대(neck brace), 탄력성 안면마스크(elastic face mask), 이부 스트랩(chin strap), 및 투명한 플라스틱 마스크 등을 압박기구로 이용하게 된다. 압력의 유지는 피부이식 후 가능한 한 서둘러 시작하여 식사 시나 목욕 시를 제외한 대부분의 시간에는 계속적인 압박기구의 장착을 지시하고 피부이식편이 성숙되고 연화될 때까지 사용한다. 또한, 반흔구축을 방지하기 위한 경부신장(neck extension) 운동을 추천하고 운동 범위를 증진시키도록 지시하는 것이 추천된다.

4) 구강내 전기적 화상(Electrical burn in the oral cavity)

1~3세의 유아에서 전선 소켓의 끝을 입안으로 넣거나 벽면 소켓에 혀를 갖다 댈 경우 전류가 흘러 발생되는 구강내 전기적 화상은 상순 및 하순, 혀, 구각부가 흔히 화상을 입게 된다. 전기적 화상을 입게 되는데 초기 단계에서 조직이 괴사되는 단단한 부위를 보이고 중심부는 하얗게 되면서 함몰되고 홍반조직의 구역으로 둘러싸이게 된다. 이러한 부종이 감소되는 데는 5~12일 정도의 기간이 필요하게 된다. 이러한 전기적 화상은 시간이 경과하면 최초의 모습보

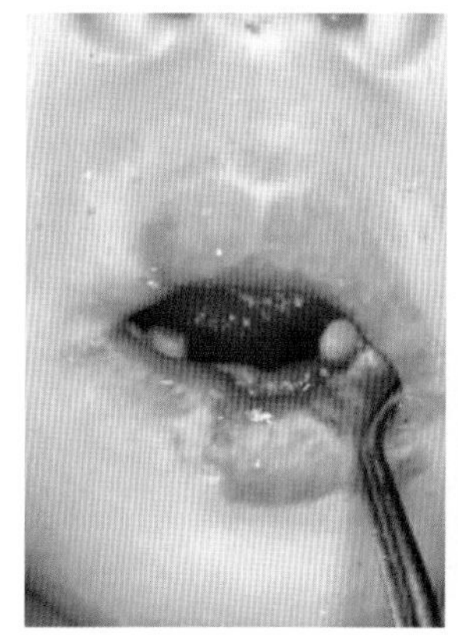
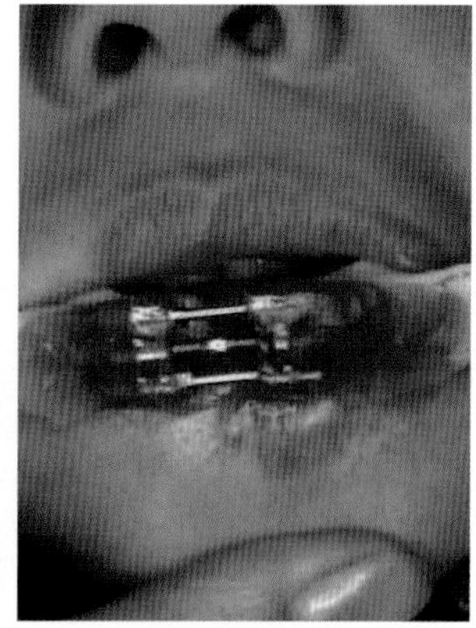

그림 30-42 16개월 유아의 구각부 전기적 화상에 의한 소구증의 좌측 모습과 이를 방지하기 위한 레진 나사 장치를 장착한 우측 사진 모습

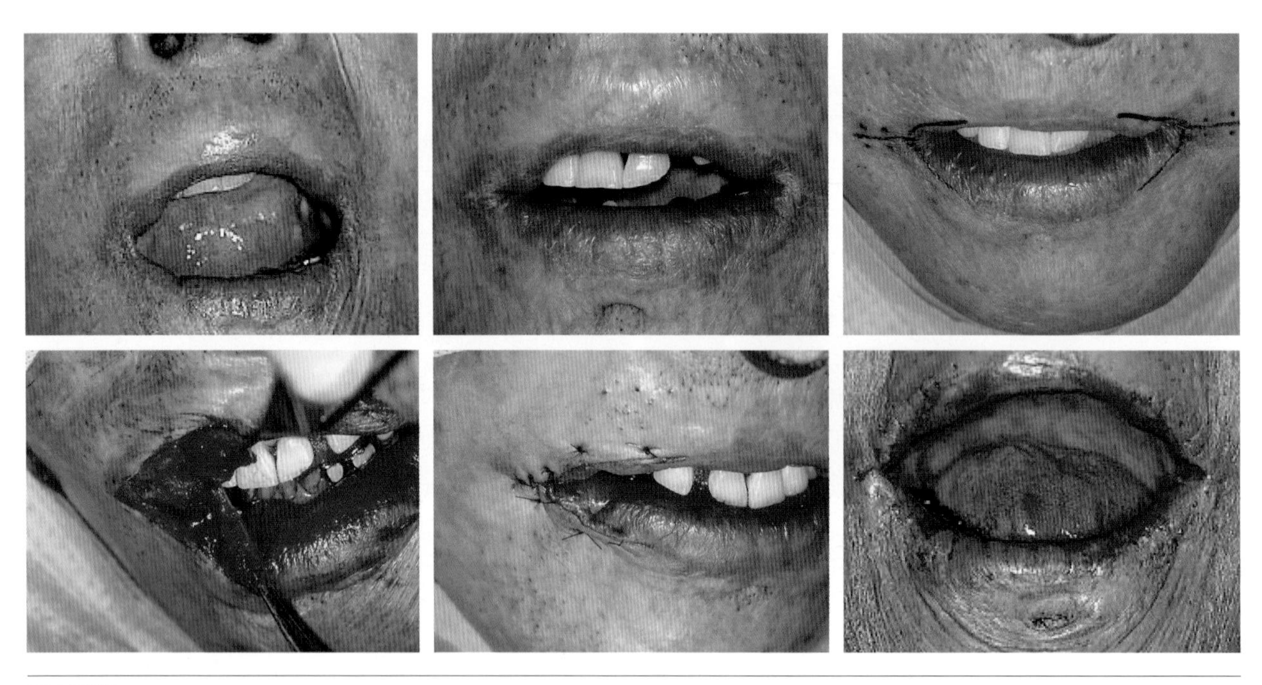

그림 30-43 화상으로 야기된 소구증을 converse 피판을 이용하여 재건

다 확대되는 경향이 있는데, 많은 학자들은 전기적 화상의 치료에서 창상 세척, 습윤 유지, 건조가피(eschar) 분리 허용 등과 같은 보존적인 접근법을 추천하고 있다. 보존적인 접근법 시행 후 10~14일 경과된 시점에서는 화상에 의한 손상부와 정상조직의 완전한 분리가 이루어져 외과적인 재건술을 고려할 수 있는데, 이때에는 상하순부, 특히 구각부(commissure) 화상의 경우 반흔구축에 의한 소구증(microstomia)을 방지하기 위한 여러 확장장치를 사용하는 것이 중요하며(그림 30-42), 이러한 장치를 사용함으로써 소구증을 외과적으로 수술하는 부작용을 많이 줄임으로써 환자와 술자 모두 만족할 결과를 얻게 된다. 그러나 초기에 적절한 치료가 되지 않아 잔존한 소구증은 외과적 수술로 재건해야 하는데(그림 30-43) 이때에도 재유착의 방지를 위해 적절한 유지장치를 활용할 필요가 있다. 보존적인 치료법 시행 시 유념할 사항으로는 창상으로부터 건조 가피가 분리되면서 상하순 혈관부로부터의 출혈 위험성이 커질 수 있는 점인데, 술자는 항상 사전에 환자와 보호자에게 이러한 2차적인 혈관손상이나 창상감염에 의한 출혈의 가능성을 미리 예고해 두어야 하고, 2차적인 출혈 발생 시 재봉합술, 배농술 및 필요하면 혈관결찰 등의 대비책을 강구해 두어야 한다.

참고문헌

1. Kruger GO. Textbook of oral and maxillofacial surgery: CV Mosby; 1984.
2. Peterson LJ, Indresano AT, Marciani RD, Roser SM. Principles of Oral and Maxillofacial Surgery. Philadelphia: JB Lippincott Co.; 1992.
3. Kim BC, Kim S, Nam W, Cha IH, Kim HJ. Mandibular reconstruction with vascularized osseous free flaps: a review of the literature. Asian Pac J Cancer Prev 2012;13:553-38.
4. Manktelow RT, Zuker RM, Finch K, Taylor GI. Microvascular Reconstruction: Anatomy, Applications and Surgical Technique. Berlin: Springer-Verlag; 1986.
5. Soutar DS, Tiwari R. Excision and Reconstruction in Head and Neck Cancer. New York: Churchill-Livingstone, Inc.; 1994.
6. Taylor GI. Reconstruction of the jaw with free composite iliac bone grafts. In: Buncke HJ, Furnas DW, editors. Symposium on Clinical Frontiers in Reconstructive Microsurgery, St. Louis: The CV Mosby Co. St. Louis: CV Mosby Co.; 1984. p.106-22.
7. 이종호, 서구종, 박광, 정무강. 유리 혈관화 비골판을 이용한 하악골 결손 재건. 대한구강악안면외과학회지 1992;18:109-20.
8. 이종호, 서구종. 유리전완요골판 (Free Radial Forearm Flap) 을 이용한 구강안면부 결손의 재건 : 전완요골판 12 례의 경험. 대한악안면성형재건외과학회지 1991;13:305-18.
9. Hidalgo DA. Fibula free flap: a new method of mandible reconstruction. Plast Reconstr Surg 1989;84:71-9.
10. Hidalgo DA, Pusic AL. Free-flap mandibular reconstruction: a 10-year follow-up study. Plast Reconstr Surg 2002;110:438-49; discussion 50-1.
11. Wang KH, Inman JC, Hayden RE. Modern concepts in mandibular reconstruction in oral and oropharyngeal cancer. Curr Opin Otolaryngol Head Neck Surg 2011;19:119-24.
12. Wallace CG, Chang YM, Tsai CY, Wei FC. Harnessing the potential of the free fibula osteoseptocutaneous flap in mandible reconstruction. Plast Reconstr Surg 2010;125:305-14.
13. Barber HD, Seckinger RJ, Hayden RE, Weinstein GS. Evaluation of osseointegration of endosseous implants in radiated, vascularized fibula flaps to the mandible: a pilot study. J Oral Maxillofac Surg 1995;53:640-4; discussion 4-5.
14. O'Leary MJ, Martin PJ, Hayden RE. The neurocutaneous free fibula flap in mandibular reconstruction. Otolaryngol Clin North Am 1994;27:1081-96.
15. Daya M. Peroneal artery perforator chimeric flap: changing the perspective in free fibula flap use in complex oromandibular reconstruction. J Reconstr Microsurg 2008;24:413-8.
16. Chang YM, Tsai CY, Wei FC. One-stage, double-barrel fibula osteoseptocutaneous flap and immediate dental implants for functional and aesthetic reconstruction of segmental mandibular defects. Plast Reconstr Surg 2008;122:143-5.
17. Bähr W, Stoll P, Wächter R. Use of the "double barrel" free vascularized fibula in mandibular reconstruction. J Oral Maxillofac Surg 1998;56:38-44.
18. 이종호, 정현주, 배정식. 유리혈관화비골 미세이전과 골유착성 임프란트를 이용한 심미 기능적 편측하악골 결손 재건. 대한악안면성형재건외과학회지 1995;17:220-30.
19. Taylor GI, Townsend P, Corlett R. Superiority of the deep circumflex iliac vessels as the supply for free groin flaps. Plast Reconstr Surg 1979;64:595-604.
20. Taylor GI, Townsend P, Corlett R. Superiority of the deep circumflex iliac vessels as the supply for free groin flaps. Clinical work. Plast Reconstr Surg 1979;64:745-59.
21. Franklin JD, Shack RB, Stone JD, Madden JJ, Lynch JB. Single-stage reconstruction of mandibular and soft tissue defects using a free osteocutaneous groin flap. Am J Surg 1980;140:492-8.
22. Kang SH, Kim HJ, Cha IH, Nam W. Mandibular condyle and infratemporal fossa reconstruction using vascularised iliac crest and vascularised calvarial bone graft. J Plast Reconstr Aesthet Surg 2008;61:1561-2.
23. Kim BC, Chung MS, Kim HJ, Park JS, Shin DS. Sectioned images and surface models of a cadaver for understanding the deep circumflex iliac artery flap. J Craniofac Surg 2014;25:626-9.
24. Kim HS, Kim BC, Kim HJ, Kim HJ. Anatomical basis of the deep circumflex iliac artery flap. J Craniofac Surg 2013;24:605-9.
25. Salibian AH, Rappaport I, Allison G. Functional oromandibular reconstruction with the microvascular composite groin flap. Plast Reconstr Surg 1985;76:819-28.
26. Kim EK, Evangelista M, Evans GR. Use of free tissue transfers in head and neck reconstruction. J Craniofac Surg 2008;19:1577-82.
27. Brown J, Bekiroglu F, Shaw R. Indications for the scapular flap in reconstructions of the head and neck. Br J Oral Maxillofac Surg 2010;48:331-7.
28. Swartz WM, Banis JC, Newton ED, Ramasastry SS, Jones NF, Acland R. The osteocutaneous scapular flap for mandibular and maxillary reconstruction. Plast Reconstr Surg 1986;77:530-45.
29. Kendrick RW. Management of gunshot wounds and other urban war injuries. Oral Maxillofac Surg Clin North Am 1990;2:55-68.
30. Ward-Booth P, Scheldel SA, Hausamen JE. Maxillofacial Surgery. Edinburgh: Churchill Livingstone; 1999.
31. Fonseca RJ, Walker RV. Oral and maxillofacial trauma, Vol II. Philadelphia: WB Saunders; 1991.
32. Kruger E, Shilli W. Oral and maxillofacial traumatology, Vol 2. Chicago: Quintessence Publishing Co.; 1986.
33. Schultz RC. Facial injuries. 3rd ed. Chicago: Yearbook Medical Publishers Inc.; 1988.
34. William JL. Rowe and Williams'maxillofacial injuries. 2nd ed. Edinburgh: Churchill Livingstone; 1994.
35. 김명진, 김민형. 안면부 총상환자의 치료에 관한 문헌적 고찰 및

PART 5

증례보고. 대한구강외과학회지 1981;7:51-60.
36. 유재하, 김판식, 정인원. 증례보고 : 악안면부의 미사일손상에 관한 문헌적 고찰 및 증례 보고. 대한악안면성형외과학회지 1986;8:41-53.
37. Siemionow M, Unal S, Agaoglu G, Sari A. A cadaver study in preparation for facial allograft transplantation in humans: part I. What are alternative sources for total facial defect coverage? Plast Reconstr Surg 2006;117:864-72; discussion 73-5.
38. Sakurai H, Takeuchi M, Fujiwara O, et al. Total face reconstruction with one expanded free flap. Surg Technol Int 2005;14:329-33.
39. Mücke T, Hölzle F, Loeffelbein DJ, et al. Maxillary reconstruction using microvascular free flaps. Oral Surg Oral Med Oral Pathol Oral Radiol Endod 2011;111:51-7.

Chapter

31 임플란트를 이용한 악안면 보철수복 및 턱관절 재건

Cranio-Maxillofacial Implant and Prosthesis, Alloplastic Total TMJ Replacement

기본 학습 목표

- 두개악안면부 조직결손 시 임플란트를 이용한 다양한 보철 수복물에 대해 설명할 수 있다.
- 치아 임플란트 보철물과 악안면 보철물의 차이점을 설명할 수 있다.

심화 학습 목표

- 두개악안면부 보철 수복을 위해 결손 부위에 따른 임플란트 식립 위치에 대해 설명할 수 있다.
- 두개악안면부 보철물 유지장치의 종류와 장단점에 대해 설명할 수 있다.
- 인공 턱관절 전치환술의 적응증, 장단점, 수술 방법 및 술후 부작용에 대해 설명할 수 있다.

턱, 구강, 귀, 눈, 등을 포함한 안면부에 종양치료나 외상 등에 의하여 결손부가 생겼을 때 환자는 기능적인 면은 말할 것도 없고 외모의 불균형 등으로 인하여 심리적인 충격을 크게 받게 된다. 현대 치의학의 궁극적인 목적이 환자를 외형적으로나 기능적으로 건강한 삶을 살 수 있도록 회복시키는 데 있으므로, 구강악안면부 결손 환자를 심미적으로, 기능적으로 건강하게 수복시키는 것이 치의학을 전공하는 우리들의 역할이라 할 수 있다. 현대 치의학 수준에서 완전한 재생 수복이 불가능하지만, 미래에는 조직공학, 재생의학, 생체재료, 인공장기 발달 등과 함께 로봇공학 등을 이용하여 결손부를 완전하게 수복할 수 있을 것으로 기대한다. 현재 치의학 수준에서 임플란트를 이용하여 수복해 주는 것이 최선의 방법으로 인식되고 있다. 따라서 이 장에서는 최신 3차원 프린팅, CAD/CAM, 가상 수술계획 수립 등의 디지털 기술을 이용한 임플란트 시술법을 통해 구강악안면 결손부를 수복하는 방법에 대해 고찰하고자 한다.

1. 역사적 배경

악안면 보철물(maxillofacial prostheses)을 안면부 조직 결손부의 수복에 이용하는 방법이 시도된 역사적 첫 기록은 이집트의 4대 왕조시대(2613~2494 B.C)로 추정하고 있다. 대영박물관에 있는 이집트 시대, 기원전 1000년경 21대 왕조시대 미이라의 X-선 검사 결과, 형태나 외형상으로 인공안구를 닮은 금속수복물이 안구 영역에 식립되어 있음을 알 수 있다(그림 31-1).[1] 악안면 보철물들에 대한 근대 기록은 프랑스 외과 군의관 앙브루아즈 파레(Ambroise Paré)에 의해서 이루어졌다. 파레는 금이나 은으로 인공 눈을 만들었으며 보철물을 제작하는데 금, 은, 종이천(papier mache; 접착력이 있는 얇고 강한 반죽 형태의 종이 덩이), 접착력이 있는 린넨천, 가죽 등을 이용하였다. 그는 보철물의 유지 방법에 대해서도 언급하였는데 예를 들면 귀의 보철물은 종이천이나 가죽으로 만든 금속 밴드를 이용하였다.[2] 더 좋은 방법의 예로 그는 세 가닥의 끈을 머리 뒤로 감아주어 코의 보철물을 유지하는 것을 고안하였다. 앙브루아즈 파레는 악안면 보철물의 아버지로 불린다(그림 31-2, 3).[1]

1806년 나폴레옹 전쟁 시 하악골 전상을 입은 환자가 타액을 담을 수 있는 은으로 만든 하악 악안면 보철물이 소개되었다. 당시 유명한 악안면 보철 수복의 증례로는 전상에 의해 안면 하부 1/3이 결손된 환자에서 은으로 만든 안면 가면이다. 이 보철물은 목 주변과 머리 뒤편에 가죽 띠로 묶어서 안면에서 유지되고 가면 내 위치한 금니를 통해 저작이 가능하며, 입구를 통해 어떠한 음식물도 배출할 수 있게 만들어졌다(그림 31-4). 1800년경 프랑스의 외과 및 치과의사인 삐에르 포샤르(Pierre Fauchard)는 악안면보철에 있어 많은 창조적인 구내·구외 보철물을 고안 및 제작하였

그림 31-1 **기원전 1000년경으로 추정되는 인공 안구가 있는 미이라의 모습**

그림 31-2 **앙브루아즈 파레(1509-1590)**

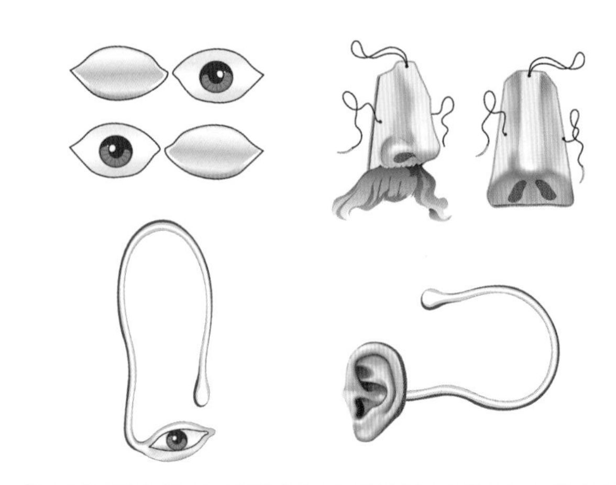

그림 31-3 **앙브루아즈 파레가 고안한 악안면 보철물들.** 철사나 밴드를 이용한 여러 유지장치가 붙어 있다.

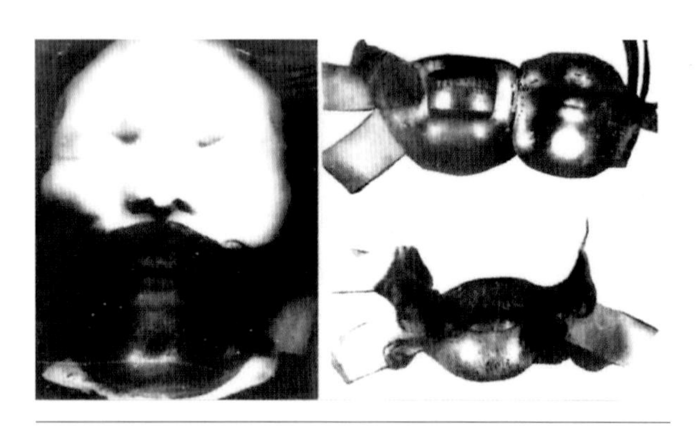

그림 31-4 **은과 금니, 가죽 등으로 제작된 광범위 악안면 보철물**

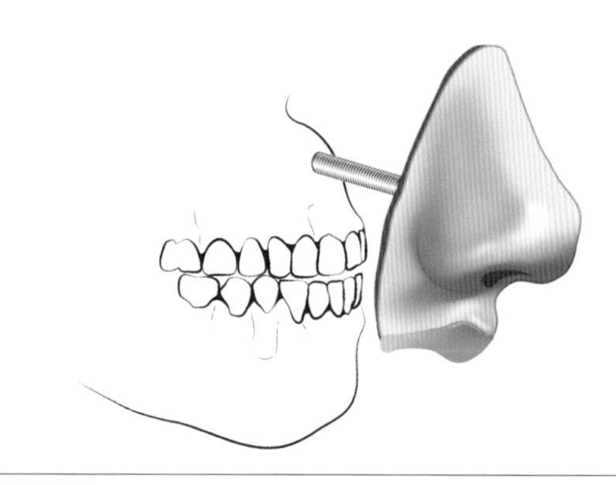

그림 31-5 **1947년 Dr. Kazanjian이 고안한 유지력을 얻기 위한 스프링이 있는 인공코**

으며 보철학의 아버지로서 가장 훌륭한 구개 폐쇄장치를 제작하였고 구개열 환자에게도 이 장치가 적용되었다.[3]

제1차 세계대전 동안에는 약 6만 명의 악안면 손상 환자가 발생되었으며 많은 의료종사자들이 관여하였다. 이 시기에 특히 프랑스에서 활동 중인 라드(Anna Coleman Ladd)와 카잔지안(Varaztad Kazanjian), 길리스(Sir Harold Gillies), 발라디(Valadier) 등은 많은 악안면부 부상자들에게 경화고무를 이용한 악안면 보철물을 만들어 주었다.[1] 20세기에는 의과대학 설립이 늘어남에 따라 의료기술도 더욱 발전되어 갔다. 그동안에 각 지역별로 악안면 보철이 제작되었던 것들이 점차 세계화되고 같이 일할 수 있게 되었다. 카잔지안(1879-1974)은 구개암이 있었던 구개 결손 환자에게 구개장치를 만들어 내는 등 보철술과 성형재건술을 연계하여 환자를 치료하였다(그림 31-5).[4]

제2차 세계대전을 계기로 많은 악안면 보철 재료 등이 개발되었으며 아울러 보철물 제작에도 많은 발전이 있었다. 1940년대 초기에 아크릴릭 레진(methyl methacrylate)이 개발되었고 세계의 많은 연구자들이 이 물질의 유용성에 관하여 알게 되는 계기가 되었으며 이들 중 왈스트론(Ethel Walstron, 스웨덴), 브라지에(Stanley Brasie, 영국), 스미스(Walter Smith, Glasgow royal infirmary), 왈링톤(Clifford Wallington, 호주의 Royal Melboume 병원) 등이 이후의 악안면 보철에 있어 많은 업적을 남겼다.

1946년에 딱딱한 아크릴보다 유동성이 있는 실리콘 재료가 개발되었다. 1950년대 미시간주에 있는 화학회사인 넬슨 크라이머(Nelson Kramer) 주식회사는 악안면 보철재료로

그림 31-6 1980년대 중반까지 널리 사용되었던 안경테를 이용한 실리콘으로 제작된 인공안구를 포함한 악안면 보철

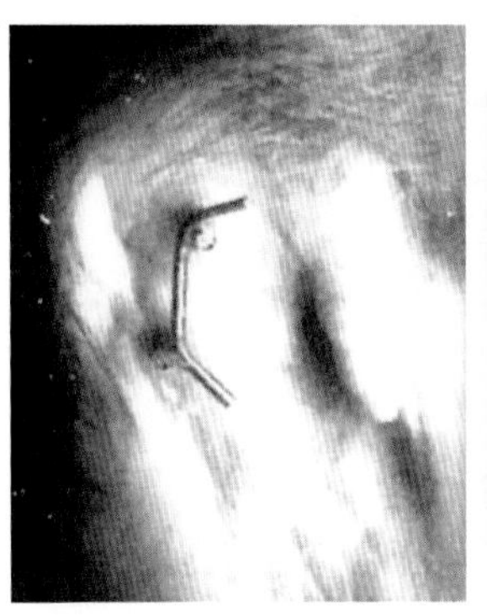
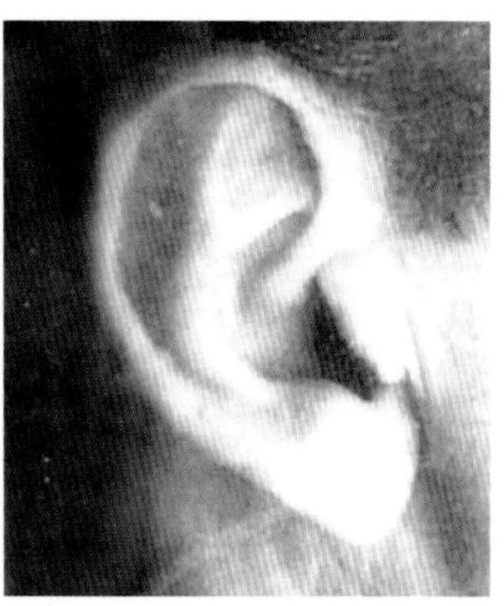

그림 31-7 Dr. Bränemark씨가 소개한 임플란트를 이용한 악안면재건으로 임플란트를 식립한 상태 및 여기에 보철물을 부착한 모습

서 프렛시덤(Flexderm)을 개발하였다. 1961년 독일의 쿨쩌(Kultzer) 주식회사는 거품성이 있는 균일한 얇은 막으로 쌓여 있으면서 다공성의 안쪽 중심체가 형성된 파라메드(Palamed)라 불리는 유연한 재료를 소개하였다.[5] 1960년대에 실리콘이 다우 코닝(Dow Corning Corporation)사에 의해서 개발되었다. 이 물질은 특히 유연성, 내구성, 청결성이 아주 높은 특징을 가지고 있었다.[6]

골내 매식술이 소개된 1970년대 후반까지 실리콘을 이용한 악안면 보철물은 세계적으로 널리 사용되었다. 이러한 보철물은 부드러워 크기나 색깔의 완전한 결손부 회복이 가능해졌으며 보철물 변연부를 최대한 얇게 만들어 주어 자연스럽게 할 수 있었으나 접착제에 의해서 유지가 되었다. 그러나 보철물이 변연부부터 곧 단단해지고 변색되는 단점들이 있었으며 매일 소독 및 청결 유지, 탈착, 정확한 위치 고정 등의 불편감이 있었다. 어떠한 경우는 환자가 몸에 땀이 나서 접착제의 유지를 방해하거나 안경 등에 보철물을 장착한 경우에는 중력으로 인한 악안면 결손부와 안구쪽의 공간이 생기는 단점들이 있었으나 그 당시 환자들에게는 매우 만족할 만한 대체물들이었다(그림 31-6).[7]

1978년도 Roswell Park은 접착제로 유지를 얻고 아크리릭 레진으로 만든 두개악안면부 보철물을 장착하였던 환자들 중 시간이 지남에 따라 피부자극이나 심미성의 결여로 인하여 보철물 장착률이 약 50% 이하인 것을 보고하였다.[8] 악안면 임플란트가 개발되기까지 여러 가지 형태의 접착제(pastes, liquids, sprays)나, 양면테이프(double-coated tapes) 등으로 보철물을 유지하였으며 환자들에게 상당한 만족감을 주었다. 그러나 시간이 지남에 따라 이러한 접착제들은 피부 알레르기 반응이라든지 피부자극을 유발하였고 부착할 때마다 정확한 보철물의 재위치가 어려웠다는 단점이 있었다.[9]

1979년 스웨덴의 Bränemark 교수는 최초로 악골내 임플란트가 악안면 보철물의 장착 및 유지에 더욱 강하고 튼튼한 역할이 된다고 보고하였다. 즉 인공적인 귀를 위한 이부(mastoid area)의 임플란트, 안와 부위 임플란트, 비부의 임플란트 등 통상의 구강내 임플란트와는 크기와 형태가 다른 임플란트를 개발 이용하였다(그림 31-7).[5] 이후 스웨덴 전역 및 유럽, 미국 등지에서 암종 수술 후 방사선 치료를 받거나 일반 환자들에게 임플란트를 이용한 악안면 보철 술식이 많이 사용되었다. 1979년부터 17년 동안 텔스트롬(Anders Tjellstrom), 그렌스트롬(Gosta Granstrom), 베르스트롬(Kerstin Berstrom) 등은 약 300명의 환자에서 임플란트를 이용한 악안면 보철을 보고하였으며 전체 환자 중 55%는 골전도성 청각보조장치(bone anchored hearing aids, BAHA)를 45%는 악안면 보철을 시행한 악안면 임플란트를 하였다. 전체 환자에서 30%가 암종으로 인한 결손이었으며 이중 25%의 환자에서 방사선 조사를 받은 경험이 있는 환자였다. 방사선 조사를 받은 환자들을 13년 동안 관찰해 본 결과 전체적으로 약 35%의 임플란트 손실이 있었고 이는 일반적인 악안면 보철 실패보다 증가되어 나타났으며 특히 3년 이내에 많은 탈락이 있었다. 손실되는 두 가지 형

태는 임플란트 2차 수술 시에 매식체의 완전한 골성융합(osseointergratin)이 이루어지지 않았다는 것과 환자가 내원 시 아무런 외상이 없었음에도 불구하고 동요도가 심한 경우가 대부분이었다.[9] 따라서 방사선 조사를 받은 환자의 임플란트 치료에 있어서 각별한 주의가 요하며 장기적으로 유지 관리에 더욱 신중해야 함을 알 수 있다. 그럼에도 불구하고 임플란트를 이용한 악안면 보철수복은 심미성과 기능성 회복에 있어서 기존의 치료에 비해 더 높은 성공률과 만족도를 보이고 있다.

기능적, 심미적으로 성공적인 악안면 보철 수복을 위해 구강악안면 외과의사, 악안면 보철 전문의 및 악안면 보철 기공사의 팀워크가 필요하다. 또한 환자들로 하여금 보철물을 장착 후 관리할 수 있는 능력을 반드시 교육해야 한다. 기능적 제한이 있는 환자나 정신 지체아 등의 보철물관리 능력이 없는 환자들은 쉽게 보철물 장착 부위에 염증이 발생할 수 있으며 청각보조장치를 장착한 환자의 경우에는 잘 들을 수 없게 된다. 물론 구강악안면 외과의사와 보철 전문의의 세심한 관찰과 책임이 중요하다고 할 수 있다.[10]

2. 골내 매식술을 통한 악안면 보철제작

1) 외과적 술식

(1) 매식체 재료의 특징

① Fixture placement

악안면 임플란트 Fixture는 일반적인 Bränemark 치근 형태의 순수 titanium으로 구성되어 있으며 두께는 3.75 mm이고 fixture의 길이는 모든 악안면 영역에 맞게 3, 4 mm로

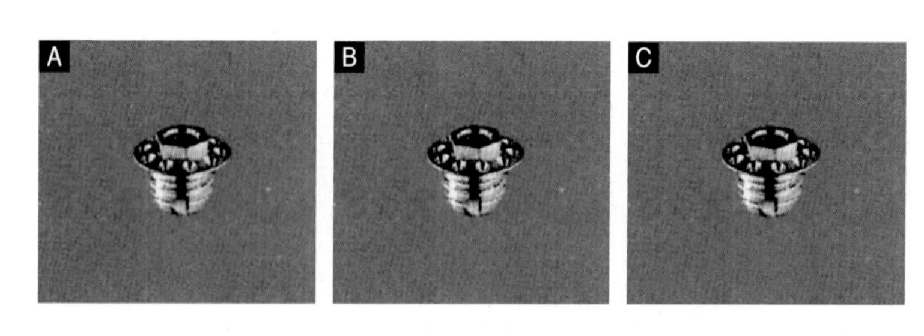

그림 31-8 A: Flange fixture, 3,75×3 mm B: Flange fixture, 3,75×4mm C: Cover crew, Space, Internal hexagon.

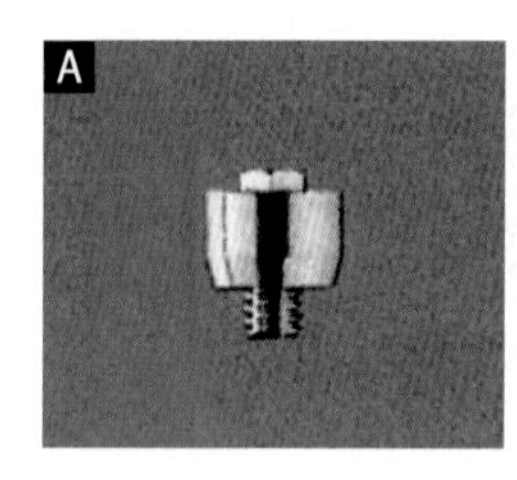
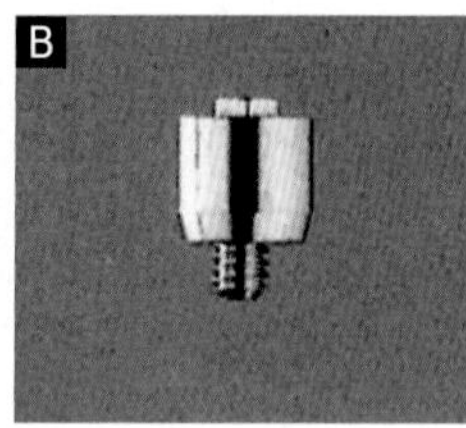
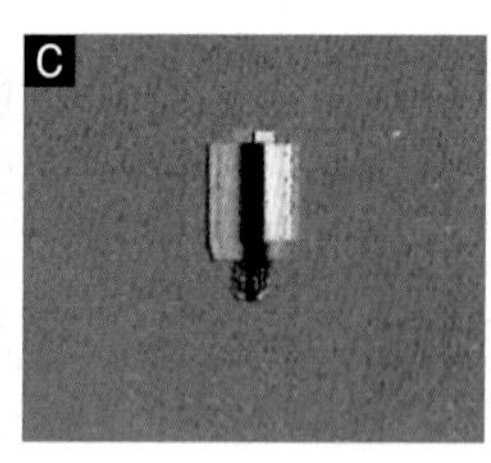
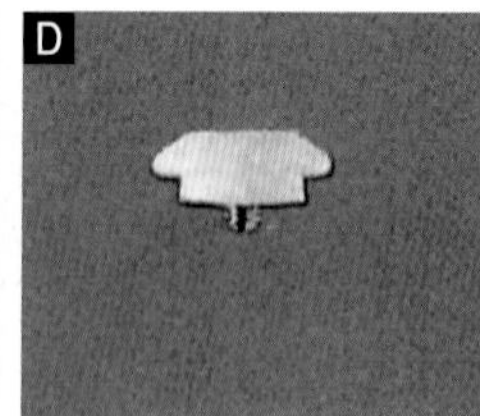
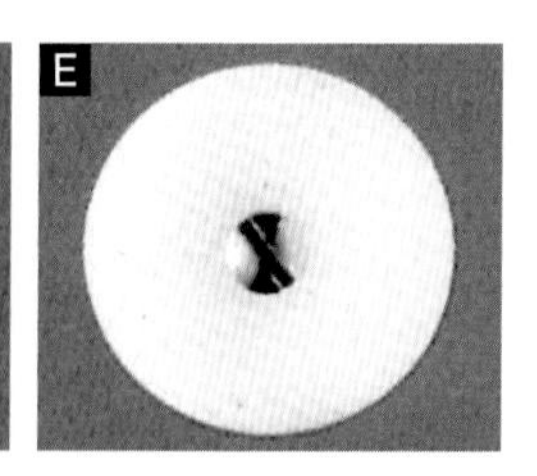

그림 31-9 A: Abutment, Short, 3 mm B: Abutment, Standard, 4 mm C: Abutment, Long, 5.5 mm D: Healing cap, Ø5 mm, Plastic E: Healing cap, Ø4 mm, Plastic

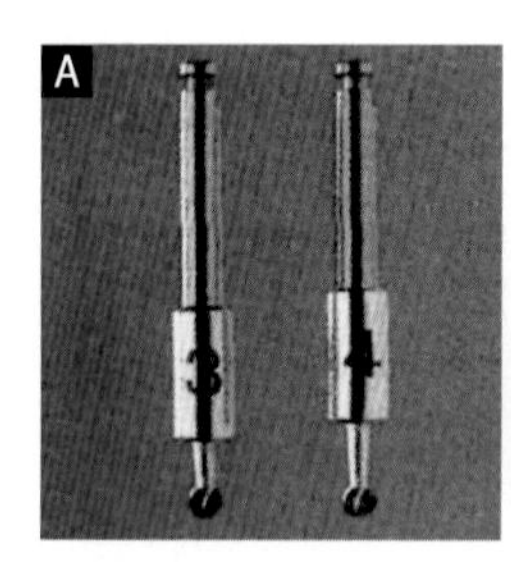
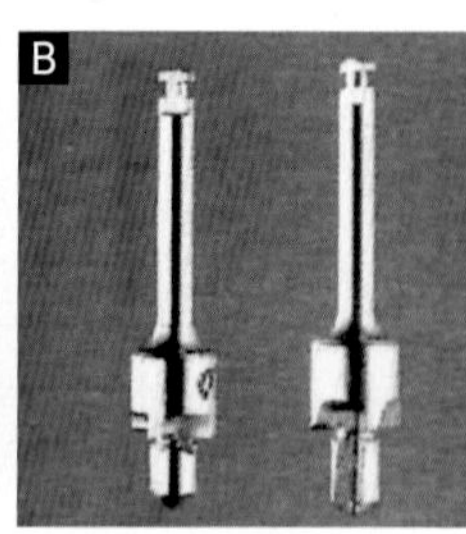
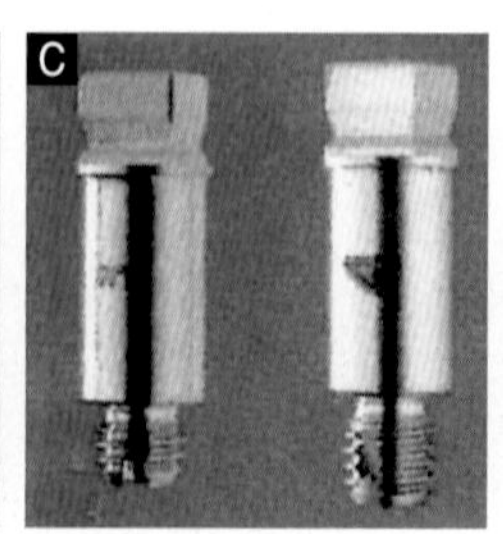
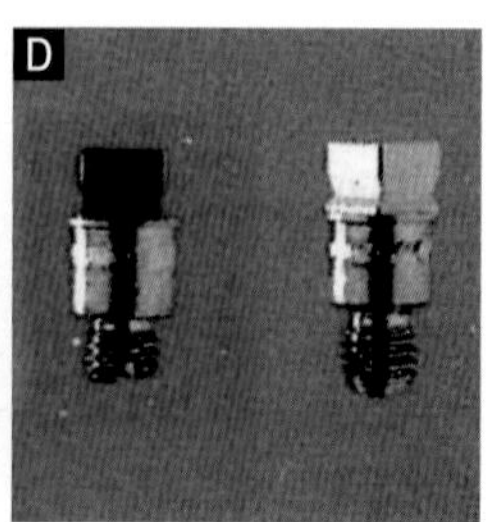

그림 31-10 A: Guide drills, Fixed depth, 3 mm and 4 mm B: Drill countersink, 3 mm and 4 mm C: Screw tap for 3 mm and 4 mm flange fixture D: Screw tap, Short, for 3 mm and 4 mm flange fixture

되어 있고 유지와 식립 시 안전을 위해 상부에 flange를 형성해 놓은 것이 특징이다(그림 31-8).

② Abument connection

Abutment는 abutment cylinder와 screw로 구분되어 있으며 fixture와 마찬가지로 순수 titanium으로 구성되어 있다(그림 31-9).

③ Drills과 Screw taps

모든 drill은 스테인레스스틸로 구성되었고 일회용으로 만들어졌다(그림 31-10).

(2) 외과적 술식

① 이부결손

통법에 의한 제모를 하고 수술 부위를 포타딘으로 닦은 후 plastic film으로 덮어서 타 부위로부터의 오염을 방지한다.

주위로부터 생긴 이물질은 골유착을 어렵게 할 수도 있으므로 반드시 제거해야 한다.

골막을 남겨둔 채 피부절개를 가하며 골막절개는 mastoid tip에서부터 temporal line까지 약간 둥글게 시행한다. 이런 유형의 골막절개는 차후에 임플란트 식립 시 큰 mastoid air cell이 있는 경우에, mastoid bone을 방대하게 노출시켜서 매식 부위의 위치를 바꿀 수 있는 여유를 갖게 한다(그림 31-11A).[11]

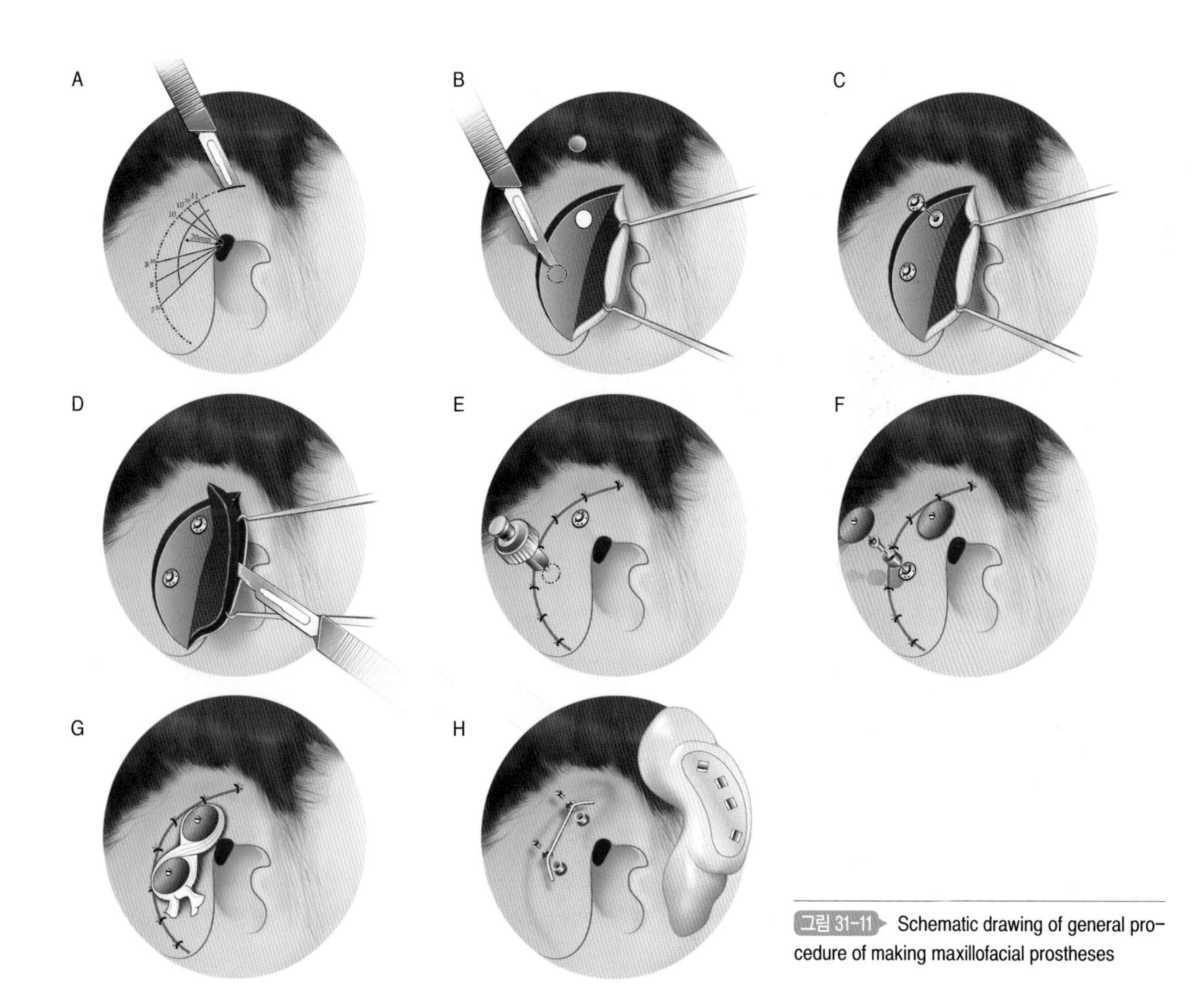

그림 31-11 Schematic drawing of general procedure of making maxillofacial prostheses

이부 보철물을 고정시키기 위해서, 일반적으로 mastoid 안에 두 개의 임플란트를 식립한다. 외이관 개구부와 관련지은 임플란트 위치 선정은 최상의 보철물 장착을 얻기 위해서 매우 중요하며 임플란트는 이관의 중앙으로부터 20~22 mm에 위치시켜서 antihelical ridge 아래 유지 바를 장착시킬 수 있게 하므로 아래쪽 임플란트는 8시와 9시 방향 사이에 놓고 상부 임플란트는 11시 방향에 위치시킨다. 두 임플란트 간의 거리는 최소 15 mm가 되어야 하지만 가능한 멀리 떨어지는 것이 좋다(그림 31-11B).[12] Drilling은 일회용 cutting drill을 사용하여 drill의 sharpness를 유지해야 하고 이것이 수술 시 열 외상을 감소시킬 수 있다.

드릴 속도는 1,500에서 3,000 rpm 사이의 낮은 속도를 유지시키며 생리 식염수로 냉각시켜 열외상을 줄여준다. 구멍이 넓어지면 관통하는 깊이를 평가할 수 있어서 sigmoid sinus나 middle cranial fossa 내 dura를 손상시키는 것을 피할 수 있다. Drill guide는 또한 버(bur)가 너무 깊이 뚫지 않도록 해주는데 처음에는 3 mm 깊이로 drilling하며 구멍 바닥에 아직도 골이 남아있는 경우는 4 mm 버로 교체하여 골을 마저 drilling한다.

일차 drilling이 되고 나면 보철물의 테두리와 골표면 간에 이상적인 결합을 얻을 수 있도록 countersink를 위한 spiral 드릴로 다시 구멍을 넓힌다. 이때 피질골 표면에 구멍이 정확히 직각으로 형성되도록 주의를 기울여야 한다. 특히 골표면이 평탄하지 않거나 날카롭게 각진 경우에 countersinking이 매우 중요하다.[13] 임플란트 매입 시 원활한 매식을 위하여 titanium threading을 행한다. 이것 또한 생리식염수로 냉각시키면서 시행하며 드릴 속도는 15~20 rpm이다. 또한 reverse threading을 행할 때도 생리식염수 냉각을 해야 한다. Threading tap의 구조상 threading동안 잘려나간 골들은 tap 측면상의 구(groove)와 구의 비어 있는 아래 부분으로 골들이 모이며 조이게 된다. 나사 모양의 titanium 임플란트는 fixture mount 위에 위치시킨다. 15~20 rpm 속도로 fixture mounting을 위치시키며 최종적인 고정은 직접 손으로 ratchat wrench를 이용하여 잘 조여졌는가 검사한다. 그러나 너무 과도한 힘을 주어서는 안 된다(그림 31-11C, D).[14]

임플란트와 피부와의 관계를 유지하기 위해서는 피부하방의 피하조직을 광범위하게 제거해야 한다. 피부 두께는 가능한 얇게 하여 0.5 mm를 넘지 않도록 하며 일반적으로 split thickness 피부이식편 정도의 두께가 가장 이상적이다. 모낭이 존재하는 경우는 체모가 없는 피부이식편을 채택해서 임플란트 부위에 위치시킨다. 그러한 얇은 피부나 이식편을 제 위치에 봉합한 후, 골 안에 있는 나사위에 피부 구멍을 낸다. 그 후에 상부 구조물을 그 fixture들에다 고정시킨다(그림 31-11E, F).[15]

치유 기간 동안에는 연고 바른 거즈로 피부와 그 지대물들을 쌓고 고정시킨다. 그 거즈는 5~6일 후에 교체하는데 이 시기에 발사한다.[16] 그 후 다시 5~6일이 경과한 후 거즈와 plastic healing cap을 제거하고 그 부위를 노출된 상태로 유지한다. 환자로 하여금 처음 몇 달 동안은 그 부위를 비누와 물로 깨끗이 세척하게 하고 1주일에 한 두 번 정도 항생연고를 바르도록 한다. 2~3주 후가 지나면 부기가 가라앉으며, 이때 악안면 보철 전문의는 악안면 보철을 위한 임플란트 인상 채득이 가능하다(그림 31-11G, H).[17]

시술 시 임플란트 식립 위치와 길이, 깊이에 따른 정확한 선정이 보철물의 예후에 중요하다(그림 31-12, 13). 골전도성 보청기를 지지하기 위한 임플란트 식립 위치의 설정은 통상 외이 지지용 임플란트 상후방에 가상 외이도에서 약 50~55 mm 떨어지게 위치시킨다(그림 31-14).

② 눈, 코 및 안면 중앙부 결손

눈 및 안면부는 해부학적으로 골질이 매우 얇으며 피질골의 양도 적기 때문에 세심한 조사 후 매식부위를 선정한다. 이들 부위는 임플란트 fixture를 먼저 결손부에 심고 6주간의 치유 기간 후에 악안면 보철물을 장착하는 두 단계 수술과정을 필요로 한다. 이것은 Bränemark가 제안한 fixture와 골유착을 얻기 위한 최초의 protocol에 따른 것이며 이 부위의 임플란트 성공률이 mastoid process에서 만큼 골질이 좋지 못하고 골유착에 실패할 확률이 단일 과정보다 아주 높은 것으로 나타났기 때문이다. 특히 암종수술 받은 환자에 있어서는 더욱이 골밀도가 약해져 있기 때문에 보철물 장착 전 완전한 골유착이 필수적으로 전제되어야 한다(그림 31-15~18).[17]

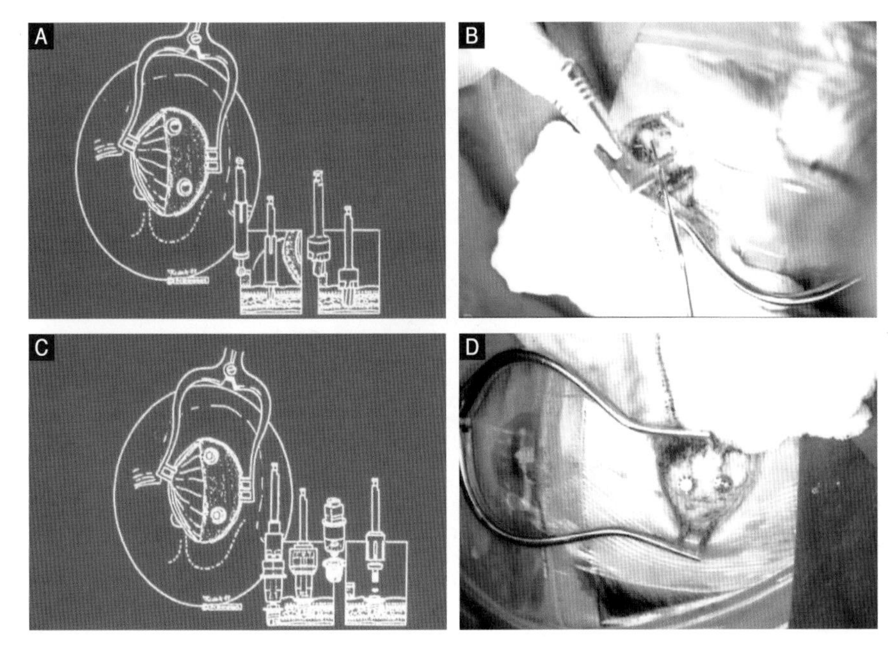

그림 31-12 **Drilling, Spiral drill and threading. A, B:** Drilling과 Spiral drilling을 시행하고 있는 모식도와 실제 수술 모습 **C, D:** Threading과 Fixture를 시행하고 있는 모식도와 실제 수술 모습

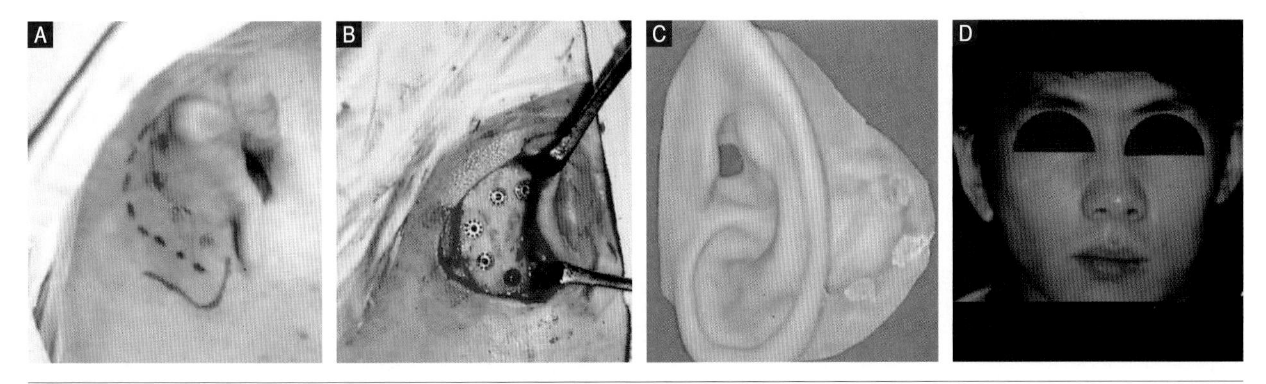

그림 31-13 **반 안면외소증으로 우측 외이결손 환자의 외이부 악안면보철 수복증례. A:** 수술 시 우측 외이부에 절개선을 디자인한 모습 **B:** 피부절개 후 Mastoid-temporal bone을 노출시킨 후 Brenemark craniofacial implant를 식립한 모습 **C:** 제작된 외이보철물 **D:** 외이보철물을 장착한 모습으로 악교정수술 후 안모비대칭이 개선된 모습

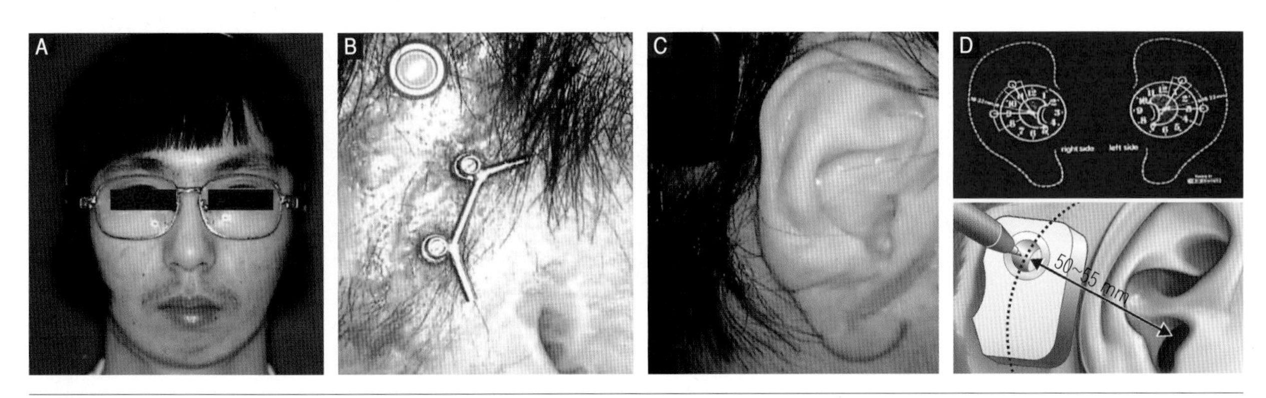

그림 31-14 **양측성 안면왜소증 환자로 양측 외이결손을 악안면 보철로 수복하고 골전도성 보청기를 식립하여 청력을 회복시킨 증례. A:** 수술 전 환자의 정면 사진으로 외이부 결손을 감추기 위하여 머리를 길게 기른 모습-보청기를 장착하기 위하여 안경과 헤드폰 형태의 구조물을 이용한 모습 **B:** 골전도성 보청기(bone anchored hearing aid, BAHA)를 지지하기 위한 임플란트 식립위치를 보여주는 모식도 **C:** 식립된 Brenemark craniofacial implant 상방에 식립된 것이 골전도성 보청기를 위한 임플란트 **D:** 외이보철물과 골전도성 D 보청기를 장착한 모습

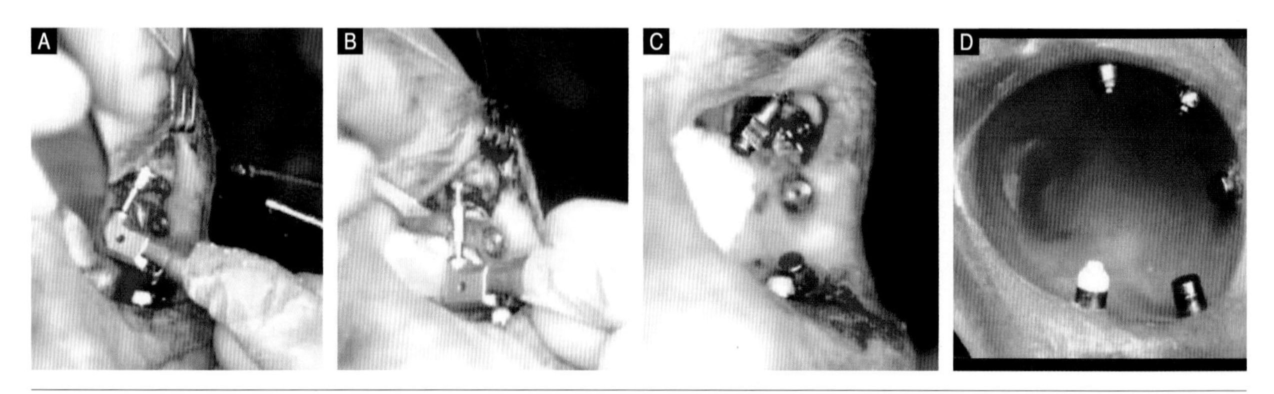

그림 31-15 **A~C:** Surgical drilling, spiral drill and threading하는 과정 **D:** 안와 주변에 3~4 mm 길이의 Fixture를 식립할 수 있는 위치를 나타낸 그림

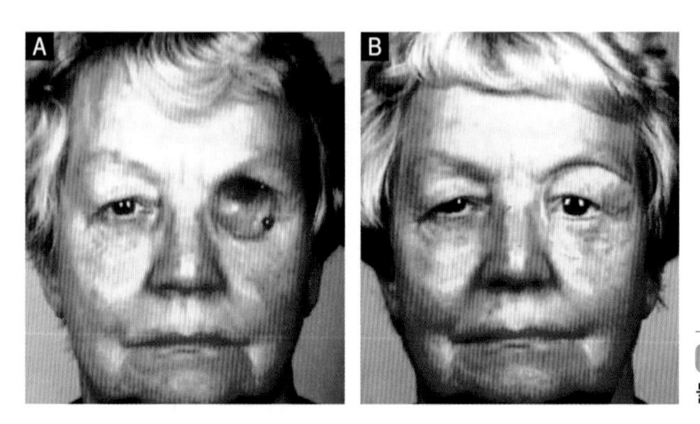

그림 31-16 **골내 임플란트를 이용한 술전(A) 및 술후(B) 안와 결손부의 보철물 수복**

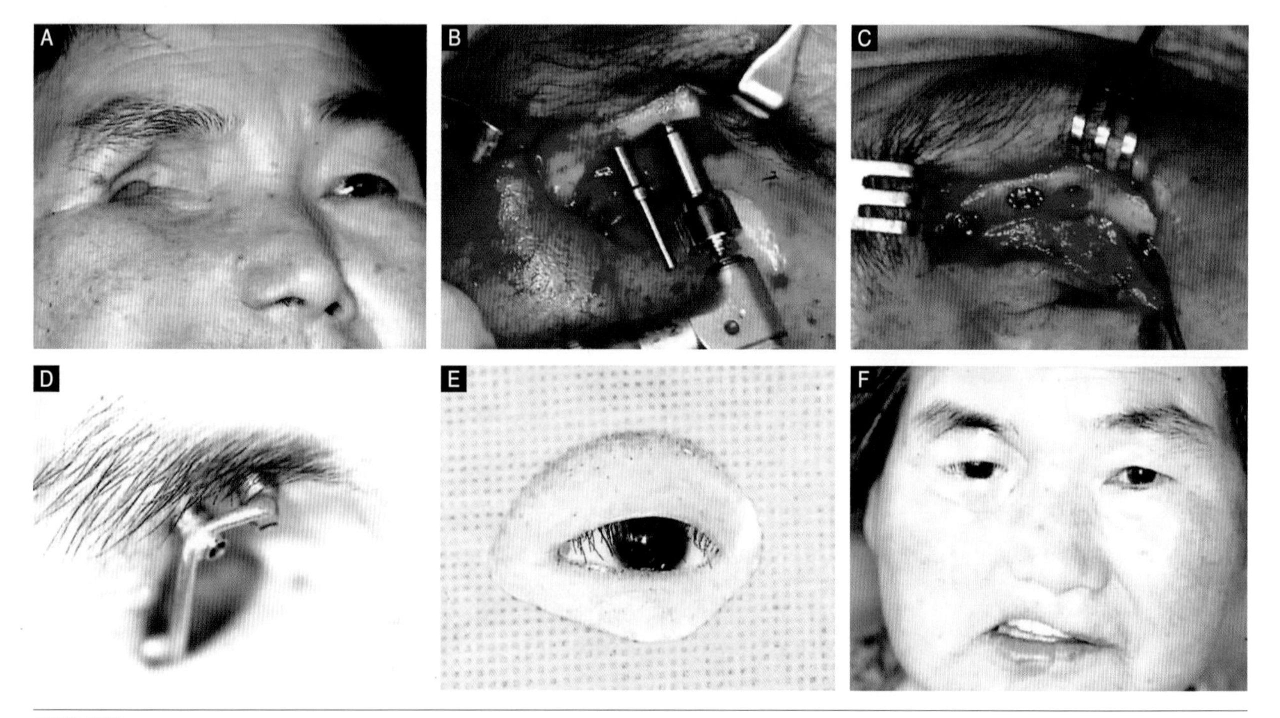

그림 31-17 **상악에 발생한 구강암 수술 후 초래된 안와결손부의 악안면 보철 수복.** **A:** 수술 전 우측 안와부 결손 모습 **B:** supraorbital rim 부위에 임플란트를 식립하기 위하여 드릴하는 모습 **C:** Supraorbital rim 부위에 임플란트 3개를 식립한 모습 **D:** 지지용 바 구조물을 적합시킨 모습 **E:** 제작된 보철물 **F:** 보철물을 장착한 모습

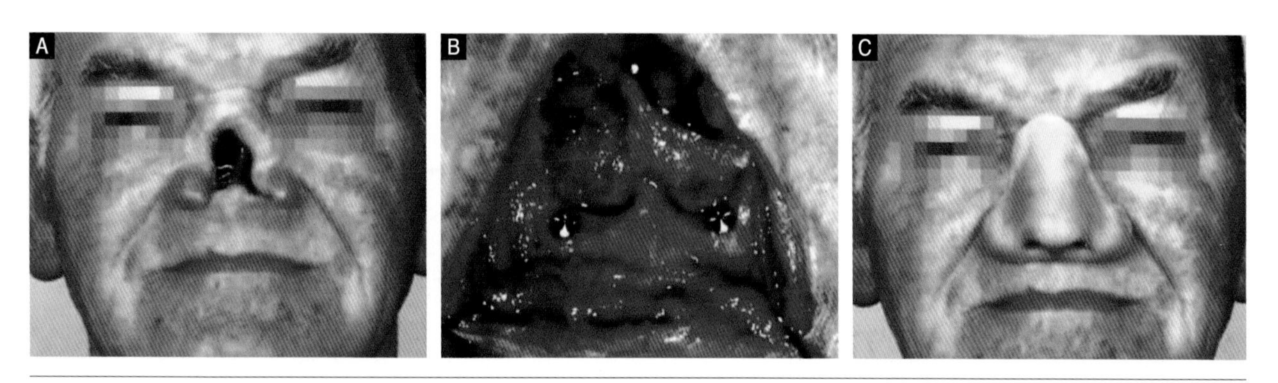

그림 31-18 **임플란트 술식을 이용한 비부 결손부의 보철물 수복.** **A:** 술전 비부의 결손된 모습 **B:** 상악골에 2개의 임플란트를 식립한 모습 **C:** 보철물을 장착한 모습

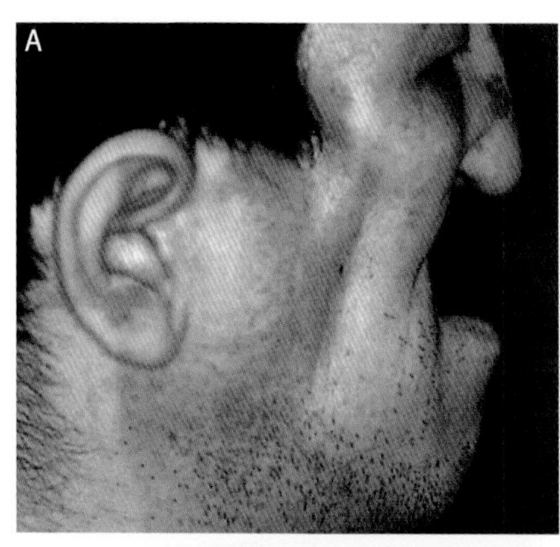

그림 31-19 **관골(zygomatic bone)과 접형골(pterygoid bone)에 임플란트를 식립하여 보철물을 수복한 증례.** **A:** 상악골에 발생한 구강암 수술과 방사선 치료 후 초래된 상악골결손 환자의 안모변형 모습 **B:** 상악골결손된 구강내 모습 **C:** 관골에 임플란트를 식립하는 모습 **D:** 관골 및 접형골에 식립된 임플란트에 연결시킨 어바트먼트 모습 **E:** 관골 및 접형골에 식립된 임플란트 파노라마사진 모습 **F:** 관골 및 접형골에 식립된 임플란트에 연결된 바 형태의 지지구조물 **G:** 바 형태의 지지구조물에 연결될 중간 보철물(Interim prosthesis) 내측면. 바에 연결할 크립을 관찰할 수 있다. **H:** 중간보철물(Interim prosthesis) 외측면(구강측) **I:** 중간보철물(Interim prosthesis)을 장착한 모습으로 자석 어테치먼트를 이용한 지지구조물 **J:** 하부 최종 보철물을 장착한 모습

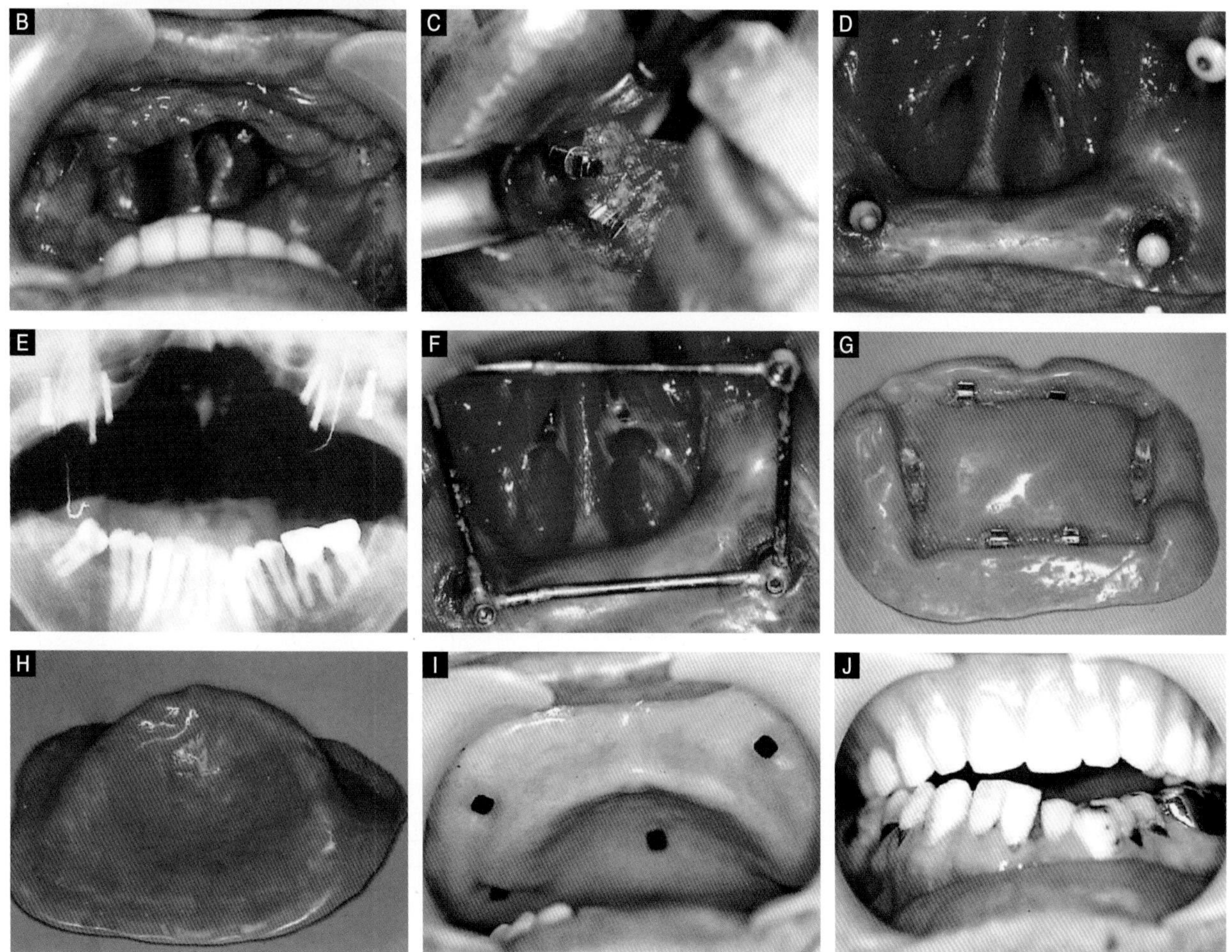

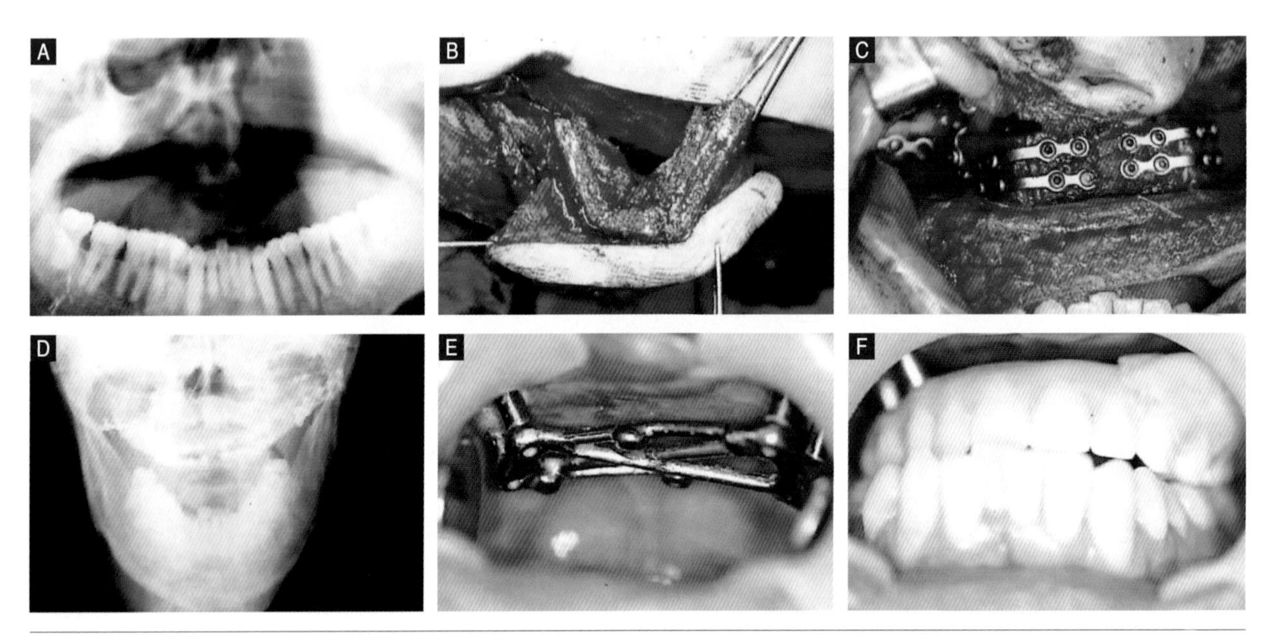

그림 31-20 **결손된 상악골을 비골(fibula)로 재건한 후 임플란트를 식립하여 보철물의 지지를 얻은 증례.** **A:** 상악골에 발생한 구강암 수술 후 초래된 상악골 결손 환자의 파노라마방사선사진 **B:** 비골피판을 상악골의 형태에 맞게 구부려 형성한 모습 **C:** 비골피판을 상악골결손부에 잘 적합시켜 재건한 모습 **D:** 비골피판을 상악골결손부에 재건한 후의 방사선사진 모습 **E:** 이식된 비골에 임플란트를 식립하여 보철 지지구조물을 적합시킨 구강내 모습 **F:** 최종보철물을 보철 지지구조물에 장착시킨 구강내 모습

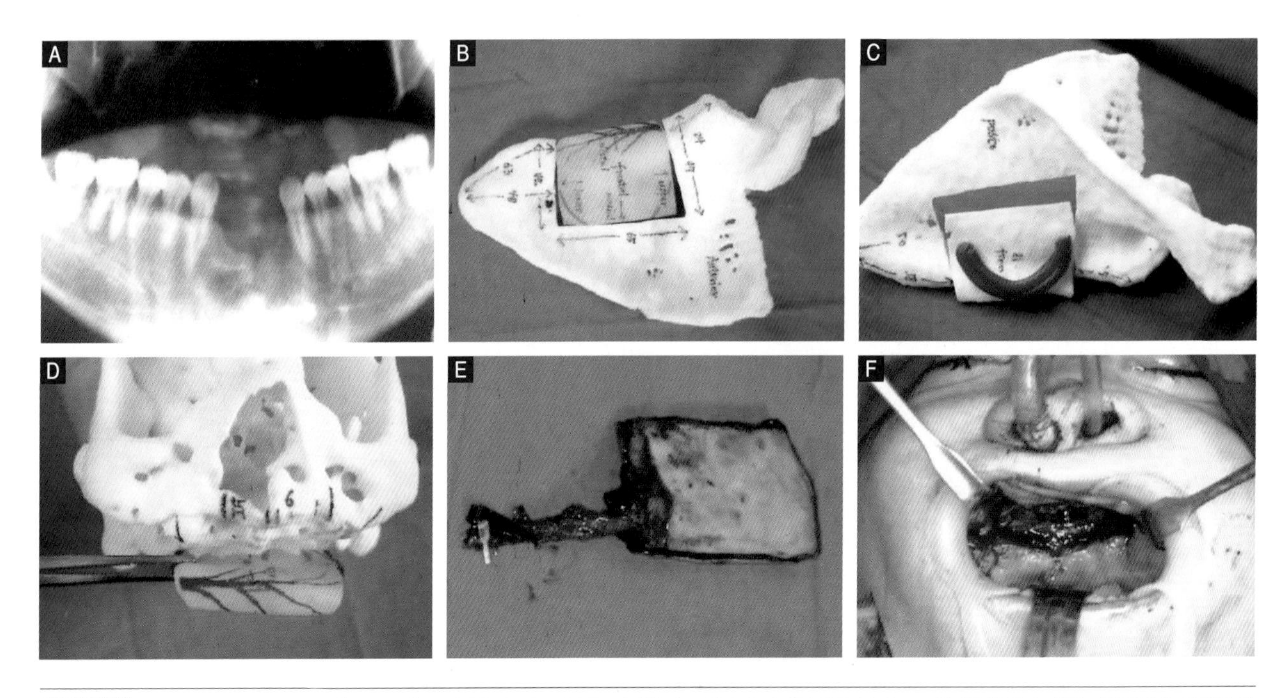

그림 31-21 **결손된 상악골을 견갑골(scapular)로 재건한 후 임플란트를 식립하여 보철물의 지지를 얻은 증례.** **A:** 안면외상 후 초래된 상악골결손 환자의 파노라마방사선사진 **B:** 견갑골피판을 Rapid prototyping (RP) model에서 상악골의 결손부 형태에 적합하게 형성한 모습 **C:** 견갑골피판 상방에 치조골의 재건을 위하여 치조궁의 형태에 맞추어 별도로 골이식을 하기 위한 수술 전 모의수술 모습 **D:** 견갑골피판을 상악골 결손부에 적합시켜 보는 모의수술 모습 **E:** 견갑골피판의 내측과 외측에 피부이식을 하여 미리 구개부와 비강부의 점막을 형성하여 만든 견갑골피판(prefabricated scapular flap) 모습 **F:** Prefabricated scapular flap을 상악골에 재건하고 있는 모습

상악골에 발생한 구강암을 적출 후 상악골 전체가 결손되는 경우가 종종 있는데 이 경우 임플란트를 식립할 수 있는 치조골 또는 상악골이 남아 있지 않아 지지물을 만들기가 어렵고 결국 보철 수복은 대단히 어렵다. 관골(zygomatic bone)과 접형골(pterygiod bone)에 임플란트를 식립하여 보철물을 장착하는 방법을 이용할 수 있는데 식립될 부위의 골량, 임플란트의 식립 각도 설정에 어려움이 많다(그림 31-19). 결손된 상악골을 비골(fibular) 또는 견갑골(scapular) 등으로 재건한 후 임플란트를 식립하여 보철물의 지지를 얻을 수 있다. 이, 김 등은 비골 또는 견갑골피판을 이용한 상악골 재건술을 시도하였고 견갑골의 경우 피판형성 시 내측과 외측에 피부이식을 하여 미리 구개부와 비강부의 점막을 형성하여 만든 견갑골피판(prefabricated scapular flap)을 이용하여 효과적인 상악골 재건술을 시행한 바 있다(그림 31-20, 21).[18]

2) 악안면 보철물제작

(1) 술전 및 술중 계획

가능한 환자가 종양 수술을 받기 전에 악안면 보철팀에게 환자를 의뢰하여 그 부위와 주변부의 인상을 채득하여 향후 보철작업을 용이하게 한다. 특히 눈, 코, 안면부 중앙 결손인 경우에는 악안면 보철 전문의가 구강악안면 외과의사와 함께 상의하여 결손부의 크기, 깊이 및 형태 등에 관해 논의하여 보철 설계를 가장 효과적으로 할 수 있게 한다. 임플란트 매식 부위의 위치 선정 또한 중요하다.[19] 예를 들어 귀 부분보철에 있어서 플라스틱 윗바퀴 모형은 매식 부위 선정에 기준이 되며 반드시 보철물의 antihelix region 아래에 매식한다. 눈이나 다른 안면부 보철에 있어서, 매식 위치뿐만 아니라 그 방향이나 숫자에 대해서도 반드시 고려해야 한다. 만족스러운 결과를 얻기 위해서 항상 악안면 외과의사와 보철 전문의 및 악안면 보철기공사 사이에 긴밀한 협력이 이루어져야 하며 실제로 어느 부위에 매식하는 게 좋은지, 어느 방향이 좋은지 등을 상의한다. 해부학적인 지식 기반 위에 지대 및 유지장치들이 결손 부위에서 잘 맞고 보철물이 장착된 후 심미적으로 잘 조화되는 것은 결과적으로 매우 중요하다.[20] 최근 발전된 디지털 기술은 캐드 소프트웨어 프로그램을 이용하여 CT 이미지와 3차원 스캔 이미지를 중첩하여 보철물 유형에 따른 임플란트 식립 위치, 길이 및 직경, 개수 등을 미리 준비할 수 있으며 해부학적으로 제한적인 수술 부위에서 정확한 수술을 위한 정밀 가이드 제작 또한 가능하다(그림 31-22). 그림 31-23에서와 같이 안와 상부에 임플란트를 식립하는 경우 두개저를 침범할 수 있는 위험이 높기 때문에 사전에 CT 정보와 안면 결손부 스캔 데이터를 중첩하여 식립 위치를 정하고 이를 바탕으로 수술용 정밀 가이드를 제작한다. 최종 수복할 상부 보철물을 프로그램상에서 반대편 정상조직을 미러링하여 생성하고 이에 적합한 임플란트 위치를 정하여 안전하고 정확한 임플란트 수술이 가능할 수 있도록 도와준다(그림 31-23).

PART 5

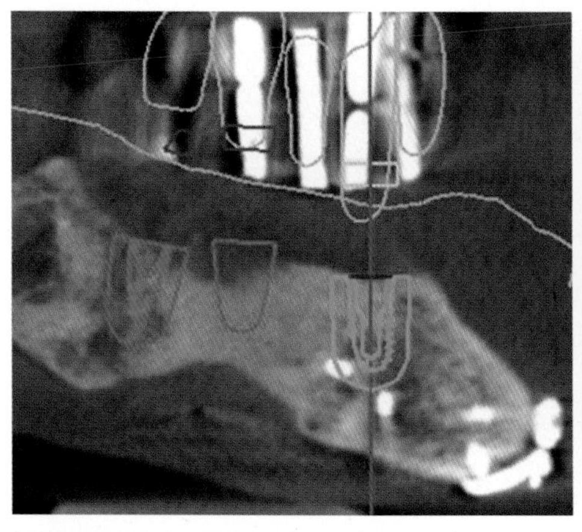
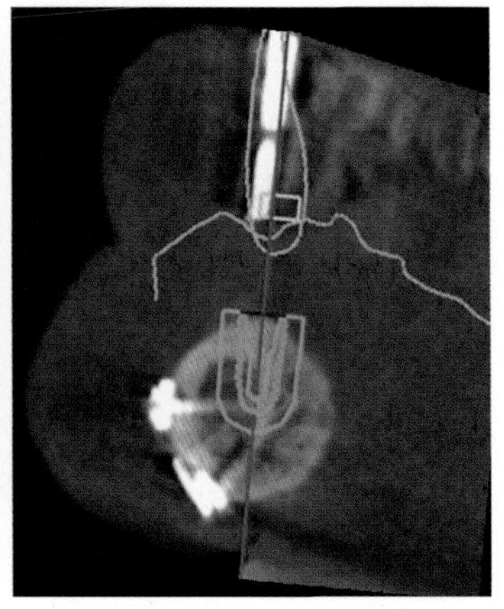
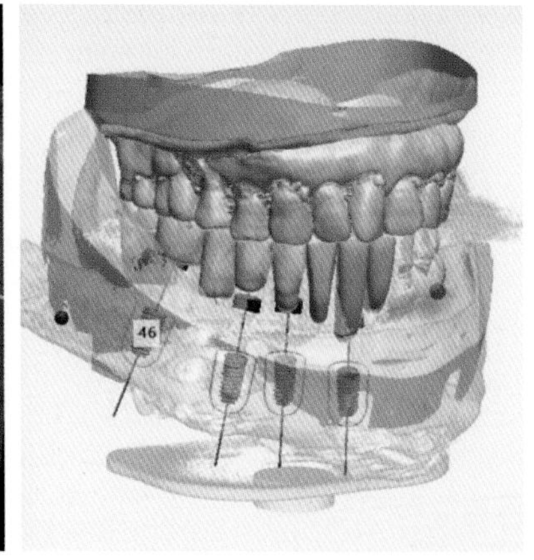

그림 31-22 3차원 스캐닝 이미지와 CT 정보를 중첩 후, 임플란트 식립 위치 및 관련 정보를 캐드 소프트웨어를 이용하여 임플란트 수술 전에 계획 수립

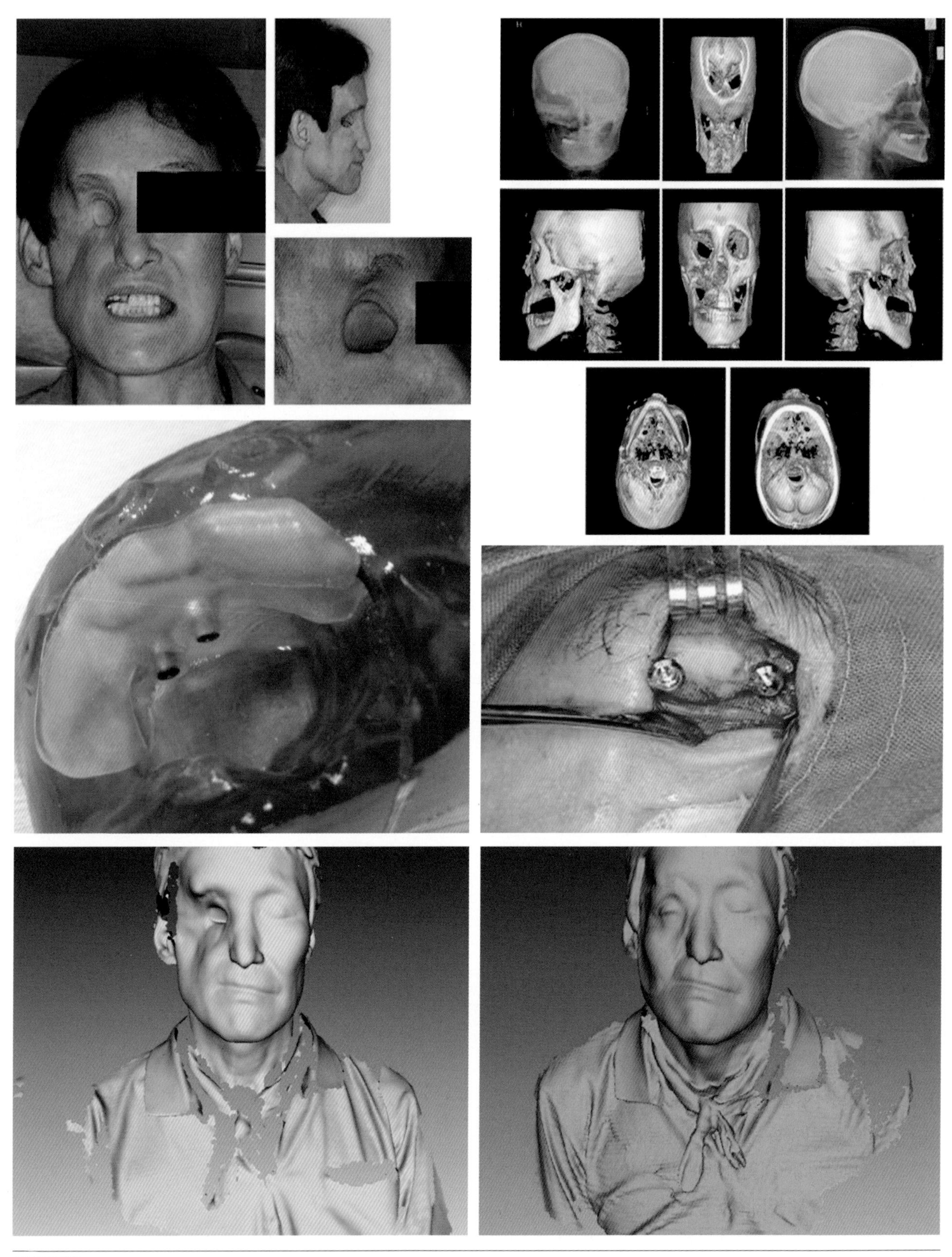

그림 31-23 악안면 결손부 임플란트 식립을 위해 3차원 CT 데이터와 안면 스캔 데이터를 캐드 프로그램상에서 중첩하여 임플란트 식립을 위한 수술용 정밀 가이드를 제작할 수 있다. 해부학적으로 제한적인 결손부에 최종 수복할 보철물에 입각하여 정확한 임플란트 치료계획 수립 후 정밀 가이드를 이용하여 임플란트 식립을 시행한다.

(2) 유지장치

두개악안면부 보철 유지장치에는 여러 가지가 있으며 특이한 결함을 가진 특이한 환자의 경우 유지장치를 선택 시 고려해야 하는 많은 요소들이 있다. 결손부의 위치가 가장 중요한 사항이지만 결손부의 크기, 깊이 또한 고려해야 될 요소이다.[21] 몇 개의 임플란트가 이용 가능하고 위치 및 방향은 어디인지, 하중을 받는 상황인가도 중요하게 평가해야 한다.[22]

각각의 임플란트에 대한 부하와 바 형태의 유지장치인 경우에 지렛대(cantilever effect) 효과에 대해서도 고려해야 한다. 인접 안면조직의 움직임도 고려해야 하며 환자 나이와 활동성 정도도 반드시 평가되어야 한다. 일반적으로 많은 악안면 보철 환자들은 활동성이 약하고 조용한 생활방식의 노년층 사람들이나 반면에 젊고 실외 스포츠에 적극적인 사람들도 있다.[23]

① 크립이 있는 bar 형태의 유지장치(Bar construction plus clips)

Bar 형태는 gold cylinder위에 장착된 막대기 모양의 wire 형태로서 매식물 상의 부하를 적당히 분산시켜 준다. Clips은 acrylic resin 내 보철물의 고정 부분 위에 위치시켜 유지를 나타내는데 이러한 유지장치는 보철물을 견고하고 안정하게 해주기 때문에 귀 부분의 보철물이나 눈의 위쪽 변연부에 설치하여 지지를 얻기 위해서 추천된다.[21]

② 자석식과 bar 형태의 유지장치(Bar construction plus magnets)

전자의 크립 대신에 자석과 bar를 이용한 유지장치로서 이런 종류의 유지는 환자가 손이나 팔의 움직임에 장애를 가진 환자에서 귀나 눈부분의 보철물 수복에 유용하다. 이러한 유지로 인해 보철물을 자석 위에 위치시키기가 아주 쉬운 장점이 있다.[21]

③ 자석식 유지장치(Individual magnets)

각자의 임플란트 상부구조에 강력한 자석구조물을 연결하고 보철물에 반대 극을 가진 자석을 붙여서 보철물을 부착시키는 유지장치이다. 주로 안와부의 상, 하 안와연(orbital rim)에 보철물의 유지가 필요할 때 이용된다. 특히 얕은 안구나 bar/clip를 이용할 불충분한 안구 공간일 때 사용되는 것이 좋고 보철물을 탈, 장착하는데 간편하고 임플란트 주변의 연조직을 청결히 하는 장점들이 있다.[23]

④ Ball attachments

아주 좁은 보철물 공간일 때 ball 형태의 유지장치가 사용되며 세 개의 임플란트를 이용한 경우에 만족스러운 유지와 안정성을 얻을 수 있다.[21]

(3) 이부 보철물 제작

① Making the impression and master cast(그림 31-24A)
② Making the bar construction(그림 31-24A)
③ Acrylic plate with clip(그림 31-24B)
④ Wax modeling(그림 31-24C)
⑤ Mold fabrication(그림 31-24D, E)
⑥ Silicone processing with Intrinsic coloring(그림 31-24F, G)
⑦ Try in and additional extrinsic coloring(그림 31-24H, I)

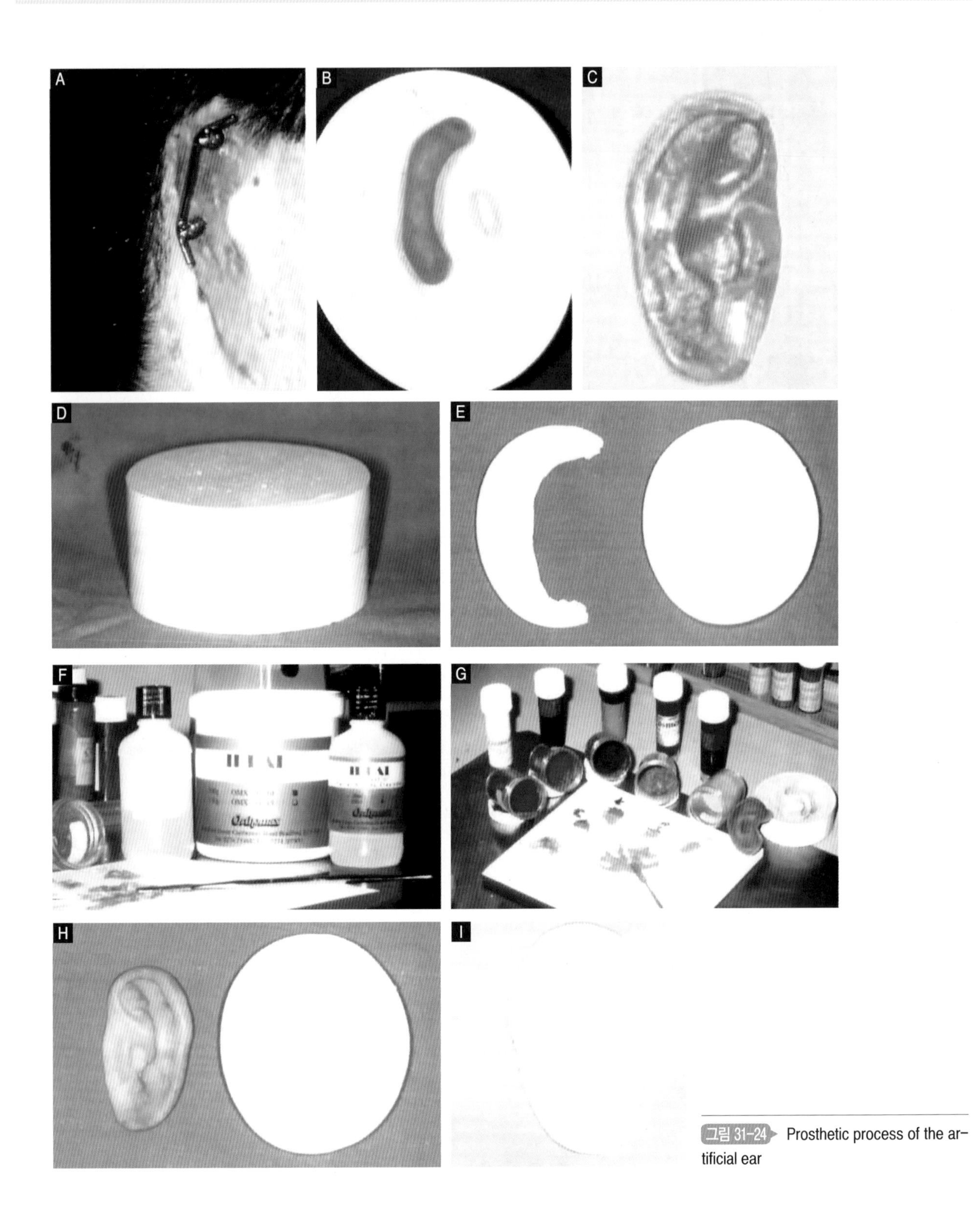

그림 31-24 Prosthetic process of the artificial ear

(4) 안와부 보철물의 제작

안와부의 임플란트 보철은 일반적으로 세 개의 임플란트 fixture를 상안와연(supraorbital rim)에 식립하며 유지 형태로써 크립이 있는 bar 형태의 유지장치가 가장 많이 사용되므로 이것을 기준으로 설명하고자 한다(그림 31-25A).

① 인상 체득 및 master cast 제작

환자는 앉아있는 자세를 유지하며 안와결손부는 거즈로 가볍게 packing하여 인상 재료가 안으로 밀려들어가지 않게 한다.[16] Guide pins을 이용한 impression coping을 각자의 abutment에 설정해 놓고 낮은 점도의 silicone 인상제를 얇게 지대치 주위로 부어준다. 일차적인 경화가 일어나면 중등도의 점도를 갖은 이차적인 인상재를 바로 그 위에 부어준다. 인상제가 단단하게 경화가 되면 guide pins을 풀어 주어서 인상제와 같이 조심스럽게 제거한다. Guide pins(transfer copings)에는 abutment replicas를 가급적 단단하게 고정해 주고 경석고를 부어 master cast를 제작한다(그림 31-25B~D).[22]

② Bar 형태 제작

매식 부위의 인상을 채득한 후 bar 설계를 하며 금으로 만든 나사를 이용한 각 지대치 주형에 3~4 mm 크기의 금 실린더를 장착시킨다. 실린더의 길이는 지대장치 주위의 피부 두께에 따라 좌우되는데 만약 외과의사가 피하조직을 적절히 제거하였다면 3 mm 정도의 실린더가 그 구조물 높이에 적당하다. Bar는 실린더를 기준으로 앞이나 뒤에 놓일 수 있고 구부러진 형태로 확상될 수도 있다. 설계 시 반드시 장착될 인공 눈의 위치를 고려해야 하며 보철물의 안정을 최대로 얻을 수 있도록 bar 구조상 세 점(three-point stability)이 안정성을 증진시킬 수 있다.[18]

상부구조물이 악안면 보철물의 디자인에 지장을 주어서는 안된다. 2 mm clasp wire를 구부릴 때 왁스를 이용해 그것을 실린더에 고정시키고 매몰재에 매몰시킨 다음 soldering한다. Soldered bar를 연마(polishing)한 후 정확하게 맞추기 위해서 우선 master cast상에서 체크한 다음 환자에게 직접 시적해 보아 체크한다(그림 31-25E).[18]

③ Acrylic plate 제작

Acrylic plate는 보철물 안에 매몰되어 있는 유지장치(clips)를 안정되게 고정시키고 실리콘으로 만들 보철물에 대한 지지를 제공하기 위해 제작한다. Bar 구조물을 지대장치 주형물 안의 plaster model 상에 위치시키며 안면부의 모든 움직임을 생각해 최종 보철물에 대한 최적의 장착방향을 찾아 네 개의 클립을 bar 상에 놓는다. Bar 아래의 모든 undercut을 왁스로 채우고 보철물이 완성된 후에 클립을 움직일 수 있는 공간을 주기 위해서 클립 주위에 또한 왁스를 소량 놓는다(그림 31-25F).[18] Acrylic plate를 만들기 위해서 바 구조물, 클립 그리고 주위에 저온중합 아크릴릭 레진을 붓는다. 그러고 나서 아크릴릭 레진을 적당한 형태와 크기로 다듬어서 환자로 하여금 안면부 움직임과 인공 눈을 넣을 만한 공간 등이 충분한지를 검사한다(그림 31-25G).

④ 인공 눈의 장착

Bar와 acrylic plate를 환자에게 장착 시키고 연화 왁스조각으로 적당한 위치에서 acrylic plate 위에 인공 눈을 위치시킨다. 환자가 앉아 있을 때와 서 있을 때 다른 한쪽 눈을 참고해서 인공 눈의 높이와 깊이를 측정하며 얼굴의 정중선으로부터의 정확한 거리 또한 중요하다. 각자 환자의 외모가 다르므로 눈의 최종위치 선정은 보철물이 안착되고 유지되는 것 등 모든 것을 고려하면서 환자와 함께 정해야 한다. 전·후방, 상·하·좌·우 모든 삼면에 있어서의 눈의 정확한 위치 선정은 안와 보철물의 최종 결과에 있어서 가장 중요하다(그림 31-25H).[19]

⑤ Wax modeling

왁스를 이용한 보철물 제작은 master cast 상에서 시작하고 때로는 환자에서 직접 조각한다. 실제와 유사한 눈을 수복하기 위해서 세밀한 부분까지 신경 쓰는 것이 중요한데 보철물과 피부 사이에 틈이 보이지 않는 접합 상태를 얻기 위해서 왁스 보철물의 가장자리는 아주 얇아야 한다. 그리고 가장 이상적인 보철물을 얻기 위해서 크기와 형태에 대한 고려를 해야 하며 최종 조각 후에는 왁스 보철물을 acrylic base 구조에 옮긴 후 환자에게 시적 해본다(그림 31-25I).

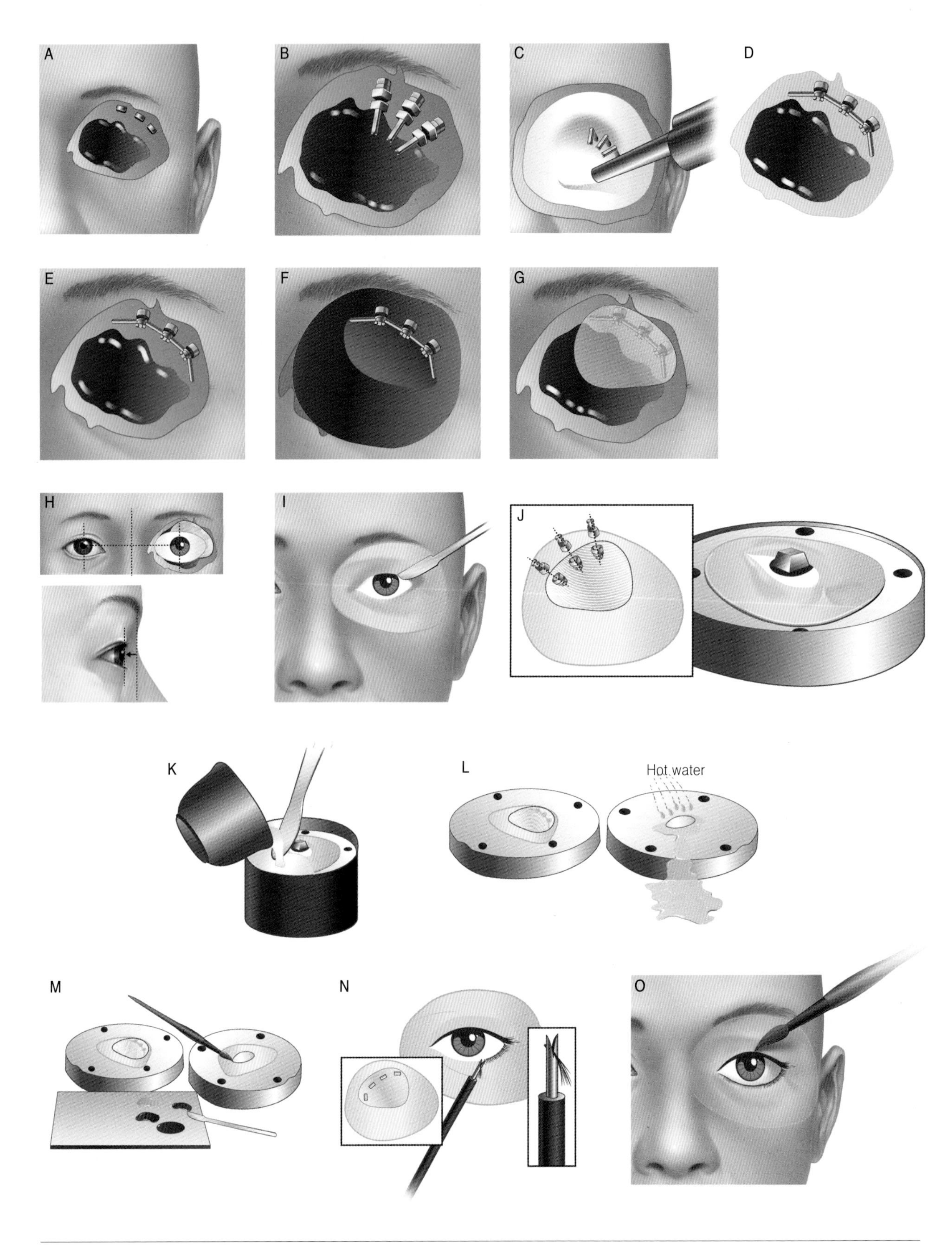

그림 31-25 Schematic drawing of making orbital prostheses

⑥ Mold fabrication

실제와 비슷한 악안면 보철물을 얻기 위해서 두 조각으로 형성된 plaster mold를 만든다. 금 나사를 이용하여 지대물 주형들을 바의 cylinder 위에 장착 시킨 후 왁스로 만든 보철물의 고정된 쪽 위의 클립에 부착한다. 이면을 안쪽으로 plaster에 담근 후 두 부분의 plastic mold가 탈착 때 이정표가 될 수 있도록 만든 Plastic index가 위치하게 한다.[17] Acrylic indexing key를 mold의 상부 두 번째 부분에 유지되도록 인공 눈에 부착시킨다. 상부 mold와 접촉되는 부분을 sand paper로 plaster를 매끄럽게 하고 그 위에 분리제를 바른다. Mold의 두 번째 부분에 해당되는 부분을 붓는다. 충분한 시간을 가지고 plaster가 완전히 경화되었다고 생각되면 그 mold는 뜨거운 물에 넣어서 두 부분으로 분리시키고 그 안의 왁스는 steam shower를 이용해서 제거한다. 두 mold가 일단 분리되고 세척되면 두 번째 몰드 부분은 acrylic plate와 부착된 인공 눈이 제자리에 남는다(그림 31-25J~L).[24]

⑦ Silicone 작업

Acrylic plate와 silicone 간의 확실한 화학적 결합이 가장 중요한 점인데 결합을 얻기 위한 첫 단계는 acrylic plate 표면을 갈아서 거칠게 하는 것이다. 그 후 아세톤으로 표면을 닦아 잔사 등을 없앤 후 silicone 적합을 위한 primer를 두 층으로 도포한다. 마른 후, 바 구조물 위의 mold 뒤쪽으로 plate를 위치하고 silicone을 붓을 이용하여 적용시킨다. 환자의 본래 피부색을 얻기 위해 적당한 색소를 첨가하고 미리 mold에 적용하기 전에 종이판 위에서 silicone을 시험해 보고 점차적으로 mold를 채워나가며 부분적으로 섬유다발을 이용해 피부 질감을 느낄 수 있게 처리해 준다. 가능한 silicone 내부에 색칠을 해서 색을 얻는 것이 심미적으로 가장 효과적이다. Silicone이 mold에 다 채워지면 두 부분을 plastic indexing을 고려하면서 덮어 주고 silicone 경화를 시킨다. 경화가 완료되면 mold를 열고 가위나 mess로 보철물 변연부를 잘 처리하여 주고 이제 환자에게 보철물을 장착시켜 본다. 피부색이나 피부 질감 등을 직접 비교하여 부분적인 색칠 및 표면처리를 가해주고 경우에 따라 특별한 기구를 이용해서 실리콘 안에 속눈썹을 넣는다(그림 31-25M~O).[24] 눈, 코, 비부, 중안안면부 수복 같은 다른 경우에도 이와 비슷한 악안면 보철 제작 과정이 적용된다.

현재 악안면 보철에 재료에 있어 실리콘이 제일 많이 사용되고 있으나 이 재료는 시간이 지남에 따라 점차 굳어져 가고 탄력성을 잃으며 원래의 색도 노랗게 변색되어 간다는 단점이 있다. 이러한 재료의 화학적 구성 단점 때문에 보철 생명력을 유지하기 위하여 환자들은 매 3년마다 새로운 보철물을 재 제작해야 한다. 이러한 단점을 보완하고 환자 피부색과 적합이 잘 되는 더욱 다양한 실리콘의 개발과 아울러 눈동자를 깜빡일 수 있는 인공 눈동자의 개발 등이 필요하며, 눈동자를 만드는 데 사용되는 인공 수정체의 발전이 향후 악안면 보철 분야의 큰 과제이다.[3]

(5) 구개폐쇄장치(Obturator)

상악골 부위에 종양으로 인한 외과적 절제나 선천적 기형 또는 외상에 의한 결손부가 발생하는 경우 음식물과 액체가 비강으로 새어나가고 이 결손부로 공기가 누출되어 과비음 등의 발음 장애가 발생한다. 이런 경우에 사용되는 장치를 구개폐쇄장치(obturator)라고 한다. 이 장치는 상악의 결손부를 채우고 구강과 상악동 또는 비강과의 개통부를 차단하여 심미성을 회복시키고 발음이나 저작과 같은 기능을 회복시킨다. 용도에 따라 수술 중 혹은 직후 장착하는 surgical obturator, 초기치유 완료 후 장착하는 interim obturator, 최종 보철 목적의 definitive obturator로 나눌 수 있다.[25] 각자의 목적에 맞게 내면 조정이나 relining 등 지속적인 수정과 관리를 요한다.

상악 결손부는 Aramany 등이나 Brown 등의 수직적, 수평적 결손부 형태에 따라 나누는 분류법이 있다(그림 31-26, 27).[26, 27]

결손부에서 추가적인 유지, 지지 및 안정을 얻기 위해 residual soft palate & hard palate의 undercut이나 posterior palatal seal을 1차적으로 이용하고 mucobuccal fold level에서 형성된 lateral scar band를 이용할 수 있으며 치아가 남아 있는 경우 국소의치 디자인을 통해 최대한의 유지, 지지 및 안정을 얻도록 하였다. 하지만 치아가 없거나 여러 해부학적 구조의 결손으로 통상적인 구개폐쇄장치의 제작이 어려운 경우, 최근 악안면 보철용 zygomatic이나 pterygoid 임플란

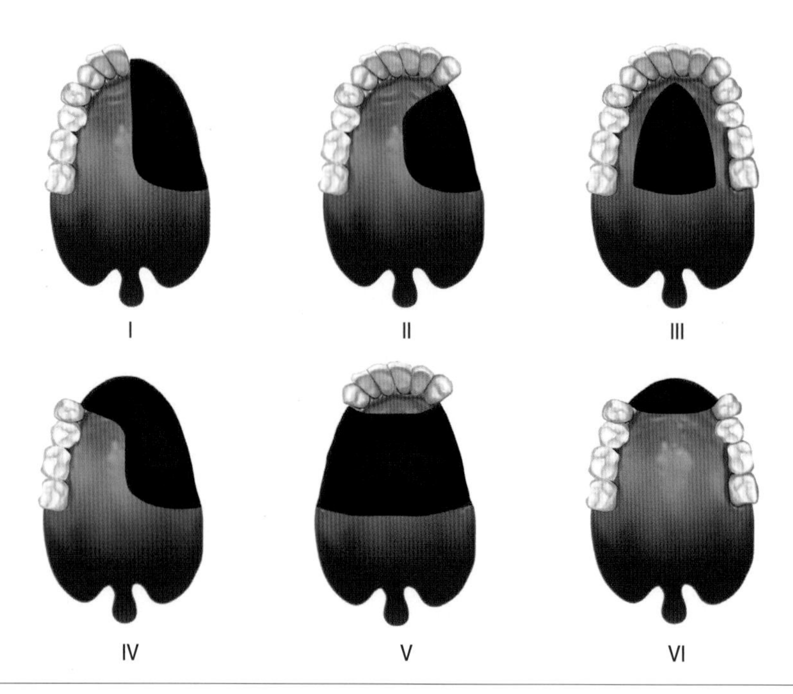

그림 31-26 Aramany 구개폐쇄장치 설계를 위한 상악 결손부 분류법

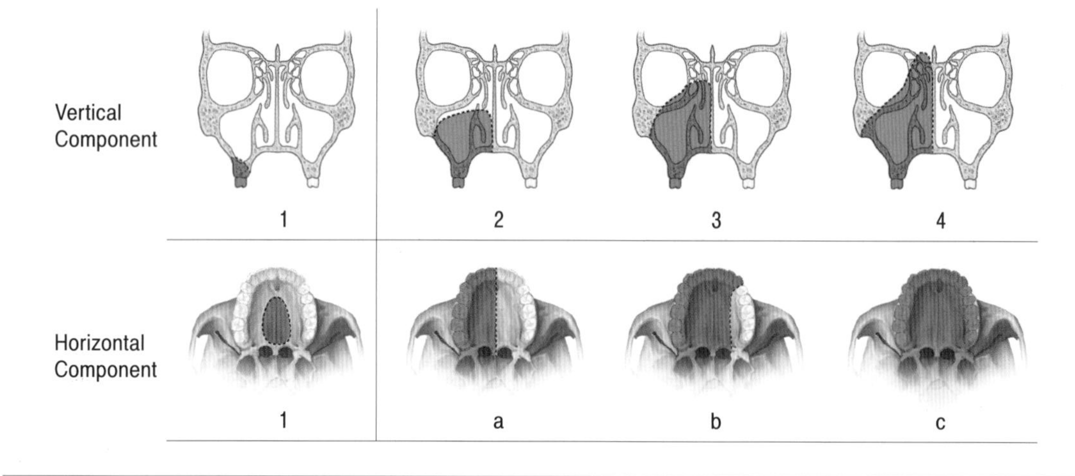

그림 31-27 Brown 상악 결손부 분류법

트 또는 통상의 임플란트 식립을 통해 유지 및 지지를 강화한 구개폐쇄장치의 제작과 활용이 가능해졌다(그림 31-28). 특히 3차원 스캔 데이터와 CT 데이터를 중첩하여 해부학적으로 제한이 많은 부위에 임플란트 계획을 미리 수립하고 정밀 수술용 가이드를 제작하여 악안면 임플란트 보철을 심미적으로 기능적으로 잘 제작할 수 있게 되었다.[28]

(6) 하악골 재건을 위한 임플란트

하악 결손부에 대해 Cantor와 Brown 등이 그림 31-29와 같이 분류하였다.[31, 32] 하악골 결손부는 결손부의 타입에 따라 임플란트 식립 후 일반적인 고정성 보철물 타입이나 Bar 또는 부착장치를 이용한 오버덴쳐(overdenture) 타입의 보철물로 수복이 가능하다(그림 31-30, 31). 최근 디지털 기술과 CAD/CAM 기술을 통해 레진, 세라믹, 금속 등의 다양한 소재를 사용한 하이브리드 타입의 임플란트 보철물 제작도 가능하게 되었다.

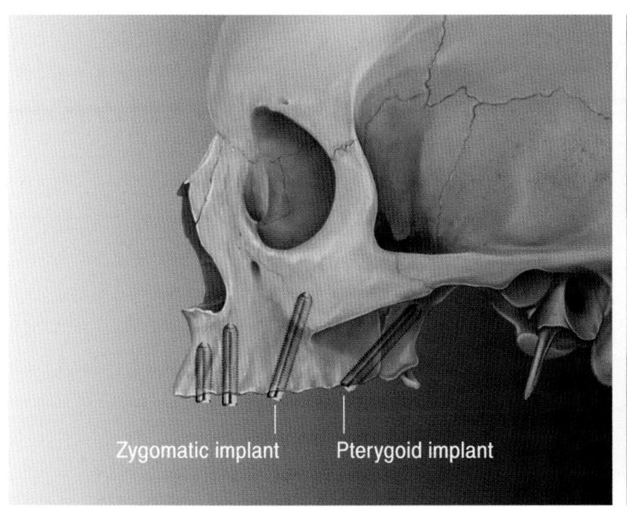

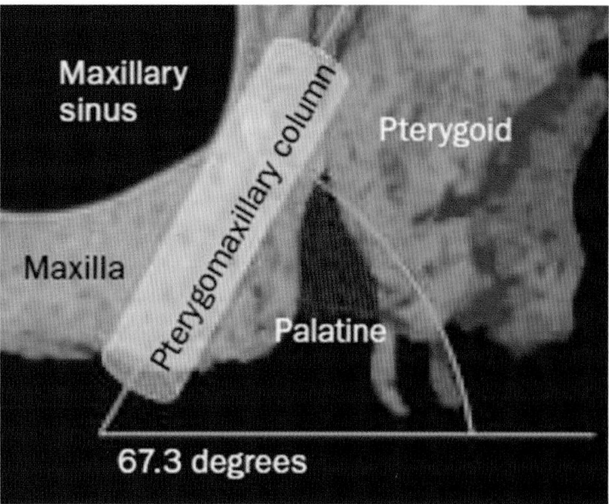

그림 31-28 악안면 보철 수복을 위한 Zygomatic implant와 Pterygoid implant[29, 30]

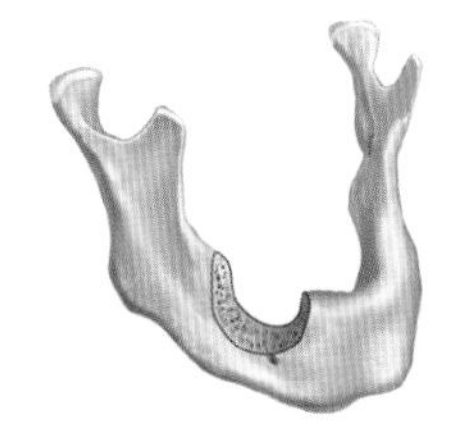

1. Class I. Radical mandibular alveolectomy

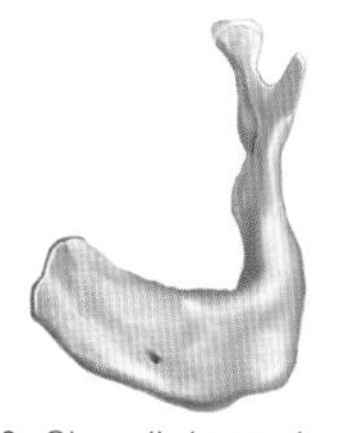

2. Class II. Lateral mandibular resection

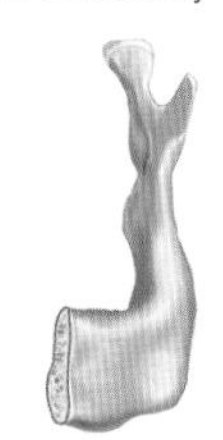

3. Class III. Lateral mandibular resection (A) without hemiglossectomy, and (B) in conjunction with hemiglossectomy

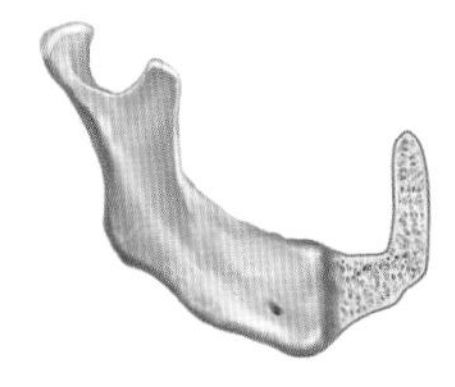

4. Class IV. Lateral bone and split-thickness skin graft

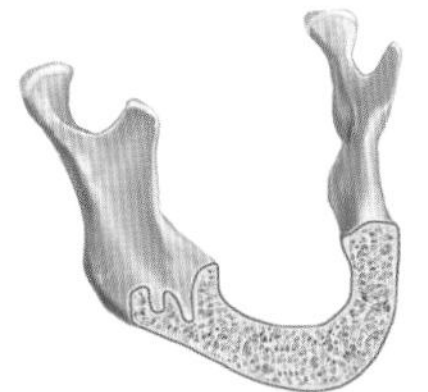

5. Class V. Anterior bone and split-thickness skin graft

Class I
Lateral not including canine or condyle
Mean size 70 mm
Maximum size 123 mm

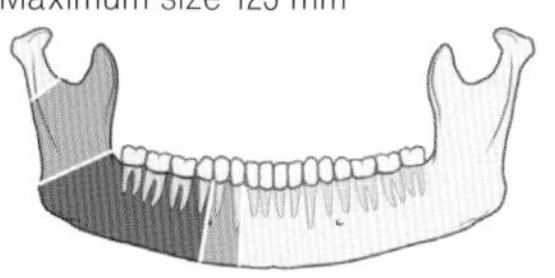

Class Ic
Lateral with condyle
Mean size 84 mm
Maximum size 138 mm

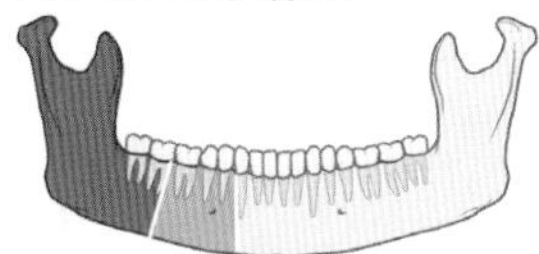

Class II
Hemimandibulectomy includes ipsilateral canine
Mean size 85 mm
Maximum size 123 mm

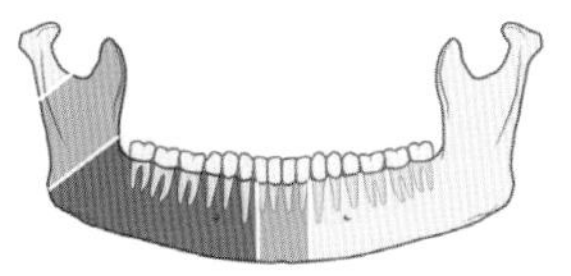

Class IIc
Hemimandibulectomy and condyle
Mean size 126 mm
Maximum size 184 mm

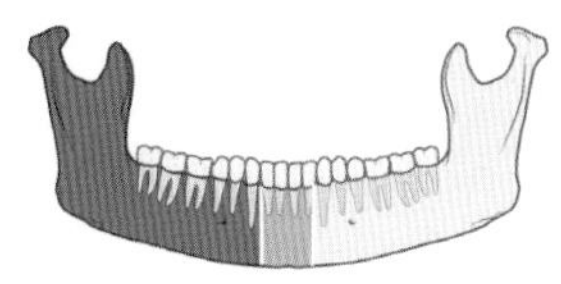

Class III
Anterior includes both canines
Mean size 100 mm
Maximum size 160 mm

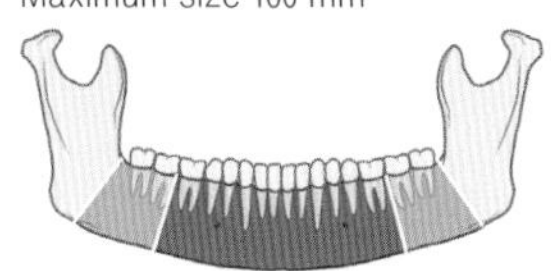

Class IV
Extensive includes canines and angles
Mean size 152 mm
Maximum size 282 mm

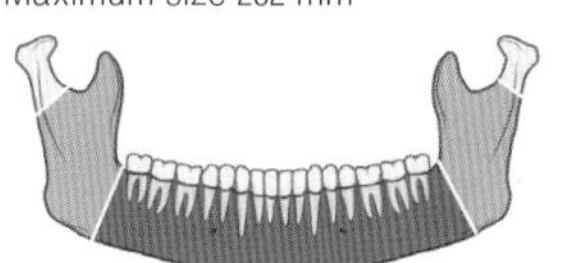

Class IVc
Extensive includes canines, angles, and condyles
Mean size 84 mm
Maximum size 138 mm

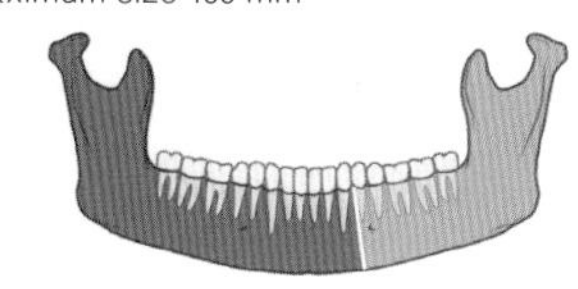

그림 31-29 A: Cantor의 하악 결손부 수술적 분류법 B: Brown의 하악 결손부 분류법

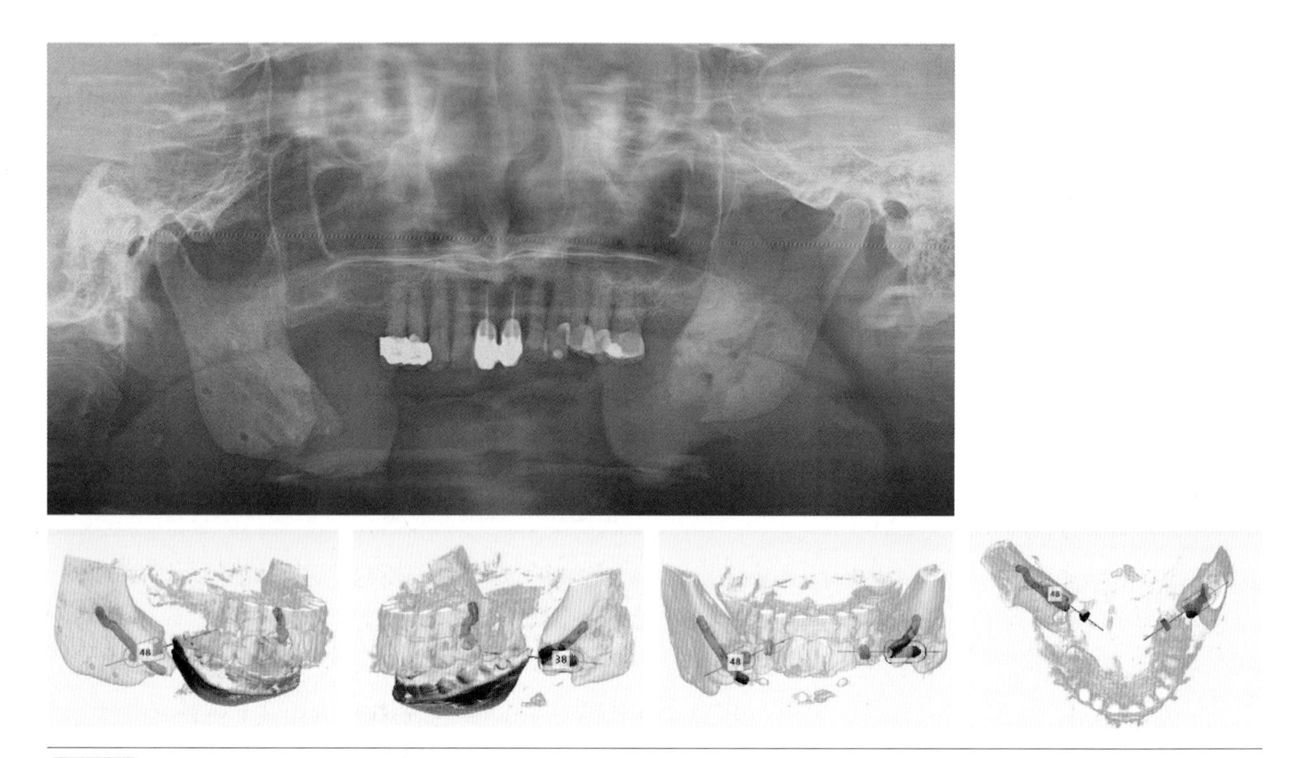

그림 31-30 Brown 분류 IV에서 3차원 CT 데이터와 모델 스캔 데이터를 이용하여 캐드 프로그램상에서 임플란트 식립 계획 수립

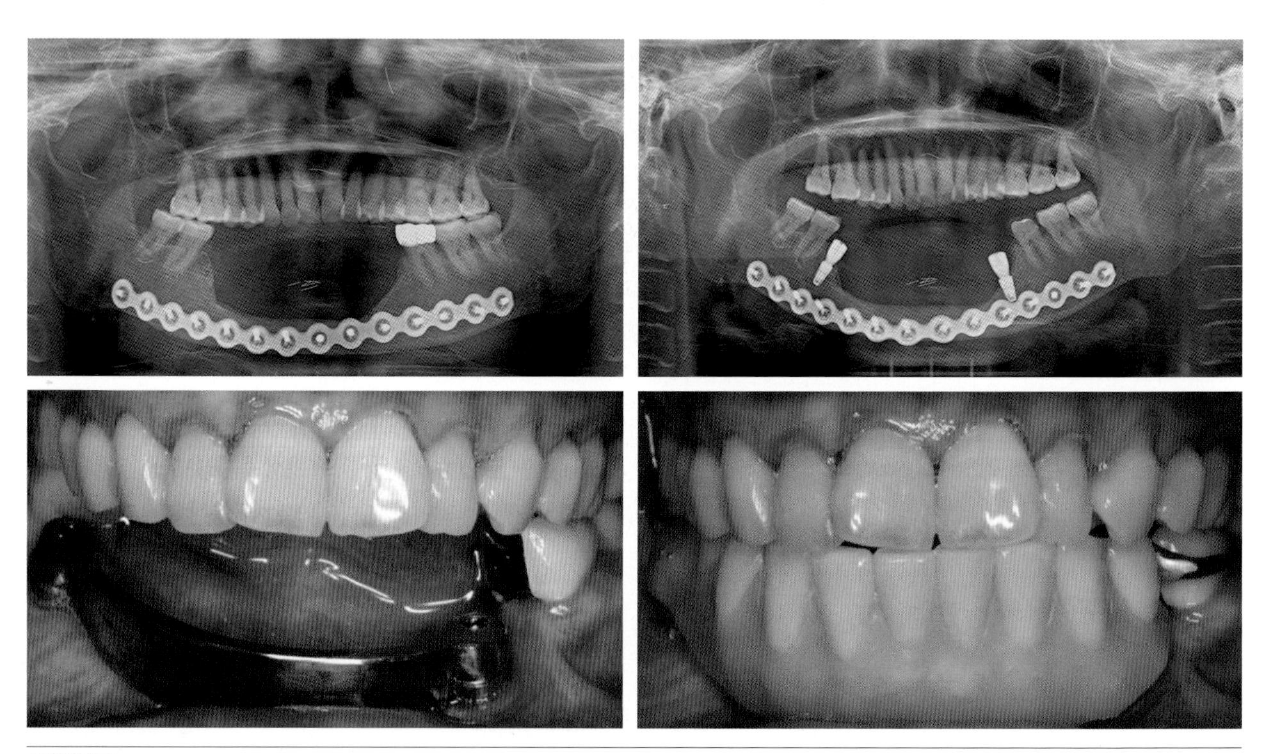

그림 31-31 **Cantor 분류 E에 해당하는 임상 증례.** 임플란트 식립 후 Bar형 유지장치를 제작하여 하악 결손부 국소의치의 유지 및 지지를 확보하였다.

3. 인공 보철물을 이용한 턱관절 전치환술

1) 인공 턱관절 보철물의 역사

구강악안면영역에서의 인공 보철물은 눈, 코, 귀와 같이 외형적으로 드러나는 보철물과 치아보철, 임플란트 보철, 틀니와 같이 구강 내 보철물 그리고, 조직 내부에 위치시키는 재건용 금속판이나 인공 턱관절 보철물 등이 있을 수 있다. 조직 외부에 부착하는 귀, 코, 치아 등과 같은 대부분의 인공 보철물은 유지를 위해 뼈속에 인공매식체(임플란트)를 삽입하여 보철물과 연결해 줌으로써 유지 기능을 향상시킨다. 인공 턱관절 보철물 또한 하악와를 구성하는 부분은 측두골에, 하악과두를 구성하는 보철물은 하악지에 나사로 고정을 하게 된다. 움직임이 있는 관절을 인공관절로 바꾸어 주는 턱관절 보철물은 정적인 보철물보다 복잡하여 보철물을 측두골이나 하악지에 부착하는 방법, 형태, 그리고 사용하는 소재 등에 대해 수많은 시행착오를 겪어왔다.[33] 하악와 보철물이나 하악과두 보철물을 단독으로 사용하는 방법도 많이 고안되었으나, 각각 사용했을 때 관절을 이루는 상대편의 정상 생체 구조물에 과도한 교합력이 작용했을 때 골흡수 양상을 보여, 이를 개선하기 위해 1965년 Christensen이 하악와와 하악과두 보철물을 동시에 치환해 주는 방법을 사용한 것이 인공 턱관절 전치환술(Alloplastic total TMJ replacement)의 첫 시도였다.[34]

턱관절의 관절원판(disc)을 제거한 후 관절원판 대체재로써 생체 재료로는 귓바퀴 연골, 인공 재료로는 Silastic® (Dow-Corning Corp, Midland, MI, USA)이나 Proplast-Teflon® (Vitek Inc, Houston, TX, USA) 등이 사용되었으나, 1980년대 광범위하게 사용되었던 Propalst-Teflon®은 거대세포 이물반응, 개구량 감소, 섬유성 유착 등 Proplast-Teflon®의 부작용[35-38]으로 인해 미국에서 1980년대 말부터 환자에게 삽입했던 Proplast-Teflon® 제거 수술 건수가 늘어가면서 인공 관절원판 사용은 점차 줄어들게 되었다. 인공 관절원판에 대한 부작용에 대한 보고가 계속되는 가운데 인공 관절원판이 없고, 하악와와 하악과두 전체를 인공 보철물로 치환해 주는 인공관절 전치환술은 조금씩 사용영역이 확대되었다. 환자 맞춤형이 1990년대 초부터 임상시험을 거치면서 시술 경험[39]과 장기 안정성에 대한 보고가 꾸준히 나왔고, 2000년대 후반부터는 미국뿐만 아니라 유럽,[40] 호주,[41] 중국[42] 등 전 세계로 사용이 늘어가고 있다. 국내에서 오랫동안 사용하고 있는 "악관절 치환술(substitution of TMJ)" 용어는 소실되거나 제거한 관절원판을 진피피판, 측두근막 피판 또는 인공 관절원판(disc)으로 대체해 주는 "턱관절원판 대체술(substitution of TMJ disc)"이므로, 관절원판 없이 턱관절의 골성 구조물인 하악와와 하악과두를 모두 인공 보철물로 치환해 주는 "인공 턱관절 전치환술"과 혼용하지 않도록 해야 한다(표 31-1).[43]

표 31-1 턱관절원판 치환술과 인공 턱관절 전치환술 비교

	턱관절원판 치환술	인공 턱관절 전치환술
수술 접근	이개 전방(preauricular) 접근 또는 귓속(endaural) 접근 한 개의 절개선	상부 보철물(하악와) - 이개 전방 또는 귓속 접근 하부 보철물(하악지 하악과두) – 후하악 또는 악하 접근 두 개의 절개선 필요
해부학적 구조 변화	관절원판 대체 하악와, 하악과두 보존	하악와와 하악과두를 인공 보철물로 대체
하악과두	보존 또는 골표면 다듬기	하악과두 절제술 필요함. 과도한 과두흡수를 보이는 하악과두, 또는 골성/섬유성 유착으로 형태 변형이 심한 하악과두를 제거
관절원판	제거 후 귓바퀴 연골이나 인공 관절원판 매식재 삽입 또는 진피 피판, 측두근막 피판	이미 기존 수술로 제거되었거나 변형되어 형태를 알아볼 수 없는 경우가 대부분이며 제거 후 대체재를 적용하지 않음.
하악와	보존 또는 골표면 다듬기	기존의 하악와 부위에 인공 하악와 보철물을 부착 인공 하악와 보철물의 형태와 부피로 인해 관절면이 원래 위치보다 아래쪽에 위치함.

표 31-2 회사별 인공 턱관절 제품의 특징

	TMJ Concepts	Biomet Microfixation
하악와 보철물	Titanium + UHMWPE	UHMWPE
과두-하악지 보철물	과두: Co-Cr-Mo 하악지: titanium alloy	과두: Co-Cr-Mo 하악지: titanium
기성품(stock)	X	하악와 보철물: 크기별 3가지 과두-하악지 보철물: 길이별 3가지
맞춤형(custom-made)	O (patient-fitted)	O (patient-matched)
관절면 접촉	UHMWPE-to-metal	UHMWPE-to-metal
골접촉면	하악와: Titanium 하악지: Titanium	하악와: UHMWPE 하악지: Titanium

Co-Cr-Mo: Cobalt-Chromium-Molybdenum alloy; UHMWPE: ultra-high molecular weight polyethylene

2) 인공 턱관절 보철물의 특징

전 세계적으로 미국 FDA 허가를 받아 사용되고 있는 제품인 TMJ Concepts사(Ventura, CA, USA)의 TMJ Concepts Prosthesis (patient-fitted)와 Zimmer Biomet사(Warsaw, IN, USA)의 Total Mandibular Joint Replacement System(stock, patient-matched)이 주로 사용이 되며, 그 외에 여러 나라에서 다양한 인공 보철물 제품이 출시되어 있다.[44] 각 회사 제품은 하악와 보철물과 하악과두 보철물로 이루어져 있으며 각 회사마다 특징적인 형태를 가지고 있으나, 사용하는 소재는 비슷하다. 제작 및 사용방법에 따라 기성품과 맞춤형으로 나눈다. 기성품은 몇 가지 크기의 모형을 수술기구에 비치하여 모형을 맞추어 본 후에 맞는 크기의 소독된 제품을 뜯어서 사용하게 되고, 맞춤형은 환자의 안면골 복제 모형을 제작하여 환자의 뼈 형태에 맞추어 제작한 후 소독, 포장되어 오는 주문제작형이다(표 31-2, 그림 31-32, 33). 주문제작형은 수술방법과 수술시간에서 모두 기성품에 비해 유리하나 비용이 더 들어가는 단점이 있다.

장기 안정성에 대해서는 인공 턱관절 전치환술을 시술한 역사가 오래되지 않지만 기성품형은 10년,[45] 맞춤형은 20년 이상[46]의 장기 추적연구 결과가 나오는 것으로 보아 안정성에 대해서는 어느 정도 담보를 하고 있는 것으로 보인다. 턱관절과 비슷한 접번운동을 하는 관절인 무릎의 인공관절에 대한 임상 경험은 보다 오래되었으므로 턱관절의 인공관절에 대한 이해에 도움이 될 것이다.[47-49]

인체 조직으로 하악과두를 재건하기 위해서 늑연골이나

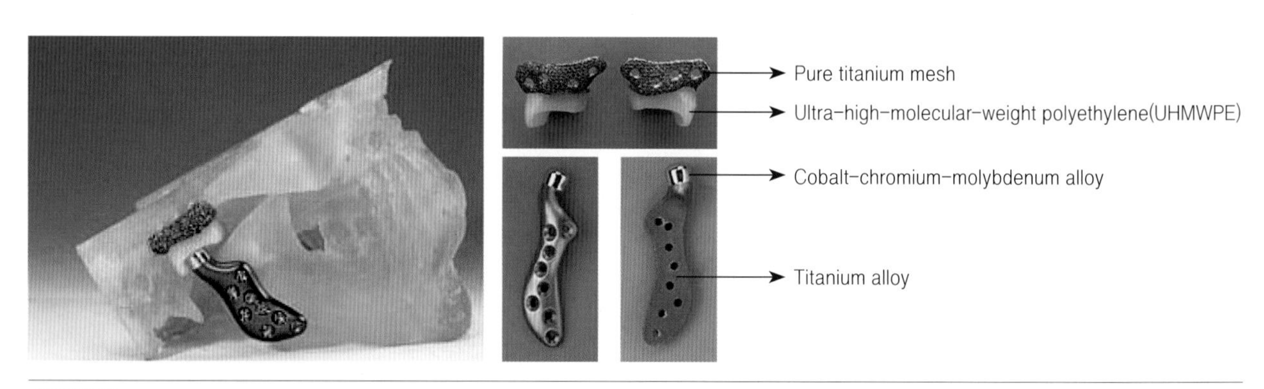

그림 31-32 **TMJ Concepts사의 인공 턱관절 제품(www.tmjconcepts.com).** 컴퓨터 단층촬영 영상을 이용해 제작한 복제모형을 이용하여 하악와 부분과 과두-하악지 부분을 맞춤형으로 제작한다.

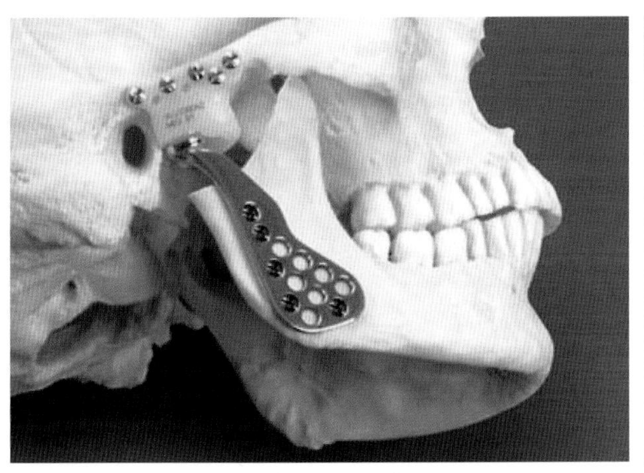

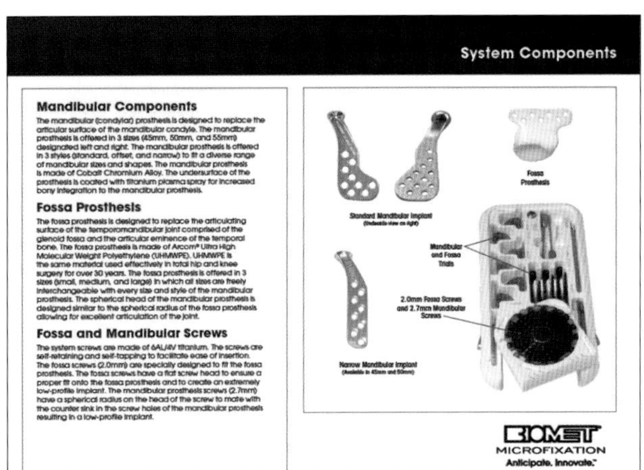

그림 31-33 **Biomet microfixation사의 인공 턱관절 제품(www.biomet.com).** 기성품으로 좌우 각각에 대해 3가지 크기의 시적용 모형이 있다(우측 그림).

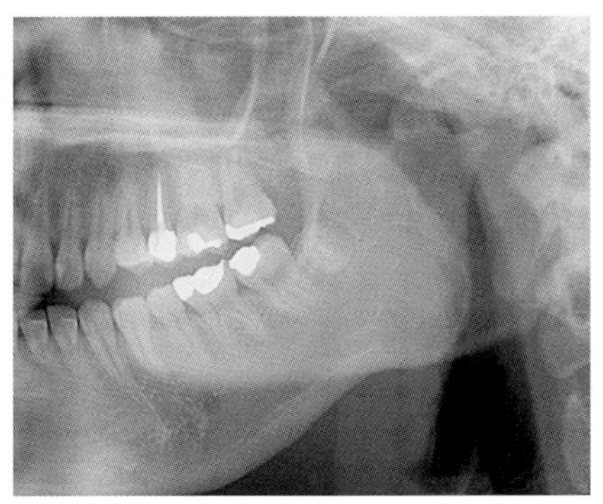

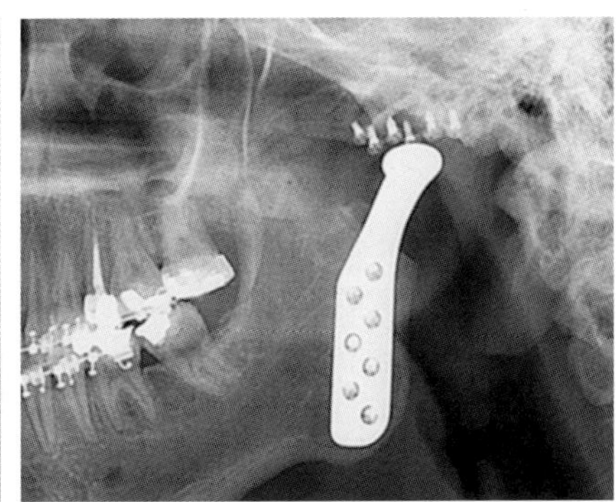

그림 31-34 **17세 여성환자로 10년 전 과두 골절로 섬유성 유착된 좌측 턱관절을 인공관절로 치환해 준 모습**

비골(fibula) 등 인체 다른 부위에서 조직을 채취해야 하고 채취한 부위에는 조직의 결손 및 수술 후 부작용 가능성 등이 있다. 인공 턱관절 보철물은 이러한 공여부 문제가 없으며, 수술 후 바로 기능이 가능하고, 물리치료를 시행할 수 있으며, 해부학적인 구조물을 비슷하게 재현하여 효과적인 하악기능의 재건을 꾀할 수 있는 장점이 있는 반면, 소재의 마모, 장기 안정성, 비용 문제, 성장기 환자에서의 사용 제한 등의 단점이 있다.[50]

3) 인공 턱관절 전치환술의 적응증 및 금기증

각 제조사마다 적응증과 금기증, 술후 예상되는 속발증 및 합병증에 대해 안내를 하고 있으므로 설명서를 잘 읽어 보는 것이 좋다. 일반적인 적응증은 골흡수, 외상, 선천성 또는 발육성 기형, 종양 등으로 인해 하악지/하악과두의 수직고경의 감소와 부정 교합을 초래한 경우이며 구체적으로는 다음과 같다.[51,52]

① 심한 형태 변형을 동반한 골성/섬유성 유착 또는 재유착(그림 31-34)
② 심한 염증성, 퇴행성 관절 질환으로 인한 과두 흡수
③ 외상으로 인해 하악과두가 심하게 손상되었거나 상실된 경우
④ 여러 번의 턱관절 수술에도 호전이 없는 환자
⑤ 광범위한 하악과두 절제술을 요하는 턱관절 종양
⑥ 하악지-하악과두 열성장을 동반한 심한 선천성 기형
⑦ 이전에 자가골 이식을 통한 재건에 실패한 경우
⑧ 실패한 턱관절 매식재(Proplast-Teflon®)나 반치환술(하악와 또는 하악과두 단독 보철물)

인공 보철물은 인체 내에 생체조직이 아닌 인공 이물질이 자리 잡게 되는 것이므로, 인공 보철물에 대한 이물반

응과 같은 재료의 특성뿐만 아니라 기계적인 특성까지 잘 고려를 해야 한다. 일반적인 금기증은 아래와 같다.[53]

① 수술 부위에 감염 또는 종양이 존재하거나, 만성감염증이 있는 경우
② 감염에 취약한 전신질환이 있는 경우
③ 미성숙한 골격을 갖고 있거나, 나사로 고정한 보철물을 유지할 만한 충분한 골이 없는 경우
④ 수술 후 관리가 불가능한 정신/신경학적 증상이 있는 경우
⑤ 보철물을 고정한 나사가 느슨해질 정도로 조절되지 않는 과도한 이악물기나 이갈이가 있는 경우 등이다.

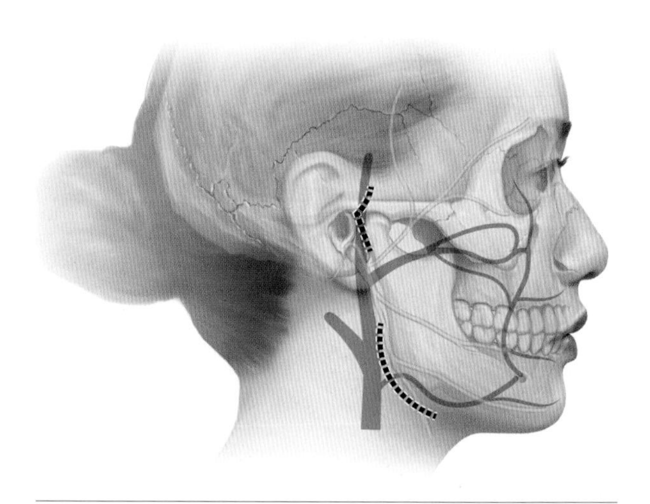

그림 31-35 **인공 턱관절 전치환술을 위한 절개.** 인공 턱관절 전치환술을 시행하기 위해서는 두 군데 절개 부위. 하악과두로의 접근을 위한 절개(위쪽)와 하악지로의 접근을 위한 절개(아래쪽)가 표시되어 있음. 절개 부위로 지나가는 혈관(붉은색)과 신경(노란색)

4) 수술방법

(1) 절개 및 접근

인공 턱관절 보철물은 하악와 보철물과 하악지/하악과두 보철물로 나누어져 있으므로 각각을 위치시키기 위해서는 두 군데의 절개가 필요하다(그림 31-35). 즉, 하악와 보철물을 위치시키기 위해서는 전이개 절개(pre-auricular incision) 또는 내이(endaural) 절개를 시행한다. 이는 턱관절 수술을 위한 접근법과 유사하며 안면신경(측두가지, 관골가지)의 노출과 손상을 최소화하기 위해 세심한 주의가 요구되며 신경자극기를 이용하여 안면신경의 손상을 예방하도록 한다. 또 하나의 절개는 하악지/하악과두 보철물을 위치시키기 위한 것으로 후하악(retromandibular) 또는 악하(submandibular) 접근법을 시행한다. 턱관절에 대한 접근과 마찬가지로 신경자극기를 이용하여 안면신경(아래턱가지)의 손상을 최소화하도록 하고 보철물 부착부위로 접근하기 위해서는 귀밑샘, 안면동맥 및 정맥, 대이개신경, 외경정맥, 후하악정맥 등 중요한 해부학적 구조물들이 있으므로 이들의 손상을 최소화하기 위해 세심한 주의가 필요하다.

(2) 턱관절 부위의 준비 및 보철물의 고정

턱관절 부위는 턱관절 수술(arthroplasty)과 비슷하게 턱관절을 노출시키되 보철물이 들어가는 공간과 하악과두를 절제하기 위한 공간 확보를 위해 절개 부위를 확장한다. 하악와의 골변형이 없거나 심하지 않을 경우, 맞춤형 보철물은 골형태에 맞추어 제작이 되어 있으므로 잘 적합이 되는지 확인 후 고정하면 되나, 기성품형 보철물은 보철물의 모형에 맞추어 필요한 부위에 골삭제를 해야 한다. 하악과두의 절제는 전이개 절개 부위나 후하악절개 부위를 통해 시행한다. 하악와의 골변화가 심한 섬유성/골성 유착이 있는 턱관절의 경우 유착된 하악와와 하악과두 부위의 골조직을 동시에 제거해 주어야 하는데, 하악와의 골조직을 제거할 때는 장착할 하악와 보철물의 모형에 맞게 제거하면서 다듬어야 한다. 유착부위가 하악과두의 면적보다 클 경우는 많은 골삭제가 선행되어야 하는데, 유착부위 내측에 위치한 뇌와 연결된 중요한 혈관과 신경을 손상시키지 않기 위해서는 세심한 주의가 필요하다. 맞춤형 보철물의 경우 유착된 하악와와 하악과두 부위를 제거하는 1차 수술을 하고 CT를 촬영하여 복제모형을 만들어 보철물을 주문 제작한 후에 2차 수술을 시행하기도 하지만, 3차원 분석 프로그램, 가상 수술 프로그램, 네비게이션 수술 등의 발달로 맞춤형 보철물도 제거할 유착 부위를 미리 복제모형에서 삭제하여 보철물을 제작한 후 한 번의 수술로 유착골 제거와 보철물 장착을 동시에 시행해 주기도 한다.

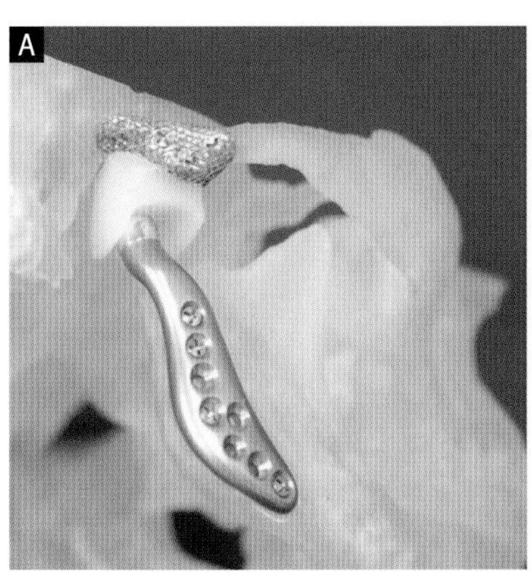

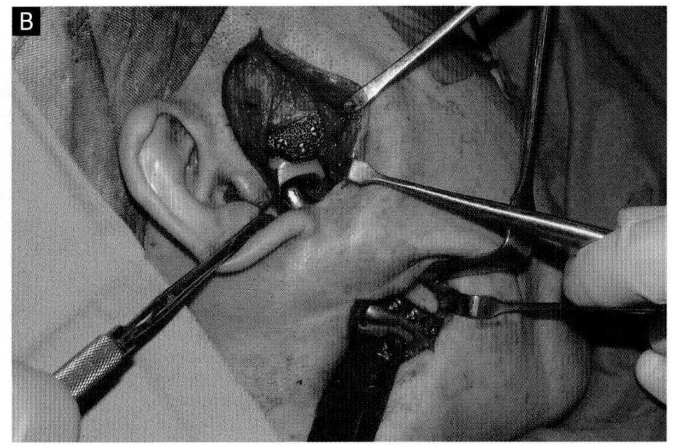

그림 31-36 **전이개 접근과 후하악 접근을 이용한 턱관절 보철물 장착.** TMJ Concepts사의 환자맞춤형 턱관절 보철물로 플라스틱 모델에 맞춤형으로 제작한 모습(A)과 환자에 적용하고 있는 모습(B)

(3) 하악지 부위의 준비 및 보철물의 고정

하악와 보철물이 잘 고정이 되었으면 하악지/하악과두 보철물을 장착하기 위하여 후하악 또는 악하 절개를 시행하여 하악지를 노출시킨 후에 맞춤형 보철물의 경우 하악지의 외측 골표면의 윤곽에 맞게 보철물이 제작되어 있으므로 적합시켜보고 잘 맞으면 나사로 고정을 하면 된다(그림 31-36). 기성품형의 보철물을 적합시키기 위해서는 하악지의 외측 골표면의 돌출부위를 기구를 이용하여 편평하게 해주어야 한다. 모형의 하악과두 부위의 최상방이 하악와 보철물의 가장 오목한 부위에 위치시킨 후 모형의 수직 길이가 하악지의 하악연까지의 길이보다 길지 않은 크기의 모형을 선택하여 잘 적합이 되면 소독 포장된 같은 크기의 보철물을 개봉하여 나사를 이용하여 고정시킨다. 하악지/하악과두 보철물의 고정은 교합유도와 악간고정을 시행한 이후에 하게 된다.

(4) 교합과 개구량 확인 후 최종 고정

인공 턱관절 전치환술은 하악과두와 하악와를 모두 치환하기 때문에 흔히 악관절 치환술로 알려져 있는 '악관절 원판 치환술'과는 달리 교합을 정확히 유도해 준 이후에 턱관절 보철물을 고정해야 한다. 하악와 보철물과 하악지/하악과두 보철물을 고정할 준비가 되었으면, 통상 하악와 보철물을 먼저 고정을 하고 하악지/하악과두 보철물을 고정하기 전에 아치바(arch bar)나 악간고정용 나사 또는 부가적인 교합 유도용 레진상 장치를 이용하여 교합유도와 악간고정을 시행한다. 하악지/하악과두 보철물을 나사 한 개 또는 2개로 고정한 후 악간고정을 풀고 하악을 움직여 보아 교합 유도가 잘 되는지 개구량이 예상한 정도로 확보가 되는지 확인을 한 이후에 경우에 따라 보철물 고정 위치를 바꾸기도 하나, 잘 맞으면 나사를 추가로 최종 고정한다. 개구량은 가능한 상하악 전치 절단면 사이 거리가 30 mm 이상 확보되는지 확인한다.

(5) 봉합

봉합은 통상의 방법대로 사강(dead space)이 생기지 않도록 조직층을 맞추어 봉합해 주되 안면신경 가지들이 많이 분포하는 부위이므로 조직을 두껍게 봉합하는 것은 피하는 게 좋다. 삼출성 출혈이 있을 경우 술후 혈종을 예방하기 위해 음압배액관을 위치시키기도 하나, 인공 보철물은 감염에 취약하므로 배액관이 작용을 제대로 못했을 경우, 배액관을 통한 감염 가능성이 있으므로 주의를 요한다.

5) 악교정수술과 동시에 시행하는 경우

턱관절의 병변으로 인해 안모 추형이 생긴 경우 인공 턱관절 전치환술과 동시에 악교정수술을 해주어야 하는 경우가 있다. 하악만 시행할 경우는 양쪽 다 인공 턱관절 전치환술을 시행하는 경우는 하악지/하악과두 보철물을 최종 장착하기 전에 하악의 위치를 미리 제작한 레진상 장치에 맞게 교합을 유도하여 악간고정을 시킨다. 하악의 한쪽만 치환하게 되는 경우는 진단과정에서 비이환측의 골절단술이 필요한 경우에는 골절단술을 미리 시행하여 이환측의 인공관절을 최종 고정하기 전에 교합유도를 용이하게 한다.

상악의 골절단술도 같이 시행해야 하는 경우는 통상의 악교정수술과 같은 순서로 시행해도 되나, 수술로 재위치시킬 하악의 전후방 이동거리가 길거나 골성유착 또는 과도한 섬유성 유착이 있어 유착부위를 제거한 이후의 하악운동 범위를 예상을 하기 어려운 경우는 하악수술을 먼저 하고 상악수술을 하는 통상의 악교정수술과 역순으로 시행하게 된다.

악교정수술을 위한 수술 진단 또한 관절 부위를 기계장치로 치환함으로 인해 수술 후 골변화 또는 골흡수로 인한 재발 가능성이 낮으므로, 진단 시 제약이 덜 할 수 있다(10장 3절 '개교합 및 하악후퇴증' 참조).[54]

6) 수술 후 부작용

수술로 인해 인체 조직에서 발생하는 속발증 또는 합병증과 인공보철물 장착으로 인한 합병증으로 크게 나눌 수 있다.

절개 및 조직을 젖히는 과정에서 발생하는 안면신경의 손상 또는 약화로 인한 일시적인 안면신경 장애와 미각발한 증후군, 신경종 형성 등이 나타날 수 있다. 통상의 수술 후 나타날 수 있는 부종, 혈종, 통증과 더불어 감염이 있을 수 있는데, 인공 보철물 부위의 감염은 생체 조직이 아니므로 감염에 취약하여 쉽게 회복되지 않아 결국 제거하기도 한다. 감염 예방을 위한 항생제 사용[55]과 감염 시 균막(biofilm) 제거[56]를 통한 예방과 처치법에 대한 보고가 있다. 하악와 보철물과 귀의 구조물이 가까워 귀의 병변을 유발하기도 한다. 인공 보철물로 인한 부작용으로는 고정나사의 풀림, 보철물의 파절, 보철물 소재에 대한 이물 반응이나 알러지 등이 있을 수 있다. 알러지 발생 빈도는 희박하나 금속 알러지 병력이 있거나 알러지가 잘 생기는 사람은 수술하기 전에 인공 보철물 소재에 대한 알러지 검사를 시행하는 것이 좋다. 수술 부위 조직이 안정되기 전의 과도한 하악운동은 하악과두 보철물의 탈구를 유발하기도 한다. 장기적으로는 골조직을 제거한 부위에 이소성 골(heterotopic bone) 형성이 있을 수 있으며, 과도한 이소성 골 형성은 개구장애를 유발할 수 있다.

7) 고찰

인공 턱관절 전치환술은 하악과두의 재건을 위해서 기존에 사용하였던 늑연골, 비골(fibula) 이식이나 재건용 금속판을 이용한 재건보다 훨씬 나은 예측 가능성과 장기 안정성을 보여주고 있다.[57] 최근에는 단순한 치환을 넘어서 악교정수술과 동시에 시행함으로써 심한 하악과두의 열성장이나 과두 흡수의 진단 및 치료 시 구강악안면외과 의사와 치과교정과 의사들에게 또 하나의 치료법으로 대두되고 있으며 하악과두 부위가 선천적으로 결손되거나 하악지가 광범위하게 결손된 경우에도 구조적으로 확장된 턱관절 인공보철물을 제작하여 수술하기도 한다.[58] 국내에서는 2012년 기성품형 제품이 보건복지부의 허가를 받아 사용되고 있으나,[43,59-61] 국외에서는 맞춤형 제품에 대한 수요가 많고, 예후나 장기 안정성에 대한 보고가 많이 되고 있다. 최근 3D 프린팅 기술의 발전으로 다른 인체 조직의 대체물이 환자 맞춤형으로 급속히 변화되고 있어 턱관절의 인공 보철물도 보다 많은 발전이 있을 것으로 예상된다.

참고문헌

1. Conroy BF. The history of facial prostheses. Clin Plast Surg 1983;10:689-707.
2. Deranian HM. The miracle man of the Western Front; the story of Dr. Varaztad Kazanjian. Bull Hist Dent 1984;32:85-96.
3. Bulbulian AH. Facial prostheses. Philadelphia: WB Saunders; 1945.
4. Gibson T. The prostheses of Ambroise Paré. Br J Plast Surg 1955;8:3-8.
5. Kim MJ, Lee BK. Combined parietotemporal fascio-osteo-cutaneous flap for craniomaxillofacial reconstruction. 3rd Asian Congress on Oral and Maxillofacial Surgery. Kuching: Monduzzi Edi; 1996. p.467-72.
6. Roman F. The history of artificial eyes. Br J Ophthalmol 1994;78:222.
7. Kim MJ, Hwang KG. Advanced osseointegrated surgery following mandibular reconstruction. 3rd Asian Congress on Oral and Maxillofacial Surgery. Kuching: Monduzzi Edi; 1996. p.503-7.
8. Dreyer JLE. Tycho Brahe. New York: The Macmillan Company; 1890.
9. Rowe NL. The history of the treatment of maxillo-facial trauma. Ann R Coll Surg Engl 1971;49:329-49.
10. 김명진, 이진규, 정헌영, 김규식. 골유착성 임프란트를 이용한 외이 결손의 치험례. 대한치과의사협회지 1991;29:639-44.
11. 김명진. Bränemark 인공치아 임프란트를 이용한 기능적 악안면 재건술. 치과임상 1990;10:83-90.
12. Galen. Opera Omnia, Vol 2. Venice; 1606.
13. Kim MJ, Kim KS, Chung HY, Lee JG. Auricular and mandibular reconstruction with osseointegrated implants. In: Yanagizawa S, editor. 16th Congress of IAMFS. Oita; 1992. p.94-6.
14. Lee JH, Kim MJ, Kim JW. Mandibular reconstruction with free vascularized fibular flap. J Craniomaxillofac Surg 1995;23:20-6.
15. 김명래, 권종진, 김명진. 임프란트의 선택, 식립, 보철과 유지. 서울: 의치학사; 1997.
16. Myoung H, Kim YY, Heo MS, Lee SS, Choi SC, Kim MJ. Comparative radiologic study of bone density and cortical thickness of donor bone used in mandibular reconstruction. Oral Surg Oral Med Oral Pathol Oral Radiol Endod 2001;92:23-9.
17. Tjellström A, Granström G, Bergström K. Osseointegrated implants for craniofacial prostheses. In: Weber RS, Miller MJ, Goepfert H, editors. Basal and Squamous Cell Skin Cancers of the Head and Neck. Baltimore: Williams & Wilkins; 1996. p.313-30.
18. 민승기. 원저 : 악안면 보철물의 역사. 대한악안면성형재건외과학회지 2000;22:383-96.
19. Granström G, Bergström K, Tjellström A, Brånemark P-I. A Detailed Analysis of Titanium Implants Lost in Irradiated Tissues. Int J Oral Maxillofac Implants 1994;9.
20. Worthington P, Brånemark P-I. Advanced Osseointegration Surgery: Applications in the Maxillofacial Region. Chicago: Quintessence Books; 1992.
21. Renk A. The history of facial prosthesis. J Maxillofac Prosthet Technol 1997;1:1-9.
22. Manoli SG. History of maxillofacial prosthesis. Dent Images 1973;13:3 passim.
23. Remensnyder JP, Bigelow ME, Goldwyn RM. Justinian II and Carmagnola: a Byzantine rhinoplasty? Plast Reconstr Surg 1979;63:19-25.
24. 김명진. 기능해부학적 하악골재건술을 위한 인공치아임플란트 외과적술식의 개발. 치과임상 1996;16:20-6.
25. 최수정, 조광헌, 이규복. 상악골 부분 절제술을 받은 환자에서 구개 폐쇄장치를 이용한 보철치료. 구강회복응용과학지 2011;27:337-42.
26. Aramany MA. Basic principles of obturator design for partially edentulous patients. Part I: classification. J Prosthet Dent 1978;40:554-7.
27. Brown JS, Rogers SN, McNally DN, Boyle M. A modified classification for the maxillectomy defect. Head Neck 2000;22:17-26.
28. Wu D, Zhou L, Yang J, et al. Accuracy of dynamic navigation compared to static surgical guide for dental implant placement. Int J Implant Dent 2020;6:78.
29. Reiser GM. Implant use in the tuberosity, pterygoid, and palatine region: anatomic and surgical considerations. In: Nevins M, Mellonig JT, Fiorellini JP, editors. Implant therapy: clinical approaches and evidence of success: Quintessence; 1998. p.197-207.
30. Rodríguez X, Méndez V, Vela X, Segalà M. Modified surgical protocol for placing implants in the pterygomaxillary region: clinical and radiologic study of 454 implants. Int J Oral Maxillofac Implants 2012;27:1547-53.
31. Cantor R, Curtis TA. Prosthetic management of edentulous mandibulectomy patients. I. Anatomic, physiologic, and psychologic considerations. J Prosthet Dent 1971;25:446-57.
32. Brown JS, Barry C, Ho M, Shaw R. A new classification for mandibular defects after oncological resection. Lancet Oncol 2016;17:e23-30.
33. Driemel O, Ach T, Müller-Richter UD, et al. Historical development of alloplastic temporomandibular joint replacement before 1945. Int J Oral Maxillofac Surg 2009;38:301-7.
34. Driemel O, Braun S, Müller-Richter UD, et al. Historical development of alloplastic temporomandibular joint replacement after 1945 and state of the art. Int J Oral Maxillofac Surg 2009;38:909-20.
35. Schellhas KP, Wilkes CH, el Deeb M, Lagrotteria LB, Omlie MR. Permanent Proplast temporomandibular joint implants: MR imaging of destructive complications. AJR Am J Roentgenol

1988;151:731-5.

36. Spagnoli D, Kent JN. Multicenter evaluation of temporomandibular joint Proplast-Teflon disk implant. Oral Surg Oral Med Oral Pathol 1992;74:411-21.
37. Lypka M, Yamashita DD. Exuberant foreign body giant cell reaction to a teflon/proplast temporomandibular joint implant: report of a case. J Oral Maxillofac Surg 2007;65:1680-4.
38. Abramowicz S, Dolwick MF, Lewis SB, Dolce C. Temporomandibular joint reconstruction after failed teflon-proplast implant: case report and literature review. Int J Oral Maxillofac Surg 2008;37:763-7.
39. Wolford LM, Cottrell DA, Henry CH. Temporomandibular joint reconstruction of the complex patient with the Techmedica custom-made total joint prosthesis. J Oral Maxillofac Surg 1994;52:2-10; discussion 1.
40. De BNJE. Re: Speculand B. Current status of replacement of the temporomandibular joint in the United Kingdom [Br. J. Oral Maxillofac. Surg. 2009; 47:37-41]. Br J Oral Maxillofac Surg 2009;47:490.
41. Jones RH. Temporomandibular joint reconstruction with total alloplastic joint replacement. Aust Dent J 2011;56:85-91.
42. Zhang XH, Chen MJ, Qiu YT, Yang C. [A primary application and evaluation of temporomandibular joint replacement with stock prosthesis]. Shanghai Kou Qiang Yi Xue 2012;21:298-302.
43. 허종기. 인공 턱관절 전치환술. 대한치과의사협회지 2012;50:256-61.
44. Elledge R, Mercuri LG, Attard A, Green J, Speculand B. Review of emerging temporomandibular joint total joint replacement systems. Br J Oral Maxillofac Surg 2019;57:722-8.
45. Leandro LF, Ono HY, Loureiro CC, Marinho K, Guevara HA. A ten-year experience and follow-up of three hundred patients fitted with the Biomet/Lorenz Microfixation TMJ replacement system. Int J Oral Maxillofac Surg 2013;42:1007-13.
46. Wolford LM, Mercuri LG, Schneiderman ED, Movahed R, Allen W. Twenty-year follow-up study on a patient-fitted temporomandibular joint prosthesis: the Techmedica/TMJ Concepts device. J Oral Maxillofac Surg 2015;73:952-60.
47. Ritter MA. The Anatomical Graduated Component total knee replacement: a long-term evaluation with 20-year survival analysis. J Bone Joint Surg Br 2009;91:745-9.
48. Pradhan NR, Gambhir A, Porter ML. Survivorship analysis of 3234 primary knee arthroplasties implanted over a 26-year period: a study of eight different implant designs. Knee 2006;13:7-11.
49. Blumenfeld TJ, Scott RD. The role of the cemented all-polyethylene tibial component in total knee replacement: a 30-year patient follow-up and review of the literature. Knee 2010;17:412-6.
50. Mercuri LG, Edibam NR, Giobbie-Hurder A. Fourteen-year follow-up of a patient-fitted total temporomandibular joint reconstruction system. J Oral Maxillofac Surg 2007;65:1140-8.
51. Aagaard E, Thygesen T. A prospective, single-centre study on patient outcomes following temporomandibular joint replacement using a custom-made Biomet TMJ prosthesis. Int J Oral Maxillofac Surg 2014;43:1229-35.
52. Mercuri LG. The use of alloplastic prostheses for temporomandibular joint reconstruction. J Oral Maxillofac Surg 2000;58:70-5.
53. Sidebottom AJ. Guidelines for the replacement of temporomandibular joints in the United Kingdom. Br J Oral Maxillofac Surg 2008;46:146-7.
54. Dela Coleta KE, Wolford LM, Gonçalves JR, Pinto Ados S, Pinto LP, Cassano DS. Maxillo-mandibular counter-clockwise rotation and mandibular advancement with TMJ Concepts total joint prostheses: part I - skeletal and dental stability. Int J Oral Maxillofac Surg 2009;38:126-38.
55. Mercuri LG, Psutka D. Perioperative, postoperative, and prophylactic use of antibiotics in alloplastic total temporomandibular joint replacement surgery: a survey and preliminary guidelines. J Oral Maxillofac Surg 2011;69:2106-11.
56. Wolford LM, Rodrigues DB, McPhillips A. Management of the infected temporomandibular joint total joint prosthesis. J Oral Maxillofac Surg 2010;68:2810-23.
57. Lee WY, Park YW, Kim SG. Comparison of Costochondral Graft and Customized Total Joint Reconstruction for Treatments of Temporomandibular Joint Replacement. Maxillofac Plast Reconstr Surg 2014;36:135-9.
58. Elledge R, Mercuri LG, Speculand B. Extended total temporomandibular joint replacements: a classification system. Br J Oral Maxillofac Surg 2018;56:578-81.
59. Kim TH, Ryu DM, Lee DW, Jee YJ, Hong SO, Jung JH. A case report of temporomandibular bilateral osseous ankylosis treated by total joint replacement in ankylosing spondylitis. Maxillofac Plast Reconstr Surg 2012;34:455-61.
60. Roh YC, Lee ST, Geum DH, Chung IK, Shin SH. Treatment of Temporomandibular Joint Disorder by Alloplastic Total Temporomandibular Joint Replacement. Maxillofac Plast Reconstr Surg 2013;35:412-20.
61. Lee SH, Ryu DJ, Kim HS, Kim HG, Huh JK. Alloplastic total temporomandibular joint replacement using stock prosthesis: a one-year follow-up report of two cases. J Korean Assoc Oral Maxillofac Surg 2013;39:297-303.

Chapter 32

조직공학

Tissue Engineering

기본 학습 목표

- 재생의학(regenerative medicine) 및 조직공학(tissue engineering)의 개념을 설명할 수 있다.
- 조직 공학을 구성하는 세 가지 요소(세포, 성장인자, 지지체)를 이해하고 설명할 수 있다.

심화 학습 목표

- 구강악안면외과 영역에 시도되고 있는 조직공학적 접근법의 종류를 이해하고 설명할 수 있다.
- 조직 공학에 이용되는 세포들의 종류를 이해하고 특징과 장단점을 설명할 수 있다.
- 조직 공학에 이용되는 지지체의 이상적인 조건 및 종류를 이해하고 설명할 수 있다.
- 전구세포 및 줄기세포를 이용한 세포치료의 개념 및 적용 분야를 인지한다.
- 복합조직 이식재의 조직공학적 제작의 조건을 이해하고 설명할 수 있다.
- 조직공학적 골재생의 다양한 접근법을 숙지하고 설명할 수 있다.

1. 재생의학의 현황과 미래의 연구방향

1) 서론

재생의학(regenerative medicine) 및 조직공학(tissue engineering)은 세포(cell), 생체재료(biomaterials) 및 여러 생체조절인자(regulatory factors)들을 적절히 이용하여 손상된 조직이나 장기를 치유, 재생, 또는 대체하여 정상적인 기능을 회복하게 하는데 그 목적이 있다.[1,2] 이 목적을 성공적으로 이루려면 생물 및 분자생물학, 화학, 재료과학, 공학, 의학 등 여러 분야의 전문지식이 필요하며, 불과 20여 년 전 몇몇 선구자들에 의해 시작된 재생의학 분야는 그간 여러 전문가들의 끊임없는 노력으로 이제는 미래의 인류 건강을 책임질 학문으로서 많은 주목을 받는 분야로 성장을 하였다.

초기의 조직공학 연구는 초보적인 배양 기술을 이용하여 해부학적 또는 조직학적으로 인체의 조직과 유사한 조직 또는 장기를 제작하는 데 머물렀다. 하지만 많은 연구를 통한 지식이 축적되어감에 따라 조직과 장기를 해부학적으로 완전히 대치하려는 연구 외에도 세포, 지지체, 성장인자를 개별 혹은 혼합 투여하여 조직, 장기의 치유나 재생을 유도하여 기능을 회복하는 조직 재생 치료법도 아울러 발전하여 보다 진보된 형태의 조직 재생이 가능하게 되었다.[1]

초기의 조직공학 연구는 초보적인 배양기술을 이용하여 해부학적 또는 조직학적으로 인체의 조직과 유사한 조직 또는 장기를 만들기에 급급하였다. 하지만 많은 연구를 통한 지식이 축적되어감에 따라 조직과 장기를 해부학적으로 완전히 대치하려는 연구 외에도 세포, 지지체, 성장인자를 개별 혹은 혼합 투여처리하여 조직, 장기의 치유나 재생을 유도하여 기능을 회복하는 조직 재생 치료법도 아울러 발전하여 조직공학의 정의를 보다 확대해야 할 필요성이 대두되기도 하였다.[1]

최근에는 기존의 관련 분야 외에 컴퓨터 공학을 비롯한 기타 첨단기술의 접목으로 보다 생체와 유사한 구조와 환경에서 제작된 인공조직이나 장기들이 개발되어 기능적이고 성공적인 결과를 얻고 있다. 이에 따라 2000년 초반 조직공학에 대한 과도한 기대와 연이은 실망으로 잠시 주춤했던 조직공학의 산업화에도 긍정적으로 작용하여 근래 여러 관련 회사들이 다시 생겨나고, 이익을 올리고 있으며, 최근의 조직공학의 분야는 보다 실질적이고 새로운 동력을 가지고 발전해가고 있다.[3] 본 장에서는 조직공학에 처음 입문하는 학생, 연구자, 관련산업 종사자의 이해를 돕고자 현재까지의 연구 성과와 미래의 발전방향에 대한 간략한 소견을 제시하고자 한다.

2) 조직공학과 재생의학

조직공학이라는 말은 본래 실험실 내에서 조직을 생산하는 기술을 표현하기 위하여 처음 사용되었고, 재생의학이라는 말은 원래 생체에서 조직의 재생을 위해 개발된 기술이나 외과적 술기를 표현하는 데 사용되어왔다. 하지만 조직공학도 결국은 생체 조직의 치유 혹은 재생의 목적을 가지고 있으며, 조직공학 분야가 발전함에 따라 조직공학적인 치료법과 기술이 재생의학의 주요 수단이 되었다. 이에 재생의학과 조직공학의 개념상의 경계가 모호해지게 되었고 또한 조직공학의 인지도를 높이기 위한 시도로서 조직공학이라는 딱딱한 용어 대신 일반인들이 이해하기 쉽고, 환자 친화적인 용어를 사용할 필요성이 제기되었다. 따라서 요즈음에는 보다 넓은 의미를 가진 재생의학의 한 범주에 조직공학의 개념을 포함시키며, 이러한 정의 하에 조직공학이라는 용어와 재생의학이라는 용어를 사용한다.

3) 재생의학 기본 구성요소에 대한 연구 현황과 미래 연구 방향에 대한 고찰

재생의학과 조직공학 분야에 있어서 기본적 구성의 하나는 세포이며 주로 동종 또는 자가세포 등이 이용되어 왔다. 이러한 세포들은 세포로부터 인체에 필요한 물질을 분비하도록 유도하여 체내 조직의 기능을 향상시키는데 주로 사용되었으며, 동종 세포는 숙주의 면역 거부 반응으로 인하여 자가면역을 억제한 상태로 이용되었다. 이러한 점은 현실적으로 치료 외적인 다양한 부작용을 초래하였고, 가능한 이러한 부작용이 없는 자가세포를 선호하게 되었다.

그동안 자가 체세포를 이용한 많은 연구들이 진행되어 왔으며 현재에도 많은 분야에서 동물실험 및 임상실험이 진행되고 있고, 성공적인 결과들이 보고되고 있다.[4,5]

하지만 자가 체세포의 이용은 세포를 얻기 위하여 때로는 침습적(invasive)인 수술을 필요로 하며, 재건해야 할 조직의 손상이 심한 경우에는 이용 가능한 세포를 얻기 힘든 경우도 있다. 또한 이미 분화가 완료된 체세포는 증식력(proliferative activity)이 제한되기 때문에 충분한 수의 세포로 늘리기가 어렵고, 증식 중에 종종 형질이 바뀌거나 조직을 재생하는 능력을 잃어버릴 수 있는 것으로 알려져 있다.[6] 그리하여 이러한 한계점을 극복하기 위한 대안으로 미분화 상태에서 증식시켜 충분한 세포 수를 얻기 용이한 자가 줄기세포(autologous stem cells)를 이용하려는 시도가 활발하게 되었다 진행되었다.[7-10]

줄기세포는 일반적으로 자기재생능력(self-renewal)을 가지고 있으며 성숙된 여러 종의 세포로 분화(differentiation)할 수 있는 불특정(non specific) 미분화 세포라고 정의된다. 줄기세포는 크게 발생시기에 따라 배아줄기세포(embryonic stem cell, ESC), 태아줄기세포(fetal stem cell), 성체줄기세포(adult stem cell)로 분류되고 있으며 그 분화능력에 따라 전능성(totipotent), 만능성(pluripotent), 다능성(multipotent) 줄기세포로 나누어 부르기도 한다.

배아줄기세포(embryonic stem cell, ESC)는 증식능력과 분화능력에 있어서 가장 강력하고, 따라서 조직재생에 매우 효과적이지만, 현실적으로 자신에게 이용 가능한 세포의 채취가 불가능하여 임상 사용에 어려움이 있다. 이에 대한 대안으로 핵전이(nuclear transfer)를 통하여 배아줄기세포를 얻을 수 있는 세포복제(cloning)기술 개념이 소개되었다. 난자의 핵을 제거하고 난 뒤 동종 성체 체세포의 핵을 이식하여 제작된 체세포복제 배아줄기세포(somatic cell into an enuleated oocyte, SCNT)는 핵을 공여한 개체와 유전적으로 동일한 조직이나 장기를 만들 수 있어 환자 맞춤형의 질병치료나 조직 재생에 이용할 수 있어 많은 주목을 받았다.[11] 하지만 이 역시 난자 획득에 있어서의 윤리적 문제점이 있고, 아직도 성공적인 제작에 논란이 있을 만큼 기술적인 어려움이 있다.[12] 성체줄기세포는 세포의 증식력과 분화력은 상대적으로 배아줄기세포보다 약하지만 체내의 여러 부위에서 채취가 용이하고, 윤리적 문제가 없으며, 안전하여, 임상에의 적용이 쉬운 관계로 많은 연구가 이루어지고 있다. 현재까지 성체줄기 세포는 골수, 지방, 양수(amniotic fluid), 혈액, 제대혈(cord blood), 심장, 신경, 근육, 치수, 피부 등 인체의 여러 조직에서 분리되었고,[13,14] 아직도 다른 여러 조직에서 이를 분리하려는 노력이 계속되고 있다. 채취된 성체줄기세포는 다양한(heterogeneous) 전구세포들과 혼합되어 있어, 그 중 줄기세포를 구분하고 결정하는데 아직 논란이 있지만, 일반적으로 연구실에서 줄기세포를 확정하는 기준은 세포배양 접시에 붙여 배양 시킬 수 있고, 특정 표면 인자(CD90, CD105, CD73)가 존재하며, 혈액전구세포의 지표(CD34, CD45, CD11a, CD19, HLA-DR)가 없고, 특정 조건에서 기능적 세포(골, 근육, 연골)로의 분화가 가능하여야 한다는 것으로 받아들여지고 있다.[15] 채취되는 부위에 따라 분화능력과 증식능력에 차이를 보이는데, 일반적으로 골수유래 줄기세포(bone marrow-derived mesenchymal stem cells, BMMSCs)가 가장 많은 종류의 전구줄기세포(progenitor stem cell)를 가진 것으로 알려져 있어 근골격계, 혈관 등의 주요 조직의 재생연구에 많이 이용되어 왔으며,[14] 근래 보고된 제대혈, 양수, 태반과 같이 태아유래의 줄기세포 또한 증식력과 분화력이 배아줄기세포에 버금가게 우수하고, 장기 보관이 가능한 것으로 확인되어 많은 주목을 받고 있다.[13] 그 외 지방유래 줄기세포 등 다양한 기원의 성체줄기세포들도 다양한 임상연구 모델에서 꾸준히 성공적인 결과들을 나타내고 있다.[16]

줄기세포의 공급원으로서 최근에 많은 각광을 받고 있는 또 다른 시도로는 유도다기능 줄기세포(induced pluripotent stem cell, iPSC)를 이용한 연구이다.[17] 2006년 처음 소개된 이 방법은 이미 분화된 정상 피부 세포에 다양한 바이러스 혹은 비 바이러스 벡터를 이용하여 주요 전사인자인 Oct4, Sox2, c-Myc, Klf4 유전자를 도입하고 세포 내에서 과발현되도록 세포를 재프로그래밍(reprogramming)시켜서 다기능의 줄기세포를 만드는 것이다. 후속 연구에 의하여 iPSc는 배아줄기세포의 특징을 갖는 것으로 밝혀졌으며, 실험용 생쥐의 피부 섬유아 세포에서 처음 유도된 이후 사람의 여러 체세포에서도 성공적으로 유도가 되었다.[18] 사람에 있어서는 지금까지 섬유아 세포, 혈액, 신경전구세포, 지방 혹은 골수, 양수 유래 줄기세포에서 성공적으로 iPSc가 제작되었고 계속해서 다양한 조직의 세포에서 유도가 시도되고 있다. 재프로그래밍에 사용되는 벡터로는 retroviruses, lentiviruses, adenovirus와 같은 바이러스나, plasmid, 재조합된 Oct4, Sox2, c-Myc, Klf4 단백질이 이용되고 있다. 이러한 iPSc는 환자개개인에서 제작될 수 있으므로 맞춤형으로 약제의 screening이나, 질환의 연구, 손상된 조직의 재건에 이용될 수 있다. 최근까지 이렇게 유도된 iPS 세포로부터 기능성 신경세포, 심근세포, 췌장세포, 간세포, 망막 세포가 유도되어 그 다능성과 조직공학적인 효용성이 입증되고 있다.[19] 최근에는 특이질환 환자를 포함한 다양한 환경과 조직의 세포에서 iPSc를 유도하는 시도가 활발하며,[20] 그 기전에 대한 유전학적, 면역학적, 발생학적인 근본적인 연구와 더불어 제작된 iPSc의 증식 효율을 높이기 위한 배양방법 예를 들어 scalable stirred-suspension bioreactors (SSB)와 같은 방법을 시도하거나, 1~2%에 불과한 재프로그래밍의 성공률을 높이기 위해 4개의 기본 재프로그래밍 유전자에 SV40 large T antigen (T Ag)와 같은 부가적인 유전자를 삽입하거나 하는 등의 연구가 진행되고 있다. 또한 인체에 적용 시 문제가 될 수 있는 기술적 문제(바이러스 벡터의 사용 등) 및 c-myc 유전자의 과발현에 의한 종양생성 가능성과 같은 문제를 해결하는 데에도 연구의 초점이 맞춰지고 있다. 이 기술이 임상에 적용될 수 있을 만큼 실용화된다면 특히 조직공학과 재생의학 분야에서 무한한 가능성을 제공하여 줄 것으로 기대되고 있다.[21,22]

줄기세포는 아니지만 세포 획득에 있어 획기적일 수 있는 또 새로운 세포 제작 방법이 최근 보고되었다. 이는 iPSc의 제작 개념을 응용한 실험적 시도에서 얻어진 결과인데, 분화가 끝난 섬유아 세포에 Ascl1, Brn2, Myt1l과 같은 신경세포 분화 특이 유전자 조합을 lentivirus vector를 이용하여 섬유모세포 DNA에 삽입하여 1주일 만에 기능하는 신경세포(induced nerve cell, iNc)로 유도시킨 것이다.[23] 이는 정상 체세포에서 iPSc를 거치지 않고, 다른 체세포로 분화가 유도된 놀라운 사건이며, 특히 재프로그래밍 성공률이 20%에 달하며 제작기간도 iPSc를 거치는 경우의 수 주 혹은 수개월에 비하여 대폭 단축된다는 점에서 향후 임상적용에 장점이 많아 보인다. 다만 이 방법은 분화된 세포에서 다시 다른 분화된 세포를 만드는 관계로 실험실 내에서 충분한 세포수로 증식이 어렵다는 단점이 있는데, 이는 향후 연구를 통하여 개선되어야 할 것으로 보인다.

세포치료제 혹은 세포 기반 치료요법(cell based therapy)이란 세포를 체내에 직접 주입하여 손상된 조직을 재생하거나 세포에서 생산, 분비되는 인자들을 이용하여 조직의 기능을 회복하는 방법으로 재생의학 분야의 주된 치료법이다. 이는 개개의 세포 기능과 능력을 활용한 요법으로 수술적인 조직이식과는 달리 주사를 통하여 세포를 체내에 이식하기 때문에 시술이 비교적 간단하고 최소 침습적인 장점이 있다. 또한 일반적으로 조직체의 이식에 비해 비용이 저렴하며, 부작용이 적고, 회복 시간이 빠르다. 투여 범위는 원하는 치료의 목표에 따라 전신적(systemic) 혹은 국소적(local)으로 특정 부위에 투여하는 등 다양하며, 투여 경로는 혈관을 통하거나 조직 내에 직접 투여가 가능하다.[24]

최근에는 다양한 잠재능력을 가진 전구세포 및 줄기세포를 이용한 세포치료가 많이 시도되고 있다. 현재는 조혈줄기세포(hematopoietic stem cell)의 투여만이 임상적으로 보편화된 줄기세포 투여법이지만 많은 전 임상 모델에서는 기존의 치료에 효과가 없는 환자들을 대상으로 하여 허혈성 심장 질환(ischemic heart disease),[25] 뇌졸중(stroke),[26] 자가면역질환(autoimmune disease),[27] 근위축증(muscle dystrophy),[28] 난치성 신경계 질환(refractory neuronal disease),[26,29,30] 복압성 요실금(stress urinary incontinence)[31] 등에 세포 치료가 시도되었으며, 희망적인 기능 개선효과가 보고되고 있다. 하지만 이러한 세포 치료의 효과가 초기의 시도보다는 많이 개선되었다고 할지라도, 아직 기대보다는 부족하고, 또 효과를 거두는 자세한 기전에 대해서도 완전히 알려져 있지 않은 상태여서, 아직 많은 기본 연구와 임상에 적용을 위한 치료 프로토콜을 확립하기 위한 지속적인 연구가 필요한 상황이다.

다양한 세포 치료의 시도에서 가장 큰 문제점의 하나는 이식된 세포가 생체 이식 후 기대하는 만큼 증식과 분화를 하지 못하고 오래 생존하지 못하여 원하는 치료 목표를 달성하지 못한다는 것이다. 따라서 세포 치료 시 세포가 원래 가지고 있는 증식력과 분화력을 유지하면서, 오래 생존하여 생체 내에서 목표로 하는 기능을 수행하는 것은 성공적인 결과를 얻는데 필수적이다. 일반적으로 줄기세포를 생체에서 분리한 후 충분한 세포 수를 얻기 위하여 세포를 실험실 내에서 배양하고 증식시키는 과정이 필요한데, 최근 연구에 의하면 세포가 생체에서 분리된 후 세포의 선택적 증식을 위해 실험실 배양을 거치면서 세포가 원래 가지고 있던 증식력과 분화력이 손상될 수 있다고 하는 보고가 있어 이를 극복하기 위한 연구가 진행되고 있다. 또 다른 문제 사항은 줄기세포의 투여에 있어서 각각의 질환, 사용되는 줄기세포 종류에 대한 적절한 치료시점, 세포 수, 투여 방법에 대해서도 아직 많은 연구가 필요하다는 점이다. 이에 대한 한 연구의 예로서 심근경색이 유도된 백서모델에 줄기세포를 투여한 연구에서 줄기세포의 이식률과 생존율, 심장기능지표가 병소가 유도된 지 1주일째 줄기세포를 투여받은 경우가 1시간, 2주, 1달 후 투여받은 경우보다 더 나은 결과를 보였다. 1주일째 투여가 좋은 결과를 보인 것은 1시간 후 투여한 경우보다는 심근경색이 유도 시 발생된 염증이 줄었기 때문인 것으로 해석되며, 2주와 1달째보다 좋은 결과를 보인 것은 반흔조직이 상대적으로 적게 생겼기 때문인 것으로 추측되었다.[32] 이상 언급한 문제점들이 해결된다면 세포치료의 효과를 높이고 각각의 질환에 대한 가장 이상적인 요법을 확립하는데 많은 도움을 줄 것이다.

생체재료는 세포와 마찬가지로 조직공학의 응용에 필수요소이다. 생체에 이식을 위한 이상적인 생체 재료의 조건은 세포의 유착과 증식이 잘 되도록 3차원적 구조를 가져야 하며, 세포이동이나, 혈관형성, 영양공급이 원활하도록 다공성(porous)이어야 한다. 또한 체내에 이식된 후에도 주위조직과 융화가 잘 되어야 하며 합성 재료일 경우 염증 반응이 없고 일정 기간이 지난 후 스스로 분해되어 이 물질로 남지 않아야 한다. 또한 생체 재료는 숙주와의 상호작용도 원만하여야 하며 아울러 필요에 따른 적절한 기계적 강도도 요구된다. 또한 세포의 배양이 원활하도록 적절한 특성의 표면 제공을 하여야 하며 세포의 기능이나 유전자를 변형시키지 않고 세포의 표현형을 조절할 수 있어야 한다.[33]

현재까지 다양한 생체재료 지지체가 조직공학에 이용되어 왔으며, 최근에는 고분자 화합물이 널리 쓰이고 있다. 그 원료의 기원에 따라 크게 합성 고분자와 천연 고분자로 구분될 수 있는데, 합성 고분자로는 수산화인회석(hydroxyapatite, HA), β-tricalcium phosphate (β-TCP), poly glycolic acid (PGA), poly L-lactic acid (PLLA), polycaprolactone (PCL), poly-lactide-co-glycolic acid (PLGA) 등이 있으며, 천연 고분자에는 키토산(chitosan), 콜라겐, 피브린, 젤라틴, 히알론산(hyaluronate), 알긴산(alginate), 실크 단백질 등이 있다.[34,35] 이 중에서도 최근 흡수성 합성 고분자 화합물을 이용한 연구가 활발하며. 이러한 합성 고분자 화합물은 일부 천연물을 이용한 지지체와는 달리, 원료를 쉽게 얻을 수 있고, 다양한 형태로의 제작이 용이하며, 취급이 간편하고, 저렴하게 대량생산이 가능하다는 장점이 있다. 하지만 흡수성 고분자의 경우, 대부분 흡수 기전이 수화를 통한 분해(hydrolysis)여서 경우에 따라서는 이식 후 흡수되는 속도가 균일하지 않다는 문제점을 가지고 있다.

최근 생체 재료의 연구는 보다 능동적인 역할을 하는지 지지체를 개발하는 것에 초점이 맞춰져 있다. 예를 들면, 생체 재료에 세포를 함께 사용하는 경우 지지체가 단순히 세포를 운반하고 조직의 3차원적 골격을 형성하는 역할 외에도 세포의 생물학적 반응을 조절하며, 조절 인자들을 분비하여 세포의 분화 및 증식을 적극적으로 유도할 수 하게한다는 것이다.[33,36-39] 이러한 연구 방향의 예로 세포 없이 이식된 polyglycolic acid (PGA)로 제작된 고분자 화합물 지지체가 숙주의 세포들을 얼마나 끌어올 수 있는가에 대한 최근의 연구에서 이식된 지지체 내에 염증세포와 섬유아세포의 침윤 외에도 골, 근섬유, 지방, 혈관으로 분화할 수 있는 다기능 미분화 세포들이 침윤되어 있음이 확인되었으며, 이러한 결과로 보아 향후 세포의 이식 없이 지지체를 적절히 조작하는 것만으로도 생체 내에서 필요한 세포를 조달하고 분화시켜 필요한 조직을 만들 수 있는 가능성이 제시되기도 하였다. 지지체를 적절히 조작하는 것에는 지지체가 생체 내에 이식되는 경우 1차적으로 지지체에 반응하는 대식세포를 포함하는 면역 계통의 세포를 자극하여 이들 세포가 손상된 부위에 존재하는 미분화간엽세포를 자극하여 손상된 조직을 재생하도록 유도하는 전략도 소개되고 있다. 대식세포는 M0, M1, M2형으로 대략적으로 나뉘고(그림 32-1), 특히 M2형의 대식세포는 창상 치유의 후반부에 조직의 재생을 총괄하는 역할을 수행하는 데, 일부 유기화합물의 경우 대식세포를 M2형으로 유도하는 능력을 가지고 있어서, 이를 조직재생에 활용하려는 시도도 이루어지고 있다.[40]

지지체의 혈관화(vascularization) 역시 이상적인 이식재의 제작에 있어서 중요한 과제이다. 특히 3차원 형상으로 제작된 비교적 커다란 인공 조직체에서 지지체 내에 이식되어 있는 세포가 오래 살아남기 위해서는 지지체 곳곳으로 충분한 산소와 영양공급을 할 수 있는 지지체의 혈관화가 반드시 이루어져야 하며, 특히 향후 복잡한 인공조직체의 제작과 이식에 있어서는 더욱 중요하다. 이러한 목적을 달성하기 위하여 최근 크게 다음의 4가지 방향으로 연구가 진행되고 있다. ① 흡수성 고분자 지지체 내에 혈관형성인자를 함유시켜 이를 지속적으로 방출할 수 있도록 하는

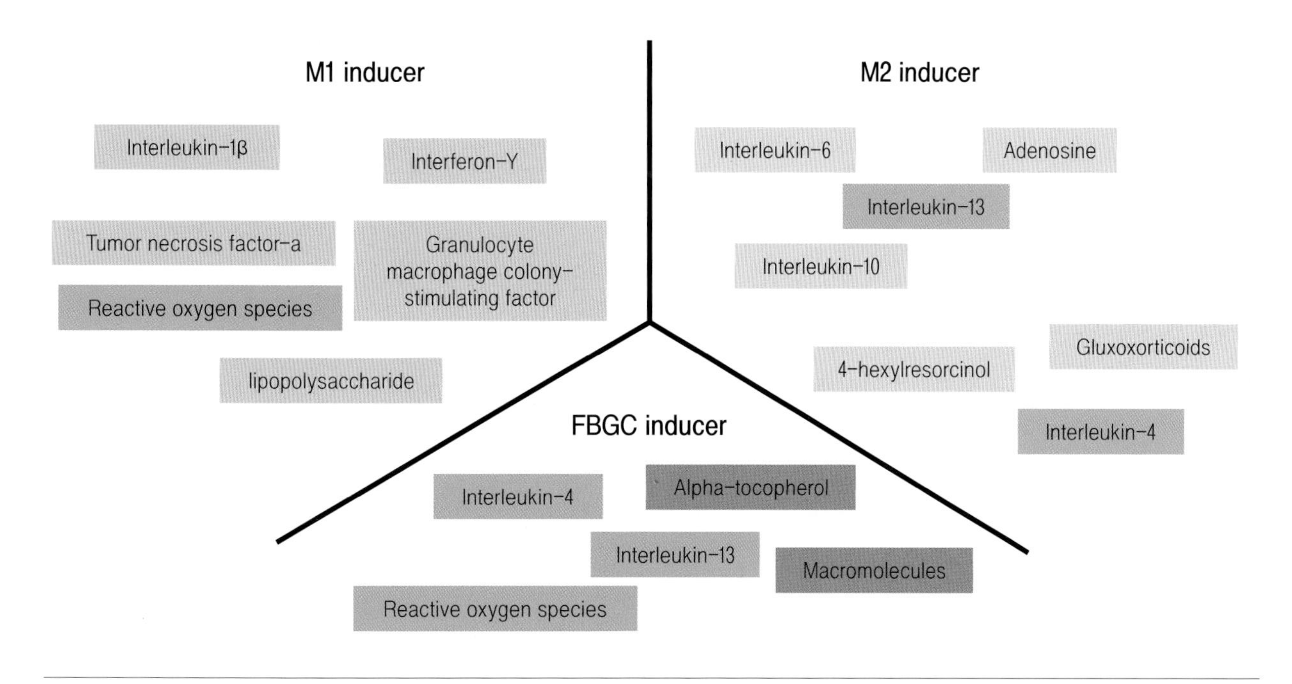

그림 32-1 **대식세포 유도 활성 물질(reproduced from published paper)**[34]

것, ② 혈관내피세포 또는 혈관형성신호를 방출하도록 조작된 세포와, 만들고자 하는 조직의 세포를 함께 이식하는 것, ③ 혈관내피세포(EPCs)가 자랄 수 있는 미세혈관망 구조를 지지체에 만들어 주는 것, ④ 탈세포화한 기관이나 혈관을 지지체로서 이용하는 것. 이상의 연구 방향들은 최신의 박동성 생체반응기의 적용과 함께 각각 혹은 조합된 방식으로 좋은 결과를 얻고 있다.[41,42]

최근 기술진보의 속도를 볼 때 가까운 미래에 조직공학을 위한 이상적인 생체재료는 재생하고자 하는 조직의 특성을 분자이하 수준(submolecular level)으로부터 모방하는 nature inspired bio-mimicking 개념에 맞추어 제작될 것으로 보인다.[43,44] 이를 위해서는 생체의 세포 외 기질에 대한 역설계(reverse engineering)을 통한 연구가 이식재의 개발에 앞서 필요할 것이다. 이는 최근의 발전된 영상 기술이나 컴퓨터 기술, 나노 기술을 접목하여 가까운 미래에 실현이 가능할 것으로 보이며, 이미 이러한 개념으로 더욱 능동적이고 영리한 생체재료 지지체의 제작이 시도되고 있다. 한 예로서 최근에 나노기술을 이용하여 생체 골기질 구조를 분자수준 이하에서 분석하고 이를 모방하여 일반 무기물 구조에 자기 복제가 가능한 단백질 분자를 결합한 새로운 지지체를 성공적으로 제작하였다는 보고가 있었다.[44] 하지만 이러한 시도가 현실화되기 위해서는 줄기세포의 증식과 분화에 필요한 많은 신호와 기전에 대한 더 많은 지식과 세포와 생체재료와의 상호관계에 대한 더 많은 이해가 필요하다.[45] 따라서 이를 극복하기 위해서는 각 분야의 전문가들이 협동하여 더욱 많은 노력을 기울여야 할 것이다. 조직공학과 재생의학을 이루는 기본 요소 중 세포 간의 상호작용을 매개하는 조절인자(regulatory factors)의 역할은 체내외에서 조직을 형성되는 데 있어서 결정적이다. 여러 생체 내 여러 조절 인자 중 소위 성장인자(growth factors)는 생체 내에서 기원하는 폴리펩티드(polypeptide)인데, 이에 대한 생리병리학적인 역할에 대한 이해가 높아지고, 재조합 기술을 통한 이용성이 높아짐에 따라, 조직공학 분야에 있어 주요 수단이 되었다. 하지만 성장인자를 이용한 치료법은 그들이 생체에서 급속히 분해되고 전신 투여 시 원하지 않는 부위로 퍼지기 때문에 그 전달되는 방식에 따라 그 효과가 결정된다. 조직재생을 위한 성장인자의 이용에 있어 이를 전달하는 방법은 다양하게 소개되었는데, 대부분 재조합된 성장인자를 직접 투여하거나, 이식되는 흡수성 지지체에 재조합 성장인자를 다양한 방법 매몰하여 순차적으로 방출하는 방식이다. 이렇게 외부에서 투여된 성장인자가 생체에서 충분한 효능을 발휘하게 하려면 정상 생체에서 확인되는 양보다 훨씬 더 많은 농도로 지지체에 실어서 전달하여야 한다. 이러한 점에서 특정성장인자를 방출하도록하는 특정유전자를 세포에 주입하는 유전자 이입법(gene transfection)은 직접적인 성장인자의 전달과는 다른 접근방법이 될 수 있다.[46] 성공적으로 특정 유전자가 이입된 세포는 이식된 생체환경에서 특정한 목적에 요구되는 수준의 농도까지 성장인자의 생산을 증가시킬 수 있다. 하지만 바이러스 유전자를 매개로 하는 이입법은 병적인 상황을 야기할 위험성과 그들이 운반할 수 있는 유전 물질의 크기가 제한되는 단점이 있고, 비바이러스 매개를 이용하는 경우는 이러한 단점은 없지만, 유전자 이입의 효율성이 떨어지고, 고농도에서 세포독성을 나타낸다. 따라서 새롭고 더욱 효과적인 성장인자 전달 체계의 개발이 요구되고 있는데, 이러한 의미에서 최근 나노공학(nano technology)을 이용한 새로운 성장인자의 전달 체계의 개발은 매우 고무적이다.

1~100 nm 크기의 나노 입자를 이용하는 약물전달 시스템이 미래의 약물 전달 체계로서 소개가 되었다.[47] 이러한 기술은 적은 용량으로도 그 효과를 연장시키고, 약제의 방출 방식을 조절할 수 있으며, 보다 특이적으로 표적기관에 작용할 수 있으므로 부작용을 최소화할 수 있다. 이는 조직공학 분야에서 시공간적으로 조절된 성장인자의 전달에 응용될 수 있는데, 생체에서 성장인자는 매우 극소량으로 발현하며, 매우 짧은 순간 작용을 지속하는데, 이러한 나노기술과 보다 발전된 생체재료기술을 적용하면 생체에서 실제 작용하는 성장인자의 발현과 비슷한 조건의 환경을 조성하여 줄 수 있을 것으로 기대된다. 이는 기존의 시공간적인 상황을 무시한 비특이적인(non specific) 투여 방식에서 오는 예상하지 못했던 부작용을 줄이고, 보다 효과적인 조직공학체를 제작하는 데 도움을 줄 수 있을 것으로 기대된다.[47]

4) 조직공학을 위한 각종 기술들의 현황과 미래

조직공학은 공학, 자연과학, 생물학, 의학이 복합되는 학문의 특성상 여러 분야의 지식과 기술이 융합되어 있는 관계로 각 분야에서 기술의 발전은 최종 조직공학 산물이나 치료의 효과에 많은 영향을 미친다. 이러한 기술들은 앞서 언급되었던 핵치환이나, 유전자 조작 등을 통한 세포조작법 외에, 조직공학체의 예측을 위한 기술, 이를 생산하는 기술, 조직공학체의 능력을 확인하는 기술, 세포를 포함한 조직공학체의 조작(manipulation)을 위한 기술로 나누어 볼 수 있다.

먼저 조직공학체의 예측을 위한 기술은 컴퓨터를 이용한 모델링으로서 복잡한 3차원 환경에서 세포들의 양태를 가상으로 재현하는 기술을 의미하는데, 단순한 물리적인 3차원 구조를 재현하는 것뿐만 아니라 생체 내 세포와 그 주변과의 다양한 동적인 상황들을 재현하는 것을 의미한다. 이러한 기술은 컴퓨터기술의 발전과 지난 20여년 간 분자생물학에서 축적된 지식으로 가능해졌으며, 이로써 세포 내 유전자 조절을 통한 세포분자 간의 연결 망이나 인산화지도(phosphorylation site maps), 단백질 상호 간의 관계(protein interaction) 등을 포착하는데 컴퓨터 모델링이 가능하게 되었다. 예를 들어 BioSPICE와 같은 장비는 세포의 시공간에 따른 행동을 미리 예측할 수 있는 도구이며, cellular automata라는 장비는 2차원에서 세포의 이동, 분화 같은 동적인 상황을 재현할 수 있다. 이러한 기술은 조직공학 측면에서 볼 때 조직의 행동양태는 세포의 형질과 행동양상에 의존한다는 점에서 향후 이상적인 조직공학적의인 디자인에 필수적인 요소로 생각된다. 또한 가까운 미래에 분자 이하 수준부터 조직 수준에 이르는 다양한 크기 단계에서의 모델링 개발이 필요할 것이고, 이러한 기술은 이상적 생체반응기 제작을 포함한 생체모방 조직공학 산물을 생산하는데 기본이 될 것으로 기대된다.[48]

조직공학적 산물을 생산하는 기술은 크게 제작 기술과 생체반응기 기술로 나눌 수 있다. 현재 제작기술의 측면에서는 마이크로 혹은 나노 수준에서의 제작이 보편화되어 있고, 생체반응기 부분에서도 밀리미터에서 미터의 수준으로 운용이 되던 것이 점차 마이크로 혹은 나노 수준의 정밀한 운용이 이루어지게 되었다. 최근 조직공학 분야에 있어서 가장 두드러진 제작 기술은 rapid prototyping (RP)기술이다. 이는 원래 공학 쪽에서 이용되던 기술인데 이는 3차원의 영상을 2차원의 영상으로 분해하고 그 분해된 2차원 영상에 따라 재료를 제작한 후 다시 하나씩 중첩하여 원래의 3차원의 조직체를 제작하는 것이다. 이러한 기술을 통하여 인체의 각종 조직, 기관 등이 3차원적으로 재현될 수 있으며, 환부 형상을 고려한 맞춤형 지지체의 제작이 가능하다. 또한 이러한 맞춤형 인공 지지체에 필요한 인자들이 첨가되면 보다 이상적인 이식재가 될 수 있는데, 이미 골 조직과, 혈관조직의 제작에 다양한 시도가 이루어지고 있다.[49]

3차원 지지체의 제작에 있어서 소개된 주요 기술들을 보면, 잉크젯 프린팅, 음각주형(negative molding), 임의형상 제작 기술(solid freeform fabrication, SFF), BioMEMS (bio micro-electro-mechanical systems) 기술[50] 등이 있으며, 그 구체적인 방법이 어떻든지 간에 조직공학 지지체의 제작에 있어서 RP 기술과 여러 기능적인 분자를 혼합하는 개념은 지속적으로 발전할 것으로 생각된다. 조직공학적 구조물의 제작에 있어서 또 다른 혁신은 생체반응기(bioreactor)의 도입이다. 생역학적 인자들은 조직의 성장, 발생, 유지, 퇴행, 치유의 과정에서 많은 영향을 미친다. 마찬가지로 실험실 환경에서 살아있는 조직 대체물을 제작하는 과정에서 생체와 가장 유사한 생체역학적 자극을 미리 주어 생체에 이식 시 적응을 도와줄 수 있게 하는 것이 성공적인 결과를 가져오는데 필수적이라는 사실 이 알려져 있다. 일반적으로 이러한 생체반응기는 세포 혹은 조직의 배양에 요구되는 온도, pH, 산소, 이산화탄소, 각종 영양소, 대사산물, 기타 생체조절인자들을 조절해 주며, 최근의 첨단 생체반응기에서는 이러한 조절기능이 자동화되어 있고 모니터링이 가능하며, 보다 다양한 생역학적 환경을 조성하여 줄 수 있다. 생 역학적인 자극은 특히 동적인 환경에서 높은 강도와 내구성을 필요로 하는 심순환계, 근골격계, 피부, 혈관 등의 조직을 재생하는데 필수적이다. 앞서 언급하였지만 최근 컴퓨터 공학의 발전과 생체재료 제작기술의 발전으로 보다 정교한 생역학적 환경의 시뮬레이션이 가능해졌으며, 이런 자료를 기반으로 바라는 조직 각각의 환경에 이상적인 생체반응기를 제작하여 보다 기능적이고 생체모

방적인 인공조직, 기관을 만드는데 이용하고 있다.[51]

대표적인 생체반응기의 예로써 rotary cell culture system은 미국우주항공국(NASA)의 기술에서 응용되었는데, 세포에 가해지는 중력효과를 감소시켜, 세포가 이식제와 잘 혼합되게 된다. 또한 영양분과 산소를 골고루 공급하고, 대사산물을 희석하여 세포에 보다 최적의 조건을 제공하여 세포의 생존력, 증식력, 분화력을 증진시켜 보다 양질의 3차원 지지체를 제작하는 기술이다. 이러한 기술로 간, 심장, 골, 망막의 실험적 제작이 보고되었다.[47]

또 다른 대표적인 예로서 대형 조직체의 영양 공급 및 산소공급의 한계를 극복하고, 심장, 혈관에서와 같은 박동성 혈액흐름의 상황을 재현하기 위해 박동성 perfusion 기능을 재현한 생체반응기가 이용되고 있는데, 이러한 시스템은 주로 혈관조직을 포함한 심순환계 조직의 재생에 적용이 되고 있다.[63] 최근 이러한 시스템을 이용하여 혈관내피전구세포를 인공 심장 판막 지지체에 고르게 이식하고 성공적으로 도장(coating)하여 생체 내 이식 시 혈전(thrombus)을 예방할 수 있는 보다 개선된 인공심장판막 제작이 보고 된 바 있다.[52] 이 밖에도 골, 연골 제작에 있어서 주기적인 압력을 가할 수 있는 생체반응기, 근육세포의 제작에 있어서 반복적 수축-인장력과 전기적 신호를 가할 수 있는 생체반응기 등이 보고되었다.[49]

조직공학기술에 있어서 또 다른 중요한 분야는 조직공학 산물을 관찰하고 평가하는 기술이다. 이런 평가가 있어야 새로운 지식을 축적시킬 수 있고, 오류를 수정할 수 있기 때문에 조직공학의 발전을 위해서는 필수적이다. 전통적인 평가 방법인 조직검사 같은 경우 너무 많은 수고가 필요하고, 평가자에 따른 오류가 있을 수 있으며, 또한 평가를 위해 동물을 희생시키거나, 조직을 파괴해야 한다는 단점이 있다. 이러한 단점을 보완하는 기술로 분자, 세포, 조직 수준에서 비침습적인 고해상도 영상채득 기술이 이용될 수 있다. 이는 한 검사 대상을 파괴하거나 희생시키지 않기 때문에 일련의 변화 과정을 보다 정확하게 탐지할 수 있다. 이러한 종류로서 세포치료 후 혹은 조직공학체에 이식된 세포의 상황을 추적할 수 있는 다양한 세포 추적 기술(cell tracking technology)과 조직체의 검사기술이 소개되었다. 비침습적 영상채득의 한 예로서 임상에서 많이 사용되고 있는 자기공명영상(magnetic resonance image, MRI)은 지난 20년간 더욱 발전하여 각종 신체기관의 움직임, 혈행의 동적평가(hemodynamics), 대사(metabolism)와 같은 조직의 기능을 평가 할 수 있게 되었다. 더 나아가, 조직 내의 선기상을 평가하고, 조직의 물리적 성질을 측정하며, 세포 내 유전자 발현을 관찰할 수 있으며, 특별한 조영제를 사용하여 생리적인 현상을 측정하는 방법도 보고가 되고 있다.[48] 광학 영상장치(optical imaging)도 실시간 비침습적 평가에 이용되고 있으며, NIR (near infrared) 파장이 뇌나 근육을 동역학을 탐지하는데 유용한 것으로 알려져 있다. 이외에 다중 양자 현미경(multiphoton microscopy, MPM)이나, OCT (optical coherence tomography), 및 bioluminescence 영상장치 등이 소개되었으며, 이를 이용하여 비침습적으로 생체에 조직체가 이식된 시점부터 완전히 리모델링이 끝난 시점까지 분화, 세포사멸, 혈관형성 등과 같은 조직 형성의 모든 과정의 유전자 발현을 포함한 다양한 측면에서 검사할 수 있다.[48] 이러한 평가기술은 나노공학, 분자생물학, 컴퓨터공학 등 관련 기술의 발전으로 더욱 진보하고 있으며, 최근 조직공학의 발전에 큰 영향을 주고 있다. 앞으로도 이러한 기술은 더욱 미세한 수준에서, 반복 재현이 가능하고, 덜 침습적이며, 빠르고, 정밀하고, 경제적인 평가가 가능하도록 하는 쪽으로 발전될 것으로 기대된다.

얻어진 세포를 실제 사용되기 전까지 저장하는 기술은 조직공학에서 또 다른 중요한 문제이다. 그 중 대표적인 것으로 동결건조법(cryopreservation)이 있다. 조직공학의 관점에서 동결건조법의 역할은 전체 장기를 보존하는 것이 아니라, 향후 조직을 만들 수 있는 세포와 제작된 조직공학체를 보존하는 것이다. 많은 세포들에 있어서 성공적인 동결 저장요법이 확립되었고, 이는 동결 속도의 조절과 동결보호제(cryoprotectant chemicals)의 적절한 사용으로 가능하다.

한편 이러한 동결건조법은 모든 세포에 똑같이 적용되지는 않는다. 예를 들어 적혈구는 50년까지 장기 보관이 가능하나, 혈소판이나 과립구(granulocyte)와 같은 몇몇 세포는 아직도 장기 보존이 불가능하다. 이와 같이 세포 각각의 동결저장의 가능성이 다양함에 따라 장기나 조직 전체의 보관이 어려워지는 것으로 보인다. 이러한 문제는 향후 다양한 세포를 사용하는 복합조직체의 제작이나 산업화의 측면에서 볼 때, 모든 종류의 세포에 효과적인 장기 보존 방법을 확립하는 것은 시급히 해결해야 할 것으로 보인다.

최근 동결보존 방법을 대체할 수 있는 방법으로 일반 온도에서의 건조저장법과 동결건조 저장법(freeze-drying preservation)이 소개되었다. 세포막을 안정시키고 세포내 유리질화를 촉진시키기 위하여 다당류의 일종인 trehalose와 sucrose를 사용하여 건조 혹은 동결건조를 하는 방식으로 많은 종류의 세포들을 보존 저장할 수 있었다. 특히 포유류세포의 저장에 주로 사용된 동결 건조법은 혈소판과 몇몇 nucleated 세포에서 적용되었는데, 이러한 건조 저장 방법의 가장 큰 장점은 액체질소탱크에 보관하여야 하는 일반 동결저장법에 비하여 비용이 적게 들고, 세포독성이 있는 동결보호제 대신 당분의 첨가제를 사용하므로 모든 세포에 적합할 수 있다는 것이다. 하지만 조직공학적 측면에서 해결되어야 할 다른 문제의 하나는 이 방법의 사용으로 조직체의 3차원 구조에 변형이 심하게 온다는 것이다.

급작스러운 결빙과 건조로 인한 세포 손상을 극복하기 위해 DMSO (dimethyl sulfoxide)와 트레할로스(trehalose)를 혼합하여 혈관형성세포를 성공적으로 동결건조 저장한 보고도 있으나 앞으로 더 많은 연구가 시행되어야 할 것으로 보인다.[46]

5) 미래 과제로서 복합조직재건을 위한 조직공학

조직공학 각 부분의 기술이 발전함에 따라 최근 조직공학과 재생의학에서 당면한 큰 도전의 하나는 복합조직 결손부 재건을 위한 복합조직이식재를 개발하는 것이다. 실제 임상에서 외상, 종양 치료 후에 발생하는 조직의 결손 양상은 대부분 여러 형태의 조직이 동시에 결손되어 나타난다. 한 예로 심한 안면 외상을 입은 환자의 경우 안면의 피부, 그 하부의 근육과 신경, 악골 등의 복합적 결손 양상을 보이며, 이를 심미적, 기능적으로 재건하기 위해서는 각각의 결손부를 모두 재건해 주어야 만족스러운 결과를 얻을 수 있다. 이러한 경우 전통적인 방식으로는 신체의 다른 곳에서 필요한 조직을 채취하여 이식하는 수술을 하는 것이지만 이는 조직을 떼어오는 부위에 새로운 수술이 필요하고 그 부위의 심미적, 기능이상을 초래할 수 있으며, 정밀하게 결손부를 재건할 수 없어 만족스럽지 못한 경우가 많다. 이러한 의미에 볼 때 이러한 결손부에 조직공학적 재건을 통한 접근은 이상적인 것으로 보인다. 현실적으로 피부, 근육, 신경, 골조직은 각각 이미 어느 수준 이상의 조직공학적 제작이 가능하므로 이를 좀 더 개선하고, 적절히 융합하는 기술만 개발한다면 이러한 가정이 현실화되는 것은 그리 멀지 않은 것으로 보인다. 하지만 이를 위해서는 단일 조직의 재생과는 다른 몇 가지 해결해야 할 문제들이 있다.

첫 번째는 복합조직의 혈관화(vascularization) 문제이다. 앞에서도 설명했지만 이는 비단 복합조직 제작에서만의 문제가 아닌 어느 정도 부피가 있는 조직공학체에 모두 적용되는 문제이다. 조직체 혈관화의 중요성에 대한 최근의 연구성과의 예를 보면 특히 골조직의 경우 골재생의 우호적인 환경이라면 2차원 구조의 혈관망의 제작만으로 3차원적인 골재생을 하는데 충분하다는 의견이 제시되기도 하였다.[41,42]

두 번째는 각각 다른 세포의 실험실 내 증식환경의 차이를 어떻게 극복하느냐의 문제이다. 체외에서는 각각의 세포가 증식을 위하여 각각 분리되어 배양될 것이고, 이런 경우 생역학적인 조건을 포함한 생체반응기 내의 특정한 증식환경이 어떠한 세포들의 증식에 있어서는 적절치 않을 수 있다. 또한 생체에서와 같이 각각 세포군이 서로 조화롭게 상호작용을 할 수 있을지도 불확실하다. 따라서 복합조직을 제작하는데 각각의 세포군 모두에게 적절한 배양 환경을 조성해 주는 기초연구가 필요하며, 이를 생체반응기 제작과 생체재료를 제작할 때 반영해야 한다.

세 번째는 각기 다른 세포로 구성된 복합조직체의 제작 시 성장인자의 전달에 있어서 방출되는 양상을 어떻게 조절하느냐의 문제이다. 이를 위하여 최근 많은 연구자들이 복잡한 조직 결손부의 창상 치유 과정 시 주요 성장인자의 시간적 공간적 발현을 연구하고 있으며, 다양한 시간대에서 다양한 성장인자가 계획적으로 직접 방출되는 기능적 지지체의 개발 여부가 향후 복합조직 결손부의 성공적 재건에 있어서 결정적 요소가 될 것으로 생각된다.[46]

6) 기타 조직공학의 이용

조직공학을 이용한 조직 또는 장기의 형성은 인체의 손

PART 5

상된 장기를 대체하거나 복원하여 정상 기능을 유도하게 하는 목적 이외에도 체외 장기 모델로도 쓰일 수 있다. 즉, 새로 개발된 약제의 독성이나 효능을 조직공학적 기법으로 제작한 조직 또는 장기에 미리 실험하여 발병 기전을 규명 및 모방하여 치료 후보 물질의 가능성과 효과를 확인할 수 있을 것이며, 발생 가능한 합병증 등을 미리 재현해 볼 수 있을 것이다.

2. 구강악안면외과 영역의 조직재생

구강악안면영역에서의 조직공학적 골재생은 크게는 상악과 하악의 연속성 일부 결함 또는 전체 결손의 재생이 될 수 있고, 작게는 상악동 골증대술, 임플란트 주변 골결손 부위의 재생, 약물 관련 악골 괴사증 또는 노화 또는 외상으로 일부 결손된 골재생이 될 수 있다. 중간엽줄기세포를 dexamethasone, ascorbic acid, betaglycerolphosphate를 첨가하거나, vitamin D3 혹은 BMP-2 등이 포함된 분화배지에 배양하여 조골세포로 분화시키고, 지지체에 옮긴 후 배양을 지속하면 세포는 어느 정도의 세포외 기질(extracellular matrix)를 형성하고 있으므로, 이것만으로도 골결손부위에서 골조직을 촉진하는 역할을 할 수 있다. 체내에 있는 줄기세포는 지지체에 포함되어 있는 성장 인자와 지지체내 세포에서 분비하는 성장인자 및 이들이 만들어 낸 세포외기질의 성분에 의해서 골조직을 형성하는데 필요한 조골세포와 혈관세포로 분화하고, 인접조직으로부터 신생골과 신생혈관의 형성을 촉진하여 골조직의 재생을 돕게 된다.[53-57]

골의 성장인자(growth factor)는 골생성과 골화를 돕는다. 미분화 간엽세포를 자극하여 조골세포로 분화시키고 또한 골형성에 관여하는 다른 성장인자, 세포자극 인자들을 분비하게 한다. 많은 성장인자들이 알려졌는데 특히 골형성에 주로 관여하는 것으로 알려진 성장인자에는 전환(종양)성장인자(transforming growth factor-β, TGF-β), 혈소판유래 성장인자(platelet-derived growth factors, PDGF), 인슐린유사 성장인자(insulin-like growth factor, IGF), 섬유모세포 성장인자(fibroblast growth factor, FGF) 등이 있다.

a. **TGF-β (Transforming growth factor-β):** TGF-β는 골형성단백과 비교하였을 때 그 효과는 약하지만, 골성장 인자들 중 가장 많이 연구되어온 성장인자이며 결합조직의 재생과 골재형성에 관여하여 결합조직 및 골치유를 위한 교원성 기질의 침착을 증진시키고 조골세포 전구체의 화학주성과 세포 분열을 증가시켜 골형성을 촉진시킨다. 그 외 섬유모세포와 대식세포의 화학 유도 매체로서 혈관형성을 강화시켜주고, 콜라겐과 다른 세포외기질의 합성을 자극한다. 따라서 TGF-β는 골 조직뿐 아니라 인체 내 다양한 조직의 재생에 관여함을 알 수 있다.

b. **PDGF (Platelet derived growth factor; 혈소판 유래 성장인자):** 혈소판, 대식세포, 단핵세포, 그리고 내피세포에서 합성이 되며 골개조 시 조골세포의 이동, DNA 및 교원질 합성의 증가, 조골세포 숫자의 증가 등을 조절하여 골기질의 침착상태를 조절하며 세포분열활성을 통해 모세혈관의 형성을 유도하고 원활하게 괴사조직을 제거하고 다른 골치유 성장인자의 분비를 지속적으로 촉진하기도 한다. 골아세포를 포함한 간엽기원의 모든 세포들의 유사분열 유도체로 알려졌으며 골절치유에 매우 중요한 역할을 한다.

c. **IGF (Insulin-like growth factor; 인슐린 유사 성장인자):** 골이 형성되는 동안 조골세포에서도 분비되는 성장인자로서 골기질 내에 침착되며 골기질이 흡수될 때 유리되어 골흡수와 골생성의 균형을 조절하는 것으로 알려졌다. 특히 파골세포와 흡수작용 후에 활성화된 형태로 유리되어 조골세포와 결합하여 골 증진 효과를 나타낸다.

d. **FGF (Fibroblast growth factor; 섬유모세포 성장인자):** 골의 세포기질에 저장된다. 골형성세포의 분화를 자극하여 골합성을 촉진시키는 작용을 하며 PDGF와 유사한 많은 기능을 가지고 있다. 상처치유와 복원에 중요한 역할을 한다고 알려져 있다. 특별히 FGF는 줄기세포나 분화중인 세포에 작용하여, 이주, 증식, 분화, 그리고 기능에 영향을 준다.

e. **VEGF (Vascular endothelial growth factor):** VEGF는 혈관 형성에 기여한다고 잘 알려진 성장 인

자이다. VEGF는 원래 혈관 내피 세포에 특이적으로 작용하며, 이식골의 치유 반응 시 혈액공급상태를 좋게 하는 한편, 골이식재의 초기 치유 속도를 촉진시킴으로써 궁극적으로 기존의 골이식 방법보다 더욱 안정된 좋은 예후를 얻을 수 있다.

1) 악안면부 골재생을 위한 조직 공학의 이용과 골형성단백질군(Bone morphogenetic proteins)

현재 악안면부 골 결손부 대체를 위한 방법은 자가골을 이용하는 방법이 우선적으로 선택된다. 그러나 이는 골흡수, 감염, 공여부 결손 등의 합병증의 발생 위험이 높고 상대적으로 작은 악안면 결손에만 사용될 수 있다는 제한점이 있다. 이에 악안면부의 골재생을 위한 조직공학적 적용은 많은 관심을 받아왔는데, ESCs (Embryonic Stem Cells), UCSCs (Umbilical cord stromal cells), iPSCs (Induced pluripotent stem cells), BMMSCs (Bone Marrow Mesenchymal Stem Cells), ADSCs (Adipose-derived stem cells) 등을 이용한 세포와 스캐폴드를 이용한 시도가 그것이다.

상술한 성장인자 외에 악안면부 골재생을 위해 널리 사용되는 골형성단백질군(BMPs)은 세포분화, 증식, 형태 분화와 같은 세포과정을 조절하는 단백질군이다. 특히 골형성유도물질로서 골내에 존재하고 있으며 태생기 이후에 골성장에 따른 골개조에 관여하며 골의 외상이나 질병에 의해 생긴 골절, 골결손부에서 다른 성장인자들과 함께 골형성을 유도한다. 골형성단백질군(BMPs)은 약 40종의 다른 종류가 있는 것으로 알려졌고 그중 BMP-2,10 등이 골아세포의 생성을 촉진하여 골형성에 관여하는 것으로 보고되고 있다. 골형성단백질은 골조직 내에서 다른 비교원성 단백질에 비하여 소량 존재하며 소수성을 띠며 다종 간에 종특이성을 가지지 않는 특징을 가지고 있다. 그래서 이러한 BMP의 골형성 능력을 이용하기 위하여 동종뿐만 아니라 이종에서 골형성 단백질을 추출하기 위한 많은 연구가 시행되었다. 현재까지 발표된 골형성 단백질의 추출원들에는 소뼈(bovine bone)이 증명되었다. 게다가, VEGF는 조골세포의 분화를 자극할 뿐 아니라 조골세포와 내피세포의 chemoattractant로서의 역할을 하고 신체 자체에서 분비된 VEGF는 연골질의 기골을 딱딱하게 전환하는 역할을 한다. 이것은 또한 VEGF가 조골세포의 전구체들의 순환, 유인, 분화를 위한 자극제 역할을 하여 손상된 골조직의 막골성화에 기여한다는 것을 의미한다.

탈회 골기질(demineralized bone matrix)은 신선 자가골과 비슷한 골유도 능력을 가지고 있다. 화학적으로 소독하여 항원을 추출한 자가용해 동종이식체는 (chemosterilized antigen-extracted autolyzed alloimplant) 지질 및 다른 항원을 화학적으로 추출한 후 표면탈회와 냉동 건조시킨 골이다. 골기질(bone matrix)에 있는 불용성 형성인자(insoluble morphogenes)는 보존되고 BMP 활성이 유지되는 점에서 새로운 골의 유도를 일으킨다고 알려져 있다. 역사적으로 1965년 Urist가 골유도에 의한 골형성을 처음 보고한 바 있다.[58] 그는 수종의 약산 및 희석된 강산에 의해 탈회된 골 및 상아질 기질을 동물의 근육 및 피하에 이식하여 골형성을 증명함으로써 탈회된 골기질 내에 골형성을 유도하는 물질이 보존된다는 사실을 밝혔다. 즉 생체 조직의 배양실험에서 연골의 분화를 촉진시킬 수 있는 유기질이 있다는 것이 밝혀졌다. 이것이 골형성단백질로서 transforming growth factor-β (TGF-β)에 속하는 신호전달 물질이다. 1981년 Bauer 등은 인간의 골육종 세포주로부터 골형성단백을 분리하였음을 보고하였다. 1984년 Sato 등은 골형성단백의 아미노산 염기서열을 분석하였고 조직배양에서 골형성단백질로부터 유도된 연골을 배양하였다. 이러한 기존의 선학들에 의하여 연구, 보고된 골형성단백질은 포유류의 골조직과 골육종세포, 그리고 치아의 경조직에서 분리, 추출된 것으로 그 추출량이 제한되어 있었으며 과정 또한 복잡하였다. 그러나 근래에 와서는 유전자조작 기술의 진보와 함께 유전자조작을 통하여 다량의 골형성단백질을 만들 수 있게 되었다.[59]

골형성단백질은 골조직 내에서 다른 비교원질성 단백질에 비하여 소량이 존재하며, 소수성을 띠고, 다종 간에 종특이성을 가지지 않는다는 특성을 가지고 있다. 모든 골형성단백은 특징적으로 그들의 염기서열 말단부에 고도로 보존된 7개의 cysteine 염기서열을 가지고 있는 것으로 알려져 있고 이들은 이러한 염기서열의 유사성에 기인하여 TGF-β의 일종인 것으로 알려져 있다. 분자량이 약 30 kDa인 PDGF는 혈소판내 알파과립(α-granule)이나 거대세포

(macrophage) 내에 존재하던 것이 분비되며 조골세포, 섬유모세포(fibroblast), 혈관 내피세포 등에서 세포막 수용기(cell membrane receptor)가 관찰되고 간엽세포 분열이나 조골세포 증식 및 분화, 또는 신생혈관형성(neovascularization) 시 작용한다. 분자량이 약 25 kDa인 TGF-β는 조골세포, 혈소판 등에서 분비되며 조골세포 발육의 초기 단계에서 특히 작용한다. 이러한 성장인자들은 이식골 치유 과정 시 신생혈관형성(neoangiogenesis), 세포 화학주성 및 분열(mitosis)촉진, 줄기세포(stem cell)증식, 골편 간 결합력 제공, 피브린망을 통한 골전도율을 증가시키는 역할을 함으로써 초기 골재생을 촉진시킨다. 최근에는 유전자 조작기술의 진보와 함께 유전자 조작을 통하여 다량의 골형성 단백질을 만들 수 있는 방법들이 연구되고 있다.[60]

미래의 골유도기술의 발전을 위하여 요구되는 또 다른 분야는 전술한 골형성단백질을 원하는 생체 부위에 적절하게 적용할 수 있는 전달물질의 개발이라 할 수 있다. 골형성단백질은 그 안정도가 낮고 생체에서 빨리 흡수 분해되므로 이의 흡수를 최대한 지연시켜 매식부 주위세포에 골형성 단백질의 접촉 기회를 최대한 제공하며, 골형성단백질의 골유도능에 영향을 미치지 않는 최적의 지지체를 선택하여 사용하는 것은 골형성단백질 그 자체의 골유도능만큼 중요한 요소라 할 수 있다. 그러나 동종이식체의 BMP농도는 적당한 골유도 과정에 필요한 만큼 충분하지 않다. 그래서 BMP와 농축된 성장인자가 실험적으로나 임상적으로 골유도를 위하여 적용되어 왔다. 세포이합(cell disaggregation), 이주(migration), 재집합(reaggregation), 증식(proliferation) 등으로 구성된 골 형성 시기에 BMP와 osteogenin이 작용한다. 잠재적으로 BMP와 osteogenin의 효과를 증강시키는 성장인자에는 platelet derived growth factor (PDGF), transforming growth factor-β (TGF-β), insulin like growth factor-1 (IGF-1), epidermal growth factor (EGF), basic fibroblastic growth factor (BFGF) 등이 있다.

2) 자가 농축 혈소판과 성장 인자(Platelet concentrates and growth factor)

조직 재생에 사용되는 성장인자를 위하여 농축 혈소판이 임상에서 널리 사용되어 왔다. 가장 초기의 형태로써 혈소판농축혈장(platelet-rich plasma, PRP)은 1970년대에 처음 개발되어 소개된 이래 1990년대에 이의 추출법 및 이용 장비의 현저한 개선으로 최근에 와서 치과임상에서 널리 사용되고 있다. 혈소판농축혈장의 장점은 인간의 혈소판에 존재하는 모든 성장인자의 양을 증가시킴으로써 골재생을 촉진하는 것이다. 단점은 이식 시 혈소판의 짧은 생존기간이다. 모든 혈소판은 3~5일 내에 탈과립화되고 초기의 성장인자의 활동은 7~10일 사이에 소멸된다. 혈소판 농축혈장에 의해 개시된 골재생은 성숙이식(mature graft)에서 계속되는 것으로 알려진 자연골 재생기전을 거대화시키고 촉진시킨다. 혈소판농축혈장은 정상치의 혈소판 수(150,000~400,000/μL)보다 4~8배 정도 혈소판이 풍부하게 농축된 혈장(platelet rich plasma, PRP)으로 염화칼슘(CaCl) 용액 및 트롬빈과 혼합하여 골이식재에 첨가하여 응고 과정을 유도함으로써 알파 입자 내 성장인자를 배출하여 조직재생 촉진 효과를 낸다.[53,61]

자가 농축 혈소판의 다른 형태인 혈소판 농축 피브린(platelet-rich fibrin, PRF)은 제조 과정 중 다른 화학 물질을 첨가하지 않고 자연적인 응고 과정을 가능하게 하는 형태로써 PRP와는 비교되는 생물학적 특성을 보인다. PRP와는 달리 적용 후 빠르게 용해되지 않아서 각종 성장 싸이토카인의 수명을 연장시켜주며 이의 전달에 더욱 바람직한 생리학적 섬유소 구조를 형성한다고 알려져 있다. 또한 백혈구의 항감염 작용 및 혈관생성촉진요소(VEGF)의 분비 능력 등이 성장 인자의 효과적 적용 가능성을 주목하게 한다.[62]

농축 혈소판은 치조제의 증진 및 재건, 치아 주위 치조골결손, 상악동 거상 후 골이식술, 치근단 절제술 후, 치근단 낭종 제거 후, 치아 발치 직후, 치조제의 높이를 최대로 유지하고자 하는 경우, 임플란트 시술 시 및 낭종 제거 후 빠른 골치유를 위해 사용되며, 골절제 후 골간 연결 부위의 골재생 촉진, 기타 인체 골결손 부위, 약물 관련 악골괴사증(medication-related osteonecrosis of the jaw, MRONJ) 등에서도 사용되어 긍정적인 효과가 기대되고 있다(그림 32-2).[63] 최근에는 발치와골염(치조골염)의 자가 혈소판 농축 섬유소 치료술이 신의료기술로 등재되어, 발치와골염에의 초기 치유 촉진 및 통증 완화에 있어 안전성 및 유효성을 인정받았다.

3) 턱관절 질환 치료를 위한 조직공학의 이용

관절질환의 치료를 위한 조직 공학의 적용은 여러 영역에서 많은 연구가 지속되어왔으며, 턱관절질환, 특히 턱관절염의 치료에 있어 이용한 여러 시도가 있었다. 턱관절염은 연골/디스크 조직의 분해(degeneration), 연골하 골재형성 저하(disruption of subchondral bone remodeling), 활막염(synovitis) 등으로 특징지어지며, 명확한 병리생태학적 기전은 많은 부분이 아직 밝혀지지 않았다. 근래에 세포치료를 이용한 턱관절염과 관절 재생의 연구가 많이 이루어졌으며, MSCs의 연골, 섬유연골의 재생, 면역 조절, 항염증 작용을 이용한 치료 효과에 대한 많은 시도가 있었다. 골수 MSCs (BMMSCs), ASCs (Adipose stem cells), tooth-derived MSCs 등을 이용한 시도가 있었으며 최근에는 hUC-MSCs (Umbilical Cord MSCs)를 이용한 효과적인 연구가 보고된 바 있어 차후 훌륭한 치료 효과가 기대되고 있다.[64,65]

4) 신경 재생

신경의 회복은 신경재생에 관한 신경생리학에 의해 상당한 영향을 받는다. 결손된 말초신경재생에는 적절한 신경도관과 신경재생에 꼭 필요한 슈반세포(schwann cell), 그리고 신경성장인자가 필요하다. 그 외에도 신경세포의 성장을 촉진하기 위해서 다양한 지지체와 줄기세포들이 응용되고 있지만 아직까지 기능적인 회복이 가능한 신경조직 재생은 이루어지고 있지 않다고 할 수 있다.

신경재생에 사용되는 미분화세포로 배아줄기세포를 이용할 수 있는데, 신경재생에 이식 시험관에서 여러 단계를 통한 분화 과정을 거친 뒤 희돌기아교 전구체세포(oligodendrocyte progenitor cells, OPCs)나 neuron으로 분화시킨 세포를 이식시 신경재생 효과가 나타난다고 보고되고 있다. 그 외에 신경 줄기세포(neural stem cells, NSCs)를 이용할 수 있는데, 배아와 성체조직 모두에서 발견되고, 중추신경계에서 분리되며 배아 줄기세포에 비해 분화 가능성이 제한적이고 neurons, 희돌기아교세포(oligodendrocytes), 별아교세포(astrocytes)로만 분화된다. 미분화상태로 생체 내 이식 시 주로 astrocytes로만 분화되어 이를 극복하고 oligodendrocytes나 neuron으로 분화되도록 BMP antagonist인 Noggin 유전자가 과발현 하도록 유전적으로 변형된 NSCs를 사용하기도 하지만 결과는 상황에 따라 다른 것으로 알려져 있다. 신경재생 촉진 성장인자(nerve growth factor, NGF, brain derived nerve growth factor, BDNF, glial-derived neurotrophic factor, GDNF)가 과발현 하도록 유전적으로 변형시킨 후 이식하며, ciliary neurotrophic factor (CNTF) 중화 항체와 같이 주입 시, astrocytes로의 분화가 감소된다. 쥐 또는 사람 유래 중간엽 줄기세포는 신경세포 표시 인자를 발현하는 세포로 분화되는 것으로 알려져 있다.

신경재생을 위해 조직공학에서 사용되고 있는 성장인자들로는 NGF (Nerve growth factor; 신경성장인자)가 대표적이며, NGF는 Trk A 수용체에 결합하여 발생 중인 신경계

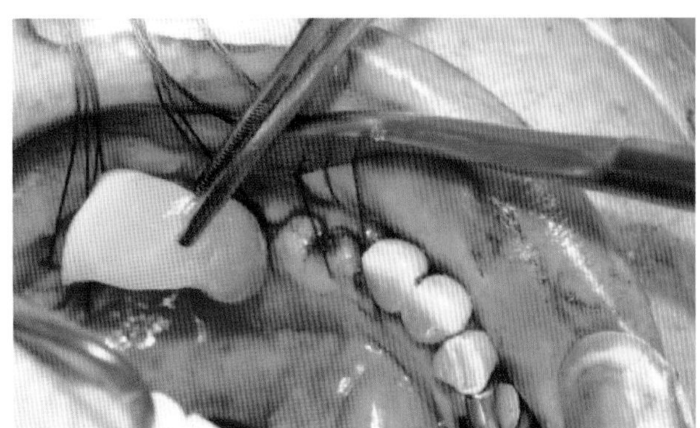

그림 32-2 혈소판 농축 피브린(Platelet-rich fibrin)과 약물 관련 악골 괴사증에의 적용

뿐만 아니라 성체 신경계에서도 축삭돌기(axon)와 수상돌기(dendrite)의 성장과 방향성, 신경전달물질의 분비, 새로운 시냅스의 형성 및 가소성을 조절하는 역할을 담당하는 것으로 알려져 있다. NT-3(Neurotrophin-3; 뉴로트로핀-3)는 축삭이 없는 곳에서 슈반세포의 생존과 분화를 도와주는 autocrine 인자이며 Trk C 수용체에 결합하는데 전체 신경근회로의 통합에 있어서 중요한 인자이다. bFGF (Basic fibroblast growth factor; 기본 섬유모세포 성장인자)는 섬유모세포와 내피세포의 증식을 촉진한다고 알려져 있으며, 혈관형성을 자극하고 뉴런세포의 사멸을 억제하며 슈반세포의 증식을 자극하고 손상된 말초신경에서 축삭의 재생을 돕는다고 알려져 있다.

VEGF (Vascular endothelial growth factor)는 내피의 막관통 수용체들(Flt-1, Flk-1, Neurophilin-1)에 결합함으로써 혈관형성을 유도하며, 이 수용체들은 신경 조직에서 역시 확인되며 특히 축삭이 뻗어 나오는 과정과 슈반 세포들의 성장에 관여한다. 따라서, VEGF는 슈반 세포의 이동, 축삭의 뻗어 나옴, 그리고 축삭의 신장을 촉진시키는 것을 가능하게 하여 말초신경 재건에 기여한다. BDNF, NGF, Neurotrophin-3, Neurotrophin-4/5와 함께 Neurotrophin gene family 중 하나이며, 운동성 뉴런의 생존과 분화를 촉진시키고 근신경의 시냅스를 조절할 뿐만 아니라 손상된 뉴런의 죽음을 억제한다고 알려져 있다. BDNF와 콜라겐 조관(collagen tubulization)을 이용하여 쥐의 절단된 말초신경의 기능이 재생됨이 보고되었지만, 축삭에서 신경섬유 재생에 대한 BDNF의 효과는 여전히 논란의 여지가 있다.

5) 점막 재생

구강점막에 종양과 외상 등으로 결손이 생길 경우 피부이식을 통해 결손을 회복하지만, 점액의 분비와 신축성의 점막 특징은 재현되지 못한다. 이러한 단점을 극복하기 위해서 구강내 건강한 점막을 소량 채취하여 이들 조직에서 편평상피층만을 분리, 배양하고 이들 세포들을 곧바로 이식 또는 콜라겐스폰지와 같은 지지체에 올려서 배양한 후에 점막 결손 부위에 이식하는 기초연구 및 임상연구들이 진행되어 왔다.[66] 하지만 이식된 점막들이 구강내 곧바로 노출되어 혀와 음식물의 마찰에 의해 쉽게 손상되는 문제가 제기되었지만, 이식된 세포들이 분비하는 점막성장인자들에 의해서 결손 부위의 점막재생을 촉진하는 부가적인 효과를 보이기도 하였다.

6) 최근의 스캐폴드 개발의 경향

세포 부착과 분화, 구조의 강화를 위한 기질로써 조직공학 영역의 스캐폴드는 collagen, fibrin, hyaluronic acid, collagen-glycosaminoglycan copolymer 등이 기존에 연구되었으나, 최근에는 PLGA, PGA, PLA, PCL 등을 이용한 합성 스캐폴드가 골재생을 위한 조직공학에 널리 연구되고 있다.[67] 이는 기존 스캐폴드의 세포의 운반체 역할에서 3차원 맞춤형 구조적 지지 및 혈관 재형성 등 골재생을 위한 조직공학에서 중요한 발전으로 받아들여지고 있으며, 최근에는 3D 프린팅 기술을 이용하여 골재생을 포함한 조직재생에 이상적인 스캐폴드의 역할과 형태에 대한 연구가 활발히 진행되고 있다.[68-70]

3. 맺음말

지금까지 구강악안면외과 영역에서 조직공학적 기술의 적용에 관하여 간략하게 알아보았다. 여기에서 언급되지 않은 부분으로는 타액선이나 치주 인대, 치수 조직 등의 조직 공학적 재생 같은 분야가 있다. 또한 차폐막을 이용한 골 유도 재생에 관한 부분은 이번에 다루어지지 않았다. 이러한 부분은 아직 깊이 연구되지 않았거나 구강악안면외과 이외의 치과 영역에서 보다 관심을 가지는 분야라서 다른 교과서를 참조하는 것을 추천한다. 그리고 자가이식재를 제외한 모든 이식재는 이물(foreign body)이기 때문에 효과적인 면역 조절을 통하여 이식재에 대한 바람직하지 않은 반응을 최소화하도록 하여야 할 것이다.[64] 또한 일부 성장 인자의 발암(carcinogenesis) 가능성과 이식 초기에 환자가 호소하는 부종이나 통증은 아직 임상적인 사례가 많이 축적되지는 않았으나 추후 조직공학적 기법이 광범위하게 사용되기 위해서는 극복되어야 할 과제로 사료된다.

참고문헌

1. Kemp P. History of regenerative medicine: looking backwards to move forwards. Regen Med 2006;1:653-69.
2. Vacanti CA. The history of tissue engineering. J Cell Mol Med 2006;10:569-76.
3. Mason C. Regenerative medicine 2.0. Regen Med 2007;2:11-8.
4. Atala A, Bauer SB, Soker S, Yoo JJ, Retik AB. Tissue-engineered autologous bladders for patients needing cystoplasty. Lancet 2006;367:1241-6.
5. Gikas PD, Bayliss L, Bentley G, Briggs TW. An overview of autologous chondrocyte implantation. J Bone Joint Surg Br 2009;91:997-1006.
6. Schnabel M, Marlovits S, Eckhoff G, et al. Dedifferentiation-associated changes in morphology and gene expression in primary human articular chondrocytes in cell culture. Osteoarthritis Cartilage 2002;10:62-70.
7. Arjmand B, Goodarzi P, Mohamadi-Jahani F, Falahzadeh K, Larijani B. Personalized Regenerative Medicine. Acta Med Iran 2017;55:144-9.
8. Kötter I, Daikeler T, Amberger C, Tyndall A, Kanz L. Autologous stem cell transplantation of treatment-resistant systemic vasculitis--a single center experience and review of the literature. Clin Nephrol 2005;64:485-9.
9. Lightner AL, Chan T. Precision regenerative medicine. Stem Cell Res Ther 2021;12:39.
10. Simnett SJ, Stewart LA, Sweetenham J, Morgan G, Johnson PW. Autologous stem cell transplantation for malignancy: a systematic review of the literature. Clin Lab Haematol 2000;22:61-72.
11. Lanza RP, Chung HY, Yoo JJ, et al. Generation of histocompatible tissues using nuclear transplantation. Nat Biotechnol 2002;20:689-96.
12. Rusnak AJ, Chudley AE. Stem cell research: cloning, therapy and scientific fraud. Clin Genet 2006;70:302-5.
13. De Coppi P, Bartsch G, Jr., Siddiqui MM, et al. Isolation of amniotic stem cell lines with potential for therapy. Nat Biotechnol 2007;25:100-6.
14. Salem HK, Thiemermann C. Mesenchymal stromal cells: current understanding and clinical status. Stem Cells 2010;28:585-96.
15. Dominici M, Le Blanc K, Mueller I, et al. Minimal criteria for defining multipotent mesenchymal stromal cells. The International Society for Cellular Therapy position statement. Cytotherapy 2006;8:315-7.
16. Weiss DJ, Chambers D, Giangreco A, et al. An official American Thoracic Society workshop report: stem cells and cell therapies in lung biology and diseases. Ann Am Thorac Soc 2015;12:S79-97.
17. Takahashi K, Yamanaka S. Induction of pluripotent stem cells from mouse embryonic and adult fibroblast cultures by defined factors. Cell 2006;126:663-76.
18. Yu J, Vodyanik MA, Smuga-Otto K, et al. Induced pluripotent stem cell lines derived from human somatic cells. Science 2007;318:1917-20.
19. Shi Y. Induced pluripotent stem cells, new tools for drug discovery and new hope for stem cell therapies. Curr Mol Pharmacol 2009;2:15-8.
20. Yamanaka S. Pluripotent Stem Cell-Based Cell Therapy-Promise and Challenges. Cell Stem Cell 2020;27:523-31.
21. Das AK, Pal R. Induced pluripotent stem cells (iPSCs): the emergence of a new champion in stem cell technology-driven biomedical applications. J Tissue Eng Regen Med 2010;4:413-21.
22. O'Malley J, Woltjen K, Kaji K. New strategies to generate induced pluripotent stem cells. Curr Opin Biotechnol 2009;20:516-21.
23. Vierbuchen T, Ostermeier A, Pang ZP, Kokubu Y, Südhof TC, Wernig M. Direct conversion of fibroblasts to functional neurons by defined factors. Nature 2010;463:1035-41.
24. De Luca M, Aiuti A, Cossu G, Parmar M, Pellegrini G, Robey PG. Advances in stem cell research and therapeutic development. Nat Cell Biol 2019;21:801-11.
25. Herrmann JL, Abarbanell AM, Weil BR, et al. Cell-based therapy for ischemic heart disease: a clinical update. Ann Thorac Surg 2009;88:1714-22.
26. Kim SU, de Vellis J. Stem cell-based cell therapy in neurological diseases: a review. J Neurosci Res 2009;87:2183-200.
27. de Carvalho JF, Pereira RM, Gershwin ME. Hematopoietic cell transplants in autoimmunity. Isr Med Assoc J 2009;11:629-32.
28. Quattrocelli M, Cassano M, Crippa S, Perini I, Sampaolesi M. Cell therapy strategies and improvements for muscular dystrophy. Cell Death Differ 2010;17:1222-9.
29. Kuzuhara S. [Treatment of Parkinson's disease at present and in the future]. Rinsho Shinkeigaku 2008;48:835-43.
30. Preynat-Seauve O, Burkhard PR, Villard J, et al. Pluripotent stem cells as new drugs? The example of Parkinson's disease. Int J Pharm 2009;381:113-21.
31. Novara G, Artibani W. Stem cell therapy in the treatment of stress urinary incontinence: a significant step in the right direction? Eur Urol 2008;53:30-2.
32. Tang XL, Rokosh DG, Guo Y, Bolli R. Cardiac progenitor cells and bone marrow-derived very small embryonic-like stem cells for cardiac repair after myocardial infarction. Circ J 2010;74:390-404.
33. Park DH, Eve DJ. Regenerative medicine: advances in new methods and technologies. Med Sci Monit 2009;15:Ra233-51.
34. Dawson E, Mapili G, Erickson K, Taqvi S, Roy K. Biomaterials for stem cell differentiation. Adv Drug Deliv Rev 2008;60:215-28.
35. Elisseeff J, Ferran A, Hwang S, Varghese S, Zhang Z. The role of biomaterials in stem cell differentiation: applications in the musculoskeletal system. Stem Cells Dev 2006;15:295-303.
36. Choi JS, Lee SJ, Christ GJ, Atala A, Yoo JJ. The influence of electrospun aligned poly(epsilon-caprolactone)/collagen nanofiber

meshes on the formation of self-aligned skeletal muscle myotubes. Biomaterials 2008;29:2899-906.
37. Eberli D, Freitas Filho L, Atala A, Yoo JJ. Composite scaffolds for the engineering of hollow organs and tissues. Methods 2009;47:109-15.
38. Lee SJ, Liu J, Oh SH, Soker S, Atala A, Yoo JJ. Development of a composite vascular scaffolding system that withstands physiological vascular conditions. Biomaterials 2008;29:2891-8.
39. Oh SH, Ward CL, Atala A, Yoo JJ, Harrison BS. Oxygen generating scaffolds for enhancing engineered tissue survival. Biomaterials 2009;30:757-62.
40. Kim SG. Immunomodulation for maxillofacial reconstructive surgery. Maxillofac Plast Reconstr Surg 2020;42:5.
41. Kaully T, Kaufman-Francis K, Lesman A, Levenberg S. Vascularization--the conduit to viable engineered tissues. Tissue Eng Part B Rev 2009;15:159-69.
42. Santos MI, Reis RL. Vascularization in bone tissue engineering: physiology, current strategies, major hurdles and future challenges. Macromol Biosci 2010;10:12-27.
43. Ko EK, Jeong SI, Rim NG, Lee YM, Shin H, Lee BK. In vitro osteogenic differentiation of human mesenchymal stem cells and in vivo bone formation in composite nanofiber meshes. Tissue Eng Part A 2008;14:2105-19.
44. Tamerler C, Sarikaya M. Molecular biomimetics: nanotechnology and bionanotechnology using genetically engineered peptides. Philos Trans A Math Phys Eng Sci 2009;367:1705-26.
45. Vallier L, Touboul T, Brown S, et al. Signaling pathways controlling pluripotency and early cell fate decisions of human induced pluripotent stem cells. Stem Cells 2009;27:2655-66.
46. Mikos AG, Herring SW, Ochareon P, et al. Engineering complex tissues. Tissue Eng 2006;12:3307-39.
47. Zhang S, Uludağ H. Nanoparticulate systems for growth factor delivery. Pharm Res 2009;26:1561-80.
48. Pancrazio JJ, Wang F, Kelley CA. Enabling tools for tissue engineering. Biosens Bioelectron 2007;22:2803-11.
49. Freed LE, Guilak F, Guo XE, et al. Advanced tools for tissue engineering: scaffolds, bioreactors, and signaling. Tissue Eng 2006;12:3285-305.
50. Ni M, Tong WH, Choudhury D, Rahim NA, Iliescu C, Yu H. Cell culture on MEMS platforms: a review. Int J Mol Sci 2009;10:5411-41.
51. Depprich R, Handschel J, Wiesmann HP, Jäsche-Meyer J, Meyer U. Use of bioreactors in maxillofacial tissue engineering. Br J Oral Maxillofac Surg 2008;46:349-54.
52. Lee DJ, Steen J, Jordan JE, et al. Endothelialization of heart valve matrix using a computer-assisted pulsatile bioreactor. Tissue Eng Part A 2009;15:807-14.
53. Delany AM, Dong Y, Canalis E. Mechanisms of glucocorticoid action in bone cells. J Cell Biochem 1994;56:295-302.
54. Marolt D, Knezevic M, Novakovic GV. Bone tissue engineering with human stem cells. Stem Cell Res Ther 2010;1:10.
55. Meyer U, Wiesmann HP, Berr K, Kübler NR, Handschel J. Cell-based bone reconstruction therapies-principles of clinical approaches. Int J Oral Maxillofac Implants 2006;21:899-906.
56. Quarto R, Thomas D, Liang CT. Bone progenitor cell deficits and the age-associated decline in bone repair capacity. Calcif Tissue Int 1995;56:123-9.
57. zur Nieden NI, Kempka G, Rancourt DE, Ahr HJ. Induction of chondro-, osteo- and adipogenesis in embryonic stem cells by bone morphogenetic protein-2: effect of cofactors on differentiating lineages. BMC Dev Biol 2005;5:1.
58. Urist MR, Strates BS. Bone morphogenetic protein. J Dent Res 1971;50:1392-406.
59. Misch CE, 김명래, 강나라, et al. (최신) 임플란트 치과학. 3판 ed. 서울: 대한나래출판사; 2009.
60. 김수관. 상악동 골이식술. 서울: 대한나래출판사; 2004.
61. Marx RE, Carlson ER, Eichstaedt RM, Schimmele SR, Strauss JE, Georgeff KR. Platelet-rich plasma: Growth factor enhancement for bone grafts. Oral Surg Oral Med Oral Pathol Oral Radiol Endod 1998;85:638-46.
62. Kim JW, Kim SJ, Kim MR. Leucocyte-rich and platelet-rich fibrin for the treatment of bisphosphonate-related osteonecrosis of the jaw: a prospective feasibility study. Br J Oral Maxillofac Surg 2014;52:854-9.
63. Kim JW, Kim SJ, Kim MR. Simultaneous Application of Bone Morphogenetic Protein-2 and Platelet-Rich Fibrin for the Treatment of Bisphosphonate-Related Osteonecrosis of Jaw. J Oral Implantol 2016;42:205-8.
64. Kim H, Yang G, Park J, Choi J, Kang E, Lee BK. Therapeutic effect of mesenchymal stem cells derived from human umbilical cord in rabbit temporomandibular joint model of osteoarthritis. Sci Rep 2019;9:13854.
65. Zhao Y, Xie L. An Update on Mesenchymal Stem Cell-Centered Therapies in Temporomandibular Joint Osteoarthritis. Stem Cells Int 2021;2021:6619527.
66. Abou Neel EA, Chrzanowski W, Salih VM, Kim HW, Knowles JC. Tissue engineering in dentistry. J Dent 2014;42:915-28.
67. Mironov AV, Grigoryev AM, Krotova LI, Skaletsky NN, Popov VK, Sevastianov VI. 3D printing of PLGA scaffolds for tissue engineering. J Biomed Mater Res A 2017;105:104-9.
68. Maroulakos M, Kamperos G, Tayebi L, Halazonetis D, Ren Y. Applications of 3D printing on craniofacial bone repair: A systematic review. J Dent 2019;80:1-14.
69. Wen Y, Xun S, Haoye M, et al. 3D printed porous ceramic scaffolds for bone tissue engineering: a review. Biomater Sci 2017;5:1690-8.
70. Lee SH, Lee KG, Hwang JH, et al. Evaluation of mechanical strength and bone regeneration ability of 3D printed kagome-structure scaffold using rabbit calvarial defect model. Mater Sci Eng C Mater Biol Appl 2019;98:949-59.

INDEX

TEXTBOOK OF
MAXILLOFACIAL PLASTIC &
RECONSTRUCTIVE
SURGERY

국문

ㄱ

ㄴ

ㄷ

ㄹ

ㅁ

ㅂ

ㅅ

ㅇ

ㅈ

ㅊ

영문

A

B

C

D

E

F

G

H

INDEX

N

O

P

R

S

T

U

V

W

INDEX

X

Y

Z

기타